JN244941

健康食品・サプリ［成分］のすべて

ナチュラルメディシン・データベース　日本対応版

第7版

【総監修】
日本医師会／日本歯科医師会／日本薬剤師会

【監訳】
田中平三／門脇 孝／久代登志男／篠塚和正
山田和彦／神村裕子／尾﨑治夫／岩月 進

【編集】
日本健康食品・サプリメント情報センター（Jahfic）

同文書院

総監修のことば
—求められている「健康食品の安全性・有効性」の適切な情報提供—

新型コロナウイルスの感染が続く中で，エビデンスの不確かな感染の予防効果を標ぼうする健康食品やサプリメントが世の中に出回りました。しかし，健康食品・サプリメントは医薬品とは異なり，エビデンスに基づいた有効性の評価はほぼ行なわれておらず，疾病の診断，治療又は予防にかかわる表示を許されていません。

一方で，私たち医療従事者は，健康食品・サプリメントの「有効性」の有無に関する情報のほか，製品としての品質や安全性，他の食品や医薬品などとの相互作用にも関心を持っています。実際に，医療従事者は診察室や薬局のカウンターにおいて，健康食品・サプリメントによる健康被害を受けた患者さんに遭遇することは少なくありません。また，健康被害として表面化しなくとも，治療効果が思わしくない場合，健康食品・サプリメントの摂取がその原因になっていることも考えられます。

しかし，健康食品・サプリメント製品の種類がきわめて多いこと，患者や家族が健康食品・サプリメントの使用について医師等に知らせない傾向があることが問題を難しくしています。また，健康食品・サプリメントについては，医療従事者といえども必ずしも十分な知識を持っていないのが実情です。

このような状況は，むろん看過できるものではなく，医療従事者側からも様々な取り組みが行なわれています。たとえば，日本医師会では，「健康食品安全対策委員会」を設置し，運営している「健康食品安全情報システム」の充実を図るとともに，国民のヘルスリテラシーの向上等を目指した具体的な提言を行っています。

本書の発刊は，こうした医療従事者の努力を力強くサポートするものです。本書のもととなる米国の「Natural Medicines」は，アメリカを始めとする世界中の研究者が，健康食品・サプリメントに関する文献を系統的にレビューした成果をまとめたデータベースです。業界・企業にも消費者団体にもおもねることなく，科学的根拠のみに基づいて，有効性，安全性，医薬品との相互作用，健康食品・サプリメントを含む他の食品との相互作用などをまとめています。このデータベースは20年以上の実績を持ち，FDA（米国食品医薬品局）をはじめ，英国，カナダ，オーストラリアほか各国の政府機関，医療施設などで広範に採用されています。わが国においても，国立研究開発法人医薬基盤・健康・栄養研究所「「健康食品」の安全性・有効性情報」サイトに，あるいは健康食品・サプリメント関連の専門書やデータベースに，しばしば「Natural Medicines」が引用されています。

日本版書籍の初版は2006年5月に刊行され，その後第6版までアップデートが続けられています。今回の第7版も日本医師会，日本歯科医師会，日本薬剤師会がともに総監修しております。

簡潔に読みやすく編纂された本書が，全国の医療従事者の手元に置かれ，日々の診療や調剤等の現場で活用されることで，国民のみなさまの健康の向上に資することを願ってやみません。

2022年4月吉日

公益社団法人　日本医師会　会長
中川　俊男
公益社団法人　日本歯科医師会　会長
堀　憲郎
公益社団法人　日本薬剤師会　会長
山本　信夫

はじめに

本書の主な対象読者は，医師，薬剤師，歯科医師等の医療従事者ではあるが，一般の方にも読んでいただけるように，分かりやすい本にした。

1999 年 9 月に，米国 Therapeutic Research Center は，2 年の準備期間を経て「Natural Medicines Comprehensive Database」を刊行した。民間で伝承的に信じられているセラピーなどを排除し，科学的根拠に基づいた情報のみを掲載，未公開の企業リポート等を採用しない，編集委員会委員は健康食品・サプリメント関連企業の株を保有しないなど，ステークホルダーとは一線を画した方針で編集が行われている。約 100 人超の編集委員（大学教授，医師，薬剤師等）が，約 1,200 の原材料（素材）（例：大豆，アロエ，イチョウ等）あるいは成分（例：イソフラボン，EPA，カルシウム等）について，約 7 万編に及ぶ臨床試験の論文を系統的にレビューし，集大成した。そして，毎日，新しい論文を検索，レビューして，データベースを更新している。訳者は，このような姿勢と，その内容に魅せられ，翻訳を思い立ったのである。

原材料（素材）あるいは成分の名称は，広く使われているものを優先して採用されている。安全性を第一義的に，そして有効性，医薬品・ほかの健康食品・通常の食品との相互作用，その他，経口摂取のみならず非経口摂取，特に局所塗布等にも言及している。

また，米国には，「Natural Medicines Comprehensive Database」と同じように，信頼性の高い健康食品・サプリメントのデータベース「Natural Standard」があった。「Natural Medicines Comprehensive Database」は，2013 年に，これを合併した。その後，ユーザーニーズの変化に対応して書籍を取り止め，「Natural Medicines」としてオンライン・データベースを中心に展開している。

日本で 2015 年 4 月より始まった機能性表示食品の開発にも，本書をおおいに活用してもらいたいと考えている。ある成分が本書における有効性の項目で，「①効きます」あるいは「②おそらく効きます」とされていれば，機能性表示食品として受理されるのは確実であると考えている（機能性表示食品の届出には，最新の情報をオンライン版で確認されたい）。

・一般社団法人日本健康食品・サプリメント情報センターについて

監訳者らは，（一社）日本健康食品・サプリメント情報センター（Jahfic（ジャフィック）；Japan Health Food and Supplement Information Center，https://jahfic.or.jp/）を 2010 年に設立した。Jahfic では健康食品・サプリメントの安全性認証をおこなっている。企業あるいは企業の関連団体が自己認証するのではなく，複数の学識経験者が第三者認証するのが特徴である。成分や産地が正しく表示されていること，人体に有害なレベルの不純物が入っていないこと，品質・安全性が保たれる環境（GMP 認定工場等）で製造されていることを認証する。また，2015 年からは，機能性表示食品制度の開始を受けて，新たに機能性審査サービスにも取り組んでいる。

このような活動を経て，日本で開発された成分が，十分なエビデンスを持つものとして米国「Natural Medicines」データベースに掲載されたケースもある。その結果，この成分を含有する商品が，日本の国内の疾患別治療法の専門書（『今日の治療指針 2016 年版』）に治療法のひとつとして掲載される運びとなったことは特筆に値する。十分なエビデンスがあれば，健康食品の成分が「治療法」となりうることを証明した第一号ともいえるだろう。

この第 7 版が，医師，薬剤師，歯科医師の日常診療の場に置かれ，患者への説明に使われ，あるいは一般の人々が健康食品・サプリメントを選択する場合の参考にされんことを期待している。

2022 年 4 月吉日

翻訳者一同

監訳者一覧

田中平三

一般社団法人日本健康食品・サプリメント情報センター　理事長
東京医科歯科大学　名誉教授，独立行政法人国立健康・栄養研究所※1　元・理事長

門脇　孝

東京大学大学院医学系研究科　糖尿病・代謝内科　特任教授
虎の門病院　院長

久代登志男

一般財団法人ライフ・プランニング・センター　理事長
日野原記念クリニック　所長

篠塚和正

武庫川女子大学薬学部　薬学部長・教授

山田和彦

女子栄養大学栄養学部　教授
独立行政法人国立健康・栄養研究所※1　元・食品保健機能プログラムリーダー

神村裕子

公益社団法人日本医師会　常任理事

尾﨑治夫

公益社団法人東京都医師会　会長
公益社団法人日本医師会　健康食品安全対策委員会　委員長

岩月　進

公益社団法人日本薬剤師会　常務理事

〈監訳協力〉

田島　眞

実践女子大学　名誉教授　前学長

和田政裕

城西大学薬学部医療栄養学科　教授

長岡　功

順天堂大学医療科学部　特任教授

長村洋一

藤田保健衛生大学※2　名誉教授

安西恵子

株式会社ルンル　代表取締役社長，東京薬科大学非常勤講師

※1．現・国立研究開発法人　医薬基盤・健康・栄養研究所
※2．現・藤田医科大学

目次

■序章

■本編

■巻末資料

本書について

本書の原典である「Natural Medicines」は，米国で1999年に提供開始された，食品・サプリメントの素材・成分に関する世界最大級のデータベースで，この分野における科学的根拠（エビデンス）の国際標準的な指針とされているものです。

米国では当初，医療・医薬品関係者向けの「プロフェッショナル版」と，一般消費者向けの「コンシューマ版」の２種類の書籍が発行されていましたが，2014年以降，「プロフェッショナル版」はオンラインデータベースでの提供となっています。

本書は，米国コンシューマ版を翻訳したものに，日本の制度・基準等を踏まえた「日本対応版」として，2006年から刊行しています。

原典は，運用開始から現在に至るまで，新たな研究・知見を踏まえて随時更新されており，本書『健康食品・サプリ[成分]のすべて〈第７版〉ナチュラルメディシン・データベース』も，第６版以降の新たな情報をもとに，情報を更新・拡充しています（本書の情報は，2022年２月17日時点の情報になります）。

日本対応版もインターネット上で「オンライン版」（随時更新）を有料で提供しており，パソコン，タブレットPC，スマホから利用できるようになっています。

本書には，健康食品やサプリメントの素材や成分について，最新の知見が収載されています。収載項目は素材・成分名，安全性，有効性，使用量の目安，体内での働き，医薬品との相互作用などで，現在はおよそ1,200以上の素材・成分について，情報が更新されています。これらの情報は，欧米の科学者・医師・薬剤師などが「利益相反のない，中立的な立場から」網羅的に評価・編纂をしており，その信頼性の高さから，この分野でのゴールドスタンダードとして認められています。

・米国オンラインデータベースについてはこちら：

Therapeutic Research Center>natural medicines

https://naturalmedicines.therapeuticresearch.com/

・日本対応版オンライン版についてはこちら：

https://www.nmdbjahfic.jp/

（ご利用にあたっては，別途お申し込みが必要となります。）

米国版「Natural Medicines」の編集方針

エビデンス（科学的根拠）に基づく

文献を系統的にレビューする（システマティックレビュー）

文献を批評的に評価する

最適かつ根拠の確かなデータを用いる

データのクオリティを重視する

査読を行う

実用的・臨床的なデータに絞り込む

常に新しい文献を収集して評価する

データベースを毎日更新する

編集チームはユーザーからの意見をいつでも歓迎する

◆◆◆ 行なっていないこと ◆◆◆

伝統的な信仰や民間伝承等はエビデンスとして扱わない

製品メーカーの宣伝資料には頼らない

製品メーカーと利害関係のある未発表論文は対象としない

インターネット上にある非科学的な資料は用いない

天然由来の素材については肯定にも否定にも偏らない

いかなる広告もスポンサーも永久に受けない

本書の素材・成分情報を正しく理解していただくために

●健康食品・サプリメントに関する注意事項

医療機関で診療を受けている方は，ハーブおよび健康食品・サプリメントを摂取する際には，医師・薬剤師などにご相談のうえで，摂取されることが大切です。ハーブおよび健康食品・サプリメントを利用して，もし体調に異常を感じられたときは，すぐに摂取を中止して，医療機関を受診してください。

●市販商品を選択する上での“ひとつの目安”

特にご注意いただきたい点は，本書は素材・成分に関する情報が収載されており，個々の市販商品の安全性や有効性，または医薬品との相互作用を示す情報ではないということです。市販商品の安全性や有効性，または医薬品との相互作用は，商品の品質（適用された素材・成分，製造法など）に依拠します。つまり，本書にある素材・成分が市販商品に含まれているとしても，その安全性や有効性が，本書の解明内容と，必ずしも一致するとは限りません。本書は，あくまで市販商品を選択する上での，ひとつの目安（参考資料）とお考えください。

●健康食品・サプリメントに求められるもの

健やかで心豊かな生活を送るためには，バランスのとれた食生活が何より重要であることはここで言及するまでもありません。現在，多種多様なハーブおよび健康食品・サプリメントが流通している中，それぞれのハーブおよび健康食品・サプリメントの特性を十分に理解し，各々の判断で適正なハーブおよび健康食品・サプリメントを選択し，的確に摂取することが求められています。

●科学的根拠（エビデンス）に基づいた記述

本書は，適切にハーブおよび健康食品・サプリメントを選択するためのひとつの参考情報として，ハーブおよび健康食品・サプリメントに添加されている素材・成分の安全性および有効性，さらに医薬品との相互作用について，科学的根拠（エビデンス）に基づいて記述されています。

●信頼できる研究成果・論文の最新情報の集積

本書は，現時点での科学的根拠に基づく最新情報を集積したものです。日々，それらの情報は取捨選択され，信頼できる科学的根拠が明確な研究成果・論文が新たに得られれば，情報は更新されます。

本書の使い方

■掲載項目一覧

キャベツ

CABBAGE

●代表的な別名

カンラン

別名ほか

ケール（Kale），レッドキャベツ（Red Cabbage），ホワイトキャベツ（White Cabbage），Brassica oleracea，Colewort

概　要

キャベツは植物です。葉が「くすり」として使用されることもあります。

●要説（ナチュラル・スタンダード）

アブラナ属キャベツはアブラナ科属の植物です。植物の野生種は，西欧の大西洋沿岸や地中海沿岸で栽培が始まりました。2500年以上にわたって，アブラナ属キャベツは野菜として栽培され，選抜育種を通じて，特別な特性が発達してきました。野菜の多くの種類は，有利な品種を選択することによって，この野生種から派生しています。コールワート（コール植物）は野生…本的な栽培種は，葉を拡大して…葉を巻いているケールです。

安全性

通常の食品としての量を摂取する場合や，短期間，適切な方法で皮膚へ塗布する場合は，ほとんどの人に安全のようです。「くすり」としての量を経口摂取する場合は，ほとんどの人におそらく安全です。副作用についてはデータが不十分です。

●妊娠中および母乳授乳期

妊娠中に「くすり」としての量を摂取する場合の安全性については，データが不十分です。安全性を考慮し，食品の量の範囲内で摂取してください。

有効性

◆有効性レベル③

・乳房に貼付した場合の，母乳授乳期の女性における乳房うっ積（乳房が硬く，疼痛がある）の緩和。

◆科学的データが不十分です

・膀胱がん，大腸がん，胃がん，高コレステロール血症，肺がん，膵がん，前立腺がん，胃痛，胃および腸の潰瘍，胃酸過多，気管支喘息，悪阻，骨粗鬆症予防など。

●体内での働き

がん予防に役立つと考えられる化学物質が含まれています。エストロゲンが体内で使われる方法を変化させて，乳がんのリスクを抑える可能性があります。キャベツに含まれる化学物質が「くすり」としてどのように作用するかについては，データが不十分です。

医薬品との相互作用

中肝臓で代謝される医薬品（グルクロン酸抱合を受けて代謝される医薬品）

特定の医薬品は肝臓で代謝されてから排泄されます。キャベツはこのような医薬品の代謝を促進する可能性があります。キャベツと肝臓で代謝される医薬品を併用すると，その医薬品の有効性が弱まるおそれがあります。このような医薬品にはアセトアミノフェン，アトルバスタチンカルシウム水和物，ジアゼパム，ジゴキシン，エンタカポン，エストロゲン，イリノテカン塩酸塩水和物，ラモトリギン，ロラゼパム，Lovastatin，メプロバメート（販売中止），モルヒネ塩酸塩水和物，オキサゼパム（販売中止）などがあります。

中肝臓で代謝される医薬品（シトクロムP450 1A2（CYP1A2）の基質となる医薬品）

特定の医薬品は肝臓で代謝されます。キャベツはこのような医薬品の代謝を促進する可能性があります。キャベツと肝臓で代謝される医薬品を併用すると，医薬品の効果を弱めるお…ます。このような医薬品には…ine，フルボキサミンマレイ…ミプラミン塩酸塩，メキシ…，塩酸ペンタゾシン，プロ…Tacrine，テオフィリン，…ミトリプタンなどがあります。

通常の食品との相互作用

他の食品との相互作用についてはまだ明らかではありません。

ハーブおよび健康食品・サプリメントとの相互作用

血糖値を低下させるおそれのあるハーブおよび健康食品・サプリメント

キャベツは血糖値を低下させるおそれがあります。同様の作用をもつほかのハーブおよび健康食品・サプリメントと併用すると，人によっては低血糖のリスクが高まるおそれがあります。このようなハーブおよび健康食品・サプリメントには，デビルズクロー，フェヌグリーク，ニンニク，グアーガム，セイヨウトチノキ，朝鮮人参，サイリウム，エゾウコギなどがあります。

使用量の目安

●皮膚への塗布

母乳授乳期の乳房の肥大および疼痛

キャベツの葉の葉脈を除去し，乳頭部の穴を開け，水洗後冷却します。冷えたキャベツの葉を，ブラジャーの中に入れるか，冷たいタオルの下に入れて湿布し，葉の温度が体温と同程度になったら（約20分間後）取り去ります。この治療を1日1～4回，1～2日間実施します。

このページはサンプルページですので内容は編集してあります。

※巻末の索引の使い方

本書は巻末に「和名索引」と「英名索引」を掲載しており，和名からも英名からも項目を引くことができます。色付きの名称が本文の項目名になります。

また，「別名ほか」に掲載されている名称からも項目を引くことができます。

さらに，「健康食品・サプリメントの症状・病態別有効性索引」と「健康食品・サプリメントと医薬品との相互作用索引」も掲載しています。

※「くすり」について

本書での「くすり」は，必ずしも日本の薬機法でいう「医薬品」ではなく，ある一定の改善効果を期待して摂取されるものを指します。

ご利用の手引き

■素材・成分名／代表的な別名／英名

約1,200種の健康食品・サプリメント（生鮮食品，ハーブを含む）の一般的な和名，英名，代表的な別名を表示しています（日本に馴染みのない成分は英文のまま掲載）。

■別名ほか

学名や，その他の英名などを記載しています。

■概要

素材・成分の由来や歴史，一般的な使われ方等を記載しています。

●要説（ナチュラル・スタンダード）

「Natural Medicines」に次いで信頼性の高いデータベース「Natural Standard」から，主要な素材・成分の情報を掲載しています（「Natural Standard」は，2013年に「Natural Medicines」に合併されました）。

■安全性

使用法ごとの安全性レベルについて記載しています。たとえば，「局所的に使用した場合はほぼ安全ですが，経口摂取した場合は安全ではありません」など。症状禁忌，副作用がある場合や，小児の使用についても注意事項などを記載しています。

●アレルギー

アレルギーに注意が必要な場合に，その注意事項を記載しています。例えば「キク科のハーブにアレルギーがある人は，同属のハーブにアレルギーのある可能性があります。キク科のハーブにはデイジー，ブタクサ，キク，マリーゴールドがあります」等，潜在的なアレルギーのリスクに対する注意喚起も記載しています。

●妊娠中および母乳授乳期

妊娠中および母乳授乳期に，安全上の注意事項がある場合，その内容を記載しています。一般的に，妊婦や授乳婦を対象とする臨床試験を行うことは倫理的に問題がありますので，健常者や疾病者を対象とする試験に比べて，科学的データは少ないのが普通です。

■有効性

トータリティ・オブ・エビデンス（ポジディブデータもネガティブデータも含め総合的に判断する手法）の観点から，全成分・素材に対してシステマティックレビュー（RCT等の質の高い論文を網羅的に収集し，系統的に解析して結果を得る手法）がなされ，それぞれの症状ごとに有効性レベルを6段階で評価しています。

◆有効性レベル①	効きます
◆有効性レベル②	おそらく効きます
◆有効性レベル③	効くと断言できませんが，効能の可能性が科学的に示唆されています
◆有効性レベル④	効かないかもしれません
◆有効性レベル⑤	おそらく効きません
◆有効性レベル⑥	効きません
◆科学的データが不十分です	科学的根拠が乏しい情報については，この欄に記載しています
●体内での働き	成分の作用機序で，最新の科学的知見を反映しています

■使用量の目安

臨床試験の結果を踏まえた使用量や，ハーブおよび健康食品・サプリメントとしての一般的な使用量を掲載しています。使用法ごとの安全性についても記述しています。ここに示す使用量の情報は，あくまで米国で摂取されている使用量の目安であって，必ずしも使用そのものを推奨したり，使用量に関する安全性・有効性を示唆するものではありません。臨床試験の結果をもとにした，ハーブおよび健康食品・サプリメントとしての一般的および習慣的な使用量を掲載しています。また，一般的な使用量であっても，データベース掲載のハーブおよび健康食品・サプリメントの多くは，まだその安全性と有効性が確定的ではないことを十分考慮してください。

■医薬品との相互作用

健康食品・サプリメントと医薬品との相互作用とは，摂取した健康食品・サプリメントが，医薬品の主作用や副作用に影響し，医薬品の効力や副作用が増強したり減弱したりする現象です。

健康食品成分と医薬品の潜在的な相互作用は非常に多くあります。本書では3,012の相互作用を特定し，記載しています。日本では，多くの医療従事者がこれらの相互作用を認識していないので，見過ごす傾向にあります。それぞれの相互作用リスクは，発生の可能性や重症度などから総合的に判断し，高・中・低の3段階に格付けし，相互作用のある医薬品名とともに記載しています。

㊫	この医薬品と併用してはいけません
㊥	この医薬品とは慎重に併用するか併用しないでください
低	この医薬品との併用には注意が必要です

医薬品とハーブおよび健康食品・サプリメントの相互作用の中で重要なものを判別する方法，および相互作用の評価の利用方法を医療専門家が学ぶための新しい報告書は，https://naturalmedicines.therapeuticresearch.com/（英語版・有料）から検索することができます。

注）医薬品の薬効分類名，一般名は，基本的に日本での名称を表記していますが，米国との実情の違い（医薬品の分類方法等）により，日本での名称と異なる場合があります（日本で発売中止となったものは「発売中止」と記載。また，日本未発売のものは英名のまま表記）。

■ハーブおよび健康食品・サプリメントとの相互作用

健康食品同士の飲み合わせについて記載しています。

■通常の食品との相互作用

通常の食品との食べ合わせ（飲み合わせ）について記載しています。

ご利用の手引き

健康食品・サプリ［成分］のすべて

〈第 7 版〉

ナチュラルメディシン・
データベース　日本対応版

アーティチョーク

ARTICHOKE

●代表的な別名

チョウセンアザミ

別名ほか

朝鮮薊（Tyosen-Azami），アーティチョークエキス（Artichaut commun），アーティチョークリーフ，アーティチョーク葉（Artichoke Leaf），アーティチョーク葉エキス（Artichoke Leaf Extract），カールドン（Cardoon），キナラカルドン，カードン（Cynara cardunculus），チョウセンアザミ（Cynara scolymus），Alcachofa，Alcaucil，Artischocke，Cardo，Cardo de Comer，Cardon d' Espagne，Garden Artichoke，Gemuseartis-chocke，Globe Artichoke，Kardone

概　　要

アーティチョークは植物であり，葉，茎および根の中に含まれる成分のエキスは，「くすり」に使われることがあります。

●要説（ナチュラル・スタンダード）

グローブアーティチョーク（チョウセンアザミ）は，アザミの一種です。この植物の食用部分は，果実が成長する前に収穫されるつぼみ（アーティチョーク頭花）の根幹です。欧州の伝統医学では，アーティチョークの葉（一般的に調理され，野菜として食べられている部分である花芽ではありません）が，腎臓を刺激する利尿薬として，また肝臓と胆嚢からの胆汁の流れを刺激する胆汁分泌促進薬として使用されます。

シナリン，ルテオリン，シナルドサイド（ルテオリン-7-O-グルコシド），スコリモサイド，およびクロロゲン酸は，アーティチョークの有効成分であると考えられています。もっとも研究されている成分であるシナリンは，葉に集中しています。

アーティチョークは，高コレステロール血症の治療，二日酔い，およびその胆汁分泌促進，抗酸化作用のために使用されています。

アーティチョーク抽出物は，米国でますます利用されるようになってきています。一般の人々が関心をもつようになり，抽出物が標準化されてきたので，アーティチョークの有益な効果を探求する臨床研究が積極的に支持されるようになってきたからです。

安　全　性

アーティチョークは，食品に含まれる量を摂取する場合，ほとんどの人に安全のようです。

「くすり」として経口摂取する場合は，おそらく安全です。研究では最大23カ月まで安全に用いられています。人によっては，腸内ガスやアレルギー反応などの副作用を引き起こすおそれがあります。とくにアレルギー反応のリスクが高いのは，マリーゴールド，デイジーなどの植物にアレルギーのある人です。

胆管閉塞症：アーティチョークは胆汁量を増加させ，胆管閉塞症を悪化させるおそれがあります。胆管閉塞症の場合には，アーティチョークを摂取する前に必ず医師などと相談してください。

胆石：アーティチョークは胆汁量を増加させ，胆石を悪化させるおそれがあります。注意してアーティチョークを使用してください。

●アレルギー

ブタクサや関連する植物に対するアレルギー：アーティチョークは，キク科植物に敏感な人にアレルギー反応を引き起こすおそれがあります。キク科には，ブタクサ，キク，マリーゴールド，デイジーなど多くの植物があります。アレルギーの場合には，アーティチョークを摂取する前に必ず医師などに相談してください。

●妊娠中および母乳授乳期

妊娠中および母乳授乳期の使用の安全性についてはデータが不十分です。安全性を考慮し，摂取は避けてください。

有　効　性

◆有効性レベル③

・消化不良。アーティチョークの葉のエキスを摂取すると，消化不良の人の吐き気，嘔吐，鼓腸，胃痛などの症状が緩和されるようです。治療開始から2～8週間後に改善がみられるようです。

・高コレステロール血症。特定のアーティチョークエキスを摂取すると，治療開始から6～12週間後に，総コレステロールおよび低比重リポタンパク（LDL，悪玉）コレステロールや，LDL-コレステロールと高比重リポタンパク（HDL，善玉）コレステロールの比がわずかに低下するようです。アーティチョークに含まれる化学物質のシナリンを用いた研究では，相反する結果が示されています。凍らせたアーティチョークの果汁を摂取してもコレステロール値が低下することはなく，トリグリセリドという血中脂肪値が上昇するおそれがあります。

◆有効性レベル④

・二日酔い。アーティチョークエキスを摂取しても，飲酒後の二日酔いを予防できないことを示すエビデンスがいくつか得られています。

◆科学的データが不十分です

・肝臓の胆汁量に影響を及ぼす疾患，過敏性腸症候群（IBS），水分貯留，ヘビ咬傷，腎臓の異常，貧血，関節炎，肝臓の異常，胆石予防，高血圧など。

●体内での働き

吐き気，嘔吐，痙攣，腸内ガスを抑える可能性のある化学物質が含まれています。これらの化学物質が，コレステロール値を低下させることも示されています。

医薬品との相互作用

中肝臓で代謝される医薬品（シトクロムP450 2B6（CYP2B6）の基質となる医薬品）

特定の医薬品は肝臓で代謝されます。アーティチョークエキスは特定の医薬品の代謝を抑制する可能性があります。アーティチョークエキスと肝臓で代謝される医薬品を併用すると，医薬品の作用および副作用が増強するおそれがあります。このような医薬品には，ブプロピオン塩酸塩（販売中止），シクロホスファミド水和物，エファビレンツ，メサドン塩酸塩，塩酸セルトラリン，ネビラピン，タモキシフェンクエン酸塩，バルプロ酸ナトリウムなどがあります。

中肝臓で代謝される医薬品（シトクロムP450 2C19（CYP2C19）の基質となる医薬品）

特定の医薬品は肝臓で代謝されます。アーティチョークエキスは特定の医薬品の代謝を抑制する可能性があります。アーティチョークエキスと肝臓で代謝される医薬品を併用すると，医薬品の作用および副作用が増強するおそれがあります。このような医薬品には，オメプラゾール，ランソプラゾール，パントプラゾールナトリウム水和物（販売中止），ジアゼパム，カリソプロドール（販売中止），ネルフィナビルメシル酸塩などがあります。

ハーブおよび健康食品・サプリメントとの相互作用

ほかのハーブ，健康食品・サプリメントとの相互作用についてはまだ明らかではありません。

使用量の目安

●経口摂取

むねやけ

アーティチョーク葉のエキス320～640mgを１日３回摂取します。いくつかの試験では特定のエキス剤が使用されています。

高コレステロール血症

特定のアーティチョークエキス１日1,800～1,920mgを２～３回に分けて摂取します。有効成分のシナリン１日60～1,500mgを含む製品も使用されています。

RNAとDNA

RNA AND DNA

●代表的な別名

リボ核酸とデオキシリボ核酸

別名ほか

核酸（Nucleic Acids），デオキシリボ核酸（Deoxyribonucleic Acid），ヌクレオチド（Nucleotides），ピリミジン（Pyrimidines），リボ核酸（Ribonucleic Acid），DNA，Deoxy nucleic Acid，Nucleic，Nucleic Acid，Nucleic Acids，Purines，RNA，RNA-DNA，RNA/DNA

概　　要

RNAとDNAは，体内で作られる化合物です。化学的に合成することもできます。また，「くすり」として使用されることもあります。

安 全 性

RNAは，オメガ３系（n-３系）脂肪酸とL-アルギニンと同時に内服する場合，あるいは皮下注射により摂取する場合は，ほとんどの人に安全です。注射は，注射した部分にかゆみ，発赤，腫脹を引き起こすことがあります。

オメガ３系（n-３系）脂肪酸とは，青魚に含まれているエイコサペンタエン酸（EPA）などの脂肪酸のことです。

RNAあるいはDNAを含んだ乳幼児ミルクも小児に安全です。

RNAとDNAを同時に経口摂取することについての安全性は，今のところ十分なデータがありません。

●妊娠中および母乳授乳期

妊娠中RNAやDNAを健康食品・サプリメントで摂取するのは，安全ではありません。DNAがさい帯をねじらせ，先天異常をもたらすという研究報告があります。

母乳授乳期にRNAやDNAを使用した場合の安全性についてはデータが不十分です。安全性を考慮し，摂取しないでください。

有 効 性

◆有効性レベル③

・手術または病気からの早期回復。手術前後の患者の食事を，RNA，L-アルギニン，エイコサペンタエン酸（EPA）で補うことで，術後の早期回復を促すかもしれません。この３つを組み合わせたものを摂取することで，免疫力を高め，感染症にかかりにくくなり，傷の修復力がアップして早期回復します。

◆有効性レベル④

・熱傷の回復。

◆科学的データが不十分です

・アルツハイマー病，記憶力の改善，うつ病，皮膚のたるみ，性欲減退，老化。
・皮下注射を受けた場合の湿疹，乾癬，じんましん，帯状疱疹など。

●体内での働き

ヌクレオチドと呼ばれる化合物で，体内で合成されます。腸の発達，肝臓手術または損傷などの急速な細胞成長，さらには免疫システムへの攻撃といった状態の下では欠かせないものです。

相互作用レベル：高この医薬品と併用してはいけません　中この医薬品とは慎重に併用するか併用しないでください　低この医薬品との併用には注意が必要です

医薬品との相互作用

ほかの医薬品との相互作用については明らかではありません。

ハーブおよび健康食品・サプリメントとの相互作用

ほかのハーブ，健康食品・サプリメントとの相互作用についてはまだ明らかではありません。

使用量の目安

●腸内投与

30mg/kg/日のRNAをアルギニンおよびオメガ３系脂肪酸とともに投与。

●注射

10mgの注入可能なRNAを，１日おきに２～４週間投与。

アイスランドモス

ICELAND MOSS

●代表的な別名

エイランタイ

別名ほか

アイスランドコケ（Lichen islandicus），エイランタイ（Cetraria islandica），Centraria，Eryngo-leaved Liverwort，Iceland Lichen

概　　要

アイスランドモスはコケの一種です。コケは藻と真菌から構成され，互いに援助しながらともに成長します。コケは環境から栄養分を得ていますので，容易に汚染されます。アイスランドで育つのは，そこが世界でもっとも汚染の少ない国の１つだからです。ヨーロッパのコケの大部分はチェルノブイリ原発事故の放射性降下物によって汚染されましたが，アイスランドは放射能の影響をあまり受けておらず，コケは比較的安全でした。

アイスランドモスは，アイスランドでは非常食の材料として使用されます。

製品としては，アイスランドモスはアルコール飲料に風味を付けるのに使用されています。

安　全　性

短期間ならほとんどの人に安全なようです。

大量使用は鉛汚染のおそれがあるので危険です。

米国では規制の対象であり，アルコール飲料の着香料としての使用のみが許可されています。

胃や十二指腸に潰瘍がある人は使用してはいけません。

●妊娠中および母乳授乳期

妊娠中，母乳授乳期は使用してはいけません。

有　効　性

◆科学的データが不十分です

・空咳，食欲不振，感冒，気管支炎，消化不良，発熱，肺疾患，腎障害，膀胱障害，口内または咽喉の粘膜の刺激感または炎症（腫脹），傷の治癒に役立つこと（皮膚に塗布した場合）など。

●体内での働き

疲労回復効果があるようです。細菌の成長を抑えることがあります。

医薬品との相互作用

ほかの医薬品との相互作用については明らかではありません。

ハーブおよび健康食品・サプリメントとの相互作用

ほかのハーブ，健康食品・サプリメントとの相互作用についてはまだ明らかではありません。

使用量の目安

●経口摂取

通常，お茶１カップを１日数回摂取。お茶は1.5～３gの乾燥植物を150mLの沸騰した湯に５～10分間浸すか煮立たせて，その後，ろ過して作ります。最大摂取量は１日当たり乾燥植物４～６g，またはそれと同等の製品。

アイビーゴード

IVY GOURD

●代表的な別名

ヤサイカラスウリ

別名ほか

コッキニアインディカ（Coccinia indica），Coccinia grandis，Coccinia cordifolia，Kovai，Little Gourd，Tela Kucha

概　　要

アイビーゴードは植物です。葉，根および果実を用いて「くすり」を作ることもあります。アイビーゴードの果実や葉は，インドやアジア諸国で野菜として使用されています。

●要説（ナチュラル・スタンダード）

アイビーゴードとして知られているアイビーインディカは，ウリ科の熱帯植物です。木，低木，フェンスの上方で急速に成長が可能な，活発にツタが伸びるつるを持っています。花は大きくて白く，５つの長い筒状の花びらがあります。アイビーゴードは，インド，タイ，ハワイなど，熱帯地域でよく成育します。

アイビーゴードの根，果実，葉は，炎症，気管支喘息，心血管疾患（心臓疾患），高コレステロールを含む多くの病状治療に使用されてきました。 アイビーゴードは，主に抗糖尿病薬として研究されてきました。ヒトや動物の血糖値を減少させることが示されています。

糖尿病の管理以外のほかの目的でのアイビーゴードの高品質な研究は，不十分です。

安　全　性

6週間までの経口使用は，ほとんどの人に安全なようです。

十分なデータが得られていないので，長期使用が安全かどうか不明です。

糖尿病：血糖値を下げる作用があるかもしれません。糖尿病の人は，通常よりも頻繁に血糖値を測定してください。

手術：血糖値を下げる作用があるかもしれません。手術中・術後の血糖値に影響を与える懸念があります。手術前の2週間は，アイビーゴードを使用しないでください。

●妊娠中および母乳授乳期

妊娠中および母乳授乳期の使用の安全性については，データが不十分です。安全性を考慮して，摂取は避けてください。

有　効　性

◆科学的データが不十分です

- ・糖尿病。アイビーゴードは，2型糖尿病患者の血糖値を改善すると示唆する研究があります。
- ・淋病，便秘，皮膚創傷の治癒に役立つこと（皮膚へ塗布した場合）など。

●体内での働き

血糖値を下げる可能性がある化合物を含んでいます。

医薬品との相互作用

中 糖尿病治療薬

アイビーゴードは血糖値を低下させる可能性があります。糖尿病治療薬もまた血糖値を低下させるために用いられます。アイビーゴードと糖尿病治療薬を併用すると，血糖値が過度に低下するおそれがあります。血糖値を注意深く監視してください。糖尿病治療薬の用量を変更する必要があるかもしれません。このような糖尿病治療薬にはグリメピリド，グリベンクラミド，インスリン，ピオグリタゾン塩酸塩，マレイン酸ロシグリタゾン（販売中止），クロルプロパミド，Glipizide，トルブタミド（販売中止）などがあります。

ハーブおよび健康食品・サプリメントとの相互作用

ほかのハーブ，健康食品・サプリメントとの相互作用についてはまだ明らかではありません。

使用量の目安

標準使用量に関するデータがありません。

アイブライト

EYEBRIGHT

別名ほか

ユーフレイジア（Euphrasia），コゴメグサ，セイヨウコゴメグサ（Euphrasia officinalis），ヤクヨウコゴメグサ（Eurphrasia rostkoviana），Augentrostkraut，Euphraisiae Herba，Herbed Euphraise

概　　要

アイブライトは植物です。地上部を用いて「くすり」を作ることもあります。

アイブライトは，鼻腔および副鼻腔の腫脹（炎症）（鼻副鼻腔炎），アレルギー，花粉症など多くの症状に対して，経口摂取されていますが，これらの用途を十分に裏づけるエビデンスはありません。

感染の重大なリスクがあるにもかかわらず，結膜炎，眼瞼腫脹（眼瞼炎），および眼精疲労のために，アイブライトを眼に直接塗布することがあります。

食品では，アイブライトは香料として使用されます。

安　全　性

食品としての量を経口摂取する場合，ほとんどの人に安全のようです。ただし，「くすり」に含まれる量を摂取する場合の安全性については，データが不十分です。錯乱，頭痛，吐き気，便秘，咳，呼吸困難，睡眠障害（不眠）などの副作用を引き起こすおそれがあります。

眼に塗布した場合，アイブライトはおそらく安全ではありません。汚染されている場合，眼感染を引き起こすおそれがあります。流涙，そう痒，発赤，視力障害などの副作用を引き起こすおそれもあります。

糖尿病：アイブライトは，人によっては血糖値を低下させるおそれがあります。糖尿病患者がアイブライトを使用する場合には，低血糖の徴候に注意し，血糖値を注意深く監視してください。

手術：アイブライトは，人によっては血糖値を低下させるおそれがあるため，理論上は，手術中・手術後の血糖コントロールを妨げるおそれがあります。少なくとも手術前2週間は，使用しないでください。

●妊娠中および母乳授乳期

妊娠中および母乳授乳期の使用の安全性についてはデータが不十分です。安全性を考慮し，摂取しないでください。

相互作用レベル：高 この医薬品と併用してはいけません　中 この医薬品とは慎重に併用するか併用しないでください
低 この医薬品との併用には注意が必要です

有効性

◆科学的データが不十分です

・結膜炎，アレルギー，感冒，咳，耳痛，頭痛，鼻腔および副鼻腔の腫脹（炎症）（鼻副鼻腔炎）など。

●体内での働き

アイブライトに含まれる化学物質は，収斂剤として作用したり，細菌を死滅させたりする可能性があります。

医薬品との相互作用

中糖尿病治療薬

アイブライトは，人によっては血糖値を低下させる可能性があります。糖尿病治療薬もまた血糖値を低下させるために用いられます。アイブライトと糖尿病治療薬を併用すると，血糖値が過度に低下するおそれがあります。血糖値を注意深く監視してください。糖尿病治療薬の用量を変更する必要があるかもしれません。このような糖尿病治療薬には，グリメピリド，グリベンクラミド，インスリン，ピオグリタゾン塩酸塩，マレイン酸ロシグリタゾン（販売中止），クロルプロパミド，Glipizide，トルブタミド（販売中止）などがあります。

ハーブおよび健康食品・サプリメントとの相互作用

血糖値を低下させるおそれのあるハーブおよび健康食品・サプリメント

アイブライトは血糖値を低下させるおそれがあります。同様の作用をもつほかのハーブおよび健康食品・サプリメントと併用すると，血糖値が過度に低下するリスクが高まるおそれがあります。このようなハーブおよび健康食品・サプリメントには，デビルズクロー，フェヌグリーク，グアーガム，朝鮮人参，エゾウコギなどがあります。

使用量の目安

通常の食品に含まれている量を超えて経口摂取した場合の安全性および副作用については，明らかになっていません。

亜鉛

ZINC

別名ほか

亜鉛含有化合物，酢酸亜鉛（Zinc Acetate），酸化亜鉛（Zinc Oxide），硫酸亜鉛（Zinc Sulfate），原子番号30（Atomic Number 30），アセキサム酸亜鉛（Zinc Acexamate），アスパラギン酸亜鉛（Zinc Aspartate），クエン酸亜鉛（Zinc Citrat），グルコン酸亜鉛（Zinc Gluconate），モノメチオニン亜鉛（Zinc Monomethionine），ピコリン酸亜鉛（Zinc Picolinate），Zinc Pyrithione，Zn，Zinc Methionine

概要

亜鉛はミネラルです。人体の健康にはきわめて少量の亜鉛が欠かせないため，「必須微量元素」と呼ばれています。人体は余分な亜鉛を貯蔵できないため，食事の一部として定期的に摂取する必要があります。亜鉛を含む一般的な食品には，赤身肉，鶏肉，魚などがあります。亜鉛欠乏症になると，低身長，味覚の低下，精巣および卵巣の機能不全を引き起こすおそれがあります。

亜鉛は，亜鉛欠乏症とそれに起因する小児の発育阻止や急性下痢，創傷治癒の鈍化，およびウィルソン病の治療および予防のために経口摂取されます。

また，免疫システムの活性化，亜鉛欠乏の乳児や小児の発育および健康の改善，感冒，再発性耳感染，インフルエンザおよび上気道感染症の治療，下気道感染症，ブタインフルエンザ，膀胱炎，耳鳴および重度の頭部外傷の予防および治療に用いられます。このほか，マラリアをはじめ，寄生虫に起因する疾患に対して用いられます。

加齢黄斑変性，夜盲および白内障に対して亜鉛を用いる人もいます。また，気管支喘息，糖尿病および関連の神経障害，高血圧，エイズ/HIV，エイズ/HIVに関連する妊娠合併症，HIVに関連する下痢，エイズの下痢消耗症候群，エイズに関連する感染，高ビリルビン血症に対して用いられます。

このほか，神経性食欲不振症，強迫性障害，うつ病，分娩後うつ病，認知症，口内乾燥，注意欠陥多動障害（ADHD），味覚鈍麻，肝性脳症，アルコール性肝疾患，クローン病，潰瘍性大腸炎，炎症性腸疾患，口唇潰瘍，胃潰瘍，下腿潰瘍，褥瘡に対して経口摂取されます。

男性不妊，前立腺肥大および勃起障害（ED）に対して，亜鉛を経口摂取する男性もいます。

骨粗鬆症，卵巣のう胞，関節リウマチ，乾癬性関節炎，疣贅（いぼ），および肝疾患の人の筋痙攣に対して，経口摂取されます。また，鎌状赤血球症，そう痒，酒さ，抜け毛，乾癬，湿疹，ざ瘡（にきび），サラセミア，アルツハイマー病，ダウン症候群，ハンセン病，のう胞性線維症に対して使用されます。

食道がん，大腸・直腸がん，胃がん，脳がん，頭頸部がんの再発，鼻咽頭がんの再発，非ホジキンリンパ腫に対して経口摂取されます。消化管内膜の炎症，化学療法の合併症，貧血，鉄欠乏症などの妊娠合併症，ビタミンA欠乏症（ビタミンAとの併用摂取），発作，ヒ素中毒，慢性閉塞性肺疾患（COPD），血流障害，白血病，熱傷，おむつかぶれ，ハンセン病，およびリーシュマニア感染による皮膚病変の予防の目的で，経口摂取されます。

運動選手の中には，運動能力と筋力の改善のために亜鉛を経口摂取する人もいます。

亜鉛はまた，ざ瘡（にきび），糖尿病による足部潰瘍，下腿潰瘍，おむつかぶれ，疣贅（いぼ），皮膚の加齢変化，顔の肝斑，単純ヘルペス感染，寄生虫感染の治療や，創傷治癒の促進のために皮膚に塗布されます。また，排便コントロールの異常がある人の肛門に塗布されます。

クエン酸亜鉛は，歯垢形成や歯周病の予防の目的で，ねり歯磨剤やうがい薬に使用されます。また，口臭治療の目的でチューインガム，キャンディ，口内洗浄液に使用されます。

感冒の治療のために外鼻孔内に噴霧することができる亜鉛製剤があります。

硫酸亜鉛は，眼の過敏の治療のために点眼液に使用されます。

熱傷から回復している人の栄養改善のために，静脈に注射されます。

亜鉛製品の多くには，カドミウムという金属も含まれています。これは亜鉛とカドミウムが化学的に類似しており，混ざり合った状態で天然に産出されることが多いためです。長期間高濃度のカドミウムにさらされると，腎不全を引き起こすおそれがあります。亜鉛含有製品に含まれるカドミウムの濃度は製品によって異なり，37倍も差があるものもあります。グルコン酸亜鉛の製品を選んでください。グルコン酸亜鉛に含まれるカドミウムの濃度は通常，最低レベルです。

・新型コロナウイルス感染症（COVID-19）。
　COVID-19に対して亜鉛の使用を裏付ける十分なエビデンス（科学的根拠）はありません。

安 全 性

成人が，亜鉛を皮膚へ塗布する場合や，1日40mg以下を経口摂取する場合には，ほとんど人に安全のようです。医師などの指導なしに，日常的に亜鉛を摂取することは，推奨されていません。人によっては，吐き気，嘔吐，下痢，金属味，腎機能低下，胃の損傷などの副作用を引き起こすおそれがあります。傷ついた肌に亜鉛を塗布する場合には，やけど，刺すような疼痛，そう痒，およびチクチク感を引き起こすおそれがあります。

亜鉛の経口摂取は，1日40mgを超える量を摂取する場合にも，おそらく安全です。1日40mgを超える量を摂取する場合には，銅の体内への吸収が抑制されるおそれがあります。銅の吸収が抑制されることにより，貧血を引き起こすおそれがあります。

亜鉛を鼻から吸引する場合には，おそらく安全ではありません。嗅覚喪失を引き起こすおそれがあります。100件以上の嗅覚喪失の報告を受け，米国食品医薬品局（FDA）は，2009年6月，亜鉛を含む特定の点鼻スプレーを使用しないよう勧告しています。これらの亜鉛を含む点鼻スプレーの製造元でも，製品の利用者から数百件もの嗅覚喪失の報告を受けています。亜鉛を含む点鼻スプレーは使用しないでください。

高用量の亜鉛の摂取は，安全ではないようです。推奨量を超える量を摂取する場合には，発熱，咳，胃痛，疲労，ほか多くの問題を引き起こすおそれがあります。

1日100mgを超える量の亜鉛サプリメントを摂取する場合，または，亜鉛サプリメントを10年以上にわたり摂取する場合には，前立腺がんの発症リスクが倍増します。高用量のマルチビタミンと亜鉛のサプリメントを併用して摂取する場合には，前立腺がんにより死に至るリスクが高まるおそれもあります。

1日450mg以上の亜鉛を摂取することにより，血中鉄濃度に異常をきたすおそれがあります。1回に10〜30gの亜鉛を投与する場合には，命にかかわるおそれがあります。

乳児および小児：亜鉛の経口摂取は，推奨量を適切に摂取する場合には，ほとんどの乳児や幼児に安全のようです。高用量を摂取する場合には，おそらく安全ではありません。

アルコール依存症：長期にわたり，過度のアルコールを摂取している場合には，体内への亜鉛吸収の抑制につながります。

糖尿病：糖尿病患者が，高用量の亜鉛を摂取する場合には，血糖値が下がるおそれがあります。糖尿病の場合には，注意して亜鉛を摂取してください。

血液透析：血液透析を受けている場合には，亜鉛欠乏症となるリスクがあり，亜鉛サプリメントが必要になるおそれがあります。

HIV/エイズ：HIV/エイズの場合には，注意して亜鉛を摂取してください。亜鉛の摂取により，生存期間の短縮につながります。

体内での栄養分吸収が困難となる症候群：吸収不全症候群の場合には，亜鉛欠乏症を引き起こすおそれがあります。

関節リウマチ：関節リウマチの場合には，亜鉛の吸収が低下します。

●妊娠中および母乳授乳期

妊娠中および母乳授乳期の使用は，推奨量（RDA）であれば，ほとんどの人に安全のようです。ただし，授乳中の女性が高用量の亜鉛を摂取する場合には，おそらく安全ではありません。また，妊娠中の女性が高用量の亜鉛を摂取する場合には，安全ではないようです。

以下の量を超える摂取はするべきではありません。

18歳以上の妊娠中または母乳授乳期の女性：1日40mg

14〜18歳の妊娠中または母乳授乳期の女性：1日34mg

有 効 性

◆有効性レベル①

・亜鉛欠乏症。深刻な下痢，腸における食物吸収が抑制される疾患，肝硬変，アルコール依存症などの場合には，亜鉛欠乏症を引き起こすおそれがあります。大手術の後や，入院中に長期にわたり経管栄養摂取をする場合にも，亜鉛欠乏症を引き起こすおそれがあります。亜鉛欠乏症患者が，亜鉛を経口摂取する場合，または静脈内投与する場合には，亜鉛濃度を正常値に戻すことができます。ただし，亜鉛サプリメントを日常的に摂取することは推奨されていません。

◆有効性レベル②

・下痢。栄養不良や亜鉛欠乏症の小児が，亜鉛を経口摂取する場合には，下痢の継続する期間が短縮し，深刻さが軽減します。発展途上国では，小児が深刻な亜鉛欠乏症を引き起こすことは一般的です。栄養失調状態にある妊娠中の女性が，妊娠中から分娩後１カ月にわたり，亜鉛を摂取することにより，乳児の下痢が，生後１年にわたり，軽減します。

・ウィルソン病（遺伝性疾患）。亜鉛の経口摂取により，ウィルソン病の症状が改善します。ウィルソン病の患者は，体内の銅が過剰な状態となっています。亜鉛は，銅の吸収を抑制し，銅の体外排泄を促進します。

◆有効性レベル③

・ざ瘡（にきび）。研究により，ざ瘡（にきび）がある場合には，血中および皮膚に含まれる亜鉛値が低いことが示唆されています。亜鉛の経口摂取により，ざ瘡（にきび）の治療につながるようです。ただし，テトラサイクリン塩酸塩やミノサイクリン塩酸塩などの医薬品とくらべ，亜鉛にどの程度の効果があるかどうかについては，明らかではありません。抗生剤のエリスロマイシンと併用せずに，亜鉛を軟膏として皮膚に塗布しても，ざ瘡（にきび）の治療にはならないようです。

・腸性肢端皮膚炎（亜鉛の吸収に影響を与える遺伝性疾患）。亜鉛を経口摂取することにより，腸性肢端皮膚炎の症状が改善するようです。

・加齢黄斑変性（加齢にともなう視力低下）。食品による亜鉛の摂取量が多い場合には，加齢黄斑変性を発症するリスクが低いようです。研究により，亜鉛および抗酸化ビタミン類を含むサプリメントを摂取することにより，視力の低下がある程度抑制される可能性や，加齢黄斑変性が悪化するリスクが高い場合に，加齢黄斑変性の進行を予防する可能性が示唆されています。大部分の研究により，抗酸化ビタミン類を併用せずに，亜鉛を単体で摂取しても，加齢黄斑変性に対する効果はないことが示唆されています。ただし，特定の遺伝子を有する場合には，加齢黄斑変性に対する亜鉛サプリメントの効果が期待できます。

・食欲不振。食欲不振をともなう青少年および成人が，亜鉛サプリメントを経口摂取することにより，体重が増加し，うつ病の症状を改善する可能性があります。

・注意欠陥多動障害（ADHD）。注意欠陥多動障害の小児の中には，亜鉛を従来の治療法と併用して，経口摂取する場合に，活動亢進，衝動性の症状や，社会適応性が，わずかに改善する可能性があります。ただし，亜鉛による，注意持続時間の改善はみられないようです。複数の研究により，注意欠陥多動障害の小児は，その症状のない小児とくらべ，血中亜鉛濃度が低いことが示唆されています。ほかの研究においても，亜鉛濃度の低い注意欠陥多動障害患者は，注意欠陥多動障害の処方薬（興奮薬）に十分反応しないおそれが示唆されています。注意欠陥多動障害に対する亜鉛の有効性に関する研究は，西洋諸国とくらべ，亜鉛欠乏症が比較的多くみられる中東で行われています。西洋諸国の注意欠陥多動障害患者に対しても，亜鉛の効果が同様であるかどうかは明らかではありません。

・熱傷。亜鉛を，ほかのミネラルと併用して，静脈内投与する場合には，熱傷の治癒が改善するようです。ただし，亜鉛単体で投与しても，重症患者の回復時間短縮につながる可能性はあるものの，すべての熱傷患者に対して，創傷治癒が改善することはないようです。

・直腸および結腸の腫瘍。研究により，セレン，亜鉛，ビタミンA_2，ビタミンCおよびビタミンEを含むサプリメントを５年間毎日経口摂取すると，再発性大腸腫瘍のリスクが約40％低下することが示唆されています。

・感冒。不一致の見解もありますが，大部分の研究により，グルコン酸亜鉛または，酢酸亜鉛を含む錠剤を経口摂取する場合には，成人の感冒の期間が短縮されることが示唆されています。ただし，味覚異常や，吐き気などの副作用があるため，有効性が限られるおそれがあります。亜鉛が，感冒に対して有効であるかどうかは，明らかではありません。成人の場合には，亜鉛サプリメントを経口摂取しても，感冒は予防されないようです。ただし，青少年および小児に対しては，グルコン酸亜鉛の錠剤が感冒の予防となる可能性があります。亜鉛の点鼻スプレーには，感冒の予防効果はないようです。

・うつ病。集団研究により，うつ病の人は亜鉛濃度が低いことが示唆されています。複数の研究により，重度のうつ病患者が，亜鉛を抗うつ剤と併用して摂取することにより，うつ病が改善することが示唆されています。ただし，ほかの研究では，亜鉛を抗うつ剤と併用して摂取することにより，うつ病が改善する効果は，抗うつ剤のみによる治療では症状が改善しない患者に対してのみ現れることが示唆されています。抗うつ剤による治療効果がみられる患者のうつ病を改善することはないようです。

・糖尿病による足部潰瘍。研究により，糖尿病患者が，ヒアルロン酸亜鉛のゲルを塗布する場合には，通常の治療とくらべ，潰瘍の治癒期間が短縮されることが示唆されています。

・おむつかぶれ。グルコン酸亜鉛の経口摂取により，乳児のおむつかぶれの治癒が促進するようです。酸化亜鉛のペーストを塗布する場合にも，乳児のおむつかぶれの治癒は促進するようです。ただし，２％のエオシン溶液を塗布する場合ほどは，効果はないようです。

・歯周病。亜鉛を含む歯磨き粉を，抗菌物質と併用して，または単体で用いる場合には，歯垢や歯周病の予防となるようです。複数のエビデンスにより，亜鉛を含む歯磨き粉が，既存の歯垢を減少させることも示唆され

有効性レベル：①効きます　②おそらく効きます　③効くと断言できませんが、効能の可能性が科学的に示唆されています　④効かないかもしれません　⑤おそらく効きません　⑥効きません

ています。ただし，従来の治療法のほうが，より効果のある可能性があります。なお，効果を示唆している大部分の研究では，クエン酸亜鉛とトリクロサンを併用していますが，トリクロサンは米国では市販されていません。

・口臭。研究により，亜鉛を含むガムやキャンディを噛んだり，舐めたり，口内洗浄液を用いてうがいすることにより，口臭が軽減することが示唆されています。

・単純ヘルペスウイルス。硫化亜鉛または酸化亜鉛を，単体または，ほかの成分と併用して皮膚に塗布する場合には，口腔ヘルペスおよび陰部ヘルペスを患う期間が短縮し，症状も緩和するようです。ただし，亜鉛には，再発性のヘルペスに対する効果はないおそれがあります。

・味覚減退（味覚障害）。複数の初期の研究により，亜鉛欠乏症の小児が，亜鉛を経口摂取しても，味覚障害が改善することはないことが示唆されています。ただし，大部分のエビデンスにより，亜鉛の経口摂取には，亜鉛欠乏症およびほかの疾患が原因で味覚機能が弱っている患者に対する効果があることが示唆されています。

・リーシュマニア病巣（皮膚病変）。研究により，リーシュマニア病巣の患者が，硫酸亜鉛を経口摂取する場合，または，損傷部に溶液を注射する場合には，損傷部の治癒が促進することが示唆されています。ただし，損傷部へ溶液を注射しても，従来の治療法とくらべ，効果はないようです。

・ハンセン病。亜鉛を抗ハンセン薬と併用して，経口摂取することにより，ハンセン病の治療として効果があるようです。

・筋痙攣。硬変および亜鉛欠乏症の患者が，亜鉛を経口摂取することにより，筋痙攣の治療として効果があるようです。

・骨粗鬆症。亜鉛の摂取量の低さと，骨量の減少には関連があるようです。閉経後の女性が，亜鉛サプリメントを，銅，マンガン，カルシウムと併用することにより，骨量の減少が抑制される可能性があります。

・消化性潰瘍。アセキサム酸亜鉛を経口摂取する場合には，消化性潰瘍の治療および予防として効果があるようです。ただし，この形態の亜鉛は，米国では市販されていません。

・肺炎。大部分の研究により，栄養不足の小児が，亜鉛を摂取する場合には，肺炎の予防となる可能性が示唆されています。ただし，肺炎が進行してしまった場合の，亜鉛の肺炎に対する治療効果については，見解が一致していません。

・妊娠中の合併症。妊娠中に亜鉛を経口摂取することにより，早産のリスクが低下するようです。ただし，亜鉛サプリメントを摂取しても，死産や乳児の死亡リスクが低下することはないようです。妊娠中の女性が夜盲にかかった場合，亜鉛とビタミンAを併用すると，夜間視力の回復につながる可能性があります。ただし，亜鉛単体で摂取しても，この効果は現れないようです。また，妊娠中に糖尿病にかかった場合，亜鉛を摂取すると，血糖値を低下する可能性があります。しかし，そうした女性が帝王切開行う必要性を低下することはないようです。

・褥瘡性潰瘍。亜鉛のペーストを塗布することにより，高齢者の褥瘡性潰瘍の治癒の促進につながるようです。また，食事による亜鉛の摂取量を増加させることにより，入院患者の褥瘡性潰瘍の治癒が促進するようです。

・食中毒（細菌性赤痢）。研究により，栄養失調の小児が食中毒を起こした場合に，亜鉛を含むマルチビタミンのシロップを，通常の治療と併用して摂取することにより，回復期間が短縮し，下痢の回数が低下するようです。

・鎌状赤血球症。亜鉛の経口摂取により，亜鉛欠乏症の人の鎌状赤血球症の症状が軽減するようです。また，亜鉛サプリメントの摂取により，鎌状赤血球症に関連する合併症および感染のリスクが低下するようです。

・下腿潰瘍。硫化亜鉛の経口摂取により，一部の下腿潰瘍の治癒が促進につながるようです。治療前の亜鉛値が低い場合には，より効果があるようです。亜鉛のペーストを下腿潰瘍のある箇所に塗布する場合にも，治癒効果があるようです。

・ビタミンA欠乏症。栄養不足の小児が，亜鉛をビタミンAと併用して経口摂取する場合には，ビタミンAおよび亜鉛をそれぞれ単体で摂取する場合とくらべ，ビタミンA値が改善するようです。

・疣贅（いぼ）。初期の研究により，硫化亜鉛溶液を塗布することで，扁平疣贅（いぼ）は改善し，通常の疣贅（いぼ）は改善することはないことが示唆されています。酸化亜鉛の軟膏を塗布する場合には，通常の治療と同様の，疣贅（いぼ）の治癒効果があるようです。硫化亜鉛の経口摂取にも，疣贅（いぼ）の治癒効果があるようです。

◆有効性レベル④

・エイズの下痢消耗症候群。亜鉛を，ビタミン類と併用して経口摂取しても，エイズの下痢消耗症候群が改善することはないようです。

・脱毛症。亜鉛とビオチンを併用することで，脱毛症に対して有効である可能性を示唆する初期のエビデンスはありますが，大部分の研究が，このような効果はないことを示唆しています。

・湿疹（皮膚の落屑やそう痒）。湿疹をともなう小児が，亜鉛を経口摂取しても，皮膚の発赤やそう痒は改善しないようです。

・白内障。亜鉛と抗酸化ビタミン類を併用しても，白内障の治療や予防としての効果はないようです。

・のう胞性線維症。のう胞性線維症の小児や青少年が，硫化亜鉛を摂取することにより，抗生剤の必要性は低下するようですが，肺の機能が改善することはないようです。
・HIV/エイズ。HIV患者の成人および小児が，亜鉛を，抗レトロウイルス療法と併用して摂取しても，免疫機能が改善することや，死に至るリスクが低下することはないようです。
・HIV/エイズ患者の女性の妊娠合併症。妊娠中に亜鉛を経口摂取して，HIVが乳児への感染するリスクが低下することはないようです。また，亜鉛には，乳児の死亡や，HIV患者である妊婦の体力消耗の予防効果はないようです。
・乳児の発育。乳児に亜鉛を与えても，精神および運動能力が発達することはありません。
・炎症性腸疾患。亜鉛の経口摂取には，炎症性腸疾患の治療効果はないようです。
・インフルエンザ。亜鉛欠乏症のリスクがない場合には，亜鉛サプリメントを経口摂取しても，インフルエンザウイルスに対する免疫機能が改善することはないようです。
・耳感染症。小児が，亜鉛を経口摂取しても，耳感染症の予防となることはないようです。
・妊娠中の鉄欠乏症。鉄と葉酸のサプリメントを併用している女性が，亜鉛を経口摂取しても，鉄濃度の改善につながることはないようです。
・前立腺がん。亜鉛を摂取しても，前立腺がんを発症するリスクとの関連はないようです。
・乾癬（皮膚の赤みやかぶれ）。亜鉛の経口摂取には，乾癬の治療効果はないようです。
・乾癬性関節炎（特定の皮膚症状に関連した関節炎）。亜鉛を，単体または，鎮痛剤と併用して摂取しても，乾癬性関節炎の進行に対する効果はないようです。
・関節リウマチ。亜鉛を経口摂取しても，関節リウマチの治療に役立つことはないようです。
・酒さ。研究により，亜鉛を90日にわたり，経口摂取しても，生活の質や，酒さに関連する症状が改善することはないことが示唆されています。
・性機能不全。研究により，腎疾患に関連する性機能不全の男性が，亜鉛を摂取しても，性機能不全が改善することはないことが示唆されています。
・耳鳴。亜鉛を経口摂取しても，耳鳴の治療につながることはないようです。
・上気道感染症。亜鉛を経口摂取しても，上気道感染症のリスクが低下することはありません。
・新型コロナウイルス感染症（COVID-19）。COVID-19で入院したことのない患者が亜鉛を経口摂取しても，回復が早まることはないようです。また，亜鉛を併用してもヒドロキシクロロキン硫酸塩（医薬品）に対する反応が改善することはありません。

◆有効性レベル⑤

・マラリア。発展途上国の栄養不良の小児が，亜鉛を経口摂取しても，マラリアの予防や治療につながることはないようです。ただし，複数の研究により，マラリアを患っている小児が，高熱を発症するリスクが低下する可能性は示唆されています。

◆科学的データが不十分です

・免疫力の低下に起因するエイズに関連する感染症，アルコールに関連する肝疾患，アルツハイマー病，貧血，ヒ素中毒，気管支喘息，βサラセミア（血液疾患），脳腫瘍，口唇潰瘍，化学療法に起因する合併症，慢性閉塞性肺疾患（COPD），結腸・直腸がん，動脈血栓（冠動脈疾患），記憶障害（認知症），歯垢，糖尿病，糖尿病性ニューロパチー（糖尿病に起因する神経障害），ダウン症候群，食道がん，排便調節の喪失，胃がん，頭頸部がん，肝性脳症（肝疾患に起因する脳機能の喪失），HIVに起因する下痢，性交不能症（男性の不妊），胃の感染症と寄生虫感染症，白血病，満期出産乳児の低体重，肝斑（顔の茶色い斑点），鼻咽喉がん，新生児の黄疸，頭部外傷，非ホジキンリンパ腫（がんの一種），強迫性障害（OCD），化学療法・放射線治療・造血幹細胞移植に起因する口腔の腫脹および潰瘍，前立腺炎（前立腺の腫脹），HIV/エイズの治療薬に起因する血中ビリルビン濃度が高い状態，そう痒，手術後の回復，創傷治癒，皮膚の皺，クローン病，潰瘍性大腸炎など。

●体内での働き

亜鉛は，身体の正常な成長と維持に必要です。さまざまな器官組織に蓄積され，生体反応，免疫機能，創傷治癒，血液凝固，甲状腺機能など，多くの作用に欠かせません。比較的高用量の亜鉛を含んでいる食品には，肉類，魚類，乳製品，ナッツ類，マメ類および全粒穀物類などがあります。

亜鉛欠乏症は，世界的に一般的な疾患ですが，米国ではあまりみられません。亜鉛欠乏症の症状としては，発育抑制，インスリン値の低下，食欲不振，過敏性，脱毛症，肌荒れや乾燥肌，創傷治癒の抑制，味覚および嗅覚の鈍化，下痢および吐き気などがあります。中度の亜鉛欠乏症は，吸収不良症候群（食品の吸収に影響を与える腸疾患），アルコール依存症，慢性腎不全および慢性消耗性疾患と関連しています。

亜鉛には，視覚を維持するための重要な役割があり，眼には，亜鉛が高濃度で存在しています。亜鉛欠乏症が，視覚変化を引き起こすおそれがあります。亜鉛欠乏症が，深刻な場合には，網膜（像が焦点を結ぶ眼の裏側部分）の変性を引き起こすおそれもあります。

亜鉛には，ウイルスに対する作用もある可能性があります。亜鉛が，ライノウイルス属（感冒）の症状を軽減するようです。ただし，研究者の間では，この作用の詳細については，明らかではありません。亜鉛には，ヘルペスウイルス科に対するなんらかの抗ウイルス作用があることを示唆するエビデンスも複数あります。

亜鉛値が低い場合には，男性不妊，鎌状赤血球症，HIV，重度のうつ病および２型糖尿病を引き起こすおそれがあり，亜鉛サプリメントを摂取することにより，有効な可能性があります。

医薬品との相互作用

低Amiloride

Amilorideは，体内から過剰な水分を排泄するために利尿薬として用いられます。また，Amilorideには体内の亜鉛量を増加させる作用のある可能性があります。亜鉛サプリメントとAmilorideを併用すると，体内の亜鉛量が過剰になるおそれがあります。

中アタザナビル硫酸塩

アタザナビル硫酸塩はHIV感染症の治療に用いられます。亜鉛はアタザナビル硫酸塩の体内への吸収量を減少させる可能性があります。しかし，それでもHIVの治療にとって十分な量のアタザナビル硫酸塩は体内に吸収されます。したがって，この相互作用が大きな問題であるかどうかについては明らかではありません。

中キノロン系抗菌薬

亜鉛はキノロン系抗菌薬の体内への吸収量を減少させる可能性があります。亜鉛とキノロン系抗菌薬を併用すると，キノロン系抗菌薬の効果が弱まるおそれがあります。この相互作用を避けるために，キノロン系抗菌薬の服用前４～６時間または服用後少なくとも２時間は亜鉛サプリメントを摂取しないでください。このようなキノロン系抗菌薬には，シプロフロキサシン，Gemifloxacin，レボフロキサシン水和物，モキシフロキサシン塩酸塩などがあります。

中シスプラチン

シスプラチンはがん治療に用いられます。亜鉛とエチレンジアミン四酢酸とシスプラチンを併用すると，シスプラチンの治療を妨げるおそれがあります。ただし，亜鉛による影響がどの程度問題であるかについては明らかではありません。

中セファレキシン

セファレキシンは感染症の治療に用いられる抗菌薬です。セファレキシンの服用と同時，または服用前３時間以内に亜鉛を摂取すると，セファレキシンの体内への吸収量が減少する可能性があります。そのため，セファレキシンの感染症治療の働きが弱まるおそれがあります。しかし，セファレキシンの服用から３時間後に亜鉛を摂取すると，セファレキシンの体内への吸収量に影響はありません。したがって，セファレキシンの服用から３時間後に亜鉛を摂取してください。

中テトラサイクリン系抗菌薬

亜鉛は胃の中でテトラサイクリン系抗菌薬と結合します。そのため，テトラサイクリン系抗菌薬の体内への吸収量が減少する可能性があります。亜鉛とテトラサイクリン系抗菌薬を併用すると，テトラサイクリン系抗菌薬の効果が弱まるおそれがあります。この相互作用を避けるために，テトラサイクリン系抗菌薬の服用前４～６時間または服用後２時間は亜鉛サプリメントを摂取しないでください。このようなテトラサイクリン系抗菌薬には，デメチルクロルテトラサイクリン塩酸塩，ミノサイクリン塩酸塩，テトラサイクリン塩酸塩などがあります。

中ペニシラミン

ペニシラミンはウイルソン病および関節リウマチの治療に用いられます。亜鉛はペニシラミンの体内への吸収量は減少させ，ペニシラミンの効果を弱めるおそれがあります。亜鉛とペニシラミンとを摂取する場合には，少なくとも２時間の間隔をあけてください。

中リトナビル

リトナビルはHIV感染症の治療に用いられます。亜鉛は，リトナビルの体内への吸収量を減少させる可能性があります。しかし，これによりリトナビルの効果が大幅に弱まることはないようです。したがって，この相互作用はおそらく大きな問題ではありません。

中抗HIV薬（インテグラーゼ阻害薬）

亜鉛とインテグラーゼ阻害薬を併用すると，インテグラーゼ阻害薬の血中濃度が低下する可能性があります。そのため，インテグラーゼ阻害薬の効果が弱まるおそれがあります。このようなインテグラーゼ阻害薬には，ドルテグラビルナトリウム，エルビテグラビル，ラルテグラビルカリウムなどがあります。

ハーブおよび健康食品・サプリメントとの相互作用

β-カロテン

高用量の亜鉛を摂取すると，血中β-カロテン濃度が低下するおそれがあります。

ブロメライン

亜鉛などの金属が，タンパク質分解酵素であるブロメラインの作用を弱めるおそれがあります。ただし，この相互作用についての報告はありません。

カルシウム

カルシウムサプリメントが，食事による亜鉛の吸収を低下させるおそれがあります。通常，大きな問題ではありませんが，カルシウムサプリメントを食事時ではなく就寝前に摂取することで，この作用を避けることができます。

クロム

クロムおよび亜鉛が，それぞれお互いの吸収を抑制するおそれがあることを示唆する初期のエビデンスがあります。この作用は，亜鉛およびクロムを十分に摂取している場合には，通常，問題ではありません。

銅

高用量の亜鉛を摂取する場合には，銅の吸収が低下するおそれがあります。高用量の亜鉛を摂取することにより，深刻な銅欠乏症を引き起こし，貧血（血液が酸素を十分に運搬できなくなる）を引き起こすおそれがあります。１日150mg以上の亜鉛を２年以上にわたり，摂取している場合には，何らかの鉄欠乏症の症状が現れます。

エチレンジアミン四酢酸（EDTA）

エチレンジアミン四酢酸は，体内から，過剰な金属成分，とくに鉛を除去するために，摂取される成分です。

エチレンジアミン四酢酸は金属と結合（キレート）することで機能します。キレーション療法として，高用量のエチレンジアミン四酢酸を繰り返して摂取することで，血中亜鉛濃度が最大40％低下する可能性があります。1日15mgの亜鉛を摂取するだけでも，亜鉛欠乏がみられたという報告があります。キレーション療法を受けている場合には，亜鉛欠乏を監視するべきです。

葉酸

葉酸サプリメントが，食事による亜鉛吸収に影響するかどうかについての研究結果は，見解が一致していません。食事による亜鉛の摂取量が十分である場合には，通常量の葉酸を追加摂取する場合には，亜鉛のバランスには影響を与えないようです。

血糖値を低下させるおそれのあるハーブおよび健康食品・サプリメント

高用量の亜鉛が，血糖値を低下させるおそれがあります。亜鉛と，血糖値を低下させるおそれのあるほかのハーブおよび健康食品・サプリメントを併用すると，人によっては，血糖値が過度に低下するおそれがあります。このようなハーブおよび健康食品・サプリメントには，α-リポ酸，ニガウリ，クロム，デビルズクロー，フェヌグリーク，ニンニク，グアーガム，セイヨウトチノキ，朝鮮人参，サイリウム，エゾウコギなどがあります。

フィチン酸

食品に含まれる天然のフィチン酸は，亜鉛と結合し，吸収が抑制されるおそれがあります。ただし，食品から高用量のフィチン酸を摂取することに起因する亜鉛欠乏症の報告は，欧米諸国ではされていません。ほかに亜鉛欠乏症となるリスク要因がある場合には，フィチン酸を含むサプリメントを摂取しないでください。

鉄

特定の条件下において，鉄および亜鉛は，それぞれお互いの吸収を抑制するおそれがあります。この作用を避けるためには，これらのサプリメントを食事と併用して摂取してください。

マグネシウム

高用量の亜鉛を摂取する場合（サプリメントなら，1日142mg，食事による摂取であれば，1日53mg）には，マグネシウムのバランスが低下するようです。この作用についての重要性は，明らかではありません。

マンガン

研究により，亜鉛サプリメントが，サプリメントによるマンガンの吸収量を2倍以上に増加させる可能性があることが示唆されています。

リボフラビン（ビタミンB_2）

研究により，リボフラビンにより，亜鉛の吸収が促進する可能性が示唆されています。この作用についての重要性は，明らかではありません。

ビタミンA

研究により，亜鉛サプリメントが，血中ビタミンA濃度を高める可能性が示唆されています。理論上，亜鉛が，ビタミンAの効果および副作用を高めるおそれがあります。

ビタミンD

研究により，ビタミンDが，亜鉛の吸収に影響を与えることが示唆されていますが，ビタミンDが亜鉛の吸収を促進する作用については，明らかではありません。

ア

通常の食品との相互作用

コーヒー

硫酸亜鉛を，水ではなくブラックコーヒーで摂取することにより，亜鉛の吸収は，半分に減ります。研究者の間では，この作用が起こる原因および，この作用が重要であるかどうかは，明らかになっていません。

乳製品，カルシウム強化食品

カルシウムが，亜鉛の吸収を抑制するおそれがあります。多量の乳製品とカルシウムサプリメントを併用しない限りは，亜鉛が過度に減少するリスクが深刻になることはありません。ただし，長期にわたりカルシウムを摂取する場合には，体が順応し，亜鉛の吸収効率がよくなり，亜鉛の減少が抑制されます。

食物繊維

食物繊維の摂取が，亜鉛の吸収を抑制するおそれがあります。ただし，時間とともに，体が順応し，食物繊維の増加に対して，亜鉛の吸収量を増加するようになります。

フィチン酸塩（フィチン酸，ミオイノシトール六リン酸，IP6）

フィチン酸塩は，穀物類（トウモロコシなど），マメ類，種子（ヒマワリ，カボチャなど）および大豆に含まれる成分です。フィチン酸塩は，亜鉛の吸収を抑制するおそれがあります。高用量のフィチン酸塩を含む食品の中には，高用量の亜鉛も含む場合がありますが（精白小麦パンに対して全粒粉のパン），亜鉛吸収の作用は打ち消されます。イースト菌をいれないパンや，トウモロコシは，フィチン酸塩を含んでおり，これらの食品を摂取する中東地域の国々では，亜鉛欠乏症がみられます。西欧諸国でも，精製されていない穀物や，マメ類，大豆タンパク，カルシウム，および動物性タンパク質の低い食品を摂取する場合には，亜鉛欠乏症のリスクは高くなります。ただし，時間の経過とともに，体が順応し，亜鉛の吸収効率がよくなり，亜鉛の減少が抑制されます。

タンパク質

亜鉛はタンパク質と結合し，タンパク質が消化される段階で，体内へ吸収されます。タンパク質の種類により，亜鉛の吸収量に対する影響は変化します。動物性タンパク質は，通常，亜鉛の吸収を促進させますが，牛乳に含まれるタンパク質は，亜鉛の吸収を抑制します。大豆タンパクは，フィチン酸塩を含んでおり，おそらくは，これが原因となって，亜鉛の吸収を抑制します。これらの作用は，乳児の亜鉛のバランスにも影響を与えるおそれがあります。乳児は，大部分の亜鉛を，母乳から摂取します。牛乳からの摂取は少なく，豆乳からは，さらに少量しか摂取しません。高用量のタンパク質を含む食事が，成人の亜鉛のバランスに影響を与えるかどうかについては，明らかではありません。

菜食主義

菜食料理は，穀物類，豆類が多い傾向があり，より高用量のフィチン酸塩を含んでいます。亜鉛の吸収量は低くなりやすく，亜鉛枯渇のリスク要因と考えられています。ただし，時間の経過とともに，体が順応し，亜鉛の吸収効率がよくなり，亜鉛の減少が抑制されます。

使用量の目安

【成人】

●経口摂取

全般

亜鉛の推奨量（RDA）は，以下の通り定められています。

14歳以上の男性：１日11mg

19歳以上の女性：１日８mg

14～18歳の妊娠中の女性：１日13mg

19歳以上の妊娠中の女性：１日11mg

14～18歳の母乳授乳期の女性：１日14mg

19歳以上の母乳授乳期の女性：１日12mg

医師などによる治療を受けていない場合の，亜鉛の耐容上限量（UL）は，以下の通りです。

19歳以上（妊娠中および母乳授乳期の女性を含む）：１日40mg

一般的な北米男性が食事から摂取する亜鉛の量は，１日およそ13mgです。

一般的な北米女性が食事から摂取する亜鉛の量は，１日およそ９mgです。

亜鉛の量は，元素換算すると，塩の形態に応じて異なります。

硫酸亜鉛は，23％の亜鉛元素を含みます。

220mgの硫酸亜鉛は，50mgの亜鉛を含みます。

グルコン酸亜鉛は，14.3％の亜鉛元素を含みます。

10mgのグルコン酸亜鉛は，1.43mgの亜鉛を含みます。

亜鉛欠乏症

軽度の亜鉛欠乏症の場合には，１日あたり，推奨量（RDA）の２～３倍量の亜鉛を，６カ月にわたり摂取します。中度から重度の亜鉛欠乏症の場合には，１日当たり，推奨量（RDA）の４～５倍量の亜鉛を，６カ月にわたり摂取します。

下痢

乳児の下痢を予防するためには，妊娠中の女性は，15mgの亜鉛を単体，または，60mgの鉄，および250μgの葉酸と併用して，妊娠10～24週から始め，産後１カ月までの期間，摂取します。

ウィルソン病

酢酸亜鉛は，米国食品医薬品局（FDA）により，ウィルソン病の治療薬として認められています。推奨量（25～50mgの亜鉛を含む）を１日３～５回，摂取します。

ざ瘡（にきび）

元素換算で，１日30～150mgの亜鉛を摂取します。

腸性肢端皮膚炎（亜鉛の吸収に影響を与える遺伝性疾患）

１日２～３mg/kgの亜鉛元素を，生涯にわたり摂取することが，腸性肢端皮膚炎の治療として推奨されています。

加齢黄斑変性（加齢にともなう視力低下）

加齢黄斑変性が進行している場合には，１日80mgの亜鉛元素と，２mgの銅，500mgのビタミンC，400IUのビタミンEおよび15mgのβ-カロテンを併用して５年にわたり，摂取します。

神経性食欲不振症（神経性やせ症）

１日14～50mgの亜鉛元素を摂取します。

結腸および直腸の腫瘍

１日200μgのセレン，30mgの亜鉛，２mgのビタミンA，180mgのビタミンCおよび30mgのビタミンEを含む，混合サプリメントを，最長５年にわたり，摂取します。

感冒

感冒の症状がある場合には，就寝時以外の時間に，亜鉛元素4.5～24mgを含有する，グルコン酸亜鉛または酢酸亜鉛の錠剤を，２時間ごとに，口に含んで溶かして摂取します。

うつ病

１日25mgの亜鉛を，抗うつ薬と併用して，12週にわたり摂取します。

味覚減退（味覚障害）

１日140～450mgのグルコン酸亜鉛を，最大３回に分けて，最長４カ月にわたり摂取します。１日25mgの亜鉛元素を，６週にわたり，摂取することもあります。亜鉛を含む製品「ポラプレジンク」が用いられることもあります。

リーシュマニア病巣（皮膚病変）

１日2.5～10mg/kgの硫酸亜鉛を，３回に分けて，45日にわたり摂取します。

筋痙攣

220mgの硫酸亜鉛を，１日２回，12週にわたり摂取します。

骨粗鬆症

15mgの亜鉛を，５mgのマンガン，1,000mgのカルシウム，2.5mgの銅と併用して摂取します。

胃潰瘍

１日300～900mgのアセキサム酸亜鉛を，１～３回に分けて，最長１年にわたり摂取します。220mgの硫酸亜鉛を，１日３回，３～６週にわたり摂取することもあります。

妊娠に関連する合併症

夜盲の妊婦が，視力を回復するためには，１日25mgの亜鉛を，ビタミンAと併用して，３週にわたり摂取します。糖尿病の妊婦が，血糖値を低下するためには，１日30mgの亜鉛を，６週にわたり摂取します。

褥瘡性潰瘍

通常の病院食に，１日９gのアルギニン，500mgのビタミンC，30mgの亜鉛を加え，３週にわたり摂取します。

鎌状赤血球症の治療

220mgの硫酸亜鉛を，１日３回摂取します。１日50～75mgの亜鉛元素を，最大２回に分けて，２～３年にわたり摂取します。

下腿潰瘍

包帯をした上で，220mgの硫酸亜鉛を，１日３回摂取します。

疣贅（いぼ）

１日400～600mgの硫酸亜鉛を，２～３カ月にわたり摂取します。

●皮膚への塗布

尋常性ざ瘡

1.2%の酢酸亜鉛と，４%のエリスロマイシンを合わせたローションを，１日２回塗布します。

糖尿病に起因する足部潰瘍

ヒアルロン酸亜鉛のジェルを，１日１回，潰瘍が治癒するまで塗布します。

歯周病

0.2～２%のクエン酸亜鉛が単独で，または，モノフルオロリン酸ナトリウムおよび0.2%のトリクロサンとともに含まれている歯磨き粉を，少なくとも１日２回，最大７カ月にわたり使用します。0.4%の硫酸亜鉛および0.15%のトリクロサンを含んだ口内洗浄液を用いてうがいすることもあります。

口臭

特定の亜鉛を含んだ口内洗浄液を用いて，１日１回，または，２回に分けて，７日にわたりうがいします。亜鉛を含んだキャンディやチューインガムを用いることもあります。

単純ヘルペス感染

0.025～0.25%の硫酸亜鉛を，１日８～10回，塗布します。または，0.3%の酸化亜鉛をグリシンと併用して，起きている時間帯に，２時間おきに塗布します。亜鉛を含んだ特定の製品を用いることもあります。

褥瘡性潰瘍

酸化亜鉛のペーストを，通常治療と併用して，８～12週にわたり，毎日塗布します。

下腿潰瘍

25%の酸化亜鉛を含んだペーストを，湿布として，治療開始後14日間は，１日１回，その後は，３日おきに８週にわたり用います。

疣贅（いぼ）

20%の酸化亜鉛の軟膏を，１日２回，３カ月，または治癒するまでの期間塗布します。５～10%の硫酸亜鉛を１日３回，４週にわたり，皮膚に塗布することもあります。

●静脈内投与

熱傷

59μmolの銅，4.8μmolのセレン，574μmolの亜鉛を含む注射剤を，14～21日にわたり用います。

味覚減退（味覚障害）

市販の透析用剤10Lに，亜鉛溶液を追加して，12週にわたり用います。

リーシュマニア病巣（皮膚病変）

２%の硫酸亜鉛を，６週にわたり，静脈内投与します。

【小児】

●経口摂取

全般

亜鉛の目安量（AI）は，米国医学研究所により，以下

亜鉛の食事摂取基準（mg/日）

日本人の食事摂取基準2020年版

性別	男性				女性			
年齢等	推定平均必要量	推奨量	目安量	耐容上限量	推定平均必要量	推奨量	目安量	耐容上限量
0～5（月）	—	—	2	—	—	—	2	—
6～11（月）	—	—	3	—	—	—	3	—
1～2（歳）	3	3	—	—	2	3	—	—
3～5（歳）	3	4	—	—	3	3	—	—
6～7（歳）	4	5	—	—	3	4	—	—
8～9（歳）	5	6	—	—	4	5	—	—
10～11（歳）	6	7	—	—	5	6	—	—
12～14（歳）	9	10	—	—	7	8	—	—
15～17（歳）	10	12	—	—	7	8	—	—
18～29（歳）	9	11	—	40	7	8	—	35
30～49（歳）	9	11	—	45	7	8	—	35
50～64（歳）	9	11	—	45	7	8	—	35
65～74（歳）	9	11	—	40	7	8	—	35
75以上（歳）	9	10	—	40	6	8	—	30
妊婦（付加量）					+1	+2	—	—
授乳婦（付加量）					+3	+4	—	—

有効性レベル：①効きます　②おそらく効きます　③効くと断言できませんが、効能の可能性が科学的に示唆されています　④効かないかもしれません　⑤おそらく効きません　⑥効きません

の通り定められています。

0～6カ月：1日2mg

亜鉛の推奨量（RDA）は，以下の通り定められています。

7カ月～3歳：1日3mg

4～8歳：1日5mg

9～13歳：1日8mg

14～18歳の女性：1日9mg

医師などによる治療を受けていない場合の，亜鉛の耐容上限量（UL）は，以下の通りです。

0～6カ月：1日4mg

7～12カ月：1日5mg

1～3歳：1日7mg

4～8歳：1日12mg

9～13歳：1日23mg

14～18歳（妊娠中および母乳授乳期の女性を含む）：1日34mg

腸性肢端皮膚炎（亜鉛の吸収に影響を与える遺伝性疾患）

1日2～3mg/kgの亜鉛元素を，生涯にわたり摂取することが，腸性肢端皮膚炎の治療として推奨されています。

神経性食思不振症（摂食障害）

1日14～50mgの亜鉛元素を用います。

注意欠陥多動障害（ADHD）

1日15～40mgの亜鉛元素を含む，55～150mgの硫酸亜鉛を，6～12週にわたり，摂取します。

感冒

10～23mgのグルコン酸亜鉛を含有する錠剤を，最長10日にわたり，2時間ごとに口に含んで溶かして摂取します。15mgの亜鉛を含んだシロップを1日2回，最長10日にわたり，摂取することもあります。

おむつかぶれ

1日10mgの亜鉛を，生後1～2日目から，4カ月にわたり，摂取します。

下痢

栄養失調または，亜鉛欠乏症の小児の下痢を治療するためには，1日10～40mgの亜鉛を，7～15日にわたり，摂取します。

リーシュマニア病巣（皮膚病変）

1日2.5～10mg/kgの硫酸亜鉛を，3回に分けて，45日にわたり摂取します。

肺炎

発展途上国では，3カ月～5歳までの栄養不良の小児に，1日10～70mgの亜鉛元素を投与します。1日2mg/kgの硫酸亜鉛を，1日2回に分けて，5日にわたり投与することもあります。

細菌性赤痢（食中毒）

20mgの亜鉛元素を含んだ，マルチビタミンシロップを，1日2回に分けて，2週にわたり摂取します。

鎌状赤血球症

4～10歳の場合には，1日10mgの亜鉛元素を，1年にわたり摂取します。14～18歳の男性の場合には，1日2回，15mgの亜鉛を，1年にわたり摂取します。

下腿潰瘍

包帯をした上で，220mgの硫酸亜鉛を，1日3回摂取します。

ビタミンA欠乏症

1～3歳の場合，1日20mgの亜鉛を，14日にわたり摂取します。14日目には，200,000IUのビタミンAを併用して摂取します。

●皮膚への塗布

ざ瘡（にきび）

1.2%の酢酸亜鉛と，4%のエリスロマイシンを併せたローションを，1日2回，12～40週にわたり塗布します。

おむつかぶれ

0.5%のアラントイン，17%のタラ肝油，47%の酸化亜鉛を含んだ，酸化亜鉛のペーストを，5日にわたり塗布します。

●静脈内投与

リーシュマニア病巣（皮膚病変）

2%の硫酸亜鉛を，6週にわたり，静脈内投与します。

アオウキクサ

DUCKWEED

●代表的な別名

コウキクサ

別名ほか

コウキクサ（Lemna minor）

概　要

アオウキクサはハーブです。生の状態で全体部分を用いて「くすり」を作ることもあります。

安 全 性

十分なデータは得られていないので，安全であるかどうかは不明です。

●妊娠中および母乳授乳期

妊娠中および母乳授乳期の使用の安全性についてはデータが不十分です。安全性を考慮し，摂取は避けてください。

有 効 性

◆科学的データが不十分です

・肺疾患，黄疸，および関節炎。

●体内での働き

どのように作用するかについては十分なデータが得られていません。

相互作用レベル：高この医薬品と併用してはいけません　中この医薬品とは慎重に併用するか併用しないでください　低この医薬品との併用には注意が必要です

医薬品との相互作用

ほかの医薬品との相互作用については明らかではありません。

ハーブおよび健康食品・サプリメントとの相互作用

ほかのハーブ，健康食品・サプリメントとの相互作用についてはまだ明らかではありません。

使用量の目安

標準使用量に関するデータがありません。

アカザ

ARRACH

別名ほか

アカザ科（Goosefoot），Chenopodium vulvaria，Dog's Arrach，Goat's Arrach，Netchweed，Oraches，Stinking Arrach，Stinking Goosefoot，Stinking Motherwort

概　　要

アカザは植物です。花の全体を用いて「くすり」を作ることもあります。

●要説（ナチュラル・スタンダード）

Stinking Goosefoot ともいわれる野生のアカザは，トリメチルアミンを含み，腐った魚の臭いがするので，容易に特定することができます。ヨーロッパ原産で北アメリカにも分布します。現在のところ，あらゆる疾患の治療に，使用を裏付けるヒトを対象とした研究は十分ではありません。

安　全　性

十分なデータが得られていないため，安全性については不明です。

皮膚が日光に極度に敏感になる可能性があります。とくに色白の人は，屋外では日焼け止めを使用してください。

●妊娠中および母乳授乳期

妊娠中および母乳授乳期の使用の安全性についてはデータが不十分です。安全性を考慮し，摂取は避けてください。

有　効　性

◆科学的データが不十分です

・月経の誘発・経口摂取および皮膚に塗布する場合の月経痛・筋痙攣など。

●体内での働き

どのように作用するかについては十分なデータが得られていません。

医薬品との相互作用

中光への過敏性を高める医薬品（光感作性薬）

医薬品の中には光への過敏性を高めるものがありますが，アカザも光への過敏性を高めることがあります。光への過敏性を高める医薬品と併用すると，肌の露出した部分に日光皮膚炎，水疱，発疹を生じるリスクが高まることが考えられます。太陽の下で過ごすときには，必ず日焼け止めクリームを使用し，肌を隠す衣服を着用してください。こうした医薬品には，アミトリプチリン塩酸塩，シプロフロキサシン，ノルフロキサシン，ロメフロキサシン塩酸塩，オフロキサシン，レボフロキサシン水和物，スパルフロキサシン（販売中止），ガチフロキサシン水和物，モキシフロキサシン塩酸塩，スルファメトキサゾール・トリメトプリム配合，テトラサイクリン塩酸塩，メトキサレン，トリオキシサレン（販売中止）があります。

ハーブおよび健康食品・サプリメントとの相互作用

ほかのハーブ，健康食品・サプリメントとの相互作用についてはまだ明らかではありません。

使用量の目安

標準使用量に関するデータがありません。

アカシア

ACACIA

●代表的な別名

アラビアガム

別名ほか

アラビアガム（Gum arabic），Bum Senegal，Bomme Arabique，Bomme de Senegal，Bummae Momosae，Kher，Acacia Senegal，アラビアゴム

概　　要

アカシアは，ここでは，アカシアの木から分泌する樹脂（アラビアゴム）を指します。水溶性の食物繊維です。

「くすり」として，アカシアは，高コレステロール血症，糖尿病，過敏性腸症候群（IBS），肥満に対して，経口摂取されます。また，アカシアは身体の毒素を取り除き，腸内の「善玉」菌の増殖を促進させるプレバイオティクスとして使用されます。

アカシアは，歯垢および歯肉炎に対して，口腔内に塗布されます。また，皮膚の炎症（発赤）を軽減させるために，皮膚に塗布されます。

工業品では，アカシアは，胃炎または咽喉炎の医薬品の賦形剤や，ピールオフパックの皮膜形成剤として使用

有効性レベル：①効きます　②おそらく効きます　③効くと断言できませんが、効能の可能性が科学的に示唆されています
④効かないかもしれません　⑤おそらく効きません　⑥効きません

されます。

アカシアを，アサイー，キャシー・アブソリュート，またはキンゴウカン（Acacia farnesiana）と混同しないでください。

安全性

通常の食品に含まれている量を経口摂取する場合，ほとんどの成人に安全のようです。「くすり」に含まれる量を経口摂取する場合，おそらく安全です。1日最大30gが6週間，安全に使用されています。ただし，腸内ガス，腹部膨満，吐き気，軟便など，軽度の副作用を引き起こすおそれがあります。

皮膚に塗布する場合，アカシアの安全性および副作用については，データが不十分です。

気管支喘息：気管支喘息患者は，アカシアの花粉に過敏であるおそれがあります。

糖尿病：アカシアは血糖値を低下させるおそれがあります。医師などの指導のもと，糖尿病治療薬の服用量を調節する必要があるかもしれません。

手術：アカシアは血糖値を低下させるおそれがあります。理論上は，アカシアは手術中・手術後の血糖コントロールを妨げるおそれがあります。少なくとも手術前2週間は使用しないでください。

●アレルギー

交差反応性：ライ麦またはキラヤ樹皮などの植物へのアレルギーがある人は，アカシアにアレルギー反応を起こすおそれがあります。

●妊娠中および母乳授乳期

妊娠中および母乳授乳期の使用の安全性についてはデータが不十分です。安全性を考慮し，摂取は避けてください。

有効性

◆有効性レベル④

・高コレステロール血症。アカシアの経口摂取は，血清コレステロール値を下げないようです。

◆科学的データが不十分です

・歯垢，糖尿病，軽度の歯周病（歯肉炎），肥満，ストーマ周囲の皮膚損傷（ストーマ周囲の病変）など。

●体内での働き

アカシアは，食物繊維の供給源です。満腹感を得やすいため，アカシアを摂取しない場合と比べて食事を早めに終える可能性があります。これにより，体重が減少したり，血清コレステロール値が低下する可能性があります。

医薬品との相互作用

中アモキシシリン水和物

アカシアは抗菌薬であるアモキシシリン水和物の体内への吸収を妨げる可能性があります。この相互作用を避けるために，アモキシシリン水和物の服用前後，少なくとも4時間はアカシアを摂取しないでください。

中経口薬

アカシアには食物繊維が含まれます。アカシアと経口薬を併用すると，医薬品の体内への吸収量に影響を及ぼすおそれがあります。この相互作用を避けるために，経口薬の服用後，1時間はアカシアを摂取しないでください。

ハーブおよび健康食品・サプリメントとの相互作用

血糖値を低下させるおそれのあるハーブおよび健康食品・サプリメント

アカシアは，血糖値を低下させるおそれがあります。アカシアと，血糖値を低下させるほかのハーブおよび健康食品・サプリメントを併用すると，血糖値が過度に低下するおそれがあります。このようなハーブおよび健康食品・サプリメントには，デビルズクロー，フェヌグリーク，ニンニク，グアーガム，セイヨウトチノキ，朝鮮人参，サイリウム，およびエゾウコギがあります。

使用量の目安

通常の食品に含まれている量を超えて経口摂取した場合の安全性および副作用については，明らかになっていません。

アカシア・リギディラ

ACACIA RIGIDULA

別名ほか

Acaciopsis rigidula, Blackbrush, Blackbush, Chaparro Prieto, Vachellia rigidula

概要

アカシア・リギディラは，米国テキサス州の南西部および西部，メキシコ北部に分布する低木です。アカシア・リギディラに含まれる成分は，興奮作用を有するおそれがあり，減量や運動能力の向上を目的とする製品に用いられることもあります。

アカシア・リギディラが原料表示されている健康食品・サプリメントの多くに，フェネチルアミンが多量に含まれていることが示唆されています。フェネチルアミンは，アカシア・リギディラの葉に含まれる天然成分ですが，このような健康食品・サプリメントには，植物の部位に含まれていると考えられるよりも多量のフェネチルアミンが含まれていることがよくあります。

フェネチルアミンのほかにも，アカシア・リギディラを原料表示している健康食品・サプリメントの多くに，β-メチルフェネチルアミンと呼ばれる成分が含まれていますが，原料表示はされていません。β-メチルフェネチルアミンは，アンフェタミンと同様の興奮作用を有します。ただし，β-メチルフェネチルアミンはフェネチルアミンと異なり，アカシア・リギディラにもほかの植物にも，天然には含まれていない成分です。2015年4月，米国食品医薬品局（FDA）は，β-メチルフェネチルアミンが規定の食品成分にあたらないと規定しました。つまり，β-メチルフェネチルアミンを含んでいる製品はいずれも不正商標表示製品であると考えられます。

安 全 性

アカシア・リギディラの安全性については，データが不十分です。アカシア・リギディラをはじめとした興奮成分を含む健康食品・サプリメントの摂取により，心拍数の増加や動悸を引き起こした複数の例が報告されています。心停止の例も1件，報告されています。このような副作用が，アカシア・リギディラによるものなのか，ほかの興奮成分によるものなのかは，明らかではありません。

高血圧：アカシア・リギディラに含まれている成分の一部には，興奮作用があります。アカシア・リギディラが原料表示されている製品の多くに，β-メチルフェネチルアミン（BMPEA）と呼ばれる成分も含まれています。BMPEAなどの興奮成分が，血圧および心拍数を増加させるおそれがあります。理論上，アカシア・リギディラと，興奮作用のあるほかのハーブおよび健康食品・サプリメントを併用すると，高血圧が悪化するおそれがあります。

手術：アカシア・リギディラに含まれている成分の一部には，興奮作用があります。アカシア・リギディラが原料表示されている製品の多くに，β-メチルフェネチルアミン（BMPEA）と呼ばれる成分も含まれています。BMPEAなどの興奮成分が，血圧および心拍数を増加させるおそれがあります。理論上，アカシア・リギディラのサプリメントの摂取により，血圧および心拍数が増加し，手術を妨げるおそれがあります。少なくとも手術前2週間は，使用しないでください。

●妊娠中および母乳授乳期

妊娠中および母乳授乳期の使用の安全性についてはデータが不十分です。安全性を考慮し，摂取は避けてください。

有 効 性

◆科学的データが不十分です

・体重減少，運動能力など。

●体内での働き

アカシア・リギディラには，興奮作用をもつ多様な化学物質が含まれています。このため，減量や運動能力の向上を目的とする製品として販売されることがよくあります。ただし，アカシア・リギディラを原料表示している多くの製品には，β-メチルフェネチルアミン（BMPEA）というアンフェタミン様の化学物質も含まれています。

医薬品との相互作用

中 興奮薬

興奮薬は神経系を亢進させます。神経系を亢進させることにより，興奮薬は神経を過敏にして心拍数を上昇させる可能性があります。アカシア・リギディラに含まれる化学物質のなかには刺激作用があるものもあります。また，アカシア・リギディラが原材料表示されている商品の多くに，アンフェタミンに類似した化学物質β-メチルフェネチルアミン（BMPEA）を含有することがわかってきています。理論的には，アカシア・リギディラと興奮薬を併用すると，深刻な問題（心拍数や血圧が過度に上昇するなど）を引き起こすおそれがあります。このような興奮薬には，アンフェタミン（販売中止），カフェイン，Diethylpropion，メチルフェニデート塩酸塩，Phentermine，塩酸プソイドエフェドリンなど数多くあります。

中 肝臓で代謝される医薬品（シトクロムP450 2D6（CYP2D6）の基質となる医薬品）

特定の医薬品は肝臓で代謝されます。アカシア・リギディラはこのような医薬品の代謝を抑制する可能性があります。アカシア・リギディラと肝臓で代謝される医薬品を併用すると，医薬品の作用および副作用が増強するおそれがあります。このような医薬品には，アミトリプチリン塩酸塩，クロザピン，コデインリン酸塩水和物，塩酸デシプラミン（販売中止），ドネペジル塩酸塩，フェンタニルクエン酸塩，フレカイニド酢酸塩，塩酸フルオキセチン（販売中止），ペチジン塩酸塩，メサドン塩酸塩，メトプロロール酒石酸塩，オランザピン，オンダンセトロン塩酸塩水和物，トラマドール塩酸塩，トラゾドン塩酸塩などがあります。

中 肝臓で代謝される医薬品（シトクロムP450 3A4（CYP3A4）の基質となる医薬品）

特定の医薬品は肝臓で代謝されます。アカシア・リギディラはこのような医薬品の代謝を抑制する可能性があります。アカシア・リギディラと肝臓で代謝される医薬品を併用すると，医薬品の作用および副作用が増強するおそれがあります。このような医薬品には，Lovastatin，ケトコナゾール，イトラコナゾール，フェキソフェナジン塩酸塩，トリアゾラムなど数多くあります。

ハーブおよび健康食品・サプリメントとの相互作用

興奮作用をもつハーブおよび健康食品・サプリメント

アカシア・リギディラに含まれている成分の一部には，興奮作用があります。アカシア・リギディラが原料表示されている製品の多くに，β-メチルフェネチルアミン（BMPEA）と呼ばれる成分も含まれています。BMPEAなどの興奮成分が，血圧および心拍数を増加させるおそれがあります。理論上，アカシア・リギディラと，興奮作用をもつほかのハーブおよび健康食品・サプリメントを併用すると，心拍数および血圧が過度に上昇するなど，深刻な症状を引き起こすおそれがあります。このようなハーブおよび健康食品・サプリメントには，マオウ（麻黄），ダイダイ，カフェインのほか，コーヒー，コーラノキの種，ガラナ豆，マテなどカフェインを含むハーブなどがあります。

使用量の目安

通常の食品に含まれている量を超えて経口摂取した場合の安全性および副作用については，明らかになっていません。

アカニレ

SLIPPERY ELM

●代表的な別名

レッドエルム

別名ほか

赤楡（Ulmus fulva），レッドエルム（Red Elm），スリッパリーエルム，ブラウンエルム（Ulmus rubra），Indian Elm，Moose Elm，Sweet Elm

概　　要

アカニレはハーブです。内側の樹皮を用いて「くすり」を作ることもあります。

●要説（ナチュラル・スタンダード）

アカニレは，カナダ東部と米国東部および中部に生息しています。大部分はアパラチア山脈で見つかっています。その名称は，噛んだり，水と混ぜたりすると，樹皮の内側が硬くつるつるしたものになることに由来します。アカニレ樹皮の内側は歴史的に，咳，創傷治療，栄養のために使用されたり，民間療法または伝承医学における「くすり」として，粘膜を修復したり，皮膚を柔らかくしたり調整するためにも使用されてきました。EssiacやFlor Essenceといった薬草がん治療製品の４つの主要な成分の１つに含まれます。

この薬草の一般的な用法の研究は不十分ですが，その高い粘着性のために，アカニレの樹皮は皮膚と粘膜の炎症を治療する場合，安全な薬草治療薬の可能性があります。

アカニレのアレルギー反応の報告はありますが，毒性作用の報告は十分ではありません。アカニレの樹皮の内側は，全体の樹皮とは異なり，副作用を引き起こすおそれがあります。カリフォルニアのアカニレ樹皮には類似した用途がありますが，アカニレとは異なる植物類に属しています。

安　全　性

アカニレの経口摂取は，適量であれば，ほとんどの人にとって，おそらく安全です。アカニレを皮膚に塗布する場合の安全性については，データが不十分です。人によっては，アレルギー反応や皮膚過敏を引き起こすおそれがあります。

●妊娠中および母乳授乳期

アカニレの樹皮を妊婦の頸部に挿入すると，流産を引き起こすという民間伝承があります。アカニレを経口摂取するだけでも，妊娠中絶を引き起こすという長年の噂もあります。信頼性のある根拠はありませんが，安全性を考慮し，妊娠中および母乳授乳期は，アカニレを摂取してはいけません。

有　効　性

◆有効性レベル③

・咽喉痛。アカニレにより，咽喉痛が緩和するようです。咽喉痛に対して使用する場合には，鎮痛効果が持続するため，天然のものよりもアカニレを含む市販のトローチが好まれます。

◆科学的データが不十分です

・がん，過敏性腸症候群（IBS），膀胱感染症，熱傷，創傷，咳，仙痛，便秘，下痢，痛風，痔核，ヘルペス，関節リウマチ，胃潰瘍，梅毒，条虫，歯痛，尿路感染症など。

●体内での働き

アカニレには，咽喉痛を鎮静化する可能性のある化学物質が含まれています。アカニレには，胃腸疾患に有効な粘液分泌を促す可能性もあります。

医薬品との相互作用

中経口薬

アカニレは植物粘質物と呼ばれる一種の食物繊維を含みます。植物粘質物は薬の体内への吸収を抑制する可能性があります。アカニレと経口薬を併用すると，薬の効果を弱めるおそれがあります。この相互作用を避けるために，経口薬の服用後，少なくとも１時間はアカニレを摂取しないでください。

ハーブおよび健康食品・サプリメントとの相互作用

ほかのハーブ，健康食品・サプリメントとの相互作用についてはまだ明らかではありません。

使用量の目安

通常の食品に含まれている量を超えて経口摂取した場合の安全性および副作用については，明らかになっていません。

赤根草

BLOODROOT

別名ほか

サンギナリア（Sanguinaria），サンギナリア・カナデンシス，アカネグサ（Sanguinaria canadensis），Blood Root，Bloodwort，Coon Root，Indian Plant，Indian Red Paint，Pauson，Red Indian Paint，Red Puccoon，Red Root，Snakebite，Sweet Slumber，Tetterwort

概　要

赤根草は植物です。地下茎（根茎）を用いて「くすり」を作ることもあります。

●要説（ナチュラル・スタンダード）

赤根草（Sanguinaria Canadensis. サンギナリア・カナデンシス）は，消化器系を刺激し，嘔吐を誘発する作用薬として，米国先住民の部族によって長い間使用されてきました。また，抗菌薬としても使用されてきました。より最近では，赤根草の主な活性成分であるサンギナリンは，歯垢を減少させたり歯肉炎および歯周病を治療するための歯磨薬に添加されています。すなわち，歯を洗浄するために使用されています。サンギナリンの慢性的な経口使用は，白斑（口内の前がん状態の白い斑点）と口腔異形成病変（異常な口の傷）が生じる可能性がありますが，歯垢の減少，歯肉炎，歯周病の治療にサンギナリンが有効であることを決定するためには，より多くの研究がこの分野で必要とされます。

2003年に発表された米国食品医薬品局（FDA）非処方箋薬諮問委員会の歯垢小委員会の報告では，「濃度0.03～0.075％のサンギナリア抽出物は安全であるが，店頭薬（OTC薬）としての抗歯肉炎薬や抗歯垢薬として口をすすいだり歯磨きとして使用する場合の有効性に，最終的な認可を与えるための利用可能なデータは十分ではない」とのことでした。しかし，内服の場合，専門家の意見は赤根草を安全ではないとみなしています。2005年には，資格をもたない者に対して法的措置がとられました。理由は，無資格者が赤根草を処方して乳がん女性数人にクリームを塗布した後に，その女性たちが外観変形や組織損傷を患うようになったからです。

安　全　性

赤根草の経口摂取は，短期間であれば，ほとんどの人におそらく安全です。吐き気，嘔吐，傾眠，ふらつきなどの副作用があります。皮膚に接触すると皮疹を起こすおそれがあります。眼に入ると過敏症を起こすおそれがあるため，眼に入れてはいけません。

長期にわたる高用量の経口摂取は，おそらく安全ではありません。高用量の摂取は，低血圧，ショック，昏睡，緑内障を引き起こすおそれがあります。また，歯磨き剤やうがい薬として使用するのも，おそらく安全ではありません。口腔内の白斑のリスクが高まるおそれがあります。

感染，クローン病などの胃腸の炎症性疾患：消化管を刺激するおそれがあります。これらの疾患の場合には使用してはいけません。

緑内障：緑内障の治療に影響を及ぼすおそれがあります。緑内障の場合は，医師などの管理下で使用するのでない限り，使用してはいけません。

●妊娠中および母乳授乳期

妊娠中の経口摂取は安全ではないようです。母乳授乳期の経口摂取はおそらく安全ではありません。

有　効　性

◆有効性レベル③

- 歯垢。赤根草と塩化亜鉛を含む特定の歯磨き剤，またはこれと似た，赤根草，塩化亜鉛，フッ化物を含む歯磨き剤で歯を磨き，赤根草と塩化亜鉛を含むうがい薬を併用することで，歯垢が減るようです。また，プロによる歯のクリーニング後に赤根草のうがい薬を使用すると，歯垢を抑制するようです。さらに，赤根草の歯磨き剤と赤根草のうがい薬を使用することで，歯列矯正装置を装着している10代の若者で歯垢がたまるのを防ぐようです。
- 歯肉炎。一致しないエビデンスもありますが，ほとんどの研究で，赤根草と塩化亜鉛を含む歯磨き剤，またはこれと似た，赤根草，塩化亜鉛，フッ化物を含む歯磨き剤で歯を磨き，赤根草と塩化亜鉛を含むうがい薬を併用することで，歯肉炎が減ることが示されています。また，プロによる歯のクリーニング後に赤根草のうがい薬を使用すると，歯肉炎を抑制するようです。

◆科学的データが不十分です

- 歯周炎（深刻な歯の感染），咳，痙攣，下剤，嘔吐の原因，創傷清浄など。

●体内での働き

細菌や炎症，歯垢の蓄積を減らすような化学物質が含まれます。

医薬品との相互作用

ほかの医薬品との相互作用については明らかではありません。

ハーブおよび健康食品・サプリメントとの相互作用

ほかのハーブ，健康食品・サプリメントとの相互作用についてはまだ明らかではありません。

使用量の目安

通常の食品に含まれている量を超えて経口摂取した場合の安全性および副作用については，明らかになっていません。

アガリクス茸

AGARICUS MUSHROOM

有効性レベル：①効きます　②おそらく効きます　③効くと断言できませんが、効能の可能性が科学的に示唆されています　④効かないかもしれません　⑤おそらく効きません　⑥効きません

ア

別名ほか

アガリクスブラゼイムリル（Agaricus blazei），カワリハラタケ，サンマッシュルーム，ヒメマツタケ，Agarikusutake，Brazil Mushroom，Brazilian Sun-Mushroom

概　　要

アガリクス茸はキノコです。エキスを使って「くすり」を作ることがあります。

安 全 性

アガリクス茸エキスの摂取は，最大12週までなら安全のようです。

糖尿病の人の中には，摂取によって血糖値が下がりすぎる（低血糖症）人がいます。

そう痒を引き起こすこともあります。

アガリクス茸をがん治療中にとることで重症肝毒性を起こす人もいます。

２週間以内に手術を受ける予定の人，肝臓病の人は使用してはいけません。

●妊娠中および母乳授乳期

妊娠中，母乳授乳期は使用してはいけません。

有 効 性

◆有効性レベル③

・２型糖尿病。アガリクス茸のエキスを糖尿病治療薬とともに摂取すると，２型糖尿病の人に多いインスリン耐性の低下がみられることを示す研究があります。

◆科学的データが不十分です

・化学療法による副作用。アガリクス茸の摂取により，化学療法の副作用のいくつかが抑制されることを示す予備的研究があります。

●体内での働き

アガリクス茸には，２型糖尿病の人の身体でのインスリンの効能を改善し，またインスリン耐性を下げる化合物が含まれています。予備的な研究の中には，免疫刺激活性，抗酸化活性，および抗腫瘍活性があることを示唆するものもあります。

医薬品との相互作用

中糖尿病治療薬

アガリクス茸は，２型糖尿病の人の血糖値を下げることがあります。糖尿病治療薬も血糖値を下げるのに使います。アガリクス茸を糖尿病治療薬と併用すると，血糖値が下がりすぎるおそれがあるので，血糖値を定期的に測定する必要性があります。糖尿病治療薬の用量を変更する必要があるかもしれません。このような糖尿病治療薬には，グリメピリド，グリベンクラミド，インスリン，ピオグリタゾン塩酸塩，マレイン酸ロシグリタゾン（販売中止），クロルプロパミド，Glipizide，トルブタミド（販売中止）などがあります。

ハーブおよび健康食品・サプリメントとの相互作用

ほかのハーブ，健康食品・サプリメントとの相互作用についてはまだ明らかではありません。

使用量の目安

●経口摂取

糖尿病に対してアガリクス茸エキス１日に３回500mgが使われています。

アキー

ACKEE

別名ほか

Ackée，Akee，Aki，Anjye，Arbre fricasse，Ishin，Seso Vegetal，Blighia sapida，Cupania sapida

概　　要

アキーは果実を結ぶ植物です。西アフリカ，カリブ海，フロリダ州南部，および中央アメリカに分布します。熟した果実は食用となり，ジャマイカでは主食です。

アフリカやカリブ海では，未熟な果実が原因の食中毒が頻繁に発生します。食料難の時期には，未熟な果実の摂取による食中毒が蔓延するおそれがあります。

未熟な果実による食中毒が懸念され，アキー製品のアメリカへの輸入は過去30年にわたり禁止されてきました。近年ようやく，熟した果実の缶詰に限り許可されるようになりました。

実を用いて「くすり」を作ることもあります。

●要説（ナチュラル・スタンダード）

アキーは，ジャマイカの国民食です。常緑樹に房状に成る果実です。アキーの有毒物質であるヒポグリシンAは，あらゆる成熟段階で果実の仮種皮，種子，および殻に含まれます。

医療目的や栄養補給目的で未熟のアキーを経口摂取すると，“ジャマイカ嘔吐病”あるいは中毒性低血糖症候群と呼ばれる急性中毒を引き起こすおそれがあります。筋緊張の消失をはじめ，嘔吐，痙攣，および昏睡などの副作用をともないます。死に至ることもあります。アキーを誤って摂取して中毒を起こし，死に至る例がありました。そのほとんどが２～６歳の小児です。完熟して木の上で自然に開いた果実だけが食用となります。ただし，果肉の下部にある被膜は取り除いてください。

アキーの木のさまざまな部分が寄生虫の駆除や，赤痢（深刻な下痢を起こします），結膜炎，および頭痛の「くすり」として用いられています。アキーの治療的有効性を推奨するには，さらなる研究が必要です。

毒性があるため，米国への輸入は米国食品医薬品局

（FDA）により禁止されています。

安全性

熟した実は安全なようですが，未熟な果実は調理済みでも安全ではありません。

未熟な果実の調理の際に使用した水でさえも，有毒です。

未熟な果実には，肝臓に有害な物質が含まれています。また，深刻な低血糖および痙攣を引き起こすおそれがあり，死に至ることもあります。

小児：小児には未熟な果実の摂取は，安全ではありません。小児は成人に比べアキーの毒性作用に過敏です。小児が熟した果実を摂取する場合の安全性についてはデータが不十分です。

●妊娠中および母乳授乳期

妊娠中および母乳授乳期における未熟な果実の摂取は，安全ではありません。妊娠中および母乳授乳期における熟した果実の摂取の安全性についてはデータが不十分です。安全性を考慮し，摂取は避けてください。

有効性

◆科学的データが不十分です

・感冒，発熱，水分貯留，およびてんかん。

●体内での働き

薬用としてどのように作用するかについては十分なデータが得られていません。

医薬品との相互作用

ほかの医薬品との相互作用については明らかではありません。

ハーブおよび健康食品・サプリメントとの相互作用

ほかのハーブ，健康食品・サプリメントとの相互作用についてはまだ明らかではありません。

使用量の目安

標準使用量に関するデータがありません。

アグマチン

AGMATINE

別名ほか

1-(4-aminobutyl) guanidine，2-(4-アミノブチル)グアニジン，Agmatin，Decarboxylated Arginine，アルギニンデカルボキシラーゼ

概要

アグマチンは細菌や植物，人間などの動物に存在する化学物質です。アルギニンというアミノ酸から生成されます。

アグマチンは一般的に，うつ病，神経痛，運動能力改善などの多くの疾患に対して経口摂取されます。しかし，これらの用途を裏づける研究は十分ではありません。

安全性

アグマチンの安全性については，データが不十分です。アグマチンを摂取した人のなかには，下痢，胃のむかつき，吐き気などの副作用が現れた人がいます。

糖尿病：アグマチンは糖尿病患者の血糖値を低下させる可能性があります。糖尿病に罹患していてアグマチンを使用する場合には，低血糖の徴候に注意し，血糖値を注意深く監視してください。

手術：アグマチンは血糖値および血圧を低下させ，手術中・手術後の血糖値および血圧のコントロールを妨げる可能性があります。少なくとも手術前2週間は使用しないでください。

●妊娠中および母乳授乳期

妊娠中および母乳授乳期の使用の安全性についてはデータが不十分です。安全性を考慮し，摂取は避けてください。

有効性

◆科学的データが不十分です

・椎間板ヘルニア，アルコールに関連する障害，アルツハイマー病，不安，運動能力，自閉症，双極性障害，うつ病，神経痛，パーキンソン病，痙攣，統合失調症，脳卒中など。

●体内での働き

アグマチンは脳内の他の化学物質や経路の調節に役立つようです。そのため，特定の脳・神経系疾患を改善する可能性があります。

医薬品との相互作用

中 降圧薬

アグマチンと降圧薬を併用すると，医薬品の作用が増強し，血圧が過度に低下するおそれがあります。このような降圧薬には，カプトプリル，エナラプリルマレイン酸塩，ロサルタンカリウム，バルサルタン，ジルチアゼム塩酸塩，アムロジピンベシル酸塩，ヒドロクロロチアジド，フロセミドなど数多くあります。

中 糖尿病治療薬

アグマチンは血糖値を低下させる可能性があります。糖尿病治療薬も血糖値を低下させるために用いられます。アグマチンと糖尿病治療薬を併用すると，血糖値が過度に低下するおそれがあります。血糖値を注意深く監視してください。糖尿病治療薬の用量を変更する必要があるかもしれません。このような糖尿病治療薬には，グリメピリド，グリベンクラミド，インスリン，メトホルミン塩酸塩，ピオグリタゾン塩酸塩，マレイン酸ロシグリタゾン（販売中止），クロルプロパミド，Glipizide，ト

ルブタミド（販売中止）などがあります。

ハーブおよび健康食品・サプリメントとの相互作用

血圧を低下させるおそれのあるハーブおよび健康食品・サプリメント

アグマチンは血圧を低下させる可能性があります。そのため，血圧を低下させるおそれのあるほかのハーブおよび健康食品・サプリメントの血圧低下作用を強める可能性があります。このようなハーブおよび健康食品・サプリメントには，アンドログラフィス，カゼイン・ペプチド，キャッツクロー，コエンザイムQ-10，L-アルギニン，クコ属，イラクサ，テアニンなどがあります。

血糖値を低下させるおそれのあるハーブおよび健康食品・サプリメント

アグマチンは血糖値を低下させる可能性があります。血糖値を低下させるおそれのあるハーブおよび健康食品・サプリメントと併用すると，人によっては血糖値が過度に低下するおそれがあります。このようなハーブおよび健康食品・サプリメントには，α-リポ酸，ニガウリ，クロム，デビルズクロー，フェヌグリーク，ニンニク，グアーガム，セイヨウトチノキ，朝鮮人参，クコ属，エゾウコギなどがあります。

使用量の目安

通常の食品に含まれている量を超えて経口摂取した場合の安全性および副作用については，明らかになっていません。

アサイー

ACAI

別名ほか

Acai Palm, Amazon Acai, Assai Palm, Cabbage Palm, Euterpe oleracea, synonym Euterpe badiocarpa

概　　要

アサイーは南アメリカの北部に広く分布するヤシ科の木です。ベリーが「くすり」として使用されます。

食品としては生のまま，またはジュースにして摂取されています。ジュースは飲料，アイスクリーム，ゼリー，リキュールなどの原材料として使われています。また，紫色の天然食品着色料としても使われています。

●要説（ナチュラル・スタンダード）

アサイーは，アサイー・パーム（ヤシ科の植物）に実る小さな果実，ベリーです。中南米の熱帯地域に分布します。

アサイーは，赤紫色の果実としてよく知られています。ベリーとチョコレートを混ぜたような味がします。ブルーベリー，クランベリーおよび，ほかの濃い紫色の果実の仲間です。ジュースをはじめ，粉末，錠剤，およびカプセルなど種類豊富なアサイー製品が市販されています。

アサイーに関する研究は，抗酸化作用を軸になされています。アサイーには，抗がん作用および抗炎症活性があることも示唆されています。初期の研究では，アサイーの果肉が核磁気共鳴画像法（MRI）の造影剤となる可能性が示唆されています。

肥満の人が，あるアサイー製品を用いることで，メタボリックシンドロームを構成しているBMI，腹囲，血圧，血中脂質の値が減少することが示されています。今後の研究が期待されています。

安　全　性

アサイーが安全かどうかについての十分なデータがまだ得られていません。

アサイーの生ジュースは，アメリカトリパノソーマ症やシャーガス病の流行に関係があると報告されています。

●妊娠中および母乳授乳期

妊娠中，母乳授乳期には安全性を考慮して使用しないでください。

有　効　性

◆科学的データが不十分です

・関節炎，高コレステロール血症，健康状態向上など。

●体内での働き

アサイーは抗酸化物質を含んでいます。抗酸化物質は酸化による体の細胞へのダメージから守ると考えられています。いくつかのリサーチによるとアサイーは，クランベリー，ラズベリー，ブラックベリー，ストロベリーやブルーベリーよりも多く抗酸化物質が含まれているようです。

医薬品との相互作用

ほかの医薬品との相互作用については明らかではありません。

ハーブおよび健康食品・サプリメントとの相互作用

ほかのハーブ，健康食品・サプリメントとの相互作用についてはまだ明らかではありません。

使用量の目安

標準使用量に関するデータがありません。

アサルム

ASARUM

別名ほか

Asara, Asarabácara, Asaret du Caucase, Asaret d'Europe, Asari Herba, Asari Herba cum Radice, Ásaro Europeo, Asaroun, Asarum europeaum, Azarum, Cabaret, False Coltsfoot, Gingembre Rouge, Gingembre Sauvage, Hazelwort, Nard Sauvage, Oreille d'Homme, Public House Plant, Rondelle, Snakeroot, Wild Ginger, Wild Nard

概　　要

アサルムは植物です。根を用いて「くすり」を作ります。

安全上の深刻な懸念があるにもかかわらず，アサルムは，気管支炎，気管支痙攣および気管支喘息に対して使用されます。また，咳，肺炎，胸痛（狭心症），片頭痛，肝疾患および脱水に対しても使用されます。嘔吐を引き起こす目的で使用する人もいます。女性では，月経誘発および流産の目的で使用することもあります。

アサルム，サラシナショウマ（bitter milkwort），セネガ（senega）はいずれもスネークルート（蛇咬傷に有効な植物）と呼ばれることがありますが，この3つを混同してはいけません。

安　全　性

アサルムの経口摂取は，アリストロキン酸と呼ばれる化学物質に汚染されていない限り，短期間であれば，おそらく安全です。

アサルムの経口摂取は，アリストロキン酸に汚染されていなくても，長期間または多量に摂取する場合は，おそらく安全ではありません。多量に摂取する場合，汚染されていなくても，吐き気，嘔吐，舌灼熱感，下痢，皮疹および麻痺を引き起こすおそれがあります。

アサルムの経口摂取は，アリストロキン酸と呼ばれる化学物質に汚染されている場合，いかなる期間であっても，安全ではありません。この物質は腎臓に損傷を与えるか，もしくはがんを引き起こすおそれがあります。

胃腸疾患：アサルムは消化管を刺激するおそれがあります。潰瘍，炎症性腸疾患，もしくはクローン病の場合，使用してはいけません。

●妊娠中および母乳授乳期

妊娠中のアサルムの摂取は安全ではないようです。月経を誘発したり子宮を収縮させたりするおそれがあります。これらの作用により流産を引き起こすおそれがあります。使用は避けてください。

母乳授乳期に摂取した場合の乳児への影響については，データが不十分です。安全性を考慮し，摂取は避けてください。

有　効　性

◆科学的データが不十分です

・気管支喘息，胸痛（狭心症），咳，肺炎，片頭痛，脱水，肝疾患，気管支炎，嘔吐誘発，月経誘発など。

●体内での働き

アサルムに含まれる化学物質が，肺に影響を及ぼす可能性があります。嘔吐を引き起こす可能性のある化学物質も含まれています。

医薬品との相互作用

ほかの医薬品との相互作用については明らかではありません。

ハーブおよび健康食品・サプリメントとの相互作用

ほかのハーブ，健康食品・サプリメントとの相互作用についてはまだ明らかではありません。

使用量の目安

通常の食品に含まれている量を超えて経口摂取した場合の安全性および副作用については，明らかになっていません。

アジアンタム

MAIDENHAIR FERN

●代表的な別名

ホウライシダ

別名ほか

ホウライシダ，蓬莱羊歯，クジャクシダ（Adiantum capillus-veneris），ファイブフィンガーファーン（Five-Finger Fern），Adiantum pedatum，Hair of Venus，Maiden Fern，Rock Fern，Venus'Hair

概　　要

アジアンタムは植物です。「くすり」の原料に使用されます。アジアンタム（Maidenhair Fern）と，イチョウの別名Maidenhair Treeを混同しないでください。

安　全　性

食べ物から摂取する量なら，ほとんどの人に安全のようです。

十分なデータは得られていないため，食べ物に含まれる以上の量では安全性に関して不明です。人によっては，多量の摂取は嘔吐を引き起こします。

●妊娠中および母乳授乳期

妊娠中および母乳授乳期におけるアジアンタムの使用は安全ではありません。大量に摂取すると，嘔吐します。

妊娠中および母乳授乳期におけるアジアンタムの使用に関しては，十分なデータがありません。安全性を考慮し，摂取を避けてください。

有効性レベル：①効きます　②おそらく効きます　③効くと断言できませんが、効能の可能性が科学的に示唆されています
④効かないかもしれません　⑤おそらく効きません　⑥効きません

有効性

◆科学的データが不十分です

・気管支炎，咳，百日咳，月経不順，脱毛，毛髪の黒色化の促進ほか。

●体内での働き

どのように作用するかについては十分なデータが得られていません。

医薬品との相互作用

ほかの医薬品との相互作用については明らかではありません。

ハーブおよび健康食品・サプリメントとの相互作用

ほかのハーブ，健康食品・サプリメントとの相互作用についてはまだ明らかではありません。

使用量の目安

●経口摂取

お茶（1.5gの乾燥品を150mLの熱湯に10～15分間浸し，その後，ろ過する）として摂取します。このお茶は粉末品1.5gと同等の効果を示します。

アジサイ

HYDRANGEA

別名ほか

アメリカノリノキ（Hydrangea arborscens），ヴィバルナルアルニホリウム（Viburnum alnifolium），Mountain Hydrangea，Seven Barks，Smooth Hydrangea，Viburnum americanum，Wild Hydrangea

概要

アジサイは植物です。根および根茎（地下茎）を用いて「くすり」を作ることもあります。

●要説（ナチュラル・スタンダード）

アジサイは北米，南米，東南アジア原産の観賞用植物です。伝統的な漢方薬で，北米のチェロキー族は排尿障害の治療に使用してきました。

予備的研究では，アジサイは，その潜在的な抗真菌，抗マラリア，血糖値低下の特性のために研究されてきました。アジサイを皮膚に塗布すると，男性型脱毛症を防ぐ可能性があります。

あらゆる適応症治療へのアジサイ使用を裏づけるための，ヒトでの有効なエビデンスは，現在十分にはありません。

安全性

アジサイを経口摂取する場合，２～３日であればほとんどの人におそらく安全です。吐き気，嘔吐，下痢，めまい感，胸部圧迫感などの副作用があります。

乾燥させたアジサイの根茎/根を一度に２g以上摂取する場合，安全ではないようです。また，長期にわたって使用する場合も，安全ではないようです。

●妊娠中および母乳授乳期

妊娠中および母乳授乳期の使用の安全性についてはデータが不十分です。安全性を考慮し，摂取は避けてください。

有効性

◆科学的データが不十分です

・前立腺肥大，前立腺感染，膀胱炎，尿道感染，腎結石，花粉症など。

●体内での働き

アジサイに含まれる化学物質が排尿量を増やし，それによって尿路障害の改善に役立つ可能性があります。

医薬品との相互作用

中 炭酸リチウム

アジサイは利尿薬のように作用する可能性があります。アジサイを摂取すると，炭酸リチウムの体内からの排泄が抑制される可能性があります。そのため，体内の炭酸リチウム量が増加し，重大な副作用が現れるおそれがあります。

ハーブおよび健康食品・サプリメントとの相互作用

ほかのハーブ，健康食品・サプリメントとの相互作用についてはまだ明らかではありません。

使用量の目安

通常の食品に含まれている量を超えて経口摂取した場合の安全性および副作用については，明らかになっていません。

アシタバ

ASHITABA

●代表的な別名

アンゼリカ

別名ほか

明日葉，アンゼリカ，Angelicakeiskei，Kenso

概要

アシタバは主に日本の中央部に生育する大型のハーブです。根，葉，茎が「くすり」を作るのに用いられます。

生の葉や，乾燥した粉末が食品として用いられます。

安全性

安全性についての十分なデータは得られていません。

●妊娠中および母乳授乳期

妊娠中および母乳授乳期の使用の安全性についてはデータが不十分です。安全性を考慮し，摂取は避けてください。

有効性

◆科学的データが不十分です

・逆流性食道炎，胃潰瘍，高血圧症，高コレステロール血症，痛風，便秘，アレルギー，がん，天然痘，食中毒など。

●体内での働き

どのように作用するかについての十分なデータがありません。含まれる化合物に抗酸化作用があるようです。そのほかの化合物は胃酸の分泌を抑制することがあります。しかし，ほとんどが動物実験や試験管内の実験であり，ヒトを対象にした研究ではありません。

医薬品との相互作用

中 肝臓で代謝される医薬品（シトクロムP450 1A1（CYP1A1）の基質となる医薬品）

特定の医薬品は肝臓で代謝されます。アシタバはこのような医薬品の代謝を抑制する可能性があります。理論的には，アシタバと肝臓で代謝される医薬品を併用すると，医薬品の作用および副作用が増強するおそれがあります。肝臓で代謝される医薬品を服用する場合には，医師や薬剤師に相談することなくアシタバを摂取しないでください。このような医薬品には，クロルゾキサゾン，テオフィリンなどがあります。

中 肝臓で代謝される医薬品（シトクロムP450 1A2（CYP1A2）の基質となる医薬品）

特定の医薬品は肝臓で代謝されます。アシタバはこのような医薬品の代謝を抑制する可能性があります。理論的には，アシタバと肝臓で代謝される医薬品を併用すると，医薬品の作用および副作用が増強するおそれがあります。肝臓で代謝される医薬品を服用する場合には，医師や薬剤師に相談することなくアシタバを摂取しないでください。このような医薬品には，アミトリプチリン塩酸塩，ハロペリドール，オンダンセトロン塩酸塩水和物，プロプラノロール塩酸塩，テオフィリン，ベラパミル塩酸塩などがあります。

ハーブおよび健康食品・サプリメントとの相互作用

ほかのハーブ，健康食品・サプリメントとの相互作用についてはまだ明らかではありません。

使用量の目安

標準使用量に関するデータがありません。

アジュガ

BUGLE

●代表的な別名

セイヨウキランソウ

別名ほか

セイヨウキランソウ，セイヨウジュウニヒトエ（Ajuga reptans），Bugula，Carpenter's Herb，Middle Comfrey，Middle Confound，Sicklewort

概要

アジュガは植物です。地上部を「くすり」として使用されることもあります。

安全性

十分なデータを得られていないので，安全性または副作用については不明です。

●妊娠中および母乳授乳期

妊娠中および母乳授乳期の使用の安全性についてはデータが不十分です。安全性を考慮し，摂取は避けてください。

有効性

◆科学的データが不十分です

・胆のう障害，胃障害。直接塗布する場合には，口内およびのどの腫脹，創傷など。

●体内での働き

どのように作用するかについては十分なデータが得られていません。

医薬品との相互作用

ほかの医薬品との相互作用については明らかではありません。

ハーブおよび健康食品・サプリメントとの相互作用

ほかのハーブ，健康食品・サプリメントとの相互作用についてはまだ明らかではありません。

使用量の目安

標準使用量に関するデータがありません。

アジュガ・ニッポネンシス

AJUGA NIPPONENSIS

●代表的な別名

十二単

ア

別名ほか

アジュガ，十二単

概　　要

アジュガ・ニッポネンシスはハーブです。全体を使って「くすり」を作ることもあります。

安 全 性

安全かどうかはまだ明らかになっていません。可能性がある副作用として，下痢，悪心および嘔吐があります。

●妊娠中および母乳授乳期

妊娠中および母乳授乳期の使用の安全性についてはデータが不十分です。安全性を考慮し，摂取は避けてください。

有 効 性

◆科学的データが不十分です

・咳，炎症，体液貯留，肝臓病の予防など。

●体内での働き

予備的研究で，アジュガ・ニッポネンシスに含まれる化合物にがん予防および肝臓を守る役割をもつ可能性があることが示唆されています。

医薬品との相互作用

ほかの医薬品との相互作用については明らかではありません。

ハーブおよび健康食品・サプリメントとの相互作用

ほかのハーブ，健康食品・サプリメントとの相互作用についてはまだ明らかではありません。

使用量の目安

標準使用量に関するデータがありません。

アシュワガンダ

ASHWAGANDHA

●代表的な別名

インド人参

別名ほか

インディアンジンセン，インド人参，インド朝鮮人参，セキトメホオズキ（Indian Ginseng），ウィンターチェリー（Winter Cherry），ウィザニア（Withania），Ajagandha，Amangura，Amukkirag，Asgand，Ashvagandha，Asundha，Asvagandha，Avarada，Ayurvedic Ginseng，Clustered Wintercherry，Kanaje Hindi，Kuthmithi，Physalis somnifera，Samm Al Rerakh，Turang-Ghanda，Withania somnifera，Withania coagulans

概　　要

アシュワガンダは植物です。根および小さな果実を用いて「くすり」を作ることもあります。

・新型コロナウイルス感染症（COVID-19）。

COVID-19に対してアシュワガンダの使用を裏付ける十分なデータはありません。

安 全 性

アシュワガンダは短期間経口摂取する場合は安全なようです。

長期摂取の安全性は不明です。

大量に摂取すると，胃のむかつき，下痢，嘔吐を生じることがあります。

皮膚に直接アシュワガンダを塗布しても安全かどうかは知られていません。

糖尿病：アシュワガンダは，血糖値を下げる可能性があります。糖尿病治療薬に干渉し，血糖値が低下しすぎる可能性があります。糖尿病患者は，厳密に血糖値を監視してください。

高血圧または低血圧：アシュワガンダは，血圧を低下させる可能性があります。このことによって，低血圧の人の血圧が低くなりすぎる可能性があります。もしくは，高血圧治療に使用される薬剤の効果を増強させます。低血圧であったり，降圧薬を服用している場合，アシュワガンダは慎重に使用する必要があります。

胃潰瘍：アシュワガンダは胃腸を刺激するので，胃潰瘍の場合は使用しないでください。

多発性硬化症，全身性エリテマトーデス，慢性関節リウマチなどの自己免疫疾患：アシュワガンダは免疫系を活性化させ，自己免疫疾患の症状を悪化させる危険性があります。もしこの疾患にかかっている場合は，使用を避けるのが最善策です。

手術：アシュワガンダは中枢神経系を鈍化させる可能性があり，手術中および術後の麻酔や医薬品などの効果が強く出ることが危惧されます。手術予定のある人は手術の少なくとも２週間前までに使用をおやめください。

甲状腺疾患：アシュワガンダは，甲状腺ホルモンの値を増加させる可能性があります。甲状腺疾患にかかっていたり甲状腺ホルモン薬を服用している場合，アシュワガンダは慎重に摂取するか避けるべきです。

●妊娠中および母乳授乳期

妊娠中はアシュワガンダを使用してはいけません。妊娠中の使用は安全でない可能性が高いです。アシュワガンダが流産を引き起こす可能性があるというデータがあります。母乳授乳期の使用についてはデータが不十分です。安全性を考慮して，使用は避けるべきです。

有 効 性

◆科学的データが不十分です

・不安感。アシュワガンダは，深呼吸と特定の食事療法とを併用すると，不安感の症状を軽減する可能性があることを示すエビデンスがあります。アシュワガンダ単独での不安感への効果は不明です。
・注意欠陥多動性障害。臨床研究の中には，アシュワガンダとハーブ製品との併用は，注意欠陥多動性障害を患う小児の注意力と衝動制御の改善が可能であることを示しています。アシュワガンダ単独の効果は不明です。
・小脳性運動失調。予備研究では，アーユルヴェーダ代替医療法と併用すると，アシュワガンダは小脳性運動失調を患う人の身体平衡を改善する可能性があることを示しています。
・糖尿病。アシュワガンダは，糖尿病患者の血糖値を下げる可能性があることを示すエビデンスがあります。
・高コレステロール血症。アシュワガンダが高コレステロール血症患者のコレステロール値を下げる可能性があることを示すエビデンスがあります。
・男性不妊。予備的な臨床試験の中には，アシュワガンダが不妊男性の精子の数ではなく質を改善させる可能性を示しているものがあります。アシュワガンダを服用して，実際に生殖能力を向上させる可能性があるかどうかに関しては知られていません。
・関節炎。他の成分と一緒に特定のサプリメントで摂取されたアシュワガンダは，関節炎の症状を改善する可能性があることを示す予備的研究があります。アシュワガンダ単独で変形性関節症に有効であるかどうかは不明です。
・パーキンソン病。予備的研究では，アシュワガンダとハーブとを併用することで，パーキンソン病の症状を改善することを示しています。アシュワガンダ単独でパーキンソン病に効果があるかは不明です。
・腫瘍，結核，肝障害，炎症（腫脹），潰瘍，ストレス，嘔吐の誘発，免疫機能の変化，老化，線維筋痛による影響の改善など。

●体内での働き

気持ちを落ち着かせ，炎症（腫脹）を抑制，血圧を下げ，免疫システムを改善できるような化合物を含んでいます。

医薬品との相互作用

中 ベンゾジアゼピン系鎮静薬

アシュワガンダは眠気および注意力低下を引き起こす可能性があります。鎮静薬は眠気を引き起こす医薬品です。アシュワガンダと鎮静薬を併用すると，過度の眠気を引き起こすおそれがあります。このような鎮静薬には，クロナゼパム，ジアゼパム，ロラゼパム，アルプラゾラム，フルラゼパム塩酸塩，ミダゾラムなどがあります。

中 鎮静薬（中枢神経抑制薬）

アシュワガンダは眠気および注意力低下を引き起こす可能性があります。鎮静薬は眠気を引き起こす医薬品です。アシュワガンダと鎮静薬を併用すると，過度の眠気を引き起こすおそれがあります。このような鎮静薬には，クロナゼパム，ロラゼパム，フェノバルビタール，ゾルピデム酒石酸塩などがあります。

中 糖尿病治療薬

アシュワガンダは血糖値を低下させる可能性があります。糖尿病治療薬も血糖値を低下させるために使用されます。アシュワガンダと糖尿病治療薬を併用すると，血糖値が過度に低下するおそれがあります。血糖値を注意深く監視してください。糖尿病治療薬の用量を変更する必要があるかもしれません。このような糖尿病治療薬には，グリメピリド，グリベンクラミド，インスリン，メトホルミン塩酸塩，ピオグリタゾン塩酸塩，マレイン酸ロシグリタゾン（販売中止），クロルプロパミド，Glipizide，トルブタミド（販売中止）などがあります。

中 免疫抑制薬

アシュワガンダは免疫機能を高める可能性があります。アシュワガンダと免疫抑制薬を併用すると，免疫抑制薬の効果が弱まるおそれがあります。このような免疫抑制薬には，アザチオプリン，バシリキシマブ，シクロスポリン，Daclizumab，ムロモナブ-CD３（販売中止），ミコフェノール酸モフェチル，タクロリムス水和物，シロリムス，Prednisone，副腎皮質ステロイドなどがあります。

中 降圧薬

アシュワガンダは血圧を低下させる可能性があります。アシュワガンダと降圧薬を併用すると，血圧が過度に低下するおそれがあります。このような降圧薬には，カプトプリル，エナラプリルマレイン酸塩，ロサルタンカリウム，バルサルタン，ジルチアゼム塩酸塩，アムロジピンベシル酸塩，ヒドロクロロチアジド，フロセミドなど数多くあります。

中 甲状腺ホルモン製剤

甲状腺ホルモンは体内で産生されます。アシュワガンダは甲状腺ホルモンの産生量を増加させる可能性があります。アシュワガンダと甲状腺ホルモン製剤を併用すると，体内の甲状腺ホルモン量が過剰になり，甲状腺ホルモン製剤の作用および副作用が増強するおそれがあります。

ハーブおよび健康食品・サプリメントとの相互作用

血圧を下げる可能性があるハーブおよび健康食品・サプリメント

アシュワガンダは，血圧を下げる可能性があります。また，血圧を下げる他のハーブや健康食品・サプリメントとアシュワガンダを併用すると，血圧が低くなりすぎる原因となる可能性があります。この種類のハーブや健康食品・サプリメントには，アンドログラフィス，カゼインペプチド，キャッツクロー，コエンザイムQ-10，魚油，L-アルギニン，ライシーアム，イラクサ，テアニン

有効性レベル：①効きます　②おそらく効きます　③効くと断言できませんが、効能の可能性が科学的に示唆されています
④効かないかもしれません　⑤おそらく効きません　⑥効きません

などがあります。

使用量の目安

●経口摂取

通常，1日1～6gのハーブ全体をカプセルまたはお茶の形で摂取。お茶は水の中に根を入れて15分間沸騰させ，その後，冷まして作ります。通常の摂取量は1日3カップ。チンキ剤または流エキス剤は2～4mLを1日3回摂取します。

●局所投与

標準使用量に関するデータがありません。

アジョワン

BISHOP'S WEED

●代表的な別名

レースフラワー，ドクゼリモドキ

別名ほか

キャラウェー属（Carum），アジョワンシード（Ajowan Seed），アンミ・マユス，ドクゼリモドキ，ホワイトレースフラワー，アンミ，アミ・マジャス（Ammi majus），ビショップスウィード（Bishops Weed），Ajowan, Ajava Seeds, Ajowan Caraway, Ajowanj, Bishop's Flower, Bullwort, Flowering Ammi, Omum, Yavani

概　　要

アジョワンは植物です。種子を用いて「くすり」を作ることもあります。

処方薬のメトキサレンは，もともとアジョワンから作られていましたが，現在では化学的に合成することができます。メトキサレンは乾癬の治療薬です。

アジョワンと，より一般的に多く使われているケーラと間違わないよう注意してください。両方に共通の化学物質もあり，また体内で同様に作用するものもあります。アジョワンは皮膚疾患によく使用され，一方ケーラは通常心臓や肺の疾患に使用されます。

●要説（ナチュラル・スタンダード）

アジョワンは，セリ科の一年草で，多くの場合，その魅力的な開花茎のために栽培されています。インドでは香辛料として，一般的に使用されています。

アジョワンには，ソラーレンが含まれています。ソラーレンは，紫外線と反応して皮膚を黒くする物質です。ソラーレンは，現在，乾癬および白斑などの皮膚疾患を治療するために紫外線療法と一緒に使用されています。アジョワンから作られる薬である8-メトキシソラーレン経口薬は，白斑や乾癬の光化学療法における選択薬として記載されています。

初期の研究では，アンミ・マユス（Ammi majus，アジョワンの別名）から抽出したソラーレン化合物である8-メトキシソラーレンが，白斑の治療に役立つ可能性を示しています。しかし，症例報告では，潜在的な光毒性の皮膚損傷，光毒性皮膚炎，およびアンミ・マユスによって生じる色素性網膜症に言及されています。

現在のところ，あらゆる疾患の治療にアンミ・マユスの使用を裏付けるヒトを対象とした研究は十分ではありません。安全性と有効性を論じる前に，ヒトを対象とした質の高い研究が必要です。

安　全　性

十分なデータが得られていないので，安全かどうかは不明です。

経口で使用すると，悪心，嘔吐および頭痛を引き起こすことがあります。

肝臓や眼の網膜に害を与えるのではという懸念もあります。

日光に対する皮膚の感受性を高める可能性があります。それにより皮膚がんのリスクが高くなることがあります。とくに肌の白い人は，戸外では日焼け止めをつけてください。

肝疾患：アジョワンが肝疾患を悪化させるという研究があります。

手術：アジョワンは，血液凝固を抑制する作用があると考えられています。手術中，術後の出血のリスクが高まりますので，手術前，少なくとも2週間はアジョワンを摂取してはいけません。

●アレルギー

アレルギーとなる人がいて，鼻水，皮疹またはじんましんを生じる可能性があります。

●妊娠中および母乳授乳期

妊娠中の摂取は安全ではありません。ケリンという化学物質を含んでおり，子宮を収縮させますので，妊娠に影響を及ぼします。

母乳授乳期の摂取も避けてください。母乳を授乳している幼児への安全性についてはデータが不十分です。

有　効　性

◆科学的データが不十分です

・乾癬および白斑などの皮膚疾患，消化器系障害，気管支喘息，胸部痛，腎結石，および体液貯留。

●体内での働き

乾癬という皮膚疾患の処方薬となるメトキサレンなどの化合物を複数含んでいます。

医薬品との相互作用

中 肝臓で代謝される医薬品（シトクロムP450 3A4（CYP3A4）の基質となる医薬品）

特定の医薬品は肝臓で代謝されます。アジョワンはこのような医薬品の代謝を抑制する可能性があります。アジョワンと肝臓で代謝される医薬品を併用すると，医薬品の作用および副作用が増強するおそれがあります。肝臓で代謝される医薬品を服用している場合には，医師や薬剤師に相談することなくアジョワンを摂取しないでください。このような医薬品には，Lovastatin，ケトコナゾール，イトラコナゾール，フェキソフェナジン塩酸塩，トリアゾラムなど数多くあります。

中血液凝固を抑制する医薬品（抗凝固薬/抗血小板薬）

アジョワンは血液凝固を抑制する可能性があります。アジョワンと血液凝固を抑制する医薬品を併用すると，紫斑および出血のリスクが高まるおそれがあります。このような医薬品には，アスピリン，クロピドグレル硫酸塩，ジクロフェナクナトリウム，イブプロフェン，ナプロキセン，ダルテパリンナトリウム，エノキサパリンナトリウム，ヘパリン，ワルファリンカリウムなどがあります。

中光への過敏性を高める医薬品（光感作性薬）

特定の医薬品は光への過敏性を高める可能性があります。アジョワンも光への過敏性を高める可能性があります。アジョワンと光への過敏性を高める医薬品を併用すると，肌の露出した部分に日光皮膚炎，水疱，発疹を生じるリスクが高まるおそれがあります。日なたでは日焼け止めクリームを使用し，日よけの衣服を着用してください。このような医薬品には，アミトリプチリン塩酸塩，シプロフロキサシン，ノルフロキサシン，ロメフロキサシン塩酸塩，オフロキサシン，レボフロキサシン水和物，スパルフロキサシン（販売中止），ガチフロキサシン水和物，モキシフロキサシン塩酸塩，スルファメトキサゾール・トリメトプリム配合，テトラサイクリン塩酸塩，メトキサレン，トリオキシサレン（販売中止）などがあります。

ハーブおよび健康食品・サプリメントとの相互作用

肝臓に害を及ぼす可能性があるハーブおよび健康食品・サプリメント

アジョワンは肝臓に障害を起こすおそれがあります。同じように作用するほかのハーブおよび健康食品・サプリメントを併用すると，肝障害のリスクが高まるおそれがあります。肝臓に影響があるほかの製品には，ボラージ，チャパラル，ウバウルシなどがあります。

血液凝固抑制作用のあるハーブおよび健康食品・サプリメント

アジョワンは，血液凝固を抑制する作用があると考えられています。同様の作用があるほかのハーブおよび健康食品・サプリメントとの併用は，紫斑や出血を生じる可能性が高くなると考えられます。この併用は避けてください。血液凝固抑制があるとされるハーブには，アンゼリカ，アニス，アルニカ，ジャイアントフェンネル，ミツガシワ，ボルド，トウガラシ，セロリ，カモミール，クローブ，フェヌグリーク，フィーバーフュー，ニンニク，ショウガ，イチョウ，朝鮮人参，セイヨウトチノキ，ホースラディッシュ，甘草，メドウスィート，オニオン，プリックリーアッシュ，パパイン，パッションフラワー，ポプラ，カッシア，レッドクローバー，ターメリック，ワイルドキャロット，ワイルドレタス，ウィロー，など多数あります。

太陽光線への過敏性を高めるハーブおよび健康食品・サプリメント

アジョワンは，太陽光線への過敏性を高めることがあります。同様の作用があるセント・ジョンズ・ワートなどのほかのハーブとの併用は，光への過敏性を増幅することになり，皮膚の露出した部分に日焼け，水泡，発疹が生じる可能性を高めます。

使用量の目安

標準使用量に関するデータがありません。

アスコフィルム・ノドスム

ASCOPHYLLUM NODOSUM

別名ほか

Bladderwrack，ブラダーラック，Brown Marine Algae，Brown seaweed，ワカメ，Egg Wrack，Hebridean Seaweed，ID-alG，Irish Brown Seaweed，Kelp，ケルプ，Knotted Wrack，Norwegian Kelp，Rockweed，Tasco

概　　要

アスコフィルム・ノドスムは褐藻類の一種です。カナダ北部，米国，欧州など，世界の寒冷地の海岸線沿いに生育しています。アスコフィルム・ノドスムは，アルギン酸という化学物質を目的とする乱獲が原因で，現在，多くの国で保護されています。

アスコフィルム・ノドスムは，口腔衛生，体重減少の目的や，ミネラル（ヨウ素）の供給源として経口摂取されます。タヌキモ，藍藻，カジメ，ブラダーラック，コンブなどの海藻や，海藻由来の化学物質アルギンとアスコフィルム・ノドスムを混同しないでください。

安　全　性

アスコフィルム・ノドスムの経口摂取は，6ヶ月間までは毎日でもほとんどの成人に安全なようです。副作用はまれですが，胃の不調などの副作用が現れるおそれがあります。アスコフィルム・ノドスムは高濃度の重金属を蓄積する可能性があります。重金属の不検出が証明された製品を購入すると，重金属曝露のリスクが低くなる可能性があります。

●妊娠中および母乳授乳期

妊娠中および母乳授乳期の使用の安全性についてはデータが不十分です。安全性を考慮し，摂取は避けてください。

ア

有 効 性

◆科学的データが不十分です

・歯垢，軽度の歯周病（歯肉炎），ヨウ素欠乏症，胃腸の不調，体重減少など。

●体内での働き

アスコフィルム・ノドスムには多糖類（炭水化物），脂肪，ミネラル（ヨウ素）などの栄養素が含まれます。アスコフィルム・ノドスムは体内のがん細胞を死滅させ，腫脹を軽減させる可能性があります。

医薬品との相互作用

ほかの医薬品との相互作用については明らかではありません。

ハーブおよび健康食品・サプリメントとの相互作用

ほかのハーブ，健康食品・サプリメントとの相互作用についてはまだ明らかではありません。

使用量の目安

通常の食品に含まれている量を超えて経口摂取した場合の安全性および副作用については，明らかになっていません。

アスコルビゲン

ASCORBIGEN

別名ほか

インドール，AGN，Indole

概 要

アスコルビゲンはブロッコリー，カリフラワー，キャベツなどの野菜に含まれる化学物質です。「くすり」に使用することがあります。

安 全 性

最長1カ月までなら，安全なようですが，腸内ガス，膨満感，および味覚に変化を生じることがあります。

●妊娠中および母乳授乳期

妊娠中および母乳授乳期の使用の安全性についてはデータが不十分です。安全性を考慮し，摂取は避けてください。

有 効 性

◆科学的データが不十分です

・線維筋痛症。進行中の研究により，アスコルビゲンおよびブロッコリーの粉末が，線維筋痛症患者の痛みおよびほかの症状を軽減する可能性が示唆されています。

・乳がんなど。

●体内での働き

どのように作用するか判断するための十分なデータがありません。

医薬品との相互作用

中 肝臓で代謝される医薬品（シトクロムP450 1A2（CYP1A2）の基質となる医薬品）

肝臓で代謝される医薬品がありますが，アスコルビゲンはこの代謝を促進するおそれがあります。アスコルビゲンと肝臓で代謝される医薬品を併用すると，その医薬品の効果が弱まるおそれがあります。このような医薬品にはクロザピン，Cyclobenzaprine，フルボキサミンマレイン酸塩，ハロペリドール，イミプラミン塩酸塩，メキシレチン塩酸塩，オランザピン，塩酸ペンタゾシン，プロプラノロール塩酸塩，Tacrine，テオフィリン，Zileuton，ゾルミトリプタンなどがあります。

ハーブおよび健康食品・サプリメントとの相互作用

ほかのハーブ，健康食品・サプリメントとの相互作用についてはまだ明らかではありません。

使用量の目安

標準使用量に関するデータがありません。

アスタキサンチン

ASTAXANTHIN

別名ほか

微細藻類（Microalgae），Ovoester

概 要

アスタキサンチンは赤系の色素でカロテノイドという化学物質の一種です。一部の藻に含まれる天然の色素で，サケ，マス，ロブスター，エビなどの魚介類でピンクや赤い色のもとになります。アスタキサンチンは，アルツハイマー病，パーキンソン病，脳卒中，高コレステロール，および加齢性黄斑変性（AMD）を改善するために使用されます。がん予防にも使用されることがあります。日焼け防止の目的で皮膚に直接適用されることもあります。

●要説（ナチュラル・スタンダード）

主に微細藻類，サケ，マス，オキアミ，エビ，ザリガニ，甲殻類などの海洋生物に含まれる天然のカロテノイドです。アスタキサンチンをもっとも豊富に含むのは，微細藻類のHaematococcus pluvialisとされています。Chlorella zofingiensis，Chlorococcum spp，Botryococcus brauniiなどの，ほかの微細藻類もアスタキサンチンを含んでいます。ウズラ，フラミンゴ，およびコウノトリなどの鳥の羽根だけでなく，ハチが集める樹脂性物質，プロポリス（蜜ろう）にもアスタキサンチンが含まれています。

カロテノイドには抗酸化作用があるため，加齢過程やさまざまな疾患に対する治療効果があることで知られています。アスタキサンチンは，ルテイン，ゼアキサンチン，およびクリプトキサンチンと同様のキサントフィル・カロテノイドで，ビタミンAに変換されません。

ある総説論文によれば，カロテノイドのもつ，がん，循環器疾患，加齢黄斑変性，および白内障形成に対する有効な働きに関心が寄せられています。抗酸化作用により慢性疾患のリスクを軽減する働きの可能性のあることが多くの研究により支持されています。神経系の酸化的ストレスを軽減し，神経変性疾患のリスクを軽減する可能性もあります。さらにアスタキサンチンは，抗炎症性，免疫刺激効果についても，よく記述されています。

手根管症候群，関節リウマチ，および消化不良症（ヘリコバクター・ピロリ感染の場合も，そうでない場合も），脂質異常症，男性不妊症，皮膚疾患や，運動能力，筋肉痛，移植手術に関連する臨床試験がなされています。ただし，結果は一致していません。堅固な結論付けにはさらなる研究が必要です。

安　全　性

アスタキサンチンは，食品に含まれる量を摂取する場合，ほとんどの人に安全のようです。

サプリメントとして経口摂取する場合は，おそらく安全です。アスタキサンチン単独で，1日4～40mgの用量で最長12週間まで安全に用いられています。ほかのカロテノイド，ビタミン類およびミネラル類と併用で，1日4mgの用量で最長12カ月間まで安全に用いられています。副作用として，排便回数の増加や赤色便などが起きるおそれがあります。高用量を摂取すると胃痛を起こすおそれがあります。

●妊娠中および母乳授乳期

妊娠中および母乳授乳期の使用の安全性についてはデータが不十分です。安全性を考慮し，摂取は避けてください。

有　効　性

◆科学的データが不十分です

・加齢黄斑変性，手根管症候群，消化不良，運動に起因する筋損傷，運動に起因する筋肉痛，運動能力，高コレステロール血症，男性不妊，更年期症状，関節リウマチ（RA），皮膚の皺など。

●体内での働き

アスタキサンチンはアンチオキシダント（抗酸化物質）です。抗酸化作用が，細胞を保護し損傷を防ぐ可能性があります。アスタキサンチンはまた，免疫システムの機能を改善する可能性があります。

医薬品との相互作用

中 肝臓で代謝される医薬品（シトクロムP450 2B6（CYP2B6）の基質となる医薬品）

特定の医薬品は肝臓で代謝されます。アスタキサンチンはこのような医薬品の代謝を促進する可能性があります。そのため，医薬品の効果を弱めるおそれがあります。このような医薬品にはケタミン塩酸塩，フェノバルビタール，Orphenadrine，セコバルビタールナトリウム，デキサメタゾンがあります。

中 肝臓で代謝される医薬品（シトクロムP450 3A4（CYP3A4）の基質となる医薬品）

特定の医薬品は肝臓で代謝されます。アスタキサンチンは医薬品の代謝を促進する可能性があります。そのため，医薬品の効果を弱めるおそれがあります。このような医薬品にはカルシウム拮抗薬（ジルチアゼム塩酸塩，ニカルジピン塩酸塩，ベラパミル塩酸塩），化学療法薬（エトポシド，パクリタキセル，ビンブラスチン硫酸塩，ビンクリスチン硫酸塩，ビンデシン硫酸塩），抗真菌薬（ケトコナゾール，イトラコナゾール），グルココルチコイド，フェンタニルクエン酸塩，ロサルタンカリウム，塩酸フルオキセチン（販売中止），ミダゾラム，オメプラゾール，オンダンセトロン塩酸塩水和物，プロプラノロール塩酸塩，フェキソフェナジン塩酸塩など数多くあります。

ハーブおよび健康食品・サプリメントとの相互作用

カロテノイドのハーブおよび健康食品・サプリメント

アスタキサンチン以外のカロテノイドのサプリメントは，アスタキサンチンの吸収を抑制するおそれがあります。このようなハーブおよび健康食品・サプリメントには，β-カロテン，カンタキサンチン，ルテイン，リコピンなどがあります。

通常の食品との相互作用

カロテノイドを含む食品

食品に含まれているカロテノイドは，アスタキサンチンの吸収を抑制するおそれがあります。カロテノイドはさまざまな野菜に含まれます。人参やトマトには豊富に含まれています。

使用量の目安

通常の食品に含まれている量を超えて経口摂取した場合の安全性および副作用については，明らかになっていません。

アストランティア

MASTERWORT

●代表的な別名

大花ウド

別名ほか

大花独活（Cow Parsnip, Heracleum lanatum），オオハナウド，ホグウィード（Hogweed），Cow Cabbage, Heracleum sphondylium（ハナウド），Madnep, Radix Pimpinelle Franconiae, Woolly Parsnip, Youthwort

概　　要

アストランティアは植物です。「くすり」の原料に使用されます。セリ科のgreater burnet-saxifrage製品の作用時間を引き延ばすために代用されている事例の報告が複数あります。

●要説（ナチュラル・スタンダード）

アストランティア（ヘラクレウム・マクシマム）は，北米が原産のホッグウィード属に唯一属しています。他のホッグウィード属と同様に，アストランティア樹液は，水ぶくれや植物性光皮膚炎を引き起こす可能性があります。現在のところ，あらゆる疾患の治療にアストランティア樹液の使用を裏付けるヒトを対象とした研究は十分ではありません。

打撲傷や疼痛を治療するためにアストランティア樹液を使用したアメリカ先住民部族もいました。

安　全　性

安全ではないおそれがあります。

日焼けしやすくなり，がんを発症させる可能性があります。色白の人はとくに，屋外では保護できるような衣服を着用，日焼け止めを使用してください。また，がんを引き起こすおそれのある化学物質を含んでいます。

乾癬などの皮膚疾患に対する太陽灯治療，タンニングベッド（Tanning bed）の利用（人工日焼け），日光の下で長時間を過ごすなどの紫外線照射：アストランティアは紫外線に対する過敏性を高めるため，日焼けを引き起こすおそれがあります。紫外線治療中には摂取しないでください。アストランティアを摂取している場合には，直射日光を避け，タンニングベッドの使用も避けてください。

●妊娠中および母乳授乳期

妊娠中，とくに妊娠初期の摂取は安全ではありません。月経を誘発し，流産を引き起こすおそれがあります。

母乳授乳期の使用もおそらく安全ではありません。摂取を避けてください。

有　効　性

◆科学的データが不十分です

・筋痙攣，胃障害，消化器系障害，下痢，胃炎，腸炎など。

●体内での働き

どのように作用するかについては十分なデータが得られていません。

医薬品との相互作用

中 光への過敏性を高める医薬品（光感作性薬）

特定の医薬品は光への過敏性を高めます。アストランティアもまた光への過敏性を高める可能性があります。アストランティアと光への過敏性を高める医薬品を併用すると，肌の露出した部分に日光皮膚炎，水疱，発疹を生じるリスクが高まるおそれがあります。日なたでは日焼け止めクリームを使用し，日よけの衣服を着用してください。このような医薬品には，アミトリプチリン塩酸塩，シプロフロキサシン，ノルフロキサシン，ロメフロキサシン塩酸塩，オフロキサシン，レボフロキサシン水和物，スパルフロキサシン（販売中止），ガチフロキサシン水和物，モキシフロキサシン塩酸塩，スルファメトキサゾール・トリメトプリム配合，テトラサイクリン塩酸塩，メトキサレン，トリオキシサレン（販売中止）があります。

ハーブおよび健康食品・サプリメントとの相互作用

ほかのハーブ，健康食品・サプリメントとの相互作用についてはまだ明らかではありません。

使用量の目安

標準使用量に関するデータがありません。

アスパラガス

ASPARAGUS

別名ほか

オランダキジカクシ（Asparagus officinalis），シャタバリ（Shatavari），アスパラガス根（Spargelwurzelstock），Asparagi rhizoma Root, Asperge, Garden Asparagus, Sativari, Spargelkraut, Sparrow Grass

概　　要

アスパラガスは植物です。芽または幼根，根，根茎を使って「くすり」を作ることがあります。

●要説（ナチュラル・スタンダード）

古代ギリシャやローマでは，野生のアスパラガスは，腎臓を洗い流し腎結石の形成を防ぐため，尿量を増加させる利尿薬として用いられました。アジアの医療では，アスパラガスの根は，咳，下痢，および神経性疾患に対して用いられます。アーユルヴェーダでは，アスパラガスの根と葉は，女性不妊症に対して用いられます。

現代では，食用とすることがもっとも多く，医療用途に関するヒトを対象とした研究はほとんどなされていません。

安　全　性

アスパラガスは，食べ物の量で摂取するのは安全です。ただし,「くすり」としての多量摂取についての安全性は，データが不十分です。

アスパラガスは野菜として食べたり，皮膚に使用すると，アレルギー反応を起こすことがあります。

●アレルギー

アスパラガスはタマネギ，セイヨウネギ，ニンニク，およびチャイブなどのユリ科の植物に敏感な人において，アレルギー反応を引き起こすことがあります。

●妊娠中および母乳授乳期

妊娠中にアスパラガスを,「くすり」としての量で摂取するのは安全ではありません。アスパラガスのエキスは，避妊薬として使われてきたため，妊娠中に使用するとホルモンのバランスを害する可能性があります。

母乳授乳期のアスパラガスを「くすり」としての量で摂取するのは，安全性についてのデータが不十分です。食べ物の量に制限してください。

有　効　性

◆科学的データが不十分です

・尿路感染症，膀胱結石，関節炎様の関節痛および腫脹，女性ホルモンの不均衡，肺および咽喉の乾燥，HIV/エイズ，葉酸欠乏症，便秘，神経炎，寄生虫症，がん，にきび，洗顔，ただれた傷の乾燥，尿路の炎症（腫脹），水を大量に摂取する場合は尿生成の増加（洗浄療法），腎結石の予防など。

●体内での働き

尿量を増加する（利尿）と一部の研究で指摘されています。アスパラガスには，食物繊維，葉酸，ビタミンC，ビタミンE，ビタミンB_6，そのほかのミネラルが豊富に含まれています。

医薬品との相互作用

中炭酸リチウム

アスパラガスは利尿薬のように作用する可能性があります。アスパラガスを摂取すると，炭酸リチウムの体内からの排泄が抑制される可能性があります。そのため，体内のリチウム量が増加し，重大な副作用が現れるおそれがあります。

中利尿薬

アスパラガスは体内で生成される尿量を増加させます。そのため，体内から失われるカリウムなどのミネラルの量が増加する可能性があります。利尿薬も体内のカリウム量を減少させる可能性があります。アスパラガスと利尿薬を併用すると，体内のカリウム量が過度に減少するおそれがあります。このような利尿薬には，クロロチアジド（販売中止），クロルタリドン（販売中止），フロセミド，ヒドロクロロチアジドなどがあります。

ハーブおよび健康食品・サプリメントとの相互作用

ほかのハーブ，健康食品・サプリメントとの相互作用についてはまだ明らかではありません。

使用量の目安

●経口摂取

通常，切断した根または根茎40～60gを150mLの沸騰したお湯に５～10分間浸し，その後，ろ過して作るお茶として毎日摂取します。「灌流療法」として用いる場合は水分摂取を十分に行います。

●局所投与

標準使用量に関するデータがありません。

アスパラギン酸

ASPARTIC ACID

別名ほか

Acide Aspartique，Acide L-Aspartique，Asp，Aspartates，Aspartatos，Aspartic Acid，D-Asp，D-Aspartic Acid，L-Asp，L-Aspartate，L-Aspartic Acid，Magnesium Potassium Aspartate，Spartase

概　　要

アスパラギン酸はアミノ酸の一種です。アミノ酸は一般的に，体内でタンパク質を合成するための構成要素です。アスパラギン酸の一種，D-アスパラギン酸はタンパク質の合成ではなく,ほかの作用の中で使用されます。

一般的に，疲労の軽減，運動能力の改善，筋肉の肥大・増強に対して用いられます。しかし，その使用を科学的に裏づける研究はごくわずかしかありません。

安　全　性

アスパラギン酸は食品として摂取する場合，ほとんどの人に安全のようです。「くすり」として使用する場合の安全性については，データが不十分です。

●妊娠中および母乳授乳期

妊娠中および母乳授乳期の使用の安全性についてはデータが不十分です。案税制を考慮し，摂取は避けてください。

有　効　性

◆科学的データが不十分です

・筋肉増強，ミネラル濃度上昇，運動能力強化，疲労の軽減など。

●体内での働き

どのように作用するかについては，十分なデータが得られていません。D-アスパラギン酸は，体内のテストステロンを増加する可能性があります。

有効性レベル：①効きます　②おそらく効きます　③効くと断言できませんが、効能の可能性が科学的に示唆されています
④効かないかもしれません　⑤おそらく効きません　⑥効きません

医薬品との相互作用

ほかの医薬品との相互作用については明らかではありません。

ハーブおよび健康食品・サプリメントとの相互作用

ほかのハーブ，健康食品・サプリメントとの相互作用についてはまだ明らかではありません。

使用量の目安

通常の食品に含まれている量を超えて経口摂取した場合の安全性および副作用については，明らかになっていません。

アスペン

ASPEN

●代表的な別名

ハコヤナギ

別名ほか

アメリカヤマナラシ（American Aspen），ヨーロッパヤマナラシ（European Aspen），トレンブリングアスペン，ウラジロハコヤナギ，ホワイトポプラ（Populi cortex, Populi folium, Populus Tremuloides），ハコヤナギ，ヤマナラシ（Populus tremula），クエーキングアスペン（Quaking Aspen），Zitter-Pappel

概　要

アスペンは樹木です。樹皮と葉を用いて「くすり」を作ることもあります。

●要説（ナチュラル・スタンダード）

・Populus（アスペンの別名）について

Populusはポピュラス（poplars, popples），ハコヤナギをはじめ，ポプラ，アスペンなどと同じヤマナラシ属の木です。これらを総称して「ポプラ」と呼ぶこともあります。科学的エビデンスのほとんどがアスペンについての報告で，ハコヤナギについての報告はほとんどありません。

アスペンは北半球の温帯気候地域原産の落葉樹です。抗菌性，抗血小板活性が示唆されていますが，現在のところ，あらゆる疾患の治療に，使用を裏づけるヒトを対象とした研究は十分ではありません。

接触皮膚炎，鼻結膜炎，および気管支喘息など敏感な体質の場合には，アスペンの花粉，樹皮，木，おが屑がアレルギー反応を引き起こすことが知られています。ほかの木，とくにヤナギ科の木の花粉との交差感受性のあるおそれがあります。

米国食品医薬品局（FDA）は，ポプラの芽（Populus balsamifera, P.　candicans Ait. およびP.　nigra L.）を香味料として使用する場合，GRAS（一般的に安全と認められる食品）に指定しています。

安　全　性

アスペンの安全性については，データが不十分です。皮膚に触れると，皮疹などの皮膚反応が出るおそれがあります。

アスペンを使用している間は，アルコールを摂取しないでください。アルコールが胃腸出血のリスクと重篤度を高めるおそれがあります。

胃潰瘍：アスピリンと類似した化学物質，サリシンを含んでいるため，胃潰瘍を悪化させるおそれがあります。

糖尿病：アスピリンと類似した化学物質，サリシンを含んでいるため，糖尿病を悪化させるおそれがあります。

痛風：アスピリンと類似した化学物質，サリシンを含んでいるため，痛風を悪化させるおそれがあります。

血友病や低プロトロンビン血症などの血液疾患：アスピリンと類似した化学物質，サリシンを含んでいるため，血液疾患を悪化させるおそれがあります。

肝疾患：アスピリンと類似した化学物質，サリシンを含んでいるため，肝疾患を悪化させるおそれがあります。

腎疾患：アスピリンと類似した化学物質，サリシンを含んでいるため，腎疾患を悪化させるおそれがあります。

●アレルギー

アスピリンに対するアレルギー：アスペンは，アスピリンと類似した化学物質，サリシンを含んでいます。アスピリンアレルギーの場合は，アスペンによりアレルギー反応を起こすおそれがあります。

●妊娠中および母乳授乳期

妊娠中および母乳授乳期の使用の安全性についてはデータが不十分です。安全性を考慮し，摂取は避けてください。

有　効　性

◆科学的データが不十分です

・関節リウマチ，前立腺の不快感，腰痛，神経痛，膀胱の障害など。

●体内での働き

アスピリンとよく似た化学物質，サリシンが含まれています。このサリシンが，炎症（腫脹）を抑える可能性があります。

医薬品との相互作用

中Choline magnesium trisalicylate

アスペンにはCholine magnesium trisalicylateに類似した化学物質が含まれます。アスペンとCholine magnesium trisalicylateを併用すると，Choline magnesium trisalicylateの作用および副作用が増強するおそれがあると，一部で懸念されています。

中サザピリン

アスペンにはサザピリンに類似した成分が含まれま

相互作用レベル：高この医薬品と併用してはいけません　中この医薬品とは慎重に併用するか併用しないでください　低この医薬品との併用には注意が必要です

す。アスペンとサザピリンを併用すると，サザピリンの副作用が増強するおそれがあると，一部で懸念されています。

中アスピリン

アスペンにはアスピリンに類似した化学物質が含まれます。アスペンとアスピリンを併用すると，アスピリンの作用および副作用が増強するおそれがあると，一部で懸念されています。

ハーブおよび健康食品・サプリメントとの相互作用

アスピリンに似た化学物質（サリチル酸）を含むハーブおよび健康食品・サプリメント

アスペンは，サリシンというアスピリンによく似た化学物質を含んでいます。サリシンまたは同種の化学物質（サリチル酸）を含んだほかのハーブ，健康食品・サプリメントとアスペンを併用すると，これらの化学物質の作用や副作用を増強させるおそれがあります。サリチル酸を含むハーブおよび健康食品・サプリメントには，ブラックホウ，ポプラ，メドウスイート，ウィローバークなどがあります。

通常の食品との相互作用

アルコール

アスペンを摂取している間は，アルコールを摂取しないでください。アルコールが胃腸出血のリスクと重篤度を高めるおそれがあります。

使用量の目安

通常の食品に含まれている量を超えて経口摂取した場合の安全性および副作用については，明らかになっていません。

アセチル-L-カルニチン

ACETYL-L-CARNITINE

別名ほか

Acetil-L-Carnitina, Acetyl Carnitine, Acétyl Carnitine, Acetyl L-Carnitine, Acétyl-L-Carnitine, Acetyl-L-Carnitine Arginate Dihydrochloride, Acetyl-L-Carnitine Arginate HCl, Acétyl-L-Carnitine Arginate HCl, Acetyl-L-Carnitine HCl, Acétyl-L-Carnitine HCl, Acetyl L-Carnitine Hydrochloride, Acetyl Carnitine, Acétyl-Carnitine, Acetyl-Levocarnitine, Acétyl-Lévocarnitine, ALC, ALCAR, Aminocarnitine, Carnitine Acetyl Ester, Dihydrochlorure dAcétyl-L-Carnitine Arginate, Gamma-Trimethyl-Beta-Acetylbutyrobetaine, L-Acetylcarnitine, L-Acétylcarnitine, Levacecarnine, N-Acetyl-Carnitine, N-Acétyl-Carnitine, N-Acetyl-Carnitine Hydrochloride, N-Acetyl-L-Carnitine, N-Acétyl-L-Carnitine, ST-200, Vitamin B(t) Acetate, 2-(acetyloxy)-3-carboxy-N, N,N-trimethyl-1-propanaminium inner salt, (3-carboxy-2-hydroxy-propyl)trimethylammonium hydroxide inner salt acetate

概　　要

アセチル-L-カルニチンは体内でL-カルニチンから生成され，L-カルニチンに変換されることもあります。L-カルニチンは体内で自然に生成されるアミノ酸で，エネルギー産生を促す働きをします。L-カルニチンはアミノ酸ですが，タンパク質の生成には用いられません。

アセチル-L-カルニチンは，アルツハイマー病，加齢にともなう記憶喪失，高齢期うつ病，アルコール依存症による思考障害，ライム病による思考障害，肝性脳症による思考障害など，さまざまな精神疾患に用いられます。また，アルコールからの離脱，ダウン症候群，双極性障害，脳卒中発症後の脳内血行不良，白内障，糖尿病による神経痛，エイズやがんの治療薬による神経痛，坐骨神経痛，線維筋痛症，顔面神経麻痺に対して用いられます。そのほか，加齢にともなう疲労，多発性硬化症による疲労，筋萎縮性側索硬化症，脆弱X症候群の小児の活動亢進，注意欠陥多動障害（ADHD）に用いられます。皮膚の加齢変化に対して用いられることもあります。

男性では，不妊，「男性更年期」（加齢にともなうテストステロン濃度低下）症状，ペロニー病に用いることもあります。

アルコール離脱，HIV治療の抗ウイルス薬による神経痛，認知症，脳血流低下に対して静脈内投与されます。

また，線維筋痛症および末梢神経障害に対して筋肉内投与されます。

体内ではL-カルニチンをアセチル-L-カルニチンに変換したり，アセチル-L-カルニチンをL-カルニチンに変換したりすることができます。ただ，アセチル-L-カルニチンの作用がそれ自体によるものなのか，変換されたL-カルニチンによるものなのか，変換過程に生成される何かほかの化学物質によるものなのかはわかっていません。現時点では形態の異なるカルニチンを別のカルニチンの代用として使用してはいけません。

安　全　性

アセチル-L-カルニチンの経口摂取は，ほとんどの成人に安全のようです。また，ほとんどの小児におそらく安全です。胃のむかつき，吐き気，嘔吐，口内乾燥，頭痛，情動不安などの副作用を引き起こすおそれがあります。また尿，息，汗が魚臭くなることがあります。

アセチル-L-カルニチンを経口摂取以外の経路で使用する場合は，ほとんどの成人におそらく安全です。ただし医師などの管理下でのみ使用してください。

化学療法による神経障害：タキサン系薬という化学療法薬による神経痛のある人では，場合によってはアセチル-L-カルニチンにより症状が悪化するおそれがあります。

甲状腺機能低下症：アセチル-L-カルニチンが甲状腺ホルモンに干渉するおそれがあります。甲状腺機能低下症の場合にはアセチル-L-カルニチンを使用してはいけません。

痙攣：痙攣の病歴があり，L-カルニチンを経口摂取または静脈内投与で使用した人に，痙攣の回数や重症度の増加が報告されています。L-カルニチンはアセチル-L-カルニチンと関係があるため，アセチル-L-カルニチンでも同じような事象が起こる懸念があります。痙攣の病歴がある場合にはアセチル-L-カルニチンを使用してはいけません。

●妊娠中および母乳授乳期

妊娠中および母乳授乳期の使用の安全性についてはデータが不十分です。安全性を考慮し，使用は避けてください。

有効性

◆有効性レベル③

・高齢者の記憶障害の改善。何らかの記憶喪失がある高齢者がアセチル-L-カルニチンを摂取すると，記憶力および精神機能が向上します。

・高齢者の疲労。高齢者がアセチル-L-カルニチンを摂取すると，精神的および身体的な疲労が改善します。また，運動後の疲労も軽減するようです。

・加齢にともなうテストステロン欠乏症（「男性更年期」）。アセチル-L-カルニチンとプロピオニル-L-カルニチンを併用で経口摂取すると，男性ホルモン濃度低下に関連する症状が緩和するようです。この併用摂取を６カ月間行うと，男性ホルモンのテストステロンとほぼ同程度に，性機能障害，うつ病および疲労を改善するようです。

・アルコール離脱。アセチル-L-カルニチンを10日間静脈内投与したのち80日間経口摂取すると，離脱症状が緩和し，新たな飲酒までの時間が増加します。ただし，症状改善のほとんどは第１週目に起こっているため，静脈内投与後の経口摂取により便益が増大するかどうかは明らかではありません。

・アルツハイマー病の治療。一部のアルツハイマー病患者に対し，アセチル-L-カルニチンが病勢悪化速度を抑制し，記憶力を改善し，精神機能および行動の測定値を一部改善する可能性があります。66歳未満で病勢悪化と精神機能低下の速度が速い，早期発症型アルツハイマー病患者で効果が高いようです。

・脳への血流不良。脳内血行不良の患者にアセチル-L-カルニチンを単回静脈内投与すると，脳の血流に短期間の改善がみられるようです。

・アルコール依存症の記憶力改善。アルコール摂取により長期の思考障害がある30～60歳の人がアセチル-L-カルニチンを摂取すると，記憶力が改善するようです。

・糖尿病による神経障害の緩和。糖尿病による神経痛のある患者がアセチル-L-カルニチンを摂取すると，症状が改善するようです。糖尿病の罹患期間が長くない患者やコントロール不良の２型糖尿病患者にもっとも効果があるようです。また，500mgを１日３回よりもを1,000mg１日２～３回の摂取の方が高い効果を示すようです。

・肝性脳症。肝不全により脳機能が低下した患者がアセチル-L-カルニチンを摂取すると，身体機能が改善し，精神機能も改善する可能性があります。また血中アンモニア濃度の低下がみられ，肝機能が改善する可能性があります。

・男性不妊の治療。不妊男性がL-カルニチンと併用でアセチル-L-カルニチンを経口摂取すると精子運動量が増加し，妊娠率が高まる可能性があります。また，前立腺，精のうおよび精巣上体の腫脹による不妊の男性が，非ステロイド抗炎症薬（NSAID）による治療後にアセチル-L-カルニチンとL-カルニチンを摂取すると，精子数および精子運動量が改善するようです。さらに，精子運動低下による不妊の男性がアセチル-L-カルニチン，L-カルニチン，L-アルギニンおよび朝鮮人参を併用摂取すると，精子運動量が増加するようです。クラミジア感染に起因する前立腺腫脹による不妊の男性についても，精子運動量と精子数を増加させる可能性があります。

・ペロニー病の治療。アセチル-L-カルニチンはペロニー病の疼痛軽減および悪化抑制に，タモキシフェンという医薬品よりも高い効果を示すようです。

◆有効性レベル④

・化学療法による神経障害の緩和。アセチル-L-カルニチンは，がん患者の化学療法にともなう神経障害を緩和する可能性はないようです。実際は悪化させるおそれがあります。ただし，疼痛の継続期間は短縮しないものの，化学療法による重度の神経痛がわずかに軽減する可能性はあります。

◆科学的データが不十分です

・筋萎縮性側索硬化症（ALS，ルー・ゲーリッグ病）による筋消耗，HIV治療による神経障害の緩和，注意欠陥多動障害（ADHD），双極性障害，うつ病，線維筋痛症，脆弱X症候群，多発性硬化症，坐骨神経痛，白内障，ダウン症候群，ライム病による思考障害など。

●体内での働き

アセチル-L-カルニチンは，身体のエネルギー産生を促します。心機能や脳機能，筋肉運動をはじめ，多くの身体処理に重要なものです。

医薬品との相互作用

高 Acenocoumarol

Acenocoumarolは血液凝固を抑制するために用いられ

ます。アセチル-L-カルニチンはAcenocoumarolの効果を強めて，紫斑および出血のリスクを高めるおそれがあります。定期的に血液検査を受けてください。Acenocoumarolの用量を変更する必要があるかもしれません。

中ワルファリンカリウム

ワルファリンカリウムは血液凝固を抑制するために用いられます。アセチル-L-カルニチンはワルファリンカリウムの効果を強めて，紫斑および出血のリスクを高めるおそれがあります。定期的に血液検査を受けてください。ワルファリンカリウムの用量を変更する必要があるかもしれません。

中セロトニン作用薬

アセチル-L-カルニチンは脳内物質のセロトニンを増加させます。特定の医薬品もセロトニンを増加させます。アセチル-L-カルニチンとこのような医薬品を併用すると，セロトニンが過剰に増加するおそれがあります。そのため，重大な副作用（激しい頭痛，心臓の異常，悪寒戦慄，錯乱，不安など）が現れるおそれがあります。このような医薬品には，塩酸フルオキセチン（販売中止），パロキセチン塩酸塩水和物，塩酸セルトラリン，アミトリプチリン塩酸塩，クロミプラミン塩酸塩，イミプラミン塩酸塩，スマトリプタン，ゾルミトリプタン，リザトリプタン安息香酸塩，メサドン塩酸塩，トラマドール塩酸塩など数多くあります。

ハーブおよび健康食品・サプリメントとの相互作用

D-カルニチン

D-カルニチンはL-カルニチンを生成する化学反応を妨げ，それによりL-カルニチン欠乏症を招くおそれがあります。L-カルニチンはアセチル-L-カルニチンの生成に必要であるため，L-カルニチンが不足するとアセチル-L-カルニチン欠乏症に至るおそれがあります。D-カルニチンを使用してはいけません。

使用量の目安

●経口摂取

加齢にともなう記憶喪失

アセチル-L-カルニチン1,500〜2,000mgを毎日，3カ月間摂取します。

加齢にともなう疲労

アセチル-L-カルニチン2gを1日2回，180日間摂取します。

加齢にともなうテストステロン欠乏症

アセチル-L-カルニチン2gとプロピオニル-L-カルニチン2gを毎日，6カ月間摂取します。

アルコール離脱

アセチル-L-カルニチン1〜3gを10日間静脈内投与します。その後80日間，アセチル-L-カルニチン3gを毎日経口摂取します。

アルツハイマー病

アセチル-L-カルニチン1,500〜3,000mgを1日2〜3回に分けて，3〜12カ月間摂取します。

アルコールを過剰摂取する人の記憶力改善

アセチル-L-カルニチン2gを毎日，90日間摂取します。

糖尿病患者の神経痛

アセチル-L-カルニチン1,500〜3,000mgを毎日数回に分けて，1年間摂取します。場合によっては，経口摂取の前に10〜15日間，アセチル-L-カルニチン1,000mgを筋肉内投与します。

肝性脳症

アセチル-L-カルニチン2gを1日2回，90日間摂取します。

男性不妊

治療のため，アセチル-L-カルニチン1gとL-カルニチン2gを毎日摂取します。

無菌性前立腺精のう精巣上体炎に続発する男性不妊

非ステロイド抗炎症薬（NSAID）による治療を2カ月間実施したのち，アセチル-L-カルニチン500mgとL-カルニチン1gを12時間ごとに摂取します。

精子運動低下による男性不妊

L-アルギニン1,660mg，L-カルニチン150mg，アセチル-L-カルニチン50mgおよび朝鮮人参200mgの併用製品を毎日，3カ月間摂取します。

クラミジア感染に起因する前立腺腫脹による男性不妊

L-アルギニン1,660mg，L-カルニチン150mg，アセチル-L-カルニチン50mgおよび朝鮮人参200mgの併用製品を毎日，プルリフロキサシン600mgと併用で，6カ月間摂取します。

ペロニー病

アセチル-L-カルニチン1gを1日2回，3カ月間摂取します。

●静脈内投与

アルコール離脱

アセチル-L-カルニチン1〜3gを3〜4時間かけて，10日間静脈内投与します。その後80日間，アセチル-L-カルニチン3gを毎日経口摂取します。

脳への血流改善

アセチル-L-カルニチン1,500mgを単回静脈内投与します。

●注射（点滴）

糖尿病による神経痛

アセチル-L-カルニチン1,000mgを毎日，10〜15日間注射（点滴）します。場合によっては，注射（点滴）ののち，アセチル-L-カルニチン2,000mgを毎日，12カ月間経口摂取します。

アセロラ

ACEROLA

●代表的な別名

西インドチェリー

別名ほか

西インドチェリー（West Indian Cherry），バルバドスチェリー（Barbados Cherry），Malpighia glabra，Acerola Cherry，Puerto Rican Cherry，Malpighia punicifolia

概　　要

アセロラはフルーツです。ビタミンCを豊富に含み，ビタミンA，チアミン，リボフラビン，およびナイアシンも含んでいます。

●要説（ナチュラル・スタンダード）

アセロラ（Malphighia glabra）は，バルバドスチェリーとして知られています。小さな木の果実で，南アメリカの北部やアンティル諸島では，マルフィギア・グラブラとしても知られています。1945年，プエルトリコ大学医学部によって，バルバドスチェリーにはビタミンCが大変豊富に含まれていることが判明しました。

民間伝承療法者は，肝疾患，下痢，赤痢，咳，感冒やのどの痛みを治療するために，アセロラを使用しています。ビタミンCのもっとも豊富な供給源の１つとして，アセロラは，免疫刺激薬および調節薬として使用できる可能性があります。

アセロラは，成人にも小児にも服用できる健康食品・サプリメントとして使用されてきました。エマルジョン・マルフィギアDCの果実であるバルバドスチェリーの抽出物が，加齢による疾患を予防することが報告されています。バルバドスチェリーは，細胞毒性効果のあることが示されており，がんの治療に有効な可能性があります。高い抗菌活性があり，多剤抵抗逆転作用を示しています。

現在，科学的根拠は不十分で，アセロラの安全性，有効性，投与量を評価するためには，追加の研究が必要です。

安　全　性

ほとんどの成人に安全です。

悪心，胃痙攣，眠気，不眠症などの副作用を引き起こす場合があります。多量に摂取すると，下痢をするおそれがあります。

腎結石または腎疾患，痛風の患者は使用してはいけません。

●妊娠中および母乳授乳期

妊娠中および母乳授乳期の使用の安全性についてはデータが不十分です。安全性を考慮し，摂取は控えてください。

有　効　性

◆有効性レベル②

・壊血病。ビタミンCの供給源として，壊血病予防に有効です。

◆科学的データが不十分です

・心疾患の予防，感冒治療，がん予防，う歯，うつ病など。

●体内での働き

この薬効は，成分のビタミンCによるものです。

医薬品との相互作用

低アルミニウム

アセロラにはビタミンCが含まれ，ビタミンCはアルミニウムの体内への吸収量を増加させる可能性があります。腎臓病の人がアルミニウムが配合された医薬品（リン吸着剤）を常用する場合には，特に高用量のアセロラは摂取しないでください。

低エストロゲン（卵胞ホルモン）製剤

アセロラには多量のビタミンCが含まれます。ビタミンCはエストロゲンの排泄を抑制する可能性があります。アセロラとエストロゲン製剤を併用すると，エストロゲン製剤の作用および副作用が増強するおそれがあります。このようなエストロゲン製剤には，結合型エストロゲン，エチニルエストラジオール，エストラジオールなどがあります。

中ワルファリンカリウム

ワルファリンカリウムは血液凝固を抑制するために用いられます。アセロラにはビタミンCが含まれます。多量のビタミンCはワルファリンカリウムの効果を弱めるおそれがあります。ワルファリンカリウムの効果が弱まると，血栓凝固のリスクが高まる可能性があります。定期的に血液検査をしてください。ワルファリンカリウムの用量を変更する必要があるかもしれません。

中抗悪性腫瘍薬（アルキル化薬）

アセロラにはビタミンC（抗酸化物質）が含まれます。抗酸化物質は特定の抗悪性腫瘍薬の効果を弱める可能性があると一部で懸念されています。しかし，この相互作用が起こるかどうかは現時点で明らかではありません。このような抗悪性腫瘍薬には，シクロホスファミド水和物，Chlorambucil，カルムスチン，ブスルファン，チオテパなどがあります。

中抗悪性腫瘍薬（抗生物質）

アセロラにはビタミンC（抗酸化物質）が含まれます。抗酸化物質は特定の抗悪性腫瘍薬の効果を弱める可能性があると一部で懸念されています。しかし，この相互作用が起こるかどうかは現時点で明らかではありません。このような抗悪性腫瘍薬には，ドキソルビシン塩酸塩，ダウノルビシン塩酸塩，エピルビシン塩酸塩，マイトマイシンC，ブレオマイシン塩酸塩などがあります。

低アスピリン

アスピリンは体内から尿中に排泄されます。一部の科学者は，ビタミンCがアスピリンの尿中への排泄量を減少させるという懸念を強めています。アセロラにはビタミンCが含まれます。アセロラを摂取するとアスピリン

相互作用レベル：高この医薬品と併用してはいけません　中この医薬品とは慎重に併用するか併用しないでください
低この医薬品との併用には注意が必要です

に関連した副作用のリスクが高まるおそれが懸念されています。しかし，研究では，このことは重大な問題ではなく，アセロラに含まれるビタミンCは有意にアスピリンと相互作用を起こさないことが示唆されています。

ハーブおよび健康食品・サプリメントとの相互作用

ビタミンC

アセロラのビタミンC含有量は，ビタミンCサプリメントとアセロラを併用した場合，ビタミンCに関連する無用な副作用のリスクを高めるおそれがあります。

鉄

アセロラのビタミンC含有量によって，食事に含まれる鉄分の体への吸収を増加させます。サプリメントからの吸収は増加させません。

使用量の目安

標準使用量に関するデータがありません。

アセンヤクノキ

CATECHU

●代表的な別名

カテチュ

別名ほか

野生ウコン，阿仙薬（Terra japonica），ブラックカテチュ（Black Catechu），アカシアカテキュー，カテチュ（Acacia Catechu），ガンビール，アセンヤク（Gambir），Acacia Catechu Heartwood Extract，Black Cutch，Cachou，Cashou，Catechu Nigrum，Cutch，Dark Catechu，Khair，Khadira，Pegu Catechu，Pale Catechu Cube Gambir，Gambier，Gambir catechu，Uncaria gambier，Uncaria gambier Leaf/Twig Extract

概　　要

アセンヤクノキはハーブです。葉，新芽および木部を用いて「くすり」を作ることもあります。アセンヤクノキには，異なる成分を含むブラックカテチュ（Black Catechu）とペールカテチュ（Pale Catechu）の２種がありますが，使用目的と用量は同様です。

安 全 性

食べ物から摂取する量なら安全ですが，十分なデータは得られていないため，医薬品として使用される量についての安全性は不明です。アセンヤクノキを含む製品Flavocoxid（Limbrel，Primus Pharmaceuticals社）を使用した調査研究では，12週間まで安全に継続使用されています。ただし，この製品の使用により，肝障害を引き起こすおそれのある人もいることが懸念されています。この副作用は一般的に現れるものではなく，アセンヤクノキに対するアレルギーがある場合にのみ生じるおそれがあるようです。

直接皮膚に塗布する場合の安全性についても，データが不十分です。

低血圧症：血圧を低下させるおそれがあります。低血圧症の場合には，血圧が下がりすぎ，失神やほかの症状を引き起こすおそれがあります。

手術：血圧を低下させ，手術中および術後の血圧管理を妨げるおそれがあります。少なくとも手術前２週間は，摂取しないでください。

●妊娠中および母乳授乳期

妊娠中および母乳授乳期にアセンヤクノキを食べ物の量で摂取するのは安全です。ただし「くすり」としての多量摂取は，さらにデータが得られるまで控える必要があります。

有 効 性

◆科学的データが不十分です

・変形性関節症。特定のアセンヤクノキエキス500mgと，特定のバイカルスカルキャップに含まれるフラボノイドエキスであるフラボコキシド（Flavocoxid：アメリカの医薬品名で日本未承認，商品名：Limbrel，Primus Pharmaceuticals社）を併用して１日２回摂取すると，膝における変形性関節炎の症状を著しく改善することを示唆しています。
・下痢，鼻および咽喉の腫脹，結腸内部の拡張，出血，がん，皮膚病，痔核，および外傷。

●体内での働き

炎症を抑え細菌を死滅させる化合物を含むと考えられています。

医薬品との相互作用

中降圧薬

アセンヤクノキは血圧を低下させる可能性があります。アセンヤクノキと降圧薬を併用すると，血圧が過度に低下するおそれがあります。このような降圧薬には，カプトプリル，エナラプリルマレイン酸塩，ロサルタンカリウム，バルサルタン，ジルチアゼム塩酸塩，アムロジピンベシル酸塩，ヒドロクロロチアジド，フロセミドなど多くあります。

中肝臓で代謝される医薬品（シトクロムP450 2C19（CYP2C19）の基質となる医薬品）

特定の医薬品は肝臓で代謝されます。アセンヤクノキはこのような医薬品の代謝を抑制する可能性があります。アセンヤクノキと肝臓で代謝される医薬品を併用すると，医薬品に起因する副作用が増強するおそれがあります。肝臓で代謝される医薬品を服用する場合には，医師や薬剤師に相談することなくアセンヤクノキを摂取しないでください。このような医薬品には，アミトリプチリン塩酸塩，カリソプロドール（販売中止），Citalopram，ジアゼパム，ランソプラゾール，オメプラゾール，フェニトイン，ワルファリンカリウムなど数多くあります。

中テオフィリン

アセンヤクノキはテオフィリンの肝臓での代謝を抑制する可能性があります。アセンヤクノキとテオフィリンを併用すると，テオフィリンの副作用が増強するおそれがあります。

中免疫抑制薬

アセンヤクノキは免疫機能を促進または抑制する可能性があります。アセンヤクノキと免疫抑制薬を併用すると，免疫抑制薬の効果が強まるまたは弱まるおそれがあります。このような免疫抑制薬には，アザチオプリン，バシリキシマブ，シクロスポリン，Daclizumab，ムロモナブ-CD３（販売中止），ミコフェノール酸モフェチル，タクロリムス水和物，シロリムス，Prednisone，副腎皮質ステロイドなどがあります。

ハーブおよび健康食品・サプリメントとの相互作用

血圧を下げるハーブおよび健康食品・サプリメント

アセンヤクノキは血圧を下げる可能性があります。他の同様の作用をするハーブおよび健康食品・サプリメントと併用すると血圧が下がりすぎる危険性があります。これらのハーブおよび健康食品・サプリメントには，アンドログラフィス，カゼイン・ペプチド，キャッツクロー，コエンザイムQ-10，魚油，L-アルギニン，クコ，イラクサ，テアニンなどがあります。

使用量の目安

標準使用量に関するデータがありません。

アダトダ・ウァシカ

MALABAR NUT

●代表的な別名

マラバールナッツ

別名ほか

ユスティキア・アダトダ（Justicia adhatoda），アダトーダ，マラバールナッツ，アドゥルサ，Adulsa，Arusa

概　要

アダトダ・ウァシカは植物です。葉を用いて「くすり」を作ることもあります。

安 全 性

安全性または副作用については不明です。

●妊娠中および母乳授乳期

妊娠中の場合の摂取は安全ではありません。摂取しないでください。また，母乳を授乳している乳児への影響については，現時点では知られていません。安全性を考慮して，摂取は避けてください。

有 効 性

◆科学的データが不十分です

・咳，呼吸器系障害，痙攣など。

●体内での働き

どのように作用するかについては十分なデータが得られていません。

医薬品との相互作用

ほかの医薬品との相互作用については明らかではありません。

ハーブおよび健康食品・サプリメントとの相互作用

ほかのハーブ，健康食品・サプリメントとの相互作用についてはまだ明らかではありません。

使用量の目安

標準使用量に関するデータがありません。

アッシュ

ASH

別名ほか

トネリコ（Common ash），アメリカトネリコ，アメリカンアッシュ（Fraxinus americana），ホワイトアッシュ（White ash），Bird's tongue，European ash，Fraxinus excelsior，Weeping ash

概　要

アッシュは植物です。樹皮および葉を用いて「くすり」を作ることもあります。アッシュをアメリカンサンショウまたはプリックリーアッシュと間違えないよう注意してください。

●要説（ナチュラル・スタンダード）

アッシュは，米国先住民と初期入植者の時代から用いられてきています。米国先住民は入植者へ，この木のほぼ全部位に医療特性があることを伝えたのではないかといわれています。昔から，外因性のがんの増殖，そう痒，寄生虫，および発熱の治療に用いられています。抗菌薬，利尿薬，催淫薬，および食欲増進薬としても用いられます。

現代でもアッシュは，痛風性関節炎をはじめ，炎症，および疼痛などの多くの疾患に対して用いられています。一般的な抗菌薬としても用いられます。欧州では，さまざまな製品と併用されて用いられるのが一般的です。ただし，ヒトを対象としたエビデンスはほとんどありません。いずれの効能を支持する科学的研究も，ほんのわずかしかなされていません。

安 全 性

アッシュを「くすり」として使用する場合の安全性については，データが不十分です。

●妊娠中および母乳授乳期

妊娠中および母乳授乳期の使用の安全性についてはデータが不十分です。安全性を考慮し，摂取は避けてください。

有 効 性

◆科学的データが不十分です

・痛風，発熱，関節炎，膀胱障害，便秘，水分貯留を緩和するための尿量増加（利尿作用）など。

●体内での働き

どのように作用するかについては十分なデータが得られていません。

医薬品との相互作用

ほかの医薬品との相互作用については明らかではありません。

ハーブおよび健康食品・サプリメントとの相互作用

ほかのハーブ，健康食品・サプリメントとの相互作用についてはまだ明らかではありません。

使用量の目安

通常の食品に含まれている量を超えて経口摂取した場合の安全性および副作用については，明らかになっていません。

アツバジョウゴゴケ

CUPMOSS

●代表的な別名

カップモス

別名ほか

Cladonia pyxidata，Chin Cups

概 要

アツバジョウゴゴケはハーブです。「くすり」に使用されることもあります。

安 全 性

副作用についてはまだわかっていません。

●妊娠中および母乳授乳期

妊娠中および母乳授乳期のアツバジョウゴゴケ使用の安全性についてはデータが不十分です。安全性を考慮し，摂取は避けてください。

有 効 性

◆科学的データが不十分です

・咳，気管支炎，および百日咳。

●体内での働き

どのように作用するかについては十分なデータが得られていません。

医薬品との相互作用

ほかの医薬品との相互作用については明らかではありません。

ハーブおよび健康食品・サプリメントとの相互作用

ほかのハーブ，健康食品・サプリメントとの相互作用についてはまだ明らかではありません。

使用量の目安

標準使用量に関するデータがありません。

アツモリソウ

NERVE ROOT

別名ほか

アメリカンバレリアン（American Valerian），カラフトアツモリソウ（Cypripedium calceolus），レディズスリッパー（Lady's Slipper），Bleeding Heart，Cypripedium parviflorum，Cypripedium pubescens，Moccasin Flower，Monkey Flower，Noah's Ark，Shoe，Slipper Root，Venus' Shoe，Yellows

概 要

アツモリソウは，レディズスリッパーとして知られる植物です。同じくレディズスリッパーとして知られている同種のCalypso bulbosa （Cypripedium bulbosum）あるいはCypripedium parviflorumと混同しないよう注意してください。

アツモリソウの根と地下茎を用いて「くすり」を作ることもあります。

●要説（ナチュラル・スタンダード）

レディズスリッパー（アツモリソウの別名）について

レディズスリッパーはラン科の野草です。イエローレディズスリッパー（カラフトアツモリソウ，Cypripedium calceolus）は，インド原産のインドバリアン（Valeriana wallichii）にちなんでアメリカバレリアンと名付けられました。「くすり」としての作用（薬理作用）はピンクレディズスリッパーと似ています。弱い覚醒剤であり，そして鎮痙薬です。かつてはさまざまな神経病の治療に一般的に用いられました。民間伝承によれば，興奮薬でもあり，鎮痙薬でもあるとされていますが，現時点では，これらの相反する作用を結論付ける有効な報告はありません。女性特有の疾患に起因するうつ病の治療にもよく用いられます。このような医療用途はほとんど廃れており，現在では医療に用いられることは滅多にありません。

ピンクレディズスリッパー（Cypripedium acaule）は，薬草として好まれていたイエローレディズスリッパーの代用品とみなされていました。鎮痙薬や鎮静薬として，ヨーロッパバレリアン（European Valerian）の代用品としても用いられました。男性特有の疾患および女性特有の疾患に対しても用いられました。

現時点では，安全性および有効性を評価している，ヒトを対象とした質の高い臨床試験はありません。しかし，従来からの利用者や薬草専門家は，さらなる試験により，鎮痙薬，鎮静薬および興奮薬としての作用に関する研究の正当性が認められる可能性を示唆しています。

安全性

ほとんどの人に危険なようです。幻覚，めまい，情動不安，頭痛，皮膚への刺激などの副作用を引き起こす可能性があります。

●妊娠中および母乳授乳期

妊娠中および母乳授乳期の使用は安全ではありません。使用しないでください。

有効性

◆科学的データが不十分です

・月経障害，膣そう痒感（患部に塗布する場合），下痢，睡眠障害，多発性硬化症，不安感など。

●体内での働き

収れん薬として作用して血管の収縮に役立つことがあります。

医薬品との相互作用

ほかの医薬品との相互作用については明らかではありません。

ハーブおよび健康食品・サプリメントとの相互作用

ほかのハーブ，健康食品・サプリメントとの相互作用についてはまだ明らかではありません。

使用量の目安

●経口摂取

乾燥した地下茎または根部を１回２～４gで１日３回，あるいはお茶（乾燥した地下茎または根部２～４gを150mL の熱湯に５～10分間浸して，その後，ろ過する）を１日３回摂取します。流エキス（1：1，45%アルコール）を１回２～４mLで１日３回摂取します。

アデノシルコバラミン

DIBENCOZIDE

●代表的な別名

ジベンコザイド

別名ほか

補酵素B_{12}（Coenzyme B_{12}），コバラミン酵素（Cobalamin Enzyme），コバマミド（Cobamamide），Adenosylcobalamin，Co-enzyme B-12

概要

アデノシルコバラミンはビタミンB_{12}の１つの形態です。「くすり」として使用されることもあります。

安全性

一般的には安全なようです。副作用についての報告はありません。

胃腸疾患：回腸疾患あるいは腸の一部の除去手術などの胃腸疾患の場合は，腸で吸収されるアデノシルコバラミンを含むビタミンB_{12}の量を減少させます。

●妊娠中および母乳授乳期

妊娠中および母乳授乳期の使用の安全性についてはデータが不十分です。安全性を考慮し，摂取は避けてください。

有効性

◆科学的データが不十分です

・タンパク質代謝への刺激，筋肉質量の増加と体力の向上，精神集中力の向上，うつ病，不安，パニック発作，およびそのほかの症状への使用。

●体内での働き

ビタミンB_{12}の１つの形態です。ビタミンB_{12}は，からだ全体の化学反応で重要な役割を果たします。ただし，ビタミン錠剤によくみられるビタミンB_{12}の別の形態であるシアノコバラミンほど安定しておらず，保管中に分解してしまうことがあります。

医薬品との相互作用

中クロラムフェニコール

アデノシルコバラミンはビタミンB_{12}の一種です。ビタミンB_{12}は新しい血液細胞の生成にとって重要ですが，クロラムフェニコールは新しい血液細胞を減少させると考えられています。クロラムフェニコールを長期にわたって使用すると，血球新生に対するアデノシルコバラミンの作用を弱めるおそれがあります。しかし，たいていの人はクロラムフェニコールを短期間使用するだけなので，この相互作用は大きな問題ではありません。

相互作用レベル：高この医薬品と併用してはいけません　中この医薬品とは慎重に併用するか併用しないでください
低この医薬品との併用には注意が必要です

ハーブおよび健康食品・サプリメントとの相互作用

ビタミンC

初期の研究では，ビタミンCの健康食品・サプリメントは，アデノシルコバラミンを含むビタミンB_{12}を破壊するとしています。しかし，鉄や硝酸塩などの食品に含まれるほかの化学物質がその作用を打ち消します。この相互作用が実際の健康に影響するかどうかははっきりしていません。しかし，ビタミンCのサプリメントを食後少なくとも２時間後に摂取することで，この相互作用は避けることができます。

通常の食品との相互作用

アルコール

２週間以上にわたっての多量のアルコール摂取は，胃腸管から吸収されるビタミンB_{12}の量を減少させます。

使用量の目安

標準使用量に関するデータがありません。

アデノシン

ADENOSINE

●代表的な別名

アデノシンリン酸

別名ほか

アデノシンリン酸（Adenosine phosphate），アデノシン一リン酸（Adenosine monophosphate，AMP），アデノシン5'-一リン酸（Adenosine-5-monophosphate，A5MP），アデノシン二リン酸（Adenosine diphosphate，ADP），アデノシン三リン酸（Adenosine triphosphate，ATP），Adenine nucleoside，Adenine riboside

概　　要

アデノシンは人間の細胞に存在する化合物です。リン酸塩と結合してアデノシン一リン酸（アデニル酸，AMP），およびアデノシン三リン酸（ATP）などのさまざまな化学化合物を合成します。アデノシンは「くすり」に使われます。

安　全　性

資格をもつ医師などが行う注射なら，ほとんどの人には安全です。

多量に投与すると，呼吸器系障害および胸痛が生じるおそれがあります。また，頭痛，動悸，低血圧，悪心，発汗，ほてり，立ちくらみ，睡眠障害，咳，不安感が起きるおそれがあります。

心疾患：アデノシン三リン酸は，心臓や胸の痛みへの血流が，減少する可能性があります。これにより，胸の痛み，心臓発作など，心臓病患者の症状を悪化させる可能性があります。

痛風：アデノシンは血液中および尿中の尿酸値を上げることがあり，痛風発症の原因となります。痛風を発症すると関節が赤く，熱く，柔らかくなり，腫れてしまいます。この症状は，足の親指の付け根にある関節に現れることがもっとも多いといわれています。

痛風の患者は使用してはいけません。

●妊娠中および母乳授乳期

妊娠中，母乳授乳期は使用してはいけません。

有　効　性

◆有効性レベル①

・一部の不整脈の治療（医薬品による静注薬として）。

◆有効性レベル③

・進行がんによる体重低下の治療。アデノシン三リン酸の静脈内投与は非小細胞肺がんおよび他の腫瘍患者において，食欲，食事量，および生活の質を改善するようです。

・血行不良による，通常は下肢の創傷（静脈うっ血潰瘍）。アデノシン一リン酸の筋肉内投与は，静脈うっ血潰瘍による体液貯留，そう痒，腫脹，および発赤を緩和する可能性があります。

◆科学的データが不十分です

・帯状疱疹（帯状疱疹感染症）。初期の研究では，アデノシン一リン酸の筋肉内投与は帯状疱疹感染症の治療，帯状疱疹後神経痛の予防に効果的である可能性があります。筋肉内アデノシン一リン酸投与は他のヘルペスウイルス感染症の治療にも効果的であるという限定的研究もあります。

・肺がん。研究では，アデノシン三リン酸は非小細胞肺がんの治療に有効ではないと示唆しています。

・疼痛など。

●体内での働き

不整脈の原因となる心臓の異常な伝導経路を抑制します。アデノシン三リン酸は，進行性がん患者の体重減の原因となるエネルギー代謝の変化を防ぐ可能性があります。

医薬品との相互作用

中カルバマゼピン

アデノシンは，心拍数を減少させます。カルバマゼピンと併用すると，過度の心拍低下が起こりますから，アデノシンを使用してはいけません。

高ジピリダモール

アデノシンは体内で代謝されてから排泄されますが，ジピリダモールはアデノシンの代謝を抑制して，心臓に異常を引き起こすおそれがあります。ジピリダモールを服用している場合はアデノシンを使用すべきではありません。

低メチルキサンチン類

メチルキサンチン類はアデノシンの作用を妨げるおそれがあります。医師が心筋灌流シンチグラフィという心臓検査にアデノシンを使うケースがよくみられます。検査を受ける場合，最低24時間前から摂取しないでください。メチルキサンチン類には，アミノフィリン水和物，カフェイン，テオフィリンがあります。

低痛風治療薬

関節に尿酸が溜まると，痛風が起こります。アデノシンは体内の尿酸を増やし，痛風治療薬の効果を弱めるおそれがあります。痛風治療薬としては，アロプリノール，コルヒチン，プロベネシドなどがあります。

ハーブおよび健康食品・サプリメントとの相互作用

カフェインを含むハーブおよび健康食品・サプリメント

カフェインはアデノシンの効果を阻害することがあります。ストレス試験の少なくとも24時間以前にカフェインを含むハーブの摂取は停止してください。このようなハーブにはコーヒー，紅茶，緑茶，ガラナ，マテ，およびコーラがあります。

使用量の目安

●筋肉内投与

静脈瘤合併症の症状緩和

1回25mgのアデノシン一リン酸を週1～2回投与し，その後1回25mgを週2～3回投与。

滑液包炎と腱炎

最初の3日間は1回20mgのアデノシン一リン酸を1日1～3回または1時間ごとに5回投与し，その後は必要に応じて1日20mgを投与。あるいは最初の3日間は1日100mgを投与し，その後は1日おきに投与。

●静脈内投与

発作性上室性頻拍

6mgを1～2分で急速に投与。1～2分以内に効果が現れない場合は12mgを投与し，必要ならそれを繰り返します。

薬理学的心臓負荷試験でタリウムとともに用いる場合

アデノシン140μg/kg/分を6分かけて（総用量は0.84mg/kg）投与。

進行がん患者における悪液質の予防

アデノシン三リン酸を2～4週間おきに最高75μg/kg/分までの用量を30時間かけて投与。

アトラスシダー

ATLANTIC CEDAR

●代表的な別名

大西洋スギ

別名ほか

シダーウッドアトラス精油，アトラスシダー樹皮油，シダーウッドアトラス

概　　要

アトラスシダーは樹木です。その木から取られたオイルは「くすり」として使用されます。製品としては，アトラスシダーのオイルは，化粧品，石けん，香水の香料として使用されます。

●要説（ナチュラル・スタンダード）

・シダーについて

シダーは，ヒマラヤ山脈西部の山岳地帯および地中海地域の原産です。木やオイルの香りが蛾などの昆虫を撃退するため，シダーウッドは布地や繊維を保護するためにクローゼットやチェストの中に入れて用いられます。円形脱毛症の患者がシダーウッドのオイルとほかのアロマオイルおよびキャリアオイルを混合してマッサージをしたところ，症状が大幅に改善したという臨床研究があります。ただし現時点では，いずれの疾患に対しても，シダーの有効性を支持するよく設計されたヒトを対象とした研究はありません。

アトピー患者の場合には，シダーの花粉が気管支喘息などのアレルギー症状を引き起こすおそれがあります。職業的にシダーウッドの粉塵に曝露された場合，刺激性，アレルギー性，発がん性があるおそれがあります。

安　全　性

アトラスシダー油を皮膚に使用する場合，最大7カ月まで，ほとんどの人におそらく安全です。経口摂取の安全性についてはデータが不十分です。

●妊娠中および母乳授乳期

妊娠中および母乳授乳期の使用の安全性についてはデータが不十分です。安全性を考慮し，摂取は避けてください。

有　効　性

◆有効性レベル③

・円形脱毛症。ラベンダー油を，タイム，ローズマリー，およびアトラスシダー（シダーウッド）の精油と組み合わせて，7カ月間，頭皮に塗布する場合，脱毛症の人のうち最大44％に，頭皮の発毛改善が見られるというエビデンスがあります。

◆科学的データが不十分です

・昆虫忌避剤としての使用など。

●体内での働き

どのように作用するかについては十分なデータが得られていません。

医薬品との相互作用

ほかの医薬品との相互作用については明らかではありません。

ハーブおよび健康食品・サプリメントとの相互作用

ほかのハーブ，健康食品・サプリメントとの相互作用についてはまだ明らかではありません。

使用量の目安

●皮膚への塗布

円形脱毛症

アトラスシダーの精油２滴（94mg），ローズマリーの精油３滴（114mg），タイムの精油２滴（88mg），およびラベンダーの精油３滴（108mg）を含む混合精油を，３mLのホホバ油および20mLのグレープシード油と混ぜたもので，毎晩２分間，頭皮をマッサージし，温かいタオルを頭の周りにあてて吸収を促します。

アナキクルス

PELLITORY

●代表的な別名

岩コマギク

別名ほか

イワコマギク（Anacyclus pyrethrum），Akarakarabha

概　　要

アナキクルスは植物です。根を用いて「くすり」を作ることもあります。

安 全 性

十分なデータが得られていないため，安全性については不明です。

人によっては，使いすぎで皮膚に発赤と炎症が起こるおそれがあります。

●アレルギー

キク科の植物にアレルギーがある場合には，アナキクルスのアレルギーを引き起こすおそれがあります。このような植物には，ブタクサ，キク，マリーゴールド，デイジーなど，ほかにも多くの植物があります。

●妊娠中および母乳授乳期

妊娠中および母乳授乳期の使用の安全性についてはデータが不十分です。安全性を考慮し，摂取は避けてください。

有 効 性

◆科学的データが不十分です

・関節症，消化の改善など。歯茎に塗布する場合には，歯痛。皮膚に塗布する場合には，殺虫効果。

●体内での働き

神経終末を刺激します。

医薬品との相互作用

ほかの医薬品との相互作用については明らかではありません。

ハーブおよび健康食品・サプリメントとの相互作用

ほかのハーブ，健康食品・サプリメントとの相互作用についてはまだ明らかではありません。

使用量の目安

標準使用量に関するデータがありません。

アナトー

ANNATTO

●代表的な別名

ベニノキ

別名ほか

アチオテ，アチョーテ（Achiote），ベニノキ（Bixa orellana），リップスティックツリー（Lipstick Tree），Achiotillo，Annotta，Arnotta，Bija，Roucou

概　　要

アナトーは植物です。種子および葉を用いて「くすり」を作ることもあります。アナトーは，食品の着色料として使用されます。

●要説（ナチュラル・スタンダード）

アナトーは，アチョーテ（ベニノキ）の赤い種子から作られる，色素，染料です。アチョーテは，南米・北米の熱帯地域，西インド諸島，東インド諸島原産の木で，南米や東南アジアで栽培されています。アナトーは，中南米やカリブ海料理では，昔から定番の香味料および着色料です。ほのかな甘さとピリッとした味になります。色は，黄や赤になります。

中南米の先住民が口紅やボディペイント，布の染料としてアチョーテの種子を用いていたため，アチョーテはリップスティックツリー（Lipstick Tree）として知られています。

伝統療法では，糖尿病をはじめ，黄疸，ヘビにかまれた傷，消化不良，むねやけ，高血圧など，さまざまな疾患に対してアチョーテが用いられてきています。根をはじめ，葉，種子，乾燥させた果肉など，この植物の全部位が用いられています。近年では，アナトーは体重減少製品の一成分としても用いられています。

安 全 性

アナトーは，食品の量の範囲で摂取する場合は，ほとんどの人に安全のようです。「くすり」として使用する場合の安全性については，データが不十分です。

糖尿病：アナトーは血糖値を上昇させたり低下させたりするおそれがあります。糖尿病に罹患していて，アナトーを「くすり」として使用する場合には，血糖値を注意して監視してください。服薬中の糖尿病医薬品の用量を変更する必要があるかもしれません。

手術：アナトーは血糖値に影響を及ぼすおそれがあります。そのため，手術中や術後の血糖コントロールを妨げるおそれがあります。少なくとも手術前２週間は，アナトーを「くすり」として使用しないでください。

●妊娠中および母乳授乳期

妊娠中および母乳授乳期の使用の安全性についてはデータが不十分です。安全性を考慮し，摂取は避けてください。

有　効　性

◆科学的データが不十分です

・良性前立腺肥大（BPH），下痢，糖尿病，発熱，体液貯留，むねやけ，マラリア，肝炎，熱傷（患部に直接塗布），膣感染症（患部に直接塗布），昆虫忌避剤（直接塗布）など。

●体内での働き

どのように作用するかについては，データが不十分です。

医薬品との相互作用

中肝臓で代謝される医薬品（シトクロムP450 1A1（CYP1A1）の基質となる医薬品）

特定の医薬品は肝臓で代謝されます。アナトーはこのような医薬品の代謝を促進する可能性があります。アナトーと肝臓で代謝される医薬品を併用すると，医薬品の効果が弱まるおそれがあります。このような医薬品にはクロルゾキサゾン，テオフィリン，Bufuralolがあります。

中糖尿病治療薬

アナトーは血糖値を上昇または低下させる可能性があります。糖尿病治療薬もまた血糖値を低下させるために用いられます。アナトーが血糖値を上昇または低下させることにより，糖尿病治療薬の効果を弱める，または血糖値を過度に低下させるおそれがあります。血糖値を注意深く監視してください。糖尿病治療薬の用量を変更する必要があるかもしれません。このような糖尿病治療薬にはグリメピリド，グリベンクラミド，インスリン，ピオグリタゾン塩酸塩，マレイン酸ロシグリタゾン（販売中止），クロルプロパミド，Glipizide，トルブタミド（販売中止）などがあります。

ハーブおよび健康食品・サプリメントとの相互作用

血糖値を低下させるおそれのあるハーブおよび健康食品・サプリメント

アナトーは血糖値を上昇させたり低下させたりするおそれがあります。アナトーと，血糖値を低下させるおそれのあるほかのハーブおよび健康食品・サプリメントを併用すると，人によっては低血糖のリスクが高まるおそれがあります。このようなハーブおよび健康食品・サプリメントには，ニガウリ，ショウガ，薬用ガレーガ，フェヌグリーク，クズ，ウィローバークなどがあります。

使用量の目安

通常の食品に含まれている量を超えて経口摂取した場合の安全性および副作用については，明らかになっていません。

アナミルタの種子

GRAINS OF PARADISE

●代表的な別名

マニゲット

別名ほか

マニゲット（Mallaguetta Pepper），Aframomum melegueta，Amomum melegueta，Guinea Grains

概　　要

アナミルタの種子はマニゲット（Aframomum melegueta）植物の果物と種子です。「くすり」として使用されることもあります。トウガラシと混同しないよう注意してください。両方とも，アナミルタの種子として知られています。

安　全　性

ほとんどの成人にはおそらく，安全ですが，胃腸や泌尿器系に炎症を起こすおそれがあります。

●妊娠中および母乳授乳期

妊娠中および母乳授乳期の使用の安全性についてはデータが不十分です。安全性を考慮し，摂取は避けてください。

有　効　性

◆科学的データが不十分です

・刺激薬としての使用。

●体内での働き

どのように作用するかについては十分なデータが得られていません。

医薬品との相互作用

ほかの医薬品との相互作用については明らかではありません。

ハーブおよび健康食品・サプリメントとの相互作用

ほかのハーブ，健康食品・サプリメントとの相互作用についてはまだ明らかではありません。

使用量の目安

●経口摂取

通常，水３～４カップに４～６gを加え，半量になるまで沸騰させます。この液を冷まし，空腹時に３回に分けて摂取します。

アニス

ANISE

●代表的な別名

スイートクミン

別名ほか

スイートクミン(Sweet Cumin)，アニシード(Aniseed)，アニスシード（Pimpinella Anisum），Anisi Fructus，Phystoestrogen，Semen Anisi

概　要

アニスはハーブです。乾燥した実，種子，オイル，またこれらほど多くはありませんが根を用いて「くすり」を作ることもあります。

●要説（ナチュラル・スタンダード）

アニスは，地中海地方東部原産で，もっとも古くから知られているスパイスの１つです。医療用にも，食用にも用いられています。ニンジンをはじめ，パセリ，ディル，フェンネル，コリアンダー，クミン，およびキャラウェイなどセリ科の一種です。

ギリシャ語のanison，ラテン語のanisumは，初期のアラビア語anysumに由来します。エジプトでは紀元前1500年頃からアニスが用いられていた証拠があります。ローマの人々は，こってりした食事の後に，胃の消化促進のためにアニス･スパイスのケーキを食していました。アニスのオイルは甘草の風味が強く，ワインと混ぜてアニセットにします。アニスのオイルは，トルコのアルコール飲料であるラキ（raki）や，ギリシャのアルコール飲料であるウーゾ（ouzo）にも用いられています。

アニスは，調理用香辛料として用います。医療用では，消化促進や尿量増加などに用います。アニスのオイルは甘草風味キャンディー，咳止めのトローチやシロップの香味料として用いられます。

アニスは，欧州では，がん治療の補助に用いられています。メキシコ，トルコ，および中国では，腸内ガスを排出する駆風薬や，母乳分泌を刺激する催乳薬として用いられています。流産の誘発，気管支喘息，気管支炎，咳などの呼吸器疾患の治療に用いる地域もあります。ほかのハーブと併用してアタマジラミ寄生の治療にも用います。米国食品医薬品局（FDA）のGRAS（一般的に安全と認められる食品）に指定されています。

安　全　性

アニスは，通常食品に含まれる量を経口摂取する場合，ほとんどの成人に安全のようです。「くすり」としての量を経口摂取する場合の安全性については，データが不十分です。

小児：通常の食品に含まれる量を経口摂取する場合，ほとんどの小児に安全のようです。ほかのハーブと併用して短期間，頭皮に塗布する場合は，おそらく安全です。「くすり」としての量を経口摂取する際の安全性については，データが不十分です。

乳がん，子宮がん，卵巣がん，子宮内膜症，子宮線維腫など，ホルモン感受性の疾患：アニスがエストロゲンのように作用するおそれがあります。エストロゲンにさらされることによって悪化するおそれのある疾患の場合には，使用してはいけません。

●アレルギー

アニスに似た植物にアレルギーのある場合，人によっては，アニスにアレルギー反応を起こすおそれがあります。アニスに似た植物には，アスパラガス，キャラウェイ，セロリ，コリアンダー，クミン，ディル，フェンネルなどがあります。

●妊娠中および母乳授乳期

通常の食事の一環としての摂取であれば，妊娠中および母乳授乳期のほとんどの人に安全のようです。妊娠中および母乳授乳期に「くすり」として高用量を摂取する際の安全性については，データが不十分です。食品の量の範囲内で摂取してください。

有　効　性

◆有効性レベル③

・月経不快感（月経痛）。いくつかの臨床研究により，アニス，サフラン，セロリ種子を含む特定の製品を摂取すると，月経周期の疼痛の重症度が低下し，疼痛の継続期間が短縮することが示されています。

◆科学的データが不十分です

・気管支喘息，便秘，シラミ，月経の誘発，母乳の増加，性欲増進，疥癬，乾癬，咳，筋肉の痙攣など。

●体内での働き

エストロゲンに似た作用のある化学物質が含まれています。このほか，アニスに含まれる化学物質が，殺虫剤として作用する可能性があります。

医薬品との相互作用

低アセトアミノフェン

アニス油とアセトアミノフェンを併用すると，血中のアセトアミノフェン値が低下する可能性があります。そのため，アセトアミノフェンの効果が弱まるおそれがあります。

中イミプラミン塩酸塩

アニス油と塩酸フルオキセチンを併用すると，イミプラミン塩酸塩の効果が弱まるおそれがあります。

中エストロゲン（卵胞ホルモン）製剤

多量のアニスにはエストロゲン様作用がある可能性があります。しかし，アニスを多量に摂取しても，エストロゲン製剤と同等の作用はありません。アニスとエストロゲン製剤を併用すると，エストロゲン製剤の作用が弱まるおそれがあります。このようなエストロゲン製剤には，結合型エストロゲン，エチニルエストラジオール，エストラジオールなどがあります。

中カフェイン

アニス油とカフェインを併用すると，血中のカフェイン値が低下する可能性があります。そのため，カフェインの作用が減弱するおそれがあります。

中コデインリン酸塩水和物

コデインは肝臓でモルヒネに変換されます。アニス油とコデインリン酸塩水和物を併用すると，コデインのモルヒネへの変換を促進する可能性があります。そのため，コデインリン酸塩水和物の作用および副作用が増強するおそれがあります。

中ジアゼパム

ジアゼパムは体内で代謝されてから排泄されます。アニス油とジアゼパムを併用すると，ジアゼパムの代謝が抑制される可能性があります。そのため，血中のジアゼパム濃度が上昇して，ジアゼパムの作用および副作用が増強するおそれがあります。

中タモキシフェンクエン酸塩

がんの種類によっては，体内のホルモンの影響を受けます。ホルモン感受性がんは，体内のエストロゲン量の影響を受けます。タモキシフェンクエン酸塩は，このようながんの治療および再発予防のために用いられます。アニスも体内のエストロゲン量に影響を及ぼす可能性があります。アニスが体内のエストロゲンに影響を及ぼすことにより，タモキシフェンクエン酸塩の効果が弱まるおそれがあります。タモキシフェンクエン酸塩を服用中にアニスを摂取しないでください。

中ミダゾラム

ミダゾラムは体内で代謝されてから排泄されます。アニス油とミダゾラムを併用すると，ミダゾラムの代謝が抑制される可能性があります。そのため，血中のミダゾラム値が上昇してミダゾラムの作用および副作用が増強するおそれがあります。

中塩酸フルオキセチン【販売中止】

アニス油と塩酸フルオキセチンを併用すると，塩酸フルオキセチンの効果が弱まるおそれがあります。

中糖尿病治療薬

アニスは，糖尿病の場合に血糖値を低下させる可能性があります。糖尿病治療薬も血糖値を低下させるために用いられます。アニスと糖尿病治療薬を併用すると，血糖値が過度に低下するおそれがあります。血糖値を注意深く監視してください。糖尿病治療薬の用量を変更する必要があるかもしれません。このような糖尿病治療薬には，グリメピリド，グリベンクラミド，インスリン，ピオグリタゾン塩酸塩，マレイン酸ロシグリタゾン（販売中止），クロルプロパミド，Glipizide，トルブタミド（販売中止）などがあります。

中避妊薬

特定の避妊薬にはエストロゲンが含まれます。アニスにはエストロゲン様作用がある可能性があります。しかし，アニスにはエストロゲン製剤と同等の作用はありません。アニスと避妊薬を併用すると，避妊薬の効果が弱まるおそれがあります。併用する場合にはほかの避妊方法（コンドームなど）も使用してください。このような避妊薬には，エチニルエストラジオール・レボノルゲストレル配合，エチニルエストラジオール・ノルエチステロン配合などがあります。

ハーブおよび健康食品・サプリメントとの相互作用

ほかのハーブ，健康食品・サプリメントとの相互作用についてはまだ明らかではありません。

使用量の目安

●経口摂取

月経不快感（月経痛）

サフラン，セロリ種子，アニスエキスを含む特定の組み合わせ製品500mgを１日３回，月経初日から３日間摂取します。

アネモプシス・カリフォルニカ

YERBA MANSA

別名ほか

Anemopsis californica, Lizard's Tail, Swamp Root, Yerba manza

概　　要

アネモプシス・カリフォルニカはハーブです。根と地下茎を用いて「くすり」を作ることもあります。

安　全　性

十分なデータが得られていないので，安全性および副作用については不明です。

アネモプシス・カリフォルニカは中枢神経系の機能を鈍くすると思われます。手術中や術後に，麻酔薬やほかの薬品と併用すると，中枢神経系の機能を鈍くする懸念があります。少なくとも手術の２週間前には，アネモプシス・カリフォルニカの使用をやめてください。

アネモプシス·カリフォルニカは尿路に刺激を与えて，尿路疾患を悪化させる可能性があります。もし尿路疾患があるときは，アネモプシス・カリフォルニカを使用しないでください。

●妊娠中および母乳授乳期

妊娠中および母乳授乳期の使用の安全性についてはデータが不十分です。安全性を考慮し，摂取は避けてください。

有　効　性

◆科学的データが不十分です

・がん，カタル，感冒，咳，胃腸障害，咽喉障害，皮膚障害，疼痛，便秘，結核，性感染症など。

●体内での働き

どのように作用するかについては，十分なデータが得られていません。

医薬品との相互作用

中鎮静薬（中枢神経抑制薬）

アネモプシス・カリフォルニカは眠気を引き起こす可能性があります。鎮静薬も眠気をもたらす医薬品ですから，アネモプシス・カリフォルニカと鎮静薬を併用すると過度の眠気を引き起こすおそれがあります。このような鎮静薬には，クロナゼパム，ロラゼパム，フェノバルビタール，ゾルピデム酒石酸塩などがあります。

ハーブおよび健康食品・サプリメントとの相互作用

睡魔や眠気を引き起こすハーブおよび健康食品・サプリメント

アネモプシス・カリフォルニカは鎮静薬のような働きがあり，睡魔や眠気を引き起こします。

アネモプシス・カリフォルニカを鎮静薬のような働きをもつ他のハーブやサプリメントと併用すると，かなりの睡魔や眠気を引き起こす可能性があります。併用は避けてください。鎮静薬のような働きをするほかのハーブおよび健康食品・サプリメントには，5-ヒドロキシトリプトファン，ショウブ，ハナビシソウ，チクマハッカ，ホップ，ジャマイカハナミズキ，カワ，オトギリソウ，バイカルスカルキャップ，カノコソウ，その他が含まれます。

使用量の目安

標準使用量に関するデータがありません。

アブータ

ABUTA

別名ほか

ツヅラフジ科（Menispermaceae），Bejunco de Cerca，Butua，False Pareira，Pareira，Patacon，Velvetleaf，Cissampelos pareira

概　　要

アブータはハーブです。根，樹皮，地上部分を用いて「くすり」を作ることもあります。アブータ（Cissampelos pareira）と，先住民が矢毒を作るために用いるアブータと呼ばれる南アメリカの薬草，Abuta grandifoliaを混同してはいけません。

●要説（ナチュラル・スタンダード）

アブータは，アマゾン川流域をはじめとする，世界中の湿潤熱帯地域に分布します。南米では助産師のハーブとして知られ，女性特有のさまざまな病状の治療に用いられます。世界中には，解熱，抗炎症，鎮痛目的で用いる地域もあります。米国では主に，月経痛など生殖器官に関連する日常的な症状に対して用いられます。

月経出血を促進する月経促進薬の働きをする可能性があります。ただし，月経周期中の安全性および有効性を決定付ける臨床試験はありません。使用を推奨するには，さらなる研究が必要です。

伝統医学の文書には，利尿薬，去痰薬，月経促進薬，および解熱薬としての働きをする可能性が示唆されています。流産防止，重度の月経出血の軽減，子宮出血の止血目的にも用いられます。アブータの樹皮を粉末にしたものは，月経に関連する症状に対しても用いられます。

安　全　性

安全かどうかは不明です。

●妊娠中および母乳授乳期

妊娠中および母乳授乳期の使用の安全性についてはデータが不十分です。安全性を考慮し，摂取は避けてください。

有　効　性

◆科学的データが不十分です

・にきび，気管支喘息，下痢，生殖能力，高血圧症，マラリア，狂犬病，月経障害，創傷，歯痛など。

●体内での働き

どのように作用するかについては十分なデータが得られていません。

医薬品との相互作用

ほかの医薬品との相互作用については明らかではありません。

ハーブおよび健康食品・サプリメントとの相互作用

ほかのハーブ，健康食品・サプリメントとの相互作用についてはまだ明らかではありません。

使用量の目安

標準使用量に関するデータがありません。

アブラギリの種子

TUNG SEED

別名ほか

桐油（China-Wood Oil），ククイの木（Kukui），シナアブラギリ，支那油桐（Tung），Aleurites cordatus, Aleurites javanicus, Aleurites moluccanus, Aleurites pentaphyllus, Aleurites remyi, Aleurites trilobus, Balucanat, Candleberry, Candleberry Tree, Candlenut, Country Walnut, Indian Walnut, Jatropha moluccana, Otaheite Walnut, Varnish Tree, Vernicia cordata

概　　要

アブラギリの種子は樹木の種子です。オイルと仁を用いて「くすり」を作ることもあります。

安 全 性

経口摂取は危険です。重度の胃痛，激しい嘔吐，呼吸器系障害を引き起こす可能性があり，ほとんどが死に至ります。

十分なデータが得られていないので，皮膚に塗布した場合の安全性は不明です。

有 効 性

◆科学的データが不十分です

・気管支喘息，下痢や便秘などの腸障害など。

●体内での働き

腸を刺激して発汗を引き起こすことのある多様な物質を含んでいます。シアン化物など毒性のある化合物も含んでいます。

医薬品との相互作用

ほかの医薬品との相互作用については明らかではありません。

ハーブおよび健康食品・サプリメントとの相互作用

ほかのハーブ，健康食品・サプリメントとの相互作用についてはまだ明らかではありません。

使用量の目安

標準使用量に関するデータがありません。

アフリカン・ワイルド・ポテト

AFRICAN WILD POTATO

別名ほか

ヒポシクス・ルーペリ（Hypoxis rooperi），African Potato, Bantu Tulip, South African Star Grass, Sterretjie

概　　要

アフリカン・ワイルド・ポテトは植物です。「くすり」に使用されることもあります。

●要説（ナチュラル・スタンダード）

アフリカン・ワイルド・ポテトは，南アフリカ原産です。糖尿病，出血，および前立腺疾患など，広くさまざまな疾患に対して用いられます。苦みのある植物です。

伝統医学施術者は，アフリカン・ワイルド・ポテトを煮出した茶を「くすり」として用いています。モザンビーク南部では，モザンビーク内戦（1976～1992年）時に，負傷して失血した兵士や市民に広く用いられました。アフリカン・ワイルド・ポテトの茶が，失われた血液に置きかわるとされています。アフリカン・ワイルド・ポテトの茶とほかの植物を併用して，糖尿病患者の悪い血を退治するために用いられます。

シャンガーン族は，アフリカン・ワイルド・ポテトとほかの植物を混合し，子宮内膜症，月経前症候群に対して用います。根茎は，内服の虫下しや下剤として摂取する輸液の一成分でした。マニィカ族は，根茎を医療や儀式目的に用いていました。カランガ族は，根茎を嘔吐，食欲不振，腹痛，および発熱の治療に用いていました。せん妄の治療にも用いられていました。

Hypoxis rootに含まれるステロールおよびステロリン（sterolin）に，免疫効果があるという間接的なエビデンスに基づけば，アフリカン・ワイルド・ポテトにも免疫を促進する働きをする可能性があります。一般的な野菜と比べ，5万倍もの栄養価値があるともいわれています。今日，ステロールおよびステロリンは人気があり，免疫機能の促進薬として好まれています。

安 全 性

一部のアフリカン・ワイルド・ポテト製品を経口摂取する場合は，ほとんどの人におそらく安全です。副作用には，吐き気，消化不良，腸内ガス，下痢，便秘などがあり，勃起障害や性欲減退などの性的な副作用を引き起こすおそれもあります。

いっぽう，アフリカン・ワイルド・ポテト製品の中には，血球産生低下や脈拍不整を引き起こしているものもあります。

糖尿病：アフリカン・ワイルド・ポテトは血糖値を低下させるおそれがあります。糖尿病に罹患していてアフリカン・ワイルド・ポテトを摂取する場合には，低血糖の徴候がないかどうか観察し，血糖値を注意して監視してください。

腎疾患：アフリカン・ワイルド・ポテトは腎機能を低

下させるおそれがあります。そのため，腎疾患の場合には症状が悪化するおそれがあります。

シトステロール血症と呼ばれるまれな遺伝性の脂肪蓄積症：シトステロール血症患者は，早期に心疾患を発症したり，コレステロール沈着物が皮下に蓄積したりする傾向があります。アフリカン・ワイルド・ポテトに含まれるβシトステロールは，この疾患を悪化させるおそれがあります。シトステロール血症の場合には，アフリカン・ワイルド・ポテトを摂取しないでください。

手術：アフリカン・ワイルド・ポテトは血糖値を低下させるおそれがあります。このため，手術中や術後の血糖コントロールを妨げるおそれがあります。少なくとも手術前２週間は，使用しないでください。

●妊娠中および母乳授乳期

妊娠中および母乳授乳期の使用の安全性についてはデータが不十分です。安全性を考慮し，摂取は避けてください。

有　効　性

◆有効性レベル③

・前立腺肥大による排尿障害（良性前立腺肥大，BPH）。アフリカン・ワイルド・ポテトにはβシトステロールという化学物質が含まれており，この物質が良性前立腺肥大の症状を改善するようです。研究によると，特定のアフリカン・ワイルド・ポテトエキスを単独で，またはほかのβシトステロール含有製品と併用で経口摂取すると，良性前立腺肥大の排尿症状が緩和され，生活の質が改善されました。

◆科学的データが不十分です

・肺がん，膀胱炎，がん，肺疾患，ヒト免疫不全ウイルス（HIV），結核（TB），関節炎，乾癬，創傷治癒，免疫システムの改善など。

●体内での働き

アフリカン・ワイルド・ポテトには，炎症を抑える可能性のある化学物質が含まれています。

医薬品との相互作用

中 肝臓で代謝される医薬品（シトクロムP450 3A4（CYP3A4）の基質となる医薬品）

特定の医薬品は肝臓で代謝されます。アフリカン・ワイルド・ポテトはこのような医薬品の代謝を抑制する可能性があります。アフリカン・ワイルド・ポテトと肝臓で代謝される医薬品を併用すると，医薬品の作用および副作用が増強するおそれがあります。肝臓で代謝される医薬品を服用している場合には，医師や薬剤師に相談することなくアフリカン・ワイルド・ポテトを摂取しないでください。このような医薬品には，Lovastatin，ケトコナゾール，イトラコナゾール，フェキソフェナジン塩酸塩，トリアゾラムなど数多くあります。

中 糖尿病治療薬

アフリカン・ワイルド・ポテトは糖尿病患者の血糖値を低下させる可能性があります。糖尿病治療薬も血糖値を低下させるために用いられます。アフリカン・ワイルド・ポテトと糖尿病治療薬を併用すると，血糖値が過度に低下するおそれがあります。血糖値を注意深く監視してください。糖尿病治療薬の用量を変更する必要があるかもしれません。このような糖尿病治療薬には，グリメピリド，グリベンクラミド，インスリン，ピオグリタゾン塩酸塩，マレイン酸ロシグリタゾン（販売中止），クロルプロパミド，Glipizide，トルブタミド（販売中止）などがあります。

中 肝臓で代謝される医薬品（シトクロムP450 1A2（CYP1A2）の基質となる医薬品）

特定の医薬品は肝臓で代謝されます。アフリカン・ワイルド・ポテトはこのような医薬品の代謝を抑制する可能性があります。理論的には，アフリカン・ワイルド・ポテトと肝臓で代謝される医薬品を併用すると，医薬品の作用および副作用が増強するおそれがあります。肝臓で代謝される医薬品を服用する場合には，医師や薬剤師に相談することなくアフリカン・ワイルド・ポテトを摂取しないでください。このような医薬品には，アミトリプチリン塩酸塩，ハロペリドール，オンダンセトロン塩酸塩水和物，プロプラノロール塩酸塩，テオフィリン，ベラパミル塩酸塩などがあります。

中 肝臓で代謝される医薬品（シトクロムP450 2A6（CYP2A6）の基質となる医薬品）

特定の医薬品は肝臓で代謝されます。アフリカン・ワイルド・ポテトはこのような医薬品の代謝を抑制する可能性があります。理論的には，アフリカン・ワイルド・ポテトと肝臓で代謝される医薬品を併用すると，医薬品の作用および副作用が増強するおそれがあります。肝臓で代謝される医薬品を服用する場合には，医師や薬剤師に相談することなくアフリカン・ワイルド・ポテトを摂取しないでください。このような医薬品には，ニコチン，Chlormethiazole，Coumarin，Methoxyflurane，ハロタン（販売中止），バルプロ酸ナトリウム，ジスルフィラムなどがあります。

中 肝臓で代謝される医薬品（シトクロムP450 2B6（CYP2B6）の基質となる医薬品）

特定の医薬品は肝臓で代謝されます。アフリカン・ワイルド・ポテトはこのような医薬品の代謝を抑制する可能性があります。理論的には，アフリカン・ワイルド・ポテトと肝臓で代謝される医薬品を併用すると，医薬品の作用および副作用が増強するおそれがあります。肝臓で代謝される医薬品を服用する場合には，医師や薬剤師に相談することなくアフリカン・ワイルド・ポテトを摂取しないでください。このような医薬品には，ケタミン塩酸塩，フェノバルビタール，Orphenadrine，セコバルビタールナトリウム，デキサメタゾンがあります。

中 肝臓で代謝される医薬品（シトクロムP450 2C8（CYP2C8）の基質となる医薬品）

特定の医薬品は肝臓で代謝されます。アフリカン・ワイルド・ポテトはこのような医薬品の代謝を抑制する可能性があります。アフリカン・ワイルド・ポテトと肝臓で代謝される医薬品を併用すると，医薬品の作用および副作用が増強するおそれがあります。肝臓で代謝される医薬品を服用する場合には，医師や薬剤師に相談することなくアフリカン・ワイルド・ポテトを摂取しないでください。このような医薬品には，アミオダロン塩酸塩，パクリタキセル，非ステロイド性抗炎症薬（ジクロフェナクナトリウムやイブプロフェンなど），マレイン酸ロシグリタゾン（販売中止）などがあります。

中 肝臓で代謝される医薬品（シトクロムP450 2C9（CYP2C9）の基質となる医薬品）

特定の医薬品は肝臓で代謝されます。アフリカン・ワイルド・ポテトは医薬品の代謝を抑制する可能性があります。理論的には，アフリカン・ワイルド・ポテトと肝臓で代謝される医薬品を併用すると，医薬品の作用および副作用が増強するおそれがあります。肝臓で代謝される医薬品を服用する場合には，医師や薬剤師に相談することなくアフリカン・ワイルド・ポテトを摂取しないでください。このような医薬品には，非ステロイド性抗炎症薬（NSAIDs）（ジクロフェナクナトリウム，イブプロフェン，メロキシカム，ピロキシカム，セレコキシブなど），アミトリプチリン塩酸塩，ワルファリンカリウム，Glipizide，ロサルタンカリウムなどがあります。

中 肝臓で代謝される医薬品（シトクロムP450 3A5（CYP3A5）の基質となる医薬品）

特定の医薬品は肝臓で代謝されます。アフリカン・ワイルド・ポテトはこのような医薬品の代謝を抑制する可能性があります。理論的には，アフリカン・ワイルド・ポテトと肝臓で代謝される医薬品を併用すると，医薬品の作用および副作用が増強するおそれがあります。肝臓で代謝される医薬品を服用する場合には，医師や薬剤師に相談することなくアフリカン・ワイルド・ポテトを摂取しないでください。このような医薬品には，テストステロンエナント酸エステル，プロゲステロン，ニフェジピン，シクロスポリンなどがあります。

中 細胞内のポンプによって輸送される医薬品（有機アニオン輸送の基質となる医薬品（OAT１））

特定の医薬品は細胞内のポンプによって輸送されます。アフリカン・ワイルド・ポテトは，ポンプの働きを変化させ，このような医薬品が体内に留まる量を増加させる可能性があります。そのため，場合によっては医薬品の副作用が現れるリスクが高まるおそれがあります。このような医薬品には，アシクロビル，アデホビル ピボキシル，セファロスポリン系薬，Cidofovir，シメチジン，シプロフロキサシン，フロセミド，ヒドロクロロチアジド，非ステロイド性抗炎症薬，オセルタミビルリン酸塩，プラバスタチンナトリウム，プロベネシド，シンバスタチン，ジドブジンなどがあります。

中 細胞内のポンプによって輸送される医薬品（有機アニオン輸送の基質となる医薬品（OAT３））

特定の医薬品は細胞内のポンプによって輸送されます。アフリカン・ワイルド・ポテトは，ポンプの働きを変化させ，このような医薬品が体内に留まる量を増加させる可能性があります。そのため，場合によっては医薬品の副作用が現れるリスクが高まるおそれがあります。このような医薬品には，セファロスポリン系薬，ファモチジン，フロセミド，ヒドロクロロチアジド，メトトレキサート，非ステロイド性炎症薬，プロベネシド，ラニチジン塩酸塩などがあります。

中 インジナビル硫酸塩エタノール付加物【販売中止】

アフリカン・ワイルド・ポテトは体内のインジナビル硫酸塩エタノール付加物の量を増加させる可能性があります。理論的には，アフリカン・ワイルド・ポテトとインジナビル硫酸塩エタノール付加物を併用すると，インジナビル硫酸塩エタノール不可物の作用および副作用が増強するおそれがあります。

ハーブおよび健康食品・サプリメントとの相互作用

カロテン

アフリカン・ワイルド・ポテトに含まれるβシトステロールが，体内のカロテン吸収を妨げ，血中カロテン濃度が低下するおそれがあります。

血糖値を低下させるおそれのあるハーブおよび健康食品・サプリメント

アフリカン・ワイルド・ポテトが血糖値を低下させるおそれがあります。アフリカン・ワイルド・ポテトと，血糖値を低下させるおそれのあるほかのハーブおよび健康食品・サプリメントを併用すると，血糖値が過度に低下するおそれがあります。このようなハーブおよび健康食品・サプリメントには，バナバ，ニガウリ，ハッショウマメ，ショウガ，コンニャクマンナン，薬用ガレーガ，フェヌグリーク，クズ，ウィローバークなどがあります。

ビタミンE

アフリカン・ワイルド・ポテトに含まれるβシトステロールが，体内のビタミンE吸収を妨げ，血中ビタミンE濃度が低下するおそれがあります。

通常の食品との相互作用

カロテン

アフリカン・ワイルド・ポテトに含まれるβシトステロールが，体内のカロテン吸収を妨げ，血中カロテン濃度が低下するおそれがあります。

ビタミンE

アフリカン・ワイルド・ポテトに含まれるβシトステロールが，体内のビタミンE吸収を妨げ，血中ビタミンE濃度が低下するおそれがあります。

使用量の目安

●経口摂取

良性前立腺肥大（BPH）

βシトステロール60～130mgを含むアフリカン・ワイ

ルド・ポテトを１日２～３回に分けて摂取します。

アフリカンマンゴー

IRVINGIA GABONENSIS

別名ほか

African Mango, Agbono, Bread Tree, Bush Mango, Dika Nut, Dikanut, Dikka, Duiker Nut, Etima, Irvingia, Irvingia barteri, Kaka, Mangifera gabonensis, Odika, Ogbono, Wild Mango

概　　要

アフリカンマンゴーは西アフリカ原産の樹木です。果実はマンゴーに似ていて，食用に使われます。種子を用いて「くすり」を作ることもあります。

●要説（ナチュラル・スタンダード）

アフリカンマンゴーの木（Irvingia Gabonensis）は，中央および西部アフリカの農場や熱帯林で見られます。10mから40mの高さで，裾広がりの付根（基部）で，濃密な緑の葉，楕円形の葉，黄白色の花の房，球形の果実が付いています。

歴史的には，アフリカンマンゴーは，食品，化粧品，医薬品などのさまざまな製品の開発のため，商業用に使用されてきました。

伝統的な医学によれば，アフリカンマンゴーの木の樹皮，種子，葉，根は，治療目的で使用することが可能です。アフリカンマンゴーには，抗菌性および鎮痛特性があると考えられています。肥満や糖尿病治療効果のために研究されてきました。しかし，現在これらの領域でのエビデンスが十分でないので，さらなる研究が必要です。

安 全 性

アフリカンマンゴーの生の種子のエキスを最長４週間にわたって摂取する場合，または標準化された特定の種子エキス製品を最長10週間にわたって摂取する場合，成人にはおそらく安全です。副作用として鼓腸，頭痛，睡眠障害が報告されています。

糖尿病：アフリカンマンゴーが糖尿病患者の血糖値を低下させるおそれがあります。低血糖の徴候に注意してください。糖尿病患者がアフリカンマンゴーを摂取する場合は，血糖値を注意深く監視してください。

手術：アフリカンマンゴーが血糖値に影響を及ぼし，手術中・手術後の血糖コントロールに干渉するおそれがあります。少なくとも手術前２週間は，使用しないでください。

●妊娠中および母乳授乳期

妊娠中および母乳授乳期の使用の安全性についてはデータが不十分です。安全性を考慮し，摂取は避けてください。

有 効 性

◆科学的データが不十分です

・糖尿病，高コレステロール血症，肥満など。

●体内での働き

アフリカンマンゴーの種子は食物繊維が多いため，コレステロールを低下させる可能性があります。食物繊維は体内からのコレステロール除去を促進します。

ある研究ではまた，アフリカンマンゴーの種子が脂肪細胞増殖を抑制し，脂肪分解を促進する可能性が示唆されています。

医薬品との相互作用

中 糖尿病治療薬

アフリカンマンゴーは血糖値を低下させる可能性があります。糖尿病治療薬もまた血糖値を低下させるために用いられます。アフリカンマンゴーと糖尿病治療薬を併用すると，血糖値が過度に低下するおそれがあります。血糖値を注意深く監視してください。糖尿病治療薬の用量を変更する必要があるかもしれません。このような糖尿病治療薬にはグリメピリド，グリベンクラミド，インスリン，メトホルミン塩酸塩，ピオグリタゾン塩酸塩，マレイン酸ロシグリタゾン（販売中止），クロルプロパミド，Glipizide，トルブタミド（販売中止）などがあります。

ハーブおよび健康食品・サプリメントとの相互作用

血糖値を低下させるおそれのあるハーブおよび健康食品・サプリメント

アフリカンマンゴーが血糖値を低下させるおそれがあります。血糖値を低下させるおそれのあるほかのハーブおよび健康食品・サプリメントと併用すると，人によっては血糖値が過度に低下するおそれがあります。このようなハーブおよび健康食品・サプリメントには，α-リポ酸，ニガウリ，クロム，デビルズクロー，フェヌグリーク，ニンニク，グアーガム，セイヨウトチノキ，朝鮮人参，サイリウム，エゾウコギなどがあります。

使用量の目安

●経口摂取

肥満およびコレステロール低下

生の種子のエキス1.05ｇを１日３回摂取します。または，標準化された種子エキス製品150㎎を１日２回摂取します。

アプリコット（アンズ）

APRICOT

●代表的な別名

扁桃

ア

別名ほか

扁桃（Laetrile），レイトリル，レトリル，Madelonitrile，ビタミンB_{17}（Vitamin B_{17}），Amygdaloside，Apricot Fruit，Apricot Fruit Juice，Apricot Juice，Armeniaca，Armenian Plum，Dried Apricot，Jardalu，Urumana，Urmana，Chinese Almond

概　要

アプリコットの樹木からとれる果実です。

●要説（ナチュラル・スタンダード）

アプリコット（アンズ）は一般的に，Prunus armeniacaの木になる果実を指します。中等度の高さの木で，樹皮は赤みを帯びています。多肉果が，滴形で赤褐色を帯びた硬い種子（核）の周りを包んでいます。中国では3000年以上も前から栽培されており，アルメニアを経て，ヨーロッパへと広まりました。ローマ人が，ギリシャやイタリアからヨーロッパへもたらしたのは，紀元前70～60年代です。

代替医療では，仁として知られる核（サネ）の部分がもっとも一般的に用いられます。アプリコットの核は，植物性化合物のアミグダリンを含んでいます。アミグダリンは，糖を含みシアン化物を生成します。メキシコなど，アメリカ以外の国で販売されているがんの代替医薬品のLaetrileは，アミグダリンから作られています。米国食品医薬品局（FDA）はLaetrileを承認していません。Laetrileのがんに対する効果もないようです。アプリコットの核やLaetrileは，シアン化物中毒を引き起こすおそれがあります。

アプリコットの仁およびオイルは，腫瘍の治療に昔から用いられています。日本の民間療法では，梅肉エキス（濃厚な梅ジュース）を胃炎，腸炎の治療に古くから用いています。近年では，細菌の成長や繁殖を抑制する静菌薬としての働きについて研究がなされています。アミグダリンは，エイズ患者，乾癬，および高酸素症にも有効な可能性があります。

安 全 性

食品として摂取する場合は安全です。治療目的で利用する場合の安全性について判断するための十分なデータがありません。

●妊娠中および母乳授乳期

妊娠中および母乳授乳期の使用の安全性についてはデータが不十分です。安全性を考慮し，摂取は控えてください。

有 効 性

◆有効性レベル⑥

・がんの治療。

◆科学的データが不十分です

・気管支喘息，咳，便秘，出血，不妊症，眼の炎症，痙攣，および膣感染症など。

●体内での働き

どのように作用するか判断するための十分なデータがありません。

医薬品との相互作用

ほかの医薬品との相互作用については明らかではありません。

ハーブおよび健康食品・サプリメントとの相互作用

ほかのハーブ，健康食品・サプリメントとの相互作用についてはまだ明らかではありません。

使用量の目安

標準使用量に関するデータがありません。

アポエクオリン

APOAEQUORIN

別名ほか

Prevagen

概　要

アポエクオリンは，1962年に特定の成長したクラゲから生成されたタンパク質です。アポエクオリンがカルシウムにさらされると，タンパク質とカルシウムが結合し，青い光が発生します。アポエクオリンは40年以上もの間，細胞内におけるカルシウムの作用に関する研究に用いられています。近年では，Prevagen®というサプリメントとして大規模に製造されています。

アポエクオリンは，精神機能，記憶力および睡眠の質を改善する目的で，経口摂取されています。

安 全 性

アポエクオリンの経口摂取は，適量であれば，おそらく安全です。特定のアポエクオリンの製品を10mg摂取する場合には，最大90日間まで安全に用いられています。これまでアポエクオリンによる副作用を十分に評価した臨床試験はありません。アポエクオリンを摂取した人の一部が，副作用の可能性がある事象について製造元へ報告しています。最も報告の多い事象は，頭痛，めまい感および吐き気です。これほど多くはないものの，記憶障害，不眠および不安も報告されています。心臓や神経系に関連する事象など，より深刻な副作用の可能性も少数ですが報告があります。このような事象は，この製品の摂取期間中に生じたものの，この製品が原因で生じたとは限らないと理解することが重要です。このような副作用の可能性のある事象が実際にアポエクオリンに起因しているかどうかについては，データが不十分です。

●妊娠中および母乳授乳期

妊娠中および母乳授乳期の使用の安全性についてはデータが不十分です。安全性を考慮し，摂取は避けてください。

有 効 性

◆科学的データが不十分です

・筋萎縮性側索硬化症（ALS，ルー・ゲーリッグ病），精神機能，記憶力，睡眠の質の改善など。

●体内での働き

アポエクオリンは，オワンクラゲという種類のクラゲから発見されたタンパク質です。アポエクオリンとカルシウムが結合すると，青い光が発生します。

ヒトの脳内におけるカルシウム調節の不調が，加齢に起因する精神的退化に何らかの役割を果たしていると考えられています。一部の研究者は，アポエクオリンが，ヒトのカルシウム結合タンパク質と類似した構造をしているため，脳内のカルシウムを調節し，物忘れや精神的退化を抑制する可能性があると考えています。

医薬品との相互作用

ほかの医薬品との相互作用については明らかではありません。

ハーブおよび健康食品・サプリメントとの相互作用

ほかのハーブ，健康食品・サプリメントとの相互作用についてはまだ明らかではありません。

使用量の目安

通常の食品に含まれている量を超えて経口摂取した場合の安全性および副作用については，明らかになっていません。

アボカド

AVOCADO

別名ほか

Ahuacate, Alligator Pear, Laurus persea, Persea americana, Persea gratissima

概　　要

アボカドは樹木です。果実は人気のある食品で，カリウムと健康によい脂肪が豊富に含まれます。果実，葉，種子が「くすり」として用いられます。

アボカドの果実はコレステロール値の低下，飢餓の軽減，性欲増進，月経誘発などに用いられます。種子，葉，樹皮は赤痢や下痢に用いられます。

アボカド油は，皮膚をなめらかにして修復するためや，皮膚肥厚（皮膚硬化），歯肉の感染（歯槽膿漏），関節炎を治療するために，直接皮膚に塗布して使用します。アボカド油は，ビタミンB_{12}と併用して，乾癬という皮膚疾患に対して使用します。果肉は発毛と創傷治癒の促進のために局所的に使用します。種子，葉，樹皮は歯痛の緩和に使用します。

安 全 性

食品として通常の量のアボカドの果実を摂取する場合は，ほとんどの人に安全のようです。アボカドの皮膚への塗布は最大３カ月まで，おそらく安全のようです。通常，副作用はほとんどありませんが，乾癬治療に対してビタミンB_{12}クリームと特定のアボカド油を併用して，軽度のそう痒を引き起こした例が１件報告されています。

脂肪を含有するため，高カロリーであるということに留意してください。

●アレルギー

ラテックスアレルギー：ラテックスに敏感な人は，アボカドにアレルギー反応を起こすおそれがあります。

●妊娠中および母乳授乳期

「くすり」としての量を摂取する場合の安全性についてはデータが不十分です。安全性を考慮して食品としての量を摂取してください。

有 効 性

◆有効性レベル③

・高コレステロール血症。食事にアボカドを取り入れると，低比重リポタンパク（LDL，悪玉）コレステロール値が低下し，高比重リポタンパク（HDL，善玉）コレステロール値が上昇するようです。

◆科学的データが不十分です

・乾癬という皮膚疾患，体重減少，創傷治癒，皮膚硬化，発毛促進，月経誘発，下痢，歯痛など。

●体内での働き

アボカドに豊富に含まれている食物線維がコレステロール低下作用に関連している可能性があります。

医薬品との相互作用

中ワルファリンカリウム

ワルファリンカリウムは血液凝固を抑制するために用いられます。アボカドはワルファリンカリウムの効果を弱めることが報告されています。ワルファリンカリウムの効果を弱めることにより，血液凝固のリスクが高まるおそれがあります。この相互作用が起こりうる原因については明らかではありません。定期的に血液検査をしてください。ワルファリンカリウムの用量を変更する必要があるかもしれません。

ハーブおよび健康食品・サプリメントとの相互作用

β-カロテン

アボカドはβ-カロテンの吸収量を増加させます。そのため，β-カロテンの作用および副作用が強まる可能性があります。

使用量の目安

【成人】

●経口摂取

高コレステロール血症

アボカドの摂取量は食事の脂肪量およびカロリー量により変わります。ほかの脂肪に代えて，１日0.5～２個のアボカドを摂取することがあります。また，食事の脂肪摂取量の75%をアボカドから摂ることもあります。

アボカド糖抽出物

AVOCADO SUGAR EXTRACT

別名ほか

D-マンノヘプツロース，マンノヘプツロース，D-Mannoheptulose，Mannoheptulose，Manno-heptulose

概　要

アボカド糖抽出物は果物のアボカドからとれる化合物です。

安 全 性

十分なデータが得られていません。

糖尿病：インスリンの効果を妨げると考えられているため，糖尿病を悪化させる懸念があります。体内で糖を分解する量を減少させ，血糖値を上げます。

手術：血糖値に作用するので，手術中・術後の血糖値のコントロールに影響を与える懸念があります。アボカド糖抽出物は，２週間以内に手術を予定している人は，摂取しないでください。

●妊娠中および母乳授乳期

妊娠中および母乳授乳期の使用の安全性については，データが不十分です。安全性を考慮し，摂取は避けてください。

有 効 性

◆科学的データが不十分です

・体重減少など。

●体内での働き

インスリンの効果を阻止したり，糖（グルコース）の分解を抑制する可能性があることを示す予備的研究があります。

医薬品との相互作用

中糖尿病治療薬

アボカド糖抽出物は血糖値を上げるようです。糖尿病治療薬は，血糖値を下げるために使用されますが，アボカド糖抽出物は血糖値を上げて，糖尿病治療薬の効果を弱めるおそれがあります。定期的に血糖値を測定してください。糖尿病治療薬の用量を変更する必要があるかもしれません。このような糖尿病治療薬には，グリメピリド，グリベンクラミド，インスリン，ピオグリタゾン塩酸塩，マレイン酸ロシグリタゾン（販売中止），クロルプロパミド，Glipizide，トルブタミド（販売中止）などがあります。

ハーブおよび健康食品・サプリメントとの相互作用

ほかのハーブ，健康食品・サプリメントとの相互作用についてはまだ明らかではありません。

使用量の目安

標準使用量に関するデータがありません。

亜麻仁油

FLAXSEED OIL

別名ほか

フラックスオイル（Flax Oil），リノレイン酸（Linoleic Acid），リンシードオイル，アマニ油（Linseed Oil），Atasi，Graine De Lin，Linum usitatissimum

概　要

亜麻仁油はフラックス（Linum usitatissimum）の種子を用いたオイルです。種油を用いて「くすり」を作ることもあります。食品として，調理油やマーガリンに使用されています。製造業では，ペンキ，つや出し，リノリウムや石鹸の材料として使用されます。防水剤としても使用されています。

●要説（ナチュラル・スタンダード）

亜麻仁油と亜麻の種子について

亜麻の種子と亜麻仁油は，必須脂肪酸のα-リノレン酸の宝庫です。体内でα-リノレン酸はn-３系脂肪酸に変換されます。

リグナンはエストロゲンに似た植物性ホルモンです。亜麻の種子（亜麻仁油ではない）のリグナンが抗酸化作用を促進させて，エストロゲン代謝を変化させます。

食物繊維として，亜麻の種子には（亜麻仁油ではない）下剤の特性があります。大量摂取したり十分な水なしで摂取したりすると，腸閉塞を起こすおそれがあります。血糖値への亜麻の種子の効果はよくわかっていません。

亜麻仁油は，亜麻の種子の成分のα-リノレン酸のみを含んでおり，食物繊維やリグナン成分はありません。そのため，亜麻の種子のコレステロール低下作用を亜麻仁油の摂取でも得られますが，緩下作用や抗がん作用は得られません。

安 全 性

亜麻仁油を経口摂取する場合は，適切な量で短期間であれば，ほとんどの成人に安全のようです。亜麻仁油サプリメントは最長６カ月間まで安全に使用されています。

１日30g以上の高用量を摂取すると，軟便や下痢を起こすおそれがあります。また，亜麻仁油の摂取時にアレルギー反応が起こっています。

亜麻仁油にはα-リノレン酸が含まれているため，亜麻仁油の摂取が前立腺がん発症リスクを高めるのではと懸念する声があります。現在，研究者らがα-リノレン酸が前立腺がんに果たす役割について解明中です。α-リノレン酸が前立腺がんリスクを高めたり，すでに罹患している前立腺がんを悪化させたりするおそれがあることを示唆する研究データもありますが，関連性はみつからないとする研究データもあります。いずれにせよ，亜麻仁油に含まれるα-リノレン酸が問題となることはないようです。亜麻の種子などの植物由来のα-リノレン酸が前立腺がんリスクに影響を及ぼすことはないようですが，一部の研究で，乳製品および肉類由来のα-リノレン酸と前立腺がんとの関連が示されています。

亜麻仁油を皮膚に塗布する場合，短期間であればおそらく安全です。手首への塗布では，最長４週間まで安全に使用されています。

小児：小児が経口摂取する場合，短期間であればおそらく安全です。７～８歳の小児による経口摂取では，最長３カ月間まで安全に使用されています。

出血性疾患：亜麻仁油は，出血性疾患患者の重度の出血リスクを高めるおそれがあります。出血性疾患の場合には，亜麻仁油を使用する前に医師などに相談してください。

手術：亜麻仁油は手術中・手術後の出血リスクを高めるおそれがあります。少なくとも手術前２週間は，使用しないでください。

●妊娠中および母乳授乳期

妊娠中：妊娠中の経口摂取はおそらく安全ではありません。一部の研究では，妊娠中期または後期に摂取すると，早産のリスクを高めるおそれがあることが示唆されています。ただし，妊娠中期または後期から分娩まで亜麻仁油を摂取しても安全であるとする研究もあります。十分なデータが得られるまでは，妊娠中の摂取は避けてください。

母乳授乳期：母乳授乳期の摂取の安全性については，データが不十分です。安全性を考慮して，摂取は避けてください。

有 効 性

◆有効性レベル③

・手根管症候群。研究により，手根管症候群で夜間に手首副子を着用している人が，手首に亜麻仁油を１日２回，４週間塗布すると，症状および手首機能が改善することが示唆されています。

◆有効性レベル④

・双極性障害。研究により，双極性障害の小児が亜麻仁油を毎日16週間摂取しても，躁病やうつ病の症状が改善しないことが示唆されています。
・糖尿病。研究により，２型糖尿病患者が亜麻仁油を摂取しても，血糖値が低下したりインスリン濃度が改善したりすることはないことが示唆されています。
・高コレステロール血症。初期の研究では，高コレステロール血症の人が亜麻仁油を毎日３カ月間摂取すると，総コレステロール値が低下することが示唆されています。しかし，この初期の研究は信頼できません。より信頼のおける研究では，亜麻仁油を摂取しても，高コレステロール血症の人や高トリグリセリド血症の人のコレステロール値は低下しないことが示唆されています。心疾患の危険因子が少なくとも１つある人が亜麻仁油と紅花油を併用摂取すると，総コレステロール値および低比重リポタンパク（LDL，悪玉）コレステロール値がわずかに低下するようです。ただし，この併用摂取は，DHA（ドコサヘキサエン酸）を強化した菜種油ほどの効果はないようです。
・関節リウマチ（RA）。亜麻仁油を毎日３カ月間摂取しても，疼痛およびこわばりの症状が改善することはないようです。関節リウマチの重症度を示す臨床検査値にも影響はみられません。

◆科学的データが不十分です

・動脈硬化，注意欠陥多動障害（ADHD），乳がん，心疾患，ドライアイ，乾燥皮膚，運動能力，血液透析，HIV/エイズ，高血圧，多のう胞性卵巣症候群（PCOS），肺炎，前立腺がん，不安，便秘，がん，腟疾患，体重減少など。

●体内での働き

亜麻仁油にはα-リノレン酸などの多価不飽和脂肪酸が豊富に含まれています。亜麻仁油に含まれるα-リノレン酸などの化学物質は炎症を抑えるようです。そのため亜麻仁油は，関節リウマチをはじめとする炎症（腫脹）性疾患に有用と考えられています。

医薬品との相互作用

中エゼチミブ

亜麻仁油にはα-リノレン酸が含まれます。亜麻仁油とエゼチミブを併用すると，亜麻仁油からα-リノレン酸が体内へ吸収されるのを抑制する可能性があります。

中血液凝固を抑制する医薬品（抗凝固薬/抗血小板薬）

亜麻仁油は血液凝固を抑制し，出血を促進する可能性があります。亜麻仁油と血液凝固を抑制する医薬品を併用すると，紫斑および出血のリスクが高まるおそれがあります。このような医薬品には，アスピリン，クロピドグレル硫酸塩，ジクロフェナクナトリウム，イブプロフェン，ナプロキセン，ダルテパリンナトリウム，エノキサパリンナトリウム，ヘパリン，チクロピジン塩酸塩，ワルファリンカリウムなどがあります。

中降圧薬

亜麻仁油は血圧を低下させる可能性があります。亜麻仁油と降圧薬を併用すると，血圧が過度に低下するおそれがあります。このような降圧薬には，カプトプリル，エナラプリルマレイン酸塩，ロサルタンカリウム，バルサルタン，ジルチアゼム塩酸塩，アムロジピンベシル酸塩，ヒドロクロロチアジド，フロセミドなど数多くあります。

ハーブおよび健康食品・サプリメントとの相互作用

血圧を低下させるおそれのあるハーブおよび健康食品・サプリメント

亜麻仁油は血圧を低下させるおそれがあります。亜麻仁油と，血圧を低下させるおそれのあるほかのハーブおよび健康食品・サプリメントを併用すると，血圧が過度に低下するおそれがあります。このようなハーブおよび健康食品・サプリメントには，アンドログラフィス，カゼイン・ペプチド，キャッツクロー，コエンザイムQ-10，魚油，L-アルギニン，クコ，イラクサ，テアニンなどがあります。

血液凝固を抑制するおそれのあるハーブおよび健康食品・サプリメント

亜麻仁油は，血液凝固にかかる時間を増加させるおそれがあります。亜麻仁油と，血液凝固を抑制するほかのハーブおよび健康食品・サプリメントを併用すると，血液凝固がさらに抑制され，人によっては出血および紫斑のリスクが高まるおそれがあります。このようなハーブおよび健康食品・サプリメントには，アンゼリカ，クローブ，タンジン，ニンニク，ショウガ，イチョウ，朝鮮人参などがあります。

使用量の目安

●皮膚への塗布

手根管症候群

亜麻仁油５滴を１日２回４週間，手首へ塗布します。

亜麻の種子

FLAXSEED

別名ほか

亜麻仁（Lini semen），アマ，フラックス（Linum usitatissimum），Atasi，Flax Seed，Graine De Lin，Leinsamen，Linseed，Lint Bells，Linum，Winterlien

概　要

フラックス（Linum usitatissimum）の種子です。種子，または種子油を用いて「くすり」を作ることもあります。ここでは，種子だけが原料の「くすり」に関する情報を記載しています。

安 全 性

亜麻の種子は，適切な量を経口摂取する場合は，ほとんどの成人に安全のようです。亜麻の種子を食事に加えると，１日当たりの便通回数が増加する可能性があります。また，腹部膨満，腸内ガス，腹痛，便秘，下痢，胃痛，吐き気など，胃腸の副作用を引き起こすおそれがあります。摂取量が増えるほど，胃腸の副作用が増加するようです。

亜麻の種子を大量に摂取すると，その膨張性緩下作用により，腸の動きが妨げられるおそれがあります。これを防ぐため，亜麻の種子は十分な量の水とともに摂取してください。

リグナンが濃縮されて含まれている亜麻の種子エキスの摂取は，おそらく安全です。リグナンは，亜麻の種子に含まれる化学物質で，多くの作用にかかわるものと考えられています。いくつかの臨床研究では，特定の亜麻の種子由来リグナンエキスが最長12週間まで安全に使用できることが示されています。また，別のエキスが最長６カ月間まで安全に使用できるとする研究もあります。

α-リノレン酸の含有量が少ない，部分脱脂した亜麻の種子を含んだ製品が市販されています。α-リノレン酸が前立腺がんの発症リスクを高めるおそれがあるらしいという理由でこうした製品を購入する人がいます。ここで重要なのはα-リノレン酸の摂取源です。乳製品および肉類から摂取するα-リノレン酸には前立腺がんと正の相関が認められています。しかし，亜麻の種子などの植物から摂取するα-リノレン酸は，前立腺がん発生リスクには影響しないようです。男性は亜麻の種子からα-リノレン酸を摂取することを心配する必要はありません。一方，部分脱脂した亜麻の種子は，血中脂質の一種であるトリグリセリドの値を過度に上昇させるおそれがあります。

生の亜麻の種子や熟していない亜麻の種子を経口摂取するのは，おそらく安全ではありません。このような亜麻の種子には毒があると考えられます。

出血性疾患：亜麻の種子は血液凝固を抑制する可能性があります。そのため，出血性疾患の場合には，出血のリスクを高めるおそれがあります。出血性疾患がある場合は使用してはいけません。

糖尿病：亜麻の種子は血糖値を低下させ，糖尿病治療薬の血糖値低下作用を増強する可能性があります。そのため血糖値が過度に低下するおそれがあります。糖尿病に罹患していて亜麻の種子を使用する場合には，血糖値を注意深く監視してください。

消化管閉塞：腸閉塞，食道狭窄，腸の炎症（腫脹）がある場合には，亜麻の種子の摂取は避けてください。亜麻の種子には食物繊維が豊富に含まれるため，閉塞を悪化させるおそれがあります。

ホルモン感受性がんまたはホルモン感受性疾患：亜麻の種子は多少，エストロゲンホルモンのように作用する可能性があるため，ホルモン感受性疾患を悪化させるおそれがあります。このような疾患には，乳がん，子宮がん，卵巣がん，子宮内膜症，子宮線維腫などがあります。しかし，初期の試験管内実験および動物実験では，実際には亜麻の種子がエストロゲンに拮抗する働きをし，ホルモン依存性のがんを予防する可能性が示唆されています。ただし，十分なデータが得られるまで，ホルモン感受性疾患の場合には，過度の使用は避けてください。

高血圧：亜麻の種子は拡張期血圧を低下させる可能性があります。理論上は，降圧薬を服薬している高血圧患者が亜麻の種子を摂取すると，血圧が過度に低下するおそれがあります。

高トリグリセリド血症：部分脱脂した亜麻の種子（α-リノレン酸含有量が少ないもの）は，トリグリセリド値を上昇させるおそれがあります。トリグリセリド値が非常に高い場合には，使用してはいけません。

低血圧：亜麻の種子は拡張期血圧を低下させる可能性があります。理論上は，低血圧の人が亜麻の種子を摂取すると，血圧が過度に低下するおそれがあります。

●妊娠中および母乳授乳期

妊娠中の経口摂取は，おそらく安全ではありません。亜麻の種子はエストロゲンホルモンのように作用する可能性があります。このため妊娠に害を与えるのではないかと懸念している医師などもいますが，現時点では，妊娠に対する亜麻の種子の影響について，信頼できるエビデンスがありません。母乳授乳期の使用の安全性についてはデータが不十分です。安全性を考慮し，摂取は避けてください。

有 効 性

◆有効性レベル③

・糖尿病。研究により，２型糖尿病患者が特定の亜麻の種子製品600mgを１日３回，３カ月間摂取すると，ヘモグロビンA1C（平均血糖値の指標）が低下することが示されています。ただし，空腹時血糖値およびインスリン値が低下することはないようです。別の研究では，２型糖尿病患者が亜麻の種子粉末１日10gを１カ月間摂取すると，空腹時血糖値が低下する可能性があることが示されています。このほか，耐糖能障害がある過体重の人が亜麻の種子１日26～40gを３カ月間摂取すると，空腹時血糖値が低下する可能性があります。ただし，すでにコントロール良好な２型糖尿病患者では，亜麻の種子を摂取しても，空腹時血糖値，インスリン値，血中脂質が低下することはないようです。

・高コレステロール血症。研究によれば，挽いた亜麻の種子，部分脱脂した亜麻の種子，亜麻の種子エキス，亜麻の種子を使ったパンやマフィンなど，さまざまな亜麻の種子製品により，正常コレステロール値の人，および高コレステロール血症の男性と閉経前女性の総コレステロール値が５～15%，低比重リポタンパク（LDL，悪玉）コレステロール値が８～18%低下するようです。ただし，相反するエビデンスもあります。一部の研究によれば，正常コレステロール値または高コレステロール血症の閉経後女性では，亜麻の種子によりLDL-コレステロール値が改善することはないようです。また，軽度の高コレステロール血症の人では，コレステロール低下食事療法に比べて，亜麻の種子が総コレステロール値やLDL-コレステロール値を低下させることはないようです。このほか，高コレステロール血症の家族歴がある小児が亜麻の種子入りのマフィンやパンを４週間毎日摂取しても，総コレステロール値やLDL-コレステロール値は低下しませんでした。このような有効性の差は，使用した亜麻の種子の形態のほか，被験者の高コレステロール血症の重症度のばらつきによるものであると考えられます。

・高血圧。研究により，亜麻の種子，亜麻の種子の油，リグナンまたは繊維を摂取すると血圧が低下する可能性があることが示唆されています。また，血管狭窄があり高血圧の人が，粉砕した亜麻の種子入りのパンを毎日，６カ月間摂取すると，血圧が低下するようです。

・自己免疫疾患（全身性エリテマトーデス，SLE）。全身性エリテマトーデス患者が亜麻の種子の全粒または挽いたものを経口摂取すると，腎機能が改善するようです。

◆有効性レベル④

・骨粗鬆症。研究により，女性が，挽いた亜麻の種子１日40gを最長１年間摂取しても，骨密度が改善しないことが示されています。亜麻の種子エキスを摂取した高齢男女にも同じような結果がみられました。

◆科学的データが不十分です

・良性前立腺肥大（BPH），乳がん，心疾患，大腸がん，便秘，子宮内膜がん，血液透析（腎不全の治療），過敏性腸症候群（IBS），肺がん，乳房痛，更年期症状，メタボリックシンドローム，肥満，前立腺がん，ざ瘡（にきび），注意欠陥多動障害（ADHD），膀胱炎，熱傷，せつ，緩下薬による結腸の障害，憩室炎，湿疹，HIV/エイズ，乾癬，胃のむかつき，皮膚の過敏など。

●体内での働き

亜麻の種子には食物繊維およびn-３系脂肪酸が豊富に含まれています。食物繊維は主に種子の皮にみられます。食前に摂取すると，食物繊維により空腹感が抑えられ，食べる量が減るようです。研究者らは，この食物繊維が腸内でコレステロールと結合し，コレステロールの吸収を防ぐと考えています。亜麻の種子はまた，血液凝固に関与する血小板の粘性を低下させるようです。全体的にコレステロールおよび血液凝固に及ぼす影響により，動脈硬化のリスクが低下する可能性があります。

亜麻の種子は，体内でリグナンという化学物質に分解されるため，がんの実験に使用されることがあります。リグナンは女性ホルモンのエストロゲンとよく似ているため，特定の化学反応においてエストロゲンと競合します。その結果，天然のエストロゲンの体内での作用が弱くなるようです。一部の研究者は，増殖にエストロゲンを必要とするある種の乳がんをはじめとするがんに対し，リグナンによって進行を遅らせることができる可能性があると考えています。

全身性エリテマトーデス（SLE）に対しては，血液濃度の低下，コレステロール値の低下，腫脹の減少などにより，腎機能を改善すると考えられます。

医薬品との相互作用

中エストロゲン（卵胞ホルモン）製剤

亜麻の種子には（女性ホルモンの）エストロゲン様作用のある可能性があります。また，エストロゲン製剤と拮抗する可能性があります。亜麻の種子はエストロゲン製剤の効果を弱めるおそれがあります。

中血液凝固を抑制する医薬品（抗凝固薬/抗血小板薬）

亜麻の種子は血液凝固を抑制する可能性があります。亜麻の種子を摂取し，血液凝固を抑制する医薬品を併用すると，紫斑および出血のリスクが高まるおそれがあります。このような医薬品には，アスピリン，クロピドグレル硫酸塩，ジクロフェナクナトリウム，イブプロフェン，ナプロキセン，ダルテパリンナトリウム，エノキサパリンナトリウム，ヘパリン，チクロピジン塩酸塩，ワルファリンカリウムなどがあります。

中抗菌薬

腸内細菌は亜麻の種子に含まれる特定の化学物質をリグナンに変換します。亜麻の種子にある有益な多くの可能性はリグナンによるものと考えられています。ただし，抗菌薬は腸内細菌を死滅させるため，リグナンが通常通りに形成されない可能性があります。そのため，亜麻の種子の作用が変化する可能性があります。

中糖尿病治療薬

亜麻の種子は血糖値を低下させる可能性があります。亜麻の種子を摂取し，糖尿病治療薬を併用すると，血糖値が過度に低下するおそれがあります。血糖値を注意深く監視してください。このような糖尿病治療薬には，グリメピリド，グリベンクラミド，インスリン，メトホルミン塩酸塩，ピオグリタゾン塩酸塩，マレイン酸ロシグリタゾン（販売中止），クロルプロパミド，Glipizide，トルブタミド（販売中止）などがあります。

中降圧薬

亜麻の種子は血圧を低下させる可能性があります。亜麻の種子を摂取し，降圧薬を併用すると，血圧が過度に低下するおそれがあります。血圧を注意深く監視してください。このような降圧薬には，カプトプリル，エナラプリルマレイン酸塩，ロサルタンカリウム，バルサルタン，ジルチアゼム塩酸塩，アムロジピンベシル酸塩，ヒドロクロロチアジド，フロセミドなど数多くあります。

ハーブおよび健康食品・サプリメントとの相互作用

血糖値を低下させるおそれのあるハーブおよび健康食品・サプリメント

亜麻の種子は血糖値を低下させるおそれがあります。亜麻の種子を，血糖値を低下させるおそれのあるほかのハーブおよび健康食品・サプリメントと併用すると，人によっては血糖値が過度に低下するおそれがあります。このようなハーブおよび健康食品・サプリメントには，α-リポ酸，ニガウリ，クロム，デビルズクロー，フェヌグリーク，ニンニク，グアーガム，セイヨウトチノキ，朝鮮人参，サイリウム，エゾウコギなどがあります。

血圧を低下させるおそれのあるハーブおよび健康食品・サプリメント

亜麻の種子は血圧を低下させるおそれがあります。亜麻の種子を，血圧を低下させるおそれのあるほかのハーブおよび健康食品・サプリメントと併用すると，相加効果により，血圧が過度に低下するおそれがあります。このようなハーブおよび健康食品・サプリメントには，アンドログラフィス，カゼイン・ペプチド，キャッツクロー，コエンザイムQ-10，魚油，L-アルギニン，クコ，イラクサ，テアニンなどがあります。

血液凝固を抑制するおそれのあるハーブおよび健康食品・サプリメント

亜麻の種子は血液凝固にかかる時間を増加させるおそれがあります。亜麻の種子を，血液凝固を抑制するおそれのあるほかのハーブおよび健康食品・サプリメントと併用すると，人によっては，出血および紫斑のリスクが高まるおそれがあります。このようなハーブおよび健康食品・サプリメントには，アンゼリカ，クローブ，タンジン，ニンニク，ショウガ，イチョウ，朝鮮人参などがあります。

使用量の目安

●経口摂取

糖尿病

挽いた亜麻の種子10～40gを毎日，4～12週間摂取します。または，特定の亜麻の種子由来リグナンエキス600mgを1日3回，12週間摂取します。

高コレステロール血症

挽いた亜麻の種子15～40gを含むサプリメントを毎日，1～3カ月間摂取します。挽いた亜麻の種子15～50gを含むパンを毎日，4週間～3カ月間摂取します。挽いた亜麻の種子25～40gまたは粗挽きした亜麻の種子50gを含むマフィンを毎日，3週間～1年間摂取します。または，挽いた亜麻の種子30gを含むロールパン，スナックバー，ベーグル，パスタ，またはビスケットを毎日，1年間摂取します。特定の亜麻の種子粉末製品30gを食品または飲料に振り入れて毎日，6カ月間摂取します。特定の亜麻の種子由来リグナンエキスを毎日，6週間～6カ月間摂取します。別の亜麻の種子由来リグナンエキス600mgを1日3回，12週間摂取します。

高血圧

粉砕した亜麻の種子30gを添加したベーグル，マフィン，バー，ロールパン，パスタ，ビスケットなどの食品を毎日，6カ月間摂取します。

全身性エリテマトーデス（SLE）

亜麻の種子の全粒15～45gを毎日1～3回に分けて，最長1年間摂取します。または，挽いた亜麻の種子30gを毎日，最長1年間摂取します。

アマランサス

AMARANTH

●代表的な別名

仙人穀

別名ほか

繁穂ヒユ，種粒ヒユ，子実用アマランサス（Amaranthus hypochondriacus），センニンコク，仙人穀，ヒモゲイトウ，シロミセンニンコク（Amaranthus leucocarpus），Amaranthus frumentaceus，Chua，Huantli，Lady Bleeding，Love-Lies-Bleeding，Lovely Bleeding，Pilewort，Prince's Feather，Red Cockscomb，Rhamdana，Velvet Flower

概　　要

アマランサスは植物です。種子，オイル，葉は食物として使用されます。植物全体が「くすり」の製造に使用されます。

アマランサスは，潰瘍，下痢，口内やのどの腫脹，高コレステロール血症に使用されますが，これらの用途を十分に裏づけるエビデンスはありません。食品の場合，アマランサスは疑似穀類として使用されます。

安 全 性

アマランサスの種子，オイル，葉を食品としての量を経口摂取する場合，ほとんどの人に安全のようです。「くすり」としての量を摂取する場合の安全性，あるいは，副作用についてはデータが不十分です。

●妊娠中および母乳授乳期

妊娠中および母乳授乳期の「くすり」としての使用の安全性についてはデータが不十分です。安全性を考慮し，摂取は避けてください。

有 効 性

◆有効性レベル④

・高コレステロール血症。高コレステロール血症の場合に，アマランサスで栄養強化したマフィンやアマランサスオイルを含む低脂肪食を摂取しても，単なる低脂肪食を摂取する場合よりもコレステロールが低下することはないようです。

◆科学的データが不十分です

・胃潰瘍，下痢，口内およびのどの腫脹など。

●体内での働き

アマランサスには，抗酸化物質のように作用する化学物質が含まれています。

一部の動物実験により，アマランサスが総コレステロールと（悪玉）LDL-コレステロールを低下させ，（善玉）HDL-コレステロールを上昇させる可能性が示唆されていることから，高コレステロールの改善にアマランサスを使用することに関心が寄せられています。ただし，ヒトに対してはこのような効果はないようです。

医薬品との相互作用

ほかの医薬品との相互作用については明らかではありません。

ハーブおよび健康食品・サプリメントとの相互作用

ほかのハーブ，健康食品・サプリメントとの相互作用についてはまだ明らかではありません。

使用量の目安

通常の食品に含まれている量を超えて経口摂取した場合の安全性および副作用については，明らかになっていません。

アメリカイワナシ

TRAILING ARBUTUS

別名ほか

Epigaea repens，Gravel Plant，Ground Laurel，Mountain Pink，Water Pink，Winter Pink

概　　要

アメリカイワナシはハーブです。地上部を用いて「くすり」を作ることもあります。

安 全 性

短期間使用するだけなら，安全のようです。

長期間使用すると，中毒になるおそれがあります。中毒症状には，耳鳴り，嘔吐，錯乱，痙攣，卒倒があります。

また，肝臓の損傷，体重減，衰弱，髪の色あせ，血尿，排尿困難，痛みをともなう排尿などを引き起こすおそれがあります。

●妊娠中および母乳授乳期

妊娠中および母乳授乳期の使用の安全性についてはデータが不十分です。安全性を考慮し，摂取は避けてください。

ア

有　効　性

◆科学的データが不十分です

・尿路疾患，体液貯留，収れん薬（皮膚を乾燥させる薬剤）など。

●体内での働き

尿の殺菌に役立つと考えられる成分を含んでいます。

医薬品との相互作用

ほかの医薬品との相互作用については明らかではありません。

ハーブおよび健康食品・サプリメントとの相互作用

ほかのハーブ，健康食品・サプリメントとの相互作用についてはまだ明らかではありません。

使用量の目安

●経口摂取

アメリカイワナシは，お茶またはエキスとして使用します。

アメリカエルダー

AMERICAN ELDER

別名ほか

アメリカニワトコ（American Elderberry），エルダーベリー（Elderberry），エルダーフラワー（Elder Flower），Common Elderberry，Sabugueiro，Sambucus，Sambucus canadensis，Sureau，Sweet Elder

概　　要

アメリカエルダーは植物です。葉，花，完熟果実を用いて「くすり」を作ることがあります。

アメリカエルダーは，加熱調理して食用としたり，エルダーベリー酒の原料として用います。食品や飲料の香料としても用いられます。

製品としては，抽出液は香水の原料として用いられます。

安　全　性

食品に含まれる量の花や熟した果実は，ほとんどの成人に安全です。花は大量に使用した場合も安全であるという科学的根拠があります。

副作用には，悪心，嘔吐，体力低下，めまい，しびれおよび昏迷状態などがあります。

アメリカエルダーの葉，茎および未熟な果実は安全ではありません。摂取するとシアン化物中毒を引き起こすおそれがあります。

未熟な果実を用いたジュースも有害なおそれがあります。

アメリカエルダーの葉，茎，および未熟な果実には，シアン化物中毒を引き起こすおそれのある物質が含まれているため，安全ではありません。

小児：小児が茎を使用して豆鉄砲を作ることがありますが，予想以上に危険です。茎はシアン化物中毒を引き起こすおそれのある物質を含んでいます。「豆鉄砲による中毒」の報告が数件あります。

●妊娠中および母乳授乳期

妊娠中および母乳授乳期における花や調理済みの熟した果実の使用の安全性については，データが不十分です。安全性を考慮し，摂取は避けてください。

有　効　性

◆科学的データが不十分です

・気管支喘息，気管支炎，打撲傷，がん，腸内ガス，便秘，感冒，水分貯留，てんかん，発熱，痛風，頭痛，神経障害など。

●体内での働き

研究によりますと，アメリカエルダーの葉に含まれる化学物質に，下剤，利尿薬，および殺菌剤の働きがあることが示唆されています。ビタミンCを豊富に含んでいます。

医薬品との相互作用

中 肝臓で代謝される医薬品（シトクロムP450 3A4（CYP3A4）の基質となる医薬品）

肝臓で代謝される医薬品がありますが，アメリカエルダーはこの代謝を抑制するおそれがあります。肝臓で代謝される医薬品を服用しているときにアメリカエルダーを摂取すると，その医薬品の作用が増強され，副作用が強く現れるおそれがあります。このような医薬品にはLovastatin，ケトコナゾール，イトラコナゾール，フェキソフェナジン塩酸塩，トリアゾラムなど多くの薬があります。

中 炭酸リチウム

アメリカエルダーには，利尿薬のような効果があります。体内の炭酸リチウムを除去する作用を弱めるかもしれません。それにより体内の炭酸リチウム量が増加し，深刻な副作用を生じる可能性があります。

ハーブおよび健康食品・サプリメントとの相互作用

ほかのハーブ，健康食品・サプリメントとの相互作用についてはまだ明らかではありません。

使用量の目安

標準使用量に関するデータがありません。

アメリカグリ

AMERICAN CHESTNUT

別名ほか

Castanea americana, Castanea Dentate

概　要

アメリカグリは植物です。葉と樹皮を用いて「くすり」を作ることもあります。

安 全 性

アメリカグリは食物や飲み物に含まれている量であれば，ほとんどの成人に安全です。

多量の場合は安全であるかどうか明らかになっていません。胃腸障害，腎臓や肝臓の障害，ある種のがんなどの副作用を起こすかもしれません。

●妊娠中および母乳授乳期

妊娠中および母乳授乳期の使用の安全性についてはデータが不十分です。安全性を考慮し，摂取は避けてください。

有 効 性

◆科学的データが不十分です

・咳，関節リウマチ（関節炎のような痛み），腫脹，鎮静効果など。うがいに用いる場合には，咽喉痛。

●体内での働き

腫脹の軽減に有用なタンニンという化合物が含まれています。

医薬品との相互作用

ほかの医薬品との相互作用については明らかではありません。

ハーブおよび健康食品・サプリメントとの相互作用

ほかのハーブ，健康食品・サプリメントとの相互作用についてはまだ明らかではありません。

使用量の目安

●経口摂取

通常，小さじ１杯の葉と樹皮を水２カップとともに蓋つき容器にいれて30分間煮立たせます。液は蓋つき容器の中でゆっくりと冷まし，冷たくなった液を１日当たり１～２カップ摂取します。

アメリカサンショウ

NORTHERN PRICKLY ASH

●代表的な別名

タラノキ

別名ほか

タラノキ（Angelica Tree），Pepper Wood，Prickly Ash，Toothache Bark，Xanthoxylum，Yellow Wood，Zanthoxylum，Zanthoxylum americanum

概　要

アメリカサンショウは植物です。樹皮および小さな果実を用いて「くすり」を作ることもあります。アッシュまたはサウザンプリックリーアッシュと混同しないよう注意してください。

製品としては，食品および飲料水の香料として用いられます。

安 全 性

ほとんどの人にはおそらく安全ですが，副作用については不明です。

薬用の安全性または副作用についても十分なデータは得られていないため不明です。

潰瘍，クローン病，過敏性腸症候群，感染症，およびそのほか消化器・胃・十二指腸疾患：アメリカサンショウが消化液の分泌を刺激し，炎症を引き起こすおそれがあるため，胃腸疾患が悪化するおそれがあります。いずれかの疾患がある場合には，摂取しないでください。

●妊娠中および母乳授乳期

妊娠中および母乳授乳期の使用の安全性についてはデータが不十分です。安全性を考慮し，摂取は避けてください。

有 効 性

◆科学的データが不十分です

・疼痛性筋痙攣，関節痛，循環障害，低血圧症，発熱，腫脹，歯痛，痛み，潰瘍，がん，および気付け薬，強壮剤，覚せい剤としての使用など。

●体内での働き

どのように作用するかについては十分なデータが得られていません。

医薬品との相互作用

低 胃酸分泌抑制薬（H２受容体拮抗薬）

アメリカサンショウは胃酸を増加させる可能性があります。H２受容体拮抗薬は胃酸を減少させるために用いられる医薬品ですが，アメリカサンショウと併用すると効果が減弱する可能性があります。H２受容体拮抗薬には，シメチジン，ラニチジン塩酸塩，ニザチジン，ファモチジンがあります。

低 胃酸分泌抑制薬（プロトンポンプ阻害薬）

アメリカサンショウは胃酸を増加させる可能性があります。プロトンポンプ阻害薬は胃酸を減少させるために用いられる医薬品ですが，アメリカサンショウと併用すると効果が減弱する可能性があります。プロトンポンプ阻害薬には，オメプラゾール，ランソプラゾール，ラベプラゾールナトリウム，パントプラゾールナトリウム水和物（販売中止），エソメプラゾールマグネシウム水和物があります。

低制酸薬

制酸薬は胃酸を減少させるために使用されます。アメリカサンショウは胃酸を増加させ，制酸薬の効果を弱めるおそれがあります。制酸薬には，沈降炭酸カルシウム，Dihydroxyaluminum sodium carbonate，Magaldrate，硫酸マグネシウム水和物，乾燥水酸化アルミニウムゲルなどがあります。

ハーブおよび健康食品・サプリメントとの相互作用

血液凝固を抑制するハーブおよび健康食品・サプリメント

アメリカサンショウは血液凝固を抑制するおそれがあります。血液凝固を抑制するおそれのあるほかのハーブおよび健康食品・サプリメントと併用すると，出血や紫斑が生じる可能性が高まるおそれがあります。これらのハーブには，アンゼリカ，タンジン，ニンニク，ショウガ，イチョウ，朝鮮人参，セイヨウトチノキ，レッドクローバー，ウコンなどがあります。

使用量の目安

●経口摂取（樹皮）

乾燥品を１回１～３gで１日３回，あるいは，煎剤（乾燥品１～３gを10～15分間煮詰めた後にろ過する）を１日３回摂取。流エキス（１：１，45％アルコール）を１回１～３mLで１日３回摂取。チンキ剤（１：５，45％アルコール）を１回２～５mLで１日３回摂取します。

●経口摂取（果実）

流エキス（１：１，45％アルコール）0.5～1.5mLを摂取します。

アメリカシャクナゲ

MOUNTAIN LAUREL

●代表的な別名

カルミア

別名ほか

カルミア，ハナガサシャクナゲ（Kalmia latifolia），マウンテンローレル（Laurel），Broad-Leafed Laurel，Calico Bush，Lambkill，Mountain Ivy，Rose Laurel，Sheep Laurel，Spoon Laurel

概　　要

アメリカシャクナゲは植物です。生の，あるいは乾燥した葉を用いて「くすり」を作ることもあります。

安　全　性

経口摂取は，安全ではありません。

痛み，冷汗，悪心，嘔吐，下痢，麻痺，めまい，頭痛，発熱，視力低下，筋力低下，重症の心臓・肺障害などの重い副作用をもたらす，また命にかかわる場合があります。

十分なデータは得られていないため，皮膚に直接塗る場合，安全かどうかは不明です。

●妊娠中および母乳授乳期

妊娠中および母乳授乳期の使用の安全性についてはデータが不十分です。安全性を考慮し，摂取は避けてください。

有　効　性

◆科学的データが不十分です

・頭皮の白癬，乾癬，ヘルペス，梅毒など。

●体内での働き

体内細胞の塩分利用法を変える可能性があります。

医薬品との相互作用

ほかの医薬品との相互作用については明らかではありません。

ハーブおよび健康食品・サプリメントとの相互作用

ほかのハーブ，健康食品・サプリメントとの相互作用についてはまだ明らかではありません。

使用量の目安

●局所投与

ホメオパシー療法に用いる製品のみに含まれています。

アメリカ白百合

AMERICAN WHITE WATER LILY

別名ほか

ニオイヒツジグサ（Nymphaea odorata），ポンドリリー（Pond Lily），Cow Cabbage，Water Cabbage，Water Lily，Water Nymph

概　　要

アメリカ白百合は植物です。球根と根を用いて「くすり」を作ることもあります。

継続する（慢性）下痢の治療に使用されます。

腟疾患，咽喉および口の疾患の治療や，熱傷やせつに対する温湿布として，患部に直接塗布することもあります。

安　全　性

アメリカ白百合の安全性については，データが不十分です。

●妊娠中および母乳授乳期

妊娠中および母乳授乳期の使用の安全性についてはデータが不十分です。安全性を考慮し，摂取は避けてください。

有　効　性

◆科学的データが不十分です

・慢性下痢，腟疾患（直接塗布），咽喉および口の疾患（直接塗布），熱傷およびせつ（直接塗布）など。

●体内での働き

タンニンという化学物質が含まれています。タンニンは，炎症（腫脹）を抑えることにより下痢の治療に役立つと思われるほか，一部の病原菌を死滅させる可能性があります。

医薬品との相互作用

ほかの医薬品との相互作用については明らかではありません。

ハーブおよび健康食品・サプリメントとの相互作用

ほかのハーブ，健康食品・サプリメントとの相互作用についてはまだ明らかではありません。

使用量の目安

通常の食品に含まれている量を超えて経口摂取した場合の安全性および副作用については，明らかになっていません。

アメリカジンセン（アメリカ人参）

AMERICAN GINSENG

●代表的な別名

ジンセン（アメリカ人参）

別名ほか

セイヨウ人参，セイヨウ参，Panax quinquefolium，カナダ人参（Canadian Ginseng），ジンセン（Ginseng），Anchi Ginseng，Ginseng Root，North American Ginseng，Occidental Ginseng，Ontario Ginseng，Panax quinquefolius，Red Berry，Ren Shen，Sang，Shang，Wisconsin Ginseng，Xi Yang Shen

概　　要

アメリカジンセン（アメリカ人参）はハーブです。根が「くすり」として使用されます。「くすり」以外の用途としては，ソフトドリンクの原材料になることがあります。また，アメリカジンセンから採れるオイルやエキスは，石けんや化粧品の成分として使用されることもあります。

アメリカジンセンをシベリアジンセン（Eleutherococcus senticosus）や朝鮮人参（Panax ginseng）と混同しないでください。これらはそれぞれ違う有効性をもちます。

野生のアメリカジンセンは，さまざまな用途に使用されるため，数が少なくなっています。乱獲を懸念し，米国では州によってはアメリカジンセンを絶滅危惧種として指定しています。

●要説（ナチュラル・スタンダード）

・ジンセンについて

朝鮮人参（ginseng）は，ウコギ科トチバニンジン属の総称です。一般的によく用いられるのは，朝鮮人参とアメリカジンセンの２種類です。朝鮮人参とエゾウコギ（ハリウコギ）は植物分類が異なります。混同してはいけません。

朝鮮人参の名称は，朝鮮人参を表す中国語のren-shenに由来します。根が人の形に似ていることから人型をした地球の魂，人型の根という意味があります。

伝統中国医学では，朝鮮人参が2000年以上も用いられています。食欲増進をはじめ，筋力増強，記憶力向上，運動能力向上，疲労回復，ストレス緩和，および生活の質を全般的に改善する効果などがあります。shengmai（shenmai）とは，朝鮮人参，チョウセンゴミシの果実，およびジャノヒゲを混合したもので，伝統中国医学では心疾患および呼吸器系疾患の治療に用いられています。

アメリカジンセンは，多くの米国先住民の部族の間で民間療法とされ，弱刺激薬および消化薬として用いられています。頭痛，女性不妊，発熱，耳痛などの慢性的な症状にも用いられています。

朝鮮人参は昔からがん治療に用いられています。現代ではがん予防に用いられます。感冒の症状軽減および精神活動改善を示唆するエビデンスがあります。

朝鮮人参の主な有効成分はジンセノサイドです。専門家は，朝鮮人参と表記され，ジンセノサイドが４～７％含有されている標準製品の購入を勧めています。

安　全　性

アメリカジンセンは，適量を短期間経口摂取する場合は，ほとんどの人に安全のようです。１日100～3,000mgの用量で，最大12週間まで安全に使用されています。また，１回用量が最大10gまでは，安全に使用されています。このほか，CVT-E002という特定のアメリカジンセンエキスが，最大６カ月まで安全に使用されています。

経口摂取の場合，下痢，そう痒，不眠（睡眠障害），頭痛，神経過敏などの副作用を引き起こすおそれがあります。また，人によっては，頻拍，血圧の上昇または低下，乳房圧痛，腟出血などの副作用を引き起こすおそれがあります。まれに報告されている副作用としては，スティーブンス・ジョンソン症候群という重度の皮疹，肝障害，重度のアレルギー反応などがあります。

小児：アメリカジンセンは，小児が適量を短期間経口摂取する場合は，おそらく安全です。3～12歳の小児に対し，CVT-E002という特定のアメリカジンセンエキスが，1日4.5～26mg/kgの用量で3日間使用されています。

糖尿病：アメリカジンセンは血糖値を低下させる可能性があります。糖尿病に罹患していて，血糖値を低下させる医薬品を服薬している場合に，アメリカジンセンを併用すると，血糖値が過度に低下するおそれがあります。糖尿病に罹患していて，アメリカジンセンを使用する場合には，血糖値を注意して監視してください。

乳がん，子宮がん，卵巣がん，子宮内膜症，子宮線維腫などのホルモン感受性疾患：ジンセノサイドという化学物質を含むアメリカジンセン製剤は，エストロゲンのように作用するおそれがあります。エストロゲンにさらされると悪化するおそれのある疾患の場合には，ジンセノサイドを含むアメリカジンセン製剤を使用してはいけません。ただし，ジンセノサイドが除去されているアメリカジンセンエキスもあります。このようにジンセノサイドがまったく含まれていないか，わずかしか含まれていないものは，エストロゲンのように作用することはないようです。

不眠（睡眠障害）：高用量のアメリカジンセンは，不眠と関連があるとされています。睡眠障害の場合には，アメリカジンセンは慎重に使用してください。

精神障害（統合失調症）：高用量のアメリカジンセンは，統合失調症患者の睡眠障害や激越と関連があるとされています。統合失調症の場合には，アメリカジンセンの使用時，十分に注意してください。

手術：アメリカジンセンは血糖値に影響を及ぼし，手術中・手術後の血糖コントロールを妨げるおそれがあります。少なくとも手術前2週間は，使用しないでください。

●妊娠中および母乳授乳期

妊娠中の使用は，おそらく安全ではありません。アメリカジンセンの近似種である朝鮮人参に含まれる化学物質の1つが，先天異常の可能性との関連を認められています。妊娠中はアメリカジンセンを摂取してはいけません。

母乳授乳期の使用の安全性については，データが不十分です。安全性を考慮し，摂取は避けてください。

有　効　性

◆有効性レベル③

・糖尿病。2型糖尿病患者が食前2時間以内にアメリカジンセン3gを経口摂取すると，食後血糖値が低下する可能性があります。ただし，用量をそれ以上増やしても，効果が増大することはないようです。また，2型糖尿病患者がアメリカジンセン100～200mgを8週間経口摂取すると，食前血糖値が低下する可能性があります。アメリカジンセン製品は，その製品によって作用が異なるようです。これは，有効成分であるジンセノサイドの含有量が製品によって異なるためと考えられています。

・気道感染。一部の研究では，18～65歳の成人が，インフルエンザシーズン中にCVT-E002という特定のアメリカジンセンエキス200～400mgを1日2回，3～6カ月間摂取すると，感冒やインフルエンザの症状を予防できる可能性があることが示唆されています。65歳を超える人がインフルエンザや感冒に罹患するリスクを低下させるためには，この治療を開始してから2カ月目にインフルエンザの予防注射を受ける必要があるようです。このエキスを摂取していると，感染が起きたときも，症状が軽くなり，治癒が早くなるようです。一部のエビデンスでは，このエキスの摂取は，シーズン最初の感冒に罹患するリスクは低下させないものの，同シーズン中の再罹患リスクを低下させる可能性があることが示唆されています。ただし，免疫システムが弱まっている患者に対しては，感冒様症状やインフルエンザ様症状を予防する可能性はありません。

◆有効性レベル④

・運動能力。アメリカジンセン1,600mgを4週間経口摂取しても，運動能力は改善しないようです。ただし，運動中の筋損傷を減少させる可能性はあります。

◆科学的データが不十分です

・HIV治療によるインスリン抵抗性，注意欠陥多動障害（ADHD），乳がん，がんに関連する疲労，精神機能，高血圧，更年期症状，統合失調症，加齢，貧血，出血性障害，消化器障害，めまい感，発熱，線維筋痛症，胃炎，二日酔い症状，頭痛，HIV/エイズ，性交不能症，不眠，記憶喪失，神経痛，妊娠および出産の合併症，関節リウマチ，ストレス，ブタインフルエンザなど。

●体内での働き

アメリカジンセンに含まれるジンセノサイドという化学物質は，体内のインスリン濃度に影響を及ぼし，血糖値を低下させるようです。そのほか，多糖という化学物質は，免疫システムに影響を与える可能性があります。

医薬品との相互作用

中モノアミン酸化酵素阻害薬（MAO阻害薬）

アメリカジンセンは身体を刺激する可能性があります。モノアミン酸化酵素阻害薬（MAO阻害薬）も身体を刺激する可能性があります。アメリカジンセンとMAO阻害薬を併用すると，不安，頭痛，情動不安，不眠などの副作用が現れるおそれがあります。このようなMAO阻害薬には，Phenelzine，Tranylcypromineなどがあります。

高ワルファリンカリウム

ワルファリンカリウムは血液凝固を抑制するために用いられます。アメリカジンセンはワルファリンカリウムの効果を弱めることが報告されています。ワルファリンカリウムの効果を弱めることにより，血液凝固のリスクを高めるおそれがあります。この相互作用が起こる原因については明らかではありません。相互作用を避けるために，ワルファリンカリウムの服用中にアメリカジンセンを摂取しないでください。

中 糖尿病治療薬

アメリカジンセンは血糖値を低下させる可能性があります。糖尿病治療薬もまた血糖値を低下させるために用いられます。アメリカジンセンと糖尿病治療薬を併用すると，血糖値が過度に低下するおそれがあります。血糖値を注意深く監視してください。糖尿病治療薬の用量を変更する必要があるかもしれません。このような糖尿病治療薬にはグリメピリド，グリベンクラミド，インスリン，ピオグリタゾン塩酸塩，マレイン酸ロシグリタゾン（販売中止），クロルプロパミド，Glipizide，トルブタミド（販売中止）などがあります。

中 免疫抑制薬

アメリカジンセンは免疫機能を高める可能性があります。アメリカジンセンと免疫抑制薬を併用すると，免疫抑制薬の効果を弱めるおそれがあります。このような免疫抑制薬には，アザチオプリン，バシリキシマブ，シクロスポリン，Daclizumab，ムロモナブ-CD３（販売中止），ミコフェノール酸モフェチル，タクロリムス水和物，シロリムス，Prednisone，副腎皮質ステロイドなどがあります。

ハーブおよび健康食品・サプリメントとの相互作用

血糖値を低下させるおそれのあるハーブおよび健康食品・サプリメント

アメリカジンセンは血糖値を低下させるおそれがあります。アメリカジンセンと，血糖値を低下させるおそれのあるほかのハーブおよび健康食品・サプリメントを併用すると，人によっては，血糖値が過度に低下するおそれがあります。このようなハーブおよび健康食品・サプリメントには，デビルズクロー，フェヌグリーク，ショウガ，グアーガム，朝鮮人参，エゾウコギなどがあります。

使用量の目安

●経口摂取

２型糖尿病患者の血糖値低下

食前２時間以内にアメリカジンセン３gを摂取します。必ず食事２時間前以降に摂取してください。摂取とその後の食事の間隔が長すぎると，血糖値が過度に低下するおそれがあります。またはアメリカジンセン100～200mgを毎日，最大８週間まで摂取します。

感冒やインフルエンザなどの上気道感染症の予防

CVT-E002という特定のアメリカジンセンエキス200～400mgを１日２回，３～６カ月間摂取します。

アメリカヘレボルス

AMERICAN HELLEBORE

別名ほか

サラシナショウマ，晒菜升麻，ユリ科シュロソウ属（Veratrum viride），キミキフガ（Bugbane），American Veratrum，American White Hellebore，Devil's Bite，Earth Gall，False Hellebore，Green Hellebore，Green Veratrum，Indian Poke，Itchweed，Tickleweed Veratro Verde

概　要

アメリカヘレボルスは植物です。球根と根を用いて「くすり」を作ることもあります。製品としては，殺虫剤として使用されます。

European Helleboreや福寿草と混同しないよう注意してください。

●要説（ナチュラル・スタンダード）

アメリカヘレボレスは米国東部および西部の沼沢地や湿気の多い牧草地原産の多年生植物です。根および地下茎は歴史的に，発熱，疼痛，および高血圧に用いられています。根を煎じて慢性の咳や便秘にも用いています。歴史的に植物全体を用いることはなく，根と地下茎のみが日常的に医療用途で用いられていました。以前は茶やチンキ剤として用いられていましたが，現在は毒性および刺激性のある成分を含んでいるため，経口摂取は避けられています。

高血圧，高血圧関連の腎・心疾患，妊娠中の子癇前症に関連する高血圧の治療に対する効果があるにもかかわらず，毒作用があるため，使用は制限されます。

現時点では，植物全体の使用やホメオパシーでの使用に関する安全性および有効性についての科学的な情報はありません。分離されたある種のアルカロイドに関する研究がほとんどです。

安 全 性

アメリカヘレボルスの経口摂取や皮膚への塗布は，安全ではないようです。口腔および咽喉の不快感や心拍低下など，多くの副作用を引き起こすおそれがあります。

大量に摂取すると，嘔吐，下痢，嚥下困難，神経疾患，失明，痙攣，麻痺，呼吸困難を引き起こすおそれがあり，死に至ることもあります。

アメリカヘレボルスの使用はだれにとっても安全ではないようですが，とくに使用しないほうがよい理由がある人もいます。

心疾患：アメリカヘレボルスが心拍数を低下させ，心疾患を悪化させるおそれがあります。

消化管の過敏：アメリカヘレボルスが消化管を過敏にするおそれがあるため，胃腸に影響する疾患の場合には，使用すべきではありません。

●妊娠中および母乳授乳期

妊娠中および母乳授乳期の経口摂取や皮膚への塗布は安全ではないようです。

有　効　性

◆科学的データが不十分です

・てんかん，痙攣，水分貯留，神経質，発熱，高血圧など。

●体内での働き

血圧を低下させ，心拍数を低下させ，鎮静作用を持つ（鎮静薬として作用する）可能性がある化学物質が含まれています。

医薬品との相互作用

ほかの医薬品との相互作用については明らかではありません。

ハーブおよび健康食品・サプリメントとの相互作用

ほかのハーブ，健康食品・サプリメントとの相互作用についてはまだ明らかではありません。

使用量の目安

通常の食品に含まれている量を超えて経口摂取した場合の安全性および副作用については，明らかになっていません。

アメリカポーポー

AMERICAN PAWPAW

●代表的な別名

ポポー

別名ほか

カスタードアップル（Custard Apple），ポポー（Pawpaw），Annona triloba，Asimina triloba，Dog-Banana

概　　要

アメリカポーポーは植物です。樹皮，葉，種子を用いて「くすり」を作ることもあります。

●要説（ナチュラル・スタンダード）

ポーポーは北米原産の果実を結ぶ木で，アジア，オーストラリア，および欧州でも栽培されています。ポーポーのエキスは木の小枝から作ります。

1980～1990年代には，パデュー大学の研究者がポーポーの樹皮のエキスから化合物を分離しました。ポーポーのエキスから分離した化合物の多くに，がん細胞株に対する細胞傷害効果があることがわかっています。現時点では，いずれの疾患に対しても，ポーポーの安全性および有効性を支持する科学的根拠は十分ではありません。

安　全　性

アメリカポーポーは，成人および小児が短期間皮膚に塗布する場合は，おそらく安全です。アメリカポーポーエキス，チモール，ティーツリーオイルを含むシャンプーは，16日間中に最大3回まで，頭皮に対して安全に使用されています。ただし人によっては，アメリカポーポーエキスを皮膚に塗布すると，そう痒のある赤い皮疹を引き起こすおそれがあります。

アメリカポーポーの果実やエキスを経口摂取する際の安全性については，データが不十分です。アメリカポーポーの果実を摂取すると，人によっては，蕁麻疹，吐き気，嘔吐，頭痛，めまい感などの副作用を引き起こすおそれがあります。エキスを経口摂取すると，嘔吐を引き起こすおそれがあります。

吐き気，皮疹，そう痒などの副作用を引き起こすおそれがあります。

●妊娠中および母乳授乳期

妊娠中および母乳授乳期の使用の安全性についてはデータが不十分です。安全性を考慮し，摂取は避けてください。

有　効　性

◆科学的データが不十分です

・アタマジラミ，発熱，嘔吐，口内および咽喉の腫脹など。

●体内での働き

ある種の肺がんや乳がんに対する活性をもつ可能性のある化学物質が含まれています。

医薬品との相互作用

ほかの医薬品との相互作用については明らかではありません。

ハーブおよび健康食品・サプリメントとの相互作用

ほかのハーブ，健康食品・サプリメントとの相互作用についてはまだ明らかではありません。

使用量の目安

通常の食品に含まれている量を超えて経口摂取した場合の安全性および副作用については，明らかになっていません。

アメリカヤドリギ

AMERICAN MISTLETOE

別名ほか

Eastern Mistletoe，ヤドリギ（Mistletoe）

概　　要

アメリカヤドリギは植物です。花，果実，葉，茎は「くすり」として使用されることもあります。

●要説（ナチュラル・スタンダード）

アメリカヤドリギは，かつてケルトの伝統では，神聖なものとされていました。高血圧，てんかん，疲労，不安，関節リウマチ，めまい，および関節の変形性炎症など，さまざまな疾患に対して何世紀にもわたり用いられています。

20世紀初め，アメリカヤドリギが欧州で抗がん治療に採用されたことをきっかけに，多大な人気を博しました。例えばノルウェーでは，実証されていない治療法（NPT）とされていながらも，一般的な治療方法として用いられていました。

過去50年にわたり，アメリカヤドリギの多くの試験管内の，動物とヒトを対象とする試験が行われてきました。その結果，抗がん作用の可能性については，免疫活性効果により引き起こされると考えられるようになってきました。

もっとも有望視されているのは，がん治療の用途ですが，実績のあるがん治療とみなすにはまだ十分臨床試験成績がありません。まれに毒性をもつ報告もあります。国立がん研究所のモノグラフ「アメリカヤドリギ抽出物」では，アメリカヤドリギをがん治療の用途で用いる場合の補完代替医療の情報と概要についてこのように述べられています。

［a］アメリカヤドリギ抽出物に，腫瘍の成長を抑制する効果があるかどうかについて，動物実験の結果は一致していません。

［b］ヒトのがん治療に対する有効性を証明するには，アメリカヤドリギおよびその成分を使用した適切な臨床試験は十分には行われていません。

［c］アメリカヤドリギの枝および果実には人体に対する毒性があり，米国ではアメリカヤドリギの抽出物は販売されていません。

アメリカヤドリギは米国では市販されていませんが，米国の研究者２名が，米国食品医薬品局（FDA）からアメリカヤドリギの新薬治験許可を得ています。

ドイツ当局のモノグラフでは，ヤドリギの用途として，関節の変形性炎症の治療や悪性腫瘍の緩和医療があげられています。

ヤドリギの主な種類として，ヨーロッパヤドリギとアメリカヤドリギがあります。とてもよく似たタンパク質を含み，さまざまな用途があるとされています。ヨーロッパヤドリギは，血圧を低下させる効果があり，鎮痙作用や鎮静効果があるといわれています。一方，アメリカヤドリギは，平滑筋の刺激，血圧の増加，子宮および腸の緊張を誘発するとされています。ただし，いずれの効能についても，これらを実証した研究はほとんどありません。

安　全　性

アメリカヤドリギの経口摂取は，おそらく安全ではありません。アメリカヤドリギの植物は，従来からいずれの部位も有毒と考えられています。ただし，果実を最大20粒まで，または葉を最大５枚まで摂取しても，深刻な副作用を引き起こす可能性がないことを示唆する報告もいくつかあります。ただし，人によっては，吐き気，嘔吐，下痢，心拍の低下，幻覚，心臓の異常を引き起こすおそれがあります。このほか，アメリカヤドリギに含まれる化学物質の１つが，コブラ毒に似ているようです。この化学物質は心停止，すなわち心拍が突然止まる疾患を引き起こすおそれがあります。

心疾患：アメリカヤドリギが心疾患を悪化させるおそれがあります。使用してはいけません。

●妊娠中および母乳授乳期

妊娠中および母乳授乳期の摂取は安全ではないようです。使用してはいけません。

有　効　性

◆科学的データが不十分です

・筋収縮の増加，流産の誘発，血圧上昇など。

●体内での働き

アメリカヤドリギに含まれる化学物質は，筋肉に作用します。

医薬品との相互作用

ほかの医薬品との相互作用については明らかではありません。

ハーブおよび健康食品・サプリメントとの相互作用

ほかのハーブ，健康食品・サプリメントとの相互作用についてはまだ明らかではありません。

使用量の目安

通常の食品に含まれている量を超えて経口摂取した場合の安全性および副作用については，明らかになっていません。

アメリカンアイビー

AMERICAN IVY

別名ほか

アイビー（Ivy），バージニアヅタ，アメリカヅタ（Parthenocissus quinquefolia），バージニアクリーパー（Virginia Creeper），American Woodbine，Creeper，

有効性レベル：①効きます　②おそらく効きます　③効くと断言できませんが、効能の可能性が科学的に示唆されています　④効かないかもしれません　⑤おそらく効きません　⑥効きません

False Grapes, Five Leaves, Wild Woodbine, Wild Woodvine, Woody Climber

概　　要

アメリカンアイビーは植物です。樹皮を用いて「くすり」を作ることもあります。

安 全 性

アメリカンアイビーは，十分なデータは得られていないので，安全であるかどうか明らかになっていません。

ベリーには有毒と考えられる化合物が含まれています。

●妊娠中および母乳授乳期

妊娠中および母乳授乳期の使用の安全性についてはデータが不十分です。安全性を考慮し，摂取は避けてください。

有 効 性

◆科学的データが不十分です

・消化器系疾患，発汗刺激，腫脹の軽減（収れん），および強壮薬としての使用。

●体内での働き

どのように作用するかについては十分なデータが得られていません。

医薬品との相互作用

ほかの医薬品との相互作用については明らかではありません。

ハーブおよび健康食品・サプリメントとの相互作用

ほかのハーブ，健康食品・サプリメントとの相互作用についてはまだ明らかではありません。

使用量の目安

●経口摂取

通常，粉末状にした樹皮から作られたお茶として摂取します。

アメリカンアダーズトング

AMERICAN ADDER'S TONGUE

別名ほか

Dog's Tooth Violet, Érythrone d'Amérique, Erythronium, Erythronium americanum, Lamb's Tongue, Rattlesnake Violet, Serpent's Tongue, Snake Leaf, Yellow Snakeleaf, Yellow Snowdrop

概　　要

アメリカンアダーズトングは植物です。葉と生の根（塊茎）が，「くすり」として用いられることもあります。イングリッシュアダーズトングと混同しないよう注意してください。

安 全 性

使用の安全性についての十分なデータはありません。

●アレルギー

チューリップ，ユリや同種の植物にアレルギーのある場合，アメリカンアダーズトングにもアレルギー反応をおこすおそれがあります。

●妊娠中および母乳授乳期

妊娠中および母乳授乳期の使用の安全性についてはデータが不十分です。安全性を考慮し，摂取は避けてください。

有 効 性

◆科学的データが不十分です

・皮膚潰瘍など。

●体内での働き

皮膚に直接塗布すると，葉が皮膚を落ち着かせて柔らかくするのに役立ちます。

医薬品との相互作用

ほかの医薬品との相互作用については明らかではありません。

ハーブおよび健康食品・サプリメントとの相互作用

ほかのハーブ，健康食品・サプリメントとの相互作用についてはまだ明らかではありません。

使用量の目安

標準使用量に関するデータがありません。

アメリカンスパイクナード

AMERICAN SPIKENARD

●代表的な別名

インディアンルート

別名ほか

スパイクナード（Aralia racemosa），インディアンルート（Indian Root），Life-of-Man, Life of Man, Old Man's Root, Pettymorell, Small Spikenard, Spignet

概　　要

アメリカンスパイクナードは植物です。根を用いて「くすり」を作ることもあります。

安 全 性

十分なデータが得られていないので安全かどうか明ら

かになっていません。

皮膚に直接適用すると，刺激があるかもしれません。

●妊娠中および母乳授乳期

妊娠中の摂取は安全ではありません。乳児に安全かどうか十分なデータがないので，母乳授乳期での摂取も避けてください。

有　効　性

◆科学的データが不十分です

・感冒，咳，気管支喘息，関節炎，皮膚疾患（皮膚へ直接塗布しての使用），発汗促進など。

●体内での働き

どのように作用するかについては十分なデータが得られていません。

医薬品との相互作用

ほかの医薬品との相互作用については明らかではありません。

ハーブおよび健康食品・サプリメントとの相互作用

ほかのハーブ，健康食品・サプリメントとの相互作用についてはまだ明らかではありません。

使用量の目安

標準使用量に関するデータがありません。

アヤワスカ

AYAHUASCA

別名ほか

Appane, Ayahoasca, Caapi, Chacrona, Chacruna, Chaliponga, Daime, Hoasca, Jagube, Jurema, Kawa, Mariri, Natem, Ooasca, Queen, Rainha, Soulvine, Yagé, Yajé

概　　要

アヤワスカはハーブ飲料です。脳に影響を及ぼす化学物質が含まれています。ある種の宗教儀式に用いられます。「くすり」としても用いられます。

自殺予防，うつ病，不安，パニック，トラウマ症状に対して用いられます。また衝動制御や，睡眠障害，疼痛，がんに対して用いられたり，薬物やアルコールへの嗜癖をやめるための補助として用いられたりします。

安　全　性

アヤワスカの経口摂取は，安全ではないようです。アヤワスカに含まれる化学物質が，幻覚，振戦，散瞳，血圧上昇，吐き気，嘔吐を引き起こすおそれがあります。また，アヤワスカの使用と，生命を脅かすような副作用や死亡との関連が認められています。

双極性障害：アヤワスカは，双極性障害患者の躁エピソードのリスクを高めるおそれがあります。双極性障害の場合には，使用してはいけません。

●妊娠中および母乳授乳期

アヤワスカの経口摂取は，安全ではないようです。幻覚などの深刻な副作用を引き起こすだけでなく，妊娠中に使用すると胎児に毒となるおそれがあります。使用は避けてください。

有　効　性

◆科学的データが不十分です

・うつ病，薬物やアルコールへの嗜癖，自殺予防，不安，パニック，トラウマ症状，衝動制御，睡眠障害，疼痛，がんなど。

●体内での働き

アヤワスカには，脳に影響を及ぼす化学物質が含まれています。この化学物質が，うつ病の症状を緩和し，気分を向上させるのに役立つ可能性があります。

医薬品との相互作用

中パーキンソン病治療薬（ドパミン受容体作動薬）

アヤワスカには脳に影響を及ぼす化学物質が含まれます。アヤワスカを摂取し，パーキンソン病治療薬を併用すると，パーキンソン病治療薬の作用および副作用が増強するおそれがあります。このようなパーキンソン病治療薬には，ブロモクリプチンメシル酸塩，レボドパ，プラミペキソール塩酸塩水和物，ロピニロール塩酸塩などがあります。

中肝臓で代謝される医薬品（シトクロムP450 2D6（CYP2D6）の基質となる医薬品）

特定の医薬品は肝臓で代謝されます。アヤワスカはこのような医薬品の代謝を変化させる可能性があります。そのため，医薬品の作用および副作用が変化するおそれがあります。このような医薬品には，アミトリプチリン塩酸塩，クロザピン，コデインリン酸塩水和物，塩酸デシプラミン（販売中止），ドネペジル塩酸塩，フェンタニルクエン酸塩，フレカイニド酢酸塩，塩酸フルオキセチン（販売中止），ペチジン塩酸塩，メサドン塩酸塩，メトプロロール酒石酸塩，オランザピン，オンダンセトロン塩酸塩水和物，トラマドール塩酸塩，トラゾドン塩酸塩などがあります。

中肝臓で代謝される医薬品（シトクロムP450 3A4（CYP3A4）の基質となる医薬品）

特定の医薬品は肝臓で代謝されます。アヤワスカはこのような医薬品の代謝を変化させる可能性があります。そのため，医薬品の作用および副作用が変化するおそれがあります。このような医薬品には，Lovastatin，クラリスロマイシン，インジナビル硫酸塩エタノール付加物（販売中止），シルデナフィルクエン酸塩，トリアゾラムなど数多くあります。

中セロトニン作用薬

アヤワスカはセロトニン（脳内物質）を増加させる可能性があります。特定の医薬品にもこの作用があります。アヤワスカを摂取し，このような医薬品を併用すると，セロトニンが過度に増加する可能性があります。そのため，重大な副作用（心臓の異常，痙攣，嘔吐など）が現れるおそれがあります。このような医薬品には，塩酸フルオキセチン（販売中止），パロキセチン塩酸塩水和物，塩酸セルトラリン，アミトリプチリン塩酸塩，クロミプラミン塩酸塩，イミプラミン塩酸塩，スマトリプタン，ゾルミトリプタン，リザトリプタン安息香酸塩，メサドン塩酸塩，トラマドール塩酸塩など数多くあります。

ハーブおよび健康食品・サプリメントとの相互作用

セロトニン作動性をもつハーブおよび健康食品・サプリメント

アヤワスカは，脳内物質のセロトニンを増やす可能性があります。セロトニンを増やす可能性のあるほかのハーブおよび健康食品・サプリメントと併用すると，セロトニンが過剰になり，心障害，悪寒戦慄，不安などの副作用を引き起こすおそれがあります。このようなハーブおよび健康食品・サプリメントには，5-ヒドロキシトリプトファン，ハワイベビーウッドローズ，L-トリプトファン，S-アデノシルメチオニン（SAMe），セント・ジョンズ・ワート，シリアン・ルーなどがあります。

使用量の目安

通常の食品に含まれている量を超えて経口摂取した場合の安全性および副作用については，明らかになっていません。

アラセイトウ

WALLFLOWER

別名ほか

ケイランサスケイリ，チェイランサス，ウォールフラワー（Cheiranthus cheiri），Beeflower, Gillyflower, Giroflier, Handflower, Keiri, Wallstock-Gillofer

概　要

アラセイトウは植物です。地上部を用いて「くすり」を作ることもあります。

安 全 性

安全ではないようです。

心臓障害などの副作用を起こすかもしれません。心臓に影響を与える成分を含んでいます。摂取を避けるのが最善です。

心疾患：不整脈およびほかの心疾患を引き起こすおそれがあります。心疾患の場合には，摂取しないでください。

●妊娠中および母乳授乳期

妊娠中および母乳授乳期の摂取は，おそらく安全ではありません。

有 効 性

◆科学的データが不十分です

・心臓障害，肝疾患，胆のう疾患，便秘，月経周期の促進など。

●体内での働き

心臓に影響を及ぼす可能性がある原料が含まれています。

医薬品との相互作用

中キニーネ塩酸塩水和物

アラセイトウは心臓に影響を及ぼす可能性があります。アラセイトウとキニーネ塩酸塩水和物を併用すると，心臓に重大な異常を引き起こすおそれがあります。

中キニジン硫酸塩水和物

アラセイトウは心臓に影響を及ぼす可能性があります。キニジン硫酸塩水和物も心臓に影響を及ぼす可能性があります。アラセイトウとキニジン硫酸塩水和物を併用すると，心臓に重大な異常を引き起こすおそれがあります。

中ジゴキシン

ジゴキシンには強心作用があります。アラセイトウも心臓に影響を及ぼすようです。アラセイトウとジゴキシンを併用すると，ジゴキシンの作用が増強し，副作用のリスクが高まるおそれがあります。

中抗炎症薬（副腎皮質ステロイド）

アラセイトウは心臓に影響を及ぼす可能性があります。特定の抗炎症薬（副腎皮質ステロイド）は体内のカリウム量を減少させる可能性があります。カリウム量の減少も心臓に影響を及ぼし，アラセイトウの副作用のリスクが高まるおそれがあります。このような抗炎症薬には，デキサメタゾン，ヒドロコルチゾン，メチルプレドニゾロン，Prednisoneなどがあります。

中刺激性下剤

アラセイトウは心臓に影響を及ぼす可能性があります。心臓にはカリウムが必要です。刺激性下剤は体内のカリウム量を減少させる可能性があります。カリウム量が減少すると，アラセイトウの副作用のリスクが高まるおそれがあります。このような刺激性下剤には，ビサコジル，カスカラサグラダ，ヒマシ油，センナなどがあります。

中利尿薬

アラセイトウは心臓に影響を及ぼす可能性があります。利尿薬は体内のカリウム量を減少させる可能性があります。カリウム量の減少も心臓に影響を及ぼす可能性があり，アラセイトウの副作用のリスクが高まるおそれがあります。このような利尿薬には，クロロチアジド(販売中止)，クロルタリドン（販売中止)，フロセミド，ヒドロクロロチアジドなどがあります。

ハーブおよび健康食品・サプリメントとの相互作用

キナ

キナとアラセイトウを併用すると有害な副作用のリスクが高まるおそれがあります。

マオウ

マオウとアラセイトウを併用すると有害な副作用のリスクが高まるおそれがあります。

強心配糖体を含むハーブおよび健康食品・サプリメント

アラセイトウは，処方薬のジゴキシンと似た，強心配糖体と呼ばれる化学物質を含んでいます。強心配糖体は，体内のカリウムを過剰に排出し，心臓に悪影響を与えるおそれがあります。アラセイトウと強心配糖体を含むほかのハーブおよび健康食品・サプリメントと併用すると，心臓障害のリスクが高まるおそれがあるため，併用は避けてください。このようなハーブには，クリスマスローズ，トウワタの根，ジキタリスの葉，カキネガラシ，セイヨウゴマノハグサ，ドイツスズランの根，マザーワート，オレアンダーの葉，ゲウム，ヤナギトウワタ，海葱，スターオブベツレヘム，ストロファンツスの種，ダイオウなどがあります。

ツクシ

アラセイトウは，強心配糖体と呼ばれる化学物質を含んでいます。強心配糖体は，体内のカリウムを過剰に排出し，心臓に悪影響を与えるおそれがあります。ツクシには，尿量を増加させる利尿薬のような作用があり，体内のカリウムを過剰に排出するおそれがあります。ツクシとアラセイトウなど強心配糖体を含むほかのハーブおよび健康食品・サプリメントと併用すると，カリウムが過剰に排出され，心臓を損傷するリスクが高まるおそれがあるため，併用は避けてください。

甘草

アラセイトウは，強心配糖体と呼ばれる化学物質を含んでいます。強心配糖体は，体内のカリウムを過剰に排出し，心臓に悪影響を与えるおそれがあります。甘草にも体内のカリウムを過剰に排出する働きがあります。甘草とアラセイトウなど強心配糖体を含むほかのハーブおよび健康食品・サプリメントと併用すると，カリウムが過剰に排出され，心臓障害のリスクが高まるおそれがあるため，併用は避けてください。

刺激性緩下作用をもつハーブおよび健康食品・サプリメント

刺激性緩下作用をもつハーブおよび健康食品・サプリメントは，腸の運動を活発にします。食べ物が腸に長くとどまらないために，カリウムなどのミネラルが体内に十分吸収されなくなるおそれがあります。このことにより，カリウム値が適正値よりも低下するおそれがあります。強心配糖体が含まれているアラセイトウも，体内のカリウムを過剰に排出するおそれがあります。アラセイトウと刺激性緩下作用をもつハーブおよび健康食品・サプリメントを併用すると，カリウムが失われすぎるため，心臓障害のリスクが高まる懸念があるため，併用しないでください。刺激性緩下作用をもつハーブおよび健康食品・サプリメントには，アロエ，セイヨウイソノキ，ブラックルート，ブルーフラッグ，バターナットの樹皮，コロシント，ヨーロピアンバックソーン，フォーチ，ガンボジ，ゴシポール，ヒロハヒルガオ，ヤラッパ，マンナ，メキシカン・スキャモニイ・ルート，ルバーブ，センナ，イエロードックなどがあります。

使用量の目安

標準使用量に関するデータがありません。

アラビノキシラン

ARABINOXYLAN

別名ほか

Arabinoxilano，Arabinoxylane，Pentosan

概　要

アラビノキシランは，小麦，トウモロコシ，米，ライ麦，オート麦，オオムギなどの穀物に含まれている食物繊維です。「くすり」として用いられます。

アラビノキシランは，心疾患，便秘，糖尿病，前糖尿病，メタボリックシンドロームおよび体重減少を目的に経口摂取されます。

安 全 性

アラビノキシランの使用の安全性についてはデータが不十分です。アラビノキシランの経口摂取により，下痢，腸内ガスまたは胃痛を引き起こすおそれがあります。

糖尿病：アラビノキシランが，糖尿病患者の血糖値を低下させるおそれがあります。血糖値を注意深く監視してください。糖尿病治療薬の服薬量を調節する必要があるかもしれません。

手術：アラビノキシランが，血糖値に影響を与えるため，手術中および術後の血糖コントロールに影響を与えるおそれがあります。少なくとも手術前２週間は，使用しないでください。

●妊娠中および母乳授乳期

妊娠中および母乳授乳期の使用の安全性についてはデータが不十分です。安全性を考慮し，摂取は避けてください。

有 効 性

◆科学的データが不十分です

・糖尿病，前糖尿病，心疾患，便秘，メタボリックシンドローム，体重減少など。

●**体内での働き**

アラビノキシランは，糖類やコレステロールが胃腸に吸収される量を減少させる可能性があります。

医薬品との相互作用

中糖尿病治療薬

アラビノキシランは血糖値を低下させる可能性があります。糖尿病治療薬もまた血糖値を低下させるために用いられますアラビノキシランと糖尿病治療薬を併用すると，血糖値が過度に低下するおそれがあります。血糖値を注意深く監視してください。糖尿病治療薬の用量を変更する必要があるかもしれません。このような糖尿病治療薬にはグリメピリド，グリベンクラミド，インスリン，ピオグリタゾン塩酸塩，マレイン酸ロシグリタゾン（販売中止），クロルプロパミド，Glipizide，トルブタミド（販売中止）などがあります。

ハーブおよび健康食品・サプリメントとの相互作用

血糖値を低下させるおそれのあるハーブおよび健康食品・サプリメント

アラビノキシランは血糖値を低下させるおそれがあります。血糖値を低下させるおそれのあるほかのハーブおよび健康食品・サプリメントと併用すると，血糖値が過度に低下するおそれがあります。このようなハーブおよび健康食品・サプリメントには，α-リポ酸，ニガウリ，クロム，デビルズクロー，フェヌグリーク，ニンニク，グアーガム，セイヨウトチノキ，朝鮮人参，サイリウム，エゾウコギなどがあります。

使用量の目安

通常の食品に含まれている量を超えて経口摂取した場合の安全性および副作用については，明らかになっていません。

アリストロキア

ARISTOLOCHIA

●**代表的な別名**

関木通

別名ほか

関木通，かんもくつう（Aristolochia manshuriensis），クレマティティス，ウマノスズクサ（Aristolochia heterophylla），キダチウマノスズクサ，バースワート（Birthwort），Serpentaria，スネークルート（Snakeroot），Aristolochia fangchi，Aristolochia kwangsiensis，Aristolochia moupinensis，Aristolochia reticulata，Aristolochia serpentaria，Guang Fang Ji，Long Birthwort，Pelican Flower，Red River Snakeroot，Sangree Root，Sangrel，Snakeweed，Texas Snakeroot，Virginia Serpentary，Virginia Snakeroot

概　　要

アリストロキアは植物です。地上部と根を用いて「くすり」を作ることもあります。

●**要説（ナチュラル・スタンダード）**

アリストロキア種（ウマノスズクサ科の植物）は，オーストラリアを除く地域，世界中の多様な気候の地域に分布しています。しかし，オーストラリアにはありません。アリストロキン酸を含み，腎疾患を引き起こすことが知られています。米国食品医薬品局（FDA）では，アリストロキン酸を含むすべての植物性製品の使用を即時中止するよう消費者に勧告しています。現在，英国医薬品安全性委員会では，いかなる医薬品（健康食品・サプリメントを含む）に対してもアリストロキアの使用を禁止しています。医師および歯科医師による処方によってのみ入手することができます。

多くの地域の民間医療では，アリストロキアを，がん，創傷，および腸管寄生虫症などの疾患に対して用います。1950年代以降，中国医学では，木通（アケビ種），木香，威霊仙（クレマチス種），防已（ぼうい。シマハスノカズラの根）の代用としてアリストロキア種が用いられています。実際に，香港の漢方薬店で購入した9種類の防已の試料を分析したところ，すべての試料にアリストロキン酸が含まれていました。シマハスノカズラそのものには，アリストロキン酸は含まれていませんでした。

1990～1992年にかけて，ベルギーのある診療所では減量用途の漢方薬として防已（Stephania tetrandra）の代わりに広防已（Aristolochia fangch）を処方していました。患者の多くがアストロギン酸腎症と呼ばれる進行性腎疾患を発症しました。200 g を超える高用量を摂取した患者は，尿路がんのリスクが高まりました。

ボスニア，ブルガリア，クロアチア，ルーマニア，およびセルビアの畑で，偶然小麦と一緒に収穫されたAristolochia clematitisの種子が，特定の地域でのバルカン腎症や，腎不全の割合が高いなどの風土病の原因であるとされています。

安　全　性

アリストロキアは安全ではありません。腎臓に対して毒性があり，がんを引き起こすアリストロキン酸が含まれています。アリストロキアを摂取すると，腎障害を引き起こし，腎透析や腎移植が必要になるおそれがあります。また，膀胱がんをはじめとする尿路がんのリスクも大きく増加します。

世界中の保健行政機関では，国民をアリストロキアおよびアリストロキン酸から保護するための措置を講じています。アリストロキアはドイツ，オーストリア，フランス，イギリス，ベルギーおよび日本で禁止されています。米国では，アリストロキン酸を含むおそれがあると思われる製品はすべて，米国食品医薬品局（FDA）により押収され，アリストロキン酸が含まれていないという製造元の証明がない限り，販売が認められません。カナダ保健省では，アリストロキアを含む漢方薬の製品５種を販売停止としました。

腎疾患：アリストロキアは，腎疾患の場合に，早期に腎不全をもたらすおそれがあります。

●妊娠中および母乳授乳期

妊娠中および母乳授乳期の女性をはじめとして，だれにとっても安全ではありません。アリストロキアに含まれるアリストロキン酸は，腎臓に対して毒性があり，がんを引き起こします。摂取してはいけません。

有効性

◆科学的データが不十分です

・性的興奮，痙攣，免疫システム（体の防御システム）の向上，月経開始，仙痛，胆のう痛，関節炎，痛風，関節リウマチ，湿疹，体重減少，創傷など。

●体内での働き

どのように作用するかについては，データが不十分です。

医薬品との相互作用

中腎臓を害する可能性のある医薬品

アリストロキアは腎臓に害を及ぼします。特定の医薬品も腎臓を害する可能性があります。アリストロキアと腎臓を害する可能性のある医薬品を併用すると，腎障害のリスクが高まるおそれがあります。このような医薬品には，シクロスポリン，アミノグリコシド系抗菌薬（アミカシン硫酸塩，ゲンタマイシン硫酸塩，トブラマイシンなど），非ステロイド性抗炎症薬（NSAIDs）（イブプロフェン，インドメタシン，ナプロキセン，ピロキシカムなど）のほか，数多くあります。

ハーブおよび健康食品・サプリメントとの相互作用

ほかのハーブ，健康食品・サプリメントとの相互作用についてはまだ明らかではありません。

使用量の目安

通常の食品に含まれている量を超えて経口摂取した場合の安全性および副作用については，明らかになっていません。

アルカナ

ALKANNA

別名ほか

アルカンナ（Alkanna Tinctoria），アンチューサ（Anchusa），ヘナ（Henna），Alkanet，Alkanna radix，Dyer's Bugloss，Orchanet，Radix Anchusae

概　要

アルカナは植物です。根を用いて「くすり」を作ることもあります。

●要説（ナチュラル・スタンダード）

アルカナは，フランス南部，レバント地方沿岸（トルコ，シリア，レバノン，およびイスラエルなど地中海の東側沿岸に並行する山岳地帯）に分布しています。根は鮮やかな赤色で，布の染色や，チンキ剤，オイル，ワイン，ニスの着色に用いられます。近年では，食品着色料として一般的に用いられます。

アルカナは，昔から創傷の治癒効果，抗炎症効果があるために用いられてきています。民間療法の効能を支持するエビデンスは一致していません。

現時点では，いずれの疾患に対する安全性および有効性についても，使用を推奨できるだけの科学的根拠はありません。

安全性

皮膚の傷口に直接使用した場合や経口摂取した場合には安全ではありません。

傷のない皮膚に使用したときに安全かどうかデータが十分ではありません。

アルカナには，肝毒性をもつピロリジジンアルカロイドという有害な化学物質が含まれるので，これを医薬品として使用するには大きな懸念があります。肝毒性をもつピロリジジンアルカロイドは，肝臓の静脈の血流を遮断して肝障害を引き起こします。また，がんや先天性異常を引き起こします。アルカナ製品の販売者の中には，これらの有毒性化学物質を除去しようと試みているところもあります。これらの製品がある純度の基準に達していれば，「肝毒性なし」と認定されます。「肝毒性なし」の認証のラベル表示がないアルカナ製品は安全ではありません。

また，皮膚の傷口に直接使用した場合も安全ではありません。危険な化学物質が傷口から素早く吸収され，体全体に毒性がまわり危険です。「肝毒性なし」の認証のラベル表示がないアルカナを含んだスキンケア製品は，避けてください。使用の安全性についてはデータが不十分です。安全性を考慮し，摂取は避けてください。

肝疾患：アルカナの肝毒性をもつピロリジジンアルカロイドが肝臓に害を及ぼし，肝疾患に罹患している場合は，肝疾患を悪化させます。

●妊娠中および母乳授乳期

妊娠中は使用しないでください。肝毒性をもつピロリジジンアルカロイドを含んだ製品は，肝障害および先天性異常をおこすおそれがあります。「肝毒性なし」の製品であっても，妊娠中使用の安全性についてはデータが不十分です。安全性を考慮し，摂取は避けてください。

母乳授乳期の使用についても安全ではありません。肝毒性をもつピロリジジンアルカロイドが母乳に排出され，乳児に害を及ぼします。「肝毒性なし」製品の母乳授乳期使用の安全性についてはデータが不十分です。

有　効　性

◆科学的データが不十分です

・胃潰瘍，および下痢，皮膚病（皮膚に塗布した場合），創傷（皮膚に塗布した場合）。

●体内での働き

抗酸化作用，抗炎症作用をもっています。

医薬品との相互作用

中肝臓でほかの医薬品の代謝を促進する医薬品（シトクロムP450 3A4（CYP3A4）を誘導する医薬品）

アルカナは肝臓で代謝されますが，代謝時に形成される化合物の中には有害なものがあります。肝臓でアルカナの代謝を促進させる医薬品は，アルカナに含まれる化合物の毒性作用を増強するおそれがあります。このような医薬品には，カルバマゼピン，フェノバルビタール，フェニトイン，リファンピシンなどがあります。

ハーブおよび健康食品・サプリメントとの相互作用

肝毒性をもつピロリジジンアルカロイド（PAs）を含むハーブおよび健康食品・サプリメント

アルカナは肝毒性をもつピロリジジンアルカロイドを含んでいます。この化学物質をもったほかのハーブおよび健康食品・サプリメントとの併用は，肝障害やがんなどの重篤な副作用を起こすリスクを高めるおそれがあります。肝毒性をもつピロリジジンアルカロイドを含むハーブには，ヒヨドリバナ，ボラージ，セイヨウフキ，フキタンポポ，コンフリー，ワスレナグサ，シモツケソウ，ヘンプ・アグリモニー，オオルリソウ，ダスティーミラー，ノボロギク，サワギク，ヤコブボロギクなどがあります。

アルカナの肝臓での代謝（分解）を促進するハーブおよび健康食品・サプリメント（シトクロムP450 3A4［CYP3A4］誘導因子）

アルカナは肝臓で代謝分解されますが，代謝時に形成される化学物質の中には有害なものがあります。肝臓でアルカナ代謝を促進させるハーブは，アルカナに含まれる化学物質の毒性作用を増強するおそれがあります。それらのハーブには，エキナセア，ニンニク，甘草，セント・ジョンズ・ワート，チョウセンゴミシがあります。

使用量の目安

標準使用量に関するデータがありません。

アルギン

ALGIN

別名ほか

アスコフィルム・ノドスム（Ascophyllum nodosum），褐藻（Macrocystis pyrifera），アルギン酸塩（Alginates），ノルウェー産ケルプ，ラミナリアディギタータ，ラミナリア（Laminaria digitata），ジャイアントケルプ，ケルプ，オオウキモ，アルギン酸ナトリウム（Sodium Alginate）

概　　要

アルギンはワカメからとった化合物です。これを用いて「くすり」を作ることもあります。キャンディー，ゼラチン，プディング菓子，香辛料，付け合わせ，加工野菜，魚加工品，および“模造乳製品”に用いられます。

錠剤の結合剤，喉あめの結合剤および粘滑剤，角質除去用フェイスマスクのフィルムとして用いられます。

●要説（ナチュラル・スタンダード）

アルギンは，多糖に分類される炭水化物です。北大西洋沿岸に分布するアスコフィルム属，Macrocystistis属，およびLaminaria属の海藻に含まれています。海藻は人類および動物の食物として何千年もの間用いられています。海藻の派生物は，食品，化粧品，医療，歯科など幅広い業界で応用されています。アジアでは，野菜や繊維源として海藻に依存しています。西欧諸国では，栄養補給のための錠剤が開発されています。

民間療法では，アルギンは，高血圧症の予防，治療のために経口摂取されています。飴，ゼラチン，プディング，香辛料，付け合わせ，野菜加工品，魚加工品，“模造食品”などの食品にも用いられます。錠剤の結合剤および崩壊剤，トローチ剤の結合剤および粘滑剤，角質除去フェイスマスクなどにも用いられます。

アルギンは，腸の働きを正常化するためによく用いられます。食物繊維との併用に関する研究もなされています。アルギンを強力に推奨するには，安全性および有効性についてのさらなる研究が必要です。

安　全　性

アルギンは，食品としての量を摂取する場合は，ほとんどの人に安全のようです。ただし，「くすり」として高用量を摂取する場合の安全性についてはデータが不十分です。

●妊娠中および母乳授乳期

分娩を誘発するために，乾燥させたアルギンを子宮頸内に挿入するのは安全ではないようです。深刻な有害作用との関連が認められています。妊娠中に経口摂取する場合や，母乳授乳期にあらゆる方法で用いる場合の安全性については，データが不十分です。安全性を考慮し，使用は避けてください。

有　効　性

◆科学的データが不十分です

・コレステロール低下，血圧低下，体内に取り込まれた特定の重化学物質の量の削減など。

●体内での働き

アルギンはゲルを形成します。このゲルが体内に取り込まれるコレステロールの量を減少させることにより，コレステロール値を低下させる可能性があります。

医薬品との相互作用

中経口薬

アルギンは粘稠性ゲルなので，胃腸内で薬を吸着することがあります。経口薬と併用すると，体内に吸収される薬の量を減少させて，医薬品の効果を弱めるおそれがあります。この相互作用を避けるため，アルギンは，医薬品を経口摂取後1時間以上経過してから使用してください。

ハーブおよび健康食品・サプリメントとの相互作用

ストロンチウム

アルギン酸とも呼ばれるアルギンは，ストロンチウムと結合して，ストロンチウムの体内吸収を妨げます。この作用は，中毒の場合にはストロンチウムの吸収と毒性を減少させる目的で用いられていますが，ストロンチウムサプリメントの吸収にも影響を及ぼすおそれがあります。

使用量の目安

通常の食品に含まれている量を超えて経口摂取した場合の安全性および副作用については，明らかになっていません。

アルケミラ

ALCHEMILLA

●代表的な別名

セイヨウ羽衣草

別名ほか

レディスマントル（Lady's Mantle），ハゴロモグサ（Alchemilla xanthochlora），セイヨウハゴロモグサ，セイヨウ羽衣草（Alchemilla vulgaris），Feuilles d'Alchemille，Frauenmantelkraut，Leontopodium，Lion's Foot，Marienmantel，Nine Hooks，Silerkraut，Stellaria

概　　要

アルケミラはハーブです。地上部を用いて「くすり」を作ることもあります。

●要説（ナチュラル・スタンダード）

・レディスマントル（アルケミラの別名）について

レディスマントル（Lady's Mantle：女性のマント）は，16世紀にJerome Bockによって名称が付けられました。Tragusとしても知られています。1532年に出版されたJerome Bockの著書『植物の歴史（History of Plants)』で紹介されています。聖母マリアのマントに似ていることから，女性のクローク，マントという名称がつきました。葉がマントの扇型の裾の形に似ているといわれています。葉の広がる様子が，ライオンの足，熊の足のようだともいわれています。

レディスマントルはスウェーデン，ドイツなど欧州では，何世紀にもわたって用いられてきています。血液凝固，収れん，および止血特性があるため，創傷の治療によいとする専門家もいます。歯科的処置の後の出血を防止するための口内洗浄液としても用いられます。過多月経をはじめ，更年期障害，妊娠中の支援，流産の予防，出産後の健康回復など，さまざまな女性特有の疾患にも用いられてきています。ただし，臨床試験はありません。

安　全　性

アルケミラは，適切に経口投与する場合は，ほとんどの人におそらく安全です。ドイツの研究者の一部が肝障害の可能性を警告していますが，この懸念は大げさだと考える専門家もいます。

アルケミラを皮膚に塗布する場合の安全性については，データが不十分です。

●妊娠中および母乳授乳期

妊娠中および母乳授乳期の使用の安全性についてはデータが不十分です。安全性を考慮し，摂取は避けてください。

有　効　性

◆科学的データが不十分です

・下痢，糖尿病，過多月経または月経困難，創傷治癒，胃疾患，筋痙攣，皮膚症状（潰瘍，湿疹，皮疹など），出血など。

●体内での働き

タンニンという化学物質が含まれており，タンニンは下痢に有用である可能性があります。

医薬品との相互作用

ほかの医薬品との相互作用については明らかではありません。

ハーブおよび健康食品・サプリメントとの相互作用

タンニンを含むハーブおよび健康食品・サプリメント

大量のタンニンを含むアルケミラのようなハーブは，ほかのハーブおよび健康食品・サプリメントに含まれる化学物質に影響を及ぼし，それらの体内での作用を変化させるおそれがあります。

使用量の目安

通常の食品に含まれている量を超えて経口摂取した場

合の安全性および副作用については，明らかになっていません。

アルニカ

ARNICA

別名ほか

ハートリーフ・アルニカ（Arnica cordifolia），アルニカの花（Arnica flower），ウサギギク（Arnica montana），Arnica Flos，Arnica fulgens，Arnica latifolia，Arnica Sororia，Arnikabluten，Bergwohlverieih，Fleurs d'Arnica，Kraftwurz，Leopard's Bane，Mountain Tobacco，Wolf's Bane，Wundkraut

概　　要

アルニカは，花を用いて「くすり」を作ることもあります。食品ではアルニカは，飲料，冷凍乳製品デザート，お菓子，焼き菓子，ゼラチン，プリンに含まれる香料成分です。

アルニカは，ヘアトニックやふけ防止製剤で使用されています。油は，香料や化粧品で使用されています。

●要説（ナチュラル・スタンダード）

アルニカは，欧州および北米の草原および山岳地帯に分布しています。花を用いて「くすり」を作ることも多いです。

アルニカは，炎症および疼痛を軽減する，皮膚用の軟膏やオイルに含まれていることが多いです。疼痛，紫斑，および捻挫など傷をともなわない皮膚疾患に用いられます。十分に薄めたアルニカ調合液製品は，外傷の治療に用いても安全とされています。ただし，高濃度のアルニカを経口摂取する場合には，有毒なおそれがあります。高血圧を引き起こすおそれもあります。

安 全 性

アルニカは，通常の食品に含まれている量を経口摂取する場合や，傷のない皮膚に短期間塗布する場合，おそらく安全です。ただし，カナダ政府は，アルニカの安全性を懸念しており，食品成分としての使用を禁止しています。

食品に含まれる量を超えて経口摂取する場合は，安全ではないようです。実際に，アルニカは有毒であると考えられており，死に至ることもあります。経口摂取するとこのほか，口腔および咽喉の不快感，胃痛，嘔吐，下痢，皮疹，息切れ，心拍増加，血圧上昇，心障害，臓器不全，出血増加，昏睡を引き起こすおそれがあり，死に至るおそれもあります。

アルニカは，ホメオパシー製品の成分として記載されることがよくありますが，通常このような製品は濃度がきわめて低いので，アルニカは，ほとんどまたはまったく検出されない程度の量しか含まれていません。

傷ついた皮膚：荒れた皮膚や傷ついた皮膚にアルニカを塗布してはいけません。アルニカが過度に吸収されるおそれがあります。

消化不良：アルニカは消化器系を刺激するおそれがあります。過敏性腸症候群（IBS），潰瘍，クローン病などの胃腸疾患の場合には，アルニカを摂取してはいけません。

頻拍：アルニカは心拍数を増加させるおそれがあります。心拍が速い場合には，アルニカを摂取してはいけません。

高血圧：アルニカは，血圧を上昇させるおそれがあります。高血圧の場合には，アルニカを摂取してはいけません。

手術：アルニカは，手術中および術後に過度の出血を引き起こすおそれがあります。少なくとも手術前２週間は，使用しないでください。

●アレルギー

ブタクサや関連する植物に対するアレルギー：アルニカは，キク科植物に敏感な人にアレルギー反応を引き起こすおそれがあります。キク科には，ブタクサ，キク，マリーゴールド，デイジーなど多くの植物があります。アレルギーの場合には，アルニカを皮膚に塗布する前に必ず医師などに相談してください。経口摂取してはいけません。

●妊娠中および母乳授乳期

妊娠中および母乳授乳期には，アルニカを経口摂取したり，皮膚に塗布したりしてはいけません。安全ではないようです。

有 効 性

◆有効性レベル③

・変形性関節症。初期の研究により，アルニカのジェル製品を１日２回，３週間使用すると，手または膝に変形性関節症のある人の疼痛およびこわばりが緩和され，機能が改善することが示されています。このほかの研究では，このジェル製品を用いると，手の疼痛緩和と機能改善について，鎮痛薬「イブプロフェン」と同程度の効果がみられることが示されています。

◆有効性レベル④

・智歯抜歯後の疼痛，腫脹および合併症の減少。ほとんどの研究では，アルニカを経口摂取しても，智歯抜歯後の疼痛，腫脹および合併症が減少することはないようです。初期の研究１件では，アルニカのホメオパシー製品を６回摂取すると疼痛は軽減される可能性はあるものの，出血は減少しないことが示唆されています。

◆科学的データが不十分です

・あざ（打撲），糖尿病による視覚の異常，筋肉痛，術後の疼痛，脳卒中，ざ瘡（にきび），唇のひび割れ，昆虫刺傷，皮膚表面付近の静脈の疼痛および腫脹，咽喉痛など。

●体内での働き

アルニカに含まれる有効成分が腫脹や疼痛を軽減したり，抗生剤として作用したりする可能性があります。

医薬品との相互作用

中血液凝固を抑制する医薬品（抗凝固薬/抗血小板薬）

アルニカは血液凝固を抑制する可能性があります。アルニカと血液凝固を抑制する医薬品を併用すると，紫斑および出血のリスクが高まるおそれがあります。このような医薬品には，アスピリン，クロピドグレル硫酸塩，ジクロフェナクナトリウム，イブプロフェン，ナプロキセン，ダルテパリンナトリウム，エノキサパリンナトリウム，ヘパリン，ワルファリンカリウムなどがあります。

ハーブおよび健康食品・サプリメントとの相互作用

血液凝固を抑制するおそれのあるハーブおよび健康食品・サプリメント

アルニカは血液凝固を抑制するおそれがあります。アルニカと，血液凝固を抑制するおそれのあるほかのハーブおよび健康食品・サプリメントを併用すると，紫斑や出血のリスクが高まるおそれがあります。このようなハーブおよび健康食品・サプリメントには，アンゼリカ，クローブ，タンジン，ニンニク，ショウガ，イチョウ，朝鮮人参などがあります。

使用量の目安

●皮膚への塗布

変形性関節症

100g中アルニカ50g含有のジェル製品を１日２～３回，３週間，患部の関節に塗り込みます。

アルピニア

ALPINIA

●代表的な別名

ガランガ

別名ほか

シャムジンジャー，コウリョウキョウ，高良姜，リョウキョウ（Alpinia officinarum），チャイニーズジンジャー（Chinese Ginger），ガランガ（Galanga），ガランガル（Galangal），レッサー・ガランギャル（Lesser galangal），Catarrh Root，China Root，Colic Root，East India Catarrh Root，East India Root，Galangal Officinal，Galgant，Gargaut，India Root，Rasna，Rhizome galangae

概　　要

アルピニアはショウガと同類の植物です。根のような茎を用いて「くすり」を作ることもあります。

●要説（ナチュラル・スタンダード）

アルピニアは，ショウガ科の植物の中で主を占める属です。ヨーロッパでは，植物学会で認められるよりもずっと長く，何世紀も前から知られていました。1870年に中国の最南端部，後の海南であるTung-saiの近くで発見された標本の調査により認識されました。

腸内ガスをはじめ，胸やけ，嘔吐，高血圧症，胃の不調，および船酔いなどの治療に昔から用いられています。

アルピニアは，尿量増加に対する効果について研究がなされています。一般的に人に対する耐容性が良好とされていますが，安全性については十分に研究されていません。現時点では，いずれの疾患に対する使用についても，有効であるとする科学的根拠は十分ではありません。

安　全　性

ほとんどの成人に安全です。

●妊娠中および母乳授乳期

妊娠中，母乳授乳期は使用してはいけません。

有　効　性

◆科学的データが不十分です

・腸内ガス，感染症，痙攣，発熱，炎症（腫脹）の軽減など。

●体内での働き

炎症（腫脹）の経路のうち，ある段階を遮断する化合物が含まれています。

医薬品との相互作用

低胃酸分泌抑制薬（H２受容体拮抗薬）

アルピニアは胃酸を増加させる可能性があります。H２受容体拮抗薬は胃酸を減少させるために用いられる医薬品ですが，アルピニアと併用すると効果が減弱する可能性があります。H２受容体拮抗薬には，シメチジン，ラニチジン塩酸塩，ニザチジン，ファモチジンがあります。

低胃酸分泌抑制薬（プロトンポンプ阻害薬）

アルピニアは胃酸を増加させる可能性があります。プロトンポンプ阻害薬は胃酸を減少させるために用いられる医薬品ですが，アルピニアと併用すると効果が減弱する可能性があります。プロトンポンプ阻害薬には，オメプラゾール，ランソプラゾール，ラベプラゾールナトリウム，パントプラゾールナトリウム水和物（販売中止），エソメプラゾールマグネシウム水和物があります。

低制酸薬

制酸薬は胃酸を減少させるために使用されますが，アルピニアは胃酸を増加させて，制酸薬の効果を弱めるおそれがあります。制酸薬には，沈降炭酸カルシウム，Dihydroxyaluminum sodium carbonate，Magaldrate，硫酸マグネシウム水和物，乾燥水酸化アルミニウムゲルなどがあります。

ハーブおよび健康食品・サプリメントとの相互作用

ほかのハーブ，健康食品・サプリメントとの相互作用についてはまだ明らかではありません。

使用量の目安

●経口摂取

通常の摂取量は1日ハーブ2～4gまたはお茶1カップを食事の30分前に摂取します。お茶は0.5～1gを150mLの熱湯に10分浸し，ろ過して作ります。

α-アラニン

ALPHA-ALANINE

●代表的な別名

L-α-アミノプロピオン酸

別名ほか

2-aminopropanoic acid，2-aminopropionic acid，Ala，Alanine amino acid，Alpha-aminopropionic acid，D-alanine，D-alpha-alanine，DL-alanine，L-alanine，L-alpha-alanine，L-alpha-aminopropionic acid，Non-essential amino acid

概　　要

α-アラニンは，非必須アミノ酸です。非必須アミノ酸は，体内で合成されるため，食品から摂取する必要はありません。アミノ酸はタンパク質を構成する成分です。

「L-α-アラニン」および「D-α-アラニン」という用語を耳にしたことがあるかもしれません。「L」はα-アラニン分子の左型の化学形態を，「D」はα-アラニン分子の右型の化学形態を示します。L型とD型は鏡像体です。

安　全　性

α-アラニンは，短期間に適量を使用する場合には，安全のようです。副作用の報告はありません。

糖尿病：糖尿病の場合には，L-α-アラニンが血糖値を上昇させるおそれがあります。血糖値が低すぎる状態においては有効ですが，血糖値が通常あるいは高すぎる状態においては悪影響を与えるおそれがあります。糖尿病の場合には，血糖値を注意深く監視した上で，α-アラニンを使用してください。

●妊娠中および母乳授乳期

妊娠中および母乳授乳期の使用の安全性についてはデータが不十分です。安全性を考慮し，摂取は避けてください。

有　効　性

◆有効性レベル③

・1型糖尿病患者の低血糖。インスリンの過剰投与後の低血糖の場合には，L-α-アラニンを経口摂取すると，血糖値が上昇することがいくつかの研究により示唆されています。L-α-アラニンには，夜間の急な血糖値低下を防ぐ効果もあります。

◆科学的データが不十分です

・下痢に起因する脱水症。下痢に起因する脱水症の治療に対するL-α-アラニンの有効性について，今までの研究結果は一致していません。
・糖原病（遺伝性疾患）。L-α-アラニンを使用することで，症状のすべてではありませんが，一部の症状を改善するエビデンスがあります。
・統合失調症。初期の研究により，D-α-アラニンを使用することで，統合失調症の症状を改善する，医薬品の効果を増加させることが示唆されています。
・肝障害，前立腺肥大症，疲労感，ストレス，先天性尿素サイクル異常症など。

●体内での働き

α-アラニンはアミノ酸です。血糖値に影響を与える可能性があります。

医薬品との相互作用

ほかの医薬品との相互作用については明らかではありません。

ハーブおよび健康食品・サプリメントとの相互作用

ほかのハーブ，健康食品・サプリメントとの相互作用についてはまだ明らかではありません。

使用量の目安

●経口摂取

1型糖尿病患者でインスリン過剰投与のためにおこる低血糖の治療

L-α-アラニン20～40g。

1型糖尿病患者での夜の低血糖をふせぐため

就寝時に40gのL-α-アラニンと10gの砂糖併用。

α-グリセリルフォリルコリン

ALPHA-GPC

●代表的な別名

アルファGPC

別名ほか

アルファーグリセリルホスフォリルコリン（Alpha-glycerylphosphoryl-choline），Choline Alphoscerate，Glycerophosphorylcholine，

Glycerophosphocholine，GPC，GroPCho，L-alpha-glyceryl-phosphorylcholine

概　　要

α-グリセリルフォリルコリンは大豆に含まれる脂肪酸からできた化合物です。

安 全 性

α-グリセリルフォリルコリンは適切に使用すれば安全なようです。

患者によっては胸やけ，頭痛，不眠症，めまい感，皮疹および錯乱などの副作用を起こすことがあります。

●妊娠中および母乳授乳期

妊娠中，母乳授乳期は使用してはいけません。

有 効 性

◆科学的データが不十分です

・アルツハイマー病。実験段階の研究によると，１日1,200mgのα-グリセリルフォリルコリンをアルツハイマー病患者に３～６カ月間投与したところ，患者の思考能力が大幅に改善されました。

・認知症。１日1,000mgのα-グリセリルフォリルコリンを注射で投与したところ，行動，気分の変化，思考能力などの血管性認知症（多発脳梗塞性認知症）の症状が改善されることがあります。この実験は，処方箋が必要な型のα-グリセリルフォリルコリン（商品名：Delecit）を用いて行われました。

・脳卒中，ミニ脳卒中（一過性脳虚血発作）。脳卒中や一過性脳虚血発作を起こした人が，発作から10日以内にα-グリセリルフォリルコリンを投与されると，発作後の回復経過が良いようです。初期段階の実験では，発作後28日間，１日1,200mgのα-グリセリルフォリルコリンを注射で，その後１日３回，１回400mgのα-グリセリルフォリルコリン（１日あたり1200mg）を６カ月間経口で投与された患者は，思考能力や運動機能のより良い回復が見られました。

・記憶力向上，思考能力，学習能力など。

●体内での働き

アセチルコリンと呼ばれる脳内の化合物を増加させるようです。この脳内化合物は記憶や学習機能に重要です。

医薬品との相互作用

低スコポラミン臭化水素酸塩水和物

α-グリセリルフォリルコリンは，脳内アセチルコリンを増加させます。スコポラミン臭化水素酸塩水和物はこのアセチルコリンの作用を遮断しますが，α-グリセリルフォリルコリンがスコポラミン臭化水素酸塩水和物の薬効に影響するかどうかは明らかになっていません。

ハーブおよび健康食品・サプリメントとの相互作用

ほかのハーブ，健康食品・サプリメントとの相互作用についてはまだ明らかではありません。

使用量の目安

●経口摂取

アルツハイマー病

α-グリセリルフォリルコリンの処方箋製剤のみ，１日1,200mg摂取します。

脳卒中および一過性脳虚血発作

発作後10日以内に１日1,200mgの筋肉内投与を開始し，その後１回400mgを１日３回経口摂取します。

●筋肉内投与

血管性認知症

α-グリセリルフォリルコリンの処方箋製剤のみ，１日1,000mgを筋肉内投与。

脳卒中および一過性脳虚血発作（TIA）

発作後10日以内に１日1,200mgの筋肉内投与を開始し，その後１回400mgを１日３回経口摂取します。

α-ケトグルタール酸

ALPHA-KETOGLUTARATE

●代表的な別名

アルファケトグルタル酸

別名ほか

アルファ-ケトグルタル酸（Alpha Ketoglutaric Acid），A-Ketoglutaric Acid，Alpha KG，AKG，2-オキソグルタル酸（2-Oxoglutaric Acid），2-Oxopentanedoicic Acid

概　　要

α-ケトグルタール酸は体内に見いだされる化合物です。これを用いて「くすり」を作ることもあります。

●要説（ナチュラル・スタンダード）

α-ケトグルタール酸は，AKG，オキソグルタル酸とも呼ばれます。さまざまな生物学的機能に関する重要な役割を果たしています。

α-ケトグルタール酸は，腎不全，透析療法，および栄養失調に対して用いられています。

α-ケトグルタル酸オルニチンは，オルニチンとグルタミンの２種類のアミノ酸から作られます。筋肉を増強するサプリメントとして販売されています。

安 全 性

ほとんどの成人に安全のようです。

●妊娠中および母乳授乳期

妊娠中および母乳授乳期の使用についてはデータが不

十分です。安全性を考慮し，摂取は控えてください。

有 効 性

◆有効性レベル③

・心臓手術中の血液供給の問題を予防。
・術後または外傷後の筋崩壊の予防。

◆科学的データが不十分です

・腎臓，胃，腸の障害，細菌性感染，イースト菌感染症，運動能力の改善，血液透析患者のタンパク質使用量の改善，および白内障。

●体内での働き

体内の多数の経路で作用し，筋肉を作ったり創傷の治癒に有効です。

医薬品との相互作用

ほかの医薬品との相互作用については明らかではありません。

ハーブおよび健康食品・サプリメントとの相互作用

ほかのハーブ，健康食品・サプリメントとの相互作用についてはまだ明らかではありません。

使用量の目安

●経口摂取

血液透析患者のアミノ酸代謝の改善

通常１回1.187gを１日３回摂取します。

●静脈内投与

心臓手術

血液性心筋保護液に28gを添加。

外傷手術後の筋タンパク欠乏の予防

体重１kg当たり280mgを経静脈栄養に添加。

α-ヒドロキシ酸

ALPHA HYDROXY ACIDS

●代表的な別名

アルファヒドロキシ酸

別名ほか

酒石酸（Dihydroxysuccinic Acid），乳酸（Lactic Acid），リンゴ酸（Malic Acid），混合フルーツ酸（Mixed Fruit Acid），クエン酸（Citric Acid），グルコノラクトン（Gluconolactone），グリコール酸（Glycolic Acid），ヒドロキシ酢酸（Hydroxyacetic Acid），ヒドロキシカプリル酸（Hydroxycaprylic Acid），ヒドロキシプロピオン酸（Hydroxypropionic Acid），ヒドロキシコハク酸（Hydroxysuccinic Acid），AHA，Apple Acid，Mono-hydroxysuccinic Acid，Tartaric Acid

概 要

α-ヒドロキシ酸は食べ物に含まれる酸で，クエン酸，グリコール酸，乳酸，リンゴ酸，酒石酸などがあります。

安 全 性

濃度10%未満のローションやクリームは，一般的に，適切かつ指示にしたがって皮膚に適用すれば，ほとんどの人に安全です。人によっては，皮膚が太陽光に非常に敏感になることがあります。α-ヒドロキシ酸製品を使用するときは日焼け止めを必ず使用してください。また，軽度の皮膚炎症，発赤，腫脹，そう痒感，皮膚の変色を起こすことがあります。

濃度10%以上の顔面用ピーリング剤，ローション，クリームは皮膚科医の監督下でのみ使用してください。顔面用ピーリング剤は中等度から重度の皮膚炎症，発赤，熱傷を起こすことがあります。顔面用ピーリング剤を推奨時間よりも長く皮膚に塗布しておくと，皮膚に重度の熱傷が生じることがあります。

経口摂取するときは，短期間であればリンゴ酸というα-ヒドロキシ酸製品が安全と考えられます。人によっては，下痢，悪心，および全体的な胃の不快感などの副作用を起こすことがあります。

敏感肌：α-ヒドロキシ酸は皮膚刺激および角質層（皮膚表面の層）の剥離を引き起こして肌の状態を悪化させることがあります。

●妊娠中および母乳授乳期

妊娠中および母乳授乳期にα-ヒドロキシ酸濃度10%以下のクリームを，皮膚に塗布するのはおそらく安全です。ただし，酒石酸（通常経口摂取する場合のα-ヒドロキシ酸）は使用してはいけません。妊娠中および母乳授乳期の酒石酸の安全性についてはデータが十分ではありません。

有 効 性

◆有効性レベル②

・皮膚の損傷。クリームまたはローションの形で皮膚に適用し，太陽光線の損傷を治療しますが，スキン・ピールはこの用法では作用しないと考えられます。
・乾燥肌。クリームまたはローションの形で適用し，乾燥肌を治療します。

◆有効性レベル③

・にきび。クリームまたはローションで皮膚に適用したとき，にきびに作用します。
・顔の皮膚パックやローションとして皮膚に塗布されたときのにきび痕。グリコール酸やα-ヒドロキシ酸を顔の皮膚パックやローションとして塗布すると，にきび痕の外観を改善するように思われます。皮膚パックとして70%グリコール酸を塗布することは，15%のグリコール酸ローションを毎日使用するよりも効果があると思われます。しかしながら，15%のグリコール酸ローションは，顔の皮膚パックに弱い人々には中等度の効果があると思われます。

・リンゴ酸と呼ばれる特定のα-ヒドロキシ酸をマグネシウムと併用したときに，線維筋痛症によって引き起こされる疼痛や圧痛の軽減。

・肝斑と呼ばれる皮膚疾患に関連した色素沈着の減少。ローションとして10％のグリコール酸を２週間塗布し，続いて３カ月連続で毎月１回50％のグリコール酸を用いた顔の皮膚パックプログラムを行うことで，３種類のうち２種類の肝斑を患う人や表皮型および混合型の肝斑を患う人の，皮膚着色を軽減させるように思われます。しかしながら，グリコール酸による顔の皮膚パックは，３番目の肝斑である皮膚型肝斑には効果がないように思われます。

◆科学的データが不十分です

・乾燥したうろこ状の皮膚を引き起こす遺伝性皮膚疾患（魚鱗癬）の治療など。

●体内での働き

死滅した皮膚細胞の最上部の層を除去することで作用するようです。また，皮膚の厚みを増加させ，固さを増加させます。

医薬品との相互作用

ほかの医薬品との相互作用については明らかではありません。

ハーブおよび健康食品・サプリメントとの相互作用

ほかのハーブ，健康食品・サプリメントとの相互作用についてはまだ明らかではありません。

使用量の目安

●経口摂取

線維筋痛

１回600～1,200mgのリンゴ酸（α-ヒドロキシ酸）と１回150～300mgの水酸化マグネシウムを１日２回摂取します。これは水酸化マグネシウム３～６錠の１日２回摂取に相当します。

●局所投与

光老化肌

通常α-ヒドロキシ酸製品を，乳酸，酒石酸，グルコノラクトン，またはグリコール酸として８％の濃度で使用します。通常，顔またはほかの光老化肌に１日２回塗布します。また，α-ヒドロキシ酸グルコノラクトンは14％溶液として使用します。

皮膚の硬化増大を防止し滑らかさを得る

乳酸５～12％を含む溶液およびローションを１日２回，最長16週まで顔に塗布します。

萎縮性にきび瘢痕の改善

20％，35％，50％，および70％の顔面用グリコール酸ピーリング剤を順次，２週間ごとに適用します。ピーリング剤は最初２分間適用しますが，その後次第に適用時間を伸ばしていって４～５分とし，次のさらに強力な溶液の適用に耐えられるようにします。改善をみるまでには通常70％のグリコール酸を最低６回反復使用する必要性があります。

フェイシャルピールに忍容性のない患者

15％のグリコール酸ローションを毎日，長期間使用します。

メラニン沈着に関連する色素沈着の減少

10％のグリコール酸ローションを日焼け止め薬とともに２週間ごと夜，顔の皮膚に塗布し，その後フェイシャルピーリングのプログラムを実施。50％のグリコール酸ピーリング剤を顔に３回塗布し，毎回２～５分間そのまま放置します（初回ピーリングは２分間，２回目は４分間，３回目は５分間）。ピーリングプログラムは３カ月間連続して実施します。

α-リノレン酸

ALPHA-LINOLENIC ACID

別名ほか

必須脂肪酸（Essential fatty acid），n-3系脂肪酸（n-3 Fatty Acid），n-3系多価不飽和脂肪酸（n-3 Polyunsaturated Fatty Acid），オメガ3多価不飽和脂肪酸（Omega-3 polyunsaturated Fatty Acid），ALA，LNA，Omega-3 fatty acid

概　　要

α-リノレン酸はn-３系の必須脂肪酸です。“必須”という名称が付いているのは，正常な人間の成長，発達に必要だからです。クルミなどのナッツ類にはα-リノレン酸が豊富に含まれています。また，亜麻仁油，キャノーラ（セイヨウアブラナ）油（ナタネ油），大豆油などの植物油や，赤身の肉（米国では，牛肉，豚肉，羊肉，山羊肉を赤身の肉という。鶏肉や魚介類は別扱いにしています），乳製品にも含まれています。

魚油に含まれるEPAやDHAなどのn-３系脂肪酸は広く知られています。しかし，すべてのn-３系脂肪酸が体内で同じように作用しているのではないので，注意が必要です。α-リノレン酸は，EPAやDHAと同じ効能をもっていないかもしれません。

安　全　性

α-リノレン酸は，食品に含まれる量を摂取する場合，ほとんどの成人に安全のようです。高容量摂取の安全性についてはデータが不十分です。食品から摂取するα-リノレン酸は，きわめて良好な耐容性を示します。ただし，カロリーが高いため，過剰に摂取すると体重増加を招くおそれがあります。

高トリグリセリド血症：高トリグリセリド血症の場合

には，α-リノレン酸サプリメントを摂取してはいけません。この疾患が悪化するおそれがあります。

前立腺がん：前立腺がんの場合や発症リスクが高い場合（父親や兄弟に前立腺がんの人がいるなど）には，α-リノレン酸サプリメントを摂取してはいけません。α-リノレン酸により前立腺がん発症リスクが上昇するおそれがあるというエビデンスがあります。

●妊娠中および母乳授乳期

食品に含まれる量を使用する場合は，ほとんどの人に安全のようです。妊娠中および母乳授乳期に，通常の食品に含まれる量を超えて摂取した場合の安全性についてはデータが不十分です。安全性を考慮し，α-リノレン酸サプリメントの摂取は避けてください。

有 効 性

◆有効性レベル③

・動脈硬化リスクの低下。食事からα-リノレン酸を大量に摂取すると，冠動脈のプラークが減少するようです。プラークは動脈硬化の特徴である脂肪の蓄積です。

・心疾患および心臓発作のリスクの低下。男性でも女性でも６年間，食事からα-リノレン酸を大量に摂取すると，初回の心臓発作のリスクが59％も減少するようです。心疾患がある人もない人も，食事から摂取するα-リノレン酸を１日1.0～1.2g増やすと，心疾患による死亡リスクが20％以上低下するようです。α-リノレン酸サプリメントでも同じ便益が得られるかどうかはわかっていません。一部の研究では，魚油の摂取量が少ない場合に，冠動脈疾患に対するα-リノレン酸の効果が大きくなることが示唆されています。

・高血圧。α-リノレン酸が豊富に含まれる食事を摂ると，高血圧のリスクが約３分の２になるようです。

・肺炎。α-リノレン酸が豊富に含まれる食事を摂ると，肺炎の発症リスクが低下するようです。

◆科学的データが不十分です

・前立腺がん，小児の肺感染，クローン病，うつ病，糖尿病，高コレステロール血症，腎疾患，片頭痛，多発性硬化症，関節リウマチ（RA），皮膚疾患，全身性エリテマトーデス（SLE）など。

●体内での働き

α-リノレン酸は，正常な心調律および心拍出の維持を助けることにより，心疾患リスクを低下させると考えられています。血液凝固を抑制する可能性もあります。心血管系に便益をもたらし，心疾患リスクを低下させるようですが，これまでの研究によればコレステロールに大きな作用をもたらすことはありません。

医薬品との相互作用

ほかの医薬品との相互作用については明らかではありません。

ハーブおよび健康食品・サプリメントとの相互作用

ほかのハーブ，健康食品・サプリメントとの相互作用についてはまだ明らかではありません。

使用量の目安

●経口摂取

冠動脈疾患および胸痛や心臓発作など関連事象の予防

食品から１日約1.2～２gのα-リノレン酸を摂取するのがもっとも効果が高いようです。

冠動脈疾患患者の２回目の心臓発作などの事象の予防

地中海食の一部として，１日約1.6gのα-リノレン酸を摂取すると効果があるようです。

米国医学研究所は，α-リノレン酸の目安量を以下の通り定めています。目安量とは，推奨される平均１日摂取量です。

０～12カ月：１日１g
１～３歳：１日0.7g
４～８歳：１日0.9g
９～13歳の女子：１日1.0g
９～13歳の男子：１日1.2g
14歳以上の女性：１日1.1g
14歳以上の男性：１日1.6g
成人女性：１日1.1g
成人男性：１日1.6g
妊娠中の女性：１日1.4g
母乳授乳期の女性：１日1.3g

α-リポ酸

ALPHA-LIPOIC ACID

●代表的な別名

チオクト酸

別名ほか

リポ酸（Lipoic Acid），チオクト酸（Thioctic Acid），1,2-ジチオラン-3-ペンタン酸（1,2-Dithiolane-3-pentanoic acid），a-Lipoic acid, Acetate replacing factor, Alpha-Lipoic acid extract, ALA, Biletan, Lipoicin, Thioctacid, Thioctan, 1,2-Dithiolane-3-valeric acid, 6,8-Dithiooctanoic acid, 6,8-Thioctic acid, 5-(1,2-dithiolan-3-yl)valeric acid

概　　要

α-リポ酸は抗酸化剤と呼ばれるビタミン様物質です。酵母，肝臓，腎臓，ホウレンソウ，ブロッコリー，ジャガイモに豊富に含まれています。また，「くすり」として使用されることもあるため化学的に合成することもできます。

●要説（ナチュラル・スタンダード）

α-リポ酸は，体内で作られ，さまざまな疾患における細胞損傷を守ると考えられています。α-リポ酸の豊富な食品には，ホウレンソウ，ブロッコリーやイーストがあります。

α-リポ酸は，「万能酸化剤」として知られています。欧州では，糖尿病による神経障害などの神経疾患の治療に，数十年にわたって使用されてきています。

α-リポ酸が２型糖尿病やニューロパチーの治療に役立つという有効なエビデンスがあります。685名のハーブ専門家を対象にした調査によると，α-リポ酸は血糖値を下げる効果があるため，もっとも推奨される10のサプリメントの１つとされました。

α-リポ酸は副作用が少なく，一般的に耐容性が高いようです。

テングタケキノコ中毒（肝障害を起こす毒キノコ）にα-リポ酸を使用するのは，長年通常に行われているとの報告がありますが，その有効性を裏づけるデータは十分ではありません。

α-リポ酸を治療のために使用することは米国食品医薬品局（FDA）または他国の同様な機関には承認されていません。

安　全　性

α-リポ酸は，経口摂取，静脈内投与，皮膚への塗布の場合，ほとんどの成人におそらく安全です。人によっては，経口摂取により皮疹が起こるおそれがあります。サイアミン欠乏症のリスクがある場合には，チアミンのサプリメントを摂取してください。

α-リポ酸は血糖値を低下させるおそれがあるため，糖尿病の場合には，血糖値を注意して確認してください。

糖尿病：α-リポ酸は，血糖値を低下させるおそれがあります。糖尿病の医薬品を，医師などに調節してもらう必要があるかもしれません。

アルコールの過剰摂取/サイアミン欠乏症：アルコールは体内のチアミン量を減少させるおそれがあります。チアミンが欠乏している場合にα-リポ酸を摂取すると，深刻な健康障害を引き起こすおそれがあります。アルコール摂取量が多く，α-リポ酸を使用する場合には，チアミンのサプリメントを摂取してください。

甲状腺疾患：α-リポ酸を摂取すると，甲状腺機能の低下や亢進の治療の妨げとなるおそれがあります。

●妊娠中および母乳授乳期

妊娠中および母乳授乳期の使用の安全性についてはデータが不十分です。安全性を考慮し，摂取は避けてください。

有　効　性

◆有効性レベル③

・冠動脈バイパス（CABG）手術。研究により，最大で手術２カ月前から１カ月後の間に，α-リポ酸，コエンザイムQ-10，マグネシウム，n-３系脂肪酸およびセレンを含む製品を摂取すると，冠動脈バイパス（CABG）手術後の合併症が減少するようであることが示唆されています。

・糖尿病。α-リポ酸を経口または静脈内投与により摂取すると，糖尿病の人の血糖値が改善するようです。ただし，α-リポ酸が血糖値に影響を及ぼさないことを示す矛盾したエビデンスもいくつかあります。

・前糖尿病。一部の研究により，α-リポ酸600mgを１日１回２週間静脈内投与すると，食後の血糖値が低下することが示されています。

・糖尿病性の神経痛。α-リポ酸を経口摂取すると，糖尿病の脚や腕の灼熱感，疼痛，しびれ感などの症状が改善するようです。症状改善には３～５週間の治療が必要となります。

・白斑。α-リポ酸，ビタミンC，ビタミンEおよび多価不飽和脂肪酸を含む製品を光線療法と併用で，８カ月間毎日摂取すると，白斑による皮膚斑がある人の皮膚の退色が改善するようです。

・体重減少。研究により，α-リポ酸１日1800mgを20週間摂取すると，過体重の人の体重が減少することが示唆されています。

・創傷治癒。一部の研究により，特定のα-リポ酸製品300mgを酸素療法の前後に各１回，14～30日間摂取すると，潰瘍の人の創傷範囲が減少することが示唆されています。

◆有効性レベル④

・アルコール性肝疾患。α-リポ酸１日300mgを最大６カ月間摂取しても，アルコール性肝疾患が改善されることはありません。

・高山病。α-リポ酸600mgとビタミンCおよびビタミンEを併用しても，高山病を予防できないようです。

・アルツハイマー病。初期の研究によると，α-リポ酸１日600～900mgを含む製品を最大２年間摂取しても，アルツハイマー病の人の精神機能に影響を及ぼさないことが示唆されています。

・心臓自律神経ニューロパチー（心臓に関連する神経の異常）。α-リポ酸を経口摂取すると，心臓に関連する神経の異常を示す測定値が改善するようですが，関連する症状は改善しないようです。

・糖尿病による網膜の損傷。α-リポ酸１日600mgを24カ月間経口摂取しても，糖尿病による網膜の損傷は改善していません。

・HIVに関連する脳の異常。α-リポ酸を経口摂取しても，HIVに関連する脳の異常になんら影響を及ぼすことはありません。

・関節リウマチ。α-リポ酸１日300mgを12週間経口摂取しても，関節リウマチの人の疼痛および炎症に影響を及ぼすことはないようです。

◆科学的データが不十分です

・皮膚の加齢変化，テングタケキノコ中毒，口腔内灼熱症候群，手根管症候群，認知症，緑内障，心不全，ヒ

有効性レベル：①効きます　②おそらく効きます　③効くと断言できませんが、効能の可能性が科学的に示唆されています
④効かないかもしれません　⑤おそらく効きません　⑥効きません

ト免疫不全ウイルス，高血圧，片頭痛，脂肪性肝炎（非アルコール性の肝炎），放射線被曝，末梢動脈疾患（動脈閉塞），坐骨神経痛（脚の脱力および疼痛），慢性疲労症候群（CFS），がん，ライム病，ウィルソン病，心疾患など。

●体内での働き

体内のある種の細胞の損傷を予防するようです。また，ビタミンEやビタミンCなどのビタミン濃度を回復させます。α-リポ酸には体内のある種の細胞の損傷を防ぎ，ビタミンEやビタミンCなどのビタミン濃度を回復する働きがあるとみられています。このほか糖尿病におけるニューロンの機能や伝導を改善する可能性があるというエビデンスもあります。

α-リポ酸は，体内で炭水化物を分解し，他の器官で使用されるエネルギーを産生するのに使われます。

α-リポ酸はアンチオキシダント（抗酸化物質）として作用するとみられ，損傷や外傷を受けた脳を保護する可能性があります。またα-リポ酸の抗酸化作用は，特定の肝疾患にも効果を示す可能性があります。

医薬品との相互作用

中血液凝固を抑制する医薬品（抗凝固薬/抗血小板薬）

α-リポ酸と血液凝固を抑制する医薬品を併用すると，出血のリスクが高まるおそれがあります。さらに明らかになるまでは，慎重に血液凝固を抑制する医薬品と併用してください。このような医薬品には，アスピリン，クロピドグレル硫酸塩，ダルテパリンナトリウム，ジピリダモール，エノキサパリンナトリウム，ヘパリン，チクロピジン塩酸塩，ワルファリンカリウムなどがあります。

中抗悪性腫瘍薬（アルキル化薬）

α-リポ酸は抗酸化物質です。抗酸化物質は特定の抗悪性腫瘍薬の効果を弱めるおそれがあります。しかし，この相互作用が起こるかどうかは現時点では明らかではありません。このような医薬品には，ブスルファン，カルボプラチン，シクロホスファミド水和物，ダカルバジン，チオテパなど数多くあります。

中抗悪性腫瘍薬（抗生物質）

α-リポ酸は抗酸化物質です。抗酸化物質は抗腫瘍性抗生物質の効果を弱める可能性があると懸念されています。しかし，この相互作用が起こるかどうかについては現時点で明らかではありません。このような抗悪性腫瘍薬には，ドキソルビシン塩酸塩，ダウノルビシン塩酸塩，エピルビシン塩酸塩，マイトマイシンC，ブレオマイシン塩酸塩などがあります。

中甲状腺ホルモン製剤

α-リポ酸は体内の甲状腺ホルモンの働きを減弱させるようです。α-リポ酸と甲状腺ホルモン製剤を併用すると，甲状腺ホルモン製剤の効果が弱まるおそれがあります。

低糖尿病治療薬

α-リポ酸は血糖値を低下させる可能性があります。糖尿病治療薬もまた血糖値を低下させるために用いられます。α-リポ酸と糖尿病治療薬を併用すると，血糖値が過度に低下するおそれがあります。しかし，この相互作用が大きな問題であるかについてはさらなる研究が必要です。血糖値を注意深く監視してください。このような糖尿病治療薬には，グリメピリド，グリベンクラミド，インスリン，ピオグリタゾン塩酸塩，マレイン酸ロシグリタゾン（販売中止），クロルプロパミド，Glipizide，トルブタミド（販売中止）などがあります。

ハーブおよび健康食品・サプリメントとの相互作用

乾燥甲状腺

α-リポ酸を摂取すると，体内の甲状腺ホルモンの作用を低下させるようです。α-リポ酸と甲状腺ホルモンを併用すると，甲状腺ホルモンの有効性が低下するおそれがあります。

血糖値を低下させるおそれのあるハーブおよび健康食品・サプリメント

α-リポ酸は血糖値を低下させます。α-リポ酸と，血糖値を低下させるおそれのあるハーブおよび健康食品・サプリメントを併用すると，血糖値が過度に低下するおそれがあります。このようなハーブおよび健康食品・サプリメントには，デビルズクロー，フェヌグリーク，ニンニク，グアーガム，セイヨウトチノキ，朝鮮人参，サイリウム，エゾウコギなどがあります。

血糖値を上昇させるおそれのあるハーブおよび健康食品・サプリメント

血糖値を上昇させるおそれのあるハーブおよび健康食品・サプリメントにより，α-リポ酸の血糖値低下作用が相殺されるおそれがあります。このようなハーブおよび健康食品・サプリメントには，マオウ（麻黄），ショウガ，ツボクサ，イラクサの地上部などがあります。

使用量の目安

●経口摂取

２型糖尿病の治療および脚や腕の灼熱感，疼痛，しびれ感などの症状の改善

１日600mgまたは1,200mgを摂取します。

アルファルファ

ALFALFA

●代表的な別名

ムラサキウマゴヤシ

別名ほか

ムラサキウマゴヤシ，紫馬肥やし，メディカゴ・サティバ（Medicago sativa），Feuille De Luzerne，Lucerne，Medicago，Purple Medick

概　　要

アルファルファはハーブです。葉，芽，および種子は，「くすり」として使用されます。

●要説（ナチュラル・スタンダード）

アルファルファは，マメ科の植物です。食品としても医薬品としても長い歴史があります。動物実験やヒトを対象とした予備的研究はわずかですが，アルファルファのサプリメントはコレステロールおよびグルコースの血中濃度を低下させる可能性が示唆されています。ただし，研究デザインの優れたものは，ほとんどありません。明確な結論を導くには，信頼できるエビデンスが十分ではありません。

アルファルファのサプリメントの経口摂取は，おおむね良好な耐容性を示しているようです。すなわち，副作用は少ないようです。ただし，アルファルファの錠剤の経口摂取は，ループス様症候群，すなわち全身性エリテマトーデスに認められる紅斑との関連が報告されています。このような副反応は，アルファルファの葉ではなく，種子および芽に含まれるとされるL-カナバニンというアミノ酸に起因している可能性があります。まれに，汎血球減少症（血液細胞数の減少），皮膚炎，および胃腸疾患を引き起こすこともあります。

安 全 性

アルファルファの種子を長期間摂取することは安全ではないようです。アルファルファ種子の製品で薬剤性狼瘡反応を生じることがあります。

アルファルファで皮膚が日光に対して過敏になる人がいます。とくに肌の色が白い人は，戸外では日除けになるものを身につけてください。糖尿病，乳がん，子宮がん，子宮内膜症，子宮筋腫の場合は使用してはいけません。

腎移植をした人，多発性硬化症，狼瘡（全身性エリテマトーデス），関節性リウマチなどの免疫系疾患，およびそのほかの「自己免疫疾患」と呼ばれる症状の人も摂取してはいけません。

●妊娠中および母乳授乳期

食品に含まれる量以上の量を妊娠中および母乳授乳期に摂取するのは安全ではない可能性があります。アルファルファがエストロゲン様作用をするとの証拠があり，妊娠に影響を与える可能性があります。

有 効 性

◆科学的データが不十分です

・高コレステロール血症患者のコレステロール値の低下。アルファルファの種子を摂取すると，高コレステロール血症値を有する人の総コレステロール値および，LDL-コレステロール値を低下させるようです。
・腎疾患，膀胱疾患，前立腺疾患，気管支喘息，関節炎，糖尿病，消化不良など。

●体内での働き

腸でのコレステロール吸収を防ぎます。

医薬品との相互作用

中エストロゲン（卵胞ホルモン）製剤

多量のアルファルファにはエストロゲン様作用の一面がある可能性があります。ただし，多量でもエストロゲンのピルほどは強くありません。アルファルファとエストロゲン製剤と併用すると，エストロゲン製剤の作用が減弱するおそれがあります。このようなエストロゲン製剤には，結合型エストロゲン，エチニルエストラジオール，エストラジオールなどがあります。

高ワルファリンカリウム

アルファルファには多量のビタミンKが含まれます。ビタミンKは体内で血液凝固を促進します。アルファルファが血液凝固を促進することで，ワルファリンカリウムの効果が弱まるおそれがあります。定期的に血液検査をしてください。ワルファリンカリウムの用量を変更する必要があるかもしれません。

中光への過敏性を高める医薬品（光感作性薬）

特定の医薬品は光への過敏性を高める可能性があります。多量のアルファルファも光への過敏性を高める可能性があります。アルファルファと光への過敏性を高める医薬品と併用すると，光への過敏性がさらに高まり，肌の露出した部分に日光皮膚炎，水疱，発疹を生じるリスクが高まるおそれがあります。日なたでは日焼け止めクリームを使用し，日よけの衣服を着用してください。このような医薬品には，アミトリプチリン塩酸塩，シプロフロキサシン，ノルフロキサシン，ロメフロキサシン塩酸塩，オフロキサシン，レボフロキサシン水和物，スパルフロキサシン（販売中止），ガチフロキサシン水和物，モキシフロキサシン塩酸塩，スルファメトキサゾール・トリメトプリム配合，テトラサイクリン塩酸塩，メトキサレン，トリオキシサレン（販売中止）などがあります。

中避妊薬

特定の避妊薬にはエストロゲンが含まれます。アルファルファにはエストロゲン様作用の一面がある可能性があります。ただし，避妊薬に含まれるエストロゲンほどは強くありません。アルファルファと避妊薬を併用すると，避妊薬の効果が弱まるおそれがあります。併用中の場合は，コンドームなど，ほかの避妊方法も使用してください。このような避妊薬には，エチニルエストラジオール・レボノルゲストレル配合，エチニルエストラジオール・ノルエチステロン配合などがあります。

中免疫抑制薬

アルファルファは免疫機能を高める可能性があります。アルファルファが免疫機能を高めると，免疫抑制薬の効果が弱まるおそれがあります。このような免疫抑制薬には，アザチオプリン，バシリキシマブ，シクロスポリン，Daclizumab，ムロモナブ-CD 3（販売中止），ミコフェノール酸モフェチル，タクロリムス水和物，シロリ

有効性レベル：①効きます　②おそらく効きます　③効くと断言できませんが、効能の可能性が科学的に示唆されています
④効かないかもしれません　⑤おそらく効きません　⑥効きません

ムス，Prednisone，副腎皮質ステロイドなどがあります。

中糖尿病治療薬

アルファルファは血糖値を低下させる可能性があります。糖尿病治療薬も血糖値を低下させるために用いられます。アルファルファと糖尿病治療薬を併用すると，血糖値が過度に低下するおそれがあります。血糖値を注意深く監視してください。糖尿病治療薬の用量を変更する必要があるかもしれません。このような糖尿病治療薬には，グリメピリド，グリベンクラミド，インスリン，ピオグリタゾン塩酸塩，マレイン酸ロシグリタゾン（販売中止）などがあります。

ハーブおよび健康食品・サプリメントとの相互作用

ほかのハーブ，健康食品・サプリメントとの相互作用についてはまだ明らかではありません。

使用量の目安

●経口摂取

通常の摂取量は５～10g，または浸してろ過したお茶として１日３回。また，流エキス剤（１：１，25％アルコール）５～10mLを１日３回摂取します。

アルム

ARUM

●代表的な別名

半夏

別名ほか

ハンゲ，半夏（Arum maculatum），カラスビシャク，ドラゴンルート（Dragon Root），ロード・アンド・レディース（Lords and Ladies），ウェイクロビン（Wake Robin），Adder's Root，Bobbins，Cocky Baby，Cuckoo Pint，Cypress Powder，Friar's Cowl，Gaglee，Kings and Queens，Ladysmock，Parson and Clerk，Portland Arrowroot，Quaker，Ramp，Starchwort

概　　要

アルムは植物です。根を用いて「くすり」を作ることもあります。

●要説（ナチュラル・スタンダード）

アルム属の植物には，シュウ酸カルシウムが含まれているため毒性があります。アルムは前立腺疾患や皮膚疾患の治療に用いられることもありますが，現時点では，規格化された医薬品として認められていません。アルムのエキスがもつ殺精子作用が研究されており，避妊薬として用いられるようになるかもしれません。

アルムは伝承的に，感冒，喉の炎症，および下痢の治療に用いられていた可能性があります。また，汗の分泌を促す発汗薬，尿量を増加させる利尿薬として用いられていた可能性があります。アルムの葉は，リウマチ性の疼痛に対して皮膚に塗布されてきました。

現時点では，いずれの疾患に対しても，効果を支持する研究は十分ではありません。

安　全　性

アルムの経口摂取は安全ではありません。その根には毒性化学物質が含まれており，舌を膨張させるおそれがあります。また，こうした化学物質は，体内の危険な出血の兆候である吐血や血性下痢を引き起こすおそれがあります。

●妊娠中および母乳授乳期

妊娠中および母乳授乳期にアルムを経口摂取するのは，安全ではありません。毒性化学物質が含まれています。使用してはいけません。

有　効　性

◆科学的データが不十分です

・感冒，咽喉の炎症（腫脹），胸部うっ血の改善，発汗促進など。

●体内での働き

どのように作用するかについては十分なデータが得られていません。

医薬品との相互作用

ほかの医薬品との相互作用については明らかではありません。

ハーブおよび健康食品・サプリメントとの相互作用

カルシウム

カルシウムサプリメントは，小腸でカルシウムを放出します。小腸でカルシウムが吸収され，身体のほかの部分で使用されます。しかしアルムには，小腸でカルシウムと結合し，体内に吸収される遊離カルシウムの量を減少させるおそれのある化学物質が含まれています。この結果，アルムをカルシウムサプリメントと併用すると，サプリメントから体内に吸収されるカルシウムの量が減少するおそれがあります。

鉄

鉄サプリメントは，小腸で鉄を放出します。小腸で鉄が吸収され，身体のほかの部分で使用されます。しかしアルムには，小腸で鉄と結合し，体内に吸収される遊離鉄の量を減少させるおそれのある化学物質が含まれています。この結果，アルムを鉄サプリメントと併用すると，サプリメントから体内に吸収される鉄の量が減少するおそれがあります。

亜鉛

亜鉛サプリメントは，小腸で亜鉛を放出します。小腸で亜鉛が吸収され，身体のほかの部分で使用されます。しかしアルムには，小腸で亜鉛と結合し，体内に吸収される遊離亜鉛の量を減少させるおそれのある化学物質が含まれています。この結果，アルムを亜鉛サプリメントと併用すると，サプリメントから体内に吸収される亜鉛の量が減少するおそれがあります。

通常の食品との相互作用

カルシウム

食品中のカルシウムは小腸に入り，小腸で吸収され，身体のほかの部分で使用されます。しかしアルムには，小腸でカルシウムと結合し，体内に吸収される遊離カルシウムの量を減少させるおそれのある化学物質が含まれています。この結果，アルムにより，食品から体内に吸収されるカルシウムの量が減少するおそれがあります。

鉄

食品中の鉄は小腸に入り，小腸で吸収され，身体のほかの部分で使用されます。しかしアルムには，小腸で鉄と結合し，体内に吸収される遊離鉄の量を減少させるおそれのある化学物質が含まれています。この結果，アルムにより，食品から体内に吸収される鉄の量が減少するおそれがあります。

亜鉛

食品中の亜鉛は小腸に入り，小腸で吸収され，身体のほかの部分で使用されます。しかしアルムには，小腸で亜鉛と結合し，体内に吸収される遊離亜鉛の量を減少させるおそれのある化学物質が含まれています。この結果，アルムにより，食品から体内に吸収される亜鉛の量が減少するおそれがあります。

使用量の目安

通常の食品に含まれている量を超えて経口摂取した場合の安全性および副作用については，明らかになっていません。

アレトリス

ALETRIS

●代表的な別名

束心蘭

別名ほか

ソクシンラン，束心蘭（True Unicorn Root），トゥルーユニコーン・ルート，Ague Grass，Ague Root，Aletris Farinosa，Aloerot，Blazing Star，Colic Root，Crow Corn，Devil's-bit，Stargrass，Starwort，Whitetube Stargrass

概　　要

アレトリスは植物です。根を用いて「くすり」を作ることもあります。

●要説（ナチュラル・スタンダード）

ソクシンラン（True unicorn root．Aletris farinosa L.）は，北アメリカ東部原産の背の低い多年生植物です。原生林に分布しますが，生息地が破壊され，危機に瀕しているといわれています。地下茎である根茎は，乾燥，粉砕加工されて市販されています。

アメリカ先住民の伝統療法では，腹痛，疝痛，赤痢，および月経不順に対して用いられてきています。ソクシンランの生の根を高用量摂取すると，麻薬や緩下剤として作用したり，嘔吐を引き起こすおそれがあります。乾燥させた根は，伝統的に，腸内ガスや興奮状態の治療，整腸剤，女性のための気付け薬，鎮痛剤として，また流産防止にも用いられています。ただし，子宮を刺激するため，妊娠第三期の間における使用を控えるべきという助言もあります。安全性およびいずれの疾患に対する治療効果を結論付けるには，さらに研究デザインのしっかりしたヒト試験が必要です。

安　全　性

ほとんどの成人に安全のようです。疝痛，めまい感や錯乱を起こすことがあります。

乳がん，子宮がん，卵巣がん，子宮内膜症，子宮筋腫といったホルモン感受性の疾患：アレトリスはエストロゲンに似た作用があります。エストロゲン曝露によって悪化する可能性がある疾患の場合には，アレトリスを使用しないでください。

消化器疾患：アレトリスは消化管を刺激する可能性があります。胃腸など消化器疾患がある場合には，アレトリスを使用しないでください。

●妊娠中および母乳授乳期

妊娠中にアレトリスを使用するのは，安全ではない可能性があります。エストロゲンホルモンに似た作用があり，妊娠に影響を与える可能性があります。妊娠中や母乳授乳期には，アレトリスの使用を避けるのが最善です。

有　効　性

◆科学的データが不十分です

・リウマチ，便秘，腸内ガス，疝痛，下痢，月経障害など。

●体内での働き

どのように作用するかについては十分なデータが得られていません。

医薬品との相互作用

低 胃酸分泌抑制薬（H2受容体拮抗薬）

アレトリスは胃酸を増加させる可能性があります。H2受容体拮抗薬は胃酸を減少させるために用いられる医薬品ですが，アレトリスと併用すると効果が減弱する可能性があります。H2受容体拮抗薬には，シメチジン，ラニチジン塩酸塩，ニザチジン，ファモチジンがあります。

低 胃酸分泌抑制薬（プロトンポンプ阻害薬）

アレトリスは胃酸を増加させる可能性があります。プロトンポンプ阻害薬は胃酸を減少させるために用いられる医薬品ですが，アレトリスと併用すると効果が減弱する可能性があります。プロトンポンプ阻害薬には，オメプラゾール，ランソプラゾール，ラベプラゾールナトリウム，パントプラゾールナトリウム水和物（販売中止），エソメプラゾールマグネシウム水和物があります。

低制酸薬

制酸薬は胃酸を減少するために使用されます。アレトリスは胃酸を増加させて，制酸薬の効果を弱めるおそれがあります。制酸薬には，沈降炭酸カルシウム，Dihydroxyaluminum sodium carbonate，Magaldrate，硫酸マグネシウム水和物，乾燥水酸化アルミニウムゲルなどがあります。

ハーブおよび健康食品・サプリメントとの相互作用

ほかのハーブ，健康食品・サプリメントとの相互作用についてはまだ明らかではありません。

使用量の目安

●経口摂取

通常，粉末根，流エキス剤，煎じ薬として使用します。推奨される通常の摂取量は，１回0.3～0.6gを１日３回。煎じ薬は1.5gを水100mLに加えて作り，流エキス剤（1：1）は通常45％エタノール水を用いて作ります。

アロエ

ALOE

別名ほか

真性アロエ，幻魔竜，猛刺ロカイ，シンロカイ（真蘆薈），アオワニロカイ（青鰐蘆薈），アロエ・バルバデンシス，アロエベラ，アロエ・ベラ，キュラソーアロエ，ジャンボアロエ，アロエフェロックス，アロエジェル，アロエゲル，ソコトラアロエ，アロエスピカータ，ケープアロエ，クマリ

概　　要

アロエはサボテン科の植物です。ゲル（gel）とラテックス（latex，乳液）の２つの物質を産出し，それらを「くすり」として使用します。アロエゲルは，透明なゼリー状の物質で，アロエの葉の内部にあります。アロエラテックスは，植物の表面のすぐ下にある，黄色の物質です。アロエ製品によってはアロエの葉全体をすり潰して作るものもあり，ゲルとラテックスの両方が含まれています。聖書に書かれているアロエは，お香に使われる香木で，実際のアロエとは関係ありません。

しかし，高用量のアロエラテックスの経口摂取はおそらく安全ではありません。アロエラテックスに含まれる化学物質ががんを誘発することが懸念されています。またアロエラテックスは，腎臓に負担をかけるため，ときには死に至るような深刻な腎臓障害を引き起こす可能性があります。

何年も前に，多くの緩下薬の原材料であったアロエラテックスの安全性について，米国食品医薬品局（FDA）は懸念していました。このFDAの懸念は，いわゆる“中毒症”を示す人々が出てきたことで，大きくなりました。下剤の効果を得るため，アロエラテックスの用量を次第に増やすことになり，その危険性を高めることになります。米国食品医薬品局は，アロエラテックスを含む下剤の製造メーカーに，安全性を示すデータの提出を求めました。しかし，メーカーは安全性の研究にコストがかかるため，米国食品医薬品局の要求には答えませんでした。安全性のデータがない中，米国食品医薬品局は，米国市場でアロエを含んでいる市販医薬品（OTC薬）から，アロエを取り除いて製品を調整しなおすよう，製造メーカーに命じました。この命令遵守の締め切りは，2002年11月５日でした。

注：わが国では，「専ら医薬品として使用される成分本質」（いわゆる「46通知」）によると，アロエの葉の液汁は「医薬品」，根・葉肉およびキダチアロエの葉は「非医薬品」とされています。

●要説（ナチュラル・スタンダード）

アロエの葉の内部にある透明なゼリー状の物質は，創傷，皮膚感染症，熱傷など，多くの皮膚疾患に対して，直接塗って使用されています。アロエの葉からとれる乾燥ラテックスは，伝統的に緩下剤として経口摂取されています。

緩下剤としてのアロエラテックスの使用に関しての有効な科学的根拠はあります。しかしながら，それがほかの便秘治療法より良いものかは定かではありません。アロエ摂取による肝臓障害が報告されており，その安全性が問われています。

アロエは，性器ヘルペス，皮膚の炎症，ふけに有効と思われます。ほかの数多くの症状に対しては，その有効性ははっきりしていないか，または有効性はないとされます。

安　全　性

適量のアロエのゲルを，「くすり」または化粧品として，皮膚に塗布する場合には，ほとんどの人に安全のようです。

アロエのゲルを適量，短期間に経口摂取する場合には，おそらく安全です。アロエのゲルは，１日当たり，15mL，最長42日にわたり，安全に用いられています。アロエのゲルを50％含む溶液も，１日２回，４週間にわたり，安全に用いられています。特定のアロエのゲルの複合製品は，１日当たり，およそ600mg，最長８週にわたり安全に用いられています。

アロエのラテックスや，葉全体のエキスを経口摂取する場合には，少量であっても，おそらく安全ではありま

せん。高用量のアロエのラテックスを経口摂取する場合には，安全ではないようです。アロエのラテックスが，胃痛や疼痛性筋痙攣などの副作用を引き起こすおそれがあります。高用量のアロエのラテックスを長期間にわたり用いる場合には，下痢，腎疾患，血尿，低カリウム血症，筋力低下，体重減少，心臓障害などを引き起こすおそれがあります。１日当たり，１gのアロエのラテックスを，数日にわたり摂取することにより，命にかかわるおそれがあります。アロエのラテックスおよび/または，アロエの葉全体のエキスには，がんを発症するおそれのある成分が含まれているおそれもあります。

アロエの葉のエキスを摂取し，肝疾患を引き起こした症例の報告も数件ありますが，一般的な例ではありません。このような症状は，アロエに対して特に過敏な場合にのみ現れると考えられています。

小児：適量のアロエのゲルを，皮膚へ塗布する場合には，おそらく安全です。アロエのラテックスや，葉全体のエキスを経口摂取する場合には，おそらく安全ではありません。12歳未満の場合には，胃痛，疼痛性筋痙攣および下痢を引き起こすおそれがあります。

糖尿病：複数の研究により，アロエが，血糖値を低下させるおそれが示唆されています。糖尿病患者が，アロエを摂取する場合には，血糖値を注意深く監視してください。

クローン病，潰瘍性大腸炎，閉塞症などの腸の疾患：いずれかの疾患の場合には，アロエのラテックスを摂取してはいけません。アロエのラテックスは，腸を刺激します。アロエの葉全体を用いた製品には，アロエのラテックスが含まれているおそれがあることを忘れてはいけません。

痔核：痔核の場合には，アロエのラテックスを摂取してはいけません。症状が悪化するおそれがあります。アロエの葉全体を用いた製品には，アロエのラテックスが含まれているおそれがあることを忘れてはいけません。

腎疾患：高用量のアロエのラテックスにより，腎不全などの深刻な症状につながります。

手術：アロエが，血糖値に影響を与え，手術中および術後の血糖値コントロールを妨げるおそれがあります。少なくとも手術前２週間は，使用しないでください。

●妊娠中および母乳授乳期

アロエのゲル，ラテックスのいずれも，経口摂取する場合には，おそらく安全ではありません。アロエにより，流産を引き起こした例があります。先天性異常のリスクとなるおそれもあります。妊娠中および母乳授乳期には，アロエを経口摂取してはいけません。

有　効　性

◆有効性レベル③

・ざ瘡（にきび）。研究により，ざ瘡（にきび）を抑制する医薬品と併用して，アロエのゲルを朝夕，塗布することにより，小児および成人の35％のざ瘡（にきび）が，改善したことが示唆されています。

・熱傷。アロエのゲルを皮膚に塗布することにより，熱傷の治癒が改善するようです。また，化学熱傷をともなう場合には，アロエを含むクリームを，１日２回，皮膚に塗布することにより，副腎皮質ステロイドの医薬品と比べて，そう痒が改善し，皮膚の剥離が軽減するようです。アロエを皮膚に塗布することにより，治癒にかかる時間が，抗生剤より短縮するかどうかは，明らかではありません。複数の研究により，第１度熱傷および第２度熱傷をともなう場合には，アロエクリームを塗布すると，抗生剤を塗布する場合と比べ，治癒にかかる時間が短縮し，傷の大きさが小さくなることが示唆されています。ただし，別の初期の研究によれば，第１度熱傷および第２度熱傷の場合に，生のアロエやアロエのエキスを塗布しても，抗生剤による治療効果には及ばないことも示唆されています。

・便秘。アロエのラテックスを経口摂取することにより，便秘が緩和する可能性や，下痢を引き起こすおそれがあります。

・性器ヘルペス。エビデンスにより，性器ヘルペスの男性が，アロエのエキスを0.5％含むクリームを，１日３回，塗布することにより，治癒率が高まることが示唆されています。

・扁平苔癬（皮膚や口腔にできる，そう痒をともなう皮疹）。研究により，アロエのゲルを含んだマウスウォッシュを，１日３回，12週にわたり用いる場合や，アロエゲルを含んだゲルを１日２回，８週にわたり塗布することにより，皮膚や口腔にできる，そう痒をともなう皮疹に関連する疼痛が緩和する可能性が示唆されています。ほかの研究によれば，口腔にできるそう痒をともなう皮疹を発症している患者が，アロエを含むマウスウォッシュを１日４回，１カ月にわたり用いる場合や，アロエのゲルを１日３回，２カ月にわたり塗布することにより，疼痛が緩和し，副腎皮質ステロイド「トリアムシノロンアセトニド」と同様に，治癒が促進するようです。

・口腔粘膜下線維症（口腔疾患）。初期の研究により，口腔粘膜下線維症野患者が，アロエのゲルを，頬の両側に，１日３回，３カ月にわたり，塗布することにより，熱傷，口を開く機能，頬の自由度が改善することが示唆されています。ほかの研究により，ほかの治療と併用して，アロエのゲルを１日２回，最長６カ月にわたり，塗布することにより，熱傷が軽減し，口の動きが改善することが示唆されています。

・乾癬。アロエのエキスを0.5％含んだクリームを，４週にわたり塗布することにより，皮膚のプラークが減少するようです。アロエのゲルを含んだクリームを塗布することにより，副腎皮質ステロイドと比べ，乾癬の重度が緩和するようでもあります。ただし，アロエのゲルを用いても，皮膚の発赤など，乾癬に起因するほかの症状が改善することはないようです。

・体重減少。研究により，糖尿病や前糖尿病で過体重または肥満の場合には，アロエのゲルを147mg含む，特定のアロエ製品を，1日2回，8週にわたり摂取することにより，体重および脂肪が減少することが示唆されています。

◆有効性レベル④

・口腔内灼熱症候群。口腔内灼熱症候群の患者が，舌の保護装置を用いる前に，1日3回，12週にわたり，アロエのゲルを舌の疼痛をともなう部分に塗布しても，疼痛が緩和することや，症状が改善することはないようです。

・HIV/エイズ。初期の研究により，HIV患者が，1日4回，アロエに含まれる成分400mgを単体で摂取しても，免疫機能が改善することはありません。また，30～40mLのアロエのグルーアルを経口摂取しても，抗レトロウイルス療法と比べ，免疫機能が改善することはありません。

・がんの放射線療法による皮膚損傷。大部分の研究により，放射線治療中および治療後に，アロエゲルを塗布しても，放射線による皮膚損傷が軽減することはないものの，皮膚損傷の発症を遅らせる可能性が示唆されています。複数の初期の研究により，乳がんの患者が，放射線治療開始15日前から治療実施1カ月後まで，少なくとも放射線治療前後3時間の間に1日2～3回，特定のクリームを別のクリームと併用で皮膚へ塗布すると，皮膚の水和が改善し，放射線治療に起因する皮膚損傷が緩和することが示唆されています。ただし，この効果は，アロエによるものなのか，クリームに含まれるほかの成分によるものであるのかは，明らかではありません。

◆科学的データが不十分です

・ドライソケット（歯槽炎），裂肛，がん，口唇潰瘍，歯垢，糖尿病，おむつかぶれ，皮膚の乾燥，凍瘡，歯周病，肝炎，脂質異常症（コレステロールおよびほかの脂質が高い状態），昆虫忌避剤，口内炎，褥瘡性潰瘍，疥癬，潰瘍性大腸炎（炎症性腸疾患），創傷治癒，てんかん，気管支喘息，感冒，出血，生理不順，うつ病，顎関節症緑内障，多発性硬化症，静脈瘤，視力障害など。

●体内での働き

アロエで有効に用いられる部分は，ゲルとラテックス（乳液）です。ゲルは葉の中心部の細胞から，またラテックスは葉の表面のすぐ下の細胞から，それぞれ得られます。

アロエのゲルは，皮膚に作用し，乾癬などの疾患に有効である可能性があります。

アロエを塗布した周囲の血流が改善し，創傷周辺の細胞の死滅を防ぐため，創傷の回復が促進されるようです。

また，アロエのゲルには，ある種の細菌および真菌に対する攻撃特性があるようです。

アロエのラテックスには，緩下剤のような働きをする成分が含まれています。

医薬品との相互作用

高ジゴキシン

アロエラテックスは刺激性下剤と呼ばれる下剤の一種で経口摂取されます。刺激性下剤は体内のカリウム量を減少させる可能性があります。カリウム量が減少するとジゴキシンの副作用のリスクが高まるおそれがあります。

中ワルファリンカリウム

アロエラテックスは刺激性下剤と呼ばれる下剤の一種です。人によっては刺激性下剤は腸の運動を促進し，下痢を引き起こす可能性があります。下痢はワルファリンカリウムの作用を増強し，出血のリスクを高めるおそれがあります。ワルファリンカリウムの服用中に過量のアロエラテックスを摂取しないでください。

中刺激性下剤

アロエラテックスは刺激性下剤と呼ばれる下剤の一種です。刺激性下剤は下痢を引き起こし，カリウム量を減少させる可能性があります。アロエラテックスと他の刺激性下剤を併用すると，下痢をさらに引き起こし，カリウム量が非常に減少するおそれがあります。このような刺激性下剤には，ビサコジル，カスカラサグラダ，ヒマシ油，センナなどがあります。

中糖尿病治療薬

アロエゲルは血糖値を低下させる可能性があります。アロエゲルと糖尿病治療薬を併用すると，血糖値が過度に低下するおそれがあります。血糖値を注意深く監視してください。このような糖尿病治療薬には，グリメピリド，グリベンクラミド，インスリン，メトホルミン塩酸塩，ピオグリタゾン塩酸塩，マレイン酸ロシグリタゾン（販売中止），クロルプロパミド，Glipizide，トルブタミド（販売中止）などがあります。

中利尿薬

アロエラテックスはある種の下剤です。特定の下剤は下痢を引き起こし，カリウム量を低下させる可能性があります。利尿薬も体内のカリウム量を減少させる可能性があります。アロエラテックスと利尿薬を併用すると，体内のカリウム量が過剰に減少するおそれがあります。このような利尿薬には，クロロチアジド（販売中止），クロルタリドン（販売中止），フロセミド，ヒドロクロロチアジドなどがあります。

中血液凝固を抑制する医薬品（抗凝固薬/抗血小板薬）

アロエは血液凝固を抑制する可能性があります。アロエと血液凝固を抑制する医薬品を併用すると，紫斑および出血のリスクが高まるおそれがあります。

ハーブおよび健康食品・サプリメントとの相互作用

血糖値を低下させるおそれのあるハーブおよび健康食品・サプリメント

アロエが，血糖値を低下させるおそれがあります。アロエと，血糖値を低下させるおそれのあるハーブおよび健康食品・サプリメントを併用すると，人によっては，血糖値が過度に低下するおそれがあります。このようなハーブおよび健康食品・サプリメントには，α-リポ酸，ニガウリ，クロム，デビルズクロー，フェヌグリーク，ニンニク，グアーガム，セイヨウトチノキ，朝鮮人参，サイリウム，エゾウコギなどがあります。

血液凝固を抑制するおそれのあるハーブおよび健康食品・サプリメント

アロエが，血液凝固を抑制するおそれがあります。アロエと血液凝固を抑制するおそれのあるほかのハーブおよび健康食品・サプリメントを併用すると，人によっては，紫斑および出血のリスクが高まるおそれがあります。このようなハーブおよび健康食品・サプリメントには，アンゼリカ，クローブ，タンジン，フェヌグリーク，フィーバーフュー，ニンニク，ショウガ，イチョウ，朝鮮人参，ポプラ，レッドクローバー，ウコンなどがあります。

強心配糖体を含むハーブおよび健康食品・サプリメント

アロエが，体内のカリウム量を減らすおそれがあります。このため，アロエを，心臓刺激伝導系に影響を与える化学成分（強心配糖体）を含むハーブと併用すると，心臓に特有の問題を引き起こすおそれがあります。このようなハーブおよび健康食品・サプリメントには，クリスマスローズ，トウワタの根，ジギタリスの葉，カキネガラシ，セイヨウゴマノハグサ，ドイツスズランの根，マザーワート，オレアンダーの葉，ゲウム，ヤナギトウワタ，海葱（カイソウ）の球根鱗片葉，ストロファンツスの種子などがあります。

ツクシ

アロエをツクシと併用すると，体内のカリウム濃度が過度に低下するリスクが高まります。

甘草

アロエを甘草と併用すると，体内のカリウム濃度が過度に低下するリスクが高まります。

刺激性緩下作用をもつハーブおよび健康食品・サプリメント

アロエを，刺激性緩下作用をもつハーブおよび健康食品・サプリメントと併用すると，体内のカリウム濃度が過度に低下するリスクが高まります。このようなハーブおよび健康食品・サプリメントには，ブルーフラッグの根茎，セイヨウイソノキ，ヨーロピアンバックソーン，バターナットの樹皮，カスカラサグラダの樹皮，ヒマのオイル，コロシントの果肉，ガンボジの樹皮の滲出液，ヤラッパの根，ブラックルート，マンナの樹皮の滲出液，ポドフィルムの根，ルバーブの根，センナの葉および殻，イエロードックの根などがあります。

使用量の目安

【成人】

●経口摂取

便秘

100～200mgのアロエ，または，50mgのアロエのエキスを，夜に摂取します。アロエを含むカプセル500mgを，1日当たり，1カプセルからはじめ，必要に応じて，3カプセルまで増やします。

体重減少

147mgのアロエを含む，特定のアロエ製品を1日2回，8週にわたり用います。

●皮膚への塗布

ざ瘡（にきび）

50%のアロエのゲルを，朝と夜，洗顔後に塗布します。夜は，処方薬「トレチノインゲル」と併用します。

熱傷

アロエおよびオリーブオイルのクリームを，1日2回，6週にわたり塗布します。アロエのクリームを，1日2回，包帯を取り換える際，または，3日おきに，熱傷が治癒するまでの期間，塗布します。

ヘルペス

2週間に1度か2度，5日間続けて，0.5%のアロエのエキスを，1日3回塗布します。

扁平苔癬（皮膚や口腔にできる，そう痒をともなう皮疹）

アロエのゲルを，1日3回，8週にわたり塗布します。1日4回，小さじ2杯のアロエのマウスウォッシュで，2分間，口をすすぎ，吐き出します。1カ月間続けます。

口腔粘膜下線維症（口腔疾患）

5mgのアロエのゲルを，1日3回，3カ月にわたり，両頬に塗布します。

乾癬

アロエのエキスを0.5%含むクリームを，1日3回，4週にわたり，塗布します。アロエを含むクリームを，1日2回，8週にわたり，塗布します。

【小児】

●皮膚への塗布

ざ瘡（にきび）

50%のアロエのゲルを，朝と夜，洗顔後に塗布します。夜は，処方薬「トレチノインゲル」と併用します。

口腔粘膜下線維症（口腔疾患）

5mgのアロエのゲルを，1日3回，3カ月にわたり，両頬に塗布します。

アロニア

CHOKEBERRY

別名ほか

Aronia arbutifolia, Aronia Berry, Aronia melanocarpa, Aronia nigra, Aronia prunifolia, Black Apple Berry, Black Chokeberry, Purple Chokeberry, Red Chokeberry, Wild Chokeberry

概　　要

アロニアは，東欧およびロシアでは食品や飲料に一般的に使用されている果実です。「くすり」に用いられることもあります。

北米では，伝統的にアメリカ先住民族の間で感冒に使用されてきました。コレステロール値や血圧を下げるのにも用いられています。糖尿病，冷え，膀胱炎，乳がん，関節炎，肥満，脂肪減少，男性の不妊に対して使用されます。

血中カドミウム濃度の低下，加齢黄斑変性患者の眼の症状の改善にも用いられます。

安 全 性

アロニアジュースの飲用または抽出物の「くすり」としての摂取は，ほとんどの成人におそらく安全です。ジュースの副作用はまれですが，便秘または下痢が生じることもあります。

糖尿病：アロニアは血糖値を下げるおそれがあります。糖尿病でアロニアを摂取する場合は，低血糖の徴候に気をつけてください。

●妊娠中および母乳授乳期

妊娠中および母乳授乳期の使用の安全性についてはデータが不十分です。安全性を考慮し，摂取は避けてください。

有 効 性

◆科学的データが不十分です

・冠動脈性心疾患（心臓の動脈血栓），高コレステロール血症，高血圧，メタボリックシンドローム，肥満，冷え，尿路感染，関節炎，乳がん，カドミウム毒性，感冒，加齢黄斑変性などの眼疾患，低出生体重児，男性の不妊など。

●体内での働き

アロニアはアンチオキシダント（抗酸化物質）やほかの化学物質を含みます。これらは心臓や血管を保護し，腫脹を軽減し，血糖値を低下し，がん細胞を死滅させる可能性があります。

医薬品との相互作用

中トラベクテジン

トラベクテジンは肝臓で代謝されます。アロニアはトラベクテジンの代謝を抑制する可能性があります。アロニアとトラベクテジンを併用すると，トラベクテジンの作用および副作用が増強するおそれがあります。

中肝臓で代謝される医薬品（シトクロムP450 3A4（CYP3A4）の基質となる医薬品）

特定の医薬品は肝臓で代謝されます。アロニアはこのような医薬品の代謝を抑制する可能性があります。アロニアと肝臓で代謝される医薬品を併用すると，医薬品の作用および副作用が増強するおそれがあります。このような医薬品には，Lovastatin，ケトコナゾール，イトラコナゾール，フェキソフェナジン塩酸塩，トリアゾラムなど数多くあります。

中血液凝固を抑制する医薬品（抗凝固薬/抗血小板薬）

アロニアは血液凝固を抑制する可能性があります。アロニアと血液凝固を抑制する医薬品を併用すると，紫斑および出血のリスクが高まるおそれがあります。このような医薬品には，アスピリン，クロピドグレル硫酸塩，ジクロフェナクナトリウム，イブプロフェン，ナプロキセン，ダルテパリンナトリウム，エノキサパリンナトリウム，ヘパリン，ワルファリンカリウムなどがあります。

中糖尿病治療薬

アロニアは血糖値を低下させる可能性があります。糖尿病治療薬もまた血糖値を低下させるために用いられます。アロニアと糖尿病治療薬を併用すると，血糖値が過度に低下するおそれがあります。血糖値を注意深く監視してください。糖尿病治療薬の用量を変更する必要があるかもしれません。このような糖尿病治療薬には，グリメピリド，グリベンクラミド，インスリン，ピオグリタゾン塩酸塩，マレイン酸ロシグリタゾン（販売中止），クロルプロパミド，Glipizide，トルブタミド（販売中止）などがあります。

ハーブおよび健康食品・サプリメントとの相互作用

血液凝固を抑制するおそれのあるハーブおよび健康食品・サプリメント

アロニアは血液凝固を抑制するおそれがあります。同様の効果のあるほかのハーブ，健康食品・サプリメントと併用すると，人によっては紫斑および出血のリスクが高まることがあります。これらのハーブ，健康食品・サプリメントには，アンゼリカ，クローブ，タンジン，ニンニク，ショウガ，イチョウ，朝鮮人参などがあります。

使用量の目安

通常の食品に含まれている量を超えて経口摂取した場合の安全性および副作用については，明らかになっていません。

アンゴスチュラ

ANGOSTURA

別名ほか

Angustura, Angostura trifoliata, Bonplandia trifoliata, Carony Bark, Cusparia, Cusparia Bark, Cusparia febrifuga, Cusparia trifoliata, Galipea officinalis, True Angostura

概　　要

アンゴスチュラは植物です。樹皮を用いて「くすり」

を作ることもあります。

●要説（ナチュラル・スタンダード）

アンゴスチュラは灌木です。抗生物質としての働きや，細胞毒性（細胞死滅）活性がある可能性について研究されてきています。薬効成分は，主に樹皮に含まれているとされています。

アンゴスチュラの木と，芳香性苦味薬のAngostura®は同じ名称ですが，苦味薬の名称はベネズエラの都市アンゴスチュラに由来しており，成分にはアンゴスチュラは含まれていません。

いずれの適応症についても，ヒトを対象とした，効果を支持する有効なデータは十分ではありません。

安全性

アンゴスチュラは，食品や飲み物に通常含まれている量の使用であれば，ほとんどの成人に安全のようです。一般に食品や飲み物に含まれる量より多い「くすり」としての量での安全性については，データが不十分です。高用量を摂取すると，吐き気や嘔吐を引き起こすおそれがあります。

●妊娠中および母乳授乳期

妊娠中および母乳授乳期の使用の安全性についてはデータが不十分です。安全性を考慮し，摂取は避けてください。

有効性

◆科学的データが不十分です

・発熱，下痢，激しい腹痛，嘔吐の誘発，下剤，マラリアの再発予防など。

●体内での働き

痙攣を軽減するのに役立つ化学物質が含まれています。

医薬品との相互作用

ほかの医薬品との相互作用については明らかではありません。

ハーブおよび健康食品・サプリメントとの相互作用

ほかのハーブ，健康食品・サプリメントとの相互作用についてはまだ明らかではありません。

使用量の目安

通常の食品に含まれている量を超えて経口摂取した場合の安全性および副作用については，明らかになっていません。

アンゼリカ

ANGELICA

●代表的な別名

アンジェリカ

別名ほか

セイヨウアンゼリカ（European Angelica），当帰，アンジェリカ（Angelica archangelica），アンゲリカエ（Angelicae），ガーデンアンゼリカ（Garden Angelica），American Angelica，Angelica acutiloba，Angelica atropurpurea，Angelica curtisi，Angelicae fructus，Angelicae herba，Angelicae Radix，Angelica sylvestris, Archangelica officinalis, Japanese Angelica, Root Of The Holy Ghost，Wild Angelica

概要

アンゼリカは植物です。根，種，先端部を用いて「くすり」を作ることもあります。

安全性

食物として使用すれば安全です。

根はクリームとして使用すれば，ほとんどの成人に安全です。

十分なデータは得られていないので，医薬品として使用したときに安全であるか明らかになっていません。

アンゼリカを飲んだときは，とくに色白の人は，屋外で日焼け止めを使用してください。太陽光に対する皮膚の過敏性が増加するかもしれません。

●妊娠中および母乳授乳期

妊娠中にアンゼリカを経口摂取するのは安全ではない可能性があります。アンゼリカが子宮収縮を促進することがあるため，妊娠が脅かされる可能性があります。

有効性

◆有効性レベル③

・胸焼け（消化不良）。アンゼリカと他の5種類のハーブを併用して使用した場合。アンゼリカを含む製品（商品名：Iberogast）は呑酸（胃酸の逆流），胃痛，胃痙攣，悪心，嘔吐などの胸焼けの症状を改善するようです。この製品は，アンゼリカの他に，ペパーミント，マガリバナ，ジャーマン・カモミール，キャラウェイ，甘草，ミルクシスル，グレーターセランダインとレモンバームを含有しています。

・早漏。他の医薬品と併用してペニスに直接塗布した場合。複数の原材料からできているクリーム（商品名：SSCream，Cheil Jedang Corporation社）が研究されています。このクリームには，朝鮮人参，アンゼリカの根，Cistanches Deserticola，アメリカサンショウ，Torlidis Seed，クローブ，サイシン，シナモン（樹皮）とToad Venomが含まれています。

◆科学的データが不十分です

・腸痙攣および腸内ガス，神経痛，関節炎様の痛み，体液貯留，月経障害，発汗促進，および尿生成の増加（利尿作用）。

●体内での働き

アンゼリカの根は，ペニスが受ける感覚を弱めることによって，早漏に有効かもしれません。

医薬品との相互作用

中 肝臓で代謝される医薬品（シトクロムP450 1A2（CYP1A2）の基質となる医薬品）

アンゼリカは特定の医薬品の肝臓での代謝を抑制する可能性があります。アンゼリカと特定の医薬品を併用すると，医薬品の作用および副作用が増強するおそれがあります。このような医薬品には，クロザピン，Cyclobenzaprine，フルボキサミンマレイン酸塩，ハロペリドール，イミプラミン塩酸塩，メキシレチン塩酸塩，オランザピン，塩酸ペンタゾシン，プロプラノロール塩酸塩，Tacrine，テオフィリン，Zileuton，ゾルミトリプタンなどがあります。

ハーブおよび健康食品・サプリメントとの相互作用

ほかのハーブ，健康食品・サプリメントとの相互作用についてはまだ明らかではありません。

使用量の目安

●経口摂取

消化不良

アンゼリカとそのほかの数種のハーブを含む特定の組み合わせ製品として，1回1mLを1日3回摂取します。伝統的には1日4.5gの根を使用。1：5の割合のチンキ剤は1日1.5g摂取します。プラスチックは精油成分と反応することがあるので，アンゼリカ根由来製剤をプラスチック容器で保管してはいけません。

アンドラクネ

ANDRACHNE

別名ほか

Andrachne aspera，Andrachne cordifolia，Andrachne phyllanthoides

概　　要

アンドラクネは植物です。イエメンの民間伝承では，これを用いて「くすり」を作ることもあります。

安 全 性

十分なデータが得られていないので，安全であるかどうか明らかになっていません。

●妊娠中および母乳授乳期

妊娠中および母乳授乳期の使用の安全性についてはデータが不十分です。安全性を考慮し，摂取は避けてください。

有 効 性

◆科学的データが不十分です

・眼の炎症（腫脹）。

●体内での働き

どのように作用するかについては十分なデータが得られていません。

医薬品との相互作用

ほかの医薬品との相互作用については明らかではありません。

ハーブおよび健康食品・サプリメントとの相互作用

ほかのハーブ，健康食品・サプリメントとの相互作用についてはまだ明らかではありません。

使用量の目安

標準使用量に関するデータがありません。

アンドログラフィス

ANDROGRAPHIS

●代表的な別名

穿心蓮

別名ほか

穿心蓮（Chuan Xin Lian），アンドログラフィスパニクラータ（Andro-graphis paniculata），センシンレン，Andrographolide，Bhunimba，Bidara，Carmantina，Chiretta，Chuan Xin Lin，Creat，Fa Tha Lai Jone，Fa-Tha-Lai-Jone，Gubak，Indian Echinacea，Kalamegha，Kalmegha，Kariyat，King of Bitters，Kirta，Nabin chanvandi，Poogiphalam，sadilata，Sambilata，Shivaphala，Supari，Takila，Vizra Ufar，Yavatikta

概　　要

インドやスリランカなどの南アジア諸国の植物です。葉と地下茎を用いて「くすり」を作ることもあります。

●要説（ナチュラル・スタンダード）

アンドログラフィスパニクラータ（Andrographis paniculata，アンドログラフィスの別名）の葉は，何世紀もの間，インドの民間療法やアーユルヴェーダの手法として用いられています。中国医学（漢方薬）やタイの薬草医学でも，アンドログラフィスパニクラータの，とくに苦み特性を消化管疾患や発熱を誘発するさまざまな疾患の治療に用いています。近年，スカンジナビアでは，民間療法で上部呼吸器感染やインフルエンザに対して用いることが一般的になってきました。

もっとも広範囲で試験されているのは，Swedish Herbal InstituteのKan Jangと呼ばれる製品です。アン

相互作用レベル：高 この医薬品と併用してはいけません　中 この医薬品とは慎重に併用するか併用しないでください　低 この医薬品との併用には注意が必要です

ドログラフィス単体の製品も，ハリコウギとの混合製品も市販されています。

臨床試験により，アンドログラフィスが効果的に上部呼吸器感染の症状を軽減し，症状が続く期間を短縮することを示唆する堅固なエビデンスがあります。初期の研究により，抗炎症剤としての効果をはじめ，化学的に誘発された肝障害の治療効果など，さまざまな治療に対する可能性のあることが示唆されています。インフルエンザや家族性地中海熱に対するヒトの臨床試験も研究が進んでいます。

深刻な副作用をともなうことはないようですが，高用量を摂取する場合には，毒性が出るおそれがあります。

安全性

アンドログラフィスは，適切な方法で短期間経口摂取する場合，ほとんどの人に安全のようです。また，アンドログラフィスエキスとエゾウコギを組み合わせた特定の製品として摂取する場合，最大３カ月間までは安全のようです。

アンドログラフィスは，食欲不振，下痢，嘔吐，皮疹，頭痛，鼻水，疲労などの副作用を引き起こすおそれがあります。

高用量や長期で使用すると，リンパ腺の腫脹，深刻なアレルギー反応，肝酵素上昇などの副作用を引き起こすおそれがあります。

幼児および小児：アンドログラフィスは，小児が短期間経口摂取する場合，おそらく安全です。ほかのハーブと併用で，最大１カ月間まで使用されています。

妊孕性の異常：動物実験により，アンドログラフィスが生殖を妨げるおそれがあることが示唆されていますが，ヒトでは示されていません。ただし，男女を問わず妊孕性に問題がある場合には，使用しないのが最善です。

多発性硬化症（MS），ループス（全身性エリテマトーデス，SLE），関節リウマチ（RA）などの自己免疫疾患：アンドログラフィスにより，免疫システムの活性が高まり，そのために自己免疫疾患の症状が増加するおそれがあります。このような疾患の場合には，摂取を避けるのが最善です。

出血性疾患：アンドログラフィスは血液凝固を抑制するおそれがあります。これにより，出血性疾患の場合には，出血や紫斑のリスクが高まるおそれがあります。

低血圧：研究により，アンドログラフィスが血圧を低下させるおそれのあることが示唆されていますが，これはヒトには認められていません。ただし理論上，低血圧の場合には，アンドログラフィスを使用すると血圧が過度に低下するおそれがあります。

●妊娠中および母乳授乳期

妊娠中の経口摂取は，おそらく安全ではありません。流産を引き起こすおそれがあります。母乳授乳期の使用の安全性についてはデータが不十分です。妊娠中または母乳授乳期の場合には，安全性を考慮し，摂取は避けてください。

有効性

◆有効性レベル③

・感冒。症状発現から72時間以内にアンドログラフィスエキスとエゾウコギを組み合わせた特定の製品の経口摂取を開始すると，感冒の症状が改善することが，一部の研究により示されています。一部の症状は２日間の使用で改善する可能性がありますが，通常はほとんどの症状が消失するまで４～５日間かかります。アンドログラフィスとエゾウコギの組み合わせが，エキナセアよりも小児の感冒の症状緩和に効果があることを示唆する研究もあります。また，特定のアンドログラフィスエキスが感冒の治療に役立つ可能性を示唆する初期の研究のほか，特定のアンドログラフィス製品が感冒の予防に役立つ可能性を示唆する研究もあります。

・扁桃炎による発熱と咽喉痛の緩和。一部の研究により，高用量のアンドログラフィス（１日６g）の３～７日間の摂取は，アセトアミノフェンと同程度の効果を示すことが示唆されています。

・潰瘍性大腸炎（炎症性腸疾患）。初期の研究により，アンドログラフィスエキスを８週間毎日摂取すると，メサラジンと同程度に，炎症性腸疾患の症状を軽減することが示唆されています。

◆科学的データが不十分です

・家族性地中海熱，インフルエンザの治療，関節リウマチ，アレルギー，副鼻腔感染，ヒト免疫不全ウイルス/エイズ，食欲不振，心疾患，肝疾患，寄生虫，感染，皮膚疾患，潰瘍など。

●体内での働き

免疫システムを刺激する可能性があります。ヒト免疫不全ウイルス感染者の血球数を改善し，アレルギーに効果を示す可能性があります。

医薬品との相互作用

中 血液凝固を抑制する医薬品（抗凝固薬/抗血小板薬）

アンドログラフィスは血液凝固を抑制する可能性があります。アンドログラフィスと血液凝固を抑制する医薬品を併用すると，紫斑および出血のリスクが高まるおそれがあります。このような医薬品にはアスピリン，クロピドグレル硫酸塩，ジクロフェナクナトリウム，イブプロフェン，ナプロキセン，ダルテパリンナトリウム，エノキサパリンナトリウム，ヘパリン，ワルファリンカリウムなどがあります。

中 降圧薬

アンドログラフィスは血圧を低下させるようです。アンドログラフィスと降圧薬を併用すると，血圧が過度に低下するおそれがあります。このような降圧薬にはカプトプリル，エナラプリルマレイン酸塩，ロサルタンカリウム，バルサルタン，ジルチアゼム塩酸塩，アムロジピンベシル酸塩，ヒドロクロロチアジド，フロセミドなど多くあります。

中免疫抑制薬

アンドログラフィスは免疫機能を高めます。アンドログラフィスが免疫機能を高めることにより，免疫抑制薬の効果を弱めるおそれがあります。このような免疫抑制薬には，アザチオプリン，バシリキシマブ，シクロスポリン，Daclizumab，ムロモナブ-CD 3（販売中止），ミコフェノール酸モフェチル，タクロリムス水和物，シロリムス，Prednisone，副腎皮質ステロイドなどがあります。

ハーブおよび健康食品・サプリメントとの相互作用

血圧を低下させるおそれのあるハーブおよび健康食品・サプリメント

アンドログラフィスは血圧を低下させるおそれがあります。アンドログラフィスと，血圧を低下させるおそれのあるほかのハーブおよび健康食品・サプリメントを併用すると，血圧が過度に低下するおそれがあります。このようなハーブおよび健康食品・サプリメントには，アンドログラフィス，カゼイン・ペプチド，キャッツクロー，コエンザイムQ-10，魚油，L-アルギニン，クコ，イラクサ，テアニンなどがあります。

血液凝固を抑制するおそれのあるハーブおよび健康食品・サプリメント

アンドログラフィスは血液凝固を抑制するおそれがあります。アンドログラフィスと，血液凝固を抑制するおそれのあるほかのハーブおよび健康食品・サプリメントを併用すると，人によっては，紫斑や出血のリスクが高まるおそれがあります。このようなハーブおよび健康食品・サプリメントには，アンゼリカ，クローブ，タンジン，ニンニク，ショウガ，イチョウ，朝鮮人参，セイヨウトチノキ，レッドクローバー，ウコンなどがあります。

使用量の目安

●経口摂取

感冒の治療

アンドログラホリド4～5.6mgを含むよう標準化されたアンドログラフィスエキスとエゾウコギ400mgの組み合わせ製品を，1日3回摂取します。

扁桃炎による発熱と咽喉痛の緩和

1日3～6gを摂取します。

アンドロステンジオール

ANDROSTENEDIOL

別名ほか

アンドロディオル（Androdiol），4-アンドロステンディオル（4-Androstenediol），17β-ジオール（17beta-diol），5-アンドロステンディオル（5-Androstenediol），5-アンドロステン-3β（5-androstene-3beta），4-AD，4-androstene-3beta，5-AD，17beta-diol

概　　要

アンドロステンジオールはステロイドです。「くすり」に使用されることもあります。ステロイドとは，炭素原子の構造のつながり方で区別化される化合物です。一連のステロイドは，性ホルモンのエストロゲンやテストステロンなど，体に強い影響を与える合成物です。

アンドロステンジオールは，サプリメントとして使用されていました。しかし，Anabolic Steroid Control Act of 2004という法律により，スケジュールIII規制薬物として再分類されました。このことにより，処方薬としてのみ使用でき，医師は処方箋を書くときは厳しい規則に従うことになりました。

アンドロステンジオールの使用は，米国大学競技協会（National Collegiate Athletic Association）で禁じられています。

●要説（ナチュラル・スタンダード）

アンドロステンジオール，アンドロステンジオン，およびデヒドロエピアンドロステロンなどのテストステロン・プロホルモンは，テストステロン増強，筋肉増強の栄養補助食品として，過去10年間にわたり市販されてきました。近年では，インターネットを通じて多くの国ですぐに入手できるようになっています。

アンドロステンジオールおよびほかのプロホルモンは，体内のアンドロゲン・プロホルモン，テストステロン，およびエストラジオール値を増加させることが示唆されています。ただし販売促進の宣伝文句に反し，アンドロステンジオールのようなプロホルモンのサプリメントに筋肉増強効果や性欲亢進効果があることは，ヒトの研究では実証されていません。

研究により，経口摂取するとアンドロステンジオールの効果は低くなる可能性が示唆されています。

アンドロステンジオールをはじめとするプロホルモンのサプリメントは，エストロゲン，テストステロン，および脂質の値に異常をきたしたり，がん細胞の成長を促進するなどの副作用をともなう可能性があります。

人体への良い影響は十分でなく，健康へ悪影響を与えるため，アンドロステンジオールやほかのプロホルモン物質の使用は，リスク対効果比が良いとはいえないようです。現在，プロホルモンは，国際オリンピック委員会の使用禁止物質に指定されており，多くのプロの陸上競技で使用が禁止されています。さらに，米国食品医薬品局（FDA）により店頭販売が禁止されている製品もあります。現在，アンドロステンジオールは，米国食品医薬品局の米国食品添加物（EAFUS）に指定されていません。なお，FDAが食品添加物として認めているか，一般的に安全な食品（GRAS）に指定していて，食品に直接加えられているものがEAFUSです。

安 全 性

アンドロステンジオールの経口摂取は，ほとんどの人におそらく安全ではありません。製品の内容がラベルの記載と異なっているおそれがあります。

アンドロステンジオールを摂取する女性には，声が太くなる，ひげが濃くなる，ざ瘡（にきび），月経不順，男性型脱毛症，皮膚の肥厚，うつ病など，男性的な特徴が発現するおそれがあります。

心疾患：アンドロステンジオールが冠動脈性心疾患のリスクを高めるおそれがあります。

乳がん，子宮がん，卵巣がん，子宮内膜症，子宮線維腫などのホルモン感受性疾患：アンドロステンジオールは，エストロン，エストラジオール，テストステロンなどのホルモンの濃度を上昇させるおそれがあります。これらのホルモンにさらされることにより悪化するおそれのある疾患の場合，アンドロステンジオールを使用してはいけません。

前立腺がんおよび良性前立腺肥大（BPH）：アンドロステンジオールは，テストステロン濃度を上昇させるおそれがあります。また，前立腺がん細胞を増殖させるおそれがあるというエビデンスが得られつつあります。前立腺疾患の場合，アンドロステンジオールを使用してはいけません。

●妊娠中および母乳授乳期

妊娠中および母乳授乳期の使用の安全性についてはデータが不十分です。安全性を考慮し，摂取は避けてください。

有 効 性

◆有効性レベル④

・運動能力。レジスタンストレーニングと併用して，アンドロステンジオールを12週間経口摂取しても，筋肉量や筋力の増加に役立つことはないようです。

◆科学的データが不十分です

・エネルギーの増進，身体の回復と運動による発育の向上，性的興奮および性的能力の上昇，幸福感の向上など。

●体内での働き

体内でテストステロンやエストロゲンの産生に用いられるステロイドホルモンです。

医薬品との相互作用

中エストロゲン（卵胞ホルモン）製剤

アンドロステンジオールは，体内のエストロゲン量を増加させるようです。アンドロステンジオールとエストロゲンを併用すると，体内のエストロゲン量が過剰になるおそれがあります。エストロゲン製剤には，結合型エストロゲン，エチニルエストラジオール，エストラジオールなどがあります。

中テストステロンエナント酸エステル

アンドロステンジオールは体内でテストステロンに変化します。アンドロステンジオールとテストステロンエナント酸エステルを併用すると，体内のテストステロン量が過剰になるおそれがあります。そのため，テストステロンエナント酸エステルの副作用のリスクが高まるおそれがあります。

ハーブおよび健康食品・サプリメントとの相互作用

ほかのハーブ，健康食品・サプリメントとの相互作用についてはまだ明らかではありません。

使用量の目安

通常の食品に含まれている量を超えて経口摂取した場合の安全性および副作用については，明らかになっていません。

アンドロステンジオン

ANDROSTENEDIONE

別名ほか

アンドロステン（Andro, Androstene），4-アンドロステン-3,17-ジオン（17-dione, 4-androstene-3,17-dione），Androst-4-ene-3

概 要

アンドロステンジオンはステロイドです。これを用いて「くすり」を作ることもあります。

米国大学競技協会（National Collegiate Athletic Association）では使用が禁止されています。

●要説（ナチュラル・スタンダード）

アンドロとも呼ばれるアンドロステンジオンは，テストステロン・プロホルモンです。アンドロステンジオンを含む植物もあります。すべての哺乳類は生殖腺および副腎でアンドロステンジオンを分泌します。

安 全 性

アンドロステンジオンの経口摂取は，ほとんどの人におそらく安全ではありません。男性に発現する副作用には，精子産生量の低下，精巣収縮，勃起時疼痛や長時間の勃起，乳房発達，行動の変化，心疾患などがあります。女性には，声が太くなる，ひげ，ざ瘡（にきび），男性型脱毛，皮膚の荒れなど，男性的な特徴が発現するおそれがあります。女性にはこのほか，月経不順やうつ病が発現するおそれがあります。アンドロステンジオンは，乳がん，前立腺がん，膵がんの発症リスクを高めるおそれがあり，肝臓に対して毒性を示します。

アンドロステンジオン製品の強度と純度が製品表示の記載と異なることがあるという懸念があります。

小児：小児では，アンドロステンジオンによって骨の成長が止まり，成人になったときの身長が低くなったり，思春期が早く始まったりするおそれがあるため，安全ではないようです。

うつ病：アンドロステンジオンのサプリメントは，女性のうつ病を悪化させるおそれがあります。重度の大うつ病の女性は，もともとアンドロステンジオン濃度が高いことがあり，そのことと関係があるという見解もあります。ただし，アンドロステンジオンのサプリメントがうつ病を引き起こすかどうかについては，データが不十分です。

ホルモン感受性のがんおよび疾患：アンドロステンジオンは，体内でのテストステロンおよびエストロゲンの産生に用いられるステロイドホルモンです。アンドロステンジオンを摂取すると，体内のエストロゲン濃度が上昇するようです。男女を問わず，ホルモン感受性の疾患がある場合には，アンドロステンジオンの摂取を避けてください。このような疾患には，乳がん，子宮がん，卵巣がん，前立腺がん，子宮内膜症，子宮線維腫などがあります。

肝疾患：アンドロステンジオンは肝臓に有害となるおそれがあります。現時点では，肝疾患の症例報告はありませんが，アンドロステンジオンに似たステロイドと肝臓の異常との関連が認められています。何らかの肝疾患の場合には，アンドロステンジオンを使用しないでください。肝疾患でない場合でも，アンドロステンジオンを摂取するのであれば，肝機能検査を受けるのが最善です。

前立腺がん：アンドロステンジオンにより，前立腺がんを発症するリスクが高まるおそれがあります。進行中の研究により，前立腺がん細胞の増殖を促進するおそれが示唆されています。前立腺がんの場合には，使用しないでください。

●妊娠中および母乳授乳期

妊娠中の使用は安全ではないようです。分娩を誘発し，流産を引き起こすおそれがあります。

母乳授乳期の使用の安全性についてはデータが不十分です。安全性を考慮し，摂取は避けてください。

有　効　性

◆有効性レベル⑤

・運動能力の増強。ウェイトリフティングと併用して，アンドロステンジオン１日100～300mgを２～３カ月間経口摂取しても，筋力，筋肉量，除脂肪体重が統計学的に有意に増加することはありません。

◆科学的データが不十分です

・エネルギーの増進，赤血球の正常化，性的欲求および性機能の増大など。

●体内での働き

体内でテストステロンやエストロゲンの産生に用いられるステロイドホルモンです。

医薬品との相互作用

中エストロゲン（卵胞ホルモン）製剤

アンドロステンジオンは体内のエストロゲンレベルを上げるようです。エストロゲン製剤と併用すると，体内のエストロゲンが過剰になる可能性があります。エストロゲン製剤には，結合型エストロゲン，エチニルエストラジオール，エストラジオールなどがあります。

ハーブおよび健康食品・サプリメントとの相互作用

ほかのハーブ，健康食品・サプリメントとの相互作用についてはまだ明らかではありません。

使用量の目安

通常の食品に含まれている量を超えて経口摂取した場合の安全性および副作用については，明らかになっていません。

アンドロステントリオン

ANDROSTENETRIONE

別名ほか

4-androstene-3,6,17-trione, 6-oxo, Androst-4-ene-3, 6,17-trione

概　　要

アンドロステントリオンはステロイドです。

安　全　性

誰に対しても，アンドロステントリオンの摂取は安全ではありません。もし実際に体内のテストステロンレベルを上げると，余分に作られたテストステロンが，肝障害，心臓疾患やがんなどの重篤な副作用を起こす可能性があります。使用を避けてください。

アンドロステントリオンの使用は，すべての人に安全ではありませんが，次の場合とくに使用を避ける必要があります。

前立腺がんおよびほかのホルモン感受性のがん：アンドロステントリオンは，体内のテストステロンレベルを上げると考えられているので，前立腺がんなどのホルモン感受性疾患に罹患している男性は，アンドロステントリオンの使用を避けてください。

肝疾患：アンドロステントリオンは，体内のテストステロンレベルを上げます。テストステロンの増加は，肝臓障害と関連します。肝疾患の場合，使用しないでください。すでに使用している場合，肝機能の検査を受けるとよいでしょう。

●妊娠中および母乳授乳期

妊娠中および母乳授乳期の使用の安全性については

データが不十分です。安全性を考慮し，摂取は避けてください。

有 効 性

◆科学的データが不十分です

・運動能力の改善など。

●体内での働き

体内では，いくらかの男性ホルモンのテストステロンは，女性ホルモンのエストロゲンに変換されます。アンドロステンテトリオンは，この変換を阻止します。生体は体内のエストロゲンレベルの減少を，テストステロンをより多く作ることで補っていると示唆するする人もいます。さらにテストステロンレベルがより高いと運動能力が高くなることも示唆しています。アンドロステンテトリオン販売者の中には，３週間以上の使用で総テストステロン値を188%，遊離型テストステロンを226%増加させたことをうたっています。しかし，ヒトを対象とした研究で，これらを裏付ける科学的に信頼できる研究はありません。

医薬品との相互作用

ほかの医薬品との相互作用については明らかではありません。

ハーブおよび健康食品・サプリメントとの相互作用

ほかのハーブ，健康食品・サプリメントとの相互作用についてはまだ明らかではありません。

使用量の目安

標準使用量に関するデータがありません。

アンブレット

AMBRETTE

●代表的な別名

マスクマロウ，トロロアオイモドキ

別名ほか

アベルモスクス・モスカツス（Abelmoschus moschatus），トロロアオイモドキ，ヒメトロロアオイ，アカバナワタ，ポンティナム・レッド，マスクマロウ，Abelmosk，Ambretta，Egyptian Alcee，Gandapura，Kasturidana，Kasturilatika，Latakasthuri，Latakasturi，Lathakasthuri，Muskadana，Muskmallow，Musk Seed，Okra，Target-Leaved Hibiscus

概 要

アンブレットは植物です。種を用いて「くすり」を作ることもあります。

●要説（ナチュラル・スタンダード）

アンブレット（Abelmoschus moschatus）は，インド原産の芳香をもつ薬用の低木です。アオイ科の植物でA. esculentus，いわゆるオクラの関連種です。

アンブレットの種子は，昔から多種多様な慢性疾患の治療に用いられてきました。化粧品や食品にも用いられています。根と葉は，医療用途でも工業用途でも栽培されることがあります。種子から抽出したオイルは，香水や食品の香味料として世界中で用いられています。香油の香りは，麝香鹿の生殖腺から抽出した動物性成分である麝香にも似た，木や花の香りがすると記述されることが多いです。

民間療法で伝えられるところによれば，アンブレットは，殺虫剤として用いたり，創傷治癒，経口摂取，心疾患，胃腸疾患，そう痒，皮膚疾患，口内炎，口渇，失禁，および嘔吐に対して用いられます。アンブレットの種子，根，葉は，淋病の治療に用いられたと報告されています。

アンブレットの種子は，インドや西インド諸島全域で，茶やチンキ薬などの医療用途で一般的に用いられています。アンブレットは，西インド諸島（カリブ）では女性生殖系や出産に関連する疾患の治療が主な用途であるのに対し，インドの伝統医学では，アンブレットをさまざまな用途に用いています。初期のエビデンスにより，アンブレットに含まれる物質が血糖値を調整することが示唆されていますが，この分野に関してのさらなる研究が必要です。

安 全 性

アンブレットは，食品に含まれる量を経口摂取する場合にはおそらく安全です。

少量の希釈オイルを皮膚に直接塗布する場合は，おそらく安全です。人によっては，皮膚過敏を引き起こすおそれがあります。

糖尿病：アンブレットに含まれる化学物質のミリセチンが，糖尿病の人の血糖値に影響を及ぼすおそれがあります。糖尿病に罹患していて，食品に通常含まれる量を超えてアンブレットを摂取する場合には，血糖値を注意して監視し，低血糖の徴候がないかどうか観察してください。

手術：アンブレットに含まれる化学物質のミリセチンが，血糖値に影響を及ぼし，手術中や術後の血糖コントロールを妨げるおそれがあります。少なくとも手術前２週間は，使用しないでください。

●妊娠中および母乳授乳期

妊娠中の使用の安全性についてはデータが不十分です。安全性を考慮し，摂取は避けてください。

母乳授乳期の経口摂取や皮膚への塗布は，おそらく安全ではありません。アンブレットは母乳に残留するようですが，その重大性についてはデータが不十分です。

有 効 性

◆科学的データが不十分です

・痙攣，ヘビ咬傷，胃痙攣，食欲不振，頭痛，胃がん，ヒステリー，淋病，肺疾患など。

●体内での働き

どのように作用するかについては，データが不十分です。

医薬品との相互作用

中 糖尿病治療薬

アンブレットに含まれる化学物質ミリセチンは血糖値を低下させる可能性があります。糖尿病治療薬もまた血糖値を低下させるために用いられます。アンブレットと糖尿病治療薬を併用すると，血糖値が過度に低下するおそれがあります。血糖値を注意深く監視してください。糖尿病治療薬の用量を変更する必要があるかもしれません。このような糖尿病治療薬には，グリメピリド，グリベンクラミド，インスリン，メトホルミン塩酸塩，ピオグリタゾン塩酸塩，マレイン酸ロシグリタゾン（販売中止），クロルプロパミド，Glipizide，トルブタミド（販売中止）などがあります。

ハーブおよび健康食品・サプリメントとの相互作用

血糖値を低下させるおそれのあるハーブおよび健康食品・サプリメント

アンブレットに含まれる化学物質のミリセチンが，血糖値を低下させるおそれがあります。アンブレットと，血糖値を低下させるおそれのあるハーブおよび健康食品・サプリメントを併用すると，血糖値が過度に低下するおそれがあります。このようなハーブおよび健康食品・サプリメントには，α-リポ酸，ニガウリ，クロム，デビルズクロー，フェヌグリーク，ニンニク，グアーガム，セイヨウトチノキ，朝鮮人参，サイリウム，エゾウコギなどがあります。

使用量の目安

通常の食品に含まれている量を超えて経口摂取した場合の安全性および副作用については，明らかになっていません。

EPA（エイコサペンタエン酸）

EICOSAPENTAENOIC ACID

別名ほか

Acide Eicosapentaénoïque, Acide Éthyle-Eicosapentaénoïque, Acide Gras Essentiel, Acide Gras d'Huile de Poisson, Acide Gras N-3, Acide Gras Omega, Acide Gras Oméga 3, Acide Gras Polyinsaturé, Acide Gras W3, Acido Eicosapentaenoico, EPA, E-EPA, Eicosapentanoic Acid, Essential Fatty Acid, Ethyl Eicosapentaenoic Acid, Ethyl-Eicosapentaenoic Acid, Ethyl-EPA, Fish Oil Fatty Acid, Icosapent Ethyl, N-3 Fatty Acid, Omega Fatty Acid, Omega 3, Oméga 3, Omega-3, Omega 3 Fatty Acids, Omega-3 Fatty Acids, Polyunsaturated Fatty Acid, PUFA, W-3 Fatty Acid

概 要

EPA（エイコサペンタエン酸）はn-3系脂肪酸です。サバ，ニシン，マグロ，オヒョウ，サケ，タラの肝臓など冷水に棲む魚の肉や，クジラの脂皮，アザラシの脂皮に含まれています。

EPA（エイコサペンタエン酸）は，トリグリセリド値を低下させるための処方薬として使用されます。EPA（エイコサペンタエン酸）サプリメントは，心疾患，心臓発作後の有害事象の予防，うつ病および更年期に用いられるのがもっとも一般的です。そのほか，化学療法関連の副作用，手術後の回復，記憶と思考能力など多くの疾患に対しても使用されますが，これらの用途を十分に裏づけるエビデンスはありません。

EPA（エイコサペンタエン酸）と，α-リノレン酸やDHA（ドコサヘキサエン酸）など類似の脂肪酸，また，EPA（エイコサペンタエン酸）およびDHA（ドコサヘキサエン酸）の両方を含むオキアミ油や魚油と混同してはいけません。EPA（エイコサペンタエン酸）に関する入手可能なほとんどの情報は，EPA（エイコサペンタエン酸）およびDHA（ドコサヘキサエン酸）の様々な組み合わせを含む魚油製品に関する研究や臨床での経験から得られるものです。α-リノレン酸，DHA（ドコサヘキサエン酸），魚油およびオキアミ油については，それぞれの項目を参照してください。

安 全 性

経口摂取の場合，ほとんどの成人にとって，EPA（エイコサペンタエン酸）は，安全のようです。研究では，最長７年間，安全に使用されています。ほとんどの副作用は軽度のものですが，吐き気，下痢，上腹部の不快感，げっぷのおそれがあります。EPA（エイコサペンタエン酸）を食事と一緒に摂取すると，このような副作用がしばしば軽減されます。しかし，医師などの承認がない限り，EPA（エイコサペンタエン酸）および，ほかのn-３系脂肪酸の摂取は，１日３gに制限し，健康食品・サプリメントからの摂取は，１日２g以下としてください。EPA（エイコサペンタエン酸）および，ほかのn-３系脂肪酸を１日３gを超えて摂取する場合には，おそらく安全ではありません。１日３gを超えて摂取する場合には，血液凝固が抑制され，出血のリスクを高めるおそれがあります。

静脈内投与の場合，医師などの指導のもと，EPA（エイコサペンタエン酸）を静脈内投与する場合には，ほとんどの人にとって，おそらく安全です。良好な耐容性を示しています。

アスピリン過敏症：アスピリン過敏症の場合には，EPA（エイコサペンタエン酸）が，呼吸に影響を及ぼすおそれがあります。

高血圧：EPA（エイコサペンタエン酸）が，血圧を低下させるおそれがあります。降圧薬を服用している場合に，EPA（エイコサペンタエン酸）を併用すると，血圧が過度に低下するおそれがあります。高血圧の場合には，EPA（エイコサペンタエン酸）を摂取する前に，医師などに相談してください。

●妊娠中および母乳授乳期

妊娠中および母乳授乳期の使用の安全性についてはデータが不十分です。安全性を考慮し，食品としての量を超える摂取は避けてください。

有　効　性

◆有効性レベル①

・高トリグリセリド血症。研究によれば，トリグリセリド値が高い場合に，純粋なEPA（エイコサペンタエン酸）を含む特定の処方薬を服用することにより，トリグリセリド値が33%低下することが示されています。また，トリグリセリド値が継続して高く，スタチン系薬（血清コレステロール値を下げる医薬品）を服用している患者のほとんどが，この処方薬を服用することにより，トリグリセリド値が約22%，血清コレステロール値が６%ほど低下しています。また，トリグリセリド値が継続して高い患者や，ほかの心臓に関連する危険因子を抱えた患者が，スタチン系薬を服用している場合，この処方薬を服用することにより，主な心臓に関連する有害事象のリスクが25%ほど低下しています。

◆有効性レベル③

・境界性パーソナリティ障害（気分や行動の変化が特徴の精神障害）。境界性パーソナリティ障害の女性が，EPA（エイコサペンタエン酸）を摂取することで，わずかに，攻撃性やうつ病の症状が緩和するようです。

・心疾患。冠動脈疾患患者が，食事から摂取するEPA（エイコサペンタエン酸）の量が多いと，死亡リスクがわずかに低下するようです。初期の研究では，高コレステロール血症と冠動脈疾患の患者が，EPA（エイコサペンタエン酸）を１日1,800mg摂取することで，心臓発作など心臓に関連する有害事象のリスクが低下することが示されています。

・うつ病。研究によれば，純粋なEPA（エイコサペンタエン酸）または，EPA（エイコサペンタエン酸）を60%以上含む魚油を摂取すると，うつ病の症状が軽減することが示唆されています。抗うつ薬と併用すると，もっとも効果が高いようです。

・更年期症状。研究によれば，EPA（エイコサペンタエン酸）を摂取すると，顔面紅潮（ほてり）の発生頻度が低下することが示されています。しかし，顔面紅潮（ほてり）の程度が緩和されたり，生活の質が全般的に改善することはないようです。

・心臓発作。心臓発作の後，心臓への血流を改善するために，経皮的冠動脈インターベンション（PCI）を施す場合があります。スタチン系薬を単体で服用する場合とくらべ，経皮的冠動脈インターベンションの24時間以内に，EPA（エイコサペンタエン酸）をスタチン系薬と併用して経口摂取することにより，術後に不整脈などの心臓に関連する有害事象が発症するリスクや，術後の死亡リスクが低下します。また，胸痛に対して経皮的冠動脈インターベンションを実施する前に，EPA（エイコサペンタエン酸）をスタチン系薬と併用して経口摂取することにより，術後の心臓発作のリスクが低下します。

◆有効性レベル④

・高齢者の視力低下を引き起こす眼疾患（加齢黄斑変性（AMD））。食事から摂取するEPA（エイコサペンタエン酸）の量を増やしても，加齢黄斑変性の予防にはならないようです。

・花粉症。EPA（エイコサペンタエン酸）を経口摂取しても，喘鳴，咳，鼻の症状などの花粉症の症状は緩和しないようです。

・気管支喘息。EPA（エイコサペンタエン酸）を経口摂取しても，気管支喘息の症状は緩和しないようです。

・のう胞性線維症。EPA（エイコサペンタエン酸）を経口摂取しても，のう胞性線維症の症状は改善しないようです。

・糖尿病。２型糖尿病患者がEPA（エイコサペンタエン酸）を経口摂取しても，血糖値および血清コレステロール値は低下しないようです。

・高血圧。高血圧の患者が，EPA（エイコサペンタエン酸）をγ-リノレン酸と併用して経口摂取しても，血圧は低下しないようです。

・栄養不良よる10パーセンタイル未満の出生体重の乳児。出産前に，EPA（エイコサペンタエン酸）を経口摂取しても，乳児の発育遅延リスクは低下しないようです。

・妊娠高血圧症候群。ハイリスク妊娠の場合，EPA（エイコサペンタエン酸）を経口摂取しても，高血圧は抑制されないようです。

◆科学的データが不十分です

・アルツハイマー病，注意欠陥多動障害（ADHD），重症疾患を有する患者おける意図的でない体重減少（悪液質または消耗症候群），抗悪性腫瘍薬治療による下痢，抗悪性腫瘍薬治療による吐き気および嘔吐，抗悪性腫瘍薬治療による手足の神経障害，抗悪性腫瘍薬治療による疲労感，肺がん，手術後の感染，手術後の回復，前立腺がん，うろこ状で痒い皮膚（乾癬），統合失調症，炎症性腸疾患の1つ（潰瘍性大腸炎），肺疾患，ループス，月経障害など。

●**体内での働き**

EPA（エイコサペンタエン酸）が，血液凝固を抑制します。これらの脂肪酸は，疼痛および腫脹を緩和します。

医薬品との相互作用

中 血液凝固を抑制する医薬品（抗凝固薬/抗血小板薬）

EPA（エイコサペンタエン酸）は血液凝固を抑制する可能性があります。EPAと血液凝固を抑制する医薬品を併用すると，紫斑および出血のリスクが高まるおそれがあります。このような医薬品には，アスピリン，クロピドグレル硫酸塩，ジクロフェナクナトリウム，イブプロフェン，ナプロキセン，ダルテパリンナトリウム，エノキサパリンナトリウム，ヘパリン，ワルファリンカリウムなどがあります。

中 降圧薬

EPA（エイコサペンタエン酸）は血圧を低下させる可能性があります。理論的には，EPAと降圧薬を併用すると，相加作用が生じ，血圧が過度に低下するおそれがあります。このような降圧薬には，カプトプリル，エナラプリルマレイン酸塩，ロサルタンカリウム，バルサルタン，ジルチアゼム塩酸塩，アムロジピンベシル酸塩，ヒドロクロロチアジド，フロセミドなど数多くあります。

ハーブおよび健康食品・サプリメントとの相互作用

血圧を低下させるおそれのあるハーブおよび健康食品・サプリメント

EPA（エイコサペンタエン酸）が，血圧を低下させるおそれがあります。EPA（エイコサペンタエン酸）と，血圧を低下させるおそれのあるほかのハーブおよび健康食品・サプリメントを併用すると，血圧が過度に低下するおそれがあります。このようなハーブおよび健康食品・サプリメントには，アンドログラフィス，カゼイン・ペプチド，キャッツクロー，コエンザイムQ-10，L-アルギニン，クコ属，イラクサ，テアニンなどがあります。

血液凝固を抑制するおそれのあるハーブおよび健康食品・サプリメント

EPA（エイコサペンタエン酸）が，血液凝固を抑制するおそれがあります。EPA（エイコサペンタエン酸）と，血液凝固を抑制するおそれのあるほかのハーブおよび健康食品・サプリメントを併用すると，人によっては，出血または紫斑のリスクが高まるおそれがあります。このようなハーブおよび健康食品・サプリメントには，アンゼリカ，クローブ，タンジン，ニンニク，ショウガ，イチョウ，朝鮮人参，レッドクローバー，ウコンなどがあります。

使用量の目安

●**経口摂取**

高トリグリセリド血症

純粋なEPA（エイコサペンタエン酸）を含む特定の処方薬2gを1日2回，食事と，可能であれば血清コレステロールを低下させるスタチン系薬と併用して摂取します。

心疾患

EPA（エイコサペンタエン酸）0.6gを1日3回摂取します。

うつ病

抗うつ薬と併用して，（エイコサペンタエン酸エチルとして）EPA（エイコサペンタエン酸）0.5～1gを1日2回摂取します。EPA（エイコサペンタエン酸）とDHA（ドコサヘキサエン酸）を併用することもあります。EPA（エイコサペンタエン酸）を60％以上含む配合剤がもっとも効果が高いようです。インターフェロンアルファ治療を受けている患者がうつ病を予防するためには，EPA（エイコサペンタエン酸）1日3.5gを2週間摂取します。

心臓発作

経皮的冠動脈インターベンション（PCI）の後，1カ月間または1年間，EPA（エイコサペンタエン酸）1日1.8gをスタチン系薬と併用し，摂取します。EPA（エイコサペンタエン酸）1日1.8gをスタチン系薬と併用し，経皮的冠動脈インターベンション（PCI）の1カ月前から摂取することもあります。

更年期症状

（エイコサペンタエン酸エチルとして）EPA（エイコサペンタエン酸）500mgを1日3回，最長8週間摂取します。

境界性パーソナリティ障害（気分や行動の変化が特徴の精神障害）

（エイコサペンタエン酸エチルとして）EPA（エイコサペンタエン酸）1gを毎日，最長8週間摂取します。

EPA（エイコサペンタエン酸）などの脂肪酸製剤の多くには，腐敗防止のためのアンチオキシダント（抗酸化物質）としてビタミンEが少量含まれています。

イエルバ・サンタ

YERBA SANTA

別名ほか

エリオディクティオン属（Eriodictyon），ヤーバサンタ（Eriodictyon californicum），Bear's Weed，Consumptive's Weed，Eriodictyon glutinosum，Gum Bush，Gum Plant，Hierba Santa，Holy Herb，Holy Weed，Mountain Balm，Sacred Herb，Tarweed，Wigandia californicum

概　　要

イエルバ・サンタはハーブです。葉を用いて「くすり」

を作ることもあります。

食品や飲料では，イエルバ・サンタの抽出物は，味付けに使われます。

医薬品の製造では，ある種の医薬品の苦みを隠すために使われます。

●要説（ナチュラル・スタンダード）

チュマシュ族などカリフォルニアのアメリカ先住民は，何世紀にもわたってイエルバ・サンタ（Eriodictyon californicum）や他の近縁種（Eriodictyon crassifolium やEriodictyon trichocalyx）を，肺疾患治療，唾液分泌，小さな切り傷や擦り傷での出血を止めるために使用してきました。

米国と英国では，1800年代後半から1960年代（薬物規制が有効性の証明に関して厳格になったとき）まで，イエルバ・サンタは正式に，インフルエンザ，細菌性肺炎，気管支喘息，気管支炎，結核などの治療に使用されました。その後，抽出物は，食品，ビール，医薬品の味付け（例えばキニーネの苦味を隠すために）としてGRAS（一般的に安全と認められる食品）リストに今も掲載されています。エリオディクティオンの植物抽出物はまた，化粧品に使用されてきました。

エリオディクティオン種は，フリーラジカルスカベンジャー（抗酸化剤）の特性があるフラボンが含まれているので，多くの疾患に効果があると提案されています。しかし，ヒトにおけるイエルバ・サンタの科学的研究はほとんどなく，いかなる特定の疾患に対しても有効性は実証されていません。

安 全 性

経口摂取したときには，ほとんどの成人に安全のようですが，起こりうる副作用は明らかになっていません。

十分なデータは得られていないので，皮膚に塗布したときに安全かどうかは明らかになっていません。

●妊娠中および母乳授乳期

妊娠中および母乳授乳期の使用の安全性についてはデータが不十分です。安全性を考慮し，摂取は避けてください。

有 効 性

◆科学的データが不十分です

・咳，感冒，解熱，結核，気管支喘息，慢性気管支炎，気道粘液溶解，痙攣，または強壮薬として経口投与で使用。打撲傷，捻挫，創傷，昆虫刺傷，または皮膚に塗布して関節痛に使用。

●体内での働き

胸部の気道粘液を溶解し，排尿を増加させると考えられている化合物が含まれています。

医薬品との相互作用

中 炭酸リチウム

イエルバ・サンタは，利尿薬のような作用があります。イエルバ・サンタを摂取することで，炭酸リチウムの通常の体外排泄が減少します。この結果，体内炭酸リチウム濃度が上昇し，深刻な副作用を起こすおそれがあります。

ハーブおよび健康食品・サプリメントとの相互作用

ほかのハーブ，健康食品・サプリメントとの相互作用についてはまだ明らかではありません。

使用量の目安

●経口摂取

イエルバ・サンタの葉茶さじ1杯を1カップの熱湯に入れて使用します。温かいまま，就寝30分前に摂取するか，1回1口を1日3回摂取します。

イエルバ・マテ

YERBA MATE

別名ほか

Chimarrao, Green Mate, Hervea, Ilex, Ilex paraguariensis, Jesuit's Brazil Tea, Jesuit's Tea, Maté, Maté Folium, Paraguay Tea, St. Bartholemew's Tea, Thé de Saint Barthélémy, Thé des Jésuites, Thé du Brésil, Thé du Paraguay, Yerbamate, Yerba Mate, Yerba Maté

概 要

イエルバ・マテは植物です。葉を用いて「くすり」を作ることもあります。

刺激薬として用いられ，心身の疲労（疲れ）や慢性疲労症候群を軽減します。また，心不全，脈拍不整，低血圧など心臓に関連する症状にも用いられます。

気分やうつ病を改善し，頭痛や関節痛を和らげ，尿路感染症（UTIs），膀胱結石，腎結石の治療に使用されることもあります。体重減少のため，また下剤として用いる人もいます。

食品ではお茶として飲用され，マテ茶としてブラジル，パラグアイ，アルゼンチンでとても人気があります。

安 全 性

短期間経口摂取する場合，ほとんどの人におそらく安全です。カフェインを含むので，睡眠障害（不眠），神経過敏や激越，胃のむかつき，吐き気，嘔吐，心拍や呼吸の上昇，高血圧，頭痛，耳鳴，脈拍不整などの副作用が起きるおそれがあります。

多量の摂取，または長期間の使用は，安全ではないようです。口腔，食道，喉頭，腎臓，膀胱，肺にがんを発症するリスクが高まります。喫煙，飲酒をする場合，リスクはとくに高まります。

イ

非常に多量に摂取する場合，カフェインが含まれているため，安全ではないようです。

小児：小児の経口摂取は，おそらく安全ではありません。口腔，食道，喉頭，腎臓，膀胱，肺にがんを発症するリスクの増加と関連があります。

アルコール依存：高用量のアルコールとイエルバ・マテを併用して長期間摂取した場合，がんのリスクが3～7倍高まります。

不安障害：イエルバ・マテに含まれるカフェインは不安障害を悪化させるおそれがあります。

出血障害：カフェインは血液凝固を抑制することがあります。そのためイエルバ・マテに含まれるカフェインは出血障害を悪化させるおそれがありますが，現在までヒトへの影響は報告されていません。

心疾患：イエルバ・マテに含まれるカフェインは，特定の人に脈拍不整が起こるおそれがあります。心疾患がある場合は，摂取について医師と相談してください。

糖尿病：一部の研究では，イエルバ・マテに含まれるカフェインは糖尿病患者の糖の代謝に作用し，血糖値の調節に影響を及ぼすおそれがあることを示唆しています。別の興味深い研究では，カフェインにより1型糖尿病患者は低血糖の症状の兆しがより強く出現するという報告があります。ほかの研究では，低血糖の症状は，初めはカフェインを摂取しない方が強く出ますが，低血糖が持続した場合，カフェインを摂取している方が強く出ます。このことは，糖尿病患者が低血糖を感知，治療するのに役立ちます。しかし，マイナス面としてはカフェインが実際に低血糖を起こす回数を増やすおそれがあるということです。糖尿病の場合，イエルバ・マテを使用する前に医師と相談してください。

下痢：イエルバ・マテにはカフェインが含まれています。とくに大量に摂取すると，下痢が悪化するおそれがあります。

過敏性腸症候群（IBS）：イエルバ・マテにはカフェインが含まれています。とくに大量に摂取すると，過敏性腸症候群の症状が悪化するおそれがあります。

緑内障：イエルバ・マテに含まれるカフェインにより，眼圧が上昇します。眼圧は，摂取して30分以内に上昇し，少なくとも90分は持続します。緑内障の場合は，摂取について医師と相談してください。

高血圧：イエルバ・マテに含まれるカフェインは，高血圧患者の血圧を上昇するおそれがあります。健康な人の場合，カフェインを250mg摂取すると血圧が上がる可能性がありますが，カフェインを日常的に摂取している人には血圧の上昇はみられません。

骨粗鬆症：閉経後の女性が伝統的な南米のマテ茶を1日に1L以上飲むと，骨密度が高くなることを発見した研究者もいます。イエルバ・マテに含まれるカフェインは，体内のカルシウムを尿中排泄する傾向があります。これにより骨が弱くなります。そのため，専門家はカフェインの摂取を1日300mg未満（イエルバ・マテおよそカップで2～3杯）に抑えるよう提言しています。カルシウムを多く摂ることで，排泄される分を補う可能性があります。

とくに骨が弱くなるリスクのある女性がいます。ビタミンDが体内でうまく機能しない遺伝性の疾患のためです。ビタミンDはカルシウムが強い骨を作る手助けをします。このような女性患者は，イエルバ・マテだけでなく食品からのカフェイン量を制限するよう，とくに気をつける必要があります。

●妊娠中および母乳授乳期

イエルバ・マテは，妊娠中に経口摂取する場合，おそらく安全ではありません。ひとつの懸念は，摂取によりがんを発症するリスクが高まると考えられる点です。リスクが胎児に及ぶかどうかについては，データが不十分です。もうひとつの懸念は，カフェインの含有量です。カフェインは胎盤を通過して胎児の血流に入り込み，母親のカフェイン値と胎児のカフェイン値がほぼ同じになります。一般的に，母親はカフェインを1日200mg以上摂取すべきではありません。目安はコーヒーまたは紅茶約2杯分です。妊娠中に大量のカフェインを摂取した母親から生まれた乳児は，出生後カフェインの離脱症状を示すことがあります。カフェインの大量摂取は，流産，早産，出産時低体重と関連があります。しかし，妊娠中にマテ茶を飲んでいた母親を対象に研究が行われ，マテ茶の飲用と早産や出産時低体重との間に強い関連は認められなかったとの報告がありました。しかしこの研究では，母親が使用したイエルバ・マテの量やカフェインの量を考慮していなかったため，批判を受けています。この研究ではイエルバ・マテの使用頻度のみに注目していたようです。

イエルバ・マテは授乳期もおそらく安全ではありません。イエルバ・マテに含まれている発がん化学物質が母乳に移行するかどうかについては，データが不十分ですが，懸念があります。イエルバ・マテに含まれるカフェインも問題です。これによって乳児に易刺激性や排便回数の増加が起こるおそれがあります。

有　効　性

◆科学的データが不十分です

・精神機能，糖尿病，高脂血症，肥満，骨粗鬆症，前糖尿病，便秘，うつ病，尿路感染症（UTIs），心疾患，腎結石，膀胱結石，心身の疲労（倦怠），慢性疲労症候群（CFS），体液貯留（浮腫），頭痛，低血圧など。

●体内での働き

脳，心臓，筋肉の血管などの器官を刺激するようなカフェインなど化学物質を含んでいます。

医薬品との相互作用

中Felbamate

Felbamateは抗てんかん薬です。イエルバ・マテに含まれるカフェインはFelbamateの作用を減弱させる可能性があります。イエルバ・マテを摂取し，Felbamateを併用すると，人によってはFelbamateの作用が減弱し，痙攣発作のリスクが高まるおそれがあります。

低Tiagabine

イエルバ・マテにはカフェインが含まれます。カフェインを長期間摂取した場合にTiagabineを併用すると，体内のTiagabineの量が増加する可能性があります。そのため，Tiagabineの作用および副作用が増強するおそれがあります。

中アデノシン

イエルバ・マテにはカフェインが含まれます。イエルバ・マテに含まれるカフェインはアデノシンの作用を妨げる可能性があります。アデノシンは心臓の検査に頻用されます。この検査は薬剤負荷心筋シンチグラフィと呼ばれます。検査前の少なくとも24時間はイエルバ・マテなどのカフェイン含有製品を摂取しないでください。

低アルコール

イエルバ・マテに含まれるカフェインは体内で代謝されてから排泄されます。アルコールはカフェインの代謝を抑制する可能性があります。イエルバ・マテとアルコールを併用すると，血中のカフェイン濃度が過剰に上昇し，カフェインの副作用（神経過敏，頭痛，動悸など）が現れるおそれがあります。

高アンフェタミン類【販売中止】

興奮薬（アンフェタミン類など）は神経系を亢進させます。興奮薬が神経系を亢進させることで，神経が過敏になり，心拍数が上昇する可能性があります。イエルバ・マテに含まれるカフェインも神経系を亢進させる可能性があります。イエルバ・マテを摂取し，興奮薬を併用すると，重大な問題（頻脈，高血圧など）を引き起こすおそれがあります。イエルバ・マテと興奮薬を併用しないでください。

中エストロゲン（卵胞ホルモン）製剤

イエルバ・マテに含まれるカフェインは体内で代謝されてから排泄されます。エストロゲン製剤はカフェインの代謝を抑制する可能性があります。カフェインの代謝が抑制されると，副作用（神経過敏，頭痛，頻脈など）が現れるおそれがあります。エストロゲン製剤を服用中にカフェインを摂取しないでください。このようなエストロゲン製剤には，結合型エストロゲン，エチニルエストラジオール，エストラジオールなどがあります。

中エトスクシミド

エトスクシミドは抗てんかん薬です。イエルバ・マテに含まれるカフェインはエトスクシミドの作用を減弱させる可能性があります。イエルバ・マテを摂取し，エトスクシミドを併用すると，人によってはエトスクシミドの作用が減弱し，痙攣発作のリスクが高まるおそれがあります。

高エフェドリン塩酸塩

興奮薬は神経系を亢進させます。カフェイン（イエルバ・マテに含まれる）とエフェドリン塩酸塩はいずれも興奮薬です。カフェインを摂取し，エフェドリン塩酸塩を併用すると，過度な興奮，重大な副作用，心臓の異常を引き起こすおそれがあります。カフェイン含有製品とエフェドリン塩酸塩を同時に併用しないでください。

中カルバマゼピン

カルバマゼピンは抗てんかん薬です。カフェインはカルバマゼピンの作用を減弱させる可能性があります。イエルバ・マテにはカフェインが含まれるため，理論的には，イエルバ・マテを摂取し，カルバマゼピンを併用すると，人によってはカルバマゼピンの作用が減弱し，痙攣発作のリスクが高まるおそれがあります。

中キノロン系抗菌薬

イエルバ・マテにはカフェインが含まれます。イエルバ・マテに含まれるカフェインは体内で代謝されてから排泄されます。キノロン系抗菌薬はカフェインの代謝を抑制する可能性があります。抗菌薬を服用し，カフェインを併用すると，副作用（神経過敏，頭痛，動悸など）のリスクが高まるおそれがあります。このようなキノロン系抗菌薬には，シプロフロキサシン，Gemifloxacin，レボフロキサシン水和物，モキシフロキサシン塩酸塩，オフロキサシンなどがあります。

中クロザピン

クロザピンは体内で代謝されてから排泄されます。イエルバ・マテに含まれるカフェインはクロザピンの代謝を抑制するようです。イエルバ・マテを摂取し，クロザピンを併用すると，クロザピンの作用および副作用が増強するおそれがあります。

高コカイン塩酸塩

興奮薬（コカイン塩酸塩など）は神経系を亢進させます。興奮薬が神経系を亢進させることで神経が過敏になり，心拍数が上昇する可能性があります。イエルバ・マテに含まれるカフェインも神経系を亢進させる可能性があります。イエルバ・マテを摂取し，興奮薬を併用すると，重大な問題（頻脈，高血圧など）を引き起こすおそれがあります。イエルバ・マテと興奮薬を併用しないでください。

中ジスルフィラム

イエルバ・マテにはカフェインが含まれます。カフェインは体内で代謝されてから排泄されます。ジスルフィラムはカフェインの排泄を抑制する可能性があります。イエルバ・マテを摂取し，ジスルフィラムを併用すると，カフェインの作用および副作用（神経過敏，活動亢進，易刺激性など）が増強するおそれがあります。

中ジピリダモール

イエルバ・マテにはカフェインが含まれます。イエルバ・マテに含まれるカフェインはジピリダモールの作用を妨げる可能性があります。ジピリダモールは心臓の検査に頻用されます。この検査は薬剤負荷心筋シンチグラフィと呼ばれます。検査前の少なくとも24時間はイエルバ・マテを摂取しないでください。

中シメチジン

イ

イエルバ・マテにはカフェインが含まれます。カフェインは体内で代謝されてから排泄されます。シメチジンはカフェインの代謝を抑制する可能性があります。イエルバ・マテを摂取し，シメチジンを併用すると，カフェインの副作用（神経過敏，頭痛，動悸など）のリスクが高まるおそれがあります。

低チクロピジン塩酸塩

イエルバ・マテに含まれるカフェインは体内で代謝されてから排泄されます。チクロピジン塩酸塩はカフェインの排泄を抑制する可能性があります。イエルバ・マテを摂取し，チクロピジン塩酸塩を併用すると，カフェインの作用および副作用（神経過敏，活動亢進，易刺激性など）が増強するおそれがあります。

中テオフィリン

イエルバ・マテにはカフェインが含まれます。カフェインにはテオフィリンに類似した作用があります。また，カフェインはテオフィリンの体内からの排泄を抑制する可能性があります。イエルバ・マテを摂取し，テオフィリンを併用すると，テオフィリンの作用および副作用が増強するおそれがあります。

低テルビナフィン塩酸塩

カフェイン（イエルバ・マテに含まれる）は体内で代謝されてから排泄されます。テルビナフィン塩酸塩はカフェインの排泄を抑制し，副作用のリスク（神経過敏，頭痛，動悸など）を高めるおそれがあります。

中ニコチン

興奮薬（ニコチンなど）は神経系を亢進させます。興奮薬が神経系を亢進させることで，神経が過敏になり，心拍数が上昇する可能性があります。イエルバ・マテに含まれるカフェインも神経系を亢進させる可能性があります。イエルバ・マテを摂取し，興奮薬を併用すると，重大な問題（頻脈，高血圧など）が引き起こされるおそれがあります。イエルバ・マテと興奮薬を併用しないでください。

中バルプロ酸ナトリウム

バルプロ酸ナトリウムは抗てんかん薬です。イエルバ・マテに含まれるカフェインは，人によってはバルプロ酸ナトリウムの作用を減弱させ，痙攣発作のリスクが高まるおそれがあります。

中フェニトイン

フェニトインは抗てんかん薬です。イエルバ・マテに含まれるカフェインはフェニトインの作用を減弱させる可能性があります。イエルバ・マテを摂取し，フェニトインを併用すると，人によってはフェニトインの作用が減弱し，痙攣発作のリスクが高まるおそれがあります。

中フェノバルビタール

フェノバルビタールは抗てんかん薬です。イエルバ・マテに含まれるカフェインは，人によってはフェノバルビタールの作用を減弱させ，痙攣発作のリスクが高まるおそれがあります。

低フルコナゾール

イエルバ・マテにはカフェインが含まれます。カフェインは体内で代謝されてから排泄されます。フルコナゾールはカフェインの排泄を抑制する可能性があります。そのため，カフェインが体内に長時間留まり，カフェインの副作用（神経質，不安，不眠など）のリスクが高まるおそれがあります。

中フルタミド

フルタミドは体内で代謝されてから排泄されます。イエルバ・マテに含まれるカフェインはフルタミドの排泄を抑制する可能性があります。そのため，フルタミドが体内に長時間留まり，副作用のリスクが高まるおそれがあります。

中フルボキサミンマレイン酸塩

イエルバ・マテに含まれるカフェインは体内で代謝されてから排泄されます。フルボキサミンマレイン酸塩はカフェインの代謝を抑制する可能性があります。イエルバ・マテを摂取し，フルボキサミンマレイン酸塩を併用すると，体内のカフェイン量が過剰に増加し，イエルバ・マテの作用および副作用が増強するおそれがあります。

中ベラパミル塩酸塩

イエルバ・マテに含まれるカフェインは体内で代謝されてから排泄されます。ベラパミル塩酸塩はカフェインの排泄を抑制する可能性があります。イエルバ・マテを飲用し，ベラパミル塩酸塩を服用すると，カフェインの副作用（神経過敏，頭痛，動悸など）のリスクが高まるおそれがあります。

中ベンゾジアゼピン系鎮静薬

ベンゾジアゼピン系鎮静薬は眠気および注意力低下を引き起こす医薬品です。ベンゾジアゼピン系鎮静薬は体内で代謝されてから排泄されます。イエルバ・マテに含まれるカフェインはベンゾジアゼピン系鎮静薬の代謝を抑制する可能性があります。そのため，ベンゾジアゼピン系鎮静薬の作用が増強し，過度の眠気を引き起こすおそれがあります。ベンゾジアゼピン系鎮静薬の服用中にイエルバ・マテを摂取しないでください。このような鎮静薬には，アルプラゾラム，クロナゼパム，ジアゼパム，ロラゼパムなどがあります。

中ペントバルビタールカルシウム

イエルバ・マテに含まれるカフェインの興奮作用は，ペントバルビタールカルシウムの催眠作用を妨げるおそれがあります。

低メキシレチン塩酸塩

イエルバ・マテにはカフェインが含まれます。カフェインは体内で代謝されてから排泄されます。メキシレチン塩酸塩はカフェインの代謝を抑制する可能性があります。メキシレチン塩酸塩を服用し，イエルバ・マテと併用すると，イエルバ・マテに含まれるカフェインの作用および副作用が増強するおそれがあります。

低メトキサレン

イエルバ・マテにはカフェインが含まれます。カフェインは体内で代謝されてから排泄されます。メトキサレンはカフェインの代謝を抑制する可能性があります。カフェインを摂取し，メトキサレンを併用すると，体内のカフェイン量が過剰に増加し，カフェインの作用および副作用が増強するおそれがあります。

低メトホルミン塩酸塩

イエルバ・マテにはカフェインが含まれます。カフェインは体内で代謝されてから排泄されます。メトホルミン塩酸塩はカフェインの代謝を抑制する可能性があります。イエルバ・マテを摂取し，メトホルミン塩酸塩を併用すると，体内のカフェイン量が過剰に増加し，カフェインの作用および副作用が増強するおそれがあります。

中モノアミン酸化酵素阻害薬（MAO阻害薬）

イエルバ・マテに含まれるカフェインは身体を刺激する可能性があります。モノアミン酸化酵素阻害薬（MAO阻害薬）も身体を刺激する可能性があります。イエルバ・マテを飲用し，MAO阻害薬を併用すると，身体が過度に刺激され，重大な副作用（動悸，高血圧，神経過敏など）が現れるおそれがあります。このようなMAO阻害薬には，ラサギリンメシル酸塩，セレギリン塩酸塩，Phenelzine，Tranylcypromineなどがあります。

中リルゾール

リルゾールは体内で代謝されてから排泄されます。イエルバ・マテを摂取すると，リルゾールの代謝が抑制され，リルゾールの作用および副作用が増強するおそれがあります。

中塩酸フェニルプロパノールアミン【販売中止】

イエルバ・マテにはカフェインが含まれます。カフェインは身体を刺激する可能性があります。塩酸フェニルプロパノールアミンも身体を刺激します。イエルバ・マテを摂取し，塩酸フェニルプロパノールアミンを服用すると，過度に刺激を与え，頻脈，高血圧，神経過敏が引き起こされるおそれがあります。

低肝臓でほかの医薬品の代謝を抑制する医薬品（シトクロムP450 1A2（CYP1A2）を阻害する医薬品）

イエルバ・マテにはカフェインが含まれます。カフェインは肝臓で代謝されます。特定の医薬品は肝臓でほかの医薬品の代謝を抑制します。このような医薬品はイエルバ・マテに含まれるカフェインの代謝を抑制します。そのため，カフェインの作用および副作用が増強するおそれがあります。このような医薬品には，シメチジン，フルボキサミンマレイン酸塩，メキシレチン塩酸塩，クロザピン，テオフィリンなどがあります。

中気管支喘息治療薬（アドレナリンβ受容体作動薬）

イエルバ・マテにはカフェインが含まれます。カフェインは心臓を刺激する可能性があります。特定の気管支喘息治療薬も心臓を刺激する可能性があります。カフェインを摂取し，気管支喘息治療薬を併用すると，過度に刺激を与え，心臓の異常が引き起こされるおそれがあります。このような気管支喘息治療薬には，サルブタモール硫酸塩，オルシプレナリン硫酸塩（販売中止），テルブタリン硫酸塩，イソプレナリン塩酸塩などがあります。

中興奮薬

興奮薬は神経系を亢進させます。興奮薬が神経系を亢進させることで，神経が過敏になり，心拍数が上昇する可能性があります。イエルバ・マテに含まれるカフェインも神経系を亢進させる可能性があります。イエルバ・マテと興奮薬を併用すると，重大な問題（頻脈，高血圧など）を引き起こすおそれがあります。イエルバ・マテと興奮薬を併用しないでください。このような興奮薬には，Diethylpropion，エピネフリン，ニコチン，コカイン塩酸塩，アンフェタミン類，Phentermine，塩酸プソイドエフェドリンなど数多くあります。

中血液凝固を抑制する医薬品（抗凝固薬/抗血小板薬）

イエルバ・マテにはカフェインが含まれます。カフェインは血液凝固を抑制する可能性があります。イエルバ・マテと血液凝固を抑制する医薬品を併用すると，紫斑および出血のリスクが高まるおそれがあります。このような医薬品には，アスピリン，クロピドグレル硫酸塩，ジクロフェナクナトリウム，イブプロフェン，ナプロキセン，ダルテパリンナトリウム，エノキサパリンナトリウム，ヘパリン，ワルファリンカリウムなどがあります。

中炭酸リチウム

炭酸リチウムは体内から自然に排泄されます。イエルバ・マテに含まれるカフェインは，炭酸リチウムの体内からの排泄を促進する可能性があります。カフェイン含有製品を摂取し，炭酸リチウムを服用している場合には，その製品の摂取を徐々にやめてください。すぐにやめると，炭酸リチウムの副作用が増強するおそれがあります。

低糖尿病治療薬

糖尿病治療薬は血糖値を低下させるために用いられます。イエルバ・マテにはカフェインが含まれます。カフェインが血糖値を上昇または低下させる可能性が報告されています。イエルバ・マテは血糖コントロールを妨げて糖尿病治療薬の効果を弱めるおそれがあります。血糖値を注意深く監視してください。糖尿病治療薬の用量を変更する必要があるかもしれません。このような糖尿病治療薬には，グリメピリド，グリベンクラミド，インスリン，ピオグリタゾン塩酸塩，マレイン酸ロシグリタゾン（販売中止），クロルプロパミド，Glipizide，トルブタミド（販売中止）などがあります。

低避妊薬

イエルバ・マテに含まれるカフェインは体内で代謝されてから排泄されます。避妊薬はカフェインの代謝を抑制する可能性があります。イエルバ・マテを摂取し，避妊薬を併用すると，副作用（神経過敏，頭痛，動悸など）が現れるおそれがあります。このような避妊薬には，エチニルエストラジオール・レボノルゲストレル配合，エチニルエストラジオール・ノルエチステロン配合などがあります。

中利尿薬

カフェインはカリウム量を減少させる可能性があります。利尿薬もカリウム量を減少させる可能性があります。イエルバ・マテを摂取し，利尿薬を併用すると，カリウム量が過度に減少するリスクが高まるおそれがあります。このような利尿薬には，クロロチアジド（販売中止），クロルタリドン（販売中止），フロセミド，ヒドロクロロチアジドなどがあります。

中ミダゾラム

ミダゾラムは体内で代謝されてから排泄されます。イエルバ・マテはミダゾラムの代謝を抑制する可能性があります。イエルバ・マテを摂取し，ミダゾラムを併用すると，ミダゾラムの作用および副作用が増強するおそれがあります。

ハーブおよび健康食品・サプリメントとの相互作用

ダイダイ

イエルバ・マテとダイダイを併用しないでください。この組み合わせは過度な刺激作用を与え，健康な人でも血圧および心拍数を上昇させます。

カルシウム

イエルバ・マテに含まれるカフェインは，体内のカルシウムの排泄を促進する傾向があります。大量にイエルバ・マテを摂取する場合は，尿に排泄されるカルシウムを補うために，さらにカルシウムを摂取すべきかを医師と相談してください。

クレアチン

イエルバ・マテに含まれるカフェインは，マオウやクレアチンと組み合わせると，重篤な健康障害をもたらすおそれがあります。ある運動選手が，毎日クレアチン・モノハイドレートを6g，カフェインを400～600mg，マオウを40～60mgに加え，ほかの各種サプリメントを6週間にわたり摂取したところ，心臓発作を起こしました。カフェインは，クレアチンのもつ運動能力に対する効果を減少させるおそれがあります。

マオウ（麻黄）

イエルバ・マテとマオウを併用しないでください。この組み合わせにより，過度の刺激作用を示し，高血圧，心臓発作，脳卒中，痙攣など生命を脅かし，障害をもたらす重篤な症状を引き起こすリスクが高まります。この併用により死に至ることもあります。

マグネシウム

イエルバ・マテはカフェインを含んでいます。イエルバ・マテに含まれるカフェインは，マグネシウムの尿中排泄量を増やすおそれがあります。

カフェインを含むハーブおよび健康食品・サプリメント

イエルバ・マテはカフェインを含んでいます。カフェインを含むほかのハーブ，健康食品・サプリメントと併用すると，カフェインによる副作用のリスクが高まるおそれがあります。カフェインを含む食品には，ココア，コーヒー，コーラの木の実，紅茶，ウーロン茶，ガラナ豆などがあります。

血液凝固を抑制するおそれのあるハーブおよび健康食品・サプリメント

イエルバ・マテは血液凝固を抑制するおそれがあります。同じ作用のあるほかのハーブ，健康食品・サプリメントと併用すると，人によっては紫斑および出血のリスクが高まるおそれがあります。これらのハーブ，健康食品・サプリメントには，アンゼリカ，クローブ，タンジン，ニンニク，ショウガ，イチョウ，朝鮮人参などがあります。

使用量の目安

通常の食品に含まれている量を超えて経口摂取した場合の安全性および副作用については，明らかになっていません。

イエロードック

YELLOW DOCK

●代表的な別名

ナガバギシギシ

別名ほか

カールドドック，ナガバギシギシ（Curled Dock），エゾノギシギシ（Rumex obstusifolius），シープソレル，ヒメスイバ（Sheep Sorrel），Broad-Leaved Dock，Curly Dock，Field Sorrel，Narrow Dock，Rumex Crispus，Sour Dock

概　　要

イエロードックはハーブです。葉柄はサラダに使います。根は「くすり」として使用されることもあります。

●要説（ナチュラル・スタンダード）

イエロードックは，多くの場合，血液強化を助けると記述されています。しかしながら，この伝統的な使用を確認できる実験室内研究やヒトを対象とした臨床研究は，ほとんどありません。

イエロードックは現在，Essiacという商品名で知られているアメリカ先住民の抗がんハーブ調合薬の元となる植物の1つです。Essiacの中には，イエロードックがヒメスイバの代替として使われるものもあります。

根の内部には，健康な血液を作り，肝臓を保護したり，抗真菌や緩下剤としての働きがあります。種子をお茶にして，イエロードックは口内炎を治したり，下痢を治す可能性があります。外部からは，イエロードックの根の外側は腫瘍を溶解し，抗腫瘍および抗真菌のために使用されます。イエロードックの根は，カナダでは販売が禁止されている収れん薬となります。

安　全　性

ほとんどの成人に安全のようです。

過剰に摂取すると，下痢，悪心，胃痙攣，多尿，皮膚の炎症，および血中カリウムとカルシウムの減少を起こすことがあります。

生または加熱処理していないイエロードックを使用してはいけません。嘔吐，心臓の障害，呼吸困難，さらには死亡などの重篤な副作用を起こすことがあります。また，人によっては生のイエロードックを扱うと皮膚の炎症が生じることがあります。

●**アレルギー**

ブタクサに対するアレルギーをもつ人はイエロードックにもアレルギー反応を起こすことがあります。

●**妊娠中および母乳授乳期**

経口摂取は誰にとっても安全ではありません。妊娠中および母乳授乳期の使用はとくに避けてください。

有効性

◆**科学的データが不十分です**

・便秘のほか，鼻道および気道の炎症，細菌性感染，黄疸，壊血病など。

●**体内での働き**

刺激性下剤として作用するアントラキノンと呼ばれる化合物を含んでいます。

医薬品との相互作用

高ジゴキシン

イエロードックは刺激性下剤と呼ばれる下剤の一種です。刺激性下剤は体内のカリウム量を減少させる可能性があります。カリウムが減少すると，ジゴキシンの副作用のリスクが高まるおそれがあります。

中ワルファリンカリウム

イエロードックは下剤のような働きをする可能性があります。人によってはイエロードックで下痢を引き起こす可能性があります。下痢はワルファリンカリウムの作用を増強し，出血のリスクが高まるおそれがあります。ワルファリンカリウムを服用中に，イエロードックを過剰に摂取しないでください。

高利尿薬

イエロードックは下剤です。特定の下剤は体内のカリウム量を減少させる可能性があります。利尿薬もまた体内のカリウム量を減少させる可能性があります。イエロードックと利尿薬を併用すると，体内のカリウム量が過剰に減少するおそれがあります。このような利尿薬にはクロロチアジド（販売中止），クロルタリドン（販売中止），フロセミド，ヒドロクロロチアジドなどがあります。

ハーブおよび健康食品・サプリメントとの相互作用

カルシウム

イエロードックは，食べ物や健康食品・サプリメントからのカルシウムの体内への吸収を阻害することがあります。イエロードックに含まれる化合物は，カルシウムと結合し消化管での吸収を阻害します。

強心配糖体を含むハーブおよび健康食品・サプリメント

イエロードックは強心配糖体を含み，心臓に作用するハーブおよび健康食品・サプリメントと併用すると，それらのハーブおよび健康食品・サプリメントによる有害な作用を増強することがあります。強心配糖体を含むハーブおよび健康食品・サプリメントには，クリスマスローズ，トウワタ，ジギタリスの葉，カキネガラシ，セイヨウゴマノハクサ，ドイツスズラン，マザーウォート，オレアンダー，ゲウム，ヤナギトウワタ，海葱，ストロファンツスがあります。

鉄

イエロードックは，食べ物やサプリメントからの鉄の体内での吸収を阻害することがあります。イエロードックには，鉄と結合して消化管での吸収を阻害する化合物が含まれています。

亜鉛

イエロードックは，食べ物やサプリメントからの亜鉛の体内での吸収を阻害することがあります。イエロードックには，亜鉛と結合して消化管での吸収を阻害する化合物が含まれています。

使用量の目安

●**経口摂取**

乾燥根２～４g，またはお茶として（150mLの熱湯に乾燥した根２～４gを５～10分浸してからこしたもの）１日３回摂取。流エキス２～４mL（1：1，25％アルコール）を１日３回摂取します。また，チンキ剤（1：5，45％アルコール）１～２mLを摂取することもあります。

硫黄

SULFUR

別名ほか

Atomic number 16, Azufre, Enxofre, S, Schwefel, Soufre, Sulphur, Zolfo

概要

硫黄は生きている組織に存在する化学元素です。カルシウムとリンに次いで人間の体内で３番目に量が多いミネラルです。硫黄はニンニク，タマネギ，ブロッコリーにも含まれています。

息切れ，アレルギー，咽頭炎（咽頭の奥の腫脹），高コレステロール血症，動脈血栓，更年期症状，感冒などの上気道感染症の場合に経口摂取します。ざ瘡（にきび），花粉症，酒さ（顔の赤み），ふけ，脂漏性皮膚炎（うろこ状で赤い皮膚），疥癬（ダニによるそう痒をともなう皮膚感染），シラミ，口唇ヘルペス，いぼ，ウルシ，ツタウルシ，ヌルデなどによるかぶれの場合は肌に塗布します。

安全性

硫黄は，適切な用量で短期間，皮膚に塗布する場合はおそらく安全です。濃度10％以内の硫黄を含む製品は，最大８週間まで安全に使用されています。人によっては，硫黄製品が，皮膚の乾燥を引き起こすおそれがあります。

硫黄を「くすり」として経口摂取する場合の安全性については，データが不十分です。硫黄を経口摂取すると，下痢を引き起こすおそれがあります。

小児：硫黄を適切な用量で短期間，皮膚に塗布する場合はおそらく安全です。濃度６％以内の硫黄を含む製品を，小児や青年に夜間塗布する場合，最大６日間まで安全に使用されています。濃度２％以内の硫黄を含む製品を，乳児に１日３時間塗布する場合，最大６日間まで安全に使用されています。

サルファ剤アレルギー：サルファ剤アレルギーの人は硫黄を含む製品にアレルギーがあると通常は考えられていますが，これは正確ではありません。「サルファ剤」にアレルギーがある人は，一部の抗生剤などに入っているスルホンアミドに反応しています。元素としての硫黄にはアレルギー反応をしません。

●妊娠中および母乳授乳期

妊娠中および母乳授乳期：硫黄を適切な用量で短期間，皮膚に塗布する場合はおそらく安全です。濃度６％以内の硫黄を含む製品を，夜間塗布する場合，最大６日間まで安全に使用されています。

有　効　性

◆有効性レベル③

・ふけ。硫黄は，通常のふけ治療用市販製品に使用される成分として，米国食品医薬品局（FDA）の承認を受けています。しかし，その作用についての研究は多くありません。いくつかの研究では，硫黄やサリチル酸を含むシャンプーを１日２回，５週間使用するとふけが軽減されることが示唆されています。硫黄とサリチル酸の両方を含むシャンプーがもっとも効果があるようです。

・疥癬（ダニによるそう痒をともなう皮膚感染）。硫黄を含むゼリーを皮膚に塗布すると大半の人の疥癬に効果があるようです。ただし，不快な匂いがあります。硫黄を含むゼリーは通常３～６晩，寝る前に塗布します。

◆科学的データが不十分です

・ざ瘡（にきび），花粉症，感冒，高コレステロール血症，酒さ（顔の赤み），息切れ，アレルギー，咽頭炎（咽頭の奥の腫脹），動脈血栓，更年期症状，シラミ，口唇ヘルペス，疣贅（いぼ），脂漏性皮膚炎（うろこ状で赤い皮膚），ウルシ，ツタウルシ，ヌルデかぶれなど。

●体内での働き

硫黄はあらゆる生体組織に存在します。人体内で３番目に量が多いミネラルです。ざ瘡（にきび）を引き起こす細菌に対して抗菌作用があるようです。また，皮膚を緩め，剥がれ落ちるのを促進するようです。これにより，脂漏性皮膚炎やざ瘡（にきび）などの皮膚症状を治療する作用があると考えられています。

医薬品との相互作用

ほかの医薬品との相互作用については明らかではありません。

ハーブおよび健康食品・サプリメントとの相互作用

ほかのハーブ，健康食品・サプリメントとの相互作用についてはまだ明らかではありません。

使用量の目安

【成人】

●皮膚への塗布

ふけ

硫黄２％単独または硫黄２％とサリチル酸２％が含まれているシャンプーを週２回，５週間使用します。

疥癬

硫黄２～20％を含むゼリーを寝る前に３～６晩塗布します。

【小児】

●皮膚への塗布

疥癬

小児，青年には硫黄２～６％を含むゼリーを寝る前に３～６晩塗布します。乳児には硫黄２％を含むゼリーを１日３時間，３日間塗布します。

イグナチウス豆

IGNATIUS BEAN

別名ほか

Lu Song Guo，Saint Ignatius-beans，Strychnos ignatii，Strychnos tieute

概　　要

Strychnos ignatii plantから収穫します。豆を用いて「くすり」を作ることもあります。

●要説（ナチュラル・スタンダード）

イグナシアについて

イグナシア・アマラ（Ignatia amara）は，セントイグナチウス豆（Strychnos ignatii。フィリピンや他の東南アジア地域でみられる）の種子から抽出されたホメオパシー治療薬です。神経系に効果があることから，ホメオパシー治療薬として使用されています。

一般的に「ホメオパシープロザック（homeopathic Prozac）」と呼ばれるイグナチウスは，しばしば悲痛期にある人（人の死に際して深い悲しみにある人）の治療に使用されます。イグナシアは，1800年代に一般に使用されましたが，現代の科学的試験では研究されていません。イグナシアの薬用に関してはほとんど科学的な証拠がありませんが，1800年代初頭にマテリア・メディカ（Materia Medica，ホメオパシー医療に関して書かれた本）には掲載されていました。

漢方医は，うつ病や不安などの情緒障害治療にイグナシアを使用してきています。民間治療者も頭痛，咽頭痛，咳，月経不順治療にイグナシアを使用しました。

イグナシアは，人にとって致命的な可能性があるストリキニーネが含まれているために，広く使用されていません。

安　全　性

安全ではありません。有毒です。ストリキニーネとブルシンを含んでいるため危険です。ストリキニーネは1989年に，米国食品医薬品局（FDA）によってOTCとしての市販が禁止されています。副作用と毒性には，情動不安，不安感，知覚過敏，反射亢進，めまい，頸部と背部の痛みをともなうこわばり（凝り），筋肉の単収縮，顎と頸部の攣縮，痛みをともなう全身の痙攣，筋緊張の増大，呼吸困難，発作，腎不全，死亡があります。

長期の使用は，副作用を引き起こさない程度の少量であっても，いずれは肝障害を引き起こし，死にいたるおそれがあります。尿と胃内容物の検査により，死因としてストリキニーネ中毒を特定することができます。

イグナチウス豆は有毒であるため，以下の疾患や状態が1つでも当てはまる場合には，使用しないようにとくに注意してください。

肝疾患：肝障害の場合には，体内のストリキニーネが増加し，中毒も起こしやすくなります。また，ストリキニーネの増加は，肝障害を起こすおそれがあります。

●妊娠中および母乳授乳期

妊娠中および母乳授乳期における使用は安全ではありません。毒性があるため，母子に影響を与えるおそれがあります。

有　効　性

◆科学的データが不十分です

・気絶，強壮薬としての使用など。

●体内での働き

神経の刺激を筋肉へ伝えることに影響する有毒物のストリキニーネとブルシンをもっています。

医薬品との相互作用

ほかの医薬品との相互作用については明らかではありません。

ハーブおよび健康食品・サプリメントとの相互作用

ほかのハーブ，健康食品・サプリメントとの相互作用についてはまだ明らかではありません。

使用量の目安

標準使用量に関するデータがありません。

1,3-ジメチルブチルアミン

1, 3-DMBA

別名ほか

1,3-Dimethylbutanamine，1,3-ジメチルブチルアミン，1,3-dimethylbutylamine，1,3-Dimethylbutylamine Citrate，1,3-Dimethyl-Butylamine，2-Amino-4-Methylpentane，2-アミノ-4-メチルペンタン，2-Amino-4-Methylpentane Citrate，4-Amino-2-Pentanamine，4-Amino-2-Methylpentane Citrate，4-Amino Methylpentane Citrate，4-AMP，4-AMP Citrate，4-Methyl-2-Pentanamine，4-Methylpentan-2-Amine，AMP，AMP Citrate，Amperall, Dimethylbutylamine, ジメチルブチルアミン，DMBA，Methylpentane，メチルペンタン，Methylpentane Citrate，Pentergy

概　　要

1,3-ジメチルブチルアミン（1,3-DMBA）は興奮作用のある化学物質です。

1,3-DMBAは，運動能力，記憶と思考能力（認知機能），肥満に対して使用されますが，このような用途を裏付ける十分なエビデンスはありません。また，1,3-DMBAの使用は安全でない可能性があります。

1,3-DMBAは一部の植物に少量含まれます。ただし，サプリメントの中には，植物に含まれる量をはるかに超えて1,3-DMBAを含むものがあります。このことから，製造者が自然由来のものでなく人工的に作られた合成の1,3-DMBAを使用していることが懸念されます。米国食品医薬品局（FDA）は，1,3-DMBAを含有するサプリメントは非合法であり，米国では販売不可であると通知しています。また，1,3-DMBAは世界ドーピング防止機構（WADA）の禁止表国際基準に挙げられています。競技運動選手は摂取すべきでありません。

安　全　性

1,3-ジメチルブチルアミン（1,3-DMBA）を経口摂取した場合，安全ではないようです。1,3-DMBAを含有するサプリメントは米国で非合法です。1,3-DMBAには興奮薬のような働きがあると考えられているため，重大な副作用（動悸，血圧の上昇，心臓発作や脳卒中のリスク増加など）のリスクが高まる可能性が懸念されています。

●妊娠中および母乳授乳期

妊娠中および母乳授乳期に1,3-ジメチルブチルアミン

(1,3-DMBA) を使用する安全性については情報が不十分です。安全性を考慮し，摂取しないでください。

有効性

◆科学的データが不十分です

・運動能力，記憶と思考能力（認知機能），肥満など。

●体内での働き

1,3-ジメチルブチルアミン（1,3-DMBA）には興奮作用があると考えられています。動物では，1,3-DMBAは血管を収縮させ，血圧および心拍数を上昇させます。

医薬品との相互作用

中興奮薬

興奮薬は神経系を亢進させ，また，心拍数を上昇させます。興奮薬が神経系を亢進させることで，神経が過敏になり心拍数が上昇する可能性があります。1,3-ジメチルブチルアミンも神経系を亢進させ，また，心拍数を上昇させる可能性があります。1,3-ジメチルブチルアミンを摂取し，興奮薬を併用すると，重大な問題（頻脈など）を引きおこすおそれがあります。興奮薬と1,3-ジメチルブチルアミンを併用摂取しないでください。このような興奮薬には，Diethylpropion，エピネフリン，Phentermine，塩酸プソイドエフェドリンなど数多くあります。

ハーブおよび健康食品・サプリメントとの相互作用

興奮作用のあるハーブおよび健康食品・サプリメント

1,3-ジメチルブチルアミン（1,3-DMBA）には心臓を興奮させる作用があります。1,3-DMBAと，心臓を興奮させる作用のあるほかのハーブおよび健康食品・サプリメントを併用すると，心臓が過度に興奮し，その結果，危険な心拍数増加を引き起こすおそれがあります。このようなハーブおよび健康食品・サプリメントには，マオウ（麻黄），ダイダイ，カフェインのほか，カフェインを含むもの（コーヒー，コーラノキの種，ガラナ豆，マテなど）などがあります。

通常の食品との相互作用

カフェインを含む食品

1,3-ジメチルブチルアミン（1,3-DMBA）には心臓を興奮させる作用があります。1,3-DMBAとカフェインを含む食品を併用すると，心臓が過度に興奮し，その結果，危険な動悸を引き起こすおそれがあります。

使用量の目安

1,3-ジメチルブチルアミン（1,3-DMBA）の適量は複数の要因（年齢，健康状態などさまざまな状況）により異なります。現時点では1,3-DMBAの適量の範囲を決定する十分な科学的根拠（エビデンス）はありません。自然由来の製品は必ずしも常に安全ではなく，使用量が重要になりうることに留意してください。製品の表示にある注意事項に従い，また，医師・薬剤師などに相談することなく製品を使用しないでください。

1-アンドロステロン

1-ANDROSTERONE

別名ほか

1-Androsten-3beta-ol-17-one,
1-Androstene-3beta-ol-17-one,
1-Androstene-3beta-ol, 17-one, 1-DHEA,
3-hydroxy-5alpha-androstan-1-en-17-one,
3-hydroxy-5alpha-androst-1-en-17-one,
3-hydroxyandrost-1-en-17-one,
3beta-hydroxy-5alpha-androst-1-en-17-one,
3beta-hydroxy-androst-1-ene-17-one

概要

1-アンドロステロンは，体内でテストステロンのような筋肉増強ホルモンに変換される化学物質として知られています。

運動選手やボディービルダー向けに販売されているさまざまなサプリメントの成分として含まれています。

安全性

1-アンドロステロンは，経口摂取する場合，おそらく安全ではありません。1-アンドロステロンの摂取により，肝障害や腎障害が起こり，コレステロールが増加するおそれがあることが，初期の研究で示されています。

高コレステロール血症：1-アンドロステロンはコレステロール値を悪化させることがあります。そのため，高コレステロール血症患者の心臓発作や脳卒中，死亡のリスクを上昇させるおそれがあります。

腎疾患：1-アンドロステロンは腎臓を損傷し，人によっては腎疾患を悪化させるおそれがあります。

肝疾患：1-アンドロステロンは肝臓を損傷し，人によっては肝疾患を悪化させるおそれがあります。

●妊娠中および母乳授乳期

妊娠中および母乳授乳期の経口摂取は，おそらく安全ではありません。1-アンドロステロンは，体内でテストステロンによく似たホルモンに変換されます。このようなホルモンが妊娠中の女性や胎児，母乳哺育児に害となるおそれがあります。

有効性

◆科学的データが不十分です

・運動能力など。

●体内での働き

1-アンドロステロンを摂取すると，体内でホルモンという化学物質に変換されます。これらのホルモンの一部はテストステロンにとてもよく似ています。テストス

相互作用レベル：高この医薬品と併用してはいけません　中この医薬品とは慎重に併用するか併用しないでください　低この医薬品との併用には注意が必要です

テロンは筋肉の増強に役立ちますが，危険な副作用を引き起こすおそれもあります。

医薬品との相互作用

中テストステロンエナント酸エステル

1-アンドロステロンは体内でテストステロンに類似したホルモンに変化します。1-アンドロステロンとテストステロンエナント酸エステルを併用すると，気分障害や心臓，腎臓，肝臓の異常など，副作用のリスクが高まるおそれがあります。

ハーブおよび健康食品・サプリメントとの相互作用

ほかのハーブ，健康食品・サプリメントとの相互作用についてはまだ明らかではありません。

使用量の目安

通常の食品に含まれている量を超えて経口摂取した場合の安全性および副作用については，明らかになっていません。

イチイ

YEW

別名ほか

タイヘイヨウイチイ（Pacific Yew），ヨーロッパイチイ（Taxus bacatta），セイヨウイチイ（Taxus brevifolia），Chinwood，Common Yew，English Yew，Western Yew

概　要

イチイは樹木です。樹皮，枝の先端部および針状葉を用いて「くすり」を作ることもあります。パクリタキセル（タキソール）という医薬品の原材料になることもあり，この医薬品は乳がんや子宮がんの治療に使われる処方薬です。イチイに含まれている毒性のある化学物質を除いて，パクリタキセルを抽出します。

●要説（ナチュラル・スタンダード）

英国やヨーロッパのイチイ（Taxus baccata），太平洋イチイ（Taxus brevifolia），日本のイチイ（Taxus cuspidata）など，イチイにはいくつかの種類があります。すべての種は有毒と考えられています。しかしながら，果物（aril. 仮種皮）の薬用効果に関しては議論されているところです。「Taxus」という名称は，ギリシャ語の「toxon（弓）」と「toxicon（矢じりに付けられた毒）」に関連している可能性があります。

伝統的に，イチイの果実は鎮咳（咳を予防または軽減する），月経誘発薬，流産（中絶を誘発する），利尿薬や緩下剤として使用されてきています。アメリカ先住民が，リウマチ，発熱，関節炎を治療するために，イチイ抽出物を使用したことが報告されています。

パクリタキセル（タキソール）は，1971年には早くも太平洋イチイの樹皮から単離され，現在は米国食品医薬品局（FDA）によって承認されています。1971年以来，タキソールは，米国国立がん研究所が運営する臨床試験で抗腫瘍薬として使用され，近年は，がんの化学療法におけるもっとも重要なものの1つとして賞賛されています。1990年以来，タキソールを使用した臨床試験では，進行期の卵巣がんや乳がんの治療に成功しました。

安　全　性

人にとって安全ではありません。どの部分も有毒と考えられます。

重度の胃障害を起こしたり，心拍が危険なほどに遅くなることがあります。

中毒の徴候としては，口内乾燥，悪心，嘔吐，胃痛，めまい感，脱力，神経質，心臓障害など多くのものがあります。針状葉を50～100g摂取し，死亡した例があります。イチイは誰に対しても安全ではありませんが，人によっては，とくに注意して使用を絶対に避けるべきです。

小児：子どもの場合，1粒の実で致死性となることがあります。

●妊娠中および母乳授乳期

イチイの針状葉を使い，妊娠中絶をする女性もいます。針状葉は母体に有毒です。

有　効　性

◆科学的データが不十分です

- 月経不順，妊娠中絶（流産），サナダムシ，扁桃腺の腫れ，てんかん，腎疾患，肝疾患，がんなど。

●体内での働き

神経，心臓，筋肉など，身体のさまざまなところに影響する可能性があります。

医薬品との相互作用

ほかの医薬品との相互作用については明らかではありません。

ハーブおよび健康食品・サプリメントとの相互作用

ほかのハーブ，健康食品・サプリメントとの相互作用についてはまだ明らかではありません。

使用量の目安

標準使用量に関するデータがありません。

Ⅰ型コラーゲン（天然）

COLLAGEN TYPE I (NATIVE)

別名ほか

Collagen Type I, Type I Collagen, Native Collagen Type I, Native Type I Collagen, 自然由来のI型コラーゲン, Undenatured Collagen Type I, Undenatured Type I Collagen, 非変性I型コラーゲン

概　要

I型コラーゲン（天然）は皮膚，血管などの組織にあるタンパク質です。サプリメントに含まれるほとんどのI型コラーゲンは牛（ウシ）由来です。しかし，卵殻膜，ブタ，魚などが由来である可能性もあります。

I型コラーゲンは皮膚・髪・爪の健康をサポートするために最も一般的に使用されます。変形性関節症や強皮症に対する研究も行われています。しかし，いずれの用途もそれを裏付ける科学的根拠はありません。

I型コラーゲン（天然）をII型コラーゲン，コラーゲンペプチド，ゼラチンと混同しないでください。

安　全　性

I型コラーゲンを短期間，経口摂取した場合，おそらく安全です。研究では，1日最大8mgが3カ月間にわたって安全に使用されています。1日500μg未満は最長12カ月間安全に使用されています。

●妊娠中および母乳授乳期

妊娠中および母乳授乳期の使用の安全性については情報が不十分です。安全性を考慮し，摂取は避けてください。

有　効　性

◆科学的データが不十分です

・変形性関節症，皮膚や結合組織の硬化（強皮症），肛門粘膜の小さな裂傷（裂肛）（皮膚に塗布する場合），出血（皮膚に塗布する場合），床ずれ（褥瘡性潰瘍）（皮膚に塗布する場合），糖尿病性潰瘍（皮膚に塗布する場合），熱傷（皮膚に塗布する場合），創傷治癒（皮膚に塗布する場合），放射線治療による皮膚障害（放射線皮膚炎）（皮膚に塗布する場合）など。

●体内での働き

専門家の中には，I型コラーゲンを経口摂取すると皮膚によるコラーゲンの過剰産生を弱める可能性があると信じる人もいます。しかし，この理論には根拠がありません。

医薬品との相互作用

ほかの医薬品との相互作用については明らかではありません。

ハーブおよび健康食品・サプリメントとの相互作用

ほかのハーブ，健康食品・サプリメントとの相互作用についてはまだ明らかではありません。

使用量の目安

I型コラーゲンの適量は複数の要因（年齢，健康状態などさまざまな状況）により異なります。現時点ではI型コラーゲンの適量の範囲を決定する十分なエビデンスはありません。自然由来の製品は必ずしも常に安全ではなく，使用量が重要になりうることに留意してください。製品の表示にある注意事項に従い，また，医師・薬剤師などに相談することなく製品を使用しないでください。

イチゴ

STRAWBERRY

●代表的な別名

ストロベリー

別名ほか

Alpine Strawberry, アルパインストロベリー, Fragaria collina, Fragaria insularis, Fragaria vesca, Fragaria virginiana, フラガリア・バージニアナ, Fragaria viridis, Fragariae Folium, Fraise, Fraise Alpine, Fraise de Virginie, Fraise des Bois, Fraise des Bois Alpine Blanche, Fraise des Montagnes, Faise Sauvage, Fraisier, Fraisier Craquelin, Fraisier des Collines, Fraisier Vert, Fresa, Mountain Strawberry, マウンテンストロベリー, Potentilla vesca, Potentilla virginiana, Potentilla viridis, Strawberries, Virginian Strawberry, Wild Strawberry, ワイルドストロベリー, Wood Strawberry

概　要

イチゴは植物です。果実は食用されたり，「くすり」を作るために使用されることもあります。葉も「くすり」を作るために使用されることがあります。

イチゴは，幅広い疾患（下痢，腸の不活発，肝臓病，黄疸（皮膚が黄色くなること），気道粘膜の疼痛・炎症（腫脹），痛風，関節炎，精神的緊張，水分貯留（浮腫），腎砂や腎結石に関連する腎臓病，発熱，寝汗，貧血など）に対して摂取します。

また，「血液浄化」，代謝促進，月経を止めること，自然に痩せるためのサポートに対しても使用されます。

イチゴを布に包んで，湿布としてその布を皮疹に当てる人もいます。

安　全　性

食品に含まれる量のイチゴを経口摂取する場合，ほとんどの人に安全のようです。イチゴを「くすり」として使用する場合の安全性については情報が不十分です。

出血性疾患：出血性疾患を有する場合に多量のイチゴを使用すると，人によっては，出血時間が長引いて，紫

斑および出血のリスクが高まるおそれがあると，懸念されています。出血性疾患がある場合は，イチゴを注意して使用してください。

手術：多量のイチゴを使用すると，血液凝固が抑制される可能性があります。手術中および手術後に出血のリスクが高まるおそれがあります。少なくとも手術前２週間にはイチゴの使用を止めてください。

●妊娠中および母乳授乳期

食品に含まれる量のイチゴを妊娠中・母乳授乳期に経口摂取する場合，ほとんどの人に安全です。ただし，その量を超える「くすり」の量は，さらに明らかになるまでは使用を避けてください。

有　効　性

◆科学的データが不十分です

・関節炎，下痢，発熱，痛風，神経緊張，寝汗，発疹，体重減少，水分貯留，代謝促進，月経を止めることなど。

●体内での働き

イチゴには抗酸化物質（化学物質）が含まれ，がん細胞の増殖を抑制する可能性があります。イチゴに含まれる他の化学物質は神経系の老化速度を遅くする可能性があります。進行性の神経機能喪失のあるアルツハイマー病やほかの疾患の予防や治療にイチゴが役立つどうか，複数の研究者が関心を寄せて研究しています。

医薬品との相互作用

中細胞内のポンプによって輸送される医薬品（P糖タンパク質の基質となる医薬品）

特定の医薬品は細胞内のポンプによって輸送されます。イチゴは，ポンプの働きを弱め，医薬品の体内への吸収量を増加させる可能性があります。そのため，医薬品の副作用が増強するおそれがあります。このような医薬品には，エトポシド，パクリタキセル，ビンブラスチン硫酸塩，ビンクリスチン硫酸塩，ビンデシン硫酸塩，ケトコナゾール，イトラコナゾール，アンプレナビル（販売中止），インジナビル硫酸塩エタノール付加物（販売中止），ネルフィナビルメシル酸塩，サキナビルメシル酸塩，シメチジン，ラニチジン塩酸塩，ジルチアゼム塩酸塩，ベラパミル塩酸塩，副腎皮質ステロイド，エリスロマイシン，シサプリド，フェキソフェナジン塩酸塩，シクロスポリン，ロペラミド塩酸塩，キニジン硫酸塩水和物などがあります。

中血液凝固を抑制する医薬品（抗凝固薬/抗血小板薬）

多量のイチゴは血液凝固を抑制する可能性があります。イチゴと血液凝固を抑制する医薬品を併用すると，人によっては紫斑および出血のリスクが高まるおそれがあります。このような医薬品には，アスピリン，クロピドグレル硫酸塩，ジクロフェナクナトリウム，イブプロフェン，ナプロキセン，ダルテパリンナトリウム，エノキサパリンナトリウム，ヘパリン，ワルファリンカリウムなどがあります。

ハーブおよび健康食品・サプリメントとの相互作用

ほかのハーブ，健康食品・サプリメントとの相互作用についてはまだ明らかではありません。

使用量の目安

通常の食品に含まれている量を超えて経口摂取した場合の安全性および副作用については，明らかになっていません。

イチジク

FIG

別名ほか

トウガキ，ナンバンガキ（Ficus carica），Caricae Fructus，Feigen

概　　要

イチジクは樹木です。果実と葉を用いて「くすり」を作ることもあります。果実は広く食べられています。

●要説（ナチュラル・スタンダード）

イチジクは，エジプトで最初に栽培され，その後，古代クレタ，古代ギリシャへと広まりました。ギリシャでは昔から貴重な食品とみなされ，最高品質のイチジクは輸出が禁じられる法律ができるほどでした。古代ローマでは，神聖な果物として尊重されていました。ローマ神話によれば，ローマの建国者，双子のロムルス（Romulus）とレムス（Remus）は，イチジクの木の下に捨てられていたといわれています。

注：巫女レア・シルウィアは，双子（ロムルスとレムス）を出産した。アムーリウスはシルウィアを牢に軟禁し，双子を捨てるように命じた。双子はティベレ川に流されたが，すぐに陸地に漂着した。そこにイチジクの木があったという。

イチジクは昔から，便秘，気管支炎，高コレステロール血症，湿疹，乾癬，白斑，および糖尿病の治療に用いられています。イチジクの乳液は疣贅（いぼ）の除去および皮膚腫瘍の治療に局所的に用いられます。

現時点では，いずれの適応症に対しても，イチジクの有効性を裏づける，ヒトを対象とした質の高い試験は行われていません。ただし，抗酸化活性のほか，さまざまながん細胞株に対する細胞毒性が報告されており，将来的に治療目的で用いられることが有望視されています。

安　全　性

イチジクの生の果実や乾燥させた果実は，通常の食品としての量を摂取する場合，ほとんどの人に安全のようです。

葉を「くすり」として経口摂取する場合，最長1カ月間までであれば，ほとんどの人におそらく安全です。ただし，木から採取した樹液を高用量で使用すると，人によっては消化管出血を起こすおそれがあります。

イチジクの葉を皮膚に塗布するのは，おそらく安全ではありません。皮膚の日光過敏症を引き起こすおそれがあります。葉を皮膚に塗布する際は，長時間日光を浴びるのは避けてください。とくに色白の場合は，屋外では日焼け止めを使用してください。果実が日光過敏症を引き起こすことはないようです。

果実や葉が皮膚に接触すると，敏感な人には皮疹を起こすおそれがあります。

糖尿病：イチジクは血糖値を低下させる可能性があります。糖尿病に罹患していてイチジクを経口摂取する場合には，血糖値を注意深く監視してください。

手術：イチジクは血糖値を低下させる可能性があるため，手術中・手術後の血糖コントロールを妨げるおそれがあります。少なくとも手術前2週間は，使用しないでください。

●アレルギー

桑（マルベリー），天然ゴムラテックス，ベンジャミンなどに過敏な場合には，イチジクにアレルギー反応を起こすおそれがあります。

●妊娠中および母乳授乳期

生の果実や乾燥させた果実は，通常の食品としての量を摂取する場合，ほとんどの人に安全のようです。ただし，「くすり」としての高用量摂取の安全性についてはデータが不十分です。

有　効　性

◆科学的データが不十分です

・糖尿病，便秘など。

●体内での働き

イチジクの葉に含まれる化学物質は，1型糖尿病患者のインスリン利用効率を高める可能性があります。

医薬品との相互作用

中インスリン

イチジクの葉は血糖値を下げる可能性があります。インスリンもまた血糖値を下げるために用いられます。イチジクの葉とインスリンを併用すると，血糖値が過度に低下するおそれがあります。血糖値を注意深く監視してください。インスリンの用量を変更する必要があるかもしれません。

中糖尿病治療薬

イチジクの葉を含むサプリメントは糖尿病患者の血糖値を下げるようです。糖尿病治療薬もまた血糖値を低下させるために用いられます。イチジクの葉と糖尿病治療薬を併用すると，血糖値が過度に低下するおそれがあります。血糖値を注意深く監視してください。糖尿病治療薬の用量を変更する必要があるかもしれません。このような糖尿病治療薬にはグリメピリド，グリベンクラミド，インスリン，ピオグリタゾン塩酸塩，マレイン酸ロシグリタゾン（販売中止），クロルプロパミド，Glipizide，トルブタミド（販売中止）などがあります。

ハーブおよび健康食品・サプリメントとの相互作用

血糖値を低下させるおそれのあるハーブおよび健康食品・サプリメント

イチジクは血糖値を低下させるおそれがあります。同様の作用をもつほかのハーブおよび健康食品・サプリメントと併用すると，血糖値が過度に低下するおそれがあります。このようなハーブおよび健康食品・サプリメントには，デビルズクロー，フェヌグリーク，グアーガム，ギムネマ，朝鮮人参，エゾウコギなどがあります。

使用量の目安

通常の食品に含まれている量を超えて経口摂取した場合の安全性および副作用については，明らかになっていません。

イチョウ

GINKGO

●代表的な別名

銀杏

別名ほか

銀杏，ギンコ・ビローバ（Ginkgo biloba），ギンキョウ（Japanese Silver Apricot），Adiantifolia，Bai Guo Ye，Baiguo，Fossil Tree，Ginkgo Extract，Ginkgo Folium，Ginkgo Leaf Extract，Ginkgo Seed，Herba Ginkgo Biloba，Kew Tree，Maidenhair Tree，Salisburia Adiantifolia，Yinhsing

概　　要

イチョウはハーブです。葉は通常「くすり」を作るのに使われます。種子も「くすり」に使うことがありますが詳しい研究はされていません。

●要説（ナチュラル・スタンダード）

何千年もの間，医療に用いられています。昨今の米国でもっとも売れているハーブの1つです。

非常に多くの疾患に対する治療に用いられ，研究中のものも多くあり，認知症，不安，統合失調症および脳への血流が不十分な症状に対する有効性を支持するエビデンスがあります。

ほかの疾病・症状に対する有効性についてのエビデンスはないか，一致せず，不十分です。あらゆる用途に関するさらなる研究が必要です。

イチョウは一般的に安全ですが，血液凝固障害，抗凝固薬を使用している場合，外科手術および歯科治療を受ける前には，注意して使用してください。出血の報告があります。

安 全 性

イチョウの葉のエキスの経口摂取は，適量であれば，ほとんどの人に安全のようです。イチョウの葉のエキスが，胃の不調，頭痛，めまい感，便秘，動悸，アレルギー性皮膚炎など，軽度の副作用を引き起こすおそれがあります。

イチョウの葉のエキスにより，肝臓がんおよび甲状腺がんのリスクが高まるおそれがあります。ただし，きわめて高用量のイチョウを投与された動物にのみ生じている事象であり，ヒトを対象としたデータは不十分です。

イチョウの果実および果肉が，深刻なアレルギー性皮膚炎や粘膜過敏を引き起こすおそれがあります。ツタウルシ，有毒オーク，ドクウルシ，マンゴーの皮，カシューの殻のオイルにアレルギーがある場合には，イチョウにもアレルギーがあるおそれがあります。

イチョウの葉のエキスにより，紫斑および出血のリスクが高まるおそれがあります。イチョウは血液を薄め，血液凝固力を弱めます。イチョウの摂取により，眼および脳内の出血，手術後の過剰な出血をともなった例が数件あります。イチョウの葉のエキスにより，人によっては，アレルギー性皮膚炎を起こすおそれがあります。

イチョウの葉のエキスを静脈内投与する場合には，短期間であっても，おそらく安全ではありません。最長10日までは，安全に用いられています。

種子を焼いたものや，生のイチョウを経口摂取する場合には，おそらく安全ではありません。1日に10粒を超える量の焼いた種子を摂取すると，呼吸困難，弱脈，痙攣，意識消失，ショックを引き起こすおそれがあります。生の種子は，より危険です。生の種子には毒性があり，安全ではないようです。生の種子により，痙攣を引き起こすおそれや，死に至るおそれがあります。

皮膚に塗布する場合の安全性については，データが不十分です。

乳児および小児：イチョウの葉のエキスの経口摂取は，短期間であれば，おそらく安全です。複数の研究により，小児が，イチョウの葉のエキスと，アメリカジンセン（アメリカ人参）を特定の割合で混合したものを，短期間摂取する場合には，安全である可能性が示唆されています。小児にイチョウの種子を食べさせてはいけません。安全ではないようです。

出血性疾患：イチョウが，出血性疾患を悪化させるおそれがあります。出血性疾患の場合には，イチョウを使用してはいけません。

糖尿病：イチョウが，糖尿病の管理に影響を与えるおそれがあります。糖尿病の場合には，血糖値を注意深く監視してください。

痙攣：イチョウが，痙攣を引き起こすおそれがあります。痙攣を起こしたことがある場合には，イチョウを使用してはいけません。

グルコース-6-リン酸デヒドロゲナーゼ（G6PD）酵素欠乏症：G6PD酵素欠乏症の場合には，イチョウにより，重度の貧血を引き起こすおそれがあります。G6PD酵素欠乏症の場合には，十分なデータが得られるまでは，注意して摂取するか，摂取を避けてください。

不妊：イチョウが，妊娠を妨げるおそれがあります。妊娠を望んでいる場合には，イチョウの摂取について医師などと相談してください。

手術：イチョウが，血液凝固を抑制するおそれがあります。このため，手術中および術後に，過度の出血を引き起こすおそれがあります。少なくとも手術前2週間は，使用しないでください。

●妊娠中および母乳授乳期

妊娠中の経口摂取は，おそらく安全ではありません。出産が近い時期に摂取すると，早産および分娩時の過剰出血を引き起こすおそれがあります。母乳授乳期の使用の安全性についてはデータが不十分です。妊娠中および母乳授乳期は使用してはいけません。

有 効 性

◆有効性レベル③

- 不安。研究により，特定のイチョウのエキスを，4週にわたり摂取することにより，不安の症状が緩和することが示唆されています。
- 精神機能。見解の一致していないエビデンスも複数ありますが，大部分の研究では，イチョウにより，健康な成人の記憶力，思考速度および注意力が，わずかに向上する可能性が示唆されています。1日当たり，120～240㎎を摂取することにより，1日当たり，600㎎までの高用量を摂取する場合と同様か，それ以上の効果があるようです。ほかのサプリメントと併用する場合のイチョウの効果についても，複数の研究がなされています。複数のエビデンスにより，イチョウと朝鮮人参またはツルニンジンを併用する場合には，これらを単体で摂取する場合と比べ，記憶力が向上する可能性が示唆されています。ただし，特定のイチョウと朝鮮人参の併用製品については，閉経後の女性の気分や思考力を向上させる作用はないようです。また，イチョウとブラミを含む特定の製品には，健康な成人の記憶力や問題解決力を向上させる作用もないようです。
- 認知症。複数のエビデンスにより，イチョウの葉のエキスを経口摂取すると，アルツハイマー病の症状，血管性または混合型認知症の症状がわずかに改善することが示唆されています。ただし，イチョウに関する初期の研究結果の多くについては，信頼性がないおそれがあります。大部分の臨床治験では，アルツハイマー病やほかの認知症の症状に対するイチョウの効果が示唆されていますが，見解の一致していない結果も複数あり，どのような場合にイチョウの効果があらわれるのかを判断することは容易ではありません。初期の研究によれば，特定のイチョウの葉のエキスを，毎日，22～24週にわたり摂取することにより，軽度から中度のアルツハイマー病治療の医薬品「ドネペジル塩酸塩」と同様の効果があることが示唆されています。ただし，ほかの研究では，イチョウの葉のエキスには，従来の医薬品「ドネペジル塩酸塩」や「Tacrine」ほどの効果はないことが示唆されています。イチョウは，さまざまなタイプの認知症の治療に役立つ可能性がある一方，認知症の発症を予防することはないようです。

・糖尿病患者の視力障害。糖尿病に起因する網膜損傷をともなう患者が，イチョウの葉のエキスを経口摂取することにより，色覚が改善する可能性を示唆するエビデンスが複数あります。

・緑内障（視力低下）。正常眼圧緑内障患者が，イチョウの葉のエキスを，最長12.3年にわたり，経口摂取する場合には，視野の損傷が改善されるようです。ただし，別の研究により，4週にわたりイチョウを摂取しても，緑内障の進行は予防されないことも示唆されています。

・末梢血管疾患（血行不良に起因する，歩行時の脚の疼痛）。複数のエビデンスにより，末梢血管疾患の患者が，イチョウの葉のエキスを摂取することにより，疼痛を感じることなく歩行できる距離が伸びる可能性が示唆されています。イチョウの摂取により，手術が必要となるリスクも低下する可能性もあります。ただし，末梢血管疾患の患者に改善をみるには，少なくとも24週間，イチョウを摂取する必要があるようです。

・月経前症候群。イチョウの葉のエキスを，月経周期の16日目から，次の周期の5日目までの期間，経口摂取することにより，胸の張りなど月経前症候群に関連する症状が緩和するようです。

・統合失調症。研究により，イチョウを抗精神病薬と併用して毎日摂取することにより，統合失調症の症状が緩和する可能性があることが示唆されています。抗精神病薬「ハロペリドール」による副作用が軽減する可能性もあります。

・遅発性ジスキネジア（運動疾患）。遅発性ジスキネジアは，特定の抗精神病薬に起因する運動疾患です。研究により，抗精神病薬を服薬している統合失調症患者が，特定のイチョウのエキスを摂取すると，遅発性ジスキネジアの症状の重症度が低下する可能性があることが示唆されています。

・回転性めまいおよびめまい感。イチョウの葉のエキスを経口摂取することにより，めまい感および平衡障害の症状が改善するようです。

◆有効性レベル④

・加齢にともなう記憶障害。複数の研究により，イチョウの葉のエキスが，加齢による記憶障害患者の記憶力および精神機能をわずかに改善することが示唆されています。ただし，大部分のエビデンスにより，イチョウの葉のエキスを経口摂取しても，精神機能が正常な高齢者，軽度の精神機能障害患者，認知症や加齢による記憶障害患者の記憶力および注意力は改善しないことが示唆されています。また，イチョウが，加齢にともなう記憶障害の進行を抑制することもないようです。

・抗うつ薬に起因する性機能障害。複数の初期の研究により，イチョウの葉のエキスを経口摂取することにより，抗うつ薬に起因する性機能障害が改善することが示唆されていますが，近年の研究では，そのような効果はないことが示唆されています。

・化学療法に起因する精神機能障害。研究により，乳がん治療中の患者が，特定のイチョウの葉のエキスを，1日2回，2回目の化学療法開始前から，化学療法終了から1カ月後まで摂取しても，化学療法に起因する精神機能障害が予防されることはないことが示唆されています。

・高血圧。研究により，高血圧の高齢者が，特定のイチョウの葉のエキスを，最大6年にわたり経口摂取しても，血圧が改善することはないことが示唆されています。

・多発性硬化症。多発性硬化症の患者が，イチョウの葉のエキスまたは，イチョウのエキスに含まれる特定の成分を摂取しても，精神機能や身体障害が改善することはありません。

・季節性情動障害。季節性情動障害の患者が，イチョウの葉のエキスを経口摂取しても，冬期うつ病の症状が改善することはないようです。

・耳鳴り。イチョウの葉のエキスを経口摂取しても，耳鳴りが改善することはないようです。

◆有効性レベル⑤

・心疾患。高齢者が，特定のイチョウのエキスを摂取しても，心筋梗塞，胸痛および脳卒中のリスクが低下することはありません。

◆科学的データが不十分です

・加齢黄斑変性（加齢にともなう視力低下），花粉症（アレルギー性鼻炎），高山病，気管支喘息，注意欠陥多動障害（ADHD），自閉症，慢性閉塞性肺疾患（肺疾患），コカイン中毒，大腸がん，読字障害，線維筋痛症，胃がん，聴覚異常，痔核，片頭痛，卵巣がん，膵がん，生活の質，放射線曝露，放射線に起因する皮膚毒性，レイノー症候群（血液疾患），性機能不全，脳卒中，白斑（皮膚の変色），高コレステロール血症，動脈硬化，凝血，ライム病に起因する思考障害，慢性疲労症候群，血性下痢，気管支炎，泌尿器系疾患，消化不良，疥癬，皮膚のひりひり感など。

●体内での働き

イチョウが，血流を改善することにより，脳，眼，耳および足の機能が向上するようです。また，思考を妨げる脳の変調に干渉することにより，アルツハイマー病の進行を抑制する可能性があります。

イチョウの種子には，体内で感染を引き起こす細菌や真菌を死滅させる可能性のある成分が含まれています。そのほか，痙攣や意識消失などの副作用を引き起こすおそれのある毒素も含まれています。

医薬品との相互作用

中肝臓で代謝される医薬品（シトクロムP450 2C9（CYP2C9）の基質となる医薬品）

特定の医薬品は肝臓で代謝されます。イチョウはこのような医薬品の代謝を変化させる可能性があります。そのため，医薬品の作用および副作用が変化するおそれがあります。このような医薬品には，セレコキシブ，ジクロフェナクナトリウム，フルバスタチンナトリウム，Glipizide，イブプロフェン，イルベサルタン，ロサルタンカリウム，フェニトイン，ピロキシカム，タモキシフェンクエン酸塩，トルブタミド（販売中止），トラセミド，ワルファリンカリウムなどがあります。

高Talinolol

イチョウ葉エキスを1日複数回摂取すると，Talinololの値が上昇する可能性があります。そのため，Talinololの作用および副作用が増強するおそれがあります。しかし，イチョウ葉エキスを1日1回摂取した場合は，Talinololの値に影響を及ぼさないようです。

中アトルバスタチンカルシウム水和物

イチョウはアトルバスタチンカルシウム水和物の代謝を促進する可能性があります。このことが重大な問題であるかについては明らかではありません。イチョウはコレステロール値に対するアトルバスタチンカルシウム水和物の作用に影響を及ぼすことはないようです。

中アルプラゾラム

イチョウを摂取し，アルプラゾラムを併用すると，人によってはアルプラゾラムの作用が減弱するおそれがあります。

中イブプロフェン

イチョウは血液凝固を抑制する可能性があります。イブプロフェンも血液凝固を抑制する可能性があります。イチョウを摂取し，イブプロフェンを併用すると，血圧凝固が過度に抑制され，紫斑および出血のリスクが高まるおそれがあります。イブプロフェンを服用している場合は，医師や薬剤師に相談することなくイチョウを摂取しないでください。

中エファビレンツ

エファビレンツはHIV感染症の治療に用いられます。イチョウエキスを摂取し，エファビレンツを併用すると，エファビレンツの作用が減弱するおそれがあります。エファビレンツを服用する場合は，医師や薬剤師に相談することなくイチョウを摂取しないでください。

低オメプラゾール

イチョウはオメプラゾールの代謝を促進する可能性があります。イチョウを摂取し，オメプラゾールを併用すると，オメプラゾールの働きが弱まるおそれがあります。

中シンバスタチン

イチョウはシンバスタチンの排泄を促進する可能性があります。このことが重大な問題であるかについては明らかではありません。イチョウはコレステロール値に対するシンバスタチンの作用を減弱させることはないようです。

中トラゾドン塩酸塩

イチョウはトラゾドン塩酸塩の作用を増強させる可能性があります。トラゾドン塩酸塩を服用し，イチョウを併用すると，脳内に重大な副作用が現れるおそれがあります。

低ニフェジピン

イチョウとニフェジピンを経口で併用摂取すると，体内のニフェジピン量が増加する可能性があります。そのため，ニフェジピンの副作用（頭痛，めまい，顔面紅潮（ほてり）など）が増強するおそれがあります。

中リスペリドン

イチョウはリスペリドンの肝臓での代謝を抑制する可能性があります。そのため，リスペリドンの副作用（傾眠，めまい感，口内乾燥など）のリスクを高めるおそれがあります。

中ワルファリンカリウム

ワルファリンカリウムは血液凝固を抑制するために用いられます。イチョウも血液凝固を抑制する可能性があります。イチョウを摂取し，ワルファリンカリウムを併用すると，紫斑および出血のリスクが高まるおそれがあります。定期的に血液検査をしてください。ワルファリンカリウムの用量を変更する必要があるかもしれません。

中肝臓で代謝される医薬品（シトクロムP450 1A2（CYP1A2）の基質となる医薬品）

特定の医薬品は肝臓で代謝されます。イチョウはこのような医薬品の代謝を変化させる可能性があります。そのため，医薬品の作用および副作用が変化するおそれがあります。このような医薬品には，クロザピン，Cyclobenzaprine，フルボキサミンマレイン酸塩，ハロペリドール，イミプラミン塩酸塩，メキシレチン塩酸塩，オランザピン，塩酸ペンタゾシン，プロプラノロール塩酸塩，Tacrine，テオフィリン，Zileuton，ゾルミトリプタンなどがあります。

中肝臓で代謝される医薬品（シトクロムP450 2C19（CYP2C19）の基質となる医薬品）

特定の医薬品は肝臓で代謝されます。イチョウはこのような医薬品の代謝を変化させる可能性があります。そのため，医薬品の作用および副作用が変化するおそれがあります。このような医薬品には，アミトリプチリン塩酸塩，Citalopram，ジアゼパム，ランソプラゾール，オメプラゾール，フェニトイン，ワルファリンカリウムなど数多くあります。

中肝臓で代謝される医薬品（シトクロムP450 3A4（CYP3A4）の基質となる医薬品）

特定の医薬品は肝臓で代謝されます。イチョウはこのような医薬品の代謝を変化させる可能性があります。そのため，医薬品の作用および副作用が変化するおそれがあります。このような医薬品には，Lovastatin，クラリスロマイシン，シクロスポリン，ジルチアゼム塩酸塩，エストロゲン（卵胞ホルモン）製剤，インジナビル硫酸塩エタノール付加物（販売中止），トリアゾラムなどがあります。

イ

中血液凝固を抑制する医薬品（抗凝固薬/抗血小板薬）

イチョウは血液凝固を抑制する可能性があります。イチョウを摂取し，血液凝固を抑制する医薬品を併用すると，紫斑および出血のリスクが高まるおそれがあります。このような医薬品には，アスピリン，クロピドグレル硫酸塩，エノキサパリンナトリウム，ヘパリン，インドメタシン，ナプロキセン，アピキサバン，ワルファリンカリウムなどがあります。

中抗てんかん薬

イチョウは痙攣発作のリスクを高める可能性があります。その結果，イチョウを摂取すると抗てんかん薬の作用が減弱する可能性があります。そのため，痙攣発作のリスクが高まるおそれがあります。このような抗てんかん薬には，フェノバルビタール，プリミドン，バルプロ酸ナトリウム，ガバペンチン，カルバマゼピン，フェニトイン，レベチラセタムなどがあります。

中糖尿病治療薬

イチョウは血糖値を低下させる可能性があります。イチョウを摂取し，糖尿病治療薬を併用すると，医薬品の作用が減弱するおそれがあります。血糖値を注意深く監視してください。このような糖尿病治療薬には，グリメピリド，グリベンクラミド，インスリン，ピオグリタゾン塩酸塩，クロルプロパミド，Glipizide，トルブタミド（販売中止），エンパグリフロジン，リラグルチドなどがあります。

中発作を誘発する可能性のある医薬品（発作閾値を低下させる医薬品）

人によってはイチョウは発作のリスクを高める可能性があります。また，特定の医薬品は発作のリスクを高めます。これらを併用摂取すると発作のリスクがさらに高まるおそれがあります。このような医薬品には，麻酔薬（プロポフォールなど），抗不整脈薬（メキシレチン塩酸塩），抗菌薬（Amphotericin，ペニシリン系薬，セファロスポリン系薬，イミペネム水和物（販売中止）），抗うつ薬（ブプロピオン塩酸塩（販売中止）など），抗ヒスタミン薬（シプロヘプタジン塩酸塩水和物など），免疫抑制薬（シクロスポリン），麻薬（フェンタニルクエン酸塩など），興奮薬（メチルフェニデート塩酸塩），テオフィリンなどがあります。

中細胞内のポンプによって輸送される医薬品（P糖タンパク質の基質となる医薬品）

特定の医薬品は細胞のポンプによって細胞内に輸送，細胞外に排出されます。イチョウはポンプの働きを変化させ，医薬品が体内に留まる量を変化させる可能性があります。そのため，場合によっては医薬品の作用および副作用が変化するおそれがあります。このような医薬品には，エトポシド，パクリタキセル，ビンブラスチン硫酸塩，ビンクリスチン硫酸塩，ビンデシン硫酸塩，ケトコナゾール，イトラコナゾール，アンプレナビル，インジナビル硫酸塩エタノール付加物（販売中止），ネルフィナビルメシル酸塩，サキナビルメシル酸塩，シメチジン，ラニチジン塩酸塩，ジルチアゼム塩酸塩，ベラパミル塩酸塩，副腎皮質ステロイド，エリスロマイシン，シサプリド，フェキソフェナジン塩酸塩，シクロスポリン，ロペラミド塩酸塩，キニジン硫酸塩水和物などがあります。

ハーブおよび健康食品・サプリメントとの相互作用

痙攣のリスクを高めるハーブおよび健康食品・サプリメント

イチョウの種子には，高用量で痙攣を引き起こすおそれのある化学物質が含まれています。イチョウと，痙攣のリスクを高めるおそれのある，ほかのハーブおよび健康食品・サプリメントを併用すると，痙攣のリスクがさらに高まるおそれがあります。痙攣の既往症がない場合や，てんかんを適切に管理できている場合にも，イチョウの葉を摂取した後に，痙攣を引き起こした例が報告されています。イチョウと，痙攣のリスクが高まるおそれのあるほかのハーブおよび健康食品・サプリメントの併用は，避けることが最善です。このようなハーブおよび健康食品・サプリメントには，ブタンジオール（BD），ヒバ，トウゲシバ，エチレンジアミン四酢酸，葉酸，γ-ブチロラクトン（GBL），γ-ヒドロキシ酪酸塩（GHB），グルタミン，ヒューペルジンA，硫酸ヒドラジン，ヒソップのオイル，ジュニパー，L-カルニチン，メラトニン，ローズマリー，セージ，ヨモギなどがあります。

血液凝固を抑制するおそれのあるハーブおよび健康食品・サプリメント

イチョウが，血液凝固を抑制するおそれがあります。このため，イチョウと血液凝固を抑制するおそれのあるほかのハーブおよび健康食品・サプリメントを併用すると，人によっては，出血のリスクが高まるおそれがあります。このようなハーブおよび健康食品・サプリメントには，アンゼリカ，クローブ，タンジン，ニンニク，ショウガ，朝鮮人参などがあります。

セント・ジョンズ・ワート

うつ病患者が，イチョウと，Buspirone，塩酸フルオキセチン（販売中止），メラトニンおよびセント・ジョンズ・ワートを併用すると，躁症状を引き起こすおそれがあります。このような症状を引き起こす原因が，イチョウ単体にあるのか，セント・ジョンズ・ワートとの併用にあるのかは，明らかではありません。

使用量の目安

●経口摂取

不安

特定のイチョウの葉のエキス，80mgまたは160mgを，1日3回，4週にわたり，摂取します。

認知症

特定のイチョウの葉のエキスを，1日当たり，120～240mg，2～3回に分けて摂取します。

糖尿病に起因する網膜損傷

特定のイチョウの葉のエキスを，1日当たり，120mg，6カ月にわたり摂取します。

精神機能

1回あたり，240～600mgのイチョウのエキスを摂取します。特定のイチョウの葉のエキスを，1日当たり，120～240mg，4週～4カ月にわたり摂取します。別のイチョウの葉のエキスを，1回当たり，120～300mg，2日にわたり摂取することもあります。イチョウのエキスおよび朝鮮人参の併用製品を，1回当たり，60～360mg，12週にわたり摂取することもあります。

跛行，末梢血管疾患（血行不良に起因する歩行の際の痛み）

特定のイチョウの葉のエキスを，1日当たり，120～240mg，2～3回に分けて，最長6.1年にわたり摂取します。投与量が高くなるほど，効果も高くなる可能性があります。

回転性めまい

特定のイチョウの葉のエキス，160mgを，1日1～2回に分けて，3カ月にわたり摂取します。

月経前症候群

特定のイチョウの葉のエキス，80mgを，1日2回，月経周期の16日目から，次の周期の5日目まで摂取します。または，別のイチョウの葉のエキス，40mgを，1日3回，月経周期の16日目から，次の周期の5日目まで摂取します。

緑内障

120～160mgのイチョウの葉のエキスを，1日2～3回に分けて，最長12.3年にわたり摂取します。

統合失調症

特定のイチョウの葉のエキス，1日当たり，120～360mgを，8～16週にわたり摂取します。

遅発性ジスキネジア

特定のイチョウの葉のエキス，80mgを，1日3回，12週にわたり摂取します。

すべての用途で，消化管の副作用を避けるために，1日120mg以下の摂取からはじめ，必要に応じて摂取量を増やします。摂取量は，使用する特定の製剤により異なることがあります。ほとんどの研究では，標準化された特定のギンコ・ビローバ葉エキスが用いられています。天然のイチョウ葉エキスの標準的なチンキ剤（1：5）0.5mLを，1日3回，摂取する人もいます。

天然のイチョウは，種子および植物のあらゆる部位に危険なレベルの毒性成分を含んでいるおそれがあります。重度のアレルギー反応を起こすおそれがあるため，天然のイチョウの摂取は避けるべきです。

イデベノン

IDEBENONE

別名ほか

Hydroxydecyl Benzoquinone

概　　要

イデベノンはコエンザイムQ-10と類似の合成品です。

安 全 性

ほとんどの人に安全のようです。

●妊娠中および母乳授乳期

妊娠中および母乳授乳期の使用の安全性についてはデータが不十分です。安全性を考慮し，摂取は避けてください。

有 効 性

◆有効性レベル③

・アルツハイマー病の治療。イデベノンの摂取がアルツハイマー患者の思考力低下を遅らせるというエビデンスがあります。中等度のアルツハイマー病患者にもっとも有効なようです。

◆科学的データが不十分です

・フリードライヒ運動失調症（心疾患や糖尿病にいたる遺伝的進行性神経系疾患）。現在進行中の研究では，イデベノンを摂取するとフリードライヒ運動失調症が原因の心疾患を抑制するかもしれないと示唆しています。しかし，ほかの研究ではその効果はないとしています。イデベノンはフリードライヒ運動失調症の進行を遅らせる効果はないようです。

・ミトコンドリア脳筋症（筋肉や神経障害にいたる一連の疾病）。イデベノン摂取がこの疾患の患者の症状を軽減すると示唆する研究があります。

●体内での働き

抗酸化作用をもっているようです。また，さまざまな細胞を酸化による損傷から保護するようです。

医薬品との相互作用

ほかの医薬品との相互作用については明らかではありません。

ハーブおよび健康食品・サプリメントとの相互作用

ほかのハーブ，健康食品・サプリメントとの相互作用についてはまだ明らかではありません。

使用量の目安

●経口摂取

アルツハイマー病

1回90～120mgを1日3回摂取します。

フリードライヒ運動失調症

5～10mg/kgを1日3回に分けて摂取します。1日75mg/kgまでの高用量も摂取されています。

ミトコンドリア脳筋症

90～270mgを1日3回に分けて摂取します。

糸杉

CYPRESS

●代表的な別名

サイプレス

別名ほか

セイヨウイトスギ，サイプレス，イタリアイトスギ（Cupressus sempervirens）

概　　要

糸杉は植物です。枝，松かさ，オイルが「くすり」に使用されることもあります。

●要説（ナチュラル・スタンダード）

イトスギ属はヒノキ科に分類され，イトスギ属に分類される植物を糸杉と総称します。糸杉は常緑の大きな灌木です。温暖地域原産で，地中海沿岸全域に分布します。イタリアイトスギ（Mediterranean cypress）は地中海東岸地域原産の種です。

糸杉の精油は香料として用いられます。アロマセラピーにも用いられます。糸杉の精油を肉体労働後に吸入すると，気分高揚効果があります。初期の研究により，糸杉には抗血小板，抗炎症，および免疫刺激効果のあることが示唆されています。

安　全　性

糸杉の安全性については不明ですが，腎臓の過敏を起こすことがあります。

●アレルギー

スギや桃に過敏な人は，糸杉にもアレルギー反応が出るおそれがあります。

●妊娠中および母乳授乳期

妊娠中および母乳授乳期の使用の安全性についてはデータが不十分です。安全性を考慮し，摂取は避けてください。

有　効　性

◆科学的データが不十分です

・皮膚へ塗布する場合には，鼻風邪，咳，気管支炎など。

●体内での働き

どのように作用するかについては十分なデータが得られていません。

医薬品との相互作用

中 血液凝固を抑制する医薬品（抗凝固薬/抗血小板薬）

糸杉は血液凝固を抑制する可能性があります。糸杉と血液凝固を抑制する医薬品を併用すると，紫斑および出血のリスクが高まるおそれがあります。このような医薬品には，アスピリン，クロピドグレル硫酸塩，ジクロフェナクナトリウム，イブプロフェン，ナプロキセン，ダルテパリンナトリウム，エノキサパリンナトリウム，ヘパリン，ワルファリンカリウムなどがあります。

ハーブおよび健康食品・サプリメントとの相互作用

ほかのハーブ，健康食品・サプリメントとの相互作用についてはまだ明らかではありません。

使用量の目安

通常の食品に含まれている量を超えて経口摂取した場合の安全性および副作用については，明らかになっていません。

イヌサフラン

AUTUMN CROCUS

●代表的な別名

メドウクロッカス，秋クロッカス

別名ほか

秋クロッカス（Fall Crocus），コルチカム（Colchicum），メドウサフラン，メドウクロッカス（Meadow Saffran），Colchicum autumnale，Colchicum speciosum，Colchicum vernum，Crocus，Meadow Saffron，Mysteria，Naked Ladies，Upstart，Vellorita，Wonder Bulb

概　　要

イヌサフランは植物です。種子，球根，花を用いて「くすり」を作ることもあります。

安　全　性

安全ではありません。

有毒と考えられ，口内およびのどの焼灼感，嘔吐，下痢，肝臓および腎臓障害，血液疾患，神経障害，ショック，臓器不全，死亡を起こすことがあります。イヌサフランをタマネギと間違えて食べ，中毒になったとの報告があります。

急性の痛風か，家族性地中海熱があれば，担当医が処方したコルヒチンを使用するほうがはるかに安全です。

処方されたコルヒチンは一定量の医薬品が含まれています。コルヒチンの量は個々の植物によって異なることがあります。

●妊娠中および母乳授乳期

イヌサフランの使用は，誰にとっても安全ではありませんが，妊婦は使用を避けるべき特別な理由があります。イヌサフランは，先天性異常を引き起こす可能性があります。

有　効　性

◆科学的データが不十分です

・関節炎，痛風，および地中海熱。

●体内での働き

種子にはコルヒチンが含まれています。これは，痛風や地中海熱の処方薬に使用されているのと同じ有効成分です。コルヒチンはこれらの病気の患者の関節の炎症（腫脹）を引き起こす原因物質を減少させることで作用します。

医薬品との相互作用

高コルヒチン

イヌサフランにはコルヒチンが含まれています。イヌサフランとコルヒチンを併用すると，コルヒチンの効果および副作用が増強します。

ハーブおよび健康食品・サプリメントとの相互作用

ほかのハーブ，健康食品・サプリメントとの相互作用についてはまだ明らかではありません。

使用量の目安

●経口摂取

投与はコルヒチンの含有量と関連します。毒性を示す可能性があるため，米国食品医薬品局（FDA）が認可した標準的なコルヒチンを摂取すること。痛風と家族性地中海熱の場合は，医師による診断，治療，モニタリングが必要です。

イヌホオズキ

BLACK NIGHTSHADE

別名ほか

Garden Nightshade，Houndsberry，Kakamachi，Petty Morel，Poisonberry，Solanum nigrum

概　　要

イヌホオズキは植物です。全体，葉，果実，根を用いて「くすり」を作ることもあります。元来イヌホオズキは，より有毒な恐ろしいベラドンナで，「great morel」として知られるチョウセンアサガオと区別するため，「petit morel」と呼ばれていました。葉，果実，根など，イヌホオズキの全部分を「くすり」として利用しています。

安　全　性

安全ではありません。ソラニンと呼ばれる毒性の化合物を含んでいます。

低用量でも，悪心，嘔吐，頭痛などの副作用を起こすことがあります。

投与量を増やすと，重度の中毒を起こすことがあります。中毒の徴候には，不整脈，呼吸困難，めまい感，眠気，腕と脚の単収縮，痙攣，下痢，麻痺，昏睡，死亡があります。

●妊娠中および母乳授乳期

妊娠中の場合の使用は，安全ではありません。出生児の先天性異常を起こすおそれがあります。

有　効　性

◆科学的データが不十分です

・胃疾患，疼痛性筋痙攣，痔核（患部に直接塗布），皮膚炎（皮膚に直接塗布），熱傷（皮膚に直接塗布），痙攣，疼痛など。

●体内での働き

どのように作用するかについては十分なデータが得られていません。

医薬品との相互作用

ほかの医薬品との相互作用については明らかではありません。

ハーブおよび健康食品・サプリメントとの相互作用

ほかのハーブ，健康食品・サプリメントとの相互作用についてはまだ明らかではありません。

使用量の目安

●経口摂取

標準使用量に関するデータがありません。

●局所投与

ひと握りのハーブを沸騰しているお湯に10分間入れ，湿布あるいはリンス剤として用います。

イヌリン

INULIN

●代表的な別名

β(2,1)フラクタン

別名ほか

長鎖オリゴ糖（Long-chain oligosaccharides），オリゴ糖（Oligosaccharides），チコリエキス（Chicory extract），チコリイヌリン（Chicory inulin），ダリアイヌリン（Dahlia inulin），プレバイオティック（Prebiotic），Beta (2-1)fructans，Dahlia extract

概　　要

イヌリンは多くの果物や野菜，ハーブにあるでんぷん質の物質です。温水にチコリの根を浸して得るのがもっとも一般的です。

安　全　性

適切に使用すれば安全なようです。

もっとも多い副作用は胃で起きるものです。過度の使用は胃障害を起こすことがあります。

●妊娠中および母乳授乳期

妊娠中および母乳授乳期の使用についてはデータが不十分です。安全性を考慮し，摂取は控えてください。

有　効　性

◆有効性レベル③

・血清トリグリセリド値の低下。イヌリンは８週間摂取すると，トリグリセリド値が最高19%低下するようです。

・便秘。通常，便通が週に１～２回の高齢者は，イヌリンの摂取により毎日の便通が促進されます。

◆有効性レベル④

・体重減少。

・高コレステロール血症。

●体内での働き

胃では消化・吸収されません。腸内細菌が成長に利用できる腸にまで進みます。腸の機能と全身の健康状態の改善に関連する特殊な腸内細菌の成長を補助しています。身体が特定の種類の脂肪を作る能力を低下させます。

医薬品との相互作用

低糖尿病治療薬

イヌリンは血糖値を低下させる可能性があります。イヌリンを摂取し，糖尿病治療薬を併用すると，血糖値が過度に低下するおそれがあります。血糖値を注意深く監視してください。このような糖尿病治療薬には，グリメピリド，グリベンクラミド，インスリン，メトホルミン塩酸塩，ピオグリタゾン塩酸塩，マレイン酸ロシグリタゾン（販売中止），クロルプロパミド，Glipizide，トルブタミド（販売中止）などがあります。

ハーブおよび健康食品・サプリメントとの相互作用

ほかのハーブ，健康食品・サプリメントとの相互作用についてはまだ明らかではありません。

使用量の目安

●経口摂取

高トリグリセリド血症

通常の摂取量は１日10～14g。

高コレステロール血症

１回６gを１日３回，６週間まで摂取します。

高齢者における便秘

１日20～40gを19日間摂取します。

イノシトール

INOSITOL

●代表的な別名

ビタミンB_8

別名ほか

1,2,3,4,5,6-Cyclohexanehexol，1,2,5/3,4,6-inositol，(1S)-inositol，(1S)-1,2,4/3,5,6-inositol，Antialopecia Factor，(+)-chiroinositol，cis-1,2,3,5-trans-4,6-Cyclohexanehexol，Cyclohexitol，Dambrose，D-chiro-inositol，D-chiro-イノシトール，D-Myo-Inositol，Facteur Anti-alopécique，Hexahydroxycyclohexane，Inose，Inosite，Inositol Monophosphate，Lipositol，Meso-Inositol，Méso-Inositol，Monophosphate d'Inositol，Mouse Antialopecia Factor, Myo-Inositol, D-chiro-イノシトール，ミオイノシトール，Vitamin B8，ビタミンB_8，Vitamine B8

概　　要

イノシトールはビタミン様物質です。多くの動植物に存在します。人体でも産生され，人工的に作ることもできます。イノシトールには，多くの構造（異性体）が存在します。もっとも一般的な異性体は，myo-イノシトールおよびD-chiro-イノシトールです。

イノシトールは，糖尿病，糖尿病神経障害，妊娠中に診断された糖尿病（妊娠糖尿病），メタボリックシンドローム，閉経および多のう胞性卵巣症候群（PCOS）に関連する疾患（無排卵，高血圧，高トリグリセリド血症，テストステロン値の上昇など）の治療のために，経口摂取されることがあります。また，うつ病，統合失調症，自閉症，アルツハイマー病，注意欠陥多動障害（ADHD），双極性障害，強迫性障害（OCD），抜毛の強迫観念（抜毛症），パニック障害，心的外傷後ストレス障害，不安障害にも使用されますが，これらの用途を十分に裏づけるエビデンスはありません。

イノシトールは，先天性神経管奇形（脳および脊髄の先天異常）などの妊娠合併症の予防や，医薬品（リチウム）の副作用の抑制にも経口摂取されます。

また，イノシトールは，急性呼吸促迫症候群の未熟児に経口摂取または静脈内投与されます。

安　全　性

イノシトールを経口摂取する場合，ほとんどの成人におそらく安全です。吐き気，胃痛，疲労，頭痛，めまい感を起こすおそれがあります。

小児：５～12歳の小児が最長12週間経口摂取する場合，おそらく安全です。急性かつ重大な肺疾患（急性呼吸促迫症候群（ARDS））の未熟児に対して最長10日間病院で使用される場合も，おそらく安全です。ただし，ARDSの未熟児に対して10日間より長く使用する場合，おそらく安全ではありません。

糖尿病：イノシトールは，血糖値およびヘモグロビンA1cの値を低下させる可能性があります。糖尿病患者がイノシトールを使用する場合には，低血糖の徴候に注意し，血糖値を注意深く監視してください。

●妊娠中および母乳授乳期

妊娠中：イノシトールを経口摂取する場合，おそらく安全です。

母乳授乳期：イノシトールの使用の安全性については，データが不十分です。安全性を考慮し，摂取は避けてください。

有　効　性

◆有効性レベル③

・リチウムに起因する副作用。イノシトールを経口摂取すると，リチウムに起因する皮膚疾患（乾癬）が改善するようです。しかし，リチウムを摂取していない場合の乾癬には役立たないようです。イノシトールは，リチウムに起因するほかの副作用は改善しないようです。

・メタボリックシンドローム。メタボリックシンドロームの閉経後の女性がα-リポ酸と併用あるいは単独でイノシトールを摂取すると，インスリン抵抗性，血清コレステロール，血清トリグリセリド値，血圧が改善するようです。

・激しい恐怖の経験によりもたらされる不安（パニック障害）。イノシトールには，パニック発作および広場恐怖症（公共の場所や広場などで起こる恐怖）をコントロールできる可能性が示されています。ある研究では，処方薬と同程度の効果があるとしています。ただし，パニック発作に対する効果を証明するためには大規模な臨床研究を行う必要があります。

・のう胞を伴う卵巣腫大が生じるホルモンの病気（多のう胞性卵巣症候群（PCOS））。イノシトールは，PCOSに効果があるようです。PCOSを有する過体重または肥満の女性が特定の構造のイノシトール（D-chiro-イノシトールまたはmyo-イノシトール）を経口摂取すると，血清トリグリセリド値，テストステロン値，血圧が低下し，卵巣の機能が改善するようです。この２種類のイノシトールを一緒に摂取すると，D-chiro-イノシトールを単独で摂取するときよりも，排卵を促進することが複数の研究で示されています。また，２種類を併用すると，myo-イノシトールを単独で摂取するときよりも，血圧，血糖値，血中インスリン値を改善するようです。

◆有効性レベル④

・急性かつ重大な肺疾患（急性呼吸促迫症候群（ARDS））。ARDSの未熟児にイノシトールを静脈内投与しても役立たないようで，また，有害であるおそれがあります。イノシトールによって死亡，失明，脳内出血などの有害事象のリスクが低下することがそれ以前の初期の研究で示唆されています。ただし，現時点での最大の研究では，イノシトールが，ARDSの未熟児の死亡，失明などの好ましくない転帰のリスクを低下しないことが示されています。イノシトールは，死亡および失明のリスクをわずかとは言え，増加させるおそれがあります。

・アルツハイマー病。イノシトールを経口摂取しても，アルツハイマー病の症状は改善しないようです。

・不安。イノシトールを経口摂取しても，不安の重症度は改善されないようです。

・自閉症。イノシトールを経口摂取しても，自閉症の症状は改善しないようです。

・うつ病。イノシトールはうつ病の症状を改善しないことが，ほとんどの研究によって示されています。うつ病の場合にイノシトールを４週間摂取すると，最初は改善がみられるものの，しばらくして再び悪化するようであることを示す初期の研究があります。また，イノシトールによってSSRI（抗うつ薬）の作用が増強する可能性が見込まれています。しかし，現時点ではその事実は研究では示されていません。

・統合失調症。イノシトールを経口摂取しても，統合失調症の症状は改善しないようです。

◆有効性レベル⑤

・糖尿病性神経障害（糖尿病性ニューロパチー）。イノシトールを経口摂取しても，糖尿病に起因する神経痛の症状は改善しません。

◆科学的データが不十分です

・注意欠陥多動障害（ADHD），双極性障害，糖尿病，肺がん，とらわれや繰り返し行動が特徴の不安障害（強迫性障害（OCD）），恐ろしい出来事の後にしばしば発症する不安障害の１つ（心的外傷後ストレス障害（PTSD）），抜毛症，がん，発毛，高コレステロール血症，脂質代謝異常，睡眠障害（不眠）など。

●体内での働き

イノシトールは，体内の特定の化学物質とバランスをとることで，パニック障害，うつ病，強迫性障害などの精神的な問題におそらく役立つ可能性があります。また，イノシトールにはインスリンの抵抗性を改善する可能性もあります。そのため，多のう胞性卵巣症候群または妊娠中の糖尿病などの疾患にも役立つ可能性があります。

医薬品との相互作用

中 糖尿病治療薬

イノシトールは血糖値を低下させる可能性がありま

す。糖尿病治療薬も血糖値を低下させるために用いられます。イノシトールと糖尿病治療薬を併用すると，血糖値が過度に低下するおそれがあります。血糖値を注意深く監視してください。糖尿病治療薬の用量を変更する必要があるかもしれません。このような糖尿病治療薬には，グリメピリド，グリベンクラミド，インスリン，ピオグリタゾン塩酸塩，マレイン酸ロシグリタゾン（販売中止），クロルプロパミド，Glipizide，トルブタミド（販売中止）などがあります。

ハーブおよび健康食品・サプリメントとの相互作用

血糖値を低下させるおそれのあるハーブおよび健康食品・サプリメント

イノシトールは血糖値を低下させる可能性があります。血糖値を低下させるおそれのあるほかのハーブまたは健康食品･サプリメントとイノシトールを併用すると，血糖値が過度に低下するおそれがあります。このようなハーブまたは健康食品・サプリメントには，アガリクス茸，バナバ，ニガウリ，ハッショウマメ，デビルズクロー，フェヌグリーク，ショウガ，コンニャクマンナン，ゴーツルー，グアーガム，クズ，朝鮮人参，エゾウコギ，ウィローバークなどがあります。

通常の食品との相互作用

ミネラル

フィチン酸（食品に含まれるイノシトールの構造）はミネラル（とくにカルシウム，亜鉛，鉄）の吸収を阻害する可能性があります。

使用量の目安

【成人】

●経口摂取

妊娠中の糖尿病（妊娠糖尿病）

妊娠初期から，１日２回，特定の構造のイノシトール（異性体myo-イノシトール）２gを葉酸200mgと併用して摂取します。

リチウムに起因する乾癬の治療

イノシトール１日６gを摂取します。

メタボリックシンドローム

特定の構造のイノシトール（異性体myo-イノシトール）２gを，１日２回，１年間摂取します。

パニック障害

イノシトール１日12～18gを摂取します。

多のう胞性卵巣症候群に関連する症状の治療

特定の構造のイノシトール（異性体D-chiro-イノシトール）1,000～1,200mgを摂取します。別の構造のイノシトール（異性体myo-イノシトール）４gおよび葉酸400μgが配合された製品の場合，最長６カ月間，毎日摂取します。myo-イノシトール550mgおよびD-chiro-イノシトール13.8mgを含有する特定の製品の場合，最長６カ月間，１日２回摂取します。

妊娠合併症

妊娠初期から，１日２回，特定の構造のイノシトール（異性体myo-イノシトール）２gを葉酸200mgと併用して摂取します。

【小児】

●経口摂取

未熟児の呼吸器疾患（呼吸促拍症候群）

イノシトール120～160mg/kgまたは2,500μmol/Lが病院で使用されます。

●静脈内投与

未熟児の呼吸障害（呼吸促拍症候群）

イノシトール80～160mg/kgが病院で使用されます。

イノシン

INOSINE

●代表的な別名

2,3ジフォスフォグリセレート

別名ほか

2,3ジフォスフォグリセレート
(2,3-Diphosphoglycerate)，Hypoxanthine Riboside，Hypoxanthosine，6-9
Dihydro-9-B-D-ribofuranosyl-1H-puin-6-one，
9-B-D-ribofuranosylhypoxanthine

概　　要

イノシンは化合物の名前です。化学的に合成することができます。これを用いて「くすり」を作ることもあります。

安　全　性

十分なデータは得られていないので，安全性および副作用については明らかになっていません。

痛風：イノシンの摂取は，痛風を悪化させます。

●妊娠中および母乳授乳期

妊娠中および母乳授乳期の使用の安全性についてはデータが不十分です。安全性を考慮し，摂取は避けてください。

有　効　性

◆有効性レベル⑤

・運動能力を高める。

●体内での働き

脳や脊髄内で，軸索が健常な神経細胞から損傷を受けた神経細胞へのばすのを補助することを示唆する情報があります。これが真実であれば，脊髄損傷の治療に有効である可能性がありますが，ヒトを対象とした，より多くの研究で確認していくことが必要です。

医薬品との相互作用

中アロプリノール

アロプリノールは痛風の治療に用いられます。イノシンはアプリノールの効果を弱めるおそれがあります。

中プロベネシド

プロベネシドは痛風の治療に用いられます。イノシンはプロベネシドの効果を弱めるおそれがあります。

ハーブおよび健康食品・サプリメントとの相互作用

ほかのハーブ，健康食品・サプリメントとの相互作用についてはまだ明らかではありません。

使用量の目安

●経口摂取

運動能力に与える作用についての臨床試験では，１日５～６gを使用します。

イブキジャコウソウ

WILD THYME

●代表的な別名

セルピルム

別名ほか

セルピルム (Serpyllum)，ヨウシュイブキジャコウソウ，クリーピングタイム，クリーピングワイルドタイム (Thymus serpyllums)，Mother of Thyme, Shepherd's Thyme

概　　要

イブキジャコウソウはハーブです。地上部を用いて「くすり」を作ることもあります。

安 全 性

食物に使用されている量は安全で，医薬品として使用されるときはほとんどの成人に安全のようです。

甲状腺疾患：イブキジャコウソウは，甲状腺機能を制御するホルモンに影響を与え，甲状腺の機能を抑制するおそれがあります。

●妊娠中および母乳授乳期

妊娠中および母乳授乳期の使用の安全性についてはデータが不十分です。安全性を考慮し，使用は避けてください。

有 効 性

◆科学的データが不十分です

・咳，気管支炎，腎障害，膀胱機能障害，腸内ガス（膨満）の緩和，および疝痛。直接皮膚に塗布する場合には，関節炎および捻挫など。

●体内での働き

どのように作用するかについては十分なデータが得られていません。

医薬品との相互作用

ほかの医薬品との相互作用については明らかではありません。

ハーブおよび健康食品・サプリメントとの相互作用

ほかのハーブ，健康食品・サプリメントとの相互作用についてはまだ明らかではありません。

使用量の目安

●経口摂取

食前にお茶ティーカップ１杯を摂取します。お茶は，乾燥植物1.5～２gを熱湯150mLに10分浸してからこします。乾燥ハーブなら４～６gに相当します。

イブキトラノオ

BISTORT

●代表的な別名

スネークウィード

別名ほか

ビストート（Polygonum bistorta），スネークウィード（Snakeweed），Adderwort, Dragonwort, Easter Giant, Easter Mangiant, Oderwort, Osterick, Patience Dock, Red Legs, Sweet Dock

概　　要

イブキトラノオは植物です。根と地下茎を用いて「くすり」を作ることもあります。

安 全 性

十分なデータがないので，安全性については明らかになっていません。

●妊娠中および母乳授乳期

妊娠中および母乳授乳期の使用の安全性についてはデータが不十分です。安全性を考慮し，摂取は避けてください。

有 効 性

◆科学的データが不十分です

・下痢のような消化不良（経口摂取），口とのどの感染症（患部に直接塗布），創傷（患部に直接塗布）など。

●体内での働き

炎症（腫脹）を軽減し，下痢，口やのどの炎症を改善するタンニンと呼ばれる化合物が含まれています。

医薬品との相互作用

ほかの医薬品との相互作用については明らかではありません。

ハーブおよび健康食品・サプリメントとの相互作用

アルカロイドを成分に含むハーブおよび健康食品・サプリメント

イブキトラノオのタンニンが，ほかのハーブに含まれているアルカロイドの体内での代謝に影響を与えると考えられます。

使用量の目安

●経口摂取

根と根茎を粉末にして煎じ薬とします。

●局所投与

粉末状にした根をエキス剤または軟膏として用います。

イプリフラボン

IPRIFLAVONE

別名ほか

FL-113，7-Isopropoxy-Isoflavone，TC-80

概　要

大豆由来の別の物質（ダイゼイン）から人工的に作られた物質です。

注：イプリフラボンは，わが国では第16次改正日本薬局方に掲載されている。医薬品である。

安　全　性

イプリフラボンは適切な医師の管理下で使用される場合には，ほとんどの人に安全なようです。ただし，胃痛，下痢，めまいなどの副作用を起こすことがあります。

イプリフラボンには，6カ月以上に渡り使用した場合，白血球の数を減少させる（リンパ球減少症）懸念があります。イプリフラボンを長期間使用する場合には，白血球数を定期的に検査して下さい。

免疫機能低下状態：イプリフラボンは体内の白血球数を減少させることがあるため，感染症にかかりやすくなる可能性があります。エイズや臓器移植の拒否反応を防ぐための薬剤投与，化学療法などの原因により，すでに免疫機能が低下している人はより注意が必要です。

白血球数の減少（リンパ球減少症）：イプリフラボンはリンパ球減少症を引き起こす懸念があるため，リンパ球減少症患者が使用すると，症状を悪化させる恐れがあります。

●妊娠中および母乳授乳期

妊娠中，母乳授乳期のイプリフラボンの使用についてはまだ良く知られていません。安全性を考慮し，使用しないでください。

有　効　性

◆有効性レベル②

・閉経後の女性にみられる骨粗鬆症（骨密度の低下）の治療や予防。イプリフラボンをカルシウム1,000mgと毎日併用すると，骨粗鬆症の，または骨が弱化している閉経後の女性の骨密度（BMD）の低下を予防する可能性があります。一部の女性では，骨の強度が上昇する可能性があるという報告もあります。イプリフラボンと併用する，カルシウムの摂取量によって有効性が異なるようです。イプリフラボンと500mgのカルシウムを毎日摂取した試験では，骨の強度に効果はみられませんでした。カルシウムの毎日摂取量1,000mg以上が効果的のようです。イプリフラボンとエストロゲンの併用も，高齢の女性において骨粗鬆症を予防し，骨の強度を上昇するようです。この併用に加えて，カルシウムも同時に摂取するとさらに有効です。

・骨粗鬆症にともなう痛みの軽減。イプリフラボンは骨粗鬆症にともなう痛みを軽減し，薬剤であるカルシトニンの点鼻投与療法と同等の効果があるようです。

・脳卒中により半身不随になった人（脳卒中後片麻痺）の骨量減少の予防。イプリフラボンとビタミンDを併用すると，ビタミンDの単独投与よりもビタミンD欠乏の脳卒中片麻痺患者で骨量の減少を統計学的に有意に予防するようです。

◆有効性レベル③

・パジェット病の患者の骨痛。

・慢性腎疾患による骨疾患（腎性骨ジストロフィー）。

◆科学的データが不十分です

・ボディビルダーの代謝の亢進。

●体内での働き

骨密度の低下を予防し，骨粗鬆症予防におけるエストロゲンの作用の改善を補助する可能性があります。エストロゲンと組み合わせて使用すると，閉経後の女性が使用するエストロゲンの投与量を減らすことができるかもしれません。

医薬品との相互作用

中テオフィリン

テオフィリンは体内で代謝されてから排泄されますが，イプリフラボンはテオフィリンの消失を遅らせる可能性があります。テオフィリンと併用すると，テオフィリンの作用が増強され，副作用も強く現れるおそれがあります。

中肝臓で代謝される医薬品（シトクロムP450 1A2（CYP1A2）の基質となる医薬品）

医薬品の中には，肝臓で代謝されやすいものがありますが，イプリフラボンは肝臓における医薬品の代謝を抑制する可能性があります。肝臓で代謝される医薬品と併用すると，医薬品の効果が強く現れたり，副作用発現のリスクが高くなることがあります。このような医薬品にはクロザピン，Cyclobenzaprine，フルボキサミンマレイン酸塩，ハロペリドール，イミプラミン塩酸塩，メキシレチン塩酸塩，オランザピン，塩酸ペンタゾシン，プロプラノロール塩酸塩，Tacrine，テオフィリン，Zileuton，ゾルミトリプタンなどがあります。

中肝臓で代謝される医薬品（シトクロムP450 2C9（CYP2C9）の基質となる医薬品）

医薬品の中には，肝臓で代謝されるものがありますが，イプリフラボンはこの代謝を抑制するかもしれません。肝臓で代謝される医薬品と併用すると，医薬品の作用や副作用が増強する可能性があります。このような医薬品には，アミトリプチリン塩酸塩，ジアゼパム，Zileuton，セレコキシブ，ジクロフェナクナトリウム，フルバスタチンナトリウム，Glipizide，イブプロフェン，イルベサルタン，ロサルタンカリウム，フェニトイン，ピロキシカム，タモキシフェンクエン酸塩，トルブタミド（販売中止），トラセミド，ワルファリンカリウムなどがあります。

中免疫抑制薬

イプリフラボンは免疫機能を抑制することがあります。免疫抑制薬と併用すると，免疫機能を抑制しすぎるリスクが増大します。治療のために免疫抑制薬を服用している場合は，イプリフラボンを使用しないでください。このような免疫抑制薬には，アザチオプリン，バシリキシマブ，シクロスポリン，Daclizumab，ムロモナブ-CD 3（販売中止），ミコフェノール酸モフェチル，タクロリムス水和物，シロリムス，Prednisone，副腎皮質ステロイドなどがあります。

ハーブおよび健康食品・サプリメントとの相互作用

カルシウム

イプリフラボンとカルシウムを併用すると，骨粗鬆症をカルシウムが予防する効果を促進させるようです。

ビタミンD

イプリフラボンとビタミンDを併用すると，ビタミンDが骨粗鬆症予防効果を促進させるようです。

使用量の目安

●経口摂取

閉経後骨粗鬆症

通常の摂取量は200mgを１日３回。

パジェット病

１日600～1,200mgを摂取します。

腎性骨ジストロフィー

１日400～600mgを摂取します。

薬物誘発性骨塩量喪失の減少

１日600mgを摂取します。

イボガ

IBOGA

別名ほか

Tabernanthe iboga

概　　要

イボガはハーブです。根を用いて「くすり」を作ることもあります。アフリカで儀式や祭典に使用されています。

安 全 性

十分なデータは得られていないので，安全性については明らかになっていません。

血圧低下，心拍数減少，痙攣，麻痺，呼吸困難，不安感，幻覚などの副作用を起こすことがあります。

●妊娠中および母乳授乳期

妊娠中および母乳授乳期の使用の安全性についてはデータが不十分です。安全性を考慮し，摂取は避けてください。

有 効 性

◆科学的データが不十分です

・発熱，インフルエンザ，高血圧症，HIV/エイズ，神経疾患，疲労感や傾眠，依存症の予防など。

●体内での働き

脳刺激を起こしうる化合物を含んでいます。

医薬品との相互作用

高パロキセチン塩酸塩水和物

イボガにはイボガインが含まれます。イボガインは肝臓で代謝されます。パロキセチン塩酸塩水和物はイボガインの代謝を抑制する可能性があります。そのため，イボガインに起因する副作用のリスクが高まるおそれがあります。

中肝臓でほかの医薬品の代謝を抑制する医薬品（シトクロムP450 2D6（CYP2D6）を阻害する医薬品）

イボガにはイボガインが含まれます。イボガインは肝臓で代謝されます。特定の医薬品はイボガインの代謝を抑制する可能性があります。そのため，イボガインに起因する副作用のリスクが高まるおそれがあります。このような医薬品には，アミオダロン塩酸塩，アミトリプチリン塩酸塩，シナカルセト塩酸塩，ブプロピオン塩酸塩（販売中止），Dronedarone，塩酸デュロキセチン，塩酸フルオキセチン（販売中止），Darifenacin，パロキセチン塩酸塩水和物，キニジン硫酸塩水和物，リトナビル，塩酸セルトラリン，テルビナフィン塩酸塩などがあります。

中口渇作用などの乾燥作用のある医薬品（抗コリン薬）

イボガには脳および心臓に影響を及ぼす可能性のある

化学物質が含まれます。口渇作用などの乾燥作用のある医薬品（抗コリン薬）も脳および心臓に影響を及ぼす可能性があります。しかし，イボガの働きは抗コリン薬と異なります。イボガは抗コリン薬の作用を減弱するおそれがあります。このような抗コリン薬には，アトロピン硫酸塩水和物，スコポラミン臭化水素酸塩水和物，特定の抗アレルギー薬（抗ヒスタミン薬），抗うつ薬などがあります。

中不整脈を誘発する可能性がある医薬品（QT間隔を延長させる医薬品）

イボガは不整脈を誘発するおそれがあります。イボガと不整脈を誘発する可能性がある医薬品を併用すると，相加効果が生じるおそれがあります。そのため，頻脈性不整脈および心臓突然死のような重大な副作用のリスクが高まるおそれがあります。このような医薬品には，アミオダロン塩酸塩，ジソピラミド，ドフェチリド（販売中止），Ibutilide，プロカインアミド塩酸塩，キニジン硫酸塩水和物，ソタロール塩酸塩，チオリダジン塩酸塩など数多くあります。

中緑内障，アルツハイマー病などに使用される医薬品（コリン作動薬）

イボガには身体に影響を及ぼす化学物質が含まれます。この化学物質は緑内障，アルツハイマー病などに使用される医薬品の一部に類似しています。イボガとこのような医薬品を併用すると，副作用のリスクが高まるおそれがあります。このような医薬品には，ピロカルピン塩酸塩，ドネペジル塩酸塩，Tacrineなどがあります。

中セロトニン作用薬

イボガイン（イボガに含まれる化学物質）は脳内物質のセロトニンを増加させます。特定の医薬品もセロトニンを増加させます。イボガとこのような医薬品を併用すると，セロトニンが過剰に増加するおそれがあります。そのため，重大な副作用（激しい頭痛，心臓の異常，悪寒戦慄，錯乱，不安など）が現れるおそれがあります。このような医薬品には，塩酸フルオキセチン（販売中止），パロキセチン塩酸塩水和物，塩酸セルトラリン，アミトリプチリン塩酸塩，クロミプラミン塩酸塩，イミプラミン塩酸塩，スマトリプタン，ゾルミトリプタン，リザトリプタン安息香酸塩，メサドン塩酸塩，トラマドール塩酸塩など数多くあります。

ハーブおよび健康食品・サプリメントとの相互作用

ほかのハーブ，健康食品・サプリメントとの相互作用についてはまだ明らかではありません。

使用量の目安

●経口摂取

乾燥根の皮の粉末または根を噛んで用います。

イポルル

IPORURU

別名ほか

イプルロ（Iporuro），Alchornea castaneifolia，Iporoni，Ipurosa，Macochihua，Niando

概　要

イポルルは植物です。樹皮，葉，根を用いて「くすり」を作ることもあります。

安 全 性

副作用については，まだわかっていません。

●妊娠中および母乳授乳期

妊娠中および母乳授乳期の使用の安全性についてはデータが不十分です。安全性を考慮し，摂取は避けてください。

有 効 性

◆科学的データが不十分です

・咳，勃起不全（性交不能症），糖尿病，下痢，頭痛，歯痛，ヘビ咬傷，気管支炎，下疳の痛み，悪寒，眼の結膜炎，赤痢，月経痛，月経不順，嘔吐誘発など。皮膚に塗布する場合には関節炎。経口摂取および皮膚に塗布する場合には関節リウマチなど。

●体内での働き

どのように作用するかについては十分なデータが得られていません。

医薬品との相互作用

ほかの医薬品との相互作用については明らかではありません。

ハーブおよび健康食品・サプリメントとの相互作用

ほかのハーブ，健康食品・サプリメントとの相互作用についてはまだ明らかではありません。

使用量の目安

標準使用量に関するデータがありません。

イラクサ

STINGING NETTLE

別名ほか

ネトル（Nettle），セイヨウイラクサ（Urtica dioica），ヒメイラクサ，オルティガ（Urtica urens），Common

Nettle, Great Stinging Nettle, Small Nettle, Urtica, Urticae herba et folium, Urticae radix

概　　要

イラクサは植物です。地上部と根が「くすり」として使用されることもあります。

●要説（ナチュラル・スタンダード）

イラクサの属名Urticaは，ラテン語の動詞，urereからきていて，「燃える」を意味しますが，なるほど茎や葉の裏は（皮膚を刺す）刺のような毛で覆われています。種の名前であるdioicaは，「２つの家」を意味し，それはこの植物が通常雌雄別々の花をもつからです。

イラクサは良性前立腺肥大症や関節炎，アレルギー，咳，痛み，結核，尿道障害などに対してもっともよく使用されています。また，オイリーヘア（oily hair）やフケなど，髪や頭皮の治療にも用いられることが多いようです。また，排尿促進のための利尿薬や収斂薬として，そして肺粘膜を弛めるために，頻繁に用いられています。

イラクサは緑の葉野菜としても用いられるため，おおむね安全であると考えられています。刺毛によるじんましん（hives）のほかは，唯一，胃障害が副作用として報告されています。

安 全 性

イラクサは，最長２年間まで経口摂取する場合や，適量を皮膚へ塗布する場合には，おそらく安全です。ただし，胃の不快感および発汗を引き起こすおそれがあります。イラクサの植物に触ると，皮膚過敏を起こすおそれがあります。

糖尿病：地上部は，血糖値を低下させることがあるというエビデンスがあります。糖尿病治療中の患者では，血糖値が過度に低下するリスクが高まるおそれがあります。血糖値を注意深く監視してください。

低血圧：地上部は血圧を低下させる可能性があります。理論上は，低血圧傾向のある人が用いると，血圧が過度に低下するリスクが高まるおそれがあります。低血圧の場合には，使用を開始する前に医師などに相談してください。

腎疾患：地上部は尿量を増加させるようです。腎疾患の場合には，使用を開始する前に医師などに相談してください。

●妊娠中および母乳授乳期

妊娠中の摂取は，安全ではないようです。子宮を収縮させ，流産を引き起こすおそれがあります。母乳授乳期には，使用を避けるのが最善です。

有 効 性

◆有効性レベル③

・変形性関節症。変形性関節症患者がイラクサ葉製剤を経口摂取するか，皮膚へ塗布すると，疼痛が緩和する可能性があります。また，イラクサ葉製剤を経口摂取すると，鎮痛薬の必要性が低下する可能性があります。

◆科学的データが不十分です

・花粉症，良性前立腺肥大（BPH），出血，糖尿病，歯肉炎，アンドロゲン過剰（女性の男性ホルモン過剰），水分貯留，貧血，血行不良，下痢，気管支喘息，がん，創傷治癒など。

●体内での働き

イラクサには炎症を軽減したり，尿量を増加させたりする可能性のある成分が含まれています。

医薬品との相互作用

中 ワルファリンカリウム

イラクサの地上部には多量のビタミンKが含まれています。ビタミンKは体内で血液凝固に利用されます。ワルファリンカリウムは血液凝固を抑制するために用いられます。血液凝固を促進することにより，イラクサはワルファリンカリウムの効果を弱めるおそれがあります。定期的に血液検査をしてください。ワルファリンカリウムの用量を変更する必要があるかもしれません。

中 炭酸リチウム

イラクサは利尿薬のように作用する可能性があります。イラクサを摂取すると，炭酸リチウムの体内からの排泄が抑制される可能性があります。そのため，体内の炭酸リチウム量が増加し，重大な副作用が現れるおそれがあります。

中 糖尿病治療薬

イラクサの地上部は血糖値を低下させる可能性があります。糖尿病治療薬もまた血糖値を低下させるために用いられます。イラクサと糖尿病治療薬を併用すると，血糖値が過度に低下するおそれがあります。血糖値を注意深く監視してください。糖尿病治療薬の用量を変更する必要があるかもしれません。このような糖尿病治療薬にはグリメピリド，グリベンクラミド，インスリン，ピオグリタゾン塩酸塩，マレイン酸ロシグリタゾン（販売中止），クロルプロパミド，Glipizide，トルブタミド（販売中止）などがあります。

中 降圧薬

イラクサの地上部は血圧を下げる可能性があります。降圧薬を併用すると，血圧が過度に低くなるおそれがあります。このような降圧薬にはカプトプリル，エナラプリルマレイン酸塩，ロサルタンカリウム，バルサルタン，ジルチアゼム塩酸塩，アムロジピンベシル酸塩，ヒドロクロロチアジド，フロセミドなど数多くあります。

中 鎮静薬（中枢神経抑制薬）

多量のイラクサの地上部は眠気および注意力低下を引き起こす可能性があります。鎮静薬は眠気を引き起こす医薬品です。鎮静薬とイラクサを併用すると，過剰な眠気を引き起こすことがあります。このような鎮静薬には，クロナゼパム，ロラゼパム，フェノバルビタール，ゾルピデム酒石酸塩などがあります。

有効性レベル：①効きます　②おそらく効きます　③効くと断言できませんが、効能の可能性が科学的に示唆されています
④効かないかもしれません　⑤おそらく効きません　⑥効きません

ハーブおよび健康食品・サプリメントとの相互作用

血糖値を低下させるおそれのあるハーブおよび健康食品・サプリメント

イラクサは血糖値を低下させるおそれがあります。イラクサと，血糖値を低下させるおそれのあるほかのハーブおよび健康食品･サプリメントを併用すると,人によっては血糖値が過度に低下するおそれがあります。このようなハーブおよび健康食品・サプリメントには，デビルズクロー，フェヌグリーク，グアーガム，朝鮮人参，エゾウコギなどがあります。

血圧を低下させるおそれのあるハーブおよび健康食品・サプリメント

イラクサは血圧を低下させるおそれがあります。イラクサと，血圧を低下させるおそれのあるほかのハーブおよび健康食品・サプリメントを併用すると，血圧が過度に低下するおそれがあります。このようなハーブおよび健康食品・サプリメントには，アンドログラフィス，カゼイン・ペプチド，キャッツクロー，コエンザイムQ-10，魚油，L-アルギニン，クコ，イラクサなどがあります。

使用量の目安

【成人】

●経口摂取

変形性関節症

未精製のイラクサ葉９gを毎日摂取します。または，イラクサ葉50mgを含む浸出液を，ジクロフェナク１日50mgと併用で14日間摂取します。

●皮膚への塗布

変形性関節症

新鮮なイラクサ葉を１週間，疼痛のある関節に１日１回30秒間塗布します。または，イラクサ葉エキスを含む特定のクリーム剤を２週間，１日２回塗布します。

イランイランオイル

YLANG YLANG OIL

別名ほか

イランイラン（Ylang Ylang)，Cananga odorata Genuina，Canangium odoratum genuina

概　　要

イランイランオイルはCananga odorata forma genuinaというハーブの花からとれるオイルです。

食品や飲料の風味付けとして使用されます。

製造品では，化粧品や石けんに香料として使用されます。

安　全　性

食品に含まれている量であれば成人にとっても，小児にとっても安全なようです。

ほかのハーブを併用して頭皮に塗布する場合も安全なようです。十分なデータは得られていないので，通常の食品に含まれている量を超えて経口摂取した場合の安全性および副作用については明らかになっていません。

●妊娠中および母乳授乳期

食品に含まれる量を摂取するのであれば安全です。ただし,「くすり」としての高用量摂取の安全性についてはデータが不十分です。食品の量の範囲内で摂取してください。

有　効　性

◆科学的データが不十分です

・アタマジラミ駆除。現時点での研究では，イランイランオイル，アニスオイル，ココナッツオイルを使ったスプレーを皮膚にかけることで，小児のアタマジラミの92%が駆除できたという研究があります。ペルメトリンやマラチオンを含んだ殺虫剤のスプレーと同様の効果があると考えられています。

・鎮静薬，降圧，催淫薬，ほかなど。

●体内での働き

どのように作用するかについては十分なデータが得られていません。

医薬品との相互作用

ほかの医薬品との相互作用については明らかではありません。

ハーブおよび健康食品・サプリメントとの相互作用

ほかのハーブ，健康食品・サプリメントとの相互作用についてはまだ明らかではありません。

使用量の目安

標準使用量に関するデータがありません。

イワベンケイ

RHODIOLA

別名ほか

Arctic Root，Extrait de Rhodiole，Golden Root，Hongjingtian，King's Crown，Lignum Rhodium，Orpin Rose，Racine d'Or，Racine Dorée，Racine de Rhadiola，Rhodiola rosea，Rhodiole，Rhodiole Rougeâtre, Rodia Riza, Rose Root, Rose Root Extract, Rosenroot，Roseroot，Rosewort，Sedum rhodiola，Sedum rosea，Siberian Golden Root，Siberian

Rhodiola Rosea, Snowdown Rose

概　要

イワベンケイは植物です。根を用いて「くすり」を作ることもあります。

多くの疾患に用いられますが，現時点ではそれらに対する有効性を十分に裏づける科学的エビデンスはありません。

エネルギーや持久性，力，精神機能を増強する目的で用いられます。また，いわゆる「アダプトゲン」として，身体的ストレスや化学的ストレス，環境ストレスに適応したり抵抗したりできるようにするために用いられます。また，運動能力の向上，長いトレーニング後の回復時間短縮，性機能障害の改善に加え，うつ病，脈拍不整などの心疾患，高コレステロール血症にも使用されます。

がん，結核および糖尿病の治療，感冒，インフルエンザ，加齢および肝障害の予防，聴力改善，神経系の強化，免疫機能の強化に用いられることもあります。

イワベンケイは欧州，アジアおよびアラスカの極寒地帯を原産とします。アイスランド，スウェーデン，フランス，ロシアおよびギリシャで長年にわたり薬草として用いられてきました。紀元1世紀には早くもギリシャ人医師ディオスコリデスによって言及されています。

イワベンケイの一般名として「アークティックルート」という名前を使う人もいますが，実際にはこれは，特定のエキス製品の商標登録名です。

安 全 性

イワベンケイは，経口摂取する場合，短期間であればおそらく安全です（6～10週間）。長期間の使用の安全性や副作用についてはデータが不十分です。

●妊娠中および母乳授乳期

妊娠中および母乳授乳期の使用の安全性についてはデータが不十分です。安全性を考慮し，摂取は避けてください。

有 効 性

◆科学的データが不十分です

・高山病，運動能力の向上，膀胱がん，うつ病，疲労，不安，結核，ストレスによる心疾患，高コレステロール血症，脈拍不整，がん，加齢，糖尿病，聴覚障害，性機能障害，エネルギー増進など。

●体内での働き

イワベンケイのエキスは，細胞を損傷から守り，脈拍を調節し，学習能力および記憶力を改善するのに役立つ可能性があります。しかし，これらの効果についてヒトを対象とした試験は行われていません。

医薬品との相互作用

中ロサルタンカリウム

ロサルタンカリウムは体内で代謝されます。イワベンケイは特定の医薬品の代謝を変化させる可能性があります。イワベンケイとロサルタンカリウムを併用すると，ロサルタンカリウムの作用および副作用が増強するおそれがあります。

低肝臓で代謝される医薬品（シトクロムP450 1A2（CYP1A2）の基質となる医薬品）

特定の医薬品は肝臓で代謝されます。イワベンケイはこのような医薬品の代謝を抑制する可能性があります。イワベンケイと肝臓で代謝される医薬品を併用すると，医薬品の作用および副作用が増強するおそれがあります。このような医薬品には，アミトリプチリン塩酸塩，ハロペリドール，オンダンセトロン塩酸塩水和物，プロプラノロール塩酸塩，テオフィリン，ベラパミル塩酸塩などがあります。

中肝臓で代謝される医薬品（シトクロムP450 2C9（CYP2C9）の基質となる医薬品）

特定の医薬品は肝臓で代謝されます。イワベンケイはこのような医薬品の代謝を抑制する可能性があります。イワベンケイと肝臓で代謝される医薬品を併用すると，医薬品の作用および副作用が増強するおそれがあります。このような医薬品には，ジクロフェナクナトリウム，イブプロフェン，メロキシカム，ピロキシカム，セレコキシブ，アミトリプチリン塩酸塩，ワルファリンカリウム，Glipizide，ロサルタンカリウムなどがあります。

低肝臓で代謝される医薬品（シトクロムP450 3A4（CYP3A4）の基質となる医薬品）

特定の医薬品は肝臓で代謝されます。イワベンケイはこのような医薬品の代謝を抑制する可能性があります。イワベンケイと肝臓で代謝される医薬品を併用すると，医薬品の作用および副作用が増強するおそれがあります。このような医薬品には，Lovastatin，ケトコナゾール，イトラコナゾール，フェキソフェナジン塩酸塩，トリアゾラムなど数多くあります。

中降圧薬

イワベンケイと降圧薬を併用すると，降圧薬の作用が増強し，血圧が過度に低下するおそれがあります。このような降圧薬には，カプトプリル，エナラプリルマレイン酸塩，ロサルタンカリウム，バルサルタン，ジルチアゼム塩酸塩，アムロジピンベシル酸塩，ヒドロクロロチアジド，フロセミドなど数多くあります。

中細胞内のポンプによって輸送される医薬品（P糖タンパク質の基質となる医薬品）

特定の医薬品は細胞内のポンプによって輸送されます。イワベンケイは，ポンプの働きを弱め，特定の医薬品の体内への吸収量を増加させる可能性があります。そのため，医薬品の作用および副作用が増強するおそれがあります。このような医薬品には，化学療法薬（エトポシド，パクリタキセル，ビンブラスチン硫酸塩，ビンクリスチン硫酸塩，ビンデシン硫酸塩），抗真菌薬（ケトコナゾール，イトラコナゾール），プロテアーゼ阻害薬（アンプレナビル（販売中止），インジナビル硫酸塩エタノール付加物（販売中止），ネルフィナビルメシル酸塩，サキナビルメシル酸塩），H２受容体拮抗薬（シメチジン，ラニチジン塩酸塩），特定のカルシウム拮抗薬（ジルチアゼム塩酸塩，ベラパミル塩酸塩），副腎皮質ステロイド，エリスロマイシン，シサプリド，フェキソフェナジン塩酸塩，シクロスポリン，ロペラミド塩酸塩，キニジン硫酸塩水和物などがあります。

中糖尿病治療薬

イワベンケイは血糖値を低下させる可能性があります。糖尿病治療薬も血糖値を低下させるために用いられます。イワベンケイと糖尿病治療薬を併用すると，血糖値が過度に低下するおそれがあります。血糖値を注意深く監視してください。糖尿病治療薬の用量を変更する必要があるかもしれません。このような糖尿病治療薬には，グリメピリド，グリベンクラミド，インスリン，ピオグリタゾン塩酸塩，マレイン酸ロシグリタゾン（販売中止）などがあります。

中免疫抑制薬

イワベンケイは免疫機能を亢進する可能性があります。イワベンケイと免疫抑制薬を併用すると，免疫抑制薬の効果が弱まるおそれがあります。このような免疫抑制薬には，アザチオプリン，バシリキシマブ，シクロスポリン，Daclizumab，ムロモナブ-CD３（販売中止），ミコフェノール酸モフェチル，タクロリムス水和物，シロリムス，Prednisone，副腎皮質ステロイド（グルココルチコイド）などがあります。

ハーブおよび健康食品・サプリメントとの相互作用

血圧を低下させるおそれのあるハーブおよび健康食品・サプリメント

イワベンケイは血圧を低下させるおそれがあります。このため，血圧を低下させる可能性のあるほかのハーブおよび健康食品・サプリメントがもつ血圧降下作用を増強することがあります。このようなハーブおよび健康食品・サプリメントには，アンドログラフィス，カゼイン・ペプチド，キャッツクロー，コエンザイムQ-10，魚油，L-アルギニン，クコ，イラクサ，テアニンなどがあります。

血糖値を低下させるおそれのあるハーブおよび健康食品・サプリメント

イワベンケイは血糖値を低下させるおそれがあります。血糖値を低下させる可能性のあるほかのハーブおよび健康食品・サプリメントと併用すると，血糖値が過度に低下することがあります。このようなハーブおよび健康食品・サプリメントには，α-リポ酸，ニガウリ，クロム，デビルズクロー，フェヌグリーク，ニンニク，グアーガム，セイヨウトチノキ，朝鮮人参，サイリウム，エゾウコギなどがあります。

使用量の目安

通常の食品に含まれている量を超えて経口摂取した場合の安全性および副作用については，明らかになっていません。

イワミツバ

GOUTWEED

●代表的な別名

アカザ

別名ほか

エゴポディウム・ポダグラリア，グラウンドアッシュ（Aegopodium podagraria），アッシュウィード（Ashweed），ビショップスウイード（Bishopsweed），グラウンドエルダー，アエゴポディウム（Ground Elder），ハーブジェラード（Herb Gerard），アストランティア属（Masterwort），ピッグウィード，アオゲイトウ，スベリヒユ，アカザ（Pigweed），Achweed，Bishop's Elder，Bishopswort，Eltroot，English Goatweed，Gout Herb，Goutwort，Jack-Jump-About，Weyl Ash，White Ash

概　　要

イワミツバは植物です。地上部は「くすり」に使用されることもあります。

安 全 性

十分なデータは得られていないので，安全性および副作用については明らかになっていません。

●妊娠中および母乳授乳期

妊娠中，母乳授乳期は使用してはいけません。

有 効 性

◆科学的データが不十分です

・痛風，リウマチ性疾患，痔核，腎臓，膀胱，腸の障害など。

●体内での働き

イワミツバは地上に生えている部分を使用できます。イワミツバには揮発油，フラボノール配糖体（ヒペロシド，イソクエルシトリン）やクロロゲン酸を含むカフェ酸の誘導体を含有しています。

医薬品との相互作用

ほかの医薬品との相互作用については明らかではありません。

ハーブおよび健康食品・サプリメントとの相互作用

ほかのハーブ，健康食品・サプリメントとの相互作用についてはまだ明らかではありません。

使用量の目安

●経口摂取

通常２～４mLのイワミツバエキス（液体）が用いられています。

●局所投与

生のイワミツバをつぶすか水につけて柔らかくしたものを，湿布として使用します。

イングリッシュ・アダーズ・タング

ENGLISH ADDER'S TONGUE

別名ほか

ヒロハハナヤスリ，広葉花鑢（Ophioglossum vulgatum），Christs Spear，Christ's Spear，Green Oil of Charity，Serpent's Tongue

概　　要

イングリッシュ・アダーズ・タングはハーブです。根と葉を用いて「くすり」を作ることもあります。

安　全　性

十分なデータが得られていないので，安全であるかどうか不明です。

●妊娠中および母乳授乳期

妊娠中および母乳授乳期の使用の安全性についてはデータが不十分です。安全性を考慮し，摂取は避けてください。

有　効　性

◆科学的データが不十分です

・皮膚潰瘍の治療。

●体内での働き

どのように作用するかについては十分なデータが得られていません。

医薬品との相互作用

ほかの医薬品との相互作用については明らかではありません。

ハーブおよび健康食品・サプリメントとの相互作用

ほかのハーブ，健康食品・サプリメントとの相互作用についてはまだ明らかではありません。

使用量の目安

標準使用量に関するデータがありません。

イングリッシュアイビー

ENGLISH IVY

別名ほか

セイヨウ木蔦（Hedera Helix），ヘデラ・ヘリックス，セイヨウキヅタ，アイビー（Ivy），Gum Ivy，Hederae helicis folium，True Ivy，Woodbind

概　　要

イングリッシュアイビーはハーブです。葉を用いて「くすり」を作ることもあります。イングリッシュアイビーは，多くの場合，エキスの形で使用されて，煎れたての茶として使用されることはほとんどありません。

安　全　性

イングリッシュアイビーの葉エキスを含む咳シロップ剤を１日３回，１週間経口摂取する場合は，おそらく安全です。葉を経口摂取すると，皮膚の過敏を起こすおそれがあります。葉エキスは軽度の胃障害を引き起こすおそれがあります。

皮膚に塗布する場合の安全性についてはデータが不十分です。人によっては，葉に触れるとアレルギー性皮膚反応を起こすおそれがありますが，きわめてまれです。

小児：イングリッシュアイビーの葉エキスを含む咳シロップ剤またはハーブ滴剤を１日３回，最長20日間まで経口摂取する場合は，おそらく安全です。

●妊娠中および母乳授乳期

妊娠中および母乳授乳期の使用の安全性についてはデータが不十分です。安全性を考慮し，摂取は避けてください。

有　効　性

◆科学的データが不十分です

・気管支炎，肝疾患，脾疾患，胆のう疾患，痛風，関節の疼痛および腫脹，頸部リンパ節炎，皮膚創傷，神経痛，潰瘍，寄生虫など。

●体内での働き

イングリッシュアイビーは，粘液腺を刺激し，去痰作用を示す可能性があります。この作用は，気道の腫脹や閉塞による呼吸困難がある人の肺機能を改善する可能性があります。また，抗酸化作用をもつ可能性があります。

医薬品との相互作用

中 肝臓で代謝される医薬品（シトクロムP450 2C19（CYP2C19）の基質となる医薬品）

特定の医薬品は肝臓で代謝されます。イングリッシュアイビーはこのような医薬品の代謝を抑制する可能性があります。イングリッシュアイビーと肝臓で代謝される医薬品を併用すると，医薬品の作用および副作用が増強するおそれがあります。肝臓で代謝される医薬品を服用中は，医師や薬剤師に相談することなくイングリッシュアイビーを摂取しないでください。このような医薬品には，アミトリプチリン塩酸塩，カリソプロドール（販売中止），Citalopram，ジアゼパム，ランソプラゾール，オメプラゾール，フェニトイン，ワルファリンカリウムなど数多くあります。

中 肝臓で代謝される医薬品（シトクロムP450 2C8（CYP2C8）の基質となる医薬品）

特定の医薬品は肝臓で代謝されます。イングリッシュアイビーはこのような医薬品の代謝を抑制する可能性があります。イングリッシュアイビーと肝臓で代謝される医薬品を併用すると，医薬品の作用および副作用が増強するおそれがあります。肝臓で代謝される医薬品を服用する場合には，医師や薬剤師に相談することなくイングリッシュアイビーを摂取しないでください。このような医薬品には，アミオダロン塩酸塩，パクリタキセル，非ステロイド性抗炎症薬（ジクロフェナクナトリウム，イブプロフェンなど），マレイン酸ロシグリタゾン（販売中止）などがあります。

中 肝臓で代謝される医薬品（シトクロムP450 2D6（CYP2D6）の基質となる医薬品）

特定の医薬品は肝臓で代謝されます。イングリッシュアイビーはこのような医薬品の代謝を抑制する可能性があります。イングリッシュアイビーと肝臓で代謝される医薬品を併用すると，医薬品の作用および副作用が増強するおそれがあります。肝臓で代謝される医薬品を服用する場合には，医師や薬剤師に相談することなくイングリッシュアイビーを摂取しないでください。このような医薬品には，アミトリプチリン塩酸塩，クロザピン，コデインリン酸塩水和物，塩酸デシプラミン（販売中止），ドネペジル塩酸塩，フェンタニルクエン酸塩，フレカイニド酢酸塩，塩酸フルオキセチン（販売中止），ペチジン塩酸塩，メサドン塩酸塩，メトプロロール酒石酸塩，オランザピン，オンダンセトロン塩酸塩水和物，トラマドール塩酸塩，トラゾドン塩酸塩などがあります。

ハーブおよび健康食品・サプリメントとの相互作用

ほかのハーブ，健康食品・サプリメントとの相互作用についてはまだ明らかではありません。

使用量の目安

通常の食品に含まれている量を超えて経口摂取した場合の安全性および副作用については，明らかになっていません。

イングリッシュウォールナッツ

ENGLISH WALNUT

別名ほか

コウキ，黄杞（Juglans regia），クルミ葉（Walnussblätter），クルミ殻（Walnussfrä chtschalen），クルミの実（Walnut Fruit），クルミ（Juglandis），シナノクルミ，セイヨウクルミ，ペルシャグルミ，テウチグルミ，カシクルミ，ウォルナット（Walnut），Akschota，Fructus Cortex，Juglans，Juglandis folium，Nogal，Walnut Hull，Walnut Leaf

概　要

イングリッシュウォールナッツは木です。実(ナッツ)は，よく食用されています。実，果皮や葉で「くすり」を作ります。

実（ナッツ）は，血清コレステロール値を下げる食事の１つとして使用されています。果皮は，「血液浄化薬」として，また消化管炎症や敗血症の治療に使用されます。

食品では，通常スナックとして食べたり，お菓子作りやサラダで使用されます。

安全性

通常の食品に含まれている量を摂取している場合，ほとんどの人に安全です。それ以上の量を摂取した場合に安全かどうかについては，十分なデータが得られていません。

食物に含まれるほかの脂肪に置き換えられなければ，体重増加の原因になります。

イングリッシュウォールナッツに敏感な人はアレルギー反応を生じることがあります。

●妊娠中および母乳授乳期

食品としての量を摂取する場合は安全ですが，「くすり」として多量摂取の安全性についてのデータは十分ではありません。安全性を考慮して食品としての量を摂取してください。

有効性

◆有効性レベル③

- 冠状動脈性心疾患。イングリッシュウォールナッツやほかのナッツ類を多く摂取する人は，冠状動脈性心疾患や心疾患が原因の死のリスクが下がるという研究もあります。
- 高コレステロール症。低脂肪食事療法の一環として摂取すると，血清コレステロール値が下がるようです。脂質の多い食事の代わりに総摂取カロリーの最高20%まで摂取すると，総コレステロールとLDL-コレステロールが減少します。低脂肪食事療法にイングリッシュウォールナッツを加えると，血清総コレステロール値が４～12%下がり，LDL-コレステロール値が８～16%下がります。イングリッシュウォールナッツをほかの脂質の代わりに摂取すると，２型糖尿病の患者のHDL-コレステロール値と総コレステロール値の割合が改善するようです。

◆科学的データが不十分です

- 下痢，糖尿病，貧血，にきび，湿疹，潰瘍，皮膚の炎症（腫脹）の治療，手や足の大量の汗（発汗）の治療など。

●体内での働き

血清コレステロール値低下のための食事療法に役立つ脂肪酸と呼ばれる化合物を含んでいます。血管を拡張する化合物も含んでおり，これがおそらく心臓および循環器の機能を向上させます。

医薬品との相互作用

ほかの医薬品との相互作用については明らかではありません。

ハーブおよび健康食品・サプリメントとの相互作用

ほかのハーブ，健康食品・サプリメントとの相互作用についてはまだ明らかではありません。

使用量の目安

●経口摂取

コレステロール値の低下を目的に使用する場合，イングリッシュウォールナッツの実８～11個ほど，または30～56g（約１/４～１/２カップ）を食物脂肪の代わりに摂取します。

インゲンマメ

BEAN POD

●代表的な別名

キドニービーン

別名ほか

隠元豆，三度豆（Common Bean），白インゲン（Navy Bean），うずら豆（Pinto Bean），種なし豆の鞘（Seed-free Bean Pods），ネイビービーン，ササゲ，ゴガツササゲ，トウササゲ（Phaseolus vulgaris），ピントビーン，Sine Semine，サヤインゲン（Snap Bean），Cannelli Beans，Grean Bean，Phaseoli Fructus，String Bean，Wax Bean，White Kidney Bean

概　　要

インゲンマメはさやをもつ植物です。種子を取り出し，残されたさやから抽出液が作られます。

●要説（ナチュラル・スタンダード）

一般的な豆（インゲンマメ）は，世界中でみられるマメ科植物の中でもっとも重要な一種です。緑色の豆のさやは野菜として調理され，乾燥保存して，調理する前に水で戻す品種もあります。葉はときとして，サラダに使用されます。

インゲンマメは，肥満や減量プログラム，ならびに２型糖尿病や心臓病などの肥満関連の疾患において効果があると考えられています。

インゲンマメには，一般に，抗菌，抗炎症，抗酸化，抗寄生虫，抗ウイルス，洗浄，解毒，利尿（尿量を増加させる），エモリエント（保湿），および体内ガス放出といった特性もあると考えられます。

安　全　性

インゲンマメのエキスは，２～３カ月にわたり経口摂取する場合には，ほとんどの成人におそらく安全であるというエビデンスがあります。しかし，生のさやの大量摂取は，おそらく安全ではありません。生のさやは，胃のむかつき，嘔吐および下痢を引き起こすおそれのある化学物質を含んでいます。これらの化学物質は加熱調理することで破壊されます。

糖尿病：血糖値を低下させるおそれがあります。糖尿病の場合には，血糖値を注意深く監視してください。医師などにより糖尿病薬の服薬量を調整する必要がある場合もあります。

手術：血糖値に影響を及ぼすおそれがあります。手術中および手術後の血糖コントロールを妨げるおそれがあります。少なくとも手術前２週間は，使用しないでください。

●妊娠中および母乳授乳期

妊娠中および母乳授乳期の使用の安全性についてはデータが不十分です。安全性を考慮し，摂取は避けてください。

有　効　性

◆有効性レベル③

・肥満。特定の白インゲンマメエキスを摂取することで，過体重の人の体重および腹囲を減少させる補助的な役割をすることを示唆する研究があります。しかし，これと一致しないエビデンスもあります。同製品を摂取する人の炭水化物の摂取量が，その理由である可能性があります。炭水化物を多量に摂取する人では体重が顕著に減少するようである一方，炭水化物をあまり摂取しない人では効果がみられないようです。白インゲンマメエキスおよびほかのインゲンマメエキスを評価した複数の研究の分析結果によれば，インゲンマメに体重減少を補助する効果はないようですが，体脂肪を減少させるようです。白インゲンマメエキスおよびほかの成分を含む製品は，過体重の人の体重減少量を増やすようです。白インゲンマメエキスを含む製品にクロムを加えた製品をダイエット中に摂取することで，30日間で2.7kg近く，体重減少量が増えるようです。白インゲンマメエキスを含む製品にチコリーおよびガルシニアエキスを加えた製品を摂取することで，摂取前との比較で，体重3.5kg，BMI1.3kg/m^2，体脂肪率2.3%が減少するようです。

◆科学的データが不十分です

・糖尿病，高コレステロール血症，肺がん，尿路感染症（UTI），腎結石など。

●体内での働き

食物繊維が豊富です。食物繊維はコレステロールの吸収を抑え，食事脂肪の排出量を増やす可能性があります。

インゲンマメエキスを含む製品は，しばしば「でんぷん阻害剤」であると宣伝され，これを体重減少に使用するための論拠とした販売促進が行われています。しかし，研究の結果，これらの製品がでんぷんの吸収を減少させることはないようであることが示されています。

医薬品との相互作用

中糖尿病治療薬

インゲンマメは血糖値を低下させる可能性があります。糖尿病治療薬もまた血糖値を低下させるために用いられます。インゲンマメと糖尿病治療薬を併用すると，血糖値が過度に低下するおそれがあります。血糖値を注意深く監視してください。糖尿病治療薬の用量を変更する必要があるかもしれません。このような糖尿病治療薬にはグリメピリド，グリベンクラミド，インスリン，ピオグリタゾン塩酸塩，マレイン酸ロシグリタゾン（販売中止），クロルプロパミド，Glipizide，トルブタミド（販売中止）などがあります。

ハーブおよび健康食品・サプリメントとの相互作用

血糖値を低下させるおそれのあるハーブおよび健康食品・サプリメント

インゲンマメが血糖値を低下させるおそれがあります。血糖値を低下させるおそれのあるほかのハーブおよび健康食品・サプリメントと併用すると，人によっては，血糖値が過度に低下するおそれがあります。このようなハーブおよび健康食品・サプリメントには，デビルズクロー，フェヌグリーク，ニンニク，グアーガム，セイヨウトチノキ，朝鮮人参，サイリウム，エゾウコギなどがあります。

使用量の目安

通常の食品に含まれている量を超えて経口摂取した場合の安全性および副作用については，明らかになっていません。

インジウム

INDIUM

別名ほか

コロイド様インジウム（Colloidal Indium），インジウム（Ⅲ）（Indium（III）），塩化インジウム（Indium Chloride），インジウム化合物（Indium Compound），インジウム・オクトレオチド（Indium Octreotide），インジウム・ペンテトレオチド（Indium Pentetreotide），リン化インジウム（Indium Phosphide），インジウム塩（Indium Salts），硫化インジウム（Indium Sulfate），無水硫化インジウム（Indium Sulfate Anhydrous），インジウムスズ酸化物（Indium Tin Oxide），三塩化インジウム（Indium Trichloride），インジウム-111（Indium-111），インジウム-111-オクトレオチド（Indium-111-octreotide），インジウム-111-ペンテトレオチド（Indium-111-pentetreotide）

概　要

インジウムは工業に用いられる，柔らかい銀白色の金属です。アルミニウムおよびガリウムと化学的に類似する金属です。インジウムのもっとも一般的な用途としては，液晶ディスプレーの電極の生産が挙げられます。インジウムを含む健康食品・サプリメントもあります。

医師，薬剤師により，indium pentetreotideと呼ばれるインジウムの化合物が静脈内投与されることもあります。

安 全 性

安全ではないようです。経口摂取すると，腎臓，心臓，肝臓，およびほかの臓器に損傷を招くことがあります。

インジウムを吸い込むと肺に刺激を生じることがあります。

皮膚に塗布すると皮膚に刺激を生じることがあります。

●妊娠中および母乳授乳期

「くすり」としての使用は誰にとっても安全ではありません。胎児および授乳中の乳児に対する作用については不明ですが，成人の臓器にダメージを与えるため，懸念されています。妊娠中および母乳授乳期は摂取しないでください。

有 効 性

◆科学的データが不十分です

・体力増強，加齢現象の遅延化，免疫系の刺激，ホルモン産生量の増加，ほかの栄養素の吸収増加。

●体内での働き

インジウムにはヒトの体内で担う生物学的な役割がありません。インジウムに効用があるという説には科学的裏付けがありません。

医薬品との相互作用

ほかの医薬品との相互作用については明らかではありません。

ハーブおよび健康食品・サプリメントとの相互作用

ほかのハーブ，健康食品・サプリメントとの相互作用についてはまだ明らかではありません。

使用量の目安

標準使用量に関するデータがありません。

茵陳（インチン）

YIN CHEN

●代表的な別名

カワラヨモギ，ハマヨモギ

別名ほか

河原蓬（Kawara-Yomogi），インチンコウ，茵陳蒿（Inchinko），カワラヨモギ（Artemisia capillaris），ハマヨモギ（Artemisia scoparia），Armoise capillaire, Capillary Wormwood, Chiu, In Chen, Inchin-Ko-To, Kyunchinho, Rumput Roman, Shih Yin Ch'en, Yin Ch'en, Yin Ch'en Hao, Yin Chen Hao

概　　要

茵陳はハーブです。地上部が「くすり」に使用されることもあります。

安 全 性

経口摂取はほとんどの成人に安全なようです。医師のアドバイスを受けずに，肝臓や胆石疾患の治療目的で使用しないでください。悪心，膨満感，めまいおよび心疾患を引き起こす可能性があります。

小児：小児の使用は安全ではありません。12歳未満の小児は，医師の指導がないかぎり使用しないでください。

●アレルギー

キク科の植物（Asteraceae/Compositae family）にアレルギーがある場合には，茵陳のアレルギーを引き起こすおそれがあります。このような植物には，ブタクサ，キク，マリーゴールド，デイジー（ヒナギク）など，ほかにも多くの植物があります。

●妊娠中および母乳授乳期

妊娠中および母乳授乳期の使用は安全ではありません。使用しないでください。

有 効 性

◆科学的データが不十分です

・肝炎，黄疸，胆石，高コレステロール値，C型肝炎，発熱，悪寒，口中の苦味，胸部圧迫感，側腹部の痛み，めまい，悪心，食欲不振，頭痛，便秘，排尿痛，そう痒，関節痛，月経痛，マラリア，痙攣，胆のうからの胆汁流出量の増加など。

●体内での働き

胆石の治療に役立つ胆汁分泌を刺激する化合物を含んでいると考えられています。茵陳中のオイルは，熱を下げたり，腫脹を抑えたり，尿量を増やしたり，カビや細菌を殺したりすることがあります。

医薬品との相互作用

中ペントバルビタールカルシウム

茵陳（インチン）は眠気および注意力低下を引き起こす可能性があります。ペントバルビタールカルシウムも注意力低下を引き起こします。茵陳と鎮静薬を併用すると，過度の注意力低下を引き起こすおそれが懸念されています。

中バルビツール酸系鎮静薬

茵陳（インチン）は眠気および注意力低下を引き起こす可能性があります。鎮静薬は眠気を引き起こす医薬品です。茵陳と鎮静薬を併用すると，過度の注意力低下を引き起こすおそれがあります。このような鎮静薬には，アモバルビタール，Butabarbital，メホバルビタール（販売中止），ペントバルビタールカルシウム，フェノバルビタール，セコバルビタールナトリウムなどがあります。

中ベンゾジアゼピン系鎮静薬

茵陳（インチン）は眠気および注意力低下を引き起こす可能性があります。鎮静薬は眠気および注意力低下を引き起こす医薬品です。茵陳と鎮静薬を併用すると，過度の注意力低下を引き起こすおそれがあります。このような鎮静薬には，ロラゼパム，アルプラゾラム，ジアゼパム，ミダゾラムなどがあります。

中鎮静薬（中枢神経抑制薬）

茵陳（インチン）は眠気および注意力低下を引き起こす可能性があります。鎮静薬は眠気を引き起こす医薬品です。茵陳と鎮静薬を併用すると，過度の注意力低下を引き起こすおそれがあります。このような鎮静薬には，クロナゼパム，ロラゼパム，フェノバルビタール，ゾルピデム酒石酸塩などがあります。

ハーブおよび健康食品・サプリメントとの相互作用

ほかのハーブ，健康食品・サプリメントとの相互作用についてはまだ明らかではありません。

使用量の目安

●経口摂取

通常，9～15gを摂取します。容態が重い場合，1回最大30gを1日3回摂取します。茵陳は多くの場合，ハーブミックスで使用されます。

インディアン・グースベリー

INDIAN GOOSEBERRY

●代表的な別名

余甘子

別名ほか

ヨカンシ，余甘子，コミカソウ，ユカン，油柑，アーマラキー（Aamalaki），アマラキ（Amalaki），アムラ（Amla），アンマロク（Emblic Myrobalan, Groseillier de Ceylan, Mirobalano, Myrobalan Emblic, Mirobalanus embilica, Neli, Phyllanthus emblica），Amblabaum, Aonla,

Emblic, Emblica officinalis

概要

インディアン・グースベリーはインド，中東および東南アジア諸国に生息する樹木です。インディアン・グースベリーは数千年前よりアーユルヴェーダ医学に使用されてきました。現在に至っても果実が「くすり」として使用されることがあります。

インディアン・グースベリーは，高コレステロール血症，異常なレベルの血清コレステロールまたは血清脂肪（脂質異常症），およびむねやけが続く状態（胃食道逆流症）に最もよく使用されます。また，下痢，吐き気，がんにも使用されますが，これらの用途を十分に裏づけるエビデンスはありません。

安全性

食物に含まれている量を経口摂取した場合，ほとんどの人に安全のようです。

「くすり」として毎日最大1,000mgを短期間摂取した場合は，おそらく安全です。インディアン・グースベリーを含むアーユルヴェーダ製品は，肝障害を引き起こすおそれがあります。しかし，インディアン・グースベリー単独摂取で同様の影響があるかどうかは明らかではありません。

出血性疾患：インディアン・グースベリーは出血または紫斑のリスクを高めるおそれがあります。出血性疾患の場合は，注意してインディアン・グースベリーを摂取してください。

糖尿病：インディアン・グースベリーは血糖値を下げる可能性があります。医師などにより，糖尿病治療薬を調整する必要があるかもしれません。

肝疾患：理論上，ショウガ，ティノスポラ・コルディフォリアおよびインディアン・フランキンセンスとインディアン・グースベリーを併用すると，肝疾患患者の肝機能が悪化するおそれがあります。しかし，インディアン・グースベリー単独摂取でこれらの影響があるかどうかは明らかではありません。

手術：インディアン・グースベリーは手術中・手術後の出血のリスクを高めるおそれがあります。少なくとも手術前２週間は，摂取しないでください。

●妊娠中および母乳授乳期

妊娠中および母乳授乳期の使用の安全性についてはデータが不十分です。安全性を考慮し，摂取は避けてください。

有効性

◆有効性レベル③

・異常なレベルの血清コレステロールまたは血清脂肪（脂質異常症）。研究は，特定の種類のインディアン・グースベリー全果実エキスを12週間摂取すると，低比重リポタンパク（LDL，悪玉）コレステロールおよびトリグリセリドが減少することを示唆しています。

・むねやけが続く状態（胃食道逆流症）。持続的なむねやけのある人を対象とした研究では，インディアン・グースベリー果実エキスを４週間摂取すると，むねやけの頻度と重症度が軽減できることが示唆されています。

◆科学的データが不十分です

・高コレステロール血症，変形性関節症，皮膚に白い斑点ができる皮膚疾患（白斑），血性下痢（赤痢），がん，糖尿病，下痢，眼疾患，動脈硬化，消化不良，関節痛，肥満症，膵炎など。

●体内での働き

高比重リポタンパク（HDL，善玉）コレステロールに影響を及ぼすことなく，トリグリセリド（脂肪酸）を含む総コレステロール値を低下させるようです。

医薬品との相互作用

中アスピリン

アスピリンは血液凝固を抑制します。インディアン・グースベリーも血液凝固を抑制する可能性があります。インディアン・グースベリーとアスピリンを併用すると，紫斑および出血のリスクが高まるおそれがあります。

中肝臓を害する可能性のある医薬品

インディアン・グースベリーを含む特定のアーユルヴェーダ製剤は以前から肝障害に関連づけられています。この製剤に含まれるインディアン・グースベリーあるいは他の成分が肝障害を引き起こしたかどうかは明らかではありませんが，理論的には，インディアン・グースベリーと肝臓を害する可能性のある医薬品を併用すると，肝障害のリスクが高まるおそれがあります。このような医薬品には，アセトアミノフェン，アミオダロン塩酸塩，カルバマゼピン，イソニアジド，メトトレキサート，メチルドパ水和物など数多くあります。

中血液凝固を抑制する医薬品（抗凝固薬/抗血小板薬）

インディアン・グースベリーは血液凝固を抑制する可能性があります。インディアン・グースベリーと血液凝固を抑制する医薬品を併用すると，紫斑および出血のリスクが高まるおそれがあります。このような医薬品には，アスピリン，クロピドグレル硫酸塩，ジクロフェナクナトリウム，イブプロフェン，ナプロキセン，ダルテパリンナトリウム，エノキサパリンナトリウム，ヘパリン，ワルファリンカリウムなどがあります。

中糖尿病治療薬

インディアン・グースベリーは血糖値を低下させる可能性があります。糖尿病治療薬もまた血糖値を低下させるために用いられます。インディアン・グースベリーと糖尿病治療薬を併用すると，血糖値が過度に低下するおそれがあります。血糖値を注意深く監視してください。糖尿病治療薬の用量を変更する必要があるかもしれません。このような糖尿病治療薬には，グリメピリド，グリベンクラミド，インスリン，ピオグリタゾン塩酸塩，マレイン酸ロシグリタゾン(販売中止)，クロルプロパミド，Glipizide，トルブタミド（販売中止）などがあります。

中クロピドグレル硫酸塩

クロピドグレル硫酸塩は血液凝固を抑制します。インディアン・グースベリーも血液凝固を抑制する可能性があります。インディアン・グースベリーとクロピドグレル硫酸塩を併用すると，紫斑および出血のリスクが高まるおそれがあります。

ハーブおよび健康食品・サプリメントとの相互作用

銅

インディアン・グースベリーは胃の中で銅と結合する可能性があります。そのため，体内に吸収される銅の量が減少するおそれがあります。

肝臓を害するおそれのあるハーブおよび健康食品・サプリメント

インディアン・グースベリーを含む特定のアーユルヴェーダ製剤は肝障害を引き起こすおそれがあります。これらの製剤の中のインディアン・グースベリーまたは他の原料が肝障害を引き起こしたかどうかは明らかではありません。理論上，インディアン・グースベリーと肝臓を害するおそれのあるハーブおよび健康食品・サプリメントを併用すると，肝障害のリスクが高まるおそれがあります。これらのハーブおよび健康食品・サプリメントには，ボラージ，チャパラル，ウバウルシなどが含まれます。

血糖値を低下させるおそれのあるハーブおよび健康食品・サプリメント

インディアン・グースベリーは血糖値を低下させる可能性があります。インディアン・グースベリーと血糖値を低下させるおそれのあるハーブおよび健康食品・サプリメントを併用すると，血糖値が過度に低下するおそれがあります。血糖値を低下させるおそれのある他のハーブには，デビルズクロー，フェヌグリーク，ニンニク，グアーガム，セイヨウトチノキ，朝鮮人参，サイリウムおよびエゾウコギがあります。

血液凝固を抑制するおそれのあるハーブおよび健康食品・サプリメント

インディアン・グースベリーは血液凝固を抑制する可能性があります。インディアン・グースベリーと血液凝固を抑制するおそれのある他のハーブおよび健康食品・サプリメントを併用すると，一部の人々の出血のリスクが高まるおそれがあります。これら他のハーブには，アンゼリカ，クローブ，タンジン，ショウガ，イチョウ，レッドクローバー，ウコン，ビタミンE，ウィローなどがあります。

鉄

インディアン・グースベリーは胃の中で鉄と結合する可能性があります。そのため，体内に吸収される鉄の量が減少するおそれがあります。

使用量の目安

●経口摂取

異常なレベルの血清コレステロールまたは血清脂肪（脂質異常症）

インディアン・グースベリー果実エキス0.5gを含有する特定の製品を１日２回，12週間にわたり摂取します。

むねやけが続く状態（胃食道逆流症）

インディアン・グースベリー果実エキス１gを１日２回，４週間にわたり摂取します。

インディアン・スネークルート

INDIAN SNAKEROOT

●代表的な別名

印度蛇木

別名ほか

インドジャボク，印度蛇木（Rauwolfia serpentina），ラウオルフィア（Rauwolfia），Chandrika，Chota-Chand，Covanamilpori，Dhanburua，Pagla-Ka-Dawa，Patalagandhi，Rauwolfae Radix，Rauwolfiawurzel，Rauvolfia serpentina，Sarpagandha

概　　要

インディアン・スネークルートは植物です。根を用いて「くすり」を作ることもあります。インディアン・スネークルートの化学物質の中には，レセルピンと同じものがあります。レセルピンは，軽度から中等度の高血圧症，統合失調症や血液循環低下が原因で起こる症状の治療に使用されます。

安 全 性

標準化したエキスをその使用について熟練した医師・薬剤師の指導の下で使用すればおそらく安全です。

標準化したインディアン・スネークルートには，一定の量の医薬品が含まれています。

レセルピンなどの化合物の量は個体ごとに異なります。含まれているレセルピンなどの化合物は非常に毒性が高いことがあるので，投与量は正確でなくてはなりません。

副作用は軽度のものから重篤なものまであり，鼻閉や胃痙攣，下痢，悪心，嘔吐，食欲喪失，眠気，痙攣，パーキンソン様症状，および昏睡があります。反応時間が遅くなるので，車の運転や重機械の操作をするときには使用しないでください。

自己治療は安全ではありません。

電気痙攣療法：電気痙攣療法を受けている患者には，使用しないでください。電気痙攣療法を１週間以内に受ける予定のある人は使用しないでください。

イ

胆石：胆石を悪化させるおそれがあります。

胃潰瘍，十二指腸潰瘍あるいは潰瘍性大腸炎：これらの疾患のある場合使用しないでください。

レセルピンあるいは同様の作用のあるラウウォルフィアアルカロイド：これらの医薬品にアレルギーのある場合，使用しないでください。

うつ病：うつ病あるいは自殺願望のある場合，使用しないでください。

重篤な高血圧症を起こす副腎腫瘍（クローム親和細胞腫）：この疾患の場合，使用しないでください。

手術：インディアン・スネークルートは中枢神経系を刺激します。心拍数を増加させたり血圧を上昇させたりして，手術に影響を与える懸念があります。2週間以内に手術の予定のある人は使用しないでください。

●妊娠中および母乳授乳期

妊娠中の使用は安全ではありません。インディアン・スネークルートの化学物質が，新生児の先天性異常を起こすおそれがあります。また，母乳授乳期の使用も安全ではありません。有害な化学物質が母乳を通じて新生児に与えられ，新生児に害を及ぼすおそれがあります。

有　効　性

◆科学的データが不十分です

・不眠症。ほかの2つのハーブとの特定の組み合わせで，不眠症の解消に役立つことを示す初期の研究があります。
・神経質，睡眠障害（不眠症），統合失調症などの精神障害，便秘，発熱，肝障害，関節痛，血行不良を原因とする脚の痙攣，軽度の高血圧症など。

●体内での働き

心拍と血圧を低下させるレセルピンなどの化合物を含んでいます。

医薬品との相互作用

高アルコール

アルコールは眠気および注意力低下を引き起こします。インディアン・スネークルートもまた眠気および注意力低下を引き起こす可能性があります。アルコールと多量のインディアン・スネークルートを併用すると，過度の眠気を引き起こすおそれがあります。

高ジゴキシン

ジゴキシンには強心作用があります。インディアン・スネークルートは心拍を遅くするようです。インディアン・スネークルートとジゴキシンを併用すると，ジゴキシンの効果が弱まるおそれがあります。ジゴキシンを服用中にインディアン・スネークルートを摂取しないでください。

高バルビツール酸系鎮静薬

インディアン・スネークルートは眠気および注意力低下を引き起こす可能性があります。 鎮静薬も眠気を引き起こす医薬品です。インディアン・スネークルートと鎮静薬を併用すると，過度の眠気を引き起こすおそれがあります。

高プロプラノロール塩酸塩

プロプラノロール塩酸塩は血圧を低下させるために用いられます。インディアン・スネークルートも血圧を低下させるようです。インディアン・スネークルートとプロプラノロール塩酸塩を併用すると，血圧が過度に低下するおそれがあります。

高モノアミン酸化酵素阻害薬（MAO阻害薬）

インディアン・スネークルートには身体に影響を及ぼす化学物質が含まれます。この化学物質はモノアミン酸化酵素阻害薬（MAO阻害薬）の副作用を増強するおそれがあります。このようなMAO阻害薬には，Phenelzine，Tranylcypromineなどがあります。

高レボドパ

レボドパはパーキンソン病の治療に用いられます。インディアン・スネークルートとレボドパを併用すると，レボドパの効果が弱まるおそれがあります。この相互作用が生じる理由は明らかではありません。レボドパを服用中は安全のためにインディアン・スネークルートを摂取しないでください。

中肝臓で代謝される医薬品（シトクロムP450 2D6（CYP2D6）の基質となる医薬品）

特定の医薬品は肝臓で代謝されます。インディアン・スネークルートには特定の医薬品の肝臓での代謝を抑制する化学物質が含まれます。インディアン・スネークルートと肝臓で代謝される医薬品を併用すると，医薬品の作用および副作用が増強するおそれがあります。このような医薬品には，アミトリプチリン塩酸塩，クロザピン，コデインリン酸塩水和物，塩酸デシプラミン（販売中止），デキストロメトルファン臭化水素酸塩水和物，ドネペジル塩酸塩，フェンタニルクエン酸塩，フレカイニド酢酸塩，塩酸フルオキセチン（販売中止），ペチジン塩酸塩，メサドン塩酸塩，メトプロロール酒石酸塩，オランザピン，オンダンセトロン塩酸塩水和物，トラマドール塩酸塩，トラゾドン塩酸塩などがあります。

高興奮薬

興奮薬は神経系を亢進させます。神経系が亢進することで，神経が過敏になり，心拍数が上昇する可能性があります。インディアン・スネークルートも神経系を亢進させる可能性があります。インディアン・スネークルートと興奮薬を併用すると，頻脈や高血圧などの深刻な問題を引き起こすおそれがあります。インディアン・スネークルートと興奮薬を併用しないでください。このような興奮薬には，Diethylpropion，エピネフリン，Phentermine，塩酸プソイドエフェドリンなど数多くあります。

中血液凝固を抑制する医薬品（抗凝固薬/抗血小板薬）

インディアン・スネークルートには血液凝固を抑制する可能性のある化学物質が含まれます。インディアン・スネークルートと血液凝固を抑制する医薬品を併用すると，紫斑および出血のリスクが高まるおそれがあります。このような医薬品には，アスピリン，クロピドグレル硫酸塩，ダルテパリンナトリウム，エノキサパリンナトリウム，ヘパリン，チクロピジン塩酸塩，ワルファリンカリウムなどがあります。

高抗精神病薬

インディアン・スネークルートには鎮静作用があるようです。抗精神病薬にも鎮静作用があります。インディアン・スネークルートと抗精神病薬を併用すると，抗精神病薬の副作用のリスクが高まるおそれがあります。このような抗精神病薬には，クロルプロマジン塩酸塩，クロザピン，フルフェナジン，ハロペリドール，オランザピン，ペルフェナジン，プロクロルペラジンマレイン酸塩，クエチアピンフマル酸塩，リスペリドン，チオリダジン塩酸塩（販売中止），チオチキセン（販売中止）などがあります。

中降圧薬

インディアン・スネークルートは血圧を低下させる可能性があります。インディアン・スネークルートと降圧薬を併用すると，血圧が過度に低下するおそれがあります。このような降圧薬には，カプトプリル，エナラプリルマレイン酸塩，ロサルタンカリウム，バルサルタン，ジルチアゼム塩酸塩，アムロジピンベシル酸塩，ヒドロクロロチアジド，フロセミドなど数多くあります。

中糖尿病治療薬

インディアン・スネークルートは血糖値を低下させる可能性があります。糖尿病治療薬も血糖値を低下させるために用いられます。インディアン・スネークルートと糖尿病治療薬を併用すると，血糖値が過度に低下するおそれがあります。血糖値を注意深く監視してください。糖尿病治療薬の用量を変更する必要があるかもしれません。このような糖尿病治療薬には，グリメピリド，グリベンクラミド，インスリン，ピオグリタゾン塩酸塩，マレイン酸ロシグリタゾン(販売中止)，クロルプロパミド，Glipizide，トルブタミド（販売中止）などがあります。

中エフェドリン塩酸塩

エフェドリン塩酸塩は神経系を亢進させ，神経が過敏になる可能性があります。インディアン・スネークルートには鎮静作用があり，眠気を引き起こす可能性があります。インディアン・スネークルートとエフェドリンを併用すると，エフェドリン塩酸塩の作用が減弱するおそれがあります。

ハーブおよび健康食品・サプリメントとの相互作用

マオウ（麻黄）

マオウとの併用は，マオウのエフェドリン効果を減少させます。

強心配糖体を含むハーブおよび健康食品・サプリメント

強心配糖体は，心臓に作用します。強心配糖体を含むハーブおよび健康食品・サプリメントとの併用は，心拍を遅くし，胸痛や不整脈を起こす懸念があります。強心配糖体を含むハーブには，クリスマスローズ，ジギタリスリーフ，ドイツスズラン，オレアンダー，ゲウム，ヤナギトウワタなどがあります。

通常の食品との相互作用

アルコール

アルコールは，眠気や傾眠を起こします。インディアン・スネークルートも眠気や傾眠を起こします。インディアン・スネークルートの多量摂取とアルコールとの併用は過度の眠気を起こします。

使用量の目安

●経口摂取

平均1日摂取量は粉末状にした全根600mgで，これは総アルカロイド6mgに相当します。米国食品医薬品局（FDA）が認可した処方薬にはラウォルフィア，デセルピジン，レセルピンがあります。

インドオオバコ（サイリウム）

BLOND PSYLLIUM

別名ほか

ダイエタリーファイバー（Dietary Fiber），イサゴール（Ispaghula），Psyllium，Blond Plantago，Blonde Psyllium，Englishman's Foot，Indian Plantago，Ispagol，Pale psyllium，Plantaginis ovatae semen，Plantaginis ovatae Testa，Sand Plantain，Spogel

概　　要

インドオオバコ（サイリウム）はハーブです。種子と種皮を用いて「くすり」を作ることもあります。

●要説（ナチュラル・スタンダード）

インドオオバコ（サイリウム）は，イスパキュラまたはイスパギュラとしても知られています。オオバコオバタ（Plantago ovata）やオオバコイスパキュラ（Plantago ispaghula）の種子に由来します。サイリウムは繊維が豊富で，メタムシル（Metamucilr）およびセルタン（Serutanr）など，多くの下剤に含まれる主な成分です。

サイリウムは，血清総コレステロール，LDL-コレステロールの低下，HDL-コレステロール値の上昇に関する潜在的な効果のために研究されてきました。サイリウムが含まれるシリアルは米国市場に登場しており，高コレステロール血症や心疾患に対する潜在的な効果を表示しています。便秘にサイリウムを使用することを裏づける，優れた科学的根拠もあります。

下痢，血圧や血糖値調節，体重減少，分娩誘発，および胃や腸内での用途に関する研究は，限定的だったり，矛盾しているものもあります。これらの用途のためには，さらなる研究が必要とされます。

ときには重度のアレルギー反応が，報告されています。消化管の通過障害は，とくに腸の疾患や手術を経験した人や，不十分な量の水で下剤を使用した人で報告されています。

安 全 性

多量の液体とともに摂取する場合，ほとんどの人に安全のようです。種皮３～５gまたは種子７gに対し最低240mLの液体とともに飲んでください。人によっては，腸内ガス，胃痛，下痢，便秘および吐き気を引き起こすおそれがあります。また，頭痛，背痛，鼻水，咳および副鼻腔疾患の報告との関連が認められています。

インドオオバコ（サイリウム）に対し，鼻腔の腫脹，いびき，瞼の粘膜炎症，じんましん，気管支喘息などの症状をともなうアレルギー反応を起こす人もいます。仕事での曝露または摂取の反復によりサイリウムに過敏になる人もいます。皮膚の紅潮，重度のそう痒，息切れ，喘鳴，顔面または身体の腫脹，胸苦しさおよびのどの締めつけ感，または意識喪失などの症状が生じたら，直ちに使用を止めて医療機関を受診してください。

大腸腺腫：既往歴のある人では再発のリスクが高まるおそれがあります。インドオオバコ（サイリウム）の摂取は避けてください。

糖尿病：インドオオバコ（サイリウム）は２型糖尿病患者の血糖値を低下させることがありますので，血糖値を注意深く監視してください。一般的な糖尿病薬の用量を調節する必要があるかもしれません。さらに，一部のインドオオバコ（サイリウム）製品は糖分が加えられていることがあるため，血糖値を上昇させるおそれがあり，配慮が必要です。

消化管障害：便秘による直腸の便の硬化，消化管の狭小化，通過障害，腸痙攣などの通過障害を導く症状がある場合は，インドオオバコ（サイリウム）を使用してはいけません。

低血圧：高血圧および正常血圧の人の血圧を低下させることがあります。低血圧の人では，血圧が過度に低下するおそれがあります。

フェニルケトン尿症：一部のインドオオバコ（サイリウム）製剤にはアスパルテームの甘味料が含まれているため，フェニルケトン尿症患者は使用しないでください。

手術：インドオオバコ（サイリウム）は血糖値に影響を与えるため，手術中および術後の血糖値コントロールを困難にします。少なくとも手術前２週間は，使用しないでください。

嚥下困難：のどに詰まるおそれがあるため，使用しないでください。

●アレルギー

一部の患者は，インドオオバコ（サイリウム）に重篤な過敏症を示すことがあります。とくに職業上，インドオオバコ（サイリウム）に曝露していた人に起こりやすくなっています。インドオオバコ（サイリウム）に過敏な人は使用しないでください。

●妊娠中および母乳授乳期

適量を経口摂取する場合，ほとんどの人に安全のようです。

有 効 性

◆有効性レベル①

・便秘。インドオオバコ（サイリウム）の単独または併用製品の経口摂取により，便秘が緩和し，便の硬さが改善されることが示されています。

◆有効性レベル②

・高コレステロール血症患者のコレステロール低下。インドオオバコ（サイリウム）の経口摂取により，軽度ないし中等度に高値の患者でコレステロール値が低下します。種皮または種子を食品に加えるか，またはサプリメントとして，１日に約10～12g，低脂肪食もしくは高脂肪食と組み合わせて摂取する場合，７週間後またはそれ以降に，総コレステロール値が３～14%，また低比重リポタンパク（LDL，悪玉）コレステロール値が５～10%，低下する可能性があります。トリグリセリドと呼ばれる血中脂質を下げる効果はないようです。また，低用量（１日６g未満）の摂取では効果がみられない可能性があります。高コレステロール血症の小児では，低脂肪・低コレステロール食（NCEP Step 1 dietなど）に加えて摂取する場合，LDL-コレステロール値が７～15%低下する可能性があります。興味深いことに，より脂肪・コレステロールが低い食事（NCEP Step 2 dietなど）と併用する場合には，LDL-コレステロール値がそれほどには低下しないようです。サイリウムは，高齢者ではあまり効果がみられないようです。60歳代以上の人では，60歳未満の人と比較して，LDL-コレステロール値の低下度合いが小さいというエビデンスがあります。サイリウムの種皮よりも種子の方がコレステロール値の低下に効果があることを示唆するエビデンスがあります。インドオオバコ（サイリウム）は食事と一緒に摂取するのが最も効果的のようです。インドオオバコ（サイリウム）を含む朝食シリアルを摂取すると，総コレステロール値が５%，およびLDL-コレステロール値が９%，低下する可能性があります。高コレステロール血症患者がインドオオバコ（サイリウム）を摂取すると，コレステロールを下げる特定の医薬品の投薬量を減らすことができるというエビデンスもあります。例えば，１日にインドオオバコ（サイリウム）15gとシンバスタチン10mgの併用摂取は，シンバスタチン20mgの摂取と同程度のコレステロール低下効果があるようです。同様に，インドオオバコ（サイリウム）と半量のColestipolの併用摂取は，Colestipol単体の摂取と同程度の効果があるようです。インドオオバコ（サイリウム）はまた，便秘や腹痛など，Colestipolおよびコレスチラミンの副作用を緩和するようです。しかし，医師などへの相談なく医薬品の投薬量を調整してはいけません。

◆有効性レベル③

・糖尿病。インドオオバコ（サイリウム）がもっとも血糖値に効果的なのは食品に混入または，食品と一緒に摂取するときです。血糖値の低下に加え，インドオオバコ（サイリウム）の種皮は，コレステロールが高値の糖尿病患者の，コレステロール値を低下させます。一部の研究では，インドオオバコ（サイリウム）は総コレステロール値を９％，LDL-コレステロール値を13％低下させる可能性があることを示しています。インドオオバコ（サイリウム）は糖尿病ではない人の食後の血糖値は低下させません。

・下痢。経口摂取により下痢の症状が緩和するようです。

・痔核。経口摂取に出血および疼痛が緩和するようです。

・高血圧。単体摂取または大豆プロテインとの併用摂取により，成人の血圧を低下させるようです。

・過敏性腸症候群（IBS）。すべての研究で一致していませんが，インドオオバコ（サイリウム）の種皮は便秘，腹痛，下痢を緩和し，良好な状態に改善するとの報告があります。最大の効果が出るまでに４週間ほどかかるかもしれません。

・肥満。すべての研究で一致していませんが，インドオオバコ（サイリウム）が過体重または肥満の人の体重を減少および食欲を低下させる可能性があるという初期のエビデンスがあります。

・医薬品「オルリスタット（販売中止）」の副作用の治療。オルリスタット（販売中止）服薬毎にインドオオバコ（サイリウム）を併用摂取することで，オルリスタット（販売中止）の体重減少効果を減弱することなく，腸内ガス，腹鳴，痙攣性腹痛，油性便などのオルリスタット（販売中止）の副作用を緩和するようです。

・炎症性腸疾患（潰瘍性大腸炎）。インドオオバコ（サイリウム）の種子を経口摂取すると，炎症性腸疾患の再発防止に効果的である可能性があるというエビデンスがあります。また，症状を緩和するようです。

◆有効性レベル④

・大腸線腫。１日にインドオオバコ（サイリウム）3.5gを摂取しても，大腸線腫のリスクは低減しないようです。食事で摂取するカルシウム量が多い人で特に，再発リスクが高まるおそれがあるというエビデンスがあります。サイリウムおよびカルシウムと大腸線腫との関係については，より多くのエビデンスが必要です。

・深刻な腎疾患。インドオオバコ（サイリウム）を経口摂取しても深刻な胃疾患に改善はみられません。

◆科学的データが不十分です

・クローン病，HIV/エイズ患者の脂肪再分布症候群の予防，一部のがん，一部の皮膚症状など。

●体内での働き

サイリウムの種皮は水を吸収して大きな固まりになります。この固まりが，便秘の人の腸に運動するよう刺激を与えます。下痢を起こしている人では，腸の働きを遅くし，便通を抑えます。

医薬品との相互作用

低エチニルエストラジオール

エチニルエストラジオールはエストロゲンの一種で，特定のエストロゲン製剤や避妊薬に含まれます。一部では，サイリウムがエチニルエストラジオールの体内への吸収量を減少させる可能性が懸念されています。しかし，サイリウムがエチニルエストラジオールの吸収に著しく影響を及ぼすことはないようです。

中カルバマゼピン

インドオオバコ（サイリウム）には多量の食物繊維が含まれます。食物繊維はカルバマゼピンの体内への吸収量を減少させる可能性があります。インドオオバコ（サイリウム）がカルバマゼピンの体内への吸収量を減少させることで，カルバマゼピンの効果が弱まるおそれがあります。

低ジゴキシン

インドオオバコ（サイリウム）は食物繊維が豊富です。食物繊維はジゴキシンの吸収量を減少させ，効果を弱めるおそれがあります。この相互作用を避けるために，原則，経口薬（ジゴキシンなど）の服用前４時間または服用後１時間はインドオオバコ（サイリウム）を摂取しないでください。

中メトホルミン塩酸塩

インドオオバコ（サイリウム）はメトホルミン塩酸塩の体内への吸収量を変化させる可能性があります。そのため，メトホルミン塩酸塩の効果が強まるまたは弱まるおそれがあります。この相互作用を避けるために，メトホルミン塩酸塩の服用後，30～60分間はインドオオバコ（サイリウム）を摂取しないでください。

中炭酸リチウム

インドオオバコ（サイリウム）には多量の食物繊維が含まれます。食物繊維は炭酸リチウムの体内への吸収量を減少させる可能性があります。インドオオバコ（サイリウム）と炭酸リチウムを併用すると，炭酸リチウムの効果が弱まるおそれがあります。この相互作用を避けるために，炭酸リチウムの服用後，少なくとも１時間はインドオオバコ（サイリウム）を摂取しないでください。

中経口薬

インドオオバコ（サイリウム）には多量の食物繊維が含まれます。食物繊維は医薬品の体内への吸収を抑制，促進，あるいは影響しない可能性があります。インドオオバコ（サイリウム）と経口薬を併用すると，医薬品の効果に影響を及ぼすおそれがあります。この相互作用を避けるために，経口薬の服用後，30～60分はインドオオバコ（サイリウム）を摂取しないでください。

イ

ハーブおよび健康食品・サプリメントとの相互作用

血圧を低下させるおそれのあるハーブおよび健康食品・サプリメント

インドオオバコ（サイリウム）が血圧を低下させるおそれがあります。同様の作用をもつほかのハーブおよび健康食品・サプリメントを併用すると，血圧が過度に低下するリスクが高まるおそれがあります。このようなハーブおよび健康食品・サプリメントには，アンドログラフィス，カゼイン・ペプチド，キャッツクロー，コエンザイムQ-10，魚油，L-アルギニン，クコ，イラクサ，テアニンなどがあります。

血糖値を低下させるおそれのあるハーブおよび健康食品・サプリメント

インドオオバコ（サイリウム）が血糖値を低下させるおそれがあります。同様の作用をもつほかのハーブおよび健康食品・サプリメントを併用すると，血糖値が過度に低下するおそれがあります。このようなハーブおよび健康食品・サプリメントには，α-リポ酸，ニガウリ，クロム，デビルズクロー，フェヌグリーク，ニンニク，グアーガム，セイヨウトチノキ，朝鮮人参，サイリウム，エゾウコギなどがあります。

鉄

インドオオバコ（サイリウム）を鉄剤と併用すると，鉄の吸収を阻害することがあります。この相互作用を避けるため，鉄剤はサイリウムを摂取する１時間前または４時間後に摂取してください。

リボフラビン

サイリウムはリボフラビンの吸収をわずかに阻害するようですが，問題ではないようです。

通常の食品との相互作用

脂肪

サイリウムは食事脂肪の消化を阻害することがあり，大豆油やヤシ油などの食事脂肪と併せて摂取すると，便中に排泄される脂肪を増加させることがあります。

使用量の目安

インドオオバコ（サイリウム）は必ず十分な量の水分とともに摂取することが重要です。水分量が不十分な場合，窒息や食道閉鎖，腸閉塞を引き起こすおそれがあるからです。インドオオバコ（サイリウム）の種皮５gまたは種子７gの摂取には，最低でも240mLの水分が必要です。よくみられるいくつかの胃腸系副作用のリスクを最小限にするため，低い摂取量から開始し，徐々に目標とする摂取量にまで増やしてください。

●経口摂取

便秘

下剤として，種子を１日７～40g，２～４回に分けて摂取します。

下痢

１日７～18g，２～３回に分けて摂取するか，または，インドオオバコ（サイリウム），炭酸カルシウムおよびリン酸カルシウムからなる配合薬（重量比４：１：１）を１回５g摂取します。

下痢（経管栄養下の患者）

１日当たりの摂取量を最大で30gとし，１回2.5～7.5gを摂取します。栄養剤と混和して栄養チューブから摂取するか，または一度に投与してから水で流しこむことも可能です。いずれの場合も，チューブに詰まりが発生するおそれがあるため注意してください。

下痢（胆のう摘出にともなう慢性下痢）

１回6.5gで１日３回摂取します。

下痢（ミソプロストールの投与にともなう下痢）

１回3.4gで１日２回摂取します。

過敏性腸症候群（IBS）

種子を１日10～30g，２～３回に分けて摂取します。または，プロパンテリン臭化物を１回15mgで１日３回摂取するとともに，インドオオバコ（サイリウム）の種皮を１回10gで１日２回摂取します。

医薬品「オルリスタット（販売中止）」による胃腸系の副作用

オルリスタット（販売中止）を服用するごとに，１回６gで１日３回摂取します。

潰瘍性大腸炎

寛解維持を目的として，種子を１回10gで１日２回摂取します。

痔核

出血抑制を目的として，サイリウムの種皮を１回3.5gで１日２回，３カ月間摂取します。

高コレステロール血症

種皮を１回3.4gで１日３回，または１回5.1gで１日２回摂取します。１日摂取量が20.4gと高く設定された臨床試験も行われています。または，サイリウムが添加されたシリアルを，水溶性食物繊維の１日摂取量が12gとなるように摂取します。または，サイリウム2.1g，ペクチン1.3g，グアーガム1.1gおよびローカストビーンガム0.5gからなる配合薬を，１日３回摂取します。または，インドオオバコ（サイリウム）の粉末製品2.5gを，2.5gのColestipolとともに１日３回摂取します。または，粉末製品を１日15g，10mgのシンバスタチンとともに摂取します。

高コレステロール血症（小児）

サイリウムが添加されたシリアルを摂取し，サイリウムの１日摂取量が５～10gとなるようにします。

高コレステロール血症（２型糖尿病合併例）

１日15gを３回に分けて摂取します。

２型糖尿病

食品のGI値を低下させる目的で，炭水化物食品の摂取に合わせて，１日15gを３回に分けて摂取します。

高血圧

種皮を１日15g，８週間摂取します。

インドール（インドール-3-メタノール）

INDOLE-3-CARBINOL

●代表的な別名

インドール-3-カルビノール

別名ほか

インドール-3-カルビノール（I3C, Indole 3 carbinol), インドール（Indole), Indole-3-methanol, 3-Hydroxymethyl indole, 3-(Hydroxymethyl), 3-Indolylcarbinol, 3-Indolylmethanol

概　要

インドール（インドール-3-メタノール）は野菜に含まれる物質で，ブロッコリー，芽キャベツ，キャベツ，そのほかのキャベツ類，カリフラワー，ケール，カラシナ，カブ，カブハボタンの根などにあります。

安 全 性

食事に含まれる程度の量なら一般に安全なようです。

適切な医療的指導の下で医薬品として処方される場合は一般に安全なようです。

皮疹や肝臓酵素の少量増加などの副作用を引き起こす可能性があります。

非常に高い用量では，平衡感覚の異常，振戦，および悪心を引き起こす可能性があります。

●妊娠中および母乳授乳期

妊娠中，母乳授乳期は，食品に含まれる量より多い量を使用してはいけません。

有 効 性

◆有効性レベル③

・子宮細胞の異常発育（子宮頸部形成異常)。

◆科学的データが不十分です

・気管乳頭腫。インドール(インドール-3-メタノール）による長期治療は再発性の気管乳頭腫患者において，腫瘍（乳頭腫）の成長を抑制する可能性が報告されています。

・乳がんの予防，大腸がん，線維筋痛，狼瘡（全身性エリテマトーデス)，ホルモンの不均衡など。

●体内での働き

インドール（インドール-3-メタノール）のがん抑制，とくに乳がん，子宮頸がん，子宮体がん，大腸がんの抑制において研究者は関心を示しています。フルーツおよび野菜を多く含む食事はがんの発症の抑制に関与していることが理由です。研究者はがんを抑制する野菜の成分の1つがインドール（インドール-3-メタノール）ではないかと推測しています。

医薬品との相互作用

中 肝臓で代謝される医薬品（シトクロムP450 1A2 (CYP1A2）の基質となる医薬品）

肝臓で代謝される医薬品がありますが，インドールはこの代謝を促進することがあります。したがって肝臓で代謝されやすい医薬品をインドールと同時に服用すると，その医薬品の効果を低減させる可能性があります。このような医薬品にはクロザピン，Cyclobenzaprine，フルボキサミンマレイン酸塩，ハロペリドール，イミプラミン塩酸塩，メキシレチン塩酸塩，オランザピン，塩酸ペンタゾシン，プロプラノロール塩酸塩，Tacrine，テオフィリン，Zileuton，ゾルミトリプタンなどがあります。

ハーブおよび健康食品・サプリメントとの相互作用

ほかのハーブ，健康食品・サプリメントとの相互作用についてはまだ明らかではありません。

使用量の目安

●経口摂取

子宮頸部形成異常

1日200～400mgを摂取します。しかし，200mgは高摂取量と同程度に効果的であると思われます。

乳がんの予防

1日300mgを摂取します。

成人における再発呼吸器乳頭腫症

1回200mgを1日2回摂取します。

小児における再発呼吸器乳頭腫症

摂取量は体重に基づいて決められ，体重6～10kgの小児では1回50mgを1日2回，11～19kgの小児では1回75mgを1日2回，20～29kgの小児では1回100mgを1日2回となります。体重60kg以上の小児の場合は成人の摂取量1回200mgを1日2回となります。

インドセンダン

NEEM

●代表的な別名

ニーム

別名ほか

印度栴檀（Melia azadirachta)，アザディラクタ・インディカ，ニーム（Azadirachta indica)，マルゴサ，ニームマルゴサ (Margosa), Antelaea azadirachta, Arishta, arishtha, Bead Tree, Holy Tree, Indian Lilac, Indian Neem, Nim, Nimb, Nimba, Persian Lilac, Pride of China

概　要

インドセンダンは樹木です。樹皮，葉および種子を用

有効性レベル：①効きます　②おそらく効きます　③効くと断言できませんが、効能の可能性が科学的に示唆されています　④効かないかもしれません　⑤おそらく効きません　⑥効きません

いて「くすり」を作ることもあります。根，花および果実を用いることもあります。

●要説（ナチュラル・スタンダード）

インドセンダンは，インド北東部およびミャンマーが原産とされています。感染症，皮膚疾患，および腫脹の治療に用いられます。食物やほかの生産物を昆虫から守る農薬としても用いられます。葉および種油は，皮膚や髪に有効と信じられています。

エキスはしばしば，ニンニクと似た強烈な匂いがします。

口腔のプラークを軽減する働き，蚊を撃退する働き，乾癬（赤みや炎症をともなう皮膚疾患）を治療する働き，および消化管の潰瘍を治癒する働きがある可能性があります。ただし現時点では，これらの有効性を支持する研究は十分ではありません。

安 全 性

短期間経口で摂取する場合，ほとんどの成人に安全です。

大量に摂取したり長期間摂取したりする場合は，安全でないことがあります。腎臓および肝臓に有害に作用することがあります。

小児：小児のインドセンダン摂取は安全ではありません。インドセンダン油を摂取した乳児および幼児では，数時間以内に重篤な副作用を引き起こすことがあります。このような副作用には，嘔吐，下痢，嗜眠状態，血液障害，発作，意識消失，昏睡，脳障害，および死亡などがあります。

多発性硬化症，狼瘡（全身性エリテマトーデス），関節リウマチなどその他の自己免疫疾患：インドセンダンは自己免疫系を刺激し，自己免疫疾患の症状を悪化させることがあります。このような疾患を有する場合はインドセンダンの使用は避けるべきです。

糖尿病：インドセンダンは血糖値を低下させることがあり，血糖値が過度に低下する可能性があるとのデータがあります。糖尿病患者でインドセンダンを使用する場合は，血糖値管理に注意してください。糖尿病薬の用量を調節する必要があるかもしれません。

生殖機能の低下（不妊症）：インドセンダンは，精子に障害をきたす可能性があります。また他の原因で生殖機能を低下させることもあるため，子どもを望んでいる場合はインドセンダンの使用を控えてください。

臓器移植：インドセンダンは，移植器官の拒否反応を阻止する薬剤の有効性を，低減するおそれがあります。臓器移植患者はインドセンダンを使用してはいけません。

手術予定日の最低２週間前から，インドセンダンの使用を停止してください。

●妊娠中および母乳授乳期

妊娠中および母乳授乳期にインドセンダンオイルを摂取するのは安全ではありません。流産の原因となることがあります。

有 効 性

◆科学的データが不十分です

・歯肉炎。インドセンダンの葉の抽出ゲルを歯と歯肉に１日２回，６週間塗布すると，歯垢の形成を軽減する可能性を示す発展中の研究があります。また，歯垢の原因となる口内細菌を減少させる可能性もあります。
・潰瘍。インドセンダンの樹皮エキス30から60㎎を１日２回毎日10週間摂取すると，胃および腸における潰瘍の治癒に役立つと示唆されています。
・発熱，胃の不快感，呼吸器系疾患，マラリア，蠕虫，アタマ ジラミ，皮膚の状態と疾患，潰瘍，心疾患，糖尿病，産児制限（避妊）など。

●体内での働き

血糖値の低下を補助したり，消化管の潰瘍を治癒したり，避妊をしたり，細菌を殺して口腔内に歯垢ができるのを防いだりする化合物を含んでいます。

医薬品との相互作用

中糖尿病治療薬

インドセンダンは血糖値を低下させる可能性があります。インドセンダンを摂取し，糖尿病治療薬を併用すると，血糖値が過度に低下するおそれがあります。血糖値を注意深く監視してください。このような糖尿病治療薬には，グリメピリド，グリベンクラミド，インスリン，ピオグリタゾン塩酸塩，マレイン酸ロシグリタゾン（販売中止），クロルプロパミド，Glipizide，トルブタミド（販売中止）などがあります。

中免疫抑制薬

インドセンダンは免疫機能の活動を促進する可能性があります。特定の医薬品（移植後に使用する医薬品など）は免疫機能の活動を抑制します。インドセンダンを摂取し，このような医薬品を併用すると，医薬品の作用が減弱するおそれがあります。このような免疫抑制薬には，アザチオプリン，バシリキシマブ，シクロスポリン，Daclizumab，ムロモナブ-CD３（販売中止），ミコフェノール酸モフェチル，タクロリムス水和物，シロリムス，Prednisone，副腎皮質ステロイドなどがあります。

ハーブおよび健康食品・サプリメントとの相互作用

血糖値を下げるハーブおよび健康食品・サプリメント

インドセンダンは血糖値を下げることがあります。同様の働きをするハーブおよび健康食品・サプリメントと併用すると，血糖値が下がりすぎるおそれがあります。このようなハーブおよび健康食品・サプリメントには，デビルズクロー，フェヌグリーク，グアーガム，セイヨウトチノキ，朝鮮人参，サイリウム，およびエゾウコギなどがあります。

使用量の目安

標準使用量に関するデータがありません。

インド長コショウ（インドロングペッパー）

INDIAN LONG PEPPER

●代表的な別名

長実胡椒

別名ほか

ナガミコショウ，長実胡椒，ピッパリー（Pippali），ロングペッパー（Long Pepper），ヒハツ（Piper longum），Bi Bo，Jaborandi Pepper，Kana，Langer Pfeffer，Magadhi，Pimenta-Longa，Poivre Long，Ushana

概　要

インド長コショウ（インドロングペッパー）は植物です。果実を用いて「くすり」を作ることもあります。アーユルヴェーダ医学では，ほかのハーブと併用することもあります。

安 全 性

食品に含まれる量はほとんどの成人に安全のようです。

医薬品として使用することについては，十分なデータは得られていないので，安全であるかどうか不明です。

●妊娠中および母乳授乳期

妊娠中および母乳授乳期の使用の安全性についてはデータが不十分です。安全性を考慮し，摂取は避けてください。

有 効 性

◆科学的データが不十分です

・頭痛，歯痛，気管支喘息，気管支炎，コレラ，昏睡，咳，下痢，てんかん，発熱，胃痛，脳卒中，消化不良，月経障害など。

●体内での働き

インド長コショウは，ピペリンと呼ばれる化学物質を含んでいます。ピペリンは寄生虫症に対抗する働きがあるといわれています。また腸の粘膜を変質させ，経口摂取した医薬品やほかの物質の吸収がよくなるといわれています。

医薬品との相互作用

中テオフィリン

インド長コショウは，テオフィリンの体内への吸収量を増加させる可能性があります。インド長コショウとテオフィリンを併用すると，テオフィリンの作用および副作用が増強する現れるおそれがあります。

中フェニトイン

インド長コショウはフェニトインの体内への吸収量を増加させる可能性があります。インド長コショウとフェニトインを併用すると，フェニトインの作用および副作用が増強するおそれがあります。

中プロプラノロール塩酸塩

インド長コショウはプロプラノロール塩酸塩の体内への吸収量を増加させる可能性があります。インド長コショウとプロプラノロール塩酸塩を併用すると，プロプラノロール塩酸塩の作用および副作用が増強するおそれがあります。

低アモキシシリン水和物

インド長コショウにはピペリン（化学物質）が含まれます。ピペリンはアモキシシリン水和物の血中濃度を上昇させる可能性があります。理論的には，インド長コショウとアモキシシリン水和物を併用すると，アモキシシリン水和物の作用および副作用が増強するおそれがあります。ただし，この相互作用の可能性が大きな問題であるかについては明らかではありません。

低カルバマゼピン

インド長コショウにはピペリン（化学物質）が含まれます。ピペリンはカルバマゼピンの体内への吸収量を増加させるようです。また，カルバマゼピンの代謝を抑制するようです。そのため，インド長コショウはカルバマゼピンの体内量を増加させ，副作用のリスクを高めるおそれがあります。ただし，この相互作用の可能性が大きな問題であるかについては十分に明らかではありません。

低セフォタキシムナトリウム

インド長コショウにはピペリン（化学物質）が含まれます。ピペリンはセフォタキシムナトリウムの血中濃度を上昇させる可能性があります。理論的には，インド長コショウとセフォタキシムナトリウムを併用すると，セフォタキシムナトリウムの作用および副作用が増強するおそれがあります。ただし，この相互作用の可能性が大きな問題であるかについては十分に明らかではありません。

中シクロスポリン

インド長コショウにはピペリン（化学物質）が含まれます。ピペリンはシクロスポリンの体内量を増加させる可能性があります。理論的には，インド長コショウとシクロスポリンを併用すると，シクロスポリンの作用および副作用が増強するおそれがあります。ただし，この相互作用の可能性が大きな問題であるかについては十分に明らかではありません。

中肝臓で代謝される医薬品（シトクロムP450 1A1（CYP1A1）の基質となる医薬品）

特定の医薬品は肝臓で代謝されます。インド長コショウはこのような医薬品の代謝を抑制する可能性があります。インド長コショウと肝臓で代謝される医薬品を併用すると，医薬品による副作用のリスクが高まるおそれがあります。このような医薬品には，クロルゾキサゾン，テオフィリン，Bufuralolがあります。

中肝臓で代謝される医薬品（シトクロムP450 2B1（CYP2B1）の基質となる医薬品）

特定の医薬品は肝臓で代謝されます。インド長コショウはこのような医薬品の代謝を抑制する可能性があります。インド長コショウと肝臓で代謝される医薬品を併用すると，医薬品による副作用のリスクが高まるおそれがあります。このような医薬品には，シクロホスファミド水和物，イホスファミド，バルビツール酸系薬，Bromobenzeneなどがあります。

中肝臓で代謝される医薬品（シトクロムP450 3A4（CYP3A4）の基質となる医薬品）

特定の医薬品は肝臓で代謝されます。インド長コショウはこのような医薬品の代謝を抑制する可能性があります。インド長コショウと肝臓で代謝される医薬品を併用すると，医薬品の副作用が現れるリスクが高まるおそれがあります。このような医薬品には，Lovastatin，ケトコナゾール，イトラコナゾール，フェキソフェナジン塩酸塩，トリアゾラムなど数多くあります。

中糖尿病治療薬

インド長コショウにはピペリン（化学物質）が含まれます。いくつかの研究では，ピペリンが血糖値を低下させることが示されています。理論的には，インド長コショウは糖尿病治療薬と相互作用があり，血糖値が過度に低下するおそれがあります。さらに明らかになるまでは，インド長コショウを摂取する場合に血糖値を注意深く監視してください。糖尿病治療薬の用量を変更する必要があるかもしれません。このような糖尿病治療薬には，グリメピリド，グリベンクラミド，インスリン，ピオグリタゾン塩酸塩，マレイン酸ロシグリタゾン（販売中止）などがあります。

中細胞内のポンプによって輸送される医薬品（P糖タンパク質の基質となる医薬品）

特定の医薬品は細胞内のポンプによって輸送されます。インド長コショウは，ポンプの働きを弱め，このような医薬品の体内への吸収量を増加させる可能性があります。そのため，医薬品による副作用がさらに多く現れるおそれがあります。このような医薬品には，エトポシド，パクリタキセル，ビンブラスチン硫酸塩，ビンクリスチン硫酸塩，ビンデシン硫酸塩，ケトコナゾール，イトラコナゾール，アンプレナビル，インジナビル硫酸塩エタノール付加物（販売中止），ネルフィナビルメシル酸塩，サキナビルメシル酸塩，シメチジン，ラニチジン塩酸塩，ジルチアゼム塩酸塩，ベラパミル塩酸塩，ジゴキシン，副腎皮質ステロイド，エリスロマイシン，シサプリド，フェキソフェナジン塩酸塩，シクロスポリン，ロペラミド塩酸塩，キニジン硫酸塩水和物などがあります。

中血液凝固を抑制する医薬品（抗凝固薬/抗血小板薬）

インド長コショウは血液凝固を抑制する可能性があります。インド長コショウと血液凝固を抑制する医薬品を併用すると，紫斑および出血のリスクが高まるおそれがあります。このような医薬品には，アスピリン，クロピドグレル硫酸塩，ジクロフェナクナトリウム，イブプロフェン，ナプロキセン，ダルテパリンナトリウム，エノキサパリンナトリウム，ヘパリン，ワルファリンカリウムなどがあります。

中ネビラピン

インド長コショウにはピペリン（化学物質）が含まれます。ピペリンはネビラピンの体内量を増加させる可能性があります。理論的には，インド長コショウとネビラピンを併用すると，ネビラピンの作用および副作用が増強するおそれがあります。ただし，この相互作用の可能性が大きな問題であるかについては十分に明らかではありません。

中ペントバルビタールカルシウム

インド長コショウにはピペリン（化学物質）が含まれます。ピペリンはペントバルビタールカルシウムに起因する眠気を促進する可能性があります。理論的には，インド長コショウとペントバルビタールカルシウムを併用すると，ペントバルビタールカルシウムの鎮静作用が増強するおそれがあります。

中リファンピシン

インド長コショウはリファンピシンの体内への吸収量を増加させる可能性があります。インド長コショウとリファンピシンを併用すると，リファンピシンの作用および副作用が増強するおそれがあります。

ハーブおよび健康食品・サプリメントとの相互作用

エニシダ

インド長コショウは，ピペリンと呼ばれる化学物質を含んでいます。エニシダはスパルテインと呼ばれる危険な化学物質を含んでいます。インド長コショウとエニシダを併用すると，ピペリンの働きで，スパルテインが体内に吸収される量が増加します。多量のスパルテインは有害なおそれがあります。インド長コショウとエニシダの併用は避けてください。

使用量の目安

標準使用量に関するデータがありません。

ウィートグラス

WHEATGRASS

●代表的な別名

カウチグラス

別名ほか

シバムギ（Agropyron Repens），カウチグラス（Couchgrass），ヒメカモジグサ（Elytrigia Repens），Wheat Grass，Agropyron Firmum，Couch Grass，

Cutch, Dog Grass, Dog-Grass, Doggrass, Durfa Grass, Elymus Repens, Graminis Rhizoma, Quack Grass, Quackgrass, Quitch Grass, Scotch Quelch, Triticum Firmum, Triticum Repens, Twitchgrass, Witch Grass

概　　要

ウィートグラスは草の一種です。地上部，根および地下茎を用いて「くすり」を作ります。ビタミンA，ビタミンC，ビタミンE，鉄，カルシウム，マグネシウム，アミノ酸を含み，主に効率のよい栄養補給源として用いられます。

βサラセミアという血液疾患の患者が，ヘモグロビン（酸素を運搬する赤血球中の化学物質）の産生を増加させる目的でウィートグラスを経口摂取します。そのほか一般に，潰瘍性大腸炎，糖尿病，感染など，さまざまな疾患に用いられますが，これらの用途を十分に裏づける科学的エビデンスはありません。

ウィートグラスジュースは健康飲料として人気があります。生ジュースを抽出してすぐに空腹時に摂取しなければ，健康への効果がないと考えられていますが，現時点ではこの考えを裏づける研究はありません。

ウィートグラスエキスは食品や飲料に香料として用いられます。

安　全　性

ウィートグラスの摂取は，食品に含まれている量であれば，ほとんどの人に安全のようです。「くすり」としての量を経口摂取する場合には最長18カ月間まで，また，クリーム剤として皮膚に塗布する場合には最長6週間までであれば，ほとんどの成人におそらく安全です。「くすり」として長期間使用する場合の安全性については，データが不十分です。

ウィートグラスが，吐き気，食欲不振および便秘を引き起こすおそれがあります。

糖尿病：ウィートグラスは糖尿病患者の血糖値を低下させる可能性があります。糖尿病患者が使用する場合には，低血糖の徴候がないかどうか観察し，血糖値を注意深く監視してください。

手術：ウィートグラスは血糖値を低下させる可能性があるため，手術中・手術後の血糖コントロールを妨げるおそれがあります。少なくとも手術前2週間は，「くすり」として使用しないでください。

●妊娠中および母乳授乳期

妊娠中および母乳授乳期の使用の安全性についてはデータが不十分です。安全性を考慮し，摂取は避けてください。

有　効　性

◆科学的データが不十分です

・βサラセミア（血液疾患），踵痛，潰瘍性大腸炎（炎症性腸疾患），貧血，がん，糖尿病，高血圧，感染予防，う歯予防，コレステロール減少，医薬品・金属・毒素・発がん性物質の体内からの除去，創傷治癒など。

●体内での働き

ウィートグラスに含まれる化学物質は，抗酸化作用および抗炎症（抗腫脹）作用をもつ可能性があります。このため，潰瘍性大腸炎などの疾患に有効であるとみなされることもあります。また，細菌感染に抵抗する働きをもつ可能性もあります。

医薬品との相互作用

中 糖尿病治療薬

ウィートグラスは血糖値を低下させる可能性があります。糖尿病治療薬もまた血糖値を低下させるために用いられます。ウィートグラスと糖尿病治療薬を併用すると，血糖値が過度に低下するおそれがあります。血糖値を注意深く監視してください。糖尿病治療薬の用量を変更する必要があるかもしれません。このような糖尿病治療薬にはグリメピリド，グリベンクラミド，インスリン，メトホルミン塩酸塩，ピオグリタゾン塩酸塩，マレイン酸ロシグリタゾン（販売中止），クロルプロパミド，Glipizide，トルブタミド（販売中止）などがあります。

ハーブおよび健康食品・サプリメントとの相互作用

血糖値を低下させるおそれのあるハーブおよび健康食品・サプリメント

ウィートグラスは血糖値を低下させるおそれがあります。血糖値を低下させるおそれのあるほかのハーブおよび健康食品・サプリメントと併用すると，人によっては血糖値が過度に低下するおそれがあります。このようなハーブおよび健康食品・サプリメントには，α-リポ酸，ニガウリ，クロム，デビルズクロー，フェヌグリーク，ニンニク，グアーガム，セイヨウトチノキ，朝鮮人参，サイリウム，エゾウコギなどがあります。

使用量の目安

通常の食品に含まれている量を超えて経口摂取した場合の安全性および副作用については，明らかになっていません。

ウィッチヘーゼル

WITCH HAZEL

●代表的な別名

マンサク

別名ほか

ハシバミの実（Hazel），マンサク（Hamamelis），アメリカマンサク（Hamamelis virginiana），ハマメリス（Winter Bloom），Snapping Tobacco Wood，Spotted

有効性レベル：①効きます　②おそらく効きます　③効くと断言できませんが、効能の可能性が科学的に示唆されています　④効かないかもしれません　⑤おそらく効きません　⑥効きません

Elder

ウ

概　　要

ウィッチヘーゼルは植物です。葉，樹皮，および小枝は「くすり」に使われます。ウィッチヘーゼル水（ハマメリス水，ウィッチヘーゼルエキスの蒸留水）と呼ばれる製品を目にすると思いますが，これはウィッチヘーゼルの乾燥した葉，樹皮，および枝の蒸留水です。

●要説（ナチュラル・スタンダード）

ウィッチヘーゼル（Hamamelis virginiana）は北米東部原産の開花低木で，他の関連種は，北米，アジア，ヨーロッパに存在します。ウィッチヘーゼルは，伝統的に洗顔料や化粧水として，皮膚の炎症，打撲傷，痔核の治療や止血のために使用されてきました。

初期の研究では，ウィッチヘーゼルの葉，茎，樹皮は，収れん薬，抗刺激薬，抗酸化薬，抗炎症薬としての特性のある化合物が含まれることを示しています。

ウィッチヘーゼルは広く利用可能であり，さまざまな疾患の治療に使用されてきましたが，これらの多くの疾患治療にウィッチヘーゼルがどれくらい有効であるかを裏付ける，ヒトを対象とした研究はほとんどありません。

安　全　性

皮膚に直接使用する場合，ほとんどの成人に安全のようです。

軽い刺激を感じる人もいます。

ウィッチヘーゼルは少量の経口摂取ではほとんどの成人に安全ですが，一部の人に腹部の不調を引き起こすことがあります。

多量摂取は肝障害を引き起こすことがあります。ウィッチヘーゼルは発がん性物質を含んでいますが，微量のため影響はありません。

●妊娠中および母乳授乳期

妊娠中および母乳授乳期の使用の安全性についてはデータが不十分です。安全性を考慮し，摂取は控えてください。

有　効　性

◆有効性レベル③

・少量の出血の停止。
・痔核。
・皮膚の刺激の抑制。

◆科学的データが不十分です

・下痢，吐血，喀血，結核，感冒，発熱，眼炎，打撲傷，静脈瘤など。

●体内での働き

タンニンと呼ばれる化合物を含んでいます。皮膚に直接塗布すると，腫脹を抑え，傷を負った皮膚を修復して細菌に抵抗します。

医薬品との相互作用

ほかの医薬品との相互作用については明らかではありません。

ハーブおよび健康食品・サプリメントとの相互作用

ほかのハーブ，健康食品・サプリメントとの相互作用についてはまだ明らかではありません。

使用量の目安

●経口摂取

乾燥葉２g，またはお茶にして１日３回摂取。お茶は，２gを150mLの熱湯に５～10分浸してからこします。流エキス（１：１，45％アルコール）２～４mLを１日３回摂取します。

●局所投与

湿布および洗浄に使用する場合，葉と樹皮を水250mLにつき５～10g加えて煮出します。湿布に使用するには，ウィッチヘーゼル水をそのままで，あるいは希釈水（１：３）を使用します。半固形状の濃度は20～30％です。エキス，半固形，液は，葉および樹皮が５～10％に相当します。

●直腸投与

葉および樹皮0.1～１gに相当する座薬を，１日１～３回投与します。

肛門直腸疾患

ウィッチヘーゼル水を１日最大６回，または排便の後ごとに外用します。

ウィラード・ウォーター

WILLARD WATER

●代表的な別名

ウィラード水

別名ほか

Dr.ウィラード・ウォーター（Willard's Water），Biowater，Carbonaceous Activated Water，Catalyst Altered Water

概　　要

ウィラード・ウォーターは化学的に製造された水で，岩塩，塩化カルシウム，硫酸マグネシウムなどの成分を含みます。

安　全　性

十分なデータが得られていないので，安全かどうかについては不明です。

●妊娠中および母乳授乳期

妊娠中，母乳授乳期は使用してはいけません。

有 効 性

◆科学的データが不十分です

・関節炎，にきび，不安，神経質な胃，高血圧症，潰瘍，および発毛。

●体内での働き

どのように作用するかについては，十分なデータが得られていません。

医薬品との相互作用

ほかの医薬品との相互作用については明らかではありません。

ハーブおよび健康食品・サプリメントとの相互作用

ほかのハーブ，健康食品・サプリメントとの相互作用についてはまだ明らかではありません。

使用量の目安

標準使用量に関するデータがありません。

ウィローバーク

WILLOW BARK

別名ほか

セイヨウシロヤナギ（Silberweide），セイヨウシロヤナギ（Salix alba），ポッキリヤナギ（Salix fragilis），セイヨウテリハヤナギ（Salix pentandra），ホワイトウィロー（White Willow），ホワイトウィローバーク（White Willow Bark），Basket Willow，Bay Willow，Brittle Willow，Crack Willow，Daphne Willow，Knackweide，Laurel Willow，Lorbeerweide，Osier Rouge，Purple Osier，Purple Osier Willow，Purpurweide，Reifweide，Salicis cortex，Salix daphnoides，Salix purpurea，Violet Willow，Weidenrinde，Willowbark

概 要

ウィローバークはいくつか種類のある柳からとれる樹皮で，「くすり」を作るのに使用されることもあります。

●要説（ナチュラル・スタンダード）

米国では，ウィローバークは薬草医により解熱剤や穏やかな鎮痛薬，抗炎症薬として使用されています。変形性関節症や腰痛に効き目があるとする研究もあります。初期の研究では，ウィローバークのエキスが関節リウマチには効き目がないかもしれないとするものもありますが，はっきりした結論を得るためには，さらに研究が必要です。ウィローバークの摂取は，出血のリスクを高める可能性があるかもしれませんが，アスピリン摂取の場合より，そのリスクは低いかもしれません。

欧州のいくつかの国では，ウィローバークの鎮痛，抗炎症効果を認めています。ドイツ当局は，発熱，リウマチ性疾患，頭痛への効能を認めています。英国のハーブ辞典は，リウマチ性疾患や関節炎，風邪やインフルエンザによる発熱に有効であるとしています。フランスでは，頭痛や歯痛を緩和したり，関節や腱の鎮痛剤として使用したり，また捻挫の治療としての使用を認めています。欧州の植物治療科学協会（European Scientific Cooperative on Phytotherapy）は，発熱や痛み，軽いリウマチ性疾患の症状の治療にウィローバークのエキスを使用することを認めています。

ウィローバークにはサリチル酸塩が含まれ，とくにアスピリンアレルギーや過敏症のある人，血液凝固を抑制する薬剤を使用している人，またライ症候群でインフルエンザ様の症状がある子どもには，安全上の問題をもたらすことがあるかもしれません。

・新型コロナウイルス感染症（COVID-19）。

COVID-19に対してウィローバークの使用を裏付ける十分なエビデンス（科学的根拠）はありません。

安 全 性

ウィローバークは，短期間（最長12週間まで）経口摂取する場合，ほとんどの人におそらく安全です。

頭痛，胃のむかつき，消化器系のむかつきを引き起こすおそれがあります。また，とくにアスピリンにアレルギーのある人に，そう痒，皮疹，アレルギー反応を引き起こすおそれがあります。

小児：感冒やインフルエンザなどのウイルス感染に対して小児が経口摂取する場合，おそらく安全ではありません。アスピリンのように，ライ症候群の発症リスクが高まるおそれがあります。安全性を考慮し，小児に使用してはいけません。

出血性疾患：出血性疾患の場合，ウィローバークにより出血のリスクが高まるおそれがあります。

腎疾患：ウィローバークは腎臓を通過する血流量を低下させ，人によっては腎不全に至るおそれがあります。腎疾患の場合には，使用してはいけません。

アスピリン過敏症：気管支喘息，胃潰瘍，糖尿病，痛風，血友病，低プロトロンビン血症，腎疾患または肝疾患のある患者は，アスピリンやウィローバークに過敏なことがあります。ウィローバークを使用すると，深刻なアレルギー反応を起こすおそれがあります。使用は避けてください。

手術：ウィローバークは血液凝固を抑制する可能性があります。手術中・手術後の過剰出血を引き起こすおそれがあります。少なくとも手術前２週間は，使用しないでください。

●妊娠中および母乳授乳期

妊娠中の使用の安全性については，データが不十分です。使用を避けるのが最善です。

母乳授乳期中の使用は，おそらく安全ではありません。ウィローバークには，母乳に移行し，母乳哺育児に有害な影響を及ぼすおそれのある化学物質が含まれています。母乳授乳期は使用してはいけません。

有効性

◆有効性レベル③

・腰痛の治療。ウィローバークは腰痛を軽減するようです。使用量が多いほど，効果があるようです。症状の顕著な改善をみるには，最長１週間かかることがあります。

◆科学的データが不十分です

・関節痛，体重減少，変形性関節症，関節リウマチ（RA），発熱の治療など。

●体内での働き

アスピリンによく似たサリシンという化学物質が含まれています。

医薬品との相互作用

中Choline magnesium trisalicylate

ウィローバークはCholine magnesium trisalicylateに似た化学物質を含んでいます。ウィローバークとCholine magnesium trisalicylateを併用すると，医薬品の作用および副作用が増強するおそれがあります。

中アスピリン

ウィローバークはアスピリンに似た化合物を含んでいます。ウィローバークとアスピリンを併用すると，アスピリンの作用および副作用が増強するおそれがあります。

中アセタゾラミド

ウィローバークは血中のアセタゾラミド濃度を上昇させる化学物質を含んでいます。ウィローバークとアセタゾラミドを併用すると，アセタゾラミドの作用および副作用が増強するおそれがあります。

中サザピリン

サザピリンはサリチル酸塩の一種で，アスピリンに似た作用があります。ウィローバークもまたアスピリンに似たサリチル酸塩を含みます。サザピリンとウィローバークを併用すると，サザピリンの作用および副作用が増強するおそれがあります。

高血液凝固を抑制する医薬品（抗凝固薬/抗血小板薬）

ウィローバークは血液凝固を抑制する可能性があります。ウィローバークと血液凝固を抑制する医薬品を併用すると，紫斑および出血のリスクが高まるおそれがあります。このような医薬品には，アスピリン，クロピドグレル硫酸塩，ジクロフェナクナトリウム，イブプロフェン，ナプロキセン，ダルテパリンナトリウム，エノキサパリンナトリウム，ヘパリン，ワルファリンカリウムなどがあります。

ハーブおよび健康食品・サプリメントとの相互作用

血液凝固を抑制するおそれのあるハーブおよび健康食品・サプリメント

ウィローバークは血液凝固を抑制するおそれがあります。ウィローバークと，血液凝固を抑制するおそれのあるほかのハーブおよび健康食品・サプリメントを併用すると，人によっては出血および紫斑のリスクが高まるおそれがあります。このようなハーブおよび健康食品・サプリメントには，クローブ，タンジン，ニンニク，イチョウ，ショウガ，朝鮮人参，メドウスイート，レッドクローバーなどがあります。

アスピリンに類似した化学物質（サリチル酸塩）を含むハーブ

ウィローバークには，サリチル酸塩というアスピリン様化学物質が含まれています。ウィローバークと，サリチル酸塩を含むハーブを併用すると，サリチル酸塩の作用および副作用が増強するおそれがあります。サリチル酸塩を含むハーブには，アスペン樹皮，ブラックホウ，ポプラ，メドウスイートなどがあります。

使用量の目安

●経口摂取

背部痛

サリシン120～240mgを含むウィローバークエキスを摂取します。高用量の240mgで効果が高くなるようです。

ウィンターグリーン

WINTERGREEN

●代表的な別名

ヒメコウジ

別名ほか

チェッカーベリー（Checker-berry），ヒメコウジ，ゴールテリア（Gaultheria procumbens），ウィンターグリーンオイル（Oil of Wintergreen），ウィンターグリーンリーフ（Winter greenleaf），Boxberry，Canada Tea，Deerberry，Gaultheria Oil，Ground Berry，Hilberry，Mountain Tea，Partridge Berry，Spiceberry，Teaberry，Wax Cluster，Wintergreen oil

概要

ウィンターグリーンはハーブです。葉と油を用いて「くすり」を作ることもあります。

安全性

食品に含まれる量なら安全であり，また医薬品として使った場合，ほとんどの成人に安全なようです。

オイルの経口摂取は危険です。オイルの摂取および葉の大量摂取は，耳鳴り，悪心，嘔吐，下痢，頭痛，胃痛および意識混濁を引き起こす可能性があります。

オイルを皮膚に直接塗布すると，刺激を感じることが

相互作用レベル：高この医薬品と併用してはいけません　中この医薬品とは慎重に併用するか併用しないでください　低この医薬品との併用には注意が必要です

あります。

葉とオイルは，小児には有害なことがあります。

胃腸障害のあるときは，葉を使用してはいけません。

●アレルギー

アスピリンやサリチル酸塩にアレルギーのある人は，葉を使用してはいけません。

●妊娠中および母乳授乳期

妊娠中，母乳授乳期の人は使用してはいけません。

有 効 性

◆科学的データが不十分です

・頭痛，かすかな痛みと疼痛，胃痛，腸内ガス（膨満），発熱，腎障害，気管支喘息，神経痛，痛風，関節炎，月経痛，関節炎に似た痛み（リウマチ）など。

●体内での働き

痛み，腫脹および発熱を緩和するアスピリンに似た化合物を含んでいます。

医薬品との相互作用

中アスピリン

ウィンターグリーンオイルはアスピリンに似た化合物を含んでいます。アスピリンを服用しているときに，皮膚に大量に使用すると，副作用発現のリスクが高まることがあります。アスピリンを服用しているときには避けてください。

高ワルファリンカリウム

ワルファリンカリウムは抗凝固薬ですが，ウィンターグリーンオイルも血液凝固を抑制することがあります。併用すると，紫斑および出血のリスクが高まります。

ハーブおよび健康食品・サプリメントとの相互作用

ほかのハーブ，健康食品・サプリメントとの相互作用についてはまだ明らかではありません。

使用量の目安

●経口摂取

標準使用量に関するデータがありません。ただし，葉をお茶として使用しています。お茶は，ウィンターグリーンの乾燥葉，茶さじ1杯を1カップの熱湯に入れ，冷ましたものを1日1杯摂取します。

●局所投与

ゲル，ローション，軟膏や塗布薬（10～60％メチルサルチル酸を含有）として，1日3～4回使用します。熱は皮膚からの吸収を促進するので，激しい運動後の塗布や塗布後の湿布は控えてください。

ウィンターズバーク

WINTER'S BARK

別名ほか

ドリミス・ウィンテリ（Drimys winteri），ウィンターシナモン（Winter's Cinnamon），Pepper Bark，Wintera，Wintera aromatica

概　　要

ウィンターズバークは樹木の皮です。粉末にした皮を用いて「くすり」を作ることもあります。

安 全 性

十分なデータが得られていないので，安全であるかどうか不明です。

●妊娠中および母乳授乳期

妊娠中および母乳授乳期の使用の安全性についてはデータが不十分です。安全性を考慮し，摂取は避けてください。

有 効 性

◆科学的データが不十分です

・腸内ガス（膨満），疝痛，胃痛，歯痛，皮膚のかぶれなど。

●体内での働き

どのように作用するかについては十分なデータが得られていません。

医薬品との相互作用

ほかの医薬品との相互作用については明らかではありません。

ハーブおよび健康食品・サプリメントとの相互作用

ほかのハーブ，健康食品・サプリメントとの相互作用についてはまだ明らかではありません。

使用量の目安

標準使用量に関するデータがありません。

ウィンターセイボリー

WINTER SAVORY

●代表的な別名

ヤマキダチハッカ

別名ほか

マウンテンセイボリー油（Mountain Savory Oil），サツレヤ・モンタナ，ウィンターサボリー，ヤマキダチハッカ（Satureja montana），Calamintha montana，Satureja obovata，Savory

ウ

概　要

ウィンターセイボリーはハーブです。葉と茎を用いて「くすり」を作ることもあります。

安　全　性

食品に含まれる量なら安全ですが，薬用として用いた場合の安全性については十分なデータが得られていません。

●妊娠中および母乳授乳期

妊娠中および母乳授乳期の使用の安全性についてはデータが不十分です。安全性を考慮し，摂取は避けてください。

有　効　性

◆科学的データが不十分です

・消化不良症，痙攣，下痢，悪心，腸内ガス（膨満），咽頭痛，咳，性欲衰退など。

●体内での働き

尿の産生を増やし（利尿作用），血管を開く（拡張作用）ことによって作用します。

医薬品との相互作用

中炭酸リチウム

ウィンターセイボリーには利尿薬のような作用があります。ウィンターセイボリーを摂取すると，体内の炭酸リチウムを排泄する作用を弱めるかもしれません。それにより血中の炭酸リチウム濃度が上昇し，深刻な副作用を生じる可能性があります。

ハーブおよび健康食品・サプリメントとの相互作用

ほかのハーブ，健康食品・サプリメントとの相互作用についてはまだ明らかではありません。

使用量の目安

標準使用量に関するデータがありません。

ウーロン茶

OOLONG TEA

別名ほか

エピガロカテキンガレート（Epigallocatechin Gallate），Brown Tea，EGCG，Epigallo Catechin Gallate，Tea，Tea Oolong

概　要

ウーロン茶は植物のカメリアシネンシス（camellia sinensis）の葉，芽（bud），および茎から作られます。紅茶と緑茶も同じカメリアシネンシスから作られます。ただし製造過程が異なり，ウーロン茶は部分的に発酵している茶，紅茶は完全に発酵している茶，緑茶は発酵していない茶です。

安　全　性

小児：通常食品に含まれる量のカフェインを摂取してもおそらく安全です。

不安障害：ウーロン茶に含まれるカフェインは不安障害を悪化させるおそれがあります。

出血障害：いくつかの研究によると，カフェインは血液凝固を抑制する働きがあるようです。この研究はヒトで行われたものではありませんが，カフェインには出血障害を悪化させる懸念があります。

心疾患：ウーロン茶に含まれるカフェインにより不整脈を起こす人がいます。

糖尿病：いくつかの研究によると，ウーロン茶に含まれるカフェインには，糖尿病患者の糖代謝に影響を与え，血糖コントロールを複雑にするおそれがあります。カフェインには，血糖値を上げる作用，下げる作用の両方があるようです。また，別の研究によると，カフェインは１型糖尿病患者が低血糖になる際の兆候をより顕著にすることがあるようです。低血糖の兆候が顕著になることにより，糖尿病患者が低血糖発作に気づき，対処することができるのではないかと思われます。しかし，カフェインには実際に低血糖発作が起きる回数を上げるという欠点もあります。

下痢：ウーロン茶にはカフェインが含まれています。このカフェインはとくに多量に摂取した場合には下痢を悪化させるおそれがあります。

過敏性大腸症候群：ウーロン茶にはカフェインが含まれています。このカフェインは，とくに多量に摂取した場合には下痢を悪化させるおそれがあり，過敏性大腸症候群の症状も悪化させることがあります。

緑内障：ウーロン茶に含まれるカフェインは，眼圧を上げる作用があります。眼圧の上昇は，カフェインを摂取してから30分以内に起こり，最低でも90分間は続きます。

高血圧症：ウーロン茶に含まれるカフェインは，高血圧症患者の血圧を上昇させることがあります。しかし，日常的にウーロン茶やほかのカフェインが含まれる製品を摂取している人には，この作用は働かないようです。

●妊娠中および母乳授乳期

妊娠中や母乳授乳期にウーロン茶を少量摂取することは，危険ではないようです。しかし，一日にコップ２杯以上のウーロン茶を飲まないでください。コップ２杯のウーロン茶には約200mgのカフェインが含まれます。妊娠中に過剰のカフェインを摂取すると，早産，出生時の低体重，胎児への悪影響などを引き起こす恐れがあります。母乳授乳期におけるカフェインの過剰摂取は乳児の腸の動きを活発にさせ，乳児の機嫌が悪くなることがあります。

相互作用レベル：高この医薬品と併用してはいけません　中この医薬品とは慎重に併用するか併用しないでください　低この医薬品との併用には注意が必要です

有 効 性

◆有効性レベル②

・覚醒。ウーロン茶や他のカフェインを含む飲み物を飲むと覚醒（alertness）を持続させ，精神活動（mentalperformance）が向上するようです。カフェイン，および糖類をそれぞれ単独で摂取するよりもカフェインに糖類を合わせた「エネルギー飲料」（energy drink）の方がより精神活動を向上させるようです。

◆有効性レベル③

・卵巣がん。紅茶，緑茶，およびウーロン茶などのお茶類を定期的に飲む女性は卵巣がんを発症するリスクが統計学的に有意に低いようです。ある研究では，毎日２杯のお茶を飲むことにより，卵巣がんのリスクが半減することがわかっています。

◆科学的データが不十分です

・皮膚アレルギー（湿疹）の治療。進行中の研究では，１日４杯（1,000mL）のウーロン茶を３回に分けて飲むと他の療法が奏効しない湿疹が改善されることが示唆されています。効果が現れるまで１～２週間かかることがあります。

・糖尿病の治療。ウーロン茶を６杯（1,500mL）30日間飲むと，２型糖尿病患者の血糖値が低下することが研究により示されています。ただし，糖尿病を予防する効果はないようです。

・高血圧を予防。中国人を対象にした試験によると，ウーロン茶または緑茶を１日１～２杯（120～599mL）飲むと高血圧を予防することが示されています。飲用量を増やすとリスクはさらに低減されるようです。

・う歯予防，がんのリスクの軽減，骨粗鬆症，減量の促進など。

●体内での働き

カフェインを含んでいます。カフェインは中枢神経系，心臓および筋肉を刺激する作用があります。カフェインに似たテオフィリンおよびテオブロミンという化合物も含んでいます。

医薬品との相互作用

中アデノシン

ウーロン茶にはカフェインが含まれます。ウーロン茶に含まれるカフェインはアデノシンの作用を妨げる可能性があります。アデノシンは心臓の検査に頻用されます。この検査は薬剤負荷心筋シンチグラフィと呼ばれます。この検査を受ける少なくとも24時間前からウーロン茶などのカフェインを含む製品を摂取しないでください。

低アルコール

ウーロン茶にはカフェインが含まれます。ウーロン茶に含まれるカフェインは体内で代謝されてから排泄されます。アルコールはカフェインの代謝を抑制する可能性があります。ウーロン茶とアルコールを併用すると，血中のカフェインが過剰になり，カフェインの副作用（神経過敏，頭痛，動悸など）が現れるおそれがあります。

高アンフェタミン類【販売中止】

興奮薬（アンフェタミン類など）は神経系を亢進させます。興奮薬が神経系を亢進させることで，神経が過敏になり，心拍数が上昇する可能性があります。ウーロン茶に含まれるカフェインも神経系を亢進させる可能性があります。ウーロン茶と興奮薬を併用すると，重大な問題（頻脈や高血圧など）を引き起こすおそれがあります。興奮薬とウーロン茶を併用しないでください。

中エストロゲン（卵胞ホルモン）製剤

ウーロン茶にはカフェインが含まれます。カフェインは体内で代謝されてから排泄されます。エストロゲンはカフェインの代謝を抑制する可能性があります。カフェインを含むウーロン茶とエストロゲン製剤を併用すると，神経過敏，頭痛，動悸などの副作用が現れるおそれがあります。エストロゲン製剤の服用中はカフェインの摂取を制限してください。エストロゲン製剤には，結合型エストロゲン，エチニルエストラジオール，エストラジオールなどがあります。

高エフェドリン塩酸塩

ウーロン茶にはカフェインが含まれます。カフェインは興奮薬です。興奮薬は神経系を亢進させます。エフェドリン塩酸塩も興奮薬です。ウーロン茶とエフェドリン塩酸塩を併用すると，過度に興奮し，場合によっては重大な副作用および心臓の異常が引き起こされるおそれがあります。カフェインを含む製品とエフェドリン塩酸塩を同時に摂取しないでください。

低キノロン系抗菌薬

ウーロン茶にはカフェインが含まれます。カフェインは体内で代謝されてから排泄されます。特定の抗菌薬はカフェインの代謝を抑制する可能性があります。ウーロン茶と特定の抗菌薬を併用すると，カフェインの副作用（神経過敏，頭痛，動悸など）のリスクが高まるおそれがあります。このような抗菌薬には，シプロフロキサシン，エノキサシン水和物（販売中止），ガチフロキサシン水和物，レボフロキサシン水和物，ロメフロキサシン塩酸塩，モキシフロキサシン塩酸塩，ノルフロキサシン，オフロキサシン，スパルフロキサシン（販売中止），Trovafloxacinなどがあります。

中クロザピン

クロザピンは体内で代謝されてから排泄されます。ウーロン茶に含まれるカフェインはクロザピンの代謝を抑制するようです。ウーロン茶とクロザピンを併用すると，クロザピンの作用および副作用が増強するおそれがあります。

高コカイン塩酸塩

コカイン塩酸塩は神経系を亢進させます。コカイン塩酸塩が神経系を亢進させることで，神経が過敏になり，心拍数が上昇する可能性があります。ウーロン茶に含まれるカフェインも神経系を亢進させる可能性があります。ウーロン茶とコカイン塩酸塩を併用すると，重大な問題（頻脈や高血圧など）が引き起こされるおそれがあります。興奮薬とウーロン茶を併用しないでください。

中ジスルフィラム

ウーロン茶にはカフェインが含まれます。カフェインは体内で代謝されてから排泄されます。ジスルフィラムはカフェインの排泄を抑制する可能性があります。ウーロン茶とジスルフィラムを併用すると，カフェインの作用および副作用（神経過敏，活動亢進，易刺激性など）が増強するおそれがあります。

中ジピリダモール

ウーロン茶にはカフェインが含まれます。ウーロン茶に含まれるカフェインはジピリダモールの作用を妨げる可能性があります。ジピリダモールは，心臓の検査に頻用されます。この検査は薬剤負荷心筋シンチグラフィと呼ばれます。この検査を受ける少なくとも24時間前から，ウーロン茶などのカフェインを含む製品を摂取しないでください。

中シメチジン

ウーロン茶にはカフェインが含まれます。ウーロン茶に含まれるカフェインは体内で代謝されてから排泄されます。シメチジンはカフェインの代謝を抑制する可能性があります。ウーロン茶とシメチジンを併用すると，カフェインの副作用（神経過敏，頭痛，動悸など）のリスクが高まるおそれがあります。

中テオフィリン

ウーロン茶にはカフェインが含まれます。カフェインにはテオフィリンに類似した作用があります。カフェインはテオフィリンの排泄を抑制する可能性があります。ウーロン茶とテオフィリンを併用すると，テオフィリンの作用および副作用が増強するおそれがあります。

低テルビナフィン塩酸塩

ウーロン茶に含まれるカフェインは体内で代謝されてから排泄されます。テルビナフィン塩酸塩はカフェインの代謝を抑制し，副作用（神経過敏，頭痛，頻脈など）のリスクを高めるおそれがあります。

中ニコチン

ウーロン茶にはカフェインが含まれます。カフェインは心臓を刺激する可能性があります。ニコチンも心臓を刺激する可能性があります。ウーロン茶とニコチンを併用すると，過度に刺激され，心臓の異常（頻脈や高血圧など）が引き起こされるおそれがあります。

低フルコナゾール

ウーロン茶にはカフェインが含まれます。カフェインは体内で代謝されてから排泄されます。フルコナゾールはカフェインの排泄を抑制する可能性があります。ウーロン茶とフルコナゾールを併用すると，カフェインの副作用（神経過敏，不安，不眠など）のリスクが高まるおそれがあります。

中フルボキサミンマレイン酸塩

ウーロン茶にはカフェインが含まれます。カフェインは体内で代謝されてから排泄されます。フルボキサミンマレイン酸塩はカフェインの代謝を抑制する可能性があります。ウーロン茶とフルボキサミンマレイン酸塩を併用すると，体内のカフェインが過剰になり，カフェインの作用および副作用が増強するおそれがあります。

中ベラパミル塩酸塩

ウーロン茶に含まれるカフェインは体内で代謝されてから排泄されます。ベラパミル塩酸塩はカフェインの排泄を抑制する可能性があります。ウーロン茶とベラパミル塩酸塩を併用すると，カフェインの副作用（神経過敏，頭痛，頻脈など）のリスクが高まるおそれがあります。

中ペントバルビタールカルシウム

ウーロン茶に含まれるカフェインの興奮作用は，ペントバルビタールカルシウムの催眠作用を妨げるおそれがあります。

低メキシレチン塩酸塩

ウーロン茶にはカフェインが含まれます。カフェインは体内で代謝されてから排泄されます。メキシレチン塩酸塩はカフェインの代謝を抑制する可能性があります。ウーロン茶とメキシレチン塩酸塩を併用すると，ウーロン茶に含まれるカフェインの作用および副作用が増強するおそれがあります。

中モノアミン酸化酵素阻害薬（MAO阻害薬）

ウーロン茶にはカフェインが含まれます。カフェインは身体を刺激する可能性があります。モノアミン酸化酵素阻害薬（MAO阻害薬）も身体を刺激する可能性があります。ウーロン茶とMAO阻害薬を併用すると，重大な副作用（動悸，高血圧，神経過敏など）が現れるおそれがあります。このようなMAO阻害薬には，Phenelzine，Tranylcypromineなどがあります。

中リルゾール

リルゾールは体内で代謝されてから排泄されます。ウーロン茶を摂取すると，リルゾールの代謝が抑制され，リルゾールの作用および副作用が増強するおそれがあります。

中塩酸フェニルプロパノールアミン【販売中止】

ウーロン茶に含まれるカフェインは身体を刺激する可能性があります。塩酸フェニルプロパノールアミンも身体を刺激する可能性があります。ウーロン茶と塩酸フェニルプロパノールアミンを併用すると，過度に刺激され，頻脈，高血圧，神経過敏が引き起こされるおそれがあります。

中血液凝固を抑制する医薬品（抗凝固薬/抗血小板薬）

ウーロン茶にはカフェインが含まれます。カフェインは血液凝固を抑制する可能性があります。ウーロン茶と血液凝固を抑制する医薬品を併用すると，紫斑および出血のリスクが高まるおそれがあります。このような医薬品には，アスピリン，クロピドグレル硫酸塩，ジクロフェナクナトリウム，イブプロフェン，ナプロキセン，ダルテパリンナトリウム，エノキサパリンナトリウム，ヘパリン，ワルファリンカリウムなどがあります。

中炭酸リチウム

炭酸リチウムは体内から自然に排泄されます。ウーロン茶に含まれるカフェインは炭酸リチウムの排泄を促進する可能性があります。カフェインを含む製品と炭酸リチウムを併用している場合には，その製品の摂取を徐々にやめてください。すぐにやめると，炭酸リチウムの副作用が増強するおそれがあります。

低糖尿病治療薬

ウーロン茶は血糖値を上昇させる可能性があります。糖尿病治療薬は血糖値を低下させるために用いられます。ウーロン茶が血糖値を上昇させることで，糖尿病治療薬の効果が弱まるおそれがあります。血糖値を注意深く監視してください。糖尿病治療薬の用量を変更する必要があるかもしれません。このような糖尿病治療薬には，グリメピリド，グリベンクラミド，インスリン，ピオグリタゾン塩酸塩，マレイン酸ロシグリタゾン（販売中止），クロルプロパミド，Glipizide，トルブタミド（販売中止）などがあります。

低避妊薬

ウーロン茶にはカフェインが含まれます。ウーロン茶に含まれるカフェインは体内で代謝されます。避妊薬はカフェインの代謝を抑制する可能性があります。ウーロン茶と避妊薬を併用すると，副作用（神経過敏，頭痛，動悸など）が現れるおそれがあります。このような避妊薬には，エチニルエストラジオール・レボノルゲストレル配合，エチニルエストラジオール・ノルエチステロン配合などがあります。

中興奮薬

興奮薬は神経系を亢進させます。神経系を亢進させることにより，興奮薬は神経を過敏にし，心拍数を上昇させる可能性があります。ウーロン茶に含まれるカフェインも神経系を亢進させる可能性があります。ウーロン茶と興奮薬を併用すると，重大な問題（頻脈や高血圧など）が引き起こされるおそれがあります。ウーロン茶と興奮薬を併用しないでください。このような興奮薬には，Diethylpropion，エピネフリン，Phentermine，塩酸プソイドエフェドリンなど数多くあります。

中気管支喘息治療薬（アドレナリンβ受容体作動薬）

ウーロン茶にはカフェインが含まれます。カフェインは心臓を刺激する可能性があります。特定の気管支喘息治療薬も心臓を刺激する可能性があります。カフェインと気管支喘息薬を併用すると，過度に刺激され，心臓の異常が引き起こされるおそれがあります。このような気管支喘息薬には，サルブタモール硫酸塩，オルシプレナリン硫酸塩（販売中止），テルブタリン硫酸塩，イソプレナリン塩酸塩などがあります。

ハーブおよび健康食品・サプリメントとの相互作用

鉄

ウーロン茶は体内での鉄の吸収を阻害することがあります。鉄欠乏症でなければ問題ではありません。鉄欠乏症の場合は，ウーロン茶を食間に飲む方が，食事と一緒に飲むよりも鉄の吸収阻害を減じます。

牛乳

ウーロン茶に牛乳を入れると，お茶のもつ心臓への有効性が減るようです。牛乳はお茶に含まれる抗酸化物質と結合するため，抗酸化物質の吸収を阻害します。ただし，このことはすべての研究で支持されているわけではありません。この相互作用の重要性はさらに解明する必要があります。

使用量の目安

●経口摂取

1日摂取量の設定には大きな幅がありますが，通常はティーカップに1～10杯です。

高血圧症

予防を目的とした使用では，1日摂取量は最小で120mL，最大で600mLに設定されています。

頭痛治療あるいは思考力の回復を目的とした使用

カフェインとして1日最大で250mgを摂取します。

ウォータージャーマンダー

WATER GERMANDER

別名ほか

Teucrium scordium

概　要

ウォータージャーマンダーは植物です。地上部を用いて「くすり」を作ることもあります。

安 全 性

副作用についてはまだわかっていません。

●妊娠中および母乳授乳期

妊娠中および母乳授乳期の使用の安全性についてはデータが不十分です。安全性を考慮し，摂取は避けてください。

有 効 性

◆科学的データが不十分です

・気管支喘息，下痢，発熱，腸内寄生虫，痔核，および炎症性の傷。

●体内での働き

どのように作用するかについては，十分なデータが得られていません。

医薬品との相互作用

ほかの医薬品との相互作用については明らかではありません。

ハーブおよび健康食品・サプリメントとの相互作用

ほかのハーブ，健康食品・サプリメントとの相互作用についてはまだ明らかではありません。

使用量の目安

●経口摂取/局所投与

1日茶さじ4杯（7.2g）の地上部をお茶にして摂取します。同じものを内用および外用薬として使用できます。

ウォータードック

WATER DOCK

別名ほか

ヌマダイオウ（Rumex aquaticus）

概　　要

ウォータードックは植物です。乾燥させた根を用いて「くすり」を作ることもあります。

安 全 性

十分なデータが得られていないので，安全性および副作用については不明です。

血液凝固異常：ウォータードックが通常よりも血液の凝固を早めるおそれがあります。

腎疾患：ウォータードックに含まれているシュウ酸エステル結晶が腎結石を形成するおそれがあります。腎結石やほかの腎疾患に既往症がある場合には，使用を避けるのが最善です。症状を悪化させるおそれがあります。

●妊娠中および母乳授乳期

妊娠中および母乳授乳期の使用の安全性についてはデータが不十分です。安全性を考慮し，摂取は避けてください。

有 効 性

◆科学的データが不十分です

・便秘，血液浄化法，口内潰瘍，皮膚ただれ，および歯の清浄。

●体内での働き

消化器系に作用する成分を含んでいます。

医薬品との相互作用

ほかの医薬品との相互作用については明らかではありません。

ハーブおよび健康食品・サプリメントとの相互作用

カルシウム

サプリメントに含まれるカルシウムは腸内で開放され，体内に吸収され，身体全体で使用されますが，ウォータードックに含まれるシュウ酸塩と呼ばれる化学物質は，腸内のカルシウムと結合し，体内に吸収される遊離型カルシウムの量を減少させるおそれがあります。このため，ウォータードックとカルシウムのサプリメントを併用すると，サプリメントから体内に吸収されるカルシウムの量が減少するおそれがあります。

鉄

サプリメントに含まれる鉄分は腸内で開放され，体内に吸収され，身体全体で使用されますが，ウォータードックに含まれるシュウ酸塩と呼ばれる化学物質は，腸内の鉄と結合し，体内に吸収される遊離型鉄の量を減少させるおそれがあります。このため，ウォータードックと鉄のサプリメントを併用すると，サプリメントから体内に吸収される鉄の量が減少するおそれがあります。

亜鉛

サプリメントに含まれる亜鉛は腸内で開放され，体内に吸収され，身体全体で使用されますが，ウォータードックに含まれるシュウ酸塩と呼ばれる化学物質は腸内の亜鉛と結合し，体内に吸収される遊離型亜鉛の量を減少させるおそれがあります。このため，ウォータードックと亜鉛のサプリメントを併用すると，サプリメントから体内に吸収される亜鉛の量が減少するおそれがあります。

通常の食品との相互作用

カルシウム

食事により摂取したカルシウムは腸内で体内に吸収され，体全体で使用されますが，ウォータードックに含まれるシュウ酸塩と呼ばれる化学物質は，腸内のカルシウムと結合し，体内に吸収される遊離型カルシウムの量を減少させるおそれがあるため，食べ物から体内に吸収されるカルシウムの量が減少するおそれがあります。

鉄

食事により摂取した鉄は腸内で体内に吸収され，体全体で使用されますが，ウォータードックに含まれるシュウ酸塩と呼ばれる化学物質は，腸内の鉄と結合し，体内に吸収される遊離型鉄の量を減少させるおそれがあるため，食べ物から体内に吸収される鉄の量が減少するおそれがあります。

亜鉛

食事により摂取した亜鉛は腸内で体内に吸収され，体全体で使用されますが，ウォータードックに含まれるシュウ酸塩と呼ばれる化学物質は腸内の亜鉛と結合し，体内に吸収される遊離型亜鉛の量を減少させるおそれがあるため，食べ物から体内に吸収される亜鉛の量が減少するおそれがあります。

使用量の目安

●経口摂取

ウォータードックは流エキスまたは粉末を，経口あるいは局所的に使います。

ウォーターミント

WILD MINT

●代表的な別名

ミズハッカ

別名ほか

メンサ・アクアティカ，ヌマハッカ，ミズハッカ（Mentha aquatica），Hairy Mint，Marsh Mint，Water Mint

概　　要

ウォーターミントはハーブです。葉を用いて「くすり」を作ることもあります。

安 全 性

安全性についての十分なデータは得られていません。

●妊娠中および母乳授乳期

妊娠中および母乳授乳期の使用の安全性についてはデータが不十分です。安全性を考慮し，摂取は避けてください。

有 効 性

◆科学的データが不十分です

・下痢，月経痛など。

●体内での働き

どのように作用するかについては，十分なデータが得られていません。

医薬品との相互作用

ほかの医薬品との相互作用については明らかではありません。

ハーブおよび健康食品・サプリメントとの相互作用

ほかのハーブ，健康食品・サプリメントとの相互作用についてはまだ明らかではありません。

使用量の目安

標準使用量に関するデータがありません。

ウコン

TURMERIC

●代表的な別名

ターメリック

別名ほか

欝金（Turmeric Root），Curcuma，春ウコン，秋ウコン（Curcumae longae Rhizoma），キョウオウ（Curcuma aromatica），クルクミン（Curcumin），ターメリック，Curcuma Domestica，Haridra，Indian Saffron，Nisha，Rajani，Radix curcumae

概　　要

ウコンは植物です。カレーの主なスパイスとして知られています。温かみのある苦味をもち，カレー粉，マスタード，バター，チーズの香料および着色料として，しばしば用いられます。また，ウコンの根は「くすり」として幅広く用いられます。

ウコンは関節炎，胸やけ（消化不良），関節痛，胃痛，クローン病，潰瘍性大腸炎，バイパス手術，大出血，下痢，腸管ガス，胃の拡張，食欲不振，黄疸，肝疾患，ヘリコバクター・ピロリ感染症，胃潰瘍，過敏性腸症候群，胆のう疾患，高コレステロール，皮膚疾患（扁平苔癬），放射線治療による皮膚炎，疲労などに使用されます。

また，ウコンは頭痛，気管支炎，感冒，肺感染症，繊維筋痛症，ハンセン病，発熱，月経困難症，皮膚のそう痒，手術後の回復，がんにも使用されます。この他にもうつ病やアルツハイマー病，前部ぶどう膜炎（眼の中膜の腫脹），糖尿病，水分貯留，寄生虫，全身性エリテマトーデス（自己免疫疾患の一種），結核，膀胱炎，腎臓疾患などに使用されます。

疼痛や白癬，捻挫，腫脹，創傷，ひる吸血，眼の感染症，ざ瘡，皮膚の炎症，皮膚の疼痛，口内の疼痛，感染創，歯肉炎にウコンが局所投与される場合もあります。

ウコンは腸炎疾患の人に浣腸剤としても使われます。

食品や製品としては，ウコンのエッセンシャルオイルは，香水に用いられ，ウコンの樹脂は，食品の香味料および着色料として用いられます。

ウコンと日本の欝金（莪朮。Curcuma zedoaria）を混同してはいけません。

●要説（ナチュラル・スタンダード）

ウコン（Turmeric）は，アジア料理に用いられる香辛料で，ウコン（Curcuma longa）の根から作られます。クルクミンはウコンの主要な有効成分で，黄色をしています。食品や化粧品の着色料として，一般的に用いられます。

アジアでは長年，胃腸疾患，関節痛，および体力低下の治療にウコンの地下茎（根）が用いられています。ヒトを対象とした研究はあまり行われていませんが，ウコンと主要成分のクルクミンには，抗炎症，抗酸化，神経保護，殺虫剤，および抗がん特性があることが示されてきています。ヒトを対象とした予備的な研究により，消化不良症（胸やけ），ヘリコバクター・ピロリ感染症，疼痛緩和，口腔白板症（口腔内の白斑），変形性関節症，および高コレステロール血症に対する有効性が示唆されています。

・新型コロナウイルス感染症（COVID-19）。
COVID-19に対してウコンの使用を裏付ける十分なエビデンス（科学的根拠）はありません。

ウ

安　全　性

ウコンの経口摂取，または，皮膚への塗布は，8カ月以内であれば，ほとんどの人に安全のようです。

ウコンを，浣腸剤や口内洗浄液として使用する場合には，短期間であれば，おそらく安全です。

通常，ウコンの摂取による目立った副作用は見られませんが，人によっては，胃の不調，吐き気，めまい感および下痢を引き起こすおそれがあります。

きわめて高用量（1,500mg以上を1日2回）のウコンを摂取していた人が，深刻な心調律動の異常をきたした例が1件報告されています。ただし，副作用の要因が実際にウコンであるかどうかは，明らかではありません。十分なデータが得られるまでは，高用量のウコンの過度な摂取は避けてください。

胆のう障害：ウコンにより，胆のう障害が悪化するおそれがあります。胆石および胆道閉塞の場合には，ウコンを摂取してはいけません。

出血性疾患：ウコンの摂取により，血液凝固が抑制されるおそれがあります。このため，出血疾患の場合には，紫斑および出血のリスクが高まるおそれがあります。

糖尿病：ウコンに含まれるクルクミンという化学物質が，糖尿病患者の血糖値を低下させるおそれがあります。血糖値が過度に低下するおそれがあるため，糖尿病の場合には，使用に注意してください。

胃食道逆流症：人によっては，ウコンにより，胃の不調を引き起こすおそれがあります。胃食道逆流症などの胃腸疾患が悪化するおそれがあります。胃食道逆流症の症状が悪化する場合には，使用してはいけません。

乳がん，子宮がん，卵巣がん，子宮内膜症，子宮筋腫などのホルモン感受性の疾患：ウコンにはクルクミンという，ホルモンエストロゲンのような役割を果たすおそれのある化学物質が含まれています。理論上，ウコンが，ホルモン感受性の疾患を悪化させるおそれがあります。ただし，複数の研究により，ウコンが，特定のホルモン感受性のあるがん細胞に対する，エストロゲンの作用を弱めることも示唆されています。このため，ウコンが，ホルモン感受性の疾患に対して有効である可能性もあります。ホルモン曝露により悪化するおそれのある疾患の場合には，十分なデータが得られるまでは，注意して摂取してください。

不妊：男性が，ウコンを経口摂取する場合には，テストストロン値が低下し，精子の動きが抑制されるおそれがあります。このため，妊娠率が低下するおそれがあります。妊娠を望んでいる場合には，注意して摂取してください。

鉄分欠乏症：高用量のウコンを摂取することにより，鉄の吸収が妨げられるおそれがあります。鉄欠乏症の場合には，注意して摂取してください。

手術：ウコンが，血液凝固を抑制するおそれがあります。このため，手術中および術後に，過度の出血を引き起こすおそれがあります。少なくとも手術前2週間は，使用しないでください。

●妊娠中および母乳授乳期

妊娠中および母乳授乳期の，ウコンの経口摂取は，通常の食品に含まれる量の範囲内であれば，ほとんどの人に安全のようです。ただし，妊娠中に，「くすり」としての量を摂取する場合には，安全ではないようです。月経を誘発，または子宮を刺激することにより，妊娠を脅かすおそれがあります。妊娠中は，「くすり」としての量を摂取してはいけません。母乳授乳期の使用の安全性についてはデータが不十分です。使用を避けるのが最善です。

有　効　性

◆有効性レベル③

- 高コレステロール血症。研究により，過体重の高コレステロール血症患者が，1日2回，3カ月にわたり，ウコンのエキスを経口摂取すると，総コレステロールおよび低比重リポタンパク（LDL，悪玉）コレステロール，および，トリグリセリドが減少することが示唆されています。
- 変形性関節症。複数の研究により，変形性関節症の患者が，ウコンのエキスを単体またはほかの薬草成分と併用して摂取することにより，疼痛が軽減し，関節機能が改善する可能性が示唆されています。複数の研究により，ウコンが変形性関節症に対する疼痛を緩和する効果は，イブプロフェンと同程度であることが示唆されています。ただし，ウコンが変形性関節症に対する疼痛を緩和する効果は，ジクロフェナクナトリウム程ではないようです。
- そう痒。研究により，腎疾患を長期間患っている患者が，1日3回，8週にわたりウコンを経口摂取すると，そう痒が緩和することが示唆されています。初期の研究により，マスタードガスに起因する慢性的なそう痒をともなう患者が，クルクミン，黒コショウまたはヒハツを含む，特定の複合製品を，4週にわたり毎日摂取すると，そう痒が緩和され，生活の質が改善することも示唆されています。

◆有効性レベル④

- 胃潰瘍。複数の研究により，1日3回，8週にわたり，ウコンを摂取しても，胃潰瘍が改善することはないことが示唆されています。また，1日4回，6週にわたり粉末ウコンを摂取しても，従来の制酸薬ほどの効果はないようです。

◆科学的データが不十分です

- アルツハイマー病，前部ぶどう膜炎（眼の炎症），大腸がん，冠動脈バイパス・グラフト（バイパス手術），がんに関連する創傷，クローン病（炎症性腸疾患）うつ病，糖尿病，消化不良（胃のむかつき），歯肉炎（歯周病），ヘリコバクター・ピロリ感染症に起因する胃潰瘍，過敏性腸症候群，関節痛，扁平苔癬（皮疹），前立腺がん，放射線治療に起因する口腔および食道の炎症，関節リウマチ，手術後の回復，全身性エリテマトーデス(SLE)，結核，潰瘍性大腸炎（炎症性腸疾患），ざ瘡（にきび），黄疸，肝炎，下痢，線維筋痛症，肝疾患および胆のう障害，頭痛，月経不順，疼痛，白癬，紫斑など。

●体内での働き

ウコンにはクルクミンという化学物質が含まれています。ウコンに含まれるクルクミンなどの化学物質が，腫脹（炎症）を緩和する可能性があります。このため，ウコンは炎症をともなう疾患の治療に効果を発揮する可能性があります。

医薬品との相互作用

中Talinolol

ウコンはTalinololの体内への吸収量を減少させる可能性があります。ウコンとTalinololを併用すると，Talinololの作用および副作用が減弱するおそれがあります。

低エストロゲン（卵胞ホルモン）製剤

多量のウコンはエストロゲン製剤の作用を妨げる可能性があります。ウコンとエストロゲン製剤を併用すると，エストロゲン製剤の作用が減弱するおそれがあります。このようなエストロゲン製剤には，結合型エストロゲン，エチニルエストラジオール，エストラジオールなどがあります。

低グリベンクラミド

ウコンにはクルクミンが含まれます。クルクミンは血糖値を低下させる可能性があります。グリベンクラミドもまた血糖値を低下させるために用いられます。クルクミンあるいはウコンとグリベンクラミドを併用すると，血糖値が過度に低下するおそれがあります。血糖値を注意深く監視してください。グリベンクラミドの用量を変更する必要があるかもしれません。

中サラゾスルファピリジン

ウコンはサラゾスルファピリジンの体内への吸収量を増加させる可能性があります。ウコンとサラゾスルファピリジンを併用すると，サラゾスルファピリジンの作用および副作用が増強するおそれがあります。

中タクロリムス水和物

ウコンは体内のタクロリムス水和物の量を増加させる可能性があります。そのため，タクロリムス水和物の副作用が増強し，腎障害を引き起こすおそれがあります。

低ドセタキセル水和物

ウコンはドセタキセル水和物の体内への吸収量を増加させる可能性があります。ウコンとドセタキセル水和物を併用すると，ドセタキセル水和物の作用および副作用が増強するおそれがあります。

低ノルフロキサシン

ウコンはノルフロキサシンの体内への吸収量を増加させる可能性があります。ウコンとノルフロキサシンを併用すると，ノルフロキサシンの作用および副作用が増強するおそれがあります。

低パクリタキセル

ウコンはパクリタキセルの体内への吸収量を増加させる可能性があります。ウコンとパクリタキセルを併用すると，パクリタキセルの作用および副作用が増強するおそれがあります。ただし，これが大きな問題であるかについては情報が不十分です。

低肝臓で代謝される医薬品（シトクロムP450 1A1（CYP1A1）の基質となる医薬品）

特定の医薬品は肝臓で代謝されます。ウコンはこのような医薬品の代謝を変化させる可能性があります。そのため，医薬品の作用および副作用が変化するおそれがあります。このような医薬品には，クロルゾキサゾン，テオフィリン，Bufuralolがあります。

低肝臓で代謝される医薬品（シトクロムP450 1A2（CYP1A2）の基質となる医薬品）

特定の医薬品は肝臓で代謝されます。ウコンはこのような医薬品の代謝を変化させる可能性があります。ウコンと肝臓で代謝される医薬品を併用すると，医薬品の作用および副作用が変化するおそれがあります。このような医薬品には，クロザピン，Cyclobenzaprine，フルボキサミンマレイン酸塩，ハロペリドール，イミプラミン塩酸塩，メキシレチン塩酸塩，オランザピン，塩酸ペンタゾシン，プロプラノロール塩酸塩，Tacrine，Zileuton，ゾルミトリプタンなどがあります。

中肝臓で代謝される医薬品（シトクロムP450 3A4（CYP3A4）の基質となる医薬品）

特定の医薬品は肝臓で代謝されます。ウコンはこのような医薬品の代謝を変化させる可能性があります。そのため，医薬品の作用および副作用が変化するおそれがあります。このような医薬品には，特定のカルシウム拮抗薬（ジルチアゼム塩酸塩，ニカルジピン塩酸塩，ベラパミル塩酸塩），化学療法薬（エトポシド，パクリタキセル，ビンブラスチン硫酸塩，ビンクリスチン硫酸塩，ビンデシン硫酸塩），抗真菌薬（ケトコナゾール，イトラコナゾール），グルココルチコイド，Alfentanil，シサプリド（販売中止），フェンタニルクエン酸塩，リドカイン塩酸塩，ロサルタンカリウム，フェキソフェナジン塩酸塩，ミダゾラムなどがあります。

中血液凝固を抑制する医薬品（抗凝固薬/抗血小板薬）

ウコンは血液凝固を抑制する可能性があります。ウコンと血液凝固を抑制する医薬品を併用すると，紫斑および出血のリスクが高まるおそれがあります。このような医薬品には，アスピリン，クロピドグレル硫酸塩，ジクロフェナクナトリウム，イブプロフェン，ナプロキセン，ダルテパリンナトリウム，エノキサパリンナトリウム，ヘパリン，ワルファリンカリウムなどがあります。

低細胞内のポンプによって輸送される医薬品（P糖タンパク質の基質となる医薬品）

特定の医薬品は細胞内のポンプによって輸送されます。ウコンは，ポンプの働きを変化させ，このような医薬品が体内に留まる量を変化させる可能性があります。そのため，場合によっては，医薬品の作用および副作用が変化するおそれがあります。このような医薬品には，化学療法薬（エトポシド，パクリタキセル，ビンブラスチン硫酸塩，ビンクリスチン硫酸塩，ビンデシン硫酸塩），抗真菌薬（ケトコナゾール，イトラコナゾール），プロテアーゼ阻害薬（アンプレナビル（販売中止），インジナビル硫酸塩エタノール付加物（販売中止），ネルフィナビルメシル酸塩，サキナビルメシル酸塩），H２受容体拮抗薬（シメチジン，ラニチジン塩酸塩），特定のカルシウム拮抗薬（ジルチアゼム塩酸塩，ベラパミル塩酸塩），ジゴキシン，副腎皮質ステロイド，エリスロマイシン，シサプリド，フェキソフェナジン塩酸塩，シクロスポリン，ロペラミド塩酸塩，キニジン硫酸塩水和物などがあります。

中糖尿病治療薬

ウコンは血糖値を低下させる可能性があります。ウコンと糖尿病治療薬を併用すると，血糖値が過度に低下するおそれがあります。血糖値を注意深く監視してください。このような糖尿病治療薬には，グリメピリド，グリベンクラミド，インスリン，ピオグリタゾン塩酸塩，マレイン酸ロシグリタゾン（販売中止），クロルプロパミド，Glipizide，トルブタミド（販売中止）などがあります。

中抗悪性腫瘍薬（アルキル化薬）

ウコンは抗酸化物質です。抗酸化物質は特定の抗悪性腫瘍薬の作用を減弱させる可能性があると懸念されています。抗悪性腫瘍薬を服用中に，医師や薬剤師に相談することなくウコンを摂取しないでください。

中抗悪性腫瘍薬（抗生物質）

ウコンは抗酸化物質です。抗酸化物質は特定の抗悪性腫瘍薬の効果を弱める可能性があると懸念されています。抗悪性腫瘍薬を服用中に，医師や薬剤師に相談することなくウコンを摂取しないでください。このような抗悪性腫瘍薬には，ドキソルビシン塩酸塩，ダウノルビシン塩酸塩，エピルビシン塩酸塩，マイトマイシンC，ブレオマイシン塩酸塩などがあります。

中抗悪性腫瘍薬（トポイソメラーゼⅠ阻害薬）

ウコンは抗酸化物質です。抗酸化物質は特定の抗悪性腫瘍薬の効果を弱める可能性があると懸念されています。抗悪性腫瘍薬を服用中に，医師や薬剤師に相談することなくウコンを摂取しないでください。このような抗悪性腫瘍薬には，ノギテカン塩酸塩，イリノテカン塩酸塩水和物などがあります。

中ワルファリンカリウム

ワルファリンカリウムは血液凝固を抑制するために用いられます。ウコンとワルファリンカリウムを併用すると，ワルファリンカリウムの作用が増強し，紫斑および出血のリスクが高まるおそれがあります。

中アムロジピンベシル酸塩

ウコンはアムロジピンベシル酸塩の体内への吸収量を増加させる可能性があります。ウコンとアムロジピンベシル酸塩を併用すると，アムロジピンベシル酸塩の作用および副作用が増強するおそれがあります。

中肝臓を害する可能性のある医薬品

ウコンは肝臓を害する可能性があります。特定の医薬品も肝臓を害する可能性があります。ウコンと肝臓を害する可能性のある医薬品を併用すると，肝障害のリスクが高まるおそれがあります。このような医薬品には，アカルボース，アミオダロン塩酸塩，アトルバスタチンカルシウム水和物，アザチオプリン，カルバマゼピン，ジクロフェナクナトリウム，Felbamate，フェノフィブラート，フルバスタチンナトリウム，ゲムフィブロジル（販売中止），イソニアジド，イトラコナゾール，ケトコナゾール，レフルノミド，Lovastatin，メトトレキサート，ネビラピン，ニコチン酸，ニトロフラントイン（販売中止），ピオグリタゾン塩酸塩，プラバスタチンナトリウム，ピラジナミド，リファンピシン，リトナビル，マレイン酸ロシグリタゾン（販売中止），シンバスタチン，Tacrine，タモキシフェンクエン酸塩，テルビナフィン塩酸塩，バルプロ酸ナトリウム，Zileuton，アセトアミノフェン，メチルドパ水和物，フルコナゾール，エリスロマイシン，フェニトイン，セリバスタチンナトリウム（販売中止）など数多くあります。

ハーブおよび健康食品・サプリメントとの相互作用

血糖値を低下させるおそれのあるハーブおよび健康食品・サプリメント

ウコンが，血糖値を低下させるおそれがあります。ウコンと，血糖値を低下させるおそれのあるハーブおよび健康食品・サプリメントを併用すると，人によっては，血糖値が過度に低下するおそれがあります。このようなハーブおよび健康食品・サプリメントには，デビルズクロー，フェヌグリーク，ニンニク，グアーガム，セイヨウトチノキ，朝鮮人参，サイリウム，エゾウコギなどがあります。

血液凝固を抑制するおそれのあるハーブおよび健康食品・サプリメント

ウコンが，血液凝固を抑制するおそれがあります。ウコンと血液凝固を抑制するおそれのあるほかのハーブおよび健康食品・サプリメントを併用すると，紫斑および出血のリスクが高まるおそれがあります。このようなハーブおよび健康食品・サプリメントには，クローブ，タンジン，ニンニク，ショウガ，イチョウ，朝鮮人参，レッドクローバー，ヤナギなどがあります。

鉄

ウコンや，ウコンに含まれるクルクミンという成分が，体内の鉄吸収を妨げるおそれがあります。この作用は，通常の食品に含まれている量のウコンを摂取する場合には，現れないようです。ただし，理論上，高用量のウコンやクルクミンを摂取することにより，体内の鉄吸収が抑制されるおそれがあります。

使用量の目安

【成人】

●経口摂取

高コレステロール血症

ウコンエキス1.4gを，１日２回に分けて，３カ月間，毎日摂取します。

そう痒

ウコン1,500㎎を，１日３回に分けて，８週間摂取します。また，ウコンエキスを含む特定の製品と，黒コショウまたはヒハツを併用して，４週間，毎日摂取します。

変形性関節症

特定のウコン製品500㎎を，１日４回，４～６週間摂取します。特定のウコンエキス500㎎を，１日２回，６週間摂取します。ウコンとホスファチジルコリンを含む特定のウコンエキス500㎎を，１日２回，２～３カ月摂取します。ほかの併用製品も使用されます。

【小児】

●経口摂取

高コレステロール血症

15歳以上の小児で，ウコンエキス1.4gを，１日２回に分けて，３カ月間毎日摂取します。

牛初乳

BOVINE COLOSTRUM

別名ほか

Bovine Immunoglobulin, Bovine Lacteal Compounds, Calostro, Colostrum Bovin, Colostrum Bovin Hyperimmune, Colostrum de Chèvre, Colostrum de Lait de Vache, Cow Milk Colostrum, Goat Colostrum, Hyperimmune Bovine Colostrum, Immunoglobuline Bovine, Lait Colostral, Protogala

概　要

初乳とは，ヒト，牛やほかの哺乳類の出産後，最初の２～３日間，本当の母乳の前に出る乳状の液のことです。タンパク質，炭水化物，脂肪，ビタミン，ミネラル，細菌やウイルスなどの病因とたたかう抗体を含んでいます。牛初乳の抗体値は，通常の牛乳の100倍ともいわれています。

牛初乳はその抗体値の高さで注目されるようになりました。ヒトの腸内感染を防ぐと考えられていましたが，その効果はないようです。

脂肪燃焼，除脂肪筋肉の強化，スタミナ・活力の増強，および運動能力の向上の目的で，スポーツ選手が牛初乳を使用することがあります。牛初乳は，国際オリンピック委員会の禁止薬物リストには記載がありません。

牛初乳はまた，免疫システムの強化，創傷治癒，神経系の損傷修復，気分・幸福感の向上，加齢速度の抑制・若返り，および細菌・真菌の殺菌にも用いられます。

大腸炎の治療として直腸内に使用することもあります。

研究では「高度免疫の牛初乳（hyperimune bovine colostrum）」と呼ばれる特殊な牛初乳が作られています。これは，特定の病気を引き起こす病原性有機体に対するワクチンを接種した特殊な牛の初乳です。ワクチン接種により，牛の体内で，その特定の病原性有機体と闘う抗体が作られます。抗体は初乳に入りこみます。高度免疫の牛初乳は，エイズにかかわる下痢，骨髄移植後の移植片対宿主病にかかわる下痢，および小児のロタウイルス下痢症の治療の臨床試験で使用されています。

米国食品医薬品局（FDA）では，高度免疫の牛初乳に「オーファンドラッグ」認定を与えています。オーファンドラッグ法に基づき，希少疾患の治療法の開発に投資する製薬会社は，７年にわたる独占販売権を得られるなど，市場での特定の優位性を得ることができます。希少疾患用の医薬品の市場は非常に小さいので，特別なインセンティブがないと，これを開発する製薬会社がなくなるおそれがあるためです。

安　全　性

牛初乳は，適量を経口摂取する場合，ほとんどの成人に安全のようです。浣腸剤として直腸内に投与する場合は，ほとんどの人におそらく安全です。副作用の例はほとんどありませんが，HIV陽性の人でまれに，吐き気，嘔吐，肝機能検査値異常，赤血球数低下などの問題が報告されています。

動物由来の製品から狂牛病（牛海綿状脳症，BSE）などの疾患に感染するおそれが懸念されています。狂牛病は乳製品から感染することはないようですが，狂牛病がみつかった国の動物由来製品は避けるのが賢明でしょう。

小児：小児が適量を経口摂取する場合は，おそらく安全です。

●アレルギー

牛乳に対するアレルギー：牛乳または乳製品にアレルギーがある場合は，牛初乳にもアレルギーを起こすおそれがあります。このような場合は，使用を避けるのが最善です。

●妊娠中および母乳授乳期

妊娠中および母乳授乳期の使用の安全性についてはデータが不十分です。安全性を考慮し，使用は避けてください。

有　効　性

◆有効性レベル③

・運動する人の上気道感染症。研究により，運動している人が牛初乳を８～12週間経口摂取すると，上気道感染症の発症回数および症状が軽減する可能性があることが示されています。

・感染性下痢。小児のほか，HIV/エイズ患者や骨髄移植を受けた人など免疫システムが弱った人では，牛初乳の摂取により感染性下痢が減少するようです。ほとんどの臨床試験では，高度免疫牛初乳を使用しています。高度免疫牛初乳は，米国食品医薬品局（FDA）により，エイズにかかわる下痢に対するオーファンドラッグに指定されています。しかし，高度免疫牛初乳を経口摂取しても，赤痢菌による感染性下痢の症状は改善されないことを示唆する研究もあります。

・インフルエンザ。インフルエンザの予防注射を受けた人とインフルエンザの罹患リスクが高い心疾患患者が，特定の牛初乳を８週間経口摂取すると，インフルエンザの予防に役立ちます。

◆有効性レベル④

・未熟児の壊死性腸炎（NEC）。初期の研究から，極低出生体重児に牛初乳を投与しても壊死性腸炎を予防できないことが示唆されています。

・敗血症。初期の研究から，極低出生体重児に牛初乳を投与しても敗血症を予防できないことが示唆されています。

・短腸症候群。初期の研究から，短腸症候群患者が牛初乳を摂取しても腸機能は改善しないことが示唆されています。

◆科学的データが不十分です

・高齢者の筋力低下，運動能力，記憶（認知機能），糖尿病，大腸炎，幼児の発育不全，ヒトパピローマウイルス（HPV），多発性硬化症（MS），上気道感染症，細菌・真菌の感染，除脂肪筋肉の強化，脂肪燃焼，ドライアイ，気分・幸福感の向上，外傷治癒，スタミナ・活力の増強，口内炎，神経系の損傷修復，免疫システムの刺激，加齢速度の抑制・若返りなど。

●体内での働き

高度免疫牛初乳は，下痢を引き起こす細菌と闘う抗体を産生するようワクチンを接種した牛から採取します。「くすり」として採取したこの初乳には，抗体が含まれています。この牛の抗体がヒトの疾患と闘うことが期待されていますが，牛の抗体は吸収が悪く，ヒトの体内でさまざまな感染に活性を示すことはないようです。

医薬品との相互作用

ほかの医薬品との相互作用については明らかではありません。

ハーブおよび健康食品・サプリメントとの相互作用

ほかのハーブ，健康食品・サプリメントとの相互作用についてはまだ明らかではありません。

通常の食品との相互作用

食品

高度免疫牛初乳を食品と一緒に摂取すると，その効果が損なわれるおそれがあります。食品が胃酸および消化酵素を増加させ，牛初乳の活性成分を分解するおそれがあります。

使用量の目安

【成人】

●経口摂取

運動する人の上気道感染症の予防

牛初乳１日10～20gを８～12週間摂取します。

感染性下痢

牛初乳１日10～100gを１～４週間摂取します。

インフルエンザ

凍結乾燥の脱脂牛初乳１日400mgを８週間摂取します。

【小児】

●経口摂取

感染性下痢

牛初乳１日10～21gを４～14日間，または１日20～300mLを最大２週間摂取します。

牛軟骨

BOVINE CARTILAGE

別名ほか

抗腫瘍血管新生因子（Antitumor Angiogenesis Factor, anti-TAF），牛気管軟骨（Bovine Tracheal Cartilage, BTC），Catrix, Catrix-S, Processed Bovine Cartilage, Psoriacin, Psoriacin-T, Rumalon

概　　要

牛の軟骨で，骨格をサポートします。「くすり」として使用されることもあります。

●要説（ナチュラル・スタンダード）

サプリメントとして，牛軟骨は通常，牛の気管軟骨から作られます。

牛軟骨の薬用に関して最も先端の研究者は，1974年に論文「軟骨Iで創傷治癒の促進」を発表した故ジョン・F・プルツデン（Prudden, John F）医師です。

初期のエビデンスでは，牛軟骨は乾癬や治療抵抗性乳がんの治療に効果がある可能性を示しています。しかしながら，牛軟骨の医療用途における有効な科学的データは不十分です。その安全性や有効性を決定するためには，さらなる研究が必要とされます。

牛軟骨は，にきび，歯槽痛，裂肛，痔核，変形性関節症，肛門そう痒，ウルシやツタウルシが原因の発疹，および関節リウマチのための潜在的な治療法として提案されています。二次情報源によると，牛軟骨は，抗炎症性および免疫調節作用をもつ可能性があります。しかしながら，これらの領域ではヒトでの研究が不十分です。

米国食品医薬品局は，GRAS（一般的に安全と認められる食品）リストに，牛軟骨を掲載していません。

安全性

牛軟骨を経口摂取，皮膚への塗布，筋肉内注射，または皮下注射する場合，おそらく安全です。下痢，吐き気，腫脹，局所潮紅，そう痒などの副作用を引き起こすことがあります。

動物由来の製品からは，牛海綿状脳症（BSE）などに罹患する懸念があります。牛海綿状脳症は牛軟骨から感染することはないようですが，この病気が見つかった国の動物由来製品は，おそらく避けるのが賢明です。

●妊娠中および母乳授乳期

妊娠中および母乳授乳期の使用の安全性についてはデータが不十分です。安全性を考慮し，摂取は避けてください。

有効性

◆有効性レベル③

- ざ瘡（にきび）。皮膚に塗布すると，ざ瘡（にきび）を減らす助けとなるようです。
- 直腸裂傷。直腸外側に塗布すると，症状の緩和を助けるようです。
- 肛門そう痒。直腸外側に塗布すると，症状の緩和を助けるようです。
- 痔核。直腸外側に塗布すると，症状の緩和を助けるようです。
- 抜歯後の乾燥抜歯窩。外側に塗布すると，症状の緩和を助けるようです。
- 変形性関節症。皮下投与すると，症状の緩和を助けるようです。筋肉内投与しても効果はないようです。
- ウルシ科植物による皮膚反応。皮膚に塗布すると，症状の緩和を助けるようです。
- 乾癬。皮膚へ塗布または皮下投与すると，6週間で症状が緩和するようです。
- 関節リウマチ（RA）。皮下投与すると，症状の緩和を助けるようです。
- 創傷治癒。牛軟骨の粉末を含む特定の軟膏を皮膚に塗布すると，顔面のレーザー治療後の皮膚の発赤，腫脹，びらんといった症状の緩和を助けることを示唆する研究があります。

◆科学的データが不十分です

- 潰瘍性大腸炎，がんなど。

●体内での働き

変形性関節症の人の軟骨再生をサポートする成分を供することにより，効果を示す可能性があります。また，腫脹を抑え，創傷治癒を効果的に補助する可能性があります。

医薬品との相互作用

ほかの医薬品との相互作用については明らかではありません。

ハーブおよび健康食品・サプリメントとの相互作用

ほかのハーブ，健康食品・サプリメントとの相互作用についてはまだ明らかではありません。

使用量の目安

●皮膚への塗布（局所使用）

肛門そう痒

5％のクリーム剤を1日2回以上塗布します。

ざ瘡（にきび）

5％のクリーム剤を1日2回以上，患部を洗浄した後に塗布します。

抜歯後の歯肉の疼痛

粉末を食塩水と混和してペースト状にし，抜歯後の乾燥抜歯窩に詰めます。

●直腸内投与

痔核および裂肛

ジオクチルソジウムスルホサクシネート100mgを1日2回経口投与するとともに，牛軟骨2.2gを調製した2％の坐剤を，便軟化薬として1日3回以上使用します。

●皮下投与

変形性関節症および乾癬

医師などにより，皮下投与します。

●筋肉内投与

変形性関節症

医師などにより，筋肉内投与します。

ウスベニタチアオイ

MARSHMALLOW

●代表的な別名

ビロードアオイ

別名ほか

アルテア属，ビロードアオイ（Althaea officinalis），タチアオイ（Althea），Alteia，Althaeae folium，Althaeae radi，Herba malvae，Mallards，Mortification Root，Racine De Guimauve，Sweet Weed，Wymote

概要

ウスベニタチアオイは植物です。葉と根を用いて「くすり」を作ることもあります。

●要説（ナチュラル・スタンダード）

ウスベニタチアオイの葉と根は，両方とも市販品に使用されています。ハーブの調合薬は，乾燥根や葉（皮を未剥離または剥離したもの）のいずれかから作られます。市販品の実際の中身は，収穫した時期によって変わってきます。

あらゆる疾患のためにウスベニタチアオイ使用を支持

有効性レベル：①効きます　②おそらく効きます　③効くと断言できませんが、効能の可能性が科学的に示唆されています　④効かないかもしれません　⑤おそらく効きません　⑥効きません

するエビデンスは不十分です。ウスベニタチアオイの医療での使用は，伝統的な使用と初期の研究に裏付けられています。限られてはいますが，ヒトでのエビデンスは，皮膚疾患治療のためのウスベニタチアオイが含まれた製品の有効性を示しています。

ウスベニタチアオイは，経口摂取した薬を体が吸収するときに影響が生じる可能性があります。ウスベニタチアオイは，ほかの薬剤の数時間前か後に服用されるべきです。

ウスベニタチアオイは，一般的に安全であると考えています。しかしながら，アレルギー反応や低血糖も報告されています。

安　全　性

経口摂取はほとんどの人に安全です。

血糖値が下がる人もいます。糖尿病の人は，血糖値の危険な低下を避けるため，注意深く血糖値をチェックしてください。

皮膚に直接使用する場合は安全なようです。

２週間以内に手術を受ける予定の人は使用してはいけません。

●妊娠中および母乳授乳期

妊娠中および母乳授乳期の使用の安全性についてはデータが不十分です。安全性を考慮し，摂取は控えてください。

有　効　性

◆科学的データが不十分です

・ただれ，皮膚炎，熱傷，創傷，昆虫刺傷，あかぎれ，下痢，便秘，胃および腸の潰瘍，口内および咽喉の刺激感，空咳など。

●体内での働き

皮膚と消化管内壁に保護層をつくります。咳を抑え，傷の治りを速めることのある化合物も含んでいます。

医薬品との相互作用

中経口薬

ウスベニタチアオイにはムシレージ（植物の粘質物で食物繊維の一種）が含まれます。ムシレージは医薬品の体内への吸収を抑制する可能性があります。ウスベニタチアオイと経口薬を併用すると，医薬品の効果が弱まるおそれがあります。この相互作用を避けるために，経口薬の服用後，少なくとも１時間はウスベニタチアオイを摂取しないでください。

中炭酸リチウム

ウスベニタチアオイは利尿薬のように作用する可能性があります。ウスベニタチアオイを摂取すると，炭酸リチウムの体内からの排泄が抑制される可能性があります。そのため，体内のリチウム量が増加し，重大な副作用が現れるおそれがあります。

低血液凝固を抑制する医薬品（抗凝固薬/抗血小板薬）

ウスベニタチアオイは血液凝固を抑制する可能性があります。ウスベニタチアオイと血液凝固を抑制する医薬品を併用すると，紫斑および出血のリスクが高まるおそれがあります。このような医薬品には，アスピリン，クロピドグレル硫酸塩，チカグレロル，ジクロフェナクナトリウム，イブプロフェン，ナプロキセン，ダルテパリンナトリウム，エノキサパリンナトリウム，ヘパリン，ワルファリンカリウムなどがあります。

ハーブおよび健康食品・サプリメントとの相互作用

ほかのハーブ，健康食品・サプリメントとの相互作用についてはまだ明らかではありません。

使用量の目安

●経口摂取

口内または咽頭の炎症およびそれにともなう乾性の咳

２～５gの乾燥した葉部，５gの乾燥した根部，あるいは，ティーカップ１杯の葉部で作ったお茶（２～５gの乾燥した葉部を150mL の熱湯に５～10分間浸して，その後ろ過する）または根部で作ったお茶（２～５gの乾燥した根部を150mL の冷水に１～1.5時間浸し，その後ろ過して作り，温めてから摂取する）を，１日３回摂取します。葉部あるいは根部を原料とする流エキス（１：１，25％アルコール）を１回２～５mLで１日３回摂取します。

口内または咽頭の粘膜の炎症およびそれにともなう咳

根部を原料とするシロップ薬を１回２～10mLで１日最大３回摂取します。

●局所投与

葉部を粉末状にしたものを５％含有する軟膏を１日３回塗布します。

ウスベニツメクサ

ARENARIA RUBRA

別名ほか

サンドワート（Sandwort），ウスベニツメクサ（Spergularia rubra），Common Sandspurry，Sabline Rouge

概　　要

ウスベニツメクサはハーブです。「くすり」に使用されることもあります。

安　全　性

十分なデータが得られていないので，安全であるかどうか不明です。

●妊娠中および母乳授乳期

妊娠中および母乳授乳期の使用の安全性については

データが不十分です。安全性を考慮し，摂取は避けてください。

有 効 性

◆科学的データが不十分です

・膀胱炎，排尿病や排尿障害，腎結石，膀胱結石症など。

●体内での働き

尿量の増加に役立つことがあります（利尿作用）。

医薬品との相互作用

ほかの医薬品との相互作用については明らかではありません。

ハーブおよび健康食品・サプリメントとの相互作用

ほかのハーブ，健康食品・サプリメントとの相互作用についてはまだ明らかではありません。

使用量の目安

標準使用量に関するデータがありません。

ウッドセージ

WOOD SAGE

●代表的な別名

ガーリックセージ

別名ほか

ガーリックセージ(Garlic Sage), Ambroise, Hind Heal, Large-Leaved Germander, Teucrium scorodonia

概 要

ウッドセージはハーブです。地上部を用いて「くすり」を作ることもあります。

安 全 性

安全性や副作用については明らかになっていません。

●妊娠中および母乳授乳期

妊娠中および母乳授乳期の使用の安全性についてはデータが不十分です。安全性を考慮し，摂取は避けてください。

有 効 性

◆科学的データが不十分です

・胃腸障害，結核，気道の腫脹，咽喉痙攣，高血圧症，創傷，または肝障害。

●体内での働き

痙攣を抑え，胸部の粘液を切る化合物を含んでいます。

医薬品との相互作用

ほかの医薬品との相互作用については明らかではありません。

ハーブおよび健康食品・サプリメントとの相互作用

ほかのハーブ，健康食品・サプリメントとの相互作用についてはまだ明らかではありません。

使用量の目安

標準使用量に関するデータがありません。

ウッドソレル

WOOD SORREL

●代表的な別名

ミヤマカタバミ

別名ほか

コミヤマカタバミ（Oxalis acetosella），ミヤマカタバミ（Shamrock），ホワイトソレル（White Sorrel），Cuckoo Bread, Cuckowes Meat, Fairy Bells, Green Sauce, Hallelujah, Mountain Sorrel, Sour Trefoil, Stickwort, Stubwort, Surelle, Three-Leaved Grass, Wood Sour

概 要

ウッドソレルは植物です。種子植物全体を用いて「くすり」を作ることもあります。ウッドソレルをスイバ（sorrel）と混同しないよう注意してください。

安 全 性

とくに，高用量での使用は安全ではありません。

下痢，悪心，尿量増加，皮膚反応，消化器への刺激，口，舌およびのどの腫脹，言語障害および窒息，眼の障害および腎臓障害を引き起こす可能性があります。

経口摂取すると血中で結晶が形成され，腎臓，血管，心臓，肺および肝臓での貯留につながることがあります。

ウッドソレルは，すべての人に対して安全ではありませんが，重篤な副作用のリスクが高いため，使用しないよう注意しなければならない人がいます。

とくに小児への使用あるいは次の場合は使用しないでください。

小児：小児への使用は安全ではありません。臓器に障害を起こすおそれのあるシュウ酸塩の結晶を含んでいます。4歳児が，シュウ酸塩を含むルバーブ（Rhubarb）の葉を食べて死亡した事例があります。

血液凝固障害：ウッドソレルに含まれる化学物質が血液凝固を促進させるおそれがあります。

胃腸障害：胃腸の内壁を刺激して潰瘍を悪化させるおそれがあります。

腎疾患：ウッドソレルのシュウ酸が腎臓に悪影響を与え，腎疾患を悪化させるおそれがあります。

●妊娠中および母乳授乳期

妊娠中および母乳授乳期の使用は，安全ではありません。使用しないでください。

有 効 性

◆科学的データが不十分です

・肝障害，消化器系障害，創傷，壊血病，および歯肉の腫脹。

●体内での働き

どのように作用するかについては，十分なデータが得られていません。

医薬品との相互作用

ほかの医薬品との相互作用については明らかではありません。

ハーブおよび健康食品・サプリメントとの相互作用

カルシウム

カルシウムのサプリメントは，腸内でカルシウムを放出します。カルシウムは腸で吸収され，体内で利用されます。しかしウッドソレルは腸でカルシウムと結合してしまう化学物質を含んでいるため，体内に吸収される遊離型カルシウムの量を減少させてしまいます。結果としてウッドソレルとカルシウムのサプリメントを併用すると，サプリメントからのカルシウムの体内への吸収量が減少してしまいます。

鉄

鉄のサプリメントは，腸内で鉄を放出します。鉄は腸で吸収され，体内で利用されます。しかしウッドソレルは腸で鉄と結合してしまう化学物質を含んでいるため，体内に吸収される遊離型鉄の量を減少させてしまいます。結果としてウッドソレルと鉄のサプリメントを併用すると，サプリメントからの鉄の体内への吸収量が減少してしまいます。

亜鉛

亜鉛のサプリメントは，腸内で亜鉛を放出します。亜鉛は腸で吸収され，体内で利用されます。しかし，ウッドソレルは腸で亜鉛と結合する化学物質を含んでいるため，体内に吸収される遊離型亜鉛の量を減少させてしまいます。結果としてウッドソレルと亜鉛のサプリメントを併用すると，サプリメントからの亜鉛の体内への吸収量が減少してしまいます。

通常の食品との相互作用

カルシウム

食事により摂取したカルシウムは，腸内で体内に吸収され，体全体で利用されます。しかし，ウッドソレルは腸でカルシウムと結合する化学物質を含んでいるため，体内に吸収される遊離型カルシウムの量を減少させてしまいます。結果としてウッドソレルは，食べ物からとれるカルシウムの体内への吸収量を減少させます。

鉄

食事により摂取した鉄は，腸内で体内に吸収され，体全体で利用されます。しかし，ウッドソレルは腸で鉄と結合する化学物質を含んでいるため，体内に吸収される遊離型鉄の量を減少させてしまいます。結果としてウッドソレルは，食べ物からとれる鉄の体内への吸収量を減少させます。

亜鉛

食事により摂取した亜鉛は，腸内で体内に吸収され，体全体で利用されます。しかし，ウッドソレルは腸で亜鉛と結合する化学物質を含んでいるため，体内に吸収される遊離型亜鉛の量を減少させてしまいます。結果としてウッドソレルは，食べ物からとれる亜鉛の体内への吸収量を減少させます。

使用量の目安

標準使用量に関するデータがありません。

ウバウルシ

UVA URSI

●代表的な別名

ベアベリー

別名ほか

ベアベリー（Bearberry），キニキニック（Kinnikinnik），マンザニータ（Manzanita），クマコケモモ（Raisin D'Ours），ウワウルシ，ウヴァウルシ（Uvae ursi folium），Arberry，Arbutus Uva-ursi，Beargrape，Bearsgrape，Common Bearberry，Hogberry，Mountain Box，Mountain Cranberry，Ptarmigan Berry，Red Bearberry，Redberry，Rockberry，Sagackhomi，Sandberry

概 要

ウバウルシは植物です。葉を用いて「くすり」を作ることもあります。熊はとくにこの実を好み，ラテン語で「熊のぶどう」を意味する「ウバウルシ（uva ursi）」の名前の由来を物語っています。Arctostaphylos uva-ursiのことを，ほとんどの学者が「ウバウルシ」と呼んでいます。Arctostaphylos adentricha および，Arctostaphylos coactylisについてもウバウルシと呼ぶ専門家がいます。

●要説（ナチュラル・スタンダード）

ウバウルシ（bearberry）は，小さな白やピンクの鐘形の花や濃いオレンジ色（トマトのような色）のベリーをもつ小さな常緑低木として記載されています。ベリーはいかなる薬効ももっていないようですが，葉は合併症のない軽度の膀胱炎のための薬草療法として，伝統的に用いられてきました。

ウバウルシは，アジア，北米，ヨーロッパ全土で成長し，13世紀にまでさかのぼるほど薬用として長く使用されています。葉は利尿，収斂，防腐，尿路感染症の治療薬として，世界中で使用されています。 葉を煎じたお茶は，緩下剤としても使用されてきています。

ウバウルシの主な化学成分であるアルブチン（Arbutin）は，フェノール配糖体で，ハイドロキノン加水分解されたものです。両方の化学物質は，尿路における消毒効果に貢献しています。アルブチンは単独で，腎臓結石，膀胱炎および腎炎による疼痛を軽減することが報告されています。しかしながら，その高いタンニン含有量によって，ウバウルシは急性の悪心や腸の刺激を引き起こす可能性があります。

ウバウルシの葉は1820年から1950年まで，尿防腐剤として米国処方書（U. S. National Formulary）に記載されていましたが，米国薬局方（U. S. Pharmacopeia）には掲載されていません。ヨーロッパ植物療法科学協力機構（European Scientific Cooperative on Phytotherapy）は，単純性膀胱炎の治療薬としてのウバウルシをリストに記載していますが，抗生物質としては認めていません。ドイツ当局は，下部尿路の炎症疾患に対して，ウバウルシを推奨しています。

安全性

短期間使う場合は，ほとんどの成人に安全なようです。

悪心，嘔吐，胃の不調，尿の退色（緑がかった茶色）を引き起こすことがあります。

高用量または長期の使用では，肝障害，呼吸器系障害，痙攣を引き起こしたり，死を招いたりすることがあります。

小児に使用すると重篤な肝障害を生じる場合がありますので，小児に使用してはいけません。

網膜非薄化という眼の症状がある腎臓に障害がある人は使用してはいけません。

●妊娠中および母乳授乳期

妊娠中，母乳授乳期は使用してはいけません。

有効性

◆科学的データが不十分です

・尿路感染症，膀胱および尿道の腫脹，尿路の腫脹，便秘，腎臓感染症，気管支炎など。

●体内での働き

尿中の細菌を抑えます。炎症（腫脹）を抑え，組織を乾燥させる作用（収れん作用）があります。

医薬品との相互作用

中 炭酸リチウム

ウバウルシは利尿薬のように作用する可能性があります。ウバウルシを摂取すると，炭酸リチウムの体内からの排泄が抑制される可能性があります。そのため，体内の炭酸リチウム量が増加し，その結果，重大な副作用が現れるおそれがあります。

中 尿を酸性化する医薬品

ウバウルシは尿の酸性度が低い場合に最もよく作用するようです。ウバウルシと尿を酸性化する医薬品を併用すると，尿路感染症の予防または治療に用いられるウバウルシの作用が弱まる可能性があります。

中 肝臓で代謝される医薬品（シトクロムP450 2C19（CYP2C19）の基質となる医薬品）

特定の医薬品は肝臓で代謝されます。ウバウルシはこのような医薬品の代謝を抑制するおそれがあります。ウバウルシと肝臓で代謝される医薬品を併用すると，医薬品の作用および副作用が増強するおそれがあります。このような医薬品には，プロトンポンプ阻害薬（オメプラゾール，ランソプラゾール，パントプラゾールナトリウム水和物（販売中止）など），ジアゼパム，カリソプロドール（販売中止），ネルフィナビルメシル酸塩などがあります。

中 肝臓で代謝される医薬品（シトクロムP450 3A4（CYP3A4）の基質となる医薬品）

特定の医薬品は肝臓で代謝されます。ウバウルシはこのような医薬品の代謝を抑制する可能性があります。ウバウルシと肝臓で代謝される医薬品を併用すると，医薬品の作用および副作用が増強するおそれがあります。このような医薬品には，アルプラゾラム，アムロジピンベシル酸塩，クラリスロマイシン，シクロスポリン，エリスロマイシン，Lovastatin，ケトコナゾール，イトラコナゾール，フェキソフェナジン塩酸塩，トリアゾラム，ベラパミル塩酸塩など数多くあります。

中 肝臓で代謝される医薬品（シトクロムP450 3A5（CYP3A5）の基質となる医薬品）

特定の医薬品は肝臓で代謝されます。ウバウルシはこのような医薬品の代謝を抑制する可能性があります。ウバウルシと肝臓で代謝される医薬品を併用すると，医薬品の作用および副作用が増強するおそれがあります。このような医薬品には，テストステロンエナント酸エステル，プロゲステロン，ニフェジピン，シクロスポリンなどがあります。

中 肝臓で代謝される医薬品（グルクロン酸抱合を受けて代謝される医薬品）

特定の医薬品は肝臓で代謝されます。ウバウルシはこのような医薬品の代謝を抑制する可能性があります。理論的には，ウバウルシと肝臓で代謝される医薬品を併用すると，医薬品の作用および副作用が増強するおそれがあります。このような医薬品には，アセトアミノフェン，アトルバスタチンカルシウム水和物，ジアゼパム，ジゴキシン，エンタカポン，エストロゲン製剤，イリノテカン塩酸塩水和物，ラモトリギン，ロラゼパム，Lovastatin，メプロバメート（販売中止），モルヒネ塩酸塩水和物，オキサゼパム（販売中止）などがあります。

低 細胞内のポンプによって輸送される医薬品（P糖タンパク質の基質となる医薬品）

特定の医薬品は細胞内のポンプによって輸送されま

す。ウバウルシは，ポンプの働きを弱め，医薬品の体内への吸収量を増加させる可能性があります。そのため，医薬品の作用および副作用が増強するおそれがあります。このような医薬品には，エトポシド，パクリタキセル，ビンブラスチン硫酸塩，ビンクリスチン硫酸塩，ビンデシン硫酸塩，ケトコナゾール，イトラコナゾール，アンプレナビル（販売中止），インジナビル硫酸塩エタノール付加物（販売中止），ネルフィナビルメシル酸塩，サキナビルメシル酸塩，シメチジン，ラニチジン塩酸塩，ジルチアゼム塩酸塩，ベラパミル塩酸塩，副腎皮質ステロイド，エリスロマイシン，シサプリド，フェキソフェナジン塩酸塩，シクロスポリン，ロペラミド塩酸塩，キニジン硫酸塩水和物などがあります。

ハーブおよび健康食品・サプリメントとの相互作用

ほかのハーブ，健康食品・サプリメントとの相互作用についてはまだ明らかではありません。

使用量の目安

●経口摂取

乾燥ハーブを１日1.5～４g摂取します。また，お茶としても摂取されます。お茶は，乾燥した葉３gを冷水150mLに12～24時間浸してからこします。ティーカップ１杯を１日最大４回摂取します。冷水を使用することにより，含まれるタンニン量を最小限に抑えます。ヒドロキノン誘導体（無水アルブチンに換算）は，100～210mgを１日最大４回摂取します。流エキス（１：１，25％アルコール）の場合，１回1.5～４mLを１日３回摂取します。排尿障害が48時間以上続いた場合，医師の診察が必要です。ウバウルシは，危険性が潜んでいるため，医師の指示がない場合，１週間以上使用しないでください。１年で５回以上使用してはいけません。

ウメ

JAPANESE APRICOT

●代表的な別名

ジャパニーズ・アプリコット

別名ほか

梅酒，梅ジュース，梅の木，梅干し，紅千鳥，Japanese flowering apricot，Mei，Prunus mume

概　　要

ウメは小さな観賞用の果実のなる樹木です。実，枝および花を用いて「くすり」を作ることもあります。

黄色い果実がなり，香りの良いピンクと白い花が咲きます。

製品としては，ウメは化粧品のローションに使用されます。

ウメジュースは，日本の伝統的な飲み物です。

安　全　性

加工したウメは摂取しても安全です。しかし，生の実は，有毒な化合物を含んでいるため危険ですので，加工品だけを摂取するようにしてください。

「くすり」としての高用量摂取や皮膚への直接塗布の安全性についてのデータは不十分です。

手術：ウメは血液凝固を抑制すると考えられているので，手術中・術後の出血のリスクが高くなる懸念があります。２週間以内に手術を受ける予定の人は，使用しないでください。

●妊娠中および母乳授乳期

妊娠中および母乳授乳期の使用の安全性についてはデータが不十分です。安全性を考慮し，摂取は避けてください。

有　効　性

◆科学的データが不十分です

・発熱，咳，胃の障害，不眠，更年期障害，がん，心疾患，日焼け（皮膚に塗布）の予防など。

●体内での働き

症状に対してどのように作用するか判断するのに十分なデータがありません。

医薬品との相互作用

中血液凝固を抑制する医薬品（抗凝固薬/抗血小板薬）

ウメの花のエキスは血液の凝固を抑制する可能性があります。ウメの花のエキスと血液凝固を抑制する医薬品と併用すると，紫斑および出血のリスクが高まるおそれがあります。このような医薬品には，アスピリン，クロピドグレル硫酸塩，ジクロフェナクナトリウム，イブプロフェン，ナプロキセン，ダルテパリンナトリウム，エノキサパリンナトリウム，ヘパリン，ワルファリンカリウムなどがあります。

中糖尿病治療薬

ウメは血糖値を低下させる可能性があります。糖尿病治療薬も血糖値を低下させるために用いられます。ウメと糖尿病治療薬を併用すると，血糖値が過度に低下するおそれがあります。血糖値を注意深く監視してください。糖尿病治療薬の用量を変更する必要があるかもしれません。このような糖尿病治療薬には，グリメピリド，グリベンクラミド，インスリン，ピオグリタゾン塩酸塩，マレイン酸ロシグリタゾン（販売中止），クロルプロパミド，Glipizide，トルブタミド（販売中止）などがあります。

ハーブおよび健康食品・サプリメントとの相互作用

血液凝固を抑制するハーブおよび健康食品・サプリメント

ウメの花の抽出物は，血液凝固を抑制すると考えられ

相互作用レベル：高この医薬品と併用してはいけません　中この医薬品とは慎重に併用するか併用しないでください　低この医薬品との併用には注意が必要です

ています。ほかの同様な作用のある自然由来の製品との併用は，紫斑や出血を生じる可能性が高くなると考えられます。血液凝固の抑制をする作用のあるハーブには，アンゼリカ，クローブ，タンジン，ニンニク，ショウガ，イチョウなど多くあります。これらのハーブとの併用はしないでください。

使用量の目安

標準使用量に関するデータがありません。

ウメガサソウ

PIPSISSEWA

●代表的な別名

イチヤクソウ

別名ほか

梅笠草（Chimaphila），オオウメガサソウ，イチヤクソウ（Chimaphila umbellata），Bitter Winter，Bitter Wintergreen，Chimaphila corymbosa，Ground Holly，Holly，King's Cure，King's Cureall，Love in Winter，Prince's Pine，Rheumatism Weed，Spotted Wintergreen，Umbellate Wintergreen

概　　要

ウメガサソウはハーブです。地上部を用いて「くすり」を作ることもあります。

食品や飲料で，ウメガサソウ抽出物が風味付けに使われます。

安 全 性

食品に含まれる量を摂取するのであれば，ほとんどの人に安全なようです。

皮膚へ直接塗布しての使用の安全性については，データが不十分です。

長期の使用では，耳鳴り，嘔吐，意識障害および痙攣などの副作用を引き起こすことがあります。

●妊娠中および母乳授乳期

妊娠中および母乳授乳期の使用の安全性についてはデータが不十分です。安全性を考慮し，摂取は避けてください。

有 効 性

◆科学的データが不十分です

・尿路感染症，膀胱結石，痙攣，体液貯留，痙攣発作，不安感，がん，痛み（皮膚に直接塗布），水疱（皮膚に直接塗布）など。

●体内での働き

腫脹を抑え，組織を乾燥させる作用（収れん作用）があり，泌尿器の感染症の原因である菌を殺します。

医薬品との相互作用

ほかの医薬品との相互作用については明らかではありません。

ハーブおよび健康食品・サプリメントとの相互作用

ほかのハーブ，健康食品・サプリメントとの相互作用についてはまだ明らかではありません。

使用量の目安

標準使用量に関するデータがありません。

ウンカロアボ

UMCKALOABO

別名ほか

Adelfa, Baladre, Cascabela thevetia, Cerbera thevetia, Common Oleander，Exile Tree，Huang Hua Jia，Jia Zhu Tao，Kaner，Karvir，Karvira，Laurel Rosa，Laurier-Rose，Laurier Rose，Laurose，Nérier à Feuilles de Laurier，Nérion，Nerium indicum，Nerium Oleander，Nerium odorum，Oleanderblatter，Oléandre，Oleandri Folium，Rose Bay，Rose Laurel，Sweet Scented Oleander，Thevetia neriifolia，Thevetia peruviana，Yellow Oleander

概　　要

ウンカロアボは，南アフリカ原産の顕花植物です。根を用いて「くすり」を作ることもあります。

1897年英国で，初めて結核の治療薬として使用されました。チャールズ・ヘンリー・スティーブンズにより販売され，「Stevens' Cure」として知られています。1900年代半ばに抗生剤が開発されると，あまり使用されなくなりました。

現在では，気管支炎，副鼻腔炎，咽喉痛，扁桃炎，感冒などの上部気道感染症に対して用いられます。また，ヘルペスや淋病などの性感染症にも用いられ，赤痢，下痢の治療にも使用されます。

安 全 性

抽出物を経口摂取する場合，３週間以内ならほとんどの人に安全のようです。それ以上の期間使用する場合の安全性については，データが不十分です。胃のむかつきを感じる人もいます。

幼児：経口摂取する場合，１週間以内ならほとんど安全のようです。それ以上の期間使用する場合の安全性については，データが不十分です。

多発性硬化症（MS），ループス（全身性エリテマトーデス，SLE），関節リウマチ（RA）などの自己免疫疾患：

免疫機能を促進する可能性があるため，免疫疾患が悪化するおそれがあります。症状のある場合，摂取は避けてください。

出血性疾患：ウンカロアボに含まれる成分クマリンは，血液凝固を抑制して出血量を増やすことがあるので，出血性疾患が悪化するおそれがあります。

手術：ウンカロアボに含まれる成分クマリンは，血液凝血を抑制することがあるので，手術中の出血のリスクを高めるおそれがあります。手術前少なくとも２週間は摂取を避けてください。

●アレルギー

アレルギー反応が出る人もいます。

●妊娠中および母乳授乳期

妊娠中および母乳授乳期の使用の安全性についてはデータが不十分です。安全性を考慮し，使用を避けてください。

有 効 性

◆有効性レベル②

・気管支炎。研究により，成人および小児の気管支炎患者の場合，症状が出てから48時間以内にウンカロアボ抽出物を摂取すると，治療開始から７日後に症状がいくらか和らいだことが示唆されています。複数の研究では，錠剤の抽出物を使用しています。しかし，錠剤は成人には効果があっても，小児にはないようです。

◆有効性レベル③

・咽喉痛および扁桃炎（扁桃咽頭炎）。咽喉痛および扁桃炎の小児がウンカロアボ抽出物を摂取する場合，４日間の治療後，疼痛がかなり軽減し，飲み込みが改善するようです。

◆科学的データが不十分です

・感冒，副鼻腔炎，結核，下痢など。

●体内での働き

通常，気管支炎や副鼻腔炎などの感染症に用いられます。研究者の間では，細菌を死滅させ，細菌が身体の表面に付着するのを防ぐのに役立つと考えられています。感染症に対する身体の正常な反応を高める可能性があります。

医薬品との相互作用

中 血液凝固を抑制する医薬品（抗凝固薬/抗血小板薬）

ウンカロアボに含まれるクマリンという化学物質は血液凝固を抑制する可能性があります。このリスクは低いようですが，ウンカロアボと血液凝固を抑制する医薬品を併用すると，紫斑および出血のリスクが高まるおそれがあります。このような医薬品には，アスピリン，クロピドグレル硫酸塩，およびジクロフェナクナトリウムやイブプロフェンやナプロキセンなどの非ステロイド性抗炎症薬（NSAIDs），また，ダルテパリンナトリウム，エノキサパリンナトリウム，ヘパリン，ワルファリンカリウムなどがあります。

中 免疫抑制薬

ウンカロアボは免疫機能を高める可能性があります。ウンカロアボと免疫抑制薬を併用すると，免疫抑制薬の効果が弱まるおそれがあります。このような免疫抑制薬には，アザチオプリン，バシリキシマブ，シクロスポリン，Daclizumab，ムロモナブ-CD３（販売中止），ミコフェノール酸モフェチル，タクロリムス水和物，シロリムス，Prednisone，副腎皮質ステロイド（グルココルチコイド）などがあります。

ハーブおよび健康食品・サプリメントとの相互作用

血液凝固を抑制するおそれのあるハーブおよび健康食品・サプリメント

ウンカロアボの成分であるクマリンは，血液凝固を抑制するおそれがあります。リスクは低いようですが，ウンカロアボと，血液凝固を抑制するおそれのあるほかのハーブおよび健康食品・サプリメントを併用すると，人によっては，出血のリスクが高まるおそれがあります。これらのハーブおよび健康食品・サプリメントには，アンゼリカ，クローブ，タンジン，ニンニク，ショウガ，イチョウ，朝鮮人参，セイヨウトチノキ，ウコンなどがあります。

使用量の目安

【成人】

●経口摂取

気管支炎

抽出液30滴（約1.5mL）を１日３回，または錠剤10～30mgを１日３回，７日間摂取します。

【小児】

●経口摂取

気管支炎

７～12歳：抽出液20滴を１日３回

６歳以下：抽出液10滴を１日３回

一部の研究では，小児に対しては錠剤の形態での摂取は有効ではないことが示唆されています。

咽喉痛および扁桃炎

６～10歳：抽出液20滴を１日３回（１日３mL），７日間摂取

永久花

IMMORTELLE

別名ほか

ムギワラギク属（Helichrysum arenarium），イモーテル，ヘリクリサム，Common Shrubby Everlasting，Eternal Flower，Goldilocks，Yellow Chaste Weed

概　　要

永久花は植物です。ドライフラワーを用いて「くすり」を作ることもあります。

永久花と，サンディ・エヴァーラスティングやImmortal（Asclepias asperula）を混同してはいけません。

安 全 性

十分なデータは得られていないので，安全性については不明です。

胆石症：胆石症の場合，疝痛（胃痙攣や陣痛のような痛み）を引き起こすおそれがあります。

胆管閉塞症：胆汁の流れを刺激するおそれがあるため，胆管閉塞症の場合には使用しないでください。

●アレルギー

キク科の植物にアレルギーがある場合には，永久花のアレルギーを引き起こすおそれがあります。このような植物には，ブタクサ，キク，マリーゴールド，デイジーなど，ほかにも多くの植物があります。

●妊娠中および母乳授乳期

妊娠中および母乳授乳期の使用の安全性についてはデータが不十分です。安全性を考慮し，摂取は避けてください。

有 効 性

◆科学的データが不十分です

・胆石および胆のう疾患，肝疾患，胃の不快感（消化不良），食欲不振，胆汁流出に対する刺激，細菌感染など。

●体内での働き

どのように作用するかについては，十分なデータが得られていません。

医薬品との相互作用

ほかの医薬品との相互作用については明らかではありません。

ハーブおよび健康食品・サプリメントとの相互作用

ほかのハーブ，健康食品・サプリメントとの相互作用についてはまだ明らかではありません。

使用量の目安

●経口摂取

１日お茶１カップ。お茶は３～４gの乾燥花を150mLの沸騰した湯に10分間浸し，ろ過して作ります。お茶は１日を通して時々飲みますが，その都度新しく作らなければなりません。１日平均３g摂取します。

AHCC

AHCC

●代表的な別名

活性化糖類関連化合物，活性ヘキソース混合物

別名ほか

活性化糖類関連化合物，活性化植物性多糖類関連化合物，菌糸体抽出物，キノコエキス，キノコのエキス

概　　要

AHCCはキノコから採取される化学物質の一群です。がんおよび肝障害に対して使用されます。

安 全 性

AHCCは，「くすり」としての量を適切に経口摂取する場合はおそらく安全です。１日4.5～６gの用量で最大６カ月まで安全に使用されています。低用量（１日３g）では最大９年まで安全に使用されています。

自己免疫疾患：AHCCは免疫機能を増大させると考えられるため，自己免疫疾患を悪化させるおそれがあります。多発性硬化症，全身性エリテマトーデス（SLE），関節リウマチ（RA）などの自己免疫疾患を有している場合には，摂取を避けるか，慎重に摂取してください。

●妊娠中および母乳授乳期

妊娠中および母乳授乳期の使用の安全性についてはデータが不十分です。安全性を考慮し，摂取は避けてください。

有 効 性

◆科学的データが不十分です

・がん，化学療法の副作用，C型肝炎，肝がん，前立腺がんなど。

●体内での働き

どのように作用するかについては，データが不十分です。一部の研究者は，AHCCが，がん患者のナチュラルキラー細胞の活性を高める可能性があると考えています。このほか動物実験により，特定の有害化学物質から肝臓を保護したり，糖尿病を予防したりする可能性があることが示唆されています。

医薬品との相互作用

中 肝臓で代謝される医薬品（シトクロムP450 2D6（CYP2D6）の基質となる医薬品）

特定の医薬品は肝臓で代謝されます。AHCCは医薬品の代謝を促進する可能性があります。AHCCと肝臓で代謝される医薬品を併用すると，医薬品の作用および副作用を減弱させる可能性があります。このような医薬品にはアミトリプチリン塩酸塩，コデインリン酸塩水和物，塩酸デシプラミン（販売中止），フレカイニド酢酸塩，オ

エ

ンダンセトロン塩酸塩水和物，パロキセチン塩酸塩水和物，リスペリドン，トラマドール塩酸塩，ハロペリドール，ベンラファキシン塩酸塩などがあります。

中免疫抑制薬

AHCCは免疫機能を高めます。AHCCが免疫機能を高めることにより，免疫抑制薬の効果を弱めるおそれがあります。このような免疫抑制薬には，アザチオプリン，バシリキシマブ，シクロスポリン，Daclizumab，ムロモナブ-CD３（販売中止），ミコフェノール酸モフェチル，タクロリムス水和物，シロリムス，Prednisone，副腎皮質ステロイドなどがあります。

ハーブおよび健康食品・サプリメントとの相互作用

ほかのハーブ，健康食品・サプリメントとの相互作用についてはまだ明らかではありません。

使用量の目安

通常の食品に含まれている量を超えて経口摂取した場合の安全性および副作用については，明らかになっていません。

エキナセア

ECHINACEA

●代表的な別名

ムラサキバレンギク

別名ほか

コーンフラワー（Cone Flower），エキナセアパリダ（Echinacea pallida），ムラサキバレンギク（Echinacea purpurea），パープル・コーンフラワー（Purple Cone Flower），American Cone Flower，Black Sampson，Black Susans，Brauneria angustifolia，Brauneria pallida，Comb Flower，Echinacea angustifolia，Echinaceawurzel，Hedgehog，Igelkopfwurzel，Indian Head，Kansas Snakeroot，Narrow-Leaved Purple Cone Flower，Pale Coneflower，Purpursonnenhutkraut，Purpursonnenhutwurzel，Racine d'echininacea，Red Sunflower，Rock-Up-Hat，Roter Sonnenhut，Schmallblaettrige Kegelblumenwurzel，Schmallblaettriger Sonnenhut，Scurvy Root，Snakeroot，Sonnenhutwurzel

概　　要

エキナセアは，米国ロッキー山脈の東部の地域を原産とするハーブです。米国西部，カナダ，欧州にも生育しています。いくつかの種では，葉や花，根から「くすり」が作られます。ロッキー山脈の東の大草原地帯に住む先住民は，エキナセアを伝統的なハーブ療法に用いていました。その後，入植者も先住民の例に倣い，医療目的に用い始めました。1916～1950年には米国国民医薬品集に掲載され，一時は公認されていましたが，抗生剤の発見により，米国での使用頻度は落ちました。しかし，一部の抗生剤ではある種の細菌に対し，かつての効果がみられなくなっている現在，エキナセアへの関心が再び高まっています。

エキナセアは，とくに感冒やインフルエンザといった感染に対して広く使用されています。感冒の最初の徴候が現れた時点で，発症を防ぐために摂取することがあります。また，感冒様症状やインフルエンザ様症状が出てから，症状を軽くしたり治癒を促進したりするために摂取することもあります。

そのほか，尿路や耳，咽喉の感染などに対しても用いられますが，これらの用途を十分に裏づける科学的エビデンスはありません。

せつ，皮膚創傷，熱傷の治療のために皮膚に塗布することもあります。

市販のエキナセア製品は，錠剤，ジュース，茶など，さまざまな形態で提供されています。

市場のエキナセア製品の中には，品質が懸念されるものもあります。ラベル表示が不適正なエキナセア製品は多く，記載があるにもかかわらずエキナセアを含んでいない製品さえあります。「標準化」と記載されていても，必ずしも正確な表示とはかぎらないため，注意してください。エキナセア製品の中には，セレン，ヒ素，鉛などに汚染されているものもあります。

・新型コロナウイルス感染症（COVID-19）。
　COVID-19に対してエキナセアの使用を裏付ける十分なエビデンス（科学的根拠）はありません。

安　全　性

エキナセアの経口摂取は，短期間であれば，ほとんどの人に安全のようです。液体や固体など，さまざまな形態のエキナセアが，最長10日間まで安全に使用されています。最長６カ月間まで安全に使用されている製品もあります。

発熱，吐き気，嘔吐，味覚異常，胃痛，下痢，咽喉痛，口内乾燥，頭痛，舌の無感覚症，めまい感，不眠，失見当識，関節痛，筋肉痛などの副作用が報告されています。まれに，肝臓の炎症を引き起こすことが報告されています。

エキナセアを皮膚へ塗布すると，発赤，そう痒または皮疹を引き起こすおそれがあります。

小児：エキナセアを経口摂取する場合には，短期間であれは，おそらく安全です。２～11歳のほとんどの小児には安全のようです。ただし，２～11歳の小児の約７％に，アレルギー反応による皮疹が起きるおそれがあります。小児によっては，エキナセアのアレルギー反応が重度なものとなることがあります。このため，12歳未満の小児にはエキナセアを投与しないように推奨している規制機関もあります。

アトピー（遺伝性のアレルギー体質）：アトピーの場合には，エキナセアにアレルギー反応を起こしやすいおそれがあります。アトピーの場合には，エキナセアへの曝露を避けたほうがよいでしょう。

多発性硬化症（MS），ループス（全身性エリテマトーデス，SLE），関節リウマチ（RA），尋常性天疱瘡（皮膚疾患）などの自己免疫疾患：エキナセアが，免疫システムに影響を与え，これらの疾患を悪化させるおそれがあります。自己免疫疾患の場合には，エキナセアを使用してはいけません。

●アレルギー

エキナセアは，ブタクサ，キク，マリーゴールド，デイジーなどにアレルギーがある小児および成人に，アレルギー反応を引き起こしやすいおそれがあります。アレルギーがある場合には，エキナセアを摂取する前に医師などに相談してください。

●妊娠中および母乳授乳期

妊娠中：妊娠中のエキナセアの経口摂取は，短期間であれば，おそらく安全です。妊娠初期のエキナセア摂取が，胎児に悪影響を与えず，安全である可能性を示唆するエビデンスが複数あります。ただし，今後の研究により十分な確証が得られるまでは，安全性を考慮し，摂取は避けたほうがよいでしょう。

母乳授乳期：母乳授乳期の使用の安全性についてはデータが不十分です。安全性を考慮し，摂取は避けてください。

有 効 性

◆有効性レベル③

・感冒。成人または12歳以上の小児が感冒症状に気づいた時点で特定のエキナセア製品を摂取すると，症状がわずかに緩和する可能性があることが，多くの研究で示されています。ただし，利益がないとする研究もあります。研究によって，使用するエキナセアの植物の種類や調合方法が異なることが問題です。研究に使用した製品に一貫性がなければ，結果に一貫性がないのも当然です。エキナセア製品が感冒の治療に役立つとしても，その有益性は大きなものではないでしょう。エキナセアの感冒予防効果についての研究結果も一致していません。エキナセアの摂取により，感冒に罹患するリスクが10～58%低下する可能性を示唆する研究もありますが，感冒のウイルスにさらされると，エキナセアを摂取しても感冒を予防できないことを示唆する研究もあります。

◆科学的データが不十分です

・不安，運動能力，歯肉炎，単純ヘルペスウィルス（性器ヘルペスや口唇ヘルペス），ヒトパピローマウイルス（HPV）による肛門疣贅（いぼ），インフルエンザ，化学療法に関連する白血球数低下，中耳炎，扁桃炎，ぶどう膜炎（眼の炎症），疣贅（いぼ），注意欠陥多動障害（ADHD），ハチ刺傷，血流感染，慢性疲労症候群（CFS），ジフテリア，めまい感，湿疹，花粉症などのアレルギー，HIV/エイズ，消化不良，マラリア，片頭痛，疼痛，ガラガラヘビ咬傷，関節リウマチ（RA），連鎖球菌感染，ブタインフルエンザ，梅毒，チフス，尿路感染（UTI），酵母菌感染など。

●体内での働き

エキナセアは，炎症を緩和する体内化学物質を活性化し，感冒およびインフルエンザの症状を緩和する可能性があります。

エキナセアが体内の免疫システムを刺激する可能性を示唆する研究もありますが，ヒトに関するエビデンスはありません。

エキナセアにはまた，酵母菌などの真菌類を直接攻撃する可能性のある化学物質が含まれているようです。

医薬品との相互作用

中エトポシド

エトポシドは体内で代謝されます。エキナセアはエトポシドの代謝を抑制する可能性があります。エキナセアとエトポシドを併用すると，エトポシドの副作用が増強するおそれがあります。

低エトラビリン

エトラビリンは体内で代謝されます。エキナセアはエトラビリンの代謝に影響を及ぼす可能性があります。エキナセアとエトラビリンを併用すると，エトラビリンの副作用が増強したり，作用が減弱するおそれがあります。しかし，ヒトでは確認されていません。

中カフェイン

カフェインは体内で代謝されてから排泄されます。エキナセアはカフェインの代謝を抑制する可能性があります。エキナセアとカフェインを併用すると，血中のカフェイン濃度が過剰になり，カフェインの副作用のリスクが高まるおそれがあります。一般的な副作用には，神経過敏，頭痛，動悸などがあります。

低ダルナビル エタノール付加物

ダルナビル エタノール付加物は体内で代謝されてから排泄されます。エキナセアはダルナビル エタノール付加物の体内での代謝に影響を及ぼす可能性があります。エキナセアとダルナビル エタノール付加物を併用すると，ダルナビル エタノール付加物の副作用のリスクが高まったり，作用が減弱するおそれがあります。ただし，ヒトでは確認されていません。

低ドセタキセル水和物

ドセタキセル水和物は体内で代謝されてから排泄されます。エキナセアはドセタキセル水和物の代謝に影響を及ぼす可能性があります。エキナセアとドセタキセル水和物を併用すると，ドセタキセル水和物の副作用のリスクが高まったり，作用が減弱するおそれがあります。ただし，ヒトでは確認されていません。

低ミダゾラム

ミダゾラムは体内で代謝されます。エキナセアはミダゾラムの代謝に影響を及ぼすようです。ミダゾラムとエキナセアを併用すると，ミダゾラムの副作用が増強したり，作用が減弱するおそれがあります。エキナセアのミダゾラムに対する作用については十分に明らかではありません。

低ロピナビル・リトナビル配合

ロピナビル・リトナビル配合剤は体内で代謝されます。エキナセアはロピナビル・リトナビル配合剤の代謝に影響を及ぼす可能性があります。エキナセアとロピナビル・リトナビル配合剤を併用すると，ロピナビル・リトナビル配合剤の副作用が増強したり，作用が減弱するおそれがあります。しかし，ヒトでは確認されていません。

低ワルファリンカリウム

ワルファリンカリウムは血液凝固を抑制するために用いられます。ワルファリンカリウムは体内で代謝されてから排泄されます。エキナセアはワルファリンカリウムの代謝を促進させて働きを弱める可能性があります。そのため，血液凝固のリスクが高まるおそれがあります。定期的に血液検査をしてください。ワルファリンカリウムの用量を変更する必要があるかもしれません。

中肝臓で代謝される医薬品（シトクロムP450 1A2（CYP1A2）の基質となる医薬品）

特定の医薬品は肝臓で代謝されます。エキナセアはこのような医薬品の代謝を抑制する可能性があります。エキナセアと肝臓で代謝される医薬品を併用すると，医薬品の作用および副作用が増強するおそれがあります。このような医薬品には，クロザピン，Cyclobenzaprine，フルボキサミンマレイン酸塩，ハロペリドール，イミプラミン塩酸塩，メキシレチン塩酸塩，オランザピン，塩酸ペンタゾシン，プロプラノロール塩酸塩，Tacrine，テオフィリン，Zileuton，ゾルミトリプタンなどがあります。

中肝臓で代謝される医薬品（シトクロムP450 3A4（CYP3A4）の基質となる医薬品）

特定の医薬品は肝臓で代謝されます。エキナセアはこのような医薬品の代謝に影響を及ぼす可能性があります。エキナセアと肝臓で代謝される医薬品を併用すると，医薬品の作用および副作用が増強または減弱する場合があります。このような医薬品には，Lovastatin，クラリスロマイシン，シクロスポリン，ジルチアゼム塩酸塩，エストロゲン（卵胞ホルモン）製剤，インジナビル硫酸塩エタノール付加物（販売中止），トリアゾラムなど数多くあります。

中免疫抑制薬

エキナセアは免疫機能の作用を高める可能性があります。エキナセアと特定の免疫抑制薬を併用すると，免疫抑制薬の働きが弱まるおそれがあります。このような免疫抑制薬には，アザチオプリン，バシリキシマブ，シクロスポリン，Daclizumab，ムロモナブ-CD３（販売中止），ミコフェノール酸モフェチル，タクロリムス水和物，シロリムス，Prednisone，副腎皮質ステロイド（グルココルチコイド）などがあります。

ハーブおよび健康食品・サプリメントとの相互作用

ほかのハーブ，健康食品・サプリメントとの相互作用についてはまだ明らかではありません。

使用量の目安

●経口摂取

感冒

感冒の治療には，ムラサキバレンギクのエキス５mLを１日２回，10日間摂取します。またはムラサキバレンギクのエキス20滴を水に溶かして，感冒症状が現れた初日に２時間おきに摂取し，その後は１日３回，最長10日間摂取します。または，ムラサキバレンギクの植物全体のエキス４mLを，感冒症状が現れた初日に10回，その後は１日４回，６日間摂取します。またはムラサキバレンギクの植物全体のエキス５mLを，感冒症状が現れた初日に８回，その後は１日３回，６日間摂取します。またはさまざまなエキナセア種を含む茶を，感冒症状が現れた初日に５～６回，その後は１日１杯減らして５日間摂取します。感冒の予防には，特定のエキナセアのエキス0.9mLを１日３回（計１日2,400mg），４カ月間摂取します。感冒の徴候が現れた場合には，初日から0.9mLを１日５回（計１日4,000mg）に増量します。

エクオール

EQUOL

●代表的な別名

7,4'-ジヒドロキシイソフラボン

別名ほか

(3S)-3-(4-Hydroxyphenyl)-7-chromanol，4',7-isoflavandiol，7,4'-dihydroxy-isoflavan，7-hydroxy-3-(4'-hydroxyphenyl)-chroman，SE5-OH，S-equol

概　　要

エクオールは大豆由来の成分です。大豆の消化プロセスにおいて，腸内にある特定のバクテリアが大豆中の化学物質をエクオールに変えます。しかし，大豆中の化学物質を分解してエクオールを生成することのできる人は30～60％しかいません。いくつかの研究によりますと，大豆をエクオールに分解できる人は，より多くの健康効果を大豆から得られるようです。このような人を「エクオール・プロデューサー（equol producers）」と呼びます。

エクオールは，顔面紅潮（ほてり）など女性における更年期障害の症状を和らげるために使われています。また，骨粗鬆症の予防や，皮膚の皺を軽減させるためにも使われています。その他の用途としては，メタボリック

相互作用レベル：高この医薬品と併用してはいけません　中この医薬品とは慎重に併用するか併用しないでください　低この医薬品との併用には注意が必要です

シンドロームの予防，血管疾患の予防，高コレステロール血症および糖尿病の治療，乳がんおよび前立腺がんの予防などに使われています。

エクオールにはR-エクオールとS-エクオールという２種類の形があります。ほとんどのエクオール製品はS-エクオールを使用しています。

安全性

１年を上限としたエクオール・サプリメントの摂取はおそらく安全です。エクオールを摂取すると，便秘，鼓腸症，めまいなどの軽度の副作用が起こることがあります。

乳がん：乳がん患者がエクオールを摂取したときの副作用については，まだ明らかになっていません。いくつかの研究では，エストロゲンと似た作用をもつエクオールが特定の乳がんを増やす原因になる可能性があるという結果が出ていますが，他の研究ではエクオールは乳がんに対して予防効果があるという結果が出ています。信頼のおけるデータが十分ではないので，乳がん患者，乳がんの既往歴がある人，乳がん家系の人は，さらなる研究が進むまでエクオールの使用を避けた方が良いでしょう。

●アレルギー

発疹などのアレルギー反応が一部の人で見られることがあります。

●妊娠中および母乳授乳期

妊娠中および母乳授乳期の使用の安全性についてはデータが不十分です。安全性を考慮し，摂取は避けてください。

有効性

◆有効性レベル③

- 更年期障害。大塚製薬製造のS-エクオールを経口摂取することによって，体内で大豆からエクオールの生成できない女性における顔面紅潮（ほてり）などの更年期障害の症状を軽減させる効果があるようです。

◆科学的データが不十分です

- メタボリックシンドローム。初期研究の結果によりますと，S-エクオールは体重過多の男女において，メタボリックシンドロームになるリスク（ある疾病に罹患する率。あるいはある疾病で死亡する率）を軽減する可能性があるようです。
- 骨粗鬆症。大豆からエクオールを生成できない閉経前後の女性がS-エクオールを摂取することにより，骨密度低下を軽減するという研究結果があります。
- 皮膚の皺。大豆からエクオールを生成できない閉経後の女性がS-エクオールを摂取すると目尻のしわを軽減できるという研究結果があります。
- 乳がん，糖尿病，心疾患，高コレステロール血症，前立腺がん。

●体内での働き

エクオールはエストロゲンと似たような働きを持つ化学物質です。ただし，エストロゲンと比べるとその効果はかなり弱いと考えられます。

医薬品との相互作用

中エストロゲン（卵胞ホルモン）製剤

エストロゲンは体内である特定のタンパク質に結びつくものと，結合しないものがあり，非結合型エストロゲン（遊離型エストロゲン）が体内で作用します。エクオールには遊離型エストロゲン量を増加させる働きがあるようです。エクオールをエストロゲン製剤と併用すると，エストロゲン補充療法の副作用を増大させるおそれがあります。このような副作用には頭痛，乳房の圧痛，体重増加があります。このようなエストロゲン製剤には，結合型エストロゲン，エチニルエストラジオール，エストラジオールなどがあります。

中テストステロンエナント酸エステル

テストステロンは体内である特定のタンパク質に結びつくものと，何にも結合しないものがあり，非結合型テストステロン（遊離型テストステロン）が体内で作用します。エクオールには遊離型テストステロン量を増加させる働きがあるようです。エクオールをテストステロンエナント酸エステルと併用すると，テストステロン補充療法の副作用を増大させるおそれがあります。このような副作用には，ざ瘡（にきび），頭痛，体重増加，男性における乳房の発達があります。

中避妊薬

避妊薬の中には，エストロゲンを含むものがあります。エストロゲンは体内である特定のタンパク質と結合するものと，結合しないものがあり，非結合型のエストロゲン（遊離型エストロゲンといいます）が体内で作用します。エクオールと避妊薬を併用すると，遊離型エストロゲンの量が増加し，避妊薬の副作用（頭痛，乳房の圧痛，月経痛，体重増加）のリスクが高まるおそれがあります。このような避妊薬には，エチニルエストラジオール・レボノルゲストレル配合，エチニルエストラジオール・ノルエチステロン配合などがあります。

低利尿薬

エクオールは利尿薬と似たような働きをします。エクオールと利尿薬を併用することにより，利尿薬の副作用が増大されるおそれがあります。このような副作用には血圧低下，めまい，脱水などがあります。このようは利尿薬にはクロロチアジド(販売中止)，クロルタリドン(販売中止)，フロセミド，ヒドロクロロチアジド，スピロノラクトンなどがあります。

ハーブおよび健康食品・サプリメントとの相互作用

大豆

大豆からエクオールを体内で生成できる人がいます。このような人がエクオールと大豆および大豆イソフラボンを併用すると，エクオールの副作用を増大させるおそ

有効性レベル：①効きます　②おそらく効きます　③効くと断言できませんが、効能の可能性が科学的に示唆されています
④効かないかもしれません　⑤おそらく効きません　⑥効きません

れがあります。

通常の食品との相互作用

食品

エクオールを食品と同時に，あるいは食事直後に摂取すると，エクオールの体内での吸収が若干遅くなります。エクオール・サプリメントを使用する場合には，食事の前に摂取することをお勧めします。

大豆

大豆からエクオールを体内で生成できる人がいます。このような人がエクオールと大豆を一緒に摂取すると，エクオールの副作用を増大させるおそれがあります。

使用量の目安

●経口摂取

顔面紅潮（ほてり）などの更年期障害の症状

1日10～40mgを複数回に分けて摂取。

骨粗鬆症予防

1日10mg。

皮膚のしわの軽減

1日2回，1回5mgまたは15mg。

メタボリックシンドローム

1日10mg。

エクジステロイド

ECDYSTEROIDS

●代表的な別名

α-エクジソン，β-エクジソン

別名ほか

2-Deoxy-20-Hydroxyecdysone，2-デオキシ-20-ヒドロキシエクジソン，2-Deoxyecdysone，2-デオキシエクジソン，5-alpha-Sileneoside E，9，11-Didehydropoststerone，11-alpha-hydroxypoststerone，20-Hydroxy-Ecdysterone，20-Hydroxyecdysone，20-ヒドロキシエクジソン，20-Hydroxy-Beta-Ecdysterone，25-Hydroxydacryhainansterone，Ajugasterone，アジュガステロン，Alfa-ecdysone，α-エクジソン，Beta-ecdysone，β-エクジソン，β-エクダイソン，Beta Ecdysterone，β-エクジステロン，Commisterone，コンミステロン，Cyasterone，シアステロン，Dacryhainansterone，Ecdisten，エクジステン，Ecdysone，エクジソン，エクダイソン，Ecdystérone，Ecdysterona，GS-E，Hydroxyecdysterone，ヒドロキシエクジステロン，Isoinokosterone，イソイノコステロン，Muristerone A，ムリステロンA，Phytoecdysteroid，フィトエクジステロイド，Polypodine B，ポリポジンB，Ponasterone A，ポナステロンA，RG-102240，Rubrosterone，ルブロステロン，Sileneoside A，シレネオシドA，Sileneoside C，シレネオシドC，Turkesterone，ツルケステロン，Viticosterone E，ビチコステロンE，Zooecdysteroid，動物エクジステロイド

概　要

エクジステロイドは，昆虫，特定の水生動物，一部の植物にみられる化学物質です。「くすり」として用いることもあります。

エクジステロイドは，筋肉量の増加，運動能力の向上に対してもっとも一般的に使用されますが，このような用途を裏付ける十分な科学的根拠（エビデンス）はありません。

安 全 性

エクジステロイドの安全性や副作用については情報が不十分です。

●妊娠中および母乳授乳期

妊娠中および母乳授乳期のエクジステロイドの使用については情報が不十分です。安全性を考慮し，摂取は避けてください。

有 効 性

◆科学的データが不十分です

・筋肉増強，運動能力の向上，がん，感染症，糖尿病，椎間板変性，パーキンソン病，腎線維化など

●体内での働き

エクジステロイドの構造は，男性ホルモンのテストステロンに類似していますが，ヒトの体内において，テストステロンと同様に作用するという科学的根拠（エビデンス）はありません。

医薬品との相互作用

ほかの医薬品との相互作用については明らかではありません。

ハーブおよび健康食品・サプリメントとの相互作用

ほかのハーブ，健康食品・サプリメントとの相互作用についてはまだ明らかではありません。

使用量の目安

エクジステロイドの適量は複数の要因（年齢，健康状態などさまざまな状況）により異なります。現時点ではエクジステロイドの適量の範囲を決定する十分な科学的根拠（エビデンス）はありません。自然由来の製品は必ずしも常に安全ではなく，使用量が重要になりうることに留意してください。製品の表示にある注意事項に従い，また，医師・薬剤師などに相談することなく製品を使用しないでください。

エゴノキ

STORAX

●代表的な別名

紅葉葉楓

別名ほか

モミジバフウ，紅葉葉楓（Liquidamber styraciflua），ゴムの木（Gum Tree），ガム，サップガム，レッドガム（Red Gum），スイートガム（Sweet Gum），American Storax, Balsam Styracis, Balsamum Styrax Liquidus, Copalm, Estoraque Liquido, Levant Storax, Liquid Amber, Liquid Storax, Liquidamber orientalis, Opossum Tree, White Gum

概要

エゴノキは，Liquidambar orientalis（Levant storax）やLiquidambar styraciflua（American storax）の木の幹から採取する油分の多い樹脂（バルサム）です。「くすり」として用いられます。

エゴノキは，初夏に切り口をつけておいた樹皮を，秋頃に剥離して採取します。樹皮を冷たい水と沸騰した湯で交互に圧縮すると，エゴノキの粗液体が採取できます。ペルーバルサムと同様の効果があると考えられています。

エゴノキは，食品の香料や固定剤として用いられます。

製品としては，石けんや香水の香料や固定剤として用いられます。ナンキンムシを駆除する燻蒸剤としても用いられます。顕微鏡のプレパラートとしても用いられます。

安全性

通常の食品に含まれている量の摂取は安全です。適量を「くすり」として摂取する場合には，ほとんどの人に安全のようです。

中程度の量で下痢および皮疹などの副作用を生じることがあります。

経口で大量摂取したり，開放創に大量塗布したりしないでください。腎障害などの重篤な副作用を引き起こすことがあります。

●妊娠中および母乳授乳期

妊娠中および母乳授乳期の使用の安全性についてはデータが不十分です。安全性を考慮し，摂取は避けてください。

有効性

◆科学的データが不十分です

・がん，感冒，咳，下痢，てんかん，寄生虫症，疥癬，および咽頭痛。皮膚に塗布する場合には，潰瘍および創傷保護など。

●体内での働き

エゴノキは，殺菌成分を含んでいます。

医薬品との相互作用

ほかの医薬品との相互作用については明らかではありません。

ハーブおよび健康食品・サプリメントとの相互作用

ほかのハーブ，健康食品・サプリメントとの相互作用についてはまだ明らかではありません。

使用量の目安

●経口摂取

標準使用量に関するデータがありません。

●局所投与/吸入摂取

エゴノキは局所的に用い，また吸入器を使用して吸入摂取されます。複合製品が市販されています。

S-アデノシルメチオニン（SAMe）

SAMe

●代表的な別名

S-アデノシル-Lメチオニン

別名ほか

Ademetionine，アデノシルメチオニン（Adenosylmethionine），S-アデノシル-Lメチオニン（S-Adenosyl-L-Methionine），S-アデノシルメチオニン（S-Adenosylmethionine），S-Adenosyl-Methionine, S-Adenosyl methionine，SAM-e，Sammy

概要

S-アデノシルメチオニン（SAMe）は，体内で合成される化学物質です。さまざまな反応に関与します。実験室内で人工的に合成することもできます。

アメリカでは1999年以降，健康食品・サプリメントとして販売されていますが，イタリアでは1979年以降，スペインでは1985年以降，ドイツでは1989年以降，処方薬として用いられています。

●要説（ナチュラル・スタンダード）

S-アデノシルメチオニンは，必須アミノ酸であるメチオニンと，エネルギー源であるアデノシン三リン酸（ATP）という分子の化学反応により，体内で合成されます。体内のさまざまな化学反応に関与します。

S-アデノシルメチオニンは，精神疾患，不妊症，肝疾患，月経前症候群，および筋骨格疾患の治療に用いられています。

S-アデノシルメチオニンは，変形性関節症およびうつ病に関して，広い研究がなされています。変形性関節症の痛みを軽減する効果があるというエビデンスがありま

エ

す。

S-アデノシルメチオニンは，うつ病，線維筋痛症，および妊娠中の胆汁流量に関する疾患に対する効果があるというエビデンスもあります。炎症および痛みを緩和する効果についての研究も進んでいますが，結果を出すにはより質の高い研究が必要です。

安 全 性

ほとんどの人に安全のようです。

多量に摂取すると，腸内ガス，腫脹，嘔吐，下痢，便秘，口渇，頭痛，軽度の不眠症，食欲不振，発汗，めまい，および神経症を引き起こすおそれがあります。

うつ病患者には不安感を起こすおそれがあります。ほかにも，皮膚の発疹，注射部位の膿瘍（膿汁の蓄積），不整脈，興奮性，神経過敏，攻撃性気分異常，自殺リスクの上昇，血便，視界不良，排尿の変化，うっ血，呼吸困難，食欲減退，唾液増加，口渇，眠気，疲労感，脱力感，記憶力障害，集中力の欠如，胸やけ，肝臓酵素値の上昇，静脈炎，脱毛などの副作用があります。

双極性障害：うつ状態からそう状態への転換を引き起こすおそれがあります。使用は避けてください。

パーキンソン病:症状を悪化させるおそれがあります。

手術：中枢神経系に影響を与え，手術に影響を及ぼすおそれがあります。少なくとも手術前２週間は，使用しないでください。

高血圧症：高血圧症の場合，血圧に影響を与える医薬品，ハーブおよび健康食品・サプリメントを摂取している場合には，注意して使用してください。

糖尿病：糖尿病，低血糖の場合，血糖値に影響を与える医薬品，ハーブおよび健康食品・サプリメントを摂取している場合には，注意して使用してください。

●妊娠中および母乳授乳期

妊娠中および母乳授乳期の使用の安全性についてはデータが不十分です。出産前３カ月のうち４週間未満であれば，適正量の静脈注射による摂取はおそらく安全ですが，安全性を考慮し，摂取は避けてください。

有 効 性

◆有効性レベル②

・変形性関節症。アスピリンや類似医薬品と同様の効き目がありますが，薬効がでるまでに２倍の時間がかかるかもしれません。関節炎患者が楽になるまで，１カ月ほど摂取する必要性があります。注射で摂取すると，うつ病を発症します。

・うつ病。S-アデノシルメチオニンを摂取することにより，重度のうつ病の症状を緩和するとみられています。複数の研究データによれば，ある種の医療用医薬品（三環系抗うつ薬）と同程度の効果の可能性があると記されています。

◆有効性レベル③

・錠剤として使用した場合の線維筋痛症の治療。

・肝疾患。

・HIV/エイズ関連の神経異常の一部症状。

・肝臓から胆のうへ流れる胆汁量の低下。

◆科学的データが不十分です

・心疾患，不安感，滑液嚢炎，腱炎，慢性腰痛，知能の向上，月経前症候群，月経前不機嫌性（不快気分）障害，注意欠陥多動性障害，慢性疲労症候群，アルコール性の肝疾患，若さの維持，多発性硬化症，脊髄損傷，痙攣発作，片頭痛，ほか。

●体内での働き

体内ではS-アデノシルメチオニンを原料として，痛み，うつ病，肝疾患などに対処する役割を果たす物質を生成します。不足がちの人は，サプリメントで摂取を補える可能性があります。

医薬品との相互作用

中レボドパ

レボドパはパーキンソン病の治療に用いられます。S-アデノシルメチオニン（SAMe）は，レボドパを体内で化学的に変化させ，レボドパの効果を弱める可能性があります。SAMeとレボドパを併用すると，パーキンソン病が悪化するおそれがあります。レボドパを服用中にSAMeを摂取しないでください。

中セロトニン作用薬

S-アデノシルメチオニン（SAMe）は脳内物質のセロトニンを増加させます。特定の医薬品もセロトニンを増加させます。SAMeとこのような医薬品を併用すると，セロトニンが過剰に増加するおそれがあります。そのため，重大な副作用（激しい頭痛，心臓の異常，悪寒戦慄，錯乱，不安など）が現れるおそれがあります。このような医薬品には，塩酸フルオキセチン（販売中止），パロキセチン塩酸塩水和物，塩酸セルトラリン，アミトリプチリン塩酸塩，クロミプラミン塩酸塩，イミプラミン塩酸塩，スマトリプタン，ゾルミトリプタン，リザトリプタン安息香酸塩，メサドン塩酸塩，トラマドール塩酸塩など数多くあります。

ハーブおよび健康食品・サプリメントとの相互作用

ほかのハーブ，健康食品・サプリメントとの相互作用についてはまだ明らかではありません。

使用量の目安

●経口摂取

うつ病

１日400～1,600mgを摂取します。臨床試験では大体，１日1,600mgを使用しています。

変形性関節症

通常，１回200mgを１日３回摂取します。

アルコール性肝臓疾患または肝硬変

１日1,200～1,600mgを摂取します。

肝内胆汁うっ滞

1回800mgを1日2回摂取します。

繊維筋痛

1日800mgを摂取します。

●非経口投与

うつ病

1日200～400mgを静注，または筋注で投与。三環系抗うつ薬との併用で抗うつ効果発現のスピードアップを目的に使用する場合，抗うつ薬療法の最初の2週間に，筋肉内投与によりS-アデノシルメチオニン200mgを投与します。

変形性関節症

1日400mgを静注にて投与。

肝内胆汁うっ滞

1日800mgを静注にて投与。

妊娠性肝内胆汁うっ滞

1日800mgを静注で投与。

エイズ関連ミエロパシー

1日800mgを静注で14日間投与します。

エゾウコギ

SIBERIAN GINSENG

別名ほか

Acanthopanax Obovatus, Acanthopanax Obovatus Hoo, Acanthopanax senticosus, Buisson du Diable, Ci Wu Jia, Ciwujia, Ciwujia Root, Ciwujia Root Extract, Devil's Bush, Devil's Shrub, Éleuthéro, Eleuthero Extract, Eleuthero Ginseng, Eleuthero Root, Eleutherococci Radix, Eleutherococcus senticosus, Éleuthérocoque, Ginseng de Sibérie, Ginseng des Russes, Ginseng Root, Ginseng Siberiano, Ginseng Sibérien, Hedera senticosa, North Wu Jia Pi, Phytoestrogen, Plante Secrète des Russes, Poivre Sauvage, Prickly Eleutherococcus, Racine d'Eleuthérocoque, Racine de Ginseng, Racine Russe, Russian Root, Shigoka, Siberian Eleuthero, Siberian Ginseng, Thorny Bearer of Free Berries, Touch-Me-Not, Untouchable, Ussuri, Ussurian Thorny Pepperbrush, Wild Pepper, Wu Jia Pi, Wu-jia

概　　要

エゾウコギは植物です。根を用いて「くすり」を作ることもあります。

エゾウコギはしばしば「アダプトゲン」と呼ばれます。アダプトゲンとは非医学用語で，身体を強くし，日々のストレスに対する全般的な抵抗力を増強すると考えられる物質を指します。

エゾウコギはアダプトゲンとして用いられるほか，高血圧，低血圧，動脈硬化，リウマチ性心疾患などの心血管疾患に対して用いられます。

また腎疾患，アルツハイマー病，注意欠陥多動障害（ADHD），慢性疲労症候群，糖尿病，高コレステロール血症，末梢神経障害，線維筋痛症，関節リウマチ，二日酔い症状の緩和，インフルエンザ，感冒，慢性気管支炎，結核に対して用いられます。そのほか，がん化学療法の副作用を治療する目的で用いられます。

運動能力や作業能力を向上させる目的や，不眠，単純ヘルペス2型による感染症状の治療に用いられることもあります。

さらに免疫システムの活性化，感冒予防，食欲増進の目的で用いられます。

製造業では，スキンケア製品に添加されます。

エゾウコギとほかのジンセン類を混同してはいけません。エゾウコギはアメリカジンセン（アメリカ人参）や朝鮮人参とは異なるハーブです。製品を選ぶ際は注意してください。アメリカジンセン（アメリカ人参）と朝鮮人参はエゾウコギよりはるかに高価なことがあります。数年前，ソビエト連邦がジンセン類による効果を運動選手に提供するために，価格の低いジンセン類を求めたといわれています。そのため，エゾウコギの人気が高まり，エゾウコギの研究のほとんどはロシアで行われています。

エゾウコギ製品の品質にはさまざまなものがあります。ほかのハーブが誤って用いられることはよくあり，製品の便益とならない混ぜ物が大量に含まれているものもあります。エゾウコギにはsilk vine（ペリプロカ グラエカ，Periploca graeca）が混ぜ物としてよく用いられています。

何か医薬品を服薬している場合は，エゾウコギを摂取する前に医師などに相談してください。エゾウコギには多くの処方薬との相互作用があります。

安　全　性

エゾウコギは，短期間経口摂取する場合は，ほとんどの成人に安全のようです。副作用はまれですが，人によっては傾眠，心調律の変化，憂うつ，不安，筋痙攣などが起こるおそれがあります。高用量では，血圧の上昇が起きるおそれがあります。

長期間経口摂取する場合や短期間静脈内投与する場合は，ほとんどの成人におそらく安全です。ジオウ（地黄），カルシウム，ビタミンDと併用で最長1年間経口摂取されています。静脈内投与は最長2週間まで実施されています。

小児：エゾウコギは10代の少年・少女（12～17歳）が経口摂取する場合，最長6週間までならおそらく安全です。10代の少年・少女が長期間摂取する場合の安全性についてはデータが不十分です。

出血性疾患：エゾウコギには血液凝固を抑制する可能性のある化学物質が含まれています。理論上は，出血性疾患がある場合にエゾウコギを摂取すると出血や紫斑のリスクが高まるおそれがあります。

心疾患：エゾウコギは動悸，脈拍不整，高血圧を引き起こすおそれがあります。心疾患（動脈硬化，リウマチ性心疾患，心臓発作の既往歴など）がある場合は，医師などの管理下でのみ使用してください。

糖尿病：エゾウコギは血糖値を上昇させたり低下させたりする可能性があるため，理論上は，糖尿病患者の血糖コントロールに影響を及ぼすおそれがあります。糖尿病があり，エゾウコギを摂取する場合は血糖値を注意深く監視してください。

乳がん，子宮がん，卵巣がん，子宮内膜症，子宮線維腫などのホルモン感受性疾患：エゾウコギはエストロゲンのように作用するおそれがあります。エストロゲンにさらされると悪化するおそれのある疾患の場合には，エゾウコギを使用してはいけません。

高血圧：血圧が180/90を超える人はエゾウコギを使用してはいけません。高血圧を悪化させるおそれがあります。

躁病や統合失調症などの精神疾患：エゾウコギはこれらの疾患を悪化させるおそれがあります。注意して使用してください。

●妊娠中および母乳授乳期

妊娠中および母乳授乳期の使用の安全性についてはデータが不十分です。安全性を考慮し，摂取は避けてください。

有　効　性

◆有効性レベル③

・双極性障害。双極性障害患者がエゾウコギとリチウムを6週間経口摂取すると，リチウムと塩酸フルオキセチン（販売中止）の併用とほぼ同じ奏効率と寛解率を得るようです。
・アンドログラフィスとの併用による感冒症状の緩和。一部の臨床研究では，エゾウコギとアンドログラフィスを含む特定の併用製品を感冒の症状発現後72時間以内から経口摂取すると，症状が改善することが示されています。一部の症状は摂取から2日後に改善する可能性があります。ただし，最大の効果を得るには通常4～5日間かかります。小児では，この併用製品はエキナセアより効果が高いことが一部の研究から示唆されています。また，エゾウコギ，エキナセア，アダトダ・ヴァシカを含む特定の製品を6日間摂取すると，医薬品「ブロムヘキシン」よりも咳とうっ血を改善するようです。
・糖尿病。2型糖尿病患者がエゾウコギエキスを摂取すると，血糖値が低下するようです。
・単純ヘルペスウイルス2型（HSV-2）感染。エレウテロシドという成分を0.3%含むよう標準化された特定のエゾウコギエキスを摂取すると，単純ヘルペス2型感染の頻度，重症度および継続期間が低下するようです。

◆科学的データが不十分です

・運動能力の改善，慢性疲労症候群，精神機能，家族性地中海熱，二日酔い，心疾患，高コレステロール血症，インフルエンザ，ストレス，脳卒中，変形性関節症，骨粗鬆症，肺炎，生活の質，アルツハイマー病，注意欠陥多動障害（ADHD），覚醒，気管支炎，化学療法の副作用，疲労，線維筋痛症，腎疾患，酸素濃度低下，乗物酔い，結核など。

●体内での働き

エゾウコギには脳や免疫システム，ある種のホルモンに影響を及ぼす化学物質が多数含まれています。一部の細菌やウイルスに活性を示す化学物質も含まれている可能性があります。

医薬品との相互作用

中ジゴキシン

ジゴキシンには強心作用があります。また，エゾウコギを含むと考えられる健康食品を摂取して体内のジゴキシン量が過剰になった事例が1件あります。しかし，この原因がエゾウコギなのか，同じ健康食品に含まれていたほかのハーブなのかについては明らかではありません。

中肝臓で代謝される医薬品（シトクロムP450 1A2（CYP1A2）の基質となる医薬品）

肝臓で代謝されやすい医薬品がありますが，エゾウコギはこの代謝を抑制するおそれがあります。肝臓で代謝される医薬品を服用しているときエゾウコギを摂取すると，その医薬品の作用が増強され，副作用が強く現れるおそれがあります。このような医薬品にはクロザピン，Cyclobenzaprine，フルボキサミンマレイン酸塩，ハロペリドール，イミプラミン塩酸塩，メキシレチン塩酸塩，オランザピン，塩酸ペンタゾシン，プロプラノロール塩酸塩，Tacrine，テオフィリン，Zileuton，ゾルミトリプタンなどがあります。

中肝臓で代謝される医薬品（シトクロムP450 2C9（CYP2C9）の基質となる医薬品）

肝臓で代謝される医薬品がありますが，エゾウコギがこの代謝を抑制することがあります。肝臓で代謝される医薬品を服用しているときエゾウコギを摂取すると，医薬品の作用が増強し，副作用が強く現れるおそれがあります。このような医薬品には，アミトリプチリン塩酸塩，ジアゼパム，Zileuton，セレコキシブ，ジクロフェナクナトリウム，フルバスタチンナトリウム，Glipizide，イブプロフェン，イルベサルタン，ロサルタンカリウム，フェニトイン，ピロキシカム，タモキシフェンクエン酸塩，トルブタミド（販売中止），トラセミド，ワルファリンカリウムなどがあります。

低肝臓で代謝される医薬品（シトクロムP450 2D6（CYP2D6）の基質となる医薬品）

肝臓で代謝される医薬品がありますが，エゾウコギはこの代謝を抑制するおそれがあります。このような医薬品を服用しているときにエゾウコギを摂取すると，その医薬品の作用が増強され，副作用が強く現れるおそれがあります。このような医薬品にはアミトリプチリン塩酸塩，クロザピン，コデインリン酸塩水和物，塩酸デシプラミン（販売中止），ドネペジル塩酸塩，フェンタニルクエン酸塩，フレカイニド酢酸塩，塩酸フルオキセチン（販売中止），ペチジン塩酸塩，メサドン塩酸塩，メトプロロール酒石酸塩，オランザピン，オンダンセトロン塩酸塩水和物，トラマドール塩酸塩，トラゾドン塩酸塩などがあります。

低肝臓で代謝される医薬品（シトクロムP450 3A4（CYP3A4）の基質となる医薬品）

肝臓で代謝される医薬品がありますが，エゾウコギはこの代謝を抑制するおそれがあります。肝臓で代謝されやすい医薬品を服用しているときにエゾウコギを摂取すると，その医薬品の作用が増強され，副作用が強く現れるおそれがあります。このような医薬品にはLovastatin，ケトコナゾール，イトラコナゾール，フェキソフェナジン塩酸塩，トリアゾラムなど多くの医薬品があります。

中血液凝固を抑制する医薬品（抗凝固薬/抗血小板薬）

エゾウコギは血液の凝固を抑える作用があると考えられています。血液凝固を抑制する医薬品を服用しているときにエゾウコギを摂取すると，紫斑および出血のリスクが高まると考えられます。このような医薬品には，アスピリン，クロピドグレル硫酸塩，ジクロフェナクナトリウム，イブプロフェン，ナプロキセン，ダルテパリンナトリウム，エノキサパリンナトリウム，ヘパリン，ワルファリンカリウムなどがあります。

中糖尿病治療薬

エゾウコギは血糖値を低下させることにより，血糖値に影響を及ぼす可能性があります。糖尿病治療薬もまた血糖値を低下させるために用いられます。エゾウコギと糖尿病治療薬を併用すると，血糖値が過度に低下するおそれがあります。血糖値を注意深く監視してください。糖尿病治療薬の用量を変更する必要があるかもしれません。このような糖尿病治療薬にはグリメピリド，グリベンクラミド，インスリン，ピオグリタゾン塩酸塩，マレイン酸ロシグリタゾン（販売中止），クロルプロパミド，Glipizide，トルブタミド（販売中止）などがあります。

中アルコール

アルコールを摂取すると眠気が生じることがありますが，エゾウコギも眠気を引き起こすと考えられています。多量のエゾウコギをアルコールとともに摂取すると過度の眠気を引き起こすおそれがあります。

中鎮静薬（中枢神経抑制薬）

エゾウコギは眠気を引き起こす可能性がありますが，鎮静薬も眠気を引き起こす医薬品です。鎮静薬を服用しているときにエゾウコギを摂取すると過度の眠気を引き起こすおそれがあります。このような鎮静薬には，クロナゼパム，ロラゼパム，フェノバルビタール，ゾルピデム酒石酸塩などがあります。

ハーブおよび健康食品・サプリメントとの相互作用

血糖値を低下させるおそれのあるハーブおよび健康食品・サプリメント

エゾウコギは血糖値を低下させるおそれがあります。エゾウコギと，血糖値を低下させるおそれのあるほかのハーブおよび健康食品・サプリメントを併用すると，血糖値が過度に低下したり，糖尿病薬の作用が減弱したりするおそれがあります。このようなハーブおよび健康食品・サプリメントには，ニガウリ，ショウガ，薬用ガレーガ，フェヌグリーク，クズ，ギムネマなどがあります。

血液凝固を抑制するおそれのあるハーブおよび健康食品・サプリメント

エゾウコギは血液凝固を抑制するおそれがあります。エゾウコギと，血液凝固を抑制するおそれのあるほかのハーブおよび健康食品・サプリメントを併用すると，紫斑や出血のリスクが高まるおそれがあります。このようなハーブおよび健康食品・サプリメントには，アンゼリカ，クローブ，タンジン，魚油，ニンニク，ショウガ，朝鮮人参，レッドクローバー，ウコン，ビタミンEなどがあります。

眠気および注意力低下を引き起こすおそれのあるハーブおよび健康食品・サプリメント

エゾウコギは鎮静薬のように作用するおそれがあるため，眠気および注意力低下を引き起こすおそれがあります。エゾウコギと，鎮静作用のあるほかのハーブおよび健康食品・サプリメントを併用すると，エゾウコギの作用および副作用が強まるおそれがあります。このようなハーブおよび健康食品・サプリメントには，ショウブ，ハナビシソウ，キャットニップ，ジャーマン・カモミール，ツボクサ，ホップ，ジャマイカ・ドッグウッド，カバ，レモンバーム，セージ，セント・ジョンズ・ワート，ササフラス，スカルキャップ，カノコソウ，ワイルドキャロット，ワイルドレタスなどがあります。

使用量の目安

●経口摂取

単純ヘルペス２型感染

エレウテロシドEを0.3%含むよう標準化されたエゾウコギエキスを１日400mg摂取します。

感冒

エゾウコギと，アンドログラホリドを４～5.6mg含むよう標準化された特定のアンドログラフィスエキスの併用製品400mgを１日３回摂取します。

エゾノチチコグサ

CAT'S FOOT

●代表的な別名

母子草

別名ほか

母子草，御形（Cudweed，Gnaphalium affine），アンテナリア・ディオイカ，キャッツフット（Antennaria dioica），ライフエバーラスティングフラワー（Life Everlasting），マウンテンエバーラスティング（Mountain Everlasting），Antennariase Dioicae Flos，Cat's Ear Flower，Katsenpfotchenbluten

概　要

エゾノチチコグサは植物です。生または乾燥させた花を用いて「くすり」を作ることもあります。"エゾノチチコグザ（cat's foot）"と呼ばれることのある，キャッツクロー（cat's claw）あるいはカキドオシ（ground ivy）と混同しないよう注意してください。

安 全 性

安全性についての十分なデータは得られていません。

●アレルギー

キク科のほかの植物やハーブにアレルギーのある人でアレルギー反応が起きることがあります。この植物の仲間には，デイジー，ブタクサ，キク，マリーゴールドほか，多くのハーブがあります。

●妊娠中および母乳授乳期

妊娠中および母乳授乳期の使用の安全性についてはデータが不十分です。安全性を考慮し，摂取は避けてください。

有 効 性

◆科学的データが不十分です

・腸疾患，体液貯留など。

●体内での働き

動物実験から，腸の痙攣を緩和し胆汁を増やすことが示されています。しかし，ヒトでどのように作用するかについては，十分なデータが得られていません。

医薬品との相互作用

ほかの医薬品との相互作用については明らかではありません。

ハーブおよび健康食品・サプリメントとの相互作用

ほかのハーブ，健康食品・サプリメントとの相互作用についてはまだ明らかではありません。

使用量の目安

標準使用量に関するデータがありません。

エゾミソハギ

PURPLE LOOSESTRIFE

●代表的な別名

ウイロウセージ

別名ほか

蝦夷禊萩，ミソハギ（Lythrum salicaria），ルーズストライフ（Loosestrife），スパイクドルーズストライフ（Spiked Loosestrife），Blooming Sally，Flowering Sally，Long Purples，Lythrum，Milk Willow-Herb，Purple Willow-Herb，Rainbow Weed，Salicaire，Soldiers，Willow Sage

概　要

エゾミソハギは植物です。花の部分を用いて「くすり」を作ることもあります。

安 全 性

安全性および副作用については不明です。

●妊娠中および母乳授乳期

妊娠中および母乳授乳期の使用の安全性についてはデータが不十分です。安全性を考慮し，摂取は避けてください。

有 効 性

◆科学的データが不十分です

・下痢，腸障害，月経愁訴，炎症，感染，患部に直接塗布する場合，静脈瘤，歯肉出血，痔核，湿疹など。

●体内での働き

タンニンおよびSalicarinと呼ばれる収れん作用のある化合物を含んでいます。収れん作用のある化合物は，下痢および炎症を抑えるのに役立つことがあります。Salicarinも腸内細菌に抵抗するのに役立つことがあります。

医薬品との相互作用

ほかの医薬品との相互作用については明らかではありません。

ハーブおよび健康食品・サプリメントとの相互作用

ほかのハーブ，健康食品・サプリメントとの相互作用についてはまだ明らかではありません。

使用量の目安

標準使用量に関するデータがありません。

エダウチオオバコ（サイリウム）

BLACK PSYLLIUM

別名ほか

オオバコ（Brown Psyllium），ダイエタリーファイバー（Dietary Fiber），プランタゴプシリウム，Plantago psyllium, サイリウムシード（Psyllium Seed），Fleaseed, Fleawort, French Psyllium, Plantain, Psyllion, Psyllios, Psyllium afra，Psyllium arenaria，Psyllium indica，Spanish Psyllium

概　　要

エダウチオオバコ（サイリウム）は世界に分布する成長力の強い雑草です。この植物は米国大陸の植民地化とともに広がっていったため，北米国原住民には「英国人の足」（Englishman's foot）というあだ名で呼ばれていました。種子は「くすり」として使われることがあります。エダウチオオバコ（サイリウム）をインドオオバコ（サイリウム）など他のサイリウムと混同しないよう注意してください。

安 全 性

十分な量の水と一緒に経口摂取する場合，ほとんどの人に安全のようです。軽い副作用として，膨満や腸内ガスがあります。人によっては，鼻水，眼の充血，皮疹，気管支喘息などのアレルギー反応を起こすおそれがあります。血糖値を低下させるおそれもあります。糖尿病患者は，血糖値を注意深く監視してください。

十分な量の水なしで経口摂取する場合，安全ではないようです。摂取する際は，十分な水と一緒に摂取してください。そうでなければ，窒息するおそれがあります。米国食品医薬品局（FDA）がサイリウムに対し次のような警告を義務づけるほど，この懸念は重要なものです；「十分な量の液体なしにこの製品を摂取すると，咽喉または食道の腫脹や閉塞，窒息を引き起こすおそれがあります。嚥下困難の場合は摂取しないでください。その製品の摂取後，胸痛，嘔吐，嚥下困難を経験した場合，ただちに病院で診察を受けてください」

市販製品以外のエダウチオオバコ（サイリウム）製品を使用する場合もまた，安全ではないようです。種子には，腎障害を起こすおそれのある化学物質が含まれています。市販品では通常，この物質を取り除いてありますが，市販品でない場合は，この毒物を取り除く特別な加工がされていないおそれがあります。そのような製品は使用しないでください。

糖尿病：２型糖尿病患者がエダウチオオバコ（サイリウム）を摂取すると，炭水化物の吸収を遅らせることにより血糖値を低下させることがあります。糖尿病患者がエダウチオオバコ（サイリウム）を使用する場合は，血糖値を注意深く監視してください。糖尿病薬の服薬量の調整が必要な場合があります。いっぽう，エダウチオオバコ（サイリウム）製品の中には，血糖値を上昇させる砂糖などの炭水化物が添加されていることがあります。表示を確認し，該当する場合も血糖値を注意深く監視してください。

腸障害：便が直腸内で硬化し通常の排便が困難であるような便秘の場合，エダウチオオバコ（サイリウム）を使用してはいけません。胃腸アトニー，消化管狭窄，腸閉塞，または腸痙攣などの腸閉塞を起こすおそれのある疾患の場合にも使用してはいけません。エダウチオオバコ（サイリウム）が水を吸って膨張し，消化管を閉塞させるおそれがあります。

フェニルケトン尿症：エダウチオオバコ（サイリウム）製品には，アスパルテームという人工甘味料を使用しているものがあります。フェニルケトン尿症の場合は，これらの製品を避けてください。

手術：血糖値に影響を及ぼし，手術中・手術後の血糖コントロールを妨げるおそれがあります。少なくとも手術前２週間は，使用しないでください。

嚥下障害：嚥下障害のある人では詰まりが起こりやすくなります。使用しないでください。

●アレルギー

人によっては重篤なアレルギー反応が出る場合もあります。これは，仕事でエダウチオオバコ（サイリウム）に曝露した人で起こりやすいようです。このような人はエダウチオオバコ（サイリウム）を使用すべきではありません。

●妊娠中および母乳授乳期

妊娠中および母乳授乳期に，エダウチオオバコ（サイリウム）を十分な水分と一緒に摂取するのは，ほとんどの人に安全のようです。

有 効 性

◆有効性レベル①

・便秘。エダウチオオバコ（サイリウム）は膨張性下剤と同じように作用して便秘を改善します。

◆有効性レベル③

・高コレステロール血症。エダウチオオバコ（サイリウム）を経口摂取すると，総コレステロールおよび低比重リポタンパク（LDL，悪玉）コレステロールが減少するようです。

◆科学的データが不十分です

・糖尿病，がん，下痢，過敏性腸症候群（IBS）など。

●体内での働き

便の量を増やし，便秘や下痢，過敏性腸症候群を緩和する可能性があります。また，コレステロールが吸収され血流に入る前に，体内から排出するコレステロール量を増やします。

エ

医薬品との相互作用

中カルバマゼピン

エダウチオオバコ（サイリウム）には多量の食物繊維が含まれます。食物繊維はカルバマゼピンの体内への吸収量を減少させる可能性があります。エダウチオオバコ（サイリウム）がカルバマゼピンの体内への吸収量を減少させることで，カルバマゼピンの効果が弱まるおそれがあります。

中ジゴキシン

エダウチオオバコ（サイリウム）は食物繊維が豊富です。食物繊維はジゴキシンの体内への吸収量を減少させる可能性があります。エダウチオオバコ（サイリウム）がジゴキシンの体内への吸収量を減少させることで，ジゴキシンの効果が弱まるおそれがあります。

中炭酸リチウム

エダウチオオバコ（サイリウム）には多量の食物繊維が含まれます。食物繊維は炭酸リチウムの体内への吸収量を減少させる可能性があります。エダウチオオバコ（サイリウム）と炭酸リチウムを併用すると，炭酸リチウムの効果が弱まるおそれがあります。この相互作用を避けるために，炭酸リチウムの服用後，少なくとも１時間はエダウチオオバコ（サイリウム）を摂取しないでください。

中経口薬

エダウチオオバコ（サイリウム）には多量の食物繊維が含まれます。食物繊維は医薬品の体内への吸収量を減少，促進，あるいは影響しない可能性があります。エダウチオオバコ（サイリウム）と経口薬を併用すると，医薬品の効果に影響を及ぼすおそれがあります。この相互作用を避けるために，経口薬の服用後，30〜60分はエダウチオオバコ（サイリウム）を摂取しないでください。

中メトホルミン塩酸塩

エダウチオオバコ（サイリウム）には多量の食物繊維が含まれます。サイリウムの食物繊維はメトホルミン塩酸塩の体内への吸収量を増加させる可能性があります。そのため，メトホルミン塩酸塩の作用が強まるおそれがあります。この相互作用を避けるために，メトホルミン塩酸塩の服用後，30〜60分間はエダウチオオバコ（サイリウム）を摂取しないでください。

低エチニルエストラジオール

エチニルエストラジオールはエストロゲンの一種で，特定のエストロゲン製剤や避妊薬に含まれます。一部では，サイリウムがエチニルエストラジオールの体内への吸収量を減少させる可能性が懸念されています。しかし，サイリウムがエチニルエストラジオールの吸収に影響を及ぼすことはないようです。

ハーブおよび健康食品・サプリメントとの相互作用

血糖値を低下させるおそれのあるハーブおよび健康食品・サプリメント

エダウチオオバコ（サイリウム）が食物から身体が吸収する糖の量を減らすことにより，血糖値を低下させるおそれがあります。同様の作用をもつほかのハーブおよび健康食品・サプリメントと併用すると，血糖値が過度に低下するおそれがあります。このようなハーブおよび健康食品・サプリメントには，α-リポ酸，ニガウリ，クロム，デビルズクロー，フェヌグリーク，ニンニク，グアーガム，セイヨウトチノキ，朝鮮人参，サイリウム，エゾウコギなどがあります。

通常の食品との相互作用

栄養の吸収

食事とともにエダウチオオバコ（サイリウム）を長期にわたって摂取すると，栄養の吸収を妨げるおそれがあります。ビタミン剤やミネラル剤が必要となる場合があります。

使用量の目安

●経口摂取

便秘時の下剤

通常，１日10〜30gのエダウチオオバコ（サイリウム）の種子を，数回に分けて摂取します。種子10gを100mLの水と混ぜ，その後少なくとも200mLの水を追加します。詰まりを起こすおそれがあるため，水分を十分にとる必要性があります。５gごとに最低150mLの水をとらなければなりません。米国食品医薬品局（FDA）の標示では，摂取時には最低236mL（グラス１杯）の水またはほかの液体をとるよう勧めています。

種子を噛み砕いてはいけません。種子の中に含まれている化学物質が放出し，腎臓内に蓄積するおそれがあります。

エダウチオオバコ（サイリウム）は，食後またはほかの「くすり」の摂取後30〜60分たってから摂取しなければなりません。

エチレンジアミン四酢酸

EDTA

別名ほか

エデト酸カルシウムジナトリウム（Calcium disodium edetate），エデト酸カルシウムジナトリウム（Calcium disodium versenate），エデト酸ジナトリウム（Disodium edetate），エチレンジアミン四酢酸ジナトリウム（Disodium ethylenediamine tetraacetic acid），エチレンジアミン四酢酸（Ethylenediamine tetraacetic acid），ナトリウム・エデト酸塩（Sodium edetate），エチレンジアミン四酢酸トリナトリウム（Trisodium ethylenediamine tetraacetic acid），EDTAカルシウムジナトリウム（Calcium disodium EDTA），EDTAジナ

トリウム（Disodium EDTA），Calcium disodium edathamil，Calcium edetate，Calcium EDTA，Disodium edathamil，Disodium Tetraacetate，Iron EDTA

概　要

エチレンジアミン四酢酸（EDTA）は処方薬で，静脈内注射または筋肉内注射で投与されます。

安全性

点眼薬の処方薬として使われる場合，および食品の保存料として少量使われる場合は安全です。

腹部の痙攣，悪心，嘔吐，下痢，頭痛，血圧低下，皮膚疾患，および発熱を引き起こすことがあります。

１日に３g以上，または５～７日以上続けて使用するのは危険です。過量だと腎障害，カルシウム値の危険な低下を引き起こし，死に至ることがあります。

気管支喘息：保存料としてエチレンジアミン四酢酸二ナトリウムを含むネブライザー溶液は，気管支喘息患者の気管を細くすることがあるようです。摂取する量によって細くなる度合いが変わります。

心拍異常：エチレンジアミン四酢酸は，心拍異常を悪化させるおそれがあります。

糖尿病：エチレンジアミン四酢酸は，インシュリンと相互に作用することがあるため，血糖コントロールを妨げるおそれがあります。

低カルシウム血症：エチレンジアミン四酢酸は血清カルシウム値を下げることにより，低カルシウム血症を悪化させるおそれがあります。

低カリウム血症：エチレンジアミン四酢酸はカリウムと結合するため，尿中に排出するカリウムの量を増加させます。これによりカリウム値を過度に下げるおそれがあり，元々カリウム値が低い人ではより注意が必要です。低カリウム血症の人は，エチレンジアミン四酢酸を使用しないでください。

低マグネシウム血症：エチレンジアミン四酢酸はマグネシウムと結合するため，尿中に排出するマグネシウムの量を増加させます。これによりマグネシウム値を過度に下げる恐れがあり，元々マグネシウム値が低い人ではより注意が必要です。低マグネシウム血症の人は，エチレンジアミン四酢酸を使用しないでください。

肝障害と肝炎：エチレンジアミン四酢酸は肝臓病を悪化させるおそれがあります。肝疾患を持っている人は，エチレンジアミン四酢酸を使用しないでください。

腎障害：エチレンジアミン四酢酸は腎臓に悪影響を与え，腎臓病を悪化させるおそれがあります。腎臓病を持っている人は，エチレンジアミン四酢酸の摂取量を控える必要があります。重い腎臓病や腎不全を持っている人は，エチレンジアミン四酢酸を使用しないでください。

ひきつけ（てんかん）：エチレンジアミン四酢酸はてんかんを持っている人，ひきつけを起こしやすい人がひきつけ発作を起こす危険を高めるおそれがあります。エチレンジアミン四酢酸は血液中のカルシウム量を大幅に減少させるため，ひきつけ発作を引き起こすと思われます。

肺結核：肺結核は特定のバクテリアにより引き起こされる肺の感染症です。ヒトの身体は結核に感染した組織で壁を作りバクテリアを隔離して感染を不活性化することがあります。バクテリアは壁の中に残りますが，閉じ込められているために他の人に新たな感染を起こしたり，既に感染している人に病気を発症させることがありません。このバクテリアを隔離する壁にはカルシウムを含んでいることが多くあります。エチレンジアミン四酢酸はこの壁に含まれるカルシウムとも結合できるのではないかという懸念があり，それにより，肺結核の原因となるバクテリアを隔離している組織からバクテリアが放出されてしまうおそれがあります。現在肺結核を患っていたり，過去に肺結核の既往歴がある人は，エチレンジアミン四酢酸を使用しないでください。

●妊娠中および母乳授乳期

通常食品に含まれる量のエチレンジアミン四酢酸は，安全だと思われます。それ以上の量の安全性については不明です。

有効性

◆有効性レベル①

・鉛中毒の治療。

◆有効性レベル②

・生命を脅かす高カルシウム値に対する緊急治療（高カルシウム血症）。
・ジゴキシン（ラノキシン）などの医薬品による心拍異常の治療。

◆有効性レベル③

・角膜（眼）カルシウム沈着の治療。適切な処理をした眼に，EDTA二ナトリウムを１回投与したところ，沈着したカルシウムが除去され視力が改善されました。

◆有効性レベル④

・皮膚の硬化（強皮症）。

◆有効性レベル⑤

・冠動脈性心疾患または末梢動脈の閉塞性疾患。

◆科学的データが不十分です

・放射性生成物による中毒，ウィルソン病，アテローム性動脈硬化症，高コレステロール血症，高血圧症，レイノー症候群，壊疽，がん，関節炎，視力障害，糖尿病，アルツハイマー病，多発性硬化症，パーキンソン病，乾癬，狭心症など。

●体内での働き

ミネラルと金属（クロム，鉄，水銀，銅，アルミニウム，ニッケル，亜鉛，カルシウム，コバルト，マンガン，およびマグネシウム）の結合を維持する化合物です。これらが結合したものは，身体に対し何の作用も与えずに，体外に排出されます。

エ

医薬品との相互作用

高インスリン

エチレンジアミン四酢酸は血糖値を下げますが，インスリンも血糖値を下げる医薬品です。これらを同時に摂取すると，血糖値の重篤な低下を招くおそれがあります。

高ワルファリンカリウム

ワルファリンカリウムは血液凝固を抑制するのに使いますが，エチレンジアミン四酢酸（EDTA）はワルファリンカリウムの作用を低減させると報告されています。ワルファリンカリウムの効果が減弱すると血栓が生じるリスクが高まります。この相互作用がなぜ起きるかは不明です。

中利尿薬

大量のエチレンジアミン四酢酸は体内のカリウム濃度を下げますが，利尿薬の中にも，体内のカリウム濃度を下げるものがあります。これらを同時に摂取すると，体内のカリウム濃度が下がりすぎることがあります。このような利尿薬にはクロロチアジド（販売中止），クロルタリドン（販売中止），フロセミド，ヒドロクロロチアジドなどがあります。

ハーブおよび健康食品・サプリメントとの相互作用

マグネシウム

エチレンジアミン四酢酸は，マグネシウムと結合して尿中に排泄されるマグネシウム量を増加します。

微量元素

エチレンジアミン四酢酸は，微量元素と結合して微量元素の尿中に排泄される量を増加します。これらの微量元素は，ホウ素，クロミウム，コバルト，銅，フッ素，ヨウ素，鉄，マンガン，モリブデン，ニッケル，セレン，硫黄，亜鉛です。

使用量の目安

●局所投与

角膜カルシウム沈着

殺菌済0.9％塩化ナトリウム（生理食塩水）と市販のエチレンジアミン四酢酸二ナトリウム剤を混合した0.35～1.85％溶液を使用します。エチレンジアミン四酢酸は角膜上皮に浸透しないため，投与前に上皮の創傷清拭が必要です。溶液を角膜に15～20分浸して，カルシウムを除去するか，またはエチレンジアミン四酢酸二ナトリウム溶液を滲み込ませたセルロース性スポンジでカルシウム沈着物を拭き取ります。エチレンジアミン四酢酸二ナトリウム溶液をさした後は，0.9％食塩水で眼を洗浄してください。

●静脈内投与

急性/慢性鉛中毒および鉛脳症

体重1kg当たり50mgのエチレンジアミン四酢酸カルシウム二ナトリウム（1日3gまで）を5％デキストロース（ブドウ糖），または0.9％生理食塩水で2～4mg/mLの濃度まで希釈し，1回を8～24時間かけて投与。最大5日間続けます。腎障害の発症を抑制する5日間キレート療法の2回目は，最低2日の待機期間を置いてから実施してください。血中鉛値が70μg/dLを上回る場合，ジメルカプロールをエチレンジアミン四酢酸カルシウム二ナトリウムと併用するようお勧めします。

腎機能低下

低濃度の鉛でも長期間にわたって影響を受けた場合，エチレンジアミン四酢酸カルシウム二ナトリウム1gを5％ブドウ糖200mLと混合したものを，週1回2時間かけて投与。これを2カ月間続けます。

高カルシウム血症

エチレンジアミン四酢酸二ナトリウム50mg/kg，1日最大3gを5％ブドウ糖または0.9％生理食塩水で2～4mg/mLの濃度まで希釈し，3時間以上かけて投与します。

強心配糖体誘発性心室性不整脈

エチレンジアミン四酢酸二ナトリウムを1時間に15mg/kg，最大60mg/kgを5％ブドウ糖に混合して投与します。

アテローム硬化性血管系疾患

エチレンジアミン四酢酸二ナトリウム50mg/kg，最大5gを150浸透圧剤500～1,000mLで希釈して投与します。多くの場合，ヘパリン，アスコルビン酸ナトリウム，マグネシウム，リドカイン，ピリドキシン，重炭酸ナトリウムが注入液に加えられますが，副腎皮質エキス，シアノコバラミン，ナイアシン，パントテン酸，複合ビタミンBを混合する場合もあります。患者は通常，治療前に食事を摂るか，3時間の治療中におやつ程度を口に入れることができます。

●筋肉内投与

急性/慢性鉛中毒および鉛脳症

静脈内投与と同量のエチレンジアミン四酢酸カルシウム二ナトリウムを，8～12時間ごと，数回に分けて投与します。ジメルカプロールと併用の場合，1日分を等量に分け，4時間ごとに投与します。注射部位の痛みを緩和するには，エチレンジアミン四酢酸カルシウム二ナトリウム1mL当たりに1％塩酸リドカインを1mL，または1％プロカインHClを1mL加え，最終的にリドカインまたは塩酸プロカイン濃度を5mg/mLにします。

エニシダ

SCOTCH BROOM

●代表的な別名

バンナル

別名ほか

Bannal, Basam, Besom, Bizzom, Broom, Browme, Breeam, Brum, Cytisi scoparii Herba, Cytisus scoparius, Hogweed, Irish Broom, Spartium Scopariumsarothamnus scoparius, Sarothamnus vulgaris

概　要

エニシダは植物です。花と地上部に出ている部分（主として枝）を用いて「くすり」を作ることもあります。

●要説（ナチュラル・スタンダード）

エニシダ（Cytisus scoparius）は，ヨーロッパ原産の多年性の木本植物です。庭の鑑賞用植物として，北アメリカへもたらされ，今ではカナダ西部およびカリフォルニア州にかけても一般的です。高さ10フィート（約３m）ほどに育ち，小枝は茎から鋭い角度で拡がり，葉は三つ葉です。明るい黄色の小さな花を咲かせます。繁殖スピードは速く，ほかの植物や樹木を犠牲にするほどの勢いがあり，厄介な植物とみなされることもしばしばです。

エニシダの花および枝は，「くすり」として使用されてきています。エニシダの成分そのもの，あるいは伝統的な使用法から導かれた結論がほとんどで，この植物自体の有効性および安全性に関する有効な科学的根拠はほとんどありません。花および枝（地上部）の双方には，スパルテイン（sparteine）とイソスパルテイン（isosparteine）という毒性アルカロイドが少量含まれているため，エニシダの毒性についてはとくに懸念されています。スパルテインは心筋の電気伝導性に影響を与えるため，不整脈を起こしたり，心臓病の薬との相互作用を引き起こすおそれがあります。

安　全　性

エニシダの経口摂取は安全ではありません。循環器系疾患を引き起こすことがあります。悪心や下痢などの副作用を引き起こすこともあります。

30gを超える投与では中毒を起こすことがあります。中毒症状には，めまい，頭痛，拍動の変化，下肢の脱力，発汗，眠気，瞳孔散大などがあります。

皮膚へ塗布した場合の安全性については，十分なデータがありません。

心疾患:心拍動に作用します。使用しないでください。

高血圧症：血管を収縮させるので，血圧が上がるおそれがあります。高血圧症の場合，病態を悪化させるおそれがあります。

腎疾患：エニシダのある種の化学物質が，腎疾患を悪化させるおそれがあります。

●妊娠中および母乳授乳期

妊娠中の使用は，安全ではありません。流産を引き起こすおそれがあります。母乳授乳期の使用も安全ではないと考えられています。摂取しないでください。

有　効　性

◆科学的データが不十分です

・体液貯留，筋肉痛，腫脹，低血圧症，月経不順，出産後の重度の出血，歯肉出血，痛風，関節炎に似た疼痛，神経疾患，胆のう結石および腎結石，脾臓障害，心臓障害，血行障害など。

●体内での働き

エニシダは，尿量を減少させ，体内の水分量を増加させる化学物質があります。心拍動に作用することのある化合物を含んでいます。

医薬品との相互作用

高キニジン硫酸塩水和物

エニシダは体内で代謝されてから排泄されますが，キニジン硫酸塩水和物は，エニシダの代謝を抑制するようです。これらを同時に使用すると，エニシダの重篤な副作用の現れるリスクが増します。キニジン硫酸塩水和物を服用しているときは，エニシダを使用してはいけません。

高ハロペリドール

エニシダは体内で代謝されてから排泄されますが，ハロペリドールはエニシダの代謝を抑制するようです。これらを同時に使用すると，エニシダの重篤な副作用の現れるリスクが増します。ハロペリドールを服用している場合は，エニシダを使用してはいけません。

高モノアミン酸化酵素阻害薬（MAO阻害薬）

エニシダにはチラミンと呼ばれる化学物質が含まれます。多量のチラミンは高血圧を引き起こす可能性があります。しかし，チラミンは体内で自然に代謝されてから排泄されます。そのため，通常はチラミンが原因で高血圧になることはありません。モノアミン酸化酵素阻害薬（MAO阻害薬）はチラミンの分解を阻害します。そのため，体内のチラミンが過剰になり，危険なレベルの高血圧に至るおそれがあります。このようなMAO阻害薬には，Phenelzine, Tranylcypromineなどがあります。

中炭酸リチウム

エニシダは利尿薬のように作用する可能性があります。エニシダを摂取すると，炭酸リチウムの体内からの排泄が抑制される可能性があります。そのため，体内の炭酸リチウム量が増加し，重大な副作用が現れるおそれがあります。

ハーブおよび健康食品・サプリメントとの相互作用

ほかのハーブ，健康食品・サプリメントとの相互作用についてはまだ明らかではありません。

使用量の目安

標準使用量に関するデータがありません。

N-アセチルグルコサミン

N-ACETYL GLUCOSAMINE

●代表的な別名

NAG

別名ほか

アセチルグルコサミン（Acetylglucosamine），N-アセチル-D-グルコサミン（N-Acetyl D-glucosamine），2-acetamido-2-deoxyglucose，Glucosamine N-acetyl，NAG，N-A-G，Poly-NAG

概　要

N-アセチルグルコサミンは，甲殻から作られる物質です。グルコサミン塩酸塩またはグルコサミン硫酸塩のようなほかのものと混同しないでください。それらは，同じような効果をもたないと考えられます。大半のグルコサミン製品には，グルコサミン硫酸塩またはグルコサミン塩酸塩が含まれています。

安 全 性

十分なデータは得られていないので，安全かどうかは不明です。

グルコサミンは，エビ，ロブスター，カニなどの甲殻類の殻から作られます。甲殻類アレルギーのある人は，甲殻類の殻ではなく肉に反応します。今まで，甲殻類アレルギーのある人が，グルコサミンにアレルギー反応を示したという症例は報告されていません。さらに，甲殻類アレルギーの人が，グルコサミン製品を摂取しても安全だという報告もあります。

グルコサミンには体内のインスリン量を増加させるおそれがあります。体内のインスリン量が過剰になると，血圧の上昇，コレステロール値やトリグリセリドという他の血中脂肪値の上昇を引き起こすことがあります。動物を使った実験では，グルコサミンがコレステロール値を上昇させることが裏付けられましたが，この作用はまだヒトでは認められていません。今日までの実験によると，45歳以上でグルコサミン硫酸塩を３年以上摂取している人たちにおいて，血圧の上昇，コレステロール値の上昇のいずれも見られなかったとする報告もあります。

気管支喘息：まだ理由などは明らかになっていませんが，グルコサミンは気管支喘息を悪化させることがあるようです。気管支喘息を持っている人は，グルコサミンを使用し始める時に注意してください。

糖尿病：いくつかの初期段階の研究によると，グルコサミンは糖尿病患者の血糖値を上げることがあるという報告があります。しかし，より信頼できる研究では，グルコサミンは２型糖尿病患者の血糖コントロールに大きな影響を与えないという結果が示されています。定期的に血糖値を測っている限り，グルコサミンを摂取しても安全であると考えられます。

手術：N-アセチルグルコサミンは，血糖値に影響を与えることがあるため，術中術後の血糖コントロールと相互に作用する恐れがあります。手術の予定がある場合には，予定日の最低２週間前までにはN-アセチルグルコサミンの使用を中止してください。

●アレルギー

ヨウ素または魚介類に過敏な人にアレルギーが出ることがあります。

●妊娠中および母乳授乳期

N-アセチルグルコサミンの妊娠中，及び母乳授乳期の安全性についてはまだ良く知られていません。安全性を考慮し，使用しないでください。

有 効 性

◆科学的データが不十分です

- 潰瘍性大腸炎およびクローン病などの炎症性腸疾患。N-アセチルグルコサミンを経口または坐薬で摂取した場合，小児のクローン病または潰瘍性大腸炎の症状が改善したとの報告があります。
- 変形性関節症。

●体内での働き

胃および腸の壁を保護すると考えられています。

医薬品との相互作用

高ワルファリンカリウム

ワルファリンカリウムは血液凝固を抑制するために用いられます。コンドロイチンとの併用に関係なく，グルコサミンを摂取すると，ワルファリンカリウムの効果が増強するという報告が一部あります。そのため，紫斑および出血が深刻になる可能性があります。N-アセチルグルコサミンはグルコサミンの一種です。ワルファリンカリウムを服用中にN-アセチルグルコサミンを摂取しないでください。

中抗悪性腫瘍薬（トポイソメラーゼⅡ阻害薬）

特定の抗悪性腫瘍薬はがん細胞の複製速度を抑制することにより作用します。科学者の中には，グルコサミンが医薬品のこの作用を妨げると考える人もいます。N-アセチルグルコサミンはグルコサミンの一種です。N-アセチルグルコサミンとこのような医薬品を併用すると，医薬品の効果が弱まるおそれがあります。このような医薬品には，エトポシド，Teniposide，ミトキサントロン塩酸塩，ダウノルビシン塩酸塩，ドキソルビシン塩酸塩があります。

中糖尿病治療薬

N-アセチルグルコサミンはグルコサミンの一種です。グルコサミンは，糖尿病患者の血糖値を上昇させる可能性があると懸念されてきました。また，グルコサミンは糖尿病治療薬の効果を弱めるおそれがあるとされていました。しかし，より質の高い現在の研究では，グルコサミン硫酸塩やグルコサミン塩酸塩などの他種のグルコサミンは糖尿病患者の血糖値を上昇させないことが示されています。N-アセチルグルコサミンが糖尿病患者の血糖値に影響するかについては，まだ明らかではありません。糖尿病患者がN-アセチルグルコサミンを摂取する場合には用心し，血糖値を注意深く監視してください。

このような糖尿病治療薬にはグリメピリド，グリベンクラミド，インスリン，ピオグリタゾン塩酸塩，マレイン酸ロシグリタゾン（販売中止），クロルプロパミド，Glipizide，トルブタミド（販売中止）などがあります。

ハーブおよび健康食品・サプリメントとの相互作用

ほかのハーブ，健康食品・サプリメントとの相互作用についてはまだ明らかではありません。

使用量の目安

●経口摂取

炎症性腸疾患（小児）

1日3～6gを3回に分けて摂取します。

●直腸投与

炎症性腸疾患（小児）

1日3～4gを2回に分けて投与します。

N-アセチルシステイン

N-ACETYL CYSTEINE

別名ほか

Acetyl Cysteine，Acétyl Cystéine，Acetylcysteine，Acétylcystéine，Chlorhydrate de Cystéine，Cysteine，Cystéine，Cysteine Hydrochloride，Cystine，Hydrochlorure de Cystéine，L-Cysteine，L-Cystéine，L-Cysteine HCl，L-Cystéine HCl，NAC，N-Acetil Cisteína，N-Acetyl-B-Cysteine，N-Acétyl Cystéine，N-Acetyl-L-Cysteine，N-Acétyl-L-Cystéine，N-Acetylcysteine，N-Acétylcystéine

概　　要

N-アセチルシステインは，アミノ酸のL-システインの誘導体です（アミノ酸はタンパク質構成物質です）。

●要説（ナチュラル・スタンダード）

N-アセチルシステインは，アミノ酸のL-システインから作られます。スルフヒドリル基（-SH）の元となるもので，強い抗酸化薬としての働きが見込まれます。

粘液を薄める作用があるので，N-アセチルシステインは伝統的に粘液溶解薬として使用されてきました。また，アセトアミノフェンや重金属のような化学物質にかかわる中毒の緩和にも用いられてきました。

N-アセチルシステインは約40年にわたり臨床で用いられており，細気管支炎や慢性気管支炎の治療に効果がみられます。最近では，HIV感染やがん，心疾患の治療を見込み，その抗酸化作用が研究されてきました。腎不全の予防や肝炎，のう胞性線維症，赤血球増殖性プロトポルフィリン症（ヘム生成不良による疾患）の治療に際して，N-アセチルシステインを用いることが有効かどうかのエビデンスは十分ではありません。

N-アセチルシステインは一般に容認されています。もっとも目立つ副作用は下痢，吐き気，嘔吐などです。その不快な味もよく知られています。

・新型コロナウイルス感染症（COVID-19）。
COVID-19に対してN-アセチルシステインの使用を裏付ける十分なエビデンス（科学的根拠）はありません。

安　全　性

N-アセチルシステインは，処方薬として使用する場合，ほとんどの成人に安全のようです。吐き気，嘔吐，下痢，便秘を引き起こすことがあります。まれに皮疹，発熱，頭痛，傾眠，低血圧，肝臓の異常が生じることもあります。

吸入する（肺に入る）と，口内の腫脹，鼻みず，傾眠，冷汗および胸部圧迫感が起こるおそれがあります。

いやな匂いがするため，摂取しづらいかもしれません。

気管支喘息：N-アセチルシステインは，気管支喘息患者に吸入，経口摂取または気管内チューブを通じて投与すると，気管支痙攣の原因となるおそれがあります。気管支喘息のある人がN-アセチルシステインを使用する場合は，医師などの監視下で行ってください。

出血性疾患：N-アセチルシステインが血液凝固を抑制するおそれがあります。出血性疾患患者では紫斑および出血のリスクが高まるおそれがあります。

手術：N-アセチルシステインが血液凝固を抑制し，手術中・手術後の出血リスクが高まるおそれがあります。少なくとも手術前2週間は，使用しないでください。

●アレルギー

アセチルシステインにアレルギーのある場合は，N-アセチルシステインを使用してはいけません。

●妊娠中および母乳授乳期

妊娠中の女性がN-アセチルシステインを経口摂取，気管切開口からの投与，または吸入により用いる場合，おそらく安全です。N-アセチルシステインは胎盤を通過しますが，胎児や母体への有害性は報告されていません。ただし，妊娠中の女性のN-アセチルシステインの使用は，医学的な必要性があるときに限ってください。

母乳授乳期の使用の安全性についてはデータが不十分です。安全性を考慮し，摂取は避けてください。

有　効　性

◆有効性レベル①

・アセトアミノフェン中毒。N-アセチルシステインは，アセトアミノフェン中毒による治癒不可能の障害を予防し，死亡率を減少させる効果があります。この用途については，経口投与も静脈内投与も同様に効果があります。
・無気肺。N-アセチルシステインは，粘液栓による肺虚脱の治療に役立ちます。
・肺機能検査。N-アセチルシステインは肺機能検査の

有効性レベル：①効きます　②おそらく効きます　③効くと断言できませんが、効能の可能性が科学的に示唆されています
④効かないかもしれません　⑤おそらく効きません　⑥効きません

前処置に有用です。

・気管切開している人のケア。N-アセチルシステインは，気管にチューブを装着する人の痂皮形成を予防します。

エ

◆有効性レベル③

・狭心症（胸痛）。医薬品「ニトログリセリン」と併用してのN-アセチルシステインの経口摂取または静脈内投与により，胸痛が改善するようです。静脈内投与はニトログリセリン耐性の予防に役立つようです。経口摂取もまたニトログリセリン耐性の予防に役立つ可能性がありますが，相反する研究結果もあります。

・自閉症。N-アセチルシステインの経口摂取により，自閉症の小児および青少年の易刺激性が改善することを示す研究があります。しかし，活動亢進，引きこもり，嗜眠，不適切な発語など，ほかの自閉症の症状は改善しないようです。

・気管支炎（気道の腫脹）。N-アセチルシステインの経口摂取により，マスタードガス曝露による気道の腫脹がある人の息切れおよび咳が緩和するようです。また，3～6カ月にわたるN-アセチルシステインの経口摂取により，気道の腫脹が続く患者の増悪を予防するようです。ただし，3カ月未満の摂取では効果はみられないようです。

・慢性閉塞性肺疾患（COPD）。N-アセチルシステインの経口摂取により，中等度～重度の慢性閉塞性肺疾患患者の増悪を約40%低下させ，痰の濃度を改善するようです。コルチコステロイドを摂取していない場合にもっとも効果があるようです。ただし，呼吸管の通過障害のリスクが高まるおそれがあります。

・X線検査中に用いる造影剤による腎障害。腎不全患者がN-アセチルシステインを経口摂取すると，X線検査中に用いる造影剤による腎障害を予防できるようです。中等度の腎機能低下のある人にも，予防になる可能性があります。腎機能が正常な人については，X線検査中に用いる造影剤による腎障害のリスクを低下させることはないようです。

・重篤な腎疾患。N-アセチルシステインの経口摂取により，重篤な腎疾患患者の心臓発作や脳卒中などの疾患の予防を補助するようです。これらの疾患リスクは40%も低下する可能性があります。ただし，これらの患者の全死亡リスクおよび心疾患による死亡リスクは低下しません。

・てんかんの痙攣発作。N-アセチルシステインの経口摂取により，ある種のてんかん痙攣発作の治療を補助するようです。

・線維化胞隔炎。N-アセチルシステインの経口摂取により，線維化胞隔炎患者の肺機能を改善するようです。

・高ホモシステイン血症。N-アセチルシステインの経口摂取により，心疾患の危険因子となりうる高いホモシステイン値を低下させるようです。

・高コレステロール血症。N-アセチルシステインの経口摂取により，リポタンパク（a）値の値が高い患者のリポタンパク（a）値を低下させるようです。

・抗悪性腫瘍薬「イホスファミド」の副作用。N-アセチルシステインの経口摂取により，特定のがんに用いられる「イホスファミド」の副作用の予防を補助するようです。ただし，N-アセチルシステインよりも医薬品「メスナ」の方が予防効果は高いようです。

・インフルエンザ。N-アセチルシステインの経口摂取により，インフルエンザの症状が緩和するようです。

・心臓発作。医薬品「ニトログリセリン」および「streptokinase」と併用してのN-アセチルシステインの静脈内投与により，心臓発作を起こした患者の心機能維持を補助するようです。

◆有効性レベル④

・筋萎縮性側索硬化症（ALS，ルー・ゲーリッグ病）。N-アセチルシステインを静脈内投与しても，症状は改善しないようです。

・未熟児の呼吸器疾患。N-アセチルシステインを気管切開口から投与しても，呼吸器疾患は改善しないようです。

・のう胞性線維症。N-アセチルシステインを経口摂取または吸入しても，肺機能は改善しないようです。ただし，高用量を経口摂取すれば，のう胞性線維症患者の腫脹マーカーが低下するようです。

・ドキソルビシン塩酸塩の副作用。N-アセチルシステインを経口摂取しても，ある種のがん治療に用いる医薬品であるドキソルビシン塩酸塩による心障害の予防や治療にはならないようです。

・赤血球産生性プロトポルフィリン症（光過敏性を起こす疾患）。N-アセチルシステインを経口摂取しても，光過敏性は緩和しないようです。

・肝炎。N-アセチルシステインを経口摂取しても，ウイルス性肝炎の治療を補助しないようです。また，C型肝炎患者へのインターフェロン療法の効果を改善することはないようです。ただし，C型肝炎患者の再燃予防を補助する可能性があります。

・HIV/エイズ。N-アセチルシステインを経口摂取しても，HIV患者の多くには免疫機能の改善やウイルス量の低下はみられないようです。ただし，体内でN-アセチルシステインから形成される化学物質であるグルタチオン値の低いHIV患者の免疫機能を改善する可能性があります。

・低血圧。N-アセチルシステインを経口摂取しても，長期にわたる低血圧の患者の腎不全リスクは低下しないようです。

・腎疾患。N-アセチルシステインを摂取しても，長期にわたる腎疾患患者の腎障害のリスクは低下しないようです。

・肝移植。肝摘出手術中にN-アセチルシステインを静脈内投与し，摘出した肝臓を移植時までN-アセチルシステインを含む冷液中に保存しても，肝移植レシピエントの拒絶反応を予防することはないようです。
・膵炎。N-アセチルシステインを経口摂取しても，膵臓の腫脹を引き起こすおそれのある診断検査を受ける人の膵炎を予防することはないようです。また，セレンおよびビタミンCと併用してN-アセチルシステインを静脈内投与しても，重篤な膵炎患者の膵機能障害を予防することはないようです。
・閉経後骨粗鬆症。N-アセチルシステインを経口摂取しても，閉経後の骨粗鬆を予防することはないようです。
・手術後の回復。N-アセチルシステインを経口摂取または静脈内投与しても，心臓手術後の心臓発作，脳卒中，腎障害または死亡のリスクは低下しないようです。N-アセチルシステインが心臓手術後の脈拍異常の予防を補助する可能性はありますが，相反する研究結果があります。

◆有効性レベル⑤

・アルツハイマー病。N-アセチルシステインを経口摂取しても，症状は改善しないようです。
・頭頸部がん。N-アセチルシステインを経口摂取しても，新たな腫瘍を予防したり生存率を改善したりすることはないようです。
・肺がん。N-アセチルシステインを経口摂取しても，新たな腫瘍を予防したり生存率を改善したりすることはないようです。
・臓器不全の治療。N-アセチルシステインの静脈内投与により，多臓器不全患者の死亡リスクが高まるおそれがあります。

◆科学的データが不十分です

・急性呼吸促迫症候群（ARDS），副腎白質ジストロフィー（ALD），高山病，気管支喘息，双極性障害，心臓バイパス手術，コカイン依存，結腸がん，歯垢，ドライアイ症候群，運動による筋損傷，運動能力，聴覚障害，ヘリコバクター・ピロリ感染，肝腎症候群，遺伝性出血性末梢血管拡張症（HHT），不妊，葉状魚鱗癬，マラリア，流産，硝酸耐性，抗悪性腫瘍薬「オキサリプラチン」による神経障害，多のう胞性卵巣症候群（PCOS），早産，統合失調症，敗血症性ショック，シェーグレン症候群，ループス，抜毛症，潰瘍性大腸炎，フェニトインに対するアレルギー反応，一酸化炭素中毒，慢性疲労症候群（CFS），耳感染，花粉症，アルコール性肝障害の予防，環境汚染物質からの保護，水銀・鉛・カドミウムなど重金属の排出など。

●体内での働き

N-アセチルシステインは肝臓で作られるアセトアミノフェンの有毒型と結合することによって，アセトアミノフェン中毒を治療します。また，アンチオキシダント（抗酸化物質）であるため，がん予防に何らかの役割を担う可能性もあります。

医薬品との相互作用

高ニトログリセリン

ニトログリセリンは血管を広げ，血流を促進します。N-アセチルシステインを摂取すると，ニトログリセリンの作用が増強するようです。そのため，副作用（頭痛，めまい感，立ちくらみなど）のリスクが高まるおそれがあります。

中活性炭

活性炭はアセタミノフェンなどの医薬品の大量摂取による中毒の予防に対して用いられることがあります。活性炭はこれらの医薬品と胃で結合して医薬品の体内への吸収を阻害します。N-アセチルシステインと活性炭を同時に摂取すると，中毒予防に対する活性炭の作用が減弱するおそれがあります。

中Chloroquine

Chloroquineはマラリアの治療に用いられます。Chloroquineがヘム（化学物質）を細胞内に蓄積させることでマラリアを殺虫します。N-アセチルシステインはヘムの細胞内への蓄積を妨げる可能性があります。そのため，Chloroquineの作用が減弱するおそれがあります。

中降圧薬

N-アセチルシステインは血圧を低下させる可能性があります。N-アセチルシステインと降圧薬を併用すると，血圧が過度に低下するおそれがあります。このような降圧薬には，カプトプリル，エナラプリルマレイン酸塩，ロサルタンカリウム，バルサルタン，ジルチアゼム塩酸塩，アムロジピンベシル酸塩，ヒドロクロロチアジド，フロセミドなど数多くあります。

中血液凝固を抑制する医薬品（抗凝固薬/抗血小板薬）

N-アセチルシステインは血液凝固を抑制する可能性があります。N-アセチルシステインと血液凝固を抑制する医薬品を併用すると，紫斑および出血のリスクが高まるおそれがあります。このような医薬品には，アスピリン，クロピドグレル硫酸塩，ジクロフェナクナトリウム，イブプロフェン，ナプロキセン，ダルテパリンナトリウム，エノキサパリンナトリウム，ヘパリン，ワルファリンカリウムなどがあります。

ハーブおよび健康食品・サプリメントとの相互作用

血圧を低下させるおそれのあるハーブおよび健康食品・サプリメント

N-アセチルシステインが血圧を低下させるおそれがあります。N-アセチルシステインと，血圧を低下させるおそれのあるほかのハーブおよび健康食品・サプリメントを併用すると，血圧が過度に低下するおそれがあります。このようなハーブおよび健康食品・サプリメントには，アンドログラフィス，カゼイン・ペプチド，キャッツクロー，コエンザイムQ-10，魚油，L-アルギニン，クコ，イラクサ，テアニンなどがあります。

エ

エ

血液凝固を抑制するおそれのあるハーブおよび健康食品・サプリメント

N-アセチルシステイン血液凝固を抑制するおそれがあります。N-アセチルシステインと，血液凝固を抑制するおそれのあるほかのハーブおよび健康食品・サプリメントを併用すると，紫斑および出血のリスクが高まるおそれがあります。このようなハーブおよび健康食品・サプリメントには，アンゼリカ，クローブ，タンジン，ニンニク，ショウガ，イチョウ，朝鮮人参などがあります。

使用量の目安

【成人】

●経口摂取

アセトアミノフェンの過剰投与

最初にN-アセチルシステイン140mg/kgを摂取し，続いて4時間ごとに70mg/kgを，3日にわたり，または血中にアセトアミノフェンが検出されなくなるまで，摂取します。

不安定狭心症

ニトログリセリンの貼付薬とともに，N-アセチルシステイン600mgを1日3回摂取します。

慢性気管支炎

急性増悪を予防することを目的として，1日2回200mg，1日3回200mg，徐放性製剤300mgを1日2回，または放出制御製剤600mgを1日2回，最大6カ月にわたり摂取します。または，1日最大1.5gを最大4カ月にわたり摂取します。

慢性閉塞性肺疾患（COPD）

標準的治療に加えて，N-アセチルシステイン1日400〜1,200mgを複数回に分けて，最大6カ月にわたり摂取します。

X線造影剤による腎障害の予防

N-アセチルシステイン400〜600mgを，ヨード造影剤「iopromide」使用の前日および当日に，1日2回摂取するとともに，造影剤使用前12時間および使用後12時間，生理食塩水（0.45%）を毎時1mL/kgで静脈内投与します。または，造影剤使用後，最初にN-アセチルシステイン1,200mgを摂取し，その後48時間，1,200mgを1日2回摂取します。

呼吸困難を起こす線維化胞隔炎

N-アセチルシステイン600mgを1日3回，12週にわたり摂取します。

抗悪性腫瘍薬「イホスファミド」を用いた治療による膀胱障害の予防

N-アセチルシステイン1〜3gを，ifosfamideによる治療の1時間前に摂取開始し，治療から最大5日後まで，6時間おきに摂取します。

高ホモシステイン血症

1日600〜1,200mgを摂取します。

てんかん

1日4〜6gを摂取します。

インフルエンザの症状緩和

600mgを1日2回，最大30カ月にわたり摂取します。

末期腎疾患患者の心臓発作および脳卒中のリスク低減

600mgを1日2回摂取します。

高コレステロール血症

1日1.2gを6週にわたり，または，1日2gを4週にわたり摂取し，その後，1日4gをさらに4週にわたり摂取します。

●吸入

無気肺

20%溶液3〜5mLまたは10%溶液6〜10mLを，噴霧器により，1日3〜4回吸入します。または，10%溶液または20%溶液1〜2mLを，気管切開口より，1〜4時間おきに吸入します。または，20%溶液1〜2mLまたは10%溶液2〜4mLを，気管カテーテルより，1〜4時間おきに吸入します。

肺機能検査

20%溶液1〜2mLまたは10%溶液2〜4mLを，肺機能検査前に2〜3回，気管内注入により投与します。

慢性閉塞性肺疾患（COPD）

20%溶液を最低4日以上，噴霧器により吸入します。

気管にチューブを装着した人（気管切開を受けた人）のケア

10〜20%溶液1〜2mLを気管内注入により投与します。

●静脈内投与

アセトアミノフェンの過剰投与

アセトアミノフェン中毒の場合に医師などによりN-アセチルシステインを静脈内投与します。投与量は通常，初回は150mg/kg，その後4時間かけて50mg/kg，その後100mg/kgを，16時間かけて，またはアセトアミノフェンが検出されなくなるまで投与します。

不安定狭心症

N-アセチルシステインを6時間ごとに5g，ニトログリセリン毎分5μgと併用して，24時間静脈内投与します。

X線造影剤による腎障害の予防

造影剤使用の前後に900mgを静脈内投与します。または，N-アセチルシステイン1,200mgを1日2回経口投与する前に，1,200mgを静脈内投与します。

心臓発作

医薬品「streptokinase」と併用して，N-アセチルシステイン100mg/kgを1日6回，静脈内投与します。または，streptokinaseおよびニトログリセリンと併用して，N-アセチルシステイン毎分20mgを23時間，静脈内投与します。または，streptokinaseと併用して，N-アセチルシステイン15gを24時間かけて静脈内投与します。

【小児】

●経口摂取

アセトアミノフェンの過剰投与

最初にN-アセチルシステイン140mg/kgを摂取し，続いて４時間ごとに70mg/kgを，３日にわたり，または血中にアセトアミノフェンが検出されなくなるまで，摂取します。

自閉症

N-アセチルシステイン１日900mgを４週にわたり摂取，その後900mgを１日２回，４週にわたり摂取し，さらにその後900mgを１日３回，４週にわたり摂取します。または，１日1,200mgを，医薬品「risperidone」と併用して，８週にわたり摂取します。

●吸入

無気肺

20％溶液３～５mLまたは10％溶液６～10mLを，噴霧器により，１日３～４回吸入します。または，10％溶液または20％溶液１～２mLを，気管切開口より，１～４時間おきに吸入します。または，20％溶液１～２mLまたは10％溶液２～４mLを，気管カテーテルより，１～４時間おきに吸入します。

肺機能検査

20％溶液１～２mLまたは10％溶液２～４mLを，肺機能検査前に２～３回，気管内注入により投与します。

気管にチューブを装着した人（気管切開を受けた人）のケア

10～20％溶液１～２mLを気管内注入により投与します。

n-6系脂肪酸

OMEGA-6 FATTY ACIDS

別名ほか

N-6系必須脂肪酸（N-6，N-6 EFAs，N-6 Essential fatty acids），オメガ-6多価不飽和脂肪酸（Omega 6, Omega-6 Polyunsaturated fatty acids），多価不飽和脂肪酸（Omega 6 Oils，Polyunsaturated fatty acids），PUFAs

概　　要

n-６系脂肪酸はさまざまなタイプの脂肪です。あるタイプのn-６系脂肪酸は，トウモロコシ油，メマツヨイグサ種子油，紅花油，大豆油などの植物油に含まれています。クロフサスグリ種子，ボラージ種子，月見草油には別のタイプが含まれています。

n-６系脂肪酸は多くの疾患に対して用いられていますが，現時点で科学的にもっとも確かな情報は，n-６系脂肪酸の一種アラキドン酸を追加しても，乳児の発育は改善しないということです。そのほかの用途に対するn-６系脂肪酸の有効性を判断するには，十分な研究が行われていません。

n-６系脂肪酸は，心疾患リスクの低下，総コレステロール値の低下，低比重リポタンパク（LDL，悪玉）コレステロール値の低下，高比重リポタンパク（HDL，善玉）コレステロール値の上昇，がんリスクの低下などの目的で用いられます。

本書のn-６系脂肪酸サプリメントに関する情報のほとんどは，特定のn-６系脂肪酸や，n-６系脂肪酸を含有する植物油の研究から入手したものです。月見草油については，該当する項目を参照してください。

安　全　性

n-６系脂肪酸は，食事の一部として１日のカロリーの５～10％の間で摂取する場合，ほとんどの成人および12カ月超の小児に安全のようです。しかし，「くすり」としての量を摂取する場合の安全性についてはデータが不十分です。

高トリグリセリド血症：n-６系脂肪酸がトリグリセリド値を上昇させるおそれがあります。高トリグリセリド血症の場合，n-６系脂肪酸を摂取してはいけません。

●妊娠中および母乳授乳期

n-６系脂肪酸は，食事の一部として１日のカロリーの５～10％の間で摂取する場合，ほとんどの人に安全のようです。妊娠中および母乳授乳期にn-６系脂肪酸サプリメントを摂取する場合の安全性についてはデータが不十分です。安全性を考慮し，摂取は避けてください。

有　効　性

◆有効性レベル④

・多発性硬化症（MS）。n-６系脂肪酸を摂取しても，多発性硬化症の進行を防ぐことはないようです。

n-6 系脂肪酸の食事摂取基準（g/ 日）

日本人の食事摂取基準 2020 年版

性　別	男　性	女　性
年齢等	目安量	目安量
0～5（月）	4	4
6～11（月）	4	4
1～2（歳）	4	4
3～5（歳）	6	6
6～7（歳）	8	7
8～9（歳）	8	7
10～11（歳）	10	8
12～14（歳）	11	9
15～17（歳）	13	9
18～29（歳）	11	8
30～49（歳）	10	8
50～64（歳）	10	8
65～74（歳）	9	8
75 以上（歳）	8	7
妊　婦		9
授乳婦		10

有効性レベル：①効きます　②おそらく効きます　③効くと断言できませんが，効能の可能性が科学的に示唆されています　④効かないかもしれません　⑤おそらく効きません　⑥効きません

エ

◆科学的データが不十分です

・注意欠陥多動障害（ADHD），眼瞼の皮脂腺障害による腫脹，発達性協調運動障害（DCD），レーザー眼科手術，乳児の精神発育の改善，乳児の呼吸器疾患，乳児の下痢，心疾患リスクの低下，低比重リポタンパク（LDL，悪玉）コレステロール値の低下，高比重リポタンパク（HDL，善玉）コレステロール値の上昇，がんリスクの低下など。

●体内での働き

どのように作用するかについては，十分なデータが得られていません。

医薬品との相互作用

ほかの医薬品との相互作用については明らかではありません。

ハーブおよび健康食品・サプリメントとの相互作用

ほかのハーブ，健康食品・サプリメントとの相互作用についてはまだ明らかではありません。

使用量の目安

通常の食品に含まれている量を超えて経口摂取した場合の安全性および副作用については，明らかになっていません。

エボディア

EVODIA

●代表的な別名

エボジア

別名ほか

Evodia Lepta，Evodiae，Evodiae Fructus，Evodia Fruit，Evodiamine，E. rutaecarpa，E. officinalis，Evodia officinalis，Evodia rutaecarpa，Gosyuyu，San Cha Ku，Wu-Chu-Yu，Wu-Zhu-Yu

概　　要

エボディアは中国・韓国の原生の樹木です。その果実は苦みが強く，伝統中国医学で広く使用されています。果実や根の樹皮もまた，「くすり」として使われることもあります。

安　全　性

エボディアが安全か，あるいは考えられる副作用についてのデータは十分ではありません。

手術：エボディアは血液凝固を抑制すると考えられます。手術中，術後の出血のリスクを上げることが懸念されます。2週間以内に手術予定のある場合は，使用しないでください。

●妊娠中および母乳授乳期

妊娠中の場合，使用は安全ではありません。妊娠中の動物に影響をあたえる化学物質が含まれています。これらの化学物質は動物の子宮を収縮させ，一度に生まれる頭数を減少させます。エボディアが妊婦に同様に作用するかは判明しませんが，安全性を考慮して摂取は避けてください。

また，母乳授乳期の場合も摂取は避けてください。その影響については十分なデータがありません。

有　効　性

◆科学的データが不十分です

・下痢，悪心，嘔吐，胃痛，頭痛，食欲減退，高血圧症，心疾患，避妊，無月経，出産後の出血，ウイルス性感染，寄生虫感染，胃潰瘍，逆流性食道炎，肥満症，体液貯留，アルツハイマー病，赤痢，がんなど。

●体内での働き

エボディアに含まれる化学物質は，体内でいろいろな作用をおこします。痛みや腫れ（炎症）を緩和し，下痢を少なくし，血圧を下げ，心臓を刺激するなど多くの作用があります。しかし，これらの作用は動物でのみみられました。ヒトにこれらの作用があるかどうかのデータは十分ではありません。

医薬品との相互作用

中カフェイン

カフェインは体内で代謝されてから排泄されます。エボディアはカフェインの排泄を促進する可能性があります。エボディアとカフェインを併用すると，カフェインの作用が弱まるおそれがあります。

中テオフィリン

テオフィリンは体内で代謝されてから排泄されます。エボディアはテオフィリンの排泄を促進する可能性があります。エボディアとテオフィリンを併用すると，テオフィリンの効果が弱まるおそれがあります。

中肝臓でほかの医薬品の代謝を抑制する医薬品（シトクロムP450 1A2（CYP1A2）を阻害する医薬品）

特定の医薬品は，ほかの医薬品の肝臓での代謝を抑制します。肝臓で代謝されるこれらの医薬品は，エボディアに含まれる化学物質の体内での代謝を抑制する可能性があります。そのため，エボディアの作用および副作用が増強するおそれがあります。

中肝臓で代謝される医薬品（シトクロムP450 1A2（CYP1A2）の基質となる医薬品）

特定の医薬品は肝臓で代謝されます。エボディアは特定の医薬品の代謝を促進する可能性があります。エボディアと肝臓で代謝される医薬品を併用すると，医薬品の働きが弱まるおそれがあります。このような医薬品には，クロザピン，Cyclobenzaprine，フルボキサミンマレイン酸塩，ハロペリドール，イミプラミン塩酸塩，メキシレチン塩酸塩，オランザピン，塩酸ペンタゾシン，プロプラノロール塩酸塩，Tacrine，Zileuton，ゾルミトリプタンなどがあります。

中肝臓で代謝される医薬品（シトクロムP450 3A4（CYP3A4）の基質となる医薬品）

特定の医薬品は肝臓で代謝されます。エボディアは特定の医薬品の代謝を抑制する可能性があります。エボディアと肝臓で代謝される医薬品を併用すると，医薬品の作用および副作用が増強するおそれがあります。このような医薬品には，Lovastatin，ケトコナゾール，イトラコナゾール，フェキソフェナジン塩酸塩，トリアゾラムなど数多くあります。

中血液凝固を抑制する医薬品（抗凝固薬/抗血小板薬）

エボディアは血液凝固を抑制する可能性があります。エボディアと血液凝固を抑制する医薬品を併用すると，紫斑および出血のリスクが高まるおそれがあります。このような医薬品には，アスピリン，クロピドグレル硫酸塩，ジクロフェナクナトリウム，イブプロフェン，ナプロキセン，ダルテパリンナトリウム，エノキサパリンナトリウム，ヘパリン，ワルファリンカリウムなどがあります。

中不整脈を誘発する可能性がある医薬品（QT間隔を延長させる医薬品）

エボディアは脈拍不整を引き起こすおそれがあります。エボディアと不整脈を誘発する可能性がある医薬品と併用すると，重大な副作用（不整脈など）が現れるおそれがあります。このような医薬品には，アミオダロン塩酸塩，ジソピラミド，ドフェチリド（販売中止），Ibutilide，プロカインアミド塩酸塩，キニジン硫酸塩水和物，ソタロール塩酸塩，チオリダジン塩酸塩など数多くあります。

ハーブおよび健康食品・サプリメントとの相互作用

血液凝固を抑制するハーブおよび健康食品・サプリメント

エボディアは血液凝固の作用があると考えられています。同様な作用のあるハーブおよび健康食品・サプリメントとの併用は，紫斑や出血の可能性が高くなると考えられます。このような作用のあるハーブには，アンゼリカ，クローブ，タンジン，ニンニク，ショウガ，イチョウ，朝鮮人参などがあります。

使用量の目安

標準使用量に関するデータがありません。

エミューオイル

EMU OIL

別名ほか

エミュー（Dromiceius nova-hollandiae），Emu

概　要

エミューオイルは，エミューという名の鳥の処理過程でその脂肪から得られるオイルです。「くすり」を作るのに使用されることもあります。

安 全 性

エミューオイルは，適量を皮膚へ塗布する場合，最長６週間まではほとんどの人におそらく安全です。経口摂取した場合の安全性についてはデータが不十分です。

●妊娠中および母乳授乳期

妊娠中および母乳授乳期の使用の安全性についてはデータが不十分です。

安全性を考慮し，使用は避けてください。

有 効 性

◆科学的データが不十分です

・放射線治療による皮膚損傷，頭皮や顔のうろこ状の皮疹（脂漏性皮膚炎），熱傷およびあざ（打撲），咳，糖尿病神経障害に伴う疼痛，乾燥肌または皺，痔核，高コレステロール血症，昆虫刺傷，関節痛，帯状疱疹，筋肉痛，体重減少，創傷治癒など。

●体内での働き

エミューオイルには脂肪酸という化学物質が含まれています。脂肪酸は疼痛および腫脹（炎症）を緩和する可能性があります。

エミューオイルを皮膚に塗布すると，ミネラルオイルのような保湿作用や美容作用があります。

医薬品との相互作用

ほかの医薬品との相互作用については明らかではありません。

ハーブおよび健康食品・サプリメントとの相互作用

ほかのハーブ，健康食品・サプリメントとの相互作用についてはまだ明らかではありません。

使用量の目安

通常の食品に含まれている量を超えて経口摂取した場合の安全性および副作用については，明らかになっていません。

エラグ酸

ELLAGIC ACID

別名ほか

3,4,3',4'-hydroxyl-benzopyranol[5,4,3-c,d,e][1]benzopyrn-6-6'-dione，Acide Ellagique，Ácido Elágico

概　　要

エラグ酸は自然界にある物質です。食物の中で含有量が多いのは，苺，ラズベリー，ブラックベリー，およびウォールナッツです。

安　全　性

安全性についての十分なデータは得られていません。

●妊娠中および母乳授乳期

妊娠中および母乳授乳期の使用の安全性についてはデータが不十分です。安全性を考慮し，摂取は避けてください。

有　効　性

◆科学的データが不十分です

・がん予防，ウイルス感染症の治療，および細菌性感染症の治療。

●体内での働き

がんの原因となる化合物と結合して，がん細胞の増殖を阻害することがあります。ただし，エラグ酸には吸収されにくく，短時間で体内から排出される性質があり，医薬品としての有効性は限られています。

医薬品との相互作用

ほかの医薬品との相互作用については明らかではありません。

ハーブおよび健康食品・サプリメントとの相互作用

ほかのハーブ，健康食品・サプリメントとの相互作用についてはまだ明らかではありません。

使用量の目安

標準使用量に関するデータがありません。

エリキャンペーン

ELECAMPANE

別名ほか

オオグルマ，大車，エレカンペーン，ワイルドサンフラワー，Alant, Aster helenium, Aster officinalis, Elfdock, Elfwort，Helenium grandiflorum，Horse-Elder, Horseheal，Inula helenium，Scabwort，Velvet Dock, Wild Sunflower，Yellow Starwort

概　　要

エリキャンペーンはハーブです。根を用いて「くすり」を作ることもあります。食品や飲料では，風味づけに使用されます。ほかの製品では，化粧品や石鹸の香料として使用されます。

●要説（ナチュラル・スタンダード）

エリキャンペーンは，とがった葉が非常に大きく，黄色とオレンジの中間色をしたデイジーのような花を咲かせる背の高い野草です。欧州では天然の食品香味料として用いられます。米国ではアルコール飲料に用いることが承認されています。

抗真菌薬，駆虫薬，および一般的な抗菌薬として昔から用いられています。咳，感冒，および気管支疾患に対し，去痰薬としても昔から用いられています。現時点では，これらの用途を裏づけるランダム化比較試験（RCT）によるエビデンスは十分ではありません。

安　全　性

エリキャンペーンは，通常の「くすり」としての量を経口摂取する場合，ほとんどの成人におそらく安全です。大量に摂取するのは，おそらく安全ではありません。大量に摂取すると，嘔吐，下痢，痙攣および麻痺を引き起こすおそれがあります。

糖尿病：エリキャンペーンは血糖コントロールを妨げるおそれがあります。糖尿病に罹患していてエリキャンペーンを摂取する場合は，血糖値を注意深く監視してください。

高血圧または低血圧：エリキャンペーンは血圧コントロールを妨げるおそれがあります。血圧に異常のある人がエリキャンペーンを摂取する場合は，血圧を注意深く監視してください。

手術：エリキャンペーンは中枢神経系に影響を及ぼすため，眠気を引き起こすおそれがあります。手術中・手術後に使用する麻酔などの医薬品と併用すると，過度の眠気を引き起こすおそれがあります。少なくとも手術前２週間は，使用しないでください。

●アレルギー

ブタクサや関連植物に対するアレルギー：エリキャンペーンは，キク科植物に敏感な人にアレルギー反応を引き起こすおそれがあります。キク科には，ブタクサ，キク，マリーゴールド，デイジーなど多くの植物があります。アレルギーのある場合には，エリキャンペーンを摂取する前に必ず医師などに相談してください。

●妊娠中および母乳授乳期

妊娠中および母乳授乳期の使用は，安全ではないようです。使用は避けてください。

有　効　性

◆科学的データが不十分です

・咳，気管支喘息，気管支炎，吐き気，下痢，腸の寄生虫（鉤虫，回虫，線虫，鞭虫）の駆除など。

●体内での働き

エリキャンペーンには腸の寄生虫を駆除する可能性のある化学物質が含まれています。

医薬品との相互作用

中鎮静薬（中枢神経抑制薬）

エリキャンペーンは眠気および注意力低下を引き起こす可能性があります。鎮静薬は眠気を引き起こす医薬品です。エリキャンペーンと鎮静薬を併用すると，過度の眠気を引き起こすおそれがあります。このような鎮静薬には，クロナゼパム，ロラゼパム，フェノバルビタール，ゾルピデム酒石酸塩などがあります。

ハーブおよび健康食品・サプリメントとの相互作用

眠気を引き起こすおそれのあるハーブおよび健康食品・サプリメント

エリキャンペーンは眠気および注意力低下を引き起こすおそれがあります。同様の作用をもつほかのハーブおよび健康食品・サプリメントと併用すると，過度の眠気を引き起こすおそれがあります。このようなハーブおよび健康食品・サプリメントには，5-ヒドロキシトリプトファン，ショウブ，ハナビシソウ，キャットニップ，ホップ，ジャマイカ・ドックウッド，カバ，セント・ジョンズ・ワート，スカルキャップ，カノコソウ，アネモプシス・カリフォルニカなどがあります。

使用量の目安

通常の食品に含まれている量を超えて経口摂取した場合の安全性および副作用については，明らかになっていません。

エリンジウム

ERYNGO

●代表的な別名

エリンゴ，エリンゴウム

別名ほか

エリンゴ（Eringo），Eryngii Herba，Eryngii Radix，Eryngo Root，緑花ヒゴダイサイコ（Eryngium campestre），Eryngium maritimum，Eryngium planum，Eryngium yuccifolium，Panicaut Champêtre，エリンジューム（Sea Holly），Sea Holme，Sea Hulver

概　要

エリンジウムはハーブです。地上部と根を用いて「くすり」を作ることもあります。

安 全 性

エリンジウムが安全か副作用があるかを知るための十分なデータはありません。

●アレルギー

エリンジウムは，セリ科属に敏感な人に反応を引き起こす可能性があります。この科属には，セロリ，フェンネル，ディルなど多くの植物が含まれています。

●妊娠中および母乳授乳期

妊娠中および母乳授乳期の使用の安全性についてはデータが不十分です。安全性を考慮し，摂取は避けてください。

有 効 性

◆科学的データが不十分です

- 尿路感染症，前立腺疾患，咳，気管支炎，腎結石と膀胱結石，腎臓の痛みと腫脹，体液貯留，排尿困難，皮膚疾患など。
- エリンジウムのこうした使用に関する有効性を評価するためには，より多くのエビデンスが必要です。

●体内での働き

エリンジウムの地上部分は，尿の産生を増加させる可能性があります。 エリンジウムの根の部分は，痙攣を軽減し，粘液を薄くして咳を出しやすくすることで，胸部うっ血治療の助けになる可能性があります。

医薬品との相互作用

ほかの医薬品との相互作用については明らかではありません。

ハーブおよび健康食品・サプリメントとの相互作用

ほかのハーブ，健康食品・サプリメントとの相互作用についてはまだ明らかではありません。

使用量の目安

標準使用量に関するデータがありません。

L-アルギニン

L-ARGININE

別名ほか

塩酸アルギニン（Arginine hydrochloride），L-アルギニン塩酸塩（L-arginine hydrochloride），アルギニン（Arginine），アルギニンHCl（Arginine HCl），Arg，HCl

概　要

「L-アルギニンは「アミノ酸」と呼ばれる化学物質です。食品から得られ，体内のタンパク質合成に必要です。食品では，赤身肉，鶏肉，魚，乳製品に含まれています。化学的に合成することもできます。また，「くすり」として使用されることもあります。

注：L-アルギニンは，わが国では第16次改正日本薬局方に掲載されています。

L-アルギニンは，もっとも一般的には，手術後の回復，高血圧とタンパク尿を認める妊娠合併症（妊娠高血圧腎症)，胸痛（狭心症）や高血圧などの心血管疾患に使用されます。L-アルギニンは，ほかの様々な疾患に用いられますが，これらの用途を十分に裏づけるエビデンスはありません。

安全性

L-アルギニンを，適量で短期間であれば，経口摂取する場合，ほとんどの人におそらく安全です。L-アルギニンは腹痛，腹部膨満，下痢，痛風，アレルギー，気管支喘息の悪化，低血圧などの副作用を引き起こすおそれがあります。

L-アルギニンを，皮膚に塗布した場合，または歯磨きペーストとして使用した場合，短期間であれば，ほとんどの人におそらく安全です。

L-アルギニンを，吸入した場合，短期間であれば，ほとんどの人におそらく安全です。

L-アルギニンを，注射（点滴）として投与した場合，短期間であれば，ほとんどの人におそらく安全です。L-アルギニンは，吐き気，嘔吐，血液異常などの副作用を起こすおそれがあります。

小児：小児が適量のL-アルギニンを経口摂取する場合，歯磨きペーストに使用する場合，静脈内注射として使用する場合，または吸入する場合には，おそらく安全です。

ただし，小児が高用量を静脈内注射として使用する場合は，おそらく安全ではありません。小児が高用量を使用すると，死に至るなど，深刻な副作用が起きるおそれがあります。

肝硬変：硬変の場合には，L-アルギニンを注意して使用してください。

グアニジノ酢酸メチルトランスフェラーゼ欠乏症：この遺伝性疾患があると，アルギニンや類似した化学物質をクレアチンに変換することができません。この疾患にともなう合併症を予防するため，アルギニンを摂取しないでください。

ヘルペス：L-アルギニンはヘルペスを悪化させるおそれがあります。ヘルペスウイルスの増殖にL-アルギニンが必要であるというエビデンスがあります。

低血圧：L-アルギニンは，血圧を低下させる可能性があります。このため，低血圧の場合には，問題となるおそれがあります。

心臓発作を発症して間もない時期：L-アルギニンは，とくに高齢者の場合，心臓発作発症後の死亡リスクを高めるおそれがあります。心臓発作を発症して間もない時期に，L-アルギニンを摂取してはいけません。

腎疾患：腎疾患患者がL-アルギニン使用により，高カリウム血症を起こしています。場合によっては，生命をおびやかすおそれのある脈拍不整を引き起こします。

手術：L-アルギニンが，血圧に影響を与える可能性があります。このため，手術中・手術後の血圧コントロールを妨げるおそれがあります。少なくとも手術前２週間は，使用しないでください。

●アレルギー

アレルギーまたは気管支喘息：L-アルギニンが，アレルギー反応を引き起こしたり，気道の腫脹を悪化させたりするおそれがあります。アレルギーまたは気管支喘息の傾向がある場合には，注意してL-アルギニンを使用してください。

●妊娠中および母乳授乳期

妊娠中の経口摂取は，適量で短期間であれば，おそらく安全です。妊娠中に長期間使用する場合や母乳授乳期に使用する場合の安全性については，データが不十分です。安全性を考慮し，摂取は避けてください。

有効性

◆有効性レベル③

・胸痛（狭心症）。狭心症患者がL-アルギニンを摂取すると，症状が緩和し，運動耐容能および生活の質が改善するようです。ただし，L-アルギニンが，狭心症により狭窄した血管の拡張を促進することはないようです。

・勃起障害（ED）。勃起障害の男性がL-アルギニン５ｇを毎日経口摂取すると，性機能が改善するようです。５ｇ未満の摂取では，効果が現れないようです。ただし，松樹皮抽出物などの成分と併用すると，勃起障害に対する低用量L-アルギニンの効果が向上する可能性を示唆する初期のエビデンスがあります。

・高血圧。L-アルギニンを経口摂取すると，健康な人，高血圧の患者，糖尿病の有無にかかわらず血圧が若干高めの人の血圧が低下する可能性を示唆するエビデンスがあります。

・壊死性腸炎（未熟児の重度な腸疾患（NEC））。未熟児の調合乳にL-アルギニンを加えると，消化管の炎症を予防できるようです。未熟児にL-アルギニンを投与した場合，実際に消化管の炎症を予防する効果が得られる確率は６例のうち１例程度です。

・血管の狭窄による下肢への血流不足（末梢動脈疾患）。末梢動脈疾患患者がL-アルギニンを最長８週間，経口摂取または静脈内投与すると，血流が増加することが研究で示唆されています。ただし，長期にわたり使用しても（最長６カ月間），歩行速度および歩行距離は改善しません。

・高血圧とタンパク尿を認める妊娠合併症（妊娠高血圧腎症）。L-アルギニンにより妊娠高血圧腎症の女性の血圧が低下する可能性が，ほとんどの研究で示唆されています。L-アルギニンはまた，妊娠中の女性の妊娠高血圧腎症を予防する可能性があります。

◆有効性レベル④

・長期の腎疾患（慢性腎臓病（CKD））。L-アルギニンを経口摂取または静脈内投与しても，腎不全または腎疾患の患者のほとんどで腎機能が改善しないことが，ほとんどの初期の研究で示唆されています。ただし，腎疾患による貧血のある高齢者がL-アルギニンを経口摂取すると，腎機能が改善し貧血が緩和する可能性があります。
・心臓発作。L-アルギニンを摂取しても，心臓発作の予防には役立たないようです。心臓発作を起こした後の治療効果もないようです。実際には，心臓発作を起こして間もない場合には，L-アルギニンが害となるおそれがあります。心臓発作を起こして間もない場合には，L-アルギニンを摂取してはいけません。
・結核。結核の標準治療にアルギニンを追加しても，症状改善や感染除去には役立たないようです。
・創傷治癒。L-アルギニンを摂取しても，創傷治癒は促進されないようです。

◆科学的データが不十分です

・高山病，肛門粘膜の小さな裂傷（裂肛），運動能力，乳がん，心不全および体液貯留（うっ血性心不全（CHF）），心臓への血流を改善する手術（冠動脈バイパス（CABG）手術），心疾患，重症外傷，のう胞性線維症，アルツハイマー病などの認知障害を引き起こす疾患（認知症），う歯，歯の知覚過敏，糖尿病，糖尿病性足部潰瘍，糖尿病性神経障害（糖尿病性ニューロパチー），基礎疾患が不明な胸痛，頭頸部がん，心不全，心臓移植後の合併症，HIV/エイズ患者における意図的でない体重減少，高コレステロール血症，女性不妊，疼痛性膀胱症候群（間質性膀胱炎），胎児の発育不良（栄養不良により出産時体重が10パーセンタイル未満），腎臓移植，妊娠を望んでから１年以内に妊娠せず男性側に原因がある疾患（男性不妊），ミトコンドリア病（筋力低下を主症状とする複合的な病態の総称），片頭痛，筋力低下および筋肉減少を引き起こす遺伝性疾患の総称（筋ジストロフィー），硝酸薬を１日中使用した場合に起こる硝酸薬治療の効果減少（硝酸薬耐性），肥満，口腔粘膜炎（口内炎），のう胞を伴う卵巣腫大が生じるホルモンの病気（多のう胞性卵巣症候群（PCOS）），手術後の感染，手術後の回復，床ずれ（褥瘡性潰瘍），放射線治療による皮膚障害（放射線皮膚炎），ステント留置または血管形成術後の血管の再狭窄，気道感染症，統合失調症，性行為中に満足感が得られない女性機能障害，鎌状赤血球症，ストレス，バルプロ酸ナトリウムによる毒性副作用，感冒予防など。

●体内での働き

L-アルギニンは，体内で一酸化窒素という化学物質に変換されます。一酸化窒素は，血管を拡張し，血行を改善します。また，L-アルギニンは，体内で成長ホルモンやインスリンなどの放出を促進します。

医薬品との相互作用

中dl-イソプレナリン塩酸塩

L-アルギニンは血圧を低下させるようです。dl-イソプレナリン塩酸塩は降圧薬です。L-アルギニンを摂取し，dl-イソプレナリン塩酸塩を併用すると，血圧が過度に低下するおそれがあります。

中カリウム保持性利尿薬

L-アルギニンは体内のカリウム量を増加させる可能性があります。特定の利尿薬も体内のカリウム量を増加させる可能性があります。L-アルギニンを摂取し，利尿薬を併用すると，体内のカリウム量が過度に増加するおそれがあります。このような利尿薬には，Amiloride，スピロノラクトン，トリアムテレンなどがあります。

中シルデナフィルクエン酸塩

シルデナフィルクエン酸塩は血圧を低下させます。L-アルギニンも血圧を低下させる可能性があります。L-アルギニンを摂取し，シルデナフィルクエン酸塩を併用すると，血圧が過度に低下するおそれがあります。しかし，ほとんどの人は併用しても構わないようです。

中血液凝固を抑制する医薬品（抗凝固薬/抗血小板薬）

L-アルギニンは血液凝固を抑制する可能性があります。L-アルギニンを摂取し，血液凝固を抑制する医薬品を併用すると，紫斑および出血のリスクが高まるおそれがあります。このような医薬品には，アスピリン，クロピドグレル硫酸塩，ダルテパリンナトリウム，エノキサパリンナトリウム，ヘパリン，チクロピジン塩酸塩，ワルファリンカリウムなどがあります。

中降圧薬

L-アルギニンは血圧を低下させる可能性があります。L-アルギニンを摂取し，降圧薬を併用すると，血圧が過度に低下するおそれがあります。血圧を注意深く監視してください。このような降圧薬には，カプトプリル，エナラプリルマレイン酸塩，ロサルタンカリウム，バルサルタン，ジルチアゼム塩酸塩，アムロジピンベシル酸塩，ヒドロクロロチアジド，フロセミドなど数多くあります。

中降圧薬（アンジオテンシンⅡ受容体拮抗薬（ARBs））

L-アルギニンは血圧を低下させる可能性があります。L-アルギニンを摂取し，降圧薬（アンジオテンシンⅡ受容体拮抗薬）を併用すると，血圧が過度に低下するおそれがあります。血圧を注意深く監視してください。このような降圧薬には，ロサルタンカリウム，バルサルタン，イルベサルタン，カンデサルタンシレキセチル，テルミサルタン，Eprosartanなどがあります。

中降圧薬（アンジオテンシン変換酵素（ACE）阻害薬）

L-アルギニンは血圧を低下させる可能性があります。L-アルギニンを摂取し，降圧薬（ACE阻害薬）を併用すると，血圧が過度に低下するおそれがあります。血圧を注意深く監視してください。ACE阻害薬には，ベナゼプリル塩酸塩，カプトプリル，エナラプリルマレイン酸塩，Fosinopril，リシノプリル水和物，Moexipril，ペリンドプリルエルブミン，キナプリル塩酸塩，Ramipril，トランドラプリルなどがあります。

中糖尿病治療薬

L-アルギニンは血糖値を低下させる可能性があります。L-アルギニンを摂取し，糖尿病治療薬を併用すると，血糖値が過度に低下するおそれがあります。血糖値を注意深く監視してください。このような糖尿病治療薬には，グリメピリド，グリベンクラミド，インスリン，ピオグリタゾン塩酸塩，マレイン酸ロシグリタゾン（販売中止），クロルプロパミド，Glipizide，トルブタミド（販売中止）などがあります。

低テストステロンエナント酸エステル

L-アルギニンはテストステロンエナント酸エステルの量を増加させる可能性があります。しかし，このことが重大な問題であるかについては明らかではありません。テストステロンエナント酸エステルを服用中の場合には，この相互作用の可能性がさらに明らかになるまでは注意してください。

ハーブおよび健康食品・サプリメントとの相互作用

血圧を低下させるおそれのあるハーブおよび健康食品・サプリメント

L-アルギニンは血圧を低下させるようです。同様の作用をもつほかのハーブおよび健康食品・サプリメントと併用すると，人によっては，血圧が過度に低下するリスクが高まるおそれがあります。このようなハーブおよび健康食品・サプリメントには，アンドログラフィス，カゼイン・ペプチド，キャッツクロー，コエンザイムQ-10，魚油，クコ，イラクサ，テアニンなどがあります。

血糖値を低下させるおそれのあるハーブおよび健康食品・サプリメント

L-アルギニンは血糖値を低下させるようです。同様の作用をもつほかのハーブおよび健康食品・サプリメントと併用すると，人によっては，血糖値が過度に低下するおそれがあります。このようなハーブおよび健康食品・サプリメントには，デビルズクロー，フェヌグリーク，グアーガム，朝鮮人参，エゾウコギなどがあります。

血液凝固を抑制するおそれのあるハーブおよび健康食品・サプリメント

L-アルギニンと血液凝固を抑制するおそれのあるほかのハーブおよび健康食品･サプリメントを併用すると，人によっては，出血のリスクが高まるおそれがあります。このようなハーブおよび健康食品・サプリメントには，アンゼリカ，クローブ，タンジン，ニンニク，イチョウ，朝鮮人参，レッドクローバー，ウコンなどがあります。

キシリトール

L-アルギニンは，膵臓にグルカゴンというホルモンの分泌を促します。グルカゴンは，血糖値が過度に低下すると分泌されます。グルカゴンが分泌されると，肝臓が蓄積していた糖を使用できる糖に変換し，血流に放出します。L-アルギニンとキシリトールを併用すると，膵臓を刺激してグルカゴンの分泌を促すL-アルギニンの作用が抑制されるおそれがあります。

使用量の目安

【成人】

●経口摂取

胸痛（狭心症）

2～6gを1日3回，最長1カ月にわたり摂取します。

勃起障害（ED）

1日5gを摂取します。5g未満の摂取では効果がないようです。

高血圧

1日4～24gを2～24週間摂取します。

血管の狭窄による下肢への血流不足（末梢動脈疾患）

6～24gを最長8週間摂取します。

高血圧とタンパク尿を認める妊娠合併症（妊娠高血圧腎症）

1日3gを7日間もしくは出産まで摂取します。または妊娠14～32週から出産まで，アルギニン6.6gおよび抗酸化ビタミンを含む特定の医療用食品を1日2個摂取します。または特定のアルギニン製品1日4gを10～12週間摂取します。

●静脈内投与

血管の狭窄による下肢への血流不足（末梢動脈疾患）

16gを最長8週間投与します

【小児】

●経口摂取

壊死性腸炎（未熟児の重度な腸疾患（NEC））

261mg/kgを経口栄養に加え，生後28日間，毎日与えます。

L-オルニチン-L-アスパラギン酸塩

L-ORNITHINE-L-ASPARTATE

別名ほか

2,5-diaminopentanoic acid 2-aminobutanedioic acid, L-Ornithin-L-Aspartat, L-ornithine-L-aspartate Salt, LOLA, Ornithine Aspartate, Ornithylaspartate

概　　要

L-オルニチン-L-アスパラギン酸塩は，2種類のアミノ酸，オルニチンとアスパラギン酸を併せて生成された化学物質です。ほとんどのアミノ酸はタンパク質を作るための構成要素です。しかし，L-オルニチン-L-アスパラギン酸塩は，タンパク質を作るためには使用されず，その代わりに体内でオルニチンとアスパラギン酸を供給するために分解します。

一般的には，経口摂取され，脳の機能が低下する肝性脳症には静脈投与されます。L-オルニチン-L-アスパラギン酸塩のほかの使用方法を科学的に裏づける研究はごくわずかしかありません。

安　全　性

L-オルニチン-L-アスパラギン酸塩は，経口摂取または静脈内投与する場合，おそらく安全です。副作用はそれほど発生しません。しかし，静脈内投与した人が，吐き気，嘔吐，咳，筋痙攣，下痢を引き起こすことがあります。

●妊娠中および母乳授乳期

妊娠中および母乳授乳期の使用の安全性についてはデータが不十分です。安全性を考慮し，摂取は避けてください。

有 効 性

◆有効性レベル③

・肝性脳症（脳の機能が低下する肝疾患）。ほとんどの研究により，肝硬変の患者がL-オルニチン-L-アスパラギン酸塩を摂取すると肝性脳症の症状が軽減することが示唆されています。経口摂取または注射（点滴）により投与します。しかし，肝性脳症の患者すべてが肝硬変というわけではありません。そのほかの原因で肝性脳症を起こした患者が摂取しても，症状を軽減することはないようです。

◆科学的データが不十分です

・肝硬変，運動中のより明晰な思考力，経頚静脈性肝内門脈体循環短絡（TIPSS）時の保護，創傷治癒，筋肉増強など。

●体内での働き

L-オルニチン-L-アスパラギン酸塩は，体内のオルニチン濃度，アスパラギン酸濃度を高めます。これらのアミノ酸には，血中の有毒物質であるアンモニアを減少する作用があります。

医薬品との相互作用

ほかの医薬品との相互作用については明らかではありません。

ハーブおよび健康食品・サプリメントとの相互作用

ほかのハーブ，健康食品・サプリメントとの相互作用についてはまだ明らかではありません。

使用量の目安

【成人】

●経口摂取

肝性脳症（脳の機能が低下する肝疾患）

1日9～18gを最長3カ月にわたり使用します。

●注射（点滴）

肝性脳症（脳の機能が低下する肝疾患）

1日5～40gを最長7日にわたり使用します。

L-カルニチン

L-CARNITINE

●代表的な別名

ビタミンBt

別名ほか

D-カルニチン（D-Carnitine），DL-カルニチン（DL-Carnitine），レボカルニチン（Levocarnitine），B(t) Factor，Carnitine，Carnitor，Vitacarn，Vitamin B(t)，Beta-Hydroxy-gamma-trimethylammonium butyrate

概　　要

L-カルニチンはアミノ酸の一種で，体内で作られます。

●要説（ナチュラル・スタンダード）

L-カルニチンの主な機能は，体内のある種の脂溶性分子を細胞内の膜を通って転送することで，細胞内で脂溶性分子が分解され，クレブス回路で使用されることが可能になります。人においてL-カルニチンは，肝臓，腎臓，および脳内で合成され，活発に体の他の領域に搬送されます。例えば，身体全体のL-カルニチンの98%が，血清中よりも約70倍高い濃度で，骨格筋および心筋に存在しています。

補給が必要となるのは，まれな疾患ではありますが，原発性カルニチン欠乏症の場合です。この欠乏症は，カルニチンが体内で生産されなくなることによって発生する可能性があります。または，細胞内へのカルニチンの輸送欠如，またはカルニチンを保持する腎臓の能力の欠如によって起こります。L-カルニチンは，二次性L-カルニチン欠乏症に効果があることが示されました。例えば，慢性安定狭心症，組織における低酸素レベルが原因の間欠性跛行です。カルニチン補給から効果を得られる別の疾患は，精子の運動低下です。カルニチンサプリメントは，L-カルニチンまたはアセチルもしくはプロピオン酸L-カルニチンとしても，他の多くの疾患および症状に対する有効性について研究されてきました。

早産児での使用は，カルニチン補給によって血漿カルニチン値の維持または増加や，おそらく体重増加を促進する可能性があることを示していますが，カルニチンは早産児の静脈栄養に通常追加されません。しかし，大豆調整乳児用粉乳は，母乳中に含まれる値にまでカルニチンを強化しています。

1986年には，米国食品医薬品局（FDA）は，原発性カルニチン欠乏症で使用するためのL-カルニチンを承認しました。しかしながら，D-カルニチンまたはDL-カルニチンは，二次性L-カルニチン欠乏症を引き起こす可能性があるため，使用するべきではありません。

安 全 性

L-カルニチンを，最長12カ月にわたり経口摂取する場合や，医師などの指導のもと，注射として使用する場合には，ほとんどの人に安全のようです。吐き気，嘔吐，胃の不調，むねやけ，下痢，痙攣などの副作用を引き起こすおそれがあります。L-カルニチンにより，尿や息，汗が，魚のような匂いとなるおそれもあります。D-カルニチンおよびDL-カルニチンの使用は避けてください。これらが，L-カルニチンの作用を妨げ，L-カルニチン欠乏症のような症状を引き起こすおそれがあります。

小児：L-カルニチンの経口摂取または静脈内投与は，適量を，短期間使用する場合には，おそらく安全です。最長6カ月にわたり，安全に経口摂取されています。

甲状腺機能低下症：L-カルニチンの摂取により，甲状腺機能低下症の症状が悪化するおそれがあります。

腎不全：透析療法を受けた後に，DL-カルニチンを静脈内投与したことにより，筋力低下や眼瞼下垂を引き起こした例が報告されています。L-カルニチンには，このような作用はないようです。

痙攣：痙攣の既往症がある場合には，L-カルニチンにより，痙攣を引き起こしやすくなるようです。痙攣の既往症がある場合には，L-カルニチンを摂取してはいけません。

●妊娠中および母乳授乳期

妊娠中の使用の安全性についてはデータが不十分です。安全性を考慮し，摂取は避けてください。

母乳授乳期の経口摂取は，推奨量であれば，おそらく安全です。母乳に含まれていた少量のL-カルニチンを乳児が摂取した場合の副作用の報告はありません。母乳授乳期の母親が高用量を摂取する場合の作用については，データが不十分です。

有　効　性

◆有効性レベル①

・L-カルニチン欠乏症。米国食品医薬品局では，特定の遺伝病など遺伝性疾患に起因するL-カルニチン欠乏症の治療法として，L-カルニチンの経口摂取および静脈内投与を認めています。

◆有効性レベル③

・胸痛（狭心症）。胸痛の患者がL-カルニチンを経口摂取する場合や，静脈内投与する場合には，運動耐性が改善するようです。心臓シンドロームXの患者が，標準的な治療と，L-カルニチンの摂取を併用することにより，胸痛が緩和し，運動能力が向上するようです。心臓シンドロームXの患者は，胸痛はあっても動脈の閉塞はみられません。

・心不全。心不全の患者が，L-カルニチンを経口摂取，または静脈内投与する場合には，症状が改善し，運動能力が向上するようです。L-カルニチンおよびコエンザイムQ-10を含む特定の製品を摂取する場合にも，心不全の症状が改善するようです。

・深刻な腎疾患。長期にわたり深刻な腎疾患を患い，末期段階である場合には，血液透析を受ける必要がありますが，そのために，L-カルニチン値が低下するおそれがあります。米国食品医薬品局では，このような患者が，L-カルニチン欠乏症の治療および予防のために，L-カルニチンを静脈内投与することは認めていますが，経口摂取することは認めていません。血液透析を受けている深刻な腎疾患の患者に対する，カルニチンの低下に起因する疾患の治療法としてのL-カルニチンの有効性については，エビデンスが一致していません。深刻な腎疾患の場合には，L-カルニチンの経口摂取や，静脈内投与により，貧血や炎症が改善する可能性があります。ただし，L-カルニチンにより，生活の質，筋痙攣，低血圧，呼吸機能および運動能力が改善することはないようです。

・甲状腺機能亢進症（甲状腺ホルモン値が高い状態）。甲状腺ホルモン値が高い場合には，L-カルニチンの摂取により，頻拍症，動悸，神経過敏，体力低下などの症状が改善するようです。

・男性不妊。大部分の研究により，男性不妊の場合に，L-カルニチンを単体，またはアセチル-L-カルニチンと併用して摂取することにより，精子の数が増加し，精子の動きが活発になることが示唆されています。

・心筋炎（心臓の炎症）。D-カルニチンおよびL-カルニチンを経口摂取することにより，心筋炎による死亡リスクが低下するようです。

・痙攣の治療薬「バルプロ酸ナトリウム」に起因する副作用の予防。バルプロ酸ナトリウムに起因する毒性が，L-カルニチン欠乏症につながるようです。バルプロ酸ナトリウムを誤飲した場合や，過剰なバルプロ酸ナトリウムを摂取した場合に，L-カルニチンを静脈内投与することにより，深刻な肝臓毒性を予防する可能性があります。

◆科学的データが不十分です

・ざ瘡（にきび），加齢に起因する疲労，アンドロゲン性脱毛症，結核用医薬品による毒性，運動能力，注意欠陥多動障害（ADHD），自閉症，脈拍不整（不整脈），βサラセミア（血液疾患），悪液質（消耗症候群），心筋症（心筋の脆弱化），がんに起因する疲労，セリアック病に起因する疲労，慢性疲労症候群，慢性閉塞性肺疾患，動脈血栓症（冠動脈疾患），糖尿病，疲労，肝疾患に起因する脳機能の衰退，肝炎に起因する疲労，B型肝炎，C型肝炎，脂質異常症，高トリグリセリド血症，記憶力，メタボリックシンドローム，片頭痛，多発性硬化症に起因する疲労，心筋梗塞，ナルコレプシー（昼間の過剰な眠気），乳児の睡眠中の呼吸器疾患，非アルコール性脂肪性肝炎（NASH），心臓や脳の血流障害，レット症候群（神経系に影響を与えるまれな遺伝性疾患），体重減少，摂食障害，下腿潰瘍，ライム病，脊髄の筋力低下など。

●体内での働き

L-カルニチンは，体内におけるエネルギー生産を助ける働きがあります。心臓，脳機能，筋肉の動きなど多数の身体機能にとって重要です。

医薬品との相互作用

中Acenocoumarol

Acenocoumarolは血液凝固を抑制するために用いられ

相互作用レベル：高この医薬品と併用してはいけません　中この医薬品とは慎重に併用するか併用しないでください
低この医薬品との併用には注意が必要です

ます。L-カルニチンはAcenocoumarolの効果を強める可能性があります。Acenocoumarolの効果が強まると，血液凝固を過度に抑制するおそれがあります。Acenocoumarolの用量を変更する必要があるかもしれません。

中ワルファリンカリウム

ワルファリンカリウムは血液凝固を抑制するために用いられます。L-カルニチンはワルファリンカリウムの作用を増強させ，紫斑および出血のリスクが高まるおそれがあります。定期的に血液検査をしてください。ワルファリンカリウムの用量を変更する必要があるかもしれません。

中甲状腺ホルモン製剤

L-カルニチンは体内の甲状腺ホルモンの働きを抑制する可能性があります。L-カルニチンと甲状腺ホルモン製剤を併用すると，甲状腺ホルモン製剤の効果を弱めるおそれがあります。

ハーブおよび健康食品・サプリメントとの相互作用

D-カルニチン

D-カルニチンが，L-カルニチンの体内における作用を妨げるおそれがあります。D-カルニチンを摂取することにより，L-カルニチンの値が過度に低下するおそれがあります（L-カルニチン欠乏症）。D-カルニチンとL-カルニチンを併用して摂取してはいけません。

使用量の目安

●経口摂取

L-カルニチン欠乏症

990mgを１日２～３回，錠剤または経口液剤として摂取します。

胸痛（狭心症）

900mg～２gのL-カルニチンを，１日１～２回にわけ，２週～６カ月にわたり摂取します。

心不全

1.5～3.0gのL-カルニチンを，１日１～２回にわけ，最長約34カ月にわたり摂取します。１日当たり，2,250mgのカルニチンと，270mgのコエンザイムQ-10を含む特定の製品を，12週にわたり摂取します。

血液透析を受けている深刻な腎疾患

0.64～３g，または，10mg/kgのL-カルニチンを，３～52週にわたり使用します。米国食品医薬品局では，深刻な腎疾患の患者がカルニチン欠乏症の場合に，治療としてL-カルニチンを経口摂取することを認めていません。

甲状腺機能亢進症（甲状腺ホルモン値が高い状態）

１日当たり，２～４gのL-カルニチンを，２～４カ月にわたり，摂取します。

男性不妊

１日当たり，２～３gのL-カルニチンを，最大３回にわけ，単体で，または，ビタミンEと併用して，２～24週にわたり摂取します。２gのL-カルニチンと１gのアセチル-L-カルニチンを，それだけで，または，300mgのシンノキカム（坐薬）と併用し，４日ごとに，３～６カ月にわたり摂取します。

心筋炎（心臓の炎症）

100mg/kgのD-カルニチンおよびL-カルニチンを４日にわたり摂取します。

バルプロ酸ナトリウムに起因する副作用の予防

１日当たり，50～100mg/kgを，３～４回に分けて摂取します。１日当たりの上限は３gです。

●静脈内投与

胸痛（狭心症）

１日１回，５％のデキストロース500mLに，３gのL-カルニチンを溶かしたものを，14日にわたり，点滴します。40mg/kgのD-カルニチンおよびL-カルニチンを，運動の30分前に，静脈内投与することもあります。

L-カルニチン欠乏症

50mg/kgのL-カルニチンを，ゆっくりと単回投与，または，点滴投与し，その後，50mg/kgのL-カルニチンを，３～４時間ごとに，24時間にわたり，数回に分けて投与します。その後の維持用量は，通常，１日当たり，50mg/kg程度です。血液透析に起因するL-カルニチン欠乏症の場合には，血中L-カルニチン濃度に応じて，10～20mg/kgのL-カルニチンを使用します。

心不全

通常の治療に加え，１日当たり，５gのL-カルニチンを，７日にわたり静脈内投与します。

深刻な腎疾患

深刻な腎疾患の患者が，L-カルニチン欠乏症の場合の治療法として，10～20mg/kgのL-カルニチンをゆっくりと単回投与する方法が，米国食品医薬品局により認められています。血液透析にともなうL-カルニチン欠乏症の場合には，１週間当たり，1.8gのL-カルニチンを，１日当たり，３g，または，１週間当たり，30～120mg/kgを，２週～12カ月にわたり静脈内投与します。通常，透析療法後，週に３回，投与します。透析療法後，100mgのコエンザイムQ-10の経口摂取と併用し，１gのL-カルニチンを，週に３回，静脈内投与することもあります。

バルプロ酸ナトリウムに起因する副作用の予防

１日当たり，150～500mg/kgを投与します。１日当たりの上限は，３gです。

エルゴチオネイン

ERGOTHIONEINE

別名ほか

L-エルゴ，L-エルゴチオネイン，チアジン，チオネイン，2-Mercaptohistidine Trimethylbetaine, Erythrothioneine, ET, Thiolhistidinebetaine, Thiasine,

Thiozine, Sympectothion, S-alpha-carboxy-2, 3-dihydro-N, N-N, -trimethyl-thioxo-1H-imidazole-4-ethanaminium hydroxide, 1-carboxy-2-[2-mercaptoimidazole-4-(or5)-yl]ethyl]-trimethyl-ammonium hydroxide

概　　要

エルゴチオネインは，主にキノコ類に含まれているアミノ酸です。タラバガニ，エルゴチオネインを含む草を食べて育った動物の肉，そのほかの食品にも含まれています。アミノ酸はタンパク質の構成要素です。エルゴチオネインを用いて「くすり」を作ることもあります。

●要説（ナチュラル・スタンダード）

エルゴチオネインは，植物由来の水溶性のアミノ酸で，天然に存在します。そして，動物の組織に蓄積します。さまざまな種類のキノコ(king bolete, oyster mushroom)，鶏の肝臓，豚の肝臓，豚の腎臓，オートブラン，マメ類(black turtle bean，金時豆）などが食品源です。

エルゴチオネインは，水溶性チオール化合物で，酸化的ストレスを保護する抗酸化物質の効果，抗炎症効果，神経防護作用，および抗加齢効果がある可能性があり，科学者からも消費者からも関心を寄せられています。皮膚に対する効果もあるとされ，エルゴチオネインを含むスキンケア製品もあります。

エルゴチオネイントランスポーターETT（遺伝子OCTN１，あるいはSLC22A４）が発現しない限り，細胞膜を透過することができません。赤血球や血漿など，通常は酸化的ストレスにさらされている強い細胞に，特異的にミリモル単位の濃度で蓄積しています。体内のETTおよびエルゴチオネイン値の異常が，関節リウマチおよびクローン病で認められています。

安　全　性

安全かどうかあるいは副作用についての十分なデータがありません。

●妊娠中および母乳授乳期

妊娠中および母乳授乳期の使用の安全性についてはデータが不十分です。安全性を考慮し，摂取は避けてください。

有　効　性

◆科学的データが不十分です

・肝臓障害，白内障，アルツハイマー病，糖尿病，心疾患など。
・皮膚に塗布する場合には，しわの予防および加齢現象の軽減。

●体内での働き

肺の炎症および肝・腎・脳の障害の抑制作用に関する研究が行われています。

医薬品との相互作用

ほかの医薬品との相互作用については明らかではありません。

ハーブおよび健康食品・サプリメントとの相互作用

ほかのハーブ，健康食品・サプリメントとの相互作用についてはまだ明らかではありません。

使用量の目安

標準使用量に関するデータがありません。

L-シトルリン

L-CITRULLINE

●代表的な別名

2-アミノ-5-(カルバモイルアミノ)ペンタン酸

別名ほか

2-amino-5-(carbamoylamino)pentanoic acid, Citrulline, Citrulline Malate, L-Citrulina

概　　要

L-シトルリンは天然のアミノ酸です。スイカなどの食物にあり，また体内で自然に作られます。

安　全　性

成人・小児に適切に使用される場合，おそらく安全です。

●妊娠中および母乳授乳期

妊娠中および母乳授乳期の使用の安全性についてはデータが不十分です。安全性を考慮し，摂取は避けてください。

有　効　性

◆科学的データが不十分です

・運動能力。運動能力向上には効果的ではないようです。ある試験では，L-シトルリンを使用しても，ランニングマシンでの運動能力は向上しませんでした。使用した人は実際のところ使用していない人よりも早く疲弊しました。
・小児の心臓手術後の高血圧。子どもが心臓手術後に起こすことのある高血圧症を緩和するかもしれません。手術前後で使用されます。
・鎌状赤血球症。この疾患の症状を改善するかもしれません。

●体内での働き

L-シトルリンは，スイカなどの食物に含まれています。また体内で作られます。体内では，L-アルギニンというアミノ酸や一酸化窒素に変換されます。ある種のタンパク質生合成に必要な材料を増やすのに役立ちます。また，動脈・静脈を広げ，血流をよくし，血圧を下げます。

医薬品との相互作用

高抗狭心症薬（硝酸薬）

L-シトルリンは血圧を下げ，血流を増加させます。抗狭心症薬と併用すると，めまいや軽い頭痛がおこるおそれがあります。このような医薬品は，ニトログリセリン，硝酸イソソルビドです。

中降圧薬

L-シトルリンは血圧を下げます。降圧薬との併用は血圧を下げすぎるおそれがあります。このような降圧薬にはカプトプリル，エナラプリルマレイン酸塩，ロサルタンカリウム，バルサルタン，ジルチアゼム塩酸塩，アムロジピンベシル酸塩，ヒドロクロロチアジド，フロセミドなど多くあります。

高勃起不全改善薬（ホスホジエステラーゼ-5阻害薬）

L-シトルリンは血圧を下げます。勃起不全改善薬の中にも血圧を下げるものがあります。併用すると血圧を下げすぎるおそれがあります。勃起不全改善薬にはシルデナフィルクエン酸塩，タダラフィル，バルデナフィル塩酸塩水和物があります。

ハーブおよび健康食品・サプリメントとの相互作用

ほかのハーブ，健康食品・サプリメントとの相互作用についてはまだ明らかではありません。

通常の食品との相互作用

スイカ

スイカにはL-シトルリンが多く含まれています。L-シトルリンのサプリメントを使用して大量にスイカを食べると，L-シトルリンの体内濃度が上がり，副作用をおこすおそれがあります。

使用量の目安

標準使用量に関するデータがありません。

エルダーベリー

ELDERBERRY

●代表的な別名

セイヨウニワトコ，ブラックエルダーベリー

別名ほか

セイヨウニワトコの実（European Elder Fruit），Baccae，Baises De Sureau，Black-Berried Alder，Black Elder，Black Elderberry，Boor Tree，Bountry，Elder，Ellanwood，Ellhorn，European Alder，European Elder berry，Holunderbeeren，Sambuci sambucus，Sambucus nigra

概　要

エルダーベリーは，セイヨウニワトコの木に実る濃い紫色のベリーです。エルダーベリーを用いて「くすり」を作ることもあります。アメリカエルダーやニワトコの花，サンブクス・エビュルスと混同しないでください。

エルダーベリーは，感冒，インフルエンザ，H1N1ブタインフルエンザに用いられます。また，HIV/エイズや，免疫システム活性化のために用いられます。そのほか，副鼻腔痛，坐骨神経痛，神経痛，慢性疲労症候群（CFS）に対して用いられます。

花粉症（アレルギー性鼻炎）やがんに対して，便秘の緩下剤として，尿流量増加や発汗促進の目的で用いることもあります。

心疾患，高コレステロール血症，頭痛，歯痛，体重減少に用いられます。

また，歯肉炎に対して口内に塗布されます。

そのほかエルダーベリーの果実は，ワインの原料や食品の香味料として用いられます。

・新型コロナウイルス感染症（COVID-19）。
COVID-19に対してエルダーベリーの使用を裏付ける十分なエビデンス（科学的根拠）はありません。

安　全　性

エルダーベリー果汁のエキスを経口摂取する場合，最長12週間まではおそらく安全です。これより長期間摂取する場合の安全性については，データが不十分です。

葉，茎，熟していない果実および加熱調理していない果実の摂取は，おそらく安全ではありません。加熱調理した果実は安全のようですが，生の果実や熟していない果実は，吐き気，嘔吐，重篤な下痢を引き起こすおそれがあります。

多発性硬化症（MS），ループス（全身性エリテマトーデス，SLE），関節リウマチ（RA）などの自己免疫疾患：エルダーベリーは免疫システムの活性を高める可能性があります。これにより，自己免疫疾患の症状が悪化するおそれがあります。これらの疾患のいずれかの場合には，エルダーベリーの摂取を避けるのが最善です。

●妊娠中および母乳授乳期

妊娠中および母乳授乳期の使用の安全性についてはデータが不十分です。安全性を考慮し，摂取は避けてください。

有　効　性

◆有効性レベル③

・インフルエンザ。エルダーベリー果汁を含む特定のシロップ剤を，インフルエンザの最初の症状が現れてから48時間以内に経口摂取すると，症状が緩和され，継続期間が短縮するようです。ほかの研究では，最初の症状が現れてから24時間以内にエルダーベリーのト

ローチ剤を摂取すると，インフルエンザの症状が緩和されることが示されています。症状緩和は，ほとんどの人で，治療開始から２～４日以内にみられるようです。

◆科学的データが不十分です

・心疾患，感冒，歯肉炎，高コレステロール血症，がん，慢性疲労症候群（CFS），便秘，H1N1ブタインフルエンザ，HIV/エイズ，花粉症，頭痛，神経痛，歯痛，体重減少など。

●体内での働き

エルダーベリーは免疫システムに影響を及ぼす可能性があります。インフルエンザなどのウイルスに対して活性をもつようです。炎症を抑える可能性もあります。

医薬品との相互作用

中免疫抑制薬

エルダーベリーは免疫機能を高める可能性があります。エルダーベリーと特定の免疫抑制薬を併用すると，医薬品の効果が弱まるおそれがあります。このような免疫抑制薬には，アザチオプリン，バシリキシマブ，シクロスポリン，Daclizumab，ムロモナブ-CD３（販売中止），ミコフェノール酸モフェチル，タクロリムス水和物，シロリムス，Prednisone，副腎皮質ステロイドなどがあります。

ハーブおよび健康食品・サプリメントとの相互作用

ほかのハーブ，健康食品・サプリメントとの相互作用についてはまだ明らかではありません。

使用量の目安

【成人】

●経口摂取

インフルエンザ

エルダーベリー果汁を含む特定のシロップ剤大さじ１杯（15mL）を１日４回，３～５日間摂取します。またはエルダーベリーエキス175mgを含む特定のトローチ剤を，１日４回，２日間摂取します。

【小児】

●経口摂取

インフルエンザ

エルダーベリー果汁を含む特定のシロップ剤大さじ１杯（15mL）を１日２回，３日間摂取します。

L-トリプトファン

L-TRYPTOPHAN

別名ほか

L-Triptofano，L-Trypt，L-2-amino-3-(indole-3-yl) propionic acid，L-Tryptophane，Tryptophan，トリプトファン

概　要

L-トリプトファンはアミノ酸です。アミノ酸はタンパク質構成物質です。L-トリプトファンは体内で作ることができないため，“必須”アミノ酸と呼ばれます。食物から摂取しなければなりません。

L-トリプトファンは，特定の精神疾患，禁煙補助，運動能力，月経前不快気分障害（PMDD）の感情の症状に対して使用されますが，これらの用途の多くを十分に裏づけるエビデンスはありません。L-トリプトファンの使用によって，好酸球増多筋痛症候群（EMS）と呼ばれる疾患が引き起こされるおそれもあります。

安 全 性

L-トリプトファンは，「くすり」として経口摂取する場合，おそらく安全ではありません。1,500を超える好酸球増多・筋痛症候群（EMS）の症例および37の死亡例との関連が報告されています。好酸球増多・筋痛症候群は神経疾患で，疲労，筋肉の激痛，神経痛，皮膚異常，脱毛症，皮疹のほか，関節・結合組織・肺・心臓・肝臓の疼痛と腫脹などの症状をともないます。症状は時間の経過とともに改善することが多いですが，人によっては発症してから最長２年間続くこともあります。症状が完全には消失しない例も報告されています。

1990年，L-トリプトファンは安全面の懸念により市場からリコール（回収）されました。L-トリプトファン製品が制限されてから，好酸球増多・筋痛症候群（EMS）の症例数は激減しました。L-トリプトファンを摂取した患者の好酸球増多・筋痛症候群の正確な原因は不明ですが，L-トリプトファン製品の汚染が原因であることを示唆するエビデンスがあります。好酸球増多・筋痛症候群の全症例の約95％は，日本のメーカー１社が製造したL-トリプトファンに関連するものでした。1994年の栄養補助食品健康教育法（Dietary Supplement Health and Education Act（DSHEA））により，現在では，L-トリプトファンはサプリメントとして市場で入手可能となっています。

L-トリプトファンは，むねやけ，胃痛，げっぷ，腸内ガス，吐き気，嘔吐，下痢，食欲不振などの副作用を引き起こすおそれがあります。ほかにも，頭痛，立ちくらみ，傾眠，口内乾燥，霧視，筋力低下，性機能障害を引き起こすおそれがあります。

好酸球増多症（白血球の疾患）：L-トリプトファンは好酸球増加症を悪化させるおそれがあります。好酸球増多・筋痛症候群（EMS）の発症と関連があります。

肝疾患および腎疾患：L-トリプトファンは好酸球増多・筋痛症候群（EMS）の発症と関連があり，肝疾患や腎疾患を悪化させるおそれがあります。

●妊娠中および母乳授乳期

妊娠中のL-トリプトファンの使用は，安全ではないよ

うです。胎児に悪影響を及ぼすおそれがあります。母乳授乳期の使用の安全性についてはデータが不十分です。妊娠中および母乳授乳期の摂取は避けてください。

有効性

◆有効性レベル③

・月経前不快気分障害（PMDD）。月経前不快気分障害の場合にL-トリプトファンを１日６g摂取すると，気分変動，緊張，易刺激性が緩和されるようです。
・禁煙の補助。通常の治療と併用してL-トリプトファンを摂取すると，禁煙に役立つようです。

◆有効性レベル④

・歯ぎしり。L-トリプトファンを経口摂取しても，歯ぎしりの治療には役立ちません。
・顔面痛。L-トリプトファンを経口摂取しても，顔面痛の緩和には役立ちません。

◆科学的データが不十分です

・運動能力の向上，注意欠陥多動障害（ADHD），高齢者の精神機能障害，うつ病，ヘリコバクター・ピロリ菌による潰瘍の治癒，睡眠障害の治療，季節性感情障害（SAD），睡眠時無呼吸の治療，不安など。

●体内での働き

L-トリプトファンは，動植物のタンパク質に自然に存在します。L-トリプトファンは必須アミノ酸で，人間の体内で作ることができません。体内の多くの臓器の発達および機能に重要です。食品から吸収したL-トリプトファンは，体内で５-ヒドロキシトリプトファンに変換された後，セロトニン，メラトニン，ビタミンB_6（ニコチンアミド）に変換されます。セロトニンは神経細胞間の信号を伝達するホルモンです。セロトニンには血管を収縮させる作用もあります。脳内のセロトニン値の変化は気分を変動させる可能性があります。メラトニンは睡眠のために重要で，ビタミンB_6はエネルギー代謝に欠かせないものです。

医薬品との相互作用

高 鎮静薬（中枢神経抑制薬）

L-トリプトファンは眠気および注意力低下を引き起こす可能性があります。鎮静薬は眠気を引き起こす医薬品です。L-トリプトファンと鎮静薬を併用すると，過度の眠気を引き起こすおそれがあります。このような鎮静薬には，クロナゼパム，ロラゼパム，フェノバルビタール，ゾルピデム酒石酸塩などがあります。

中 セロトニン作用薬

L-トリプトファンは脳内物質のセロトニンを増加させます。特定の医薬品もセロトニンを増加させます。L-トリプトファンとこのような医薬品を併用すると，セロトニンが過剰に増加するおそれがあります。そのため，重大な副作用（重症の頭痛，心臓の異常，悪寒戦慄，錯乱，不安など）が現れるおそれがあります。このような医薬品には，塩酸フルオキセチン（販売中止），パロキセチン塩酸塩水和物，塩酸セルトラリン，アミトリプチリン塩酸塩，クロミプラミン塩酸塩，イミプラミン塩酸塩，スマトリプタン，ゾルミトリプタン，リザトリプタン安息香酸塩，メサドン塩酸塩，トラマドール塩酸塩など数多くあります。

ハーブおよび健康食品・サプリメントとの相互作用

鎮静薬のように作用するハーブおよび健康食品・サプリメント

L-トリプトファンが傾眠およびリラクゼーションを引き起こす可能性があります。鎮静作用のあるほかのハーブおよび健康食品・サプリメントと併用すると，過度の傾眠を引き起こすおそれがあります。このようなハーブおよび健康食品・サプリメントには，5-ヒドロキシトリプトファン，ショウブ，ハナビシソウ，キャットニップ，ホップ，ジャマイカ・ドッグウッド，カバ，セント・ジョンズ・ワート，スカルキャップ，カノコソウ，アネモプシス・カリフォルニカなどがあります。

セロトニン作動性のあるハーブおよび健康食品・サプリメント

L-トリプトファンは，セロトニン（神経細胞間に信号を伝達して気分に影響を及ぼすホルモン）の値を上昇させるようです。セロトニン値を上昇させるほかのハーブおよび健康食品・サプリメントと併用すると，ハーブおよび健康食品・サプリメントの作用および副作用が増強するおそれがあります。このようなハーブおよび健康食品・サプリメントには，5-ヒドロキシトリプトファン，ハワイアンベビーウッドローズ，S-アデノシルメチオニン（SAMe）などがあります。

セント・ジョンズ・ワート

L-トリプトファンとセント・ジョンズ・ワートを併用すると，セロトニン症候群（体内のセロトニンが過剰になったときに発現する疾患で，致死の可能性がある）のリスクが高まるおそれがあります。L-トリプトファンと多量のセント・ジョンズ・ワートを併用した人がセロトニン症候群を発現したという報告があります。

使用量の目安

【成人】

●経口摂取

月経前不快気分障害（PMDD）

L-トリプトファン１日６gを排卵から月経３日目まで摂取します。

禁煙の補助

L-トリプトファン１日50mg/kgを摂取します。

エレミ

ELEMI

●代表的な別名

有効性レベル：①効きます　②おそらく効きます　③効くと断言できませんが、効能の可能性が科学的に示唆されています　④効かないかもしれません　⑤おそらく効きません　⑥効きません

カナリアの木

別名ほか

カナリーの木，カナリアの木（Canarium commune），エレミ樹脂（Elemi Resin），マニラエレミ（Manila Elemi），Canarium luzonicum，Elemi oleoresin

概　　要

エレミは樹木です。樹脂（ガム）とオイルを用いて「くすり」を作ることもあります。

安 全 性

食品に含まれる量は一般に安全です。

大量摂取については，十分なデータが得られていないので安全性は不明です。

●妊娠中および母乳授乳期

妊娠中および母乳授乳期の使用の安全性についてはデータが不十分です。安全性を考慮し，摂取は避けてください。

有 効 性

◆科学的データが不十分です

・胃疾患および咳。

●体内での働き

どのように作用するかについては，十分なデータが得られていません。

医薬品との相互作用

ほかの医薬品との相互作用については明らかではありません。

ハーブおよび健康食品・サプリメントとの相互作用

ほかのハーブ，健康食品・サプリメントとの相互作用についてはまだ明らかではありません。

使用量の目安

標準使用量に関するデータがありません。

塩酸ベタイン

BETAINE HYDROCHLORIDE

別名ほか

ベタイン（Betaine），ベタインHCI（Betaine HCl），トリメチルグリシン（Trimethylglycine），Trimethylglycine Hydrochloride，TMG

概　　要

塩酸ベタインは化学的に製造される化合物です。「くすり」として使用されることもあります。

塩酸ベタインには興味深い経緯があります。塩酸ベタインはかつて処方箋なしで入手できる胃酸の促進や消化を助ける製品に含まれていました。しかし，1993年に施行された米国連邦法が「安全性と効果が不明瞭である」として，処方箋なしで購入できる製品に塩酸ベタインを含有させることを禁止しました。塩酸ベタインは現在，サプリメントとしてのみ流通していますが，精製度や含有量は製品によって異なります。推進派の人たちは胃酸の分泌が十分ではないために引き起こされる疾患があると主張を続けていますが，この主張が正しいという裏付けはまだなされていません。たとえこの主張が真実であったとしても，塩酸ベタインは塩酸を体内に摂取させるだけで胃酸の酸度を調節するような作用はないため，効果はありません。

安 全 性

塩酸ベタインは，単回摂取する場合はおそらく安全です。反復摂取する場合の安全性についてはデータが不十分です。むねやけを引き起こすおそれがあります。

消化性潰瘍疾患：塩酸ベタインは胃酸を増加させる可能性があります。塩酸ベタインから生成される塩酸が胃潰瘍を刺激したり，治癒を妨げたりするおそれがあります。

●妊娠中および母乳授乳期

妊娠中および母乳授乳期の使用の安全性についてはデータが不十分です。安全性を考慮し，摂取は避けてください。

有 効 性

◆科学的データが不十分です

・貧血，気管支喘息，下痢，食品アレルギー，胆石，花粉症，動脈硬化，胃酸の増加，内耳感染，低カリウム血症，肝臓保護，関節リウマチ（RA），甲状腺障害，酵母感染など。

●体内での働き

塩酸ベタインは胃内でベタインと塩酸に分離します。塩酸は胃酸を増加させます。

医薬品との相互作用

低胃酸分泌抑制薬（H２受容体拮抗薬）

塩酸ベタインは胃酸を増加させます。H２受容体拮抗薬は胃酸を減少させるために用いられます。塩酸ベタインとH２受容体拮抗薬を併用すると制酸薬の効果を弱めるおそれがあります。

低胃酸分泌抑制薬（プロトンポンプ阻害薬）

塩酸ベタインは胃酸を増加させます。プロトンポンプ阻害薬は胃酸を減少させるために用いられます。塩酸ベタインとプロトンポンプ阻害薬を併用すると，制酸薬の効果を弱めるおそれがあります。

低制酸薬

塩酸ベタインは胃酸を増加させます。制酸薬は胃酸を減少させるために用いられます。塩酸ベタインと制酸薬を併用すると，制酸薬の効果を弱めるおそれがあります。

ハーブおよび健康食品・サプリメントとの相互作用

ほかのハーブ，健康食品・サプリメントとの相互作用についてはまだ明らかではありません。

使用量の目安

通常の食品に含まれている量を超えて経口摂取した場合の安全性および副作用については，明らかになっていません。

エンジェルズ・トランペット

ANGEL'S TRUMPET

●代表的な別名

キダチチョウセンアサガオ

別名ほか

キダチチョウセンアサガオ，ダチュラ，ダツラ（Datura sauveolens），Devil's Trumpet

概　　要

エンジェルズ・トランペットは植物です。葉と花を用いて「くすり」を作ることもあります。

●要説（ナチュラル・スタンダード）

エンジェルズ・トランペットは，ナス科の近縁種，ブルグマンシア（Brugmansia）とダチュラ（Datura）の通称です。ブルグマンシアは，下向きに垂れ下がった花を咲かせる木です。ダチュラ（チョウセンアサガオ）は，真っすぐに花を咲かせる薬草です。以前はチョウセンアサガオ属に分類されていた種の中には，近年，ブルグマンシア属に分類されているものもあります。

エンジェルズ・トランペットの使用は，中南米の先住民文化において長い歴史をもちます。ペルー北部では，プレコロンビアの時代，紀元前1500年より以前に「くすり」に用いたという考古学的エビデンスがあります。アンデスのシャーマンが治癒の儀式や病気の診断に儀礼的に用いるように，現代でも用い続けられています。

エンジェルズ・トランペットは，部分的に有毒なベラドンナアルカロイドすなわちアトロピン，スコポラミンおよびヒヨスチアミンを含んでいます。1990～2000年代にかけて米国ではメディアが，エンジェルズ・トランペットを意図的に摂取して死にかけたり，重症に陥った青年の話題を報道してきました。米国では過剰摂取の可能性や，十代の若者が幻覚剤として使用する割合が高まっているために，「くすり」に用いることは推奨されていません。エンジェルズ・トランペットは有毒とされ，米国食品医薬品局（FDA）の有毒植物リスト（Poisonous Plants List）に掲載されています。

安　全　性

エンジェルズ・トランペットは，だれにとっても安全ではありません。植物全体が有毒ですが，毒のほとんどは葉と種子に含まれています。エンジェルズ・トランペットを摂取すると，錯乱，散瞳，強い口渇，皮膚の乾燥，皮膚の紅潮，発熱，高血圧や低血圧，心拍増加，呼吸困難，幻覚，神経過敏，記憶喪失，痙攣，麻痺，昏睡などを引き起こすおそれがあり，死に至ることもあります。

エンジェルズ・トランペットの使用は，だれにとっても安全ではありませんが，一部の人にはとくに使用してはいけない理由があります。

小児：エンジェルズ・トランペットの経口摂取は安全ではありません。エンジェルズ・トランペットを誤って摂取した小児や，娯楽用薬物として使用した10代の若者に，重度の中毒が起こっています。

うっ血性心不全（CHF）：エンジェルズ・トランペットは，頻拍を引き起こし，うっ血性心不全（CHF）を悪化させるおそれがあります。使用してはいけません。

便秘：エンジェルズ・トランペットは便秘を悪化させるおそれがあります。使用してはいけません。

ダウン症候群：ダウン症候群の場合は，エンジェルズ・トランペットの危険な副作用にとくに敏感なおそれがあります。使用してはいけません。

胃食道逆流症：胃食道逆流症は，胃液が食道（口と胃をつなぐ管）に逆流する疾患です。エンジェルズ・トランペットは，胃内容排出を遅くするおそれがあるため，この疾患を悪化させるおそれがあります。使用してはいけません。

発熱：エンジェルズ・トランペットは，発熱を悪化させるおそれがあります。使用してはいけません。

胃潰瘍：エンジェルズ・トランペットにより，胃内容排出が遅くなり，胃潰瘍が悪化するおそれがあります。使用してはいけません。

狭隅角緑内障：エンジェルズ・トランペットは眼圧を上昇させるおそれがあるため，狭隅角緑内障が悪化するおそれがあります。使用してはいけません。

無緊張弛緩，麻痺性イレウス，狭窄など，消化管が遮断される疾患：エンジェルズ・トランペットは，これらの疾患を悪化させるおそれがあります。使用してはいけません。

頻拍（心拍増加）：エンジェルズ・トランペットは頻拍を悪化させるおそれがあります。使用してはいけません。

潰瘍性大腸炎：エンジェルズ・トランペットはこの疾患を悪化させるおそれがあります。使用してはいけません。

排尿困難：エンジェルズ・トランペットはこの疾患を悪化させるおそれがあります。使用してはいけません。

●妊娠中および母乳授乳期

エンジェルズ・トランペットの経口摂取は安全ではありません。植物全体が有毒と考えられます。とくに妊娠中および母乳授乳期には使用してはいけません。

有　効　性

◆科学的データが不十分です

・気管支喘息，多幸感や幻覚の誘発など。

●体内での働き

多幸感や幻覚を引き起こすおそれのある化学物質を含んでいます。

医薬品との相互作用

中口渇作用などの乾燥作用のある医薬品（抗コリン薬）

エンジェルズ・トランペットには，乾燥作用を引き起こす化学物質が含まれます。また，脳および心臓にも影響を及ぼします。抗コリン薬と呼ばれる口渇など乾燥作用のある医薬品もまた，これらの作用を引き起こします。エンジェルズ・トランペットと抗コリン薬を併用すると，乾燥肌，めまい，低血圧，動悸などの副作用や他の重大な副作用を発現させる可能性があります。このような医薬品にはアトロピン硫酸塩水和物，スコポラミン臭化水素酸塩水和物，特定の抗アレルギー薬（抗ヒスタミン薬），特定の抗うつ薬などがあります。

ハーブおよび健康食品・サプリメントとの相互作用

ほかのハーブ，健康食品・サプリメントとの相互作用についてはまだ明らかではありません。

使用量の目安

通常の食品に含まれている量を超えて経口摂取した場合の安全性および副作用については，明らかになっていません。

エンジュ

PAGODA TREE

別名ほか

槐（Sophora japonica），Chinese Scholartree，Japanese Pagoda-tree，Styphnolobium japonicum

概　　要

エンジュは樹木です。種子を用いて「くすり」を作ることもあります。

●要説（ナチュラル・スタンダード）

エンジュはアジア東部原産で，日本にももたらされました。晩夏に白い花が咲くため，北部では人気です。盆栽園芸にしばしば用いられます。

エンジュ由来のレクチン（タンパク質）は，腎臓移植後の細胞機能の監視に用いられてきています。わずかですが，抗炎症薬，抗酸化物質，放射線防護特性に関する研究室実験あるいは動物実験がなされています。現在のところ，あらゆる疾患の治療に，使用を裏付けるヒトを対象とした研究は十分ではありません。

安　全　性

種子は一般に危険なようです。種子は，顔の腫脹，中毒などの重篤な副作用を引き起こすことがあり，死に至ることがあります。

●妊娠中および母乳授乳期

妊娠中，母乳授乳期のエンジュ種子の使用は安全ではありません。

有　効　性

◆科学的データが不十分です

・ある種の重度の下痢（赤痢）など。

●体内での働き

どのように作用するかについては，十分なデータが得られていません。

医薬品との相互作用

ほかの医薬品との相互作用については明らかではありません。

ハーブおよび健康食品・サプリメントとの相互作用

ほかのハーブ，健康食品・サプリメントとの相互作用についてはまだ明らかではありません。

使用量の目安

標準使用量に関するデータがありません。

エンドウ豆由来プロテイン

PEA PROTEIN

別名ほか

ピープロテイン，Chinese Pea Protein，Dry Pea Protein，Edible Pod Pea Protein，Field Pea Protein，Garden Pea Protein，Green Pea Protein，Honey Pea Protein，Pea Protein Hydrolysate，Pea Protein Isolate，Pea Protein Powder，Pisum sativum protein，Smooth Pea Protein，Sweet Pea Protein，Yellow Pea Protein

概　　要

エンドウ豆由来プロテインはエンドウのタンパク質です。

エンドウ豆由来プロテインは高コレステロール血症，高血圧，体重減少，空腹感緩和，筋肉増強に用いられます。牛乳ベースの乳児用調整乳の代替や補完に用いられることもあります。また，小児用や成人用の液体プロテインサプリメントや食品ではタンパク質の供給源としても用いられます。

安 全 性

エンドウ豆由来プロテインを食品として摂取する場合，ほとんどの人に安全のようです。「くすり」として摂取する場合，おそらく安全です。エンドウ豆由来プロテインの副作用は研究では示されていません。

●妊娠中および母乳授乳期

妊娠中および母乳授乳期の使用の安全性についてはデータが不十分です。安全性を考慮し，食品としての量を超えて摂取しないでください。

有 効 性

◆科学的データが不十分です

・高コレステロール血症，高血圧，筋肉増強，手術後の回復，体重減少，食欲抑制など。

●体内での働き

エンドウ豆由来プロテインはタンパク質の供給源で，食事の栄養価を改善する可能性があります。エンドウ豆由来プロテインはまた，食後の満腹感を持続させる可能性があります。

医薬品との相互作用

ほかの医薬品との相互作用については明らかではありません。

ハーブおよび健康食品・サプリメントとの相互作用

ほかのハーブ，健康食品・サプリメントとの相互作用についてはまだ明らかではありません。

使用量の目安

通常の食品に含まれている量を超えて経口摂取した場合の安全性および副作用については，明らかになっていません。

エンピツビャクシン

EASTERN RED CEDAR

●代表的な別名

赤杉

別名ほか

シダーウッド（バージニア），シダーウッド・バージニアン，バージニアンシダーウッド，シダーウッド，レッドシーダー，シダーウッド・テキサス

概 要

エンピツビャクシンは樹木です。エンピツビャクシンの樹皮，果実，葉，種子および枝が「くすり」として使われることもあります。

安 全 性

エンピツビャクシンの安全性については，データが不十分です。

●妊娠中および母乳授乳期

妊娠中の使用は，安全ではありません。使用してはいけません。

有 効 性

◆科学的データが不十分です

・咳，気管支炎，関節リウマチ，性病疣贅（いぼ），皮疹など。

●体内での働き

エンピツビャクシンが，「くすり」として，体内でどのような働きをするかについては，まだ明らかではありません。

医薬品との相互作用

中 バルビツール酸系鎮静薬

鎮静薬は眠気および注意力低下を引き起こす医薬品です。エンピツビャクシンチップの香りを吸うと，鎮静薬の有効性が低下するおそれがあります。しかし，この相互作用が起こる原因は明らかではありません。

ハーブおよび健康食品・サプリメントとの相互作用

ほかのハーブ，健康食品・サプリメントとの相互作用についてはまだ明らかではありません。

使用量の目安

通常の食品に含まれている量を超えて経口摂取した場合の安全性および副作用については，明らかになっていません。

欧州アザミ

BLESSED THISTLE

●代表的な別名

キバナアザミ

別名ほか

セイヨウダイコンソウ（Cnicus benedictus），ベネディクトソウ（Carduus benedictus），サントリソウ，キバナアザミ，ヒレアザミ（Holy Thistle），Carbenia benedicta，Cardo Santo，Carduus，Cnici Benedicti Herba，Cnicus，Spotted Thistle，St. Benedict Thistle

概 要

欧州アザミは植物です。花頂，葉，茎上部を用いて「く

すり」を作ることもあります。

●要説（ナチュラル・スタンダード）

欧州アザミの葉，茎，花は，伝統的に「苦い」強壮剤に使用されたり，食欲と消化を促進するために経口の製薬に使用されてきました。欧州アザミも，科学的には効果が証明されていない抗がん漢方薬イサイアック（Essiac）に含まれている可能性があります。このハーブの感染症，がん，および炎症に対する特性が実験室内研究で検討されてきました。しかしながら，ヒトに対する効果を示す質の高いランダム化比較試験は十分ではありません。

安 全 性

一般に安全なようです。

高用量，たとえば1杯のお茶に5g以上では，胃への刺激や嘔吐を引き起こすことがあります。

感染症などの，胃腸疾患，クローン病，そのほかの炎症性疾患のある人は使用してはいけません。

●アレルギー

ブタクサ，キク，マリーゴールド，デイジー，そのほかキク科の植物にアレルギーのある人は使用してはいけません。

●妊娠中および母乳授乳期

妊娠中，母乳授乳期は使用してはいけません。

有 効 性

◆科学的データが不十分です

・下痢，咳，感染症，授乳期の母親の乳汁分泌の促進，せつ，創傷など。

●体内での働き

下痢，咳および炎症に役立つ化合物を含んでいます。しかし，多くの使用法について，どのように作用するかは十分なデータが得られていません。

医薬品との相互作用

低胃酸分泌抑制薬（H2受容体拮抗薬）

欧州アザミは胃酸を増加させる可能性があります。H２受容体拮抗薬は胃酸を減少させるために用いられる医薬品ですが，欧州アザミと併用すると効果が減弱する可能性があります。H２受容体拮抗薬には，シメチジン，ラニチジン塩酸塩，ニザチジン，ファモチジンがあります。

高胃酸分泌抑制薬（プロトンポンプ阻害薬）

欧州アザミは胃酸を増加させる可能性があります。プロトンポンプ阻害薬は胃酸を減少させるために用いられる医薬品ですが，欧州アザミと併用すると効果が減弱する可能性があります。プロトンポンプ阻害薬には，オメプラゾール，ランソプラゾール，ラベプラゾールナトリウム，パントプラゾールナトリウム水和物（販売中止），エソメプラゾールマグネシウム水和物があります。

中制酸薬

制酸薬は胃酸を減少するために使われますが，欧州アザミは胃酸を増加させて，制酸薬の作用を弱めることがあります。制酸薬には，沈降炭酸カルシウム，Dihydroxyaluminum sodium carbonate，Magaldrate，硫酸マグネシウム水和物，乾燥水酸化アルミニウムゲルなどがあります。

ハーブおよび健康食品・サプリメントとの相互作用

ほかのハーブ，健康食品・サプリメントとの相互作用についてはまだ明らかではありません。

使用量の目安

●経口摂取

お茶（乾燥花部1.5～３gを熱湯に浸し，その後，ろ過する）として，１日３回摂取します。1.5～３mLの流エキス（１：１，25%アルコール）を１日３回摂取します。

●局所投与

標準使用量に関するデータがありません。

黄蓮（オウレン）

GOLDTHREAD

●代表的な別名

ミツバオウレン

別名ほか

雲南黄連（Coptis teetoides），カンカールーツ（Cankerroot），コプティス（Copti），ミツバオウレン（Coptis trifolia），Chinese Goldthread，Coptide，Coptis chinesis，Coptis deltoidea，Coptis groenlandica，Goldenthread，Huang Lian，Mouth Root，Yellowroot

概 要

黄蓮は植物です。地下茎を用いて「くすり」を作ることもあります。

安 全 性

十分なデータが得られていないので，使用量の安全性については不明です。

新生児には安全ではありません。

小児：小児の使用は安全ではありません。黄蓮には，新生児のビリルビンの量を増加させるおそれがあるベルベリン（berberine）と呼ばれる成分を含んでいます。

ビリルビンは肝臓で生成される化学物質です。過剰なビリルビンは新生児，とくに早産児の場合には，永久的な脳障害を引き起こすおそれがあります。

●妊娠中および母乳授乳期

妊娠中の使用は安全ではありません。胎盤を通過し胎児に悪影響を与えると思われるベルベリンという化学物質を含んでいます。ベルベリンに曝露された新生児は，ビリルビンが過剰になり，脳障害を発症します。初期の研究により，妊娠３カ月の間に黄蓮を摂取した女性は，中枢神経系に関連した先天異常児を出産するリスクが高まることが示唆されています。

母乳授乳期の使用も安全ではありません。ベルベリンおよびほかの有害化学物質が母乳を通じて乳児に転送されるおそれがあります。

有効性

◆科学的データが不十分です

・消化不良症，リーシュマニア症，トリコモナス症，乾癬など。

●体内での働き

胃酸を減らすことがあります。抗菌作用もあるようです。

医薬品との相互作用

中シクロスポリン

シクロスポリンは体内で代謝されてから排泄されますが，黄蓮がこの代謝を抑制する可能性があります。シクロスポリンを服用しているときに黄蓮を摂取すると，シクロスポリンの体内量が過剰になり，副作用が強く現れるおそれがあります。

中肝臓で代謝される医薬品（シトクロムP450 3A4（CYP3A4）の基質となる医薬品）

肝臓で代謝される医薬品がありますが，黄蓮はこの代謝を抑制するおそれがあります。肝臓で代謝されやすい医薬品を服用しているときに黄蓮を摂取すると，その医薬品の作用が増強され，副作用が強く現れるおそれがあります。このような医薬品には，シクロスポリン，Lovastatin，クラリスロマイシン，インジナビル硫酸塩エタノール付加物（販売中止），シルデナフィルクエン酸塩，トリアゾラムなど数多くあります。

ハーブおよび健康食品・サプリメントとの相互作用

ほかのハーブ，健康食品・サプリメントとの相互作用についてはまだ明らかではありません。

使用量の目安

●経口摂取

通常の摂取量は地下茎を粉末状にしたもの0.5～1.2g。液としては，小さじ１杯を水１カップで沸騰させ，その大さじ１杯分を１日３～６回摂取します。液は口腔洗浄またはうがい薬として使用されることもあります。チンキ薬は一度に５～10滴摂取します。

オオアワガエリ

TIMOTHY GRASS

別名ほか

Fléole des Champs，Fléole des Prés，Mil，Phléole des Champs，Phléole des Prés，Phleum pratense，Timothy，チモシー，Timothy Grass，チモシーグラス

概要

オオアワガエリは耐寒性のある草本です。多くの人がその花粉にアレルギーがあります。

季節性アレルギー（花粉症）の症状緩和に対して少量の花粉を調合して使用します。

安全性

処方されたオオアワガエリの花粉抽出物を舌下投与した場合，適切に使用すればほとんどの成人におそらく安全です。口と鼻にかゆみや不快感，口内に水泡，また，鼻水の症状が現れるおそれがあります。非処方箋製品の安全性および副作用については情報が不十分です。

オオアワガエリの花粉抽出物を皮下注射した場合，医師などによる投与であればほとんどの成人におそらく安全です。注射部位の皮膚に刺激症状が現れるおそれがあります。しかし，非常に高用量のオオアワガエリの花粉抽出物を使用すると，おそらく安全ではありません。非常に高用量を皮下注射した場合，アナフィラキシーなどの重篤なアレルギー反応が現れるおそれがあります。

小児：オオアワガエリの花粉抽出物を５歳以上の小児に舌下投与した場合，あるいは３歳以上の小児に皮下注射した場合，おそらく安全です。

●妊娠中および母乳授乳期

妊娠中および母乳授乳期にオオアワガエリを使用する安全性については情報が不十分です。安全性を考慮し，摂取しないでください。

有効性

◆有効性レベル②

・花粉症。処方されたオオアワガエリの製品は，アレルギーや気管支喘息のある人の花粉症の症状を緩和します。そのため，非処方箋製品での研究はなく，役立つことは期待できません。

◆科学的データが不十分です

・気管支喘息など。

●体内での働き

ごく少量のオオアワガエリの花粉は花粉アレルギーに対する過敏性を鈍化させると考えられます。

医薬品との相互作用

ほかの医薬品との相互作用については明らかではありません。

ハーブおよび健康食品・サプリメントとの相互作用

ほかのハーブ，健康食品・サプリメントとの相互作用

についてはまだ明らかではありません。

使用量の目安

【成人】

●舌下投与

花粉症

処方箋製品を１日2,800単位，草本花粉の季節が始まる８～12週間前から摂取し始め，季節が終わるまで摂取し続けます。この製品は米国食品医薬品局（FDA）に承認されています。

【小児】

●舌下投与

花粉症

処方箋製品を１日2,800単位，草本花粉の季節が始まる８～12週間前から摂取し始め，季節が終わるまで摂取し続けます。この製品は米国食品医薬品局（FDA）に承認されています。

オオカモメヅル

TYLOPHORA

別名ほか

Ananthamul，Antomul，Asclepias asthmatica，Country Ipecacuanha，Cynanchum indicum，Emetic Swallowwort，Indian Ipecac，Indian Ipecacuanha，Tylophora asthmatica，Tylophora indica

概　　要

オオカモメヅルはインドやスリランカ，タイ，マレーシアを含むアジアの熱帯地域で育つ植物です。"Tylophora"という学名は節を意味する"tylos"と生産を意味する"phoros"に由来します。

オオカモメヅルはアレルギー，気管支喘息，がん，うっ血，便秘，咳，皮膚の炎症，下痢，血性下痢，腸内ガス，痔核，痛風，黄疸，関節リウマチ，百日咳，嘔吐の促進，発汗などに経口摂取されます。

オオカモメヅルは皮膚潰瘍や創傷の治療の目的で皮膚に塗布されます。

安　全　性

オオカモメヅルの安全性および副作用については，データが不十分です。

●妊娠中および母乳授乳期

妊娠中および母乳授乳期の使用の安全性についてはデータが不十分です。安全性を考慮し，摂取は避けてください。

有　効　性

◆科学的データが不十分です

・気管支喘息，アレルギー，がん，うっ血，便秘，咳，皮膚の炎症，下痢，血性下痢，腸内ガス，痔核，痛風（関節の圧通），黄疸（皮膚黄染），関節リウマチ（関節障害），百日咳，皮膚潰瘍，創傷など。

●体内での働き

オオカモメヅルは気流量を増加させたり，アレルギー反応を緩和したりするようです。

医薬品との相互作用

ほかの医薬品との相互作用については明らかではありません。

ハーブおよび健康食品・サプリメントとの相互作用

ほかのハーブ，健康食品・サプリメントとの相互作用についてはまだ明らかではありません。

使用量の目安

通常の食品に含まれている量を超えて経口摂取した場合の安全性および副作用については，明らかになっていません。

オーク（樹皮）

OAK BARK

●代表的な別名

ナラ

別名ほか

コモンオーク（Common Oak），ヨーロピアンオーク（Durmast Oak），Eichenrinde，イングリッシュオーク，ヨーロッパナラ（English Oak），Pedunculate Oak，ホワイトオーク，ナラ（Quercus alba），ボクソク，ドコッピ，土骨皮（Quercus cortex），シーサイル・オーク（Quercus Petraea），Quercus Robur，セシルオーク（Sessile Oak），Stave Oak，Stone Oak，Tanner's Bark，Tanner's Oak

概　　要

数種類のオークから得た樹皮です。樹皮を用いて「くすり」を作ることもあります。

●要説（ナチュラル・スタンダード）

ホワイトオークについて

ホワイトオーク（ナラ。Quercus alba）は，世界中にさまざまな種が分布しています。主に北アメリカに分布します。コナラ属には多くの種がありますが，その多くは，同じ性質をもっているとされています。オークの内皮やこぶ（gall）は，「くすり」として用いられます。なお，こぶとは，菌や昆虫に反応して，葉や茎に生成されるもので，菌こぶとか虫こぶといわれています。

ホワイトオークには，収れん作用および抗炎症作用があり，昔からアメリカ先住民やヨーロッパからの入植者に用いられていました。1820～1919年，米国薬局方（US Pharmacopeia）に，1916～1936年の間，米国処方一覧（National Formulary）に掲載されていました。

科学的根拠が十分でないため，ホワイトオークの安全性を結論付けるのは容易ではありません。タンニンを含んでいるため，理論的には，胃腸の刺激，悪心，嘔吐などの副作用が考えられます。

安全性

下痢に対し，３～４日を上限として摂取した場合は一般に安全なようです。

胃腸障害や腎臓および肝臓の障害などの重篤な副作用を起こすことがあります。

２～３週を上限とする皮膚への直接塗布は，一般に安全なようです。

皮膚の創傷に，または２～３週を超えて使用するのは危険です。

心疾患：心疾患の場合には，使用しないでください。

皮膚疾患（湿疹や広範囲におよぶ皮膚の損傷など）：いずれかの疾患の場合には，入浴剤としてオーク（樹皮）を使用しないでください。

筋緊張亢進（筋肉が過度に緊張する神経疾患）：筋緊張亢進の場合には，入浴剤としてオーク（樹皮）を使用しないでください。

発熱および感染症：いずれかの疾患の場合には，入浴剤としてオーク（樹皮）を使用しないでください。

腎疾患：症状を悪化させるおそれがあります。使用は避けてください。

肝疾患：症状を悪化させるおそれがあります。使用は避けてください。

●妊娠中および母乳授乳期

妊娠中および母乳授乳期の使用の安全性についてはデータが不十分です。安全性を考慮し，摂取は避けてください。

有効性

◆科学的データが不十分です

・感冒，発熱，咳，下痢，気管支炎，食欲不振，消化の改善のほか，皮膚・口腔・咽喉・外性器・肛門部の炎症（痛み・腫脹）。

●体内での働き

下痢や炎症の際に役立つタンニンを含んでいます。

医薬品との相互作用

ほかの医薬品との相互作用については明らかではありません。

ハーブおよび健康食品・サプリメントとの相互作用

アルカロイドを含むハーブおよび健康食品・サプリメント

オーク（樹皮）に含まれるタンニンは，ほかのハーブおよび健康食品・サプリメントに含まれるアルカロイド化合物の体内における働きに影響を与えるおそれがあります。

鉄

オーク（樹皮）に含まれるタンニンは，鉄の体内への吸収を抑制するおそれがあります。

使用量の目安

●経口摂取

下痢

お茶（150mLの水に粗い粉末１gを加え，加熱してひと煮立ちさせて，その後ろ過する）として，１回ティーカップに１杯で１日３回までとし，最長で３～４日間摂取します。

●局所投与

洗浄薬，湿布薬，パップ剤，うがい薬として，20gを１Lの水に入れた液を使用します。入浴剤として，５gを１Lの水に入れた液を風呂水に加えて使用します。オーク樹皮の局所的な使用は２～３週間を限度とします。

オークモス

OAK MOSS

●代表的な別名

ツリーモス

別名ほか

ツノマタゴケ（Evernia prunastri），ツリーモス（Tree Moss），Lichen Oak Moss

概要

オークモスはツノマタゴケと呼ばれる種類のコケです。コケを用いて「くすり」を作ることもあります。

安全性

水で抽出した茶として摂取する場合は，一般に安全なようです。

大量で長期間，またはアルコールエキスとして摂取するのは危険です。

毒性のある化合物を含んでいます。

情動不安，嘔吐，めまい，振戦，腎臓障害，痙攣などの副作用を引き起こします。

ポリフィリン症：ポリフィリン症の症状を悪化させるおそれがあります。使用しないでください。

腎疾患：症状を悪化させるおそれがあります。使用しないでください。

●アレルギー

地衣類やコケ類にアレルギーがある場合，オークモスにアレルギー反応がでるかもしれません。使用は避けてください。

●妊娠中および母乳授乳期

妊娠中のオークモスの使用は安全ではありません。ツヨン（thujone）と呼ばれる化学物質を含んでおり，子宮を収縮させ流産をおこすおそれがあります。

有 効 性

◆科学的データが不十分です

・腸疾患など。

●体内での働き

どのように作用するかについては，信頼できる十分なデータが得られていません。

医薬品との相互作用

ほかの医薬品との相互作用については明らかではありません。

ハーブおよび健康食品・サプリメントとの相互作用

ツヨンを含むハーブ

オークモスは，ツヨンと呼ばれる化学物質を含んでいます。ツヨンは，不安症，嘔吐，めまい，振戦，腎障害，痙攣など有害な作用があります。ツヨンを含んだほかのハーブとの併用はこれらの副作用の危険性を増幅するおそれがあります。ツヨンを含むハーブには，コノテガシワ，セージ，ヨモギギク，ヒバ，サルオガセ，ヨモギなどがあります。

使用量の目安

標準使用量に関するデータがありません。

オーツ

OATS

●代表的な別名

カラスムギ，オート麦

別名ほか

Avena, Avena Fructus, Avena byzantina, Avena orientalis, Avena sativa, Avena volgensis, Avenae Herba, Avenae Stramentum, Avoine, Avoine Entière, Avoine Sauvage, Cereal Fiber, Dietary Fiber, Farine d'Avoine, Fibre Alimentaire, Fibre Céréalière, Fibre d'Avoine, Folle Avoine, Grain d'Avoine, Green Oat, Green Oat Grass, Groats, Gruau, Oat, Oat Bran, Oat Fiber, Oat Flour, Oat Fruit, Oat Grain, Oat Grass, Oat Herb, Oat Straw, Oat Tops, Oatstraw, Oatmeal, Paille, Paille d'Avoine, Porridge, Rolled Oats, Son d'Avoine, Straw, Whole Oat, Whole Oats, Wild Oat, Wild Oat Herb, Wild Oats Milky Seed

概 要

オーツは植物です。種実を用いて「くすり」を作ることもあります。

安 全 性

オーツフスマは，妊娠中及び授乳期の女性を含むほとんどの成人に安全だと思われます。腸内ガスや膨満感を引き起こすおそれがありますが，この副作用を抑えるためには，少量の摂取から開始し，目標の量まで徐々に増やすようにしてください。体がオーツフスマに慣れ，副作用が解消されるようです。

オーツを含む製品を皮膚に直接使用すると，発疹を起こす人もいます。

嚥下や咀嚼が困難な人：嚥下障害がある場合（例えば脳卒中などにより），及び歯の欠損や義歯の不適合により咀嚼が困難な場合には，オーツの摂取を控えた方がいいでしょう。十分に咀嚼されていないオーツは腸を閉塞する恐れがあります。

食道，胃，腸を含む消化管疾患がある人：オーツ製品の摂取を控えてください。消化により時間がかかる消化障害がある場合には，腸がオーツで閉塞されるおそれがあります。

有 効 性

◆有効性レベル②

・コレステロール値を下げる。オーツ，オーツフスマや他の水溶性食物繊維を低飽和脂肪の食事の一部として摂取すると，総コレステロール値及びLDL-コレステロール値（LDL）を適度に下げることがあるようです。1gの水溶性食物繊維（β-グルカン）を摂取すると，1.42mg/dLの総コレステロール及び1.23mg/dLのLDL-コレステロールを減らすといわれています。3～10gの水溶性食物繊維を摂取すると4～14mg/dLの総コレステロールを減らすとされていますが，この作用には上限があります。1日に10g以上の水溶性食物繊維を摂取しても，さらなる効果は規定できないようです。1日に3杯のオートミール（1杯28g）を摂取すると，総コレステロール値をおよそ5mg/dL減らすことができます。オーツフスマ製品（商品名：オートブランマフィン，オートブランフレークなど）は製品により含有している水溶性食物繊維の量が違うため，コレステロール値を下げる効果に違いがあることがあります。全粒オーツ食品は，オーツフスマに水溶性食物繊維を加えたものを含む食品よりもより，LDL-及び総コレステロール値を下げる作用があるようです。米国食品医薬品局は血中コレステロール値を下げるために1日3gの水溶性食物繊維を摂取することを推奨しています。しかし，この推奨量は血中コレステロール値を下げるためには最低1日3.6gが必要であるというランダム化臨床試験の結果とは相反しています。

◆有効性レベル③

・オーツやオーツフスマを食生活に取り入れることによる糖尿病患者の血糖値低下。大麦や大麦フスマを６週間摂取すると，２型糖尿病患者の空腹時血糖値，24時間の持続血糖値，インスリンの値などを大幅に下げます。毎日50gのオーツフスマ（25gの水溶性食物繊維を含有）を摂取すると，アメリカ糖尿病学会が推奨する１日食物繊維を24g摂取する食生活よりも，より効果があるようです。
・オーツやオーツフスマを食生活に取り入れることによる，胃がんの予防。

◆有効性レベル④

・オーツやオーツフスマを食生活に取り入れることにより大腸がんの予防。
・血圧の降下。

◆科学的データが不十分です

・HIV患者の脂肪組織再分布症予防。十分なエネルギーとタンパク質を摂取した上でオーツなどの食物繊維を豊富に含む食事をとると，HIV患者の脂肪組織再分布症を予防できるかもしれません。１gの食物繊維は，脂肪蓄積のリスクを７％軽減すると思われます。
・大腸からの脂肪吸収を阻止，胆石の予防，過敏性腸症候群，憩室症，炎症性腸症候群，便秘，不安感，ストレス，神経障害，膀胱虚弱，関節及び腱障害，痛風，腎疾患，アヘン及びニコチンからの離脱，皮膚疾患など。

●体内での働き

オーツはコレステロール値と血糖値を下げ，満腹感をもたらして食欲を抑えると思われます。オーツフスマは心疾患，高コレステロール血症，糖尿病などを引き起こす物質が腸から体内に吸収されることを阻害するようです。

医薬品との相互作用

中インスリン

オーツは２型糖尿病患者の血糖コントロールに必要なインスリンの量を減少させる可能性があります。オーツとインスリンを併用すると，血糖値が過度に低下するおそれがあります。血糖値を注意深く監視してください。インスリンの用量を変更する必要があるかもしれません。

中糖尿病治療薬

オーツは血糖値を低下させる可能性があります。糖尿病治療薬も血糖値を低下させるために用いられます。オーツと糖尿病治療薬を併用すると，血糖値が過度に低下するおそれがあります。血糖値を注意深く監視してください。糖尿病治療薬の用量を変更する必要があるかもしれません。このような糖尿病治療薬には，グリメピリド，グリベンクラミド，インスリン，ピオグリタゾン塩酸塩，マレイン酸ロシグリタゾン（販売中止），クロルプロパミド，Glipizide，トルブタミド（販売中止）などがあります。

ハーブおよび健康食品・サプリメントとの相互作用

ほかのハーブ，健康食品・サプリメントとの相互作用についてはまだ明らかではありません。

使用量の目安

●経口摂取

高コレステロール血症

低脂肪食の一部として3.6～10gのβ-グルカン（水溶性食物繊維）を含有する56～150gの全粒オーツ製品（オーツフスマ，オートミールなど）を毎日摂取。

２型糖尿病患者の血糖値降下

25gの水溶性食物繊維を含む，全粒オーツなどの食物繊維を豊富に含んだ食品を毎日摂取します。38gのオーツフスマ，または75gの乾燥オートミールには約３gのβ-グルカンが含まれています。

オオバコ

GREAT PLANTAIN

●代表的な別名

車前子

別名ほか

ヨウシュオオバコ，セイヨウオオバコ，トウオオバコ，オニオオバコ，プランテーン，シャゼンシ，車前子（Plantago major），Common Plantain, Erva-De-Orelha, General Plantain, Greater Plantain, Tanchagem

概　要

オオバコは植物です。葉と種子を用いて「くすり」を作ることもあります。名前の似たヘラオオバコ（Buckhorn Plantain），ヘラオモダカ（Water Plantain），そのほかと混同しないよう注意してください。

安　全　性

経口摂取は，おそらくたいていの成人には安全です。

下痢および血圧低下などの副作用を引き起こすことがあります。

皮膚に塗布する場合には，おそらく安全ではありません。アレルギー性皮膚炎を引き起こすおそれがあります。

●アレルギー

メロンにアレルギーがある場合には，オオバコにもアレルギーがあるおそれがあります。メロンアレルギーがある場合には，使用は避けてください。

ほかのオオバコ科の植物にアレルギーがある場合には，使用は避けてください。

●**妊娠中および母乳授乳期**

妊娠中の使用は安全ではありません。子宮に影響を与え，流産を引き起こす可能性が高まるおそれがあります。

母乳授乳期における使用の安全性についてはデータが不十分です。安全性を考慮し，摂取は避けてください。

有効性

◆**科学的データが不十分です**

・感冒，罹患中の（慢性）気管支炎，膀胱感染症，痔核，皮膚疾患，眼の刺激感など。

●**体内での働き**

炎症の緩和，粘液（痰）産生の抑制，および気道の開放に役立つ物質を含んでいます。抗菌および抗真菌作用もあるようです。

医薬品との相互作用

中ワルファリンカリウム

オオバコは多量のビタミンKを含んでいますが，ビタミンKは血液凝固に促進的に関与します。ワルファリンカリウムは血液凝固を抑制するために使用されます。併用すると，ワルファリンカリウムの作用が減弱する可能性があります。

ハーブおよび健康食品・サプリメントとの相互作用

ほかのハーブ，健康食品・サプリメントとの相互作用についてはまだ明らかではありません。

使用量の目安

●**経口摂取**

通常１回２～４gの乾燥葉を１日３回，またはお茶（２～４gの乾燥葉を150mLの沸騰した湯に５～10分浸し，ろ過）１カップを１日３回摂取します。流エキス剤（１：１，25%エタノール）２～４mLは１日３回摂取します。チンキ薬（１：５，45%エタノール）２～４mLは１日３回摂取します。

オオバナノコギリソウ

SNEEZEWORT

別名ほか

アキレアプタルミカ（Achillea ptarmica），プターミカ，Sneezeweed

概要

オオバナノコギリソウは植物です。乾燥させた根を用いて「くすり」を作ることもあります。

安全性

十分なデータは得られていないので，安全性および副作用については不明です。

アレルギー反応を起こす人もいます。

●**アレルギー**

アレルギー反応を起こす人もいます。オオバナノコギリソウにアレルギーがある人は，使用してはいけません。

●**妊娠中および母乳授乳期**

妊娠中および母乳授乳期の使用の安全性についてはデータが不十分です。安全性を考慮し，摂取は避けてください。

有効性

◆**科学的データが不十分です**

・関節痛および筋肉痛，下痢，悪心，嘔吐，腸内ガス（膨満），倦怠，尿路疾患，食欲不振，歯痛（お茶として飲んだ場合，または生の根をかんだ場合）など。

●**体内での働き**

どのように作用するかについては，十分なデータが得られていません。

医薬品との相互作用

ほかの医薬品との相互作用については明らかではありません。

ハーブおよび健康食品・サプリメントとの相互作用

ほかのハーブ，健康食品・サプリメントとの相互作用についてはまだ明らかではありません。

使用量の目安

●**経口摂取**

通常，お茶で１日２杯摂取します。お茶は，茶さじ２杯の切った根を水２カップで煮出します。

●**局所投与**

生の根をかみます。

オオヒレアザミ

SCOTCH THISTLE

別名ほか

ハラホロヒレアザミ，ゴロツキアザミ，オニウロコアザミ，コットンシスル（Onopordum acanthium），Woolly Thistle

概要

オオヒレアザミは植物です。「くすり」に使用されることもあります。名前の似たオオアザミ（Milk Thistle），欧州アカマツの針（Scotch Pine Needle）などの自然薬品と混同しないよう注意してください。

安　全　性

十分なデータは得られていないので，安全性については不明です。

●アレルギー

キク科のほかの植物やハーブにアレルギーのある人は，オオヒレアザミに対してアレルギー反応をおこすことがあります。この植物の仲間には，デイジー，ブタクサ，キク，マリーゴールドほか，多くのハーブがあります。

●妊娠中および母乳授乳期

妊娠中および母乳授乳期の使用の安全性についてはデータが不十分です。安全性を考慮し，摂取は避けてください。

有　効　性

◆科学的データが不十分です

・心臓に対する刺激。

●体内での働き

どのように作用するかについては，十分なデータが得られていません。

医薬品との相互作用

ほかの医薬品との相互作用については明らかではありません。

ハーブおよび健康食品・サプリメントとの相互作用

ほかのハーブ，健康食品・サプリメントとの相互作用についてはまだ明らかではありません。

使用量の目安

標準使用量に関するデータがありません。

オオムギ

BARLEY

別名ほか

大麦（Hordeum vulgare），精白玉麦，大粒麦（Pearl Barley），ダイエタリーファイバー（Dietary Fiber），Hordeum，Hordeum distychum，Mai Ya，Pot Barley，Scotch Barley

概　　要

オオムギは植物です。粒子を用いて「くすり」を作ることもあります。

●要説（ナチュラル・スタンダード）

オオムギは，多くの国で主食とされている穀物です。欧米では，焼き物やスープの材料として一般的に用いられます。オオムギモルトはビールの原料，麦芽糖やbarley jelly sugarと呼ばれる天然甘味料として用いられます。オオムギは繊維を豊富に含んでいます。

近年のデータにより血清コレステロール値が軽度に上昇している患者の血清コレステロールおよび低比重リポタンパク（LDL，悪玉）コレステロールを減少させる効果，心疾患のリスクを低減する効果がオオムギに期待できることが示唆されています。ヒトを対象とした研究はあまりされていませんが，オオムギにはがんを予防する可能性もあります。現時点のエビデンスにより，オオムギに含まれるベータグルカンには，食欲制御機能を改善する効果はないことが示唆されています。

発芽オオムギ（Germinated barley foodstuff）には，潰瘍性大腸炎，過敏性腸症候群，および軽度の便秘を調整する役割がある可能性があります。食物繊維質が豊富なオオムギは，糖尿病患者の食事として有効な可能性があります。

安　全　性

オオムギの経口摂取は，適量であれば，ほとんどの人に安全のようです。オオムギ粉により，気管支喘息を引き起こすおそれがあります。

セリアック病，グルテンに敏感な場合：オオムギに含まれるグルテンが，セリアック病を悪化させるおそれがあります。摂取は避けてください。

糖尿病：オオムギは血糖値を低下させるおそれがあります。医師などにより糖尿病治療薬の服薬量を調節する必要があるかもしれません。

手術：オオムギは血糖値を低下させるおそれがあります。このため，手術中および術後の血糖値コントロールを妨げるおそれがあります。少なくとも手術前２週間は，使用しないでください。

●アレルギー

穀物アレルギー：ライ麦，小麦，オート麦，トウモロコシ，コメなどの穀物に敏感な場合には，オオムギの摂取によりアレルギーを引き起こすおそれがあります。

●妊娠中および母乳授乳期

妊娠中の経口摂取は，通常の食品に含まれる量の範囲内であれば，ほとんどの人に安全のようです。ただし，オオムギの芽は，おそらく安全ではありません。妊娠中は，高用量を摂取するべきではありません。

母乳授乳期の使用の安全性についてはデータが不十分です。安全性を考慮し，摂取は避けてください。

有　効　性

◆有効性レベル②

・高コレステロール血症。研究により，オオムギの摂取により，総コレステロールおよび低比重リポタンパク（LDL，悪玉）コレステロールが減少することが示唆されています。この効果は摂取量により異なるようです。オオムギ由来の水溶性食物繊維を１日当たり，0.4g，３g，６g摂取することにより，それぞれ14%，

オ

17%，20%の総コレステロールが減少します。低比重リポタンパク（LDL，悪玉）コレステロールは，17～24%低下します。また，オオムギは，別の血中脂質であるトリグリセリドを6～16%低下させ，高比重リポタンパク（HDL，善玉）コレステロールを9～18%増加させるようです。高コレステロール血症の患者が，オオムギを経口摂取することにより，血圧も低下するようです。現在，米国食品医薬品局（FDA）では，オオムギを含む食品に対する栄養機能表示を認めています。1食当たり，オオムギ由来の水溶性食物繊維を0.75g含んでいる食品であれば，飽和脂肪およびコレステロールが低い食事の一部として使用する場合に，心疾患のリスクが低下する旨を表示することが可能です。

◆有効性レベル③

・胃がん。複数のエビデンスにより，オオムギなどの食物繊維を摂取することにより，胃がんのリスク低下につながることが示唆されています。

◆有効性レベル④

・大腸がん。オオムギ繊維などの穀物繊維を摂取しても，大腸がんの発症リスクが低下することはないようです。

◆科学的データが不十分です

・潰瘍性大腸炎（炎症性腸疾患），気管支炎，下痢，せつ，活力増強，体重減少など。

●体内での働き

高コレステロール血症の患者が，オオムギに含まれる繊維を摂取することにより，コレステロールおよび血圧が低下する可能性があります。オオムギにより，血糖値およびインスリン値も低下する可能性があります。オオムギにより，胃の内容物排出が抑制されるようです。このため，血糖値が安定し，満腹感をもたらして食欲を抑える可能性があります。

医薬品との相互作用

中Triclabendazole

オオムギはTriclabendazoleの体内への吸収量および体内での作用量を減少させるようです。ただし，このことが大きな問題であるかについては明らかではありません。さらに明らかになるまでは，Triclabendazoleの服用中の場合はオオムギを慎重に摂取してください。

ハーブおよび健康食品・サプリメントとの相互作用

血糖値を低下させるおそれのあるハーブおよび健康食品・サプリメント

オオムギが血糖値を低下させることを示唆するエビデンスが複数あります。オオムギと，血糖値を低下させるおそれのあるほかのハーブおよび健康食品・サプリメントを併用すると，血糖値が過度に低下するリスクが高まるおそれがあります。このようなハーブおよび健康食品・サプリメントには，ニガウリ，ショウガ，薬用ガレーガ，フェヌグリーク，クズ，ウィローバークなどがあります。

使用量の目安

●経口摂取

コレステロール値の低下

オオムギオイルのエキス3g，オオムギふすま粉30g，またはオオムギ由来の水溶性食物繊維0.4～6gを，全米コレステロール教育プログラム（National Cholesterol Education Program，NCEP）ステップIに従った食事に加えます。1日当たり3～12gの，精白オオムギ，オオムギ粉，オオムギフレーク，またはオオムギパウダーを使用することもあります。

オールスパイス

ALLSPICE

●代表的な別名

ピメント

別名ほか

クローブペッパー（Clove Pepper），ジャマイカペッパー（Jamaica Pepper），Eugenia pimenta，Pimenta dioica，Pimento，West Pimenta Officinalis

概　　要

オールスパイスは植物です。若い種実と葉を用いて「くすり」を作ることもあります。

食品では，スパイスとして使用されます。

製品としては，歯磨きのフレーバーとして使用されます。

●要説（ナチュラル・スタンダード）

オールスパイスは，主にジャマイカ，西インド諸島，および南米原産のPimenta dioicaの果実から作られます。緑色になった果実を摘み，天日干しあるいは，炉で乾燥させて，果実そのものの形状や粉末にして販売します。シナモン，ジュニパー，クローブ，およびナツメグを混ぜたような複雑な辛味（コショウのような辛さ）がします。

オールスパイスは，消化不良症や腸内ガスに昔から用いられていました。胃痛，重度の月経出血，嘔吐，下痢，発熱，インフルエンザ，および感冒の治療に経口摂取することもありました。

現時点では，いずれの疾患に対しても臨床的に使用できることを支持する質の高いエビデンスは限られています。

安　全　性

スパイスとして用いた場合，ほとんどの成人に安全です。しかし，医薬品に使用される用量の安全性については，十分なデータがありません。

相互作用レベル：高この医薬品と併用してはいけません　中この医薬品とは慎重に併用するか併用しないでください　低この医薬品との併用には注意が必要です

手術：オールスパイスは血液凝固を抑制することがあります。手術中や術後に用いると出血のリスクが高まる恐れがあります。少なくとも2週間以内に手術を受ける予定がある場合の使用は避けてください。

●アレルギー

敏感肌の人が皮膚に直接塗布した場合，アレルギー反応を引き起こすことがあります。

●妊娠中および母乳授乳期

妊娠中，母乳授乳期に，食品として食べる分量ならば安全です。しかし，医薬品として多量に用いることは，安全性がより明らかになるまで避けるべきです。

有　効　性

◆科学的データが不十分です

・腸内ガス，消化不良，嘔吐，下痢，腸の浄化，発熱，インフルエンザ，感冒，月経過多など。

●体内での働き

オールスパイスは，オイゲノールと呼ばれる化学物質を含んでいます。そのため，従来より歯痛や筋肉痛，また抗菌薬として使用されてきたと考えられます。

医薬品との相互作用

中血液凝固を抑制する医薬品（抗凝固薬/抗血小板薬）

オールスパイスは血液凝固を抑制することがあります。血液凝固を抑制する医薬品と一緒に摂取すると，紫斑および出血のリスクが高まるおそれがあります。オールスパイスにはオイゲノールが含まれていますが，これが血液凝固を抑制する成分です。オイゲノールは非常に香りが良く，オールスパイスとクローブの特徴的な香りはこのためです。このような医薬品には，アスピリン，クロピドグレル硫酸塩，ジクロフェナクナトリウム，イブプロフェン，ナプロキセン，ダルテパリンナトリウム，エノキサパリンナトリウム，ヘパリン，ワルファリンカリウムなどがあります。

ハーブおよび健康食品・サプリメントとの相互作用

ほかのハーブ，健康食品・サプリメントとの相互作用についてはまだ明らかではありません。

通常の食品との相互作用

血液凝固を抑制する作用があるとされるハーブおよび健康食品・サプリメント

オールスパイスは血液凝固を抑制することがあります。同様の作用をもつほかのハーブおよび健康食品・サプリメントとともに用いると，紫斑や出血の発症リスクが人により高まることがあります。これらのハーブには，アンゼリカ，タンジン，ニンニク，イチョウ，高麗人参などが含まれます。

使用量の目安

標準使用量に関するデータがありません。

オオルリソウ

HOUND'S TONGUE

別名ほか

シノグロッサム・オフィシナル，シナワスレナグサ，シノグロッサム（Cynoglossum officinale），ハウンズタング，Cynoglossi herba，Cynoglossi radix，Dog-bur，Dog's Tongue，Gypsy Flower，Sheep-lice，Woolmat

概　　要

オオルリソウは植物です。「くすり」として使用されます。

安　全　性

オオルリソウは安全ではなく，毒性があります。肝毒性をもつピロリジジンアルカロイド（PAs）という，静脈の血流を阻害して肝障害を起こす化学物質を含むため，「くすり」としての使用について多くの懸念があります。肝毒性をもつピロリジジンアルカロイドはまた，がんや胎児の先天性異常を引き起こします。肝毒性をもつピロリジジンアルカロイド含有なしの認定もなく，そのラベルがないオオルリソウの製品は，安全ではありません。

皮膚の傷ついた部分にオオルリソウを塗ることも安全ではありません。オオルリソウの危険な化学物質が傷ついた皮膚を通して体内に急速に吸収され，危険な毒素が全身にまわるおそれがあります。肝毒性をもつピロリジジンアルカロイドなしのラベルがついていないスキンケア製品は，使用しないよう気をつけてください。また，肝毒性をもつピロリジジンアルカロイドなしの認定ラベルのある製品でさえも，皮膚に塗ることの安全性についてのデータは十分ではありません。使用は避けてください。

使用はすべての人に安全ではありません。毒性のある副作用にとくに反応する人もおり，その場合とくに気をつけて使用を避ける必要があります。

肝疾患：オオルリソウの肝毒性をもつピロリジジンアルカロイドが肝疾患を悪化させるおそれがあります。

●妊娠中および母乳授乳期

妊娠中に肝毒性をもつピロリジジンアルカロイドを含む製品を使用するのは安全ではありません。胎児の先天性異常や肝障害を引き起こすおそれがあります。

また，母乳授乳期に肝毒性をもつピロリジジンアルカロイドを含む製品を使用するのは安全ではありません。これらの化学物質が母乳を通して乳児に与えられ，乳児に悪影響を及ぼします。

認定済みの非肝毒性ピロリジジンアルカロイドの製品を妊娠中および母乳授乳期に使用する安全性は，不明です。安全性を考慮して使用は避けてください。

有　効　性

◆科学的データが不十分です

・下痢およびそのほかの消化器系障害，皮膚病，気管支炎，疼痛，咳，創傷など。

●体内での働き

オオルリソウが「くすり」としてどのように作用するかについてのデータは十分ではありません。

医薬品との相互作用

中 肝臓でほかの医薬品の代謝を促進する医薬品（シトクロムP450 3A4（CYP3A4）を誘導する医薬品）

オオルリソウは肝臓で代謝されますが，代謝時に形成される化学物質の中には，有害なものがあります。肝臓でオオルリソウの代謝を促進させる医薬品は，オオルリソウに含まれる化学物質の毒性作用を増強するおそれがあります。このような医薬品には，カルバマゼピン，フェノバルビタール，フェニトイン，リファブチン，リファンピシンなどがあります。

ハーブおよび健康食品・サプリメントとの相互作用

肝毒性をもつピロリジジンアルカロイド（PAs）を含むハーブおよび健康食品・サプリメント

肝毒性をもつピロリジジンアルカロイドを含むため，同様な有毒化学物質をもつハーブとの併用は，肝障害やがんなどの重篤な副作用を起こすおそれがあります。肝毒性をもつピロリジジンアルカロイドを含むハーブおよび健康食品・サプリメントには，アルカネット，ヒヨドリバナ，ボラージ，セイヨウフキ，フキタンポポ，コンフリー，ワスレナグサ，シモツケソウ，ノボロギク，ヘンプ・アグリモニー，ダスティーミラー，サワギク，ヤコブボロギクがあります。

オオルリソウの肝臓での代謝（分解）を促進するハーブおよび健康食品・サプリメント（シトクロムP450 3A4［CYP3A4］誘導因子）

オオルリソウは肝臓で代謝分解されますが，代謝時に形成される化学物質の中には有害なものがあります。肝臓でオオルリソウの代謝を促進させるハーブおよび健康食品・サプリメントは，オオルリソウに含まれる化学物質の毒性作用を増強するおそれがあります。それらのハーブには，エキナセア，ニンニク，甘草，セント・ジョンズ・ワート，チョウセンゴミシがあります。

使用量の目安

標準使用量に関するデータがありません。

オカトラノオ

LOOSESTRIFE

●代表的な別名

セイヨウ草連玉

別名ほか

セイヨウクサレダマ，草連玉（Lysimachia vulgaris），Yellow Willowherb

概　　要

オカトラノオは植物です。「くすり」を作るのに使用されることもあります。

オカトラノオ（Lysimachia vulgaris）をエゾミソハギ（Lythrum salicaria）と混同しないようにしてください。どちらもオカトラノオとして知られています。

安　全　性

十分なデータは得られていないので，安全性および副作用については不明です。

●妊娠中および母乳授乳期

妊娠中および母乳授乳期の使用の安全性についてはデータが不十分です。安全性を考慮し，摂取は避けてください。

有　効　性

◆科学的データが不十分です

・下痢，壊血病，創傷，鼻血や大量の月経出血などの過度の出血（大量出血）など。

●体内での働き

どのように作用するかについては，十分なデータが得られていません。

医薬品との相互作用

ほかの医薬品との相互作用については明らかではありません。

ハーブおよび健康食品・サプリメントとの相互作用

ほかのハーブ，健康食品・サプリメントとの相互作用についてはまだ明らかではありません。

使用量の目安

標準使用量に関するデータがありません。

オキアミ油

KRILL OIL

別名ほか

n-3脂肪酸，オメガ-3，オメガ-3脂肪酸，オメガ-3オイル，オキアミ，多価不飽和脂肪酸，ω-3脂肪酸，ドコサヘキサエン酸，ナンキョクオキアミ油，エイコタペンタエン酸，DHA，EPA，Euphausia Superba，Euphausiids Oil，クリルオイル

概　要

オキアミ油は，微小でエビのようなオキアミの油です。オキアミはヒゲクジラ，オニイトマキエイ，およびジンベイザメに捕食され，“krill”というノルウェー語は「クジラのエサ」を意味します。オキアミの油は抽出後カプセルに入れ，「くすり」として使われます。一部のオキアミ油製品は，「南極オキアミ油」と記されていますが，通常ナンキョクオキアミ種（Euphausia superba）を指しています。

●要説（ナチュラル・スタンダード）

オキアミは，無脊椎でエビに似た海洋生物です。オキアミ，とくにナンキョクオキアミ（オキアミ・スペルバ。Euphausia superba）から生成される油は，さまざまな化合物が豊富で，例えば，長鎖n-３系脂肪酸や抗酸化剤があり，オキアミの油によって健康に効果があると思われます。

推定14％のオキアミ油は，EPA（エイコサペンタエン酸）やDHA（ドコサヘキサエン酸）から構成されています。 EPAとDHAは，どちらもn-３系脂肪酸です。n-３系脂肪酸は，血中脂質や血圧の低下作用があると考えられる化合物の部類です。オキアミ油には，アスタキサンチンも含まれていると考えられています。アスタキサンチンは，神経保護効果があるとされている抗酸化物質です。

初期の研究では，オキアミ油が，関節炎，脂質異常症，歯垢，月経痛に効果がある可能性を示しています。しかしながら，確実な結論によって，その使用が可能になるまでには，これらの分野でのさらなる研究が必要です。

安 全 性

成人が３カ月以内の短期間，適量を使用する場合は安全なようです。

オキアミ油に関する研究ではその安全性または副作用のおそれについて，これまで十分な調査が行われていません。

ただし，魚油に似た副作用，すなわち口臭，胸やけ，魚臭，胃のむかつき，悪心，および軟便などを生じることがあるようです。

手術：血液凝固を抑制するおそれがあります。手術中および術後に出血のリスクが高まるおそれがあります。少なくとも手術前２週間は，使用しないでください。

●アレルギー

海産物（魚介類）にアレルギーがある場合には，オキアミ油のサプリメントにもアレルギーがあるおそれがあります。海産物アレルギーの人が，オキアミ油に対してどの程度のアレルギー反応を示すかを示唆する信頼できるデータはありません。ただし，海産物アレルギーの場合には，オキアミ油の使用は避けるか，注意してください。

●妊娠中および母乳授乳期

妊娠中および母乳授乳期のオキアミ油の使用の安全性についてはデータが不十分です。安全性を考慮し，摂取を避けてください。

有 効 性

◆科学的データが不十分です

・高コレステロール血症。特定のオキアミ油製品を毎日１～1.5g摂取した場合，高コレステロール血症患者の総コレステロール値およびLDL-コレステロール値が低下し，HDL-コレステロール値が上昇したことが示されています。毎日２～３gと，より高用量で摂取した場合も血清トリグリセリド（中性脂肪）値が有意に低下しました。

・月経前症候群。初期の試験により，特定のオキアミ油製品を摂取することで，月経前症候群の症状が軽減する可能性が示唆されています。

・関節リウマチ。初期の試験により，特定のオキアミ油製品を毎日300mg摂取することで，関節リウマチ患者の痛みおよびこわばりが軽減することが示唆されています。

・高血圧症，脳卒中，がん，うつ病など。

●体内での働き

魚油に似た脂肪酸を含んでいます。それらの脂肪は，むくみを抑制し，血清コレステロール値を下げ，血小板の粘性を軽減するのに有効であると考えられています。

医薬品との相互作用

中 血液凝固を抑制する医薬品（抗凝固薬/抗血小板薬）

オキアミ油は血液凝固を抑制する可能性があります。オキアミ油と血液凝固を抑制する医薬品を併用すると，紫斑および出血のリスクが高まるおそれがあります。このような医薬品には，アスピリン，クロピドグレル硫酸塩，ジクロフェナクナトリウム，イブプロフェン，ナプロキセン，ダルテパリンナトリウム，エノキサパリンナトリウム，ヘパリン，ワルファリンカリウムなどがあります。

中 糖尿病治療薬

オキアミ油は血糖値を低下させる可能性があります。糖尿病治療薬も血糖値を低下させるために用いられます。オキアミ油と糖尿病治療薬を併用すると，血糖値が過度に低下するおそれがあります。血糖値を注意深く監視してください。糖尿病治療薬の用量を変更する必要があるかもしれません。このような糖尿病治療薬には，グリメピリド，グリベンクラミド，インスリン，ピオグリタゾン塩酸塩，マレイン酸ロシグリタゾン（販売中止），クロルプロパミド，Glipizide，トルブタミド（販売中止）などがあります。

低 オルリスタット【販売中止】

オルリスタットは体重を減らすために用いられます。食事脂肪が腸管から吸収されるのを阻害します。オルリスタットとオキアミ油を同時に併用すると，オキアミ油の吸収も妨げられるおそれがあります。この相互作用を避けるため，オキアミ油とオルリスタットを併用する場合には，少なくとも２時間の間隔をあけてください。

ハーブおよび健康食品・サプリメントとの相互作用

血液凝固を抑制するハーブおよび健康食品・サプリメント

オキアミ油は血液凝固を抑制することがあります。他の血液凝固を抑制するハーブおよび健康食品・サプリメントと併用すると，出血や紫斑のできるリスクが増加します。それらのハーブおよび健康食品・サプリメントには，アンゼリカ，クローブ，タンジン，ニンニク，ショウガ，イチョウ，ターメリック，ウィローバークなどがあります。

血糖値を低下させるハーブおよび健康食品・サプリメント

オキアミ油は血糖値を低下させるおそれがあります。オキアミ油と血糖値を低下させるおそれのあるほかのハーブおよび健康食品・サプリメントを併用すると，血糖値が低下しすぎるおそれがあります。これらのハーブには，デビルズクロー，フェヌグリーク，ニンニク，グアーガム，セイヨウトチノキ，朝鮮人参，サイリウム，エゾウコギなどがあります。

使用量の目安

●経口摂取

脂質異常症

特定の製品１日１～３gを摂取します。

月経前症候群

特定の製品１日２gを摂取します。

関節リウマチおよび変形性関節症

特定の製品１日300mgを摂取します。

オキナグサ属

PULSATILLA

別名ほか

洋種オキナグサ，セイヨウオキナグサ，西洋翁草（Pulsatilla vulgaris），Anemone nigricans，Anemone pratensis，Anemone pulsatilla，Anemone serotina，Easter Flower，European Pasqueflower，Meadow Anenome，Meadow Windflower，Pasque Flower，Pasqueflower，Passe Flower，Pulsatilla nigricans，Pulsatilla Pratensis，Wind Flower

概　要

オキナグサ属の植物です。乾燥させた地上部を用いて「くすり」を作ることもあります。

安　全　性

経口投与および皮膚への使用は危険です。口，のど，消化管，尿路，皮膚など直接触れた部位すべてで重度の刺激が生じます。

十分なデータは得られていないので，乾燥させたものの安全性および副作用については不明です。

●アレルギー

アレルギー反応の原因にもなります。皮膚に触れると，皮疹，炎症およびかゆみを引き起こします。揮発したオイルを吸い込むと鼻と眼に刺激となります。

●妊娠中および母乳授乳期

妊娠中の経口摂取は安全ではありません。生あるいは乾燥させたオキナグサ属の植物は，流産や新生児の先天性異常を引き起こすおそれがあります。生のものを直接皮膚に塗るのもまた安全ではありません。使用しないでください。乾燥させたものを直接皮膚に塗ることの安全性については，データが不十分です。安全性を考慮して使用は控えて下さい。

母乳授乳期に生のオキナグサ属の植物を経口摂取したり，皮膚へ直接塗ったりするのは安全ではありません。乾燥させたものを経口摂取したり，皮膚へ直接塗ることの安全性については，データが不十分です。使用しないでください。

有　効　性

◆科学的データが不十分です

・男性または女性生殖器系疾患，緊張性頭痛，片頭痛，機能亢進状態，不眠症，せつ，皮膚病，気管支喘息および肺疾患，耳痛，神経障害，一般的な不穏状態，消化器系障害および尿路障害など。

●体内での働き

痛み，発熱，痙攣および細菌に対する作用があるようです。鎮静薬としても働くことがあります。

医薬品との相互作用

ほかの医薬品との相互作用については明らかではありません。

ハーブおよび健康食品・サプリメントとの相互作用

ほかのハーブ，健康食品・サプリメントとの相互作用についてはまだ明らかではありません。

使用量の目安

●経口摂取

乾燥した地上部１回120～300mgを１日３回摂取します。このほか，お茶として１回ティーカップ１杯を１日３回摂取します。お茶は，乾燥した地上部120～300mgを水150mLに５～10分浸すか，または煮出した後，こします。流エキス（１：１，25%アルコール）なら0.12～0.3mLを１日３回摂取します。チンキ剤（１：10，40%

アルコール）は0.3～1mLを1日3回摂取します。

●局所投与

標準使用量に関するデータがありません。

オクタコサノール

OCTACOSANOL

●代表的な別名

トリアコンタノール

別名ほか

ヘキサコサノール（Hexacosanol），オクタコシルアルコール（Octacosyl alcohol），テトラコサノール（Tetracosanol），トリアコンタノール（Triacontanol），1-Octacosanol，N-octacosanol

概　要

オクタコサノールはサトウキビおよび小麦胚芽油など多様な植物資源にみられる化合物です。「くすり」を作るのに用います。

●要説（ナチュラル・スタンダード）

ポリコサノールは，サトウキビのワックス（茎のろう状物質）から生成した超長鎖アルコールの混合物です。ポリコサノールのおよそ67％がオクタコサノールです。ポリコサノールを用いた研究はなされていますが，現時点では，オクタコサノール単体に注目した有効な研究はほとんどありません。筋萎縮性側索硬化症（ALS。慢性的な進行性神経疾患，神経細胞が喪失し筋肉麻痺を引き起こす）の患者に対し，オクタコサノールに目立った効果はなかったことを示唆する予備的な臨床試験が1件あります。オクタコサノールはポリコサノールの主成分ですが，オクタコサノールがポリコサノールの有効成分であるかどうかを結論付けるには，さらなる研究が必要です。

安 全 性

安全性について信頼できる十分なデータは得られていません。

副作用には，めまい，神経過敏などがあります。パーキンソン病の人は使用してはいけません。

●妊娠中および母乳授乳期

妊娠中，母乳授乳期は使用してはいけません。

有 効 性

◆科学的データが不十分です

・筋萎縮性側索硬化症の症状の治療のほか，体力，持久力，反応時間の改善，ヘルペス感染，皮膚病，パーキンソン病，高コレステロール値，アテローム性動脈硬化症など。

●体内での働き

身体の酸素の利用を改善するのに役立つことがあります。

医薬品との相互作用

中 レボドパ・カルビドパ配合

レボドパ・カルビドパ配合製剤はパーキンソン病治療薬です。レボドパ・カルビドパ配合製剤とオクタコサノールを併用すると，パーキンソン病の症状を悪化させることがあります。レボドパ・カルビドパ配合製剤を服用している場合は，オクタコサノールを摂取しないでください。

ハーブおよび健康食品・サプリメントとの相互作用

ほかのハーブ，健康食品・サプリメントとの相互作用についてはまだ明らかではありません。

使用量の目安

●経口摂取

パーキンソン病

1回5mgで1日3回食後に摂取します。

筋萎縮性側索硬化症

1日40mgを摂取します。

オケラ

ATRACTYLODES

●代表的な別名

白朮

別名ほか

蒼朮，ソウジュツ（So-jutsu），ビャクジュツ，白朮（Byaki-jutsu），ジュツ（Atractylis ovata），ホソバオケラ（Atractylodes lancea），シナオケラ（Atractylodes chinensis），オオバナオケラ（Atractylodes macrocephala），カンズー（Cangzhu），ジュツ（Jutsu），Atractylodes japonica，Atractylodes ovata，Bai Zhu，Cang Zhu，Chang Zhe，Red Atractylodes

概　要

オケラは植物です。根茎（地下茎）を用いて「くすり」を作ることもあります。

安 全 性

アトラクチレノリドはオケラの成分で，適量（1日に1.32g）を短期間（7週間まで）摂取するのは，安全のようです。

悪心，口渇，および後味の悪さを口に残す原因となります。

他のオケラ製品の安全性についてはデータが十分ではありません。

●アレルギー

オケラはブタクサ，キク，マリーゴールド，ヒナギクなどのキク科植物に敏感な人にアレルギーを起こすおそれがあります。

●妊娠中および母乳授乳期

妊娠中，及び母乳授乳期におけるオケラの使用についてはまだよく知られていません。安全性を考慮し，使用しないでください。

有効性

◆科学的データが不十分です

・食欲減退。進行中の研究によると，精製オケラの成分であるアトラクチレノリド（atractylenolide）は胃がんにより体重が減少した患者の食欲を改善するようです。

・消化不良，胃痛，膨満感，浮腫，下痢，リウマチなど。

●体内での働き

消化管機能を向上させ炎症を抑える化合物を含んでいます。

医薬品との相互作用

中ヘキソバルビタール【販売中止】

オケラはヘキソバルビタールの作用を増強する可能性があります。オケラとヘキソバルビタールを併用すると，過度な眠気が引き起こされるおそれがあります。

中ホルモン感受性がんの治療薬（アロマターゼ阻害薬）

がんの種類によっては体内のホルモンの影響を受けます。ホルモン感受性がんは体内のエストロゲン量の影響を受けます。ホルモン感受性がんの治療薬は体内のエストロゲン量を減少させる役割があります。オケラも体内のエストロゲン量を減少させる可能性があります。オケラとホルモン感受性がんの治療薬を併用すると，体内のエストロゲン量が過度に減少するおそれがあります。このようなホルモン感受性がんの治療薬には，Aminoglutethimide，アナストロゾール，エキセメスタン，レトロゾールなどがあります。

中血液凝固を抑制する医薬品（抗凝固薬/抗血小板薬）

オケラは血液凝固を抑制する可能性があります。オケラと血液凝固を抑制する医薬品を併用すると，紫斑および出血のリスクが高まるおそれがあります。このような医薬品には，アスピリン，クロピドグレル硫酸塩，ダルテパリンナトリウム，エノキサパリンナトリウム，ヘパリン，インドメタシン，チクロピジン塩酸塩，ワルファリンカリウムなどがあります。

ハーブおよび健康食品・サプリメントとの相互作用

ほかのハーブ，健康食品・サプリメントとの相互作用についてはまだ明らかではありません。

使用量の目安

●経口摂取

悪液質

単離した成分のアトラクチレノリドⅠを1日1.32g摂取します。

オシダ

MALE FERN

別名ほか

ドリオプテリスフィリクスマス，セイヨウオシダ（American Aspidium，Bear's Paw，Dryopteris filix-mas），European Aspidium，Knott Brake，Marginal Fern，Shield Fern

概要

オシダは，非常に毒性の強い植物です。経口摂取すると死に至るおそれがあります。地上部，葉，および根のような茎を用いて「くすり」を作ることもあります。

安全性

オシダは，安全ではありません。きわめて強い毒性があり，経口摂取してはいけません。実際カナダでは，オシダを使用した製品には「外用のみに使用」の記載が義務づけられています。ほかに同様の効果のあるオシダより安全な製品があるので，あえて使用することはありません。

重大な副作用を引き起こすおそれがあり，それには呼吸困難，悪心，下痢，めまい，頭痛，振戦，痙攣，心不全，肺不全，眼の障害，筋肉の衰え，昏睡，一時的あるいは永続的な失明などがあり，さらには死に至るおそれもあります。

過量を使う治療法としては，食塩水を与え，その後特別な液体を与えるものがあります。油脂はオシダの体内吸収量を増強させてしまうので，油脂との併用を避けることが重要です。痙攣が起こった場合には，ベンゾジアゼピンを使用し，人工呼吸器が必要になります。

オシダの使用は，すべての人に安全ではありません。人によってはとくに副作用のリスクが高いことがあります。

胃腸疾患：消化時間が長い胃腸疾患の場合，小腸でのオシダの吸収量を増加させるおそれがあります。オシダの使用量が増加するにつれて，副作用も重くなっていく可能性があります。

●妊娠中および母乳授乳期

「くすり」としての使用はすべての人に安全ではありません。妊娠中および母乳授乳期に使用すると，母体および胎児・乳児を危険な状態にします。使用しないでください。

有 効 性

◆科学的データが不十分です

・鼻血，月経過多，創傷，腫瘍，および条虫。

●体内での働き

条虫類などの腸内寄生虫を駆除する成分が含まれています。駆除の後すぐに食塩水（生理食塩水）を飲んで，体の中から寄生虫を洗い流すようにします。

医薬品との相互作用

ほかの医薬品との相互作用については明らかではありません。

ハーブおよび健康食品・サプリメントとの相互作用

ヒマシ油

ヒマシ油の使用はオシダの体内吸収量を増加させます。オシダの使用量が増加するにつれて，副作用も重くなっていく可能性があります。

通常の食品との相互作用

脂肪，オイル，アルコール

脂肪，オイル，アルコールの摂取は，オシダの体内吸収量を増加させます。オシダの使用量が増加するにつれて，副作用も重くなっていく可能性があります。

使用量の目安

●経口摂取

条虫駆除を促すことを目的とした使用（下剤と併用）

成人は絶食状態にて3～6mLを摂取します。2歳以下の小児は2mLを何回かに分けて摂取します。3歳以上の小児は0.25～0.5mL/年齢（最大4mL）を何回かに分けて摂取します。

オシャ

OSHA

別名ほか

オシャ根（Ligusticum porteri），オーシャ，オシャルート，Bear Root，Chuchupate，Colorado Cough Root，Indian Parsley，Mountain Lovage，Porter's Licorice Root，Wild Celery Root

概 要

オシャは植物です。歴史的にアメリカ先住民やヒスパニックの文化において，その根が「くすり」として使用されてきました。

オシャを毒性の強いドクニンジン（hemlock）と間違えないよう気をつけてください。オシャは根をみて識別してください。根は人によってはセロリのような不快なにおいがするといわれます。正真正銘のオシャであると確信できるような信用できるところで必ず購入してください。

オシャはアメリカ西部の高地で生育し，栽培するのは困難です。オシャは人気が高いので，原生のオシャは乱獲されるようになりました。その結果，環境保護論者たちにより絶滅危惧種植物に指定されています。

安 全 性

ほとんどの成人に安全なようです。

●妊娠中および母乳授乳期

妊娠中の使用は，安全ではありません。使用を避けてください。

母乳授乳期の使用の安全性についてはデータが不十分です。安全性を考慮し，摂取は避けてください。

有 効 性

◆科学的データが不十分です

・咽喉痛，皮膚の創傷感染の予防，消化不良，気管支炎，咳，感冒，インフルエンザ，肺炎，ヘルペス，HIV/エイズ，およびそのほかの用途など。

●体内での働き

細菌やウイルスに抵抗するのに役立つことのある化合物を含んでいます。

医薬品との相互作用

ほかの医薬品との相互作用については明らかではありません。

ハーブおよび健康食品・サプリメントとの相互作用

ほかのハーブ，健康食品・サプリメントとの相互作用についてはまだ明らかではありません。

使用量の目安

●経口摂取

チンキ剤（新鮮な根部を原料とした1：2のチンキ剤，あるいは乾燥した根部を原料とした1：5のチンキ剤）を1回20～60滴で1日5回摂取します。オシャ，ならびにそのほかの植物性生薬および栄養補助成分を含む配合剤が，数多く市販されています。

オシロコシナム

OSCILLOCOCCINUM

別名ほか

バリケン，ノバリケン，タテガミガン，タイワンアヒル（Anas barbariae，Anas moschata，Avian Heart and Liver，Avian Liver Extract，Cairina moschata），Canard de Barbarie，Duck Liver Extract，Muscovy

Duck, Oscillo

概　　要

オシロコシナムは，インフルエンザ治療のためのホメオパシーに使用されることもあります。ホメオパシーで用いられる「くすり」には，希釈率が高すぎて有効成分が含まれていないものが多くあります。

●要説（ナチュラル・スタンダード）

フランスの会社（ボワロン研究所）が製造特許を取得したオシロコシナム（Oscillococcinum）というホメオパシーが市販されていて，疲労感，頭痛，体の痛み，悪寒，発熱を含むインフルエンザ症状の予防と治療に使用されています。野生のカモの心臓や肝臓から作られ，最終製品は，何回も希釈，すなわち100分の１の希釈を連続して200回繰り返して希釈されていますので，最終製品には，元のアヒルの肝臓や心臓の分子がほとんどないと報告されています。

オシロコシナムがインフルエンザの罹患期間を短縮できることを示している，ヒトを対象とした予備的なエビデンスがあります。しかしながらそれは，インフルエンザを予防するために発見されたものではありません。その人気と有効性の逸話にもかかわらず，オシロコシナムが偽薬（プラセボ）よりも優れている科学的根拠は，今のところほとんどありません。

とくに幼児や妊娠中や母乳授乳中の女性で，オシロコシナムの有効性と安全性を決定するためには，より多くの研究が必要となります。

安 全 性

安全だと考えられています。

ホメオパシーで用いられる医薬品です。このことは，いかなる有効成分も含まれていないことを意味しています。ほとんどの専門家が，有益な効果も有害な副作用ももたらさない，という見解を示唆しています。

有 効 性

◆科学的データが不十分です

・インフルエンザ。

●体内での働き

ホメオパシーでは医薬品として用いられます。ホメオパシーとは，19世紀にサミュエル・ハーネマンというドイツ人医師によって確立された療法です。この療法の基本原理は，「類似は類似を治す」，および「希釈が効果を増大させる」です。インフルエンザ治療のためのホメオパシーを例にあげると，多い量を投与すると通常ならインフルエンザを引き起こしてしまうような物質を，きわめて薄い濃度にまで希釈して用います。あるフランス人医師が，1918年に流行したスペイン風邪についての研究中に発見しました。しかしそのとき，医師は自分の発見したオシロコシナムが感冒の原因だと誤解しました。

医薬品との相互作用

ほかの医薬品との相互作用については明らかではありません。

ハーブおよび健康食品・サプリメントとの相互作用

ほかのハーブ，健康食品・サプリメントとの相互作用についてはまだ明らかではありません。

使用量の目安

●経口摂取

インフルエンザ

オシロコシナム含有製品を１日最大で３回摂取します。

オスタリン

OSTARINE

別名ほか

Enobosarm，エノボサーム，GTx-024，MK-2866，S-22

概　　要

オスタリンは米国食品医薬品局（FDA）に未承認の被験薬です。選択的アンドロゲン受容体モジュレーター（SARMs）という医薬品分類に属します。サプリメント会社のなかには，ボディビルダー向けにオスタリンを含む商品を扱う会社もあります。FDAはオスタリンを含むサプリメントを違法としています。

オスタリンは，運動能力の改善や，悪液質または消耗症候群といった疾患による体重減少に対して経口摂取されます。しかし，これらの用途を裏づける研究はごくわずかです。

安 全 性

オスタリンの経口摂取はおそらく安全ではありません。オスタリンを摂取して肝障害になった人がいたという報告があります。ほかの一般的な副作用には，胃痛，便秘，下痢，頭痛，吐き気，発熱，心臓発作，脳卒中などがあります。

肝障害：オスタリンは人によっては肝障害を引き起こす可能性があります。肝障害の既往歴がある場合はオスタリンを摂取しないでください。

●妊娠中および母乳授乳期

妊娠中および母乳授乳期の使用の安全性についてはデータが不十分です。安全性を考慮し，摂取は避けてください。

有 効 性

◆科学的データが不十分です

・重症疾患を有する患者における意図的でない体重減少(悪液質または消耗症候群)，加齢による筋肉の減少(サルコペニア)，筋力低下および筋肉減少を引き起こす遺伝性疾患の総称（筋ジストロフィー)，乳がん，膀胱機能の障害（尿失禁）など。

●体内での働き

オスタリンはアンドロゲン受容体という体内にあるタンパク質に結合します。オスタリンがアンドロゲン受容体に結合すると，伝達系が作動し，筋肉量の増加を促進します。アンドロゲン受容体に結合するほかの化学物質(ステロイドなど）とは異なり，オスタリンは体内のほかの部分に対して，それほど多くの副作用は引き起こさないようです。

医薬品との相互作用

中プロベネシド

プロベネシドはオスタリンの体内からの排泄を抑制する可能性があります。オスタリンとプロベネシドを併用すると，オスタリンの副作用が増強するおそれがあります。

中リファンピシン

リファンピシンはオスタリンの肝臓での代謝を促進する可能性があります。オスタリンとリファンピシンを併用すると，オスタリンの作用が減弱する可能性があります。

中肝臓でほかの医薬品の代謝を促進する医薬品（シトクロムP450 3A4（CYP3A4）を誘導する医薬品）

オスタリンは肝臓で代謝されます。特定の医薬品はオスタリンの代謝を促進する可能性があります。オスタリンと肝臓でほかの医薬品の代謝を促進する医薬品を併用すると，オスタリンの作用が減弱する可能性があります。このような医薬品には，カルバマゼピン，フェノバルビタール，フェニトイン，リファンピシン，リファブチンなどがあります。

低肝臓でほかの医薬品の代謝を抑制する医薬品（シトクロムP450 3A4（CYP3A4）を阻害する医薬品）

オスタリンは肝臓で代謝されます。特定の医薬品はオスタリンの代謝を抑制する可能性があります。オスタリンと肝臓でほかの医薬品の代謝を抑制する医薬品を併用すると，オスタリンの作用および副作用が増強するおそれがあります。このような医薬品には，アミオダロン塩酸塩，クラリスロマイシン，ジルチアゼム塩酸塩，エリスロマイシン，インジナビル硫酸塩エタノール付加物(販売中止)，リトナビル，サキナビルメシル酸塩(販売中止)など数多くあります。

低肝臓で代謝される医薬品（シトクロムP450 2C9（CYP2C9）の基質となる医薬品）

特定の医薬品は肝臓で代謝されます。オスタリンは特定の医薬品の代謝を抑制する可能性があります。オスタリンと肝臓で代謝される医薬品を併用すると，医薬品の作用および副作用が増強するおそれがあります。このような医薬品には，ジクロフェナクナトリウム，イブプロフェン，メロキシカム，ピロキシカム，また，セレコキシブ，アミトリプチリン塩酸塩，ワルファリンカリウム，Glipizide，ロサルタンカリウムなどがあります。

中肝臓を害する可能性のある医薬品

オスタリンは肝臓を害する可能性があります。オスタリンと肝臓を害する可能性のある医薬品を併用すると，肝障害のリスクが高まるおそれがあります。肝臓を害する可能性のある医薬品を服用中にオスタリンを摂取しないでください。このような医薬品には，アセトアミノフェン，アミオダロン塩酸塩，カルバマゼピン，イソニアジド，メトトレキサート，メチルドパ水和物，フルコナゾール，イトラコナゾール，エリスロマイシン，フェニトイン，Lovastatin，プラバスタチンナトリウム，シンバスタチンなど数多くあります。

ハーブおよび健康食品・サプリメントとの相互作用

肝臓を害するおそれのあるハーブおよび健康食品・サプリメント

オスタリンは肝臓を害するおそれがあると懸念されています。オスタリンと肝臓を害するおそれのあるハーブおよび健康食品・サプリメントを併用すると，肝障害のリスクが高まるおそれがあります。このようなハーブおよび健康食品・サプリメントには，アンドロステンジオン，チャパラル，コンフリー，デヒドロエピアンドロステロン（DHEA)，ジャーマンダー，カバ，ニコチン酸，ペニーロイヤルミント，紅麹などがあります。

肝臓でほかのハーブの分解を促進するハーブ

オスタリンは肝臓で代謝されます。特定のハーブはオスタリンの代謝を促進する可能性があります。オスタリンと特定のハーブを併用すると，オスタリンの作用が弱まる可能性があります。このようなハーブには，エキナセア，ニンニク，甘草，セント・ジョンズ・ワート，チョウセンゴミシがあります。

使用量の目安

通常の食品に含まれている量を超えて経口摂取した場合の安全性および副作用については，明らかになっていません。

オダマキ

COLUMBINE

●代表的な別名

アキレギア

別名ほか

セイヨウオダマキ，アメリカオダマキ，アキレギア（Aquilegia vulgaris)，Culverwort

オ

概　　要

オダマキはハーブです。地上部を用いて「くすり」を作ることもあります。

安 全 性

医薬品として安全かどうか，あるいは副作用についての十分なデータは得られていません。

●妊娠中および母乳授乳期

妊娠中および母乳授乳期の使用の安全性についてはデータが不十分です。安全性を考慮し，摂取は避けてください。

有 効 性

◆科学的データが不十分です

・胃腸障害，胆のう疾患，ビタミンC欠乏症（壊血病），黄疸，精神安定薬としての効果など。

●体内での働き

どのように作用するかについては，十分なデータが得られていません。

医薬品との相互作用

ほかの医薬品との相互作用については明らかではありません。

ハーブおよび健康食品・サプリメントとの相互作用

ほかのハーブ，健康食品・サプリメントとの相互作用についてはまだ明らかではありません。

使用量の目安

標準使用量に関するデータがありません。

オドリコソウの花

WHITE DEAD NETTLE FLOWER

別名ほか

ラミウム・アルブム，オドリコソウの仲間（Lamium album），Archangel，Bee Nettle，Blind Nettle，Deaf Nettle，Dumb Nettle，Lamii Albi Flos，Stingless Nettle，White Archangel

概　　要

オドリコソウの花は植物です。「くすり」に使用されることもあります。

安 全 性

経口摂取は安全なようです。

●妊娠中および母乳授乳期

妊娠中，母乳授乳期は使用してはいけません。

有 効 性

◆科学的データが不十分です

・上気道の炎症（腫脹），咽喉痛，皮膚炎，膣分泌物など。

●体内での働き

腫脹を抑え，粘液を切るのに役立つ化合物を含んでいます。

医薬品との相互作用

ほかの医薬品との相互作用については明らかではありません。

ハーブおよび健康食品・サプリメントとの相互作用

ほかのハーブ，健康食品・サプリメントとの相互作用についてはまだ明らかではありません。

使用量の目安

●経口摂取

通常，1日3g摂取します。

●局所投与

通常5gのオドリコソウの花を腰湯座浴に加えます。

オナモミ

SIBERIAN COCKLEBUR

別名ほか

Canada Cocklebur，Cang Er Cao，Cang Er Zi，Cangerzi，Cangoerzi，Cocklebur，Ditchbur，Fructus Xanthii，Noogoora-Bur，Rough Cocklebur，Xanthium japonicum，Xanthium sibiricum，Xanthium strumarium

概　　要

オナモミは春の雑草で，アジア，欧州および北米に生えています。農耕地に広く生えており，家畜やヒトに有毒なおそれがあります。

慢性気管支炎，感冒，便秘，副鼻腔炎，鼻づまり，そう痒，蕁麻疹，関節リウマチ，糖尿病，頭痛，結核，腎疾患の場合にオナモミを経口摂取します。

安 全 性

オナモミの種子および実生の経口摂取は，安全ではないようです。死亡例が複数件報告されています。

オナモミの果実の安全性については，データが不十分です。

小児：オナモミの種子および実生の経口摂取は，小児に安全ではないようです。死亡例が複数件報告されています。オナモミの果実の経口摂取は，おそらく安全ではありません。オナモミの果実を2カ月間経口摂取した20

カ月の小児の死亡例が1件報告されています。

●妊娠中および母乳授乳期

妊娠中および母乳授乳期の種子および実生の経口摂取は，安全ではないようです。死亡例が複数件報告されています。摂取は避けてください。

有　効　性

◆科学的データが不十分です

・慢性気管支炎，感冒，便秘，副鼻腔炎，鼻づまり，そう痒，蕁麻疹，関節リウマチ（関節に影響を及ぼす疾患），糖尿病，頭痛，結核，腎疾患など。

●体内での働き

オナモミにはさまざまな化学物質が含まれています。種子に含まれているアトラクチロシドおよびカルボキシアトラクチロシドは，有毒であるおそれがあります。オナモミには強い中毒作用のほか，抗関節炎作用，抗菌作用，がん予防作用，抗糖尿病作用，抗炎症作用，肝保護作用，免疫システム活性作用もあります。

医薬品との相互作用

高糖尿病治療薬

オナモミは血糖値を低下させます。糖尿病治療薬も血糖値を低下させるために用いられます。オナモミと糖尿病治療薬を併用すると，血糖値が過度に低下するおそれがあります。糖尿病治療薬の使用中にオナモミを摂取しないでください。このような糖尿病治療薬には，グリメピリド，グリベンクラミド，インスリン，メトホルミン塩酸塩，ピオグリタゾン塩酸塩，マレイン酸ロシグリタゾン（販売中止），クロルプロパミド，Glipizide，トルブタミド（販売中止）などがあります。

高腎臓を害する可能性のある医薬品

オナモミは腎臓を害する可能性があります。特定の医薬品も腎臓を害する可能性があります。腎臓を害する可能性のある医薬品を使用中にオナモミを摂取しないでください。このような医薬品には，シクロスポリン，アミノグリコシド系抗菌薬（アミカシン硫酸塩，ゲンタマイシン硫酸塩，トブラマイシンなど），非ステロイド性抗炎症薬（NSAIDs）（イブプロフェン，インドメタシン，ナプロキセン，ピロキシカムなど）のほか，数多くあります。

高肝臓を害する可能性のある医薬品

オナモミは肝臓を害する可能性があります。特定の医薬品も肝臓を害します。肝臓を害する可能性のある医薬品を服用中にオナモミを摂取しないでください。このような医薬品には，アセトアミノフェン，アミオダロン塩酸塩，カルバマゼピン，イソニアジド，メトトレキサート，メチルドパ水和物，フルコナゾール，イトラコナゾール，エリスロマイシン，フェニトイン，Lovastatin，プラバスタチンナトリウム，シンバスタチンなど数多くあります。

ハーブおよび健康食品・サプリメントとの相互作用

ほかのハーブ，健康食品・サプリメントとの相互作用についてはまだ明らかではありません。

使用量の目安

通常の食品に含まれている量を超えて経口摂取した場合の安全性および副作用については，明らかになっていません。

オモダカ

WATER PLANTAIN

別名ほか

面高（Alisma Plantago-aquatica），Alisma Plantago-aquatica Subsp，サジオモダカ，匙面高（Orientale），Synonyms Alisma Orientale，Alisma Plantago-aquatica Var，沢瀉，たくしゃ（Orientale），Mad-dog Weed

概　　要

オモダカは植物です。根と地下茎を用いて「くすり」を作ることもあります。ヘラオオバコ（Buckhorn Plantain）などのほかのオオバコ種と混同しないよう注意してください。

安　全　性

おそらく安全ではなく，有毒です。新鮮なものには中毒作用があります。

●妊娠中および母乳授乳期

妊娠中および母乳授乳期を含むすべての人に安全ではありません。使用しないでください。

有　効　性

◆科学的データが不十分です

・膀胱疾患および尿路疾患。

●体内での働き

どのように作用するかについては，十分なデータが得られていません。

医薬品との相互作用

ほかの医薬品との相互作用については明らかではありません。

ハーブおよび健康食品・サプリメントとの相互作用

ほかのハーブ，健康食品・サプリメントとの相互作用についてはまだ明らかではありません。

使用量の目安

標準使用量に関するデータがありません。

オランダミミナグサ

MOUSE EAR

●代表的な別名

ホークウィード

別名ほか

ホークウィード（Hawkweed），Pilosella officinarum

概　　要

オランダミミナグサは植物です。花部を用いて「くすり」を作ることもあります。

安 全 性

十分なデータは得られていないので，安全性については不明です。

●アレルギー

キク科の植物にアレルギーがある場合には，オランダミミナグサのアレルギーを引き起こすおそれがあります。このような植物には，ブタクサ，キク，マリーゴールド，デイジーなど，ほかにも多くの植物があります。

●妊娠中および母乳授乳期

妊娠中および母乳授乳期の使用の安全性についてはデータが不十分です。安全性を考慮し，摂取は避けてください。

有 効 性

◆科学的データが不十分です

・気管支喘息，気管支炎，咳，百日咳，体液貯留，疝痛，腸内ガス，発汗の増加，創傷（皮膚に塗布する場合）など。

●体内での働き

どのように作用するかについては，十分なデータが得られていません。

医薬品との相互作用

ほかの医薬品との相互作用については明らかではありません。

ハーブおよび健康食品・サプリメントとの相互作用

ほかのハーブ，健康食品・サプリメントとの相互作用についてはまだ明らかではありません。

使用量の目安

標準使用量に関するデータがありません。

オリーブ

OLIVE

別名ほか

Acide Gras Insaturé, Acide Gras Mono-Insaturé, Acide Gras n-9, Acide Gras Oméga 9, Common Olive, Extra Virgin Olive Oil, エキストラバージンオリーブオイル，エキストラバージン・オリーブオイル，エクストラバージンオリーブオイル，エクストラバージン・オリーブオイル，Feuille d'Olivier, Green Olive, グリーンオリーブ，Huile d'Assaisonnement, Huile d'Olive, Huile d'Olive Extra Vierge, Huile d'Olive Vierge, Jaitun, Manzanilla Olive Fruit, Monounsaturated Fatty Acid，一価不飽和脂肪酸，単価不飽和脂肪酸，n-9 Fatty Acid，n-9系脂肪酸，Oleae europaea, Oleae Folium, Olivae Oleum, Olive Fruit, オリーブ果実，オリーブの実，Olive Fruit Pulp, Olive Leaf，オリーブ葉，オリーブの葉，Olive Oil，オリーブオイル，オリブ油，Olive Pulp, Olives, Olivo, Omega-9 Fatty Acids，オメガ9脂肪酸，Pulpe d'Olive, Salad Oil, サラダ油，Sweet Oil, Unsaturated Fatty Acid，不飽和脂肪酸，Virgin Olive Oil，バージン・オリーブオイル

概　　要

オリーブは樹木です。果実と種子からの油，果実の抽出液，葉は「くすり」として使用されることもあります。

オリーブオイルは，心臓発作および脳卒中（心血管疾患），乳がん，結腸直腸がん，卵巣がん，関節リウマチ，片頭痛を予防するために使用されています。

オリーブオイルは，便秘，高コレステロール血症，高血圧，糖尿病に伴う血管疾患，耳の感染症に伴う疼痛，関節炎，胆のう疾患を治療するために使用されることもあります。オリーブオイルは，黄疸，腸内ガス，鼓腸（腸内ガスに起因する腹部膨満）を治療するためにも使用されています。特定の潰瘍を引き起こす細菌，ヘリコバクター・ピロリを死滅させるためにも使用されています。

オリーブオイルは，腸内細菌の環境を改善するために，「洗浄剤」または「浄化剤」として使用されることもあります。

オリーブオイルは，耳垢，耳鳴，耳痛，シラミ，創傷，軽度の熱傷，乾癬，妊娠線，湿疹，股部白癬，白癬，癜風による皮膚疾患の治療や，日光曝露による紫外線（UV）ダメージから皮膚を保護するために皮膚に（局所的に）塗布されます。口内では，歯周病を減らすために使用されます。

食品では，オリーブオイルは調理オイルおよびサラダ油として使用されます。

工業品では，オリーブオイルは石鹸，市販の貼付薬・塗布薬を作るためや歯科用セメントの硬化を遅らせるた

めに使用されます。

オリーブオイルは遊離オレイン酸換算の酸度に基づいてほぼ分類されます。エキストラバージンオリーブオイルは最大1%，バージン・オリーブオイルは2%，精製オリーブオイルは3.3%の遊離オレイン酸を含みます。3.3%を超える遊離オレイン酸を含む未精製オリーブオイルは「食用不適」と考えられています。

オゾンガスを混合したオリーブオイル（オゾン化オリーブオイル）は，ハチ刺傷・昆虫刺傷から皮膚の細菌・真菌感染やがんに至るまで，あらゆることを宣伝されています。米国食品医薬品局（FDA）は，肉および鶏肉などの食物の細菌を殺菌するためにオゾンの使用を許可していますが，食品業界は導入に消極的です。オゾンはきわめて不安定で，その場で製造しなければなりません。オゾン含有と表示されている局所オリーブオイル製品が，輸送中に安定な状態を保っている可能性は低いです。オゾンまたはオゾン化オリーブオイルについて，臨床上証明された医学利用はありません。皮膚に塗布する抗菌薬を選択する方が適切です。

オリーブ葉は，インフルエンザ，ブタインフルエンザ，感冒，髄膜炎，エプスタイン・バーウイルス（EBV），脳炎，ヘルペス，帯状疱疹，HIV/エイズ関連症候群/エイズ，B型肝炎などのウイルス性・細菌性などの感染を治療するために使用されています。オリーブ葉は，肺炎，慢性疲労，結核，淋病，発熱，マラリア，デング熱，敗血症（細菌の血流感染），重度の下痢，歯・耳・尿路の感染，術後感染に対しても使用されています。その他の用途には，高血圧，変形性関節症，骨粗鬆症，糖尿病，花粉症，腎臓および消化機能の改善，利尿の促進などがあります。

オリーブの果肉の抽出液は，関節リウマチおよび変形性関節症に使用されています。

安全性

オリーブオイルを適切に経口摂取した場合，ほとんどの人に安全のようです。1日の摂取カロリーの14%にあたるオリーブオイルは安全に使用されています。これは1日およそ大さじ2杯（28g）の量です。エキストラバージンオリーブオイルを1週間に最大1L，最長5.8年間，地中海食の一部として摂取するのは安全です。オリーブオイルは，ごく少数の人に吐き気をもたらすおそれがあります。オリーブ葉エキスを適切に経口摂取した場合，おそらく安全です。

オリーブ葉を経口摂取した場合の安全性についてはデータが不十分です。

オリーブオイルを皮膚に塗布した場合，ほとんどの人に安全のようです。遅延型アレルギー反応および接触皮膚炎が報告されています。歯の治療後に口内に使用すると，さらに敏感になるおそれがあります。

オリーブの木の花粉を吸入した場合，人によっては季節性の呼吸アレルギーを引き起こす原因になるおそれがあります。

糖尿病：オリーブオイルは血糖値を低下させるおそれがあります。糖尿病患者がオリーブブオイルを使用する場合，血糖値を監視してください。

手術：オリーブオイルは血糖値に影響を及ぼすおそれがあります。オリーブオイルを摂取すると，手術中・手術後の血糖コントロールに影響を及ぼすおそれがあります。少なくとも手術前2週間は使用しないでください。

●妊娠中および母乳授乳期

妊娠中および母乳授乳期の使用の安全性についてはデータが不十分です。食品としての量を超える摂取は避けてください。

有効性

◆有効性レベル③

・乳がん。食事中のオリーブオイルの摂取量が多い女性ほど，乳がんを発症するリスクが低いようです。

・心疾患。食事で飽和脂肪酸の多い脂肪をオリーブオイルに代えると，血圧や血清コレステロールを低下させるなど，心疾患および脳卒中の危険因子を減少させる可能性があります。食事にオリーブオイルを取り入れることは，初めての心臓発作の予防に役立ち，心疾患による死亡を減少させるようです。オリーブオイルを食事から大量摂取（1日54g（約大さじ4杯））すると，1日7g以下の少量摂取と比べ，初めての心臓発作のリスクを82%低下させる可能性を示す研究も複数あります。また，約5年間，週1Lのエキストラバージンオリーブオイルを地中海食に取り入れると，55歳以上の人で，糖尿病の場合または心疾患の危険因子（喫煙，高血圧，高LDL（悪玉）-コレステロール血症，低HDL（善玉）-コレステロール血症，過体重，または心疾患の家族歴）を複数併せ持つ場合に，心臓発作および脳卒中の予防に役立つようです。地中海食では，果物，ナッツ類，野菜，穀物の摂取量が多く，魚と鶏肉の摂取量が中程度で，乳製品，赤身肉，加工肉，甘味の摂取量が少なくなっています。飽和脂肪酸の多い脂肪の代わりに1日23g（大さじ2杯程度）のオリーブオイルを摂取すると，心疾患のリスクが低下する可能性があることが一部の不確実な根拠により示唆されている，という記述をオリーブオイルおよびオリーブオイル含有食品に表示することを，現在，米国食品医薬品局（FDA）は許可しています。また，特定の形態のオリーブオイルの含有製品を摂取すると，心疾患のリスクが低下する可能性がある，と表示することも，米国食品医薬品局（FDA）は許可しています。

・便秘。オリーブオイルを経口摂取すると，便秘の人の便を軟らかくするのに役立つ可能性があります。

・糖尿病。オリーブオイルの摂取量が多い人（1日約15～20g）は，糖尿病の発症リスクが低いようです。1日20gを超えて摂取しても，発症リスクがさらに低下することはありません。オリーブオイルには糖尿病患者の血糖コントロールを改善させる可能性があることも，研究によって示唆されています。地中海食に含まれるオリーブオイルは，ヒマワリ油などの多価不飽和酸の豊富な油と比べて，糖尿病患者の動脈硬化のリスクを低下させる可能性もあります。

・高コレステロール血症。飽和脂肪酸の多い脂肪の代わりに食事にオリーブオイルを使用すると，高コレステロール血症の患者の総コレステロール値が低下する可能性があります。ただし，ヒマワリ油およびナタネ油（キャノーラ油）などのほかの食用油は，オリーブオイルよりも低比重リポタンパク（LDL，悪玉）コレステロールおよび別の種類のコレステロール（アポリポ蛋白B）を低下させる可能性があることを示唆する研究も複数あります。

・高血圧。エキストラバージンオリーブオイルを食事に多量に取り入れて通常の高血圧治療を継続すると，高血圧患者の血圧が6カ月を通して改善される可能性があります。一部の例では，軽度から中等度の高血圧患者が実際に降圧薬の減薬あるいは休薬ができることがあるようです。ただし，医師などの管理なしに，医薬品の服用量を変更しないでください。オリーブ葉エキスも高血圧患者の血圧を低下させるようです。

◆有効性レベル④

・耳垢。オリーブオイルを皮膚に塗布しても，耳垢を軟化させないようです。

・耳の感染（中耳炎）。オリーブオイルを皮膚に塗布しても，小児の耳の感染症の疼痛を緩和しないようです。

◆科学的データが不十分です

・湿疹（アトピー性皮膚炎），がん，結腸直腸がん，潰瘍に至るおそれがある消化管感染（ヘリコバクター・ピロリ菌），糖尿病・心疾患・脳卒中のリスクを高める一群の症候（メタボリックシンドローム），片頭痛，肥満，変形性関節症，弱くて折れやすい骨（骨粗鬆症），卵巣がん，重度の歯肉感染（歯周炎），うろこ状で痒い皮膚（乾癬），関節リウマチ（RA），妊娠線，たむし（体部白癬），いんきんたむし（股部白癬），皮膚の一般的な真菌感染（癜風）など。

●体内での働き

オリーブオイルに含まれる脂肪酸には，血清コレステロール値を下げる作用や抗炎症作用があるようです。オリーブ葉およびオリーブオイルは血圧を低下させる可能性があります。オリーブは細菌や真菌などの微生物を死滅させることができる可能性もあります。

医薬品との相互作用

中 降圧薬

オリーブは血圧を低下させるようです。オリーブと降圧薬を併用すると，血圧が過度に低下するおそれがあります。このような降圧薬には，カプトプリル，エナラプリルマレイン酸塩，ロサルタンカリウム，バルサルタン，ジルチアゼム塩酸塩，アムロジピンベシル酸塩，ヒドロクロロチアジド，フロセミドなど数多くあります。

ハーブおよび健康食品・サプリメントとの相互作用

血圧を低下させるおそれのあるハーブおよび健康食品・サプリメント

オリーブは血圧を低下させるようです。オリーブと，血圧を低下させるおそれのあるハーブおよび健康食品・サプリメントを併用すると，血圧が過度に低下するおそれがあります。このようなハーブおよび健康食品・サプリメントには，アンドログラフィス，カゼイン・ペプチド，キャッツクロー，コエンザイムQ-10，魚油，L-アルギニン，クコ属，イラクサ，テアニンなどがあります。

血糖値を低下させるおそれのあるハーブおよび健康食品・サプリメント

オリーブ葉は血糖値を低下させる可能性があります。同様の作用があるほかのハーブと併用すると，血糖値が過度に低下するおそれがあります。このようなハーブには，デビルズクロー，フェヌグリーク，ニンニク，グアーガム，セイヨウトチノキ，朝鮮人参，サイリウム，エゾウコギなどがあります。

血液凝固を抑制するおそれのあるハーブおよび健康食品・サプリメント

オリーブオイルと，血液凝固を抑制するおそれのあるほかのハーブおよび健康食品・サプリメントを併用すると，人によっては，出血のリスクが高まるおそれがあります。このようなハーブおよび健康食品・サプリメントには，アンゼリカ，クローブ，タンジン，ショウガ，イチョウ，レッドクローバー，ウコン，ビタミンE，ヤナギなどがあります。

使用量の目安

●経口摂取

便秘

オリーブオイル30mLを摂取します。

心疾患の予防

1日54g（約大さじ4杯）のオリーブオイルを摂取します。また，地中海食の一部として，週に最大1Lのエキストラバージンオリーブオイルを摂取する場合もあります。

糖尿病の予防

オリーブオイルが豊富な食事を摂ります。1日15～20gの摂取量が最適なようです。

高コレステロール血症

1日23g（約大さじ2杯）のオリーブオイルを食事に取り入れ，飽和脂肪酸の多い脂肪の代わりに一価不飽和脂肪酸を17.5g摂取します。

高血圧

1日30～40gのエキストラバージンオリーブオイルを食事に取り入れます。また，400mgのオリーブ葉エキスを1日4回摂取する場合もあります。

相互作用レベル：高 この医薬品と併用してはいけません　中 この医薬品とは慎重に併用するか併用しないでください　低 この医薬品との併用には注意が必要です

オリガヌム油

SPANISH ORIGANUM OIL

別名ほか

Origanum Oil, Coridothymus capitatus, Satureja capitata, Sicilian Thyme, Spanish Origanum, Spanish Thyme, Thymus Capitatus

概　　要

オリガヌム油は，Thymus capitatusと呼ばれる植物から採取したオイルです。オリガヌムと呼ばれるハーブのさまざまな種からも採取されます。

製品としては，石けん，化粧品，および香水の香料として用いられます。

安 全 性

食品に含まれている量ならほとんどの成人に安全です。それより多量に使用した場合の安全性は不明です。

●妊娠中および母乳授乳期

妊娠中および母乳授乳期の通常の食品に含まれている量の摂取は安全です。ただし，「くすり」としての高用量摂取の安全性については，データが不十分です。食品の量の範囲内で摂取してください。

有 効 性

◆科学的データが不十分です

・皮膚に塗布する場合には，熱傷，感染症の予防および治療など。

●体内での働き

どのように作用するかについては十分なデータが得られていません。

医薬品との相互作用

ほかの医薬品との相互作用については明らかではありません。

ハーブおよび健康食品・サプリメントとの相互作用

ほかのハーブ，健康食品・サプリメントとの相互作用についてはまだ明らかではありません。

使用量の目安

標準使用量に関するデータがありません。

オルニチン

ORNITHINE

●代表的な別名

2,5-ジアミノ吉草酸

別名ほか

2,5-ジアミノ吉草酸（L-5-Aminorvaline，L-2,5-diaminovaleric acid），L-オルニチン（L-Ornithine）

概　　要

オルニチンはアミノ酸の化合物です。体内で作られますが，化学合成することもできる物質です。「くすり」として使用されることもあります。

●要説（ナチュラル・スタンダード）

オルニチンは，体内で合成されるアミノ酸です。過剰の窒素が尿として排泄されるときに生成されます。

オルニチンは，活力を与え，成長ホルモンの分泌を促進することが示唆されており，ボディビルをしている人の関心を集めています。運動中の運動能力改善のために用いられます。ただし，運動能力改善に対するオルニチン塩酸塩の有効性に関する研究結果は，一致していません。

肝臓の働きを改善するために，アスパラギン酸塩と呼ばれるアミノ酸と併用されます。研究により，肝疾患に対するオルニチンの有効性は支持されていますが，確かな結論付けにはさらなるエビデンスが必要です。

安 全 性

確かなデータが十分に得られていません。

●妊娠中および母乳授乳期

妊娠中および母乳授乳期のオルニチンの使用の安全性については，データが十分ではありません。安全のため摂取を控えてください。

有 効 性

◆科学的データが不十分です

・肝性脳症。L-オルニチン-L-アスパラギン酸の点滴投与は，肝性脳症の治療に使用されるグルタミンの，有害な作用を減弱させると示唆しています。

・創傷など。

●体内での働き

どのように作用するかについては，十分なデータが得られていません。

医薬品との相互作用

ほかの医薬品との相互作用については明らかではありません。

ハーブおよび健康食品・サプリメントとの相互作用

ほかのハーブ，健康食品・サプリメントとの相互作用についてはまだ明らかではありません。

使用量の目安

●経口摂取

L-オルニチンを500mg含むカプセルを，1回1カプセルで就寝前の空腹時に摂取します。

オ

オレアンダー

OLEANDER

●代表的な別名

セイヨウ夾竹桃

別名ほか

セイヨウキョウチクトウ（Nerium oleander），コモンオレアンダー（Common Oleander），キョウチクトウ（Oleanderblatter，Oleandri Folium，Rose Bay，Rose Laurel），キバナキョウチクトウ，チューダイカー（Thevetia peruviana），イエローオレアンダー（Yellow Oleander）

概　　要

オレアンダーは植物です。種子および葉を用いて「くすり」を作ることもあります。

●要説（ナチュラル・スタンダード）

オレアンダーという名称は，セイヨウキョウチクトウ（Nerium oleander，common oleander）およびチューダイカー（Thevetia peruviana，yellow oleander）の2種を指します。世界中の温帯地域に分布します。2種とも強心配糖体と呼ばれる化学物質を含んでおり，心臓の医薬品，ジゴキシンに似た効果があります。2種とも，経口摂取した場合には有毒で，死に至る例も多数報告されています。

・新型コロナウイルス感染症（COVID-19）。
　COVID-19に対してオレアンダーの使用を裏付ける十分なエビデンス（科学的根拠）はありません。

安 全 性

すべての人に安全ではありません。

口内の灼熱感，悪心，嘔吐，下痢，脱力，頭痛，腹痛，重い心臓の病気などさまざまな副作用を引き起こすおそれがあります。

葉やそれを使ったお茶，および種子はきわめて強い毒性を示します。

とくに，心臓の病気の人は危険です。

●妊娠中および母乳授乳期

妊娠中，母乳授乳期の人には危険です。

有 効 性

◆科学的データが不十分です

・心臓障害，気管支喘息，痙攣発作，がん，月経不順，皮膚障害，疣贅（いぼ）など。毒物として使用される場合があります。

●体内での働き

心臓に影響を及ぼす可能性があるグリコシドという化合物を含んでいます。心臓の心拍数を減少させるおそれがあります。

医薬品との相互作用

高キニーネ塩酸塩水和物

オレアンダーは心臓に影響を及ぼすと考えられますが，キニーネ塩酸塩水和物も心臓に対する作用をもつと考えられている物質です。キニーネ塩酸塩水和物を服用しているときにオレアンダーを摂取すると，心臓に重大な障害が起こるおそれがあります。

高ジゴキシン

ジゴキシンには強心作用があります。オレアンダーもまた心臓に影響を及ぼすようです。オレアンダーとジゴキシンを併用すると，ジゴキシンの作用が増強し，副作用のリスクが高まるおそれがあります。

高テトラサイクリン系抗菌薬

オレアンダーとテトラサイクリン系抗菌薬を併用すると，オレアンダーの副作用が現れるリスクが高くなると考えられます。このようなテトラサイクリン系抗菌薬には，デメチルクロルテトラサイクリン塩酸塩，ミノサイクリン塩酸塩，テトラサイクリン塩酸塩などがあります。

高マクロライド系抗菌薬

オレアンダーは心臓に影響を及ぼすと考えられます。抗菌薬の中にはオレアンダーの体内吸収を促進する可能性のあるものがあり，それによってオレアンダーの作用が増強し，副作用も強く現れるおそれがあります。このような抗菌薬には，エリスロマイシン，アジスロマイシン水和物，クラリスロマイシンなどがあります。

高刺激性下剤

オレアンダーは心臓に影響を及ぼすと考えられます。心臓の機能維持にカリウムは重要な役割を果たしますが，刺激性下剤は体内のカリウム量を減少させることがあります。カリウム量が減少するとオレアンダーの副作用が現れるリスクが高くなると考えられます。このような刺激性下剤にはビサコジル，カスカラサグラダ，ヒマシ油，センナなどがあります。

高利尿薬

オレアンダーは心臓に影響を及ぼすと考えられます。利尿薬の中には体内のカリウム量を減少させるものがあります。カリウム量が減少（低カリウム血症）すると，心臓に影響が及び，オレアンダーの副作用が現れるリスクが高くなると考えられます。このような利尿薬にはクロロチアジド（販売中止），クロルタリドン（販売中止），フロセミド，ヒドロクロロチアジドなどがあります。

ハーブおよび健康食品・サプリメントとの相互作用

ほかのハーブ，健康食品・サプリメントとの相互作用についてはまだ明らかではありません。

使用量の目安

標準使用量に関するデータがありません。

オレガノ

OREGANO

●代表的な別名

ハナハッカ

別名ほか

シソ科（Dostenkraut，European，labiatae），マウンテンミント，Pycnanthemum muticum（Lamiaceae mountain Mint），ハナハッカ（Organy，Origanum vulgare），ワイルド・マジョラム（Origani vulgaris Herba，Wild Marjoram），Winter Marjoram，Wintersweet

概　　要

オレガノは植物です。葉を用いて「くすり」を作ることもあります。

●要説（ナチュラル・スタンダード）

オレガノは，食品を保存したり，食品に風味を加えるのに使用されてきているハーブです。葉，茎，花が，月経，肺，胃，腸の疾患を治療する「くすり」として使用されてきました。

近代の薬草医は，感染症治療のためにオレガノ油を経口摂取するか，皮膚に塗布することを勧めています。オレガノを臨床的に使用することが有効であることを示す，ヒトを対象とした試験は十分ではありません。

エビデンスは混在していますが，オレガノは抗真菌，抗酸化，抗菌，昆虫忌避効果をもつと考えられています。オレガノが天然防腐剤として将来性があるかもしれないため，オレガノの抗菌作用と酸化防止作用は食品業界にとって興味深いものとなっています。

安　全　性

オレガノの葉およびオレガノオイルの摂取は，通常の食品に含まれている量であれば，ほとんどの人に安全のようです。「くすり」としての量のオレガノの葉を，経口摂取する場合や，皮膚へ塗布する場合には，おそらく安全です。胃の不調など，軽度の副作用があります。

シソ科の植物にアレルギーがある場合には，オレガノによりアレルギー反応を引き起こすおそれもあります。１％以上の濃度のオレガノオイルを皮膚に塗布するべきではありません。過敏を引き起こすおそれがあります。

出血性疾患：出血性疾患の場合には，オレガノが，出血のリスクを高めるおそれがあります。

糖尿病：オレガノが，血糖値を低下させるおそれがあります。糖尿病の場合には，オレガノを注意して使用するべきです。

手術：オレガノが，出血のリスクを高めるおそれがあります。少なくとも手術前２週間は，使用しないでください。

●アレルギー

バジル，ヒソップ，ラベンダー，マジョラム，ミント，セージなどのシソ科の植物にアレルギーがある場合には，オレガノによりアレルギー反応を引き起こすおそれがあります。

●妊娠中および母乳授乳期

妊娠中に「くすり」としての量を経口摂取する場合には，おそらく安全ではありません。食品に含まれる量を超える量のオレガノを摂取すると，流産を引き起こすおそれがあります。母乳授乳期の使用の安全性についてはデータが不十分です。安全性を考慮し，摂取は避けてください。

有　効　性

◆科学的データが不十分です

・腸管寄生虫，創傷治癒，ざ瘡（にきび），アレルギー，関節炎，気管支喘息，足白癬，出血性疾患，気管支炎，咳，ふけ，インフルエンザ，頭痛，心疾患，高コレステロール血症，消化不良，腫脹，筋肉痛，関節痛，月経期の疼痛，尿路感染症（UTI），静脈瘤，疣贅（いぼ）など。

●体内での働き

オレガノには，咳および痙攣を緩和する働きがある可能性を有する化学物質が含まれています。オレガノが，胆汁流量を増加させ，細菌，ウイルス，真菌，腸管寄生虫やほかの寄生虫に抵抗することにより，消化を助ける働きをする可能性もあります。

医薬品との相互作用

中 血液凝固を抑制する医薬品（抗凝固薬/抗血小板薬）

オレガノは血液凝固を抑制する可能性があります。理論的には，オレガノと血液凝固を抑制する医薬品を併用すると，紫斑および出血のリスクが高まるおそれがあります。このような医薬品にはアスピリン，クロピドグレル硫酸塩，ジクロフェナクナトリウム，イブプロフェン，ナプロキセン，ダルテパリンナトリウム，エノキサパリンナトリウム，ヘパリン，ワルファリンカリウムなどがあります。

中 糖尿病治療薬

オレガノは血糖値を低下させる可能性があります。糖尿病治療薬もまた血糖値を低下させるために用いられます。理論的には，オレガノと糖尿病治療薬を併用すると，血糖値が過度に低下するおそれがあります。血糖値を注意深く監視してください。糖尿病治療薬の用量を変更する必要があるかもしれません。このような糖尿病治療薬にはグリメピリド，グリベンクラミド，インスリン，メトホルミン塩酸塩，ピオグリタゾン塩酸塩，マレイン酸ロシグリタゾン（販売中止）などがあります。

ハーブおよび健康食品・サプリメントとの相互作用

銅

オレガノが，銅の吸収を抑制するようです。オレガノと，銅を併用すると，銅の吸収が抑制されるおそれがあります。

血糖値を低下させるおそれのあるハーブおよび健康食品・サプリメント

オレガノが，血糖値を低下させるおそれがあります。理論上，オレガノと，血糖値を低下させるおそれのあるハーブおよび健康食品・サプリメントを併用すると，血糖値が過度に低下するおそれがあります。このようなハーブおよび健康食品・サプリメントには，α-リポ酸，ニガウリ，クロム，デビルズクロー，フェヌグリーク，ニンニク，グアーガム，セイヨウトチノキ，朝鮮人参，サイリウム，エゾウコギなどがあります。

血液凝固を抑制するおそれのあるハーブおよび健康食品・サプリメント

オレガノと血液凝固を抑制するおそれのあるほかのハーブおよび健康食品・サプリメントを併用すると，人によっては，出血のリスクが高まるおそれがあります。このようなハーブおよび健康食品・サプリメントには，アンゼリカ，クローブ，タンジン，ニンニク，ショウガ，イチョウ，朝鮮人参，セイヨウトチノキ，レッドクローバー，ウコンなどがあります。

鉄

オレガノが，鉄の吸収を抑制するようです。オレガノと，鉄を併用すると，鉄の吸収が抑制されるおそれがあります。

亜鉛

オレガノが，亜鉛の吸収を抑制するようです。オレガノと，亜鉛を併用すると，亜鉛の吸収が抑制されるおそれがあります。

使用量の目安

通常の食品に含まれている量を超えて経口摂取した場合の安全性および副作用については，明らかになっていません。

オレゴングレープ

OREGON GRAPE

●代表的な別名

バーベリー

別名ほか

バーベリー（Barberry），ヒイラギメギ（Berberis aquifolium），Berberis nervosa，Berberis repens，Berberis son nei，Blue Barberry，Creeping Bar berry，Holly Barberry，Holly-leaved，Berberis，Holly Mahonia，Mahonia Aquifolium，Mahonia Nervosa，Maho nia Repens，Mountain-grape，Oregon Barberry，Oregon-grape，Oregon Grape-holly，Scraperoot，Trailing Mahonia Water-holly

概　　要

オレゴングレープは植物です。根と地下茎（rhizome）を用いて「くすり」を作ることもあります。

●要説（ナチュラル・スタンダード）

オレゴングレープは，ブリティッシュコロンビア州からカリフォルニア州北部にかけての北アメリカ西海岸沿岸に発育しています。黄色い花を咲かせ，紫色の小さなベリーを結びます。葉はモチノキに似て，非常に硬いです。いわゆるブドウではありませんが，オレゴングレープという名称は，房状になる紫色のベリーがブドウに似ていることに由来します。セイヨウメギ（Berberis vulgaris）の近縁種です。

オレゴングレープは，根茎（地下茎），根，および樹皮は，無臭で苦みがあります。「くすり」として使用するために秋に収穫されます。アメリカ先住民の間では，消化管疾患，皮膚炎など，さまざまな慢性疾患を治療するために，昔から用いられています。ヒトを対象とした研究により，アトピー性皮膚炎，乾癬など，皮膚疾患に対する有効性がある可能性が示唆されています。オレゴングレープに含まれる物質の抗がん作用，および抗菌作用に関する研究が行われていますが，ヒトを対象とした研究はあまり行われていません。

安　全　性

皮膚への使用はほとんどの人に安全のようです。

しかし，かゆみ，灼熱感，刺激感，アレルギー反応などの副作用が引き起こされるおそれがあります。

小児：オレゴングレープは小児，とくに新生児には安全ではありません。オレゴングレープはとくに未熟児で黄疸を有する新生児において，脳障害を引き起こすことがあります。黄疸は血中の胆汁色素が原因となり，眼球，皮膚が黄染する症状です。母親と異なる血液型を有する新生児に起こることがあります。

●妊娠中および母乳授乳期

妊娠中にオレゴングレープを摂取するのは安全ではありません。オレゴングレープに含まれる物質の1つであるベルベリンは胎盤を通過して胎児に有害となる可能性があります。ベルベリンが胎児移行して新生児が脳障害（核黄疸）となった症例があります。ベルベリンは母乳からも胎児へ移行します。そのため母乳授乳時にオレゴングレープを摂取するのも安全ではありません。

有　効　性

◆有効性レベル③

・乾癬。オレゴングレープ濃度10%クリーム（商品名：

相互作用レベル：高この医薬品と併用してはいけません　中この医薬品とは慎重に併用するか併用しないでください
低この医薬品との併用には注意が必要です

Relieva, Apollo Pharmaceutical社）は，乾癬患者の重篤な症状を緩和し，生活の質を向上させる可能性があります。オレゴングレープはカルシポトリエン（calcipotriene）による治療法と同様の効果を示す可能性があります。

◆科学的データが不十分です

・胃潰瘍，胸やけ，胃の不調など。

●体内での働き

オレゴングレープに含まれる化合物は，細菌および真菌の感染に対する抵抗力を発揮するようです。また，乾癬などの疾患で，過剰な皮膚細胞の産生を遅くすることがあります。

医薬品との相互作用

中シクロスポリン

シクロスポリンは体内で代謝されてから排泄されます。オレゴングレープはシクロスポリンの代謝を抑制する可能性があります。そのため，体内のシクロスポリンが過剰となり，副作用が現れるおそれがあります。

中肝臓で代謝される医薬品（シトクロムP450 3A4（CYP3A4）の基質となる医薬品）

特定の医薬品は肝臓で代謝されます。オレゴングレープはこのような医薬品の代謝を抑制する可能性があります。オレゴングレープと肝臓で代謝される医薬品を併用すると，医薬品の作用および副作用が増強するおそれがあります。このような医薬品には，シクロスポリン，Lovastatin，クラリスロマイシン，インジナビル硫酸塩エタノール付加物（販売中止），シルデナフィルクエン酸塩，トリアゾラムなど数多くあります。

中肝臓で代謝される医薬品（シトクロムP450 2C9（CYP2C9）の基質となる医薬品）

特定の医薬品は肝臓で代謝されます。オレゴングレープはこのような医薬品の代謝を抑制する可能性があります。オレゴングレープと肝臓で代謝される医薬品を併用すると，医薬品の作用および副作用が増強するおそれがあります。このような医薬品には，セレコキシブ，ジクロフェナクナトリウム，フルバスタチンナトリウム，Glipizide，イブプロフェン，イルベサルタン，ロサルタンカリウム，フェニトイン，ピロキシカム，タモキシフェンクエン酸塩，トルブタミド（販売中止），トラセミド，ワルファリンカリウムなどがあります。

中肝臓で代謝される医薬品（シトクロムP450 2D6（CYP2D6）の基質となる医薬品）

特定の医薬品は肝臓で代謝されます。オレゴングレープはこのような医薬品の代謝を抑制する可能性があります。オレゴングレープと肝臓で代謝される医薬品を併用すると，医薬品の作用および副作用が増強するおそれがあります。このような医薬品には，アミトリプチリン塩酸塩，コデインリン酸塩水和物，塩酸デシプラミン（販売中止），フレカイニド酢酸塩，ハロペリドール，イミプラミン塩酸塩，メトプロロール酒石酸塩，オンダンセトロン塩酸塩水和物，パロキセチン塩酸塩水和物，リスペリドン，トラマドール塩酸塩，ベンラファキシン塩酸塩などがあります。

中糖尿病治療薬

オレゴングレープは血糖値を低下させる可能性があります。糖尿病治療薬も血糖値を低下させるために用いられます。オレゴングレープと糖尿病治療薬を併用すると，血糖値が過度に低下するおそれがあります。血糖値を注意深く監視してください。糖尿病治療薬の用量を変更する必要があるかもしれません。このような糖尿病治療薬には，グリメピリド，グリベンクラミド，インスリン，ピオグリタゾン塩酸塩，マレイン酸ロシグリタゾン（販売中止）などがあります。

中降圧薬

オレゴングレープは，人によっては血圧を低下させる可能性があります。オレゴングレープと降圧薬を併用すると，血圧が過度に低下するおそれがあります。このような降圧薬には，カプトプリル，エナラプリルマレイン酸塩，ロサルタンカリウム，バルサルタン，ジルチアゼム塩酸塩，アムロジピンベシル酸塩，ヒドロクロロチアジド，フロセミドなど数多くあります。

中血液凝固を抑制する医薬品（抗凝固薬/抗血小板薬）

オレゴングレープは血液凝固を抑制する可能性があります。オレゴングレープと血液凝固を抑制する医薬品を併用すると，紫斑および出血のリスクが高まるおそれがあります。このような医薬品には，アスピリン，シロスタゾール，クロピドグレル硫酸塩，ダルテパリンナトリウム，エノキサパリンナトリウム，ヘパリン，チクロピジン塩酸塩などがあります。

中鎮静薬（中枢神経抑制薬）

オレゴングレープは眠気および注意力低下を引き起こす可能性があります。鎮静薬は眠気を引き起こす医薬品です。オレゴングレープと鎮静薬を併用すると，過度の眠気を引き起こすおそれがあります。このような鎮静薬には，ベンゾジアゼピン系薬，ペントバルビタールカルシウム，フェノバルビタール，セコバルビタールナトリウム，チオペンタールナトリウム，フェンタニルクエン酸塩，モルヒネ塩酸塩水和物，プロポフォールなどがあります。

ハーブおよび健康食品・サプリメントとの相互作用

ほかのハーブ，健康食品・サプリメントとの相互作用についてはまだ明らかではありません。

使用量の目安

●経口摂取

チンキ剤を１回２～４mLで１日３回摂取します。粉末を１回0.5～１gで１日３回摂取します。

●局所投与

乾癬

樹皮を原料としたエキスを10％含む軟膏薬を患部に１

日２～３回塗布。根部を原料としたエキスを10%含むクリーム薬を，患部に１日３回すり込むか，あるいは医師の指示どおりに使用します。

オ

オレゴンバルサムモミ

OREGON FIR BALSAM

別名ほか

Balsam, Balsam Fir Oregon, Balsam Oregon, Coastal Douglas Fir, Douglas Fir, Douglas Spruce, Oregon Balsam, Pseudotsuga Douglasii, Pseudotsuga menziesii, Pseudotsuga mucronata, Pseudotsuga taxifolia, Red Fir

概　要

オレゴンバルサムモミはオレゴンファーの樹木の幹から採取される物質です。樹脂（バルサム）を用いて「くすり」を作ることもあります。

安 全 性

十分なデータが得られていないので，オレゴンバルサムモミの安全性および副作用については不明です。

●妊娠中および母乳授乳期

妊娠中および母乳授乳期の使用の安全性についてはデータが不十分です。安全性を考慮し，摂取は避けてください。

有 効 性

◆科学的データが不十分です

・熱傷，ただれ，切創，心臓と胸部の痛み，腫瘍など。

●体内での働き

どのように作用するかについては，十分なデータが得られていません。

医薬品との相互作用

ほかの医薬品との相互作用については明らかではありません。

ハーブおよび健康食品・サプリメントとの相互作用

ほかのハーブ，健康食品・サプリメントとの相互作用についてはまだ明らかではありません。

使用量の目安

標準使用量に関するデータがありません。

ガーデンクレス

GARDEN CRESS

別名ほか

コショウソウ，ペッパーグラス（Lepidium sativum）

概　　要

ガーデンクレスは植物です。地上部を用いて「くすり」を作ることもあります。

●要説（ナチュラル・スタンダード）

ガーデンクレス（Lepidium sativum）は古代から，サラダやサンドイッチにして食されています。アジア西部，地中海沿岸部，およびインドの文化圏では，種子が緩下剤や鎮痛薬として用いられたり，陣痛を誘発するために用いられたりします。根は，梅毒，テネスムス（しぶり腹）の治療に用いられます。葉は抗菌薬，尿量を増加させる利尿薬，興奮薬として用いられたり，肝疾患やビタミンC欠乏症に起因する壊血病の治療に用いられたりします。

現時点では，いずれの疾患に対しても，有効性を裏づけるエビデンスは十分ではありません。ただし，伝統的な用途は多様に存在します。

仙痛，粘着気質，ハンセン病など，さまざまな疾患の治療に対する有効性を示唆する報告は多くありません。昆虫刺傷に対する体内のアレルギー反応を緩和する可能性があります。害虫を駆除する燻蒸薬，寄生虫を駆除する駆虫薬，および催淫薬としても用いられます。脱毛防止，腎虚，食欲促進にも有効な可能性もあります。

アーユルヴェーダではガーデンクレスの効能として，性的興奮，悪寒，強壮剤，および催淫薬を挙げています。赤痢，腹痛，血液疾患，皮膚疾患，けが，腫瘍，および眼疾患の治療にも有効です。母乳の産生を刺激し，出生後の合併症を防ぐ効果がある可能性があります。

サウジアラビアおよびほかのアラブ諸国の伝統医学では，ガーデンクレスの植物および種子を骨折の治療に用いています。ただし，骨折に対する有効性を裏づけるエビデンスはほとんどありません。

安　全　性

ガーデンクレスを「くすり」として使用する場合の安全性については，データが不十分です。大量に摂取すると腸の過敏を引き起こすおそれがあります。

糖尿病：ガーデンクレスが糖尿病患者の血糖値を低下させるおそれがあります。血糖値を注意深く監視してください。糖尿病薬の服薬量を調整する必要がある場合があります。

低カリウム血症：ガーデンクレスがカリウムを体外に排出させ，カリウム値が過度に低下するおそれがあります。十分なデータが得られるまでは，カリウム欠乏症のリスクがある場合には，注意して使用してください。

低血圧：ガーデンクレスは血圧を低下させる可能性があるため，低血圧傾向がある人の血圧コントロールを妨げるおそれがあります。

手術：ガーデンクレスは血糖値を低下させる可能性があるため，手術中・手術後の血糖コントロールを妨げるおそれがあります。少なくとも手術前２週間は，使用しないでください。

●妊娠中および母乳授乳期

妊娠中および母乳授乳期の使用の安全性についてはデータが不十分です。安全性を考慮し，摂取は避けてください。

有　効　性

◆科学的データが不十分です

・咳，ビタミンC欠乏症，便秘，水分貯留，免疫システムの強化など。

●体内での働き

動物実験の結果からは，ガーデンクレスに一部の細菌やウイルスを抑制する作用がある可能性が示唆されていますが，ヒトでの作用については十分なデータが得られていません。

医薬品との相互作用

中テオフィリン

ガーデンクレスはテオフィリンの肝臓での代謝を抑制する可能性があります。ガーデンクレストとテオフィリンを併用すると，テオフィリンの作用および副作用が増強するおそれがあります。

中降圧薬

ガーデンクレスは血圧を低下させる可能性があります。ガーデンクレスと降圧薬を併用すると，血圧が過度に低下するおそれがあります。このような降圧薬には，カプトプリル，エナラプリルマレイン酸塩，ロサルタンカリウム，バルサルタン，ジルチアゼム塩酸塩，アムロジピンベシル酸塩，ヒドロクロロチアジド，フロセミドなど数多くあります。

中炭酸リチウム

ガーデンクレスは利尿薬のように作用する可能性があります。ガーデンクレスを摂取すると，リチウムの体内からの排泄が抑制される可能性があります。そのため，体内のリチウム量が増加し，重大な副作用が現れるおそれがあります。

中糖尿病治療薬

ガーデンクレスは，糖尿病の場合に血糖値を低下させる可能性があります。糖尿病治療薬も血糖値を低下させるために用いられます。ガーデンクレスと糖尿病治療薬を併用すると，血糖値が過度に低下するおそれがあります。血糖値を注意深く監視してください。糖尿病治療薬の用量を変更する必要があるかもしれません。このような糖尿病治療薬には，グリメピリド，グリベンクラミド，

カ

インスリン，ピオグリタゾン塩酸塩，マレイン酸ロシグリタゾン（販売中止），クロルプロパミド，Glipizide，トルブタミド（販売中止）などがあります。

中利尿薬

多量のガーデンクレスは体内のカリウム量を減少させる可能性があります。利尿薬も体内のカリウム量を減少させる可能性があります。ガーデンクレスと利尿薬を併用すると，体内のカリウム量が過剰に減少するおそれがあります。このような利尿薬には，クロロチアジド（販売中止），クロルタリドン（販売中止），フロセミド，ヒドロクロロチアジドなどがあります。

ハーブおよび健康食品・サプリメントとの相互作用

血圧を低下させるおそれのあるハーブおよび健康食品・サプリメント

ガーデンクレスは血圧を低下させるおそれがあります。ガーデンクレスと，血圧を低下させるおそれのあるほかのハーブおよび健康食品・サプリメントを併用すると，血圧が過度に低下するおそれがあります。このようなハーブおよび健康食品・サプリメントには，アンドログラフィス，カゼイン・ペプチド，キャッツクロー，コエンザイムQ-10，魚油，L-アルギニン，クコ，イラクサ，テアニンなどがあります。

血糖値を低下させるおそれのあるハーブおよび健康食品・サプリメント

ガーデンクレスが血糖値を低下させるおそれがあるというエビデンスがあります。ガーデンクレスと，血糖値を低下させるおそれのあるほかのハーブおよび健康食品・サプリメントを併用すると，血糖値が過度に低下するおそれがあります。このようなハーブおよび健康食品・サプリメントには，ニガウリ，ハッショウマメ，ショウガ，ゴーツルー，フェヌグリーク，クズ，ウィローバークなどがあります。

使用量の目安

通常の食品に含まれている量を超えて経口摂取した場合の安全性および副作用については，明らかになっていません。

カート

KHAT

別名ほか

カタ・エドゥリス，アフリカチャノキ（Catha edulis），チャット（Chaat），クァット，Kat，Abyssinian Tea，Arabian-Tea，Celastrus edulis，Gat，Kus es Salahin，Qut，Miraa，Tchaad，Tohai，Tohat，Tschut

概　要

カートは植物です。葉と茎を用いて麻薬や「くすり」を作ることもあります。

東アフリカやアラブ諸国では，気分を高揚させるため，麻薬や陶酔薬として葉や茎を噛みます。

世界保健機関（WHO）ではカートを，継続使用願望を引き起こす薬，つまり「依存症」をもたらす薬のリストに掲載しています。ソマリア民主共和国では，一般市民と軍隊の双方がカートを使用していたことが，内戦激化，国家経済崩壊，国際援助活動縮小などの原因とされています。

●要説（ナチュラル・スタンダード）

カートはエチオピアに起源をもつと考えられていて，熱帯東アフリカ原産の，開花する常緑植物です。カートは何世紀にもわたって興奮薬として使用するために栽培され，コーヒーの使用よりも長い歴史があります。

カートは陶酔感や喜びの感情を誘発するために使用されている，社会的に認められた薬剤です。医療的には，うつ病を治療し，作業能力を高めるために使用されてきました。カートはまた，早漏を治療したり，性的欲求を高めたりするために催淫薬としても使用されています。

現在，どの適応症に対してもカートを評価するような適切に計画された臨床試験はありません。ドキュメントが不十分な2試験では，認知機能についてカートを評価しています。1つの研究では，カート使用と高齢者の認知機能に差は認められませんでした。別の研究では，認知機能にカートが悪影響を与えるとの結果が報告されています。

カートの若葉にはカシノネが含まれています。これは，規制薬物法に基づくスケジュールIの薬物です。しかし，葉は通常分解する植物の化学組成を引き起こして，48時間後に悪化し始めます。これが発生すると，葉にはカチンというスケジュールIVの薬物が含まれています。カートは現在，米国では違法です。

安 全 性

カートの経口摂取は，ほとんどの人にとって，おそらく安全ではありません。カートには身体的嗜癖性はありませんが，精神的依存を引き起こすおそれがあります。

カートにより，気分の変調，覚醒の促進，過度の多弁，活動亢進，興奮，攻撃性，不安，高血圧，躁病的行動，妄想症，精神疾患など多くの副作用を引き起こすおそれがあります。そのほか，不眠（睡眠障害），倦怠感（活力衰退），集中力の欠如も通常みられます。

ほかにも，頻脈，動悸，血圧上昇，呼吸数増加，体温上昇，発汗，目つきの変貌，潰瘍性口内炎，食道および胃の炎症，歯周病，顎関節症（TMJ），便秘などの作用があります。

若者による常用と高血圧との関連が認められています。

重度の副作用には，片頭痛，脳内出血，心筋梗塞，肺疾患，肝障害，性的欲求の変化，および，性交不能（勃起不全）などがあります。

カートの葉を噛むことにより，肋骨の下部の疼痛，白血球数の変化，肝肥大などの問題を引き起こすおそれのある感染に至っています。

糖尿病：カートを使用すると，食欲が減退し，食事の回数が減るようです。糖尿病の場合に食事が不規則になると，推奨されている食事を摂らなくなるおそれがあり，その結果，血糖値が上昇するおそれがあります。

高血圧：カートが血圧を上昇させるおそれがあります。既に高血圧の場合には，とくに危険となるおそれがあります。使用は避けてください。

●妊娠中および母乳授乳期

妊娠中の経口摂取は，おそらく安全ではありません。カートが分娩時低体重を引き起こすおそれがあります。母乳授乳期の経口摂取も，おそらく安全ではありません。カートに含まれている有効成分の一部が，母乳に移行するおそれがあります。

有　効　性

◆科学的データが不十分です

・うつ病，疲労，肥満，胃潰瘍，気分の高揚，男性不妊，食事および睡眠の必要性の減少，性的欲求の低下，攻撃性の増加など。

●体内での働き

アンフェタミン（販売中止）に類似した興奮成分が含まれています。

医薬品との相互作用

高Chloroquine

カートはChloroquineの体内への吸収量および作用量を減少させるおそれがあります。カートとChloroquineを併用すると，Chloroquineの効果を弱めるおそれがあります。マラリアの治療や予防にChloroquineを使用している場合はカートを噛まないでください。

高アモキシシリン水和物

カートはアモキシシリン水和物の体内への吸収を抑制する可能性があります。そのため，アモキシシリン水和物の働きを弱める可能性があります。アモキシシリン水和物を服用中の場合は，服用の前後2時間はカートを噛まないでください。

中モノアミン酸化酵素阻害薬（MAO阻害薬）

カートとモノアミン酸化酵素阻害薬（MAO阻害薬）を併用すると，重大な副作用のリスクが高まるおそれがあります。さらに明らかになるまでは，MAO阻害薬を服用中にカートを噛まないでください。このようなMAO阻害薬には，Phenelzine，Tranylcypromineなどがあります。

中興奮薬

興奮薬は神経系を亢進させます。神経系を亢進させることにより，興奮薬は神経を過敏にして心拍数を上昇させる可能性があります。カートもまた，神経系を亢進させる可能性があります。カートと興奮薬を併用すると，頻脈や高血圧などの深刻な問題を引き起こすおそれがあります。カートと興奮薬を併用しないでください。このような興奮薬にはDiethylpropion，エピネフリン，Phentermine，塩酸プソイドエフェドリンなど数多くあります。

中降圧薬

カートは血圧を上昇させる可能性があります。血圧の上昇により，カートは降圧薬の効果を弱めるおそれがあります。このような降圧薬にはカプトプリル，エナラプリルマレイン酸塩，ロサルタンカリウム，バルサルタン，ジルチアゼム塩酸塩，アムロジピンベシル酸塩，ヒドロクロロチアジド，フロセミドなど数多くあります。

ハーブおよび健康食品・サプリメントとの相互作用

興奮作用をもつハーブおよび健康食品・サプリメント

カートは血圧および心拍数を上昇させるおそれがあります。カートと，興奮作用をもつほかのハーブおよび健康食品・サプリメントを併用すると，高血圧のほか心臓に影響を及ぼす深刻な副作用のリスクが高まるおそれがあります。このようなハーブおよび健康食品・サプリメントには，マオウ（麻黄），カフェインのほか，コーヒー，コーラノキの種，ガラナ豆，マテなどカフェインを含むものなどがあります。

使用量の目安

通常の食品に含まれている量を超えて経口摂取した場合の安全性および副作用については，明らかになっていません。

海葱（カイソウ）

SQUILL

●代表的な別名

宝玉蘭

別名ほか

宝玉蘭，子持ち蘭（Urginea maritima），カイソウ，ウルギネア，スキラ（Scilla），Drimia indica，Drimia maritima，European Squill，Indian Squill，Mediterranean Squill，Red Squill，Sea Onion，Sea Squill Bulb，Urginea indica，Urginea scilla，White Squill

概　　要

海葱は植物（ユリ科）です。球根を用いて「くすり」を作ることもあります。

製品としては，駆除のための殺鼠薬に使用されます。

●要説（ナチュラル・スタンダード）

海葱には約25種あります。赤と白の海葱品種は薬草医が区別します。この２種類の本質的な薬効成分の違いはありません。球根は主に，興奮薬，去痰，利尿薬として使用されています。新鮮な球根は乾燥した球根よりもわずかに医薬的に活性ですが，粘性の強い刺激臭のある汁によって皮膚の炎症を引き起こす可能性があります。

海葱は，吸収率が低いため程度は弱いですが，ジゴキシンと同様，心臓に影響する可能性があります。故に，使用前に厳しい注意が必要です。

安全性

経口摂取は危険です。胃への刺激，食欲減退，下痢，嘔吐，頭痛，視野の変化，うつ病，当惑，幻覚，不整脈および皮疹などを引き起こします。

より重篤な副作用，たとえば痙攣，生命を脅かす異常な心拍を生じたり，死に至ることがあります。

海葱の使用はすべての人に安全ではありません。使用しないでください。とくに次の疾患を有する場合には使用しないでください。

心疾患：使用しないでください。疾患を悪化させる可能性があります。

血中カリウム濃度が低い，あるいは血中濃度カルシウムが高い場合（電解質不平衡）：使用しないでください。体内の電解質不平衡を悪化させる可能性があります。

胃腸疾患：胃や腸を刺激する可能性があります。胃腸疾患の場合使用しないでください。

●妊娠中および母乳授乳期

妊娠中の経口摂取は安全ではありません。流産を引き起こすかもしれません。母乳授乳期の使用もまた安全ではありません。

有効性

◆科学的データが不十分です

・心律動異常およびそのほかの心臓障害，体液貯留，気管支炎，気管支喘息，百日咳，粘膜の非薄化または嘔吐の誘発。

●体内での働き

含まれる化合物が心臓に作用します。また，肺からの粘液分泌を弱めます。

医薬品との相互作用

高ジゴキシン

ジゴキシンには強心作用があります。海葱(カイソウ)も心臓に影響を及ぼすようです。海葱とジゴキシンを併用すると，ジゴキシンの作用が増強し，副作用のリスクが高まるおそれがあります。ジゴキシンを服用中に，医師や薬剤師に相談することなく海葱を摂取しないでください。

中抗炎症薬（副腎皮質ステロイド）

海葱（カイソウ）は心臓に影響を及ぼす可能性があります。特定の抗炎症薬は体内のカリウムを減少させる可能性があります。カリウムの減少も心臓に影響を及ぼし，海葱の副作用のリスクが高まるおそれがあります。このような抗炎症薬には，デキサメタゾン，ヒドロコルチゾン，メチルプレドニゾロン，Prednisoneなどがあります。

中刺激性下剤

海葱（カイソウ）は心臓に作用する可能性があります。心臓にはカリウムが必要です。刺激性下剤は体内のカリウム量を減少させる可能性があります。カリウム量が減少すると，海葱の副作用のリスクが高まるおそれがあります。このような刺激性下剤には，ビサコジル，カスカラサグラダ，ヒマシ油，センナなどがあります。

中利尿薬

海葱（カイソウ）は心臓に作用する可能性があります。利尿薬は体内のカリウム量を減少させる可能性があります。カリウム量の減少も心臓に影響を及ぼす可能性があり，海葱の副作用のリスクが高まるおそれがあります。このような利尿薬には，クロロチアジド（販売中止），クロルタリドン（販売中止），フロセミド，ヒドロクロロチアジドなどがあります。

中キニーネ塩酸塩水和物

海葱（カイソウ）は心臓に影響を及ぼす可能性があります。キニーネ塩酸塩水和物も心臓に影響を及ぼす可能性があります。海葱とキニーネ塩酸塩水和物を併用すると，心臓に重大な問題が生じるおそれがあります。

中マクロライド系抗菌薬

海葱（カイソウ）は心臓に影響を及ぼす可能性があります。特定の抗菌薬は海葱の体内への吸収量を増加させる可能性があります。海葱と特定の抗菌薬を併用すると，海葱の作用および副作用が増強するおそれがあります。このような抗菌薬には，エリスロマイシン，アジスロマイシン水和物，クラリスロマイシンなどがあります。

中テトラサイクリン系抗菌薬

海葱（カイソウ）は心臓に影響を及ぼす可能性があります。特定の抗菌薬は海葱の体内への吸収量を増加させる可能性があります。海葱と特定の抗菌薬を併用すると，海葱の作用および副作用が増強するおそれがあります。このようなテトラサイクリン系抗菌薬には，デメチルクロルテトラサイクリン塩酸塩，ミノサイクリン塩酸塩，テトラサイクリン塩酸塩などがあります。

ハーブおよび健康食品・サプリメントとの相互作用

強心配糖体を含むハーブおよび健康食品・サプリメント

海葱は，強心配糖体という心臓に作用する成分を含んでいます。強心配糖体を含むハーブおよび健康食品・サプリメントと併用すると，心臓に害を及ぼす可能性があります。併用は避けてください。強心配糖体を含むハーブには，クリスマスローズ，トウワタ，ジギタリス，カキナガラシ，セイヨウゴマノハグサ，ドイツスズラン，マザーワート，オレアンダー，ゲウム，ヤナギトウワタ，ストロファンツス，ダイオウなどがあります。

ツクシ

海葱は強心配糖体という成分を含んでいます。海葱と同様の強心配糖体を含んだ，ツクシのようなハーブとの併用は，体内カリウムを過度に喪失させ，心臓に悪影響を与えるリスクが高くなる懸念があります。

甘草

海葱は強心配糖体という成分を含んでいます。海葱と同様の強心配糖体を含んだ甘草のようなハーブとの併用は，体内カリウムを過度に喪失させ，心臓に悪影響を与えるリスクが高くなる懸念があります。

刺激性緩下剤性ハーブおよび健康食品・サプリメント

海葱は強心配糖体という成分を含んでいます。海葱と同様，強心配糖体を含んだ刺激性緩下剤的に作用するハーブおよび健康食品・サプリメントとの併用は，体内カリウムを過度に喪失させ，心臓に悪影響を与えるリスクが高くなる懸念があります。刺激性緩下剤性ハーブには，アロエ，ハンノキ，サーチ，ブラックルート，バターナットバーク，コロシント，ヨーロピアンバックソーン，フォーチ，ガンボージ，ゴシポール，ヒロハヒルガオ，ヤラッパ，マンナ，メキシカン・スキャモニイ・ルート，ルバーブ，センナ，イエロードックなどがあります。

使用量の目安

●経口摂取

軽度の心不全（NYHA分類ⅠおよびⅡ度）

海葱玉粉末の標準化したものを1日100～500mg摂取します。

カイネチン

KINETIN

別名ほか

カイネレース（Kinerase），N(6)furfuryladenine，N6-フルフリルアデニン，Kinetase，Kn，N-(2-furanylmethyl)-1H-purin-6-amine，6-furfurylaminopurine

概　　要

カイネチンは，植物の成長を促進する化合物であるサイトカイニンです。カイネチンを用いて「くすり」を作ることもあります。

●要説（ナチュラル・スタンダード）

カイネチンは，サイトカイニンの化学的類似体で，細胞分裂を促進する植物ホルモンの部類です。カイネチンは，植物にも動物にも含まれています。

科学的研究では，カイネチンが白内障手術にともなう副作用を減らしたり，メニエール病や眼血圧の治療に役立ったりするかどうか検証してきました。現在，これらのあらゆる使用を裏づける十分な科学的根拠はありません。

安　全　性

カイネチンの安全性については，データが不十分です。

出血性疾患：出血性疾患の場合，人によっては，カイネチンにより出血時間が長くなり，紫斑および出血のリスクが高まるおそれがあります。出血性疾患の場合には，カイネチンを注意して使用してください。

手術：カイネチンが，手術中・手術後の出血リスクを高めるおそれがあります。少なくとも手術前2週間は，使用しないでください。

●妊娠中および母乳授乳期

妊娠中および母乳授乳期の使用の安全性についてはデータが不十分です。安全性を考慮し，摂取は避けてください。

有　効　性

◆科学的データが不十分です

・メニエール病（内耳障害），皮膚の加齢変化の徴候の抑制，肌荒れ，縮緬皺，皮膚のトラブルなど。

●体内での働き

植物の葉が緑から茶色へ変色することを防ぎます。カイネチンが皮膚細胞のDNA損傷を保護し（抗酸化作用），皮膚の水分喪失を抑制することにより，ヒトの皮膚の加齢にともなう変化を予防する可能性があることを示唆するデータがあります。

医薬品との相互作用

ほかの医薬品との相互作用については明らかではありません。

ハーブおよび健康食品・サプリメントとの相互作用

血液凝固を抑制するおそれのあるハーブおよび健康食品・サプリメント

カイネチンは血液凝固を抑制するおそれがあります。同様の作用をもつほかのハーブおよび健康食品・サプリメントと併用すると，人によっては，出血のリスクが高まるおそれがあります。このようなハーブおよび健康食品・サプリメントには，アンゼリカ，クローブ，タンジン，ニンニク，ショウガ，イチョウ，朝鮮人参，レッドクローバー，ウコンなどがあります。

使用量の目安

通常の食品に含まれている量を超えて経口摂取した場合の安全性および副作用については，明らかになっていません。

海狸香

CASTOREUM

●代表的な別名

ビーバー（分泌物）

別名ほか

アメリカビーバー，ビーバー（Castor canadensis），ヨーロッパビーバー（European Beaver），Canadian Beaver, Castor fiber，Siberian Beaver

概　要

海狸香は，カナダ，ヨーロッパおよびシベリアのビーバーの腺から収集された分泌物です。

安 全 性

海狸香は，通常の食品に含まれている量の摂取や，皮膚への直接塗布は，ほとんどの人で安全なようです。海狸香を経口摂取することが安全かどうかに関しては，十分なデータがありません。

●妊娠中および母乳授乳期

妊娠中および母乳授乳期の使用の安全性についてはデータが不十分です。安全性を考慮し，摂取は避けてください。

有 効 性

◆科学的データが不十分です

・月経異常，不安障害，および睡眠障害。

●体内での働き

疲労回復および鎮静効果があるようです。

医薬品との相互作用

ほかの医薬品との相互作用については明らかではありません。

ハーブおよび健康食品・サプリメントとの相互作用

ほかのハーブ，健康食品・サプリメントとの相互作用についてはまだ明らかではありません。

使用量の目安

標準使用量に関するデータがありません。

カウチグラス

COUCH GRASS

別名ほか

Ackerquecke, Agropyron firmum, Agropyron repens, Chiendent，Chiendent Rampant，Common Couch, Coutch，Cutch Grass，Dog Grass，Dog-grass, Doggrass，Durfa Grass，Elymus repens，Elytrigia repens, Grama Canina, Graminis, Graminis Rhizoma, Kvickrot, Petit Chiendent, Quack Grass, Quackgrass, Quecke，Quick Grass，Quitch Grass，Scotch Quelch, Scutch, Triticum, Triticum firmum, Triticum repens, Twitch Grass, Twitchgrass, Wheatgrass, Witch Grass, Witchgrass

概　要

カウチグラスは一年生雑草です。葉や根は薬を作るために使用されます。

カウチグラスの根は便秘，咳，膀胱炎，発熱，高血圧，腎結石のために経口摂取されます。水分貯留にも使用されます。

カウチグラスの根や葉は，発熱の治療に使用されます。

安 全 性

カウチグラスの使用の安全性および副作用については，明らかではありません。カウチグラスは，利尿薬のような働きをし，体内から排泄される水分の量が増加するおそれがあります。ただし，この作用により，低カリウム血症などの副作用を引き起こすおそれがあるかどうかは，明らかではありません。

●妊娠中および母乳授乳期

妊娠中および母乳授乳期の使用の安全性についてはデータが不十分です。安全性を考慮し，摂取は避けてください。

有 効 性

◆科学的データが不十分です

・便秘，咳，膀胱の腫脹（炎症），発熱，高血圧，腎結石など。

●体内での働き

カウチグラスのエキスが，腫脹（炎症）を緩和する成分を含んでいる可能性があります。

医薬品との相互作用

ほかの医薬品との相互作用については明らかではありません。

ハーブおよび健康食品・サプリメントとの相互作用

ほかのハーブ，健康食品・サプリメントとの相互作用についてはまだ明らかではありません。

使用量の目安

通常の食品に含まれている量を超えて経口摂取した場合の安全性および副作用については，明らかになっていません。

カオリン

KAOLIN

●代表的な別名

陶土

別名ほか

陶土（Light Kaolin，Porcelain Clay），含水ケイ酸アルミニウム（Heavy Kaolin，Hydrated Aluminum Silicate），チャイナクレイ（Argilla，Bolus Alba，China Clay），White Bole

概　　要

カオリンは，自然界に存在する粘土の一種です。化学合成も可能です。これを用いて「くすり」を作ることもあります。

カオリンは，製造業ではタブレット製剤として物質の除去や脱色に用いられます。

カオリンは食品添加物でもあります。

安 全 性

ほとんどの人に安全のようです。

便秘などの副作用を引き起こすおそれがあり，とくに子どもや高齢者でその可能性が高いと考えられます。

吸い込んではいけません。肺の障害を起こすおそれがあります。

●妊娠中および母乳授乳期

妊娠中に適量を経口摂取した場合は，おそらく安全であると考えられます。

有 効 性

◆有効性レベル③

・放射線治療により生じた口内の痛みや腫脹。

◆科学的データが不十分です

・下痢。カオリンは長くペクチン（カオペクテイト）とともに，下痢に用いられてきました。しかし2003年４月，米国食品医薬品局（FDA）はカオリンには下痢治療の科学的データが十分ではないとしました。2004年４月以来，製薬会社がカオリンを下痢治療薬に入れることは許可されていません。その結果，現在ではカオペクテイトほか，類似の製品にはカオリンは含まれていません。結腸内部の潰瘍と炎症（慢性潰瘍性大腸炎）など。

●体内での働き

カオリンは，口内の保護膜として働き，放射線による損傷にともなう痛みを軽減します。

皮膚に塗布した場合，カオリンは乾燥剤として働きます。

医薬品との相互作用

中キニジン硫酸塩水和物

キニジン硫酸塩水和物は心臓の医薬品ですが，カオリンがその吸収を妨げて，効果を弱めるおそれがあります。このような相互作用が起こるのを避けるために，キニジン硫酸塩水和物とカオリンは２時間以上の間隔を置いて飲むようにしてください。

中クリンダマイシンリン酸エステル

クリンダマイシンリン酸エステルは抗菌薬の一種ですが，カオリンはその吸収速度を低下させるおそれがあります。しかし，クリンダマイシンリン酸エステルの吸収量を大きく減少させることはないと考えられます。

中ジゴキシン

ジゴキシンは心臓の医薬品ですが，カオリンがその吸収を妨げて，効果を弱めるおそれがあります。このような相互作用が起こるのを避けるために，ジゴキシンとカオリンは２時間以上の間隔をあけて飲むようにしてください。

中トリメトプリム【販売中止】

トリメトプリムは抗生物質の一種ですが，カオリンがその吸収を妨げて，効果を弱めるおそれがあります。このような相互作用が起こるのを避けるために，トリメトプリムとカオリンは２時間以上の間隔を置いて飲むようにしてください。

ハーブおよび健康食品・サプリメントとの相互作用

ほかのハーブ，健康食品・サプリメントとの相互作用についてはまだ明らかではありません。

使用量の目安

●経口摂取

放射線により生じた粘膜炎

15mL（50%のカオリン/ペクチン，50%のジフェンヒドラミン）溶液を１日４回含漱薬として使用します。

柿

JAPANESE PERSIMMON

●代表的な別名

パーシモン

別名ほか

柿ジュース，柿の実，シャロンフルーツ，次郎柿，蜂屋柿，花御所柿，富有，干し柿，緑萼梅（りょくがくばい），ロウヤガキ，Korean Persimmon，Persimmon Fruit，Persimmon Punch

概　　要

柿は植物です。果実と葉を用いて「くすり」を作ることがあります。

安 全 性

治療に利用する場合の安全性に関しては，十分なデータがありません。

果実を食品として摂取すると，まれにアレルギー反応を生じることがあります。

低血圧症：柿は血圧を下げる可能性があります。低血圧を悪化させたり，低血圧に対する治療の妨げになる可能性があります。

手術：柿は血圧を下げる可能性があります。手術中や術後の血圧管理の妨げになる可能性を懸念する外科医もいます。予定手術の少なくとも２週間前は，柿を使用するのをやめてください。

●妊娠中および母乳授乳期

妊娠中および母乳授乳期の使用の安全性についてはデータが不十分です。安全性を考慮し，摂取は避けてください。

有 効 性

◆科学的データが不十分です

・高血圧症，便秘，しゃっくり，脳卒中，体液貯留，血流改善，および体温を下げること。

●体内での働き

血圧や体温を低下させる作用などをもつ可能性がある化合物を含んでいます。

医薬品との相互作用

中降圧薬

柿は血圧を低下させるようです。柿と降圧薬を併用すると，血圧が過度に低下するおそれがあります。このような降圧薬には，カプトプリル，エナラプリルマレイン酸塩，ロサルタンカリウム，バルサルタン，ジルチアゼム塩酸塩，アムロジピンベシル酸塩，ヒドロクロロチアジド，フロセミドなど数多くあります。

中血液凝固を抑制する医薬品（抗凝固薬/抗血小板薬）

柿は血液凝固を抑制する可能性があります。柿と血液凝固を抑制する医薬品を併用すると，紫斑および出血のリスクが高まるおそれがあります。このような医薬品には，アスピリン，クロピドグレル硫酸塩，ダルテパリンナトリウム，エノキサパリンナトリウム，ヘパリン，インドメタシン，チクロピジン塩酸塩，ワルファリンカリウムなどがあります。

ハーブおよび健康食品・サプリメントとの相互作用

血圧を下げるハーブおよび健康食品・サプリメント

柿は血圧を下げる可能性があります。同様の効果をもつ他の製品と同時に使用すると，血圧を下げすぎる可能性があります。こうした併用は避けてください。血圧を下げるハーブおよび健康食品・サプリメントとしては，アンドログラフィス，カゼイン・ペプチド類，キャッツクロー，コエンザイムQ-10，魚油，L-アルギニン，クコ，イラクサ，テアニンなどがあります。

使用量の目安

標準使用量に関するデータがありません。

カキドオシ

GROUND IVY

●代表的な別名

カントリソウ

別名ほか

グレコマ（Alehoof），グレコマ・ヘデラケア，セイヨウキヅタ，グラウンドアイビー，カントリソウ，癇取り草（Catsfoot，Cat's-Paw，Creeping Charlie，Gill-Go-By-The-Hedge，Gill-Go-Over-The-Ground，Glechoma hederacea），Haymaids，Hedgemaids，Lizzy-Run-Up-The-Hedge，Nepeta Hederacea，Robin-Run-In-The-Hedge，Tun-Hoof，Turnhoof

概　　要

カキドオシは植物です。植物全体の乾燥品や葉を粉砕したものを用いて「くすり」を作ることもあります。

食品では，風味付けに使用されます。

●要説（ナチュラル・スタンダード）

カキドオシは，シソ科に分類されます。ミントや，ローズマリー，ペニーロイヤル，スペアミント，バジル，キャットニップ，タイムなどのハーブもシソ科です。カキドオシはダムや日陰，とくに密生した茂みに分布します。カナダ，アメリカのほぼ全域，スコットランドを除くイギリス，ヨーロッパ，アジア北部，および日本に分布します。

カキドオシは昔から，耳鳴症，カタル，下痢，胆汁性疾患，痔核に対して用いられました。強壮剤としても用いられました。16世紀初期，ホップが用いられる前には，イギリスではビールを澄ますために用いられました。チューダー朝時代，航海中のビールの保存にも用いられました。伝統的なイギリスのレシピでは，ジャムの風味付けに用いたり，オートミール，スープや野菜に，カキドオシの若い春の葉を添えることもあります。20世紀初期のイギリスでは，カキドオシのお茶を万能薬として，結核に用いたり，鉛中毒の解毒薬としても用いました。また，茎を用いて死者のための花冠を作ることもありました。

近年では，鉄分を豊富に含んでいるため，堆肥の山に添加することがたびたび推奨されています。動物，および実験室での研究により，抗菌作用や抗炎症効果がある可能性が示唆されています。ただし，ヨーロッパや北アメリカの一部の地域では，やっかいな繁殖力の強い雑草とみなされてもいます。現時点では，薬剤としての適用に関する質の高い研究はなされていません。

安 全 性

調味料として用いられる量，あるいは医薬品として使用する場合でも少量ならば安全のようです。

しかし，肝臓の障害や流産を引き起こすおそれのある成分を含んでいることがわかっています。

大量に摂取すると，胃腸や腎臓を刺激し，また肝臓に有害な作用を及ぼすおそれがあります。

腎疾患：カキドオシは，腎臓を刺激する成分を含んでいます。腎疾患の場合，使用しないでください。

肝疾患：カキドオシは，肝臓に有害な成分を含んでいます。既存の肝疾患を悪化させるおそれがあります。肝臓に問題がある場合は使用しないでください。

てんかん，あるいは他の痙攣性疾患：てんかん，あるいは痙攣性疾患の病歴がある場合は使用しないでください。

●妊娠中および母乳授乳期

妊娠中の使用は安全ではありません。流産を引き起こすおそれがあります。

母乳授乳期の使用も避けてください。乳児にとって安全性に関する十分なデータがありません。

有　効　性

◆科学的データが不十分です

・軽度の肺疾患，咳，関節炎，リウマチ，月経異常，耳鳴り，下痢，痔核，胃疾患，膀胱結石または腎結石，創傷あるいは皮膚疾患（皮膚に直接塗布）など。

●体内での働き

収れん作用があり，粘液などの体液を乾燥させたり，出血を止めたりする作用があると考えられています。

医薬品との相互作用

ほかの医薬品との相互作用については明らかではありません。

ハーブおよび健康食品・サプリメントとの相互作用

ペニーロイヤルハッカ

カキドオシとペニーロイヤルハッカは，プレゴンという肝臓に有害な物質を含んでいます。2つのハーブを併用すると，肝障害を引き起こす危険性が高くなります。併用しないでください。

使用量の目安

●経口摂取

乾燥植物1回2～4gを1日3回，またはお茶1カップ（乾燥植物2～4gを150mLの沸騰した湯に5～10分間浸し，ろ過）を1日3回摂取。流エキス剤（1：1，25%アルコール）は2～4mLを1日3回摂取。

●局所投与

砕いた葉を患部に塗布。

カキネガラシ

HEDGE MUSTARD

別名ほか

垣根芥子（English Watercress, Erysimum, Erysimum officinale, St. Barbara's Hedge Mustard, Singer's Plant, Sisymbrium officinale），Thalictroc

概　　要

カキネガラシは植物です。葉，茎，および花部を用いて「くすり」を作ることもあります。クロガラシ，シロガラシ，セイヨウカラシナ，キサラギナ（ターサイ）など，ほかの種類のカラシと混同しないようにしてください。

安　全　性

花部および地上部は安全ではないと考えられます。

嘔吐，下痢，頭痛，心拍の異常などの重大な副作用を引き起こすおそれがあります。

心疾患：強心配糖体を含むため，心疾患を悪化させたり，あるいは治療に影響を与えるおそれがあります。使用は避けてください。

●妊娠中および母乳授乳期

妊娠中および母乳授乳期の使用は安全ではありません。心臓に悪影響を与えたり，ほかの有害な作用を引き起こすおそれがあります。使用しないでください。

有　効　性

◆科学的データが不十分です

・尿路疾患，咳，慢性気管支炎，胆のう炎など。
・うがい薬または洗口薬としての使用。

●体内での働き

ビタミンCとカラシ油が含まれています。十分なデータは得られていないので，「くすり」として使用した場合の効果については不明です。

医薬品との相互作用

高ジゴキシン

ジゴキシンは強い強心作用を示す医薬品です。カキネガラシも心臓に影響を及ぼすと考えられます。ジゴキシンの服用中にカキネガラシを摂取すると，ジゴキシンの作用が増強され，副作用が現れるリスクが高くなると考えられます。

中テトラサイクリン系抗菌薬

テトラサイクリン系抗菌薬を服用しているときにカキネガラシを摂取すると，カキネガラシの副作用が現れるリスクが高くなると考えられます。このようなテトラサイクリン系抗菌薬には，デメチルクロルテトラサイクリン塩酸塩，ミノサイクリン塩酸塩，テトラサイクリン塩酸塩などがあります。

中マクロライド系抗菌薬

カキネガラシは心臓に影響を及ぼすと考えられます。抗菌薬の中にはカキネガラシの体内吸収を促進する可能性のあるものがあり，それによってカキネガラシの作用が増強され，副作用も強く現れるおそれがあります。このような抗菌薬には，エリスロマイシン，アジスロマイシン水和物，クラリスロマイシンなどがあります。

中刺激性下剤

カキネガラシは心臓に影響を及ぼすと考えられます。心臓の機能維持にカリウムは重要な役割を果たしますが，刺激性下剤は体内のカリウム量を減少させることがあります。カリウム量が減少して低カリウム血症になると，カキネガラシの副作用が現れるリスクが高くなると考えられます。このような刺激性下剤にはビサコジル，カスカラサグラダ，ヒマシ油，センナなどがあります。

中利尿薬

カキネガラシは心臓に影響を及ぼすと考えられます。利尿薬の中には体内のカリウム量を減少させるものがありますが，カリウム量が減少して低カリウム血症になると，心臓に影響が及び，カキネガラシの副作用が現れるリスクが高くなると考えられます。このような利尿薬にはクロロチアジド（販売中止），クロルタリドン（販売中止），フロセミド，ヒドロクロロチアジドなどがあります。

ハーブおよび健康食品・サプリメントとの相互作用

強心配糖体を含むハーブおよび健康食品・サプリメント

カキネガラシは強心配糖体という化学物質を含んでおり，これは，処方薬のジゴキシンと似た作用をもつ化学成分です。強心配糖体は，体内カリウム濃度を過度に喪失させ，心臓に悪影響を与えるおそれがあります。強心配糖体を含むほかのハーブとの併用は，心臓障害の危険性を高くするおそれがあります。強心配糖体を含むハーブには，クリスマスローズ，トウワタ，ジギタリス，セイヨウゴマノハグサ，ゴジポール，ドイツスズラン，マザーワート，オレアンダー，ゲウム，ヤナギトウワタ，海葱，スターオブベツレヘム，ストロファンツス，ダイオウなどがあります。これらのハーブとの併用はしないでください。

ツクシ

カキネガラシは強心配糖体という化学物質を含んでいるため，体内カリウムを減少させ，これにより心臓に悪影響を与えるおそれがあります。ツクシは，尿量を増加させ（利尿薬のように作用）体内カリウムを減少させます。ツクシと強心配糖体を含むカキネガラシなどのハーブとの併用は，体内カリウム濃度の過度な低下をまねき，心臓に悪影響を与える危険性が高くなるおそれがあります。併用は避けてください。

甘草

カキネガラシは強心配糖体を含むため，体内カリウム濃度が減少して心臓に悪影響を与えるおそれがあります。甘草もまた体内カリウムを減少させます。これらの併用は，体内カリウム濃度の過度な低下をまねき，心臓に悪影響をあたえる危険性が高くなるおそれがあります。併用は避けてください。

刺激性緩下剤ハーブ

刺激性緩下剤ハーブは，腸の動きを活発化させます。その結果，食べ物がカリウムなどのミネラルを吸収するのに十分な時間腸に留まっていません。このため，カリウム濃度の低下をまねきます。カキネガラシも強心配糖体を含むため，体内カリウム濃度を低下させます。これらの併用は，体内カリウム濃度の過度な低下をまねき，心臓への悪影響を与えるおそれがあります。刺激性緩下剤ハーブには，アロエ，セイヨウイソノキ，ブラックルート，ニオイイリス，バターナットバーク，コロシント，ヨーロピアンバックソーン，フォーチ，ガンボージ，ゴシポール，ヒロハヒルガオ，ヤラッパ，マンナ，メキシカン・スキャモニイ・ルート，ルバーブ，センナ，イエロードッグなどがあります。これらのハーブとの併用は避けてください。

使用量の目安

●経口摂取

通常の摂取量はお茶１カップ（作り方は特定しない）を１日３～４回。平均量は１日当たり地上部0.5～１ｇを摂取します。

●局所投与

通常，お茶を１日数回，口腔洗浄またはうがい薬として使用します。

カシア・アウリクラタ

CASSIA AURICULATA

●代表的な別名

チャセンシダ

別名ほか

アバラーム，ラナワラ，カルパハーブティー，Avari Panchaga Choornam，Senna auriculata，Tanner's Cassia

概　　要

カシア・アウリクラタは，インドの多くの地域やほかのアジア地域に分布する常緑低木です。花，葉，茎，根および未熟な果実は治療に用いられます。とくにアーユルヴェーダ医療に用いられます。

安 全 性

十分なデータが得られていません。

手術：カシア・アウリクラタは血糖値に影響を与え，手術中および術後の血糖値コントロールを困難にするおそれがあります。少なくとも手術前２週間は，使用しないでください。

●妊娠中および母乳授乳期

妊娠中および母乳授乳期の使用の安全性については

データが不十分です。安全性を考慮し，摂取は避けてください。

有効性

◆科学的データが不十分です

・糖尿病，関節リウマチ（関節および筋肉の痛み），結膜炎，便秘，肝障害，尿路疾患など。

●体内での働き

体内で生成されるインスリン量を増加させる作用があると考えられます。

医薬品との相互作用

中カルバマゼピン

カシア・アウリクラタはカルバマゼピンの体内濃度を上昇させる作用があると考えられます。カルバマゼピンを服用しているときにカシア・アウリクラタを摂取すると，カルバマゼピンの作用が増強され，副作用が強く現れるおそれがあります。

中糖尿病治療薬

カシア・アウリクラタには血糖値を下げる作用があると考えられています。糖尿病治療薬は血糖値を下げるために用いられる医薬品ですから，カシア・アウリクラタと糖尿病治療薬を併用すると，血糖値が下がりすぎてしまうおそれがあります。糖尿病治療薬の用量を変更する必要があるかもしれません。このような糖尿病治療薬には，グリメピリド，グリベンクラミド，インスリン，ピオグリタゾン塩酸塩，マレイン酸ロシグリタゾン（販売中止），クロルプロパミド，Glipizide，トルブタミド（販売中止）などがあります。

ハーブおよび健康食品・サプリメントとの相互作用

血糖値を下げるハーブおよび健康食品・サプリメント

カシア・アウリクラタは，血糖値を下げる可能性があります。血糖値を下げる可能性があるほかのハーブおよび健康食品・サプリメントと併用すると，血糖値が下がりすぎるおそれがあります。これらのハーブおよび健康食品・サプリメントには，ニガウリ，ハッショウマメ，ショウガ，薬用ガレーガ，フェヌグリーク，クズ，ウィローバークなどがあります。カシア・アウリクラタとこれらのハーブおよび健康食品・サプリメントの併用は避けてください。

使用量の目安

標準使用量に関するデータがありません。

カシュー

CASHEW

●代表的な別名

マガタマノキ

別名ほか

カシューナッツノキ，マガタマノキ，勾玉の木，Anacardium occidentale，East Indian Almond

概要

カシューは木で，その実はカシューナッツとして広く食べられています。また「くすり」として実が用いられることもあります。

●要説（ナチュラル・スタンダード）

カシューナッツの木は，ブラジルや南米北部と西部が原産です。1578年に，欧州の商人や探検家がその存在を記録しました。植物がインド，東アフリカ，ブラジルからもち帰られ，ほどなく帰化しました。16世紀に，カシューの果物やその汁は，ヨーロッパ人が発熱の治療をしたり，息を清めたり，胃を保護するために摂取しました。

カシューナッツは，一般的に世界中で食べられています。カシューナッツはタンパク質と脂肪の源で，軽く塩漬けにしたり，砂糖で甘くして食べられています。世界のある地域では，木のほかの部分を食べ，マレーシアでは葉を，南米では果実を食べます。

カシューナッツの木，ツタウルシ，およびウルシは，同じ植物族のウルシ科で，アレルギー性接触皮膚炎の原因となる類似の化学物質を有しています。

現時点では，あらゆる適応症治療への使用を裏づける質の高い対照群と比較したヒトへの試験は不十分ですが，カシューは下痢の治療薬として，多くの文化で使用されてきました。

カシューはさまざまな適応症治療に，アマゾン熱帯雨林全体の多くの部族によって使用されています。北西アマゾン地域のチクナ族は，カシューナッツの汁をインフルエンザ予防や下痢の治療薬として使用しています。ガイアナでのワヤピ族は，乳幼児のための仙痛治療に樹皮茶を使用しています。ブラジルでは，樹皮の茶が膣分泌物のための潅水として，また抜歯後の出血を止めるための収れん剤として使用されています。

中米のクナ・インディアンは，気管支喘息，感冒，うっ血の治療のためのハーブティーに樹皮を使用しました。

安全性

通常の食品の量の摂取であれば，ほとんどの人に安全のようです。「くすり」としての使用の安全性については，データが不十分です。煎っていないカシューは，皮膚を刺激し，潮紅や水疱を引き起こすおそれがあります。

糖尿病：大量のカシューを摂取すると，血糖値が上昇するおそれがあるというエビデンスがいくつかあります。糖尿病に罹患していてカシューを摂取する場合には，血糖値を注意深く監視してください。糖尿病薬の服薬量を調整する必要があるかもしれません。

手術：カシューは血糖値に影響を与えるおそれがある

ため，手術中および術後の血糖コントロールを妨げるおそれがあります。少なくとも手術前２週間は，使用しないでください。

●アレルギー

ほかのナッツやペクチンに対するアレルギー：ヘーゼルナッツ，ブラジルナッツ，ピスタチオ，アーモンド，ピーナッツ，またはペクチンに敏感な人には，カシューがアレルギー反応を引き起こすおそれがあります。アレルギーの場合には，カシューを摂取する前に必ず医師などに相談してください。

●妊娠中および母乳授乳期

通常の食品として摂取する場合は安全です。ただし，「くすり」としての高用量摂取の安全性についてはデータが不十分です。妊娠中および母乳授乳期の場合，十分なデータが得られるまでは，食品の量の範囲内で摂取してください。

有　効　性

◆科学的データが不十分です

・メタボリックシンドローム，胃腸疾患など。

・皮膚へ塗布する場合には，皮膚潰瘍，疣贅（いぼ），うおのめなど。

●体内での働き

特定の細菌に作用する可能性のある化学物質が含まれています。

医薬品との相互作用

中糖尿病治療薬

カシューは，多量に摂取すると血糖値を上昇させる可能性があります。糖尿病治療薬は血糖値を低下させるために用いられます。カシューを糖尿病治療薬と併用すると，糖尿病薬の効果を弱めるおそれがあります。血糖値を注意深く監視してください。このような糖尿病治療薬の用量を変更する必要があるかもしれません。このような糖尿病治療薬にはグリメピリド，グリベンクラミド，インスリン，ピオグリタゾン塩酸塩，マレイン酸ロシグリタゾン（販売中止），クロルプロパミド，Glipizide，トルブタミド（販売中止）などがあります。

ハーブおよび健康食品・サプリメントとの相互作用

ほかのハーブ，健康食品・サプリメントとの相互作用についてはまだ明らかではありません。

使用量の目安

通常の食品に含まれている量を超えて経口摂取した場合の安全性および副作用については，明らかになっていません。

ガジュツ

ZEDOARY

●代表的な別名

ムラサキウコン

別名ほか

莪朮（Cedoaria, Cetoal, Curcuma zedoaria），ムラサキウコン，ターメリック（E-Zhu, Indian Arrowroot, Kua, Round Zedoary, Sati, Shati, Temu Kuning, Temu Putih, Turmeric），Zedoaire, Zedoária, Zedoarie rhizoma, Zedoary Oil, Zitwer, Zitwerwirtzelstock

概　　要

ガジュツは植物です。根のような茎（地下茎）を用いて「くすり」を作ることもあります。

ガジュツは伝統的に，使用する前に多量の水を用いて，含有するほとんどのタンパク質と水溶性の栄養分を洗い流します。この工程は，同時にガジュツに含まれる毒素（どのような毒素であるかはまだ分かっていません）を洗い流していると思われます。

安　全　性

ほとんどの人に安全だと考えられますが，まだ知られていない副作用がある可能性があります。

月経過多：月経過多の女性は，ガジュツを使用しない方が良いと指摘する専門家もいます。

●妊娠中および母乳授乳期

妊娠中のガジュツの使用は安全ではありません。流産を引き起こす恐れがあります。

母乳授乳期もガジュツの使用を控えた方が安全です。十分に科学的調査がなされていないため，乳児に対する影響についてまだ良く知られていません。

有　効　性

◆科学的データが不十分です

・疝痛，痙攣，食欲と消化の改善，炎症，不安感とストレス，疲弊，虫除け薬しての使用など。

●体内での働き

医療用として使用した場合，どのように作用するかについては科学的なデータが不十分です。動物実験と試験管での評価に留まり，ヒトでは研究されたことがありません。抗生物質活性があることを示す研究があります。また，防蚊活性をもつ可能性もあります。

医薬品との相互作用

ほかの医薬品との相互作用については明らかではありません。

ハーブおよび健康食品・サプリメントとの相互作用

ほかのハーブ，健康食品・サプリメントとの相互作用についてはまだ明らかではありません。

使用量の目安

●経口摂取

お茶１杯を食事と一緒に，１日３回摂取します。お茶は１～1.5gの乾燥地下茎の粉末を150mLの熱湯に５～10分間浸してからこします。

カスカラサグラダ

CASCARA

別名ほか

カスカラ・サグラダ，カスカラ樹皮（Bitter Bark, Buckthorn, California Buckthorn, Cascara Sagrada), Chittem Bark, Dogwood Bark, Purshiana Bark, Rhamni Purshianae Cortex, Sacred Bark, Sagrada Bark, Yellow Bark, Rhamnus purshiana, Frangula purshiana

概　　要

カスカラサグラダは低木です。樹皮を用いて「くすり」を作ることもあります。

●要説（ナチュラル・スタンダード）

カスカラサグラダは，クロウメモドキ属のパーシアヌス（Purshianus. クロウメモドキ科）の乾燥した樹皮から得られ，薬用でもあり，有毒な植物でもあります。欧州，西アジア，北米のアイダホ州北部から山間部太平洋沿岸にかけて見られます。スペイン語では，カスカラサグラダ（Cascara Sagrada）は「神聖な樹皮」を意味して，おそらくこの灌木の木質が，個々の便秘の症状に治療薬として与えられてきたからだと思われます。カスカラサグラダは1800年代以来，米国先住民の部族とスペイン人やメキシコ人の司祭によって樹皮下剤として使用されてきました。カスカラサグラダの樹皮は，乾燥したばかりのときは，安全な使用には強すぎる下剤作用があるので，活性成分を穏やかにするために，一年間熟成されます。

カスカラサグラダは下剤，毒性，治療薬，および強壮としての作用があります。もっとも一般的なのは，腸洗浄のためのアントラキノン刺激性緩下剤としての使用です。刺激性下剤，および緩下剤として，もっとも乱用された下剤であり，腸に長期的な障害を起こすおそれがあります。

安　全　性

経口摂取の場合，１週間未満であれば，ほとんどの成人におそらく安全です。

副作用には胃の不快感や胃痙攣などがあります。

長期間の使用はおそらく安全ではありません。１～２週間を超えて使用してはいけません。長期間使用すると，脱水や，カリウム，ナトリウム，塩化物など電解質の血中濃度低下，心臓の障害，筋力低下などの深刻な副作用を引き起こすおそれがあります。

小児：小児の経口摂取はおそらく安全ではありません。小児にカスカラサグラダを与えてはいけません。小児は成人よりも脱水を起こしやすく，電解質不足，とくにカリウム不足による悪影響を受けます。

腸閉塞，クローン病，潰瘍性大腸炎，虫垂炎，胃潰瘍，原因不明の胃痛などの胃腸疾患：このような疾患の場合には，カスカラサグラダを使用してはいけません。

●妊娠中および母乳授乳期

妊娠中の使用の安全性についてはデータが不十分です。安全性を考慮し，妊娠中の摂取は避けてください。母乳授乳期の経口摂取はおそらく安全ではありません。カスカラサグラダは母乳に移行し，乳児に下痢を引き起こすおそれがあります。

有　効　性

◆有効性レベル③

・便秘。カスカラサグラダには緩下作用があるため，人によっては便秘の緩和に役立つ可能性があります。

◆有効性レベル④

・大腸内視鏡検査前の腸管前処置。ほとんどの研究では，硫酸マグネシウムまたはマグネシア乳とともにカスカラサグラダを摂取しても，大腸内視鏡検査を受ける人の腸洗浄を改善することはないことが示されています。

◆科学的データが不十分です

・胆石，肝疾患，がんなど。

●体内での働き

腸を刺激して緩下作用を示す化学物質が含まれています。

医薬品との相互作用

中ジゴキシン

カスカラサグラダは刺激性下剤と呼ばれる下剤の一種です。刺激性下剤は体内のカリウム量を減少させる可能性があります。カリウム量が減少するとジゴキシンの副作用のリスクが高まるおそれがあります。

中ワルファリンカリウム

カスカラサグラダは下剤として作用します。人によっては，カスカラサグラダが下痢を引き起こす可能性があります。下痢はワルファリンカリウムの作用を増強し，出血のリスクを高めるおそれがあります。ワルファリンカリウムの服用中に過量のカスカラサグラダを摂取しないでください。

中抗炎症薬（副腎皮質ステロイド）

カ

特定の抗炎症薬は体内のカリウムを減少させる可能性があります。カスカラサグラダは体内のカリウムを減少させる可能性のある下剤の一種です。カスカラサグラダと特定の抗炎症薬を併用すると，体内のカリウムが過度に減少するおそれがあります。このような抗炎症薬には，デキサメタゾン，ヒドロコルチゾン，メチルプレドニゾロン，Prednisoneなどがあります。

中刺激性下剤

カスカラサグラダは刺激性下剤と呼ばれる下剤の一種です。刺激性下剤は腸の運動を促します。カスカラサグラダと他の刺激性下剤を併用すると，腸の運動が過度に促され，脱水および体内のミネラル欠乏を引き起こすおそれがあります。このような刺激性下剤には，ビサコジル，ヒマシ油，センナなどがあります。

中利尿薬

カスカラサグラダは下剤です。特定の下剤は体内のカリウム量を減少させる可能性があります。利尿薬もまた体内のカリウムを減少させる可能性があります。カスカラサグラダと利尿薬を併用すると，体内のカリウムが過剰に減少するおそれがあります。このような利尿薬には，クロロチアジド（販売中止），クロルタリドン（販売中止），フロセミド，ヒドロクロロチアジドなどがあります。

ハーブおよび健康食品・サプリメントとの相互作用

クロムを含有するハーブおよび健康食品・サプリメント

カスカラサグラダにはクロムが含まれています。このため，クロムのサプリメントや，ビルベリー，ビール酵母，ツクシなど，クロムを含むほかのハーブおよび健康食品・サプリメントと併用すると，クロム中毒のリスクが高まるおそれがあります。

強心配糖体を含むハーブおよび健康食品・サプリメント

強心配糖体は，処方薬「ジゴキシン」に似た化学物質です。強心配糖体は体内のカリウムを失わせるおそれがあります。

カスカラサグラダもまた，刺激性緩下剤であるため，体内のカリウムを失わせるおそれがあります。刺激性緩下剤は腸運動を促進します。そのため，食物が腸内にとどまる時間が短くなり，カリウムなどのミネラルが体内に十分吸収されないおそれがあります。その結果，理想的なカリウム濃度を維持できなくなるおそれがあります。

カスカラサグラダと，強心配糖体を含むハーブおよび健康食品・サプリメントを併用すると，体内のカリウムが過度に失われ，心障害を引き起こすおそれがあります。このようなハーブおよび健康食品・サプリメントには，クリスマスローズ，トウワタの根，ジギタリスの葉，カキネガラシ，セイヨウゴマノハグサ，ドイツスズランの根，マザーワート，オレアンダーの葉，ゲウムの植物，ヤナギトウワタ，海葱（カイソウ）の球根鱗片葉，スターオブベツレヘム，ストロファンツスの種子，ダイオウなどがあります。これらのいずれとも，カスカラサグラダの併用は避けてください。

ツクシ

ツクシは，（利尿薬として作用し）尿の産生を増加するため，体内のカリウムを失わせるおそれがあります。

カスカラサグラダもまた，刺激性緩下剤であるため，体内のカリウムを失わせるおそれがあります。刺激性緩下剤は腸運動を促進します。そのため，食物が腸内にとどまる時間が短くなり，カリウムなどのミネラルが体内に十分吸収されないおそれがあります。その結果，理想的なカリウム濃度を維持できなくなるおそれがあります。

カリウム濃度が過度に低下すると，心臓に障害が起こるおそれがあります。カスカラサグラダとツクシを併用すると，体内のカリウムが過度に失われ，心障害を引き起こすリスクが高まるおそれがあります。カスカラサグラダとツクシの併用は避けてください。

甘草

甘草は，体内のカリウムを失わせるおそれがあります。

カスカラサグラダもまた，刺激性緩下剤であるため，体内のカリウムを失わせるおそれがあります。刺激性緩下剤は腸運動を促進します。そのため，食物が腸内にとどまる時間が短くなり，カリウムなどのミネラルが体内に十分吸収されないおそれがあります。その結果，理想的なカリウム濃度を維持できなくなるおそれがあります。

カリウム濃度が過度に低下すると，心臓に障害が起こるおそれがあります。カスカラサグラダと甘草を併用すると，体内のカリウムが過度に失われ，心障害を引き起こすリスクが高まるおそれがあります。甘草とツクシの併用は避けてください。

刺激性緩下作用をもつハーブおよび健康食品・サプリメント

カスカラサグラダは刺激性緩下剤です。刺激性緩下剤は腸運動を促進します。そのため，食物が腸内にとどまる時間が短くなり，カリウムなどのミネラルが体内に十分吸収されないおそれがあります。その結果，理想的なカリウム濃度を維持できなくなるおそれがあります。

カスカラサグラダと，刺激性緩下作用をもつほかのハーブおよび健康食品・サプリメントを併用すると，カリウム濃度が過度に低下し，心臓に害となるおそれがあります。このようなハーブおよび健康食品・サプリメントには，アロエ，セイヨウイソノキ，ブラックルート，ブルーフラッグ，バターナットの樹皮，コロシント，ヨーロピアンバックソーン，フォーチ，ガンボジ，ゴシポール，ヒロハヒルガオ，ヤラッパ，マンナ，メキシカン・スキャモニイ・ルート，ルバーブ，センナ，イエロードックなどがあります。これらのいずれとも，カスカラサグラダの併用は避けてください。

使用量の目安

●経口摂取

便秘に対する緩下剤として

有効成分（ヒドロキシアントラセン誘導体）を１日20～30mg摂取します。典型的な１回用量は茶１杯（細かく刻んだ樹皮２gを150mLの熱湯に５～10分間浸してから漉す）です。流エキスの場合は１回２～５mLを１日３回摂取します。便通を促すために必要な最小量を適量として用います。

カスカリラ

CASCARILLA

別名ほか

Bahama cascarilla, Croton eluteria, Sweet Bark, Sweet Wood Bark

概　　要

カスカリラは植物です。樹皮を用いて「くすり」を作ることもあります。

安 全 性

十分なデータが得られていないので，安全性および副作用については不明です。

●妊娠中および母乳授乳期

妊娠中および母乳授乳期の使用の安全性についてはデータが不十分です。安全性を考慮し，摂取は避けてください。

有 効 性

◆科学的データが不十分です

・消化器系疾患，下痢，嘔吐など。

●体内での働き

十分なデータが得られていないので,「くすり」として使用したときの効果については不明です。

医薬品との相互作用

ほかの医薬品との相互作用については明らかではありません。

ハーブおよび健康食品・サプリメントとの相互作用

ほかのハーブ，健康食品・サプリメントとの相互作用についてはまだ明らかではありません。

使用量の目安

標準使用量に関するデータがありません。

カゼイン・ペプチド

CASEIN PEPTIDES

●代表的な別名

乳タンパク分解物

別名ほか

加水分解カゼイン（Casein protein hydrosylate, Casein Tripeptide, Hydrolyzed casein），降圧ペプチド（Hypotensive peptides），乳タンパク分解物（Milk protein hydrosylate），カゼイン由来のペプチド（Casein-derived peptide），カゼインドデカペプチド（Bovine casein hydrosylate, C12, C12 Peptide, Casein decapeptide），カゼインホスホペプチド（Casein phosphopeptide），カゼインプロテイン（Casein protein extract），ミルクプロテイン（Milk protein extract），Casein hydrosylate, Casein peptide, Sour milk extract, Sour milk peptides

概　　要

カゼインは牛乳の主たるタンパク質で，牛乳が凝固する際固形化する成分です。牛乳は体内に入ると，消化液によりカゼインがカゼイン・ペプチドに分解されます。カゼイン・ペプチドはサプリメントとして人工的にも作ることができ，サプリメントとして市販されています。

安 全 性

通常は乳製品から食事として摂取されます。しかし，十分なデータが得られていないので，サプリメントとして使用したときに安全であるかどうかは不明です。

手術：カゼイン・ペプチドは血圧に影響を及ぼすことがあります。そのため，カゼイン・ペプチドが術中，術後の血圧コントロールに影響を及ぼす懸念があります。手術の予定がある人は，予定日の最低２週間前までにはカゼイン・ペプチドの使用を中止して下さい。

●アレルギー

乳アレルギーは乳に含まれるタンパク質によって引き起こされます。カゼイン・ペプチドのような乳タンパク質を構成する成分もアレルギーを起こす可能性があります。乳アレルギーのある人は，カゼイン・ペプチドの使用を控えた方が良いでしょう。

●妊娠中および母乳授乳期

妊娠中および母乳授乳期の使用の安全性についてはデータが不十分です。安全性を考慮し，摂取は避けてください。

有 効 性

◆科学的データが不十分です

・高コレステロール血症，不安障害，疲労感，てんかん，腸障害，がん予防，およびストレスの軽減。

・高血圧症。初期段階の実験によると，C12ペプチドという特定のカゼイン・ペプチドは，血圧を大幅に下げることはないようです。

●体内での働き

血管を広げる作用があり，その結果，血圧を下げることができると考えられています。

医薬品との相互作用

中降圧薬

カゼイン・ペプチドの中には血圧を低下させる作用があるものがあります。降圧薬を服用しているときにカゼイン・ペプチドを摂取すると，血圧が下がりすぎてしまうおそれがあります。このような降圧薬にはカプトプリル，エナラプリルマレイン酸塩，ロサルタンカリウム，バルサルタン，ジルチアゼム塩酸塩，アムロジピンベシル酸塩，ヒドロクロロチアジド，フロセミドなど多くの医薬品があります。

ハーブおよび健康食品・サプリメントとの相互作用

血圧を下げるハーブおよび健康食品・サプリメント

カゼイン・ペプチドは血圧を降下させることがあります。ほかの血圧を降下させるハーブおよび健康食品・サプリメントと併用すると過度に血圧が降下する可能性があります。このような効果のあるハーブおよび健康食品・サプリメントには，アンドログラフィス，キャッツクロー，コエンザイムQ-10，魚油，L-アルギニン，リチウム，イラクサ，テアニンなどがあります。

使用量の目安

●経口摂取

高血圧症

特定のカゼイン・ペプチド製品（C12 Peptide）を１回100～200mgで１日２回摂取します。

カツアバ

CATUABA

●代表的な別名

チュチュワシ

別名ほか

チュチュワシ（Caramuru，Catuaba Casca，Chuchuhuasha），カトゥアバ，アツアーバ，カチューバ（Erythroxylum catuaba），Golden Trumpet，Pau de Reposta，Piratancara，Tatuaba

概　　要

カツアバはハーブです。樹皮を用いて「くすり」を作ることもあります。

●要説（ナチュラル・スタンダード）

カツアバは，ブラジル木種の樹皮から作られたお茶を記述するために使用される用語です。これらの木には，アネモペグナのスギナ（Anemopaegma arvense），アネモペグナ・ミランダム（Anemopaegma mirandum），エリスロサイラムのヴァクシニフォリウム（Erythroxylum vacciniifolium），およびトリキリア・カティグア（Trichilia catigua）が含まれています。トリキリア・カティグアは，房が黄色い花の小さな木です。

カツアバは，催淫や（環境要因から身体を保護する）適応促進薬として，ブラジルの民間療法で使用されてきました。カツアバはまた，神経系，心臓および静脈機能，記憶を改善させる可能性があります。また，活力を高めたり不安や疲労を低減する可能性があります。カツアバは性機能障害やがん治療に有用な可能性があります。

カツアマ，カツアバ，ガラナ，ムイラプアマのプアマ，ショウガの種からの抽出を組み合わせて，ブラジルの薬草として使用されてきました。しかしながら，現時点ではあらゆる疾患治療へのカツアバ使用を裏付けるエビデンスは十分ではありません。

安　全　性

十分なデータが得られていません。

●妊娠中および母乳授乳期

妊娠中および母乳授乳期の使用の安全性についてはデータが不十分です。安全性を考慮し，摂取は避けてください。

有　効　性

◆科学的データが不十分です

・男性の性的問題，不安障害，疲憊，疲労感，不眠，神経質，記憶力不足または物忘れ，皮膚がんなど。

●体内での働き

ある種の細菌およびウイルスを抑える可能性がある成分が含まれています。

医薬品との相互作用

ほかの医薬品との相互作用については明らかではありません。

ハーブおよび健康食品・サプリメントとの相互作用

ほかのハーブ，健康食品・サプリメントとの相互作用についてはまだ明らかではありません。

使用量の目安

標準使用量に関するデータがありません。

カッシア

QUASSIA

●代表的な別名

ビターウッド

別名ほか

ビターウッド（Amargo, Bitter-Ash, Bitter Wood），カシア，カシュー，ニガキ（Jamaican Quassia, Picrasma, Picrasma excelsa），クアッシア（Quassia amara），Quassia Bark, Ruda, Surinam Quassia, Surinam Wood

概　　要

カッシアは植物です。樹木が「くすり」として使用されることもあります。

食品，飲料，薬用キャンディーおよび緩下剤に用いられます。樹皮および幹は殺虫剤として用いられます。

●要説（ナチュラル・スタンダード）

カッシアは，ジャマイカおよび周辺諸国原産の木です。昔から民間療法では，回虫に対して用いたり，殺虫剤として用いたり，ホップの代わりに醸造に用いたりしていました。また，苦い消化薬としても用いられていました。消化管障害，寄生虫症，およびアタマジラミに対する民間療法でも用いられています。

カッシアは，天然の殺虫剤としての有効性，ヒトのアタマジラミの治療に対する有効性など，従来の用途を立証する初期の研究もあります。南米では長い間，マラリアに対して用いられていたことから，生物学的効果についての研究もなされました。強力な抗マラリア効果を示唆したマウスを対象とした研究が1件あります。

白血病や，胃潰瘍の治療に対する有効性を示唆する初期のエビデンスがあります。鎮痛効果，筋弛緩効果，および鎮静効果がある可能性もありますが，現時点では臨床試験は十分ではありません。

安　全　性

通常の食品に含まれている量の摂取は安全のようです。ただし，「くすり」としての高用量の経口摂取は安全でないかも知れません。悪心および嘔吐をともなう，口，のど，消化管への刺激感などの副作用を起こすおそれがあります。きわめて高用量の摂取は，心機能に異常をきたすおそれがあります。ただし，心機能に異常をきたすほどの量を摂取する前に，嘔吐してしまう人がほとんどです。長期間の使用は視力の変化や失明を起こすおそれがあります。

皮膚（頭皮を含む）あるいは直腸内に使用した場合の安全性についてはデータが不十分です。

胃潰瘍および腸潰瘍，クローン病，感染症などの消化管疾患：カッシアの高用量使用は，消化管を刺激します。いずれかの疾患がある場合には，使用しないでください。

●妊娠中および母乳授乳期

妊娠中および母乳授乳期の経口摂取は安全ではありません。細胞傷害および悪心を引き起こすおそれがあります。

妊娠中および母乳授乳期に，皮膚および頭皮へ塗布する場合の安全性についてはデータが不十分です。安全性を考慮し，摂取は避けてください。

有　効　性

◆科学的データが不十分です

・シラミ。カッシアチンキ薬を1回塗布することで，アタマジラミを駆除できることを示すエビデンスがあります。ただし，シラミはときに再発します。週2回塗布することは，1回の塗布よりも効果的であるとする研究者もいます。

・食欲不振，消化不良症，便秘，発熱，腸管寄生虫症など。

●体内での働き

胃酸および胆汁の分泌を促進する可能性がある成分が含まれており，これらが食欲を増進させたり消化を補助したりしていると考えられます。またそのほかに，抗菌作用，抗真菌作用，および蚊の幼虫を駆除する作用のある成分も含まれています。

医薬品との相互作用

中ジゴキシン

カッシアは「刺激性下剤（下剤の一種）」です。刺激性下剤は体内のカリウム量を減少させる可能性があります。カリウム量が減少すると，ジゴキシンの副作用のリスクが高まるおそれがあります。

低胃酸分泌抑制薬（H2受容体拮抗薬）

カッシアは胃酸を増加させる可能性があります。カッシアが胃酸を増加させることで，胃酸分泌抑制薬（H2受容体拮抗薬）の効果が弱まるおそれがあります。このような胃酸分泌抑制薬には，シメチジン，ラニチジン塩酸塩，ニザチジン，ファモチジンなどがあります。

低胃酸分泌抑制薬（プロトンポンプ阻害薬）

カッシアは胃酸を増加させる可能性があります。カッシアが胃酸を増加させることで，胃酸分泌抑制薬（プロトンポンプ阻害薬）の効果が弱まるおそれがあります。このような胃酸分泌抑制薬には，オメプラゾール，ランソプラゾール，ラベプラゾールナトリウム，パントプラゾールナトリウム水和物（販売中止），エソメプラゾールマグネシウム水和物などがあります。

低制酸薬

制酸薬は胃酸を中和するために用いられます。カッシアは胃酸を増加させる可能性があります。カッシアが胃酸を増加させることで，制酸薬の効果が弱まるおそれがあります。このような制酸薬には，沈降炭酸カルシウム，Dihydroxyaluminum sodium carbonate, Magaldrate，硫酸マグネシウム水和物，乾燥水酸化アルミニウムゲルなどがあります。

中利尿薬

カッシアは「下剤」です。特定の下剤は体内のカリウム量を減少させる可能性があります。カッシアと利尿薬

カ

を併用すると，体内のカリウム量が過度に減少するおそれがあります。このような利尿薬には，クロロチアジド（販売中止），クロルタリドン（販売中止），フロセミド，ヒドロクロロチアジドなどがあります。

中 肝臓で代謝される医薬品（シトクロムP450 1A1（CYP1A1）の基質となる医薬品）

特定の医薬品は肝臓で代謝されます。カッシアはこのような医薬品の代謝を抑制する可能性があります。カッシアと肝臓で代謝される医薬品を併用すると，医薬品の代謝が抑制される可能性があります。肝臓で代謝される医薬品を服用する場合には，医師や薬剤師に相談することなくカッシアを摂取しないでください。このような医薬品には，クロルゾキサゾン，テオフィリン，Bufuralolなどがあります。

中 糖尿病治療薬

カッシアは血糖値を低下させる可能性があります。糖尿病治療薬も血糖値を低下させるために用いられます。カッシアと糖尿病治療薬を併用すると，血糖値が過度に低下するおそれがあります。血糖値を注意深く監視してください。糖尿病治療薬の用量を変更する必要があるかもしれません。このような糖尿病治療薬には，グリメピリド，グリベンクラミド，インスリン，ピオグリタゾン塩酸塩，マレイン酸ロシグリタゾン（販売中止），クロルプロパミド，Glipizide，トルブタミド（販売中止）などがあります。

ハーブおよび健康食品・サプリメントとの相互作用

強心配糖体を含むハーブおよび健康食品・サプリメント

カッシアは強心配糖体と呼ばれる心臓に影響を与える物質を含んでいます。カッシアと心臓に障害をもたらすおそれのあるほかのハーブおよび健康食品・サプリメントと併用すると，心臓を障害するおそれがあるため，併用は避けてください。これらのハーブおよび健康食品・サプリメントには，クリスマスローズ，トウワタの根，ジギタリスの葉，カキネガラシ，セイヨウゴマノハグサ，ドイツスズランの根，マザーワート，オレアンダー，ゲウム，ヤナギトウワタ，海葱，ストロファンツス，ダイオウなどがあります。

ツクシ

カッシアは強心配糖体と呼ばれる物質を含んでいます。ツクシと，カッシアのように強心配糖体を含むハーブおよび健康食品・サプリメントと併用すると，カリウム喪失による心臓障害のリスクが高まる懸念があります。

甘草

カッシアは強心配糖体と呼ばれる物質を含んでいます。甘草と，カッシアのように強心配糖体を含むハーブおよび健康食品・サプリメントを併用すると，過度のカリウム喪失のため，心臓障害のリスクが高まる懸念があります。

刺激性下剤ハーブおよび健康食品・サプリメント

カッシアは強心配糖体と呼ばれる物質を含んでいます。カッシアのように強心配糖体を含むハーブおよび健康食品・サプリメントと，刺激性下剤ハーブおよび健康食品・サプリメントと併用すると，過度のカリウム喪失による，心臓障害のリスクが高まる懸念があります。これらのハーブおよび健康食品･サプリメントにはアロエ，セイヨウイソノキ，ブラックルート，ブルーフラッグ，バターナットの樹皮，コロシント，ヨーロピアンバックソーン，フォーチ，ガンボージ，ゴシポール，ヒロハヒルガオ，ヤラッパ，マンナ，メキシカン・スキャモニイ・ルート，ルバーブ，センナ，イエロードックなどがあります。

使用量の目安

●経口摂取

お茶で，1回ティーカップ1杯を1日2～3回摂取します。お茶の入れ方としては，1～2gの木を熱湯150mLで10～15分煮出し，こします。

●直腸投与

浣腸（1：20）として用います。150mLを毎朝，3日間続けますが，硫酸マグネシウム16gも一緒に経口摂取します。

●局所投与

標準使用量に関するデータがありません。

活性炭

ACTIVATED CHARCOAL

別名ほか

薬用炭（Medicinal charcoal），植物炭末（Vegetable carbon），炭素（Carbon），炭，木炭（Charcoal），骨炭，獣炭（Animal charcoal），灰墨，油煙（Lamp black），ガスブラック（Gas black）

概　要

活性炭は通常の炭に似ていますが，特別に「くすり」として作られたものもあります。

通常の炭は，泥炭，石炭，木炭，ヤシ殻，または石油を材料として作られます。活性炭を作るには，通常の炭を加熱する際にガスを用いて炭の内側に空間または「細孔」をもつ構造に変化させます。細孔により活性炭に化合物を吸着させることができます。

安 全 性

短期間の使用ならば，ほとんどの成人に安全です。

副作用には便秘や黒色便などがあります。

まれに重大な副作用を引き起こすおそれもあり，それには腸管の機能の低下，腸閉塞，肺への逆流，および脱水があげられます。

胃腸の閉塞及び，食物の腸の通過が遅い人：種類に関わらず腸閉塞のある人は，活性炭を使わないでください。また，食物が腸を通過する速度が遅くなる疾患（蠕動運動の減少）がある人は，医師の指導下にある場合を除き，活性炭を使用しないでください。

●妊娠中および母乳授乳期

短期間での使用であれば，活性炭は妊娠中，母乳授乳期でも安全なようです。

有効性

◆有効性レベル②

・中毒。化合物を吸着することで中毒症を防ぐため，一般的な治療法に用います。

◆科学的データが不十分です

・コレステロール値の低下。活性炭を経口で摂取することによって血中コレステロール値を低下させる効果については，有効性を認める研究結果が今のところ得られていません。

・腸内ガスの減少（鼓腸）。いくつかの研究によれば，活性炭は腸内ガスを減らす効果があるとのことですが，他の研究では相反する結果が出ています。まだこの効果について結論付けるのは時期尚早です。

・妊娠中の胆汁減少の治療（胆汁うっ滞）。初期段階の研究によると，活性炭を経口摂取すると，妊娠中の胆汁うっ滞に効果があるようです。

・二日酔いの予防。活性炭は二日酔いの治療薬に含まれていることがありますが，専門家は有効性の程度には懐疑的です。活性炭はさほどアルコールを吸収しないようです。

●体内での働き

化合物を封じ込めて体内に吸収されるのを防ぎます。

医薬品との相互作用

中 アルコール

活性炭は有害物質が体内に吸収されるのを阻止するために用いられることがあります。活性炭の使用時にアルコールを摂取すると，この阻止する効果が低下する可能性があります。

中 トコンシロップ【販売中止】

活性炭が胃の中でトコンシロップを吸着し，その効果を低下させるおそれがあります。

中 経口薬

活性炭は胃腸内にある物質を吸着します。活性炭と経口薬を併用すると，その医薬品の体内吸収量が減少して，効果が弱まるおそれがあります。このような相互作用が起こるのを避けるために，経口薬を服用後，１時間以上経ってから活性炭を使用するようにしてください。

ハーブおよび健康食品・サプリメントとの相互作用

アルコール（エタノール）

アルコールは，活性炭が毒素や他の化学物質を吸収する効果を低減させるようです。

微量栄養素

活性炭は微量栄養素を体内に吸収されにくくすることがあります。

使用量の目安

●経口摂取

過量摂取薬または毒薬の吸収抑制

最初に50～100gを摂取し，その後２～４時間おきに１時間当たり12.5gとなる用量を摂取します。小児の場合は，それより低い10～25gの用量を用います。

褐藻

BROWN ALGAE

別名ほか

Algae, Algas Pardas, Algues Brunes, Brown Alga, Brown Seaweed, EC, ECE, Ecklonia cava, Ecklonia Extract, Eckol, LAD103, Marine Brown Algae, Phlorotannin

概　要

褐藻は日本，韓国，中国の沿岸で採れる食用のコンブです。

安全性

「くすり」として褐藻を摂取する際の安全性については，十分なデータがありません。

●妊娠中および母乳授乳期

妊娠中および母乳授乳期の使用の安全性についてはデータが不十分です。安全性を考慮し，摂取は避けてください。

有効性

◆科学的データが不十分です

・がん，線維筋痛症，関節炎，慢性疲労症候群，不眠症，高コレステロール血症，心疾患，気管支喘息，湾岸戦争シンドローム，心的外傷後ストレス障害，化学物質過敏症，体重減少など。

●体内での働き

褐藻は，抗酸化物質として作用する化学物質を含んでいます。この化学物質はがんなどの疾患を防ぐと考えられています。また，炎症や免疫系等に効果があるとされます。

医薬品との相互作用

ほかの医薬品との相互作用については明らかではありません。

ハーブおよび健康食品・サプリメントとの相互作用

ほかのハーブ，健康食品・サプリメントとの相互作用についてはまだ明らかではありません。

使用量の目安

標準使用量に関するデータがありません。

カッププラント

CUP PLANT

別名ほか

ネバリオグルマ(Indian Gum, Pilot Plant, Polar Plant, Prairie Dock, Ragged Cup, Rosinweed)，ツキヌキオグルマ（Silphium perfoliatum)，Turpentine Weed

概　要

カッププラントはハーブです。根を用いて「くすり」を作ることもあります。

安 全 性

安全性および副作用については不明です。

●妊娠中および母乳授乳期

妊娠中および母乳授乳期の使用の安全性についてはデータが不十分です。安全性を考慮し，摂取は避けてください。

有 効 性

◆科学的データが不十分です

・消化器系疾患。

●体内での働き

医薬品として使用したときの効果については不明です。

医薬品との相互作用

ほかの医薬品との相互作用については明らかではありません。

ハーブおよび健康食品・サプリメントとの相互作用

ほかのハーブ，健康食品・サプリメントとの相互作用についてはまだ明らかではありません。

使用量の目安

標準使用量に関するデータがありません。

カナダバルサム

CANADA BALSAM

別名ほか

アビエスバルサミナ，バルサムモミ（Abies balsamea)，ギレアドバルサム（Balm of Gilead)，バルサム（Balsam Canada Balsam)，バルサムファー（Balsam Fir)，Balsam Fir Canada, Balsam of Fir, Canada Turpentine, Canadian Balsam, Eastern Fir

概　要

カナダバルサムは植物です。「くすり」として使用されることもあります。

カナダバルサムは，歯科では根管のシーラーや歯磨き粉に使用されます。

食品では，食品や飲料の風味付けに使用されます。

製品としては，化粧品の定着剤や軟膏剤やクリーム剤の香料として使用されます。

●要説（ナチュラル・スタンダード）

カナダバルサムは，北米とカナダ原産の小～中くらいの大きさのモミの木です。その針葉は，外側は光沢のある濃緑色で，下側は光沢のない，銀青緑色です。カナダバルサムは，ポプラ属の木では，ギレアデの香油とときどき間違われます。

歴史的には，米国先住民は，カナダバルサムを熱傷や傷を治療するために湿布として皮膚に塗布してきました。伝えられるところによれば，南北戦争時にバルサムモミの香油は，戦争で負った怪我の治療に使用されました。カナダバルサムの精油は，咳や風邪の治療にも使用されます。

カナダバルサム樹脂は，澄んでいて透明な，濃度が蜂蜜に似ている接着剤の液体です。精製されたカナダバルサム樹脂は，光学接着剤，微小なプレッピング剤，油絵での固定剤と光沢剤として使用されます。カナダバルサム樹脂は，歯の治療中にほかの物質と組み合わせて使用されます。樹脂から抽出された油は，それらの抗腫瘍や抗菌活性について実験室レベルで研究されています。カナダバルサムの幹からも，ガラス製品を製造するために使用される油が得られます。

現在，あらゆる医療目的でのカナダバルサム使用に関する質の高い研究は不十分です。

カナダバルサムは，米国食品医薬品局（FDA）の一般に安全と認識されるリスト（GRAS）に掲載されています。

安 全 性

通常の食品に含まれる量の経口摂取は，ほとんどの人に安全のようです。

針葉と小枝を用いて調味料を作るのは安全と考えられ

ています。ただし，通常の食品に含まれる量を超えて経口摂取した場合の安全性については，データが不十分です。皮膚に塗布する場合は，ほとんどの人におそらく安全です。有害な副作用は報告されていませんが，科学的研究がまだ十分に行われていません。

●妊娠中および母乳授乳期

妊娠中および母乳授乳期の使用の安全性についてはデータが不十分です。安全性を考慮し，摂取は避けてください。

有　効　性

◆科学的データが不十分です

・痔核，熱傷，痛み，切創，腫瘍，胸痛，がん，炎症，歯科用製品としての使用など。

●体内での働き

どのように作用するかについては十分なデータが得られていません。

医薬品との相互作用

ほかの医薬品との相互作用については明らかではありません。

ハーブおよび健康食品・サプリメントとの相互作用

ほかのハーブ，健康食品・サプリメントとの相互作用についてはまだ明らかではありません。

使用量の目安

通常の食品に含まれている量を超えて経口摂取した場合の安全性および副作用については，明らかになっていません。

カナンガ油

CANANGA OIL

別名ほか

Cananga Odorata Forma, Macrophylla Canangium odoratum forma macrophylla

概　　要

カナンガ油は植物です。花部の抽出液を蒸留して得られる油脂は，主に食品や化粧品の成分として使用されます。

カナンガ油とイランイランオイル（Canangium odorata genuinaのオイル）を混同してはいけません。

安　全　性

十分なデータが得られていないので，通常調味料として使用される量を超えて経口摂取したときに安全であるかどうか不明です。

●妊娠中および母乳授乳期

妊娠中および母乳授乳期の使用の安全性についてはデータが不十分です。安全性を考慮し，摂取は避けてください。

有　効　性

◆科学的データが不十分です

・何らかの医薬品としての使用。

●体内での働き

どのように作用するかについては十分なデータが得られていません。

医薬品との相互作用

ほかの医薬品との相互作用については明らかではありません。

ハーブおよび健康食品・サプリメントとの相互作用

ほかのハーブ，健康食品・サプリメントとの相互作用についてはまだ明らかではありません。

使用量の目安

標準使用量に関するデータがありません。

カノコソウ

VALERIAN

別名ほか

バレリアン根（Valeriana rhizome），インディアンバレリアン（All-Heal Amantilla, Baldrian, Baldrianwurzel, Belgium Valerian, Common Valerian, Fragrant Valerian, Garden Heliotrope, Garden Valerian, Indian Valerian），ヨウシュカノコソウ，セイヨウカノコソウ（Mexican Valerian, Pacific Valerian, Tagara Valeriana, Valeriana angustifolia, Valeriana officinalis），バレリアン（Valerianae Radix, valeriane）

概　　要

カノコソウはハーブです。根を用いて「くすり」を作ることもあります。

●要説（ナチュラル・スタンダード）

カノコソウは，ヨーロッパおよびアジア原産のハーブです。今では世界中のほとんどの場所に生息しています。カノコソウ（Valerian）の名称は，ラテン語で健康，強さを意味する“valere”に由来し，植物の根に有効成分が含まれていると考えられています。2,000年以上も前から鎮静薬として用いられ，抗不安治療に用いられたという記録があります。たとえば西暦2世紀には，ガレン（ギリシアの医師）が不眠症の治療に推奨しました。中国およびインドのアーユルヴェーダにも，昔から関連種

有効性レベル：①効きます　②おそらく効きます　③効くと断言できませんが、効能の可能性が科学的に示唆されています　④効かないかもしれません　⑤おそらく効きません　⑥効きません

が用いられています。皮膚用の製剤は，ただれおよびにきびの治療に用いられています。ほかにも消化管障害，鼓腸（腸内ガス），うっ血性心不全，尿路障害および狭心症（胸痛）などの疾患に対して，経口摂取されてきました。

カノコソウのエキスは1800年代半ばには欧米でも一般的になり，処方鎮静薬が普及するまで，医師の間でも一般の人々の間でも使用されていました。北アメリカ，ヨーロッパ，および日本では，今でも不眠症および不安感の治療に一般的に使用されています。カノコソウの有効成分は知られていませんが，製品はバレレン酸の含有量によって標準化されています。

安 全 性

短期間の「くすり」としての量の摂取は，ほとんどの人に安全のようです。12,000人以上を対象にした臨床研究により，28日間までの医療用としての使用の安全性が報告されています。長期間の使用の安全性についてはデータが不十分です。小児が４～８週間使用する場合は安全である可能性を示唆する情報もあります。

頭痛，興奮，不安感，不眠などの副作用を起こすおそれがあります。

まれですが，摂取した日の翌朝に頭がぼんやりすることがあり，これはとくに多くの量を摂取したときに起こりやすいと考えられます。カノコソウの摂取後は，運転や重機の操縦はしないことが最善です。

長期間使用した場合の安全性については不明です。長期間使用した後，中止したときに現れる副作用があると考えられ，これを避けるために，完全に中止する前に１～２週間かけて徐々に使用量を減らしていくという方法をとるのがよいとされています。

手術：中枢神経系の働きを抑制します。麻酔など手術中に用いられるほかの医薬品も中枢神経系の働きに影響を与えます。これらの作用が組み合わさると，有害なおそれがあります。予定手術の少なくとも２週間は，使用しないでください。

●妊娠中および母乳授乳期

妊娠中および母乳授乳期の使用の安全性についてはデータが不十分です。安全性を考慮し，摂取は避けてください。

有 効 性

◆有効性レベル③

・不眠症。カノコソウには，不眠症に対して睡眠薬のような即効性はありません。効果が確認できるようになるには，数日間から最大で４週間にわたる継続的な摂取が必要となる場合があります。カノコソウは，睡眠薬の使用を中止しようとしている人の眠りの質を改善するものと見られます。しかしながら，必ずしもすべての試験データで効果が見られているわけではありません。研究によっては，不眠症に対してプラセボ（偽薬）とまったく効果に変わりがないとするデータもあります。

◆科学的データが不十分です

・不安感。不安感に対する有効性については，相反するエビデンスがあります。社会的状況におけるストレス軽減の例が数件報告されています。一方，効果はないとする研究もあります。
・うつ病。カノコソウをセント・ジョンズ・ワートと併用して摂取することで，うつ病の症状が改善することを示唆する初期の研究もあります。高用量のカノコソウとセント・ジョンズ・ワートの併用は，低用量使用に比べてうつ病の症状はより早く改善します。
・不穏。カノコソウの根のエキス160mgとレモンバームの葉のエキス80mgの併用製品（商品名：Euvegal forte，Schwabe Pharmaceuticals社）が12歳未満の小児の深刻な不穏症状（睡眠障害）を軽減するために，試験的に用いられています。初期の研究により，有効性が示唆されていますが，さらなる研究が必要です。
・月経困難症（月経不順）。初期の研究により，月経周期２回にわたり，カノコソウを１日３回継続して摂取することで，月経中の痛みを軽減し，ほかの鎮痛薬の必要性を軽減することが示唆されています。
・ストレス。初期の研究により，600mgのカノコソウを７日間継続して摂取することで，ストレス環境下での血圧と心拍数を下げ，ストレスの感じ方を軽減することが示唆されています。ほかの研究では，聴衆の前で話す前に，100mgのカノコソウを摂取することで，不安が軽減することが示唆されています。別の研究では，カノコソウとレモンバームを含む配合製品が，ストレスに起因する不安感を軽減しますが，高用量の摂取では不安感が増加することが示されています。
・痙攣，軽度の振戦，てんかん，注意欠陥多動性障害，慢性疲労症候群，筋肉痛，関節痛，頭痛，胸やけ。顔面紅潮（ほてり）および不安感などの更年期症状など。

●体内での働き

脳および神経系に対して鎮静薬のような作用を及ぼすと考えられます。

医薬品との相互作用

中アルコール

アルコールは眠気および注意力低下を引き起こす可能性があります。カノコソウも眠気および注意力低下を引き起こす可能性があります。多量のカノコソウとアルコールを併用すると，過度の眠気を引き起こすおそれがあります。ただし，カノコソウとアルコールを併用しても眠気は増加しないことを示唆する研究もあります。

中アルプラゾラム

カノコソウは眠気を引き起こします。アルプラゾラムも眠気を引き起こす可能性があります。カノコソウとアルプラゾラムを併用すると，過度の眠気が引き起こされるおそれがあります。

中 肝臓で代謝される医薬品（グルクロン酸抱合を受けて代謝される医薬品）

特定の医薬品は体内で代謝されてから排泄されます。肝臓には医薬品を代謝する役割があります。カノコソウはこのような医薬品の肝臓での代謝を抑制する可能性があります。そのため，医薬品の作用および副作用が増強するおそれがあります。このような医薬品には，アセトアミノフェン，アトルバスタチンカルシウム水和物，ジアゼパム，ジゴキシン，エンタカポン，エストロゲン，イリノテカン塩酸塩水和物，ラモトリギン，ロラゼパム，Lovastatin，メプロバメート（販売中止），モルヒネ塩酸塩水和物，オキサゼパム（販売中止）などがあります。

低 肝臓で代謝される医薬品（シトクロムP450 2D6（CYP2D6）の基質となる医薬品）

特定の医薬品は肝臓で代謝されます。カノコソウは特定の医薬品の肝臓での代謝を抑制する可能性があります。カノコソウと肝臓で代謝される医薬品を併用すると，医薬品の作用および副作用が増強するおそれがあります。肝臓で代謝される医薬品を服用している場合には，医師や薬剤師に相談することなくカノコソウを摂取しないでください。このような医薬品には，アミトリプチリン塩酸塩，クロザピン，コデインリン酸塩水和物，塩酸デシプラミン（販売中止），ドネペジル塩酸塩，フェンタニルクエン酸塩，フレカイニド酢酸塩，塩酸フルオキセチン（販売中止），ペチジン塩酸塩，メサドン塩酸塩，メトプロロール酒石酸塩，オランザピン，オンダンセトロン塩酸塩水和物，トラマドール塩酸塩，トラゾドン塩酸塩などがあります。

中 肝臓で代謝される医薬品（シトクロムP450 3A4（CYP3A4）の基質となる医薬品）

特定の医薬品は肝臓で代謝されます。カノコソウはこのような医薬品の代謝を抑制する可能性があります。カノコソウと肝臓で代謝される医薬品を併用すると，医薬品の作用および副作用が増強するおそれがあります。肝臓で代謝される医薬品を服用している場合には，医師や薬剤師に相談することなくカノコソウを摂取しないでください。このような医薬品には，Lovastatin，ケトコナゾール，イトラコナゾール，フェキソフェナジン塩酸塩，トリアゾラムなど数多くあります。

中 鎮静薬（中枢神経抑制薬）

カノコソウは眠気を引き起こす可能性があります。鎮静薬は眠気を引き起こす医薬品です。カノコソウと鎮静薬を併用すると，過度の眠気を引き起こす可能性があります。また，手術中に併用すると，鎮静作用が長引くおそれがあります。このような鎮静薬には，ペントバルビタールカルシウム，フェノバルビタール，セコバルビタールナトリウム，チオペンタールナトリウム，フェンタニルクエン酸塩，モルヒネ塩酸塩水和物，プロポフォールなどがあります。

ハーブおよび健康食品・サプリメントとの相互作用

鎮静（睡眠導入）効果をもつハーブおよび健康食品・サプリメント

カノコソウを鎮静薬の働きのあるハーブおよび健康食品・サプリメントと併用すると，過度な眠気が起こる人もいます。併用することで，カノコソウの副作用が強く現れるおそれもあります。

これらのハーブおよび健康食品・サプリメントには，ショウブ，カリフォルニアポピー，キャットニップ，ホップ，ジャマイカ・ドッグウッド，カバ，L-トリプトファン，メラトニン，セージ，S-アデノシルメチオニン（SAMe），セント・ジョンズ・ワート，ササフラス，スカルキャップなどがあります。

通常の食品との相互作用

アルコール

アルコールと併用すると，過剰な眠気を引き起こすおそれがあります。ただし，カノコソウとアルコールを併用しても眠気は増加しないことを示唆する研究もあります。

使用量の目安

●経口摂取

不眠症

多くの研究では400～900mgのカノコソウエキスを，遅くとも就寝２時間前に摂取，これを28日間ほど続けます。このほかカノコソウエキス300～450mgを３回に分けて使用する研究もあります。120mgのカノコソウエキスを，レモンバームエキス80mgと併用する場合，１日３回，最長30日間摂取します。１錠中，カノコソウエキス187mgとホップエキス41.9mgを含む配合薬２錠を，就寝時に28日間摂取することもあります。カノコソウは就寝の30分～２時間前に摂取してください。

小児における睡眠異常

カノコソウの根エキス160mgとレモンバームの葉エキス80mgを含む特定の配合薬１～２錠を１日１～２回摂取します。

カバ

KAVA

●代表的な別名

アバ

別名ほか

カバ根（Kava-kava，Kava Pepper，Kava Root），カバカバ（Ava，Awa，Intoxicating，PepperKava Kava），カワ（Kawa），カワカワ（Kawa Kawa），カヴァカヴァ（Kawa-Kawa），カヴァ（Kew，Piper Methysticum），

シャカオ（Rauschpfeffer，sakau），ヤンゴナ（Tonga，Wurzelstock，Yagona）

概　　要

カバは西太平洋の島々に自生する植物（Piper methysticum）から抽出される飲物またはエキスです。「カバ」という名前は，「苦い」という意味を持つ，ポリネシア語の「アワ」という言葉から来ています。南太平洋では，カバは，西洋社会におけるアルコール飲料のように，大衆の社交用の飲物です。

カバの安全性については，大きな懸念があります。肝障害および死亡に至った多くのケースを調査してみると，カバの使用が確認されています。そのため，2000年代初頭に，カバはヨーロッパとカナダの市場から排除されました。しかし，カナダとドイツの市場では，2012年と2015年にカバの販売が解禁されました。これらの国々では，これまで報告されてきた肝毒性の直接の原因がカバであることを示す十分な研究結果が得られていないと判断したのです。カバはアメリカの市場からは一度も排除されていません。

カバは，不安，ストレス，情緒不安，睡眠障害（不眠）などを治療するために経口摂取されます。また，注意欠陥多動障害（ADHD），　ベンゾジアゼピン系薬からの離脱，てんかん，精神病，うつ病，片頭痛やほかの頭痛，慢性疲労症候群（CFS），感冒，ほかの気道感染症，結核，筋肉痛，がんの予防などに使用されます。

カバは，ほかにも尿路感染症（UTIs），子宮の痛みと腫脹，性感染症，月経障害，性欲の増加などに経口摂取されます。

カバは，ハンセン病などの皮膚疾患，創傷治癒の促進，鎮痛のために皮膚へ塗布して使用されます。また，カバは，口唇潰瘍や歯痛に対してうがい薬として使用されます。

カバは，儀式などの際に，リラクゼーションを助けるために飲物として摂取されます。

安　全　性

カバの経口摂取は，短期間であれば，おそらく安全です。カバエキスは，医師などの指導がある場合には，最長6カ月まで，安全に使用されています。

カバの使用により，自動車の運転や，機械操作を安全に実施することができなくなるおそれがあります。運転前には，カバを使用してはいけません。カバ茶を多量に摂取した後に危険な運転をした人が，裁判所から飲酒運転の召喚状を受けた例があります。

カバの使用により，肝障害を引き起こすおそれがあると言われています。1～3カ月の短期間であっても，カバの使用により，人によっては，肝臓移植が必要になるおそれや，死に至るおそれがあります。肝障害の初期症状には，黄疸（眼や皮膚が黄色くなる疾患），疲労および暗色尿などがあります。ただし，このような症状が現れるケースは，比較的まれのようです。カバの使用により，肝毒性が現れる患者は一部です。これらの症例における肝毒性の原因は，カバに直接関連付けられないと考える専門家もいます。ほかの要因が，毒性作用に寄与しているおそれがあります。安全性を考慮し，カバを使用する場合には，肝機能検査を受けるべきです。

うつ病：カバの使用により，うつ病が悪化するおそれがあります。

肝疾患：健康体の場合であっても，カバが，肝障害を引き起こすおそれがあります。肝疾患がある場合には，カバの摂取は，リスクとなります。肝疾患の既往症がある場合には，カバを避けるべきです。

パーキンソン病：カバが，パーキンソン病を悪化させるおそれがあります。パーキンソン病の場合には，カバを摂取してはいけません。

手術：カバは，中枢神経系に影響を与えます。このため，カバの摂取が手術中および術後に使用される麻酔などの医薬品の作用を，増強するおそれがあります。少なくとも手術前２週間は，使用しないでください。

●妊娠中および母乳授乳期

妊娠中および母乳授乳期は，使用しないでください。カバの経口摂取は，おそらく安全ではありません。カバが，子宮に影響を与えるおそれがあります。カバに含まれている一部の危険な化学物質が，母乳に浸透し，母乳で育てられている乳児の害となるおそれがあります。

有　効　性

◆有効性レベル③

・不安。大部分の研究により，70％のカバラクトンを含む，カバエキスを摂取する場合には，ある種の抗不安薬と同様の働きをし，不安が緩和する可能性が示唆されています。大部分の研究では，特定のカバエキスが使用されていますが，相反するエビデンスも，複数あります。症状改善が確認できるまでには，少なくとも200mgのカバラクトンを含有するカバのサプリメントを毎日摂取し，治療を最低５週間継続する必要がある可能性があります。重度の不安がある場合や，女性，若い患者の場合には，カバがより有効である可能性もあります。

◆科学的データが不十分です

・ベンゾジアゼピン系薬からの離脱，がん，過度の心配や緊張を特徴とする持続性不安の１つ（全般性不安障害（GAD）），不眠，更年期症状，ストレス，注意欠陥多動障害（ADHD），慢性疲労症候群（CFS），感冒，うつ病，てんかん，情動不安，頭痛，呼吸器感染，月経異常，筋肉痛，精神病，性的興奮，性感染症，皮膚疾患，子宮の腫脹，結核，尿路感染症（UTI），創傷治癒など。

●体内での働き

カバは，脳および中枢神経系などに影響を与えます。カバに含まれている，カバラクトンによる作用と考えら

相互作用レベル：高この医薬品と併用してはいけません　中この医薬品とは慎重に併用するか併用しないでください
低この医薬品との併用には注意が必要です

れています。

医薬品との相互作用

中ハロペリドール

ハロペリドールは肝臓で代謝されます。カバはハロペリドールの代謝を抑制し，副作用を増強させるおそれがあります。カバを経口摂取していた人がハロペリドールの注射後に，心臓の合併症を起こしたという報告があります。

中ロピニロール塩酸塩

ロピニロール塩酸塩は肝臓で代謝されます。カバはロピニロール塩酸塩の肝臓での代謝を抑制し，副作用を増強させるおそれがあります。カバとロピニロール塩酸塩を併用した人に幻覚および妄想が現れたという報告があります。

低肝臓で代謝される医薬品（シトクロムP450 1A2（CYP1A2）の基質となる医薬品）

特定の医薬品は肝臓で代謝されます。カバはこのような医薬品の代謝を抑制する可能性があります。カバと肝臓で代謝される医薬品を併用すると，医薬品の作用および副作用が増強するおそれがあります。このような医薬品には，クロザピン，Cyclobenzaprine，フルボキサミンマレイン酸塩，ハロペリドール，イミプラミン塩酸塩，メキシレチン塩酸塩，オランザピン，塩酸ペンタゾシン，プロプラノロール塩酸塩，Tacrine，テオフィリン，Zileuton，ゾルミトリプタンなどがあります。

中肝臓で代謝される医薬品（シトクロムP450 2C19（CYP2C19）の基質となる医薬品）

特定の医薬品は肝臓で代謝されます。カバはこのような医薬品の代謝を抑制する可能性があります。カバと肝臓で代謝される医薬品を併用すると，医薬品の作用および副作用が増強するおそれがあります。このような医薬品には，アミトリプチリン塩酸塩，クロミプラミン塩酸塩，シクロホスファミド水和物，ジアゼパム，ランソプラゾール，オメプラゾール，フェニトイン，フェノバルビタール，プロゲステロンなどがあります。

中肝臓で代謝される医薬品（シトクロムP450 2C9（CYP2C9）の基質となる医薬品）

特定の医薬品は肝臓で代謝されます。カバはこのような医薬品の代謝を抑制する可能性があります。カバと肝臓で代謝される医薬品を併用すると，医薬品の作用および副作用が増強するおそれがあります。このような医薬品には，アミトリプチリン塩酸塩，ジアゼパム，Zileuton，セレコキシブ，ジクロフェナクナトリウム，フルバスタチンナトリウム，Glipizide，イブプロフェン，イルベサルタン，ロサルタンカリウム，フェニトイン，ピロキシカム，タモキシフェンクエン酸塩，トルブタミド（販売中止），トラセミド，ワルファリンカリウムなどがあります。

低肝臓で代謝される医薬品（シトクロムP450 2D6（CYP2D6）の基質となる医薬品）

特定の医薬品は肝臓で代謝されます。カバはこのような医薬品の代謝を抑制する可能性があります。カバと肝臓で代謝される医薬品を併用すると，医薬品の作用および副作用が増強するおそれがあります。このような医薬品には，アミトリプチリン塩酸塩，クロザピン，コデインリン酸塩水和物，塩酸デシプラミン（販売中止），ドネペジル塩酸塩，フェンタニルクエン酸塩，フレカイニド酢酸塩，塩酸フルオキセチン（販売中止），ペチジン塩酸塩，メサドン塩酸塩，メトプロロール酒石酸塩，オランザピン，オンダンセトロン塩酸塩水和物，トラマドール塩酸塩，トラゾドン塩酸塩などがあります。

中肝臓で代謝される医薬品（シトクロムP450 2E1（CYP2E1）の基質となる医薬品）

特定の医薬品は肝臓で代謝されます。カバはこのような医薬品の代謝を抑制する可能性があります。カバと肝臓で代謝される医薬品を併用すると，医薬品の作用および副作用が増強するおそれがあります。このような医薬品には，アセトアミノフェン，クロルゾキサゾン，アルコール，テオフィリンと，エンフルラン（販売中止），ハロタン（販売中止），イソフルランやMethoxyfluraneなどの麻酔薬があります。

低肝臓で代謝される医薬品（シトクロムP450 3A4（CYP3A4）の基質となる医薬品）

特定の医薬品は肝臓で代謝されます。カバはこのような医薬品の代謝を抑制する可能性があります。カバと肝臓で代謝される医薬品を併用すると，医薬品の作用および副作用が増強するおそれがあります。このような医薬品には，Lovastatin，ケトコナゾール，イトラコナゾール，フェキソフェナジン塩酸塩，トリアゾラムなど数多くあります。

中肝臓を害する可能性のある医薬品

カバは肝臓を害する可能性があります。カバと肝臓を害する可能性のある医薬品を併用すると，肝障害のリスクが高まるおそれがあります。肝臓を害する可能性のある医薬品を服用中にカバを摂取しないでください。このような医薬品には，アセトアミノフェン，アミオダロン塩酸塩，カルバマゼピン，イソニアジド，メトトレキサート，メチルドパ水和物，フルコナゾール，イトラコナゾール，エリスロマイシン，フェニトイン，Lovastatin，プラバスタチンナトリウム，シンバスタチンなど数多くあります。

中細胞内のポンプによって輸送される医薬品（P糖タンパク質の基質となる医薬品）

特定の医薬品は細胞内のポンプによって輸送されます。カバは，ポンプの働きを弱め，このような医薬品の体内への吸収量を増加させる可能性があります。そのため，医薬品の体内量が増加し，副作用が増強するおそれがあります。しかし，このことが重大な問題であるかについては十分には明らかではありません。このような医薬品には，エトポシド，パクリタキセル，ビンブラスチン硫酸塩，ビンクリスチン硫酸塩，ビンデシン硫酸塩，

カ

ケトコナゾール，イトラコナゾール，アンプレナビル（販売中止），インジナビル硫酸塩エタノール付加物（販売中止），ネルフィナビルメシル酸塩，サキナビルメシル酸塩，シメチジン，ラニチジン塩酸塩，ジルチアゼム塩酸塩，ベラパミル塩酸塩，副腎皮質ステロイド，エリスロマイシン，シサプリド，フェキソフェナジン塩酸塩，シクロスポリン，ロペラミド塩酸塩，キニジン硫酸塩水和物などがあります。

高鎮静薬（中枢神経抑制薬）

カバは眠気および注意力低下を引き起こす可能性があります。鎮静薬は眠気を引き起こす医薬品です。カバと鎮静薬を併用すると，過度の眠気を引き起こすおそれがあります。このような鎮静薬には，クロナゼパム，ロラゼパム，フェノバルビタール，ゾルピデム酒石酸塩などがあります。

中アルプラゾラム

カバは傾眠を引き起こす可能性があります。アルプラゾラムもまた傾眠を引き起こす可能性があります。カバとアルプラゾラムを併用すると，過度に傾眠を引き起こすおそれがあります。カバとアルプラゾラムを併用しないでください。

中レボドパ

レボドパは脳内物質のドーパミンを増やすことにより，脳に影響を及ぼします。カバは脳内のドーパミンを減少させる可能性があります。カバとレボドパを併用すると，レボドパの効果が弱まるおそれがあります。

ハーブおよび健康食品・サプリメントとの相互作用

肝臓を損傷するおそれのあるハーブおよび健康食品・サプリメント

カバが，肝臓を損傷するおそれがあります。カバと，肝臓を損傷するおそれのあるハーブおよび健康食品・サプリメントを併用すると，深刻な肝障害のリスクが高まるおそれがあります。このようなハーブおよび健康食品・サプリメントには，アンドロステンジオン，チャパラル，コンフリー，デヒドロエピアンドロステロン，ジャーマンダー，ニコチン酸，ペニーロイヤル油，紅麹などがあります。

鎮静作用のあるハーブおよび健康食品・サプリメント

カバが，眠気または注意力低下を引き起こすおそれがあります。カバと，鎮静作用のある，ほかのハーブおよび健康食品・サプリメントを併用すると，過度の眠気を引き起こすおそれがあります。このようなハーブおよび健康食品・サプリメントには，5-ヒドロキシトリプトファン，ショウブ，ハナビシソウ，キャットニップ，ホップ，ジャマイカ・ドッグウッド，セント・ジョンズ・ワート，スカルキャップ，カノコソウ，アネモプシス・カリフォルニカなどがあります。

通常の食品との相互作用

アルコール（エタノール）

カバを，アルコールと併用すると，眠気が増し，反射が危険なまでに遅くなるおそれがあります。カバを，アルコールと併用すると，肝障害のリスクが高まるおそれもあります。

使用量の目安

●経口摂取

不安

50～100mgの特定のカバエキスを，1日3回，最長25週間にわたり使用します。または，別の特定のカバエキスを，1日400mg，8週間にわたり使用します。1錠当たり，50mgのカバラクトンを含む，カバの錠剤を5錠，1日3回にわけ，1週間にわたり摂取します。カバエキスの錠剤を，1～2錠，1日2回，6週にわたり摂取します。カルシウムサプリメントと，1日100～200mgのカバのサプリメントを併用し，3カ月にわたり摂取することもあります。

カバノキ

BIRCH

●代表的な別名

シラカバ

別名ほか

シダレカンバ，シラカバ（Betula，Betulae folium，betula pendula），ヨーロッパシラカンバ（Betula verrucosa），Downy Birch，Silver Birch，White Birch

概　　要

カバノキは樹木です。ビタミンCを豊富に含んでいる葉を用いて「くすり」を作ることもあります。

●要説（ナチュラル・スタンダード）

カバノキの樹種は，温帯北米，欧州，およびアジア全域によくみられます。カバノキの花粉に対する高曝露が一般的な地域では，もっとも一般的なアレルゲンの1つです。アレルゲンは，アトピー性皮膚炎，接触性蕁麻疹，アトピー性湿疹，気管支喘息，喘鳴，アレルギー性結膜炎，眼の充血，口腔や咽頭のそう痒，鼻結膜炎（鼻の粘膜や，眼球前方とまぶたを覆う粘膜の炎症）の可能性があります。

ヒトにおける，どんな適応症についても，カバノキの使用を裏づけるエビデンスは十分ではありません。ある研究は，カバノキの樹皮軟膏が，日光角化症（皮膚の厚い，うろこ状のパッチの前がん状態）に有効な可能性を示しています。

・新型コロナウイルス感染症（COVID-19）。
COVID-19に対してカバノキの使用を裏付ける十分なデータはありません。

安 全 性

経口摂取または皮膚への塗布は，短期間ならおそらく安全ですが，アレルギー反応を引き起こす場合もあります。

高血圧：体内の塩分量を増やし，これにより高血圧が悪化するおそれがあります。

●アレルギー

ワイルドキャロット，ヨモギ，セロリやほかの香辛料に過敏な人では，アレルギー反応を起こすおそれがあります。また，リンゴ，大豆，ヘーゼルナッツ，ピーナッツなどのほかの植物に過敏な人では，カバノキの花粉もアレルギーを引き起こすおそれがあります。

●妊娠中および母乳授乳期

妊娠中および母乳授乳期の使用の安全性についてはデータが不十分です。安全性を考慮し，摂取は避けてください。

有 効 性

◆科学的データが不十分です

・日光角化症，関節炎，脱毛，皮疹，尿路疾患，関節リウマチなど。

●体内での働き

葉に含まれる成分には，利尿作用を示すものがあります。

医薬品との相互作用

低利尿薬

カバノキは体内の水分を排出させ，利尿薬と同様に作用する可能性があります。カバノキと利尿薬を併用すると，体内の水分を過剰に排出させる可能性があります。水分が過剰に排出されると，めまいが起きたり，血圧が過剰に低下するおそれがあります。このような利尿薬にはクロロチアジド（販売中止），クロルタリドン（販売中止），フロセミド，ヒドロクロロチアジドなどがあります。

ハーブおよび健康食品・サプリメントとの相互作用

ほかのハーブ，健康食品・サプリメントとの相互作用についてはまだ明らかではありません。

使用量の目安

通常の食品に含まれている量を超えて経口摂取した場合の安全性および副作用については，明らかになっていません。

カフェイン

CAFFEINE

別名ほか

無水カフェイン（Anhydrous caffeine），安息香酸ナトリウムカフェイン（Caffeine Sodium benzoate），クエン酸カフェイン（Caffeine citrate），1,3,7-トリメチルキサンチン（1,3,7-trimethylxanthine）

概 要

カフェインは化合物です。コーヒー，紅茶，コーラ，ガラナジュース，マテ茶などに含まれています。

●要説（ナチュラル・スタンダード）

カフェインは自然発生した化合物で，コーヒー（Coffea arabica），カカオ（Theobroma cacao）豆，コーラノキ（Cola acuminata）の種，ガラナ（Paullinia cupana）ベリー，茶（Camellia sinensis）葉など，60種以上の植物の葉や種子，または果実に見いだすことができます。カフェインは，米国等世界中で常に消費されています。コーヒー，チョコレート（ココア），ある種のエネルギードリンク，茶など，多くの飲料に含まれています。米国では年間１人当たり７kg以上のカフェインが消費されています。

カフェインは1819年，ドイツの科学者Friedlieb Ferdinand Rungeにより初めて発見されました。彼はコーヒーに含まれる化合物を意味するKaffeinという語を作り出し，英語でカフェインとなりました。

人類は石器時代からカフェインを消費してきました。この時代に人々は，ある種の植物の種子や樹皮，葉をかむことが疲労を抑え，注意力を増し，気分を改善するということを発見しました。歴史上初めてのポットの茶は，紀元前2737年に遡ります。中国のShen Nung皇帝が飲用の湯を沸かしていたところ，ポットの中に近くの灌木の葉が落ちたことに始まるといわれています。コーヒーが初めて記されたのは，およそ紀元575年，アフリカのことで，当時豆はお金として使われ，また食品として食されました。11世紀のアラブ人は，コーヒー飲料を飲んでいたことが知られています。1519年，スペインの征服者たちは，アステカ皇帝Montezumaにより，チョコレートドリンクでもてなされました。史上初のカフェイン入りのソフトドリンクは，1880年代に作られました。

ヒトでは，カフェインは心臓を活性化し，利尿作用があるとされます。また，気分や忍耐力，脳，血管への影響が知られ，胃，腸両方の活動への影響も知られています。カフェインはまた，減量ツールとして市場に出され，しばしば種々の減量サプリメントにも含まれています。

安 全 性

カフェインの使用は，適量であれば，ほとんどの成人にとって，安全のようです。

カフェインを長期間にわたり摂取する場合や，きわめて高用量のカフェインを摂取する場合には，おそらく安全ではありません。カフェインが，不眠，神経過敏，情動不安，胃の過敏，吐き気，嘔吐，心拍数および呼吸数の上昇などの副作用を引き起こすおそれがあります。カフェインにより，エイズ患者の睡眠障害が悪化するおそれがあります。高用量を摂取する場合には，頭痛，不安，情動不安，胸痛および耳鳴りを引き起こすおそれがあります。

きわめて高用量のカフェインを摂取する場合には，脈拍不整を引き起こすおそれや，死に至るおそれもあり，安全ではないようです。

小児：カフェインの摂取は，通常の食品や飲料に含まれている量を用いる場合，適量を経口摂取する場合，または静脈内投与する場合には，おそらく安全です。

不安障害：カフェインが，不安障害を悪化させるおそれがあります。注意して使用してください。

双極性障害：過剰なカフェインにより，双極性障害が悪化するおそれがあります。双極性障害をコントロールすることに成功していた36歳の男性が，カフェイン，タウリン，イノシトールなどの成分が入ったエネルギー飲料を４日にわたり複数缶飲んだ後に，躁病の症状を発症し，入院したという例が１件あります。双極性障害の場合には，カフェインの摂取を少量にとどめるよう注意してください。

出血性疾患：カフェインが，出血性疾患を悪化させるおそれがあります。出血性疾患の場合には，注意してカフェインを使用してください。

心疾患：敏感な場合には，カフェインにより，脈拍不整を引き起こすおそれがあります。注意してカフェインを使用してください。

糖尿病：複数の研究により，カフェインが，体内における糖分の働きに影響を与え，糖尿病が悪化するおそれがあることが示唆されています。ただし，カフェインを含む飲料や，ハーブの作用についての研究は，なされていません。糖尿病の場合には，注意してカフェインを使用してください。

下痢：カフェインを，とくに高用量のカフェインを摂取する場合には，下痢が悪化するおそれがあります。

てんかん：てんかんの場合には，高用量のカフェインの摂取を避けるべきです。少量のカフェインであっても，注意して使用するべきです。

緑内障：カフェインにより，眼圧が上昇します。眼圧の上昇は，カフェイン飲料を摂取した後，30分以内に始まり，少なくとも90分は継続します。

高血圧：高血圧の患者が，カフェインを摂取すると，血圧が上昇するおそれがあります。ただし，日常的にカフェインを摂取している場合には，影響が少ない可能性があります。

膀胱制御喪失：カフェインにより，排尿の頻度や尿意切迫感を高め，膀胱制御喪失が悪化するおそれがあります。

過敏性腸症候群：カフェインを，とくに高用量のカフェインを摂取する場合には，下痢が悪化し，過敏性腸症候群の症状が悪化するおそれがあります。

骨粗鬆症：カフェインにより，尿中に排出されるカルシウム値が上昇するおそれがあります。骨粗鬆症や，骨密度が低い場合には，カフェインの摂取を，１日当たり，300㎎未満（コーヒー，およそ２～３杯）に制限するべきです。尿中に排出されるカルシウムを補うために，過剰なカルシウムを摂取することも推奨されています。ビタミンDの作用に影響を与える遺伝性疾患をともなう高齢女性の場合には，カフェインの使用に注意するべきです。ビタミンDは，カルシウムとともに，骨を生成します。

統合失調症：カフェインが，統合失調症の症状を悪化させるおそれがあります。

●妊娠中および母乳授乳期

妊娠中および母乳授乳期のカフェインの使用は，１日当たり，200mg未満であれば，おそらく安全です。この量は，１～２杯のコーヒーに相当します。妊娠中および母乳授乳期に，高用量のカフェインを摂取することは，おそらく安全ではありません。流産や，ほかの疾患のリスクが高まるおそれがあります。また，カフェインは母乳に移行するおそれがあるため，母乳授乳期にカフェインを摂取する場合には，注意深く監視し，少量の摂取にとどめるべきです。母乳授乳期に高用量のカフェインを摂取すると，睡眠障害，過敏性を引きおこすおそれや，乳児の腸活動が促進するおそれがあります。

有 効 性

◆有効性レベル①

・片頭痛。カフェインを，アスピリンやアセトアミノフェンなどの鎮痛薬と併用して経口摂取する場合には，片頭痛の治療として有効です。カフェインを鎮痛薬と併用する方法は，片頭痛の治療法として，米国食品医薬品局（FDA）により認められています。
・手術後の頭痛。カフェインを，経口摂取または静脈内投与する場合には，手術後の頭痛の予防として有効です。日常的にカフェインを含む製品を摂取している患者に対して，カフェインの経口摂取および静脈内投与は，手術後の頭痛の予防策として，米国食品医薬品局（FDA）により認められています。
・緊張性頭痛。カフェインを鎮痛薬と併用して経口摂取する場合には，緊張性頭痛の治療として有効です。

◆有効性レベル②

・精神的覚醒。カフェインを含む飲料を終日にわたり摂取すると，精神が覚醒した状態に維持されることが研究により示唆されています。カフェインまたはブドウ糖をそれぞれ単体で摂取するよりも，カフェインとブドウ糖が両方含まれるエナジードリンクの方が，精神活動が改善するようです。

◆有効性レベル③

・気管支喘息。カフェインが，気管支喘息患者の気道の機能を，最長４時間まで改善するようです。
・運動能力。カフェインの摂取により，体力や持久力が増強し，疲労を遅らせます。カフェインにより，サイクリング，ランニング，サッカー，ゴルフなどの活動中の運動の感覚が抑制され，能力が改善する可能性もあります。ただし，カフェインには，短距離や重量挙げなどの短時間で高負荷の運動中に能力を改善する効果はないようです。

・糖尿病。カフェインを含む飲料を摂取する場合には，２型糖尿病の発症リスクの低下につながります。カフェインの量の増加は，リスクの低下につながるようです。ただし，カフェインが，２型糖尿病の予防につながる可能性はありますが，２型糖尿病の治療とはならないようです。１型糖尿病患者に対する，カフェインの影響についての研究結果は，一致していません。複数の研究が効果を示唆しているものの，ほかの研究では効果がないことが示唆されています。

・胆のう疾患。１日当たり，400mg以上のカフェインを含むカフェイン飲料を摂取することにより，胆石の発症リスクが低下するようです。この作用には量依存性があるようです。１日当たり，800mgのカフェインを摂取するのが，最も効果的なようです。

・食後の低血圧。食後に低血圧をともなう高齢者が，カフェインを含む飲料を摂取することにより，血圧が上昇するようです。

・記憶力。社交的な性格の人や学生が，１日当たり，200mgのカフェインを経口摂取することにより，人によっては，記憶力が向上するようです。

・乳児の呼吸器疾患。早産児が，カフェインを経口摂取する場合や，静脈内投与する場合には，呼吸が改善されるようです。７～10日にわたる治療により，息切れの発症頻度が少なくとも50％は低下するようです。ただし，カフェインが，早産児の呼吸器疾患の発症リスクを低下させることはないようです。

・疼痛。研究により，カフェインと鎮痛薬を併用して摂取することにより，疼痛が緩和する可能性が示唆されています。

・パーキンソン病。複数の研究により，カフェインを含む飲料を摂取する場合には，パーキンソン病のリスクが低いことが示唆されています。ただし，喫煙者に対しては，この作用はみられていません。

・硬膜外麻酔後の頭痛。カフェインを，経口摂取または，静脈内投与する場合には，硬膜外麻酔後の頭痛の予防につながるようです。

・体重減少。カフェインとエフェドリンを併用して摂取すると，短期間ではあるものの，減量につながるようです。肥満の場合には，１日当たり，192mgのカフェインと，１日当たり，90mgのマオウ（麻黄）を，６カ月にわたり併用して摂取することにより，ある程度の減量（5.3kg）につながるようです。この併用に加えて，脂肪の摂取エネルギー比率を30％に制限し，適度な運動をすることにより，体脂肪が減り，低比重リポタンパク（LDL，悪玉）コレステロールが低下し，高比重リポタンパク（HDL，善玉）コレステロールが増加するようです。ただし，好ましくない副作用を引き起こすおそれもあります。慎重にスクリーニングされ，監視されている健康な成人であっても，カフェインとマオウ（麻黄）の併用により，血圧や心拍数に変化を引き起こすおそれがあります。

◆有効性レベル④

・注意欠陥多動障害（ADHD）。大部分の研究により，カフェインが，小児の注意欠陥多動障害（ADHD）の症状を緩和することはないことが示唆されています。青年および成人の注意欠陥多動障害（ADHD）についての，カフェインの作用についての研究は，なされていません。

◆科学的データが不十分です

・加齢にともなう精神機能障害，がんの疼痛，うつ病，運動に起因する血中酸素濃度の低下，運動中の筋肉痛，C型肝炎，睡眠中の頭痛，間欠跛行（狭窄動脈に起因する筋痙攣），肝硬変，強迫神経症（OCD），脳卒中，薬の過剰摂取，皮膚の過敏，皮膚潮紅，皮膚のそう痒など。

●体内での働き

カフェインは，中枢神経系，心臓，筋肉，および血圧を制御する中枢を刺激します。カフェインが，血圧を上昇させるおそれがありますが，日常的にカフェインを摂取している場合には，この作用はあらわれない可能性があります。カフェインが，尿流量を増やす利尿薬のような働きをするおそれもあります。ただし，この作用についても，日常的にカフェインを摂取している場合には，あらわれない可能性があります。適度な運動を実施している間に，カフェインを摂取すると，脱水を引き起こしにくくなります。

医薬品との相互作用

中 Felbamate

Felbamateは特定の種類の発作をコントロールするために用いられます。カフェインはFelbamateの作用を減弱させる，または痙攣発作を起こしやすくするおそれがあります。理論的には，カフェインとFelbamateを併用すると，Felbamateの作用が減弱し，痙攣発作のリスクが高まるおそれがあります。

低 Tiagabine

Tiagabineは特定の種類の発作をコントロールするために用いられます。カフェインはTiagabineの作用に影響を及ぼさないようです。しかし，カフェインを長期間摂取すると，Tiagabineの血中濃度が上昇するおそれがあります。

中 アデノシン

カフェインはアデノシンの作用を妨げる可能性があります。アデノシンは心臓の検査に頻用されます。この検査は薬剤負荷心筋シンチグラフィと呼ばれます。この検査を受ける前，少なくとも24時間はカフェインを含むのを摂取しないでください。

低アルコール

カフェインは体内で代謝されてから排泄されます。アルコールは，カフェインの代謝を抑制する可能性があります。カフェインとアルコールを併用すると，血中のカフェイン濃度が過剰になり，神経過敏，頭痛，動悸などのカフェインの副作用が発現するおそれがあります。

中エストロゲン（卵胞ホルモン）製剤

カフェインは体内で代謝されてから排泄されます。エストロゲンはカフェインの代謝を抑制する可能性があります。カフェインとエストロゲン製剤を併用すると，神経過敏，頭痛，動悸などの副作用が現れるおそれがあります。エストロゲン製剤を服用中はカフェインの摂取量を制限してください。このようなエストロゲン製剤には結合型エストロゲン，エチニルエストラジオール，エストラジオールなどがあります。

中エトスクシミド

エトスクシミドは特定の種類の発作をコントロールするために用いられます。カフェインはエトスクシミドの作用を減弱させる，または発作を起こしやすくするおそれがあります。理論的には，カフェインとエトスクシミドを併用すると，エトスクシミドの作用が減弱し，発作のリスクが高まるおそれがあります。

高エフェドリン塩酸塩

興奮薬は神経系を亢進させます。カフェインおよびエフェドリン塩酸塩はいずれも興奮薬です。カフェインとエフェドリン塩酸塩を併用すると，過度な興奮や，場合によっては重大な副作用および心臓の異常を引き起こすおそれがあります。カフェインを含む製品とエフェドリン塩酸塩を併用しないでください。

中カルバマゼピン

カルバマゼピンは特定の種類の発作をコントロールするために用いられます。カフェインはカルバマゼピンの作用を減弱させる，または痙攣発作を起こしやすくするおそれがあります。理論的には，カフェインとカルバマゼピンを併用すると，カルバマゼピンの作用が減弱し，人によっては痙攣発作のリスクが高まるおそれがあります。

中キノロン系抗菌薬

カフェインは体内で代謝されてから排泄されます。特定の抗菌薬はカフェインの代謝を抑制する可能性があります。カフェインと抗菌薬を併用すると，神経過敏，頭痛，頻脈など，副作用のリスクが高まるおそれがあります。このような抗菌薬にはシプロフロキサシン，エノキサシン水和物（販売中止），ノルフロキサシン，スパルフロキサシン（販売中止），Trovafloxacin，塩酸グレパフロキサシン（販売中止）があります。

中クロザピン

クロザピンは体内で代謝されてから排泄されます。カフェインはクロザピンの代謝を抑制する可能性があります。カフェインとクロザピンを併用すると，クロザピンの作用および副作用が増強するおそれがあります。

中ジスルフィラム

カフェインは体内で代謝されてから排泄されます。ジスルフィラムはカフェインの排泄を抑制する可能性があります。カフェインとジスルフィラムを併用すると，神経過敏，活動亢進，易刺激性などの作用および副作用が増強するおそれがあります。

中ジピリダモール

カフェインはジピリダモールの作用を妨げる可能性があります。ジピリダモールは心臓の検査に頻用されます。この検査は薬剤負荷心筋シンチグラフィと呼ばれます。この検査を受ける前の少なくとも24時間は，カフェインを含む製品を摂取しないでください。

中シメチジン

カフェインは体内で代謝されてから排泄されます。シメチジンはカフェインの代謝を抑制する可能性があります。カフェインとシメチジンを併用すると，神経過敏，頭痛，動悸など，カフェインの副作用のリスクが高まるおそれがあります。

中チクロピジン塩酸塩

カフェインは体内で代謝されてから排泄されます。チクロピジン塩酸塩はカフェインの排泄を抑制する可能性があります。カフェインとチクロピジン塩酸塩を併用すると，カフェインの副作用のリスクを高めるおそれがあります。

中テオフィリン

カフェインにはテオフィリンに類似した作用があります。カフェインもまたテオフィリンの代謝を抑制する可能性があります。カフェインとテオフィリンを併用すると，テオフィリンの作用および副作用が増強するおそれがあります。

低テルビナフィン塩酸塩

カフェインは体内で代謝されてから排泄されます。テルビナフィン塩酸塩はカフェインの排泄を抑制する可能性があります。カフェインとテルビナフィン塩酸塩を併用すると，神経過敏，頭痛，頻脈など，カフェインの副作用のリスクが高まるおそれがあります。

中ニコチン

カフェインとニコチンを併用すると，心拍数および血圧が上昇するおそれがあります。

中バルプロ酸ナトリウム

バルプロ酸ナトリウムは特定の種類の発作をコントロールするために用いられます。カフェインはバルプロ酸ナトリウムの作用を減弱させ，人によっては痙攣発作のリスクを高めるおそれがあります。

中フェニトイン

フェニトインは特定の種類の発作をコントロールするために用いられます。カフェインはフェニトインの作用を減弱させる，または痙攣発作を起こしやすくするおそれがあります。理論的には，カフェインとフェニトインを併用すると，フェニトインの作用が減弱し，痙攣発作のリスクが高まるおそれがあります。

低フェノチアジン系薬

カフェインは体内で代謝されてから排泄されます。フェノチアジン系薬はカフェインの代謝を抑制する可能性があります。カフェインとフェノチアジン系薬を併用すると，カフェインの作用および副作用が増強するおそれがあります。

中フェノバルビタール

フェノバルビタールは特定の種類の発作をコントロールするために用いられます。カフェインはフェノバルビタールの作用を減弱し，人によっては痙攣発作のリスクが高まるおそれがあります。

低フルコナゾール

カフェインは体内で代謝されてから排泄されます。フルコナゾールはカフェインの排泄を抑制する可能性があります。カフェインとフルコナゾールを併用すると，体内にカフェインが長時間留まり，神経質，不安，不眠など，カフェインの副作用のリスクを高めるおそれがあります。

中フルタミド

フルタミドは体内で代謝されてから排泄されます。カフェインはフルタミドの代謝を抑制する可能性があります。カフェインとフルタミドを併用すると，体内のフルタミド量が過剰になり，フルタミドの副作用のリスクが高まるおそれがあります。

中フルボキサミンマレイン酸塩

カフェインは体内で代謝されてから排泄されます。フルボキサミンマレイン酸塩はカフェインの代謝を抑制する可能性があります。カフェインとフルボキサミンマレイン酸塩を併用すると，体内のカフェイン量が過剰になり，カフェインの作用および副作用が増強されるおそれがあります。

中ベラパミル塩酸塩

カフェインは体内で代謝されてから排泄されます。ベラパミル塩酸塩は，カフェインの排泄を抑制する可能性があります。カフェインとベラパミル塩酸塩を併用すると，神経過敏，頭痛，頻脈など，カフェインの副作用のリスクを高めるおそれがあります。

中ペントバルビタールカルシウム

カフェインの興奮作用は，ペントバルビタールカルシウムの催眠作用を妨げるおそれがあります。

低メキシレチン塩酸塩

カフェインは体内で代謝されてから排泄されます。メキシレチン塩酸塩はカフェインの代謝を抑制する可能性があります。カフェインとメキシレチン塩酸塩を併用すると，カフェインの作用および副作用が増強するおそれがあります。

低メトキサレン

カフェインは体内で代謝されてから排泄されます。メトキサレンはカフェインの代謝を抑制する可能性があります。カフェインとメトキサレンを併用すると，カフェインの作用および副作用が増強するおそれがあります。

低メトホルミン塩酸塩

カフェインは体内で代謝されてから排泄されます。メトホルミン塩酸塩はカフェインの代謝を抑制する可能性があります。カフェインとメトホルミン塩酸塩を併用すると，カフェインの作用および副作用が増強するおそれがあります。

中モノアミン酸化酵素阻害薬（MAO阻害薬）

カフェインは身体を刺激する可能性があります。モノアミン酸化酵素阻害薬（MAO阻害薬）も身体を刺激する可能性があります。カフェインとMAO阻害薬を併用すると，動悸，高血圧，神経過敏などの重大な副作用が現れるおそれがあります。このようなMAO阻害薬には，Phenelzine，Tranylcypromineなどがあります。

中リルゾール

リルゾールは体内で代謝されてから排泄されます。カフェインとリルゾールを併用すると，リルゾールの代謝が抑制され，リルゾールの作用および副作用が増強するおそれがあります。

中塩酸フェニルプロパノールアミン【販売中止】

カフェインは身体を刺激する可能性があります。塩酸フェニルプロパノールアミンもまた身体を刺激する可能性があります。カフェインと塩酸フェニルプロパノールアミンを併用すると，過度に刺激を与え，頻脈，高血圧，神経過敏を引き起こすおそれがあります。

低肝臓でほかの医薬品の代謝を抑制する医薬品（シトクロムP450 1A2（CYP1A2）を阻害する医薬品）

カフェインは肝臓で代謝されます。特定の医薬品はほかの医薬品やサプリメントの肝臓での代謝を抑制します。カフェインと特定の医薬品を併用すると，カフェインの代謝が抑制され，体内のカフェイン量が増加する可能性があります。このような医薬品にはフルボキサミンマレイン酸塩，メキシレチン塩酸塩，クロザピン，Psoralene，Furafylline，テオフィリン，Idrocilamideなどがあります。

中気管支喘息治療薬（アドレナリンβ受容体作動薬）

カフェインは心臓を刺激する可能性があります。特定の気管支喘息治療薬もまた心臓を刺激する可能性があります。カフェインと特定の気管支喘息治療薬を併用すると，過度に刺激を与え，心臓の異常を引き起こすおそれがあります。このような気管支喘息治療薬にはサルブタモール硫酸塩，オルシプレナリン硫酸塩（販売中止），テルブタリン硫酸塩，イソプレナリン塩酸塩があります。

中興奮薬

興奮薬は神経系を亢進させます。そのため，神経が過敏になり，心拍数が上昇する可能性があります。カフェインもまた神経系を亢進させる可能性があります。カフェインと興奮薬を併用すると，頻脈や高血圧などの重大な問題を引き起こすおそれがあります。カフェインと興奮薬を併用しないでください。このような興奮薬にはDiethylpropion，エピネフリン，Phentermine，塩酸プソイドエフェドリンなど多くあります。

中血液凝固を抑制する医薬品（抗凝固薬/抗血小板薬）

カフェインは血液凝固を抑制する可能性があります。カフェインと血液凝固を抑制する医薬品を併用すると，紫斑および出血のリスクが高まるおそれがあります。このような医薬品にはアスピリン，クロピドグレル硫酸塩，ジクロフェナクナトリウム，イブプロフェン，ナプロキセン，ダルテパリンナトリウム，エノキサパリンナトリウム，ヘパリン，ワルファリンカリウムなどがあります。

中炭酸リチウム

炭酸リチウムは体内から自然に排泄されます。カフェインは炭酸リチウムの排泄を促進させる可能性があります。カフェインを含む製品と炭酸リチウムを併用している場合には，その製品の摂取を徐々にやめてください。すぐにやめると，炭酸リチウムの副作用が増強されるおそれがあります。

低糖尿病治療薬

カフェインは血糖値を上昇または低下させる可能性があります。糖尿病治療薬は血糖値を低下させるために用いられます。カフェインと糖尿病治療薬を併用すると，糖尿病治療薬の効果を強めるまたは弱めるおそれがあります。血糖値を注意深く監視してください。糖尿病治療薬の用量を変更する必要があるかもしれません。このような糖尿病治療薬にはグリメピリド，グリベンクラミド，インスリン，ピオグリタゾン塩酸塩，マレイン酸ロシグリタゾン（販売中止），クロルプロパミド，Glipizide，トルブタミド（販売中止）などがあります。

低避妊薬

カフェインは体内で代謝されてから排泄されます。経口避妊薬は，カフェインの代謝を抑制する可能性があります。カフェインと避妊薬を併用すると，神経過敏，頭痛，動悸などの副作用が現れるおそれがあります。このような避妊薬には，エチニルエストラジオール・レボノルゲストレル配合，エチニルエストラジオール・ノルエチステロン配合などがあります。

中利尿薬

カフェインはカリウム量を減少させる可能性があります。利尿薬もまた体内のカリウム量を減少させる可能性があります。カフェインと利尿薬を併用すると，カリウム量が過剰に減少するおそれがあります。このような利尿薬にはクロロチアジド(販売中止)，クロルタリドン(販売中止)，フロセミド，ヒドロクロロチアジドなどがあります。

ハーブおよび健康食品・サプリメントとの相互作用

ダイダイ

健康体で，血圧が正常な成人が，ダイダイとカフェインを併用して摂取すると，血圧および心拍数が高まるおそれがあります。このため，深刻な心疾患や脳卒中のリスクが高まるおそれがあります。

カフェインを含むハーブおよび健康食品・サプリメント

カフェインと，カフェインを含むハーブおよび健康食品・サプリメントを併用して摂取すると，カフェインの作用および副作用が高まるおそれがあります。

このようなハーブおよび健康食品･サプリメントには，コーヒー，紅茶，緑茶，ウーロン茶，ガラナ豆，マテ，コーラノキの種などがあります。

カルシウム

高用量のカフェインにより，尿中に排出されるカルシウムが増加するおそれがあります。

クレアチン

カフェイン，マオウ（麻黄）およびクレアチンを併用すると，深刻な副作用のリスクが高まるおそれがあります。1日当たり，6gのクレアチン・モノハイドレート，400～600mgのカフェイン，40～60mgのマオウ（麻黄），ほか多様なサプリメントを，6週にわたり摂取していた運動選手が，脳卒中を引き起こした例が1件あります。カフェインは，運動能力に対するクレアチンの効果を弱めるおそれもあります。

タンジン

カフェインは，排出されるために体内で代謝されます。タンジンが，この代謝を抑制するおそれがあります。タンジンとカフェインを併用すると，体内のカフェイン濃度が高まるおそれがあります。

エキナセア

カフェインは，排出されるために体内で代謝されます。エキナセアが，この代謝を抑制するおそれがあります。エキナセアとカフェインを併用すると，体内のカフェイン濃度が高まるおそれがあります。

マオウ（麻黄）

マオウ（麻黄）とカフェインを併用すると，過度の興奮を引き起こすおそれがあります。カフェインとマオウ（麻黄）を併用することにより，高血圧，心筋梗塞，脳卒中，痙攣など，命をおびやかすような，有害な疾患を引き起こすおそれや，死に至るおそれがあることを示唆するエビデンスがあります。カフェインとマオウ（麻黄），またはほかの興奮成分を併用してはいけません。

血液凝固を抑制するおそれのあるハーブおよび健康食品・サプリメント

カフェインが，血液凝固を抑制するおそれがあります。カフェインと血液凝固を抑制するおそれのあるほかのハーブおよび健康食品・サプリメントを併用すると，人によっては，出血のリスクが高まるおそれがあります。このようなハーブおよび健康食品・サプリメントには，アンゼリカ，クローブ，タンジン，ニンニク，ショウガ，イチョウ，朝鮮人参などがあります。

クズ

カフェインは，排出されるために体内で代謝されます。クズが，この代謝を抑制するようです。クズとカフェインを併用すると，体内のカフェイン濃度が高まるおそれがあります。

マグネシウム

高用量のカフェインにより，尿中に排出されるマグネシウムが増加するおそれがあります。

メラトニン

カフェインとメラトニンを併用して摂取すると，メラトニン濃度が上昇する可能性があります。

レッドクローバー

カフェインは，排出されるために体内で代謝されます。レッドクローバーが，この代謝を抑制するおそれがあります。レッドクローバーとカフェインを併用すると，体内のカフェイン濃度が高まるおそれがあります。

使用量の目安

【成人】

●経口摂取

全般

一般的な飲料に含まれているカフェインの量は以下の通りです。

コーヒー（1杯）：95～200mg

紅茶（およそ237mL）：40～120mg

緑茶（およそ237mL）：15～60mg

コーラなどのソフト飲料（およそ355mL）：20～80mg

スポーツ飲料や，エナジードリンク（1杯）：48～300mg

頭痛

1日当たり，100～250mgのカフェインを摂取します。カフェインを，アセトアミノフェン，アスピリン，エルゴタミン酒石酸塩（販売中止），およびスマトリプタンと併用することもあります。

硬膜外麻酔の後の頭痛

300mgのカフェインを摂取します。

精神的覚醒

1日当たり，100～250mgのカフェインを摂取します。カフェインを，タウリン，ブドウ糖，およびL-テアニンと併用することもあります。

気管支喘息

9mg/kgのカフェインを摂取します。

運動能力の向上

1.6～10mg/kg以上のカフェインを摂取します。ただし，1日当たり，800mgを超える量を摂取する場合には，カフェインの尿中濃度が，全米大学体育協会により認められている15μg/mLを超えるおそれがあります。

胆石症

胆石症を予防するためには，1日当たり，400mg以上のカフェインを摂取します。

記憶力

65～200mgのカフェインを摂取します。

疼痛

50～130mgのカフェインと，アセトアミノフェン，イソプロピルアンチピリン，およびイブプロフェンなどの鎮痛薬と併用して摂取します。

パーキンソン病

男性のパーキンソン病を予防するためには，1日当たりの総量として，421～2,716mgのカフェインを摂取することにより，カフェインを摂取しなかった場合とくらべ，パーキンソン病を発症するリスクが低下します。ただし，1日当たり，124～208mg程度のカフェインしか摂取していない場合にも，パーキンソン病の発症リスクは極めて低いです。女性の場合には，1日当たり，適量のカフェイン（コーヒーで1～3杯）を摂取することが最善のようです

減量

通常，20mgのカフェインと200mgのエフェドリンを含む併用製品を，1日3回，摂取します。

●静脈内投与

手術後の頭痛

手術後の頭痛を予防するには，200mgのカフェインを静脈内投与します。

【小児】

●静脈内投与

乳児の呼吸器疾患

乳児の呼吸器疾患および網膜外麻酔後の頭痛に対して，医師などによりカフェインの静脈内投与を実施します。

カ

カフェ酸

CAFFEIC ACID

●代表的な別名

コーヒー酸

別名ほか

3,4-DA, 3,4-Dihydroxycinnamic acid, 3,4-Dihydroxycinnamic Acid, 2-Propenoic Acid, 3-(3,4-dihydroxyphenyl), 3-(3,4-Dihydroxy Phenyl)-2-Propenoic Acid, 3-(3,4-Dihydroxyphenyl) Propenoic Acid, 3,4-Dihydroxybenzeneacrylic Acid, 4-(2-Carboxyethenyl)-1,2-Dihydroxybenzene, 4-(2'-Carboxyvinyl)-1,2-Dihydroxybenzene, (2E)-3-(3,4-Dihydroxyphenyl)-2-Propenoic Acid, Acide Caféique, Ácido Cafeico

概　　要

カフェ酸は，多くの植物や食品に含まれる化学物質です。食生活ではコーヒーが主要源ですが，リンゴ，アーティチョーク，ベリー類や梨などの食品にも含まれています。ワインにもかなりの量のカフェ酸が含まれています。

安 全 性

サプリメントとして摂取した場合の安全性のデータは十分ではありません。カフェ酸は私たちが食べている多

くの食品に含まれていますが，精製されたカフェ酸のサプリメントを人が摂取する場合の研究は，なされたことがありません。

不眠症：軽い刺激性作用があるので，不眠症を悪化させるおそれがあります。しかし，その作用は中等度で，実質的にはカフェインより軽度です。

●妊娠中および母乳授乳期

妊娠中および母乳授乳期の使用の安全性についてはデータが不十分です。安全性を考慮し，摂取は避けてください。

有 効 性

◆科学的データが不十分です

・身体運動能力，運動による疲労，減量，がん，HIV/エイズ，ヘルペス。

●体内での働き

カフェ酸は，抗酸化作用や抗炎症作用など，体内で多くの作用があると考えられています。また免疫系にも影響があります。試験管内実験では，がん細胞やウイルスの成長を抑制することが示唆されています。動物実験では軽度の刺激作用があり，運動による疲労を軽減することが示唆されています。ヒトに対しての有効性は明らかではありません。

医薬品との相互作用

中レボドパ

カフェ酸は体内でレボドパを代謝して除去するのに影響を与えるおそれがあります。しかし，どれくらい相互作用があるかは分かっていません。

中細胞内のポンプによって輸送される医薬品（有機アニオン輸送の基質となる医薬品（OAT1））

医薬品には細胞のポンプによって運ばれるものがあります。カフェ酸は，これらのポンプの働きを変え，体内に医薬品がとどまる量を増やします。場合によっては，この結果，医薬品の副作用の起る頻度が増加するおそれがあります。これらの医薬品には，アシクロビル，アデホビル ピボキシル，セファロスポリン系薬，Cidofovir，シメチジン，シプロフロキサシン，フロセミド，ヒドロクロロチアジド，非ステロイド性抗炎症薬，オセルタミビルリン酸塩，プラバスタチンナトリウム，プロベネシド，シンバスタチン，ジドブジンがあります。

中細胞内のポンプによって輸送される医薬品（有機アニオン輸送の基質となる医薬品（OAT3））

医薬品には細胞のポンプによって運ばれるものがあります。カフェ酸は，これらのポンプの働きを変え，体内に薬がとどまる量を増やします。場合によっては，この結果，医薬品の副作用の起る頻度が増加するおそれがあります。これらの医薬品には，セファロスポリン系薬，ファモチジン，フロセミド，ヒドロクロロチアジド，メトトレキサート，非ステロイド性炎症薬，プロベネシド，ラニチジン塩酸塩があります。

ハーブおよび健康食品・サプリメントとの相互作用

ほかのハーブ，健康食品・サプリメントとの相互作用についてはまだ明らかではありません。

使用量の目安

標準使用量に関するデータがありません。

カプリル酸

CAPRYLIC ACID

別名ほか

Octanoate，Octanoic Acid

概 要

カプリル酸は，パーム油，ココナッツオイル，および人間や牛のミルクに含まれる中鎖脂肪酸です。

カプリル酸は，痙攣発作（てんかん），透析患者の血中アルブミン濃度の低下，ディスバイオシスなどの消化管障害（胃における細菌数の異常），脂質吸収の異常，乳び胸（乳びと呼ばれる物質の胸腔への漏出）に対して，経口摂取されます。

てんかんをもつ場合には，ケトン産生食，または中鎖脂肪酸（MCT）を多く含む食事の一部として摂取すると，カプリル酸により，痙攣発作の頻度が少なくなるようです。ただし，副作用，および上述の食事療法の継続が困難なために制限されるようです。カプリル酸の本用途に対する評価を得るには，エビデンスが不十分です。

安 全 性

カプリル酸は，食品に含まれている量の経口摂取，または栄養補給や胃排出能検査に認められた量の使用は，ほとんどの人に安全のようです。カプリル酸が，吐き気，鼓腸および下痢などの副作用を引き起こすおそれがあります。

カプリル酸は，ケトン産生食の一部として，または，中鎖脂肪酸（MCT）を多く含む食事の一部として，医師の指導のもとに経口摂取する場合には，おそらく安全です。ただし，高用量のカプリル酸を含む食事は，便秘，嘔吐，胃痛，血中カルシウム濃度の低下，傾眠，発育障害を引き起こすおそれがあります。

中鎖アシルCoAデヒドロゲナーゼ（MCAD）欠損症という疾患の場合には，カプリル酸の経口摂取は，安全ではないようです。この疾患の場合には，カプリル酸を適切に分解することができないため，血中のカプリル酸濃度が上昇し，昏睡のリスクが高まるおそれがあります。

肝疾患：カプリル酸は，肝臓で分解されます。肝疾患の場合には，カプリル酸を分解することができないおそれがあり，血中のカプリル酸濃度が上昇するおそれがあります。ただし，肝疾患の場合でもカプリル酸が分解されることを示唆する研究もあります。確かな情報が得られるまでは，使用に注意してください。

低血圧：カプリル酸が，血圧を低下させるおそれがあります。このため，低血圧の傾向がある場合には，カプリル酸の摂取により，血圧が過度に低下するおそれがあります。使用に注意してください。

中鎖アシルCoAデヒドロゲナーゼ（MCAD）欠損症：MCAD欠損症の場合には，カプリル酸を適切に分解することができません。このため，血中のカプリル酸濃度が上昇し，昏睡のリスクが高まるおそれがあります。使用は避けてください。

●妊娠中および母乳授乳期

妊娠中および母乳授乳期の使用の安全性についてはデータが不十分です。安全性を考慮し，摂取は避けてください。

有効性

◆科学的データが不十分です

・痙攣発作（てんかん），透析患者の低アルブミン血症（血中アルブミン濃度の低下），消化管障害，脂質吸収不良（脂質吸収の異常），乳び胸（乳びと呼ばれる物質の胸腔への漏出）の抑制など。

●体内での働き

人によっては，カプリル酸により，血圧が低下するおそれがあります。カプリル酸は，胃排出能を測定する試験の一部として投与されることもあります。

医薬品との相互作用

中ワルファリンカリウム

ワルファリンカリウムは，血中でアルブミンと呼ばれるたんぱく質と結合します。アルブミンと結合していると，ワルファリンカリウムは作用しなくなります。アルブミンから遊離した状態だと，ワルファリンカリウムは血液凝固を抑制します。ワルファリンカリウムと同様に，カプリル酸もアルブミンと結合します。カプリル酸とワルファリンカリウムを併用すると，ワルファリンカリウムはアルブミンから遊離します。そのため，ワルファリンカリウムの作用を増強させ，紫斑および出血のリスクが高まるおそれがあります。定期的に血液検査をしてください。ワルファリンカリウムの用量を変更する必要があるかもしれません。

中降圧薬

カプリル酸は血圧を低下させる可能性があります。カプリル酸と降圧薬を併用すると，血圧が過度に低下するおそれがあります。このような降圧薬にはカプトプリル，エナラプリルマレイン酸塩，ロサルタンカリウム，バルサルタン，ジルチアゼム塩酸塩，アムロジピンベシル酸塩，ヒドロクロロチアジド，フロセミドなど多くあります。

中非ステロイド性抗炎症薬（NSAIDs）

非ステロイド性抗炎症薬（NSAIDs）は痛みと腫脹を軽減するために用いられます。NSAIDsはアルブミンと呼ばれるタンパク質と結合します。アルブミンと結合するとNSAIDsは活性を失い，遊離すると活性化します。カプリル酸もアルブミンと結合します。カプリル酸とNSAIDsを併用すると，NSAIDsがアルブミンから遊離され，活性化するNSAIDsの量が増加します。そのため，NSAIDsの作用および副作用が増強するおそれがあります。このようなNSAIDsにはイブプロフェン，インドメタシン，ナプロキセン，ピロキシカム，アスピリンなどがあります。

ハーブおよび健康食品・サプリメントとの相互作用

血圧を低下させるおそれのあるハーブおよび健康食品・サプリメント

カプリル酸が，血圧を低下させるおそれがあります。カプリル酸と血圧を低下させるおそれのあるほかのハーブおよび健康食品・サプリメントを併用すると，血圧が過度に低下するおそれがあります。このようなハーブおよび健康食品・サプリメントには，アンドログラフィス，カゼイン・ペプチド，キャッツクロー，コエンザイムQ-10，魚油，L-アルギニン，クコ，イラクサ，テアニンなどがあります。

使用量の目安

●経口摂取

胃排出能の評価

検査前に，オイル40gまたは固形食にカプリル酸100mgを加えて摂取します。

カボチャ

PUMPKIN

●代表的な別名

パンプキン

別名ほか

ペポカボチャ（Cucurbita galeottii，Cucurbita Mammeata，Cucurbita pepo），パンプキンシード，カボチャの種子（Cucurbitea peponis Semen cucumis pepo，Field Pumpkin，Pepo，Pumpkin Seed）

概要

カボチャは植物です。種子と種子オイルを用いて「くすり」を作ることがあります。

カボチャは良性前立腺肥大（BPH）の症状のために一般的に経口摂取されます。

ローストしたカボチャの種子はスナックとして食されます。

安　全　性

食事として摂取する量はほとんどの人に安全のようです。薬用量もほとんどの人におそらく安全です。カボチャ製品の副作用はまれです。

●妊娠中および母乳授乳期

妊娠中および母乳授乳期の薬用量での使用の安全性についてはデータが不十分です。安全性を考慮し，通常食事で摂取する以上の摂取は控えてください。

有　効　性

◆有効性レベル③

- 男性の脱毛症。パンプキンシードオイルを摂取すると，男性の発毛に役立つことがあります。
- 良性前立腺肥大（BPH）。パンプキンシードオイル製品を単独で，あるいはノコギリヤシと併せて経口摂取すると良性前立腺肥大の症状の改善に役立つことがあります。

◆科学的データが不十分です

- 過活動膀胱，腸内寄生虫，膀胱過敏，腎感染症など。

●体内での働き

種子に含まれる化学物質は排尿の量を増加し（利尿作用），膀胱や前立腺の不快感を緩和します。特定の化学物質にはまた，前立腺の炎症を軽減する可能性もあります。種子にはまた，腸管の寄生虫を駆除する可能性のある化学物質が含まれています。

医薬品との相互作用

中炭酸リチウム

カボチャは利尿薬のように作用する可能性があります。カボチャを摂取すると，体内からの炭酸リチウムの排泄が抑制される可能性があります。そのため，体内の炭酸リチウムが増加し，重篤な副作用が現れるおそれがあります。

ハーブおよび健康食品・サプリメントとの相互作用

ほかのハーブ，健康食品・サプリメントとの相互作用についてはまだ明らかではありません。

使用量の目安

●経口摂取

男性の脱毛症

1日400mgのパンプキンシードオイルを分けて摂取します。

良性前立腺肥大（BPH）

種子5gを1日2回。

パンプキンシードオイルあるいはパンプキンシードオイルエキス製品を1日1～2錠。

1日160mgのパンプキンシードオイルを，ノコギリヤシや他の原料と併用し，1日1～3回摂取します。

カマラ

KAMALA

別名ほか

クスノハガシワ（Kamcela，Kameela，Mallotus philippensis），Rottiera tinctoria，Spoonwood

概　　要

カマラは植物です。果実の一部を用いて「くすり」を作ることもあります。

安　全　性

安全性および副作用については不明です。

虫垂炎および胃痛，悪心，嘔吐などの虫垂炎の症状：カマラは緩下剤作用があり，虫垂炎を悪化させるおそれがあります。

●妊娠中および母乳授乳期

妊娠中および母乳授乳期の使用の安全性についてはデータが不十分です。安全性を考慮し，摂取は避けてください。

有　効　性

◆科学的データが不十分です

- 条虫など。

●体内での働き

寄生虫を駆除する作用，および便通を促す作用を示すと考えられる成分が含まれています。

医薬品との相互作用

中ジゴキシン

カマラは刺激性下剤の一種です。刺激性下剤は体内のカリウム値を低下させるおそれがあります。カリウム量が低下するとジゴキシンの副作用のリスクが高まるおそれがあります。

ハーブおよび健康食品・サプリメントとの相互作用

強心配糖体を含むハーブおよび健康食品・サプリメント

強心配糖体は，処方薬のジゴキシンと似た物質で，体内カリウム喪失を起こすおそれがあります。

カマラは刺激性下剤のため，体内のカリウムを喪失させるおそれがあります。刺激性下剤は腸の運動を活発にするため，体内にカリウムなどのミネラルを吸収するのに十分なほど長く食物が腸にとどまらないおそれがあります。これにより，カリウム値が適正値よりも低下する可能性があります。

カマラと強心配糖体を含むハーブおよび健康食品・サプリメントを併用すると，体内カリウムの過度の喪失により，心臓障害を引き起こすおそれがあります。これらのハーブおよび健康食品・サプリメントには，クリスマスローズ，トウワタの根，ジギタリスの葉，カキネガラシ，セイヨウゴマノハグサ，ドイツスズランの根，マザーワート，オレアンダーの葉，ゲウム，ヤナギトウワタ，海葱の鱗片葉，スターオブベツレヘム，ストロファンツス，ダイオウなどがあります。カマラとこれらのハーブおよび健康食品･サプリメントの併用は避けてください。

ツクシ

ツクシには利尿薬の働きがあり，尿量を増加させるため，体内カリウムを喪失させるおそれがあります。

カマラの刺激性下剤作用は，体内カリウムを喪失させるおそれがあります。刺激性下剤は腸の運動を活発にするため，体内にカリウムなどのミネラルを吸収するのに十分なほど長く食物が腸にとどまらないおそれがあります。これにより，カリウム値が適正値よりも低下する可能性があります。

過度のカリウム喪失により，心臓が障害されるおそれがあります。ツクシとカマラを併用すると，過度のカリウム喪失による心臓障害のリスクが高まる懸念があります。カマラとツクシの併用は避けてください。

甘草

甘草は体内のカリウム量を低下させます。

カマラの刺激性下剤作用は，体内カリウムを喪失させるおそれがあります。刺激性下剤は腸の運動を活発にするため，体内にカリウムなどのミネラルを吸収するのに十分なほど長く食物が腸にとどまらないおそれがあります。これにより，カリウム値が適正値よりも低下する可能性があります。

カリウム値が低くなりすぎると，心臓が障害を受けるおそれがあります。甘草とカマラを併用すると，過度のカリウム喪失による心臓障害のリスクが高まる懸念があります。カマラと甘草の併用は避けてください。

刺激性下剤ハーブおよび健康食品・サプリメント

カマラは刺激性下剤です。刺激性下剤は腸の運動を活発にするため，体内にカリウムなどのミネラルを吸収するのに十分なほど長く食物が腸にとどまらないおそれがあります。これにより，カリウム値が適正値よりも低下する可能性があります。

カマラとほかの刺激性下剤作用があるハーブおよび健康食品・サプリメントを併用すると，体内カリウムが低くなりすぎて，心臓を障害するおそれがあります。これらのハーブおよび健康食品・サプリメントにはアロエ，セイヨウイソノキ，ブラックルート，ブルーフラッグ，バターナットの樹皮，コロシント，ヨーロピアンバックソーン，フォーチ，ガンボージ，ゴシポール，ヒロハヒルガオ，ヤラッパ，マンナ，メキシカン・スキャモニイ・ルート，ルバーブ，センナ，イエロードックなどがあります。

使用量の目安

標準使用量に関するデータがありません。

カムカム

CAMU CAMU

別名ほか

Araca d'agua，Araza de agua，Cacari，Camo camo，Camocamo，Camu-camu negro，Guapuro Blanco，Rumberry

概　　要

カムカムはペルーのアマゾン熱帯雨林の沼沢地や浸水地帯，ブラジル，ベネズエラ，コロンビアに分布する灌木です。果実および葉を「くすり」として用いることもあります。

安 全 性

十分なデータが得られていないため医薬品として使用する場合の安全性については不明です。

●妊娠中および母乳授乳期

妊娠中および母乳授乳期の使用の安全性についてはデータが不十分です。安全性を考慮し，摂取は避けてください。

有 効 性

◆科学的データが不十分です

・関節炎，気管支喘息，単純ヘルペス，普通感冒，うつ病，白内障，緑内障，慢性疲労症候群，歯茎の疾患（歯肉炎），頭痛，ヘルペス，および帯状疱疹など。

●体内での働き

カムカムの実にはビタミンC，ベータカロテン，脂肪酸，タンパク質などの多くの栄養素が含まれています。身体に対する作用があるとみられるほかの化学物質も含んでいます。しかし，病気の治療や予防にどのように作用するかについては十分なデータが得られていません。

医薬品との相互作用

ほかの医薬品との相互作用については明らかではありません。

ハーブおよび健康食品・サプリメントとの相互作用

ほかのハーブ，健康食品・サプリメントとの相互作用についてはまだ明らかではありません。

使用量の目安

標準使用量に関するデータがありません。

カユプテオイル

CAJEPUT OIL

●代表的な別名

カユプテ油

別名ほか

カユプテ，カユプティ（Cajeputi Aetheroleum, cajuput），メラレウカ・ロイコデンドロン，カジュプット（Melaleuca leucodendra, Melaleuca leucodendron），ニアウリ，ゴメノール（Melaleuca quinquenervia），Paperbark Tree Oil, Punk Tree

概　　要

カユプテオイルは，カユプテ（Melaleuca leucadendra）とゴメノール（Melaleuca quinquenervia）の木の葉や小枝を水蒸気蒸留法で抽出して作られます。カユプテオイルをティートリーオイル（Meleleuca altermifoia）またはニアウリオイル（Malaleuca viridiflora）と混同しないようにしてください。

歯科では，抜歯または歯が抜けた後の歯肉の痛みの緩和に使われます。

食品や飲料では，調味料としてごく少量使われます。

●要説（ナチュラル・スタンダード）

米国農務省によると，メラレウカ・ロイコデンドロン（Melaleuca leucadendron）と，ゴメノール（Melaleuca quinquenervia）は，同じ植物のことを指しています。

カユプテ（Melaleuca quinquenervia leucadendron, Melaleuca leucadendron）は，オーストラリア原産の木です。カユプテオイルは，植物の葉や小枝から抽出されます。カユプテの葉は，高血圧や単純ヘルペスの治療やヘリコバクター・ピロリ菌阻害薬として有効な可能性があります。また，血糖降下作用があり，血糖値を下げる可能性もあります。

しかしながら，現在，どのような適応についてもカユプテオイルの使用を支持するヒトにおける科学的根拠は十分ではありません。

安　全　性

調味料としてきわめて少量を摂取することは，ほとんどの人に安全のようです。しかし，それ以上の量の経口摂取の安全性についてはデータが不十分です。

「くすり」としての量を傷のない皮膚に塗布する場合は，ほとんどの人におそらく安全ですが，アレルギー反応を引き起こすおそれもあります。

吸引による摂取は，おそらく安全ではありません。呼吸器疾患を引き起こすおそれがあります。

小児：小児が吸引したり，顔に塗布したりするのは安全ではないようです。深刻な呼吸器疾患を引き起こすおそれがあります。

気管支喘息：吸引すると気管支喘息の発作を引き起こすおそれがあります。

●妊娠中および母乳授乳期

妊娠中および母乳授乳期の使用の安全性についてはデータが不十分です。安全性を考慮し，摂取は避けてください。

有　効　性

◆科学的データが不十分です

- 歯痛，感冒，頭痛，腫瘍，強壮薬としての使用，粘液の痰を薄くして（うっ血）喀出しやすくする（経口摂取または吸引の場合）など。
- 皮膚に塗布する場合には，皮膚の真菌感染症，関節リウマチなど。

●体内での働き

シネオールという化学物質が含まれています。皮膚に塗布すると，シネオールにより皮膚表面に温感や過敏が生じることがありますが，皮下の疼痛は緩和されます。

医薬品との相互作用

中 肝臓で代謝される医薬品（シトクロムP450 2D6（CYP2D6）の基質となる医薬品）

特定の医薬品は肝臓で代謝されます。カユプテオイルはこのような医薬品の代謝を抑制する可能性があります。カユプテオイルと肝臓で代謝される医薬品を併用すると，医薬品の作用および副作用が増強するおそれがあります。このような医薬品には，アミトリプチリン塩酸塩，クロザピン，コデインリン酸塩水和物，塩酸デシプラミン（販売中止），ドネペジル塩酸塩，フェンタニルクエン酸塩，フレカイニド酢酸塩，塩酸フルオキセチン（販売中止），ペチジン塩酸塩，メサドン塩酸塩，メトプロロール酒石酸塩，オランザピン，オンダンセトロン塩酸塩水和物，トラマドール塩酸塩，トラゾドン塩酸塩などがあります。

中 糖尿病治療薬

カユプテオイルは血糖値を低下させる可能性があります。糖尿病治療薬もまた血糖値を低下させるために用いられます。カユプテオイルは血糖値を低下させることにより，血糖値が過度に低下するリスクを高めるおそれがあります。血糖値を注意深く監視してください。糖尿病治療薬の用量を変更する必要があるかもしれません。このような糖尿病治療薬には，グリメピリド，グリベンクラミド，インスリン，ピオグリタゾン塩酸塩，マレイン酸ロシグリタゾン（販売中止），クロルプロパミド，Glipizide，トルブタミド（販売中止）などがあります。

ハーブおよび健康食品・サプリメントとの相互作用

ほかのハーブ，健康食品・サプリメントとの相互作用についてはまだ明らかではありません。

使用量の目安

通常の食品に含まれている量を超えて経口摂取した場合の安全性および副作用については，明らかになっていません。

カラギーナン

CARRAGEENAN

●代表的な別名

アイリッシュモス

別名ほか

カラゲーナン，カラゲニン（Carrageenin），コンドルスクリスプス，ヤハズツノマタ（Carragheenan Chondrus crispus），アイリッシュモスエキス（Chondrus Extract, Euchema Species, Gigartina mamillosa, Irish Moss Extract），Mousse D'Irlande

概　　要

さまざまな紅藻の種々の部位が「くすり」の原料になります。「くすり」として使用されることもあります。

製品としては，結合剤，増粘剤，薬物安定剤，食品，歯磨き粉として用いられます。体重減少用製品の材料としても用いられます。

●要説（ナチュラル・スタンダード）

カラギーナンは，（アイリッシュ・モスのような）赤い海藻やそのほかの植物源から抽出された炭水化物です。アイリッシュ・モスはアイルランドを中心に，欧州の海岸や米国の大西洋沿岸で成長します。

伝統的に，カラギーナンは，粘膜を軟らかくしたり下剤として経口摂取されてきました。カラギーナンの抽出物は，何百年もの間，食品添加物として使用されてきました。カラギーナンは現在，増粘剤や安定剤として広い範囲の食品に使用されており，個人の衛生用品や医薬品にも使用されています。

カラギーナンは，脂質（コレステロールやトリグリセリド）や血糖値を下げる可能性があります。ヒトでの研究は十分ではありませんが，カラギーナンを原料にしたゲルは，HIV感染予防に有効かもしれません。

安　全　性

通常の食品としての量を経口摂取する場合は，ほとんどの人に安全のようです。フランスでは，カラギーナンを化学的に変化させたものが消化性潰瘍の治療に用いられています。しかし，この物質は，がんを引き起こすおそれがあるというエビデンスが得られているため，おそらく安全ではありません。

出血性疾患：カラギーナンは血液凝固を抑制し，出血を増加させるおそれがあります。理論上は，カラギーナンの摂取により出血性疾患が悪化するおそれがあります。

低血圧：カラギーナンは血圧を低下させるおそれがあります。理論上は，低血圧の場合には，カラギーナンの摂取により，血圧が過度に低下するおそれがあります。

手術：カラギーナンは，人によっては血液凝固を抑制し，血圧を低下させるおそれがあります。理論上は，手術中の出血リスクを上昇させ，血圧コントロールを妨げるおそれがあります。少なくとも手術前２週間は，使用しないでください。

●妊娠中および母乳授乳期

通常の食品に含まれる量の摂取は，ほとんどの人に安全のようです。ただし，「くすり」としての高用量摂取の安全性についてはデータが不十分です。安全性を考慮し，「くすり」としての量の摂取は避けるのが最善です。

有　効　性

◆科学的データが不十分です

・咳，気管支炎，結核，体重減少，便秘，消化性潰瘍，腸障害など。

●体内での働き

胃腸の分泌物を減少させる可能性のある化学物質が含まれています。多量のカラギーナンは，腸に水分を引き込むようです。このため，緩下薬として用いられます。また炎症（疼痛および腫脹）を抑える可能性があります。

医薬品との相互作用

中 血液凝固を抑制する医薬品（抗凝固薬/抗血小板薬）

カラギーナンは血液凝固を抑制する可能性があります。カラギーナンと血液凝固を抑制する医薬品を併用すると，紫斑および出血のリスクが高まるおそれがあります。このような医薬品には，アスピリン，クロピドグレル硫酸塩，ジクロフェナクナトリウム，イブプロフェン，ナプロキセン，ダルテパリンナトリウム，エノキサパリンナトリウム，ヘパリン，ワルファリンカリウムなどがあります。

中 降圧薬

カラギーナンは血圧を低下させる可能性があります。カラギーナンと降圧薬を併用すると，血圧が過度に低下するおそれがあります。このような降圧薬には，カプトプリル，エナラプリルマレイン酸塩，ロサルタンカリウム，バルサルタン，ジルチアゼム塩酸塩，アムロジピンベシル酸塩，ヒドロクロロチアジド，フロセミドなど数多くあります。

ハーブおよび健康食品・サプリメントとの相互作用

血圧を低下させるおそれのあるハーブおよび健康食品・サプリメント

カラギーナンは血圧を低下させるようです。同様の作用をもつほかのハーブおよび健康食品・サプリメントと併用すると，血圧が過度に低下するおそれがあります。

このようなハーブおよび健康食品・サプリメントには，アンドログラフィス，カゼイン・ペプチド，キャッツクロー，コエンザイムQ-10，魚油，L-アルギニン，クコ，イラクサ，テアニンなどがあります。

血液凝固を抑制するおそれのあるハーブおよび健康食品・サプリメント

カラギーナンは血液凝固を抑制するおそれがあります。血液凝固を抑制するおそれのあるほかのハーブおよび健康食品・サプリメントと併用すると，紫斑や出血のリスクが高まるおそれがあります。このようなハーブおよび健康食品・サプリメントには，アンゼリカ，クローブ，タンジン，ニンニク，ショウガ，イチョウ，朝鮮人参などがあります。

使用量の目安

通常の食品に含まれている量を超えて経口摂取した場合の安全性および副作用については，明らかになっていません。

カラクサケマン

FUMITORY

別名ほか

Beggary，Earth Smoke，Fumaria officinalis，Fumiterry，Fumus Hedge Fumitory，Herba Fumariae，Vapor，Wax Dolls

概　　要

カラクサケマンは灰色の尖った葉をもつ低木で，遠くから見ると煙のような小さくか細い房に見えます。そのため"earth smoke"とも呼ばれます。地表より上の部分が「くすり」として使用されます。

●要説（ナチュラル・スタンダード）

Fumariaは，カラクサケマンとも呼ばれます。欧州各地およびアジア原産の花を咲かせる一年草です。Fumariaにはおよそ50の種類があります。Fumaria officinalisはもっとも一般的な品種です。

アルカロイドとよばれる化学物質を含んでいます。アルカロイドは，筋痙攣および皮膚疾患を治療するとされています。Fumariaから作ったオーストリアの医薬品は，胆のう疾患の治療薬として市販されています。

安　全　性

推奨量のカラクサケマンを経口摂取する場合，短期間であればほとんどの成人におそらく安全です。大量に経口摂取するのは，おそらく安全ではありません。振戦や痙攣を起こしたり，死に至ったりするおそれがあります。

滅菌工程を経ていないカラクサケマンの点眼液は使用してはいけません。点眼液に細菌が混入していた場合，眼の感染を起こすおそれがあります。

●妊娠中および母乳授乳期

妊娠中および母乳授乳期の使用の安全性についてはデータが不十分です。安全性を考慮し，摂取は避けてください。

有　効　性

◆有効性レベル④

・過敏性腸症候群（IBS）。一部の研究では，カラクサケマンを18週間経口摂取しても，過敏性腸症候群の症状は改善しないことが示されています。

◆科学的データが不十分です

・胆汁障害，腸の痙攣，皮膚症状，眼の過敏，心疾患など。

●体内での働き

カラクサケマンには，胆管や消化管の痙攣を抑える可能性のある物質が含まれています。

医薬品との相互作用

ほかの医薬品との相互作用については明らかではありません。

ハーブおよび健康食品・サプリメントとの相互作用

ほかのハーブ，健康食品・サプリメントとの相互作用についてはまだ明らかではありません。

使用量の目安

通常の食品に含まれている量を超えて経口摂取した場合の安全性および副作用については，明らかになっていません。

ガラクトオリゴ糖

GALACTO-OLIGOSACCHARIDES

別名ほか

Galactooligosaccharides

概　　要

ガラクトオリゴ糖は，植物由来の糖鎖です。ガラクトオリゴ糖は，乳製品，豆類および特定の根菜に含まれています。ガラクトオリゴ糖を用いて「くすり」を作ることもあります。

ガラクトオリゴ糖は，花粉症（アレルギー性鼻炎），気管支喘息，湿疹（皮膚の痒み），幼児の仙痛，直腸および結腸がん，便秘，クローン病，下痢，消化器障害，インフルエンザ，食物アレルギー，幼児の発育，過敏性腸症候群，骨粗鬆症，潰瘍性大腸炎と呼ばれる腸疾患，潰瘍性大腸炎の手術後の回腸のう炎と呼ばれる疾患に対し，用いられます。

ガラクトオリゴ糖は，プレバイオティクスとしても用いられます。プレバイオティクスは，腸内の「良い」細菌の栄養となります。プレバイオティクスと，乳酸菌，ビフィズス菌，サッカロマイセスなどのプロバイオティクスを混同してはいけません。プロバイオティクスは，生きた微生物で健康に良いとされます。このような腸内菌を増やすため，プロバイオティクスは経口摂取されています。

ガラクトオリゴ糖は，食品の甘味料として用いられます。

安全性

ガラクトオリゴ糖の摂取は，1日20g未満であれば，おそらく安全です。ガラクトオリゴ糖は，腸内ガス（鼓腸），膨満感，胃の痙攣，下痢を引き起こすおそれがあります。

小児：ガラクトオリゴ糖の摂取は，調合乳に8g/L以下の濃度で追加した場合は，おそらく安全です。

多発性硬化症（MS），ループス（全身性エリテマトーデス，SLE），関節リウマチ（RA）などの自己免疫疾患：ガラクトオリゴ糖が，免疫システムの活性を高めるおそれがあります。このため，自己免疫疾患の症状が悪化するおそれがあります。自己免疫疾患の場合には，十分なデータが得られるまで，ガラクトオリゴ糖の使用を避けるのが最善です。

●妊娠中および母乳授乳期

ガラクトオリゴ糖の摂取は，1日4.5g未満の用量で，妊娠第25週から出産までの期間であれば，おそらく安全です。

母乳授乳期の使用の安全性についてはデータが不十分です。安全性を考慮し，摂取は避けてください。

有効性

◆有効性レベル③

- 湿疹（鱗状の皮膚，皮膚の痒み）。複数の研究により，アレルギーのリスクがある幼児がガラクトオリゴ糖とプロバイオティクスを摂取することにより，2歳までの湿疹の発症リスクが低下することが示唆されています。また，湿疹のリスクがある新生児にガラクトオリゴ糖とフラクトオリゴ糖を含む調合乳を与えたところ，湿疹の発症リスクが低下したようです。ただし，ほかの研究により，ガラクトオリゴ糖を含む調合乳を健康な幼児に与えても，湿疹の発症リスクには影響はないことが示唆されています。
- 仙痛。研究により，仙痛のある幼児にガラクトオリゴ糖とフラクトオリゴ糖を含む調合乳を与えると，調合乳に医薬品「シメチコン」を追加した対照と比べて，仙痛の頻度が低下することが示唆されています。

◆有効性レベル④

- 花粉症（アレルギー性鼻炎）。複数の研究により，アレルギーのリスクがある幼児がガラクトオリゴ糖とプロバイオティクスを併用摂取しても，2歳までの花粉症の発症リスクが低下することはないことが示唆されています。
- 気管支喘息。複数の研究により，アレルギーのリスクがある幼児がガラクトオリゴ糖とプロバイオティクスを併用摂取しても，2歳までの気管支喘息の発症リスクが低下することはないことが示唆されています。
- 食物アレルギー。複数の研究により，アレルギーのリスクがある幼児がガラクトオリゴ糖とプロバイオティクスを併用摂取しても，2歳までの食物アレルギーの発症リスクが低下することはないことが示唆されています。
- 幼児の発育。研究により，ガラクトオリゴ糖を調合乳に加えても，健康な幼児の体重や身長の増加に影響しないことが示唆されています。

◆科学的データが不十分です

- 便秘，直腸および結腸がん，クローン病，下痢，インフルエンザ，過敏性腸症候群，骨粗鬆症，潰瘍性大腸炎，潰瘍性大腸炎手術後の回腸のう炎など。

●体内での働き

ガラクトオリゴ糖は，消化されることなく大腸に届き，大腸内容物の質量を増加させ，有益とされるある種の細菌の増殖を促進します。

医薬品との相互作用

中 免疫抑制薬

ガラクトオリゴ糖は免疫機能を活性化させる可能性があります。ガラクトオリゴ糖と免疫抑制薬を併用すると，免疫抑制薬の効果が弱まるおそれがあります。このような免疫抑制薬には，アザチオプリン，バシリキシマブ，シクロスポリン，Daclizumab，ムロモナブ-CD3（販売中止），ミコフェノール酸モフェチル，タクロリムス水和物，シロリムス，Prednisone，副腎皮質ステロイドなどがあります。

ハーブおよび健康食品・サプリメントとの相互作用

ほかのハーブ，健康食品・サプリメントとの相互作用についてはまだ明らかではありません。

使用量の目安

●経口摂取

小児の湿疹の予防

ガラクトオリゴ糖0.8gを含むシロップ20滴と，プロバイオティクスのカプセルを毎日，6カ月間摂取します。ガラクトオリゴ糖とフラクトオリゴ糖0.8g/Lを含む調合乳を必要に応じて毎日，6カ月間摂取します。

仙痛

ガラクトオリゴ糖（90%）とフラクトオリゴ糖（10%）の混和物8g/Lを含む調合乳を必要に応じて毎日，2週間摂取します。

カラスビシャク

PINELLIA TERNATA

●代表的な別名

半夏

別名ほか

半夏（Banha, Ban Xia），ハンゲ（P. Ternata, Pinellia ternata tuber），Pinellia tuber, Pinellia tubiferia

概　要

カラスビシャクは植物です。塊茎を用いて「くすり」を作ることもあります。漢方の生薬成分として一般的です。

安 全 性

安全性については疑問視されています。

エフェドリンという神経を刺激する成分が含まれており，心臓発作や脳卒中，てんかん発作などの重大な副作用を引き起こすおそれがあります。このような安全性に関する懸念から，この製品はアメリカでは禁止されています。

●妊娠中および母乳授乳期

妊娠中および母乳授乳期のカラスビシャクの使用の安全性についてはデータが不十分です。安全を考慮し，使用を控えてください。

有 効 性

◆科学的データが不十分です

・悪心，悪阻，咳，産児制限，インフルエンザ，および炎症。

●体内での働き

どのように作用するかについては十分なデータが得られていません。いくつかの成分が，胃に作用して，食物が胃を通過する速度を調整すると考えられます。

医薬品との相互作用

中バルビツール酸系鎮静薬

カラスビシャクは眠気および注意力低下を引き起こす可能性があります。鎮静薬は眠気を引き起こす医薬品です。カラスビシャクと鎮静薬を併用すると，過度の眠気を引き起こすおそれがあります。このような鎮静薬には，アモバルビタール，Butabarbital，メホバルビタール（販売中止），ペントバルビタールカルシウム，フェノバルビタール，セコバルビタールナトリウムなどがあります。

中ベンゾジアゼピン系鎮静薬

カラスビシャクは眠気および注意力低下を引き起こす可能性があります。鎮静薬は眠気を引き起こす医薬品です。カラスビシャクと鎮静薬を併用すると，過度の眠気を引き起こすおそれがあります。このような鎮静薬には，ロラゼパム，アルプラゾラム，ジアゼパム，ミダゾラムなどがあります。

中鎮静薬（中枢神経抑制薬）

カラスビシャクは眠気および注意力低下を引き起こす可能性があります。鎮静薬は眠気を引き起こす医薬品です。カラスビシャクと鎮静薬を併用すると，過度の眠気を引き起こすおそれがあります。このような鎮静薬には，クロナゼパム，ロラゼパム，フェノバルビタール，ゾルピデム酒石酸塩などがあります。

ハーブおよび健康食品・サプリメントとの相互作用

ほかのハーブ，健康食品・サプリメントとの相互作用についてはまだ明らかではありません。

使用量の目安

標準使用量に関するデータがありません。

ガラナ豆

GUARANA

別名ほか

ガラナブレッド（Brazilian Cocoa, Guarana Bread），ガラナガム（Guarana Gum），ガラナ（Guarana Seed, Paste paullinia, Paullinia cupana），Paullinia sorbilis, Zoom

概　要

ガラナ豆は植物です。種子を用いて「くすり」を作ることもあります。

注：ガラナは，ブラジルで広く栽培されているムクロジ科の植物の種子を砕いたもの。

●要説（ナチュラル・スタンダード）

ガラナ豆は，南米の在来種です。経口摂取すると興奮性があります。運動能力の向上および疲労軽減にも用いられます。かつては，催淫薬，利尿薬，および収れん剤として，また，マラリア，赤痢，下痢，発熱，頭痛および関節リウマチの予防にも用いられていました。

ガラナ豆の有効成分はguaranine（tetramethylxanthine）と呼ばれていましたが，後にカフェインであることが判明しました。ガラナ豆はカフェイン含有量がもっとも高い植物の１つ（最高７％）であり，Dark Dog Lemon, Guts, およびJostaなど，さまざまなカフェイン含有製品に用いられています。

ガラナ豆自体の精神的敏しょう性向上効果についての科学的根拠はありませんが，カフェインを含んでいるため，同様の効果があるといえそうです。カフェインとタンニンの複合体であるため，ガラナ豆の興奮作用はカフェインと比べ，ゆるやかで持続的であるといわれています。マオウなどほかの興奮性物質と併用しなければ，ガラナ豆は一般的に安全であるとされています。

安 全 性

ガラナ豆は，通常の食品に含まれる量を摂取する場合，ほとんどの成人に安全のようです。

「くすり」としての量のガラナ豆を経口摂取する場合，短期間であればおそらく安全です。

高用量のガラナ豆を，長期にわたり経口摂取する場合，おそらく安全ではありません。1日250～300mgを超える量を摂取すると，副作用がみられることがわかっています。副作用は摂取量によって変わります。通常の摂取量では，ガラナ豆に含まれるカフェインにより，不眠，神経質，情動不安，胃の過敏，吐き気，嘔吐，心拍数増加，血圧上昇，呼吸数増加，振戦，せん妄，利尿などの副作用が起きるおそれがあります。高用量では，頭痛，不安，興奮，耳鳴，排尿痛，胃痙攣，脈拍不整などが起きるおそれがあります。ガラナ豆を定期的に摂取している人が通常の摂取量を減らすと，カフェイン離脱症状が発現するおそれがあります。

非常に高用量のガラナ豆を経口摂取する場合や注射（点滴）により投与する場合は，カフェインのために安全ではないようです。死に至ることもあります。カフェインの致死量は10～14g（体重1kg当たり150～200mg。体重約70kgの標準的な男性の致死量）とみられています。1杯のコーヒーに含まれるカフェインが95～200mgであることを考えれば，これはかなり多い量です。ただし，体重1kg当たり150～200mg未満の摂取であっても，カフェイン過敏性や喫煙行為，年齢，過去のカフェイン摂取歴によっては，重篤な中毒を起こすおそれもあります。

不安：ガラナ豆に含まれるカフェインが，不安感を悪化させるおそれがあります。

出血性疾患：ガラナ豆に含まれるカフェインが出血性疾患を悪化させる可能性を示唆するエビデンスがあります。現時点ではヒトに関する報告はありませんが，出血性疾患の場合には，ガラナ豆を使用する前に医師などに相談してください。

糖尿病：ガラナ豆に含まれるカフェインが，糖尿病患者の糖代謝に影響を及ぼし，血糖コントロールを困難にするおそれがあることを示唆する研究があります。また，カフェインが1型糖尿病患者の低血糖の警告症状を強める可能性を示唆する興味深い研究もあります。一部の研究によれば，低血糖症状は，始めはカフェインを摂取しない方が強く現れるものの，低血糖が継続すると，カフェインを摂取した方が強くなるようです。このことは，糖尿病患者が低血糖に気づき治療するのに役立つかもしれません。ただし否定的側面として，カフェインの摂取は実質的に低血糖の発現を増やすおそれがあります。糖尿病患者は，ガラナ豆を摂取する前に医師などに相談してください。

下痢：ガラナ豆にはカフェインが含まれます。カフェインは，とくに多量に摂取すると，下痢を悪化させるおそれがあります。

痙攣：ガラナ豆にはカフェインが含まれます。カフェインは痙攣のリスクを高め，痙攣をコントロールするさまざまな医薬品の効果を抑制するおそれがあります。痙攣のある患者は，ガラナ豆を摂取する前に医師などに相談してください。

過敏性腸症候群（IBS）：ガラナ豆にはカフェインが含まれます。カフェインは，とくに多量に摂取すると，過敏性腸症候群の症状を悪化させるおそれがあります。

心疾患：ガラナ豆に含まれるカフェインが，人によっては脈拍不整を引き起こすおそれがあります。注意して使用してください。

高血圧：高血圧患者がガラナ豆を摂取すると，カフェインにより血圧が上昇するおそれがあります。ただし，コーヒーやカフェインを日常的に摂取する人では，この作用はあまりみられないようです。

緑内障：ガラナ豆に含まれるカフェインが眼圧を上昇させます。カフェイン飲料摂取後30分以内に眼圧が上昇し，その状態が少なくとも90分間続くようです。

膀胱機能の障害（失禁）：ガラナ豆にはカフェインが含まれます。カフェインは，とくに高齢女性の膀胱コントロールを低下させるおそれがあります。尿意切迫を感じることが多い場合は，注意して使用してください。

骨粗鬆症：ガラナ豆に含まれるカフェインが，体内のカルシウムを尿中に排出し，カルシウム喪失により骨が脆くなるおそれがあります。これを防ぐため，1日300mgを超えるカフェインを摂取しないでください。カルシウムサプリメントンを摂取することによっても，カルシウム喪失分を補える可能性があります。ビタミンD代謝異常を起こす遺伝性疾患のある閉経後の女性がカフェインを摂取する場合は，注意してください。

統合失調症：ガラナ豆にはカフェインが含まれます。カフェインは統合失調症の症状の一部を悪化させるおそれがあります。統合失調症の場合には，注意して使用してください。

●妊娠中および母乳授乳期

妊娠中および母乳授乳期に，通常の食品に含まれる量のガラナ豆を摂取する場合は，おそらく安全です。妊娠中および母乳授乳期に摂取する場合は，カフェイン摂取量に注意してください。少量の摂取ではおそらく問題ありませんが，高用量を経口摂取するのは，おそらく安全ではありません。200mgを上回るカフェインの摂取は，流産をはじめとする副作用のリスク上昇との関連が認められています。

有 効 性

◆科学的データが不十分です

・不安，がん患者の食欲不振，化学療法に関連する疲労，精神機能，運動耐性，体重減少，幸福感，放射線宿酔，慢性疲労症候群（CFS），下痢，発熱，体液貯留，頭痛，心臓障害，運動持久力の改善，短時間・高負荷下の能力，低血圧の人の血圧上昇，関節痛，マラリアなど。

●体内での働き

ガラナ豆にはカフェインが含まれています。カフェインには，中枢神経系，心臓および筋肉を興奮させる作用があります。ガラナ豆には，テオフィリンとテオブロミンというカフェインに類似した化学物質も含まれています。

医薬品との相互作用

低Tiagabine

Tiagabineは特定の種類の発作をコントロールするために用いられます。ガラナ豆に含まれるカフェインはTiagabineの作用に影響を及ぼさないようです。しかし，カフェインを長期間摂取すると，Tiagabineの血中濃度が上昇する可能性があります。理論的には，ガラナ豆を長期間摂取すると，同様の作用が生じる可能性があります。

中アデノシン

ガラナ豆にはカフェインが含まれます。ガラナ豆のカフェインはアデノシンの作用を妨げる可能性があります。アデノシンは，医師が薬剤負荷心筋シンチグラフィを行うときに頻用されます。この検査を受ける前，少なくとも24時間はガラナ豆などのカフェインを含む製品を摂取しないでください。

低アルコール

ガラナ豆に含まれるカフェインは体内で代謝されてから排泄されます。アルコールはカフェインの代謝を抑制する可能性があります。ガラナ豆とアルコールを併用すると，血中のカフェイン量が過剰になり，神経過敏，頭痛，動悸などのカフェインの副作用が発現するおそれがあります。

中エストロゲン（卵胞ホルモン）製剤

ガラナ豆に含まれるカフェインは体内で代謝されてから排泄されます。エストロゲンはカフェインの代謝を抑制する可能性があります。ガラナ豆とエストロゲン製剤を併用すると，神経過敏，頭痛，頻脈などの副作用が現れるおそれがあります。エストロゲン製剤を服用中はカフェインの摂取量を制限してください。このようなエストロゲン製剤には結合型エストロゲン，エチニルエストラジオール，エストラジオールなどがあります。

中エトスクシミド

エトスクシミドは特定の種類の発作をコントロールするために用いられます。ガラナ豆に含まれるカフェインはエトスクシミドの作用を減弱させる，または発作を起こしやすくするおそれがあります。理論的には，ガラナ豆とエトスクシミドを併用すると，エトスクシミドの作用が減弱し，発作のリスクが高まるおそれがあります。

高エフェドリン塩酸塩

興奮薬は神経系を亢進させます。ガラナ豆に含まれるカフェインとエフェドリン塩酸塩は，いずれも興奮薬です。ガラナ豆とエフェドリン塩酸塩を併用すると，過度な興奮や，場合によっては重大な副作用および心臓の異常を引き起こすおそれがあります。 カフェインを含む製品とエフェドリン塩酸塩を同時に摂取しないでください。

中カルバマゼピン

カルバマゼピンは特定の種類の発作を治療するために用いられます。ガラナ豆に含まれるカフェインはカルバマゼピンの作用を減弱させる，または痙攣発作を起こしやすくするおそれがあります。理論的には，ガラナ豆とカルバマゼピンを併用すると，カルバマゼピンの作用を減弱させ，人によっては痙攣発作のリスクを高めるおそれがあります。

中キノロン系抗菌薬

ガラナ豆に含まれるカフェインは体内で代謝されてから排泄されます。特定の抗菌薬はカフェインの代謝を抑制する可能性があります。カフェインと特定の抗菌薬を併用すると，神経過敏，頭痛，頻脈など，副作用のリスクが高まるおそれがあります。このような抗菌薬にはシプロフロキサシン，エノキサシン水和物（販売中止），ノルフロキサシン，スパルフロキサシン（販売中止），Trovafloxacin，塩酸グレパフロキサシン（販売中止）があります。

中クロザピン

クロザピンは体内で代謝されてから排泄されます。ガラナ豆に含まれるカフェインはクロザピンの代謝を抑制する可能性があります。ガラナ豆とクロザピンを併用すると，クロザピンの作用および副作用が増強するおそれがあります。

中ジスルフィラム

カフェインは体内で代謝され排泄されます。ジスルフィラムはカフェインの排泄を抑制する可能性があります。ジスルフィラムとカフェインを含むガラナ豆を併用すると，カフェインの作用が増強され，神経過敏，活動亢進，易刺激性などの副作用が増強されるおそれがあります。

中ジピリダモール

ガラナ豆に含まれるカフェインはジピリダモールの作用を妨げる可能性があります。ジピリダモールは心臓の検査に頻用されます。この検査は薬剤負荷心筋シンチグラフィと呼ばれます。この検査を受ける前，少なくとも24時間はガラナ豆などのカフェインを含むものを摂取してはいけません。

中シメチジン

ガラナ豆に含まれるカフェインは体内で代謝されてから排泄されます。シメチジンはこの代謝を抑制する可能性があります。ガラナ豆とシメチジンを併用すると，神経過敏，頭痛，動悸など，カフェインの副作用のリスクを高めるおそれがあります。

低チクロピジン塩酸塩

ガラナ豆に含まれるカフェインは体内で代謝されてか

相互作用レベル：高この医薬品と併用してはいけません　中この医薬品とは慎重に併用するか併用しないでください
低この医薬品との併用には注意が必要です

ら排泄されます。チクロピジン塩酸塩はカフェインの排泄を抑制する可能性があります。理論的には，ガラナ豆とチクロピジン塩酸塩を併用すると，カフェインの副作用のリスクが高まるおそれがあります。

中テオフィリン

ガラナ豆に含まれるカフェインには，テオフィリンに類似した作用があります。また，カフェインはテオフィリンの体内からの排泄を抑制する可能性があります。ガラナ豆とテオフィリンを併用すると，テオフィリンの作用および副作用が増強するおそれがあります。

低テルビナフィン塩酸塩

ガラナ豆に含まれるカフェインは体内で代謝されてから排泄されます。テルビナフィン塩酸塩はカフェインの排泄を抑制し，神経過敏，頭痛，頻脈など，カフェインの副作用のリスクを高めるおそれがあります。

中ニコチン

ニコチンなどの興奮薬は神経系を亢進させます。そのため，神経が過敏になり，心拍数が上昇する可能性があります。ガラナ豆に含まれるカフェインもまた神経系を亢進させる可能性があります。ガラナ豆と興奮薬を併用すると，頻脈や高血圧などの重大な問題を引き起こすおそれがあります。興奮薬とカフェインを併用しないでください。

中バルプロ酸ナトリウム

バルプロ酸ナトリウムは特定の種類の発作をコントロールするために用いられます。ガラナ豆に含まれるカフェインはバルプロ酸ナトリウムの作用を減弱させる，または痙攣発作を起こしやすくするおそれがあります。理論的には，ガラナ豆とバルプロ酸ナトリウムを併用すると，バルプロ酸ナトリウムの作用が減弱し，痙攣発作のリスクが高まるおそれがあります。

中フェニトイン

フェニトインは特定の種類の発作をコントロールするために用いられます。ガラナ豆に含まれるカフェインはフェニトインの作用を減弱させる，または痙攣発作を起こしやすくするおそれがあります。理論的には，ガラナ豆とフェニトインを併用すると，フェニトインの作用が減弱し，痙攣発作のリスクが高まるおそれがあります。

低フェノチアジン系薬

ガラナ豆に含まれるカフェインは体内で代謝されてから排泄されます。フェノチアジン系薬はカフェインの代謝を抑制する可能性があります。ガラナ豆とフェノチアジン系薬を併用すると，カフェインの作用および副作用が増強するおそれがあります。

中フェノバルビタール

フェノバルビタールは特定の種類の発作をコントロールするために用いられます。ガラナ豆に含まれるカフェインはフェノバルビタールの作用を減弱させる，または痙攣発作を起こしやすくするおそれがあります。理論的には，ガラナ豆とフェノバルビタールを併用すると，フェノバルビタールの作用が減弱し，痙攣発作のリスクが高まるおそれがあります。

低フルコナゾール

ガラナ豆に含まれるカフェインは体内で代謝されてから排泄されます。フルコナゾールはカフェインの排泄を抑制する可能性があります。ガラナ豆とフルコナゾールを併用すると，神経過敏，不安感，不眠など，カフェインの副作用のリスクを高めるおそれがあります。

中フルタミド

フルタミドは体内で代謝されてから排泄されます。ガラナ豆に含まれるカフェインはフルタミドの代謝を抑制する可能性があります。理論的には，カフェインとフルタミドを併用すると，体内のフルタミド量が過剰になり，フルタミドの副作用のリスクが高まるおそれがあります。

中フルボキサミンマレイン酸塩

ガラナ豆に含まれるカフェインは体内で代謝されてから排泄されます。フルボキサミンマレイン酸塩はカフェインの体内での代謝を抑制する可能性があります。ガラナ豆とフルボキサミンマレイン酸塩を併用すると，体内のカフェイン量が過剰になり，カフェインの作用および副作用が増強するおそれがあります。

中ベラパミル塩酸塩

ガラナ豆に含まれているカフェインは体内で代謝されてから排泄されます。ベラパミル塩酸塩は，カフェインの排泄を抑制する可能性があります。ガラナ豆とベラパミル塩酸塩を併用すると，神経過敏，頭痛，頻脈など，カフェインの副作用のリスクを高めるおそれがあります。

中ペントバルビタールカルシウム

ガラナ豆に含まれるカフェインの興奮作用は，ペントバルビタールカルシウムの催眠作用を妨げるおそれがあります。

低メキシレチン塩酸塩

ガラナ豆に含まれるカフェインは体内で代謝されてから排泄されます。メキシレチン塩酸塩はカフェインの代謝を抑制する可能性があります。ガラナ豆とメキシレチン塩酸塩を併用すると，カフェインの作用およびガラナ豆の副作用が増強するおそれがあります。

低メトキサレン

ガラナ豆に含まれるカフェインは体内で代謝されてから排泄されます。メトキサレンはカフェインの代謝を抑制する可能性があります。ガラナ豆とメトキサレンを併用すると，カフェインの作用および副作用が増強するおそれがあります。

低メトホルミン塩酸塩

ガラナ豆に含まれるカフェインは体内で代謝されてから排泄されます。メトホルミン塩酸塩はカフェインの代謝を抑制する可能性があります。ガラナ豆とメトホルミン塩酸塩を併用すると，カフェインの作用および副作用が増強するおそれがあります。

中モノアミン酸化酵素阻害薬（MAO阻害薬）

ガラナ豆にはカフェインが含まれます。カフェインは身体を刺激する可能性があります。モノアミン酸化酵素阻害薬（MAO阻害薬）も身体を刺激する可能性があります。ガラナ豆とMAO阻害薬を併用すると，動悸，高血圧，神経過敏などの重大な副作用が現れるおそれがあります。このようなMAO阻害薬には，Phenelzine，Tranylcypromineなどがあります。

中リルゾール

リルゾールは体内で代謝されてから排泄されます。ガラナ豆はリルゾールの代謝が抑制され，リルゾールの作用および副作用が増強するおそれがあります。

中塩酸フェニルプロパノールアミン【販売中止】

ガラナ豆に含まれるカフェインは身体を刺激する可能性があります。塩酸フェニルプロパノールアミンもまた，身体を刺激する可能性があります。ガラナ豆と塩酸フェニルプロパノールアミンを併用すると，過度に刺激を与え，頻脈，高血圧，神経過敏を引き起こすおそれがあります。

低肝臓でほかの医薬品の代謝を抑制する医薬品（シトクロムP450 1A2（CYP1A2）を阻害する医薬品）

ガラナ豆に含まれるカフェインは肝臓で代謝されます。特定の医薬品はほかの医薬品やサプリメントの肝臓での代謝を抑制します。ガラナ豆とこのような医薬品を併用すると，カフェインの代謝が抑制され，体内のカフェイン量が増加する可能性があります。このような医薬品にはフルボキサミンマレイン酸塩，メキシレチン塩酸塩，クロザピン，Psoralene，Furafylline，テオフィリン，Idrocilamideなどがあります。

中気管支喘息治療薬（アドレナリンβ受容体作動薬）

ガラナ豆に含まれるカフェインは心臓を刺激する可能性があります。特定の気管支喘息治療薬もまた心臓を刺激する可能性があります。カフェインと特定の気管支喘息治療薬を併用すると，過度に刺激を与え，心臓の異常を引き起こすおそれがあります。このような気管支喘息治療薬にはサルブタモール硫酸塩，オルシプレナリン硫酸塩（販売中止），テルブタリン硫酸塩，イソプレナリン塩酸塩があります。

中興奮薬

興奮薬は神経系を亢進させます。そのため，神経過敏や頻脈を引き起こす可能性があります。ガラナ豆に含まれるカフェインもまた，神経系を亢進させる可能性があります。ガラナ豆と興奮薬を併用すると，頻脈や高血圧などの深刻な問題を引き起こすおそれがあります。カフェインと興奮薬を併用しないでください。このような興奮薬には，ニコチン，コカイン塩酸塩，交感神経刺激アミン，アンフェタミン類があります。

中血液凝固を抑制する医薬品（抗凝固薬/抗血小板薬）

ガラナ豆にはカフェインが含まれます。カフェインは血液凝固を抑制する可能性があります。カフェインと血液凝固を抑制する医薬品を併用すると，紫斑および出血のリスクが高まるおそれがあります。このような医薬品にはアスピリン，クロピドグレル硫酸塩，ジクロフェナクナトリウム，イブプロフェン，ナプロキセン，ダルテパリンナトリウム，エノキサパリンナトリウム，ヘパリン，ワルファリンカリウムなどがあります。

中炭酸リチウム

炭酸リチウムは体内から自然に排泄されます。ガラナ豆に含まれるカフェインは，炭酸リチウムの排泄を促進させる可能性があります。カフェインを含む製品と炭酸リチウムを併用している場合には，その製品の摂取を徐々にやめてください。すぐにやめると，炭酸リチウムの副作用が増強するおそれがあります。

低糖尿病治療薬

ガラナ豆は血糖値を上昇させる可能性があります。糖尿病治療薬は血糖値を低下させるために用いられます。ガラナ豆が血糖値を上昇させることで，糖尿病治療薬の効果が弱まるおそれがあります。血糖値を注意深く監視してください。糖尿病治療薬の用量を変更する必要があるかもしれません。このような糖尿病治療薬にはグリメピリド，グリベンクラミド，インスリン，ピオグリタゾン塩酸塩，マレイン酸ロシグリタゾン（販売中止），クロルプロパミド，Glipizide，トルブタミド（販売中止）などがあります。

低避妊薬

ガラナ豆に含まれるカフェインは体内で代謝されてから排泄されます。避妊薬はカフェインの代謝を抑制する可能性があります。ガラナ豆と避妊薬を併用すると，神経過敏，頭痛，頻脈などの副作用が現れるおそれがあります。このような避妊薬には，エチニルエストラジオール・レボノルゲストレル配合，エチニルエストラジオール・ノルエチステロン配合などがあります。

中利尿薬

ガラナ豆はカフェインを含みます。カフェインはカリウム量を減少させる可能性があります。利尿薬もまた体内のカリウム量を減少させる可能性があります。理論的には，ガラナ豆と利尿薬を併用すると，カリウム量が過剰に減少するおそれがあります。このような利尿薬にはクロロチアジド(販売中止)，クロルタリドン(販売中止)，フロセミド，ヒドロクロロチアジドなどがあります。

高アンフェタミン類【販売中止】

アンフェタミン類などの興奮薬は神経系を亢進させます。そのため，神経が過敏になり，心拍数が上昇する可能性があります。ガラナ豆に含まれるカフェインもまた神経系を亢進させる可能性があります。ガラナ豆と興奮薬を併用すると，頻脈や高血圧などの重大な問題を引き起こすおそれがあります。カフェインと興奮薬を併用しないでください。

高コカイン塩酸塩

コカイン塩酸塩などの興奮薬は神経系を亢進させます。そのため，神経が過敏になり，心拍数が上昇する可能性があります。ガラナ豆に含まれるカフェインもまた神経系を亢進させる可能性があります。ガラナ豆と興奮薬を併用すると，頻脈や高血圧などの重大な問題を引き起こすおそれがあります。興奮薬とカフェインを併用しないでください。

ハーブおよび健康食品・サプリメントとの相互作用

ダイダイ

ガラナ豆にはカフェインが含まれます。正常血圧の成人が，ダイダイをガラナ豆などのカフェインを含むハーブおよび健康食品・サプリメントと併用すると，血圧および心拍数が上昇するおそれがあります。これにより心血管障害のリスクが高まるおそれがあります。

カフェインを含むハーブおよび健康食品・サプリメント

ガラナ豆にはカフェインが含まれます。ガラナ豆を，カフェインを含むほかのハーブおよび健康食品・サプリメントと併用すると，カフェインの有害作用および有効作用の両方が増強する可能性があります。このようなハーブおよび健康食品・サプリメントには，コーヒー，紅茶，緑茶，ウーロン茶，プーアール茶，マテ，コーラノキなどがあります。

カルシウム

食品や飲料，ガラナ豆などのハーブおよび健康食品・サプリメントからカフェインを大量に摂取すると，カルシウムの尿中への排出が増加します。

クレアチン

カフェインとマオウ（麻黄），クレアチンを併用摂取すると，深刻な副作用のリスクが高まるおそれがあります。クレアチン・モノハイドレート 6 g，カフェイン 400～600mg，マオウ（麻黄）40～60mg，およびほかのサプリメント多種を毎日，6 週間にわたり摂取したスポーツ選手が脳卒中を起こした例が報告されています。カフェインはまた，クレアチンの運動能力に対する有益な作用を減弱させるおそれがあります。

タンジン

ガラナ豆にはカフェインが含まれます。身体はカフェインを分解して排出します。タンジンは，身体のカフェイン分解速度を抑制するおそれがあります。タンジンとガラナ豆を併用すると，カフェイン濃度が高まるおそれがあります。

エキナセア

ガラナ豆にはカフェインが含まれます。身体はカフェインを分解して排出します。エキナセアは，身体のカフェイン分解速度を抑制するおそれがあります。エキナセアとガラナ豆を併用すると，カフェイン濃度が高まるおそれがあります。

マオウ（麻黄）

マオウは興奮成分です。ガラナ豆も，カフェインを含むため興奮成分です。マオウをガラナ豆と併用すると，体内に過度の興奮を引き起こすおそれがあります。マオウとガラナ豆（カフェイン）の併用製品の使用により，神経過敏，高血圧，痙攣，一時的意識消失を引き起こし，生命維持装置を用いた入院が必要となった例の非公開報告があります。ガラナ豆をマオウなどの興奮成分と併用してはいけません。

血液凝固を抑制するハーブおよび健康食品・サプリメント

ガラナ豆が血液凝固を抑制するおそれがあります。ガラナ豆を，血液凝固を抑制するおそれのあるほかのハーブおよび健康食品・サプリメントと併用すると，人によっては出血のリスクが高まるおそれがあります。このようなハーブおよび健康食品・サプリメントには，アンゼリカ，クローブ，タンジン，ニンニク，ショウガ，イチョウ，朝鮮人参などがあります。

クズ

ガラナ豆にはカフェインが含まれます。身体はカフェインを分解して排出します。クズは，身体のカフェイン分解速度を抑制するおそれがあります。クズとガラナ豆を併用すると，カフェイン濃度が高まるおそれがあります。

マグネシウム

食品や飲料，ガラナ豆などのハーブおよび健康食品・サプリメントからカフェインを大量に摂取すると，マグネシウムの尿中への排出が増加します。

メラトニン

ガラナ豆にはカフェインが含まれます。カフェインとメラトニンを併用すると，メラトニン濃度が高まることがあります。理論上は，ガラナ豆とメラトニンを併用すると，メラトニン濃度が高まるおそれがあります。

レッドクローバー

ガラナ豆にはカフェインが含まれます。身体はカフェインを分解して排出します。レッドクローバーは，身体のカフェイン分解速度を抑制するおそれがあります。理論上は，レッドクローバーとガラナ豆を併用すると，カフェイン濃度が高まるおそれがあります。

使用量の目安

通常の食品に含まれている量を超えて経口摂取した場合の安全性および副作用については，明らかになっていません。

ガラパゴスウチワサボテン

PRICKLY PEAR CACTUS

●代表的な別名

オプンティア

別名ほか

オプンティア・ウェルティナ，絹肌団扇，白武扇（Opuntia velutina），オプンチア（Barbary-fig Cactus，Cactus Flowers，Cactus Fruit，Cactus Pear Fruit，Gracemere-PearIndian-fig，Prickly Pear Cactus，Opuntia），ノパル（Nopal），オプンティア・フリギノサ

カ

(Nopol, OPI, Opuntia ficus indica, Opuntia Fruit, Opuntia fuliginosa), オプンティア・ヒプティアカンタ (Opuntia hyptiacantha), オプンティア・マクロケントラ (Opuntia Lasciacantha, Opuntia Macrocentra), オプンティア・メガカンサ (Opuntia megacantha), オプンティア・ストレプタカンタ (Opuntia puberula, Opuntia streptacantha), Prickly Pear, Tuna Cardona, Westwood-Pear

概要

ガラパゴスウチワサボテンは植物です。メキシコおよびアメリカのメキシコ系文化圏では食材です。若い時期にのみ食すことができ，年数を経たサボテンは食べるには固すぎます。「くすり」として使用されることもあります。

●要説（ナチュラル・スタンダード）

ノパルについて

ノパルは，Prickly Pearとしても知られています。食用にも医療用にも用いられます。北米の砂漠では一般的で，通常，生のままのもの，缶詰にしたもの，乾燥させたものが販売されており，伝統的なメキシコ料理に用いられます。ノパルのジュースはゼリーやキャンディーに用いられます。果肉も生のまま食したり，パイ，デザート，シェイク，スプレッドに用いたりします。

ノパルは昔から，抗炎症薬や緩下剤として用いられています。アルコールに起因する宿酔い，糖尿病，脂質異常症（高コレステロール血症）に有効な可能性もあります。ただし，さらなる研究が必要です。

安全性

葉，茎，花部，および果実については，短期間の使用の場合，ほとんどの人に安全のようです。

軽度の下痢，悪心，排便回数および排便量の増加，お腹が張る，頭痛などの副作用が引き起こされるおそれがあります。

糖尿病：糖尿病患者の血糖値を下げるおそれがあります。ガラパゴスウチワサボテンを使用している糖尿病患者は，血糖値の定期的な測定を行い，血糖値（低血糖症）に注意してください。

●妊娠中および母乳授乳期

妊娠中，母乳授乳期，２週間以内に手術を受ける予定の人は使用してはいけません。

有効性

◆有効性レベル③

・糖尿病。焼いたガラパゴスウチワサボテンの一種（Opuntia streptacantha）の茎は，２型糖尿病患者の血糖値を下げると考えられています。人によっては単回投与によって17～46％血糖値を下げることができます。しかし，長期的な日常使用で常に血糖値を下げられるかどうかは知られていません。この種の生または加工されていない茎では，効果がないようです。ほかのガラパゴスウチワサボテンでも，同じく効果は見られないようです。

・二日酔い。飲酒前に摂取することによって，翌日に生じる二日酔いの症状が軽くなる可能性があります。悪心，食欲不振，口の乾燥などを大いに軽減すると見られています。しかし頭痛やめまい，下痢，痛みなどの二日酔いの症状を緩和することはないようです。

◆科学的データが不十分です

・前立腺肥大。前立腺肥大の男性は，しばしば尿意を催し頻尿を経験します。研究中のデータでは，粉末のガラパゴスウチワサボテンの花を摂取することで，症状を和らげることが示唆されています。

・高血圧症，コレステロール，肥満症，大腸炎，下痢，およびウイルスを原因とする感染症の治療。

●体内での働き

食物繊維とペクチンが含まれており，これらが胃や腸における糖分の吸収を抑えることによって，血糖値を下げる作用を示すと考えられます。また，血清コレステロール値を下げる効果，およびウイルスを抑制する効果があるという説を唱える科学者もいます。

医薬品との相互作用

中 糖尿病治療薬

ガラパゴスウチワサボテンは２型糖尿病患者の血糖値を低下させる可能性があります。糖尿病治療薬もまた血糖値を低下させるために用いられます。ガラパゴスウチワサボテンと糖尿病治療薬を併用すると，血糖値が過度に低下するおそれがあります。血糖値を注意深く監視してください。糖尿病治療薬の用量を変更する必要があるかもしれません。このような糖尿病治療薬にはグリメピリド，グリベンクラミド，インスリン，ピオグリタゾン塩酸塩，マレイン酸ロシグリタゾン（販売中止）などがあります。

ハーブおよび健康食品・サプリメントとの相互作用

ほかのハーブ，健康食品・サプリメントとの相互作用についてはまだ明らかではありません。

使用量の目安

●経口摂取

糖尿病

通常，焼いた茎を１日100～500g摂取します。しばしば１日３回に分けて摂取します。

二日酔い

特定のエキス製剤を用いる場合，アルコールを飲む５時間前に1,600IUを摂取します。

良性前立腺肥大（BPH）

乾燥した花部を粉末状にしたものを，１回500mgで１日３回摂取します。

カラバッシュチョーク

CALABASH CHALK

別名ほか

Argile, Calabar Stone, Calabash Clay, Ebumba, Lacraie, La Craie, Mabele, Ndom, Nzu, Poto, Shikor Mati, Sikor, Ulo

概　要

カラバッシュチョークは土（クレイ）の一種です。一部の人(特に妊婦)は「くすり」としてカラバッシュチョークを食します。しかし，カラバッシュチョークにはヒ素や鉛といった危険な可能性のある重金属が含まれます。

安全性に関して深刻な懸念があるものの，カラバッシュチョークは，つわり，吐き気・嘔吐，下痢，スキンケアに用いられていますが，このような用途を裏付ける十分な科学的根拠（エビデンス）はありません。

安 全 性

カラバッシュチョークを経口摂取した場合，安全ではないようです。カラバッシュチョークには鉛やほかの重金属が含まれ，長期間または多量に使用した場合に重大な副作用が現れるおそれがあります。

カラバッシュチョークを皮膚に塗布した場合，安全性や副作用の可能性に関する情報は不十分です。

●妊娠中および母乳授乳期

カラバッシュチョークを経口摂取した場合，安全ではないようです。カラバッシュチョークには鉛やほかの重金属が含まれ，多量に使用した場合に乳児に重大な副作用が現れるおそれがあります。

有 効 性

◆科学的データが不十分です

つわり，吐き気・嘔吐，下痢，食欲抑制効果，避妊，スキンケア，創傷治癒など。

●体内での働き

カラバッシュチョークがどのように働く可能性があるかについては情報が不十分です。しかし，カラバッシュチョークには鉛やほかの重金属が含まれます。重金属は小児や成人に重大な副作用を引き起こすおそれがあります。

医薬品との相互作用

ほかの医薬品との相互作用については明らかではありません。

ハーブおよび健康食品・サプリメントとの相互作用

ほかのハーブ，健康食品・サプリメントとの相互作用についてはまだ明らかではありません。

使用量の目安

カラバッシュチョークの適量は複数の要因（年齢，健康状態などさまざまな状況）により異なります。現時点ではカラバッシュチョークの適量の範囲を決定する十分な科学的根拠（エビデンス）はありません。自然由来の製品は必ずしも常に安全ではなく，使用量が重要になりうることに留意してください。製品の表示にある注意事項に従い，また，医師・薬剤師などに相談することなく製品を使用しないでください。

カラバルマメ

CALABAR BEAN

●代表的な別名

チョップナッツ

別名ほか

チョップナッツ（Chop Nut），Esere Nut, Faba calabarica, Ordeal Bean, Physotigma, Physostigma venenosum

概　要

カラバルマメは植物です。種子は非常に毒性が強く，また「くすり」として使用されることもあります。

歴史的にカラバルマメは，アフリカの種族で魔女や悪霊に取り憑かれた人を見分けるために“試罪の豆”として使われてきました。この豆を食べて生き残ることができたら，その人は無罪とされました。その試練は，豆を噛んでしまうことなく，そのまま飲み込むことで生き延びるチャンスが大きくなりました。豆を噛んでしまうことで豆の中の毒が出てしまうからです。アフリカでは，違法とされていますが，この慣習は続けられています。

カラバルマメは，処方薬のフィゾスソスチグミンの原料です。

安 全 性

安全ではありません。非常に毒性があります。

唾液や汗の過剰分泌，瞳孔の縮小，悪心，嘔吐，下痢，不整脈，血圧の変動，錯乱，引きつけ，昏睡，重度の筋肉の脱力，麻痺などを引き起こす可能性があり，さらには死に至るおそれもあります。

カラバルマメは，誰に対しても安全ではありませんが，人によっては重篤な副作用のリスクが高い人がいます。そのような場合，とくに注意して使用を避けてください。

パーキンソン病，心疾患あるいは心臓の鼓動が遅い，気管支喘息，糖尿病，壊疽を起こすような血流低下，腸管の閉塞の人は使用してはいけません。

●妊娠中および母乳授乳期

妊娠中，母乳授乳期は，使用してはいけません。

有　効　性

◆科学的データが不十分です

・眼障害，便秘，てんかん，コレラ，および破傷風の治療。

●体内での働き

体の各部において，神経と筋肉の間のシグナル伝達に作用する成分が含まれています。

医薬品との相互作用

中口渇作用などの乾燥作用のある医薬品（抗コリン薬）

カラバルマメには脳や心臓に影響を及ぼす可能性のある成分が含まれています。口渇作用などの乾燥作用のある医薬品（抗コリン薬）のなかにも脳や心臓に作用するものがありますが，カラバルマメの作用は抗コリン薬と異なっており，抗コリン薬の効果を弱めることがあります。このような医薬品には，アトロピン硫酸塩水和物，スコポラミン臭化水素酸塩水和物，特定のアレルギー治療薬（抗ヒスタミン薬），特定の抗うつ薬などがあります。

ハーブおよび健康食品・サプリメントとの相互作用

ほかのハーブ，健康食品・サプリメントとの相互作用についてはまだ明らかではありません。

使用量の目安

標準使用量に関するデータがありません。

カラマツ・テレピン油

LARCH TURPENTINE

別名ほか

落葉松（Larix decidua），ヨウシュカラマツ，オウシュウカラマツ，セイヨウカラマツ，ヨーロッパカラマツ，ヴェネチアテレピンパルサム，ベネチアテレピン（Terebinthina laricina，Terebinthina Veneta，Venetian Turpentine）

概　　要

カラマツ・テレピン油は，木の幹から得られる油性の物質です。

安　全　性

損傷のない皮膚への使用は安全のようです。

経口摂取，損傷のある皮膚への使用，あるいは吸入することは安全ではないと考えられます。不適切に使用すると，皮膚のアレルギー反応，腎臓の障害，神経系の障害，肺の障害などの副作用を引き起こすおそれがあります。

気管支炎：気管支炎の場合には，吸入してはいけません。症状を悪化させるおそれがあります。

●妊娠中および母乳授乳期

妊娠中および母乳授乳期の使用の安全性についてはデータが不十分です。安全性を考慮し，摂取は避けてください。

有　効　性

◆科学的データが不十分です

・神経痛，関節炎様の痛み，気管支炎，せつ，発熱，感冒，咳，血圧障害，および口内と咽喉の炎症（腫脹）。

●体内での働き

皮膚に使用する場合，血流を促し，細菌の繁殖を抑えます。

医薬品との相互作用

ほかの医薬品との相互作用については明らかではありません。

ハーブおよび健康食品・サプリメントとの相互作用

ほかのハーブ，健康食品・サプリメントとの相互作用についてはまだ明らかではありません。

使用量の目安

●経口摂取

通常10～20％のカラマツ・テレピン油を含む軟膏，ゲル剤，乳剤，およびオイルを外用塗布剤として使用します。

カラマツアラビノガラクタン

LARCH ARABINOGALACTAN

別名ほか

木糖（Wood Gum，Wood Sugar），水溶性繊維（Soluble fiber），アラビノガラクタン（AG，Ara-6 Arabinogalactan），ウェスタン・ラーチ（Mongolian Larch，Mongolian Larchwood，Stractan，Western Larch），カラマツ（Larch），セイヨウカラマツ（Larch gumLarix，Larix dahurica，Larix occidentalis），セイヨウカラマツアラビノガラクタン（Western Larch Arabinogalactan），ダイエタリーファイバー（Dietary Fiber），Ara-6，Larch Gum，Lch

概　　要

カラマツアラビノガラクタンはでんぷんのような化学物質で，多くの植物に存在しますがとくにカラマツに多く含まれており，「くすり」として使われることがあります。市販されているカラマツアラビノガラクタン製品の多くはセイヨウカラマツ（Larch occidentalis）から生産されますが，カラマツアラビノガラクタンは他の種のカラマツからも産出されます。

●要説（ナチュラル・スタンダード）

アラビノガラクタンは，多糖類と呼ばれる炭水化物のグループに属しています。アラビノガラクタンはカラマツの木（カラマツ種）の木材由来で，食事療法として使用される場合は，米国食品医薬品局（FDA）によって食物繊維としての使用が承認されています。

ダイエットサプリメントとしては，カラマツアラビノガラクタンは免疫系の刺激，がんに抵抗するため，および前生物(結腸内細菌を改善するために使用される物質)としても使用されています。初期の研究では，アラビノガラクタンは消化管での善玉菌の成長を助ける可能性があることを示しています。しかし，カラマツアラビノガラクタンが免疫系を刺激することを示すヒトでの研究は見当たりません。

アラビノガラクタンと併用すると薬物の有効性を改善する可能性があるので，アラビノガラクタンの将来の用途は，ある種の薬物と同時に使用することも含まれる可能性があります。

アラビノガラクタンは植物や細菌の細胞壁，およびアレルギーの原因となるヨモギやブタクサの花粉に存在します。カラマツや他の植物種由来のアラビノガラクタンが，食物同様の効果があることを示すエビデンスはありません。

安　全　性

薬用として適切な使用を短期間行った場合，安全のようです。

お腹の張りや腸内ガスの発生などの副作用を引き起こすおそれがあります。

臓器移植を受けた人は使用してはいけません。移植後の拒絶反応が生じる危険性が高まると考えられます。

多発性硬化症，狼瘡（全身性エリテマトーデス），関節リウマチなどの免疫系障害，およびそのほかの「自己免疫疾患」と呼ばれる免疫系障害の人は使用してはいけません。

●妊娠中および母乳授乳期

妊娠中および母乳授乳期の使用の安全性についてはデータが不十分です。安全性を考慮し，使用は控えてください。

有　効　性

◆科学的データが不十分です

・感冒，インフルエンザ，肝疾患，高コレステロール血症，中耳炎，HIV/エイズ，がん治療，食物繊維の補給，免疫システムに対する刺激，炎症など。

●体内での働き

繊維が多く含まれています。乳酸桿菌などの腸内細菌を増加させる作用をはじめ，消化管を健常に保つためのさまざまな作用があると考えられます。また，免疫機能を亢進させて，肝がんの進行を抑える可能性があることを示すデータが得られています。

医薬品との相互作用

中免疫抑制薬

カラマツアラビノガラクタンには免疫機能を高める作用があり，併用すると免疫抑制薬の効果が減弱してしまうおそれがあります。このような免疫抑制薬には，アザチオプリン，バシリキシマブ，シクロスポリン，Daclizumab，ムロモナブ-CD３（販売中止），ミコフェノール酸モフェチル，タクロリムス水和物，シロリムス，Prednisone，副腎皮質ステロイドなどがあります。

ハーブおよび健康食品・サプリメントとの相互作用

ほかのハーブ，健康食品・サプリメントとの相互作用についてはまだ明らかではありません。

使用量の目安

●経口摂取

感冒およびインフルエンザ

ジュースまたは水にパウダー小さじ１杯入れたものを通常１日２～３回症状が緩和するまで続けて摂取します。

カラミント

CALAMINT

●代表的な別名

バジルタイム

別名ほか

バジルタイム（Basil Thyme），レッサー・カラミント（Lesser Calamint），カラミンサ・ネペタ，カラミンサ（Calamintha nepeta），マウンテンバーム（Mill Mint, Mountain Balm），マウンテンミント（Mountain Mint），Pycnanthemum Pilosum

概　　要

カラミントは植物です。地上部を用いて「くすり」を作ることもあります。

安　全　性

安全性については十分なデータが得られていません。

●妊娠中および母乳授乳期

妊娠中および母乳授乳期の使用の安全性についてはデータが不十分です。安全性を考慮し，摂取は避けてください。

有　効　性

◆科学的データが不十分です

・感冒，発熱，呼吸困難，および胸部うっ血。

有効性レベル：①効きます　②おそらく効きます　③効くと断言できませんが、効能の可能性が科学的に示唆されています　④効かないかもしれません　⑤おそらく効きません　⑥効きません

●体内での働き

どのように作用するかについては十分なデータが得られていません。

医薬品との相互作用

ほかの医薬品との相互作用については明らかではありません。

ハーブおよび健康食品・サプリメントとの相互作用

ほかのハーブ，健康食品・サプリメントとの相互作用についてはまだ明らかではありません。

使用量の目安

標準使用量に関するデータがありません。

カラヤゴム

KARAYA GUM

別名ほか

カラヤ（Bassora tragacanth，Indian Tragacanth Kadaya, Kadira, Katila, Kullo, Mucara, Sterculia Gum, Sterculia tragacanth，Sterculia urens），Sterculia villosa

概　　要

カラヤゴムは，インドに分布する樹木から採取した樹液のような物質で，これを用いて「くすり」を作ることもあります。

安 全 性

十分な量の水分とともに摂取した場合，ほとんどの人に安全のようです。

水分摂取が足りないと腸閉塞が起こるおそれがあります。

腸閉塞：腸閉塞の場合には，カラヤゴムを含め，どんな種類の膨張性下剤も使用しないでください。

●妊娠中および母乳授乳期

妊娠中および母乳授乳期の使用の安全性についてはデータが不十分です。安全性を考慮し，摂取は避けてください。

有 効 性

◆有効性レベル③

・便秘。便秘の治療のための膨張性下剤として使用します。

◆科学的データが不十分です

・性的欲求（性欲亢進）に対する刺激。

●体内での働き

腸内で膨張し，消化管を刺激して便通を促します。

医薬品との相互作用

中経口薬

カラヤゴムには粘液性物質（軟性繊維の一種）が含まれていますが，これによって医薬品の吸収量が減少する可能性があります。経口薬を服用するときにカラヤゴムを摂取すると，その医薬品の効果が低下するおそれがあります。このような相互作用が起こるのを避けるために，経口薬を服用後，1時間以上経ってからカラヤゴムを摂取するようにしてください。

ハーブおよび健康食品・サプリメントとの相互作用

ほかのハーブ，健康食品・サプリメントとの相互作用についてはまだ明らかではありません。

使用量の目安

標準使用量に関するデータがありません。

カリア・ザカテクシイ

CALEA ZACATECHICHI

別名ほか

Ahuapatli，Amula，Aschenbornia heteropoda，Atanasia Amarga，Aztec Dream Grass，Bejuco Chismuyo, Betonica, Bitter Gum, Bitter Grass, Bitter Plant，Bitter Plant of the Mountains，Calea nelsonii，Calea rugosa，Calea ternifolia，Calea zacatechichi Schlechtendal，Calydermos rugosus，Chapote，Chichicxihuitl（Nahuatl），Cochitzapotl，Dog Grass，Dove's Plant，Dream Herb，Falso Simonillo，Hierba Amarga，Hoja Madre，Iztactzapotl，Jaral，Jaralillo，Juralillo，Leaf of God，Leaf of the Mother，Mala Hierba, Matasano, Mexican Calea, Oaxaquena, Paiston，Poop Taam Ujts，Prodigiosa，Pux Lat'em，Raccoon's Trachea，Sacachcichic，Sacachichic，Sacatechichi，Simonillo, Tam Huni, Techichic, Tepetlachichixihuitl，The One From Oaxaca，Thle-Pelacano，Thle-Pela-Kano（Chontal），Tsuleek'ethem，Tzicinil，Tzikin，XikinKe，Xtsikinil，X-Tzicinil，White Bitter Herb，Yerba Amarga，Yerbaamarga，Zacachichi，Zacachichic, Zacate Amargo, Zacatechi, Zacatechichi，Zacate de Perro

概　　要

カリア・ザカテクシイは，幻覚剤や霊的な夢をみる作用で知られている中木です。そのため，"dream herb（夢のハーブ）"と呼ばれることもしばしばです。カリア・ザカテクシイの植物原料には強烈な苦みがあるため，"bitter grass（苦い草）"と呼ばれることもあります。

カリア・ザカテクシイは，食欲増進薬，洗浄剤，鎮静剤，緩下剤として，また，下痢，赤痢，発熱，皮膚の発疹，頭皮の腫脹，お腹の冷え，頭痛などに対し，民間療法として数千年にわたり，用いられています。

霊的な夢を見るためや，夢を忘れないようにしたり，夢を多く見たりするためにカリア・ザカテクシイを用いる人もいます。また，カリア・ザカテクシイについて，精神力の強化や睡眠に関連する作用が研究されています。

カリア・ザカテクシイの葉や茎を乾燥させて，喫煙したり，局所使用したり，枕の下に置いたり，茶に用いたり，カプセルに入れて摂取したりします。

安全性

カリア・ザカテクシイの経口摂取または吸入は，おそらく安全ではありません。カリア・ザカテクシイの安全性について評価した臨床試験はありませんが，幻覚だけでなく，吐き気および嘔吐の副作用が報告されています。

アルコール/鎮静薬の使用：カリア・ザカテクシイは，中枢神経系の機能を抑制するおそれがあります。鎮静薬または中枢神経系抑制薬（アルコールを含む）を服薬している場合には，使用に注意してください。

呼吸障害：カリア・ザカテクシイが，呼吸数に影響を与えるおそれがあります。気管支喘息や慢性閉塞性肺疾患（COPD）などの呼吸障害の場合には，カリア・ザカテクシイの使用に注意するか，使用を避けてください。

糖尿病：カリア・ザカテクシイが，血糖値を低下させるおそれがあります。糖尿病の場合には，使用に注意して，低血糖の徴候に注意してください。

心臓血管障害：カリア・ザカテクシイが，血圧を低下させるおそれがあります。心疾患の場合，または血圧の医薬品を服薬している場合には，使用に注意してください。

精神疾患：精神疾患の場合，および精神疾患の医薬品を服薬している場合には，使用を避けてください。カリア・ザカテクシイが，鮮明な心像，失見当識，幻覚を引き起こすおそれがあります。

胃疾患：喫煙または茶として摂取する場合には，カリア・ザカテクシイが，吐き気，嘔吐および悪心を引き起こすおそれがあります。

●アレルギー

ブタクサなどキク科の植物アレルギー：キク科の植物にアレルギーがある場合には，カリア・ザカテクシイにもアレルギーがあるおそれがあります。このような植物には，ブタクサ，キク，マリーゴールド，デイジーなど，多くの植物があります。

●妊娠中および母乳授乳期

妊娠中および母乳授乳期の使用の安全性についてはデータが不十分です。安全性を考慮し，摂取は避けてください。

有効性

◆科学的データが不十分です

・精神力の強化，睡眠，不安，食欲増進，関節炎，気管支喘息，糖尿病，洗浄剤，便秘，下痢，赤痢，発熱，消化器疾患，頭痛，炎症，関節痛，マラリア，月経不順，呼吸時の疼痛，興奮，腫脹など。

●体内での働き

カリア・ザカテクシイの体内での働きについてはまだ明らかではありません。カリア・ザカテクシイは，体内で産生される炎症性物質を抑制して炎症を軽減する可能性があります。カリア・ザカテクシイは，睡眠中に，浅い眠りを延長し，夢の記憶を強め，夜間の覚醒を増強するおそれがあります。

医薬品との相互作用

低降圧薬

カリア・ザカテクシイは心拍と血圧を低下させる可能性があります。カリア・ザカテクシイと降圧薬を併用すると，血圧が過度に低下するおそれがあります。このような降圧薬にはカプトプリル，エナラプリルマレイン酸塩，ロサルタンカリウム，バルサルタン，ジルチアゼム塩酸塩，アムロジピンベシル酸塩，ヒドロクロロチアジド，フロセミドなど多くあります。

低鎮静薬（中枢神経抑制薬）

カリア・ザカテクシイは注意力低下を引き起こす可能性があります。眠気や注意力低下を引き起こす医薬品と併用すると，過度の眠気を引き起こすおそれがあります。このような鎮静薬にはペントバルビタールカルシウム，フェノバルビタール，セコバルビタールナトリウム，チオペンタールナトリウム，フェンタニルクエン酸塩，モルヒネ塩酸塩水和物，プロポフォールなどがあります。

低糖尿病治療薬

カリア・ザカテクシイは血糖値を低下させる可能性があります。糖尿病治療薬もまた血糖値を低下させるために用いられます。カリア・ザカテクシイと糖尿病治療薬を併用すると，血糖値が過度に低下するおそれがあります。血糖値を注意深く監視してください。糖尿病治療薬の用量を変更する必要があるかもしれません。このような糖尿病治療薬にはグリメピリド，グリベンクラミド，インスリン，メトホルミン塩酸塩，ピオグリタゾン塩酸塩，マレイン酸ロシグリタゾン（販売中止），クロルプロパミド，Glipizide，トルブタミド（販売中止）などがあります。

ハーブおよび健康食品・サプリメントとの相互作用

ほかのハーブ，健康食品・サプリメントとの相互作用についてはまだ明らかではありません。

使用量の目安

通常の食品に含まれている量を超えて経口摂取した場

カ

合の安全性および副作用については，明らかになっていません。

カリウム

POTASSIUM

別名ほか

原子番号19（Atomic number 19），酢酸カリウム（Potassium acetate），K，炭酸水素カリウム，重炭酸カリウム（Potassium bicarbonate），塩化カリウム（Potassium chloride），クエン酸カリウム（Potassium citrate），グルコン酸カリウム（Potassium gluconate），リン酸カリウム（Potassium phosphate）

概　　要

カリウムは体内でもっとも重要な役割をするミネラルです。カリウムを含む食品は，果物（とくに乾燥果物），穀物類，豆類，牛乳，および野菜です。これを用いて「くすり」を作ることもあります。

●要説（ナチュラル・スタンダード）

カリウムは，体内にもっとも豊富に含まれる電解質です。電解質とは，人体の機能を正常に保つために必要な電荷を帯びたイオンです。カリウムは，体内のすべての細胞に含まれています。米国医学研究所の2004年のガイドラインには，成人におけるカリウムの１日当たりの推奨摂取量は4.7gと規定されています。果物や野菜は，カリウムの摂取源です。食塩代替物にもカリウムが豊富に含まれています。

血清中のカリウム濃度が低くなる低カリウム血症は，筋肉の痙攣，痛みおよび脱力，心臓血管系疾患の異常を引き起こすおそれがあります。低カリウム血症は，カリウムの摂取不足，嘔吐，熱傷，透析療法，発汗，医薬品，サプリメント，マグネシウム値の低下により引き起こされるおそれがあります。カリウム補充は低カリウム血症の治療として，米国食品医薬品局（FDA）により認可されています。

血清中のカリウム濃度が高くなる高カリウム血症は，脳，神経系，および心臓血管系に深刻な問題を引き起こすおそれがあります。高カリウム血症は，カリウム摂取量の増加，カリウム排泄量の減少，医薬品およびサプリメントによるカリウム再分布によって引き起こされるおそれがあります。

ヒトの研究で，カリウムが高血圧治療に有効なエビデンスがあります。心臓血管系疾患，骨粗鬆症の予防，手術中の心臓保護，アルコール離脱症状の治療，重症疾患，高齢患者の脱水症，象牙質（歯）の知覚過敏症，下痢，浮腫（腫脹），腎結石，栄養失調，心筋梗塞（心臓発作），子癇前症（妊娠中の高血圧などの問題），タリウム中毒，関節リウマチ，および脳卒中に対するカリウムの効果についてのエビデンスは限られているか，結果が一致していません。これらの領域に関する大規模で質の高い臨床研究が必要です。

安　全　性

カリウムは，合計100mEq以下の用量を経口摂取する場合や，医師などにより静脈内投与する場合は，ほとんどの人に安全のようです。人によっては，胃のむかつき，吐き気，下痢，嘔吐または腸内ガスを引き起こすおそれがあります。

高用量のカリウムの摂取は，安全ではありません。灼熱感，チクチク感，全身衰弱，麻痺，精神錯乱，低血圧，脈拍不整などを引き起こすおそれや，死に至るおそれがあります。

人工透析：血清中のカリウム濃度が高いまたは低い人が行います。カリウム濃度は，人工透析の方法により異なることがあります。人工透析を受けている場合，医師の指導の下，カリウム摂取を行うまたは制限する必要があるかもしれません。

消化管運動機能障害（食品やサプリメントが体内を通過する速度に影響を与える消化管障害）：消化管運動機能障害の場合には，カリウムサプリメントを摂取しないでください。体内のカリウム値が危険なレベルまで上昇するおそれがあります。

腎疾患：腎疾患の場合には，医師などの助言や管理の下でのみ，カリウムを使用してください。

腎移植：カリウム濃度が非常に高い人が，腎移植の直後にクエン酸カリウムを投与されたという報告が２例あります。腎移植を受けた場合，医師の助言や管理の下でのみ，カリウムを使用してください。

●アレルギー

アスピリンおよびタートラジンに対するアレルギー：タートラジンを含むカリウムサプリメントの摂取を避けてください。

●妊娠中および母乳授乳期

１日40〜80mEqのカリウムを食事から摂取する場合は，ほとんどの人に安全のようです。妊娠中および母乳授乳期に高用量のカリウムを摂取するのは，安全ではありません。

有　効　性

◆有効性レベル①

・低カリウム血症（血清カリウム濃度の低下）。カリウムの経口摂取または静脈内投与により，血清カリウム濃度の低下を予防し，治療も行います。

◆有効性レベル②

・高血圧。ほとんどの研究では，カリウムを摂取すると血圧が低下することが示唆されています。血圧が高い人，カリウム濃度の低い人，ナトリウム摂取量が多い人，アフリカ系アメリカ人にもっとも効果があるようです。血圧が高い人は，カリウム１日3,500〜

5,000mgを食品から摂るよう心がけるべきです。高血圧の人は，カリウムの摂取により約4～5mmHg血圧が下がると考えられています。

◆有効性レベル③

・脳卒中。食品からのカリウム摂取量が多いと，脳卒中のリスクが最大20%低下することがわかっています。また，カリウムサプリメントの摂取と，脳卒中のリスク低下との関連が認められています。ただし，この関連を確認するには，さらに質の高い研究が必要です。

◆科学的データが不十分です

・歯痛，ざ瘡（にきび），アルコール依存症，アレルギー，アルツハイマー病，関節炎，腫脹，霧視，がん，慢性疲労症候群，大腸炎，錯乱，便秘，早発閉経に関連する疲労および気分変動，発熱，痛風，頭痛，心臓発作，乳児の仙痛，インスリン抵抗性，易刺激性，メニエール病，更年期症状，筋力低下，筋ジストロフィー，重症筋無力症，皮膚疾患，ストレス，睡眠障害（不眠）など。

●体内での働き

カリウムは，神経信号伝達，筋収縮，体液バランス，さまざまな化学反応など，多くの身体機能に何らかの役割を果たしています。

医薬品との相互作用

中カリウム保持性利尿薬

特定の利尿薬は体内のカリウム量を増加させる可能性があります。カリウムと利尿薬を併用すると，体内のカリウム量が過剰に増加するおそれがあります。このような利尿薬には，Amiloride，スピロノラクトン，トリアムテレンなどがあります。

中降圧薬（アンジオテンシンⅡ受容体拮抗薬（ARBs））

特定の降圧薬は血中のカリウム濃度を上昇させる可能性があります。カリウムサプリメントと特定の降圧薬を併用すると，血中のカリウム濃度が過度に上昇するおそれがあります。しかし，適量のカリウムを含む食物と特定の降圧薬の併用では，血中のカリウム濃度は過度に上昇しないようです。このような降圧薬には，ロサルタンカリウム，バルサルタン，イルベサルタン，カンデサルタンシレキセチル，テルミサルタン，Eprosartanなどがあります。

中降圧薬（アンジオテンシン変換酵素（ACE）阻害薬）

特定の降圧薬は血中のカリウム濃度を上昇させる可能性があります。カリウムサプリメントと特定の降圧薬を併用すると，血中のカリウム濃度が過度に上昇するおそれがあります。しかし，適量のカリウムを含む食物と特定の降圧薬の併用では，血中のカリウム濃度は過度に上昇しないようです。このような降圧薬には，ベナゼプリル塩酸塩，カプトプリル，エナラプリルマレイン酸塩，Fosinopril，リシノプリル水和物，Moexipril，ペリンドプリルエルブミン，キナプリル塩酸塩，Ramipril，トランドラプリルなどがあります。

ハーブおよび健康食品・サプリメントとの相互作用

ビタミンB_{12}

ビタミンB_{12}が，一時的に血清カリウム濃度を低下させるおそれがあります。ビタミンB_{12}を巨赤芽球性貧血の治療として摂取している場合には，この作用は問題となります。通常より多くビタミンB_{12}を摂取している場合には，カリウム濃度が過度に低下しないよう，監視してください。

カリウムの食事摂取基準（mg/日）

日本人の食事摂取基準2020年版

性　別	男　性		女　性	
年齢等	目安量	目標量	目安量	目標量
0～5（月）	400	—	400	—
6～11（月）	700	—	700	—
1～2（歳）	900	—	900	—
3～5（歳）	1,000	1,400以上	1,000	1,400以上
6～7（歳）	1,300	1,800以上	1,200	1,800以上
8～9（歳）	1,500	2,000以上	1,500	2,000以上
10～11（歳）	1,800	2,200以上	1,800	2,000以上
12～14（歳）	2,300	2,400以上	1,900	2,400以上
15～17（歳）	2,700	3,000以上	2,000	2,600以上
18～29（歳）	2,500	3,000以上	2,000	2,600以上
30～49（歳）	2,500	3,000以上	2,000	2,600以上
50～64（歳）	2,500	3,000以上	2,000	2,600以上
65～74（歳）	2,500	3,000以上	2,000	2,600以上
75以上（歳）	2,500	3,000以上	2,000	2,600以上
妊　婦			2,000	2,600以上
授乳婦			2,200	2,600以上

通常の食品との相互作用

カリウムを含む食品

カリウムと，カリウムを含む食品を併用摂取すると，とくに腎疾患の場合や，アンジオテンシン変換酵素（ACE）阻害薬またはカリウム保持性利尿薬による治療を受けている場合には，望ましくない副作用のリスクが高まるおそれがあります。カリウムを含む食品には，果物（とくにドライフルーツ），穀物類，豆類，牛乳，野菜などがあります。

カリウムを含む代替塩

カリウムと，カリウムを含む代替塩を併用すると，とくに腎疾患の場合や，アンジオテンシン変換酵素（ACE）阻害薬またはカリウム保持性利尿薬による治療を受けている場合には，望ましくない副作用のリスクが高まるおそれがあります。

使用量の目安

【成人】

●経口摂取

全般

カリウムの目安量（AI）は以下の通りです。

一般的な成人：1日4.7g

妊娠中の女性：1日4.7g

母乳授乳期の女性：1日5.1g

低カリウム血症

低カリウム血症の予防には，通常1日20mEq（カリウム元素約780mg程度に相当）を摂取します。低カリウム血症の治療には，通常1日40～100mEq（カリウム元素約1,560～3,900mg程度に相当）を2～5回に分けて摂取します。

高血圧

高血圧の治療には，1日3,500～5,000 mgのカリウムを摂取します。できれば食事の一部として摂ることが望ましいです。

脳卒中

脳卒中の予防には，1日約75mEq（カリウム元素約3.5g程度に相当）を食事から摂取します。

●静脈内投与

低カリウム血症

低カリウム血症の予防または治療に用いる塩化カリウムの静脈内投与の用量および速度は，各患者の病状により異なります。投与時には医師などの管理の下で患者を監視してください。

【小児】

●経口摂取

全般

カリウムの目安量（AI）は以下の通りです。

0～6カ月：1日0.4g

6～12カ月：1日0.7g

1～3歳：1日3g

4～8歳：1日3.8g

9～13歳：1日4.5g

カリフラワー

CAULIFLOWER

●代表的な別名

ハナカンラン

別名ほか

Blumenkohl, Brassica oleracea var. botrytis, Cavolfiore, Cavolo Broccoli, Cavolfiore, Cavolo Fiore, Chou Broccoli, Chou Fleur, Chou Fleur D'hiver, Coliflor, Common Cauliflower, Couve Flor, Hana Kyabetsu, Hana Yasai, Hua Ye Cai, Kalafior, Kapusta Tsvetnaia, Karifurawaa, Kopfbrokkoli, Lillkapsas, Phuul Gobhii

概　　要

カリフラワーは野菜です。カリフラワーの頭部は，食品または「くすり」として一般的に食されています。

カリフラワーは，排尿の増加，貧血，更年期症候群，壊血病に対し，また，膀胱がん，乳がん，心疾患，糖尿病，脳卒中，肺がん，非ホジキンリンパ腫，骨粗鬆症および前立腺がんの予防を目的として，アンチオキシダント（抗酸化物質）として経口摂取されます。

安　全　性

カリフラワーの摂取は，食品に含まれている量であれば，ほとんどの人に安全のようです。「くすり」としての量を摂取する場合の安全性および副作用については，明らかではありません。

●妊娠中および母乳授乳期

妊娠中および母乳授乳期に，「くすり」としての量を摂取する場合の安全性についてはデータが不十分です。安全性を考慮し，食品の量の範囲内で摂取してください。

有　効　性

◆科学的データが不十分です

・膀胱がん，乳がん，糖尿病，虚血性脳卒中（凝血塊に起因する脳卒中），肺がん，非ホジキンリンパ腫，前立腺がん，更年期，壊血病，体重減少，心疾患，骨粗鬆症など。

●体内での働き

カリフラワーには，食品および環境由来の発がん性とみられる物質を，体内から除去する可能性のある成分が含まれています。カリフラワーには，抗酸化作用がある可能性もあります。

医薬品との相互作用

中 肝臓で代謝される医薬品（シトクロムP450 1A2（CYP1A2）の基質となる医薬品）

特定の医薬品は肝臓で代謝されます。カリフラワーはこのような医薬品の代謝を促進する可能性があります。カリフラワーと肝臓で代謝される医薬品を併用すると，医薬品の効果を弱めるおそれがあります。このような医薬品にはクロザピン，Cyclobenzaprine，フルボキサミンマレイン酸塩，ハロペリドール，イミプラミン塩酸塩，メキシレチン塩酸塩，オランザピン，塩酸ペンタゾシン，プロプラノロール塩酸塩，Tacrine，テオフィリン，Zileuton，ゾルミトリプタンなどがあります。

ハーブおよび健康食品・サプリメントとの相互作用

ほかのハーブ，健康食品・サプリメントとの相互作用についてはまだ明らかではありません。

使用量の目安

通常の食品に含まれている量を超えて経口摂取した場合の安全性および副作用については，明らかになっていません。

カルケージャ

CARQUEJA

●代表的な別名

バッカリス・トゥリメラ

別名ほか

バッカリス・トゥリメラ，Baccharis genistelloides, Baccharis triptera, Bac charis trinervis, Baccharis cylindrica, Baccharis myriocephala, Baccharis milleflora, Baccharis crispa, Baccharis gaudichaudiana, Bacanta, Cacalia Amara, Caclia Doce, Carqueja Amara, Cacália-Amarga, Cacália-Amargosa, Cacliadoce, Carqueja Amara, Carqueja-Amargosa, Car queja-Do-Mato, Carquejilla, Carque jinha, Chinchimani, Chirca Melosa, Condamina, Cuchi-Cuchi, Quimsa-Kuchu, Quinsu-Cucho, Quina-De-Condamiana, Tiririca-De-Balaio, Tres-Espigas, Vassoura

概　要

カルケージャはハーブです。乾燥させた地上部を用いて「くすり」を作ることもあります。

●要説（ナチュラル・スタンダード）

カルケージャ（Baccharis trimera）は，南米原産の灌木様の植物です。ブラジルでは肝疾患，関節疾患，および糖尿病を治療するためによく使用されてきました。カルケージャは何世紀にもわたってブラジルで使用されてきましたが，ハーブとしての使用が最初に記録されたのは1931年でした。

カルケージャは，ヒトでは十分研究されていませんが，予備的な結果ではカルケージャからの抽出物の一部が，高い血糖値を下げる助けになる可能性を示しています。どのような状況についても，ヒトでのカルケージャ使用を裏付ける十分な科学的根拠はありません。

安　全　性

十分なデータがないので，安全かどうか不明です。

糖尿病：カルケージャは血糖値を下げる可能性があります。糖尿病治療薬との併用で血糖値が下がりすぎるおそれがあります。血糖値の監視を注意深く行ってください。

手術：カルケージャは血糖値に作用するので，手術中・術後の血糖値に影響を与える懸念があります。予定手術の少なくとも２週間前から使用を中止してください。

●アレルギー

キク科の植物にアレルギーのある人にアレルギー反応が起きることがあります。この植物の仲間には，デイジー，ブタクサ，キク，マリーゴールドなど多くがあります。

●妊娠中および母乳授乳期

妊娠中および母乳授乳期の使用の安全性についてはデータが不十分です。安全性を考慮し，摂取は避けてください。

有　効　性

◆科学的データが不十分です

・痛み，消化，浮腫，便秘，肝臓病の予防，糖尿病，胸部痛（狭心症），循環改善，回虫，創傷（皮膚に塗布）など。

●体内での働き

炎症（腫脹）を和らげ，血流を改善する化合物を含んでいます。

医薬品との相互作用

中 糖尿病治療薬

カルケージャは血糖値を下げる作用があります。糖尿病治療薬は血糖値を下げるために用いられる医薬品です。カルケージャと糖尿病治療薬を併用すると，血糖値が下がりすぎるおそれがあります。このような糖尿病治療薬にはグリメピリド，グリベンクラミド，インスリン，ピオグリタゾン塩酸塩，マレイン酸ロシグリタゾン（販売中止），クロルプロパミド，Glipizide，トルブタミド（販売中止）などがあります。

ハーブおよび健康食品・サプリメントとの相互作用

血糖値を下げるハーブおよび健康食品・サプリメント

カルケージャは血糖値を下げる可能性があります。同様な作用のあるハーブおよび健康食品・サプリメントとの併用は，血糖値を過度に降下させるおそれがあります。これらのハーブやサプリメントには，α-リポ酸，ニガウリ，クロム，デビルズクロー，フェヌグリーク，ニンニク，グアーガム，セイヨウトチノキ，朝鮮人参，サイリウム，エゾウコギなどがあります。これらのハーブおよび健康食品・サプリメントと併用する場合，注意深く血糖値を監視してください。

使用量の目安

標準使用量に関するデータがありません。

カルシウム

CALCIUM

別名ほか

骨粉，骨灰（Bone meal），酢酸カルシウム（Calcium acetate），アスパラギン酸カルシウム（Calcium aspartate），炭酸カルシウム（Calcium carbonate），塩化カルシウム（Calcium chelate calcium chloride），クエン酸カルシウム（Calcium citrate），クエン酸マレイン酸カルシウム（Calcium citrate malate），グルコン酸カルシウム，乳酸カルシウム（Calcium lactate），リン酸カルシウム，第二リン酸カルシウム（Dicalcium phosphate），カキ殻・海草カルシウム（Di-calcium phosphate, Heated oyster shell-Seaweed calcium），カキ殻カルシウム（Oyster shell calcium），リン酸三カルシウム（Tricalcium phosphate），カルシウムグルコネート（Calcium gluconate），ボーンミール，カルシウムオロテート（Calcium lactogluconate, Calcium orotate），カルシウムフォスフェイト（Calcium phosphate），ヒドロキシアパタイト（Hydroxyapatite）

概　　要

カルシウムは，骨や歯の形成に必須のミネラルです。また，心臓，神経系，および血液凝固系が機能するためにも必要です。

カルシウムは，低カルシウム血症およびその結果として生じる筋痙攣（潜伏性テタニー），骨粗鬆症（骨密度の低下による骨強度の低下），くる病（骨が軟化する小児の疾患），骨軟化症（疼痛をともなう骨の軟化）の治療および予防に経口摂取されます。また，副甲状腺ホルモンの分泌過剰（副甲状腺機能亢進症）を抑え，月経前症候群（PMS）などの症状を治療するために，時々経口摂取されます。

炭酸カルシウムは，「むねやけ」に対して制酸薬として，経口摂取されます。炭酸カルシウムと酢酸カルシウムも，腎臓病患者のリン濃度を低下させるために経口摂取されます。

カルシウムは化学療法後の口腔内の疼痛および腫脹の予防，軽減のために洗口液として使用されます。血中カルシウム濃度の過度の低下およびそれに関連した症状には，静脈内投与されます。高カリウム血症にも使用されます。

カルシウムが豊富に含まれる食品には，牛乳，乳製品，ケール，ブロッコリー，カルシウム強化の柑橘系飲料，ミネラルウォーター，骨を含む魚の缶詰，カルシウムを使用して作られた大豆製品などがあります。

カルシウムは多くの処方薬との相互作用がありますが，カルシウムを別の時間に摂取することによって，この相互作用を最小限に抑えることができます。「医薬品との相互作用」の欄をよく読んでください。

安　全　性

カルシウムの経口摂取，および推奨量（1日約1,000～1,200mg）を摂取する場合，ほとんどの人に安全のようです。カルシウムはげっぷや腸内ガスなど，軽度の副作用を引き起こすおそれがあります。

しかし，高用量のカルシウムを経口摂取する場合には，おそらく安全ではありません。

米国医学研究所では，1日当たりのカルシウムの耐容上限量（UL）を，19～50歳の成人で2,000mg，51歳以上の成人で2,000mgに設定しています。設定量より多くのカルシウムを毎日摂取すると，高カルシウム血症やミルクアルカリ症候群，腎結石につながる疾患，腎不全や死亡などの深刻な副作用のリスクが高まるおそれがあります。また，カルシウム補給は心臓発作のリスクを高めるおそれがあるという懸念もあります。複数の研究によると，1日当たりの推奨量である，1,000～1,300mgを超える量のカルシウムの摂取は，高齢者の心臓発作のリスクが高まるおそれが示唆されています。しかし，他の研究は，カルシウム補給と心臓発作のリスクとの間に関連性がないことを示唆しています。特定のグループはリスクが高く，他のグループはそうではない可能性があります。1日の必要量に合わせて適量のカルシウムを摂取し，過剰な摂取は避けてください。食事およびサプリメントからの摂取量の合計が，1日1,000～1,200mgを超えることがないようにしてください。食事によるカルシウム摂取の目安は，1日当たり，乳製品以外から300mg，これに加えて，牛乳またはカルシウム強化オレンジ飲料から300mgです。また，カルシウムサプリメントを食事のカルシウムと一緒に摂取する必要がある場合，ビタミンDと一緒にカルシウムが補給できるものを選んでください。

カルシウムの静脈内投与は，適量であれば，ほとんどの人に安全なようです。

小児：カルシウムの推奨量を経口摂取する場合，ほとんどの小児に安全のようです。推奨量は年齢に応じて次のように異なります。1～3歳は1日700mg，4～8歳は1日1,000mg，9～18歳は1日1,300mg。しかし，高用量を経口摂取した場合，おそらく安全ではありません。推奨量を超えるカルシウムを毎日摂取すると，深刻な副作用を引き起こす可能性が高くなります。小児には，過剰なカルシウム量の摂取は避け，１日の必要量を満たすために，十分な量のカルシウムを継続して摂取するよう推奨してください。

胃酸の値が低い状態（無酸症）：胃酸の値が低い患者が，胃が空っぽの状態でカルシウムを摂取する場合には，カルシウムの吸収が抑制されます。ただし，胃酸の値が低い場合でも，食品と併用してカルシウムを摂取する場合には，カルシウムの吸収が抑制されることはないようです。胃酸の値が低い患者には，カルシウムのサプリメントを食事と併用して摂取することを推奨してください。

高リン血症および低リン血症：体内のカルシウムとリンの濃度は，バランスがとれている必要があります。カルシウムを過度に摂取すると，このバランスを崩し，悪影響を与えるおそれがあります。医師などの指導なしに，過剰なカルシウムを摂取してはいけません。

甲状腺機能低下症：カルシウムが，甲状腺ホルモンの補充治療を妨げるおそれがあります。カルシウムと甲状腺疾患治療薬をともに摂取する場合には，少なくとも４時間以上の間隔をあけてください。

血中カルシウム濃度が過度に高くなる状態（副甲状腺疾患やサルコイドーシス）：これらの疾患のいずれかの場合には，カルシウムの摂取を避けてください。

腎機能の低下：腎機能が低下している患者が，カルシウムサプリメントを摂取することにより，血中カルシウム濃度が過度に高まるリスクが上昇するおそれがあります。

喫煙：喫煙者は，胃におけるカルシウム吸収が抑制されます。

脳卒中：初期の研究により，脳卒中の既往症を有する高齢の女性が，カルシウムサプリメントを５年以上にわたり摂取することにより，認知症を発症するリスクが高まるおそれがあります。脳卒中の既往症を有する場合に，カルシウムサプリメントの摂取を避けるべきかどうかについては，データが不十分です。

●妊娠中および母乳授乳期

妊娠中および母乳授乳期の経口摂取は，推奨量であれば，ほとんどの人に安全のようです。妊娠中および母乳授乳期の静脈内投与についての安全性については，データが不十分です。妊娠中に高用量のカルシウムを経口摂取した場合は，おそらく安全ではありません。米国医学研究所は妊娠の有無に関係なく，年齢に基づいて，すべての女性に１日のカルシウムの耐容上限量を設定しました。９～18歳は１日3,000mg，19～50歳は１日2,500mg。

高用量のカルシウムは，妊娠中および出生時の乳児に高リン血症および副甲状腺ホルモンの低下を引き起こし，乳児の発作のリスクを高めるおそれがあります。妊娠中は過剰な量のカルシウムを避けてください。市販の制酸薬を含むカルシウムの食事および補給源からの総カルシウム摂取量を必ず考慮してください。医師の指示がない限り，１日1,000～1,200mgを超えないようにしてください。一部の女性は，妊娠中の高血圧を防ぐためにカルシウムを処方される場合があります。食事によるカルシウム摂取の目安は，１日当たり，乳製品以外から１日300mg，これに加えて，牛乳またはカルシウム強化オレンジ飲料から300mgです。

有 効 性

◆有効性レベル①

・消化不良。制酸薬として，炭酸カルシウムを経口摂取することは，消化不良の治療に有効です。
・高カリウム血症。グルコン酸カルシウムの静脈内投与により，高カリウム血症に起因する心疾患が回復する可能性があります。
・低カルシウム血症。カルシウムの経口摂取は，低カルシウム血症の治療および予防として有効です。また，カルシウム値が過度に低い場合の治療として，静脈内投与が有効です。
・腎不全。血中リン酸塩濃度が高い腎不全の患者が，炭酸カルシウムまたは酢酸カルシウムを経口摂取することは，リン酸塩濃度のコントロールに有効です。クエン酸カルシウムは，この疾患の治療には効果がありません。

◆有効性レベル②

・副腎皮質ステロイド服用による骨密度の低下。カルシウムをビタミンDと併用することにより，長期にわたり，副腎皮質ステロイドを服用している患者の骨塩量の減少が抑制されるようです。
・副甲状腺の異常（副甲状腺機能亢進症）。腎不全や副甲状腺ホルモン値が過度に高い状態の患者が，カルシウムを経口摂取することにより，副甲状腺ホルモン値が低下します。
・骨粗鬆症。カルシウムの経口摂取は，骨量低下や骨粗鬆症の予防および治療として有効です。骨の成長のほとんどが10代になされます。女性の場合，骨の強度は30～40代まで維持されますが，通常，40歳以降，年間0.5～１％が失われます。男性の場合，骨の強度の低下は，女性よりも数十年遅れて現れます。多くのアメリカ人に見られるように，食事により摂取されるカルシウムの量が，推奨量よりも少ない場合には，骨量はより著しく低下します。40歳以上の女性における骨量低下は，カルシウムサプリメントを摂取することにより，抑制されます。複数の研究により，閉経後，30年にわたり，カルシウムを摂取することにより，骨の強度が10％改善することが示唆されています。カルシウムを単独，またはビタミンDと併用すると，骨粗鬆症の人の骨折の予防になります。
・月経前症候群（PMS）。食事によるカルシウムの摂取量が少ないことと，月経前症候群の症状には，関連があるようです。日常的にカルシウムを摂取することにより，気分変動，腹部膨満，大食症および疼痛が，著しく軽減するようです。また，食事によるカルシウムの摂取量を増やすことにより，月経前症候群の予防につながるようです。１日平均で1,283mgのカルシウムを食事から摂取している女性は，１日平均で529mgしか摂取していない女性と比べ，月経前症候群を発症するリスクが30％ほど低下するようです。

◆有効性レベル③

・結腸直腸がん。研究によれば，食事またはサプリメントで高用量のカルシウムを摂取することにより，結腸直腸がんのリスクが低下することが示唆されています。しかし，矛盾するエビデンスが複数あります。これは，血中ビタミンD濃度の違いに起因する可能性があります。ビタミンD値が低い場合には，カルシウムサプリメントによる効果がないようです。

・胎児の骨強度上昇。食事によるカルシウムの摂取量が少ない妊娠中の女性が，カルシウムサプリメントを摂取することにより，胎児の骨強度が上昇します。しかし，カルシウム値が標準である女性の場合には，有益ではないようです。

・フッ化物の過剰摂取による疾患（フッ素症）。カルシウムを，ビタミンCおよびビタミンDのサプリメントと併用して経口摂取することにより，小児のフッ化物値が低下し，フッ化物中毒の症状が改善されるようです。

・高コレステロール血症。カルシウムサプリメントを，低脂肪食または低カロリー食と併用して摂取すると，低比重リポタンパク（LDL，悪玉）コレステロールがやや減少し，高比重リポタンパク（HDL，善玉）コレステロールがやや増加するようです。制限食を摂らずカルシウムのみを摂取しても，コレステロール値が低下することはないようです。

・高血圧。カルシウムサプリメントの摂取により，高血圧の有無にかかわらず，血圧がわずかに低下するようです（およそ１～２mmHg）。食塩感受性がある場合，および通常のカルシウム摂取量が極めて少ない場合のカルシウムの摂取は，より有効なようです。また，重症腎疾患患者がカルシウムを経口摂取する場合には，血圧低下につながるようです。カルシウムとビタミンDと併用しても血圧が低下することはありません。

・高血圧とタンパク尿を認める妊娠合併症（妊娠高血圧腎症）。１日１～２gのカルシウムを経口摂取することにより，妊娠に関連した高血圧のリスクが約50％軽減するようです。妊娠20週目から摂取を開始した場合，リスクの高い妊婦および，カルシウム値が低い妊婦で最大の効果があるようです。

・しばしばビタミンD欠乏に起因する小児の骨の軟化（くる病）。くる病は主にビタミンD欠乏によるものですが，カルシウム摂取が非常に少ない場合も，くる病を引き起こすおそれがあります。

・歯牙欠損（歯牙埋伏）の予防。カルシウムおよびビタミンDを併用することにより，高齢者の歯牙欠損が予防されるようです。

◆有効性レベル④

・乳がん。複数の研究により，カルシウム摂取量がより多い女性は，乳がんを発症するリスクが低いことが示唆されています。しかし，血中カルシウム濃度と，乳がんのリスクには関連がないことを示唆する研究もあります。おおむね，大部分の研究では，カルシウムを摂取しても，乳がんのリスクは低下しないことが示唆されています。

・骨折。カルシウムを単独またはビタミンDと併用しても，高齢者で骨粗鬆症ではない人の骨折を予防することはないようです。

・心臓発作。初期の研究では，食事からカルシウムを多く摂取する人は心臓発作の発症リスクが低下することが示唆されています。しかし，カルシウムサプリメントの心臓発作リスクに対する作用は明らかにされていません。カルシウムサプリメントが心臓発作のリスクを高めることを示唆する研究もあります。カルシウムサプリメントの作用はないとする研究もあります。カルシウムサプリメントによってリスクが上昇する人もいれば，しない人もいると考えられます。たとえば，カルシウムを単独のサプリメントから摂取する人はリスクが高まるおそれがありますが，カルシウムとビタミンDを併用する人はリスクが上昇しないようです。また，カルシウムサプリメントを摂取し，食事から１日805mgを超えるカルシウムを摂取している人はリスクが上昇するおそれがありますが，サプリメントを摂取し，食事からの摂取量が少ない人はリスクが上昇しない可能性があります。

・肥満。カルシウムの摂取量が少ないと過体重あるいは肥満になるリスクが高くなりますが，ほとんどの研究では，サプリメントあるいは食事からカルシウムの摂取を増やしても，肥満あるいは過体重の人の体重減少は改善されないことが示されています。

・あらゆる原因による死亡。研究によると，カルシウムの補給は死の全体的なリスクを減らすことはないようです。

◆有効性レベル⑥

・突然の心停止。心停止の間にカルシウムを投与しても，生存率が高まることはなく，実際には，蘇生の可能性が低下するおそれがあります。

・心疾患。カルシウム補給と心疾患または心疾患に関連した死亡のリスクとの間に関連はありません。

・抗悪性腫瘍薬治療による手足の神経障害。静脈にカルシウムとマグネシウムを投与しても，抗悪性腫瘍薬オキサリプラチンによる神経痛は軽減されません。

◆科学的データが不十分です

・動脈硬化，自閉症，がん，糖尿病，月経痛，鉛中毒，子宮体がん（子宮内膜がん），転倒予防，心不全，糖尿病・心疾患・脳卒中のリスクを高める一群の症候（メタボリックシンドローム)，メトホルミン塩酸塩（医薬品）に起因するビタミンB_{12}欠乏症，腎障害を示す一群の兆候（ネフローゼ症候群)，口内の腫脹（炎症）および痛み（口腔粘膜炎)，卵巣がん，産後うつ病，妊婦のこむらがえり，前立腺がん，痙攣，脳卒中，ライム病など。

●体内での働き

人体にあるカルシウムのうち，99%以上が骨と歯に含まれています。また，カルシウムは血液，筋肉などほかの組織にも含まれています。骨に含まれているカルシウムには，必要に応じて用いられる備蓄の働きがあります。カルシウムは，汗，皮膚細胞および老廃物とともに排出されてしまうため，加齢にともない体内のカルシウム濃度は減少する傾向があります。更に，女性の場合には，加齢にともない，エストロゲンの値が低くなるため，カルシウムの吸収量が減る傾向もあります。カルシウムの吸収量は，人種，性別，年齢などにより異なります。

骨は，常に古くなった骨組織を分解し，新しい骨を生成します。カルシウムは，骨代謝に必要とされます。カルシウムを多く摂取することにより，骨の正常な生成，強度の維持につながります。

医薬品との相互作用

中アルミニウム

クエン酸カルシウムは，水酸化アルミニウムと併用すると，アルミニウムの体内への吸収量を増加させる可能性があります。アルミニウム量の増加は，腎臓病の人にとって有害になるおそれがあります。ただし，全種類のカルシウムがこのような作用を引き起こすわけではありません。酢酸カルシウムは，アルミニウムの吸収量を増加させることはありません。

高エルビテグラビル【販売中止】

エルビテグラビルはHIV感染症の治療に用いられます。カルシウムとエルビテグラビルを併用すると，エルビテグラビルの血中濃度が低下する可能性があります。そのため，理論的には，エルビテグラビルの作用が減弱するおそれがあります。この相互作用を避けるために，エルビテグラビルの服用の前後2時間はカルシウムを摂取しないでください。

中カルシポトリオール

カルシポトリオールはビタミンDに類似した医薬品です。ビタミンDはカルシウムの体内への吸収を促進します。カルシウムサプリメントとカルシポトリオールを併用すると，体内のカルシウム量が過剰に増加するおそれがあります。

中キノロン系抗菌薬

カルシウムは特定の抗菌薬の働きを弱める可能性があります。カルシウムは消化管の中でキノロン系抗菌薬と結合します。そのため，キノロン系抗菌薬の体内への吸収量が減少する可能性があります。この相互作用を避けるために，抗菌薬の服用前4～6時間または服用後少なくとも2時間はカルシウムを摂取しないでください。このような抗菌薬には，シプロフロキサシン，Gemifloxacin，レボフロキサシン水和物，モキシフロキサシン塩酸塩などがあります。

中サイアザイド系利尿薬

特定の利尿薬は体内のカルシウム量を増加させます。多量のカルシウムとこのような利尿薬を併用すると，体内のカルシウム量が過剰になる可能性があります。そのため，腎障害などの重大な副作用が現れるおそれがあります。このような利尿薬には，クロロチアジド（販売中止)，ヒドロクロロチアジド，インダパミド，メトラゾン（販売中止)，クロルタリドン（販売中止）などがあります。

中ジゴキシン

カルシウムは心臓に影響を及ぼす可能性があります。ジゴキシンには強心作用があります。カルシウムとジゴキシンを併用すると，ジゴキシンの作用が増強し，不整脈を誘発するおそれがあります。ジゴキシンを服用中に，医師や薬剤師に相談することなくカルシウムサプリメントを摂取しないでください。

中ジルチアゼム塩酸塩

カルシウムは心臓に影響を及ぼす可能性があります。ジルチアゼム塩酸塩もまた心臓に影響を及ぼします。多量のカルシウムとジルチアゼム塩酸塩を併用すると，ジルチアゼム塩酸塩の効果が弱まるおそれがあります。

高セフトリアキソンナトリウム水和物

セフトリアキソンナトリウム水和物とカルシウムを同時に静脈投与すると，肺や腎臓に生命にかかわる障害を引き起こすおそれがあります。セフトリアキソンナトリウム水和物を静脈投与してから48時間以内はカルシウムを静脈投与しないでください。

中ソタロール塩酸塩

カルシウムとソタロール塩酸塩を併用すると，ソタロール塩酸塩の体内への吸収量が減少する可能性があります。併用により，ソタロール塩酸塩の効果が弱まるおそれがあります。この相互作用を避けるために，ソタロール塩酸塩の服用の少なくとも2時間前から服用後4時間まではカルシウムを摂取しないでください。

中テトラサイクリン系抗菌薬

カルシウムは特定の抗菌薬の働きを弱める可能性があります。カルシウムは消化管の中でテトラサイクリン系抗菌薬と結合します。そのため，テトラサイクリン系抗菌薬の体内への吸収量が減少する可能性があります。この相互作用を避けるために，抗菌薬の服用前4～6時間，または服用後少なくとも2時間はカルシウムを摂取しないでください。このようなテトラサイクリン系抗菌薬には，ドキシサイクリン塩酸塩水和物，ミノサイクリン塩酸塩，テトラサイクリン塩酸塩などがあります。

高ドルテグラビルナトリウム

ドルテグラビルナトリウムはHIV感染症の治療に用いられます。カルシウムとドルテグラビルナトリウムを併用すると，ドルテグラビルナトリウムの血中濃度が低下する可能性があります。そのため，理論的には，ドルテグラビルナトリウムの作用が減弱するおそれがあります。この相互作用を避けるために，ドルテグラビルナトリウムの服用の6時間前から服用後2時間まではカルシウムを摂取しないでください。

中ビスホスホネート製剤

カルシウムは，ビスホスホネート製剤の体内への吸収量を減少させる可能性があります。カルシウムとビスホスホネート製剤を併用すると，ビスホスホネート製剤の効果が弱まるおそれがあります。この相互作用を避けるために，ビスホスホネート製剤の服用後少なくとも30分間はカルシウムを摂取しないください。または，一日のうちの違う時間帯に摂取することが望ましいです。このようなビスホスホネート製剤には，アレンドロン酸，エチドロン酸二ナトリウム，イバンドロン酸ナトリウム水和物，リセドロン酸ナトリウム水和物，Tiludronateなどがあります。

中ベラパミル塩酸塩

カルシウムは心臓に影響を及ぼす可能性があります。ベラパミル塩酸塩も心臓に影響を及ぼします。ベラパミル塩酸塩を服用中に多量のカルシウムを摂取しないでください。

中ラルテグラビルカリウム

ラルテグラビルカリウムはHIV感染症の治療に用いられます。数カ月にわたってカルシウムとラルテグラビルカリウムを併用すると，ラルテグラビルカリウムの血中濃度が低下し，ラルテグラビルカリウムの作用が減弱するおそれがあります。ラルテグラビルカリウムを服用中にカルシウムを単回使用しても，ラルテグラビルカリウムの血中濃度に影響を及ぼすことはないようです。

中レボチロキシンナトリウム水和物

レボチロキシンナトリウム水和物は甲状腺機能低下症の治療に用いられます。カルシウムはレボチロキシンナトリウム水和物の体内への吸収量を減少させる可能性があります。カルシウムとレボチロキシンナトリウム水和物を併用すると，レボチロキシンナトリウム水和物の効果が弱まるおそれがあります。レボチロキシンナトリウム水和物とカルシウムを併用する場合は，少なくとも4時間の間隔をあけてください。

低降圧薬（カルシウム拮抗薬）

カルシウム拮抗薬は降圧薬の一種です。カルシウムを静脈投与すると，カルシウム拮抗薬の作用が減弱するおそれがあります。しかし，カルシウムサプリメントやカルシウムを含む食品を摂取した場合に，カルシウム拮抗薬に影響を及ぼすというエビデンス（科学的根拠）はありません。このような降圧薬には，ニフェジピン，ベラパミル塩酸塩，ジルチアゼム塩酸塩，Isradipine，フェロジピン，アムロジピンベシル酸塩などがあります。

中炭酸リチウム

炭酸リチウムの長期使用により，血中のカルシウム濃度が上昇する可能性があります。カルシウムサプリメントと炭酸リチウムを併用すると，カルシウム濃度が過度に上昇するリスクが高まるおそれがあります。

ハーブおよび健康食品・サプリメントとの相互作用

鉄

カルシウムサプリメントが，食事に含まれる鉄の吸収を抑制するおそれがあります。体内の鉄分が十分である場合には，カルシウムの摂取が長期にわたって問題となることはありません。ただし，鉄欠乏症のリスクが高い場合には，食事に含まれる鉄の吸収が抑制されることを避けるために，カルシウムサプリメントは，食事と併用せずに，就寝前に摂取するべきです。

リコピン

カルシウムとリコピンを併用すると，腸から吸収されるリコピンの量が減少する可能性があります。この相互作用を避けるために，カルシウムサプリメントを食事と併用せずに，就寝前に摂取するべきです。

リジン

リジンは，身体が吸収するカルシウム量を増加する可能性があります。体内のカルシウム濃度が上昇します。リジンとカルシウムを併用すると，カルシウム濃度が過剰に上昇するおそれがあります。

マグネシウム

極めて高用量（1日2,600mg）のカルシウムサプリメントを摂取する場合には，食事に含まれるマグネシウムの吸収を抑制するおそれがあります。ただし，体内のマグネシウムが十分である場合には，カルシウムの摂取が長期にわたって問題となることはありません。ただし，マグネシウム欠乏症のリスクが高い場合には，食事に含まれるマグネシウムの吸収が抑制されることを避けるために，カルシウムサプリメントは，食事と併用せずに，就寝前に摂取するべきです。

プレバイオティクス

プレバイオティクスおよびプロバイオティクスを，カルシウムと併用すると，カルシウムの吸収が促進する可能性があります。

プロバイオティクス

プレバイオティクスおよびプロバイオティクスを，カルシウムと併用すると，カルシウムの吸収が促進する可能性があります。

ビタミンD

ビタミンDとカルシウムを併用して摂取すると，カルシウムの吸収が促進する可能性があります。このため，一部の人のカルシウム濃度が過剰に上昇するリスクが高まるおそれがあります。

通常の食品との相互作用

カフェインを含む食品

食品や飲料から摂取するカフェインの量が多いと，体内からのカルシウム喪失が起こります。高齢女性が，1

日300mg以上のカフェイン（コーヒー3～4杯，またはコーラ360mLを6杯に相当）を摂取する場合には，とくにカルシウム摂取量の少ない場合には，骨量低下および骨折につながるようです。年齢や性別に応じて定められている推奨量のカルシウムを食事やサプリメントから摂取するようしてください。

食物繊維を含む食品

食物繊維は，その由来によっては，カルシウムの吸収を妨げるおそれがあります。このような食物繊維には，フスマ，ホウレンソウ，ルバーブなどがあります。カルシウムサプリメントを摂取してから2時間以内は，食物繊維を含む食品の摂取を避けるのが最善です。

鉄を含む食品

カルシウムサプリメントが，食事に含まれる鉄の吸収を抑制するおそれがあります。体内の鉄分が十分である場合には，カルシウムの摂取が長期にわたっても問題となることはありません。ただし，鉄欠乏症のリスクが高い場合には，食事に含まれる鉄の吸収が抑制されることを避けるために，カルシウムのサプリメントは，食事と併用せずに，就寝前に摂取するべきです。

マグネシウムを含む食品

カルシウムサプリメントが，食事に含まれるマグネシウムの吸収を抑制するおそれがあります。ただし，体内のマグネシウムが十分である場合には，カルシウムの摂取が長期にわたっても問題となることはありません。ただし，マグネシウム欠乏症のリスクが高い場合には，食事に含まれるマグネシウムの吸収が抑制されることを避けるために，カルシウムサプリメントは，食事と併用せずに，就寝前に摂取するべきです。

プレバイオティクス

プレバイオティクスおよびプロバイオティクスを，カルシウムと併用すると，カルシウムの吸収が促進する可能性があります。

プロバイオティクス

プレバイオティクスおよびプロバイオティクスを，カルシウムと併用すると，カルシウムの吸収が促進する可能性があります。

タンパク質

とくに動物性由来の高タンパク食を摂取すると，尿中に排泄されるカルシウムの量が増加するおそれがあります。低タンパク食を摂取する場合には，胃から吸収されるカルシウム量が減少するおそれがあります。

塩分を含む食品

ナトリウムが多く含まれる食事は，体内のカルシウムを喪失させます。1日2,000mgの塩化ナトリウムを摂取している閉経後の女性の骨量低下を防ぐためには，1日1,000mgのカルシウムの摂取が必要です。1日3,000mgの塩化ナトリウムを摂取している場合には，1日1,500mgのカルシウムの摂取が必要です。

亜鉛を含む食品

カルシウムサプリメントが，食事に含まれる亜鉛の吸収を抑制するおそれがあります。ただし，体内の亜鉛が十分な場合には，カルシウムの摂取が長期にわたっても問題となることはありません。ただし，亜鉛欠乏症のリスクが高い場合には，食事に含まれる亜鉛の吸収が抑制されることを避けるために，カルシウムサプリメントは，食事と併用せずに，就寝前に摂取するべきです。

使用量の目安

カ

【成人】

●経口摂取

低カルシウム血症

低カルシウム血症を予防するためには，通常，元素換算で，1日1～2gのカルシウムを摂取します。800IUのビタミンDと併用することもあります。

むねやけ

必要に応じて，0.5～1.5gの炭酸カルシウムを摂取します。

慢性腎不全

慢性腎不全の成人患者のリン酸塩を減少させるためには，1日1～6.5gの炭酸カルシウムまたは酢酸カルシウムを，数回に分けて，食間に摂取します。

副腎皮質ステロイド服用による骨密度の低下

副腎皮質ステロイド服用による骨密度の低下を予防するためには，元素換算で，1日0.5～1gのカルシウムを，数回に分けて摂取します。

副甲状腺機能亢進症

副甲状腺ホルモン値を低下させるためには，1.2～4gのカルシウムを，通常，炭酸塩の形態で摂取します。多くの場合，低リン食や，800IUのビタミンDと併用します。

骨粗鬆症の予防

骨粗鬆症および骨折を予防するためには，大部分の専門家により，1日1,000～1,200mgのカルシウムを摂取することが推奨されています。

食事によるカルシウム摂取が不十分な妊婦の胎児の骨密度の増加

1日300～2,000mgのカルシウムを，妊娠14～40週にわたり，摂取します。

月経前症候群（PMS）

1日1～1.3gの炭酸カルシウムを摂取します。

結腸直腸がんおよび再発性の大腸良性腫瘍（腺腫）の予防

1日最大2gまで，カルシウムを摂取します。

高コレステロール血症

1日800mgのカルシウムを，最長2年にわたり摂取します。1日1,200mgのカルシウムを単体で，または，400IUのビタミンDと併用し，1日2～3回に分けて摂取します。最長15週間，低脂肪食またはカロリー制限食と併用して摂取します。

妊娠高血圧腎症

元素換算で，1日1～2gのカルシウムを炭酸カルシウムの形態で摂取します。

カ

高血圧

1日最大0.4～2gのカルシウムを，最長4年にわたり摂取します。

高齢者の歯牙欠損の予防

1日500mgのカルシウムを，700IUのビタミンDと併用して，3年にわたり摂取します。

体重減少

カロリー制限食の有無にかかわらず，1日800～1,200mgのカルシウムを，通常，カロリー制限食と併用して摂取します。400IUのビタミンDと併用することもあります。

●静脈内投与

低カルシウム血症

100～200mgのカルシウムをボーラス投与します。

高カリウム血症

10%のグルコン酸カルシウム20mLを，5～10分かけて投与します。ジゴキシンを服用中の場合には，20～30分かけて投与します。

【小児】

●経口摂取

フッ化物中毒の予防

1日2回，125mgのカルシウムを，アスコルビン酸およびビタミンDと併用して摂取します。

高血圧

青少年の場合には，1日1.5gのカルシウムを，8週にわたり摂取します。

●静脈内投与

高カリウム血症

10%のグルコン酸カルシウム0.5mLを，5～10分かけて投与します。

炭酸カルシウムおよびクエン酸カルシウムは，もっとも一般的なカルシウムの形態です。

カルシウムサプリメントは，通常，吸収を促進するために，1日2回に分けて摂取します。500mg以下の食品と併用したカルシウムの摂取が，もっとも効果的です。

米国医学研究所では，健康な個人が必要とするカルシウムの摂取量として，推奨量（RDA）を定めています。現在の推奨量（RDA）は，2010年に定められました。推奨量（RDA）は，年齢に応じて以下の通り定められています。

1～3歳：1日700mg

4～8歳：1日1,000mg

9～18歳：1日1,300mg

19～50歳：1日1,000mg

51～70歳の男性：1日1,000mg

51～70歳の女性：1日1,200mg

70歳以上：1日1,200mg

19歳未満の妊娠中および母乳授乳期の女性：1日1,300mg

19～50歳の妊娠中および母乳授乳期の女性：1日1,000mg

米国医学研究所では，1日のカルシウムの耐容上限量（UL）を年齢に応じて以下の通り定めています。

0～6カ月：1日1,000mg

6～12カ月：1日1,500mg

1～8歳：1日2,500mg

9～18歳：1日3,000mg

19～50歳：1日2,500mg

51歳以上：1日2,000mg

これらの量を超える用量は避けるべきです。

1日の推奨量である1,000～1,300mgを超える量のカルシウムを摂取すると，ほとんどの成人で，心臓発作を

カルシウムの食事摂取基準（mg/日）

日本人の食事摂取基準2020年版

性別	男性				女性			
年齢等	推定平均必要量	推奨量	目安量	耐容上限量	推定平均必要量	推奨量	目安量	耐容上限量
0～5（月）	—	—	200	—	—	—	200	—
6～11（月）	—	—	250	—	—	—	250	—
1～2（歳）	350	450	—	—	350	400	—	—
3～5（歳）	500	600	—	—	450	550	—	—
6～7（歳）	500	600	—	—	450	550	—	—
8～9（歳）	550	650	—	—	600	750	—	—
10～11（歳）	600	700	—	—	600	750	—	—
12～14（歳）	850	1,000	—	—	700	800	—	—
15～17（歳）	650	800	—	—	550	650	—	—
18～29（歳）	650	800	—	2,500	550	650	—	2,500
30～49（歳）	600	750	—	2,500	550	650	—	2,500
50～64（歳）	600	750	—	2,500	550	650	—	2,500
65～74（歳）	600	750	—	2,500	550	650	—	2,500
75以上（歳）	600	700	—	2,500	500	600	—	2,500
妊婦（付加量）					+0	+0	—	—
授乳婦（付加量）					+0	+0	—	—

引き起こすリスクが高まります。十分な情報が得られるまでは，過度のカルシウムは摂取せず，１日の必要量以内で摂取してください。カルシウムを摂取する場合には，食事およびサプリメントからの摂取量の合計が，１日1,000～1,300mgを超えることがないようにしてください。食事によるカルシウム摂取の目安は，１日当たり，乳製品以外から摂取する量として300mg，これに加えて，牛乳またはカルシウム強化オレンジ飲料から摂取する量として300mgです。

ガルシニア

GARCINIA

別名ほか

ヒドロキシクエン酸（Gorikapuli Hydroxycitrate），ブリンドルベリー（Brindal Berry，Brindall Berry，Brindle Berry），ガルシニアカンボジア（Garcinia cambogi，Garcinia cambogia），マラバータマリンド，タマリンドマラバー（Hydroxycitric Acid，HCA，Kankusta，Malabar Tamarind），Vrikshamla

概　要

ガルシニアは，インドおよび東南アジアに自生する中小規模の樹木です。果皮はヒドロキシクエン酸（HCA）という化学物質を含み，「くすり」の製造に使用されます。ガルシニアとガンボジ（ガンボジ樹脂）を混同しないでください。

ガルシニアは，肥満，運動能力，関節痛など多くの症状に使用されますが，これらの用途を十分に裏づけるエビデンスはありません。ガルシニアを使用すると肝臓を害する可能性も懸念されます。

安 全 性

ガルシニアの経口摂取は，おそらく安全ではありません。ガルシニアを含む製品を摂取した人の一部で深刻な肝障害が報告されています。ただし，ガルシニアが肝障害の直接の原因なのか，それともほかの要因によるのかはわかっていません。よくみられる軽度の副作用には，吐き気，消化管の症状，頭痛などがあります。

双極性障害：ガルシニアは双極性障害の躁状態を悪化させるおそれがあります。双極性障害の場合には，使用してはいけません。

肝疾患：ガルシニアが肝臓を損傷し，肝疾患患者の肝障害を悪化させるおそれがあります。肝疾患の場合には，使用してはいけません。

●妊娠中および母乳授乳期

妊娠中および母乳授乳期の使用の安全性についてはデータが不十分です。安全性を考慮し，摂取は避けてください。

有 効 性

◆科学的データが不十分です

・運動能力，肥満，寄生虫による疾患（住血吸虫症），便秘，下痢，関節痛など。

●体内での働き

ガルシニアにはヒドロキシクエン酸という化学物質が含まれています。研究により，ヒドロキシクエン酸が脂肪の蓄積を防ぎ，食欲を抑制し，運動持久力を高める可能性が示唆されていますが，この作用がヒトでも生じるかどうかは不明です。

医薬品との相互作用

中 肝臓を害する可能性のある医薬品

ガルシニアは肝臓を害する可能性があります。ガルシニアと肝臓を害する可能性のある医薬品を併用すると，肝障害のリスクが高まるおそれがあります。このような医薬品には，アセトアミノフェン，アミオダロン塩酸塩，カルバマゼピン，イソニアジド，メトトレキサート，メチルドパ水和物など数多くあります。

中 セロトニン作用薬

ガルシニアは脳内物質のセロトニンに影響を及ぼす可能性があります。特定の医薬品もセロトニンを増加させます。ガルシニアとこのような医薬品を併用すると，セロトニンが過剰に増加するおそれがあります。そのため，重大な副作用（心臓の異常，悪寒戦慄，不安など）が現れるおそれがあります。このような医薬品には，塩酸フルオキセチン（販売中止），パロキセチン塩酸塩水和物，塩酸セルトラリン，アミトリプチリン塩酸塩，クロミプラミン塩酸塩，イミプラミン塩酸塩，スマトリプタン，ゾルミトリプタン，リザトリプタン安息香酸塩，メサドン塩酸塩，トラマドール塩酸塩など数多くあります。

中 糖尿病治療薬

ガルニシアにはヒドロキシクエン酸塩（HCA）という化学物質が含まれます。HCAは血糖値を低下させる可能性があります。糖尿病治療薬も血糖値を低下させるために用いられます。HCAと糖尿病治療薬を併用すると，血糖値が過度に低下するおそれがあります。血糖値を注意深く監視してください。糖尿病治療薬の用量を変更する必要があるかもしれません。このような糖尿病治療薬には，グリメピリド，グリベンクラミド，インスリン，ピオグリタゾン塩酸塩，マレイン酸ロシグリタゾン（販売中止），クロルプロパミド，Glipizide，トルブタミド（販売中止）などがあります。

中 血液凝固を抑制する医薬品（抗凝固薬/抗血小板薬）

ガルシニアにはヒドロキシクエン酸塩（HCA）という化学物質が含まれます。HCAは血液凝固を抑制する可能性があります。HCAと血液凝固を抑制する医薬品を併用すると，紫斑および出血のリスクが高まるおそれがあります。このような医薬品には，アスピリン，クロピドグレル硫酸塩，ダルテパリンナトリウム，エノキサパリンナトリウム，ヘパリン，チクロピジン塩酸塩，ワルファリンカリウムなどがあります。

ハーブおよび健康食品・サプリメントとの相互作用

肝臓を害するおそれのあるハーブおよび健康食品・サプリメント

ガルシニアが肝障害を引き起こすおそれがあります。ガルシニアと，肝臓を害するおそれのあるほかのハーブおよび健康食品・サプリメントを併用すると，肝障害のリスクが高まるおそれがあります。このようなハーブおよび健康食品・サプリメントには，アンドロステンジオン，ボラージの葉，チャパラル，コンフリー，デヒドロエピアンドロステロン（DHEA），ジャーマンダー，カバ，ペニーロイヤルミント油，紅麹などがあります。

使用量の目安

通常の食品に含まれている量を超えて経口摂取した場合の安全性および副作用については，明らかになっていません。

カルダモン

CARDAMOM

●代表的な別名

ショウズク

別名ほか

ショウズク，しょうず，小荳蔻（Amomum cardamomum），ビャクズク，ハクズク，白豆蔻（Bai Dou Kou），Cardamon，Cardomomi Fructus，Ela，Elettaria cardamomum

概　要

カルダモンはハーブです。種子を用いて「くすり」を作ることもあります。

●要説（ナチュラル・スタンダード）

カルダモンは乾燥していて，多年生植物種であるElettaria cardamomumの熟していない果実です。果実鞘の中に含まれているのは小さな茶色の芳香種子で，辛味と甘味の両方があります。カルダモンの鞘は一般的に緑ですが，漂白された白い種類でも利用可能です。カルダモンは，外郭が除去された鞘全体としても種子として利用可能です。

ショウガ科（ショウガ）植物属の種子の中には，“本物の”カルダモンのように使用されるものもあります。一般に，アフラモマム属の種子は香辛料として使用されます。エレタリア種は，香辛料としても医薬品としても両方に使用され，アモマム種として中国，インド，韓国，ベトナムの伝統薬の原料としても使用されています

カルダモンは，消化を助け，ガスを和らげるために伝統的に使用されてきました。また，刺激剤，口臭除去剤，および催淫のためにも使用されてきました。

安　全　性

経口摂取する場合はほとんどの人に安全のようですが，副作用の可能性については明らかにされていません。

胆石：胆石の場合には，通常の食品に含まれる量を超えて摂取してはいけません。カルダモンの種子は胆石仙痛（痙性疼痛）を引き起こすおそれがあります。

●妊娠中および母乳授乳期

「くすり」としての用量の摂取の安全性についてはデータが不十分です。安全性を考慮し，食品の量の範囲内で摂取してください。

有　効　性

◆科学的データが不十分です

- 手術後の吐き気および嘔吐，腸痙攣，むねやけ，過敏性腸症候群（IBS），感冒，咳，気管支炎，口内炎，咽喉痛，肝疾患，胆のう障害，排尿障害，食欲不振，腸内ガス，便秘，感染予防など。

●体内での働き

胃腸の痙攣および腸内ガスを治療したり，食物の腸内通過を促進したりすると思われる化学物質が含まれています。

医薬品との相互作用

ほかの医薬品との相互作用については明らかではありません。

ハーブおよび健康食品・サプリメントとの相互作用

ほかのハーブ，健康食品・サプリメントとの相互作用についてはまだ明らかではありません。

使用量の目安

通常の食品に含まれている量を超えて経口摂取した場合の安全性および副作用については，明らかになっていません。

カルノシン

CARNOSINE

●代表的な別名

β-アラニン-L-ヒスチジン

別名ほか

β-アラニン-L-ヒスチジン（B-Alanyl-L-Histidine），L-カルノシン（β-Alanyl Histidine, Beta-alanyl-L-histidine，L-Carnosine）

概　要

カルノシンはタンパク質を構成する成分の1つで，自然に体内で作られます。活動中の筋肉に高濃度で存在し，心臓，脳，および体の多くの部位にも存在します。

●要説（ナチュラル・スタンダード）

L-カルノシンとも呼ばれるカルノシン（β-アラニン-L-ヒスチジン）は，W. S Gulewitschによって，1900年に発見されました。カルノシンの成分は，2つのアミノ酸，ヒスチジンおよびアラニンから構成されています。この分子は，動物組織のみに，とくに骨格筋，心筋，神経および脳組織に含まれています。菜食では多くの場合，十分なカルノシンが含まれていない可能性がありますが，そのことがマイナスの効果があるかどうかは不明です。

カルノシンの正確な生物学的役割は不明です。ダウン症候群，および痙攣発作の既往がある人は，カルノシン値が低いです。したがって，カルノシンは脳活動のコントロールに役立っているのではないかと考えられています。

カルノシンのサプリメントは，筋肉疲労からの回復を改善したいと考えているボディビルダーやスポーツ選手の間で人気があります。最近では，抗加齢療法に用いられています。カルノシンは，「長寿の栄養素」，「抗加齢，および酸化防止ジペプチド」と呼ばれています。これは，より高いカルノシン値をもつ動物が長生きすることを示唆する調査結果に基づいています。

カルノシンはまた，神経障害，白内障，および腎機能障害などの糖尿病合併症を予防または治療するためにも使用されます。臨床試験では，小児における自閉症，および白内障，角膜疾患，眼球損傷などに対する有用性が示されています。しかし，どのような状況においても，カルノシンの使用を裏づけるヒトへのエビデンスは限られています。

安　全　性

「くすり」としての量を摂取する場合の安全性については，データが不十分です。

低血圧：カルノシンは血圧を低下させるおそれがあります。理論上は，低血圧の場合には，カルノシンの摂取により，血圧が過度に低下するおそれがあります。

●妊娠中および母乳授乳期

妊娠中および母乳授乳期の使用の安全性についてはデータが不十分です。安全性を考慮し，摂取は避けてください。

有　効　性

◆科学的データが不十分です

・自閉症，運動能力，糖尿病の合併症，加齢など。

●体内での働き

筋肉，心臓，肝臓，腎臓，脳などのさまざまな臓器を正常に機能させたり，発達させたりするなど，あらゆる体の機能が正常に働くために重要な物質です。また，加齢過程に何らかの役割を担う化学物質に干渉すると思われるため，カルノシンを加齢予防のため用いることに関心が寄せられています。

医薬品との相互作用

中 糖尿病治療薬

カルノシンは，人によっては血糖値を低下させる可能性があります。糖尿業治療薬も血糖値を低下させるために用いられます。カルノシンと糖尿病治療薬を併用すると，血糖値が過度に低下するおそれがあります。血糖値を注意深く監視してください。糖尿病治療薬の用量を変更する必要があるかもしれません。このような糖尿病治療薬には，グリメピリド，グリベンクラミド，インスリン，メトホルミン塩酸塩，ピオグリタゾン塩酸塩，マレイン酸ロシグリタゾン（販売中止）などがあります。

ハーブおよび健康食品・サプリメントとの相互作用

血圧を低下させるおそれのあるハーブおよび健康食品・サプリメント

カルノシンは血圧を低下させるおそれがあります。同様の作用をもつほかのハーブおよび健康食品・サプリメントを併用すると，人によっては，血圧が過度に低下するリスクが高まるおそれがあります。このようなハーブおよび健康食品・サプリメントには，アンドログラフィス，カゼイン・ペプチド，キャッツクロー，コエンザイムQ-10，魚油，L-アルギニン，クコ，イラクサ，テアニンなどがあります。

使用量の目安

通常の食品に含まれている量を超えて経口摂取した場合の安全性および副作用については，明らかになっていません。

ガルバヌム

GALBANUM

別名ほか

Ferula gummosa, Galbanum Gum, Galbanum Gum Resin, Galbanum oleogum Resin, Galbanum Oleoresin

概　要

ガルバヌムは樹木の根や幹から得られるゴムのような物質（樹脂）で，これを用いて「くすり」を作ることもあります。

安　全　性

皮膚に直接塗布する場合，安全のようです。

十分なデータは得られていないので，医薬品として経口摂取する場合に安全であるかどうか不明です。

●妊娠中および母乳授乳期

妊娠中および母乳授乳期の通常の食品に含まれている量の摂取は安全のようです。ただし，「くすり」としての高用量摂取の安全性については，データが不十分です。食品の量の範囲内で摂取してください。

有　効　性

◆科学的データが不十分です

・消化不良，腸内ガス（膨満），痙攣の軽減，咳，創傷など。

●体内での働き

ある種の細菌の繁殖を抑える作用があると考えられます。

医薬品との相互作用

ほかの医薬品との相互作用については明らかではありません。

ハーブおよび健康食品・サプリメントとの相互作用

ほかのハーブ，健康食品・サプリメントとの相互作用についてはまだ明らかではありません。

使用量の目安

標準使用量に関するデータがありません。

ガルフィミアグラウカ

GALPHIMIA GLAUCA

別名ほか

Thryallis glauca

概　　要

ガルフィミアグラウカは，メキシコや中央アメリカの熱帯地方に分布する低木常緑樹です。

ガルフィミアグラウカは，ブタクサによる花粉症，全般性不安障害（GAD），気管支喘息，血性下痢，発熱および痙攣に対し，経口摂取されます。

安　全　性

ガルフィミアグラウカは，ホメオパシーとしての（希薄された）量を，短期間経口摂取する場合には，ほとんどの人に安全のようです。ホメオパシー製剤としては，最大５週間まで，安全に用いられています。ただし，ホメオパシーの製品には，含有量を測定できるほどの有効成分は含まれていません。

ガルフィミアグラウカは，「くすり」としての適切な量を，短期間経口摂取する場合には，おそらく安全です。ガルフィミアグラウカ310mgを含むカプセルが，最大４週間まで，安全に用いられています。

●妊娠中および母乳授乳期

妊娠中および母乳授乳期の使用の安全性についてはデータが不十分です。安全性を考慮し，摂取は避けてください。ただし，ガルフィミアグラウカをホメオパシーの製剤として（希薄して）使用する場合には，副作用を引き起こすおそれはないようです。なぜなら，ホメオパシーの製剤の大半には，有効成分がわずかしか，またはまったく含まれていないからです。

有　効　性

◆科学的データが不十分です

・ブタクサによる花粉症，全般性不安障害（GAD），気管支喘息，血性下痢，発熱，痙攣など。

●体内での働き

ガルフィミアグラウカが，体内でアレルギー症状を引き起こす反応を阻止する可能性があります。不安を軽減する作用や，鎮静作用がある可能性もあります。

医薬品との相互作用

中 鎮静薬（中枢神経抑制薬）

ガルフィミアグラウカは眠気および注意力低下を引き起こす可能性があります。鎮静薬は眠気を引き起こす医薬品です。ガルフィミアグラウカと鎮静薬を併用すると，過度の眠気を引き起こすおそれがあります。このような鎮静薬には，ペントバルビタールカルシウム，フェノバルビタール，セコバルビタールナトリウム，クロナゼパム，ロラゼパム，ゾルピデム酒石酸塩などがあります。

ハーブおよび健康食品・サプリメントとの相互作用

ほかのハーブ，健康食品・サプリメントとの相互作用についてはまだ明らかではありません。

使用量の目安

通常の食品に含まれている量を超えて経口摂取した場合の安全性および副作用については，明らかになっていません。

ガレオプシス・セゲツム

HEMPNETTLE

別名ほか

Galeopsidis herba，Galeopsis segetum，Galeopsis ochroleuca

相互作用レベル：高 この医薬品と併用してはいけません　中 この医薬品とは慎重に併用するか併用しないでください
低 この医薬品との併用には注意が必要です

概　要

ガレオプシス・セゲツムは植物です。葉，茎および花を用いて「くすり」を作ることもあります。

安 全 性

経口での使用はほとんどの人に安全なようですが，副作用については不明です。

●妊娠中および母乳授乳期

妊娠中，母乳授乳期は使用してはいけません。

有 効 性

◆科学的データが不十分です

・咳，気管支炎，肺疾患，呼吸器官の軽度の腫脹，および排尿量を増加させる医薬品（利尿薬）としての使用。

●体内での働き

肺，気管，気管支からの去痰作用を促し，組織を収縮させます（収れん作用）。

医薬品との相互作用

ほかの医薬品との相互作用については明らかではありません。

ハーブおよび健康食品・サプリメントとの相互作用

ほかのハーブ，健康食品・サプリメントとの相互作用についてはまだ明らかではありません。

使用量の目安

●経口摂取

通常の摂取量は1日当たり地上部6gまたはお茶1カップを1日3回までです。お茶は2gの地上部を150mLの沸騰している湯に5～10分間浸し，ろ過して作ります。小児での使用の場合は摂取量の調整が必要ですが，正確な摂取量の調整に関する追加データはありません。

カロトロピス

CALOTROPIS

別名ほか

カロトロピス・プロセラ（Calotropis procera），Ak, Akada, Alarka, Arka, Mudar Bark, Muder Yercum, Sodom-Apple

概　要

カロトロピスは植物です。樹皮および根皮が「くすり」として使用されることもあります。

安 全 性

とくに多量摂取の場合，安全ではありません。心臓の機能を妨げる作用があると考えられている成分が含まれており，とくに，多くの量を摂取した場合にその作用が現れる可能性が高まります。

嘔吐，下痢，心拍数の減少，痙攣などの重大な副作用を引き起こす可能性があり，さらには死に至るおそれもあります。

カロトロピスの煙を吸入することの安全性はわかっていません。

●妊娠中および母乳授乳期

妊娠中および母乳授乳期の使用の安全性についてはデータが不十分です。安全性を考慮し，摂取は避けてください。

有 効 性

◆科学的データが不十分です

・歯痛，梅毒，てんかん，発熱，ハンセン病，痛風，蛇の噛まれ傷，咳，気管支喘息，消化器系疾患，下痢，痙攣，せつ，がん，炎症，関節痛，潰瘍など。

●体内での働き

痰を薄めて吐き出しやすくする作用を示すと考えられる成分が含まれています。動物実験では，痛み，炎症，細菌感染，発熱，ならびに，アルコール摂取およびアスピリンやインドメタシンなどの医薬品の投与が原因で引き起こされた潰瘍に対して，治療効果があることが明らかにされています。

医薬品との相互作用

中 ジゴキシン

ジゴキシンは強心作用をもつ医薬品ですが，カロトロピスも心臓に影響を及ぼす可能性があります。ジゴキシンを服用しているときにカロトロピスを摂取すると，ジゴキシンの作用が増強されて，副作用が現れるリスクが高まると考えられます。

中 刺激性下剤

カロトロピスは心臓に影響を及ぼす可能性があります。心臓の機能維持にはカリウムが重要な役割を果たしますが，刺激性下剤は体内のカリウム量を減少させることがあります。カリウム量が減少するとカロトロピスが心臓に作用するリスクが高まると考えられます。このような刺激性下剤にはビサコジル，カスカラサグラダ，ヒマシ油，センナなどがあります。

中 炭酸リチウム

カロトロピスは利尿薬のような作用があります。カロトロピスを摂取することで炭酸リチウムの体外排泄が減少します。この結果，体内炭酸リチウム濃度が上昇し，深刻な副作用を起こすおそれがあります。

中 利尿薬

カロトロピスは心臓に影響を及ぼす可能性がありま

す。利尿薬は体内のカリウム量を減少させることがあります。カリウム量が減少すると，カロトロピスが心臓に作用するリスクが高まると考えられます。このような利尿薬にはクロロチアジド(販売中止)，クロルタリドン(販売中止)，フロセミド，ヒドロクロロチアジドなどがあります。

ハーブおよび健康食品・サプリメントとの相互作用

強心配糖体を含むハーブおよび健康食品・サプリメント

カロトロピスは，強心配糖体という心臓に影響する成分を含んでいます。この物質を含んだほかのハーブとの併用は心臓を障害する可能性があります。併用は避けてください。強心配糖体を含んだハーブとしては，クリスマスローズ，ジギタリスリーフ，カキネガラシ，ヒメリュウキンカ，ドイツスズラン，マザーワート，オレアンダー，ゲウム，ヤナギトウワタ，海葱の鱗片葉，ストロファンツス，ダイオウがあります。

ツクシ

カロトロピスは，強心配糖体という成分を含んでいます。強心配糖体を含むツクシと併用すると，血中カリウムの過度の喪失のため，心障害のリスクが高くなる懸念があります。

甘草

カロトロピスは，強心性配糖体という成分を含んでいます。強心配糖体を含む甘草のようなハーブと併用すると，血中カリウムの過度な喪失のため心障害のリスクが高くなるおそれがあります。

刺激性緩下剤ハーブおよび健康食品・サプリメント

カロトロピスは，強心配糖体という成分を含んでいます。刺激性緩下剤のように作用するハーブと併用すると，血中カリウムが過度に喪失するため，心障害のリスクが高まるおそれがあります。刺激性緩下剤には，アロエ，ハンノキ，サーチ，ブラックルート，バターナットバーク，コロシント，ヨーロピアンバックソーン，フォーチ，ガンボージ，ゴシポール，ヒロハヒルガオ，ヤラッパ，マンナ，メキシカン・スキャモニイ・ルート，ルバーブ，センナ，イエロードックがあります。

使用量の目安

●経口摂取

去痰薬あるいは利尿薬としての使用

1日200～600mgを摂取します。

催吐薬としての使用

1日2～4gを摂取します。

●局所投与

粉末として使用します。

カワラケツメイ

CASSIA NOMAME

別名ほか

Cassia mimosoides L. var. nomame Makino, Chamaecrista dimidiate, Chapul, Kawara Ketsumei, Nomame, Nomame Herba

概　　要

カワラケツメイは，エンドウ科の植物です。地上部を用いて「くすり」を作ることもあります。カワラケツメイは，体重減少，便秘，腎臓の腫脹，排尿の増加や強壮薬として経口摂取されます。

安 全 性

カワラケツメイの安全性および副作用については，データが不十分です。

●妊娠中および母乳授乳期

妊娠中および母乳授乳期の使用の安全性についてはデータが不十分です。安全性を考慮し，摂取は避けてください。

有 効 性

◆科学的データが不十分です

・体重減少，便秘，腎臓の腫脹など。

●体内での働き

カワラケツメイは，胃腸における食事脂肪の吸収を抑制します。このため，食事脂肪は排泄物として排出され，人によっては体重減少が促される可能性があります。

医薬品との相互作用

ほかの医薬品との相互作用については明らかではありません。

ハーブおよび健康食品・サプリメントとの相互作用

ほかのハーブ，健康食品・サプリメントとの相互作用についてはまだ明らかではありません。

使用量の目安

通常の食品に含まれている量を超えて経口摂取した場合の安全性および副作用については，明らかになっていません。

カワラタケ

CORIOLUS MUSHROOM

別名ほか

瓦茸（Kawaratake），多糖ペプチド（Polysaccharide Peptide），Boletus versicolor，クレスチン（Krestin），Coriolus versicolor，Polyporus versicolor，Polysaccharide-K，Polystictus Versicolor，PSK，PSP，

Trametes Versicolor, Turkey Tail, Yun-Zhi (Cloud Mushroom)

概　要

カワラタケは真菌です。子実体などは民間療法の「くすり」として使われてきました。最近の研究では，カワラタケに含まれる薬効の成分が特定され始めています。このうちの２つの成分は多糖類ペプチド（PSP）および多糖類クレスチン（polysaccharide krestin）（PSK）で，抗がん作用および免疫システムを強化する可能性があると考えられています。

●要説（ナチュラル・スタンダード）

・PSK（カワラタケに含まれる薬効成分）について

PSKは，中国の明王朝時代から伝統中国医学で用いられています。

1980年代，日本政府は数種類のがん治療にPSKを用いることを承認しました。1984年までには年間売上255億ドルとなり，世界でもっとも商業的に成功した医薬品として，19番目に名を連ねました。

抗菌，抗ウイルス，抗腫瘍特性があるとされるキノコ，Coriolus versicolorの培養菌糸体から採取されます。

PSKのエキスは，日本では医療用に市販されており，がんの免疫化学療法に広く用いられています。日本では現在，手術，化学療法，および放射線治療と併用され，がん治療に用いられています。茶や経口カプセルの形態で，有効成分を摂取します。米国の類似製品でCoriolus versicolorエキスとだけ表示されているものがあります。Coriolus versicolorは，米国の市場でのみ市販されています。

安 全 性

カワラタケは，適量を経口摂取する場合，ほとんどの人におそらく安全です。副作用は報告されていません。

しかし，化学療法と（カワラタケから抽出した）PSKを併用している人に，吐き気，白血球数低下，肝障害が発現しています。これらの副作用の原因が化学療法なのかそれともPSKなのかは不明です。

●妊娠中および母乳授乳期

妊娠中および母乳授乳期の使用の安全性についてはデータが不十分です。安全性を考慮し，摂取は避けてください。

有 効 性

◆有効性レベル③

・がん（化学療法と併用する場合）。カワラタケに含まれる成分であるクレスチン（PSK）を経口摂取すると，さまざまながんの患者で化学療法への反応を高める可能性があります。PSKは，日本では数十年にわたり，乳がん，食道がん，胃がん，肺がん，肝がん，大腸がん，および上喉頭がんの治療に使用されてきましたが，結果はさまざまです。

◆科学的データが不十分です

・免疫システムの向上，ヘルペス，慢性疲労症候群，肝炎，肺疾患，ボディービル，白癬，皮膚感染（膿痂疹），尿路感染，消化管感染，食欲不振など。

●体内での働き

抗腫瘍増殖作用および免疫システム刺激作用をもつ可能性のある多糖類ペプチド（PSP）および多糖類-K（PSK，クレスチン）を含んでいます。

医薬品との相互作用

中 シクロホスファミド水和物

カワラタケに含まれる多糖ペプチド（PSP）という化学物質は，シクロホスファミド水和物の体内からの排泄速度を変化させる可能性があります。そのため，医薬品の効果が変わってくるおそれがあります。また，より多くの副作用が現れるおそれがあります。

低 肝臓で代謝される医薬品（シトクロムP450 2C9（CYP2C9）の基質となる医薬品）

特定の医薬品は肝臓で代謝されます。カワラタケに含まれる多糖ペプチド（PSP）という化学物質は医薬品の代謝を抑制する可能性があります。カワラタケと肝臓で代謝される医薬品を併用すると，医薬品の作用および副作用が増強するおそれがあります。このような医薬品には，セレコキシブ，ジクロフェナクナトリウム，フルバスタチンナトリウム，Glipizide，イブプロフェン，イルベサルタン，ロサルタンカリウム，フェニトイン，ピロキシカム，タモキシフェンクエン酸塩，トルブタミド（販売中止），トラセミド，ワルファリンカリウムがあります。

ハーブおよび健康食品・サプリメントとの相互作用

ほかのハーブ，健康食品・サプリメントとの相互作用についてはまだ明らかではありません。

使用量の目安

●経口摂取

がん

がんの化学療法の補助として，PSKを１日３g摂取します。

カワラマツバ

LADY'S BEDSTRAW

別名ほか

黄花河原松葉，セイヨウカワラマツバ，エゾノカワラマツバ（Cheese Renning, Curdwort Galium Verum），レディースベッドストロー（Ladys Bedstraw），Maid's Hair, Petty Mugget, Yellow Cleavers, Yellow Galium

カ

概　　要

カワラマツバは植物です。葉，茎，および花部を用いて「くすり」を作ることもあります。

安　全　性

安全性および副作用については不明です。

●妊娠中および母乳授乳期

妊娠中および母乳授乳期の使用の安全性についてはデータが不十分です。安全性を考慮し，摂取は避けてください。

有　効　性

◆科学的データが不十分です

・足首の腫脹，尿量の増加，がん，てんかん，ヒステリー，痙攣，腫瘍，胸部と肺の軽い疾患の緩和，発汗目的での使用，強壮薬としての使用，食欲の増進用，催淫薬，収れん薬としての使用，腸を刺激し内容物を排出させるための使用，回復の悪い創傷（皮膚に直接塗布）および止血（皮膚に直接塗布）など。

●体内での働き

どのように作用するかについては十分なデータが得られていません。

医薬品との相互作用

ほかの医薬品との相互作用については明らかではありません。

ハーブおよび健康食品・サプリメントとの相互作用

ほかのハーブ，健康食品・サプリメントとの相互作用についてはまだ明らかではありません。

使用量の目安

●経口摂取

通常お茶として摂取します。

●局所投与

パップ薬として使用します。250mLの冷水を地上部小さじ山盛り１杯にそそぎ，煮立たせて，そのまま浸して作ります。

甘草

LICORICE

●代表的な別名

カンゾウ

別名ほか

中国甘草（Chinese Licorice），植物エストロゲン，植物由来エストロゲン様物質，エストロゲン様作用物質，ホルモン様物質（Phytoestrogen），ロシア甘草（Russian Licorice），スペイン甘草（Spanish Licorice），スペインカンゾウ，ヨウカンゾウ（Glycyrrhiza glabra），ウラルカンゾウ（Glycyrrhiza uralensis），イソフラボン（Isoflavone），甘草ルート（Licorice Root），フィトエストロゲン，Alcacuz，Gan Cao，Gan Zao，Glycyrrhiza，Glycyrrhiza glabra Typica，Glycyrrhiza glabra violacea，Glycyrrhiza glabra glandulifera，Lakritze，Liquiritiae Radix，Liquirizia，Mulhathi，Jethi-madh，Orozuz，Reglisse，Regliz，Subholz，Sweet Root，Yashtimadhu，Yashti madhu，Yashti-Madhuka

概　　要

甘草（カンゾウ）は植物です。食品，飲料水，タバコなどの香料として非常に馴染みがあります。甘草の根から「くすり」を作ります。

甘草は，ときどきハーブの朝鮮人参やミシマサイコとあわせて，とくに長期間ステロイド剤を使用していた場合の副腎機能の改善に使用されます。ステロイドは，副腎の機能を抑制する傾向があります。副腎はストレスに対する体の調整をする重要なホルモンを作るところです。

甘草は，シャクヤク甘草湯と呼ばれるハーブとして，多のう胞性卵巣症候群というホルモン障害の女性の受精率を上げるのに使用されます。他のハーブとの併用で，甘草は前立腺がんの治療や湿疹やアトピー性皮膚炎などの皮膚障害に使用されます。

米国の甘草製品には，実際甘草がまったく入っていないものが多いです。甘草の代わりに，よく似た香りがして黒甘草の味がするアニスオイルが含まれています。

甘草は多くの処方箋薬と相互作用します。

●要説（ナチュラル・スタンダード）

治療薬として使用される甘草の部分は，低木ヨウカンゾウ（Glycyrrhiza glabra）の根と乾燥させた地下茎です。現在，その生産は，ギリシア，トルコ，アジアでされています。

甘草は，古代ギリシア，中国，エジプトで使用されており，それは主に胃炎（胃の炎症）や上気道疾患のためでした。古代エジプト人は，ファラオの魂を称える儀式に使うために，甘草の飲み物を用意しました。その後，欧州やアジアにさまざまな用途で広がりました。

治療薬としての用途に加え，甘草は甘味料（甘草の成分のグリチルリチンは砂糖の50倍の甘さがあります）として価値がありました。一般的な名前の”gycyrrhiza stem”は「甘い根」という意味で，古代ギリシアの言葉です。もともとは，甘草キャンディーの甘味料として使用されていましたが，今は甘草のキャンディーはアニスオイルで味付けられています。甘草は今でもハーブ治療薬，トローチ薬やタバコ製品の甘味料として，副作用を起こさない治療量以下の量で使用されています。

ヨーロッパやアジアでの甘草の治療薬としての歴史は長いです。大量の投与では，高血圧，低カリウム血症，体液貯留などの重篤な副作用の可能性のおそれがあります。もっとも悪影響のある副作用は，グリチルリチンまたはグリチルリチン酸として知られている化学成分によるものです。甘草からグリチルリチン酸をとり除くことは可能で，それはDGL（グリチルリチン酸なしの甘草）となり，甘草の代謝に対する不利な点がないようです。

・新型コロナウイルス感染症（COVID-19）。
COVID-19に対して甘草の使用を裏付ける十分なエビデンス（科学的根拠）はありません。

安 全 性

甘草の経口摂取は，通常の食品に含まれる量であれば，ほとんどの人に安全のようです。甘草の使用は，「くすり」として高用量を経口摂取する場合や，短期間，皮膚に塗布する場合には，おそらく安全です。ただし，高用量の甘草を，４週間を超える期間にわたり経口摂取する場合や，少量を長期間にわたり経口摂取する場合には，おそらく安全ではありません。甘草を数週間以上にわたり毎日摂取する場合には，健康な人であっても，高血圧，低カリウム血症，脱力，麻痺，ときに脳障害などの深刻な副作用を引き起こすおそれがあります。塩分の摂り過ぎや，心疾患，腎疾患，高血圧の場合には，１日当たり５g程度の少量であっても，このような副作用を引き起こすおそれがあります。

ほかにも，甘草の副作用として，疲労，女性の無月経，頭痛，水分貯留，ナトリウム貯留，男性の性的関心および性的機能の減退などがあります。

甘草味の噛みタバコを噛む人は，高血圧など深刻な副作用を引き起こすおそれがあります。

心疾患：甘草が，体内に水分を貯めこむ働きを促進し，うっ血性心不全を悪化させるおそれがあります。また，脈拍不整のリスクを高めるおそれもあります。心疾患の場合には，甘草を摂取してはいけません。

乳がん，子宮がん，卵巣がん，子宮内膜症，子宮線維腫などのホルモン感受性の疾患：甘草が，体内においてエストロゲンのような働きをするおそれがあります。エストロゲンへの曝露により悪化するおそれのある疾患の場合には，甘草を使用してはいけません。

高血圧：甘草が，血圧を上昇させるおそれがあります。高血圧の場合には，高用量の甘草を摂取してはいけません。

緊張亢進（神経障害に起因する筋肉疾患）：甘草が，血中カリウム濃度を低下させるおそれがあります。このため，緊張亢進が悪化するおそれがあります。緊張亢進の場合には，摂取は避けてください。

低カリウム血症：甘草が，血中カリウム濃度を低下させるおそれがあります。カリウム値が低い場合には，甘草により，カリウム値が過度に低下するおそれがあります。低カリウム血症の場合には，甘草を摂取してはいけません。

腎疾患：甘草を過度に使用すると，腎疾患が悪化するおそれがあります。使用してはいけません。

男性の性機能障害：甘草により，テストステロンと呼ばれるホルモンの濃度が低下し，男性の性に対する興味が失せるおそれや，勃起障害（ED）が悪化するおそれがあります。

手術：甘草が，手術中および術後の血圧コントロールを妨げるおそれがあります。少なくとも手術前２週間は，使用しないでください。

●妊娠中および母乳授乳期

妊娠中の経口摂取は，安全ではありません。妊娠中に，高用量（１週間当たり約250g）の甘草を摂取すると，早産や流産のリスクが高まるようです。母乳授乳期の使用の安全性についてはデータが不十分です。安全性を考慮し，摂取は避けてください。

カ

有 効 性

◆有効性レベル③

・湿疹（皮膚のそう痒および炎症）。甘草を皮膚へ塗布することにより，湿疹の症状が改善することを示唆するエビデンスが複数あります。甘草を含んだゲルを，１日３回，２週間にわたり塗布することにより，潮紅，腫脹およびそう痒が緩和するようです。
・消化不良（むねやけ）。研究により，甘草の根を含む２種類の併用製品を摂取することにより，むねやけの症状が改善するようであることが示唆されています。また，甘草を含む別の併用製品を摂取することにより，プラセーボによる治療とくらべ，むねやけが40％改善しています。
・手術後の回復。研究により，口から気管に管を挿入する30分前から，甘草を含むトローチ剤をなめることにより，手術後の咳が50％軽減することが示唆されています。また，挿管前に甘草の液体でうがいすることにより，呼吸管をはずす際の合併症が減少しています。

◆科学的データが不十分です

・出血，口唇潰瘍，歯垢，家族性地中海熱（胸，胃および関節における再発性の疼痛をともなう腫脹を特徴とする遺伝性疾患），肝炎，高コレステロール血症，血中カリウム値が高い状態，プロラクチンホルモン値の異常，過敏性腸症候群（IBS），扁平苔癬（口のびらん），肝斑（皮膚変色），更年期症状，筋痙攣，非アルコール性脂肪肝疾患（アルコールに起因しない肝疾患），疼痛，胃潰瘍，乾癬，体重減少，関節炎，咳，慢性疲労症候群（CFS），感染症，不妊，ループス，マラリア，前立腺がん，結核など。

●体内での働き

甘草に含まれる化学物質が，腫脹を緩和し，粘液の分泌を弱め，咳の回数を減らし，潰瘍を治す体内の化学物質を増加させると考えられています。

医薬品との相互作用

中エストロゲン（卵胞ホルモン）製剤

甘草は体内のホルモン量を変化させるようです。甘草とエストロゲン製剤を併用すると，エストロゲン製剤の作用が減弱するおそれがあります。このようなエストロゲン製剤には，結合型エストロゲン，エチニルエストラジオール，エストラジオールなどがあります。

中ジゴキシン

多量の甘草は体内のカリウム量を減少させる可能性があります。カリウム量が減少すると，ジゴキシンの副作用が増強するおそれがあります。

中シスプラチン

シスプラチンはがん治療に用いられます。甘草にはがんに対するシスプラチンの働きを弱める可能性があると懸念されています。

中ミダゾラム

ミダゾラムは体内で代謝されます。甘草はミダゾラムの代謝を促進する可能性があります。ミダゾラムを服用中は，慎重に甘草を摂取してください。

中ワルファリンカリウム

ワルファリンカリウムは血液凝固を抑制するために用いられます。ワルファリンカリウムは体内で代謝されてから排泄されます。甘草はワルファリンカリウムの代謝を促進させて効果を弱める可能性があります。ワルファリンカリウムの効果が弱まることで，血液凝固のリスクが高まるおそれがあります。定期的に血液検査をしてください。ワルファリンカリウムの用量を変更する必要があるかもしれません。

中肝臓で代謝される医薬品（シトクロムP450 2B6（CYP2B6）の基質となる医薬品）

特定の医薬品は肝臓で代謝されます。甘草はこのような医薬品の代謝を抑制する可能性があります。そのため，医薬品の作用および副作用が増強するおそれがあります。このような医薬品には，ケタミン塩酸塩，フェノバルビタール，Orphenadrine，セコバルビタールナトリウム，デキサメタゾンがあります。

中肝臓で代謝される医薬品（シトクロムP450 2C19（CYP2C19）の基質となる医薬品）

特定の医薬品は肝臓で代謝されます。甘草はこのような医薬品の代謝を抑制する可能性があります。そのため，医薬品の作用および副作用が増強するおそれがあります。このような医薬品には，オメプラゾール，ランソプラゾール，パントプラゾールナトリウム水和物（販売中止），ジアゼパム，カリソプロドール（販売中止），ネルフィナビルメシル酸塩などがあります。

中肝臓で代謝される医薬品（シトクロムP450 2C8（CYP2C8）の基質となる医薬品）

特定の医薬品は肝臓で代謝されます。甘草はこのような医薬品の代謝を抑制する可能性があります。そのため，医薬品の作用および副作用が増強するおそれがあります。このような医薬品には，アミオダロン塩酸塩，パクリタキセル，非ステロイド性抗炎症薬（ジクロフェナクナトリウムやイブプロフェンなど），マレイン酸ロシグリタゾン（販売中止）などがあります。

中肝臓で代謝される医薬品（シトクロムP450 2C9（CYP2C9）の基質となる医薬品）

特定の医薬品は肝臓で代謝されます。甘草はこのような医薬品の代謝を変化させる可能性があります。そのため，甘草と肝臓で代謝される医薬品を併用すると，医薬品の作用が増強または減弱するおそれがあります。このような医薬品には，セレコキシブ，ジクロフェナクナトリウム，フルバスタチンナトリウム，Glipizide，イブプロフェン，イルベサルタン，ロサルタンカリウム，フェニトイン，ピロキシカム，タモキシフェンクエン酸塩，トルブタミド（販売中止），トラセミド，ワルファリンカリウムなどがあります。

中肝臓で代謝される医薬品（シトクロムP450 3A4（CYP3A4）の基質となる医薬品）

特定の医薬品は肝臓で代謝されます。甘草はこのような医薬品の代謝を変化させる可能性があります。そのため，医薬品の作用が増強または減弱するおそれがあります。このような医薬品には，Lovastatin，ケトコナゾール，イトラコナゾール，フェキソフェナジン塩酸塩，トリアゾラムなど数多くあります。

中抗炎症薬（副腎皮質ステロイド）

特定の抗炎症薬は体内のカリウムを減少させる可能性があります。甘草もまた体内のカリウムを減少させる可能性があります。甘草と特定の抗炎症薬を併用すると，体内のカリウムが過度に減少するおそれがあります。このような抗炎症薬には，デキサメタゾン，ヒドロコルチゾン，メチルプレドニゾロン，Prednisoneなどがあります。

中降圧薬

多量の甘草は血圧を上昇させるようです。甘草が血圧を上昇させることで，降圧薬の効果が弱まるおそれがあります。このような降圧薬には，カプトプリル，エナラプリルマレイン酸塩，ロサルタンカリウム，バルサルタン，ジルチアゼム塩酸塩，アムロジピンベシル酸塩，ヒドロクロロチアジド，フロセミドなど数多くあります。

中利尿薬

多量の甘草は体内のカリウム量を減少させる可能性があります。利尿薬もまた体内のカリウム量を減少させる可能性があります。甘草と利尿薬を併用すると，体内のカリウム量が過剰に減少するおそれがあります。このような利尿薬には，クロロチアジド（販売中止），クロルタリドン（販売中止），フロセミド，ヒドロクロロチアジドなどがあります。

中パクリタキセル

パクリタキセルは体内で代謝されます。甘草はパクリタキセルの代謝を促進する可能性があります。甘草とパクリタキセルを併用すると，パクリタキセルの代謝が促進されてその効果が弱まるおそれがあります。

中エタクリン酸【販売中止】

甘草はカリウムを体内から排泄させる可能性がありま

す。エタクリン酸もまたカリウムを体内から排泄させる可能性があります。甘草とエタクリン酸を併用すると，カリウム量が過度に減少するおそれがあります。

中フロセミド

甘草はカリウムを体内から排泄させる可能性があります。フロセミドもまたカリウムを体内から排泄させる可能性があります。甘草とフロセミドを併用すると，体内のカリウム量が過度に減少するおそれがあります。

ハーブおよび健康食品・サプリメントとの相互作用

心臓に影響を与えるおそれのあるハーブおよび健康食品・サプリメント

甘草を過剰に使用することにより，体内のカリウムが減少し，心臓に障害を与えるおそれがあります。甘草と，心臓に影響を与えるおそれのあるハーブおよび健康食品・サプリメントを併用すると，この作用が増強されるおそれがあります。このようなハーブおよび健康食品・サプリメントにはジギタリス，ドイツスズラン，ゲウム，海葱（カイソウ）などがあります。

刺激性緩下作用をもつハーブおよび健康食品・サプリメント

甘草を過剰に使用することにより，体内のカリウムが減少するおそれがあります。刺激性緩下作用をもつハーブおよび健康食品・サプリメントも，体内のカリウムを減少させるおそれがあります。甘草と，刺激性緩下作用をもつハーブおよび健康食品・サプリメントを併用すると，カリウム濃度が過度に低下するリスクが高まるおそれがあります。このようなハーブおよび健康食品・サプリメントには，アロエ，セイヨウイソノキ，ヨーロピアンバックソーン，カスカラサグラダ，ヒマ，ルバーブ，センナなどがあります。

通常の食品との相互作用

グレープフルーツジュース

甘草と，グレープフルーツジュースを併用すると，カリウムを減少させる甘草の作用が高まるおそれがあります。

食塩

甘草の使用により，ナトリウムおよび水分貯留が増加し，血圧が上昇するおそれがあります。また，多量の食塩を摂取することにより，甘草の副作用が強まるおそれもあります。

使用量の目安

●経口摂取

胃の不調

甘草，ミルクシスル，ペパーミント葉，ジャーマン・カモミール，キャラウェイ，セランダイン，アンゼリカ，レモンバーム，およびマガリバナを含む特定の製品1mLを，1日3回，4週間にわたり摂取します。甘草，ミルクシスル，ペパーミント葉，ジャーマン・カモミール，キャラウェイ，セランダイン，アンゼリカ，およびレモンバームを含む別の製品1mLを，1日3回，4週間にわたり摂取することもあります。マガリバナ，ジャーマン・カモミール，ペパーミント，キャラウェイ，甘草，およびレモンバームを含む別の製品1mLを，1日3回，最長12週間にわたり摂取することもあります。

手術後の回復

甘草97mgを含む特定のトローチ剤を，麻酔の30分前になめます。

●皮膚への塗布

湿疹（皮膚のそう痒や炎症）

1～2％の甘草の根のエキスを含むゲル製品を1日3回，2週間にわたり塗布します。

手術後の回復

呼吸管を挿入する5分前に，甘草0.5gを含む液体30mLで，少なくとも1分間かけてうがいをします。

カ

肝臓抽出物

LIVER EXTRACT

別名ほか

肝臓（Aqueous Liver Extract, Hydrolyzed Liver Extract, Liver），肝臓加水分解物（Liver Concentrate, Liver Factors, Liver Fractions, Liver Hydrolysate），Liver Substance

概　　要

動物の肝臓（牛の肝臓がもっとも多い）から得られる抽出物です。「くすり」として使用されることもあります。

●要説（ナチュラル・スタンダード）

肝臓抽出物や乾燥（干し）肝臓は，1世紀以上もの間，鉄分のサプリメントとして市販されています。抽出物は，牛やブタの肝臓で，凍結乾燥した茶色の粉末になったり，除去された脂肪やコレステロールの大部分が含まれる濃縮液となります。

肝臓抽出物は，肝（肝臓）機能不全を治療するのに効果があることを示唆する予備的研究があります。また，肝臓抽出物は，C型肝炎や他のウイルス感染症治療にインターフェロンと相乗的に作用するように思われます。より多くの研究が，これらの分野で必要とされます。

肝臓抽出物は，特定の種類のがん（転移性細胞の移動を指示する能力やDNA，RNA，タンパク質形成阻害など）治療に役立つ効果があることを示す実験室での研究があります。肝臓抽出物の特性を計るために，これらの分野で多くの研究が必要とされます。

肝臓抽出物は動物の肝臓から作られるので，寄生虫，細菌，またはプリオン病に感染するおそれがあるなど，安全性に関して問題提起がされています。現在は，肝臓が原因で発症するウシ海綿状脳炎（BSE，または「狂牛病」）などの疾病報告はありませんが，米国食品医薬品局（FDA）は，あらゆる動物臓器からの抽出物の使用に対して警告しています。肝臓抽出物の処理がどのように行われるか，およびこれらの臓器からの感染にどのように影響するかは明らかではありません。

安 全 性

十分なデータは得られていないので，安全であるかどうか不明です。

一方，動物を原料としている製品もあることから，病気にかかった動物が使われることにより病原体が製品に混入している可能性もあります。

ヘモクロマトーシスによる過度の鉄の体内蓄積：肝臓抽出物は鉄を含み，鉄の代謝障害を悪化させる可能性があります。この障害を有する場合は，肝臓抽出物を使用しないでください。

●妊娠中および母乳授乳期

妊娠中および母乳授乳期の肝臓抽出物の使用の安全性についてはデータが不十分です。安全性を考慮して，摂取を避けてください。

有 効 性

◆科学的データが不十分です

・肝機能の改善，肝障害の予防，肝疾患の治療，アレルギー，筋肉の発達を向上，体力および耐久力の改善，慢性疲労症候群，化合物の体内からの除去（解毒），薬物中毒からの回復など。

●体内での働き

ビタミンB_{12}，葉酸，および鉄が含まれます。動物においては，肝細胞の数を増やす作用があると考えられています。人間が医薬品として用いる場合，どのように作用するかについては不明です。

医薬品との相互作用

ほかの医薬品との相互作用については明らかではありません。

ハーブおよび健康食品・サプリメントとの相互作用

ほかのハーブ，健康食品・サプリメントとの相互作用についてはまだ明らかではありません。

使用量の目安

標準使用量に関するデータがありません。

カンタキサンチン

CANTHAXANTHIN

別名ほか

Canthaxanthine, Carophyll Red CI Food Orange 8, Colour Index No. 40850, E161, Roxanthin Red 10

概 要

カンタキサンチンは，ニンジンの赤色を作り出す化学物質に似た染料です。その染料は自然界に存在し，研究所でも作ることが可能です。「くすり」として使用されます。

食品では，カンタキサンチンは食品染料として使用されたり，動物の飼料に加えられて，鶏の皮膚や卵黄，鮭や鱒の色を改善します。

製品として，カンタキサンチンは化粧品や医薬品に使用されます。

●要説（ナチュラル・スタンダード）

カンタキサンチンは，植物と動物の両方に自然に存在する赤とピンクの色素です。皮膚に表出されるカンタキサンチンの量は，食事で摂ったカンタキサンチンの量に依存します。

他のカロテノイドと同様に，カンタキサンチンは抗酸化作用を有する可能性があります。

カンタキサンチンは皮膚の第２層に集まり，暗い色の元となり太陽からの保護に役立っている可能性があります。

カンタキサンチンは，米国食品医薬品局（FDA）の承認なしで，日焼け薬として販売することは可能です。

研究では，カンタキサンチンが，がんや皮膚色素沈着障害や白斑の治療が可能なことを示しています。

安 全 性

通常の食品としての量を経口摂取する場合は，ほとんどの人に安全のようです。ただし，人工的な日焼けに必要な量を経口摂取する場合は，安全ではないようです。人工的な日焼けの目的で摂取した人の中には，眼の障害や失明を起こした例もあります。

高用量では，再生不良性貧血という致命的となりうる深刻な血液疾患を引き起こしています。また，下痢，吐き気，胃痙攣，皮膚の乾燥やそう痒，蕁麻疹，オレンジ色または赤色の分泌物などの副作用を引き起こすおそれがあります。

●アレルギー

ビタミンAアレルギー：ビタミンAおよび関連する化学物質であるカロテノイドに対するアレルギーのある人は，カンタキサンチンにも敏感であるおそれがあります。

●妊娠中および母乳授乳期

日光過敏症を緩和する目的で「くすり」としての量を経口摂取する場合は，おそらく安全ではありません。日焼けのために必要な量を経口摂取する場合は，安全ではないようです。眼の障害など有害な作用を引き起こすおそれがあります。

有効性

◆有効性レベル③

・赤血球産生性プロトポルフィリン症（EPP，遺伝性血液疾患）。β-カロテンとの併用または非併用でカンタキサンチンを経口摂取すると，赤血球産生性プロトポルフィリン症患者の日光感受性による皮疹，そう痒または湿疹が軽減されるようです。

◆科学的データが不十分です

・皮膚エリテマトーデス（CLE，自己免疫疾患），多型光線疹（日光過敏症による皮疹），乾癬（皮膚の発赤と過敏），白斑（皮膚の退色），医薬品に起因する日光過敏症，日光が原因のそう痒，人工日焼けなど。

●体内での働き

ニンジンなどの野菜に含まれるカロテンに類似した色素の一種です。皮膚に沈着して，「日焼け」に似た状態を作り出します。抗酸化作用により，日光過敏症を予防する可能性があります。

医薬品との相互作用

ほかの医薬品との相互作用については明らかではありません。

ハーブおよび健康食品・サプリメントとの相互作用

ほかのハーブ，健康食品・サプリメントとの相互作用についてはまだ明らかではありません。

使用量の目安

●経口摂取

赤血球産生性プロトポルフィリン症（EPP）

日光を浴びたときの光線過敏症の症状（皮疹，そう痒および/または湿疹）の緩和および治療のため，カンタキサンチン１日60～90mgを１年のうち平均３～５カ月間摂取します。

寒天

AGAR

●代表的な別名

シマテングサ

別名ほか

シマテングサ（Agar-Agar, Agarweed），ゲリジウムカーチラギネウム紅藻（Gelidium amanasii, Gelidium cartilagineum），マクサ（Gelidium crinale），ヒメテングサ（Gelidium divaricatum），オオブサ（Gelidium pacificum），ヨレクサ（Gelidium vagum），Chinese Gelatin, Colle du Japon, Garacilaria confervoides, Geli diella acerosa, Gelosa, Gelosae, Japanese isinglas, Kanten Diet, Kanten jelly, Kanten Plan, Layor carang, Qion Zhi, Seaweed gelatin, Vegetable gelatin, Vegetarian gelatin

概要

寒天は植物です。「くすり」として使用されることもあります。

歯科印象材に用いられます。

乳濁液，懸濁液，ゲル，および特定の坐薬の原料として用いられます。

●要説（ナチュラル・スタンダード）

寒天は，世界中の水域に分布する赤い海藻から抽出した天然物質です。無味で，何世紀にもわたり食品の原料として用いられています。容易にゲル化するため，安定剤，増量剤，濃化剤，ゲル化剤，および食品添加物として用いられます。

寒天は，水溶性の消化されにくい繊維を豊富に含んでいます。消化管の中で水分を吸収し，かさが増して大腸収縮を促進します。緩下剤として用いられるのが，もっとも一般的な治療上の使用です。慢性的な便秘の日常的な治療のために，何十年間にわたり用いられています。布製品をはじめ，紙製品，化粧品などさまざまな製品に応用されています。近年では，科学研究所で実験用の細菌を成長させるために用いられています。

寒天は，血中のビリルビン色素の濃度が高くなる新生児黄疸の治療に関する臨床試験がなされています。ビリルビン色素の濃度が高くなると，皮膚や白眼の色が黄色になる黄疸を引き起こすおそれがあります。２型糖尿病の耐糖能異常に対する有効性があるかどうかの研究がなされています。

安全性

寒天の経口摂取は，少なくともグラス１杯の水（約230mL）と一緒であれば，ほとんどの成人にとって，おそらく安全です。水を十分に摂らない場合には，寒天が膨張し，食道や腸を圧迫するおそれがあります。寒天の摂取後に，胸痛，嘔吐，嚥下困難，呼吸困難を引き起こした場合には，ただちに医療的な処置が必要となります。人によっては，寒天により，コレステロールが増加するおそれもあります。

小児：小児が寒天を経口摂取する場合には，短期間であれば，おそらく安全です。

腸閉塞（閉塞）：水分を十分に摂らないと，腸閉塞が悪化するおそれがあります。腸閉塞の場合には，寒天を摂取する前に，医師などに相談してください。

嚥下困難：水分を十分に摂らないと，寒天が膨張し，食道を圧迫するおそれがあります。嚥下障害がある場合には，とくに危険です。嚥下障害の場合には，寒天を摂取する前に，医師などに相談してください。

結腸がん：寒天など，特定の種類の食物繊維を摂取することにより，結腸がんの発症リスクが高まるおそれがあります。結腸がんの既往症がある場合や，結腸がんの

カ

リスクがある場合には，寒天を摂取する前に，医師などに相談してください。

●妊娠中および母乳授乳期

妊娠中および母乳授乳期の使用の安全性についてはデータが不十分です。安全性を考慮し，摂取は避けてください。

有効性

◆有効性レベル③

・肥満。２型糖尿病および耐糖能異常の肥満患者が，伝統的な日本食を摂りながら，寒天ゲルを含む製品（Slim Kanten）を毎日継続して，12週間にわたり経口摂取することにより，伝統的な日本食だけを摂る場合と比べ，体重およびBMIが効果的に減少するようです。

◆科学的データが不十分です

・糖尿病，乳児の黄疸（新生児の血中ビリルビン値が高い状態），便秘など。

●体内での働き

寒天は，腸内で膨張するゲルのような物質を含んでいます。この物質が，腸を刺激し，排便を促します。寒天が，一般的に緩下剤として用いられるのは，この作用があるためです。

寒天には，膨張する性質があるため，体重減少を目的に使用されます。寒天を摂取することにより，満腹感を得やすくなり，摂取しないときと比べ，早めに食べることをやめることになります。それが体重減少につながるとされていますが，この理論を裏づける科学的根拠はありません。

医薬品との相互作用

中経口薬

寒天は粘度の高いゲル化剤です。寒天は胃腸で特定の医薬品に吸着する可能性があります。寒天と経口薬を併用すると，医薬品の体内への吸収量を減少させ，医薬品の効果を弱めるおそれがあります。この相互作用を避けるために，経口薬の服用後，少なくとも１時間は寒天を摂取しないでください。

ハーブおよび健康食品・サプリメントとの相互作用

亜鉛

食品の一部として寒天を摂取する場合には，亜鉛の吸収が促進されるおそれがあります。このため，体内の亜鉛値が上昇するおそれがあります。ただし，この作用が深刻な問題であるかどうかについては，データが不十分です。

使用量の目安

通常の食品に含まれている量を超えて経口摂取した場合の安全性および副作用については，明らかになっていません。

カンナビジオール（CBD）

CANNABIDIOL（CBD）

別名ほか

2-[(1R,6R)
-3-Methyl-6-prop-1-en-2-ylcyclohex-2-en-1-yl]
-5-pentylbenzene-1,3-diol，CBD

概　要

カンナビジオールは，マリファナまたはヘンプとしても知られる大麻草に含まれる化学物質です。カンナビノイドとして知られている80種類を超える化学物質が，大麻草に含まれていることが確認されています。Δ9-テトラヒドロカンナビノール（THC）はマリファナの主な有効成分ですが，ヘンプにはごく少量しか含まれない一方で，カンナビジオールはヘンプからも抽出されます。

2018年のFarm Bill法案（農業法案）の可決により，アメリカではヘンプおよびヘンプ製品の販売が合法になりました。しかし，それはすべてのヘンプ由来のカンナビジオール製品が合法であるということではありません。カンナビジオールは新薬として研究されているため，食品や健康食品・サプリメントにカンナビジオールが含まれると違法になります。また，医薬品的な効果効能を表示して販売する製品にもカンナビジオールが含まれていてはいけません。化粧品に限り，0.3％未満であれば，THCが含まれていても問題ありません。しかし，依然として，カンナビジオールを含む，健康食品・サプリメントに分類される製品が販売されています。これらの製品に含まれるカンナビジオールの量は，常に正確に製品に表示されているわけではありません。

カンナビジオールは，痙攣発作（てんかん）に最も使用されます。また，不安，疼痛，筋肉障害（ジストニア），パーキンソン病，クローン病など，多くの症状に使用されますが，これらの用途を十分に裏づけるエビデンスはありません。

安　全　性

カンナビジオール（CBD）を経口摂取や舌下噴霧する場合，適切であれば，おそらく安全です。１日最大300mgの経口摂取は，最大６カ月まで安全です。１日1,200～1,500mgの高用量を経口摂取する場合，最大４週間まで安全です。処方薬の場合には，１日最大10～20mg/kgの経口摂取が承認されています。舌下噴霧する場合，2.5mgを最大２週間使用します。

カンナビジオールの副作用として，口内乾燥，低血圧，軽度のめまい感，傾眠などが複数報告されています。肝障害の兆候が報告されている患者もいますが，まれなことです。

カンナビジオールを皮膚に塗布する場合，安全性と副作用については，十分なデータが得られていません。

小児：処方薬のカンナビジオール（CBD）製品を毎日経口摂取する場合，おそらく安全です。最も一般的な用量は，1日10mg/kgです。特定の小児に1日15～20mg/kgの高用量を使用することもありますが，この高用量では副作用が現れる可能性が高くなります。この製品は2歳以上の特定の小児への使用が承認されていますが，1歳の小児にも使用されています。

パーキンソン病：パーキンソン病の場合，高用量のカンナビジオール（CBD）を摂取すると，筋肉運動や振戦が悪化するおそれがあることが，複数の初期の研究で示唆されています。

●妊娠中および母乳授乳期

妊娠中および母乳授乳期の使用の安全性についてはデータが不十分です。安全性を考慮し，摂取は避けてください。

有 効 性

◆有効性レベル②

・痙攣発作（てんかん）。特定のカンナビジオール（CBD）製品は，痙攣発作と関連するさまざまな疾患の成人および小児の痙攣発作を軽減することが示されています。この製品は，ドラベ症候群またはレノックス・ガストー症候群による痙攣発作を治療するための処方薬です。また，結節性硬化症，スタージ・ウェーバー症候群，熱性感染症に関連するてんかん症候群（febrile infection-related epilepsy syndrome（FIRES）），およびてんかん性脳症を引き起こす特定の遺伝性疾患の発作を軽減することが示されています。しかし，これらとは別の種類の発作を治療することは承認されていません。

◆科学的データが不十分です

・双極性障害，炎症性腸疾患の1つ（クローン病），糖尿病，不随意な筋収縮を特徴とする運動異常（ジストニア），移植臓器が身体を攻撃する現象（移植片対宿主病（GVHD）），運動・精神・思考に影響を及ぼす遺伝性の脳障害（ハンチントン病），不眠，多発性硬化症（MS），ヘロインやモルヒネなどのオピオイドからの離脱，パーキンソン病，統合失調症，禁煙，社会的状況全般あるいはその一部における恐怖を特徴とする不安（社会不安障害）など。

●体内での働き

カンナビジオール（CBD）には，抗精神病作用があります。この作用の正確な要因は明らかではありません。しかし，カンナビジオールは，疼痛，気分，精神機能に影響を与える脳内物質の分解を抑制するようです。分解が抑制されて，この化学物質の血中濃度が上昇すると，統合失調症などの疾患による精神病の症状が軽減するようです。また，カンナビジオールはΔ9-テトラヒドロカンナビノールの精神活性作用の一部を阻害する可能性があります。このほか，カンナビジオールは疼痛や不安を緩和するようです。

医薬品との相互作用

中クロバザム

クロバザムは肝臓で代謝されます。カンナビジオール（CBD）はクロバザムの代謝を抑制する可能性があります。そのため，クロバザムの作用および副作用が増強するおそれがあります。

中バルプロ酸ナトリウム

バルプロ酸ナトリウムは肝臓を害する可能性があります。カンナビジオール（CBD）を摂取し，バルプロ酸ナトリウムを併用すると，肝臓を害するリスクが高まるおそれがあります。カンナビジオールとバルプロ酸ナトリウムの両方または一方の使用を中止する，あるいは用量を減らす必要があるかもしれません。

中Brivaracetam

Brivaracetamは体内で代謝されます。カンナビジオール（CBD）はBrivaracetamの代謝を抑制する可能性があります。そのため，体内のBrivaracetamの量が増加するおそれがあります。

中エベロリムス

エベロリムスは体内で代謝されます。カンナビジオール（CBD）はエベロリムスの代謝を抑制する可能性があります。そのため，体内のエベロリムスの量が増加するおそれがあります。

中タクロリムス水和物

タクロリムス水和物は体内で代謝されます。カンナビジオール（CBD）はタクロリムス水和物の代謝を抑制する可能性があります。そのため，体内のタクロリムス水和物の量が増加するおそれがあります。

中カルバマゼピン

カルバマゼピンは体内で代謝されます。カンナビジオール（CBD）はカルバマゼピンの代謝を抑制する可能性があります。そのため，体内のカルバマゼピンの量が増加し，カルバマゼピンの副作用が増強するおそれがあります。

中シロリムス

シロリムスは体内で代謝されます。カンナビジオール（CBD）はシロリムスの代謝を抑制する可能性があります。そのため，体内のシロリムスの量が増加するおそれがあります。

中スチリペントール

スチリペントールは体内で代謝されます。カンナビジオール（CBD）はスチリペントールの代謝を抑制する可能性があります。そのため，体内のスチリペントールの量が増加し，スチリペントールの副作用が増強するおそれがあります。

中メサドン塩酸塩

メサドン塩酸塩は肝臓で代謝されます。カンナビジオール（CBD）はメサドン塩酸塩の代謝を抑制する可能性があります。カンナビジオールを摂取し，メサドン塩酸塩を併用すると，メサドン塩酸塩の作用および副作用が増強するおそれがあります。

中肝臓で代謝される医薬品（シトクロムP450 2C8（CYP2C8）の基質となる医薬品）

特定の医薬品は肝臓で代謝されます。カンナビジオール（CBD）はこのような医薬品の代謝を変化させる可能性があります。そのため，医薬品の作用および副作用が変化するおそれがあります。このような医薬品には，アミオダロン塩酸塩，カルバマゼピン，Chloroquine，ジクロフェナクナトリウム，パクリタキセル，レパグリニドなどがあります。

中肝臓で代謝される医薬品（グルクロン酸抱合を受けて代謝される医薬品）

特定の医薬品は肝臓で代謝されます。カンナビジオール（CBD）はこのような医薬品の代謝を変化させる可能性があります。そのため，医薬品の作用および副作用が変化するおそれがあります。このような医薬品には，アセトアミノフェン，オキサゼパム（販売中止），ハロペリドール，ラモトリギン，モルヒネ塩酸塩水和物，ジドブジンなどがあります。

中肝臓でほかの医薬品の代謝を促進する医薬品（シトクロムP450 2C19（CYP2C19）を誘導する医薬品）

カンナビジオール（CBD）は肝臓で代謝されます。特定の医薬品はカンナビジオールの代謝を促進する可能性があります。そのため，カンナビジオールの作用および副作用が変化する可能性があります。このような医薬品には，カルバマゼピン，Prednisone，リファンピシンなどがあります。

中肝臓でほかの医薬品の代謝を促進する医薬品（シトクロムP450 3A4（CYP3A4）を誘導する医薬品）

カンナビジオール（CBD）は肝臓で代謝されます。特定の医薬品はカンナビジオールの代謝を促進する可能性があります。そのため，カンナビジオールの作用および副作用が変化する可能性があります。このような医薬品には，カルバマゼピン，フェノバルビタール，フェニトイン，リファンピシン，リファブチンなどがあります。

中肝臓でほかの医薬品の代謝を抑制する医薬品（シトクロムP450 2C19（CYP2C19）を阻害する医薬品）

カンナビジオール（CBD）は肝臓で代謝されます。特定の医薬品はカンナビジオールの代謝を抑制する可能性があります。そのため，カンナビジオールの作用および副作用が変化する可能性があります。このような医薬品には，シメチジン，フルボキサミンマレイン酸塩，オメプラゾール，チクロピジン塩酸塩，トピラマートなどがあります。

中肝臓でほかの医薬品の代謝を抑制する医薬品（シトクロムP450 3A4（CYP3A4）を阻害する医薬品）

カンナビジオール（CBD）は肝臓で代謝されます。特定の医薬品はカンナビジオールの代謝を抑制する可能性があります。そのため，カンナビジオールの作用および副作用が増強する可能性があります。このような医薬品には，アミオダロン塩酸塩，クラリスロマイシン，ジルチアゼム塩酸塩，エリスロマイシン，インジナビル硫酸塩エタノール付加物（販売中止），リトナビル，サキナビルメシル酸塩など数多くあります。

中Eslicarbazepine

Eslicarbazepineは体内で代謝されます。カンナビジオール（CBD）はEslicarbazepineの代謝を抑制する可能性があります。そのため，体内のEslicarbazepineの量が少し増加するおそれがあります。

中ルフィナミド

ルフィナミドは体内で代謝されます。カンナビジオール（CBD）はルフィナミドの代謝を抑制する可能性があります。そのため，体内のルフィナミドの量が少し増加するおそれがあります。

中トピラマート

トピラマートは体内で代謝されます。カンナビジオール（CBD）はトピラマートの代謝を抑制する可能性があります。そのため，体内のトピラマートの量が少し増加するおそれがあります。

中ゾニサミド

ゾニサミドは体内で代謝されます。カンナビジオール（CBD）はゾニサミドの代謝を抑制する可能性があります。そのため，体内のゾニサミドの量が少し増加するおそれがあります。

中肝臓で代謝される医薬品（シトクロムP450 1A1（CYP1A1）の基質となる医薬品）

特定の医薬品は肝臓で代謝されます。カンナビジオール（CBD）はこのような医薬品の代謝を変化させる可能性があります。そのため，医薬品の作用および副作用が変化するおそれがあります。このような医薬品には，クロルゾキサゾン，テオフィリンなどがあります。

中肝臓で代謝される医薬品（シトクロムP450 1A2（CYP1A2）の基質となる医薬品）

特定の医薬品は肝臓で代謝されます。カンナビジオール（CBD）はこのような医薬品の代謝を変化させる可能性があります。そのため，医薬品の作用および副作用が変化するおそれがあります。このような医薬品には，アミトリプチリン塩酸塩，ハロペリドール，オンダンセトロン塩酸塩水和物，プロプラノロール塩酸塩，テオフィリン，ベラパミル塩酸塩などがあります。

中肝臓で代謝される医薬品（シトクロムP450 1B1（CYP1B1）の基質となる医薬品）

特定の医薬品は肝臓で代謝されます。カンナビジオール（CBD）はこのような医薬品の代謝を変化させる可能性があります。そのため，医薬品の作用および副作用が変化するおそれがあります。このような医薬品には，テオフィリン，オメプラゾール，クロザピン，プロゲステロン，ランソプラゾール，フルタミド，オキサリプラチン，エルロチニブ塩酸塩，カフェインなどがあります。

中肝臓で代謝される医薬品（シトクロムP450 2A6（CYP2A6）の基質となる医薬品）

特定の医薬品は肝臓で代謝されます。カンナビジオール（CBD）はこのような医薬品の代謝を変化させる可能性があります。そのため，医薬品の作用および副作用が変化するおそれがあります。このような医薬品には，ニコチン，Chlormethiazole，Coumarin，Methoxyflurane，ハロタン(販売中止)，バルプロ酸ナトリウム，ジスルフィラムなどがあります。

中肝臓で代謝される医薬品（シトクロムP450 2B6（CYP2B6）の基質となる医薬品）

特定の医薬品は肝臓で代謝されます。カンナビジオール（CBD）はこのような医薬品の代謝を変化させる可能性があります。そのため，医薬品の作用および副作用が変化するおそれがあります。このような医薬品には，ケタミン塩酸塩，フェノバルビタール，Orphenadrine，セコバルビタールナトリウム，デキサメタゾンなどがあります。

中肝臓で代謝される医薬品（シトクロムP450 2C19（CYP2C19）の基質となる医薬品）

特定の医薬品は肝臓で代謝されます。カンナビジオール（CBD）はこのような医薬品の代謝を変化させる可能性があります。そのため，医薬品の作用および副作用が変化するおそれがあります。このような医薬品には，プロトンポンプ阻害薬（オメプラゾール，ランソプラゾール，パントプラゾールナトリウム水和物（販売中止）など），ジアゼパム，カリソプロドール（販売中止），ネルフィナビルメシル酸塩などがあります。

中肝臓で代謝される医薬品（シトクロムP450 2C9（CYP2C9）の基質となる医薬品）

特定の医薬品は肝臓で代謝されます。カンナビジオール（CBD）はこのような医薬品の代謝を変化させる可能性があります。そのため，医薬品の作用および副作用が変化するおそれがあります。このような医薬品には，非ステロイド性抗炎症薬（NSAIDs）（ジクロフェナクナトリウム，イブプロフェン，メロキシカム，ピロキシカム，セレコキシブなど），アミトリプチリン塩酸塩，ワルファリンカリウム，Glipizide，ロサルタンカリウムなどがあります。

中肝臓で代謝される医薬品（シトクロムP450 2D6（CYP2D6）の基質となる医薬品）

特定の医薬品は肝臓で代謝されます。カンナビジオール（CBD）はこのような医薬品の代謝を変化させる可能性があります。そのため，医薬品の作用および副作用が変化するおそれがあります。このような医薬品には，アミトリプチリン塩酸塩，コデインリン酸塩水和物，塩酸デシプラミン（販売中止），フレカイニド酢酸塩，ハロペリドール，イミプラミン塩酸塩，メトプロロール酒石酸塩，オンダンセトロン塩酸塩水和物，パロキセチン塩酸塩水和物，リスペリドン，トラマドール塩酸塩，ベンラファキシン塩酸塩などがあります。

中肝臓で代謝される医薬品（シトクロムP450 3A4（CYP3A4）の基質となる医薬品）

特定の医薬品は肝臓で代謝されます。カンナビジオール（CBD）はこのような医薬品の代謝を変化させる可能性があります。そのため，医薬品の作用および副作用が変化するおそれがあります。このような医薬品には，アルプラゾラム，アムロジピンベシル酸塩，クラリスロマイシン，シクロスポリン，エリスロマイシン，Lovastatin，ケトコナゾール，イトラコナゾール，フェキソフェナジン塩酸塩，トリアゾラム，ベラパミル塩酸塩など数多くあります。

中肝臓で代謝される医薬品（シトクロムP450 3A5（CYP3A5）の基質となる医薬品）

特定の医薬品は肝臓で代謝されます。カンナビジオール（CBD）はこのような医薬品の代謝を変化させる可能性があります。そのため，医薬品の作用および副作用が変化するおそれがあります。このような医薬品には，テストステロンエナント酸エステル，プロゲステロン，ニフェジピン，シクロスポリンなどがあります。

中鎮静薬（中枢神経抑制薬）

カンナビジオール（CBD）は眠気および呼吸抑制を引き起こす可能性があります。鎮静薬は眠気および呼吸抑制を引き起こす可能性があります。カンナビジオールを摂取し，鎮静薬を併用すると，呼吸困難や過度の眠気のいずれかまたは両方を引き起こすおそれがあります。このような鎮静薬には，ベンゾジアゼピン系薬，ペントバルビタールカルシウム，フェノバルビタール，セコバルビタールナトリウム，チオペンタールナトリウム，フェンタニルクエン酸塩，モルヒネ塩酸塩水和物，プロポフォールなどがあります。

中炭酸リチウム

高用量のカンナビジオール（CBD）を摂取すると，リチウムの濃度が上昇する可能性があります。そのため，リチウムの毒性のリスクが高まるおそれがあります。

中ワルファリンカリウム

カンナビジオール（CBD）はワルファリン濃度を上昇させ，出血のリスクを高めるおそれがあります。カンナビジオールとワルファリンの両方あるいは一方の使用をやめる，もしくは用量を減らす必要があるかもしれません。

中タモキシフェンクエン酸塩

タモキシフェンクエン酸塩は体内で代謝されます。カンナビジオール（CBD）はタモキシフェンクエン酸塩の代謝に影響を及ぼす可能性があります。そのため，体内のタモキシフェンクエン酸塩の量に影響を及ぼすおそれがあります。

中カフェイン

カフェインは体内で代謝されます。カンナビジオール（CBD）はカフェインの代謝を抑制する可能性があります。そのため，体内のカフェイン量が増加するおそれがあります。

中Citalopram

Citalopramは体内で代謝されます。カンナビジオール

(CBD) はCitalopramの代謝を抑制する可能性があります。そのため，体内のCitalopramの量が増加し，副作用が増強するおそれがあります。

ハーブおよび健康食品・サプリメントとの相互作用

鎮静作用のあるハーブおよび健康食品・サプリメント

カンナビジオール (CBD) は，眠気または注意力低下を引き起こすおそれがあります。カンナビジオールと眠気または注意力低下を引き起こすおそれのあるほかのハーブおよび健康食品・サプリメントを併用すると，過度の眠気を引き起こすおそれがあります。このようなハーブおよび健康食品・サプリメントには，ショウブ，ハナビシソウ，キャットニップ，ホップ，ジャマイカ・ドッグウッド，カバ，L-トリプトファン，メラトニン，セージ, S-アデノシルメチオニン (SAMe)，セント・ジョンズ・ワート，ササフラス，スカルキャップなどがあります。

使用量の目安

【成人】

●経口摂取

てんかん

処方薬のカンナビジオール (CBD) 製品を使用します。推奨開始用量は通常，2.5mg/kg を1日2回 (5 mg/kg/日) です。1週間後に，5mg/kg を1日2回 (10mg/kg/日) に増量することが可能です。この用量で効果がない場合，推奨上限量は10mg/kg を1日2回 (20mg/kg/日) です。1日最大50mg/kgの高用量が使用された研究も複数あります。非処方薬のカンナビジオール製品がてんかんに効果があるという信頼性の高いエビデンスはありません。

【小児】

●経口摂取

てんかん

処方薬のカンナビジオール (CBD) 製品を使用します。推奨開始用量は通常，2.5mg/kg を1日2回 (5 mg/kg/日) です。1週間後に，5mg/kg を1日2回 (10mg/kg/日) に増量することが可能です。この用量で効果がない場合，推奨上限量は10mg/kg を1日2回 (20mg/kg/日) です。1日最大50mg/kgの高用量が使用された研究も複数あります。非処方薬のカンナビジオール製品がてんかんに効果があるという信頼性の高いエビデンスはありません。

ガンボジ

GAMBOGE

別名ほか

Camboge, Gambodia, Garcinia hanburyi, Gummigutta, Gutta cambodia, Gutta gamba, Tom Rong

概　要

ガンボージは，Garcinia hanburyi treeの幹から得られるゴムのような物資 (樹脂) です。フクギ (Garcinia cambogia) と混同しないよう注意してください。

安 全 性

胃痛と嘔吐を起こすことがあるため，安全ではないようです。大量に摂取すると有毒で死亡することもあります。

ガンボージの使用は誰に対しても安全ではありませんが，人によっては有毒な作用にとくに敏感な人がいます。次のような場合，とくに注意して使用を避ける必要があります。

心疾患：ガンボージは刺激性緩下剤のため，体内カリウムを過度に喪失させてしまうおそれがあります。このため，心臓に悪影響を与えたり，心疾患を悪化させるおそれがあります。

クローン病，潰瘍性大腸炎，虫垂炎，胃痛，胃潰瘍，閉塞症，吐き気あるいは嘔吐などの消化器系疾患：ガンボージは刺激性緩下剤のため，これらの疾患を悪化させるおそれがあります。

●妊娠中および母乳授乳期

妊娠中および母乳授乳期の使用は，安全ではありません。使用しないでください。重篤な副作用あるいは死に至るような物質を含んでいます。

有 効 性

◆科学的データが不十分です

・便秘，または腸内寄生虫。

●体内での働き

強い下剤効果があります。

医薬品との相互作用

中ジゴキシン

ガンボジは刺激性下剤と呼ばれる下剤の一種です。刺激性下剤は体内のカリウム値を減少させて，ジゴキシンの副作用のリスクを高めるおそれがあります。

中ワルファリンカリウム

ガンボジは緩下剤として作用するため，人によっては下痢を起こします。下痢はワルファリンカリウムの効果を高め，出血のリスクを高めます。ワルファリンカリウムを服用している場合，過量を摂取しないでください。

中抗炎症薬 (副腎皮質ステロイド)

副腎皮質ステロイドの中には体内のカリウムを減少させるものがありますが，ガンボジも同様の作用をもつ下剤の一種です。副腎皮質ステロイドと一緒に摂取すると，体内のカリウムが減りすぎることがあります。このような副腎皮質ステロイドには，デキサメタゾン，ヒドロコルチゾン，メチルプレドニゾロン，Prednisoneなどがあります。

中刺激性下剤

ガンボジは刺激性下剤と呼ばれる下剤の一種であり，刺激性下剤は腸の動きを速くします。ほかの刺激性下剤と一緒に摂取すると腸の働きが亢進しすぎることがあり，脱水症状や，体内のミネラルの過剰な減少を引き起こすおそれがあります。このような刺激性下剤にはビサコジル，カスカラサグラダ，ヒマシ油，センナなどがあります。

中利尿薬

ガンボジは下剤ですが，ある種の下剤は体内のカリウムを減少させます。利尿薬の中にもまた同様の作用を示すものがありますから，利尿薬と一緒に摂取すると，体内のカリウムが減りすぎることがあります。このような利尿薬にはクロロチアジド（販売中止），クロルタリドン（販売中止），フロセミド，ヒドロクロロチアジドなどがあります。

ハーブおよび健康食品・サプリメントとの相互作用

強心配糖体を含むハーブ

強心配糖体は，処方薬のジゴキシンと似た作用をもつ化学物質です。強心配糖体は，体内カリウム濃度を喪失させます。

ガンボージもまた，刺激性緩下剤のため体内カリウムを喪失させます。刺激性緩下剤は，腸の動きを活発化させるため，カリウムなどのミネラルを体内吸収するための食物が，腸内に十分な時間とどまらない可能性があります。このため，体内カリウム濃度が正常レベルより低下するおそれがあります。

ガンボージと強心配糖体を含むハーブとの併用は，体内カリウムを過度に喪失させ，心臓に悪影響を与えます。強心配糖体を含むハーブには，クリスマスローズ，トウワタ，ジギタリス，カキネガラシ，セイヨウゴマノハグサ，ドイツスズラン，マザーワート，オレアンダー，ゲウム，ヤナギトウワタ，海葱，スターオブベツレヘム，ストロファンツス，ダイオウなどがあります。これらのハーブとの併用はしないでください。

ツクシ

ツクシは，尿の生成を増やすため（利尿作用），体内カリウムを喪失させるおそれがあります。

ガンボージは刺激性緩下剤のため，体内カリウムを喪失させます。刺激性下剤は腸の動きを活発化させるため，カリウムなどのミネラルを体内吸収するための食物が，腸内に十分な時間とどまらない可能性があります。このため，体内カリウム濃度が正常レベルより低下するおそれがあります。

体内カリウム濃度が低下すると，心臓に悪影響を与えます。ツクシとガンボージの併用は，体内カリウムの過剰な減少をまねき，心疾患のリスクを高めます。この併用は避けてください。

甘草

甘草は体内カリウムを喪失させます。

ガンボージもまた，刺激性緩下剤のため，体内カリウムを喪失させます。刺激性緩下剤は腸の動きを活発化させるため，カリウムなどのミネラルを体内吸収するための食物が，腸内に十分な時間とどまらない可能性があります。このため，体内カリウム濃度が正常レベルより低下するおそれがあります。

体内カリウム濃度が過度に低下すると，心臓に悪影響を与えるおそれがあります。甘草とガンボージの併用は体内カリウムの過度な喪失をまねき，心疾患のリスクを高めます。この併用は避けてください。

刺激性緩下剤

ガンボージは刺激性緩下剤です。刺激性緩下剤は腸の動きを活発化させるため，カリウムなどのミネラルを体内吸収するための食物が，腸内に十分な時間とどまらなくなる可能性があります。このため，体内カリウム濃度が正常レベルより低下するおそれがあります。

ガンボージとほかの刺激性緩下剤作用のあるハーブとの併用は，体内カリウムレベルの過度な低下をまねき，心臓に悪影響を与える懸念があります。ほかの刺激性緩下剤作用のあるハーブには，アロエ，セイヨウイソノキ，ブラックルート，ブルーフラッグ，ニオイイリス，バターナットバーク，コロシント，ヨーロピアンバックソーン，フォーチ，ゴシポール，ヒロハヒルガオ，ヤラッパ，マンナ，メキシカン・スキャモニイ・ルート，ルバーブ，センナ，イエロードックなどがあります。これらのハーブとの併用は避けてください。

使用量の目安

標準使用量に関するデータがありません。

γ-アミノ酪酸

GAMMA-AMINOBUTYRIC ACID

●代表的な別名

GABA

別名ほか

ギャバ（GABA），ガンマ-アミノ酪酸（Gamma amino butyric acid）

概　要

γ-アミノ酪酸（GABA）は脳で作られる化合物です。

●要説（ナチュラル・スタンダード）

γ-アミノ酪酸は，哺乳類の中枢神経系においては主要な情報伝達化学物質です。多くの作用薬（脳機能を変えるアルコールと薬を含む）は，γ-アミノ酪酸活動に作用することで，不安軽減，疼痛緩和，痙攣予防，鎮静効果をもつ可能性があります。

不眠と記憶のために広く使用される多くのサプリメン

トは，体内のγ-アミノ酪酸に影響を及ぼすことによって機能する可能性があります。これらのサプリメントは，5-ヒドロキシトリプトファン，ホップ，カバ，レモンバーム，パッションフラワー，スカルキャップとカノコソウが含まれます。

体内のγ-アミノ酪酸の効果，およびそれを増加させる可能性のある薬，ハーブやサプリメントについて多くの研究がされてきました。1970年代と1980年代には，合成γ-アミノ酪酸（ロシアではAminalon，日本ではGammalonと呼ばれる）は，神経系と心疾患のために研究されてきました。それ以降は，治療やサプリメントとしてのγ-アミノ酪酸を使用した研究は，ほとんど行われませんでした。これは，サプリメントとして摂取されるγ-アミノ酪酸が効率的に脳に入らないという理由もあるからです。

γ-アミノ酪酸は一般的に，睡眠とリラクゼーションを助けるために摂取されます。体内のγ-アミノ酪酸がリラクゼーションに役立つことは知られていますが，脳に入らないので，サプリメントとして摂取されるγ-アミノ酪酸は，体内で生産されるγ-アミノ酪酸ほど効果的ではない可能性があります。

γ-アミノ酪酸を経口摂取すると，人体の成長ホルモン値を上昇させる可能性があり，それがボディビルサプリメントとして人気がある理由です。しかしながら，こうしたγ-アミノ酪酸の使用を裏付けるエビデンスは十分ではありません。

γ-アミノ酪酸は，多数の食品，ハーブ，サプリメントと相互作用する可能性があります。

安　全　性

γ-アミノ酪酸の経口摂取は，適量を，短期間（最長12週間）摂取する場合には，ほとんどの人に安全のようです。

●妊娠中および母乳授乳期

妊娠中および母乳授乳期の使用の安全性についてはデータが不十分です。安全性を考慮し，摂取は避けてください。

有　効　性

◆有効性レベル③

・高血圧。研究により，高血圧の患者が，12週にわたり，毎日，朝食時に，10〜12mgのγ-アミノ酪酸を含んだ，100mLの発酵乳を摂取することにより，血圧が低下することが示唆されています。ほかにも限定的な研究によれば，わずかに血圧が上昇している患者が，γ-アミノ酪酸を含むクロレラのサプリメントを，１日２回，12週にわたり，摂取することにより，血圧が低下することが示唆されています。

◆科学的データが不十分です

・脳性麻痺，気管支炎（長期にわたる，肺における気道の感染症），クッシング病，痙攣，ハンチントン病，髄膜炎（脳および脊椎の周辺組織の炎症），乗物酔い，化学物質への曝露に起因する脳障害，ストレス，脂肪の燃焼，気分の改善，引き締まった筋肉の増強促進，不安の軽減，疼痛の軽減，月経前症候群（PMS），血圧安定剤，注意欠陥多動障害（ADHD）の治療など。

●体内での働き

γ-アミノ酪酸は，脳の信号（神経伝達）を阻害します。

医薬品との相互作用

中降圧薬

γ-アミノ酪酸(GABA)は血圧を低下させるようです。GABAと降圧薬を併用すると，血圧が過度に低下するおそれがあります。このような降圧薬にはカプトプリル，エナラプリルマレイン酸塩，ロサルタンカリウム，バルサルタン，ジルチアゼム塩酸塩，アムロジピンベシル酸塩，ヒドロクロロチアジド，フロセミドなど多くあります。

ハーブおよび健康食品・サプリメントとの相互作用

血圧を低下させるおそれのあるハーブおよび健康食品・サプリメント

γ-アミノ酪酸が，血圧を低下させるおそれがあります。γ-アミノ酪酸と，血圧を低下させるおそれのあるハーブおよび健康食品・サプリメントを併用すると，血圧が過度に低下するおそれがあります。このようなハーブおよび健康食品・サプリメントには，ココア，α-リノレン酸，インドオオバコ（サイリウム），タラ肝油などがあります。

使用量の目安

●経口摂取

高血圧

10〜12mgのγ-アミノ酪酸を含んだ，100mLの発酵乳を，毎日，朝食時に，12週にわたり摂取します。20mgのγ-アミノ酪酸を含む，クロレラのサプリメントを，１日２回，12週にわたり摂取します。

γ-オリザノール

GAMMA ORYZANOL

別名ほか

オリザノール（Gamma-OZ，Oryzanol）

概　　要

γ-オリザノールは米ぬか油から抽出される物質で，フスマや果物，野菜にも含まれています。「くすり」として使用されることもあります。

注：γ-オリザノールは，わが国では「46通知」により「医薬品」とされています。

●要説（ナチュラル・スタンダード）

γ-オリザノールは，ステロールのフェルラ酸エステルおよびトリテルペンアルコールの混合物で，米ぬか油に1～2％含まれています。トウモロコシやオオムギのオイルからも抽出されます。米ぬか油の健康効果，つまりコレステロールを低下させる効果は，γ-オリザノールによるものである可能性が理論化されています。

γ-オリザノールは，1950年代に初めて分離，精製されました。1960年代には日本において，不安に対する医療用途に用いられました。日本では毎年，150,000tの米ぬかから7,500tのγ-オリザノールを製造しています。オリザノールに関する研究のほとんどが日本で行われているのは当然ともいえます。

γ-オリザノールは，筋肉増強目的，とくにテストステロン値を増加させ，エンドルフィンの放出を刺激し，筋肉組織を増やす目的で，販売されることがよくあります。エンドルフィンは体内で合成される鎮痛作用がある物質です。ただしこれらの効果は，現時点でほとんどの研究から裏づけが得られていません。

安全性

γ-オリザノールは，経口摂取する場合や皮膚へ塗布する場合は，ほとんどの成人におそらく安全ですが，副作用の可能性については十分なデータが得られていません。

甲状腺機能低下症：γ-オリザノールは甲状腺機能を低下させるおそれがあります。甲状腺に異常がある場合には，使用してはいけません。

●妊娠中および母乳授乳期

妊娠中および母乳授乳期の使用の安全性についてはデータが不十分です。安全性を考慮し，摂取は避けてください。

有効性

◆有効性レベル③

・高コレステロール血症。ほとんどの研究で，高コレステロール血症患者がγ-オリザノールを経口摂取すると，総コレステロール，低比重リポタンパク（LDL，悪玉）コレステロール，およびトリグリセリドという血中脂質が低下することが示されています。しかし，高比重リポタンパク（HDL，善玉）コレステロールへの作用に関しては，相反する結果が得られています。γ-オリザノールをビタミンE，n-3系脂肪酸およびニコチン酸と併用して4カ月間経口摂取する場合も，高コレステロール血症患者のLDL-コレステロールは低下するようです。しかし，ある研究では，高コレステロール血症の男性が高用量のγ-オリザノールを含む米ぬか油を4週間摂取しても，γ-オリザノール少量を含む米ぬか油と同程度にしかLDL-コレステロールが低下しないことが示唆されています。

◆科学的データが不十分です

・運動能力，湿疹，更年期症状など。

●体内での働き

γ-オリザノールは，食品に含まれるコレステロールの体内吸収を抑制することによって，コレステロール値を減少させる可能性があります。

また，更年期の治療に有用とされることがよくありますが，この用途に対するメカニズムははっきりしていません。黄体形成ホルモンへ作用することにより，効果を示すと考える研究者もいます。ただし，この作用はヒトでは示されていません。

テストステロンや成長ホルモンを増加させるためにγ-オリザノールを使用する人もいます。しかし，その効果はないようです。実際には，テストステロン産生をむしろ抑制する可能性があることが動物実験で示唆されています。

医薬品との相互作用

ほかの医薬品との相互作用については明らかではありません。

ハーブおよび健康食品・サプリメントとの相互作用

ほかのハーブ，健康食品・サプリメントとの相互作用についてはまだ明らかではありません。

使用量の目安

●経口摂取

コレステロールの低下

通常は，γ-オリザノール1日300mgを摂取します。ある研究では，1回100mgを1日3回摂取しています。

γ-ヒドロキシ酪酸塩（GHB）

GAMMA-HYDROXYBUTYRATE（GHB）

別名ほか

4-ヒドロキシ酪酸（4-hydroxy butyrate），ガンマ-ヒドロキシ酪酸（Gamma hydroxybutyric acid），4-Hydroxybutyric Acid，Gamma hydrate，Gamma Hydroxybutyrate sodium，Gamma-OH，Sodium 4-hydroxybutyrate，Sodium gamma-hydroxybutyrate，Sodium oxybate，Sodium oxybutyrate

概要

γ-ヒドロキシ酪酸塩（GHB）はヒドロキシ酸の一種です。脳や体内のほかの部分でみられる化学物質で，研究室で合成されることもあります。麻酔薬として開発された医薬品で，日本でも法律で麻薬指定されるまでは，麻酔薬として使用されていました。

我が国では，平成13年11月25日に麻薬指定され，「麻薬および向精神薬取締法」により輸入，輸出，製造，製剤，小分け，譲り受け，譲り渡し，所持，施用がすべて禁止されています。

安 全 性

γ-ヒドロキシ酪酸塩（GHB）の処方薬（ガンマヒドロキシ酪酸ナトリウム）は，ナルコレプシーという疾患の症状に対し，医師などの管理下で成人に用いる場合は，おそらく安全です。

γ-ヒドロキシ酪酸塩（GHB）をサプリメントとして使用するのは違法であり，安全ではありません。γ-ヒドロキシ酪酸塩（GHB），またはそれと密接に関係しているγ-ブチロラクトン（GBL）やブタンジオール（BD）の使用により，少なくとも３件の死亡と122件の重篤な副作用が起きています。γ-ヒドロキシ酪酸塩（GHB）は頭痛，幻覚，めまい感，錯乱，吐き気，嘔吐，傾眠，激越，下痢，性欲亢進，足の麻痺，視覚障害，胸部圧迫感，精神的変化，闘争的，記憶喪失，重篤な呼吸障害および心障害，痙攣，昏睡といった多くの重篤な副作用を引き起こすおそれがあり，死に至ることもあります。γ-ヒドロキシ酪酸塩（GHB）には常習性があるおそれがあります。長期間使用すると離脱症状が出て，深刻な場合には入院が必要となることもあります。

また，処方薬との重大な相互作用がいくつかあります。

徐脈：γ-ヒドロキシ酪酸塩（GHB）は徐脈を引き起こすおそれがあるため，もともと徐脈のある人は使用を避けてください。

てんかん：てんかんの場合には，γ-ヒドロキシ酪酸塩（GHB）が痙攣発作を引き起こすおそれがあります。使用は避けてください。

高血圧：γ-ヒドロキシ酪酸塩（GHB）は血圧を上昇させるおそれがあります。使用は避けてください。

手術：γ-ヒドロキシ酪酸塩（GHB）は中枢神経系に影響を及ぼす可能性があります。手術中・手術後に使用する麻酔をはじめとした神経を麻痺させる医薬品と併用すると，過度の眠気を引き起こすおそれがあります。少なくとも手術前２週間は，使用しないでください。

●妊娠中および母乳授乳期

γ-ヒドロキシ酪酸塩（GHB）は安全ではありません。妊娠中や母乳授乳期は使用してはいけません。生命に危険を及ぼす副作用が報告されています。

有 効 性

◆有効性レベル③

- ナルコレプシーにともなう筋制御喪失および脱力の治療。ナルコレプシー患者がγ-ヒドロキシ酪酸塩（GHB）を摂取すると，夜間の睡眠が促され，昼間の眠気を感じにくくなるようです。γ-ヒドロキシ酪酸塩（GHB）はまた，ナルコレプシーにともなうことがある一時的麻痺を減少させるようです。
- 線維筋痛症にともなう疼痛，疲労および睡眠障害。
- アルコール依存および離脱症状。
- ヘロイン，アヘン，モルヒネなどアヘン製剤の離脱症状の抑制。

◆科学的データが不十分です

- 体重減少，筋肉の増強，性欲の増進，頭部外傷による脳圧の低下など。

●体内での働き

体内におけるγ-ヒドロキシ酪酸塩（GHB）の本来の機能は，睡眠中に脳の活動を低下させることだと考えられています。体内の鎮痛（オピオイド）システムの活性化や，成長ホルモンの増加など，脳の神経経路のいくつかに影響を及ぼします。

医薬品との相互作用

高アルコール

アルコールは眠気を起こします。アルコールとγ-ヒドロキシ酪酸塩（GHB）を併用すると，アルコールによって引き起こされた眠気が著しく増強されることがあります。また，併用により深刻な副作用が生じる可能性があるので，お酒を飲んだときにはγ-ヒドロキシ酪酸塩（GHB）を使用してはいけません。

中アンフェタミン類【販売中止】

アンフェタミン類は神経系を亢進させる医薬品です。γ-ヒドロキシ酪酸塩は神経系を抑制する可能性があります。γ-ヒドロキシ酪酸塩とアンフェタミン類を併用すると，重大な副作用につながるおそれがあります。

中サキナビルメシル酸塩

リトナビルおよびサキナビルメシル酸塩は通常，HIV感染症の治療に併用して用いられます。これらの医薬品とγ-ヒドロキシ酪酸塩を併用すると，γ-ヒドロキシ酪酸塩の体内からの排泄を抑制する可能性があります。そのため，重大な副作用が発現するおそれがあります。

中ナロキソン塩酸塩

γ-ヒドロキシ酪酸塩は脳に影響を及ぼす可能性があります。γ-ヒドロキシ酪酸塩とナロキソン塩酸塩を併用すると，脳に対するγ-ヒドロキシ酪酸塩の作用が減弱する可能性があります。

高ベンゾジアゼピン系鎮静薬

γ-ヒドロキシ酪酸塩は眠気を引き起こすことがありますが，鎮静薬も眠気を引き起こす医薬品です。γ-ヒドロキシ酪酸塩と併用すると深刻な副作用が生じる可能性があります。鎮静薬を服用している場合はγ-ヒドロキシ酪酸塩を使用してはいけません。このような医薬品には，クロナゼパム，ジアゼパム，ロラゼパムなどがあります。

中リトナビル

リトナビルおよびサキナビルメシル酸塩は，通常，HIV感染症の治療に併用して用いられます。この２種類の医薬品とγ-ヒドロキシ酪酸塩を併用すると，γ-ヒドロキシ酪酸塩の体内からの排泄を抑制する可能性があります。そのため，重大な副作用が発現するおそれがあります。

中筋弛緩薬

筋弛緩薬は眠気を引き起こすことがあります。γ-ヒドロキシ酪酸塩（GHB）も眠気を引き起こしますので，併用すると眠気が強くなりすぎ，重篤な副作用が生じる可能性があります。筋弛緩薬を使用している場合にγ-ヒドロキシ酪酸塩（GHB）を用いてはいけません。このような医薬品には，カリソプロドール（販売中止），Pipecuronium，Orphenadrine，Cyclobenzaprine，Gallamine，Atracurium，パンクロニウム臭化物（販売中止），スキサメトニウム塩化物水和物などがあります。

高抗てんかん薬

抗てんかん薬は脳内の化学物質に影響を及ぼします。γ-ヒドロキシ酪酸塩（GHB）は体内で脳内の化学物質の1つ，GABAに変化します。γ-ヒドロキシ酪酸塩と抗てんかん薬を併用すると，γ-ヒドロキシ酪酸塩の効果を弱める可能性があります。抗てんかん薬には，フェノバルビタール，プリミドン，バルプロ酸ナトリウム，ガバペンチン，カルバマゼピン，フェニトインなどがあります。

中抗精神病薬

γ-ヒドロキシ酪酸塩（GHB）は脳に作用しますが，抗精神病薬も脳に作用するので，併用すると作用と副作用が増強される可能性があります。抗精神病薬を飲んでいる場合はγ-ヒドロキシ酪酸塩（GHB）を使用してはいけません。このような医薬品には，フルフェナジン，ハロペリドール，クロルプロマジン塩酸塩，プロクロルペラジンマレイン酸塩，チオリダジン塩酸塩（販売中止），トリフロペラジン（販売中止）などがあります。

中鎮静薬（中枢神経抑制薬）

γ-ヒドロキシ酪酸塩は眠気および注意力低下を引き起こす可能性があります。鎮静薬は眠気を引き起こす医薬品です。γ-ヒドロキシ酪酸塩と鎮静薬を併用すると，重大な副作用を引き起こすおそれがあります。鎮静薬の服用中にγ-ヒドロキシ酪酸塩を摂取しないでください。このような鎮静薬にはクロナゼパム，ロラゼパム，フェノバルビタール，ゾルピデム酒石酸塩などがあります。

高鎮痛薬（麻薬性鎮痛薬）

特定の鎮痛薬は眠気および注意力低下を引き起こす可能性があります。γ-ヒドロキシ酪酸塩もまた，眠気および注意力低下を引き起こす可能性があります。γ-ヒドロキシ酪酸塩と鎮痛薬を併用すると，重大な副作用を引き起こすおそれがあります。鎮痛薬の服用中にγ-ヒドロキシ酪酸塩を摂取しないでください。このような鎮痛薬にはメペリジン，Hydrocodone，モルヒネ塩酸塩水和物，オキシコドン塩酸塩水和物などがあります。

ハーブおよび健康食品・サプリメントとの相互作用

眠気を引き起こすおそれのあるハーブおよび健康食品・サプリメント

γ-ヒドロキシ酪酸塩（GHB）は眠気を引き起こすおそれがあります。γ-ヒドロキシ酪酸塩（GHB）と，眠気を引き起こすほかのハーブおよび健康食品・サプリメントを併用すると，過度の眠気を引き起こすおそれがあります。このようなハーブおよび健康食品・サプリメントには，5-ヒドロキシトリプトファン，ショウブ，ハナビシソウ，キャットニップ，ホップ，ジャマイカ・ドッグウッド，カバ，メラトニン，セント・ジョンズ・ワート，スカルキャップ，カノコソウ，アネモプシス・カリフォルニカなどがあります。

通常の食品との相互作用

アルコール

γ-ヒドロキシ酪酸塩（GHB）とアルコールを併用すると，呼吸数低下や中枢神経系機能障害を引き起こすおそれがあります。併用してはいけません。

使用量の目安

●経口摂取

ナルコレプシーおよびその症状

1回25mg/kgを就寝時とその3時間後に摂取します。γ-ヒドロキシ酪酸塩（GHB）は医師などの管理下でのみ使用してください。

アルコール依存の治療

50～150mg/kgを1日3～6回に分けて摂取します。γ-ヒドロキシ酪酸塩（GHB）は医師などの管理下でのみ使用してください。

γ-ブチロラクトン（GBL）

GAMMA BUTYROLACTONE（GBL）

別名ほか

2(3H)フラノン・ジヒドロ（2(3H)-Furanone dihydro），4-ブチロラクトン（4-Butyrolactone），ブチロラクトン（Butyrolactone），γ-ブチロラクトン（Butyrolactone gamma），ジヒドロ-2(3H)-フラノン（Dihydro-2(3H)-furanone），テトラヒドロ-2-フラノン（Tetrahydro-2-furanone），1,2-Butanolide，2,3-dihydro furanone，3-Hydroxybutyric acid lactone，4-Butanolide，4-Hydroxybutanoic acid lactone，Gamma butyrolactone，Gamma hydroxybutyric acid lactone

概　要

γ-ブチロラクトン（GBL）は，「くすり」として使用される化学物質です。γ-ブチロラクトン（GBL）をγ-ヒドロキシ酪酸塩（GHB）と混同しないように注意してください。

カ

安 全 性

γ-ブチロラクトン（GBL）は安全ではありません。米国では，γ-ブチロラクトン（GBL）やこれに関連したγ-ヒドロキシ酪酸塩（GHB）およびブタンジオール（BD）の製造や販売は違法です。

γ-ブチロラクトン（GBL）やこれに関連したγ-ヒドロキシ酪酸塩（GHB）およびブタンジオール（BD）の使用と，死亡や重篤な副作用例との関連が認められています。重篤な副作用には，便失禁，嘔吐，精神的変化，鎮静，激越，闘争的，記憶喪失，重篤な呼吸および心臓の障害，失神，痙攣，昏睡などがあり，死に至ることもあります。これらの副作用は，アルコールや麻薬（モルヒネ，ヘロインなど）によって悪化するおそれがあります。長期にわたって使用すると，不眠，振戦，不安といった離脱症状が出ることもあります。

γ-ブチロラクトン（GBL）は安全ではなく，いかなる人も使用すべきではありません。とくに次のような場合，副作用のリスクがきわめて高くなります。

脈拍不整：症状を悪化させるおそれがあります。

てんかん：痙攣発作を引き起こすおそれがあります。

高血圧：症状を悪化させるおそれがあります。

手術：γ-ブチロラクトン（GBL）は，中枢神経系に影響を及ぼす可能性があります。手術中・手術後に用いる麻酔などの医薬品と併用すると，中枢神経系の働きが過度に抑制されるおそれがあります。少なくとも手術前2週間は，使用しないでください。

●妊娠中および母乳授乳期

γ-ブチロラクトン（GBL）は安全ではありません。妊娠中および母乳授乳期に使用した場合，本人ばかりでなく胎児・乳児の命を脅かすことになります。

有 効 性

◆科学的データが不十分です

・リラクゼーションの促進，精神的な明瞭度の向上，うつ病とストレスの緩和，延命，性機能と満足感の改善，脂肪の減量，成長ホルモンの放出，運動能力の改善，睡眠の改善，身体・筋肉の増強，麻薬としての使用など。

●体内での働き

γ-ブチロラクトン（GBL）は体内で，脳内のいくつかの神経経路に作用するγ-ヒドロキシ酪酸塩（GHB）に変換されます。

医薬品との相互作用

中アルコール

アルコールは眠気を引き起こします。アルコールとγ-ブチロラクトン（GBL）を併用すると，アルコールによって引き起こされた眠気が著しく増強されることがあります。また，併用により深刻な副作用が生じる可能性があるので，お酒を飲んだときにはγ-ブチロラクトン（GBL）を使用してはいけません。

中アンフェタミン類【販売中止】

アンフェタミン類は神経系を亢進させる医薬品です。γ-ブチロラクトンは体内でγ-ヒドロキシ酪酸塩に変化します。γ-ヒドロキシ酪酸塩は神経系を抑制する可能性があります。γ-ブチロラクトンとアンフェタミン類を併用すると，重大な副作用につながるおそれがあります。

中サキナビルメシル酸塩

リトナビルおよびサキナビルメシル酸塩は通常，HIV感染症の治療に併用して用いられます。これらの医薬品とγ-ブチロラクトンを併用すると，γ-ブチロラクトンの体内からの排泄を抑制する可能性があります。そのため，重大な副作用が発現するおそれがあります。

中ナロキソン塩酸塩

γ-ブチロラクトンは体内で他の化学物質に変化します。この化学物質はγ-ヒドロキシ酪酸塩（GHB）と呼ばれます。GHBは脳に影響を及ぼす可能性があります。ナロキソン塩酸塩とγ-ブチロラクトンを併用すると，脳に対するγ-ブチロラクトンの作用が減弱する可能性があります。

中ハロペリドール

γ-ブチロラクトンは脳に影響を及ぼす可能性があります。ハロペリドールもまた脳に影響を及ぼす可能性があります。γ-ブチロラクトンとハロペリドールを併用すると，重大な副作用が現れるおそれがあります。

中ベンゾジアゼピン系鎮静薬

γ-ブチロラクトンは眠気を引き起こすことがありますが，鎮静薬も眠気を引き起こす医薬品です。γ-ブチロラクトンと併用すると深刻な副作用が生じる可能性がありますから，鎮静薬を服用している場合はγ-ブチロラクトンを使用してはいけません。このような医薬品には，クロナゼパム，ジアゼパム，ロラゼパムなどがあります。

中リトナビル

リトナビルおよびサキナビルメシル酸塩は，通常，HIV感染症の治療に併用して用いられます。この2種類の医薬品とγ-ブチロラクトンを併用すると，γ-ブチロラクトンの体内からの排泄を抑制する可能性があります。そのため，重大な副作用が発現するおそれがあります。

中筋弛緩薬

筋弛緩薬は眠気を起こすことがあります。γ-ブチロラクトン（GBL）も眠気を起こしますので，併用すると眠気が強くなりすぎ，深刻な副作用が生じる可能性があります。筋弛緩薬を使用している場合にγ-ブチロラクトン（GBL）を用いてはいけません。このような医薬品には，カリソプロドール（販売中止），Pipecuronium，Orphenadrine，Cyclobenzaprine，Gallamine，Atracurium，パンクロニウム臭化物（販売中止），スキサメトニウム塩化物水和物などがあります。

相互作用レベル：高この医薬品と併用してはいけません　中この医薬品とは慎重に併用するか併用しないでください　低この医薬品との併用には注意が必要です

中抗てんかん薬

抗てんかん薬は脳内の化学物質に影響を及ぼします。γ-ブチロラクトン（GBL）は体内で脳内の化学物質の1つ，GABAに変化します。γ-ブチロラクトンと抗てんかん薬を併用すると，γ-ブチロラクトンの効果を弱める可能性があります。抗てんかん薬には，フェノバルビタール，プリミドン，バルプロ酸ナトリウム，ガバペンチン，カルバマゼピン，フェニトインなどがあります。

中抗精神病薬

γ-ブチロラクトン（GBL）は脳に作用します。抗精神病薬も脳に作用するので，併用すると抗精神病薬の作用と副作用が増強される可能性があります。抗精神病薬を飲んでいる場合はγ-ブチロラクトン（GBL）を使用してはいけません。このような医薬品にはフルフェナジン，ハロペリドール，クロルプロマジン塩酸塩，プロクロルペラジンマレイン酸塩，チオリダジン塩酸塩（販売中止），トリフロペラジン（販売中止）などがあります。

中鎮静薬（中枢神経抑制薬）

γ-ブチロラクトンは眠気および注意力低下を引き起こす可能性があります。鎮静薬は眠気を引き起こす医薬品です。γ-ブチロラクトンと鎮静薬を併用すると，重大な副作用を引き起こすおそれがあります。鎮静薬の服用中にγ-ブチロラクトンを摂取しないでください。このような鎮静薬にはクロナゼパム，ロラゼパム，フェノバルビタール，ゾルピデム酒石酸塩などがあります。

中鎮痛薬（麻薬性鎮痛薬）

特定の鎮痛薬は眠気および注意力低下を引き起こす可能性があります。γ-ブチロラクトンもまた，眠気および注意力低下を引き起こす可能性があります。γ-ブチロラクトンと鎮痛薬を併用すると，重大な副作用を引き起こすおそれがあります。鎮痛薬の服用中はγ-ブチロラクトンを摂取しないでください。このような鎮痛薬にはメペリジン，Hydrocodone，モルヒネ塩酸塩水和物，オキシコドン塩酸塩水和物などがあります。

ハーブおよび健康食品・サプリメントとの相互作用

眠気および注意力低下を引き起こすハーブおよび健康食品・サプリメント

γ-ブチロラクトン（GBL）は眠気および注意力低下を引き起こすおそれがあります。同様の作用をもつほかのハーブおよび健康食品・サプリメントと併用すると，過度の眠気を引き起こすおそれがあります。このようなハーブおよび健康食品・サプリメントには，ショウブ，ハナビシソウ，キャットニップ，ホップ，ジャマイカ・ドッグウッド，カバ，L-トリプトファン，メラトニン，セージ，S-アデノシルメチオニン（SAMe），セント・ジョンズ・ワート，ササフラス，スカルキャップなどがあります。

通常の食品との相互作用

アルコール

γ-ブチロラクトン（GBL）は体内でγ-ヒドロキシ酪酸塩（GHB）に変換されます。γ-ヒドロキシ酪酸塩（GHB）はアルコールの作用と副作用を増強します。併用すると極度の傾眠を引き起こしたり，呼吸を過度に抑制したりするおそれがあります。

使用量の目安

通常の食品に含まれている量を超えて経口摂取した場合の安全性および副作用については，明らかになっていません。

カ

γ-リノレン酸

GAMMA LINOLENIC ACID

別名ほか

Gamolenic Acid，GLA，Gamma-linolenic acid，(Z,Z,Z)-Octadeca-6,9,12 trienoic acid

概　　要

γ-リノレン酸は，ボラージオイルや月見草オイルのようなさまざまな植物の種油でみられる脂肪質の物質です。「くすり」として使用されることもあります。

●要説（ナチュラル・スタンダード）

γ-リノレン酸は食事由来のn-6系脂肪酸で，多くの植物オイルエキスに含まれています。一般的に市販されているのは，月見草（オイルの平均含有量は7～14%），Blackcurrant（15～20%），ボラージオイル（20～27%），およびFungal Oil（25%）の種子から抽出したエキスです。食品には，あまり多くは含まれていません。リノレン酸などのn-6系脂肪酸を，γ-リノレン酸などのより長鎖の脂肪酸へ効率よく変換することができない人もいることが示唆されています。そのため，体内のγ-リノレン酸値を増加させるために，ボラージオイルおよび月見草オイルなどのγ-リノレン酸を含むオイルの補給が推奨されることもあります。

健康食品・サプリメントとして市販されています。湿疹，口内の粘液のう胞（粘液ポリープ），脂質異常症（高コレステロール），うつ病，産後うつ状態，慢性疲労症候群，慢性皮膚疾患の乾癬，筋肉痛，更年期の顔面紅潮（ほてり）など，さまざまな疾患の治療のために，カプセルやオイルの形状で店頭販売されています。

現時点では，関節リウマチ，急性呼吸窮迫症候群，および神経障害である糖尿病神経症の治療に対する有効性に関する良いエビデンスがあります。アトピー性皮膚炎，注意欠陥多動性障害，がんの防止，更年期の顔面紅潮（ほてり），全身性強皮症，および高血圧症の治療に対する効果はほとんどないか，まったくないことが示唆されています。乳がん患者のタモキシフェンに対する身体の反応を助ける働きもあります。

現在，主に中国，ニュージーランド，およびイギリスの企業が月見草およびボラージオイルの生産および抽出をしています。γ-リノレン酸オイル製品の調剤ライセンスを取得しているのは世界中でほんのわずかです。

安 全 性

1日2.8g以下のγ-リノレン酸を，最長1年間まで経口摂取する場合，ほとんどの成人におそらく安全です。軟便，下痢，げっぷ，腸内ガスなどの消化管の副作用が起こるおそれがあります。また，血液凝固時間が長くなるおそれがあります。

出血性疾患：γ-リノレン酸が血液凝固を抑制するおそれがあります。出血性疾患の場合には，紫斑および出血のリスクが高まるおそれがあります。

手術：γ-リノレン酸が血液凝固を抑制し，手術中・手術後の過剰出血リスクが高まるおそれがあります。少なくとも手術前2週間は，使用しないでください。

●妊娠中および母乳授乳期

妊娠中および母乳授乳期の使用の安全性についてはデータが不十分です。安全性を考慮し，摂取は避けてください。

有 効 性

◆有効性レベル③

・糖尿病性神経障害（糖尿病性ニューロパチー）。1型または2型糖尿病による神経痛のある人が，γ-リノレン酸を6～12カ月間経口摂取すると，症状が軽減し，神経障害が予防されるようです。血糖コントロールが良好な人の方が，効果が高いようです。

◆有効性レベル④

・湿疹。ほとんどの研究で，湿疹のある人がγ-リノレン酸を経口摂取しても，そう痒および乾燥皮膚が改善しないことが示されています。

・強皮症。γ-リノレン酸を経口摂取しても強皮症の症状は緩和しないようです。

・潰瘍性大腸炎。γ-リノレン酸，EPA（エイコサペンタエン酸）およびDHA（ドコサヘキサエン酸）を併用摂取しても，潰瘍性大腸炎の症状が緩和することはありません。

◆科学的データが不十分です

・背部痛，乳がん，高血圧，注意欠陥多動障害（ADHD），がん予防，慢性疲労症候群，うつ病，花粉症，心疾患，高コレステロール血症，口腔ポリープ，乾癬など。

●体内での働き

γ-リノレン酸はn-6系脂肪酸で，体内で炎症や細胞増殖を抑える物質に変換されます。

医薬品との相互作用

中フェノチアジン系薬

γ-リノレン酸とフェノチアジン系薬を併用すると，人によっては発作のリスクが高まる可能性があります。フェノチアジン系薬にはクロルプロマジン塩酸塩，フルフェナジン，トリフロペラジン，チオリダジン塩酸塩（販売中止）などがあります。

中血液凝固を抑制する医薬品（抗凝固薬/抗血小板薬）

γ-リノレン酸は血液凝固を抑制する可能性があります。γ-リノレン酸と血液凝固を抑制する医薬品を併用すると，紫斑および出血のリスクが高まるおそれがあります。このような医薬品にはアスピリン，クロピドグレル硫酸塩，ジクロフェナクナトリウム，イブプロフェン，ナプロキセン，ダルテパリンナトリウム，エノキサパリンナトリウム，ヘパリン，ワルファリンカリウムなどがあります。

ハーブおよび健康食品・サプリメントとの相互作用

血液凝固を抑制するおそれのあるハーブおよび健康食品・サプリメント

γ-リノレン酸が血液凝固を抑制するおそれがあります。γ-リノレン酸と，血液凝固を抑制するおそれのあるほかのハーブおよび健康食品・サプリメントを併用すると，紫斑や出血のリスクが高まるおそれがあります。このようなハーブおよび健康食品・サプリメントには，アンゼリカ，クローブ，タンジン，ニンニク，ショウガ，イチョウ，朝鮮人参などがあります。

使用量の目安

●経口摂取

糖尿病による神経痛

1日360～480mgを摂取します。

キウイ

KIWI

別名ほか

シナサルナシ，オニマタタビ，シナスグリ，トウサルナシ（Actinidia chinensis），キウイフルーツ（Kiwi Fruit），China Gooseberry，Chinese Gooseberry

概 要

キウイは果実を結ぶ植物です。果実は食用とされ，「くすり」として用いられることもあります。

キウイは，食肉軟化剤やスポーツ飲料の原料として用いられます。フルーツとしてもよく食されます。

●要説（ナチュラル・スタンダード）

キウイには，多量のビタミンE，セロトニン，カリウムが含まれており，すべての果物のうち，ビタミンCがもっとも含まれていることが知られています。また，低脂肪でコレステロールがなく，葉酸のよい供給源であると考えられています。しかし，これらの効果があっても，キウイのアレルギー報告も増加しつつあります。

キウイは抗酸化作用があると考えられ，肺疾患予防や，心臓の健康改善のために使用されています。しかし，ヒトへのキウイ使用を裏づける質の高いエビデンスは不十分です。より多くの研究が必要です。

安　全　性

キウイは，食品に含まれている量を摂取する場合，ほとんどの人に安全のようです。キウイにアレルギーがある場合には，嚥下困難，嘔吐，じんましんなどのアレルギー反応を起こすおそれがあります。

出血性疾患：キウイが血液凝固を抑制し，出血を増加させるおそれがあります。このため，キウイにより，出血性疾患が悪化するおそれがあります。

手術：人によっては，キウイにより，血液凝固が抑制されるおそれがあります。このため，キウイにより，手術中の出血リスクが高まるおそれがあります。少なくとも手術前２週間は，キウイおよびキウイ製品を摂取しないでください。

●アレルギー

アボカド，カバノキの花粉，イチジク，ヘーゼルナッツ，ラテックス，ケシの実，ライ麦，ゴマの種子，小麦などの果実，植物またはスパイスにアレルギーがある場合には，キウイによりアレルギー反応を起こすおそれがあります。これらの製品のいずれかにアレルギーがある場合には，キウイの果実やキウイ製品の摂取は避けてください。

●妊娠中および母乳授乳期

妊娠中および母乳授乳期は，食品に含まれる量の摂取であれば，ほとんどの人に安全のようです。

有　効　性

◆科学的データが不十分です

・気管支喘息，便秘，高血圧など。

●体内での働き

キウイに豊富に含まれるビタミンCをはじめとする化合物がもつ抗酸化作用が，気管支喘息の患者に有益となる可能性を示唆するデータがあります。

医薬品との相互作用

中血液凝固を抑制する医薬品（抗凝固薬/抗血小板薬）

キウイは血液凝固を抑制する可能性があります。キウイと血液凝固を抑制する医薬品を併用すると，紫斑および出血のリスクが高まるおそれがあります。このような医薬品にはアスピリン，クロピドグレル硫酸塩，ダルテパリンナトリウム，エノキサパリンナトリウム，ヘパリン，チクロピジン塩酸塩，ワルファリンカリウムなどがあります。

中降圧薬

キウイは，人によっては血圧を低下させる可能性があります。キウイと降圧薬を併用すると，血圧が過度に低下するおそれがあります。このような降圧薬にはカプトプリル，エナラプリルマレイン酸塩，ロサルタンカリウム，バルサルタン，ジルチアゼム塩酸塩，アムロジピンベシル酸塩，ヒドロクロロチアジド，フロセミドなど数多くあります。

ハーブおよび健康食品・サプリメントとの相互作用

血圧を低下させるおそれのあるハーブおよび健康食品・サプリメント

キウイが血圧を低下させるおそれがあります。同様の作用をもつほかのハーブおよび健康食品・サプリメントと併用すると，人によっては，血圧が過度に低下するリスクが高まるおそれがあります。このようなハーブおよび健康食品・サプリメントには，アンドログラフィス，カゼイン・ペプチド，キャッツクロー，コエンザイムQ-10，魚油，L-アルギニン，クコ，イラクサ，テアニンなどがあります。

血液凝固を抑制するおそれのあるハーブおよび健康食品・サプリメント

キウイが血液凝固を抑制するおそれがあります。キウイと，血液凝固を抑制するおそれのあるほかのハーブおよび健康食品・サプリメントを併用すると，人によっては，出血のリスクが高まるおそれがあります。このようなハーブおよび健康食品・サプリメントには，アンゼリカ，タンジン，ニンニク，ショウガ，イチョウ，レッドクローバー，ウコン，ヤナギ，朝鮮人参などがあります。

使用量の目安

通常の食品に含まれている量を超えて経口摂取した場合の安全性および副作用については，明らかになっていません。

キオン

ALPINE RAGWORT

別名ほか

ライフルート（Life Root），Senecio Herb，Squaw Weed

概　　要

キオンは植物です。地上に出ている部分を用いて「くすり」を作ることもあります。

ともにSquaw Weed と呼ばれることもありますが，サワギクとキオンを混同してはいけません。

安　全　性

薬として摂取する場合には，多くの懸念があります。肝毒性をもつピロリジジンアルカロイド（PAs）と呼ばれる物質を含んでおり，静脈内の血流を妨げ，肝障害を引き起こすおそれがあります。肝毒性をもつピロリジジンアルカロイドは，がんや先天異常を引き起こすおそれもあります。キオンの未認可製品,「肝毒性をもつピロリジジンアルカロイドなし」の表示がない製品の使用は安全ではないようです。

損傷した皮膚に塗布するのは，安全ではありません。キオンに含まれる危険な物質が，損傷した皮膚を通じて急速に吸収され，全身に毒性が回るおそれがあります。未認可製品,「肝毒性をもつピロリジジンアルカロイドなし」の表示がない製品の使用は避けてください。正常な皮膚に塗布する場合の安全性についてはデータが不十分です。使用を避けるのが最善です。

肝疾患：キオンに含まれる肝毒性ピロリジジンアルカロイドが症状を悪化させるおそれがあります。肝疾患の場合には，安全性を考慮し，使用は避けてください。

●アレルギー

キク科の植物にアレルギーがある場合には，キオンのアレルギーを引き起こすおそれがあります。このような植物には，ブタクサ，キク，マリーゴールド，デイジーなど，ほかにも多くの植物があります。

●妊娠中および母乳授乳期

妊娠中の肝毒性をもつピロリジジンアルカロイドを含んでいるキオン製剤の使用は安全ではありません。先天異常や肝障害を引き起こすおそれがあります。

母乳授乳期の肝毒性をもつピロリジジンアルカロイドを含んでいるキオン製剤の使用も安全ではありません。母乳を通じて乳児に悪影響を与えるおそれがあります。

妊娠中および母乳授乳期の認可済み「肝毒性をもつピロリジジンアルカロイドなし」製品の使用の安全性についてはデータが不十分です。安全性を考慮し，摂取は避けてください。

有　効　性

◆科学的データが不十分です

・糖尿病，高血圧症，出血の抑制，および痙攣など。

●体内での働き

どのように作用するかについては十分なデータが得られていません。

医薬品との相互作用

中肝臓でほかの医薬品の代謝を促進する医薬品（シトクロムP450 3A4（CYP3A4）を誘導する医薬品）

キオンは肝臓で代謝されますが，肝臓がキオンを代謝するときに形成されるいくつかの化合物は有害である可能性があります。肝臓でキオンの代謝を亢進させる医薬品は，キオン由来の化合物の毒性作用を増すおそれがあります。このような医薬品には，カルバマゼピン，フェノバルビタール，フェニトイン，リファブチン，リファンピシンなどがあります。

ハーブおよび健康食品・サプリメントとの相互作用

肝毒性をもつピロリジジンアルカロイド（PAs）を含むハーブ

キオンは肝毒性をもつピロリジジンアルカロイドを含んでいます。キオンと肝毒性をもつピロリジジンアルカロイドを含むハーブと併用すると，肝障害やがんを含む深刻な副作用をもたらす可能性が高まるおそれがあります。肝毒性をもつピロリジジンアルカロイドを含むハーブには，アルカナ，ヒヨドリバナ，ボラージ，セイヨウフキ，フキタンポポ，コンフリー，ワスレナグサ，ノボロギク，シモツケソウ，ヘンプ・アグリモニー，オオルリソウ，ダスティーミラー，ヤコブボロギク，サワギクなどがあります。

肝臓でキオンの代謝（分解）を促進するハーブ（シトクロムP450 3A4（CYP3A4）誘導因子）

キオンは肝臓で代謝されますが，そのときに生成される化学物質の中に有害なものがあります。肝臓でキオンの代謝を促進させるほかのハーブは，代謝時に生成される化学物質の毒性作用を増強するおそれがあります。これらのハーブには，エキナセア，ニンニク，甘草，セント・ジョンズ・ワート，チョウセンゴミシなどがあります。

使用量の目安

標準使用量に関するデータがありません。

キカラスウリ

CHINESE CUCUMBER

別名ほか

天花粉，てんかふん（Tian Hua Fen），括楼根（Trichosanthes japonica），カロコン，カロニン（Trichosanthes kirilowii），Chinese Cucumber Fruit, Chinese Cucumber Root，Chinese Cucumber Seed, Chinese Snake Gourd，Compound Q，Gua Lou，Gua Luo Ren，Trichosanthes，Trichosanthes Fruit Peel

概　要

キカラスウリはハーブです。果実，種子，根を用いて「くすり」を作ることもあります。

安　全　性

根は安全ではありません。根の成分を注射すると，アレルギー反応，発作，発熱，肺と脳における水分の貯留，脳内出血，心臓障害，死亡などの重篤な副作用が起きる可能性があります。

実と種子はほとんどの人に安全のようです。下痢や胃のむかつきのような軽度の副作用が起きることがあります。

糖尿病：血糖値を下げることがあります。糖尿病治療薬と併用する場合は，血糖値を慎重に監視してください。糖尿病治療薬を服用している場合は，服用量を調節する必要があるかもしれません。

手術：血糖値を下げることがあります。手術中，術後の血糖値コントロールへの影響が懸念されます。２週間以内に手術を受ける予定の人は，使用してはいけません。

●妊娠中および母乳授乳期

キカラスウリの根，果実，種子を経口で，あるいは根の成分を注射するのは安全ではありません。根の部分は有毒です。果実と種子は，流産あるいは新生児の先天性異常を引き起こすおそれがあります。

母乳授乳期の根，果実，種子の使用の安全性については，データが十分ではありません。安全性を考慮して摂取は避けてください。

有 効 性

◆科学的データが不十分です

・HIV感染，咳，発熱，腫瘍，根の成分を注射あるいは果実を膣に塗布して妊娠中絶を起こす，など。

●体内での働き

妊娠第１期に注射すると流産を起こす化合物を根に含んでいます。種子は痛みや炎症（腫脹）を軽減するのに役立ちます。実もまた胃潰瘍の予防に役立つと思われます。

医薬品との相互作用

中糖尿病治療薬

キカラスウリの根は血糖値を下げることがあります。糖尿病治療薬は血糖値を下げるために使われます。したがって，これらを併用すると血糖値が下がりすぎるおそれがあります。このような糖尿病治療薬にはグリメピリド，グリベンクラミド，インスリン，ピオグリタゾン塩酸塩，マレイン酸ロシグリタゾン（販売中止），クロルプロパミド，Glipizide，トルブタミド（販売中止）などがあります。

ハーブおよび健康食品・サプリメントとの相互作用

血糖値を下げるハーブおよび健康食品・サプリメント

キカラスウリは血糖値を下げます。ほかの同様な作用をもつハーブおよび健康食品･サプリメントとの併用は，血糖値を下げすぎてしまうおそれがあります。この併用は避けてください。血糖値を下げるハーブには，デビルズクロー，フェヌグリーク，ニンニク，グアーガム，セイヨウトチノキ，朝鮮人参，サイリウム，エゾウコギがあります。

使用量の目安

標準使用量に関するデータがありません。

キク

CHRYSANTHEMUM

別名ほか

小菊，鉢植菊（Florist's Chrysanthemum），菊花（Ju Hua），スプレー菊，ポットマム，イエギク（Dendranthema morifolium），Anthemis grandiflorum，Anthemis stipulacea，Chrysanthemum sinense，Chrysanthemum stipulaceum，Chrysan-themum morifolium，Dendranthema grandiflorum，Matricaria morifolia，Mum

概　　要

キクは植物です。名称は，ギリシア語の「金」と「花」を意味する言葉に由来します。花を用いて「くすり」を作ることもあります。中国南部では夏に飲まれる茶として，とても人気があります。

●要説（ナチュラル・スタンダード）

キクは，鑑賞用，食用，および殺虫剤用として人気のある植物です。シロバナムショケギク，Chrysanthemum coccineumなど，キクの種子の皮から抽出した天然有機化合物のピレトリンは，殺虫剤および防虫剤として用いられます。ピレトリンは慢性的蓄積のリスクが比較的低いことで知られていますが，偶発的または意図的に摂取した場合，慢性的にさらされている場合には，中毒を引き起こすおそれがあります。

予備的な臨床研究により，キクは痛風の治療に有効な可能性および免疫機能に変化を与える可能性が示唆されています。臨床試験では，キクにより糖尿病の症状が軽減し，ほかと併用することにより前がん病変が軽減することが示されています。関連分野における研究は有望視されていますが，さらなる研究が必要です。

米国食品医薬品局（FDA）の一般に安全と認められる食品（GRAS）には指定されていません。

安 全 性

キクの安全性については，データが不十分です。キクは皮膚の日光過敏を引き起こすおそれがあります。とくに色白の場合には，屋外では日焼け止めを使用してください。

●アレルギー

植物アレルギー：キクは，キク科の植物です。キク科の植物に敏感な場合には，キクにより，アレルギー反応を起こすおそれがあります。キク科には，ブタクサ，マリーゴールド，デイジーなど多くの植物があります。アレルギーの場合には，キクを摂取する前に，必ず医師などに相談してください。

●妊娠中および母乳授乳期

妊娠中および母乳授乳期の使用の安全性については

データが不十分です。安全性を考慮し，摂取は避けてください。

有　効　性

◆科学的データが不十分です

・糖尿病，胃がん，狭心症（胸痛），高血圧，発熱，頭痛，めまい感，前立腺がんなど。

●体内での働き

キクが心臓への血流を増加させるおそれがあります。また，インスリン感受性を高めるおそれがあります。

医薬品との相互作用

ほかの医薬品との相互作用については明らかではありません。

ハーブおよび健康食品・サプリメントとの相互作用

ほかのハーブ，健康食品・サプリメントとの相互作用についてはまだ明らかではありません。

使用量の目安

通常の食品に含まれている量を超えて経口摂取した場合の安全性および副作用については，明らかになっていません。

キケマン

CORYDALIS

別名ほか

オランダエンゴサク，コリダリス（Corydalis cava），Early Fumitory，Squirrel Corn

概　　要

キケマンは植物です。塊茎と根を用いて「くすり」を作ることもあります。

●要説（ナチュラル・スタンダード）

中国伝統医学の製薬には，さまざまな種類のキケマンが含まれています。胃炎などの疾患の治療に用いるのが，もっとも一般的です。激しい悪寒，寄生虫症，不整脈，胸痛，細菌感染症（とくにヘリコバクター・ピロリ感染症）など，ほかの疾患に関する研究がなされています。現時点では，いずれの用途に対しても，ヒトに対する効果を支持するエビデンスは十分ではありません。

鎮静薬，睡眠薬，心調律異常のための医薬品，痛み止め，抗がん薬などの医薬品と相互作用を起こすおそれがあります。妊娠中の使用も安全ではないおそれがあります。

安　全　性

安全性については十分なデータが得られていません。多量にとると，周期的痙攣と筋肉振戦が起きることがあります。

●妊娠中および母乳授乳期

妊娠中の使用は安全ではありません。月経を誘発し，子宮を収縮させ，流産を引き起こすおそれがあります。

母乳授乳期の使用の安全性についてはデータが不十分です。使用を避けるのが最善です。

有　効　性

◆科学的データが不十分です

・軽度のうつ病，神経症および情緒障害，重度の神経損傷，振戦，高血圧症，腸痙攣など。

●体内での働き

十分なデータが得られていません。

医薬品との相互作用

ほかの医薬品との相互作用については明らかではありません。

ハーブおよび健康食品・サプリメントとの相互作用

ほかのハーブ，健康食品・サプリメントとの相互作用についてはまだ明らかではありません。

使用量の目安

標準使用量に関するデータがありません。

キサンタンガム

XANTHAN GUM

別名ほか

ザントモナス・キャンペストリス（Xanthomonas campestris），Corn sugar gum

概　　要

キサンタンガムは，糖類をある種の細菌と混ぜること（発酵）で作られる糖に似た化合物です。「くすり」を作るのに使用されることもあります。

安　全　性

１日15gまでの量なら安全です。腸内ガスや膨満感といったいくつかの副作用が起こる可能性があります。

キサンタンガムのパウダーに曝露された人で，インフルエンザに似た症状，鼻とのどの炎症，肺疾患が起きています。

悪心，嘔吐，虫垂炎，宿便，腸の狭窄や閉塞，診断されていない胃痛：このような疾患がある場合には，キサンタンガムを使用しないでください。キサンタンガムは膨張性下剤であるため，症状を悪化させる恐れがあります。

手術：キサンタンガムは血糖値を下げるようです。術中，術後の血糖値コントロールに影響を与えるおそれがあるため，手術の予定がある人は，予定日の最低２週間前までにはキサンタンガムの使用を中止してください。

●妊娠中および母乳授乳期

妊娠中，母乳授乳期のキサンタンガム使用の安全性については，データが不十分です。安全性を考慮し，食品に通常含まれる量を超えての摂取は避けてください。

有 効 性

◆有効性レベル③

・膨張性下剤として便秘の治療に使用。
・糖尿病患者における血糖値の低下。
・糖尿病患者における血清コレステロール値の低下。
・口が乾燥する場合の唾液の代わりをするものとして使用。

●体内での働き

腸で膨れて，消化管を刺激し便を押し出します。また，消化管からの糖の吸収を遅らせ，十分な唾液を作ることができない人において口内を滑らかに湿らせる唾液のような働きをします。

医薬品との相互作用

低経口薬

キサンタンガムと経口薬を併用すると，医薬品の体内への吸収量に影響を及ぼすおそれがあります。経口薬の服用後，30～60分はキサンタンガムを摂取しないでください。

ハーブおよび健康食品・サプリメントとの相互作用

ほかのハーブ，健康食品・サプリメントとの相互作用についてはまだ明らかではありません。

使用量の目安

●経口摂取

世界保健機関（WHO）はキサンタンガムの上限量を，食品添加物としては１日10mg/kg，下剤としては１日15gと設定しています。安全のため，下剤として利用する際は，水分を十分に摂ることが必要です。

糖尿病

通常１日12gをマフィンの材料として摂取します。

●局所投与

代用唾液としては，電解質およびペパーミント風味を添加した0.018%または0.0925%の水溶液を使用。

キサントパルメリア

XANTHOPARMELIA

別名ほか

X．scarbosa，Xanthoparmelia scarbosa

概　　要

キサントパルメリアは地衣類（コケ）の一種です。

●要説（ナチュラル・スタンダード）

キサントパルメリアは，地衣類（コケ）の一種です。地衣類は，真菌類と藻類からなる共生生物です。「くすり」として用いられることもあります。

キサントパルメリアを含んだ製品は，性欲増進のために販売されています。2004年，米国食品医薬品局（FDA）は，多数のキサントパルメリアを含んだサプリメントや健康食品を押収しました。これらの製品には，勃起不全治療薬のタダラフィル（Cialis）という処方薬が含まれていたためでした。

安 全 性

キサントパルメリアは，安全ではありません。正常な細胞を死滅させるおそれがある有毒な化学物質を含んでいます。使用しないでください。

●妊娠中および母乳授乳期

すべての人に安全ではありません。とくに妊娠および母乳授乳期の使用は，安全ではありません。使用しないでください。

有 効 性

◆科学的データが不十分です

・性機能障害，勃起不全，性欲増進，およびがん。

●体内での働き

どのように作用するかについて判断するのに十分なデータがありません。有毒な化合物を含んでいると考えられています。

医薬品との相互作用

ほかの医薬品との相互作用については明らかではありません。

ハーブおよび健康食品・サプリメントとの相互作用

ほかのハーブ，健康食品・サプリメントとの相互作用についてはまだ明らかではありません。

使用量の目安

標準使用量に関するデータがありません。

キシリトール

XYLITOL

●代表的な別名

キシリット

キ

別名ほか

キシリット（Xylit），Birch Sugar，E967，Meso-Xylitol，Xylite，Xylo-pentane-1,2,3,4,5-pentol

概　　要

キシリトールは，多くの果物や野菜をはじめとする，ほとんどの植物に含まれる天然のアルコールです。カバノキから抽出して「くすり」を作ることもあります。

キシリトールは，砂糖の代替品として，砂糖不使用のチューインガム，ミント，キャンディなどに幅広く使用されます。ただし，シュガーレスガムの甘味料として，もっとも一般的に用いられるのは，キシリトールより安価で，市販製品としての製造が容易なソルビトールです。

キシリトールは，幼児の中耳の感染症（中耳炎）を予防するための医薬品として，また，糖尿病患者には砂糖の代替品として使用されます。

キシリトールは，う歯および口内乾燥の予防のために，チューインガムのほか，口腔ケア製品に配合されています。

キシリトールは，エネルギー源として，経管栄養調合剤に配合されることもあります。

副鼻腔疾患の場合には，キシリトールを水に加え，鼻洗浄に使用します。

犬にとってキシリトールは，キャンディから比較的少量を摂取するだけでも毒性があることを，飼い主は知っておくべきです。飼い犬が，キシリトールを含んだ製品を食べてしまった場合，すみやかに獣医師にかかることが重要です。

安 全 性

食品に含まれている量のキシリトールは，安全です。医薬品として使用する場合には，１日約50gまでの量であれば，ほとんどの成人にとって，安全なようです。水に加えて副鼻腔を洗浄する場合にも，安全なようです。ただし，高用量の経口摂取は避けてください。きわめて高用量のキシリトールを長期間（３年を超える期間）使用する場合には，腫瘍が生じるおそれがあります。キシリトールが，下痢および腸内ガスを引き起こすおそれがあります。

小児：医薬品として使用する場合には，１日20gまでの量であれば，おそらく安全です。

●妊娠中および母乳授乳期

妊娠中および母乳授乳期の使用の安全性についてはデータが不十分です。安全性を考慮し，摂取は避けてください。

有 効 性

◆有効性レベル②

・う歯の予防。成人および５歳以上の小児が，キシリトールを配合する食品，チューインガム，キャンディ，歯磨きペーストなどを使用し，１日１～20gのキシリトールを摂取することにより，う歯になりにくくなる可能性があります。キシリトール製品は，ソルビトール含有製品よりう歯予防に効果があるようです。しかし，う歯予防に役立つキシリトールの含有量はg量であるのに対し，キシリトールの含有量が，mg量のチューインガムもあります。５歳未満の小児に対するキシリトールのう歯予防効果については，データが不十分です。

◆有効性レベル③

・就学前の小児の耳の感染症（中耳炎）の発症抑制。就学前の小児は，食後にキシリトールを適量摂取すると，耳の感染症を引き起こす頻度と抗菌薬を必要とする頻度が，著しく減少するようです。ただし，急性呼吸器感染の症状発現時にキシリトールを摂取しても，耳の感染症を予防することはないようです。

◆科学的データが不十分です

・歯垢，副鼻腔疾患，口内乾燥の予防，糖尿病患者の砂糖の代替品など。

●体内での働き

キシリトールは，甘い味がしますが，砂糖と違って口の中で，う歯を引き起こす酸に変わることはありません。う歯を引き起こす唾液中の細菌を減らし，耳の感染症を引き起こす細菌の一部に対しても作用します。

医薬品との相互作用

ほかの医薬品との相互作用については明らかではありません。

ハーブおよび健康食品・サプリメントとの相互作用

ほかのハーブ，健康食品・サプリメントとの相互作用についてはまだ明らかではありません。

使用量の目安

【成人】

●口内への塗布

う歯予防

幅広い摂取量で使用されています。通常，キャンディやチューインガムを食べることで，１日７～20gを３～５回に分け，摂取します。キシリトールガムは，食後に10～20分間噛むことが推奨されています。

【小児】

●口内への塗布

う歯予防

５歳以上の小児には，幅広い摂取量で使用されます。通常，キャンディやチューインガムを食べることで，１日７～20gを３～５回に分けて摂取します。キシリトールガムは，食後に10～20分間噛むことが推奨されています。５～８gのキシリトールを配合したキャンディを舐める場合にも，効果があるようです。５歳未満の小児に対する，キシリトールのう歯予防効果については，デー

相互作用レベル：高この医薬品と併用してはいけません　中この医薬品とは慎重に併用するか併用しないでください
低この医薬品との併用には注意が必要です

タが不十分です。

未就学児の耳の感染症発症リスクの低下

チューインガム，トローチ，シロップ剤に配合されているキシリトール合計8.4～10gを，食後に１日５回に分けて摂取します。

キダチタバコ

TREE TOBACCO

別名ほか

Blåtobak, Blaugrüner Tabak, Gandul, Glaucous Leaf Tobacco, Nicotiana glauca, Tabaco Moro, Tabaco Moruno, Tabaco Negro, Tobacco Bush, Wild Tobacco, Wildetabak

概　要

キダチタバコは５ｍくらいに成長する灌木です。アルゼンチン原産ですが，現在は世界中に生育しています。キダチタバコの葉にはアナバシンと呼ばれる化学物質が含まれています。そのためキダチタバコの葉を経口摂取すると有毒です。

せつ，発熱，頭痛，疼痛，咽喉痛，創傷の場合には，皮膚に塗布します。昆虫忌避剤としても使用されています。

安 全 性

キダチタバコを経口摂取する場合は安全ではないようです。キダチタバコにはアナバシンと呼ばれる有毒の化学物質が含まれています。アナバシン中毒により，心拍停止，脳損傷，重度の筋力低下および攣縮，重度の嘔吐，呼吸器疾患，痙攣，高血圧を引き起こすおそれがあり，死に至る場合もあります。

キダチタバコを皮膚に塗布する場合の安全性についてはデータが不十分です。

●妊娠中および母乳授乳期

キダチタバコを経口摂取するのは安全ではないようです。キダチタバコにはアナバシンと呼ばれる有毒の化学物質が含まれています。アナバシンは母体に有害であるだけでなく，先天異常を引き起こすおそれがあります。

有 効 性

◆科学的データが不十分です

・せつ，発熱，頭痛，疼痛，咽喉痛，創傷，昆虫忌避剤など。

●体内での働き

キダチタバコの葉にはアナバシンと呼ばれる化学物質が含まれています。アナバシンは，低用量摂取すると興奮薬のように作用し，高用量摂取すると抑制薬のように作用します。そのためキダチタバコの葉も，経口摂取すると有毒です。ただし，キダチタバコを皮膚に塗布する場合は，昆虫を忌避するのに役立つようです。

医薬品との相互作用

ほかの医薬品との相互作用については明らかではありません。

ハーブおよび健康食品・サプリメントとの相互作用

ほかのハーブ，健康食品・サプリメントとの相互作用についてはまだ明らかではありません。

使用量の目安

通常の食品に含まれている量を超えて経口摂取した場合の安全性および副作用については，明らかになっていません。

キトサン

CHITOSAN

別名ほか

脱アセチル化キチン（Chitosan ascorbate, Deacetylated chitosan），Enzymatic polychitosamine hydrolisat, HEP-30, N-Carboxybutyl chitosan, N, O-Sulfated chitosan, O-Sulfated N-acetylchitosan, Sulfated N-carboxymethylchitosan, Sulfated O-carboxymethylchitosan

概　要

キトサンは，カニ，ロブスター，エビなどの硬い外骨格をもつ甲殻類から得られる糖です。「くすり」として使われることがあります。

●要説（ナチュラル・スタンダード）

キトサンは，昆虫，クモおよび甲殻類の外側の貝殻様構造物の一部であるキチンに含まれています。

キトサンは，脂肪吸収を抑える食物繊維として，米国やほかの国々で販売されています。ただし，キトサンによる脂肪吸収抑制はわずかであることが，科学的根拠により示唆されています。

キトサンは，血中コレステロールや脂質を低下させる可能性があります。高コレステロール血症の治療に用いられるほかの方法と比べ，同等または高い効果があるかどうかは不明です。研究結果により，低カロリーの食事とあわせてキトサンを摂取することで，コレステロール値が改善される可能性があることが示唆されています。

腎不全のため血液透析をしている患者および歯科で口腔管理をしている場合には，有効であることを示唆するエビデンスもあります。明確な結論付けには，さらなるエビデンスが必要です。

安全性

最大6カ月間まで経口摂取する場合や，皮膚へ塗布する場合は，ほとんどの人にとっておそらく安全です。経口摂取により，軽度の胃の不調，便秘，腸内ガスを引き起こすおそれがあります。

●アレルギー

甲殻類アレルギー：キトサンは，甲殻類の外骨格から採取されます。甲殻類に対するアレルギーがある場合には，キトサンにもアレルギーがあるおそれがあります。ただし，甲殻類アレルギーの人が反応するのは，甲殻類の殻ではなく，身の部分です。そのため，甲殻類アレルギーの場合でも，キトサンが問題となることはないと考えている専門家もいます。

●妊娠中および母乳授乳期

妊娠中および母乳授乳期の使用の安全性についてはデータが不十分です。安全性を考慮し，摂取は避けてください。

有効性

◆有効性レベル③

- 歯周炎（歯周病）。複数の研究により，キトサンアスコルビン酸を歯肉に直接塗布することにより，歯周炎の治療につながるようであることが示唆されています。
- 形成手術。複数の研究により，N-カルボキシブチルキトサンを患部に直接塗布することにより，形成手術後の，創傷治癒の促進および瘢痕形成の抑制につながるようであることが示唆されています。
- 腎不全。複数の研究により，長期にわたり血液透析を受けている腎不全患者がキトサンを経口摂取することにより，高コレステロール血症の緩和，貧血の改善，体力，食欲および睡眠の改善につながる可能性が示唆されています。

◆科学的データが不十分です

- クローン病（腸疾患），う歯，歯垢，高コレステロール血症，体重減少，創傷治癒など。

●体内での働き

キトサンは，エビ，ロブスターおよびカニの殻から抽出される繊維状物質で，食事脂肪やコレステロールの吸収を阻害する可能性があります。

医薬品との相互作用

中ワルファリンカリウム

ワルファリンカリウムは血液凝固を抑制する医薬品です。キトサンの摂取がワルファリンカリウムの血液凝固抑制作用を増強させる可能性が一部で懸念されています。そのため，紫斑および出血のリスクが高まるおそれがあります。ワルファリンカリウムの服用中にキトサンを摂取しないでください。

中アシクロビル

アシクロビルはヘルペスや帯状疱疹の治療に用いられます。キトサンとアシクロビルを併用すると，アシクロビルの体内への吸収量が減少する可能性が一部で懸念されています。そのため，アシクロビルの効果が弱まるおそれがあります。

ハーブおよび健康食品・サプリメントとの相互作用

カルシウム

キトサンにより，体内におけるカルシウム吸収が抑制されるおそれがあります。

マグネシウム

キトサンにより，体内におけるマグネシウム吸収が抑制されるおそれがあります。

セレン

キトサンにより，体内におけるセレン吸収が抑制されるおそれがあります。

ビタミンA

キトサンにより，体内における，ビタミンAなどの脂溶性ビタミンの吸収が抑制されるおそれがあります。

ビタミンD

キトサンにより，体内における，ビタミンDなどの脂溶性ビタミンの吸収が抑制されるおそれがあります。

ビタミンE

キトサンにより，体内における，ビタミンEなどの脂溶性ビタミンの吸収が抑制されるおそれがあります。

ビタミンK

キトサンにより，体内における，ビタミンKなどの脂溶性ビタミンの吸収が抑制されるおそれがあります。

使用量の目安

●経口摂取

血液透析を受けている腎不全患者

高コレステロール血症の緩和，貧血の改善，体力，食欲および睡眠の改善のために，1.35gのキトサンを，1日3回摂取します。

キナ

CINCHONA

別名ほか

ボリビヤキナノキ，アカネ（Cinchona ledgeriana），アカキナノキ（Cinchona pubescens），キナノキ（Cinchona succirubra），キナ皮（Peruvian Bark），キニーネ（Quinine），Cinchona calisaya，Chinarinde，Ecorce de Quina，Fieberrinde，Jesuit's Bark，Red Cinchona Bark

概要

キナは樹木です。樹皮を用いて「くすり」を作ることもあります。

注：わが国では，キナの根皮・樹皮は「46通知」により「医薬品」とされています。

安全性

キナの樹皮を適切に用いる場合には，ほとんどの人にとって，安全のようです。ただし，高用量のキナは，安全ではなく，死に至るおそれもあります。過剰摂取した場合の症状としては，耳鳴り，頭痛，吐き気，下痢および視覚障害があります。キナにより，出血，じんましんおよび発熱などのアレルギー反応を引き起こすおそれもあります。

胃潰瘍および腸潰瘍：潰瘍がある場合には，キナを使用してはいけません。出血のリスクが高まるおそれがあります。

手術：キナが，血液凝固を抑制することがあるため，手術中および術後の出血が過剰となるリスクが高まるおそれがあります。少なくとも手術前２週間は，使用しないでください。

●妊娠中および母乳授乳期

妊娠中および母乳授乳期は，使用しないでください。妊娠中のキナの使用は，安全ではないことを示唆するエビデンスが複数あります。母乳授乳期の使用の安全性についてはデータが不十分です。摂取を避けることが最善です。

有効性

◆科学的データが不十分です

・マラリア，痔核，静脈瘤，感冒，こむら返り，インフルエンザ，発熱，がん，口腔およびのどの疾患，脾腫，筋痙攣，食欲不振，胃の不快感（腫脹および満腹感など）など。

●体内での働き

キナの樹皮は，唾液および胃液の分泌を促進します。マラリアの治療に用いられる成分であるキニーネを含んでいます。

医薬品との相互作用

中カルバマゼピン

カルバマゼピンは体内で代謝されてから排泄されます。キナはキニーネを含みます。キニーネはカルバマゼピンの体内での代謝を促進する可能性があります。キナとカルバマゼピンを併用すると，カルバマゼピンの効果を弱めるおそれがあります。

高キニーネ塩酸塩水和物

キナはキニーネを含みます。キナとキニーネ塩酸塩水和物を併用すると，キニーネ塩酸塩水和物の作用および副作用を増強させ，心臓異常を引き起こす可能性があります。キニーネ塩酸塩水和物を服用中にキナを摂取しないでください。

高キニジン硫酸塩水和物

キナはキニジンを含みます。キナとキニジン硫酸塩水和物を併用すると，キニジン硫酸塩水和物の作用および副作用を増強させ，心臓異常を引き起こすおそれがあります。キニジン硫酸塩水和物を服用中にキナを摂取しないでください。

中フェノバルビタール

キナにはキニーネが含まれています。キニーネは体内のフェノバルビタール量を増加させる可能性があります。キナとフェノバルビタールを併用すると，フェノバルビタールの作用および副作用が増強するおそれがあります。

低胃酸分泌抑制薬（H２受容体拮抗薬）

キナは胃酸を増加させる可能性があります。胃酸を増加させることにより，キナはH２受容体拮抗薬と呼ばれる胃酸分泌抑制薬の効果を弱めるおそれがあります。H２受容体拮抗薬にはシメチジン，ラニチジン塩酸塩，ニザチジン，ファモチジンがあります。

低胃酸分泌抑制薬（プロトンポンプ阻害薬）

キナは胃酸を増加させる可能性があります。胃酸を増加させることにより，キナはプロトンポンプ阻害薬と呼ばれる胃酸分泌抑制薬の効果を弱めるおそれがあります。プロトンポンプ阻害薬にはオメプラゾール，ランソプラゾール，ラベプラゾールナトリウム，パントプラゾールナトリウム水和物（販売中止），エソメプラゾールマグネシウム水和物があります。

中血液凝固を抑制する医薬品（抗凝固薬/抗血小板薬）

キナは血液凝固を抑制する可能性があります。キナと血液凝固を抑制する医薬品を併用すると，人によっては紫斑および出血のリスクが高まるおそれがあります。このような医薬品にはアスピリン，クロピドグレル硫酸塩，ジクロフェナクナトリウム，イブプロフェン，ナプロキセン，ダルテパリンナトリウム，エノキサパリンナトリウム，ヘパリン，ワルファリンカリウムなどがあります。

中制酸薬

制酸薬は胃酸を減少させるために用いられます。キナは胃酸を増加させる可能性があります。胃酸を増加させることにより，キナは制酸薬の有効性を低下させるおそれがあります。このような制酸薬には沈降炭酸カルシウム，Dihydroxyaluminum sodium carbonate，Magaldrate，硫酸マグネシウム水和物，乾燥水酸化アルミニウムゲルなどがあります。

ハーブおよび健康食品・サプリメントとの相互作用

血液凝固を抑制するおそれのあるハーブおよび健康食品・サプリメント

キナが，血液凝固を抑制するおそれがあります。キナと血液凝固を抑制するおそれのあるほかのハーブおよび健康食品・サプリメントを併用すると，紫斑および出血のリスクが高まるおそれがあります。このようなハーブおよび健康食品・サプリメントには，アルファルファ，アンゼリカ，クローブ，ニンニク，ショウガ，朝鮮人参，セイヨウトチノキ，レッドクローバーなどがあります。

使用量の目安

通常の食品に含まれている量を超えて経口摂取した場合の安全性および副作用については，明らかになっていません。

キ

キノア

QUINOA

別名ほか

Ajara, Arroz del Perú, Chenopodium quinoa, Mjölmålla, Petit Riz, Quingua, Quinua, Reismelde, Riz du Pérou

概　　要

キノアは植物です。キノアの種は小麦や穀物のように食べられます。しかし，本当の穀物ではありません。本当の穀物に比べて，タンパク質が多く含まれています。グルテンは全く含まれていません。

トリグリセリドやコレステロールと呼ばれる血清脂質の高値，疼痛，尿路感染，体重減少の場合にキノアを経口摂取します。

食品としては，キノアは粉末食品，スープ，ビールを作るために使用されます。キノアはまた，セリアック病のようなグルテンを避ける必要のある人のために，小麦のような穀物の代替食として使用されます。

安　全　性

キノアを食品として食べる場合はほとんどの人に安全のようです。「くすり」としての量のキノアを摂取する場合の安全性および副作用についてはデータが不十分です。キノアにアレルギーがある人がいます。

穀物として使用される他の食品に対するアレルギー：キノアは，ソバ，小麦，米などの穀物として使用される食品に敏感な人にアレルギー反応を引き起こす可能性があります。穀物に対するアレルギーがある場合には，キノアを摂取する前に，医師などに必ず相談してください。

●妊娠中および母乳授乳期

妊娠中および母乳授乳期の使用の安全性についてはデータが不十分です。安全性を考慮し，食品としての量を超える摂取は避けてください。

有　効　性

◆科学的データが不十分です

・肥満，閉経後の健康上の問題，セリアック病，高トリグリセリド血症，昆虫忌避剤，疼痛，尿路感染，体重減少など。

●体内での働き

キノアを摂取すると，小麦や米よりも満腹感を得られる可能性があります。また，キノアを摂取すると，パンを食べるよりも食後のトリグリセリドという血清脂質値が低下する可能性があります。

医薬品との相互作用

ほかの医薬品との相互作用については明らかではありません。

ハーブおよび健康食品・サプリメントとの相互作用

ほかのハーブ，健康食品・サプリメントとの相互作用についてはまだ明らかではありません。

使用量の目安

通常の食品に含まれている量を超えて経口摂取した場合の安全性および副作用については，明らかになっていません。

キハダ

PHELLODENDRON

●代表的な別名

オウバク

別名ほか

黄檗（Amur Cork Tree, Amur Corktree），黄柏（Corktree, Huang Bai），オウバク（Phellodendri cortex）

概　　要

キハダは植物です。樹皮を用いて「くすり」を作ることもあります。室内用観葉植物のフィロデンドロン（philodendron）と混同しないように注意してください。

安　全　性

短期間の使用なら成人には安全なようです。

6週間を超えて使用する場合の安全性は明らかになっていません。ある研究では，胸やけ，手の振戦，性的機能障害および甲状腺機能不全を起こした人がいます。疲労と頭痛を起こした人もいます。しかし，これらの副作用がキハダによって生じたのか，ほかの因子によるものだったのかは不明です。

小児：キハダは新生児に使用した場合，安全ではありません。脳損傷を起こすおそれがあります。とくに，未熟児で生まれて黄疸がある乳児には注意が必要です。

●妊娠中および母乳授乳期

妊娠中のキハダの使用は安全ではありません。キハダにはベルベリンという化学物質が含まれており，胎盤から胎児に伝わって胎児に悪影響を及ぼす恐れがあります。また，母乳授乳期のキハダの使用も安全ではありません。ベルベリンは母乳を通じて乳児に伝わり，新生児（特に未熟児で生まれ黄疸のある乳児）の脳損傷を引き起こすおそれがあります。黄疸とは，目や皮膚が黄色くなる症状で，血液中の胆汁色素により起こります。

有　効　性

◆科学的データが不十分です

・体重減少。いくつかの研究によれば，キハダとモクレンのエキスを含有する特定の製品を６週間摂取した過体重の女性は，摂取していない女性と比べて体重増加が少なかったようです。この製品を摂取した女性は，そうでない女性と比べてカロリーの摂取量も少ないようでした。この結果の理由として考えられることは，この製品がストレスを軽減し，ストレスと関連する過食を減らしたのではないかということです。しかし，この製品がストレスホルモンであるコルチゾールを減らすという確証がないため，この理論は成立しません。
・乾癬。キハダ，タイセイとバイカルスカルキャップを含有する軟膏が，他の治療が有効ではなかった８歳男児の乾癬を改善したという報告があります。
・下痢，潰瘍，変形性関節症，肥満症，糖尿病，髄膜炎，肺炎，眼の感染症，結核など。

●体内での働き

キハダに含まれる化学物質は炎症（とくに発赤と腫脹）を抑制させることがあります。

別の化学物質であるベルベリンは血糖値および血清LDL-コレステロール値を下げ，肝臓を毒性物質から守る働きをします。ベルベリンは腫瘍に対しても有効である可能性がありますが，ベルベリンが有害になることもあります。

医薬品との相互作用

中シクロスポリン

シクロスポリンは体内で代謝されてから排泄されますが，キハダは，シクロスポリンの排泄を抑制することがあるので，体内のシクロスポリン量を過剰にし，副作用を引き起こすおそれがあります。

中肝臓で代謝される医薬品（シトクロムP450 3A4（CYP3A4）の基質となる医薬品）

肝臓で代謝される医薬品がありますが，キハダはこの代謝を抑制するおそれがあります。肝臓で代謝される医薬品を服用しているときにキハダを摂取すると，その医薬品の作用が増強され，副作用が現れるリスクが高くなると考えられます。このような医薬品には，シクロスポリン，Lovastatin，クラリスロマイシン，インジナビル硫酸塩エタノール付加物（販売中止），シルデナフィルクエン酸塩，トリアゾラムなど数多くの医薬品があります。

ハーブおよび健康食品・サプリメントとの相互作用

ほかのハーブ，健康食品・サプリメントとの相互作用についてはまだ明らかではありません。

使用量の目安

標準使用量に関するデータがありません。

キバナフジ

LABURNUM

別名ほか

Bean Trifoil，Cytisus laburnum，Golden Chain，豆科（Legume），Pea Tree

概　　要

キバナフジは植物です。種子を用いて「くすり」を作ることもあります。ラブダナムと混同しないようにしてください。まったく違う植物です。

安　全　性

安全ではありません。種子や漿果を含むすべての部分が安全ではなく有毒で，死亡した例もあります。間違って摂取した場合には直ちに治療が必要です。

副作用としては，悪心，めまい，唾液分泌，口やのど・胃の痛み，発汗，頭痛，嘔吐，血液を含む嘔吐，痙攣，麻痺，尿の排泄量の減少，呼吸低下，死亡が起きています。

●妊娠中および母乳授乳期

安全ではありません。死に至ることもあります。使用してはいけません。

有　効　性

◆科学的データが不十分です

・嘔吐の予防，腸を空にする効果など。

●体内での働き

どのように作用するかについては，十分なデータが得られていません。

医薬品との相互作用

ほかの医薬品との相互作用については明らかではありません。

ハーブおよび健康食品・サプリメントとの相互作用

ほかのハーブ，健康食品・サプリメントとの相互作用についてはまだ明らかではありません。

使用量の目安

標準使用量に関するデータがありません。

ギムネマ

GYMNEMA

キ

別名ほか

Gemnema melicida, Gur-Mar, グルマール（Gurmarx），Gurmarbooti，ギムネマシルベスタ（Gymnema sylvestre），Merasingi，Meshashringi，Miracle Plant，Periploca sylvestris，Vishani

概　　要

ギムネマはインドおよびアフリカを原産とする低木です。葉は「くすり」に使われます。

●要説（ナチュラル・スタンダード）

ヒトを対象とした予備試験によるエビデンスにより，補助療法として最大20カ月まで，ギムネマを摂取することで，１型糖尿病および２型糖尿病患者の血糖値コントロールに効果があることが示唆されています。長期に使用することで，血清グルコースおよびヘモグロビンA1c（HbA1c）を低下させる可能性がありますが，短期間投与ではそのような効果はないようです。この領域に関して，ヒトを対象にした質の高い研究は不十分です。

安 全 性

ギムネマは正しい用法用量であれば20カ月まで使用は安全のようです。

血糖のコントロールに影響を与え，血糖値を低下させます。

２週間以内に手術を受ける予定の人は使用してはいけません。

糖尿病：ギムネマは，糖尿病患者の血糖値を低下させます。低血糖にならないように，医師の管理のもと，定期的に血糖値を検査することができない場合は，使用してはいけません。

●妊娠中および母乳授乳期

妊娠，母乳授乳期は，使用してはいけません。

有 効 性

◆科学的データが不十分です

・特定のギムネマ・サプリメントは，インスリンや糖尿病薬との組み合わせで，１型および２型糖尿病患者の血糖値の低下を向上するようです。

・生活習慣病，体重減少，刺激による消化促進，マラリア，咳，ヘビ咬傷，便の軟化（緩下剤），および排尿量の増加（利尿薬）。

●体内での働き

腸からの糖の吸収を低下させる物質を含んでいます。また，体内のインスリンの量を上昇させ，インスリンが作られる場所である膵臓での細胞の成長を増強することもあります。

医薬品との相互作用

中 糖尿病治療薬

ギムネマは血糖値を低下させる可能性があります。ギムネマを摂取し，糖尿病治療薬を併用すると，血糖値が過度に低下するおそれがあります。血糖値を注意深く監視してください。このような糖尿病治療薬には，グリメピリド，グリベンクラミド，インスリン，ピオグリタゾン塩酸塩，マレイン酸ロシグリタゾン（販売中止），クロルプロパミド，Glipizide，トルブタミド（販売中止）などがあります。

中 肝臓で代謝される医薬品（シトクロムP450 1A2（CYP1A2）の基質となる医薬品）

特定の医薬品は肝臓で代謝されます。ギムネマはこのような医薬品の代謝を変化させる可能性があります。そのため，医薬品の作用および副作用が変化するおそれがあります。このような医薬品には，クロザピン，Cyclobenzaprine，フルボキサミンマレイン酸塩，ハロペリドール，イミプラミン塩酸塩，メキシレチン塩酸塩，オランザピン，塩酸ペンタゾシン，プロプラノロール塩酸塩，Tacrine，テオフィリン，Zileuton，ゾルミトリプタンなどがあります。

中 肝臓で代謝される医薬品（シトクロムP450 2C9（CYP2C9）の基質となる医薬品）

特定の医薬品は肝臓で代謝されます。ギムネマはこのような医薬品の代謝を変化させる可能性があります。そのため，医薬品の作用および副作用が変化するおそれがあります。このような医薬品には，アミトリプチリン塩酸塩，ジアゼパム，Zileuton，セレコキシブ，ジクロフェナクナトリウム，フルバスタチンナトリウム，Glipizide，イブプロフェン，イルベサルタン，ロサルタンカリウム，フェニトイン，ピロキシカム，タモキシフェンクエン酸塩，トルブタミド（販売中止），トラセミド，ワルファリンカリウムなどがあります。

低 肝臓で代謝される医薬品（シトクロムP450 3A4（CYP3A4）の基質となる医薬品）

特定の医薬品は肝臓で代謝されます。ギムネマはこのような医薬品の代謝を変化させる可能性があります。そのため，医薬品の作用および副作用が変化するおそれがあります。このような医薬品には，Lovastatin，クラリスロマイシン，シクロスポリン，ジルチアゼム塩酸塩，エストロゲン（卵胞ホルモン）製剤，インジナビル硫酸塩エタノール付加物（販売中止），トリアゾラムなど数多くあります。

中 フェナセチン【販売中止】

ギムネマは体内でフェナセチンの代謝を抑制する可能性があります。そのため，フェナセチンの作用および副作用が増強するおそれがあります。

中 トルブタミド【販売中止】

ギムネマはトルブタミドの体内での代謝を促進する可能性があります。そのため，トルブタミの作用が減弱するおそれがあります。

相互作用レベル：高 この医薬品と併用してはいけません　中 この医薬品とは慎重に併用するか併用しないでください　低 この医薬品との併用には注意が必要です

ハーブおよび健康食品・サプリメントとの相互作用

ほかのハーブ，健康食品・サプリメントとの相互作用についてはまだ明らかではありません。

使用量の目安

●経口摂取

糖尿病

エキス薬1日400mgを摂取します。

キモトリプシン

CHYMOTRYPSIN

別名ほか

アルファキモトリプシン（Alpha-Chymotrypsin），A-Chymotrypsin，Chymotrypsin A，Chymotrypsin B，Chymotrypsinum，Quimotripsina

概　　要

キモトリプシンは酵素です。酵素は体内の特定の化学反応を促進する物質です。「くすり」として使用されることもあります。

安 全 性

医師・薬剤師により眼に使用される場合は安全です。

眼に使用した場合，眼圧の上昇や，ブドウ膜炎，虹彩の麻痺，角膜炎といったそのほかの眼の症状の副作用が起きることがあります。

また，手術後の皮膚の赤みや腫れの軽減のための経口摂取や，熱傷で直接皮膚に塗る場合，ほとんどの人に安全なようです。

ほかの場合の使用の安全性についてのデータは十分ではありません。

経口で摂取した場合に，まれにアレルギー反応が生じることもあり，症状としては，かゆみ，息切れ，唇やのどの腫脹，ショック，意識喪失，死亡などです。

●妊娠中および母乳授乳期

妊娠中および母乳授乳期の使用の安全性についてはデータが不十分です。安全性を考慮し，摂取は避けてください。

有 効 性

◆有効性レベル①

・医師・薬剤師による使用の場合の，白内障の手術。

◆有効性レベル③

・熱傷。熱傷患者の組織破壊を減少させるというエビデンスがあります。
・手の骨折。キモトリプシンの経口摂取は，手の骨折での赤みや腫れを減少させるのに有効なようです。

◆科学的データが不十分です

・気管支喘息，気管支炎，肺疾患，副鼻腔炎など。

●体内での働き

炎症（腫脹）や組織破壊を減少させる成分があります。

医薬品との相互作用

ほかの医薬品との相互作用については明らかではありません。

ハーブおよび健康食品・サプリメントとの相互作用

ほかのハーブ，健康食品・サプリメントとの相互作用についてはまだ明らかではありません。

使用量の目安

●経口摂取

炎症，浮腫および呼吸器系の分泌物の抑制

トリプシンとキモトリプシンの配合薬（配合率は6：1）を合計100,000単位（USP）で1日4回摂取します。

熱傷

トリプシンとキモトリプシンの配合薬（配合率は6：1）を合計200,000単位（USP）で1日4回10日間摂取します。

●筋肉内投与

炎症，浮腫および呼吸器系の分泌物の抑制

1回5,000単位（USP）で1日1～3回使用します。

●点眼

白内障手術時に，キモトリプシンを添加薬として0.9%滅菌塩化ナトリウム注射液に1：5,000あるいは1：10,000の濃度になるよう溶かし，後眼房の灌流に用います。

キャシー・アブソリュート

CASSIE ABSOLUTE

●代表的な別名

キンゴウカン

別名ほか

キンゴウカン，金合歓，カッシー，カシア（Acacia farnesiana），スイートアカシア（Sweet Acacia），Huisache，Mimosa farnesiana，Popinac Absolute

概　　要

キャシー・アブソリュートはキンゴウカンの花からのエキスで，「くすり」として使用されることもあります。

食品や飲料の香料として用いられます。

製品としては，香水の香料として用いられます。

安 全 性

通常の食品に含まれている量の摂取は安全のようで

す。ただし，「くすり」としての高用量摂取の安全性および副作用についてはデータが不十分です。

●妊娠中および母乳授乳期

妊娠中および母乳授乳期の通常の食品に含まれている量の摂取は安全です。ただし，「くすり」としての高用量摂取の安全性についてはデータが不十分です。「くすり」としての量の摂取は避けてください。

有効性

◆科学的データが不十分です

・痙攣，下痢，発熱，リウマチ関節炎，結核，淋病，咽頭痛，および胃がん，殺虫剤，催淫薬，刺激薬。

●体内での働き

痛みを軽減し，炎症を減少させ，気道を広げる配糖体と呼ばれる化合物を含んでいます。

医薬品との相互作用

ほかの医薬品との相互作用については明らかではありません。

ハーブおよび健康食品・サプリメントとの相互作用

ほかのハーブ，健康食品・サプリメントとの相互作用についてはまだ明らかではありません。

使用量の目安

標準使用量に関するデータがありません。

キャッサバ

CASSAVA

●代表的な別名

タピオカ

別名ほか

Brazilian Arrowroot, Cassave, Kassava, Kassave, Mandioca, Manihot esculenta, Manioc, Manioc Tapioca, Manioca, Maniok, Maniokki, Tapioca, Tapioca Plant, Yuca

概要

キャッサバは，野菜の根です。根を用いて「くすり」を作ることもあります。

キャッサバは，疲労，下痢に起因する脱水症，敗血症および陣痛の誘発に対して用いられます。

キャッサバの根および葉は，食品として食されます。キャッサバの栄養価はジャガイモに類似しています。ただし，キャッサバは，青酸グリコシドと呼ばれる成分を含んでいます。これらの成分は，シアン化物を体内に放出するおそれがあります。キャッサバを食べる前には，シアン化物中毒を避けるために，適切な処理をしなくてはいけません。

安全性

キャッサバの通常の食品に含まれる量の摂取は，適切に調理され，頻繁に摂取するのでなければ，ほとんどの人に安全のようです。

キャッサバの通常の食品に含まれる量の摂取は，調理が不適切であれば，頻繁に摂取しなくても，おそらく安全ではありません。適切に調理されていないキャッサバには，青酸グリコシドと呼ばれる化学物質が含まれているおそれがあります。青酸グリコシドは，体内でシアン化物に変換されます。このため，シアン化物中毒を引き起こすおそれや，麻痺状態に陥るおそれがあります。

生のキャッサバや，適切に調理されていないキャッサバの日常的な摂取は，安全ではないようです。生のキャッサバや，適切に調理されていないキャッサバを，とくに低タンパク食の一部として日常的に摂取すると，シアン化物中毒を引き起こすリスクがきわめて高まります。

成人が「くすり」としての量を摂取する場合の安全性についてはデータが不十分です。

小児：脱水症状の治療として，小児がキャッサバを経口摂取する場合には，おそらく安全です。食事として大量のキャッサバを日常的に摂取することは，安全ではないようです。小児が大量のキャッサバを摂取すると，キャッサバに含まれる，麻痺状態を引き起こすおそれのある化学物質にさらされるリスクが高まります。この化学物質の影響は，成人よりも小児の方が受けやすい傾向にあります。

ヨウ素欠乏症：キャッサバが，体内に吸収されるヨウ素の量を低下させるおそれがあります。体内のヨウ素濃度が低い場合には，キャッサバの摂取により疾患が悪化するおそれがあります。

甲状腺疾患：キャッサバの摂取により，甲状腺ホルモン濃度が低下するおそれがあります。甲状腺疾患の場合，とくに甲状腺ホルモン補充療法が必要な場合には，キャッサバの摂取により，疾患が悪化するおそれがあります。

●妊娠中および母乳授乳期

妊娠中にキャッサバを食事の一部として日常的に摂取することは，安全ではないようです。先天異常を引き起こすおそれもあります。キャッサバの膣内への挿入も，安全ではないようです。子宮の収縮を引き起こし，流産を引き起こすおそれがあります。

母乳授乳期にキャッサバを食事の一部として日常的に摂取することは，おそらく安全ではありません。キャッサバの摂取により，乳児が甲状腺機能に影響するおそれのある化学物質にさらされるおそれがあります。

有効性

◆科学的データが不十分です

・下痢に起因する脱水，疲労，敗血症，陣痛の誘発など。

●体内での働き

キャッサバは，下痢が原因で脱水を起こした小児の下痢を軽減するようです。ただし，失われた電解質が回復することはないようです。キャッサバに含まれるシアン化物が，がん細胞に対する毒性を持つ可能性があります。

医薬品との相互作用

中 甲状腺ホルモン製剤

甲状腺ホルモンは体内で産生されます。キャッサバは甲状腺ホルモン量を減少させる可能性があります。キャッサバとホルモン製剤を併用すると，甲状腺ホルモン製剤の作用および副作用を減弱させるおそれがあります。

ハーブおよび健康食品・サプリメントとの相互作用

甲状腺ホルモンの産生を低下させるハーブおよび健康食品・サプリメント

キャッサバが，甲状腺ホルモン濃度を低下させるおそれがあります。キャッサバと甲状腺ホルモン濃度を低下させるおそれのあるハーブおよび健康食品・サプリメントを併用すると，甲状腺ホルモン濃度が過度に低下するおそれがあります。このようなハーブおよび健康食品・サプリメントには，ジプシーワート，レモンバーム，イブキジャコウソウなどがあります。

ヨウ素

キャッサバにより，体内に吸収されるヨウ素の量が低下するおそれがあります。このため，ヨウ素の値が過度に低下するおそれがあります。

通常の食品との相互作用

低タンパク食

キャッサバは，青酸グリコシドと呼ばれる化学物質を含んでいます。青酸グリコシドは，体内で毒性のあるシアン化物を放出します。タンパク質に含まれる特定のアミノ酸は，シアン化物の毒性を弱めます。タンパク質の摂取が少ない場合には，このようなアミノ酸の摂取が不十分なおそれがあります。このため，シアン化物中毒になりやすいおそれがあります。

使用量の目安

通常の食品に含まれている量を超えて経口摂取した場合の安全性および副作用については，明らかになっていません。

キャッツクロー

CAT'S CLAW

別名ほか

Griffe du Chat, Liane du Pérou, Life-giving Vine of Peru, Peruvian Liana, Samento, Uña de Gato, ウーニャ・デ・ガト, Uncaria guianensis, Uncaria tomentosa

概　要

キャッツクローはつる植物です。中南米の熱帯雨林に育ちます。2種のキャッツクローが「くすり」として使われてます。Uncaria tomentosa（学名）は米国でもっとも一般的に使われます。Uncaria guianensis（学名）は欧州で使われます。「くすり」は根および樹皮から作られます。キャッツクロー（cat's claw）とエゾノチチコグサ（cat's foot）を混同しないよう注意してください。

キャッツクローは変形性関節症および関節リウマチ（RA）に対してもっとも使われます。また，がん，ウイルス感染などの疾患に対しても使われますが，これらの用途を裏付ける十分な科学的根拠はありません。

・新型コロナウイルス感染症（COVID-19）。

COVID-19に対してキャッツクローの使用を裏付ける十分なエビデンス（科学的根拠）はありません。

安 全 性

キャッツクローを短期間経口摂取する場合は，ほとんどの人におそらく安全です。人によっては，頭痛，めまい感，嘔吐を引き起こすおそれがあります。

多発性硬化症（MS），ループス（全身性エリテマトーデス（SLE））などの自己免疫疾患：キャッツクローは免疫システムの活性を高める可能性があります。そのため，自己免疫疾患の症状が悪化するおそれがあります。これらの疾患のいずれかである場合には，医師などに相談せずにキャッツクローを摂取することは避けるのが最善です。

出血性疾患：キャッツクローは血液凝固を抑制する可能性があります。そのため，出血性疾患の場合にはキャッツクローにより紫斑や出血のリスクが高まるおそれがあります。

低血圧：キャッツクローが血圧を低下させる可能性があるというエビデンスがいくつかあります。低血圧の場合には問題が生じるおそれがあります。

白血病：キャッツクローは白血病を悪化させるおそれがあります。白血病の場合には使用しないでください。

手術：キャッツクローは手術中の血圧コントロールを困難にするおそれがあります。少なくとも手術前2週間は，使用しないでください。

●妊娠中および母乳授乳期

妊娠中：経口摂取はおそらく安全ではないという懸念があります。使用しないでください。

母乳授乳期：使用の安全性については，情報が不十分です。安全性を考慮して摂取しないでください。

有 効 性

◆有効性レベル③

キ

・変形性関節症。特定のキャッツクロー（学名Uncaria guianensis）のエキスを経口摂取すると，身体活動による膝痛が緩和されるようです。しかし，膝の腫脹や安静時の疼痛は抑制しないようです。
・関節リウマチ（RA）。特定のキャッツクロー（学名Uncaria tomentosa）のエキスを摂取すると，関節リウマチの症状が改善するようです。キャッツクローと抗リウマチ薬を24週間併用すると，キャッツクローにより疼痛や腫脹のある関節の数が減少するようです。

◆科学的データが不十分です

・がん，性器に疣贅（いぼ）やがんを引き起こすおそれのある性感染症（ヒトパピローマウイルス（HPV）），アルツハイマー病，気管支喘息，避妊，脳腫瘍，水痘，慢性疲労症候群（CFS），口唇ヘルペス，炎症性腸疾患の1つ（クローン病），下痢，湿疹（アトピー性皮膚炎），性器ヘルペス，淋病，花粉症，痔核，HIV/エイズ，寄生虫に起因する疾患，うろこ状で痒い皮膚（乾癬），帯状疱疹，胃潰瘍，胃粘膜の炎症（胃炎），炎症性腸疾患の1つ（潰瘍性大腸炎），創傷治癒など。

●体内での働き

キャッツクローに含まれる化学物質は，免疫システムを刺激したり，がん細胞を死滅させたり，ウイルスに抵抗したりする可能性があります。

医薬品との相互作用

中 肝臓で代謝される医薬品（シトクロムP450 3A4（CYP3A4）の基質となる医薬品）

特定の医薬品は肝臓で代謝されます。キャッツクローはこのような医薬品の代謝を変化させる可能性があります。そのため，医薬品の作用および副作用が変化するおそれがあります。このような医薬品には，Lovastatin，ケトコナゾール，イトラコナゾール，フェキソフェナジン塩酸塩，トリアゾラムなど数多くあります。

中 血液凝固を抑制する医薬品（抗凝固薬/抗血小板薬）

キャッツクローは血液凝固を抑制する可能性があります。キャッツクローを摂取し，血液凝固を抑制する医薬品を併用すると，紫斑および出血のリスクが高まるおそれがあります。このような医薬品には，アスピリン，クロピドグレル硫酸塩，ジクロフェナクナトリウム，イブプロフェン，ナプロキセン，ダルテパリンナトリウム，エノキサパリンナトリウム，ヘパリン，ワルファリンカリウムなどがあります。

中 降圧薬

キャッツクローは血圧を低下させる可能性があります。キャッツクローを摂取し，降圧薬を併用すると，血圧が過度に低下するおそれがあります。血圧を注意深く監視してください。このような降圧薬には，カプトプリル，エナラプリルマレイン酸塩，ロサルタンカリウム，バルサルタン，ジルチアゼム塩酸塩，アムロジピンベシル酸塩，ヒドロクロロチアジド，フロセミドなど数多くあります。

中 降圧薬（カルシウム拮抗薬）

キャッツクローは血圧を低下させる可能性があります。キャッツクローを摂取し，特定の降圧薬を併用すると，血圧が過度に低下するおそれがあります。血圧を注意深く監視してください。このような降圧薬には，ニフェジピン，ベラパミル塩酸塩，ジルチアゼム塩酸塩，Isradipine，フェロジピン，アムロジピンベシル酸塩などがあります。

中 免疫抑制薬

キャッツクローは免疫機能の活動を促進する可能性があります。特定の医薬品（移植後に使用する医薬品など）は免疫機能の活動を抑制します。キャッツクローを摂取し，このような医薬品を併用すると，医薬品の作用が減弱するおそれがあります。このような免疫抑制薬には，アザチオプリン，バシリキシマブ，シクロスポリン，Daclizumab，ムロモナブ-CD3（販売中止），ミコフェノール酸モフェチル，タクロリムス水和物，シロリムス，Prednisone，副腎皮質ステロイド（グルココルチコイド）などがあります。

ハーブおよび健康食品・サプリメントとの相互作用

血圧を低下させるおそれのあるハーブおよび健康食品・サプリメント

キャッツクローは血圧を低下させる可能性があるというエビデンスがいくつかあります。キャッツクローと，血圧を低下させるおそれのあるハーブおよび健康食品・サプリメントを併用すると，血圧が過度に低下するおそれがあります。このようなハーブおよび健康食品・サプリメントには，アンドログラフィス，カゼイン・ペプチド，コエンザイムQ-10，魚油，L-アルギニン，クコ属，イラクサ，テアニンなどがあります。

血液凝固を抑制するおそれのあるハーブおよび健康食品・サプリメント

キャッツクローは血液凝固を抑制する可能性があります。同じ作用があるハーブおよび健康食品・サプリメントと併用すると，人によっては紫斑および出血のリスクが高まるおそれがあります。このようなハーブおよび健康食品・サプリメントには，アンゼリカ，クローブ，タンジン，ニンニク，ショウガ，イチョウ，朝鮮人参，セイヨウトチノキ，レッドクローバー，ウコンなどがあります。

使用量の目安

●経口摂取

変形性関節症

特定のキャッツクロー凍結乾燥エキスを1日100mg摂取します。

関節リウマチ（RA）

特定のキャッツクローエキスを1日60mg，3回に分けて摂取します。

キャットニップ

CATNIP

●代表的な別名

イヌハッカ

別名ほか

キャットミント（Catmint），イヌハッカ，チクマハッカ（Nepeta cataria），Catnep，Catswort，Field Balm，Menta de Gato

概　　要

キャットニップは植物です。花頂を用いて「くすり」を作ることもあります。

●要説（ナチュラル・スタンダード）

キャットニップ（Nepeta cataria）は，多年生のハーブです。伝統的な使用では，キャットニップは鎮静薬，腸内ガス除去，および鎮痙作用があると考えられています。それ自体は，不眠，鼓腸，および胃のむかつきを治療するために使用されてきました。伝統的に，感冒，流行性感冒，および発熱の治療にも使用されてきました。カザフスタンでは，ネペタ・ユクレイニカLは，伝統的にハーブティーとして使用されてきました。

キャットニップに関しては，有効な科学的研究は限られています。水抽出物や特定の成分を用いた試験管内の研究では，キャットニップは抗菌，抗ウイルス，免疫調節の特性がある可能性を示しています。初期のエビデンスでは，精油は防虫剤として機能する可能性を示しています。症例報告は別として，キャットニップに含まれているとされている精神活性に関する有効な科学的データは不十分です。

米国食品医薬品局（FDA）の一般に安全と認識されるリスト（GRAS）には，キャットニップは掲載されていません。

安　全　性

少量を経口摂取する場合は，ほとんどの成人におそらく安全です。カップ1杯のキャットニップ茶の摂取では，深刻な副作用を認められていません。ただし，喫煙したり，高用量を経口摂取したり（何杯ものキャットニップ茶など）する場合は，おそらく安全ではありません。

頭痛，嘔吐および気分の悪さを引き起こすおそれがあります。

キャットニップを皮膚に直接塗布した場合の安全性についてはデータが不十分です。

小児：小児の経口摂取はおそらく安全ではありません。キャットニップの葉および茶を摂取したのち，胃痛，過敏症，不活発を発現した小児の報告が1件あります。

骨盤内炎症性疾患（PID）：キャットニップは月経を開始させるおそれがあるため，骨盤内炎症性疾患の女性は使用を避けてください。

過多月経：キャットニップは月経を引き起こすおそれがあるため，過多月経を悪化させるおそれがあります。

手術：キャットニップには中枢神経系を抑制する働きがあり，眠気などの作用を引き起こすようです。手術中や手術後に使用する麻酔などの医薬品も中枢神経系を抑制します。キャットニップとこのような医薬品を併用すると，中枢神経系を過度に抑制するおそれがあります。少なくとも手術前2週間は，使用しないでください。

●妊娠中および母乳授乳期

妊娠中の摂取は安全ではないようです。キャットニップが子宮を刺激するおそれがあるというエビデンスがいくつかあります。これは流産を引き起こすおそれがあります。

母乳授乳期の使用の安全性についてはデータが不十分です。安全性を考慮し，摂取は避けてください。

有　効　性

◆科学的データが不十分です

・防蚊剤，不眠（睡眠困難），片頭痛，感冒，インフルエンザ，発熱，蕁麻疹，胃のむかつき，腸内ガス，不安，関節炎，排尿量の増加，寄生虫の処置，女児の月経開始，痔核など。

●体内での働き

キャットニップに含まれる化学物質には鎮静作用があると考えられています。

医薬品との相互作用

中 炭酸リチウム

キャットニップは利尿薬のように作用する可能性があります。キャットニップを摂取すると，炭酸リチウムの体内からの排泄が抑制される可能性があります。そのため，体内の炭酸リチウム量が増加し，重大な副作用が現れるおそれがあります。

中 鎮静薬（中枢神経抑制薬）

キャットニップは眠気および注意力低下を引き起こす可能性があります。鎮静薬は眠気を引き起こす医薬品です。キャットニップと鎮静薬を併用すると，過度の眠気を引き起こすおそれがあります。このような鎮静薬にはクロナゼパム，ロラゼパム，フェノバルビタール，ゾルピデム酒石酸塩などがあります。

ハーブおよび健康食品・サプリメントとの相互作用

眠気または注意力低下を引き起こすおそれのあるハーブおよび健康食品・サプリメント

キャットニップは眠気または注意力低下を引き起こすおそれがあります。同様の作用をもつほかのハーブおよび健康食品・サプリメントと併用すると，過度の眠気を引き起こすおそれがあります。このようなハーブおよび健康食品・サプリメントには，5-ヒドロキシトリプトファン，ショウブ，ハナビシソウ，キャットニップ，ホップ，ジャマイカ・ドックウッド，カバ，セント・ジョンズ・ワート，スカルキャップ，カノコソウ，アネモプシス・カリフォルニカなどがあります。

使用量の目安

通常の食品に含まれている量を超えて経口摂取した場合の安全性および副作用については，明らかになっていません。

キャノーラ油

CANOLA OIL

別名ほか

DHA-Enriched Canola Oil，高DHAキャノーラ油，High Oleic Acid Canola Oil，高オレイン酸キャノーラ油，High Oleic Canola Oil，Low Erucic Acid Rapeseed Oil，低エルシン酸菜種油，Rapeseed Oil，菜種油，ナタネ油

概　　要

キャノーラ油はキャノーラ品種から作られる油です。キャノーラ品種はセイヨウアブラナの一種です。セイヨウアブラナは害を及ぼす可能性のある化合物を含みますが，キャノーラはこの化学物質をほとんど含みません。キャノーラ油は通常，食用として使用されます。

キャノーラ油は心疾患の予防に最も一般的に用いられます。また，高コレステロール血症，糖尿病，メタボリックシンドローム，肥満，高血圧，非アルコール性脂肪性肝疾患にも用いられます。

安 全 性

キャノーラ油の経口摂取は，食品として使用される量であればほとんどの人に安全のようです。「くすり」としての量を経口摂取する場合に安全であるかについては情報が不十分です。

小児：キャノーラ油は，食品として使用される量であればほとんどの小児に安全のようです。「くすり」としての量を経口摂取する場合に安全であるかについては情報が不十分です。

●妊娠中および母乳授乳期

キャノーラ油は，食品として使用される量であれば，ほとんどの人に安全のようです。「くすり」としての量を経口摂取する場合に安全であるかについては情報が不十分です。安全性を考慮して食品としての量を摂取してください。

有 効 性

◆有効性レベル③

・心疾患。飽和脂肪酸を多く含む食事脂肪の代わりにキャノーラ油を使用すると，心疾患のリスクが低下する可能性があるというエビデンスがあります。キャノーラ油の推奨量は，1日約20g（大さじ1.5杯）で，ほかの脂肪や油の代わりになるとされています。

・高コレステロール血症。ほかの食事脂肪の代わりにキャノーラ油を使用すると，高コレステロール血症で心疾患のリスクがある人の場合に，総コレステロールおよび低比重リポタンパク（LDL，悪玉）コレステロール値がわずかに低下するようです。キャノーラ油のなかには，オレイン酸やDHA（ドコサヘキサエン酸）を多量に含むものが開発されています。このようなキャノーラ油では通常のキャノーラ油よりLDL-コレステロールに対する作用が強まる可能性があります。

◆科学的データが不十分です

・糖尿病，遺伝的な高コレステロール血症（家族性高コレステロール血症），高血圧，メタボリックシンドローム，非アルコール性脂肪性肝疾患（NAFLD），肥満など。

●体内での働き

キャノーラ油は，飽和脂肪酸の代わりに，食事における不飽和脂肪酸の供給源として使用されます。

医薬品との相互作用

ほかの医薬品との相互作用については明らかではありません。

ハーブおよび健康食品・サプリメントとの相互作用

ほかのハーブ，健康食品・サプリメントとの相互作用についてはまだ明らかではありません。

使用量の目安

【成人】

●経口摂取

心疾患

飽和脂肪酸を多く含む脂肪や油の代わりにキャノーラ油を1日約20g（大さじ1.5杯）使用すると，心疾患のリスク低下に役立ちます。

高コレステロール血症

ほかの脂肪や油の代わりにキャノーラ油を毎日4週間使用します。また，エネルギー3,000kcalあたり最大60gキャノーラ油が占めるように食事を調整します。さらに，全脂肪の70%をキャノーラ油で占めるようにも調整されます。乳脂肪の代わりにキャノーラ油11gを含むチーズを毎日4週間使用することもあります。

キャベツ

CABBAGE

●代表的な別名

カンラン

別名ほか

ケール（Kale），レッドキャベツ（Red Cabbage），ホワイトキャベツ（White Cabbage），Brassica oleracea，Colewort

概　　要

キャベツは植物です。葉が「くすり」として使用されることもあります。

●要説（ナチュラル・スタンダード）

アブラナ属キャベツはアブラナ科属の植物です。植物の野生種は，西欧の大西洋沿岸や地中海沿岸で栽培が始まりました。2500年以上にわたって，アブラナ属キャベツは野菜として栽培され，選抜育種を通じて，特別な特性が発達してきました。野菜の多くの種類は，有利な品種を選択することによって，この野生株から派生します。コールワート（コール植物）は野生種です。その基本的な栽培種は，葉を拡大しているコラードと，通常は葉を巻いているケールです。

キャベツは，その端末の芽が硬い塊（キャベツの頭）において，拡大した葉から構成されているブロッコリーの別種類です。芽キャベツは，キャベツのミニチュアタイトな形として現れる側芽で，コールラビは拡大茎です。ブロッコリーとカリフラワーは，茎上の花芽の房にある花房です。

アブラナ科野菜には，ビタミン，ミネラル，繊維，カロチノイド，フラボノイド，硫黄，ジチオールチオン，グルコシノレートなどの多くの栄養素や生物活性物質が含まれています。アブラナ属の野菜，とくにキャベツは，極寒の温度に耐えることができます。よって，キャベツは多くの国で食事の定番です。

ヒスパニック系とアフリカ系アメリカ人のコミュニティ出身の民族伝承治療者は長い間，酵母の感染症治療にキャベツ汁を使用しています。キャベツの他の伝統的な用途は，痛風やリウマチの治療に，また，感染した傷を浄化する湿布薬としても使用されます。

質の高い科学的根拠では，授乳中の女性の乳房うっ積を治療するためのアブラナ属キャベツの使用を裏付けています。ヒトでの臨床試験では，がん予防のためのアブラナ属野菜の潜在的に有効な効果を研究し，高コレステロール血症，高トリグリセリド血症，線維筋痛，ヘリコバクター・ピロリ菌感染など，さまざまな疾患治療に使用されます。

安　全　性

通常の食品としての量を摂取する場合や，短期間，適切な方法で皮膚へ塗布する場合は，ほとんどの人に安全のようです。「くすり」としての量を経口摂取する場合は，ほとんどの人におそらく安全です。副作用についてはデータが不十分です。

母乳授乳期に短期間，皮膚へ塗布するのはほとんどの人に安全のようです。母乳授乳による腫脹と疼痛を緩和するため乳房にキャベツの葉を貼付するのは，1日数回で1～2日間であれば安全のようです。ただし，母乳授乳期にはキャベツの経口摂取はおそらく安全ではありません。通常の食品の量であっても摂取してはいけません。母親がわずか週1回でもキャベツを摂取すると，乳児が仙痛を起こすおそれがあるというエビデンスがあります。

糖尿病：糖尿病の人の血糖値に影響を及ぼすおそれがあります。糖尿病に罹患していてキャベツを摂取する場合には，低血糖の徴候がないかどうか観察し，血糖値を注意深く監視してください。

甲状腺機能低下症：キャベツは甲状腺機能低下症を悪化させるおそれがあります。甲状腺機能低下症の場合には，摂取を避けるのが最善です。

手術：キャベツは血糖値に影響を与え，手術中および術後の血糖コントロールを妨げるおそれがあります。少なくとも手術前2週間は，使用しないでください。

●妊娠中および母乳授乳期

妊娠中に「くすり」としての量を摂取する場合の安全性については，データが不十分です。安全性を考慮し，食品の量の範囲内で摂取してください。

有　効　性

◆有効性レベル③

・乳房に貼付した場合の，母乳授乳期の女性における乳房うっ積（乳房が硬く，疼痛がある）の緩和。腫脹と疼痛の緩和に，キャベツの葉全体が冷却ジェルパックとほぼ同程度の効果を示すようです。キャベツ葉エキスをクリームとして塗布する研究も行われています。効果があるとする女性もいますが，キャベツ葉エキスの含まれていないクリームと比較して統計学的に有意な効果は認められていません。

◆科学的データが不十分です

・膀胱がん，大腸がん，胃がん，高コレステロール血症，肺がん，膵がん，前立腺がん，胃痛，胃および腸の潰瘍，胃酸過多，気管支喘息，悪阻，骨粗鬆症予防など。

●体内での働き

がん予防に役立つと考えられる化学物質が含まれています。エストロゲンが体内で使われる方法を変化させて，乳がんのリスクを抑える可能性があります。キャベツに含まれる化学物質が「くすり」としてどのように作用するかについては，データが不十分です。

医薬品との相互作用

中アセトアミノフェン

アセトアミノフェンは体内で代謝されてから排泄されます。キャベツはアセトアミノフェンの代謝を促進する可能性があります。キャベツとアセトアミノフェンを併用すると，アセトアミノフェンの効果を弱めるおそれがあります。

有効性レベル：①効きます　②おそらく効きます　③効くと断言できませんが、効能の可能性が科学的に示唆されています　④効かないかもしれません　⑤おそらく効きません　⑥効きません

中オキサゼパム【販売中止】

オキサゼパムは体内で代謝されてから排泄されます。キャベツはオキサゼパムの排泄を促進する可能性があります。キャベツとオキサゼパムを併用すると，オキサゼパムの効果を弱めるおそれがあります。

中ワルファリンカリウム

キャベツには多量のビタミンKが含まれます。ビタミンKは体内で血液凝固に利用されます。ワルファリンカリウムは血液凝固を抑制するために用いられます。血液凝固を促進することにより，キャベツはワルファリンカリウムの有効性を弱める可能性があります。定期的に血液検査をしてください。ワルファリンカリウムの用量を変更する必要があるかもしれません。

中肝臓で代謝される医薬品（グルクロン酸抱合を受けて代謝される医薬品）

特定の医薬品は肝臓で代謝されてから排泄されます。キャベツはこのような医薬品の代謝を促進する可能性があります。キャベツと肝臓で代謝される医薬品を併用すると，その医薬品の有効性が弱まるおそれがあります。このような医薬品にはアセトアミノフェン，アトルバスタチンカルシウム水和物，ジアゼパム，ジゴキシン，エンタカポン，エストロゲン，イリノテカン塩酸塩水和物，ラモトリギン，ロラゼパム，Lovastatin，メプロバメート（販売中止），モルヒネ塩酸塩水和物，オキサゼパム（販売中止）などがあります。

中肝臓で代謝される医薬品（シトクロムP450 1A2（CYP1A2）の基質となる医薬品）

特定の医薬品は肝臓で代謝されます。キャベツはこのような医薬品の代謝を促進する可能性があります。キャベツと肝臓で代謝される医薬品を併用すると，医薬品の効果を弱めるおそれがあります。このような医薬品にはクロザピン，Cyclobenzaprine，フルボキサミンマレイン酸塩，ハロペリドール，イミプラミン塩酸塩，メキシレチン塩酸塩，オランザピン，塩酸ペンタゾシン，プロプラノロール塩酸塩，Tacrine，テオフィリン，Zileuton，ゾルミトリプタンなどがあります。

中糖尿病治療薬

キャベツは血糖値を低下させる可能性があります。糖尿病治療薬もまた血糖値を低下させるために用いられます。キャベツと糖尿病治療薬を併用すると，血糖値が過度に低下するおそれがあります。血糖値を注意深く監視してください。糖尿病治療薬の用量を変更する必要があるかもしれません。このような糖尿病治療薬にはグリメピリド，グリベンクラミド，インスリン，メトホルミン塩酸塩，ピオグリタゾン塩酸塩，マレイン酸ロシグリタゾン（販売中止）などがあります。

ハーブおよび健康食品・サプリメントとの相互作用

血糖値を低下させるおそれのあるハーブおよび健康食品・サプリメント

キャベツは血糖値を低下させるおそれがあります。同様の作用をもつほかのハーブおよび健康食品・サプリメントと併用すると，人によっては低血糖のリスクが高まるおそれがあります。このようなハーブおよび健康食品・サプリメントには，デビルズクロー，フェヌグリーク，ニンニク，グアーガム，セイヨウトチノキ，朝鮮人参，サイリウム，エゾウコギなどがあります。

使用量の目安

●皮膚への塗布

母乳授乳期の乳房の肥大および疼痛

キャベツの葉の葉脈を除去し，乳頭部の穴を開け，水洗後冷却します。冷えたキャベツの葉を，ブラジャーの中に入れるか，冷たいタオルの下に入れて湿布し，葉の温度が体温と同程度になったら（約20分間後）取り去ります。この治療を1日1～4回，1～2日間実施します。

キャラウェイ

CARAWAY

●代表的な別名

ヒメウイキョウ

別名ほか

野生クミン（Wild Cumin），キュンメル（Kummel），Anis Des Vosges, Apium Carvi, Carvi Fructus, Cumin Des Pres, Haravi, Krishan Jeeraka, Krishnajiraka, Kummich, Roman Cumin, Semen Cumini Pratensis, Semences de Carvi, Wiesen-Feldkummel

概　　要

キャラウェイは植物です。オイル，実，種子が「くすり」として使用されることもあります。

●要説（ナチュラル・スタンダード）

キャラウェイ（Carum carvi），またはペルシャクミンは，北アフリカ，欧州，およびアジアが原産です。種子から抽出される揮発性油は，ハーブ療法のために蒸留されます。オイル，種子，茶は，消化やその他の消化器疾患治療に使用されています。料理の香辛料として世界中で使用され，キャラウェイはアラビアの香辛料混合物であるタビル，北アフリカの香辛料ペースト・ハリッサ，およびドイツ料理で一般的な香味料の原料としても使用されています。

一般的に食品に含まれる量で消費されるキャラウェイは，おそらく安全です。キャラウェイは，米国において一般に安全と認識されているリスト（GRAS）にも掲載されています。

キャラウェイのサプリメントに関する研究は，主に消化不良の治療薬としての使用に関するものが中心です。しかしながらキャラウェイは，気管支喘息，乳児仙痛，過敏性腸症候群，および酸逆流治療のためにも効果的な可能性があり，ヘリコバクター・ピロリ菌に対しての抗菌活性をもつ可能性があります。キャラウェイは，一般に機能性胃腸障害治療のために使用されている混合薬であるIberogastの成分でもあります。キャラウェイの種子油成分には，抗がん作用がある可能性があります。

安 全 性

通常の食品の量を経口摂取する場合は，ほとんどの人に安全のようです。「くすり」としての量を経口摂取する場合は，最長８週間までほとんどの人におそらく安全です。

キャラウェイオイルをペパーミントオイルと併用すると，おくび，むねやけおよび吐き気を引き起こすおそれがあります。皮膚に塗布すると，敏感な人では皮膚の皮疹やそう痒を引き起こすおそれがあります。

糖尿病：キャラウェイは血糖値を低下させるおそれがあります。糖尿病に罹患していてキャラウェイを摂取する場合には，血糖値を注意深く監視してください。糖尿病薬の服薬量を調整する必要があるかもしれません。

ヘモクロマトーシス（体内への鉄の過剰な蓄積）：キャラウェイのエキスは鉄の吸収を増加させるおそれがあります。鉄サプリメントまたは鉄を含む食品と併用して，キャラウェイのエキスを過度に使用すると，体内の鉄濃度が上昇するおそれがあります。このことは，体内の鉄濃度が高い人では問題となるおそれがあります。

手術：キャラウェイは血糖値を低下させるおそれがあるため，手術中および術後の血糖コントロールを妨げるおそれがあります。少なくとも手術前２週間は，使用しないでください。

●妊娠中および母乳授乳期

「くすり」としての用量の摂取はおそらく安全ではありません。キャラウェイオイルは月経を開始させるのに使用されており，流産を引き起こすおそれがあります。使用してはいけません。

母乳授乳期の使用の安全性についてはデータが不十分です。安全性を考慮し，摂取は避けてください。

有 効 性

◆有効性レベル③

・むねやけ（ほかのハーブと組み合わせて使用）。ペパーミントオイルと組み合わせた特定の製品の一部としてキャラウェイオイルを使用すると，膨満および軽度の胃腸痙攣の症状を含むむねやけが，医薬品「シサプリド（販売中止）」とほぼ同程度に緩和されるようです。このペパーミントオイル/キャラウェイオイルの組み合わせ製品は米国では市販されていません。また，キャラウェイ，マガリバナ，ペパーミント葉，ジャーマン・カモミール，リコリス，ミルクシスル，アンゼリカ，celandine，レモンバームを含む別の製品も，胃のむかつきの症状を改善するようです。この組み合わせは，胃酸過多，疼痛性筋痙攣，吐き気および嘔吐を統計学的に有意に改善するようです。

◆科学的データが不十分です

・気管支喘息，食欲不振，便秘，腸内ガス，腫脹，胃および腸の痙攣，月経痛，血流低下，感染，月経の開始，授乳婦の乳汁分泌の増量など。

●体内での働き

キャラウェイオイルは消化を改善し，胃腸の痙攣を緩和する可能性があります。

キ

医薬品との相互作用

低イソニアジド

キャラウェイシード抽出物はイソニアジドの体内への吸収量を増加させる可能性があります。そのため，イソニアジドの作用および副作用を増強させるおそれがあります。

低ピラジナミド

キャラウェイシード抽出物とピラジナミドを同時に併用すると，キャラウェイシード抽出物がピラジナミドの血中濃度を上昇させる可能性があります。そのため，ピラジナミドの作用および副作用が増強するおそれがあります。

低リファンピシン

キャラウェイシード抽出物は，リファンピシンと同時に併用するとリファンピシンの血中濃度を上昇させる可能性があります。そのため，リファンピシンの作用および副作用が増強するおそれがあります。

中肝臓で代謝される医薬品（シトクロムP450 1A1（CYP1A1）の基質となる医薬品）

特定の医薬品は肝臓で代謝されます。キャラウェイシード抽出物はこのような医薬品の代謝を抑制する可能性があります。キャラウェイと肝臓で代謝される医薬品を併用すると，医薬品の作用および副作用が増強するおそれがあります。このような医薬品にはクロルゾキサゾン，テオフィリン，Bufuralolがあります。

中炭酸リチウム

キャラウェイシード抽出物は利尿薬のように作用する可能性があります。キャラウェイシード抽出物を摂取すると，炭酸リチウムの体内からの排泄が抑制される可能性があります。そのため，体内の炭酸リチウム量が増加し，重大な副作用が現れるおそれがあります。

中鎮静薬（中枢神経抑制薬）

キャラウェイシード抽出物は眠気および注意力低下を引き起こす可能性があります。鎮静薬は眠気を引き起こす医薬品です。キャラウェイシード抽出物と鎮静薬を併用すると，過度の眠気を引き起こすおそれがあります。このような鎮静薬にはクロナゼパム，ロラゼパム，フェノバルビタール，ゾルピデム酒石酸塩などがあります。

中糖尿病治療薬

キャラウェイは血糖値を低下させる可能性があります。糖尿病治療薬もまた血糖値を低下させるために用いられます。キャラウェイと糖尿病治療薬を併用すると，血糖値が過度に低下するおそれがあります。血糖値を注意深く監視してください。糖尿病治療薬の用量を変更する必要があるかもしれません。このような糖尿病治療薬にはグリメピリド，グリベンクラミド，インスリン，ピオグリタゾン塩酸塩，マレイン酸ロシグリタゾン（販売中止），クロルプロパミド，Glipizide，トルブタミド（販売中止）などがあります。

中利尿薬

キャラウェイシード抽出物は体内のカリウム量を減少させる可能性があります。利尿薬もまた体内のカリウム量を減少させる可能性があります。キャラウェイシード抽出物と利尿薬を併用すると，体内のカリウム量が過剰に減少するおそれがあります。このような利尿薬にはクロロチアジド（販売中止），クロルタリドン（販売中止），フロセミド，ヒドロクロロチアジドなどがあります。

ハーブおよび健康食品・サプリメントとの相互作用

眠気を引き起こすおそれのあるハーブおよび健康食品・サプリメント

キャラウェイは眠気を引き起こすおそれがあります。同様の作用をもつほかのハーブおよび健康食品・サプリメントと併用すると，過度の眠気を引き起こすおそれがあります。このようなハーブおよび健康食品・サプリメントには，5-ヒドロキシトリプトファン，ショウブ，ハナビシソウ，キャットニップ，ホップ，ジャマイカ・ドッグウッド，カバ，セント・ジョンズ・ワート，スカルキャップ，カノコソウ，アネモプシス・カリフォルニカなどがあります。

血糖値を低下させるおそれのあるハーブおよび健康食品・サプリメント

キャラウェイは血糖値を低下させるおそれがあります。同様の作用をもつほかのハーブおよび健康食品・サプリメントと併用すると，血糖値が過度に低下するおそれがあります。このようなハーブおよび健康食品・サプリメントには，デビルズクロー，フェヌグリーク，グアーガム，朝鮮人参，エゾウコギなどがあります。

鉄

キャラウェイのエキスは鉄の吸収を増加させるおそれがあります。理論上は，キャラウェイと鉄サプリメントを併用すると，体内の鉄濃度が過度に上昇するリスクが高まるおそれがあります。

通常の食品との相互作用

鉄を含む食品

キャラウェイのエキスは鉄の吸収を増加させるおそれがあります。理論上は，キャラウェイと鉄を含む食品を併用すると，体内の鉄濃度が過度に上昇するリスクが高まるおそれがあります。

使用量の目安

●経口摂取

むねやけ（胃酸過多）

ペパーミントオイルとともに，キャラウェイオイルを1日50～100mg摂取します。キャラウェイおよびそのほか数種のハーブを含む特定の併用製品を1回1mLの用量で1日3回摂取します。

胸腺抽出物

THYMUS EXTRACT

●代表的な別名

胸腺ホルモン

別名ほか

胸腺ホルモン（Thymostimulin），胸腺（Thymus），胸腺に由来するポリペプチド（Thymus-Derived Polypeptides），サイモデュリン（Thymomodulin），サイモシン（Thymosin），Predigested Thymus Extract, Pure Thymic Extract, Thymus Acid Lysate Derivative, Thymus Complex, Thymus Concentrate, Thymus Factors, Thymus Polypeptides, Thymus Substance

概　　要

胸腺抽出物は，人工的に作られることも，牛の胸腺から作られることもある化合物です。

●要説（ナチュラル・スタンダード）

胸腺は免疫機能で重要な甲状腺近くの胸骨下にある小葉腺です。年齢とともに，胸腺は脂肪および結合組織の割合が増えます。

いい伝えによれば，生理学的機能を改善したり自然治癒過程を助けるための動物組織や細胞調合薬の使用を行う腺療法や臓器療法は，1900年代半ばに初めて人気を博しました。同種療法の考えは，まず約200年前に導入されました。サプリメント用の胸腺抽出物は，通常，子牛から抽出されます。牛の胸腺抽出物は，サプリメントなどのカプセルや錠剤に含まれています。

胸腺抽出物は一般に，免疫系を刺激し，骨髄不全，自己免疫疾患，慢性皮膚疾患，再発性のウイルスと細菌感染，肝炎，アレルギー，化学療法の副作用，がんを治療するために使用されます。経口や注射での胸腺エキスに関する大部分の基礎と臨床研究は，ヨーロッパで行われています。

ヒトでの研究は，アレルギー，気管支喘息，がん，化学療法の副作用，心筋症（心筋の弱化），慢性閉塞性肺疾患，HIV/エイズ，肝疾患，呼吸器感染症，全身性エリテマトーデス，結核，免疫の活性化などで有望なことを示しています。しかしながら，すべての研究結果が一致するわけではなく，よりよく計画された研究が多くの分野で必要とされています。

安全性

ほとんどの人に安全のようです。

胸腺は動物からとられることがあるため，病気にかかった動物によって汚染されている可能性があります。汚染されたり病気にかかった動物の組織から作られた製品は，人の健康に害を与える可能性があります。

免疫機能が衰えている人は使用してはいけません。

●妊娠中および母乳授乳期

妊娠中および母乳授乳期の使用についてはデータが不十分です。安全性を考慮し，使用は控えてください。

有効性

◆有効性レベル③

・花粉症（枯草病）。仔牛胸腺エキスを４カ月投与すると，季節性鼻アレルギー患者のアレルギー症状の発症を抑制するとの報告があります。

・気管支喘息。胸腺エキスは気管支喘息の小児で急性の喘息発作を抑制する可能性があります。

・肺感染症。仔牛胸腺エキスの投与は反復性の呼吸器感染症患者において，感染の頻度や咳発作を抑制するようです。成人の再発性の気管支感染症において仔牛胸腺エキス単独あるいは，ワクチンとの併用は，ワクチン単独または抗生物質よりも有効に感染症の持続期間および頻度を低下させるようです。

・食物アレルギー。

◆科学的データが不十分です

・HIV/エイズ，関節炎，がん，ヘルペス，帯状疱疹など。

●体内での働き

免疫システムを改善したり高めることで作用します。

医薬品との相互作用

中免疫抑制薬

一般的に，免疫抑制薬は感染のリスクを増加させます。胸腺抽出物は，動物から得られますが，この抽出物が感染源になる可能性があります。したがって，胸腺抽出物に免疫抑制薬を併用することにより，感染のリスクは増加することが予想されます。免疫抑制薬を服用中は，胸腺抽出物を摂取してはいけません。このような免疫抑制薬には，アザチオプリン，バシリキシマブ，シクロスポリン，ミコフェノール酸モフェチル，Daclizumab，ムロモナブ-CD３（販売中止），タクロリムス水和物，シロリムス，Prednisone，副腎皮質ステロイドなどがあります。

ハーブおよび健康食品・サプリメントとの相互作用

ほかのハーブ，健康食品・サプリメントとの相互作用についてはまだ明らかではありません。

使用量の目安

●経口摂取

通常，750mgの未加工胸腺ペプチドか，120mgの純正胸腺ペプチド（サイモデュリン）を摂取します。

杏仁

APRICOT KERNEL

●代表的な別名

アンニン

別名ほか

アプリコットアーモンド，アミグダリン，杏，杏仁オイル，杏の種，苦扁桃，ホンアンズ，レアトリル，Amygdaloside，Amygdalus armeniaca，Armeniaca vulgaris，Bitter Apricot Kernel，Chinese Almond，Madelonitrile，Prunus armeniaca，Prunus Kernel，Vitamin B_{17}

概要

杏の種子から得たものが仁です。仁から，治療に使うオイルや化学物質を作ることがあります。

●要説（ナチュラル・スタンダード）

・Nitrilosides（ビタミンB_{17}）について

Nitrilosidesは，多くの植物に含まれる，水溶性の糖を含有する化合物であるBeta-cyanophoric Glycosidesの総称です。レアトリルとも呼ばれるアミグダリンは，もっとも一般的なNitrilosidesの１つです。アミグダリンは多くの果実の種子に含まれています。とくにアプリコットには多く含まれています。穀類やイネ科の植物にも含まれています。

特許を取得しているLaetrileとも呼ばれる化合物は，部分的に人工で，アミグダリンの構造の一部だけを共有しています。LaetrileもアミグダリンもビタミンB_{17}として製造，販売されていますが，どちらの化合物もビタミンではありません。

漢方医学の施術者はアプリコットの種子を，気管支炎や肺気腫など呼吸器系疾患の治療に用います。咳を抑え，粘液を取り除くとされています。オイルは下剤としても用いられています。少量摂取すると，呼吸を促進したり，消化を改善したり，健康によいとされています。ドイツでは関節リウマチの治療にも用いられています。高血圧の治療にはドイツでも米国でも用いられています。

Laetrileはがん治療に用いられています。1845年にロシアで初めてがん治療に用いられ，その後，米国やメキシコで用いられました。近年，米国がん協会（ACS）は，Laetrileおよびアミグダリンのがんに対する有効性は，科学的根拠に支持されていないことを表明しています。

有効性レベル：①効きます　②おそらく効きます　③効くと断言できませんが、効能の可能性が科学的に示唆されています　④効かないかもしれません　⑤おそらく効きません　⑥効きません

ACSは，これらの化合物には，体内でシアン化合物に変換されるおそれがあると警告しています。Laetrile®に起因するシアン化合物中毒の例は多数報告されています。米国国立衛生研究所（NIH）でも，医学的エビデンスによりがんに対するLaetrileの効果はほとんどなく，シアン化合物中毒に似た副作用をともなうことが示唆されているという同様の報告をしています。

米国食品医薬品局（FDA）では，Laetrileおよびアミグダリンをがん治療に用いることを承認していません。

安 全 性

杏仁の経口摂取および静脈内投与（IV）は，安全ではないようです。杏仁にはアミグダリンという毒性化学物質が含まれています。この化学物質は体内でシアン化合物に変換されます。シアン化合物が深刻な副作用を引き起こし，死に至るおそれもあります。

●妊娠中および母乳授乳期

妊娠中および母乳授乳期の経口摂取は，安全ではないようです。

有 効 性

◆有効性レベル④

・がん。杏仁または杏仁の有効成分であるアミグダリン（Laetrile）を経口摂取しても，がん治療に有効ではないようです。

●体内での働き

アミグダリンという毒性化学物質が含まれています。この化学物質は体内で，有毒なシアン化合物に変換されます。アミグダリンは最初にがん細胞に取り込まれてからシアン化合物に変換されると考えられていたため，杏仁をがん治療に用いることに関心が寄せられていました。シアン化合物ががんのみを損傷することが期待されていましたが，研究により，そうではないことがわかってきました。実際は，アミグダリンは胃でシアン化合物に変換されたのち体全体に分布して，深刻な害を及ぼし，死に至るおそれもあります。

医薬品との相互作用

ほかの医薬品との相互作用については明らかではありません。

ハーブおよび健康食品・サプリメントとの相互作用

ほかのハーブ，健康食品・サプリメントとの相互作用についてはまだ明らかではありません。

使用量の目安

通常の食品に含まれている量を超えて経口摂取した場合の安全性および副作用については，明らかになっていません。

共役リノール酸

CONJUGATED LINOLEIC ACID

●代表的な別名

CLA

別名ほか

Cis-9, trans-11 conjugated linoleic acid（cis-9, trans-11 CLA），CLA，linoleic，trans-10, cis-12 conjugated linoleic acid（trans-10, cis-12 CLA）

概　　要

共役リノール酸は，リノール酸（脂肪酸）に含まれる一群の化学物質を指します。食事では主に乳製品と牛肉から得られます。平均的な食事からは，1日15〜174mgの共役リノール酸を得ることができます。

共役リノール酸は，一般的に減量のために経口摂取されます。ボディービルやフィットネスにもよく使用されますが，これらの用途を裏づけるエビデンスは限られています。

安 全 性

通常の食品に含まれる量の共役リノール酸を経口摂取する場合，ほとんどの人に安全のようです。「くすり」としての量（通常の食品に含まれる量を超える量）を経口摂取する場合，おそらく安全です。胃のむかつき，下痢，吐き気，疲労，頭痛，背痛，および出血のリスクの増加といった副作用が起こるおそれがあります。まれに，共役リノール酸が肝毒性を引き起こすことがあります。

小児：小児が「くすり」としての量を経口摂取する場合，最長7カ月まで，おそらく安全です。長期使用の安全性についてはエビデンスが不十分です。

出血性疾患：共役リノール酸が血液凝固を抑制するおそれがあります。理論上，出血性疾患患者の紫斑および出血のリスクが高まるおそれがあります。

糖尿病：共役リノール酸が糖尿病を悪化させるおそれがあります。使用は避けてください。

メタボリックシンドローム：メタボリックシンドロームの場合，共役リノール酸を摂取すると，糖尿病を発症するリスクが高まるおそれがあります。慎重に使用してください。

手術：共役リノール酸が手術中・手術後の出血量を増やすおそれがあります。少なくとも手術前2週間は，使用しないでください。

●妊娠中および母乳授乳期

通常の食品に含まれる量を経口摂取する場合，ほとんどの人に安全のようです。しかし，妊娠中および母乳授乳期に「くすり」としての量を使用する場合の安全性については，十分なエビデンスがありません。安全性を考慮し，摂取は避けてください。

有　効　性

◆有効性レベル③

・高血圧。高血圧がコントロールできていない場合，共役リノール酸をRamipril（降圧薬）と併用すると，Ramipril（降圧薬）単独で使用する場合よりも血圧が低下するようです。

・肥満。成人が共役リノール酸を毎日経口摂取することにより，体脂肪が減少する可能性があります。共役リノール酸はまた，空腹感を軽減する可能性がありますが，これにより摂食が低下するかどうかは明らかではありません。共役リノール酸は，ほとんどの人の体重またはBMIを減少しないようです。また，以前肥満で減量した人の体重増加を防ぐ効果はないようです。共役リノール酸を脂肪の多い食品と併用しても，減量を促すことはないようです。ただし，牛乳に共役リノール酸を加えたものを摂取すると，肥満の成人の体脂肪が減少する可能性があります。小児では，共役リノール酸を１日３g摂取すると，体重が減少する可能性があります。共役リノール酸は体重が減少する可能性がある一方，特定の形態の共役リノール酸（トランス-10，シス-12）の摂取により，２型糖尿病および心疾患の危険因子が増加するおそれがあることを示す研究があります。さまざまな形態の共役リノール酸を含むサプリメントで同様のリスクがあるかどうかは明らかではありません。

◆有効性レベル④

・感冒。共役リノール酸を摂取しても，感冒の症状を予防または軽減することはありません。

・糖尿病。共役リノール酸を摂取しても，２型糖尿病患者の食前・食後の血糖値またはインスリン値は改善されません。

・高コレステロール血症。共役リノール酸を含む牛乳を飲んでも，軽度の高コレステロール血症患者のコレステロール値またはトリグリセリドと呼ばれる血清脂質値は改善しないようです。

◆科学的データが不十分です

・アレルギー（花粉症），気管支喘息，乳がん，認知機能，結腸直腸がん，運動能力，メタボリックシンドローム，非アルコール性脂肪性肝炎（NAFLD），筋力，関節リウマチなど。

●体内での働き

体脂肪の蓄積を減らし，免疫機能を改善するのに役立つ可能性があります。

医薬品との相互作用

中Ramipril

Ramiprilは血圧を低下させるために用いられます。共役リノール酸とRamiprilを併用すると，Ramiprilの血圧低下作用が増強する可能性があります。理論的には，共役リノール酸とRamiprilを併用すると，血圧が過度に低下するおそれがあります。

中血液凝固を抑制する医薬品（抗凝固薬/抗血小板薬）

共役リノール酸は血液凝固を抑制する可能性があります。共役リノール酸と血液凝固を抑制する医薬品を併用すると，紫斑および出血のリスクが高まるおそれがあります。このような医薬品には，アスピリン，クロピドグレル硫酸塩，ジクロフェナクナトリウム，イブプロフェン，ナプロキセン，ダルテパリンナトリウム，エノキサパリンナトリウム，ヘパリン，ワルファリンカリウムなどがあります。

中降圧薬

共役リノール酸は血圧を低下させるようです。共役リノール酸と降圧薬を併用すると，血圧が過度に低下するおそれがあります。このような降圧薬には，カプトプリル，エナラプリルマレイン酸塩，ロサルタンカリウム，バルサルタン，ジルチアゼム塩酸塩，アムロジピンベシル酸塩，ヒドロクロロチアジド，フロセミドなど数多くあります。

ハーブおよび健康食品・サプリメントとの相互作用

血圧を低下させるおそれのあるハーブおよび健康食品・サプリメント

共役リノール酸は血圧を低下させる可能性があります。血圧を低下させる可能性のあるほかのハーブおよび健康食品・サプリメントと併用すると，血圧が過度に低下するおそれがあります。このようなハーブおよび健康食品・サプリメントには，アンドログラフィス，カゼイン・ペプチド，キャッツクロー，コエンザイムQ-10，魚油，L-アルギニン，クコ属，イラクサ，テアニンなどがあります。

血液凝固を抑制するハーブおよび健康食品・サプリメント

共役リノール酸が血液凝固を抑制するおそれがあります。血液凝固を抑制するほかのハーブおよび健康食品・サプリメントと併用すると，紫斑および出血のリスクが高まるおそれがあります。このようなハーブおよび健康食品・サプリメントには，アンゼリカ，クローブ，タンジン，ニンニク，ショウガ，イチョウ，朝鮮人参などがあります。

ビタミンA

共役リノール酸は肝臓組織および乳房組織に貯蔵されるビタミンA（レチノール）を増加させる可能性があるというエビデンスがあります。

ビタミンE

共役リノール酸は肝臓組織に貯蔵されるビタミンE（α-トコフェロール）を増加させる可能性があるというエビデンスがあります。

使用量の目安

【成人】

●経口摂取

肥満患者の体脂肪減少

1日1.8～7gを摂取します。ただし，1日3.4g以上摂取しても，得られる効果の度合いは変わらないようです。

高血圧の改善

共役リノール酸1日4.5gと降圧薬ramipril 1日37.5mgを8週間使用します。

【小児】

●経口摂取

体脂肪減少

6～10歳の過体重の小児に1日3g，7カ月間使用します。

魚油

FISH OIL

●代表的な別名

n-3系不飽和脂肪酸

別名ほか

肝油(Cod liver oil)，魚油脂肪酸(Fish oil fatty acids)，魚肝油（Fish liver oils)，N-3系脂肪酸（N-3 fatty acids)，オメガ脂肪酸(Omega fatty acids)，N-3系脂肪酸（Omega-3 fatty acids)，オメガ-3脂肪酸（Omega-3 fatty acid)，ω-3脂肪酸（ω-3 fatty acids)，メンヘーデン油(Menhaden oil)，サーモンオイル(Salmon Oil)，Fish body oil，Fish oils，Fish liver oil，Marine oils，N3-Polyunsaturated fatty acids，PUFA

概　　要

魚油は，魚およびサプリメントにより，摂取することができます。n-3系脂肪酸として知られる有益な脂質は，とくに，サバ，ニシン，マグロ，サケ，タラといった魚や，クジラやアザラシの脂皮に豊富に含まれています。

魚油に含まれるもっとも重要な2つのn-3系脂肪酸は，EPA（エイコサペンタエン酸）とDHA（ドコサヘキサエン酸）です。

特定の魚油は，トリグリセリド値を下げるための処方薬として使用されます。

魚油は，心臓および血管に関連する疾患に対するサプリメントとして，もっともよく使用されます。魚油は，腎臓に関連する様々な疾患に対しても，使用されます。魚は，神経および脳機能に関連する様々な疾患を助けるために摂取されることから，「脳に良い食べ物」であるという定評があります。失明につながるおそれのある眼疾患に対して，魚油を摂取する人もいます。魚油サプリメントは，ほかにも多様な疾患に対して試されています。

魚油と，EPA（エイコサペンタエン酸），DHA（ドコサヘキサエン酸），タラ肝油およびサメ肝油を混同してはいけません。これらの成分については，それぞれの項目を参照ください。

安　全　性

魚油の低用量（1日3g以下）の経口摂取は，ほとんどの人に安全のようです。高用量の魚油を摂取する場合の安全性については，いくらかの懸念があります。1日3gを超える量の摂取は，血液凝固を抑制し，出血のリスクを高めるおそれがあります。

高用量の魚油を摂取する場合には，免疫機能が抑制され，感染に抵抗する機能が低下するおそれがあります。臓器移植患者など免疫機能を抑制する医薬品を服用している患者や，高齢者の場合には，とくに懸念があります。

高用量の魚油を摂取する場合には，必ず，医師などの管理下で行ってください。

魚油により，げっぷ，口臭，むねやけ，吐き気，軟便，皮疹および鼻出血などの副作用を引き起こすおそれがあります。魚油サプリメントを食事と併用して摂取する場合や，魚油サプリメントを凍らせて摂取する場合には，これらの副作用が軽減する可能性があります。高用量の魚油を食事から摂取する場合には，おそらく安全ではない場合があります。魚肉（とくに，サメ，キングマッケレルおよび養殖されたサケ）の中には，水銀，そのほかの工業化学物質，環境化学物質で汚染されているおそれがあります。魚油サプリメントには，通常，これらの汚染物質は含まれていません。

静脈内投与した場合：魚油を静脈内投与する場合には，短期間であれば，おそらく安全です。魚油またはn-3系脂肪酸溶液は，1～4週にわたり，安全に用いられています。

小児：魚油の経口摂取は，適量であれば，おそらく安全です。経管栄養のチューブから乳児に魚油を投与する場合には，最長9カ月まで安全に用いられています。ただし，幼児は，魚油1週約60mLを超える量を摂取するべきではありません。食事を経口摂取できない乳児に対して，医師などが魚油を静脈内投与する場合には，おそらく安全です。高用量の魚油を，食事から摂取する場合には，おそらく安全ではありません。脂肪の多い魚は，水銀などの毒素を含んでいるおそれがあります。汚染された魚を頻繁に摂取すると，小児に脳損傷，精神遅滞，失明および痙攣を引き起こすおそれがあります。

双極性障害：魚油の摂取により，双極性障害の症状の一部が悪化するおそれがあります。

肝疾患：肝疾患に起因する肝臓の瘢痕化をともなう患者が，魚油を摂取する場合には，出血のリスクが高まるおそれがあります。

うつ病：魚油の摂取により，うつ病の症状の一部が悪化するおそれがあります。

糖尿病：高用量の魚油を摂取すると，血糖値コントロールがより難しくなる懸念があります。

家族性大腸腺腫症：家族性大腸腺腫症の場合には，魚油により，がんを発症するリスクがより高まる懸念があります。

高血圧：魚油は血圧を低下させる可能性があり，降圧薬による治療を受けている場合には，血圧が過度に低下するおそれがあります。

HIV/エイズおよび免疫機能の低下をともなうそのほかの疾患：高用量の魚油を摂取することにより，身体の免疫機能が低下するおそれがあります。このため，すでに免疫機能が低下している場合には，問題となるおそれがあります。

植込み型除細動器（不整脈予防のため外科的に埋め込まれた機器）：一部の研究により，植込み型除細動器を用いている患者が，魚油を摂取することにより，不整脈のリスクが高まるおそれが示唆されています。安全性を考慮し，魚油のサプリメントの摂取は避けてください。

●アレルギー

魚および魚介類に対するアレルギー：魚などの魚介類にアレルギーがある場合には，魚油のサプリメントにもアレルギーがあるおそれがあります。魚介類にアレルギーがある場合に，魚油に対してもアレルギー反応を引き起しやすいかどうかについてはデータが不十分です。魚介類にアレルギーがある場合には，十分なデータが得られるまで，魚油のサプリメントの使用を避けるか，注意して摂取してください。

●妊娠中および母乳授乳期

魚油の経口摂取は，適量であれば，ほとんどの人に安全のようです。妊娠中の女性が，魚油を摂取しても，胎児および乳児に影響を与えることはないようです。サメ，メカジキ，キングマッケレルおよびアマダイは，高用量の水銀を含んでいるおそれがあるため，妊娠中および妊娠の可能性がある女性，母乳授乳期の女性は，これらの魚の摂取を避けるべきです。ほかの魚の摂取は，1週約355mL（1週約3～4回程度）に制限してください。高用量の魚油を，食事から摂取する場合には，おそらく安全ではない場合があります。脂肪の多い魚は，水銀などの毒素を含んでいるおそれがあります。。

有 効 性

◆有効性レベル①

・高トリグリセリド血症。ほとんどの研究が，魚油がトリグリセリド値を低下させる可能性があることを示しています。トリグリセリド値がとくに高い場合には，魚油の効果が最大となるようです。魚油の摂取量は，トリグリセリド値の減少に直接影響するようです。ただし，魚油がトリグリセリド値を低下させる効果は，フィブラート系薬ほどではないようです。特定の"魚油製剤"は，トリグリセリド値がとくに高い状態を治療するために処方することが認められています。これらの製品の最も標準的な摂取量は，1日4gです。これは，n-3系脂肪酸1日3.5gの摂取量に相当します。研究によれば，市販の魚油サプリメントにも同様の効果があることが示されていますが，サプリメントの使用を推奨しない専門家もいます。処方製品と比べ，サプリメントの場合，n-3系脂肪酸の含有量が少ないことがよくあります。結果として，処方製品と同様の効果を得るために必要となるサプリメントは，1日12カプセルほどになります。

◆有効性レベル③

・閉塞または収縮した血管を拡張する手術（血管形成術）。研究によれば，血管形成術の少なくとも3週間前から手術後1カ月にわたり，魚油を投与することにより，血管が再閉塞するリスクが最大で45%低下することが示唆されています。ただし，血管形成術前，2週間以内の期間から投与をはじめても，効果はないようです。

・抗リン脂質抗体症候群と呼ばれる自己免疫疾患をともなう妊婦の流産。抗リン脂質抗体症候群をともなう妊婦が，魚油を経口摂取することにより，流産が予防され，出生率が高まるようです。

・小児の注意欠陥多動障害（ADHD）。初期の研究によれば，8～13歳までの注意欠陥多動障害の小児が魚油を摂取すると，注意力，精神機能および行動が改善することが示されています。ほかの研究では，7～12歳までの注意欠陥多動障害の小児が，魚油と月見草油を含む特定のサプリメントを摂取することにより，精神機能および行動が改善することが示されています。

・双極性障害。双極性障害の患者が，魚油と，従来の治療法を併用する場合，うつ病の症状は改善するものの，躁病の症状は改善しないようです。

・重症疾患を有する患者における意図的でない体重減少（悪液質または消耗症候群）。一部のがん患者については，高用量の魚油を摂取することにより，体重減少が抑制される可能性があるようです。少量の魚油を摂取しても，この作用は現れないようです。一部の研究者の間では，魚油がうつ病に作用し，気分が改善することによって，がんに関連する体重減少が抑制されると考えられています。

・心臓への血流を改善する手術（冠動脈バイパス（CABG）手術）。魚油を摂取することにより，冠動脈バイパス手術の後に，冠動脈バイパスの再閉塞が予防されるようです。

・シクロスポリンによる高血圧。シクロスポリンは，臓器移植後の臓器の拒絶反応を抑制する医薬品です。魚油の摂取により，シクロスポリンに起因する高血圧を予防できるようです。

・シクロスポリンによる腎障害。シクロスポリンは，臓器移植後の臓器の拒絶反応を抑制する医薬品です。魚油の摂取により，シクロスポリンに起因する腎障害を予防できるようです。魚油は，移植された臓器の拒絶反応を抑制するためにシクロスポリンを服用中の患者の腎機能も改善するようです。

・不器用さを特徴とする運動能力障害（発達性協調運動障害（DCD））。5～12歳までの発達性協調運動障害の小児が，魚油（80%）と月見草油（20%）を併用して摂取すると，読み書き能力および行動が改善するようです。発達性協調運動障害の小児が，魚油のサプリメントを摂取した場合に，運動能力が改善する可能性については不明です。臨床研究の結果は，一致していません。

・生理痛（月経困難）。研究により，月経痛の女性が，魚油を単独，またはビタミンB_{12}やビタミンEと併用して摂取することで，痛みを感じる期間が短縮し，鎮痛薬の服用量を減らすことができる可能性が示されています。

・子宮体がん（子宮内膜がん）。脂肪の多い魚を１週間に２回，日常的に摂取している女性は，子宮体がんの発生リスクが低いことを示唆するエビデンスが複数あります。

・心不全。食品から高用量の魚油を摂取することは，心不全のリスク低下につながります。油で調理しない魚を１週間に１，２回，摂取することが推奨されています。魚油サプリメントが，心不全の予防につながるかどうかについては明らかではありません。しかし，初期の研究では，魚油サプリメントが，心不全の患者の死や入院中の有害転帰を抑制する可能性が示唆されています。

・心臓移植後の合併症。魚油を摂取すると，心臓移植後の腎機能が維持され，血圧の長期にわたる上昇が抑制されるようです。

・HIV/エイズによる血中脂質異常。複数の研究では，HIV/エイズの治療に起因するコレステロール値の異常がある場合には，魚油を摂取することにより，トリグリセリド値が低下することが示唆されています。同様の場合に，魚油を摂取することにより，総コレステロール値が低下する可能性もありますが，見解は一致していません。

・高血圧。中度から重度の高血圧患者の場合には，魚油が，血圧をわずかに低下させるようです。わずかに血圧が高い場合には，一部の魚油製品により，血圧が低下する可能性もありますが，見解は一致していません。魚油が，一部の降圧薬の効果を高めるようです。ただし，降圧薬の服用による血圧コントロールができていない場合には，魚油により血圧が低下することはないようです。

・徐々に進行する腎臓病（IgA糸球体腎炎）。複数の研究では，IgA糸球体腎炎の発症リスクの高い患者が，短期ではなく長期にわたって魚油を摂取することにより，腎機能の低下が抑制される可能性があることが示されています。より高用量の魚油を摂取することにより，効果が高まる可能性があります。尿タンパクの値が高いIgA糸球体腎炎の患者に対して，もっとも効果がある可能性があります。

・骨粗鬆症。研究により，骨粗鬆症の高齢者が，魚油を単独，またはカルシウムおよび月見草油と併用して摂取することにより，骨量減少率が抑制され，大腿骨および脊椎の骨密度が高まることが示唆されています。ただし，骨がもろくなっていなくとも，膝の変形性関節症をともなう高齢者の場合には，骨密度の低下が抑制されることはありません。

・うろこ状で痒い皮膚（乾癬）。魚油を静脈内投与することにより，乾癬の症状が緩和する可能性を示唆するエビデンスが複数あります。魚油を皮膚へ塗布する場合にも，乾癬の症状の一部が改善するようです。ただし，魚油を経口摂取しても，乾癬に対する効果はないようです。

・幻覚および妄想をともなう精神疾患。複数の研究では，軽度の精神疾患をともなう10代や青少年が，魚油サプリメントを摂取することにより，症状の進行予防につながる可能性が示されています。高齢患者に対する，これらの作用についての研究は，なされていません。

・レイノー症候群。典型的なレイノー症候群の場合には，魚油を摂取することにより，人によっては，耐寒性が向上する可能性があることを示唆するエビデンスが複数あります。ただし，全身性進行性硬化症に起因するレイノー症候群の場合には，魚油サプリメントによる効果はあらわれないようです。

・関節リウマチ(RA)。魚油を単独または医薬品「ナプロキセン」と併用して摂取することにより，関節リウマチの症状の改善につながるようです。魚油の摂取により，鎮痛薬の使用量を減らすことができる可能性もあります。また，関節リウマチの患者が，魚油を静脈内投与する場合には，関節の腫脹や痛みが緩和します。

◆有効性レベル④

・胸痛（狭心症）。研究では，胸痛の患者が魚油サプリメントを摂取しても，死亡リスクが低下することや，心臓の健康状態が改善することはないことが示唆されています。複数のエビデンスで，胸痛の患者が魚油サプリメントを摂取することにより，心臓関連死のリスクが実際に高まるおそれのあることが示唆されています。

・動脈硬化。魚油サプリメントを摂取することで，動脈硬化の進行がわずかに抑制される可能性が示されている研究もあります。しかし，ほとんどの研究が，魚油には，動脈硬化の進行を抑制したり，症状を改善する効果はないことを示しています。

・湿疹（アトピー性皮膚炎）。研究により，魚油が湿疹を改善することはないことが示されています。ほとんどの研究が，妊娠中の女性が魚油を摂取しても，小児の湿疹の予防にはならないことも示しています。乳児に魚油を与えても，小児の湿疹の予防にはつながらないようです。しかし，１～２歳の小児が魚を少なくとも週に１回食べる場合には，湿疹の発症リスクが低下するようです。

・心房細動（不整脈）。一部の研究では，魚を週５回以上食べる場合には，不整脈のリスクが低下することが示唆されています。ただし，ほとんどの研究では，脂肪の多い魚や魚油サプリメントを摂取しても，不整脈のリスクが低下することはないことが示唆されています。

・長期の脳血流異常（脳血管障害）。複数の初期の研究では，魚を食べることにより，脳血管障害のリスクが低下することが示唆されています。しかし，より質の高い研究においては，魚油を摂取しても，このような効果はないことが示唆されています。

・肝臓の瘢痕化（肝硬変）。魚油を経口摂取しても，進行した肝疾患に起因する肝臓の瘢痕に関連する腎疾患は改善しないようです。

・記憶と思考能力（認知機能）。ほとんどの研究で，高齢者，青少年または小児が魚油サプリメントを摂取しても，精神機能が改善しないことが示されています。

・軽度の歯周病（歯肉炎）。魚油を摂取しても，歯肉炎が改善することはないようです。

・潰瘍に至るおそれがある消化管感染（ヘリコバクター・ピロリ菌）。魚油を経口摂取しても，標準的な医薬品とくらべ，ヘリコバクター・ピロリ菌感染が改善することはないようです。

・HIV/エイズ。複数のエビデンスにより，ヒト免疫不全ウイルス（HIV）患者が魚油を含むバーを摂取しても，CD４細胞数が増加することはないことが示されています。魚油を含む製品を摂取しても，血中HIV濃度は低下しないようです。

・腎移植。研究によれば，魚油を摂取しても，腎移植をした患者の延命につながることはないことが示されています。移植片に対する拒絶反応の予防にもつながらないようです。

・乳房痛。魚油を摂取しても，長期にわたる乳房痛が緩和することはないようです。

・更年期症状。研究により，更年期症状をともなう女性が魚油を摂取しても，顔面紅潮（ほてり）や不眠の改善，または生活の質の向上につながらないことが示されています。ただし，魚油サプリメントにより，更年期症状をともなう女性の寝汗が緩和する可能性があります。

・片頭痛。魚油を経口摂取しても，片頭痛の頻度が低下することや，痛みが緩和することはないようです。

・変形性関節症。変形性関節症の患者が魚油を摂取する場合，高用量を摂取する場合とくらべ，低用量の魚油を摂取する場合には，痛みや機能の改善がみられるようです。この結果は，予測と異なる結果であり，プラセボ効果に起因する可能性があります。グルコサミンに魚油を加えても，グルコサミン単独で摂取する場合と比べ，痛みやこわばりが緩和することはありません。

・血管の狭窄による下肢への血流不足（末梢動脈疾患）。血行障害に起因する脚の痛みがある場合に，魚油を経口摂取しても，歩く距離は改善されないようです。

・肺炎。集団を対象にする研究により，魚の摂取と肺炎の発症リスクには，関連がないことが示されています。

・妊娠高血圧症候群。魚油は，妊娠高血圧症候群の予防にはならないようです。

・高血圧とタンパク尿を認める妊娠合併症（妊娠高血圧腎症）。魚油は，妊娠高血圧腎症の予防にはならないようです。

・心拍数が速く異常な状態（心室性不整脈）。集団を対象にする研究により，多量の魚を食べても，心拍数が速く異常な状態になるリスクに対して影響を及ぼさないことが示されています。臨床試験による見解は一致していません。複数の研究により，魚油を毎日摂取しても，心拍数が速く異常な状態となるリスクに対して影響を及ぼさないことが示されています。しかし，ほかの研究によれば，魚油を11カ月間摂取することにより，心室不整脈の発症が遅くなることが示唆されています。ただし，全般的に魚油を摂取しても，心拍数が速く異常な状態である患者の死亡リスクが低下することはないようです。

◆有効性レベル⑤

・糖尿病。２型糖尿病患者が魚油を摂取しても，血糖値が低下することはありません。ただし，魚油は，糖尿病患者に対して，トリグリセリドと呼ばれる血清脂質の値を低下させるなど，別の効果がある可能性があります。また，魚油により妊娠中の糖尿病の発症リスクが低下することはありません。

◆科学的データが不十分です

・加齢黄斑変性（加齢にともなう視力低下），花粉症，アルツハイマー病，気管支喘息，運動能力，自閉症，がん，心疾患，白内障，慢性疲労症候群（CFS），加齢にともなう記憶と思考能力の低下，結腸直腸がん，炎症性腸疾患の１つ（クローン病），のう胞性線維症，アルツハイマー病などの認知障害を引き起こす疾患（認知症），うつ病，糖尿病患者の腎臓病（糖尿病性腎症），糖尿病による視覚の異常（糖尿病性網膜症），ドライアイ，読みが困難となる学習障害（ディスレクシア），異常なレベルの血清コレステロールまたは血清脂肪（脂質異常症），末期腎不全（ESRD），痙攣発作（てんかん），運動による筋肉痛，食物過敏症，人工透析に用いられる移植片の閉塞予防，前糖尿病，乳児の発達，多発性硬化症（MS），非アルコール性脂肪性肝疾患（NAFLD），肥満，口内の腫脹（炎症）および痛み（口腔粘膜炎），膵炎，血清フェニルアラニン値が増加する遺伝性疾患（フェニルケトン尿症（PKU）），恐ろしい出来事の後にしばしば発症する不安障害の１つ（心的外傷後ストレス障害（PTSD）），早産，未熟児の成長と発育，床ずれ（褥瘡性潰瘍），気道感染症，サリチル酸塩を十分に代謝できないこと（サリチル酸塩不耐症），加齢による筋肉の減少（サルコペニア），統合失調症，血液感染（敗血症），鎌状赤血球症，脳卒中，広範囲に腫脹を引き起こす自己免疫疾患（全身性エリテマトーデス（SLE）），炎症性腸疾患の１つ（潰瘍性大腸炎），緑内障など。

●体内での働き

魚油のもたらす多くの効果は，魚油に含まれるn-３系脂肪酸によるもののようです。興味深いことに，体内でn-３系脂肪酸が生成されることはありません。西洋式の食事に一般的に含まれているn-６系脂肪酸からn-３系脂肪酸が体内で生成されることもありません。魚油サプリメントに含まれていることの多い，２種類のn-３系脂肪酸，EPA（エイコサペンタエン酸）とDHA（ドコサヘキサエン酸）については多くの研究が行われています。

n-3系脂肪酸は，疼痛および腫脹を緩和します。このため，魚油が，乾癬およびドライアイに効果があると考えられています。また，これらの脂肪酸は，血液凝固を抑制します。このため，魚油が，心疾患の一部に有効であると考えられています。

医薬品との相互作用

中オルリスタット【販売中止】

オルリスタットは，魚油に含まれる有益な脂肪酸が体内に吸収されるのを妨げる可能性があります。この相互作用を避けるために，魚油を摂取してオルリスタットを併用する場合には少なくとも2時間の間隔を空けてください。

低ワルファリンカリウム

ワルファリンカリウムは血液凝固を抑制するために用いられます。魚油も血液凝固を抑制する可能性があります。魚油を摂取し，ワルファリンカリウムを併用すると，血液凝固を過度に抑制し，出血のリスクを高めるおそれがあります。さらに明らかになるまでは，注意深くワルファリンカリウムと併用してください。また，定期的に血液検査をしてください。ワルファリンカリウムの用量を変更する必要があるかもしれません。

低血液凝固を抑制する医薬品（抗凝固薬/抗血小板薬）

魚油は血液凝固を抑制する可能性があります。魚油を摂取し，血液凝固を抑制する医薬品を併用すると，紫斑および出血のリスクを高めるおそれがあります。このような医薬品には，アスピリン，クロピドグレル硫酸塩，ダルテパリンナトリウム，ジピリダモール，エノキサパリンナトリウム，ヘパリン，チクロピジン塩酸塩，ワルファリンカリウムなどがあります。

低抗悪性腫瘍薬（白金製剤）

特定の魚油製品はある種の脂肪酸を少量含み，この脂肪酸は白金製剤（化学療法薬）の作用を減弱させる可能性があります。しかし，大部分の魚油製品に含まれる脂肪酸の量はおそらく非常に少なく，懸念には及びません。白金製剤を服用中の場合には，さらに明らかになるまで魚油の摂取を中止する必要はありません。

中降圧薬

魚油は血圧を低下させる可能性があります。魚油を摂取し，降圧薬を併用すると，血圧が過度に低下するおそれがあります。血圧を注意深く監視してください。このような降圧薬には，カプトプリル，エナラプリルマレイン酸塩，ロサルタンカリウム，バルサルタン，ジルチアゼム塩酸塩，アムロジピンベシル酸塩，ヒドロクロロチアジド，フロセミドなど数多くあります。

中避妊薬

魚油はトリグリセリド値を低下させるために用いられることがあります。避妊薬を服用し，魚油を併用すると，魚油の作用が減弱する可能性があります。このような避妊薬には，エチニルエストラジオール・レボノルゲストレル配合，エチニルエストラジオール・ノルエチステロン配合などがあります。

中シクロスポリン

魚油は体内のシクロスポリンの量を増加させる可能性があります。魚油を摂取し，シクロスポリンを併用すると，シクロスポリンの作用および副作用が増強するおそれがあります。

中シロリムス

魚油は体内のシロリムスの量を増加させる可能性があります。そのため，シロリムスの作用および副作用が増強するおそれがあります。

中タクロリムス水和物

魚油は体内のタクロリムス水和物の量を増加させる可能性があります。そのため，タクロリムス水和物の作用および副作用が増強するおそれがあります。

ハーブおよび健康食品・サプリメントとの相互作用

血圧を低下させるおそれのあるハーブおよび健康食品・サプリメント

魚油が，血圧を低下させるおそれがあります。魚油と血圧を低下させるおそれのあるほかのハーブおよび健康食品・サプリメントを併用すると，血圧を低下させる作用が高まるおそれがあります。

このようなハーブおよび健康食品・サプリメントには，アンドログラフィス，カゼイン・ペプチド，キャッツクロー，コエンザイムQ-10，L-アルギニン，クコ属，イラクサ，テアニンなどがあります。

血液凝固を抑制するおそれのあるハーブおよび健康食品・サプリメント

高用量の魚油が，血液凝固を抑制するおそれがあります。ただし，ほとんどの研究によれば，魚油が出血を促進することはないことが示唆されています。十分なデータが得られるまで，魚油と血液凝固を抑制するおそれのあるハーブおよび健康食品・サプリメントとの併用は，注意してください。

このようなハーブおよび健康食品・サプリメントには，アンゼリカ，クローブ，タンジン，ニンニク，ショウガ，イチョウ，朝鮮人参，レッドクローバー，ウコン，ヤナギなどがあります。

ビタミンE

魚油は，ビタミンEの値を減少させるおそれがあります。研究者の間でも，魚油が，食品からのビタミンE吸収を抑制するためなのか，または体内におけるビタミンEの消費を促進するためなのか，明らかにはなっていません。

使用量の目安

【成人】

●経口摂取

高トリグリセリド血症

研究において，魚油１日１～15gを，最長６カ月間摂取します。しかし，ほとんどの専門家は，n-３系脂肪酸１日約3.5gを含む用量の魚油の摂取を推奨しています。この用量は，処方薬である魚油の１gカプセル４錠分に相当します。同量のn-３系脂肪酸を摂取するためには，市販の魚油サプリメントを，１日12カプセルほど摂取する必要があります。

閉塞または収縮した血管を拡張する手術（血管形成術）

魚油１日６gを，血管形成術の前後１カ月間，継続して摂取し，その後，魚油１日３gを，６カ月間摂取します。また，血管形成術の３週間前と６カ月後までの期間，魚油１日15gを摂取することもあります。

抗リン脂質抗体症候群と呼ばれる自己免疫疾患をともなう妊婦の流産の予防

DHA１に対してEPA1.5の割合の魚油5.1gを３年間毎日摂取します。

注意欠陥多動障害（ADHD）

魚油400mgと，月見草油100mgを含む特定のサプリメントを，１日６錠，15週間摂取します。n-３系脂肪酸１日250mgと，ホスファチジルセリンを併用して，３カ月間摂取することもあります。

双極性障害

１日6.2gのEPAと3.4gのDHAを含む魚油を，４カ月間摂取します。EPA１～６gを12～16週間摂取することや，EPA（エイコサペンタエン酸）4.4～6.2gと，DHA（ドコサヘキサエン酸）2.4～3.4gを含むn-３系脂肪酸を，４～16週間摂取することもあります。

重症疾患を有する患者における意図的でない体重減少（悪液質または消耗症候群）

EPA（エイコサペンタエン酸）4.9gと，DHA（ドコサヘキサエン酸）3.2gを含む特定の魚油製品１日30mLを，４週間摂取します。EPA（エイコサペンタエン酸）4.7gと，DHA（ドコサヘキサエン酸）2.8gを含む魚油１日7.5gを，約６週間摂取します。更に，１缶当たり，EPA（エイコサペンタエン酸）1.09gと，DHA（ドコサヘキサエン酸）0.96gを含む魚油の栄養補助食品を１日２缶，最長７週間摂取します。

心臓への血流を改善する手術（冠動脈バイパス（CABG）手術）

EPA（エイコサペンタエン酸）2.04gと，DHA（ドコサヘキサエン酸）1.3gを含む魚油１日４gを，１年間摂取します。

シクロスポリンによる高血圧

n-３系脂肪酸１日３～４gを，心臓移植後，６カ月間摂取します。魚油１日２～18gを，腎移植後，１～12カ月間摂取することもあります。

シクロスポリンによる腎障害

魚油１日12gを，肝移植後，２カ月間摂取します。魚油１日６gを，腎移植後，最長３ヶ月間摂取することもあります。

生理痛（月経困難）

１日当たり，EPA（エイコサペンタエン酸）1,080mgとDHA（ドコサヘキサエン酸）720mgを，ビタミンE 1.5mgと併用し，２カ月間摂取します。魚油１日500～2,500mgを，２～４カ月間摂取することもあります。

心不全

n-３系脂肪酸１日600～4,300mgを，最長12カ月間摂取します。魚油１日１gを，約2.9年間摂取することもあります。

心臓移植後の合併症

１日当たり，46.5％のEPA（エイコサペンタエン酸）と，37.8％のDHA（ドコサヘキサエン酸）を含む魚油４gを，１年間摂取します。

HIV/エイズによる血中脂質異常

EPA（エイコサペンタエン酸）460mgと，DHA（ドコサヘキサエン酸）380mgを含む特定の魚油サプリメント２錠を，１日２回，12週間摂取します。

高血圧

魚油１日４～15gを，１～複数回に分けて，最長36週にわたり摂取します。n-３系脂肪酸１日３～15gを，４週にわたり摂取することもあります。

徐々に進行する腎臓病（IgA糸球体腎炎）

魚油１日１～12gを，２～４年間摂取します。魚油３gを，レニン-アンジオテンシン系阻害薬と併用し，６カ月にわたり摂取します。

骨粗鬆症

月見草油と魚油の混合カプセル500mgを４錠，１日３回，炭酸カルシウム600mgを含む食事とともに，18ヶ月間摂取します。

うろこ状で痒い皮膚（乾癬）

１日当たり，EPA（エイコサペンタエン酸）3.6gと，DHA（ドコサヘキサエン酸）2.4gを含む魚油カプセルを，UVB療法と併用し，15週にわたり摂取します。

精神病

１日当たり，EPA（エイコサペンタエン酸）700mgとDHA（ドコサヘキサエン酸）480mgを含んだ魚油カプセルを，トコフェロールおよびほかのn-３系脂肪酸と併用し，12週間摂取します。

レイノー症候群

１日当たり，EPA（エイコサペンタエン酸）3.96gとDHA（ドコサヘキサエン酸）2.64gを，12週間摂取します。

関節リウマチ(RA)

魚油１日10gを，６カ月間摂取します。または，１日当たり，EPA（エイコサペンタエン酸）0.5～4.6gとDHA（ドコサヘキサエン酸）0.2～3.0gを含む魚油を，ときには，ビタミンE15IUと併用し，最長15カ月間摂取します。

●静脈内投与

うろこ状で痒い皮膚（乾癬）

１日当たり，EPA（エイコサペンタエン酸）2.1～4.2gと，DHA（ドコサヘキサエン酸）2.1～4.2gを含む特定

有効性レベル：①効きます　②おそらく効きます　③効くと断言できませんが、効能の可能性が科学的に示唆されています
④効かないかもしれません　⑤おそらく効きません　⑥効きません

の魚油溶液100～200mLを，10～14日にわたり投与します。

関節リウマチ(RA)

魚油由来のn-３系脂肪酸１日0.1～0.2mg/kgを，７日間投与します。特定の魚油溶液１日0.2g/kgを，14日間継続して投与し，その後，魚油0.05gを，20週間経口摂取します。

●皮膚への塗布

うろこ状で痒い皮膚（乾癬）

魚油を，１日６時間，４週間，包帯の下に塗布します。

【小児】

●経口摂取

不器用さを特徴とする運動能力障害（発達性協調運動障害（DCD））

５～12歳の小児の場合，１日当たり，EPA（エイコサペンタエン酸）558mgとDHA（ドコサヘキサエン酸）174mgを含む魚油を，３回に分け，３カ月間摂取します。魚油に月見草油，タイム油およびビタミンEを加えた特定のサプリメントを，毎日，４カ月間摂取します。

キラヤ

QUILLAIA

●代表的な別名

チャイナバーク

別名ほか

肝油(Cod liver oil)，魚油脂肪酸(Fish oil fatty acids)，魚肝油（Fish liver oils），N-3系脂肪酸（N-3 fatty acids），オメガ脂肪酸（Omega fatty acids），N-3系脂肪酸（Omega-3 fatty acids），オメガ-3脂肪酸（Omega-3 fatty acid），ω-3脂肪酸（ω-3 fatty acids），メンヘーデン油（Menhaden oil），サーモンオイル（Salmon Oil），Fish body oil，Fish oils，Fish liver oil，Marine oils，N3-Polyunsaturated fatty acids，PUFA

概　　要

キラヤは植物です。内皮を用いて「くすり」を作ることもあります。

食品では，キラヤは冷凍食品のデザート，キャンディ，焼き菓子，ゼラチンやプリンに使用されます。また飲料やカクテル，ルートビアの泡立て剤として使用されます。

製品としては，キラヤの抽出物がスキンクリームに使われています。また消火剤の泡だて成分にも使用されています。

南米では，キラヤの樹皮が洗濯に使われます。

安 全 性

食品としての量を摂取するのは安全のようです。

経口で，医薬品としての投与量で摂取する場合，安全ではないようです。

タンニンを高濃度で含むキラヤなどの植物では，胃腸障害と腎臓および肝臓の損傷が起きる可能性があります。

また，血中カルシウム値を低下させ，腎結石を生じさせるシュウ酸塩と呼ばれる化合物を含んでいます。

キラヤの使用は，下痢，胃痛，重篤な呼吸器系障害，痙攣，昏睡，赤血球崩壊，腎不全とも関連があります。口腔粘膜，のどや胃腸管の内層の炎症や損傷も起きることがあります。

皮膚あるいは腟に使用する場合の安全性については，十分なデータが得られていません。

吸入の場合，粉末によってくしゃみが起きることがあります。

ほとんどの人に安全ではありませんが，副作用のリスクが高いため，とくに注意して使用を避けた方がよい人がいます。

胃腸疾患：キラヤは胃腸管を刺激するおそれがあるため使用しないでください。

腎疾患：キラヤに含まれているシュウ酸塩が腎臓結石を起こすおそれがあります。腎疾患あるいは腎臓結石の病歴がある場合使用しないでください。

●妊娠中および母乳授乳期

妊娠中および母乳授乳期においての使用は安全ではありません。使用は避けてください。

有 効 性

◆科学的データが不十分です

・経口摂取として，咳，気管支炎，呼吸障害など。

・患部への直接使用として，皮膚のただれ，白癬，頭のかゆみ，フケ，膣分泌物など。

●体内での働き

タンニンを高濃度に含んでいます。タンニンなどの収れん性の化合物は粘膜を薄くして咳を出やすくしてくれます。また，免疫系を刺激する補助となる化合物も含んでいます。

医薬品との相互作用

中免疫抑制薬

キラヤは免疫機能をさらに活性化させるようです。キラヤと免疫抑制薬を併用すると，免疫抑制薬の効果が弱まるおそれがあります。このような免疫抑制薬には，アザチオプリン，バシリキシマブ，シクロスポリン，Daclizumab，ムロモナブ-CD３（販売中止），ミコフェノール酸モフェチル，タクロリムス水和物，シロリムス，Prednisone，副腎皮質ステロイドなどがあります。

ハーブおよび健康食品・サプリメントとの相互作用

カルシウム

カルシウムのサプリメントは，カルシウムを吸収している腸でカルシウムを遊離し体内で利用されます。しか

相互作用レベル：高この医薬品と併用してはいけません　中この医薬品とは慎重に併用するか併用しないでください
低この医薬品との併用には注意が必要です

しキラヤは，腸でカルシウムと結合してしまう物質を含んでいるため，体内に吸収される遊離カルシウム量を減少させてしまいます。結果として，キラヤとカルシウムのサプリメントを併用すると，サプリメントからのカルシウムの体内への吸収量が減少してしまいます。

鉄

鉄のサプリメントは，腸で吸収され体内で利用されます。しかしキラヤは，腸で鉄と結合してしまう物質を含んでいるため，体内に吸収される遊離鉄の量を減少させてしまいます。結果として，キラヤと鉄のサプリメントを併用すると，サプリメントからの鉄の体内への吸収量が減少してしまいます。

亜鉛

亜鉛のサプリメントは，腸で吸収され体内で利用されます。しかしキラヤは，腸で亜鉛と結合してしまう物質を含んでいるため，体内に吸収される遊離亜鉛の量を減少させてしまいます。結果として，キラヤと亜鉛のサプリメントを併用すると，サプリメントからの亜鉛の体内への吸収量が減少してしまいます。

通常の食品との相互作用

カルシウム

食物中のカルシウムは，腸で吸収され体内で利用されます。しかしキラヤは，腸でカルシウムと結合してしまう物質を含んでいるため，体内に吸収される遊離カルシウムの量を減少させてしまいます。結果として，キラヤは，食物からとれるカルシウムの体内への吸収量を減少させます。

鉄

食物中の鉄分は，腸で吸収され体内で利用されます。しかしキラヤは，腸で鉄と結合してしまう物質を含んでいるため，体内に吸収される遊離鉄の量を減少させてしまいます。結果としてキラヤは，食物からとれる鉄の体内への吸収量を減少させます。

亜鉛

食物中の亜鉛は，腸で吸収され体内で利用されます。しかしキラヤは，腸で亜鉛と結合してしまう物質を含んでいるため，体内に吸収される遊離亜鉛の量を減少させてしまいます。結果としてキラヤは，食物からとれる亜鉛の体内への吸収量を減少させます。

使用量の目安

●経口摂取

お茶として用意したものを200mg摂取します。

●局所投与

標準使用量に関するデータがありません。

キリンケツ

DRAGON'S BLOOD

別名ほか

ケッケツ，血竭，麒麟血，麒麟竭（Draconis resina），キリンケツトウ（Calamus draco），Daemonorops draco，Dracorubin，Dragon's-blood Palm，Sanguis draconis，Xue Jie

概　　要

キリンケツは，キリンケツヤシ（Daemonorops draco）という木の果実から取った樹脂の赤い物質です。

安 全 性

経口摂取の場合，ほとんどの成人に対して安全です。しかし皮膚に塗って使用した場合，その安全性に関してのデータは十分ではありません。

●妊娠中および母乳授乳期

妊娠中および母乳授乳期の使用の安全性についてはデータが不十分です。安全性を考慮し，摂取は避けてください。

有 効 性

◆科学的データが不十分です

・下痢および消化不良。

●体内での働き

どのように作用するかについては，十分なデータが得られていません。

医薬品との相互作用

ほかの医薬品との相互作用については明らかではありません。

ハーブおよび健康食品・サプリメントとの相互作用

ほかのハーブ，健康食品・サプリメントとの相互作用についてはまだ明らかではありません。

使用量の目安

●経口摂取

粉末を使用します。

●局所投与

標準使用量に関するデータがありません。

キレートミネラル

CHELATED MINERALS

別名ほか

銅キレート（Chelated Copper），鉄キレート（Chelated Iron），微量元素キレート（Chelated Trace Minerals），亜鉛キレート（Chelated Zinc），カルシウムキレート（Chelated Calcium），クロミウムキレート，クロムキ

レート（Chelated Chromium），コバルトキレート（Chelated Cobalt），キレートマグネシウム（Chelated Magnesium），キレートマンガン（Chelated Manganese），モリブデンキレート（Chelated Molybdenum），カリウムキレート（Chelated Potassium），セレニウムキレート（Chelated Selenium），バナジウムキレート（Chelated Vanadium），Chelated Boron，Mineral-amino Acid Complex

キ

概　　要

キレートミネラルは，アミノ酸と結合されたミネラルです。日本ではキレートミネラルの製造，販売，輸入販売は認められていませんが，アメリカでは，キレートホウ素，キレートカルシウム，キレートクロムなどの製品を目にすることがあるでしょう。

安 全 性

安全性については十分なデータが得られていません。

●妊娠中および母乳授乳期

妊娠中，母乳授乳期は使用してはいけません。

有 効 性

◆科学的データが不十分です

・双極性障害。双極性障害がキレートミネラルのサプリメントにより安定化した可能性がある症例が示されています。双極性障害の成人患者を対象に，広く認められた基準を満たしている（監訳者注：CONSORT声明に準拠している）研究が現在進行中です。

・免疫系機能の改善，および強い筋肉と骨づくりのため，食事性のミネラル補給として使用。

●体内での働き

ミネラルは正常な成長および健康維持に必要な要素です。キレートミネラルが非キレートミネラルより身体に有効に利用されるという健康強調表示（health claim）を指示する科学的根拠はありません。

医薬品との相互作用

ほかの医薬品との相互作用については明らかではありません。

ハーブおよび健康食品・サプリメントとの相互作用

ほかのハーブ，健康食品・サプリメントとの相互作用についてはまだ明らかではありません。

使用量の目安

標準使用量に関するデータがありません。

銀コロイド

COLLOIDAL SILVER

●代表的な別名

コロイダルシルバー

別名ほか

シルバープロテイン（Silver Protein），Colloidal Silver Protein，Silver in Suspending Agent

概　　要

銀コロイドはミネラルです。推奨者の主張に反し，銀の体内での機能はこれまで知られておらず，銀は必須ミネラルではありません。銀コロイド製品はかつて一般用医薬品として販売されていましたが，1999年，米国食品医薬品局（FDA）がこれらの銀コロイド製品は安全かつ有効と認められないと規定しました。医療目的で市販される銀コロイド製品や，効果が証明されていない用途をうたった銀コロイド製品は，現在では新薬としてFDAのしかるべき承認を受けないかぎり，法律上「不正表示」製品とみなされます。現時点では，FDAが承認した経口摂取の一般用医薬品および処方箋医薬品に銀を含有するものはありません。しかし依然として，ホメオパシー薬やサプリメントとして銀コロイド製品が販売されています。

家庭で銀コロイドを作る生成器の部品を紹介するインターネット広告が数多くありますが，家庭で銀コロイドを作っても，その純度や強度を自分で評価することができないでしょう。銀コロイドよりずっと安全で効果の高い製品は多数あります。

このように安全性と有効性に多くの懸念がありながら，いまだにサプリメントの銀コロイドを購入し，さまざまな疾患に用いる人がいます。

感染，がん，糖尿病，関節炎など多くの疾患に対し銀コロイドを用いる人がいますが，これらの用途を裏づける科学的エビデンスはありません。銀コロイドの使用は危険なおそれがあります。

・新型コロナウイルス感染症（COVID-19）。
COVID-19に対して銀コロイドの使用を裏付ける十分なエビデンス（科学的根拠）はありません。

安 全 性

銀コロイドを経口摂取，皮膚へ塗布，または静脈内投与する場合，安全ではないようです。銀コロイド製品に含まれる銀は，皮膚，肝臓，脾臓，腎臓，筋肉，脳などの重要な臓器に蓄積します。これにより歯肉をはじめ皮膚が青白く変色し，元に戻らなくなるおそれがあります。また，皮膚のメラニン産生を亢進するため，日光に曝された部位はますます変色するおそれがあります。

●妊娠中および母乳授乳期

銀コロイドを経口摂取，皮膚へ塗布，または静脈内投与する場合，安全ではないようです。妊娠中の女性の銀濃度が高いと，子に耳，顔，頚部の発達異常がみられることがわかっています。また銀コロイドのサプリメントにより体内に銀が蓄積し，その結果，皮膚が青白く変色して（銀皮症）元に戻らなくなるおそれがあります。銀はまた，重要な臓器に蓄積し，深刻な害を及ぼすおそれがあります。

有効性

◆有効性レベル④

・眼感染。銀コロイド点眼液を出生直後の新生児の両眼に使用しても，特定の眼感染の予防に役立たないことを示す研究があります。また，眼の手術を受ける人の眼表面に銀コロイド溶液を塗布しても，ポビドンヨード溶液ほどには感染を予防しないことを示す研究があります。

◆科学的データが不十分です

・耳感染，肺気腫，気管支炎，真菌感染，ライム病，酒さ，鼻腔感染，胃潰瘍，酵母菌感染，慢性疲労症候群，HIV/エイズ，結核，食中毒，歯周病，消化，インフルエンザ・感冒の予防など。

●体内での働き

タンパク質と結合したり，タンパク質を破壊したりすることにより，特定の微生物を死滅させることができます。

医薬品との相互作用

中キノロン系抗菌薬

銀コロイドは抗菌薬の体内への吸収量を減少させる可能性があります。銀コロイドと抗菌薬を併用すると，抗菌薬の効果が弱まるおそれがあります。このような抗菌薬にはシプロフロキサシン，エノキサシン水和物（販売中止），ノルフロキサシン，スパルフロキサシン（販売中止），Trovafloxacin，塩酸グレパフロキサシン（販売中止）があります。

中テトラサイクリン系抗菌薬

銀コロイドはテトラサイクリン系抗菌薬の体内への吸収量を減少させる可能性があります。銀コロイドとテトラサイクリン系抗菌薬を併用すると，テトラサイクリン系抗菌薬の効果を弱めるおそれがあります。この相互作用を避けるために，テトラサイクリン系抗菌薬の服用前2時間，または服用後4時間は銀コロイドを摂取しないでください。このようなテトラサイクリン系抗菌薬にはデメチルクロルテトラサイクリン塩酸塩，ミノサイクリン塩酸塩，テトラサイクリン塩酸塩があります。

中ペニシラミン

ペニシラミンはウィルソン病および関節リウマチの治療に用いられます。銀コロイドはペニシラミンの体内への吸収量を減少させる可能性があります。そのため，ペニシラミンの作用が減弱するおそれがあります。

中レボチロキシンナトリウム水和物

銀コロイドは，レボチロキシンナトリウム水和物の体内への吸収量を減少させる可能性があります。銀コロイドとレボチロキシンナトリウム水和物を併用すると，レボチロキシンナトリウム水和物の効果が弱まるおそれがあります。

ハーブおよび健康食品・サプリメントとの相互作用

肝臓を害するおそれのあるハーブおよび健康食品・サプリメント

銀コロイドは肝臓を害するおそれがあります。同様の作用をもつほかのハーブおよび健康食品・サプリメントと併用すると，人によっては肝障害のリスクが高まるおそれがあります。このようなハーブおよび健康食品・サプリメントには，アンドロステンジオン，チャパラル，コンフリー，デヒドロエピアンドロステロン，ジャーマンダー，ニコチン酸，ペニーロイヤル，紅麹などがあります。

ヨウ素

銀コロイドによって身体のヨウ素吸収量が低下するおそれがあります。

使用量の目安

通常の食品に含まれている量を超えて経口摂取した場合の安全性および副作用については，明らかになっていません。

キンセンカ

CALENDULA

●代表的な別名

カレンジュラ，カレンデュラ

別名ほか

カレンジュラ，トウキンセンカ（Calendula officinalis），マリーゴールド（Garden Marigold，Gold-Bloom，Holligold，Marigold），ポットマリーゴールド（Marybud，Pot Marigold），Zergul

概要

キンセンカは植物です。花部を用いて「くすり」を作ることもあります。

●要説（ナチュラル・スタンダード）

キンセンカは，一般にマリーゴールドと呼ばれています。シオン属すなわちキク科に属する一年花です。アジアと南欧が原産です。

キンセンカは，中欧と地中海で12世紀以来，「くすり」として使用されてきました。軽い傷，感染症，熱傷，ハチ刺傷，日焼け，疣贅（いぼ）治療に有効な可能性があるとして皮膚に塗布されています。

初期のエビデンスでは，皮膚にキンセンカ軟膏を塗布すると，乳がんの放射線治療によって引き起こされるアレルギー反応を予防する可能性を示しています。

どのような医療についても，確かな結論に至るには，さらなる研究が必要です。

安 全 性

キンセンカの花から作られた製品を経口摂取や皮膚への塗布により使用する場合，ほとんどの人に安全のようです。

手術：キンセンカは，手術中および術後に使用される医薬品と併用すると，過度の傾眠を引き起こすおそれがあります。少なくとも手術前２週間は，使用しないでください。

●アレルギー

ブタクサや関連する植物に対するアレルギー：キンセンカは，キク科植物に敏感な人にアレルギー反応を引き起こすおそれがあります。キク科には，ブタクサ，キク，マリーゴールド，デイジーなど多くの植物があります。アレルギーの場合には，キンセンカを摂取する前に必ず医師などに相談してください。

●妊娠中および母乳授乳期

妊娠中にキンセンカを経口摂取してはいけません。安全ではないようです。流産を引き起こすおそれがあります。十分なデータが得られるまでは，局所使用も避けるのが最善です。

母乳授乳期の使用の安全性については，データが不十分です。安全性を考慮し，摂取は避けてください。

有 効 性

◆科学的データが不十分です

・裂肛（肛門の裂傷），おむつかぶれ，中耳炎（耳感染症），放射線皮膚炎（放射線治療による皮膚の炎症），膣萎縮（膣壁の菲薄化），下腿潰瘍，筋痙攣，発熱，がん，鼻出血，静脈瘤，痔核，月経促進，口内および咽喉の疼痛の治療，創傷など。

●体内での働き

創傷の組織新生を促す作用や，口内および咽喉の腫脹を抑える作用を示す化学物質が含まれていると考えられています。

医薬品との相互作用

中鎮静薬（中枢神経抑制薬）

キンセンカは眠気および注意力低下を引き起こす可能性があります。鎮静薬は眠気を引き起こす医薬品です。キンセンカと鎮静薬を併用すると，過度の眠気を引き起こすおそれがあります。このような鎮静薬にはクロナゼパム，ロラゼパム，フェノバルビタール，ゾルピデム酒石酸塩などがあります。

ハーブおよび健康食品・サプリメントとの相互作用

眠気および注意力低下を引き起こすハーブおよび健康食品・サプリメント

キンセンカは眠気および注意力低下を引き起こすおそれがあります。同様の作用をもつほかのハーブおよび健康食品・サプリメントと併用すると，過度の眠気を引き起こすおそれがあります。このようなハーブおよび健康食品・サプリメントには，5-ヒドロキシトリプトファン，ショウブ，ハナビシソウ，キャットニップ，ホップ，ジャマイカ・ドックウッド，カバ，セント・ジョンズ・ワート，スカルキャップ，カノコソウ，アネモプシス・カリフォルニカなどがあります。

使用量の目安

通常の食品に含まれている量を超えて経口摂取した場合の安全性および副作用については，明らかになっていません。

ギンバイカ

MYRTLE

別名ほか

ギンコウバイ，銀香梅，イワイノキ，祝いの木（Myrtus communis），マートル，ミルテ，セイヨウギンバイカ，Myrti aetherolum，Myrti folium

概 要

ギンバイカは，葉と枝を用いて「くすり」を作ることもあります。

安 全 性

ギンバイカのオイルは気管支喘息のような発作や肺不全を起こす可能性があるので，安全ではありません。

また，悪心，嘔吐，下痢，低血圧，血液循環器系障害などが起きることもあります。

葉や枝を使った場合の安全性については，十分なデータが得られていません。

小児：小児の使用は安全ではありません。オイルがわずかに顔に触れただけでも，呼吸障害を引き起こすおそれがあります。幼児および年少の小児の場合には，死に至るおそれもあります。

●妊娠中および母乳授乳期

妊娠中および母乳授乳期の経口摂取は安全ではありません。使用しないでください。

有 効 性

◆科学的データが不十分です

・気管支炎，百日咳，および結核などの肺感染症，膀胱疾患，下痢，蟯虫など。

●体内での働き

真菌や細菌に対して作用します。

医薬品との相互作用

ほかの医薬品との相互作用については明らかではあり

ません。

ハーブおよび健康食品・サプリメントとの相互作用

ほかのハーブ，健康食品・サプリメントとの相互作用についてはまだ明らかではありません。

使用量の目安

標準使用量に関するデータがありません。

キンポウゲ

BUTTERCUP

別名ほか

センニチコウ，千日紅，ミヤマキンポウゲ，深山金鳳花（Ranunculus acris），ウマノアシガタ（Meadow Buttercup），Acrid Crowfoot，Batchelor's Buttons，Blisterweed，Burrwort，Gomphrena globosa（Globe Amaranth），Gold Cup，Meadowbloom，Ranunculus Friesianus，Tall Buttercup，Yellows，Yellowweed

概　要

キンポウゲは植物です。乾燥させた地上部を用いて「くすり」を作ることもあります。乾燥させずに用いると刺激性が強いので，使用しないでください。

安全性

乾燥させていないキンポウゲは安全ではありません。

疝痛や下痢をともなう胃腸管の重篤な炎症を起こすことがあります。

膀胱と尿管の炎症も起こることがあります。

皮膚と接触することで，水疱や熱傷が起きてなかなか治らないこともあります。

日焼けのリスクも高くなります。

植物としてのキンポウゲに含まれる毒素のあるものは，乾燥することで破壊されますが，乾燥したキンポウゲの安全性について，十分なデータは得られていません。

●妊娠中および母乳授乳期

妊娠中および母乳授乳期の乾燥させていないキンポウゲの使用，とくに妊娠中の使用は安全ではありません。子宮を収縮させ，流産を引き起こすおそれがあります。乾燥させたキンポウゲの使用の安全性についてはデータが不十分です。安全性を考慮し，摂取は避けてください。

有効性

◆科学的データが不十分です

・関節炎，疱疹，気管支炎，慢性皮膚障害，神経痛など。

●体内での働き

皮膚や口腔粘膜，胃腸の粘膜に強い刺激を与える毒素を含んでいます。医薬品として使用する場合，どのように作用するかについては，十分なデータが得られていません。

医薬品との相互作用

ほかの医薬品との相互作用については明らかではありません。

ハーブおよび健康食品・サプリメントとの相互作用

ほかのハーブ，健康食品・サプリメントとの相互作用についてはまだ明らかではありません。

使用量の目安

標準使用量に関するデータがありません。

キンレイジュ

TRONADORA

別名ほか

金鈴樹，イエローベル，タチノウゼン，キバナテコマ，テコマ・スタンス，Esperanza，Common Yellow Elder，Tecoma stans，Trumpet Bush，Yellow Trumpet Bush

概　要

キンレイジュはハーブです。葉および茎，まれに根および花を用いて「くすり」を作ることもあります。

安全性

安全性および副作用について信頼できる十分なデータがありません。

キンレイジュの花，スイバ，リンドウの根，バーベナおよびサクラソウを混合した製品の一部として少量を利用する場合は，ほとんどの人に安全なようです。

製品の一部としての利用以外で薬効量を使用した場合の安全性については，十分なデータがありません。

混合製品で消化器官のむかつきや，場合によってはアレルギー性の皮疹を生じる可能性があります。

●妊娠中および母乳授乳期

妊娠中および母乳授乳期の使用の安全性についてはデータが不十分です。安全性を考慮し，摂取は避けてください。

有効性

◆科学的データが不十分です

・糖尿病，消化器系疾患。

●体内での働き

進行中の研究により，キンレイジュに含まれている化学物質が血糖値に影響を与える可能性が示唆されています。

医薬品との相互作用

ほかの医薬品との相互作用については明らかではありません。

ハーブおよび健康食品・サプリメントとの相互作用

ほかのハーブ，健康食品・サプリメントとの相互作用についてはまだ明らかではありません。

使用量の目安

標準使用量に関するデータがありません。

グアーガム

GUAR GUM

別名ほか

グア種子（Cyamopsis tetragonolobus），グアー，ダイエタリーファイバー（Dietary fiber），グアーフラワー（Guar flour），Cyamopsis psoraloides，Cyamopsis tetragonoloba，Dolichos psoraloides，Cyamopsis psoralioides，Indian guar plant，Jaguar gum，Psoralea tetragonoloba

概　　要

グアーガムは植物の種子から得られる繊維です。

●要説（ナチュラル・スタンダード）

グアーガムは，グアー豆（Cyamopsis tetragonoloba）の抽出物です。その植物は，主にパキスタンとインドで栽培されています。グアーガムは，広く食品増粘剤およびサプリメントの原料として使用されます。

グアーガムは，植物由来の食物繊維と考えられていて，この植物の食用部分は腸から消化吸収されにくい可能性があります。食物繊維は，腸の動きを促進させ，コレステロールや血糖値を低下させる可能性があります。

コレステロール値を減少させるグアーガムの使用を裏付ける多くのエビデンスがあります。グアーガムは，消化管の機能向上に役立つ可能性があり，下痢，便秘，過敏性腸症候群を患う人に役立つ可能性があります。グアーガムは，食後の血糖値を下げたり，糖尿病を患っている人もそうでない人も，インスリン値を下げることを示す研究もあります。

グアーガムは，減量のためには効果的でない可能性を示す研究があります。副作用報告を受けて，米国食品医薬品局（FDA）は，減量成分としてのグアーガムを禁止する方向に動いています。

グアーガムに関連する一般的に報告される副作用には，胃痛，下痢，腸内のガス充満が含まれます。グアーガムは，メトホルミンやペニシリンなどと同時に投与されると薬の吸収方法に影響するおそれがあります。

安　全　性

250mLの水分で摂取する場合，ほとんどの人に安全のようです。

副作用としては，腸内ガス生成の増加，下痢，軟便があります。これらの副作用は通常，使用後数日で減少するか消失します。大量にとる場合や十分な水分をとらなかった場合には，食道や腸の閉塞が生じる可能性があります。

母乳授乳中，糖尿病，食道あるいは腸の閉塞があったり狭くなっている人，嚥下困難，２週間以内に手術を受ける予定の人は使用してはいけません。

有　効　性

◆有効性レベル③

・下痢。

・高コレステロール血症。グアーガムを摂取すると血清コレステロール値が高い人において，コレステロール値を低下させるようです。グアーガムとペクチンを少量の不溶性食物繊維と併用すると，総コレステロール値およびLDL-コレステロール値を低下させます。しかし，HDL-コレステロールや血液中の血清トリグリセリドは影響を受けません。

・糖尿病。食事でグアーガムを摂取すると糖尿病患者の食後の血糖値を下げるようです。グアーガムは胃停滞時間が長いため，糖尿病患者に頻繁に起こる食後の急激な血圧降下を減少させます。

・便秘。

・過敏性腸症候群。

◆有効性レベル④

・減量。

◆科学的データが不十分です

・アテローム性動脈硬化症。

●体内での働き

下痢便では過度な水分を吸収し，便秘の場合は便を軟らかくすることで，便中の水分を正常化する繊維です。また，胃や腸で吸収されるコレステロールとグルコースの量を減らす働きもします。

医薬品との相互作用

中エチニルエストラジオール

エチニルエストラジオールはエストロゲンの一種で，特定のエストロゲン製剤や避妊薬に含まれます。グアーガムはエチニルエストラジオールの体内への吸収量を減少させる可能性があります。グアーガムとエストロゲン製剤を併用すると，エストロゲンの効果が弱まるおそれがあります。

低ジゴキシン

グアーガムがジゴキシンの体内への吸収量を低下させる可能性について，一部で懸念されています。しかし，グアーガムがジゴキシンの吸収量に大きな影響を及ぼす

相互作用レベル：高この医薬品と併用してはいけません　中この医薬品とは慎重に併用するか併用しないでください
低この医薬品との併用には注意が必要です

ことはなさそうです。

中メトホルミン塩酸塩

グアーガムはメトホルミン塩酸塩の体内への吸収量を減少させる可能性があります。グアーガムとメトホルミン塩酸塩を併用すると，メトホルミン塩酸塩の効果が弱まるおそれがあります。

中経口薬

グアーガムには食物繊維が含まれます。グアーガムと経口薬を併用すると，医薬品の体内への吸収量に影響を及ぼすおそれがあります。この相互作用を避けるために，経口薬の服用後，１時間はグアーガムを摂取しないでください。

中ペニシリン系薬

グアーガムはペニシリン系薬の体内への吸収量を減少させる可能性があります。グアーガムとペニシリン系薬を併用すると，ペニシリン系薬の感染と闘う能力が弱まるおそれがあります。

ハーブおよび健康食品・サプリメントとの相互作用

ほかのハーブ，健康食品・サプリメントとの相互作用についてはまだ明らかではありません。

使用量の目安

●経口摂取

便秘

１日12gを摂取します。消化器系の副作用の発現を減らすために，１日４gの少量で開始し次第に増量することがすすめられます。

糖尿病

１日15gを摂取します。

高コレステロール血症

１日15gのグアーガムとペクチンを５gの不溶性食物繊維とともに摂取します。

救命救急診療の患者における下痢の治療

経腸栄養処方１Lに22gのグアーガムを添加。

過敏性腸症候群

部分的に加水分解されたグアーガム５gを摂取します。

グアバ

GUAVA

別名ほか

グァジャヴァ，グアバ・リーフ，グアバ・シード，グアバ・シード・プロテイン，グアバ・パルプ，グアバス，グアバ・ピール，シディウム，シディウム・グァジャヴァ，ブラジリアン・グアバ，ブラジリアン・レッド・グアバ

概　　要

グアバの木に生る熱帯の果物です。ブラジル，コロンビア，ベネズエラやメキシコで多くは生産されています。果実はそのまま食べられたり，飲料，ジャムやほかの食品をつくるのに使用されます。果実，葉，ジュースが「くすり」として用いられることもあります。

安　全　性

食品として摂取する場合は安全です。医療目的で使用する場合，安全性はまだ明らかになっていません。

●妊娠中および母乳授乳期

食べ物に含まれる量を摂取するのであれば安全です。ただし，「くすり」としての高用量摂取の安全性についてはデータが不十分です。食品の量の範囲内で摂取してください。

有　効　性

◆科学的データが不十分です

・疝痛，下痢，糖尿病，咳，白内障，高コレステロール，心疾患，がんなど。

●体内での働き

グアバの実にはビタミンC，食物繊維および抗酸化作用のあるそのほかの成分が豊富に含まれています。グアバの葉にも抗酸化作用などのある成分が含まれています。症状に対してどのように作用するかについては，十分なデータが得られていません。

抗酸化物質は有害な体内酸化作用を遅らせたり防いだりします。酸化作用とは化学成分や化合物に酸素が結合する化学反応です。

医薬品との相互作用

ほかの医薬品との相互作用については明らかではありません。

ハーブおよび健康食品・サプリメントとの相互作用

ほかのハーブ，健康食品・サプリメントとの相互作用についてはまだ明らかではありません。

使用量の目安

標準使用量に関するデータがありません。

グアヤック

GUAIAC WOOD

別名ほか

ユソウボク，癒瘡木（Guaiacum officinale），Guaiac，Guaiac Heartwood，Guaiacum，Guaiacum sanctum，Guajaci lignum，Lingum vitae，Pockwood

概　　要

グアヤックは樹木です。グアヤックの木部と樹脂を用いて「くすり」のエキスを作ることもあります。グアヤックの樹木からとるオイルと混同しないでください。

検査室でグアヤックの樹脂は，尿や便に血液が混じっているかどうかを調べる潜血検査に使用されます。

グアヤックは，食品，食用油や油脂に風味付け材料として使用されます。

安 全 性

食品中に存在する量および医薬品として少量を使用する場合はおそらくほとんどの成人に安全です。

量が多くなると，下痢や胃腸障害といった副作用が出る可能性があります。

また，皮膚の発疹が出ることもあります。

腫脹(炎症)：腫脹をともなう疾患がある場合，グアヤック，あるいはその樹脂の使用はしないでください。

●妊娠中および母乳授乳期

妊娠中および母乳授乳期の使用の安全性についてはデータが不十分です。安全性を考慮し，摂取は避けてください。

有 効 性

◆科学的データが不十分です

・リウマチ，痛風，肺疾患，皮膚障害，梅毒，洗口薬としての使用など。

●体内での働き

どのように作用するかについては，十分なデータが得られていません。

医薬品との相互作用

中炭酸リチウム

グアヤックは，利尿薬のような作用があります。グアヤックやその樹脂を摂取することで，炭酸リチウムの体外排泄が減少します。この結果，体内炭酸リチウム濃度が上昇し，深刻な副作用を起こすおそれがあります。

ハーブおよび健康食品・サプリメントとの相互作用

ほかのハーブ，健康食品・サプリメントとの相互作用についてはまだ明らかではありません。

使用量の目安

●経口摂取

通常の摂取量はお茶1カップを1日3回。お茶は1.5gの木部または樹脂を150mLの沸騰した湯の中で5～10分煮てその後，ろ過して作ります。流エキス剤（1：1，80%アルコール）の通常摂取量は1回1～2mL。チンキ剤の通常の摂取量は1～4mLで，約20～40滴です。

グアルモ

GUARUMO

別名ほか

Cecropia obtusifolia, Chancarro, Grayumbo, Guarumbo, Hormiguillo, Pop-a-gun, Snakewood Tree, Tree of Laziness, Trompeto, Trumpet Tree, Yagrumo

概　　要

グアルモは，樹木です。葉や幹を用いて「くすり」を作ることもあります。

グアルモは，気管支喘息，気管支炎，糖尿病，心疾患，高血圧，腎障害および関節疾患に対して，経口摂取されます。また，筋肉弛緩，睡眠促進，疼痛の軽減，排尿促進に対しても，経口摂取されます。

そのほか，腫脹の軽減や，皮膚疾患の治療を目的として，皮膚に塗布されます。

安 全 性

グアルモを茶として経口摂取する場合には，おそらく安全です。グアルモで入れた茶を，最大32週間にわたり毎日経口摂取する場合には，安全のようです。ただし，唾液分泌過多，むねやけ，疲労感など，軽度の副作用を引き起こすおそれがあります。

糖尿病：グアルモが，血糖値を低下させるおそれがあります。糖尿病の場合には，血糖値を注意深く監視してください。糖尿病の場合には，グアルモを摂取する前に，医師などに相談するのが最善です。

低血圧：グアルモが，血圧を低下させるおそれがあります。そのため，低血圧の場合には，血圧が過度に低下するおそれがあります。

●妊娠中および母乳授乳期

妊娠中および母乳授乳期の使用の安全性についてはデータが不十分です。安全性を考慮し，摂取は避けてください。

有 効 性

◆科学的データが不十分です

・糖尿病，気管支喘息，気管支炎，心不全，高血圧，肝疾患，疼痛，皮膚創傷など。

●体内での働き

グアルモが炭水化物の消化を抑制することにより，血糖値が低下するようです。グアルモは，疼痛および腫脹を軽減し，血圧を低下させ，排尿を促進するようです。また，中枢神経系を抑制し，筋肉弛緩を引き起こすようです。

医薬品との相互作用

中 降圧薬

グアルモは血圧を低下させる可能性があります。グアルモと降圧薬を併用すると，血圧が過度に低下するおそれがあります。このような降圧薬には，カプトプリル，エナラプリルマレイン酸塩，ロサルタンカリウム，バルサルタン，ジルチアゼム塩酸塩，アムロジピンベシル酸塩，ヒドロクロロチアジド，フロセミドなど数多くあります。

中 糖尿病治療薬

グアルモは血糖値を低下させる可能性があります。糖尿病治療薬も血糖値を低下させるために用いられます。グアルモと糖尿病治療薬を併用すると，血糖値が過度に低下するおそれがあります。血糖値を注意深く監視してください。糖尿病治療薬の用量を変更する必要があるかもしれません。このような糖尿病治療薬には，グリメピリド，グリベンクラミド，インスリン，ピオグリタゾン塩酸塩，マレイン酸ロシグリタゾン（販売中止），クロルプロパミド，Glipizide，トルブタミド（販売中止）などがあります。

中 鎮静薬（中枢神経抑制薬）

グアルモは眠気および注意力低下を引き起こす可能性があります。鎮静薬は眠気をもたらす医薬品です。グアルモと鎮静薬を併用すると，重大な副作用が現れるおそれがあります。鎮静薬を服用中にグアルモを摂取しないでください。このような鎮静薬には，クロナゼパム，ロラゼパム，フェノバルビタール，ゾルピデム酒石酸塩などがあります。

ハーブおよび健康食品・サプリメントとの相互作用

血圧を低下させるおそれのあるハーブおよび健康食品・サプリメント

グアルモが，血圧を低下させるおそれがあります。グアルモと，血圧を低下させるおそれのあるほかのハーブおよび健康食品・サプリメントを併用すると，血圧が過度に低下するおそれがあります。このようなハーブおよび健康食品・サプリメントには，アンドログラフィス，カゼイン・ペプチド，キャッツクロー，コエンザイムQ-10，魚油，L-アルギニン，クコ，イラクサ，テアニンなどがあります。

血糖値を低下させるおそれのあるハーブおよび健康食品・サプリメント

グアルモと，血糖値を低下させるおそれのあるほかのハーブおよび健康食品・サプリメントを併用すると，血糖値が過度に低下するおそれがあります。このようなハーブおよび健康食品・サプリメントには，α-リポ酸，デビルズクロー，フェヌグリーク，ニンニク，グアーガム，セイヨウトチノキ，朝鮮人参，サイリウム，エゾウコギなどがあります。

使用量の目安

●経口摂取

糖尿病

乾燥させたグアルモの葉1gで入れた茶を，1日3回，21日間にわたり摂取します。または，グアルモの葉13.5gで入れた茶を，1日1回，32週間にわたり摂取します。

ク

クイーンズデライト

QUEEN'S DELIGHT

別名ほか

Cockup Hat, Marcory, Queens Delight, Queen's Root, Queens Root, Silver Leaf, Stillingia, Stillingia sylvatica, Stillingia tenuis, Yaw Root

概　要

クイーンズデライトは植物です。根を用いて「くすり」を作ることもあります。

安 全 性

経口使用や皮膚への塗布は危険です。がんを引き起こすことのある化合物を含んでいます。

体内に寄生するウイルスを活性化することもあります。

非常に刺激があり，接触すると皮膚，口，のど，消化管など，どこにでも腫脹を生じる可能性があります。

悪心，嘔吐，下痢を引き起こす可能性もあります。

大量に使用すると，口とのどの焼けるような感じ，排尿痛，痛み，かゆみ，皮疹，咳，うつ病，疲労感および発汗を生じることがあります。

胃腸疾患：胃腸過敏あるいは胃腸炎，吐き気あるいは嘔吐がある場合，使用しないでください。

●妊娠中および母乳授乳期

妊娠中および母乳授乳期に，とくに乾燥させた根でなく，生の根を経口摂取することは，安全ではありません。また直接皮膚に塗ることも安全ではありません。使用しないでください。

有 効 性

◆科学的データが不十分です

- 消化器系疾患，血液浄化法，肝疾患，胆のう疾患，皮膚病（患部に直接塗布），便秘，嘔吐の原因，喉頭炎，痔核（患部に直接塗布）など。

●体内での働き

どのように作用するかについては，十分なデータが得られていません。

医薬品との相互作用

ほかの医薬品との相互作用については明らかではありません。

ハーブおよび健康食品・サプリメントとの相互作用

ほかのハーブ，健康食品・サプリメントとの相互作用についてはまだ明らかではありません。

使用量の目安

●経口摂取

茶さじ１杯の乾燥根を１カップの水に入れて煮出したものを液剤として摂取します。推奨量は１日１杯で，１回につき１口摂取します。チンキ薬では，１回５～20滴を摂取します。

クールウォート

COOLWORT

別名ほか

Foam Flower，Mitrewort，Tiarella cordifolia

概　要

クールウォートはハーブです。「くすり」に使用されることもあります。

安 全 性

十分なデータが得られていないので，安全であるかどうか不明です。

●妊娠中および母乳授乳期

妊娠中および母乳授乳期の使用の安全性についてはデータが不十分です。安全性を考慮し，摂取は避けてください。

有 効 性

◆科学的データが不十分です

・尿路疾患，消化器系疾患，膀胱疾患，結石，消化器系障害，および胸やけ。

●体内での働き

尿量を増やす働きがあるようです（利尿作用）。

医薬品との相互作用

中炭酸リチウム

クールウォートは，利尿薬のような作用があります。クールウォートを摂取することで，炭酸リチウムの体外排泄が減少します。この結果，体内炭酸リチウム濃度が上昇し，深刻な副作用を引き起こすおそれがあります。

ハーブおよび健康食品・サプリメントとの相互作用

ほかのハーブ，健康食品・サプリメントとの相互作用についてはまだ明らかではありません。

使用量の目安

標準使用量に関するデータがありません。

クコ

GOJI

別名ほか

Baie de Goji，Barberry Matrimony Vine，Chinese Boxthorn，Chinese Wolfberry，Di Gu Pi，Digupi，Duke of Argyll's Teaplant，Duke of Argyll's Teatree，Fructus Lycii Chinensis，Fructus Lycii，Fruit de Lycium，Goji Berry，Goji de l'Himalaya，Goji Juice，Gou Qi Zi，Gouqizi，Himalayan Goji，Jus de Goji，Kuko，Licium Barbarum，Lyciet Commun，Lyciet de Barbarie，Lyciet de Chine，Lycii Berries，Lycii Chinensis，Lycii Fructus，Lycii Fruit，Lycium barbarum，Lycium chinense，Lycium Fruit，Matrimony Vine，Ning Xia Gou Qi，Tibetan Goji，Wolfberry

概　要

クコは地中海沿岸地域およびアジアの一部で生育する植物です。果実や根皮から「くすり」を作ることもあります。

クコは，糖尿病など多くの疾患や，体重減少，生活の質の改善のために用いられたり，強壮薬として用いられたりしますが，こうした用途を裏づける十分な科学的エビデンスはありません。

果実は食品として，生で食べたり，調理に用いたりします。

安 全 性

クコの果実は，適量を短期間経口摂取する場合には，おそらく安全です。最長３カ月間まで安全に用いられています。まれにクコの果実により，日光過敏症の亢進，肝障害，アレルギー反応を起こすおそれがあります。

糖尿病：クコは血糖値を低下させる可能性があります。糖尿病治療薬を服薬している場合には，血糖値が過度に低下するおそれがあります。血糖値を注意深く監視してください。

低血圧：クコは血圧を低下させる可能性があります。既に低血圧の場合には，クコの摂取により，血圧が過度に低下するおそれがあります。

●アレルギー

特定の食品に含まれるタンパク質に対するアレルギー：タバコ，モモ，トマトおよびナッツにアレルギーがある場合には，クコによりアレルギー反応を起こすおそれがあります。

●妊娠中および母乳授乳期

妊娠中および母乳授乳期の使用の安全性についてはデータが不十分です。クコの果実が子宮の収縮を引き起こすおそれが懸念されていますが，ヒトには報告されていません。十分なデータが得られるまで，安全性を考慮し，摂取は避けてください。

有効性

◆科学的データが不十分です

・糖尿病，ドライアイ，生活の質，体重減少，血液循環障害，がん，めまい感，発熱，高血圧，マラリア，耳鳴，性交不能症など。

●体内での働き

クコには，血圧および血糖値の低下を促す可能性のある化学物質が含まれています。また，免疫システムを刺激し，酸化による損傷から臓器を保護するのに役立つ可能性があります。

医薬品との相互作用

高ワルファリンカリウム

ワルファリンカリウムは血液凝固を抑制するために用いられます。クコは，ワルファリンカリウムが体内に留まる時間を長くする可能性があります。そのため，紫斑および出血のリスクが高まるおそれがあります。定期的に血液検査をしてください。ワルファリンカリウムの用量を変更する必要があるかもしれません。

中肝臓で代謝される医薬品（シトクロムP450 2C9（CYP2C9）の基質となる医薬品）

特定の医薬品は肝臓で代謝されます。クコはこのような医薬品の代謝を変化させる可能性があります。そのため，医薬品の作用および副作用が変化するおそれがあります。このような医薬品には，アミトリプチリン塩酸塩，ジアゼパム，Zileuton，セレコキシブ，ジクロフェナクナトリウム，フルバスタチンナトリウム，Glipizide，イブプロフェン，イルベサルタン，ロサルタンカリウム，フェニトイン，ピロキシカム，タモキシフェンクエン酸塩，トルブタミド（販売中止），トラセミド，ワルファリンカリウムなどがあります。

中降圧薬

クコの根皮は血圧を低下させる可能性があります。クコと降圧薬を併用すると，血圧が過度に低下するおそれがあります。血圧を注意深く監視してください。このような降圧薬には，カプトプリル，エナラプリルマレイン酸塩，ロサルタンカリウム，バルサルタン，ジルチアゼム塩酸塩，アムロジピンベシル酸塩，ヒドロクロロチアジド，フロセミドなど数多くあります。

低糖尿病治療薬

クコは血糖値を低下させる可能性があります。クコと糖尿病治療薬を併用すると，血糖値が過度に低下するおそれがあります。血糖値を注意深く監視してください。このような糖尿病治療薬にはグリメピリド，グリベンクラミド，インスリン，ピオグリタゾン塩酸塩，マレイン酸ロシグリタゾン（販売中止），クロルプロパミド，Glipizide，トルブタミド（販売中止）などがあります。

中フレカイニド酢酸塩

フレカイニド酢酸塩は不整脈を減少させるために用いられます。クコは体内のフレカイニド酢酸塩の量を増加させる可能性があります。そのため，フレカイニド酢酸塩の毒性や心臓に重大な問題が生じるリスクが高まるおそれがあります。

中肝臓で代謝される医薬品（シトクロムP450 2C19（CYP2C19）の基質となる医薬品）

特定の医薬品は肝臓で代謝されます。クコはこのような医薬品の代謝を変化させる可能性があります。そのため，医薬品の作用および副作用が変化する可能性があります。このような医薬品には，カリソプロドール（販売中止），Citalopram，ジアゼパム，ランソプラゾール，オメプラゾール，フェニトイン，ワルファリンカリウム，パントプラゾールナトリウム水和物（販売中止），ネルフィナビルメシル酸塩，クロミプラミン塩酸塩，シクロホスファミド水和物，フェノバルビタール，プロゲステロン，アミトリプチリン塩酸塩などがあります。

中肝臓で代謝される医薬品（シトクロムP450 2D6（CYP2D6）の基質となる医薬品）

特定の医薬品は肝臓で代謝されます。クコはこのような医薬品の代謝を変化させる可能性があります。そのため，医薬品の作用および副作用が増強するおそれがあります。このような医薬品には，アミトリプチリン塩酸塩，コデインリン酸塩水和物，塩酸デシプラミン（販売中止），フレカイニド酢酸塩，ハロペリドール，イミプラミン塩酸塩，メトプロロール酒石酸塩，オンダンセトロン塩酸塩水和物，パロキセチン塩酸塩水和物，リスペリドン，トラマドール塩酸塩，ベンラファキシン塩酸塩，クロザピン，ドネペジル塩酸塩，フェンタニルクエン酸塩，塩酸フルオキセチン（販売中止），ペチジン塩酸塩，メサドン塩酸塩，オランザピン，トラゾドン塩酸塩，デキストロメトルファン臭化水素酸塩水和物，クロルプロマジン塩酸塩，プロプラノロール塩酸塩，カルベジロール，塩酸デュロキセチン，タモキシフェンクエン酸塩，Citalopram，オキシコドン塩酸塩水和物などがあります。

中肝臓で代謝される医薬品（シトクロムP450 3A4（CYP3A4）の基質となる医薬品）

特定の医薬品は肝臓で代謝されます。クコはこのような医薬品の代謝を変化させる可能性があります。そのため，医薬品の作用および副作用が変化するおそれがあります。このような医薬品には，Lovastatin，ケトコナゾール，イトラコナゾール，フェキソフェナジン塩酸塩，トリアゾラムなど数多くあります。

ク

ハーブおよび健康食品・サプリメントとの相互作用

血圧を低下させるおそれのあるハーブおよび健康食品・サプリメント

クコの根皮は血圧を低下させるおそれがあります。クコの根皮と，血圧を低下させるおそれのあるほかのハーブおよび健康食品・サプリメントを併用すると，血圧が過度に低下するおそれがあります。このようなハーブおよび健康食品・サプリメントには，タンジン，ショウガ，朝鮮人参，ウコン，カノコソウなどがあります。

血糖値を低下させるおそれのあるハーブおよび健康食品・サプリメント

クコは血糖値を低下させるおそれがあります。クコと，血糖値を低下させるおそれのあるほかのハーブおよび健康食品・サプリメントを併用すると，血糖値が過度に低下するおそれがあります。このようなハーブおよび健康食品・サプリメントには，ニガウリ，ショウガ，薬用ガレーガ，フェヌグリーク，クズ，ウィローバークなどがあります。

使用量の目安

通常の食品に含まれている量を超えて経口摂取した場合の安全性および副作用については，明らかになっていません。

クサソテツ

OSTRICH FERN

●代表的な別名

コゴミ

別名ほか

草蘇鉄（Matteuccia struthiopteris），コゴミ，Fiddlehead Fern，Garden Fern，Hardy Fern，Osmunda struthiopteris

概　　要

クサソテツは植物です。ぜんまいとして知られている若い芽を用いて「くすり」を作ることもあります。

安 全 性

ほとんどの人に安全のようです。

適切に料理されないと，悪心，嘔吐，胃痙攣，下痢，頭痛などが生じることがあります。食べる前に最低10分間はゆでないと，重症の食中毒を引き起こすこともあります。

●妊娠中および母乳授乳期

妊娠中および母乳授乳期のクサソテツ使用の安全性についてはデータが不十分です。安全性を考慮し，摂取は避けてください。

有 効 性

◆科学的データが不十分です

・のどの痛み（うがい薬として使用），傷（皮膚に塗布），おでき（皮膚に塗布）など。

●体内での働き

下剤としての働きをもつと考えられますが，どのように作用するかについて信頼できるデータは十分にはありません。

医薬品との相互作用

ほかの医薬品との相互作用については明らかではありません。

ハーブおよび健康食品・サプリメントとの相互作用

ほかのハーブ，健康食品・サプリメントとの相互作用についてはまだ明らかではありません。

使用量の目安

標準使用量に関するデータがありません。

クズ

KUDZU

別名ほか

葛（Kudsu），葛根（Pueraria Root），ダイゼイン（Daidzein），イソフラボン（Isoflavone），ガオクルア（Kwaao Khruea），プエラリア（Pueraria），プエラリア・ミリフィカ（Pueraria mirifica），タイワンクズ（Pueraria montana），カッコン，シナノクズ（Pueraria thomsonii），Dolichos lobatus，Fen Ke，Fenge，Gange，Ge Gen，Gegen，Isoflavones，Japanese Arrowroot，Kudzu Vine，Mealy Kudzu，Pueraria Lobata，Pueraria pseudohirsuta，Pueraria thunbergiana，Pueraria ttuberosa，Radix puerariae，Yege

概　　要

クズはつる植物です。適切な生育環境においては容易に繁殖し，行く手にあるものほとんどすべてを覆います。クズは1876年に北アメリカに伝わり，米国南東部の土壌浸食を防ぐために導入されました。しかし急速に増殖して農地や建物を上回り，「アメリカ南部を食べ尽くすつる」と呼ばれるまでになりました。

クズの根と花，および葉は「くすり」を作るのに使われることがあります。少なくとも紀元前200年頃から漢方薬で使われています。西暦600年頃にはアルコール依存症の治療に使われていました。

●要説（ナチュラル・スタンダード）

中国原産のクズが，日本からアメリカへもたらされたのは1800年代後半です。今ではアメリカ東部のほとんどの地域に分布し，大陸南部ではごくありふれた植物です。

中国では，アルコール依存症，糖尿病（高血糖），インフルエンザによる胃腸炎，および難聴の治療に昔から用いられています。クズの有効成分であるプエラリンが，心臓や脳への血流を増す可能性を示す研究があり，従来の用途の一部の妥当性を支持しています。

エビデンスにより，胸痛改善のほか，糖尿病や更年期の症状に対する有効性が示唆されています。ただし，ほとんどの研究は小規模で内容も適切であるとはいえません。結論付けにはさらなる試験が必要です。

安 全 性

適切な用い方をするなら，ほとんどの人に安全といえます。

臨床試験では，クズの経口摂取による副作用は報告されていません。しかしクズを含む製品（葛根湯）の使用後にアレルギー反応が一例報告されています。

出血・血液凝固疾患：クズは血液凝固を抑制する可能性があります。出血性疾患や血液凝固疾患を悪化させるおそれがあり，治療に使われる医薬品の効果を妨げることもあります。

糖尿病：血糖値を下げる可能性があるので，糖尿病の人は低血糖に注意し，血糖値を注意深く監視してください。

乳がん，子宮がん，卵巣がん，子宮内膜症，子宮筋腫などのホルモン感受性疾患：クズはエストロゲンと似た働きをするようです。エストロゲンの影響で悪化するこれらの疾患のある場合は，クズは使用してはいけません。

●妊娠中および母乳授乳期

妊娠中および母乳授乳期の使用の安全性についてはデータが不十分です。安全性を考慮し，使用は控えてください。

有 効 性

◆科学的データが不十分です

- 胸部痛。研究によると，プエラリンというクズに含まれる成分が，経口摂取または静脈投与することにより，胸部痛の徴候と症状を改善する可能性があることが示されています。プエラリン静脈投与と通常の治療の併用は，治療単独よりも効果があるというデータが出ています。しかしプエラリンの研究のほとんどは質が低いため，この研究も信頼できないかもしれません。プエラリンの注射薬は北アメリカでは入手できません。
- アルコール依存症。予備研究では，クズエキスを７日間摂取する大量飲酒者はそうでない飲酒者に比べ，飲酒機会が与えられたときのビール消費量が少ないことが示されています。しかし，クズによって飲酒欲求が抑えられたり，慢性アルコール依存症において飲酒改善されたりはしないようです。
- 更年期症状。クズの経口摂取は，性ホルモン濃度，血中脂質値，骨密度などの更年期の女性に生じる変化には作用しません。更年期症状も軽減しないと見られます。しかし，閉経後の女性の知的能力には，効果があるかもしれません。
- 脳卒中。静脈投与されたクズに含まれる成分であるプエラリンは，中国では虚血性脳卒中という血栓によって起こる脳卒中の一種の患者の治療に使われています。しかし入り交じった結果が生じています。ある研究ではまったく効果が証明されませんでした。別の研究では効果が示されたのですが，研究デザインが批判されており，研究結果が疑問視されています。
- アルコールの二日酔いの症状（頭痛，胃の不快感，めまいおよび嘔吐），酩酊，閉経，筋肉痛，はしか，赤痢，胃炎，発熱，下痢，口渇，感冒，インフルエンザ，頸部強直，発汗促進（発汗薬），高血圧症，心拍数および心律動の異常など。

●体内での働き

アルコールを中和する成分を含んでいるとのデータがあります。また，エストロゲンのような作用もあるようです。クズ中の化合物は心臓内の血流量を増大させることもあります。

医薬品との相互作用

中エストロゲン（卵胞ホルモン）製剤

クズに含まれるカフェインは体内で代謝されてから排泄されます。エストロゲンはカフェインの代謝を抑制する可能性があります。カフェインの代謝が抑制されることにより，神経過敏，頭痛，動悸などの副作用が現れるおそれがあります。エストロゲン製剤の服用中はカフェインの摂取を制限してください。このようなエストロゲン製剤には，結合型エストロゲン，エチニルエストラジオール，エストラジオールなどがあります。

中タモキシフェンクエン酸塩

がんの種類によっては体内のホルモンの影響を受けます。エストロゲン感受性のがんは体内のエストロゲン量の影響を受けます。タモキシフェンクエン酸塩はこのようながんの治療および再発予防のために用いられます。クズも体内のエストロゲン量に影響を及ぼすようです。クズがエストロゲン量に影響を及ぼすことで，タモキシフェンクエン酸塩の効果が弱まるおそれがあります。タモキシフェンクエン酸塩を服用中にクズを摂取しないでください。

中メトトレキサート

クズはメトトレキサートの体内からの排泄を抑制する可能性があります。そのため，メトトレキサートの副作用のリスクが高まるおそれがあります。

中血液凝固を抑制する医薬品（抗凝固薬/抗血小板薬）

クズは血液凝固を抑制する可能性があります。クズと血液凝固を抑制する医薬品を併用すると，紫斑および出血のリスクが高まるおそれがあります。このような医薬品には，アスピリン，クロピドグレル硫酸塩，ジクロフェナクナトリウム，イブプロフェン，ナプロキセン，ダルテパリンナトリウム，エノキサパリンナトリウム，ヘパリン，ワルファリンカリウムなどがあります。

低糖尿病治療薬

クズは血糖値を低下させる可能性があります。糖尿病治療薬も血糖値を低下させるために用いられます。クズと糖尿病治療薬を併用すると，血糖値が過度に低下するおそれがあります。血糖値を注意深く監視してください。糖尿病治療薬の用量を変更する必要があるかもしれません。このような医薬品には，グリメピリド，グリベンクラミド，インスリン，ピオグリタゾン塩酸塩，マレイン酸ロシグリタゾン（販売中止），クロルプロパミド，Glipizide，トルブタミド（販売中止）などがあります。

中避妊薬

特定の避妊薬にはエストロゲンが含まれます。クズにはエストロゲン様作用のある可能性があります。しかし，クズは避妊薬のエストロゲンほど強くありません。クズと避妊薬を併用すると，避妊薬の効果が弱まるおそれがあります。併用中の場合には，コンドームなど，ほかの避妊法も使用してください。このような避妊薬には，エチニルエストラジオール・レボノルゲストレル配合，エチニルエストラジオール・ノルエチステロン配合などがあります。

中肝臓を害する可能性のある医薬品

クズは肝臓を害する可能性があります。理論的には，クズと肝臓を害する可能性のある医薬品を併用すると，肝障害のリスクが高まるおそれがあります。このような医薬品には，アカルボース，アミオダロン塩酸塩，アトルバスタチンカルシウム水和物，アザチオプリン，カルバマゼピン，セリバスタチンナトリウム（販売中止），ジクロフェナクナトリウム，Felbamate，フェノフィブラート，フルバスタチンナトリウム，ゲムフィブロジル（販売中止），イソニアジド，イトラコナゾール，ケトコナゾール，レフルノミド，Lovastatin，メトトレキサート，ネビラピン，ニコチン酸，ニトロフラントイン（販売中止），ピオグリタゾン塩酸塩，プラバスタチンナトリウム，ピラジナミド，リファンピシン，リトナビル，マレイン酸ロシグリタゾン（販売中止），シンバスタチン，Tacrine，タモキシフェンクエン酸塩，テルビナフィン塩酸塩，バルプロ酸ナトリウム，Zileutonなどがあります。

ハーブおよび健康食品・サプリメントとの相互作用

血糖値を下げるハーブおよび健康食品・サプリメント

クズは血糖値を下げる可能性があります。同様の作用のあるほかのハーブおよび健康食品・サプリメントと併用すると，血糖値が下がりすぎるおそれがあります。血糖値を下げる可能性がある製品は，α-リポ酸，ニガウリ，シナモン（カシア），クロム，デビルズクロー，フェヌグリーク，ニンニク，グアーガム，セイヨウトチノキ，朝鮮人参，サイリウム，エゾウコギなどです。

血液凝固を抑制するハーブおよび健康食品・サプリメント

クズは血液凝固を抑制する可能性があります。血液凝固を抑制するほかのハーブおよび健康食品・サプリメントと併用すると，紫斑や出血の危険性が高まります。血液凝固を抑制するハーブおよび健康食品・サプリメントは，アンゼリカ，クローブ，タンジン，フェヌグリーク，フィーバーフュー，ニンニク，ショウガ，イチョウ，朝鮮人参，ポプラ，レッドクローバー，ウコンなどです。

エストロゲン（女性ホルモン製剤・卵胞ホルモン）と似た働きをするハーブおよび健康食品・サプリメント

クズは，アルファルファ，ブラックコホシュ，セイヨウニンジンボク，亜麻の種子，ホップ，イプリフラボン，甘草，レッドクローバー，大豆などのエストロゲン（女性ホルモン製剤・卵胞ホルモン）様効果を強めたり弱めたりするようです。

使用量の目安

●経口摂取

アルコール依存症

根のエキス１回1.2gを１日２回摂取します。ある特定のエキス薬500mgを１日３回摂取することもあります。このエキス薬はプエラリン19%，ダイズィン４%，ダイゼイン２%を含むように標準化したものです。

更年期症状

粉末（イソフラボン100mgを含む）を水に溶かして１日１回３カ月間摂取します。

クズウコン

ARROWROOT

別名ほか

Maranta arundinacea，Maranta

概　要

クズウコンは，植物です。根と根茎（地下に伸びる茎）からとれるでんぷんを用いて「くすり」を作ることもあります。

クズウコンは，食品として料理の材料に使用されます。しばしば，ジャガイモ，トウモロコシ，小麦，米などのより安いでんぷんに代用されることがあります。

●要説（ナチュラル・スタンダード）

クズウコンは，マランタ属の植物全般を指しますが，クズウコン（Maranta arundinacea）の根茎から得ることができる消化の良いでんぷんの名称として使われることがもっとも一般的です。同様のでんぷんを得ることができるほかの植物には，East Indian Arrowroot（Curcuma angustifolia）をはじめ，Queensland arrowroot（カンナ科），Brazilian arrowroot（トウダイグサ科)，およびFlorida arrowroot (Zamia pumila, Zamia integrifolia) などがあります。本項目では，本来クズウコンと呼ばれるべきクズウコン (Maranta arundinacea) についてのみ言及します。

クズウコンの俗称は，南米のAruac IndiansのAru-rootの転訛であるとか，毒矢 (poison-tipped arrow) の解毒薬として伝説的に用いられていたことに由来するといわれています。クズウコンを主食としていた西インド諸島の先住民Arawakの人々の言葉aru-aru (食事の中の食事) に由来するともいわれています。

クズウコンは，すりおろした根茎から抽出した乳状液体を乾燥させて粉末にした，でんぷんの形で用いられます。おそらくは，でんぷん成分を豊富に含むため，下痢に対する民間療法として研究されていました。胃腸疾患の患者が食事として経口摂取したり，疼痛，刺激，粘膜の炎症を抑えるために皮膚に塗布しました。

安全性

クズウコンは，でんぷんを食品に用いる場合，ほとんどの人に安全のようです。「くすり」として経口摂取または皮膚への塗布により用いる場合は，おそらく安全です。

●妊娠中および母乳授乳期

妊娠中および母乳授乳期に，通常の食品の量の範囲で経口摂取するのは，おそらく安全です。ただし，「くすり」としての高用量摂取の安全性についてはデータが不十分です。食品の量の範囲内で摂取してください。

有効性

◆科学的データが不十分です

・腸の異常 (過敏性腸症候群，IBS)，口内や歯肉の内側などの粘膜の炎症緩和など。

●体内での働き

体内からコレステロールを除去するのに役立つ可能性があるという科学的エビデンスがいくつかあります。胃腸障害などに対してどのように作用するかについては，データが不十分です。

医薬品との相互作用

ほかの医薬品との相互作用については明らかではありません。

ハーブおよび健康食品・サプリメントとの相互作用

ほかのハーブ，健康食品・サプリメントとの相互作用についてはまだ明らかではありません。

使用量の目安

通常の食品に含まれている量を超えて経口摂取した場合の安全性および副作用については，明らかになっていません。

糞人参

SWEET ANNIE

別名ほか

青蒿 (Qing Hao)，チンハオス，Qinghaosu，クソニンジン，アーテスネート (Artemisia annua)，アルテミシニン (Artemisinin)，アヌア (Sweet Wormwood)，Annual Mugwort，Annual Wormwood，Artemisia，Chinese Wormwood，Ching-hao

概　要

糞人参はハーブです。地上部を用いて「くすり」を作ることもあります。

●要説 (ナチュラル・スタンダード)

糞人参 (Artemisia annua) は，中国ヨモギや甘いヨモギとも呼ばれています。ヨモギ (Wormwood) とマグワート (Mugwort) は両方とも同属ですが，これらのハーブにはそれぞれ異なる用途があり，混同すべきではありません。

ここ数百年は嗜好されなくなりつつありますが，1500年以上もの間，糞人参茶は発熱治療に伝統中国医学で使用されていました。1970年には，5世紀に書かれた伝統中国医学ハンドブックが発見され，糞人参への関心が高まりました。もともと発熱治療に使用されましたが，糞人参は，マラリアにはとくに使用されませんでした。

糞人参の主な活性成分はアルテミシニン (artemisinin) で，標準的な抗マラリア薬と併用し，補助薬として使用する場合はとくに，人での急速な抗マラリア活性を示します。植物は多様な気候で生育が可能で，Artemisia annuaの簡素で効果的な調合薬は，マラリアに対する安価で便利な特効薬として必要とされる可能性はあります。マラリアの治療におけるその有望性に加えて，予備的な研究では，糞人参は，抗がん薬や抗ウイルス薬としての可能性を示しています。

安全性

糞人参の経口摂取は，ほとんどの成人にとって，おそらく安全です。糞人参の茶により，胃のむかつきや，嘔吐を引き起こすおそれがあります。また，人によっては，皮疹や咳などのアレルギー反応を引き起こすおそれがあります。

きわめて高用量の糞人参を摂取し，肝障害を引き起こした例が，1件報告されています。ただし，通常用量の摂取による，肝障害の報告はありません。

糞人参を，皮膚へ直接塗布する場合の安全性については，データが不十分です。

●アレルギー

ブタクサおよび類似した植物に対するアレルギー：キク科の植物に敏感な場合には，糞人参により，アレルギー反応を引き起こすおそれがあります。このような植物には，ブタクサ，キク，マリーゴールド，デイジーなど，多数の植物があります。アレルギーの場合には，糞人参を摂取する前に医師などに相談してください。

●妊娠中および母乳授乳期

妊娠中の経口摂取は，安全ではないようです。動物実験により，妊娠初期に，糞人参に含まれる化学物質であるアルテミシニンから人工的に作った医薬品により，胎児が死に至るおそれや，先天性異常を引き起こすおそれがあることが示唆されています。妊娠後半の6カ月の期間に，糞人参を使用する場合の安全性については，データが不十分です。にもかかわらず，世界保健機関では，ほかのマラリア治療薬が効かない場合には，妊娠後半の6カ月の期間における，アルテミシニンから人工的に作った医薬品の使用を許容しています。

母乳授乳期の使用の安全性についてはデータが不十分です。安全性を考慮し，摂取は避けてください。

有効性

◆科学的データが不十分です

・マラリア，エイズに関連する感染症，食欲不振，関節炎，細菌感染，真菌感染，あざ（打撲），感冒，便秘，下痢，発熱，胆のう疾患，胃のむかつき，黄疸（皮膚が黄色い状態），寝汗，月経困難，乾癬，疥癬，捻挫，結核など。

●体内での働き

糞人参には，アルテミシニンと呼ばれる化学物質が含まれています。アルテミシニンは，マラリアを引き起こす寄生虫に抵抗する作用があるようです。アルテミシニンから人工的に抗マラリア薬を作る医薬品メーカーもあります。

マラリア原虫を死滅させることはなく，不活性化させるだけの可能性があるため，糞人参は単体で使用するべきではありません。糞人参に含まれるアルテミシニンの量は，マラリア原虫を死滅させるほどではありませんが，アルテミシニンを含むより効果の高いマラリアの医薬品と併用することにより，原虫に抵抗することができます。

多くの研究者が，糞人参に含まれるアルテミシニンの量を増やす新しい方法を研究中です。

医薬品との相互作用

中肝臓で代謝される医薬品（シトクロムP450 2B6（CYP2B6）の基質となる医薬品）

特定の医薬品は肝臓で代謝されます。糞人参はこのような医薬品の代謝を促進する可能性があります。糞人参と肝臓で代謝される医薬品を併用すると，医薬品の効果が弱まるおそれがあります。肝臓で代謝される医薬品を服用中の場合には，医師や薬剤師に相談することなく糞人参を摂取しないでください。このような医薬品には，ケタミン塩酸塩，フェノバルビタール，セコバルビタールナトリウム，デキサメタゾンなどがあります。

中肝臓で代謝される医薬品（シトクロムP450 3A4（CYP3A4）の基質となる医薬品）

特定の医薬品は肝臓で代謝されます。糞人参はこのような医薬品の代謝を促進する可能性があります。糞人参と肝臓で代謝される医薬品を併用すると，医薬品の効果が弱まるおそれがあります。肝臓で代謝される医薬品を服用している場合には，医師や薬剤師に相談することなく糞人参を摂取しないでください。このような医薬品には，特定のカルシウム拮抗薬（ジルチアゼム塩酸塩，ニカルジピン塩酸塩，ベラパミル塩酸塩），化学療法薬（エトポシド，パクリタキセル，ビンブラスチン硫酸塩，ビンクリスチン硫酸塩，ビンデシン硫酸塩），抗真菌薬（ケトコナゾール，イトラコナゾール），グルココルチコイド，フェンタニルクエン酸塩，ロサルタンカリウム，塩酸フルオキセチン（販売中止），ミダゾラム，オメプラゾール，オンダンセトロン塩酸塩水和物，プロプラノロール塩酸塩，フェキソフェナジン塩酸塩など数多くあります。

中肝臓を害する可能性のある医薬品

糞人参は肝臓を害する可能性があります。糞人参と肝臓を害する可能性のある医薬品を併用すると，肝障害のリスクが高まるおそれがあります。このような医薬品には，アセトアミノフェン，アミオダロン塩酸塩，カルバマゼピン，イソニアジド，メトトレキサート，メチルドパ水和物，フルコナゾール，イトラコナゾール，エリスロマイシン，フェニトイン，Lovastatin，プラバスタチンナトリウム，シンバスタチンなど数多くあります。

ハーブおよび健康食品・サプリメントとの相互作用

ほかのハーブ，健康食品・サプリメントとの相互作用についてはまだ明らかではありません。

使用量の目安

通常の食品に含まれている量を超えて経口摂取した場合の安全性および副作用については，明らかになっていません。

クチナシ

GARDENIA

別名ほか

Cape Jasmine, Cape Jessamine, Danh Danh, Jasmin, Gardenia augusta, Gardenia florida, Gardenia jasminoides, Gardenia radicans, Gardênia, Jasmin Do Cabo, Varneria augusta, Zhi Zi

概要

クチナシは植物です。果実を用いて「くすり」を作ることもあります。

クチナシは，不安，激越，膀胱感染，出血，がん，便秘，うつ病，糖尿病，発熱，胆のう疾患，高コレステロール血症，高血圧，インフルエンザ，睡眠障害，肝臓障害，更年期障害，疼痛，膵臓の腫脹，関節リウマチに対し，経口摂取されます。クチナシは，抗酸化物質として，腫脹の軽減や，免疫機能を活性化するためにも，用いられます。

クチナシは，出血，創傷治癒，捻挫および筋肉痛に対し，皮膚に塗布されます。

食品では，黄色の着色料として用いられます。

安全性

クチナシの経口摂取および皮膚への塗布の安全性については，データが不十分です。経口摂取する場合には，緩下剤のような働きをし，下痢を引き起こすおそれがあります。皮膚へ塗布する場合には，皮膚過敏を引き起こすおそれがあります。

●妊娠中および母乳授乳期

妊娠中および母乳授乳期の使用の安全性についてはデータが不十分です。安全性を考慮し，摂取は避けてください。

有効性

◆科学的データが不十分です

・不安，激越，膀胱感染，出血，がん，便秘，うつ病，糖尿病，発熱，胆のう疾患，高コレステロール血症，高血圧，インフルエンザ，睡眠障害，更年期症状，疼痛，膵臓の腫脹，関節リウマチ，創傷治癒，捻挫，筋肉痛など。

●体内での働き

クチナシに含まれている化学物質の一部が，インスリン抵抗性を弱め，耐糖能障害を予防する可能性があります。クチナシのエキスは，腫脹を軽減し，血中脂肪およびコレステロール値を低下させ，肝臓を保護し，ウイルス感染の治療に有効な可能性もあります。

医薬品との相互作用

中刺激性下剤

クチナシには腸の運動を促す化学物質が含まれます。刺激性下剤は腸の運動を促します。クチナシと刺激性下剤を併用すると，腸の運動が過度に促され，脱水および体内のミネラル欠乏を引き起こすおそれがあります。このような刺激性下剤にはビサコジル，カスカラサグラダ，ヒマシ油，センナなどがあります。

ハーブおよび健康食品・サプリメントとの相互作用

刺激性緩下作用をもつハーブおよび健康食品・サプリメント

クチナシは，刺激性緩下剤のような働きをする化学物質を含んでいます。刺激性緩下剤は腸を活性化させます。クチナシと，ほかの刺激性緩下作用をもつハーブおよび健康食品・サプリメントを併用すると，カリウムが過度に失われ，心臓に悪影響を与えるリスクが高まるおそれがあります。このようなハーブおよび健康食品・サプリメントには，アロエ，セイヨウイソノキ，ブラックルート，ブルーフラッグ，コロシント，ヨーロピアンバックソーン，フォーチ，ガンボジ，ゴシポール，ヒロハヒルガオ，ヤラッパ，マンナ，メキシカン・スキャモニイ・ルート，ルバーブ，センナ，イエロードックなどがあります。

使用量の目安

通常の食品に含まれている量を超えて経口摂取した場合の安全性および副作用については，明らかになっていません。

駆虫草

WORMSEED

別名ほか

Artemisia cina，Levant，Santonica，Sea Wormwood

概要

駆虫草はハーブです。花を用いて「くすり」を作ることもあります。ケノポジオイル（ワームシードオイル），ワームウッドオイル，あるいはワームウッドと混同しないようにしてください。レバントと呼ばれることもあるので，レバントベリーとも混同しないようにしてください。

●要説（ナチュラル・スタンダード）

駆虫草（Chenopodium ambrosioides，Dysphania ambrosioides）は，中南米およびカリブ海地域が原産です。その名称は腸内寄生虫を治療するために，中央アメリカのマヤ人によって何世紀も昔から使用されていたことに由来します。駆虫草はヨーロッパと北アフリカでは，気管支喘息や赤痢を治療したり，生理痛を緩和するために伝統的に使用されてきました。駆虫草は，食品の味付けにアステカで使用され，今日ではメキシコ料理の重要な調味料です。

駆虫草のもっとも一般的な用途は，蟯虫などの寄生虫による感染症治療です。この使用のために，駆虫草が経口摂取されます。有効成分はアスカリドールです。しかしながら，その使用は中毒や死亡のおそれもあります。

どのような疾患についてもアメリカ駆虫草を使用するかどうかを結論する前に，ヒトでの質の高い研究が必要です。

安全性

経口で摂取する場合は安全ではありません。10mg未満の量を摂取した後，死亡した人もいます。寄生虫感染の治療のため使用する際の投与量が低くても，下痢，視覚障害，腎障害，筋肉の痙攣，発作といった副作用が起きる可能性があります。

駆虫草はすべての人に安全ではありませんが，人によってはとくに注意して使用を避ける必要があります。

●アレルギー

キク科の植物にアレルギーのある人に駆虫草がアレルギー反応を起こすかもしれません。この科の植物には，ブタクサ，キク，マリーゴールド，デイジー，そのほか多くのハーブがあります。

●妊娠中および母乳授乳期

妊娠中および母乳授乳期の使用は，毒性が強いので安全ではありません。使用しないでください。

有　効　性

◆科学的データが不十分です

・寄生虫感染の治療。

●体内での働き

胃や腸に寄生する寄生虫を殺す化合物を含んでいます。

医薬品との相互作用

ほかの医薬品との相互作用については明らかではありません。

ハーブおよび健康食品・サプリメントとの相互作用

ほかのハーブ，健康食品・サプリメントとの相互作用についてはまだ明らかではありません。

使用量の目安

標準使用量に関するデータがありません。

ググル

GUGGUL

別名ほか

ググルガム樹脂（Guggul Gum Resin），グーグル脂質（Guggulipid），コミフォラ・ムクル，ググルの木，グーグル，ガガル，インドマカル（Commiphora mukul），コンミフォラ（Commiphora wightii），ググルステロン，グーグルステロン，グッグルステロン（Guggulsterones），Balsamodendrum wightii，Balsamodendrum mukul，Guggal，Guggulu，Guggulu Suddha，Gum Guggal，Gum Guggulu，Indian Bdellium-Tree，Mukul Myrrh Tree

概　　要

インド原産のグッグルの樹液から作られる樹脂です。この樹木は，アーユルヴェーダ医学で，何世紀にもわたり使用されています。紀元前600年のアーユルヴェーダ医学書には，アテローム性動脈硬化症の治療に役立つと記されています。

●要説（ナチュラル・スタンダード）

グッグルは，Mukul Myrrh Treeおよびコンミフォラ属として知られるインドマカルの通称です。樹脂を指すこともあります。グーグル脂質はグッグルから作られる化合物で，ググルステロンEおよびググルステロンZを含んでいます。ググルステロンEおよびググルステロンZは，コレステロールと同様，ステロイド化合物の植物ステロールです。2003年以前はほとんどのエビデンスにより，グーグル脂質が低比重リポタンパク（LDL-コレステロール）およびトリグリセリドを減らし，高比重リポタンパク（HDL-コレステロール）を増やすことが示唆されていました。ただし，相反する結果も示されています。近年の研究によれば，グッグルが高コレステロールに有効な可能性もあり，さらなる研究が必要です。

グッグルは，にきび，減量，骨関節炎，および関節リウマチに対する研究もされていますが，さらなる研究が必要です。

・新型コロナウイルス感染症（COVID-19）。
　COVID-19に対してグッグルの使用を裏付ける十分なデータはありません。

安　全　性

胃の不調，頭痛，悪心，嘔吐，軟便，下痢，げっぷ，しゃっくりといった副作用が起きることがあります。

アレルギーと無関係な皮疹やかゆみを生じることもあります。これらの有害反応は，高用量（例：1日6,000mg）を使用した場合に多くみられます。

甲状腺疾患（甲状腺機能低下症あるいは甲状腺機能亢進症），乳がん，子宮がん，卵巣がん，子宮内膜症，子宮筋腫の人は使用してはいけません。

２週間以内に手術を受ける予定の人は使用してはいけません。出血のリスクが高まります。

●アレルギー

発疹やかゆみといったアレルギー反応が出ることもあります。

●妊娠中および母乳授乳期

妊娠中，母乳授乳期は使用してはいけません。

有　効　性

◆有効性レベル③

・ある種のにきび（挫創）の治療。にきび（nodulo cystic acne）の治療に，テトラサイクリン系抗生物質と同程度の効果を示すようです。これらの療法の双方とも，炎症，すなわち痛み，腫脹，および赤味を軽減し，にきび発生数を低減します。

◆有効性レベル④

・西洋風の食事をとっている人における血清コレステロールとトリグリセリド値の減少。異なる食習慣のインド人に，効果があるようです。グッグルはインド人における血清総コレステロール値，ＬＤＬ-コレステロール値，およびトリグリセリド値を低下させるようです。

◆科学的データが不十分です

・関節炎および体重減少。

●体内での働き

血清コレステロール値とトリグリセリド値を下げる物質を含んでいます。また，これらの物質の１つは，ある種のにきびで見られる赤みや腫脹を減少させます。

医薬品との相互作用

高エストロゲン（卵胞ホルモン）製剤

多量のググルは理論的にはエストロゲンの副作用を増強させるおそれがあります。このようなエストロゲン製剤には，結合型エストロゲン，エチニルエストラジオール，エストラジオールなどがあります。

中ジルチアゼム塩酸塩

ググルはジルチアゼム塩酸塩の体内への吸収量を減少させる可能性があります。ググルとジルチアゼム塩酸塩を併用すると，ジルチアゼム塩酸塩の効果を弱めるおそれがあります。

中タモキシフェンクエン酸塩

ある種のがんは体内のホルモンの影響を受けます。エストロゲン感受性がんは体内のエストロゲン値の影響を受けるがんです。タモキシフェンクエン酸塩はこの種のがんの治療と予防に使われます。ググルは理論上，体内のエストロゲン値に影響を与えるので，タモキシフェンクエン酸塩の効果を弱める可能性があります。タモキシフェンクエン酸塩を服用中はググルを用いないでください。

中プロプラノロール塩酸塩

ググルはプロプラノロール塩酸塩の体内吸収量を減少させることがあります。併用するとプロプラノロール塩酸塩の効果が弱まるおそれがあります。

中肝臓で代謝される医薬品（シトクロムP450 3A4（CYP3A4）の基質となる医薬品）

医薬品の中には肝臓で代謝されやすいものがあります。ググルはその代謝酵素に促進的に影響するので，併用すると医薬品の効果を弱めるおそれがあります。このような医薬品にはLovastatin，アトルバスタチンカルシウム水和物，ケトコナゾール，イトラコナゾール，フェキソフェナジン塩酸塩，トリアゾラムなど多数あります。

中血液凝固を抑制する医薬品（抗凝固薬/抗血小板薬）

ググルは血液凝固を抑制すると考えられるので，血液凝固を抑制する医薬品と併用すると，紫斑および出血のリスクが高まる可能性があります。このような医薬品には，アスピリン，クロピドグレル硫酸塩，ジクロフェナクナトリウム，イブプロフェン，ナプロキセン，ダルテパリンナトリウム，エノキサパリンナトリウム，ヘパリン，ワルファリンカリウムなどがあります。

中避妊薬

ある種の避妊薬はエストロゲンを含んでいますが，ググルは理論上，避妊薬の副作用を強めると考えられます。このような避妊薬としてはエチニルエストラジオール・レボノルゲストレル配合，エチニルエストラジオール・ノルエチステロン配合などがあります。

ハーブおよび健康食品・サプリメントとの相互作用

血液凝固を抑制するハーブおよび健康食品・サプリメント

ググルは，血液凝固を抑制することがあります。血液凝固抑制作用のある他のハーブおよび健康食品・サプリメントと併用すると，出血の危険性を高める可能性があります。これらのハーブには，アンゼリカ，クローブ，タンジン，ニンニク，ショウガ，イチョウ，レッドクローバー，ターメリックなどがあります。

エストロゲン（女性ホルモン製剤・卵胞ホルモン）様作用のあるハーブおよび健康食品・サプリメント

ググルは，女性ホルモンであるエストロゲン（女性ホルモン製剤・卵胞ホルモン）と同様の働きをすることがあります。ググルを他のエストロゲン（女性ホルモン製剤・卵胞ホルモン）様作用のあるハーブおよび健康食品・サプリメントと併用すると，この作用を増強し，副作用を増強させる可能性があります。このようなハーブおよび健康食品・サプリメントには，アルファルファ，ブラックコホシュ，セイヨウニンジン，亜麻仁，ホップ，イプリフラボン，クズ，リコリス，レッドクローバー，および大豆があります。

使用量の目安

●経口摂取

高コレステロール血症

ググルステロン75～150mg/日を含むエキス剤（ググル脂質）を１回1,000～2,000mgとして１日２～３回最長８週間摂取します。

結節のう胞性にきび

ググルステロン25mgに相当するググル脂質を１日２回摂取します。

クッソ

KOUSSO

別名ほか

ハゲニア・アビシニカ（Hagenia abyssinica），Brayera anthelmintica，Cossoo，Kooso，Kosso

概　　要

クッソは植物です。葉，果実および花を用いて「くすり」を作ることもあります。

安 全 性

危険です。胃腸への刺激，胃痛，唾液の増加，頭痛，体力低下，意識消失，視野の変化，痙攣およびショックなどの副作用を引き起こす可能性があります。誰にとっても安全ではありませんが，とくに注意して使用を避けるべき人もいます。

胃腸疾患：胃腸を刺激します。消化管疾患の場合には，使用しないでください。

●妊娠中および母乳授乳期

妊娠中の使用は安全ではありません。母体に深刻な副作用をともなうだけでなく，流産を引き起こすおそれがあります。母乳授乳期の使用も安全ではありません。

有 効 性

◆科学的データが不十分です

・条虫など。

●体内での働き

どのように作用するかについては十分なデータが得られていません。

医薬品との相互作用

中糖尿病治療薬

クッソは血糖値を低下させる可能性があります。糖尿業治療薬も血糖値を低下させるために用いられます。クッソと糖尿病治療薬を併用すると，血糖値が過度に低下するおそれがあります。血糖値を注意深く監視してください。糖尿病治療薬の用量を変更する必要があるかもしれません。このような糖尿病治療薬には，グリメピリド，グリベンクラミド，インスリン，メトホルミン塩酸塩，ピオグリタゾン塩酸塩，マレイン酸ロシグリタゾン（販売中止）などがあります。

ハーブおよび健康食品・サプリメントとの相互作用

ほかのハーブ，健康食品・サプリメントとの相互作用についてはまだ明らかではありません。

使用量の目安

標準使用量に関するデータがありません。

クナウティア

FIELD SCABIOUS

別名ほか

クナウティア・アルベンシス（Knautia arvensis），マツムシソウの仲間（Scabiosa arvensisx），Bluebuttons，Gypsy's-Rose

概　　要

クナウティアはハーブです。地上に出ている部分を用いて「くすり」を作ることもあります。

安 全 性

安全性については十分なデータが得られていません。

●妊娠中および母乳授乳期

妊娠中および母乳授乳期の使用の安全性についてはデータが不十分です。安全性を考慮し，摂取は避けてください。

有 効 性

◆科学的データが不十分です

・経口摂取する場合には，咳，咽喉痛など。
・皮膚へ塗布する場合には，紫斑，皮膚潰瘍，湿疹，裂肛（肛門周囲の皮膚のひびわれ），肛門そう痒症，疥癬，回虫など。

●体内での働き

粘膜を薄くし咳を出やすくする（去痰薬）ことにより，胸部うっ血を解消します。また，皮膚を乾燥させる作用もあります。

医薬品との相互作用

ほかの医薬品との相互作用については明らかではありません。

ハーブおよび健康食品・サプリメントとの相互作用

ほかのハーブ，健康食品・サプリメントとの相互作用についてはまだ明らかではありません。

使用量の目安

標準使用量に関するデータがありません。

クミン

CUMIN

●代表的な別名

ヒメウイキョウ

別名ほか

姫ウイキョウ，カミン，バキン，マキン，馬芹（Cuminum cyminum），Cummin，Cuminum odorum，Jeeraka，Svetajiraka，Zira

概　　要

クミンはハーブです。種子を用いて「くすり」を作ることもあります。

クミンは，スパイス，食品，飲料で風味付けとして使用されます。

ほかの用途では，クミンオイルは化粧品の香料として使用されます。

●要説（ナチュラル・スタンダード）

クミンは，地中海東岸から東インドにかけての地域原産です。昔から調理用にも，治療用にも用いられています。エジプトでは，ミイラ化する際にも用いました。紀元前16世紀のエジプトの遺跡発掘現場など，考古学的遺跡からも発見されています。

最初に栽培したのはペルシア人とされています。薬草としても，調理用としても，中東，北アフリカ，南アジア，および欧州南部の各地で広く用いられ続けています。

尿量増加，胃のむかつきの抑制，腸内ガスの排泄，手根管症候群の症状改善など，幅広い効果について定評があります。ただし現時点では，いずれの適応症に対しても，有効性を支持するヒトを対象とした臨床データは十分ではありません。

安　全　性

クミンは，通常の食品に含まれる量を経口摂取する場合，ほとんどの人に安全のようです。また，「くすり」として適量を経口摂取する場合，おそらく安全です。クミンの副作用については十分なデータが得られていません。

出血性疾患：クミンが血液凝固を抑制するおそれがあります。理論上，出血性疾患が悪化するおそれがあります。

糖尿病：クミンが血糖値を低下させるおそれがあります。糖尿病患者がクミンを使用する場合，血糖値の定期的な測定を行い，低血糖の徴候に注意してください。

手術:クミンが血糖値を低下させるおそれがあります。手術中・手術後の血糖コントロールに干渉すると懸念する専門家もいます。少なくとも手術前２週間は，使用しないでください。

●妊娠中および母乳授乳期

妊娠中および母乳授乳期の使用の安全性についてはデータが不十分です。安全性を考慮し，摂取は避けてください。

有　効　性

◆科学的データが不十分です

・下痢，仙痛，腸内ガス，腸痙攣，体液貯留，月経不順，性的欲求の高まりなど。

●体内での働き

一般に用いられている症状に対して実際にどのような作用があるのかについてはわかっていません。

医薬品との相互作用

中リファンピシン

クミンはリファンピシンの体内での吸収量を増加させる可能性があります。クミンとリファンピシンを併用すると，リファンピシンの作用および副作用が増強するおそれがあります。

中血液凝固を抑制する医薬品（抗凝固薬/抗血小板薬）

クミンは血液凝固を抑制する可能性があります。クミンと血液凝固を抑制する医薬品を併用すると，紫斑および出血のリスクが高まるおそれがあります。このような医薬品にはアスピリン，クロピドグレル硫酸塩，ダルテパリンナトリウム，エノキサパリンナトリウム，ヘパリン，チクロピジン塩酸塩，ワルファリンカリウムなどがあります。

中糖尿病治療薬

クミンは血糖値を低下させる可能性があります。糖尿病治療薬もまた血糖値を低下させるために用いられます。クミンと糖尿病治療薬を併用すると，血糖値が過度に低下するおそれがあります。血糖値を注意深く監視してください。糖尿病治療薬の用量を変更する必要があるかもしれません。このような糖尿病治療薬にはグリメピリド，グリベンクラミド，インスリン，ピオグリタゾン塩酸塩，マレイン酸ロシグリタゾン（販売中止），クロルプロパミド，Glipizide，トルブタミド（販売中止）などがあります。

ハーブおよび健康食品・サプリメントとの相互作用

血糖値を低下させるおそれのあるハーブおよび健康食品・サプリメント

クミンが血糖値を低下させるおそれがあります。同様の作用をもつほかのハーブおよび健康食品・サプリメントと併用すると，血糖値が過度に低下するおそれがあります。このようなハーブおよび健康食品・サプリメントには，デビルズクロー，フェヌグリーク，グアーガム，朝鮮人参，エゾウコギなどがあります。

血液凝固を抑制するおそれのあるハーブおよび健康食品・サプリメント

クミンが血液凝固を抑制するおそれがあります。同様の作用をもつほかのハーブおよび健康食品・サプリメントと併用すると，出血のリスクが高まるおそれがあります。このようなハーブおよび健康食品・サプリメントには，アンゼリカ，タンジン，ニンニク，ショウガ，イチョウ，レッドクローバー，ウコン，ヤナギ，朝鮮人参などがあります。

使用量の目安

通常の食品に含まれている量を超えて経口摂取した場合の安全性および副作用については，明らかになっていません。

グラティオーレ

HEDGE-HYSSOP

有効性レベル：①効きます　②おそらく効きます　③効くと断言できませんが、効能の可能性が科学的に示唆されています　④効かないかもしれません　⑤おそらく効きません　⑥効きません

別名ほか

Gratiola, Gratiola officinalis

概　　要

グラティオーレは，植物です。地上部を用いて「くすり」を作ることもあります。

安全性に深刻な懸念があるのにもかかわらず，肝障害，吐き気，排便，排尿頻度の増加，腸内寄生虫の除去の治療に使用されています。

安 全 性

安全ではありません。多量に摂取する場合，毒性があります。吐き気，血性の下痢，胃痛を起こし，頻尿になってその後排尿できなくなったり，痙攣，麻痺，血行不良（循環虚脱）や死に至るおそれがあります。

●妊娠中および母乳授乳期

妊娠中および母乳授乳期の女性を含む，すべての人に安全ではありません。使用しないでください。

有 効 性

◆科学的データが不十分です

・肝疾患の治療，腸内寄生虫除去，排便，排尿頻度の増加など。

●体内での働き

「くすり」としてどのように作用するかについては，十分なデータがありません。

医薬品との相互作用

ほかの医薬品との相互作用については明らかではありません。

ハーブおよび健康食品・サプリメントとの相互作用

ほかのハーブ，健康食品・サプリメントとの相互作用についてはまだ明らかではありません。

使用量の目安

標準使用量に関するデータがありません。

グラビオラ

GRAVIOLA

●代表的な別名

ブラジルチェリモヤ

別名ほか

ブラジルチェリモヤ（Brazilian Cherimoya），グアナバナ，オランダドリアン（Guanabana），ササップ（Soursop），サワーソップ（Sour Sop），トゲバンレイシ（Toge-Banreisi），Brazilian Paw Paw，Corossolier，Durian Benggala，Guanavana，Nangka Blanda，Nangka Londa

概　　要

グラビオラは小さな常緑樹です。葉，果実，種子，茎を用いて「くすり」を作ることもあります。

●要説（ナチュラル・スタンダード）

グラビオラ，ササップは，南北アメリカの熱帯地域原産の小さく真っすぐ伸びる常緑樹です。大きなハート型の実を結びます。実は食用として市販されています。

熱帯地域の植物薬医療では，果実，分泌物，種を砕いたもの，樹皮，葉，花など，グラビオラの木全体を用います。主に寄生虫症およびがんの代替療法として用いられます。鎮痛薬や痙攣の治療にも用いられます。葉のエキス，根，茎，および樹皮は，住血吸虫症をもたらすカタツムリ類の駆除効果がある可能性があります。

安 全 性

脳および体のそのほかの部分で神経細胞を殺すことがあります。使用してはいけません。

パーキンソン病や神経機能に関連する病気の場合には使用してはいけません。

有 効 性

◆科学的データが不十分です

・がん。グラビオラに含まれる物質は，がん細胞に抗がん薬が留まるような働きをすることが解明されています。これにより，抗がん薬の働きが促進されます。グラビオラに含まれる物質は，がん細胞を直接攻撃する可能性もあります。
・細菌感染症，寄生虫感染症。
・鎮静薬として使用するほか，鎮咳薬，駆虫薬，関節炎治療など。

●体内での働き

抗菌作用および抗がん作用をもっていると思われる化合物を多く含んでいます。

医薬品との相互作用

ほかの医薬品との相互作用については明らかではありません。

ハーブおよび健康食品・サプリメントとの相互作用

ほかのハーブ，健康食品・サプリメントとの相互作用についてはまだ明らかではありません。

使用量の目安

標準使用量に関するデータがありません。

クラリーセージ

CLARY SAGE

別名ほか

クリアーアイ(Clear Eye)，マスカテルセージ(Muscatel Sage)，サルビアスクラレア，オニサルビア（Salvia Sclarea)，シーブライト（See Bright)，Clary，Clary Wort，Eyebright

概　要

クラリーセージはハーブです。花と葉を用いて「くすり」を作ることもあります。

安 全 性

食品中に存在する量で用いられる場合は安全です。

医薬品として用いる量が安全であるかどうかについては十分なデータが得られていません。

●妊娠中および母乳授乳期

妊娠中，母乳授乳期は使用してはいけません。

有 効 性

◆科学的データが不十分です

・胃の不快感，消化器系疾患，腎臓病，腫瘍など。

●体内での働き

クラリーセージに含まれるオイルは発作を抑える働きがあると考えられています。このオイルは濃くて粘着性があるため，まぶたの下に入ったゴミなどや皮膚の汚れなどを取り除くのに役立ちます。

医薬品との相互作用

ほかの医薬品との相互作用については明らかではありません。

ハーブおよび健康食品・サプリメントとの相互作用

ほかのハーブ，健康食品・サプリメントとの相互作用についてはまだ明らかではありません。

使用量の目安

標準使用量に関するデータがありません。

クランプバーク

CRAMP BARK

別名ほか

手毬肝木（Viburnum opulus)，ゲルダーローズ，テマリカンボク（Guelder Rose)，ハイブッシュ・クランベリー（High-bush Cranberry)，スノーボール（Snowball Bush)，Common Guelder-Rose，Crampbark，Cranberry Bush，European Cranberry-Bush，High Bush Cranberry

概　要

クランプバークは植物です。樹皮と根皮を用いて「くすり」を作ることもあります。

●要説（ナチュラル・スタンダード）

クランプバーク（Viburnum opulus）は，ヨーロッパ，北アフリカ，およびアジア北部原産です。世界中で観賞植物として用いられます。樹皮は昔から，月経痛，関節症に起因する腹痛など激しい腹痛に対して用いられています。興味深いことに，臨床試験により，手毬肝木から分離したviopudialには，平滑筋の鎮痙作用があることが示唆されています。ただし現時点では，いずれの疾患に対しても，樹皮の有効性を支持するヒトを対象としたエビデンスは十分ではありません。

安 全 性

安全性については十分なデータが得られていません。

●妊娠中および母乳授乳期

妊娠中，母乳授乳期は使用してはいけません。

有 効 性

◆科学的データが不十分です

・痙攣，筋痙攣，月経痛，妊娠中の痙攣，疼痛または痙攣をともなう尿疾患に対する腎臓の刺激薬として，がん，ヒステリー，神経疾患など。

●体内での働き

含まれている化合物のために筋肉の痙攣が抑えられるようです。また，これらの化合物は血圧を下げ，心拍数を減らすと考えられます。

医薬品との相互作用

ほかの医薬品との相互作用については明らかではありません。

ハーブおよび健康食品・サプリメントとの相互作用

ほかのハーブ，健康食品・サプリメントとの相互作用についてはまだ明らかではありません。

使用量の目安

標準使用量に関するデータがありません。

クランベリー

CRANBERRY

●代表的な別名

ツルコケモモ

別名ほか

蔓苔桃（Tsuru-kokemomo），アメリカンクランベリー（American Cranberry），ヨーロピアンクランベリー（European Cranberry），オオミツルコケモモ（Vaccinium macrocarpon），ツルコケモモ（Oxycoccus quadripetalus），ヒメツルコケモモ（Vaccinium micro, carpum），Arandano americano，Arandano trepador，Grosse Moosbeere，Kranbeere，Moosebeere，Mossberry，Ronce d'Amerique，Trailing Swamp Cranberry，Oxycoccus macrocarpos，Vaccinium oxycoccos，Oxycoccus hagerupii，Oxycoccus micro-carpus，Oxycoccus palustris，Vaccinium hagerupii，Vaccinium palustre

概　　要

クランベリーは常緑低木で，北米全土に生育します。クランベリーは米国先住民に古くから利用され，主に泌尿器疾患の治療に使われていました。果実のジュースおよび抽出液は「くすり」として使われることがあります。

●要説（ナチュラル・スタンダード）

クランベリージュースおよびクランベリーのサプリメントが，尿路感染症の防止に有効であることを裏づける，ヒトを対象としたエビデンスがあります。ただし，ほとんどのエビデンスの質は劣っています。明確な投与指針はありませんが，クランベリーの安全性を考慮すれば，慢性疾患患者でなければ，尿路感染症防止のために，クランベリーのカクテルジュースの適量摂取を推奨するのは妥当です。

尿路感染症の治療に対するクランベリーの有効性は示されていません。抗生剤の補助療法として用いられることがあります。しかし，抗生物質の有効性は確認されているので，クランベリーを一次治療に用いてはいけません。

ほかにも非常に多くの医療用途に関する試験がなされており，胃腸の潰瘍および歯垢を引き起こすヘリコバクター・ピロリ感染症などについての効果が有望視されています。

安　全　性

クランベリーの経口摂取は，適量であれば，ほとんどの人に安全のようです。クランベリージュースおよびクランベリーエキスが，安全に用いられています。ただし，クランベリージュースを過剰に摂取すると，軽度の胃のむかつきや下痢などの副作用を起こすおそれがあります。１日１L以上を長期にわたり摂取すると，腎結石発症リスクが高まるおそれがあります。

小児：小児がクランベリージュースを食品や飲料として経口摂取する場合には，ほとんどの人に安全のようです。

萎縮性胃炎（胃粘膜の炎症）：萎縮性胃炎の場合には，クランベリージュースにより，ビタミンB_{12}の体内吸収量が増加するおそれがあります。

糖尿病：クランベリージュース製品の中には，砂糖で甘みを添加しているものもあります。糖尿病の場合には，人工甘味料を使用したクランベリー製品を選ぶようにしてください。

低塩酸症（胃酸が少ない状態）：胃酸が少ない状態の場合には，クランベリージュースにより，ビタミンB_{12}の体内吸収量が増加するおそれがあります。

腎結石：クランベリージュースおよびクランベリーエキスには，シュウ酸塩が大量に含まれています。実際に，クランベリーエキスの錠剤により，尿中のシュウ酸塩濃度が43％も増加したことを示唆するエビデンスがあります。腎結石は主にシュウ酸塩とカルシウムが結合して作られるため，医師などの間では，クランベリーが腎結石のリスクを高めるおそれが懸念されています。安全性を考慮し，腎結石の既往歴がある場合には，クランベリーエキス製品や大量のクランベリージュースの摂取は避けてください。

●アレルギー

アスピリンアレルギー：クランベリーには，サリチル酸が大量に含まれています。サリチル酸はアスピリンに似たものです。アスピリンにアレルギーがある場合には，クランベリージュースの大量の摂取は避けてください。

●妊娠中および母乳授乳期

妊娠中および母乳授乳期に治療目的で使用する場合の安全性についてはデータが不十分です。安全性を考慮し，摂取は避けてください。

有　効　性

◆有効性レベル③

・尿路感染症（UTI）の予防。いくつかの研究により，尿路感染症の既往歴がある人が，特定のクランベリーのカプセルまたは錠剤を摂取すると，尿路感染症の予防に役立つ可能性が示されています。ただし，クランベリージュースの摂取が尿路感染症の再発予防に役立つかどうかは明らかにされていません。ナーシングホームで暮らす高齢者，妊娠中の女性，尿路感染症の既往歴がある小児が，特定のクランベリー製品またはクランベリージュースを摂取すると，尿路感染症を予防できる可能性があります。ただし，そのほかに尿路感染症リスクが高くなる条件を有する人では，クランベリーが尿路感染症の予防に役立つことはないようです。これには，膀胱または尿路付近の手術または放射線治療を受ける人や，脊髄損傷に起因する膀胱疾患（神経因性膀胱）に罹患している人などが含まれます。クランベリーは，人によっては尿路感染症の予防に役立つ可能性がありますが，治療の目的では使用しないでください。

◆有効性レベル④

・糖尿病。研究により，糖尿病患者がクランベリーのサプリメントを経口摂取しても，血糖値は低下しないことが示唆されています。

◆科学的データが不十分です

・良性前立腺肥大（BPH），感冒，動脈血栓（冠動脈疾患），ヘリコバクター・ピロリ感染に起因する胃潰瘍，インフルエンザ，腎石症，記憶力，メタボリックシンドローム，尿臭，がん，慢性疲労症候群（CFS），胸膜炎，創傷治癒など。

●体内での働き

クランベリーは，尿を酸性にして細菌の繁殖を抑制することにより，尿路感染症に効果を示すと以前は考えられてきましたが，近年では，クランベリーに含まれる化学物質の一部により，細菌の増殖場所である尿路上皮細胞に細菌が付着しにくくなるためであると考えられています。ただし，クランベリーには，既に細胞に付着した細菌を，細胞から分離する作用はないようです。このため，クランベリーに，おそらく尿路感染症の予防効果はあるものの，治療効果はないことの説明がつきます。

ほかの多くの果実や野菜と同様，クランベリーには，サリチル酸が大量に含まれています。サリチル酸はアスピリンの重要な成分です。クランベリージュースを定期的に摂取すると，体内のサリチル酸量が増加します。サリチル酸は腫脹を緩和し，血液凝固を予防し，抗腫瘍作用を示す可能性があります。

医薬品との相互作用

中アトルバスタチンカルシウム水和物

アトルバスタチンカルシウム水和物は血清コレステロール値を下げるために用いられます。アトルバスタチンカルシウム水和物は体内で代謝されてから排泄されます。クランベリーはアトルバスタチンカルシウム水和物の代謝を抑制する可能性があります。クランベリージュースとアトルバスタチンカルシウム水和物を併用すると，アトルバスタチンカルシウム水和物の作用および副作用が増強するおそれがあります。アトルバスタチンカルシウム水和物を服用中に多量のクランベリージュースを飲まないでください。

低ジクロフェナクナトリウム

クランベリーは，ジクロフェナクナトリウムなどの肝臓で代謝される医薬品の体内での代謝を抑制する可能性があります。理論的には，クランベリージュースとジクロフェナクナトリウムを併用すると，ジクロフェナクナトリウムの作用および副作用が増強するおそれがあります。

中ニフェジピン

クランベリーは，ニフェジピンなどの肝臓で代謝される医薬品の代謝を抑制する可能性があります。理論的には，クランベリージュースとニフェジピンを併用すると，ニフェジピンの作用および副作用が増強するおそれがあります。

中ワルファリンカリウム

ワルファリンカリウムは血液凝固を抑制するために用いられます。クランベリーは，ワルファリンカリウムが体内に留まる時間を長くし，紫斑および出血のリスクを高めるおそれがあります。しかし，この分野の研究には一貫性がありません。定期的に血液検査をしてください。ワルファリンカリウムの用量を変更する必要があるかもしれません。

低肝臓で代謝される医薬品（シトクロムP450 2C9（CYP2C9）の基質となる医薬品）

特定の医薬品は肝臓で代謝されます。複数の研究により，クランベリーには医薬品の代謝を抑制する可能性があることが示唆されています。クランベリーと肝臓で代謝される医薬品を併用すると，医薬品の作用および副作用が増強するおそれがあります。しかし，この分野の研究には一貫性がありません。このような医薬品には，アミトリプチリン塩酸塩，ジアゼパム，Zileuton，セレコキシブ，ジクロフェナクナトリウム，フルバスタチンナトリウム，Glipizide，イブプロフェン，イルベサルタン，ロサルタンカリウム，フェニトイン，ピロキシカム，タモキシフェンクエン酸塩，トルブタミド（販売中止），トラセミド，ワルファリンカリウムなどがあります。

中肝臓で代謝される医薬品（シトクロムP450 3A4（CYP3A4）の基質となる医薬品）

特定の医薬品は肝臓で代謝されます。クランベリーはこのような医薬品の代謝を抑制する可能性があります。クランベリーと肝臓で代謝される医薬品を併用すると，医薬品の作用および副作用が増強するおそれがあります。このような医薬品には，Lovastatin，ケトコナゾール，イトラコナゾール，フェキソフェナジン塩酸塩，トリアゾラムなど数多くあります。

ハーブおよび健康食品・サプリメントとの相互作用

ほかのハーブ，健康食品・サプリメントとの相互作用についてはまだ明らかではありません。

使用量の目安

【成人】

●経口摂取

尿路感染症（UTI）の予防

乾燥クランベリー200～500mgを含むカプセルまたは錠剤を１日１～２回摂取します。または，クランベリージュース１日120～300mLを摂取します。

【小児】

●経口摂取

尿路感染症（UTI）の予防

クランベリーとコケモモの濃縮液を１日50mL，６カ月間摂取します。または，クランベリージュース１日５mL/kgを，６カ月間摂取します。

有効性レベル：①効きます　②おそらく効きます　③効くと断言できませんが、効能の可能性が科学的に示唆されています　④効かないかもしれません　⑤おそらく効きません　⑥効きません

グリークセージ

GREEK SAGE

別名ほか

グリークオレガノ（Greek Oregano），サルビアフルティコサ（Salvia fruticosa），Salvia triloba，Three-Lobe Sage

概　要

グリークセージは植物です。葉を用いて「くすり」を作ることもあります。

グリークセージは，まれに一般的なセージ（Salvia officinalis）の中に，不純物としてあります。

安全性

十分なデータは得られていないので，安全性および副作用については不明です。

●妊娠中および母乳授乳期

妊娠中および母乳授乳期の使用の安全性についてはデータが不十分です。安全性を考慮し，摂取は避けてください。

有効性

◆科学的データが不十分です

・口内炎および咽頭炎など。

●体内での働き

どのように作用するかについては，十分なデータが得られていません。

医薬品との相互作用

中ヘキソバルビタール【販売中止】

ヘキソバルビタールは眠気をもたらします。グリークセージはヘキソバルビタールの作用を強める可能性があるため，併用すると強烈な眠気におそわれることがあります。

ハーブおよび健康食品・サプリメントとの相互作用

ほかのハーブ，健康食品・サプリメントとの相互作用についてはまだ明らかではありません。

使用量の目安

●経口摂取

お茶として摂取します。お茶は細かく砕いた葉３gの上に沸騰した湯を注ぎ，10分後に，ろ過して作ります。

クリーピングシンクフォイル

EUROPEAN FIVE-FINGER GRASS

別名ほか

シンクフォイル（Synkfoyle），Cinquefoil，European Five Finger Grass，Five-Finger Blossom，Five Fingers，Potentilla Reptans，Sunkfield

概　要

クリーピングシンクフォイルはハーブです。乾燥させて「くすり」を作ることもあります。

安全性

安全性については十分なデータが得られていません。

●妊娠中および母乳授乳期

妊娠中および母乳授乳期のクリーピングシンクフォイル使用の安全性についてはデータが不十分です。安全性を考慮し，摂取は避けてください。

有効性

◆科学的データが不十分です

・下痢，発熱。患部に直接塗布する場合，口や歯茎の腫れ，歯痛，胸焼け，傷など。

●体内での働き

皮膚の炎症を減らし，組織を乾燥させる効果（組織の収れん補給効果）をもつタンニンという化合物を含んでいます。

医薬品との相互作用

ほかの医薬品との相互作用については明らかではありません。

ハーブおよび健康食品・サプリメントとの相互作用

ほかのハーブ，健康食品・サプリメントとの相互作用についてはまだ明らかではありません。

使用量の目安

標準使用量に関するデータがありません。

グリーンコーヒー

GREEN COFFEE

別名ほか

Arabica Green Coffee Beans，Café Marchand，Café Verde，Café Vert，Coffea arabica，Coffea arnoldiana，Coffea bukobensis，Coffea canephora，Coffea liberica，

Coffea robusta, Extrait de Café Vert, Extrait de Fève de Café Vert, Fèves de Café Vert, Fèves de Café Vert Arabica, Fèves de Café Vert Robusta, GCBE, GCE, Green Coffee Beans, Green Coffee Bean Extract, Green Coffee Extract, Green Coffee Powder, Poudre de Café Vert, Raw Coffee, Raw Coffee Extract, Robusta Green Coffee Beans

概　要

グリーンコーヒーは，炒っていないコーヒー豆です。コーヒーは，豆を炒る過程でクロロゲン酸という化合物が減少します。グリーンコーヒーには，通常の炒ったコーヒー豆より多くのクロロゲン酸が含まれています。グリーンコーヒーのクロロゲン酸は，心疾患，糖尿病，減量などに対して効果があると考えられています。

グリーンコーヒーは，2012年に「Dr.　Ozショウ」という番組で取り上げたのをきっかけに，減量目的に求められるようになりました。この番組では「グリーンコーヒーは脂肪を早く燃焼させます」と放送し，運動もダイエットも必要でないという機能表示をしたのです。

●要説（ナチュラル・スタンダード）

グリーンコーヒーは，焙煎していない生のCoffea fruitsの種子（豆）を指します。洗浄，乾燥，焙煎し，挽いて粉末にしたグリーンコーヒー豆を醸成すると人気のコーヒー飲料ができます。飲料に用いられるCoffeaは主にコフィア・アラビカ（Coffea arabica）およびコフィアカネフォラ（Coffea canephora：synonym, Coffea robusta）（エスプレッソ）です。

コーヒーはカフェイン源として一般的ですが，血糖値を低下させる効果など健康に良いとされるほかの成分，たとえば，クロロゲン酸，キニジン，およびトリゴネリンなども多く含んでいます。

いくつかの研究によると，カフェイン入りのコーヒーの摂取は血圧を上昇させ，心疾患のリスクを高めるおそれがあることが示唆されています。しかし，カフェイン抜きのコーヒーにはこれらの懸念は当てはまらず，クロロゲン酸には実際に血圧を低下させる可能性があることを示唆する臨床試験もあります。研究者の間では，焙煎したコーヒーと生のコーヒーの効果の違いはhydroxyhydroquinone（HHQ）と呼ばれる化合物によるとされています。HHQは焙煎過程で作られ，血圧に対するクロロゲン酸の有効性を阻害するおそれがあります。

研究者の間では，遺伝子および性別の違いが，人体がクロロゲン酸に反応する方法をきめる役割をする可能性があると考えられています。コーヒーを摂取すると女性はインスリン感受性が良くなるが，男性は良くならないという結果を示唆する研究もあります。ただし，これらの知見に対する理解を深めるためには，さらなる研究が必要です。

安　全　性

グリーンコーヒーは，適量を経口摂取する場合，おそらく安全です。グリーンコーヒーのエキスは，１日に最大480mgまで，最大12週間にわたり安全に摂取されています。また，特定のグリーンコーヒーエキス製品が，最大200mgを１日５回，最大12週間にわたり安全に使用されています。

グリーンコーヒーも通常のコーヒー同様にカフェインを含んでいるため，通常のコーヒーと同様に，カフェイン関連の副作用があります。

カフェインには，不眠，神経過敏や情動不安，胃のむかつき，吐き気や嘔吐，心拍数や呼吸数の増加などの副作用があります。またコーヒーを多量に摂取すると，頭痛，不安，激越，耳鳴，脈拍不整を起こすおそれがあります。

高ホモシステイン血症：短期間に高用量のクロロゲン酸を摂取すると，血漿ホモシステイン値が増加し，心疾患などの疾患をおこすおそれがあります。

不安障害：グリーンコーヒーのカフェインが不安障害を悪化させるおそれがあります。

出血性疾患：カフェインが症状を悪化させるおそれがあります。

糖尿病：カフェインが糖尿病患者の糖代謝に影響を及ぼすことを示す研究もあります。カフェインは，血糖値を低下させると同様に上昇させるという報告もあります。糖尿病の場合，カフェイン使用に際しては，注意深く血糖値を監視してください。

下痢：カフェインを含んでいます。コーヒーのカフェインをとくに多量に摂取した場合，下痢症状が悪化するおそれがあります。

緑内障：グリーンコーヒーに含まれるカフェインを摂取すると眼圧が上昇するおそれがあります。眼圧上昇は，摂取から30分以内に始まり，少なくとも90分は続きます。

高血圧：グリーンコーヒーに含まれるカフェインが高血圧の人の血圧を上昇させるおそれがあります。しかし，日常的にコーヒーなどからカフェインを摂取している人では，その上昇は比較的少ないようです。

高コレステロール血症：ろ過していないコーヒーに含まれる特定の成分が，コレステロール値を上昇させることが示されています。この成分はグリーンコーヒーにも含まれていますが，グリーンコーヒーがコレステロール値を上昇させるかどうかは不明です。

過敏性腸症候群（IBS）：グリーンコーヒーにはカフェインが含まれています。コーヒーのカフェインを高用量で摂取した場合，下痢を悪化させ，過敏性大腸症候群の症状を悪化させるおそれがあります。

骨粗鬆症：グリーンコーヒーなどから摂取するカフェインは，尿に排出されるカルシウム量を増やします。これにより骨が弱くなるおそれがあります。骨粗鬆症の場合，カフェインの摂取量を１日300mg（通常のコーヒーの約２～３杯）以下にしてください。カルシウムのサプリメントを摂取するのも役立つ可能性があります。閉経後の女性で，正常にビタミンDを処理できない遺伝性疾患のある人は，とくにカフェイン摂取に気をつけてください。

●妊娠中および母乳授乳期

妊娠中および母乳授乳期の使用の安全性についてはデータが不十分です。安全性を考慮し，摂取は避けてください。

有効性

◆科学的データが不十分です

・高血圧，肥満，アルツハイマー病，２型糖尿病など。

●体内での働き

グリーンコーヒーは，炒っていないコーヒー豆です。通常の炒ったコーヒー豆より多くのクロロゲン酸が含まれています。クロロゲン酸は，健康に有益であると考えられています。高血圧に対しては，血管に作用するので血圧が低下する可能性があると考えられます。

体重減少に関して，グリーンコーヒーに含まれるクロロゲン酸が体内の血糖や代謝の処理に影響を及ぼすと考えられています。

医薬品との相互作用

中アデノシン

グリーンコーヒーに含まれるカフェインはアデノシンの作用を妨げる可能性があります。アデノシンは心臓の検査に頻用されます。この検査は薬剤負荷心筋シンチグラフィと呼ばれます。この検査を受ける少なくとも24時間前から，グリーンコーヒーなどのカフェインを含む製品を摂取しないでください。

中アルコール

グリーンコーヒーに含まれるカフェインは体内で代謝されてから排泄されます。アルコールはカフェインの代謝を抑制する可能性があります。グリーンコーヒーとアルコールを併用すると，血中のカフェインが過剰になり，カフェインの副作用（神経過敏，頭痛，動悸など）が現れるおそれがあります。

中アレンドロン酸ナトリウム水和物

グリーンコーヒーはアレンドロン酸ナトリウム水和物の体内への吸収量を減少させる可能性があります。グリーンコーヒーとアレンドロン酸ナトリウム水和物を併用すると，アレンドロン酸ナトリウム水和物の効果が弱まるおそれがあります。アレンドロン酸ナトリウム水和物の服用から２時間以内はグリーンコーヒーを摂取しないでください。

中エストロゲン（卵胞ホルモン）製剤

グリーンコーヒーに含まれるカフェインは体内で代謝されてから排泄されます。エストロゲンはカフェインの代謝を抑制する可能性があります。グリーンコーヒーとエストロゲン製剤を併用すると，神経過敏，頭痛，動悸などの副作用が現れるおそれがあります。エストロゲン製剤の服用中はカフェインの摂取を制限してください。このようなエストロゲン製剤には，結合型エストロゲン，エチニルエストラジオール，エストラジオールなどがあります。

中エフェドリン塩酸塩

興奮薬は神経系を亢進します。グリーンコーヒーに含まれるカフェインとエフェドリン塩酸塩はいずれも興奮薬です。グリーンコーヒーとエフェドリン塩酸塩を併用すると，過度に興奮し，場合によっては重大な副作用および心臓の異常が引き起こされるおそれがあります。カフェインを含む製品とエフェドリン塩酸塩を同時に摂取しないでください。

低キノロン系抗菌薬

グリーンコーヒーに含まれるカフェインは体内で代謝されてから排泄されます。特定の抗菌薬はカフェインの代謝を抑制する可能性があります。グリーンコーヒーと特定の抗菌薬を併用すると，副作用（神経過敏，頭痛，動悸など）のリスクが高まるおそれがあります。このような抗菌薬には，シプロフロキサシン，Gemifloxacin，レボフロキサシン水和物，モキシフロキサシン塩酸塩などがあります。

中クロザピン

クロザピンは体内で代謝されてから排泄されます。グリーンコーヒーに含まれるカフェインはクロザピンの代謝を抑制する可能性があります。グリーンコーヒーとクロザピンを併用すると，クロザピンの作用および副作用が増強するおそれがあります。

中ジスルフィラム

グリーンコーヒーに含まれるカフェインは体内で代謝されてから排泄されます。ジスルフィラムはカフェインの排泄を抑制する可能性があります。グリーンコーヒーとジスルフィラムを併用すると，グリーンコーヒーの作用および副作用（神経過敏，活動亢進，易刺激性など）が増強するおそれがあります。

中ジピリダモール

グリーンコーヒーに含まれるカフェインはジピリダモールの作用を妨げる可能性があります。ジピリダモールは心臓の検査に頻用されます。この検査は薬剤負荷心筋シンチグラフィと呼ばれます。この検査を受ける少なくとも24時間前から，グリーンコーヒーなどのカフェインを含む製品を摂取しないでください。

低シメチジン

グリーンコーヒーに含まれるカフェインは体内で代謝されてから排泄されます。シメチジンはカフェインの代謝を抑制する可能性があります。グリーンコーヒーとシメチジンを併用すると，カフェインの副作用（神経過敏，頭痛，動悸など）のリスクが高まるおそれがあります。

中テオフィリン

グリーンコーヒーに含まれるカフェインにはテオフィ

リンに類似した作用があります。また，カフェインはテオフィリンの体内での排泄を抑制する可能性があります。グリーンコーヒーとテオフィリンを併用すると，テオフィリンの作用および副作用が増強するおそれがあります。

低テルビナフィン塩酸塩

グリーンコーヒーに含まれるカフェインは体内で代謝されてから排泄されます。テルビナフィン塩酸塩はカフェインの代謝を抑制し，副作用（神経過敏，頭痛，頻脈など）のリスクを高めるおそれがあります。

低フルコナゾール

グリーンコーヒーに含まれるカフェインは体内で代謝されてから排泄されます。フルコナゾールはカフェインの排泄を抑制する可能性があります。グリーンコーヒーとフルコナゾールを併用すると，カフェインの作用および副作用（神経過敏，不安，不眠など）が増強するおそれがあります。

中フルボキサミンマレイン酸塩

グリーンコーヒーに含まれるカフェインは体内で代謝されてから排泄されます。フルボキサミンマレイン酸塩はカフェインの代謝を抑制する可能性があります。カフェインとフルボキサミンマレイン酸塩を併用すると，体内のカフェイン量が過剰になり，カフェインの作用および副作用が増強するおそれがあります。

中ベラパミル塩酸塩

グリーンコーヒーに含まれるカフェインは体内で代謝されてから排泄されます。ベラパミル塩酸塩はカフェインの排泄を抑制する可能性があります。コーヒーとベラパミルを併用すると，グリーンコーヒーの副作用（神経過敏，頭痛，頻脈など）のリスクが高まるおそれがあります。

中ペントバルビタールカルシウム

グリーンコーヒーに含まれるカフェインの興奮作用は，ペントバルビタールカルシウムの催眠作用を妨げるおそれがあります。

低メキシレチン塩酸塩

グリーンコーヒーにはカフェインが含まれます。カフェインは体内で代謝されてから排泄されます。メキシレチン塩酸塩はカフェインの代謝を抑制する可能性があります。グリーンコーヒーとメキシレチン塩酸塩を併用すると，コーヒーに含まれるカフェインに関連した作用および副作用が増強するおそれがあります。

中モノアミン酸化酵素阻害薬（MAO阻害薬）

グリーンコーヒーに含まれるカフェインは身体を刺激する可能性があります。モノアミン酸化酵素阻害薬（MAO阻害薬）も身体を刺激する可能性があります。グリーンコーヒーとMAO阻害薬を併用すると，身体が過度に刺激され，重大な副作用（動悸，高血圧，神経過敏など）が現れるおそれがあります。このようなMAO阻害薬には，Phenelzine，Tranylcypromineなどがあります。

中リルゾール

リルゾールは体内で代謝されてから排泄されます。グリーンコーヒーを摂取すると，リルゾールの代謝が抑制される可能性があります。理論的には，グリーンコーヒーとリルゾールを併用すると，リルゾールの作用および副作用が増強するおそれがあります。

中塩酸フェニルプロパノールアミン【販売中止】

グリーンコーヒーに含まれるカフェインは身体を刺激する可能性があります。塩酸フェニルプロパノールアミンも身体を刺激する可能性があります。カフェインと塩酸フェニルプロパノールを併用すると，過度に刺激され，頻脈，高血圧，神経過敏が引き起こされるおそれがあります。

中気管支喘息治療薬（アドレナリンβ受容体作動薬）

グリーンコーヒーにはカフェインが含まれます。カフェインは心臓を刺激する可能性があります。特定の気管支喘息治療薬も心臓を刺激する可能性があります。カフェインと気管支喘息薬を併用すると，過度に刺激され，心臓の異常が引き起こされるおそれがあります。このような気管支喘息薬には，サルブタモール硫酸塩，オルシプレナリン硫酸塩（販売中止），テルブタリン硫酸塩，イソプレナリン塩酸塩などがあります。

中興奮薬

興奮薬は神経系を亢進させます。神経系を亢進させることにより，興奮薬は神経を過敏にし，心拍数を上昇させる可能性があります。グリーンコーヒーに含まれるカフェインも神経系を亢進させる可能性があります。グリーンコーヒーと興奮薬を併用すると，重大な問題（頻脈や高血圧など）を引き起こすおそれがあります。グリーンコーヒーと興奮薬を併用しないでください。このような興奮薬には，Diethylpropion，エピネフリン，Phentermine，塩酸プソイドエフェドリンなど数多くあります。

中血液凝固を抑制する医薬品（抗凝固薬/抗血小板薬）

グリーンコーヒーに含まれるカフェインは血液凝固を抑制する可能性があります。グリーンコーヒーと血液凝固を抑制する医薬品を併用すると，紫斑および出血のリスクが高まるおそれがあります。このような医薬品には，アスピリン，クロピドグレル硫酸塩，ジクロフェナクナトリウム，イブプロフェン，ナプロキセン，ダルテパリンナトリウム，エノキサパリンナトリウム，ヘパリン，ワルファリンカリウムなどがあります。

低降圧薬

グリーンコーヒーは血圧を低下させる可能性があります。グリーンコーヒーと降圧薬を併用すると，血圧が過度に低下するおそれがあります。このような降圧薬には，カプトプリル，エナラプリルマレイン酸塩，ロサルタンカリウム，バルサルタン，ジルチアゼム塩酸塩，アムロジピンベシル酸塩，ヒドロクロロチアジド，フロセミドなど数多くあります。

中炭酸リチウム

炭酸リチウムは体内から自然に排泄されます。グリーンコーヒーに含まれるカフェインは，炭酸リチウムの排泄を促進させる可能性があります。カフェインを含む製品と炭酸リチウムを併用している場合には，その製品の摂取を徐々にやめてください。すぐにやめると，炭酸リチウムの副作用が増強するおそれがあります。

低糖尿病治療薬

グリーンコーヒーのカフェインは血糖値を上昇させる可能性があります。糖尿病治療薬は血糖値を低下させるために用いられます。カフェインが血糖値を上昇させることで，糖尿病治療薬の効果が弱まるおそれがあります。血糖値を注意深く監視してください。糖尿病治療薬の用量を変更する必要があるかもしれません。このような糖尿病治療薬には，グリメピリド，グリベンクラミド，インスリン，ピオグリタゾン塩酸塩，マレイン酸ロシグリタゾン（販売中止），クロルプロパミド，Glipizide，トルブタミド（販売中止）などがあります。

低避妊薬

グリーンコーヒーに含まれるカフェインは体内で代謝されてから排泄されます。避妊薬はカフェインの代謝を抑制する可能性があります。グリーンコーヒーと避妊薬を併用すると，副作用（神経過敏，頭痛，動悸など）が現れるおそれがあります。このような避妊薬には，エチニルエストラジオール・レボノルゲストレル配合，エチニルエストラジオール・ノルエチステロン配合などがあります。

中ニコチン

グリーンコーヒーに含まれるカフェインとニコチンを併用すると，頻脈の悪化や血圧の上昇が生じるおそれがあります。

ハーブおよび健康食品・サプリメントとの相互作用

ダイダイ

ダイダイとカフェインまたはカフェイン含有ハーブとの併用は，正常血圧の健康な成人で，血圧や心拍数の上昇を招くおそれがあります。深刻な心疾患のリスクを増加させるおそれがあるため，併用は避けてください。

カフェインを含むハーブおよび健康食品・サプリメント

グリーンコーヒーとカフェインを含むほかのハーブおよび健康食品・サプリメントを併用すると，カフェイン摂取量が増加し，カフェインの副作用を増強するおそれがあります。カフェインを含むハーブおよび健康食品・サプリメントには，紅茶，ココア，コーラノキの種，緑茶，ウーロン茶，ガラナ豆，マテなどがあります。

カルシウム

食品やグリーンコーヒーなどの飲料からの高用量のカフェイン摂取は，尿へのカルシウム排出量を増加させます。

シクロデキストリン

食物繊維のシクロデキストリンは，グリーンコーヒーの血圧低下作用のある成分と相互作用することがわかっています。理論上は，シクロデキストリンとグリーンコーヒーを併用すると，この成分の吸収が低下し，血圧低下の有用な効果が弱まるおそれがあります。

マオウ（麻黄）

グリーンコーヒーは，興奮成分であるカフェインを含んでいます。同様に興奮作用のあるマオウと併用すると，重篤な副作用や死に至るような副作用，たとえば高血圧，心臓発作，脳卒中，痙攣，死亡などのリスクが高まります。マオウやほかの興奮作用のあるハーブおよび健康食品・サプリメントとの併用は避けてください。

血圧を低下させる作用のあるハーブおよび健康食品・サプリメント

グリーンコーヒーは，血圧を低下させます。血圧を低下させるハーブおよび健康食品・サプリメントと併用すると，血圧が過度に低下するおそれがあります。天然由来の血圧を低下させる作用のあるハーブおよび健康食品・サプリメントには，α-リノレン酸，インドオオバコ（サイリウム），カルシウム，ココア，タラ肝油，コエンザイムQ-10，ニンニク，オリーブ，カリウム，ピクジェノール，スイートオレンジ，ビタミンC，フスマなどがあります。

血糖値を低下させるハーブおよび健康食品・サプリメント

グリーンコーヒーの抽出物は，血糖値を低下させます。同様の作用のあるハーブおよび健康食品・サプリメントと併用すると，血糖値が過度に低下するおそれがあります。血糖値を低下させるハーブおよび健康食品・サプリメントには，α-リポ酸，クロム，デビルズクロー，フェヌグリーク，ニンニク，グアーガム，セイヨウトチノキ，朝鮮人参，サイリウム，エゾウコギなどがあります。

血液凝固を抑制するハーブおよび健康食品・サプリメント

グリーンコーヒーのカフェインは，血液凝固を抑制します。血液凝固を抑制するおそれあるハーブおよび健康食品・サプリメントと併用すると，人によっては出血のリスクが高まるおそれがあります。このようなハーブおよび健康食品・サプリメントには，アンゼリカ，クローブ，タンジン，ニンニク，ショウガ，イチョウ，朝鮮人参などがあります。

鉄

グリーンコーヒーに含まれる特定の成分が，食品からの鉄吸収を阻害します。理論上は，これにより体内の鉄濃度が過度に低下するおそれがあります。

マグネシウム

グリーンコーヒーを大量に摂取すると，尿中に排出されるマグネシウムの量が増加するおそれがあります。

使用量の目安

通常の食品に含まれている量を超えて経口摂取した場合の安全性および副作用については，明らかになっていません。

グリコニュートリエント

GLYCONUTRIENTS

別名ほか

Ambrotose, Manapol

概　　要

グリコニュートリエントは植物に含まれる糖鎖です。糖鎖は，体内で単糖へと分解されます。グリコニュートリエントとしてもっともよく用いられるのは，アロエやカラマツアラビノガラクタンなどの植物に含まれている糖です。これらの植物糖を用いて「くすり」を作ることもあります。

グリコニュートリエントは，アルコール依存症，アレルギー，アルツハイマー病，筋萎縮性側索硬化症（ALS，ルー・ゲーリッグ病），気管支喘息，アテローム症（動脈内のプラーク形成），運動能力，注意欠陥多動障害（ADHD），自閉症，がん，脳性麻痺，慢性疲労症候群，精神機能，感冒，クローン病，のう胞性線維症，うつ病，ダウン症候群，読字障害，線維筋痛症，乳児の発育障害，肝炎，HIV/エイズ，ハンチントン病，不妊，インフルエンザ，ループス，加齢黄斑変性（失明），多発性硬化症，筋ジストロフィー（筋肉喪失を引き起こす疾患），重症筋無力症（筋肉衰退と疲労を引き起こす神経疾患），パーキンソン病，関節炎，脳卒中，テイ・サックス病，トウレット症候群などに対し，経口摂取されます。

また，口唇潰瘍（口内炎），単純ヘルペス，歯の疾病に対し，皮膚へ塗布されます。

安　全　性

グリコニュートリエントの経口摂取は，1日当たりおよそ9gを7週間にわたり摂取する場合には，おそらく安全です。腸内ガス（鼓腸），腹部膨満，口渇を引き起こすおそれがあります。

多発性硬化症（MS），ループス（全身性エリテマトーデス，SLE），関節リウマチ（RA）などの自己免疫疾患：グリコニュートリエントが，免疫システムを活性化させるおそれがあります。このため，自己免疫疾患の症状が悪化するおそれがあります。自己免疫疾患の場合には，十分なデータが得られるまで，グリコニュートリエントの摂取を避けるのが最善です。

●妊娠中および母乳授乳期

妊娠中および母乳授乳期の使用の安全性についてはデータが不十分です。安全性を考慮し，摂取は避けてください。

有　効　性

◆科学的データが不十分です

・注意欠陥多動障害（ADHD），精神機能，乳児の発育障害，精神的安定，アレルギー，アルツハイマー病，筋萎縮性側索硬化症（ALS，ルー・ゲーリッグ病），気管支喘息，動脈硬化（動脈内のプラーク形成），運動能力，自閉症，がん，脳性麻痺，慢性疲労症候群，感冒，クローン病，のう胞性線維症，うつ病，ダウン症候群，読字障害，線維筋痛症，肝炎，HIV/エイズ，ハンチントン病，不妊，インフルエンザ，ループス，加齢黄斑変性（失明），多発性硬化症，筋ジストロフィー（筋肉喪失を引き起こす疾患），重症筋無力症（筋肉衰退と疲労を引き起こす神経疾患），パーキンソン病，関節炎，脳卒中，テイ・サックス病，トウレット症候群，口内炎，歯の疾患など。

●体内での働き

グリコニュートリエントが，免疫システムを刺激したり，有益と考えられる大腸内の特定の細菌の増殖を促進したりする可能性があります。

医薬品との相互作用

中免疫抑制薬

グリコニュートリエントが，免疫システムを活性化させるおそれがあります。免疫システムを低下させる医薬品と併用してグリコニュートリエントを摂取すると，このような医薬品の効果が弱まるおそれがあります。免疫システムを低下させる医薬品には，アザチオプリン，バシリキシマブ，シクロスポリン，Daclizumab，ムロモナブ-CD3（販売中止），ミコフェノール酸モフェチル，タクロリムス水和物，シロリムス，Prednisone，そのほかのコルチコステロイド（グルココルチコイド）などがあります。

ハーブおよび健康食品・サプリメントとの相互作用

ビタミンB_{12}

グリコニュートリエントはビタミンB_{12}の血中濃度を低下させる可能性があります。理論的には，このことがビタミンB_{12}欠損症の一因になるおそれがあります。

使用量の目安

通常の食品に含まれている量を超えて経口摂取した場合の安全性および副作用については，明らかになっていません。

グリコマクロペプチド

GLYCOMACROPEPTIDE

別名ほか

Casein-Derived Peptide, Casein Glycomacropeptide, Casein Glycopeptide, Casein Macropeptide, Caseinoglycomacropeptide, Kappa-Casein Glycomacropeptide

概　　要

グリコマクロペプチドとは，short proteinの一種です。チーズの製造工程において，乳タンパク質から生成されます。ほかの多くのタンパク質と異なり，グリコマクロペプチドはアミノ酸であるフェニルアラニンをほとんど含んでいません。

グリコマクロペプチドは，心疾患，う歯予防，痛風，乳児の発達，肝疾患，フェニルケトン尿症，精神状態，体重減少に対し，摂取されます。

安 全 性

グリコマクロペプチドの経口摂取は，サプリメントとして最大1年にわたり摂取する場合には，おそらく安全です。

小児：グリコマクロペプチドを，調合乳に加えて乳児に与える場合には，おそらく安全です。ただし，グリコマクロペプチドを加えた調合乳が，血中のスレオニン値を過度に上昇させるおそれがあります（高スレオニン血症）。

●妊娠中および母乳授乳期

妊娠中および母乳授乳期の使用の安全性についてはデータが不十分です。安全性を考慮し，摂取は避けてください。

有 効 性

◆科学的データが不十分です

・フェニルケトン尿症，体重減少，心疾患，う歯，痛風，乳児の発達，肝疾患，精神状態など。

●体内での働き

グリコマクロペプチドが，膨満感を伝達する化学物質の放出を増加させ，体重減少を促進する可能性があります。グリコマクロペプチドが，ある細菌，ウイルス，毒に付着し，これらが感染症を引き起こすのを予防する可能性もあります。

医薬品との相互作用

ほかの医薬品との相互作用については明らかではありません。

ハーブおよび健康食品・サプリメントとの相互作用

ほかのハーブ，健康食品・サプリメントとの相互作用についてはまだ明らかではありません。

使用量の目安

通常の食品に含まれている量を超えて経口摂取した場合の安全性および副作用については，明らかになっていません。

クリシン

CHRYSIN

別名ほか

5,7-ジヒドロキシフラボン（5,7-Dihydroxyflavone），フラボンX（Flavone X），フラボノイド（Flavonoid），5,7-Chrysin，Galangin flavanone

概　　要

クリシンは，トケイソウ，ギンヨウボダイジュ，そのほかゼラニウム種といった植物や，蜂蜜や蜜ろうなどに自然に生成するフラボノイドと呼ばれる物質です。

●要説（ナチュラル・スタンダード）

クリシンはフラボノイドです。フラボノイドは果物や野菜に含まれる化合物で，植物の色素であり，抗菌効果をもつ可能性があります。

一般的にパッションフラワー（チャボトケイソウおよびほかのトケイソウ科の植物）から採取します。イエルバ・サンタ，Australian Fever Tree，Eastern White Pine，ギレアドバルサム，Black Poplar，バイカルスカルキャップ，Common Skullcap，Genet（Spartium junceum L.）など，ほかの植物にも含まれています。少量ですが，蜂蜜およびほかの蜜製品にも含まれています。

テストステロンをエストロゲンに変える化合物，アロマターゼの阻害効果をもつ可能性を示す研究があります。このため，ボディービルダーにとって有益であるとされています。心疾患，がんの防止および治療に関する研究もなされています。ただし，エビデンスは十分ではありません。さらなる研究が必要です。

安 全 性

クリシンの経口摂取は，最長8週間までであれば，ほとんどの成人におそらく安全です。副作用の報告はありません。

出血性疾患：クリシンにより出血が増加するおそれがあります。このため，出血疾患の場合には，紫斑および出血のリスクが高まるおそれがあります。

手術：クリシンは血液凝固を抑制するおそれがあります。このため，手術中および術後の出血が過剰となるリスクが高まるおそれがあります。少なくとも手術前2週間は，使用しないでください。

●妊娠中および母乳授乳期

妊娠中および母乳授乳期の使用の安全性についてはデータが不十分です。安全性を考慮し，摂取は避けてください。

有 効 性

◆有効性レベル④

・運動能力。スポーツ選手が，クリシンとステロイドなどのサプリメントを併用して，8週間経口摂取しても，筋力トレーニングの強化に有効となることはないようです。

◆科学的データが不十分です

・不安，炎症，痛風，HIV/エイズ，性交不能症，脱毛症，がんの予防など。

●体内での働き

実験室における研究により，クリシンが，テストステロンという男性ホルモンを増加させ，ボディービルの結果を向上する可能性があることが示唆されています。このため，スポーツ選手の間では，ボディービルのためのクリシン使用に関心が集まっています。ただし，ヒトを対象とした研究では，テストステロン濃度に対する影響はなんらみられていません。腸から吸収されるクリシンの量は非常に少ないため，治療効果が現れないようです。

医薬品との相互作用

中エストロゲン（卵胞ホルモン）製剤

クリシンは体内でエストロゲンの作用を減弱させる可能性があります。クリシンとエストロゲン製剤を併用すると，エストロゲン製剤の効果が弱まるおそれがあります。このようなエストロゲン製剤には，結合型エストロゲン，エチニルエストラジオール，エストラジオールなどがあります。

中ホルモン感受性がんの治療薬（アロマターゼ阻害薬）

がんの種類によっては体内のホルモンの影響を受けます。ホルモン感受性がんは体内のエストロゲン量の影響を受けます。ホルモン感受性がんの治療薬は体内のエストロゲン量を減少させる役割があります。クリシンも体内のエストロゲン量を減少させる可能性があります。クリシンとホルモン感受性がんの治療薬を併用すると，体内のエストロゲン量が過度に減少するおそれがあります。ホルモン感受性がんの治療薬（アロマターゼ阻害薬）にはAminoglutethimide，アナストロゾール，エキセメスタン，レトロゾールなどがあります。

低肝臓で代謝される医薬品（グルクロン酸抱合を受けて代謝される医薬品）

特定の医薬品は肝臓で代謝されてから排泄されます。クリシンはこのような医薬品の代謝を促進する可能性があります。クリシンと肝臓で代謝される医薬品を併用すると，その医薬品の作用が弱まるおそれがあります。このような医薬品には，アセトアミノフェン，アトルバスタチンカルシウム水和物，ジアゼパム，ジゴキシン，エンタカポン，エストロゲン，イリノテカン塩酸塩水和物，ラモトリギン，ロラゼパム，Lovastatin，メプロバメート（販売中止），モルヒネ酸塩水和物，オキサゼパム（販売中止）などがあります。

低肝臓で代謝される医薬品（シトクロムP450 1A2（CYP1A2）の基質となる医薬品）

特定の医薬品は肝臓で代謝されます。クリシンはこのような医薬品の代謝を抑制する可能性があります。クリシンと肝臓で代謝される医薬品を併用すると，医薬品の作用および副作用を増強させる可能性があります。このような医薬品にはクロザピン，Cyclobenzaprine，フルボキサミンマレイン酸塩，ハロペリドール，イミプラミン塩酸塩，メキシレチン塩酸塩，オランザピン，塩酸ペンタゾシン，プロプラノロール塩酸塩，Tacrine，テオフィリン，Zileuton，ゾルミトリプタンなどがあります。

中血液凝固を抑制する医薬品（抗凝固薬/抗血小板薬）

クリシンと血液凝固を抑制する医薬品を併用すると，出血のリスクを高めるおそれがあります。このような医薬品にはアスピリン，クロピドグレル硫酸塩，ダルテパリンナトリウム，ジピリダモール，エノキサパリンナトリウム，ヘパリン，チクロピジン塩酸塩，ワルファリンカリウムなどがあります。

中避妊薬

特定の避妊薬はエストロゲンを含みます。クリシンは体内でエストロゲンの作用を減弱させる可能性があります。クリシンと避妊薬を併用すると，避妊薬の効果を弱めるおそれがあります。併用中の場合には，コンドームなど，ほかの避妊方法も使用してください。このような避妊薬には，エチニルエストラジオール・レボノルゲストレル配合，エチニルエストラジオール・ノルエチステロン配合などがあります。

ハーブおよび健康食品・サプリメントとの相互作用

アンドロステンジオン

初期の実験室における研究では，クリシンにより，アンドロステンジオン濃度が増加し，アンドロステンジオンからテストステロン（男性ホルモン）への変換が促進することが示されています。ただし，ヒトを対象とした研究では，クリシンが，アンドロステンジオンに影響を与えることはなく，テストステロン濃度も上昇しないことが示唆されています。

血液凝固を抑制するおそれのあるハーブおよび健康食品・サプリメント

クリシンは血液凝固を抑制するおそれがあります。クリシンと血液凝固を抑制するおそれのあるほかのハーブおよび健康食品・サプリメントを併用すると，人によっては，出血を引き起こすおそれがあります。このようなハーブおよび健康食品・サプリメントには，アンゼリカ，クローブ，タンジン，ニンニク，ショウガ，イチョウ，朝鮮人参，レッドクローバー，ウコン，ヤナギなどがあります。

使用量の目安

通常の食品に含まれている量を超えて経口摂取した場合の安全性および副作用については，明らかになっていません。

グリシン

GLYCINE

別名ほか

グリココール（Glycocoll），イコニル（Iconyl），L-グリシン（L-Glycine），モナゾール（Monazol），Athenon，G Salt，Free base glycine，Glycosthene

概　　要

グリシンは，タンパク質を構成するアミノ酸です。体内で合成できるため，必須アミノ酸ではないと考えられます。通常の食事で１日２gのグリシンを摂取できます。主に肉，魚，乳製品，豆類などのタンパク質が豊富な食べ物に多く含まれています。グリシンは，統合失調症，脳卒中，良性前立腺肥大（BPH），およびいくつかのまれな遺伝性代謝障害を治療するために使用されます。また，アルコール摂取や，肝臓移植後に用いられる特定の術後医薬品による副作用から，腎臓を保護するために使用されることもあります。他の用途は，がん予防や記憶増強などがあります。下腿潰瘍やその他の傷を癒すために皮膚に直接適用することもあります。

安　全　性

通常は問題を生じませんが，まれに，悪心，嘔吐，胃の不調がみられます。

●妊娠中および母乳授乳期

妊娠中および母乳授乳期の使用についてはデータが不十分です。安全性を考慮し，使用は控えてください。

有　効　性

◆有効性レベル③

・ほかの医薬品との併用による統合失調症の治療。
・下腿潰瘍。ほかのアミノ酸も含有するクリームを塗布。
・虚血性脳卒中（脳梗塞）。グリシンの舌下投与は発作後６時間以内の投与であれば，虚血性脳卒中における脳損傷を抑制します。虚血性脳卒中は，脳の血管の血栓による閉塞が原因です。血管が閉塞するとその先の脳組織に酸素が供給されないため，脳の細胞は不可逆的損傷（壊死）を受けます。

◆科学的データが不十分です

・記憶強化，良性の前立腺肥大症，肝臓保護，がんの予防など。

●体内での働き

体内ではグリシンを用いてタンパク質を作ります。また，脳の化学信号の伝達とも関係しています。統合失調症の記憶改善への使用に関心が集まっています。一部の研究者はグリシンが，腫瘍への血液供給を阻害することによりがんの抑制に役立っていると考えています。

医薬品との相互作用

中クロザピン

クロザピンは統合失調症の治療に用いられます。グリシンとクロザピンを併用すると，クロザピンの効果が弱まるおそれがあります。このような相互作用が起きる理由は明らかではありません。クロザピンを服用中にグリシンを摂取しないでください。

ハーブおよび健康食品・サプリメントとの相互作用

ほかのハーブ，健康食品・サプリメントとの相互作用についてはまだ明らかではありません。

使用量の目安

●経口摂取

統合失調症

１日0.4～0.8g/kgの範囲の摂取量を数回に分けて摂取します。通常１日４gから開始し，治療用量に達するまで１日４g増量します。

●舌下投与

急性虚血性脳卒中発症後の神経防護作用

１日１～２gの投与を卒中発症の６時間以内に開始します。

●局所投与

下腿潰瘍

１g当たりグリシン10mg，L-システイン２mg，DL-トレオニン１mgを含むクリームを使用します。クリームは１日１回，１日おき，または１日２回，傷口の洗浄と包帯の交換時に塗布します。

クリスマスローズ

BLACK HELLEBORE

別名ほか

ヘレボルス・ニガー（Helleborus niger），Christe Herbe，Christmas Rose，Christmas Rose Plant，Melampode

概　　要

クリスマスローズは植物です。葉，根，根のような茎（地下茎）を用いて「くすり」を作ることもあります。バイケイソウと混同しないように注意してください。

●要説（ナチュラル・スタンダード）

クリスマスローズ（Helleborus niger，Helleborus nigra）は，中央および南ヨーロッパ，ギリシャ，小アジア原産の多年生植物であり，庭園の植物として，米国で主に栽培されています。クリスマスローズは，偽ヘレボルスやアメリカヘレボルスや白ヘレボルス，またはその他のベラトラム種と同じではありません。

クリスマスローズは，小～中程度の用量でも有害であり，医療従事者の管理下でなければ使用してはいけません。以前は麻痺，精神異常，浮腫，およびてんかんのために使用されましたが，現在，こうした用途や他の用途に使用されることは滅多にありません。

安 全 性

安全ではありません。

心拍動を危険なほど不規則にする可能性がある処方箋薬のジゴキシンに似た化合物を含んでいます。

誰が使用しても安全ではありませんが，有害性にとくに敏感な人もいます。以下のいずれかに該当する場合には，使用しないようとくに注意してください。

胃腸疾患：消化器系に影響を与える疾患の場合には，使用は安全ではありません。

心疾患：心疾患の場合には，使用は安全ではありません。症状を悪化させるおそれがあります。

●妊娠中および母乳授乳期

妊娠中および母乳授乳期の使用は安全ではありません。危険性の高い不整脈を引き起こすおそれがあります。流産を引き起こすおそれもあります。

有 効 性

◆科学的データが不十分です

・悪心，寄生虫の侵入，月経周期の調節，腎臓感染症，感冒，便秘，妊娠中に流産の原因となるものなど。

●体内での働き

医薬品として使用した場合にどのように作用するかについては，十分なデータが得られていません。

医薬品との相互作用

中キニーネ塩酸塩水和物

クリスマスローズもキニーネ塩酸塩水和物も心臓に影響を与えます。併用すると重症の心臓の異常が起きる可能性があります。

中ジゴキシン

ジゴキシンには心収縮力を強める働きがあり，クリスマスローズも心臓に影響を与えると考えられています。併用すると作用が増強され，両方の副作用のリスクが高くなります。

中テトラサイクリン系抗菌薬

テトラサイクリン系抗菌薬と併用するとクリスマスローズの副作用が現れるリスクが高まるおそれがあります。このようなテトラサイクリン系抗菌薬には，デメチルクロルテトラサイクリン塩酸塩，ミノサイクリン塩酸塩，テトラサイクリン塩酸塩などがあります。

中マクロライド系抗菌薬

クリスマスローズは心臓に影響を与えますが，ある種の抗菌薬の中にはクリスマスローズの体内吸収を促進するものがあります。そのため併用するとクリスマスローズの心臓への作用が強まる可能性があります。このような抗菌薬としては，エリスロマイシン，アジスロマイシン水和物，クラリスロマイシンがあります。

中刺激性下剤

クリスマスローズは心臓に影響を与えます。心臓の機能維持にカリウムは重要な役割を果たしますが，刺激性下剤と呼ばれるものは体内のカリウム値を減少させることがあります。低カリウム血症になるとクリスマスローズの副作用が起きやすくなります。このような刺激性下剤にはビサコジル，カスカラサグラダ，ヒマシ油，センナなどがあります。

中利尿薬

クリスマスローズは心臓に影響を与える可能性があり，利尿薬の中には体内のカリウムを減少させるものがあります。カリウム値が低いこともまた心臓に影響を与え，クリスマスローズの副作用のリスクが高くなります。このような利尿薬にはクロロチアジド（販売中止），クロルタリドン（販売中止），フロセミド，ヒドロクロロチアジドなどがあります。

ハーブおよび健康食品・サプリメントとの相互作用

強心配糖体を含むハーブおよび健康食品・サプリメント

クリスマスローズは，処方薬のジゴキシンと似た，強心配糖体と呼ばれる物質を含んでいます。強心配糖体は，体内のカリウムを過度に喪失させ，心臓に障害を与えるおそれがあります。クリスマスローズと強心配糖体を含むほかのハーブおよび健康食品・サプリメントと併用すると，心臓を障害するリスクが高まるおそれがあるため，併用は避けてください。このようなハーブには，トウワタの根，ジキタリスの葉，ゴシポール，カキネガラシ，セイヨウゴマノハグサ，ドイツスズランの根，マザーワート，オレアンダーの葉，ゲウム，ヤナギトウワタ，海葱の鱗片葉，スターオブベツレヘム，ストロファンツスの種，ダイオウなどがあります。

ツクシ

クリスマスローズは，強心配糖体と呼ばれる物質を含んでいます。強心配糖体は，体内のカリウムを過度に喪失させ，心臓を障害するおそれがあります。ツクシには，尿量を増加させる利尿薬のような作用があり，体内のカリウムを過度に喪失させるおそれがあります。ツクシとクリスマスローズなど，強心配糖体を含むほかのハーブおよび健康食品・サプリメントと併用すると，カリウムを過度に喪失させ，心臓を障害するリスクが高まるおそれがあるため，併用は避けてください。

甘草

クリスマスローズは，強心配糖体と呼ばれる物質を含んでいます。強心配糖体は，体内のカリウムを過度に喪失させ，心臓を障害するおそれがあります。甘草にも体内のカリウムを喪失させる作用があります。甘草とクリスマスローズなど強心配糖体を含むほかのハーブおよび健康食品・サプリメントと併用すると，カリウムを過度に喪失させ，心臓を障害するリスクが高まるおそれがあるため，併用は避けてください。

刺激性下剤ハーブおよび健康食品・サプリメント

刺激性下剤ハーブおよび健康食品・サプリメントは，腸の運動を活発にするため，カリウムなどのミネラルが体内に吸収されるために十分なほど長く食物が腸にとどまらないおそれがあります。これにより，カリウム値が適正値よりも低下するおそれがあります。強心配糖体が含まれているクリスマスローズも，体内のカリウムを過度に喪失させるおそれがあります。クリスマスローズと刺激性下剤ハーブおよび健康食品・サプリメントを併用すると，カリウムが失われすぎるため，心臓障害のリスクが高まる懸念があるため，併用しないでください。刺激性下剤ハーブおよび健康食品・サプリメントには，アロエ，セイヨウイソノキ，ブラックルート，ブルーフラッグ，バターナットのバーク，コロシント，ヨーロピアンバックソーン，フォーチ，ガンボジ，ゴシポール，ヒロハヒルガオ，ヤラッパ，マンナ，メキシカン・スキャモニイ・ルート，ルバーブ，センナ，イエロードッグなどがあります。

使用量の目安

標準使用量に関するデータがありません。

グリセリン

GLYCEROL

●代表的な別名

グリセロール，1,2,3-プロパントリオール

別名ほか

1,2,3-プロパントリオール，グリセロール（Glicerol），グリセリル・アルコール（Glyceryl alcohol），Glucerite，Glycerin，Glycerolum

概　　要

グリセリンは天然由来の化学物質です。「くすり」に使用されることもあります。米国食品医薬品局（FDA）に認可された用法や剤形が複数あります。

グリセリンは，通常，便秘，運動選手の水分補給と能力向上，特定の皮膚の症状に使用されます。また，髄膜炎，脳卒中，肥満，耳の感染症，その他の症状にも使用されますが，これらの用途を十分に裏づけるエビデンスはありません。

安 全 性

経口で短期間摂取する場合，グリセリンはおそらく安全です。グリセリンは，頭痛，めまい感，腹部膨満，吐き気，嘔吐，口渇，下痢などの副作用を引き起こすおそれがあります。

皮膚へ塗布する場合，グリセリンはほとんどの人に安全のようです。グリセリンを皮膚へ塗布すると，発赤，そう痒，灼熱感を引き起こすおそれがあります。

直腸に注入して投与する場合，グリセリンはほとんどの人に安全のようです。

静脈投与する場合，グリセリンはおそらく安全ではありません。赤血球に損傷を与えるおそれがあります。

小児：生後1カ月以上であれば，直腸に注入して投与した場合，または皮膚へ塗布した場合，グリセリンはほとんどの小児に安全のようです。生後2カ月以上の16歳以下であれば，グリセリンの短期間の経口摂取はおそらく安全です。

●妊娠中および母乳授乳期

妊娠中および母乳授乳期の使用についてはデータが不十分です。安全性を考慮し，使用は避けてください。

有 効 性

◆有効性レベル②

・便秘。座薬または浣腸薬としてグリセリンを直腸に投与すると，便秘を改善します。

◆有効性レベル③

・運動能力。グリセリンと水を一緒に経口摂取すると，身体の水分をより長く保つのに役立つという，複数のエビデンスがあります。体内の水分の増加は，特に暑いときは，数分間長く運動したり，場合によっては，少し速く動いたりできるようになる可能性があります。
・ふけ。グリセリン，ステアリン酸，ヒマワリ種子油を含むヘアローションを週に3回使用すると，ふけがわずかに減少し，頭皮に潤いを与える可能性があります。
・乾燥肌。グリセリンとパラフィンを含む製品を皮膚に塗布すると，乾皮症患者の鱗屑の厚みとかゆみの症状が緩和します。
・うろこ状の乾燥肌になる遺伝性皮膚疾患（魚鱗癬）。魚鱗癬の小児の皮膚にグリセリンとパラフィンを含む特定の処方薬を塗布すると，かゆみや鱗屑などの症状が緩和されます。

◆有効性レベル④

・脳と脊髄を保護する膜の腫脹（炎症）（髄膜炎）。グリセリンと髄膜炎の治療に用いられる薬を併用することによって，死亡，発作，胃腸の損傷のリスクは低下しません。 しかし，感染を克服した小児が難聴になるリスクを低下させる可能性があります。
・未熟児の成長と発育。座薬または浣腸薬としてグリセリンを直腸に投与することによって，未熟児の胎便を誘発させることがあります。また，それにより，未熟児の経口ほ乳の開始を早めると考えられています。しかし，グリセリンは経口ほ乳にはほぼ役に立たないようです。

◆有効性レベル⑤

・脳卒中。医師などによってグリセリンの静脈内投与されても，脳卒中後の症状は改善されません。

◆科学的データが不十分です

・肥満，外耳炎，皮膚の皺など。

●体内での働き

グリセリンは消化管内の水分を増やし，便を軟らかくし便秘を緩和します。

血中では水分を取り込んで体内により長く留まるようにします。そのため，運動選手がより長く運動するのに役立つ可能性があります。

医薬品との相互作用

ほかの医薬品との相互作用については明らかではありません。

ハーブおよび健康食品・サプリメントとの相互作用

ほかのハーブ，健康食品・サプリメントとの相互作用についてはまだ明らかではありません。

使用量の目安

【成人】

●経口摂取

運動能力

通常の摂取量は1～1.5g/kgで，1.5Lの水とともに競技の1～2時間前から摂取し始めます。グリセリンは，血中の水分量を変化させて複数の臨床検査の結果を変える可能性があるため，一部のスポーツでは競技期間中の使用が禁止されています。

●皮膚への塗布

ふけ

グリセリン10%，ステアリン酸2.5%，ヒマワリ種子油0.6%を含むリーブインヘアローションを8週間，週3回。

乾燥肌

グリセリン15%とパラフィン10%を含む乳液を1～8週間，1日2回。

●直腸内投与

便秘

座薬としてグリセリン2～3g，または浣腸薬として5～15ml。

【小児】

●皮膚への塗布

うろこ状の乾燥肌になる遺伝性皮膚疾患（魚鱗癬）

グリセリン15%とパラフィン10%を含む特定の処方薬を4～12週間。

●直腸内投与

便秘

6歳未満：座薬として1～1.7g，または浣腸薬として2～5ml。

6歳以上：座薬として2～3g，または浣腸薬として5～15ml。

グリンデリア

GUMWEED

別名ほか

ネバリオグルマ（Rosin Weed），タールウィード（Tar Weed），August Flower，Grindelia，Grindeliae herba，Grindelia robusta，Grinelia Ssquarrosa，Gum Weed，Gumweed Herb

概　　要

グリンデリアはハーブです。葉および植物の先端部を用いて「くすり」を作ることもあります。

●要説（ナチュラル・スタンダード）

グリンデリアは，チュマシュ族などカリフォルニアのアメリカ先住民における伝統的な医薬品です。グリンデリアは，気管支喘息，気管支炎，ツタウルシによる発疹治療のために，米国と英国で1880年代から1960年まで，臨床で使用されました。1960年，新しい法律によって，臨床試験で有効性が証明された薬が求められるようになり，診療所でのグリンデリア使用が中止されました。植物は，あまりよく知られていない薬理活性があるグリンデランジテルペノイドが含まれています。

現在は，気管支喘息，気管支炎，皮膚炎などのあらゆる疾患治療でのグリンデリア使用を裏付ける質の高い研究が不十分です。グリンデリアの質の高い臨床試験は，これらの分野で必要とされています。

安　全　性

ほとんどの人に安全のようです。

胃のもたれや下痢といった副作用をもたらすおそれがあります。

●アレルギー

グリンデリアは，キク科の植物類に過敏な人には，アレルギー反応を起こす可能性があります。この植物類の植物には，ブタクサやキク，マリーゴールド，ヨモギギクなど多数あります。

●妊娠中および母乳授乳期

妊娠中や母乳授乳期にグリンデリアを使用することについては，よく知られていません。安全を考慮し，使用は避けてください。

有　効　性

◆科学的データが不十分です

・咳，気管支炎，および鼻，鼻腔，および咽喉の炎症（腫脹）の治療。

●体内での働き

細菌の増殖を防ぐ補助をするようです。

医薬品との相互作用

ほかの医薬品との相互作用については明らかではありません。

ハーブおよび健康食品・サプリメントとの相互作用

ほかのハーブ，健康食品・サプリメントとの相互作用についてはまだ明らかではありません。

使用量の目安

●経口摂取

通常の１日当たりの摂取量は乾燥した先端部または葉４～６g。流エキス剤の通常の摂取量は１日３～６gです。１：10のチンキ剤（60～80%エタノール）の通常の摂取量は１日1.5～３mLで，１：５のチンキ剤（60～80%エタノール）の場合も１日1.5～３mLです。

グルカル酸カルシウム

CALCIUM D-GLUCARATE

●代表的な別名

カルシウムグルカレート

別名ほか

カルシウムグルカレート（Calcium glucarate），D-グルカレート（D-Glucarate）（GA）

概　　要

グルカル酸カルシウムは化合物です。天然由来化合物のグルカル酸と似ています。グルカル酸は体の中に見出されますが，オレンジやリンゴ，芽キャベツ，ブロッコリー，キャベツなどの果物，野菜にも含まれています。グルカル酸がカルシウムと結合しカルシウムD-グルカレートとなり，「くすり」に使用されることもあります。

安　全　性

十分なデータが得られていないため，安全性または副作用については不明です。

●妊娠中および母乳授乳期

妊娠中および母乳授乳期の使用の安全性についてはデータが不十分です。安全性を考慮し，使用は控えてください。

有　効　性

◆科学的データが不十分です

・乳がん，前立腺がん，大腸がんの予防のほか，体内の発がん物質，毒素，ステロイドホルモンの解毒。

●体内での働き

エストロゲン値を低下させ，ホルモン依存性の患者の補助になると考えられています。科学的根拠が不十分であるため，ヒトに対する使用は効くとも効かないともいえません。

医薬品との相互作用

中アルコール

体内でグルカル酸カルシウムは代謝されてから排泄されます。アルコールはグルカル酸カルシウムの排泄を促進して，その効果を弱めるおそれがあります。

低カナマイシン硫酸塩

カナマイシン硫酸塩は抗菌薬で，体内で代謝されてから排泄されます。グルカル酸カルシウムはカナマイシン硫酸塩の排泄を促進する可能性がありますから，併用するとカナマイシン硫酸塩の効果を弱めるおそれがあります。

中肝臓で代謝される医薬品（グルクロン酸抱合を受けて代謝される医薬品）

ある種の医薬品は肝臓で代謝されます。グルカル酸カルシウムは，この代謝を促進する可能性がありますから，併用すると医薬品の効果が弱まるおそれがあります。このような医薬品にはアセトアミノフェン，アトルバスタチンカルシウム水和物，ジアゼパム，ジゴキシン，エンタカポン，エストロゲン，イリノテカン塩酸塩水和物，ラモトリギン，ロラゼパム，Lovastatin，メプロバメート（販売中止），モルヒネ塩酸塩水和物，オキサゼパム（販売中止）などがあります。

ハーブおよび健康食品・サプリメントとの相互作用

ほかのハーブ，健康食品・サプリメントとの相互作用についてはまだ明らかではありません。

使用量の目安

標準使用量に関するデータがありません。

グルコサミン塩酸塩

GLUCOSAMINE HYDROCHLORIDE

別名ほか

グルコサミンHCl（Glucosamine HCl），2-amino-2-deoxyglucose hydrochloride，2-amino-2-deoxyglucose Hydrochloride，Glucosamine

概　　要

グルコサミンは，ヒトの体内で自然に生成されるアミノ糖の一種です。グルコサミンは通常，貝殻から採取しますが，人工的に生産することもできます。グルコサミン塩酸塩は複数あるグルコサミンの形態のうちの一種です。

さまざまな形態のグルコサミンがサプリメントとして販売されているため，製品表示を注意深く読むことは重要です。これらの製品には，グルコサミン硫酸塩，グルコサミン塩酸塩，N-アセチルグルコサミンが含まれている可能性があります。これらの成分には同様の性質がありますが，サプリメントとして摂取された場合に，同様の効果があるとは限りません。グルコサミンについてのほとんどの科学的研究では，グルコサミン硫酸塩が用いられています。グルコサミン硫酸塩のページを参照してください。この項目はグルコサミン塩酸塩について記載しています。

グルコサミンを含む健康食品・サプリメントには，ほかの成分も含まれていることが少なくありません。コンドロイチン硫酸塩，メチルスルフォニルメタン，およびサメ軟骨が添加されることがしばしばです。これらの成分と組み合わせることで，グルコサミン単体の摂取と比べ，効果が高くなると考える人もいます。現時点では，グルコサミンに付加的成分を組み合わせることで効果が高まることに対する裏づけはありません。

グルコサミンおよびコンドロイチンを添加したグルコサミンを含む製品は，きわめて多種多様です。ラベル表示のある成分を含んでない製品もあります。その差は，25～115%に及ぶ可能性があります。グルコサミン硫酸塩と表示されているアメリカの製品の中には，実際にはグルコサミン塩酸塩に硫酸塩を添加している製品もあります。そのような製品は，グルコサミン硫酸塩そのものを含んでいる製品とはおそらく効果が異なります。

変形性関節症，関節リウマチ，緑内障，顎関節症と呼ばれる顎の疾患，関節痛，背痛および体重減少に対し，グルコサミン塩酸塩を摂取する人もいます。グルコサミン塩酸塩を，コンドロイチン硫酸，サメ軟骨および樟脳と組み合わせて，変形性関節症に対し，皮膚に塗布する人もいます。グルコサミン塩酸塩を，変形性関節症の症状を軽減するために，非経口で短期間用いる人もいます。

安 全 性

グルコサミン塩酸塩の経口摂取は，適量であれば，最長２年間までほとんどの成人におそらく安全です。腸内ガス，腹部膨満，筋痙攣を引き起こすおそれがあります。

グルコサミン製品の中には，成分表に記載された量のグルコサミンが入っていないものや，マンガンが過剰に入っているものもあります。製品の信頼性については，医師などに相談してください。

気管支喘息：グルコサミン塩酸塩は，気管支喘息を悪化させるおそれがあります。気管支喘息の場合には，注意して使用してください。

糖尿病：複数の予備的試験により，グルコサミンが糖尿病患者の血糖値を上昇させるおそれが示唆されています。ただし，より信頼のおける研究によれば，グルコサミンが２型糖尿病患者の血糖コントロールに大きく影響を与えることはないようです。定期的に血糖値を監視しながらグルコサミンを使用すれば，ほとんどの糖尿病患者に安全のようです。

緑内障：グルコサミン塩酸塩は眼内圧を上昇させ，緑内障を悪化させるおそれがあります。緑内障の場合には，グルコサミンを摂取する前に医師などに相談してください。

高コレステロール血症：人によっては，グルコサミンによりコレステロール値が上昇するおそれがあります。グルコサミンがインスリン値を上昇させることがあり，インスリン値が高くなるとコレステロール値も上昇します。ただし，この作用について，ヒトを対象とした研究は報告されていません。安全性を考慮し，高コレステロール血症がある場合にグルコサミン塩酸塩を摂取する際は，コレステロール値を注意して監視してください。

高血圧：人によっては，グルコサミンにより血圧が上昇するおそれがあります。グルコサミンがインスリン値を上昇させることがあり，インスリン値が高くなると血圧も上昇します。ただし，この作用について，ヒトを対象とした研究は報告されていません。安全性を考慮し，高血圧がある場合にグルコサミン塩酸塩を摂取する際は，血圧を注意して監視してください。

手術：グルコサミン塩酸塩は，血糖値に影響を及ぼし，手術中・手術後の血糖コントロールを妨げるおそれがあります。少なくとも手術前２週間は，使用しないでください。

●アレルギー

甲殻類アレルギー：甲殻類に過敏な人には，グルコサミン製品がアレルギー反応を引き起こすおそれがあります。グルコサミンはエビ，ロブスターおよびカニの殻を原料にしています。ただし，甲殻類アレルギーの人が反応するのは，甲殻類の殻ではなく，身の部分です。甲殻類アレルギーの人が，グルコサミンにアレルギー反応を起こしたという報告はありません。また，甲殻類アレルギーの人が，何ごともなくグルコサミン製品を使用しているというデータもあります。

●妊娠中および母乳授乳期

妊娠中および母乳授乳期の使用の安全性についてはデータが不十分です。安全性を考慮し，摂取は避けてください。

有 効 性

◆科学的データが不十分です

・高コレステロール血症，カシン・ベック病（骨および関節の疾患），膝関節痛，変形性関節症，関節リウマチ，顎関節症（顎の痛み），背部痛，緑内障，体重減少など。

●体内での働き

体内のグルコサミンには，関節周囲にクッションを作る働きがあります。変形性関節症の場合は，このクッションが，薄く，硬くなります。グルコサミン塩酸塩をサプリメントで摂取すると，クッションを作るために必要な成分の供給につながる可能性があります。

一部の研究者は，グルコサミン塩酸塩にはグルコサミン硫酸塩ほどの効果がないと考えており，体内における軟骨の生成には硫酸塩が必要であるため，グルコサミン硫酸塩の硫酸の部分が重要な要素であるとしています。

医薬品との相互作用

高ワルファリンカリウム

ワルファリンカリウムは血液凝固を抑制するために用いられます。コンドロイチンとの併用に関係なく，グルコサミン塩酸塩は血液凝固に関するワルファリンカリウムの作用を増強することが報告されています。そのため，深刻な紫斑や出血を引き起こすおそれがあります。ワルファリンカリウムの服用中にグルコサミン塩酸塩を摂取しないでください。

中抗悪性腫瘍薬（トポイソメラーゼⅡ阻害薬）

特定の抗悪性腫瘍薬はがん細胞の複製速度を抑制することにより作用します。科学者の中には，グルコサミンが医薬品のこの作用を妨げると考える人もいます。グルコサミン塩酸塩はグルコサミンの一種です。グルコサミン塩酸塩とこのような医薬品を併用すると，医薬品の効果が弱まるおそれがあります。このような医薬品には，エトポシド，Teniposide，ミトキサントロン塩酸塩，ダウノルビシン塩酸塩，ドキソルビシン塩酸塩があります。

低糖尿病治療薬

グルコサミン塩酸塩はグルコサミンの一種です。グルコサミンは糖尿病患者の血糖値を上昇させる可能性があるとされてきました。また，グルコサミンは糖尿病治療薬の効果も弱めるおそれがあるとされていました。しかし，より質の高い現在の研究では，グルコサミン塩酸塩は糖尿病患者の血糖値を上昇させないこと，また，糖尿病治療薬の効果を妨げないことが示されています。しかし，糖尿病患者がグルコサミン塩酸塩を摂取する場合には用心し，血糖値を注意深く監視してください。このような糖尿病治療薬には，グリメピリド，グリベンクラミド，インスリン，ピオグリタゾン塩酸塩，マレイン酸ロシグリタゾン（販売中止），クロルプロパミド，Glipizide，トルブタミド（販売中止）などがあります。

ハーブおよび健康食品・サプリメントとの相互作用

コンドロイチン硫酸

コンドロイチン硫酸をグルコサミン塩酸塩とともに摂取すると，血中グルコサミン濃度が低下することがあります。理論上，グルコサミン塩酸塩とコンドロイチン硫酸を併用すると，グルコサミン塩酸塩の吸収が抑制されるおそれがあります。

使用量の目安

通常の食品に含まれている量を超えて経口摂取した場合の安全性および副作用については，明らかになっていません。

グルコサミン硫酸塩

GLUCOSAMINE SULFATE

別名ほか

D-グルコサミン（D-Glucosamine），グルコサミン（Glucosamine），Glucosamine sulphate，Glucosamine SO4

概　要

グルコサミン硫酸塩は体内で生成される化学物質で，関節の周りの体液に存在しています。グルコサミンは自然界の他の場所にも存在します。例えば，健康食品・サプリメントに使用されるグルコサミン硫酸塩は多くの場合，甲殻類の殻から抽出されますが，常に天然資源から抽出されるわけではありません。化学的に合成することもできます。

グルコサミンには，グルコサミン硫酸塩，グルコサミン塩酸塩，N-アセチルグルコサミンなど，複数の形態があります。これらの化学物質には類似した性質がありますが，健康食品・サプリメントとして摂取する場合の作用は異なります。グルコサミンに関する研究のほとんどが，グルコサミン硫酸塩についての研究です。グルコサミン塩酸塩あるいはN-アセチルグルコサミンのそれぞれの項目を参照してください。

グルコサミンを含む健康食品・サプリメントには，ほかの成分が含まれていることが少なくありません。コンドロイチン硫酸，メチルスルフォニルメタン，およびサメ軟骨が添加されることがしばしばです。これらの成分と組み合わせることで，グルコサミン硫酸塩単体の摂取と比べ，効果が高くなると考える人もいます。現時点では，グルコサミンにほかの成分を組み合わせることで効果が高まることに対する裏づけはありません。

グルコサミン硫酸塩の製品の中には，ラベル表示が正確でない製品もあります。実際の製品に含まれているグルコサミンの量が，ラベルの表示量に対して，まったく含まれていないものから100%以上含まれているものまで，異なることがあります。ラベルにグルコサミン硫酸塩と表示されている製品に，グルコサミン塩酸塩が含まれている製品もあります。

グルコサミン硫酸塩は，最も一般的に変形性関節症に使用されます。他の多くの疾患にも使用されます，これらの用途を十分に裏づけるエビデンスはありません。

安 全 性

グルコサミン硫酸塩は，成人が経口摂取する場合，ほとんどの人に安全のようです。

グルコサミン硫酸塩は，吐き気，むねやけ，下痢，便秘など軽度の副作用を引き起こすおそれがあります。まれな副作用として，傾眠，皮膚反応，頭痛などがあります。

グルコサミン硫酸塩を皮膚に塗布する場合，週２回で最長６週間までであればおそらく安全です。

コンドロイチン硫酸，サメ軟骨および樟脳と併用して皮膚へ塗布する場合，最長８週間までであれば，おそらく安全です。

気管支喘息：グルコサミン摂取に関連する喘息発作の報告が１件あります。喘息発作の原因がグルコサミンであるかどうかは明らかではありません。気管支喘息の場合には，十分なデータが得られるまで，グルコサミンを含む製品の使用に注意してください。

糖尿病：複数の初期の研究により，グルコサミン硫酸塩が糖尿病患者の血糖値を上昇させるおそれが示唆されています。ただし，より信頼のおける近年の研究によれば，グルコサミン硫酸塩が２型糖尿病患者の血糖コントロールに影響を与えることはないようです。グルコサミンは，ほとんどの糖尿病患者に安全のようですが，血糖値を注意深く監視してください。

緑内障：グルコサミン硫酸塩は眼圧を上昇させ，緑内障を悪化させるおそれがあります。緑内障の場合には，グルコサミンを摂取する前に医師などに相談してください。

高コレステロール血症：グルコサミンがコレステロール値を上昇させるおそれが動物実験で示唆されています。一方，ヒトを対象とした研究では，グルコサミンがコレステロール値を上昇させることはないようです。ただし，初期の研究の一部で，グルコサミンがインスリン値を上昇させる可能性が示唆されており，それによってコレステロール値が上昇するおそれがあります。安全性を考慮し，高コレステロール血症がある場合にグルコサミン硫酸塩を摂取する際は，コレステロール値を注意して監視してください。

高血圧：初期の研究で，グルコサミン硫酸塩がインスリン値を上昇させる可能性が示唆されており，それによって血圧が上昇するおそれがあります。ただし，より信頼のおける研究では，グルコサミン硫酸塩が血圧を上昇させないことが示唆されています。安全性を考慮し，高血圧がある場合にグルコサミン硫酸塩を摂取する際は，血圧を注意して監視してください。

手術：グルコサミン硫酸塩は，血糖値に影響を及ぼし，手術中・手術後の血糖コントロールを妨げるおそれがあります。少なくとも手術前２週間は，使用しないでください。

甲殻類アレルギー：グルコサミン硫酸塩製品の中には，エビ，ロブスターおよびカニの殻を原料にしているものがあるため，甲殻類にアレルギーがある人にアレルギー反応を引き起こすおそれがあります。ただし，甲殻類アレルギーの人が通常反応するのは，甲殻類の殻ではなく，身の部分です。甲殻類アレルギーの人が，グルコサミンにアレルギー反応を起こしたという報告はありません。また，甲殻類アレルギーの人が，何ごともなくグルコサミン製品を使用しているというデータもあります。

●妊娠中および母乳授乳期

妊娠中および母乳授乳期の使用の安全性についてはデータが不十分です。十分なデータが得られるまでは，使用してはいけません。

有 効 性

◆有効性レベル②

・変形性関節症。変形性関節症の人，とくに膝の変形性関節症がある人がグルコサミン硫酸塩を摂取すると，疼痛がいくらか緩和する可能性があることがほとんどの研究で示されています。人によっては，グルコサミン硫酸塩が，アセトアミノフェンやイブプロフェンなど，疼痛に対する市販薬および処方薬と同程度の効果をもたらす可能性があります。ただし，医薬品は即効性がありますが，グルコサミン硫酸塩では疼痛緩和効果が現れるのに４～８週間かかる可能性があります。また，グルコサミン硫酸塩を摂取していても，疼痛再燃のために医薬品を摂取する必要があることもよくあります。グルコサミン硫酸塩は疼痛緩和のほかにも，数年にわたり摂取すると，関節部の破壊を抑制したり，疾患の悪化を予防したりする可能性があります。グルコサミン硫酸塩を摂取すると人工膝関節置換術が必要となるリスクが低下する可能性を示す研究もあります。グルコサミン製品にはさまざまな種類があります。研究によりもっとも有益性が示されているのはグルコサミン硫酸塩を含む製品です。グルコサミン塩酸塩を含む製品は，グルコサミン硫酸塩を含む製品ほどの効果はないようです。多くの製品には両方のグルコサミンとコンドロイチンが含まれていますが，このような製品がグルコサミン硫酸塩単体よりも高い効果を示すというエビデンスはありません。グルコサミン硫酸塩には変形性関節症の予防効果はないようです。

◆科学的データが不十分です

・アロマターゼ阻害薬と呼ばれる医薬品による関節痛（アロマターゼ阻害薬誘発性関節痛），心疾患，膝痛，多発性硬化症（MS），手術後の回復，脳卒中，顎の痛み（顎関節症），失明につながる可能性のある目の疾患（緑内障），関節痛，疼痛性膀胱症候群（間質性膀胱炎），体重減少など。

●体内での働き

グルコサミン硫酸塩は，体内に含まれる化学物質です。体内で，腱，靱帯，軟骨，関節周囲の粘調性の高い体液などの生成に関与するさまざまな化学物質を産生するために用いられます。

関節の周囲には体液および軟骨が存在し，クッションの働きをしています。変形性関節症の人は，軟骨が破壊され，弱くなっていることもあります。このため，関節摩擦や関節痛，こわばりがひどくなります。研究者の間では，グルコサミンのサプリメントを摂取すると，関節周囲の軟骨および体液が増加したり，これらの物質の破壊が予防されたりする可能性があると考えられています。

グルコサミン硫酸塩の硫酸塩の部分も，重要な要素であると考えられています。硫酸塩は，体内で軟骨を生成するために必要です。そのことが，グルコサミン塩酸塩やN-アセチルグルコサミンなど，硫酸塩が含まれていないほかの形態のグルコサミンよりもグルコサミン硫酸塩の方が効果が高いと研究者は考える理由の1つです。

医薬品との相互作用

低アセトアミノフェン

グルコサミン硫酸塩とアセトアミノフェンを併用すると，それぞれの作用に影響し合うおそれがあります。しかし，この相互作用が重大であるかについては，さらに多くのデータが必要です。現時点では，両者の併用には問題がないとする専門家が主流です。

高ワルファリンカリウム

ワルファリンカリウムは血液凝固を抑制するために用いられます。コンドロイチンとの併用に関係なく，グルコサミン硫酸塩はワルファリンカリウムの作用を増強して血液凝固をさらに遅らせることが報告されています。そのため，深刻な紫斑や出血を引き起こすおそれがあります。ワルファリンカリウムの服用中にグルコサミン硫酸塩を摂取しないでください。多くのナチュラルメディシンにワルファリンカリウムとの相互作用があります。

中抗悪性腫瘍薬（トポイソメラーゼⅡ阻害薬）

特定の抗悪性腫瘍薬はがん細胞の複製速度を抑制することにより作用します。科学者の中には，グルコサミンが医薬品のこの作用を妨げると考える人もいます。グルコサミン硫酸塩はグルコサミンの一種です。グルコサミン硫酸塩とこのような医薬品を併用すると，医薬品の効果が弱まるおそれがあります。このような医薬品には，エトポシド，Teniposide，ミトキサントロン塩酸塩，ダウノルビシン塩酸塩，ドキソルビシン塩酸塩などがあります。

低糖尿病治療薬

グルコサミン硫酸塩は，糖尿病患者の血糖値を上昇させる可能性があるとされてきました。また，グルコサミン硫酸塩は糖尿病治療薬の効果も弱めるおそれがあるとされていました。しかし，現在の研究では，グルコサミン硫酸塩が糖尿病患者の血糖値を上昇させることはないことが示されています。したがって，グルコサミン硫酸塩が糖尿病治療薬の効果を妨げることはおそらくありません。糖尿病患者がグルコサミン硫酸塩を摂取する場合には用心し，血糖値を注意深く監視してください。このような糖尿病治療薬には，グリメピリド，グリベンクラミド，インスリン，ピオグリタゾン塩酸塩，マレイン酸ロシグリタゾン（販売中止），クロルプロパミド，Glipizide，トルブタミド（販売中止）などがあります。

ハーブおよび健康食品・サプリメントとの相互作用

ほかのハーブ，健康食品・サプリメントとの相互作用についてはまだ明らかではありません。

使用量の目安

●経口摂取

変形性関節症

グルコサミン硫酸塩1,500mgを1日1回，または500mgを1日3回，これらを単体で摂取するか，またはコンドロイチン硫酸400mgと併用して，1日2～3回，最長3年間摂取します。またはグルコサミン硫酸塩750mgを1日2回，ウコンの根のエキス（500mgを1日2回）と併用して，6週間摂取します。

●皮膚への塗布

変形性関節症

グルコサミン硫酸塩30mg/g，コンドロイチン硫酸50mg/g，サメ軟骨140mg/g，樟脳32mg/gおよびペパーミントオイル9mg/gを含むクリームを，必要に応じて，8週間皮膚に塗布します。

●筋肉内投与

変形性関節症

グルコサミン硫酸塩400mgを週2回，6週間投与します。

グルタチオン

GLUTATHIONE

別名ほか

L-グルタチオン，L-Glutathione，Gamma-Glutamylcysteinylglycine，Gamma-L-Glutamyl-L-cysteinylglycine，GSH，N-(N-L-gamma-Glutamyl-L-cysteinyl) glycine

概　要

グルタチオンは肝臓で自然に作られる物質です。果物，野菜，肉類にも含まれます。

安全性

グルタチオンの経口摂取，吸入，または，筋肉や静脈への注射は，おそらく安全です。グルタチオンの副作用についてのデータは不十分です。グルタチオンを皮膚に塗布する場合には，皮疹を引き起こすおそれがあります。小児がグルタチオンを経口摂取する場合や，皮膚に塗布する場合には，刺激を感じるおそれがあります。

気管支喘息：気管支喘息の場合には，グルタチオンを吸入してはいけません。気管支喘息の症状の一部が悪化するおそれがあります。

●妊娠中および母乳授乳期

妊娠中および母乳授乳期の使用の安全性についてはデータが不十分です。安全性を考慮し，摂取は避けてください。

有効性

◆有効性レベル③

・化学療法による副作用。グルタチオンの静脈内投与により，化学療法による副作用が予防されるようです。

◆科学的データが不十分です

・エイズ，アルツハイマー病，血液透析を受けている患者の貧血，気管支喘息，がん，白内障，慢性疲労症候群，糖尿病，緑内障，動脈硬化，心疾患，高コレステロール血症，男性不妊，肝疾患，肺疾患，記憶喪失，変形性関節症，パーキンソン病，抗加齢，アルコール依存症の予防および治療など。

●体内での働き

グルタチオンは，組織の生成や修復，体内および免疫システムにおいて必要とされる化学物質やタンパク質の合成など，さまざまな働きに関与しています。

医薬品との相互作用

ほかの医薬品との相互作用については明らかではありません。

ハーブおよび健康食品・サプリメントとの相互作用

ほかのハーブ，健康食品・サプリメントとの相互作用についてはまだ明らかではありません。

使用量の目安

●静脈内または筋肉内投与

化学療法による副作用

1.5～3 g/m^{2}のグルタチオンを，化学療法直前に15～20分間かけて投与します。または，化学療法前に1.5g/m^{2}のグルタチオンを15分間かけて投与し，2～5日目に，600mgのグルタチオンを筋肉内投与します。

グルタミン

GLUTAMINE

別名ほか

グルタミン酸塩（Glutamate），グルタミネート（Glutaminate），L-グルタミン酸（L-Glutamic acid），L-グルタミン（L-Glutamine），GLN，Glutamic acid（L-(+)-2-Aminoglutaramic acid），Levoglutamide，Levoglutamine，L-(+)-2-Aminoglutaramic Acid，L-Glutamic acid 5-amide，Q

概要

グルタミンはアミノ酸（タンパク質の構成要素）で，体内に自然に存在します。

グルタミンは，鎌状赤血球症，手術後の栄養状態を改善し回復を促進，損傷，熱傷，骨髄移植，HIV/エイズの合併症，放射線治療，がん化学療法などに対し，経口摂取されます。

グルタミンは，手術後の回復を促進する目的などで静脈内投与されます。

グルタミンは，カプセルもしくは分包紙入りの粉末として市販されています。米国食品医薬品局（FDA）に承認された処方薬のグルタミン製品は二種類あります。商用のグルタミンは，グルタミンを産生する細菌を用いた発酵処理により製造しています。

安全性

グルタミンは，成人が1日40g以下を経口摂取する場合は，ほとんどの人に安全のようです。副作用はおおむね軽度で，めまい感，むねやけ，胃痛などがあります。人によっては，経口摂取の際，水に混ぜたグルタミンのざらつき感を不快に感じることがあります。

グルタミンは，成人が1日体重1kg当たり600mg以下を静脈内投与する場合は，ほとんどの人に安全のようです。

小児：1日体重1kg当たり0.7g以下を経口摂取する場合，または，1日体重1kg当たり400mg以下を静脈内投与する場合は，ほとんどの人に安全のようです。小児による高用量のグルタミン摂取の安全性についてはデータが不十分です。

骨髄移植：骨髄移植を受ける患者にグルタミンを静脈内投与すると，口内炎や死亡のリスクが上昇するおそれがあります。十分なデータが得られるまでは，このような患者にグルタミンを静脈内投与するのは避けてください。グルタミンを口に含み，口内を転がしてから飲み込むのは効果がある可能性があります。

硬変：グルタミンにより硬変が悪化するおそれがあります。硬変患者はグルタミンサプリメントの摂取は避けてください。

肝性脳症（思考困難または錯乱をともなう重度の肝疾患）：グルタミンにより肝性脳症が悪化するおそれがあります。使用してはいけません。

躁病（精神障害）：躁病の場合には，グルタミンが精神状態の変化を引き起こすおそれがあります。使用は避けてください。

グルタミン酸ナトリウム（MSG）過敏症：グルタミン酸ナトリウムに過敏な場合，グルタミンにも過敏であるおそれがあります。グルタミンが体内でグルタミン酸に変換されるためです。

痙攣：人によっては，グルタミンが痙攣のリスクを高めるおそれがあります。使用は避けてください。

●妊娠中および母乳授乳期

妊娠中および母乳授乳期の使用の安全性についてはデータが不十分です。安全性を考慮し，使用は避けてください。

有 効 性

◆**有効性レベル①**

・鎌状赤血球症。グルタミンは，FDAが承認した鎌状赤血球症治療の処方薬です。1日2回の摂取により，鎌状赤血球症の突発的な合併症状を軽減します。また，処方薬のグルタミンの摂取により，クリーゼで入院する回数や入院日数が減少する可能性があります。

◆**有効性レベル③**

・熱傷。重度の熱傷患者にグルタミンを経管栄養のチューブから投与すると，重篤な感染症発症リスクや死亡リスクが低下する可能性があります。重度の熱傷患者にグルタミンを静脈内投与すると，なんらかの感染症のリスクが低下するようです。ただし，死亡リスクが低下することはないようです。

・重症外傷。相反する研究結果もあるものの，ほとんどの研究で，グルタミンは，重大な外傷を負った後に，細菌が腸外へ拡散し身体のほかの部位へ感染するのを防ぐことが示されています。また，グルタミンは危篤患者の院内感染リスクを低下させる可能性があります。経管栄養のチューブから投与するよりも静脈内投与の方が院内感染予防効果が高いようです。総合的には，グルタミンが危篤患者の死亡リスクを低下させることはないようです。

・HIV/エイズ患者における意図的でない体重減少。HIV/エイズ患者がグルタミンを経口摂取すると，食物吸収が改善し，体重の増加を促すようです。1日40gの用量がもっとも効果があるようです。

・手術後の回復。グルタミンの静脈内投与と静脈栄養を併用すると，手術後，とくに腹部の大手術後の入院日数が減少するようです。また，待期的手術もしくは緊急手術後の院内感染予防に役立つようです。ほかにも，グルタミンの静脈内投与と静脈栄養を併用すると，骨髄移植後の感染リスクが低下し回復が促進されるようです。しかし，骨髄移植を受ける人全員に効果があるわけではないようです。グルタミンは，いかなるタイプの手術でも，手術後の死亡リスクを低下させることはないようです。

◆**有効性レベル④**

・運動能力。グルタミンを経口摂取しても運動能力は向上しないようです。

・炎症性腸疾患の1つ（クローン病）。グルタミンを経口摂取してもクローン病の症状は改善しないようです。

・腎臓や膀胱に結石を形成する遺伝性疾患（シスチン尿）。グルタミンを経口摂取しても，シスチン尿は改善しないようです。

・2,500g（5ポンド，8オンス）未満の体重で生まれた乳児。出産時低体重児にグルタミンを投与しても，疾患や早期死亡を予防できないようです。また，グルタミンの投与により，低体重児の体重増加や発達が促進されることはないようです。

・筋力低下および筋肉減少を引き起こす遺伝性疾患の総称（筋ジストロフィー）。筋ジストロフィーの小児がグルタミンを経口摂取しても，筋力は向上しないことを示す研究があります。

・未熟児の成長と発育。未熟児にグルタミンを与えても，発達を促進したり，疾患や早期死亡を予防できないようです。

・放射線治療による下痢。研究によると，骨盤のがん患者がグルタミンを経口摂取しても，放射線治療による重度の下痢を予防したり軽減したりはできないようです。

◆**科学的データが不十分です**

・HIV治療薬（抗レトロウイルス薬）による下痢，抗悪性腫瘍薬治療による下痢，抗悪性腫瘍薬治療による免疫システム障害，のう胞性線維症，糖尿病の足部潰瘍，下痢，肥満，ヘロインやモルヒネなどのオピオイドからの離脱，口内の腫脹（炎症）および痛み（口腔粘膜炎），パクリタキセルによる筋肉痛および関節痛，膵炎，床ずれ（褥瘡性潰瘍），放射線治療による皮膚障害（放射線皮膚炎），短腸症候群（腸の一部の欠損もしくは切除時に生じる吸収不良），ビンクリスチン硫酸塩による化学療法に起因する神経障害，創傷治癒，炎症性腸疾患の1つ（潰瘍性大腸炎），アルコールに関連する障害，不安，注意欠陥多動障害（ADHD），うつ病，不眠，胃潰瘍など。

●**体内での働き**

グルタミンは体内でもっとも豊富にある遊離アミノ酸です。アミノ酸はタンパク質の構成要素です。グルタミンは筋肉で作られ，血液によって必要とする臓器に運ばれます。とくにストレス時に，消化管機能や免疫システムをはじめ，身体に不可欠な処理を助ける可能性があります。また，体内のさまざまな細胞に燃料（窒素および炭素）を提供するために重要な働きをします。グルタミンはほかのアミノ酸やグルコース（ブトウ糖）などの化学物質を体内で産生する際に必要となります。

手術後や外傷を受けた後，創傷を修復し，生命維持に必要な臓器の機能を維持するためには窒素が必要です。この窒素の約3分の1はグルタミンから提供されます。

ストレス時など，筋肉が産生できる量を超えるグルタミンを身体が消費すると，筋委縮が起こるおそれがあります。これはHIV/エイズ患者に起こることがあります。グルタミンサプリメントを摂取すると，グルタミン貯蔵量を維持できる可能性があります。

化学療法の種類によっては，体内のグルタミン値が低下するおそれがあります。グルタミンによる治療は，損傷組織の細胞寿命を維持して，化学療法による障害を防ぐことができると考えられています。

医薬品との相互作用

中抗てんかん薬

抗てんかん薬は脳内の化学物質に影響を及ぼします。グルタミンもまた脳内の化学物質に影響を及ぼす可能性があります。グルタミンが脳内化学物質に影響を及ぼすことにより，抗てんかん薬の効果が弱まるおそれがあります。このような抗てんかん薬には，フェノバルビタール，プリミドン，バルプロ酸ナトリウム，ガバペンチン，カルバマゼピン，フェニトインなどがあります。

ハーブおよび健康食品・サプリメントとの相互作用

ほかのハーブ，健康食品・サプリメントとの相互作用についてはまだ明らかではありません。

使用量の目安

【成人】

●経口摂取

熱傷

グルタミン１日0.35～0.5g/kg，または４時間ごとに4.3gを摂取します。

重症外傷

グルタミン１日0.2～0.6g/kgまたは１日20gを液体栄養剤に混ぜたものを，通常５日間以上摂取します。

鎌状赤血球症

５歳以上の鎌状赤血球症患者の場合，従来の治療薬のヒドロキシカルバミドとの併用の有無にかかわらず，処方薬のグルタミン５～15gを１日２回，48週間にわたり摂取します。

HIV/エイズ患者における意図的でない体重減少

グルタミン１日14～40gをほかの栄養素と併用で摂取します。

●静脈内投与

熱傷

グルタミン１日0.57g/kgを30日間投与します。

重症外傷

グルタミン化合物１日0.3～0.5g/kgまたは18～21gを，場合によりホルモンと併用で投与します。

手術後の回復

骨髄移植後に，グルタミン0.57g/kgを投与します。手術を受ける患者の場合は，グルタミン１日20gまたは0.3g/kgを投与します。グルタミンジペプチドの形態で投与することもあります。通常，グルタミンジペプチドは18～30gを用います。これはグルタミン13～20gに匹敵します。

【小児】

●経口摂取

重症外傷

グルタミン１日0.3g/kgを毎日投与します。

鎌状赤血球症

５歳以上の鎌状赤血球症患者の場合，処方薬のグルタミン５～15gを１日２回，48週間にわたり摂取します。

クルマバソウ

SWEET WOODRUFF

別名ほか

車葉草（Asperula odorata），Galii odorati herba，ウッドラフ（Woodruff），Galium odorata，Master of the Wood，Waldmeister，Wordward

概　　要

クルマバソウはハーブです。地上部を用いて「くすり」を作ることもあります。しかしながら「くすり」としての使用は，世界の多くの国々ではされなくなっています。

食物や飲料では，クルマバソウは味付けに使用されています。

製品としては，香水の香料として抽出物が使用されています。

●要説（ナチュラル・スタンダード）

クルマバソウは，広く中世の間に植物薬として使用され，傷や切り傷への外部塗布薬としての名声を獲得し，消化器や肝疾患の治療では内服もされます。今日では，主に強壮薬，利尿薬，抗炎症作用が評価されています。

クルマバソウはヨーロッパ原産で，北欧諸国から英国まで見られます。ドイツでも大変人気があり，そこではヴァルトマイスターとかフォレストのマスターなどと呼ばれています。クルマバソウの葉は，一般的にドイツの５月ワインの味付けに使用され，アルコール飲料に含有されることについては，米国食品医薬品局（FDA）は安全と考えています。

安　全　性

食物に含まれる量を摂取したり，短期間「くすり」として摂取するのは安全のようです。

長期にわたって使用すると，頭痛，意識喪失，肝臓障害を引き起こすおそれがあります。

皮膚へ直接塗布する場合の安全性についてのデータは不十分です。

●妊娠中および母乳授乳期

妊娠中および母乳授乳期の使用の安全性についてはデータが不十分です。安全性を考慮し，摂取は避けてください。

有　効　性

◆科学的データが不十分です

・肺，胃，肝臓，胆のう，泌尿器の疾患の予防と治療，心疾患，神経質，痔核，不眠，片頭痛，体液貯留，皮膚障害など。

●体内での働き

炎症（腫脹）を抑え，殺菌を補助する成分を含んでいます。

医薬品との相互作用

ほかの医薬品との相互作用については明らかではありません。

ハーブおよび健康食品・サプリメントとの相互作用

ほかのハーブ，健康食品・サプリメントとの相互作用についてはまだ明らかではありません。

使用量の目安

●経口摂取

統合失調症

1日0.4～0.8g/kgの範囲の摂取量を数回に分けて摂取します。通常1日4gから開始し，治療用量に達するまで1日4g増量します。

3-PGDH欠損症に起因する発作

1日200mg/kgをサプリメントのセリンとともに摂取します。

イソ吉草酸血症

250mg/kgを摂取します。L-カルニチンととともに摂取する場合もあります。

●舌下投与

急性虚血性脳卒中発症後の神経防護作用

1日1～2gの投与を脳卒中発症の6時間以内に開始します。

●局所投与

下腿潰瘍

1g当たりグリシン10mg，L-システイン2mg，DL-トレオニン1mgを含むクリームを使用します。クリームは1日1回，1日おき，または1日2回，傷口の洗浄と包帯の交換時に塗布します。

クレアチン

CREATINE

別名ほか

クレアチン・モノハイドレート（Creatine monohydrate），Cr，Creatin pyruvate，N-amidinosarcosine，N-(Aminoiminomethyl)-N methyl glycine

概　要

クレアチンは，通常，体内の主に筋肉に見られる化学物質です。体内で産出されますし，食品からも摂取されています。とくに魚や肉類には豊富に含まれています。また人工的に合成することもできます。

●要説（ナチュラル・スタンダード）

クレアチンは，通常，肉や魚に含まれています。クレアチンはまた，腎臓および肝臓における人間の体内で自然に作られます。クレアチンは主に筋肉に貯蔵されていますが，身体のクレアチンの約1.5～2％が毎日クレアチニンに変わります。

炭水化物が筋肉クレアチンのとり込みを増強するという研究結果によって，クレアチンスポーツ飲料の市場が増加しました。クレアチンの経口摂取によって，アデノシン三リン酸（ATP）を再生する働きをする筋肉中のクレアチンが増加します。

クレアチン補給は，1990年代に，運動能力が向上し筋肉質体を作るということで一般的になりました。また，慢性心不全およびミトコンドリア病の治療にも使用されてきました。

結局のところ，クレアチンがある程度の効果をもつと思われるのは，30秒未満で繰り返し激しく行う運動で，持久的な有酸素運動には，有意な効果はないようです。

カフェインによって，断続的な運動行動に関するクレアチンの効果を相殺する可能性があります。さらに，カフェインおよびマオウ（麻黄）と組み合わせたクレアチンは，副作用のおそれがあります。しかし，こうした相互作用を裏づけるためには，この分野でのさらなる研究が必要とされます。

安　全　性

クレアチンは，最大5年まで，適量を経口摂取する場合，ほとんどの人に安全のようです。

高用量を経口摂取する場合，おそらく安全ではありません。腎臓，肝臓，心臓の機能に害を及ぼすおそれがあります。しかし，高用量の摂取とこれらの悪影響との関連は証明されていません。また，胃痛，吐き気，下痢，筋痙攣を起こすおそれがあります。

クレアチンは，体の残りの部分から水分を引き出します。これを補うために，水をたっぷり飲むようにしてください。また，クレアチンを摂取している際は，炎天下で運動をしてはいけません。脱水を引き起こすおそれがあります。

使用すると，多くの人は体重が増えます。これは，筋肉が水分を溜め込んだためで，筋肉がついたわけではありません。

カフェインおよびハーブのマオウ（麻黄）と併用すると，脳卒中など深刻な副作用をもたらす場合があると懸念されています。

また，クレアチンが一部の人々に脈拍不整を引き起こす可能性があるという懸念があります。ただし，クレアチンがこの問題を引き起こすかどうかについては，より多くの情報が必要です。

クレアチンが色素性紫斑性皮膚炎を引き起こすおそれがあるという懸念があります。ただし，クレアチンがこの問題を引き起こすかどうかについては，より多くの情報が必要です。

小児：適量を経口摂取する場合，おそらく安全です。1日2～5g，2～6カ月にわたり，安全に摂取されています。

双極性障害：4週間にわたりクレアチンを摂取した双極性障害の人で，躁状態が報告されています。クレアチンにより双極性障害の人の躁病が悪化するおそれがあります。

腎臓病または糖尿病：腎臓病，または腎臓障害を引き起こすおそれのある糖尿病のような疾患の場合には，クレアチンを摂取してはいけません。腎臓病を悪化させるおそれがあります。

●妊娠中および母乳授乳期

妊娠中および母乳授乳期の使用の安全性についてはデータが不十分です。安全性を考慮し，摂取は避けてください。

有　効　性

◆有効性レベル③

・運動能力。摂取する人の健康状態や年齢，運動の種類，摂取量など，クレアチンの効果に影響を及ぼす要素はたくさんあるようです。クレアチンは有酸素運動の能力を改善することはないようです。また，高度に訓練されたスポーツ選手の持久力や運動能力を改善することはないようです。クレアチンは継続使用するよりも，1日20gの初期用量を5日間使用する方が効果的であるとのエビデンスがあります。しかしながら，クレアチンの効果がみられるのはどんな人で投与量はどのくらいかについては，まだ不明です。運度量の多くない人のクレアチン使用については，相反する研究結果が出ています。1日20gを5日間摂取後，1日5gを5日間摂取しても，筋力は改善しないことを示す研究がある一方，1日20gを4～10日間の摂取で改善がみられたことを示す研究もあります。高齢者のクレアチン使用についても，相反する研究結果が出ています。現在までの被験者数が少ないため（すべて合わせても72人未満），確固たる結論を導くことはできていません。

・クレアチン代謝異常。クレアチン代謝の異常により脳内のクレアチン値が低下し，精神遅滞，痙攣，自閉症，運動異常症を引き起こすおそれがあります。クレアチンを毎日，最大3年にわたり経口摂取すると，脳内のクレアチン値が上昇し，運動異常症や痙攣が改善しますが，gaunidinoacetate methyltransferase（GAMT）というクレアチン欠乏症の小児や若年成人の知能にはほとんど影響を及ぼすことはありません。しかし，arginine-glycine amidinotrasferase（AGAT）というクレアチン欠乏症の小児では，最大8年にわたりクレアチンを摂取することで，注意力，言語能力，学習能力が改善するようです。クレアチントランスポーター欠損症の小児では，クレアチンを摂取しても，脳内クレアチン値，運動異常症，知能の改善はみられないようです。

◆有効性レベル④

・筋萎縮性側索硬化症（ALS）。クレアチンを経口摂取しても，ALSの進行を遅らせたり生存率が改善したりすることはないようです。

◆科学的データが不十分です

・皮膚の加齢変化，慢性閉塞性肺疾患，心疾患，うつ病，糖尿病，線維筋痛症，失明（脳回転状網膜脈絡膜萎縮），遺伝性運動感覚性ニューロパチー，ハンチントン舞踏病，多発性筋炎および皮膚筋炎などの筋肉疾患，マッカードル病，ミトコンドリアミオパチー，多発性硬化症，筋組織の萎縮，筋痙攣，筋ジストロフィー，新生児の睡眠時呼吸器疾患，脳損傷，変形性関節症，パーキンソン病，レット症候群，関節リウマチ，統合失調症，脊髄性筋萎縮症，手術後の回復，双極性障害など。

●体内での働き

クレアチンは筋肉を動かすために必要なエネルギーの生成に関与します。

菜食主義者や総クレアチン値が低い人がクレアチンサプリメントを摂取すると，クレアチン値が高い人が摂取するよりも効果が大きいと見られています。骨格筋が保持できるクレアチンの量は決まっているため，多く摂取してもクレアチン値がそれ以上あがることはありません。通常は摂取を開始した最初の数日で飽和点に達します。

医薬品との相互作用

ほかの医薬品との相互作用については明らかではありません。

ハーブおよび健康食品・サプリメントとの相互作用

カフェイン

カフェイン，マオウ，クレアチンを併用すると重篤な副作用を起こすリスクが高まります。毎日，クレアチン・モノハイドレート6g，カフェイン400～600mg，マオウ（麻黄）40～60mgおよびさまざまなその他の健康食品・サプリメントを6週間にわたり摂取していた運動選手が脳卒中を起こしたとする報告があります。またカフェインがクレアチンのもつ運動機能への効果を低下させることがあります。

マオウ（麻黄）

カフェイン，マオウ，クレアチンを併用すると重篤な副作用を起こすリスクが高まります。毎日，クレアチン・モノハイドレード6g，カフェイン400～600mg，マオウ40～60mgおよびさまざまなその他のハーブおよび健康食品・サプリメントを6週間にわたり摂取していた運動選手が脳卒中を起こしたとする報告があります。

通常の食品との相互作用

炭水化物

クレアチンと炭水化物とを同時に摂取すると，クレアチン単独の摂取よりも筋肉のクレアチン値を高めます。クレアチン５gを炭水化物93gと一緒に１日に４回，５日間続けて摂取すると，クレアチン単独での摂取に比べ，60％も筋肉のクレアチン値を上げることができます。

使用量の目安

【成人】

●経口摂取

運動能力

数多くの摂取スケジュールが用いられていますが，たいていの場合，初期用量を短期間摂取後，維持用量を長期間摂取します。通常，初期用量は１日10～35gを４～10日間，維持用量は１日２～９gです。

【小児】

●経口摂取

クレアチン代謝異常

体重１kgにつきクレアチン400～800mgを毎日，最大８年間摂取します。または，クレアチン４～８gを毎日，最大25カ月間摂取します。

グレーターセランダイン

GREATER CELANDINE

●代表的な別名

白屈菜

別名ほか

ハックツサイ，白屈菜（Celandine herb），セランダイン（Celandine），クサノオウ（Chelidonium majus），Bai Qu Cai，Chelidonii，Chelidonii herba，Greater Celandine Above Ground Parts，Greater Celandine Rhizome，Greater Celandine Root，Schollkraut，Tetterwort，Verruguera

概　　要

グレーターセランダインは植物です。乾燥した地上部，根，および根茎（地下茎）を用いて「くすり」を作ることもあります。グレーターセランダインとRanunculus ficaria科のヒメリュウキンカを混同してはいけません。

●要説（ナチュラル・スタンダード）

ヨーロッパでは，さまざまな疾患の治療に用いられます。多少有毒であるとされていますが，ドイツや伝統中国医学ではエキスが用いられています。

Ukrainはグレーターセランダインを含む抗がん薬で，一部が人工です。骨粗鬆症に対する効果が示唆されており，更年期の女性にとって，有用な可能性を示す研究があります。

安 全 性

経口摂取はおそらく安全ではありません。深刻な肝障害を引き起こす可能性があります。

グレーターセランダイン製品を静脈内投与する場合の安全性についてはデータが不十分です。

胆管障害（胆管の閉塞）：グレーターセランダインのエキスの中には，胆汁の流れを増加させ，胆管障害の症状を悪化させるおそれがあります。

肝炎などの肝疾患：肝炎を引き起こすおそれを示唆するエビデンスがあります。肝疾患の場合には使用してはいけません。

●アレルギー

皮膚に塗布した場合，アレルギー性の皮疹を引き起こす可能性があります。

●妊娠中および母乳授乳期

妊娠中および母乳授乳期の使用の安全性についてはデータが不十分です。安全性を考慮し，摂取は避けてください。

有 効 性

◆有効性レベル③

・グレーターセランダインとほかのハーブ数種類を組み合わせて併用する場合には，胃のむかつき（消化不良症）。併用製品には，グレーターセランダインのほか，ペパーミントの葉，ジャーマン・カモミール，キャラウェイ，甘草，マガリバナ，レモンバーム，アンゼリカ，およびミルクシスルが含まれています。この製品１mLを１日３回，４週間以上継続して摂取することで，酸の逆流，胃痛，筋痙攣，悪心，および嘔吐の深刻さが有意に軽減することを示唆する研究があります。

◆科学的データが不十分です

・がん。進行中の研究により，グレーターセランダインから作られる特定の製品（商品名：Ukrain）が，さまざまなタイプのがん治療に有効である可能性が示唆されています。医療提供者の指導による静脈内投与により，生存期間が改善した結腸直腸がん，膀胱がん，膵臓がん，および乳がん患者もいることが示唆されています。ただし，この有効性を示唆した研究は，よく設計されていないという理由で批判もされています。腫瘍を小さくするために必要なUkrainの摂取量が，医薬用途としては毒性がありすぎるおそれを示唆する研究者もいます。北アメリカではUkrainは市販されていません。

・疣贅（いぼ），疱疹，発疹，疥癬，疼痛および腫脹，食欲不振，インフルエンザ性胃腸炎，高血圧，痛風，関節症，消化管の痙攣，月経不順，歯痛など。

●体内での働き

グレーターセランダインに含まれる化合物はがん細胞の増殖を抑えることがありますが，健康な細胞も損傷する可能性があります。予備的研究により，胆汁量を増大させることが示唆されています。疼痛緩和作用があるようです。

医薬品との相互作用

中モノアミン酸化酵素阻害薬（MAO阻害薬）

グレーターセランダインに含まれる化学物質はモノアミン酸化酵素阻害薬（MAO阻害薬）と同じように作用します。グレーターセランダインとMAO阻害薬を併用すると，MAO阻害薬の副作用のリスクが高まるおそれがあります。このようなMAO阻害薬には，Phenelzine，Tranylcypromineなどがあります。

中肝臓で代謝される医薬品（シトクロムP450 2D6（CYP2D6）の基質となる医薬品）

特定の医薬品は肝臓で代謝されます。グレーターセランダインに含まれる化学物質はこのような医薬品の代謝を抑制する可能性があります。グレーターセランダインと肝臓で代謝される医薬品を併用すると，医薬品の作用および副作用が増強するおそれがあります。このような医薬品には，アミトリプチリン塩酸塩，クロザピン，コデインリン酸塩水和物，塩酸デシプラミン（販売中止），ドネペジル塩酸塩，フェンタニルクエン酸塩，フレカイニド酢酸塩，塩酸フルオキセチン（販売中止），ペチジン塩酸塩，メサドン塩酸塩，メトプロロール酒石酸塩，オランザピン，オンダンセトロン塩酸塩水和物，トラマドール塩酸塩，トラゾドン塩酸塩などがあります。

中肝臓を害する可能性のある医薬品

グレーターセランダインは肝臓を害する可能性があります。グレーターセランダインと肝臓を害する可能性のある医薬品を併用すると，肝障害のリスクが高まるおそれがあります。肝臓を害する可能性のある医薬品を服用中にグレーターセランダインを摂取しないでください。このような医薬品には，アセトアミノフェン，アミオダロン塩酸塩，カルバマゼピン，イソニアジド，メトトレキサート，メチルドパ水和物，フルコナゾール，イトラコナゾール，エリスロマイシン，フェニトイン，Lovastatin，プラバスタチンナトリウム，シンバスタチンなど数多くあります。

中免疫抑制薬

グレーターセランダインは免疫機能をさらに活性化させる可能性があります。グレーターセランダインと免疫抑制薬を併用すると，免疫抑制薬の効果が弱まるおそれがあります。このような免疫抑制薬には，アザチオプリン，バシリキシマブ，シクロスポリン，Daclizumab，ムロモナブ-CD３（販売中止），ミコフェノール酸モフェチル，タクロリムス水和物，シロリムス，Prednisone，副腎皮質ステロイドなどがあります。

ハーブおよび健康食品・サプリメントとの相互作用

肝臓に有害なハーブおよび健康食品・サプリメント

肝臓に害を与えるおそれがあります。グレーターセランダインを肝臓に害を与えるおそれのあるほかのハーブおよび健康食品・サプリメントと併用すると，肝障害のリスクが高まるおそれがあります。このようなハーブおよび健康食品・サプリメントには，アンドロステンジオン，チャパラル，コエンザイムQ-10（高用量の場合には），コンフリー，DHEA，ジャーマンダー，カバ，ナイアシン，ペニーロイヤル，紅麹などがあります。

使用量の目安

●経口摂取

消化不良

グレーターセランダインとほかのハーブ数種を含む特定の合剤１回１mLを１日３回摂取します。

伝統的には，乾燥ハーブまたはハーブの粉末を１日当たり２～５g（ケリドニンで算出した総アルカロイド12～30mgに相当）摂取します。流エキス薬１～２mLも１日３回摂取します。お茶は適切な量を摂取するのが難しいのですすめられません。

●局所投与

標準使用量に関するデータがありません。

グレープフルーツ

GRAPEFRUIT

別名ほか

ブンタン（文旦），ボンタン，ザボン（朱欒），シトラスシードエキス，シトラスシードエクストラクト，コールドプレス式グレープフルーツオイル，グレープフルーツオイル，グレープフルーツエクストラクト，グレープフルーツシードエクストラクト（GSE），ポメロ，グレープフルーツ標準化エキス

概　　要

グレープフルーツは柑橘類です。果実，皮のオイルおよび種子エキスを用いて「くすり」を作ることもあります。グレープフルーツ種子エキスは，グレープフルーツジュース製造過程の副産物である，種子および果肉から精製されます。酸味と苦みを軽減するために，最終的な製品には植物性グリセリンを加えます。

グレープフルーツジュースは，気管支喘息，高コレステロール血症，動脈硬化，がん，赤血球濃度の改善，乾癬，体重減少や肥満に対して用いられます。また，アトピー性皮膚炎（湿疹）患者の胃の不快感を軽減する目的で用いられます。

グレープフルーツ種子エキスは，細菌感染やウイルス感染のほか，酵母感染などの真菌感染に対して経口摂取されます。

グレープフルーツオイルは，筋疲労，毛髪育成，皮膚の調整，ざ瘡（にきび）および脂性肌に対して皮膚に塗

布されます。また，感冒，インフルエンザ，ブタインフルエンザに対して用いられます。

グレープフルーツ種子エキスは，洗顔料，応急処置薬，軽度の皮膚過敏の治療薬，カンジダ症の膣洗浄剤として皮膚に塗布されます。また，感染の予防および治療を目的とした耳洗浄液や鼻洗浄液，咽喉痛のうがい薬，シラミ治療用シャンプーの成分，歯肉炎予防や歯肉の健康促進を目的とした洗口液，息清浄剤として用いられます。

身体の水分保持の目的や，頭痛，ストレス，うつ病に対してグレープフルーツの蒸気を吸入することもあります。肺感染の治療のためにグレープフルーツ種子エキスの蒸気を吸入することもあります。

食用では，果物やジュースとして摂取したり，香料成分として用いたりします。

製造業では，グレープフルーツのオイルおよび種子エキスを石鹸や化粧品の香料成分として用いたり，果物，野菜，肉，調理台，食器などを洗浄する家庭用洗剤として用いたりします。

農業では，グレープフルーツ種子エキスを細菌や真菌の死滅，カビ増殖の抑制，動物用飼料の寄生虫殺虫，食品の保存，水の消毒に用います。

グレープフルーツジュースと医薬品との相互作用が十分に裏づけられていることに注意してください。グレープフルーツの化学的性質は，種や生育条件，ジュース抽出処理法などによって異なります。何らかの医薬品を服薬している場合は，さらに食事やナチュラルメディシンとしてグレープフルーツを摂取する前に，医師などに相談してください。

安 全 性

グレープフルーツは，通常の食品に含まれる量を摂取する場合，ほとんどの人に安全のようです。「くすり」としての量を経口摂取する場合，おそらく安全です。

グレープフルーツを大量に経口摂取する場合，おそらく安全ではありません。医薬品を服薬している場合は，通常の食品または「くすり」としての量のグレープフルーツを摂取する前に，医師などに相談してください。グレープフルーツと相互作用がある医薬品は数多くあります（「医薬品との相互作用」を参照）。

乳がん：グレープフルーツを過剰に摂取することには安全性の懸念があります。閉経後の女性が毎日946mL以上のグレープフルーツジュースを摂取すると乳がんを発症するリスクが25～30%高まることを示唆する研究があります。グレープフルーツジュースは体内でエストロゲンが分解される速度を遅くして血中のエストロゲン値を上昇させるおそれがあります。これらの知見を検証するにはさらなる研究が必要です。十分なデータが得られるまでは，とくに乳がん患者や乳がん発症リスクが高い人は，グレープフルーツジュースを大量に摂取するのは避けてください。

心筋疾患：グレープフルーツジュースを摂取すると心調律異常のリスクが高まるおそれがあります。心筋疾患がある場合には，グレープフルーツジュースを大量に摂取するのは避けてください。

ホルモン感受性のがんおよび疾患：グレープフルーツを大量に摂取すると，ホルモン値が上昇し，ホルモン感受性疾患のリスクが高まるおそれがあります。ホルモン感受性疾患のある女性はグレープフルーツの摂取を避けてください。

●妊娠中および母乳授乳期

妊娠中および母乳授乳期の使用の安全性についてはデータが不十分です。安全性を考慮し，摂取は避けてください。

有 効 性

◆有効性レベル③

- 体重減少。過体重の人がスイートオレンジ，ブラッドオレンジおよびグレープフルーツのエキスを含む特定の製品を摂取すると，体重および体脂肪が減少するようです。また，過体重の人が新鮮なグレープフルーツを毎日摂取すると体重減少が促進することが，研究で示されています。

◆科学的データが不十分です

- 気管支喘息，アトピー性皮膚炎（湿疹），高コレステロール血症，高トリグリセリド血症，シラミ，うつ病，湿疹のある人の消化管の不調，動脈硬化，感染，筋疲労，がん予防，育毛促進，乾癬，ざ瘡（にきび）および脂性肌の抑制，ストレス，頭痛治療，皮膚の調整，酵母菌感染に対する膣洗浄など。

●体内での働き

グレープフルーツはビタミンC，食物繊維，カリウム，ペクチンなどの栄養素が豊富です。細胞の損傷を防いだり，コレステロールを低下させたりする可能性のある抗酸化作用をもつ成分もあります。

グレープフルーツオイルが医療用途でどのように作用するかは明らかになっていません。

医薬品との相互作用

高 Buspirone

グレープフルーツジュースはBuspironeの体内への吸収量を増加させる可能性があります。グレープフルーツジュースを飲用し，Buspironeを併用すると，Buspironeの作用および副作用が増強するおそれがあります。

中 Dapoxetine

グレープフルーツジュースはDapoxetineの体内からの排泄を抑制する可能性があります。グレープフルーツジュースを摂取し，Dapoxetineを併用すると，Dapoxetineの作用および副作用が増強するおそれがあります。

高 Halofantrine

グレープフルーツジュースはHalofantrineの体内での代謝を抑制するようです。グレープフルーツジュースを

相互作用レベル：高 この医薬品と併用してはいけません　中 この医薬品とは慎重に併用するか併用しないでください　低 この医薬品との併用には注意が必要です

飲用し，Halofantrineを併用すると，体内のHalofantrineの量が増加し，Halofantrineによる副作用（異常な心拍など）が増強するおそれがあります。

中Talinolol

グレープフルーツジュースはTalinololの体内での利用能を低下させる可能性があります。グレープフルーツジュースを飲用し，Talinololを併用すると，Talinololの作用が減弱するおそれがあります。

低アセブトロール塩酸塩

アセブトロール塩酸塩は細胞内のポンプによって輸送されます。グレープフルーツはポンプの働きを変化させ，アセブトロール塩酸塩の効果を弱める可能性があります。アセブトロール塩酸塩を服用し，グレープフルーツを摂取する場合は少なくとも4時間はあけてください。

高アミオダロン塩酸塩

グレープフルーツジュースはアミオダロン塩酸塩の体内への吸収量を増加させる可能性があります。グレープフルーツジュースを飲用すると，アミオダロン塩酸塩の作用および副作用が増強するおそれがあります。アミオダロン塩酸塩の服用中にグレープフルーツジュースを摂取しないでください。

中アリスキレンフマル酸塩

アリスキレンフマル酸塩は細胞内のポンプによって輸送されます。グレープフルーツはポンプの働きを変化させ，アリスキレンフマル酸塩の効果を弱める可能性があります。アリスキレンフマル酸塩を服用し，グレープフルーツを併用する場合は，少なくとも4時間はあけてください。

高アルテメテル【販売中止】

グレープフルーツジュースはアルテメテルの体内での代謝を抑制する可能性があります。グレープフルーツジュースを飲用し，アルテメテルを服用すると，アルテメテルの作用および副作用が増強するおそれがあります。アルテメテルを服用中にグレープフルーツジュースを摂取しないでください。

低アンプレナビル【販売中止】

グレープフルーツはアンプレナビルの体内への吸収量をわずかに減少させる可能性があります。しかし，この相互作用はおそらく重大な問題ではありません。

中イトラコナゾール

グレープフルーツジュースはイトラコナゾールの体内への吸収量を変化させる可能性があります。しかし，この相互作用が重大な問題であるかどうかについては情報が不十分です。

高エストロゲン（卵胞ホルモン）製剤

グレープフルーツジュースはエストロゲンの代謝を抑制し，エストロゲンの体内への吸収量を増加させるようです。グレープフルーツジュースを飲用し，エストロゲン製剤を服用すると，エストロゲン量が増加し，エストロゲンに関連する副作用が増強するおそれがあります。このようなエストロゲン製剤には，結合型エストロゲン，エチニルエストラジオール，エストラジオールなどがあります。

高エトポシド

グレープフルーツはエトポシドの体内への吸収量を減少させる可能性があります。グレープフルーツジュースを飲用し，エトポシドを併用すると，エトポシドの作用が減弱するおそれがあります。エトポシドとグレープフルーツを併用する場合は少なくとも4時間はあけてください。

中エリスロマイシン

グレープフルーツはエリスロマイシンの体内からの排泄を抑制する可能性があります。グレープフルーツジュースを飲用し，エリスロマイシンを併用すると，エリスロマイシンの作用および副作用が増強するおそれがあります。

中オキシコドン塩酸塩水和物

グレープフルーツジュースはオキシコドン塩酸塩水和物の体内での代謝を抑制する可能性があります。グレープフルーツジュースを飲用し，オキシコドン塩酸塩水和物を併用すると，オキシコドン塩酸塩水和物の作用および副作用が増強するおそれがあります。

中カフェイン

グレープフルーツはカフェインの体内からの排泄を抑制する可能性があります。グレープフルーツジュースを飲用し，カフェインを服用すると，カフェインの副作用（神経過敏，頭痛，動悸など）が増強するおそれがあります。

高カルバマゼピン

グレープフルーツジュースはカルバマゼピンの体内への吸収量を増加させる可能性があります。グレープフルーツジュースを飲用し，カルバマゼピンを服用すると，カルバマゼピンの作用および副作用が増強するおそれがあります。

高カルベジロール

グレープフルーツジュースはカルベジロールの体内での代謝を抑制するようです。グレープフルーツジュースを飲用し，カルベジロールを服用すると，カルベジロールの作用および副作用が増強するおそれがあります。

高キニジン硫酸塩水和物

グレープフルーツジュースはキニジン硫酸塩水和物の体内からの排泄を抑制する可能性があります。グレープフルーツジュースを飲用し，キニジン硫酸塩水和物を服用すると，キニジン硫酸塩水和物による副作用のリスクが高まるおそれがあります。

高クロピドグレル硫酸塩

クロピドグレル硫酸塩が作用するためには体内で活性化する必要があります。グレープフルーツはクロピドグレル硫酸塩の活性化を弱めるようです。そのため，クロピドグレル硫酸塩の作用が減弱するおそれがあります。

高クロミプラミン塩酸塩

グレープフルーツジュースはクロミプラミン塩酸塩の体内からの排泄を抑制する可能性があります。グレープフルーツジュースを飲用し，クロミプラミン塩酸塩を併用すると，クロミプラミン塩酸塩の作用および副作用が増強するおそれがあります。

中コルヒチン

グレープフルーツはコルヒチンの体内からの排泄を抑制する可能性があります。グレープフルーツジュースを摂取し，コルヒチンを併用すると，コルヒチンの作用および副作用が増強するおそれがあります。

中サキナビルメシル酸塩

グレープフルーツジュースの飲用はサキナビルメシル酸塩の体内への吸収量を増加させる可能性があります。グレープフルーツジュースを飲用し，サキナビルメシル酸塩を服用すると，サキナビルメシル酸塩の作用および副作用が増強するおそれがあります。

高シクロスポリン

グレープフルーツはシクロスポリンの体内への吸収量を増加させる可能性があります。グレープフルーツジュースを飲用し，シクロスポリンを併用すると，シクロスポリンの副作用が増強するおそれがあります。

高シサプリド【販売中止】

グレープフルーツジュースはシサプリドの体内からの排泄を抑制する可能性があります。グレープフルーツジュースを飲用し，シサプリドを服用すると，シサプリドの作用および副作用が増強するおそれがあります。

高シルデナフィルクエン酸塩

グレープフルーツはシルデナフィルクエン酸塩の体内での代謝を抑制する可能性があります。グレープフルーツジュースを飲用し，シルデナフィルクエン酸塩を服用すると，シルデナフィルクエン酸塩の作用および副作用が増強するおそれがあります。

高スコポラミン臭化水素酸塩水和物

グレープフルーツジュースはスコポラミン臭化水素酸塩水和物の体内での代謝を抑制する可能性があります。グレープフルーツジュースを飲用し，スコポラミン臭化水素酸塩水和物を服用すると，スコポラミン臭化水素酸塩水和物の作用および副作用が増強するおそれがあります。

中スニチニブリンゴ酸塩

グレープフルーツジュースはスニチニブリンゴ酸塩の体内での代謝を抑制する可能性があります。グレープフルーツジュースを飲用し，スニチニブリンゴ酸塩を服用すると，スニチニブリンゴ酸塩の作用および副作用が増強するおそれがあります。さらに明らかになるまでは，グレープフルーツの摂取に関するスニチニブリンゴ酸塩の添付文書の指示に従ってください。

高セリプロロール塩酸塩

グレープフルーツはセリプロロール塩酸塩の体内への吸収量を減少させるようです。そのため，セリプロロール塩酸塩の作用が減弱おそれがあります。セリプロロール塩酸塩とグレープフルーツを併用する場合は少なくとも4時間はあけてください。

高タクロリムス水和物

グレープフルーツは体内でタクロリムス水和物の代謝を抑制する可能性があります。グレープフルーツやグレープフルーツジュースを摂取し，タクロリムス水和物を併用すると，タクロリムス水和物の作用および副作用が増強するおそれがあります。タクロリムス水和物の服用中にグレープフルーツやグレープフルーツジュースを摂取しないでください。

高チカグレロル

グレープフルーツはチカグレロルの体内での代謝を抑制する可能性があります。グレープフルーツジュースを飲用し，チカグレロルを服用すると，チカグレロルの作用および副作用が増強するおそれがあります。

中テオフィリン

グレープフルーツジュースの飲用はテオフィリンの作用を減弱する可能性があります。このことが重大な問題であるかについては情報が不十分です。

高デキストロメトルファン臭化水素酸塩水和物

グレープフルーツはデキストロメトルファン臭化水素酸塩水和物の体内での代謝を抑制する可能性があります。グレープフルーツジュースを飲用し，デキストロメトルファン臭化水素酸塩水和物を服用すると，デキストロメトルファン臭化水素酸塩水和物の作用および副作用が増強するおそれがあります。

高テルフェナジン【販売中止】

グレープフルーツはテルフェナジンの体内への吸収量を増加させる可能性があります。グレープフルーツジュースを飲用し，テルフェナジンを服用すると，テルフェナジンの作用および副作用が増強するおそれがあります。

中トルバプタン

グレープフルーツはトルバプタンの体内での代謝を抑制する可能性があります。グレープフルーツジュースを飲用し，トルバプタンを服用すると，トルバプタンの作用および副作用が増強するおそれがあります。

中ナドロール

ナドロールは体内で細胞内のポンプによって輸送されます。グレープフルーツはポンプの働きを変化させる可能性があります。しかし，このことが重大な問題であるかについては明らかではありません。さらに明らかになるまでは，グレープフルーツの摂取に関するナドロールの添付文書の指示に従ってください。

中ニロチニブ塩酸塩水和物

グレープフルーツジュースはニロチニブ塩酸塩水和物の体内への吸収量を増加させる可能性があります。グレープフルーツジュースを飲用し，ニロチニブ塩酸塩水和物を服用すると，ニロチニブ塩酸塩水和物の作用および副作用が増強するおそれがあります。

中ピタバスタチンカルシウム水和物

グレープフルーツジュースはピタバスタチンカルシウム水和物の体内での代謝を抑制する可能性があります。グレープフルーツジュースを飲用し，ピタバスタチンカルシウム水和物を服用すると，ピタバスタチンカルシウム水和物の作用および副作用が増強するおそれがあります。

中フェキソフェナジン塩酸塩

グレープフルーツはフェキソフェナジン塩酸塩の体内への吸収量を減少させる可能性があります。グレープフルーツジュースを飲用し，フェキソフェナジン塩酸塩を服用すると，フェキソフェナジン塩酸塩の作用が減弱するおそれがあります。フェキソフェナジン塩酸塩とグレープフルーツを併用する場合は少なくとも4時間はあけてください。

中ブデソニド

グレープフルーツはブデソニドの体内からの排泄を抑制する可能性があります。グレープフルーツを飲用し，ブデソニドを服用すると，ブデソニドの副作用が増強するおそれがあります。

高プラジカンテル

グレープフルーツジュースはプラジカンテルの体内での代謝を抑制する可能性があります。グレープフルーツジュースを飲用し，プラジカンテルを服用すると，プラジカンテルの作用および副作用が増強するおそれがあります。

中プリマキンリン酸塩

グレープフルーツジュースはプリマキンリン酸塩の体内での利用能を上昇させる可能性があります。しかし，このことが重大な問題であるか，また，どのような影響を及ぼすかについては明らかではありません。

中フルボキサミンマレイン酸塩

グレープフルーツジュースはフルボキサミンマレイン酸塩の体内への吸収量を増加させる可能性があります。グレープフルーツジュースを飲用し，フルボキサミンマレイン酸塩を服用すると，フルボキサミンマレイン酸塩の作用および副作用が増強するおそれがあります。

中ブロナンセリン

グレープフルーツはブロナンセリンの体内への吸収量を増加させる可能性があります。また，ブロナンセリンの体内からの排泄を抑制する可能性があります。グレープフルーツジュースを飲用し，ブロナンセリンを服用すると，ブロナンセリンの副作用が増強するおそれがあります。

高ベンゾジアゼピン系鎮静薬

鎮静薬は眠気および注意力低下を引き起こします。グレープフルーツジュースを飲用し，特定の鎮静薬を服用すると，鎮静薬の作用および副作用が増強するおそれがあります。このような鎮静薬には，ジアゼパム，ミダゾラム，クアゼパム，トリアゾラムなどがあります。

高メサドン塩酸塩

グレープフルーツジュースはメサドン塩酸塩の体内での代謝を抑制する可能性があります。グレープフルーツジュースを飲用し，メサドン塩酸塩を服用すると，メサドン塩酸塩の作用および副作用が増強するおそれがあります。

高メチルプレドニゾロン

グレープフルーツジュースはメチルプレドニゾロンの体内からの排泄を抑制する可能性があります。グレープフルーツジュースを飲用し，メチルプレドニゾロンを服用すると，メチルプレドニゾロンの作用および副作用が増強するおそれがあります。

中レボチロキシンナトリウム水和物

レボチロキシンナトリウム水和物は体内で細胞内のポンプによって輸送されます。グレープフルーツはポンプの働きを変化させ，レボチロキシンナトリウム水和物の効果を弱める可能性があります。レボチロキシンナトリウム水和物とグレープフルーツを併用する場合は少なくとも4時間はあけてください。

中ロサルタンカリウム

ロサルタンカリウムは肝臓で活性化することで作用します。グレープフルーツジュースはロサルタンカリウムの活性化を抑制する可能性があります。グレープフルーツジュースを飲用し，ロサルタンカリウムを服用すると，ロサルタンカリウムの作用が減弱するおそれがあります。

中ワルファリンカリウム

ワルファリンカリウムは血液凝固を抑制するために用いられます。グレープフルーツジュースは，ワルファリンカリウムの作用を増強し，紫斑および出血のリスクを高めるおそれがあります。定期的に血液検査をしてください。ワルファリンカリウムの用量を変更する必要があるかもしれません。

中塩酸セルトラリン

グレープフルーツは塩酸セルトラリンの体内での代謝を抑制する可能性があります。グレープフルーツジュースを飲用し，塩酸セルトラリンを服用すると，塩酸セルトラリンの作用および副作用が増強するおそれがあります。

中肝臓で代謝される医薬品（シトクロムP450 1A2（CYP1A2）の基質となる医薬品）

特定の医薬品は肝臓で代謝されます。グレープフルーツはこのような医薬品の代謝を変化させる可能性があります。そのため，医薬品の作用および副作用が変化するおそれがあります。このような医薬品には，アミトリプチリン塩酸塩，ハロペリドール，オンダンセトロン塩酸塩水和物，プロプラノロール塩酸塩，テオフィリン，ベラパミル塩酸塩などがあります。

中肝臓で代謝される医薬品（シトクロムP450 2C19（CYP2C19）の基質となる医薬品）

特定の医薬品は肝臓で代謝されます。グレープフルーツはこのような医薬品の代謝を変化させる可能性があります。そのため，医薬品の作用および副作用が変化する

ク

おそれがあります。このような医薬品には，オメプラゾール，ランソプラゾール，パントプラゾールナトリウム水和物（販売中止），ジアゼパム，カリソプロドール（販売中止），ネルフィナビルメシル酸塩などがあります。

中肝臓で代謝される医薬品（シトクロムP450 2C9（CYP2C9）の基質となる医薬品）

特定の医薬品は肝臓で代謝されます。グレープフルーツはこのような医薬品の代謝を変化させる可能性があります。そのため，医薬品の作用および副作用が変化するおそれがあります。このような医薬品には，ジクロフェナクナトリウム，イブプロフェン，メロキシカム，ピロキシカム，セレコキシブ，アミトリプチリン塩酸塩，ワルファリンカリウム，Glipizide，ロサルタンカリウムなどがあります。

高肝臓で代謝される医薬品（シトクロムP450 3A4（CYP3A4）の基質となる医薬品）

特定の医薬品は肝臓で代謝されます。グレープフルーツはこのような医薬品の代謝を変化させる可能性があります。そのため，医薬品の作用および副作用が変化するおそれがあります。このような医薬品には，Lovastatin，ケトコナゾール，イトラコナゾール，フェキソフェナジン塩酸塩，トリアゾラムなど数多くあります。

高血清コレステロール値を下げる医薬品（スタチン系薬）

グレープフルーツジュースは特定のスタチン系薬の代謝を抑制する可能性があります。グレープフルーツジュースを飲用し，スタチン系薬を服用すると，スタチン系薬の作用および副作用が増強するおそれがあります。このような医薬品には，Lovastatin，シンバスタチン，アトルバスタチンカルシウム水和物などがあります。

高降圧薬（カルシウム拮抗薬）

グレープフルーツジュースは降圧薬の体内への吸収量を増加させる可能性があります。グレープフルーツジュースを飲用し，特定の降圧薬を併用すると，血圧が過度に低下するおそれがあります。このような降圧薬には，ニフェジピン，ベラパミル塩酸塩，ジルチアゼム塩酸塩，Isradipine，フェロジピン，アムロジピンベシル酸塩などがあります。

高細胞内のポンプによって輸送される医薬品（有機アニオン輸送ポリペプチドの基質となる医薬品）

特定の医薬品は細胞内のポンプによって細胞内に輸送，細胞外に排出されます。グレープフルーツはポンプの働きを変化させ，医薬品が体内に留まる量を変化させる可能性があります。そのため，場合によっては医薬品の作用および副作用が変化するおそれがあります。このような医薬品には，ボセンタン水和物，セリプロロール塩酸塩，エトポシド，フェキソフェナジン塩酸塩，ニューキノロン系抗菌薬，グリベンクラミド，イリノテカン塩酸塩水和物，メトトレキサート，パクリタキセル，サキナビルメシル酸塩，リファンピシン，スタチン系薬，Talinolol，トラセミド，トログリタゾン（販売中止），バルサルタンなどがあります。

高不整脈を誘発する可能性がある医薬品（QT間隔を延長させる医薬品）

グレープフルーツは心臓の電気の流れに影響を及ぼす可能性があります。そのため，不整脈になるリスクが高まるおそれがあります。特定の医薬品にも同じ作用のある可能性があります。グレープフルーツを摂取し，不整脈を誘発する可能性がある医薬品を併用すると，心臓に重大な問題が生じるリスクが高まるおそれがあります。このような医薬品には，アミオダロン塩酸塩，ジソピラミド，ドフェチリド（販売中止），Ibutilide，プロカインアミド塩酸塩，キニジン硫酸塩水和物，ソタロール塩酸塩，チオリダジン塩酸塩（販売中止）など数多くあります。

低細胞内のポンプによって輸送される医薬品（P糖タンパク質の基質となる医薬品）

特定の医薬品は細胞内のポンプによって細胞内に輸送，細胞外に排出されます。グレープフルーツはポンプの働きを変化させ，医薬品が体内に留まる量を変化させる可能性があります。そのため，場合によっては医薬品の作用および副作用が変化するおそれがあります。このような医薬品には，エトポシド，パクリタキセル，ビンブラスチン硫酸塩，ビンクリスチン硫酸塩，ビンデシン硫酸塩，ケトコナゾール，イトラコナゾール，アンプレナビル，インジナビル硫酸塩エタノール付加物（販売中止），ネルフィナビルメシル酸塩，サキナビルメシル酸塩，シメチジン，ラニチジン塩酸塩，ジルチアゼム塩酸塩，ベラパミル塩酸塩，副腎皮質ステロイド，エリスロマイシン，シサプリド，フェキソフェナジン塩酸塩，シクロスポリン，ロペラミド塩酸塩，キニジン硫酸塩水和物などがあります。

中プラスグレル塩酸塩

プラスグレル塩酸塩が作用するためには体内で活性化する必要があります。グレープフルーツはプラスグレル塩酸塩の活性化を抑制するようです。そのため，プラスグレル塩酸塩の作用が減弱するおそれがあります。

中タダラフィル

グレープフルーツジュースはタダラフィルの体内での代謝を抑制する可能性があります。グレープフルーツジュースを飲用し，タダラフィルを服用すると，タダラフィルの作用および副作用が増強するおそれがあります。

ハーブおよび健康食品・サプリメントとの相互作用

甘草

グレープフルーツジュースを甘草と併用すると，甘草のもつカリウム枯渇作用が高まるおそれがあります。

紅麹

グレープフルーツ（ジュースまたは果実）が体内での紅麹の処理方法に変化を与え，紅麹に含まれるロバスタチンの血中濃度を上昇させるおそれがあります。

通常の食品との相互作用

トニックウォーター

グレープフルーツはトニックウォーターに含まれるキニーネの，体内での作用を阻害します。QT延長症候群など心拍障害のある人は，心臓の症状を悪化させるおそれがあるため，グレープフルーツとトニックウォーターの併用は避けてください。

ワイン

グレープフルーツジュースにより，一部の医薬品が肝臓で分解される速度が低下する可能性があります。そのため，これらの医薬品の副作用が増強するおそれがあります。この組み合わせに赤ワインを加えると，副作用はさらに増強されるおそれがあります。一方，白ワインは，グレープフルーツや，肝臓で分解される医薬品との相互作用を起こさないようです。

使用量の目安

●経口摂取

体重減少

スイートオレンジ，ブラッドオレンジおよびグレープフルーツのエキスを含む特定の製品450～700mgを１日２回，12週間摂取します。またはグレープフルーツ半個を１日３回，グレープフルーツジュース約240mlを１日３回，凍結乾燥グレープフルーツ500mgを含むカプセルを食前に１日３回のうちいずれかを，12週間摂取します。

クレソン

WATERCRESS

●代表的な別名

オランダミズガラシ

別名ほか

インディアンクレス（Indian Cress），ミズガラシ（Mizu-Garashi），ウォータークレス（Nasturtium officinale），オランダガラシ（Oranda-Garashi），Agriao, Berro, Berro Di Agua, Brunnenkresse, Crescione Di Fonte, Cresson au Poulet, Cresson D'eau, Cresson De Fontaine, Nasilord, Nasturtii herba, Scurvy Grass, Selada-Air, Tall Nasturtium, Wasserkresse

概　　要

クレソンは植物です。地上部を用いて「くすり」を作ることもあります。

野菜サラダにしたり，調理用香辛料として広く用いられます。

●要説（ナチュラル・スタンダード）

クレソンは，アジアの地中海東部と隣接する地域原産です。小さくて辛味のある葉がついていることから，商業的に栽培され，サラダの緑や添え物として使用することも可能です。ギリシャ，ペルシャ，ローマ文明では，健康に関する特性からクレソンを食べていました。ギリシャ人は，クレソンが脳に効果があると信じていました。外部から塗布すると，髪が太くなるよう成長促進を助け，効果的な育毛剤としての評価を得ています。

クレソンはアブラナ科に属しており，キャベツ，ブロッコリー，カリフラワー，芽キャベツ，ケール，マスタードグリーン，コラード，チンゲンサイ，カブなどと同属です。これらの植物には，体内の酵素を活性化するある種のインドール（芳香族有機化合物）が含まれています。これらの酵素は，その後非活性化し，余分なエストロゲンを排出します。凝った料理はインドールを破壊してしまうので，医療目的には推奨されません。

クレソンには，がん予防効果があるフェネチルイソチオシアネート（ルイソチ）が含まれており，これはアブラナ科野菜の食物に存在する化合物です。

クレソンは，以前，壊血病に対する家庭内治療薬として使用されていました。コクレリア・オフィシナリスは，一般に壊血病草と呼ばれ，船員は壊血病の発症を防ぐために，この植物を摂取していました。この植物は，クレソンと関連付けられますが，壊血病草は強い香りと味のある花があります。

安　全　性

短期間の使用なら，ほとんどの人に安全のようです。

多量，または長期間使用する場合，胃のもたれや腎臓障害を起こすおそれがあります。

小児：小児，とくに４歳未満の小児の「くすり」としての量の摂取は安全ではありません。

胃潰瘍および腸潰瘍：胃潰瘍および腸潰瘍の場合には使用しないでください。

腎疾患：腎疾患の場合には使用しないでください。

●妊娠中および母乳授乳期

妊娠中の「くすり」としての量の摂取は安全ではありません。月経を誘発し，流産を引き起こすおそれがあります。母乳授乳期の使用の安全性についてはデータが不十分です。安全性を考慮し，摂取は避けてください。

有　効　性

◆科学的データが不十分です

- 経口摂取する場合には，咳，気管支炎，肺の炎症（腫脹）の軽減，脱毛，インフルエンザ，便秘など。
- 皮膚に塗布する場合には，関節症，耳痛症，湿疹，疥癬，疣贅（いぼ）など。

●体内での働き

抗生物質の作用があるようです。尿量を増やす（利尿）働きも行います。

医薬品との相互作用

中クロルゾキサゾン

有効性レベル：①効きます　②おそらく効きます　③効くと断言できませんが、効能の可能性が科学的に示唆されています　④効かないかもしれません　⑤おそらく効きません　⑥効きません

クロルゾキサゾンは体内で代謝，排泄されますが，クレソンはこの代謝を抑制すると考えられています。併用すると，クロルゾキサゾンの作用が増強され，副作用も強く現れるおそれがあります。

中ワルファリンカリウム

クレソンはビタミンKを多量に含んでいますが，ビタミンKは凝血を促進するために使われます。ワルファリンカリウムは血液凝固を抑制する医薬品です。併用すると，ワルファリンカリウムの効果を減弱する可能性があります。

中炭酸リチウム

クレソンには利尿薬のような作用があります。クレソンを摂取すると，体内の炭酸リチウムを排泄する作用を弱めるかもしれません。それにより血中の炭酸リチウム濃度が上昇し，深刻な副作用を生じるおそれがあります。

ハーブおよび健康食品・サプリメントとの相互作用

ほかのハーブ，健康食品・サプリメントとの相互作用についてはまだ明らかではありません。

使用量の目安

標準使用量に関するデータがありません。

クレバイオゼン

KREBIOZEN

別名ほか

Carcalon，Drug X，Substance X

概　　要

クレバイオゼンは微生物を接種する前の馬の血液から調製されたという市販の商品でした。その後，クレバイオゼンは栄養補助食品のクレアチンを含むミネラルオイルだと決定されました。

膀胱がん，乳がん，子宮頸がんやその他のがんを抑制するために使われます。

安　全　性

クレバイオゼンの安全性については，データが不十分です。副作用として疼痛や軽度の黄疸が現れるおそれがあります。

●妊娠中および母乳授乳期

妊娠中および母乳授乳期の使用の安全性についてはデータが不十分です。安全性を考慮し，摂取は避けてください。

有　効　性

◆科学的データが不十分です

・膀胱がん，乳がん，子宮頸がんなど。

●体内での働き

「くすり」としてどのように作用するかについては，データが不十分です。

医薬品との相互作用

ほかの医薬品との相互作用については明らかではありません。

ハーブおよび健康食品・サプリメントとの相互作用

ほかのハーブ，健康食品・サプリメントとの相互作用についてはまだ明らかではありません。

使用量の目安

通常の食品に含まれている量を超えて経口摂取した場合の安全性および副作用については，明らかになっていません。

クレマチス

CLEMATIS

別名ほか

Clematis recta，Upright Virgin's Bower

概　　要

クレマチスはハーブです。地上部を用いて「くすり」を作ることもあります。

安　全　性

安全ではありません。経口の場合，さしこみ，下痢，胃腸や尿路に深刻な炎症が起こるおそれがあります。

生の植物が広い範囲にわたって皮膚に触れた場合，治りの遅い水泡や熱傷（化学火傷）を引き起こす可能性があります。

乾燥したクレマチスを経口で摂取したり，乾いた植物を皮膚に塗布することが安全かどうかに関して，十分なデータがありません。

●妊娠中および母乳授乳期

妊娠中や授乳期に，新鮮なクレマチスを経口で摂取したり，皮膚に塗布するのは安全ではありません。乾燥したクレマチスを経口で摂取したり，皮膚に塗布することが安全かどうかに関しては，十分知られていません。安全を考慮し，摂取は避けてください。

有　効　性

◆科学的データが不十分です

・関節炎様の痛み，頭痛，静脈瘤，梅毒，痛風，骨の異常，皮膚疾患，体液貯留，水泡（皮膚に塗布した場合），創傷（皮膚に塗布した場合），および潰瘍（皮膚に塗布した場合）など。

●体内での働き

生のつぶしたものには，皮膚および粘膜に刺激を引き起こす化合物が含まれます。この成分は植物が枯れると作用も薄くなります。

医薬品との相互作用

ほかの医薬品との相互作用については明らかではありません。

ハーブおよび健康食品・サプリメントとの相互作用

ほかのハーブ，健康食品・サプリメントとの相互作用についてはまだ明らかではありません。

使用量の目安

●経口摂取

滴下薬，エキス，お茶として摂取します。

●局所投与

お茶は湿布薬としても使用します。

クローブ

CLOVE

●代表的な別名

チョウジ

別名ほか

丁子，Cloves，チョウジノキ（Syzygium aromaticum），Caryophylli，Caryophyllus Aromaticus，Clous de Girolfe，Clove Flower，Eugenia Aromatica，Eugenia Caryophyllata，Eugenia Caryophyllus，Flores Caryophyllum，Gewurznelken Nagelein，Lavanga

概　　要

クローブはハーブです。オイル，乾燥つぼみ，葉，および茎は「くすり」に使われます。

●要説（ナチュラル・スタンダード）

クローブは，インドネシア，スリランカ，マダガスカル，タンザニア，およびブラジルに広く分布しています。クローブは，食品の香料として用いられます。感染症予防や痛みを軽減するためにも用いられます。ドイツ当局の専門委員会により承認されています。早漏，発熱，歯痛など，ほかの用途に対する研究がなされていますが，さらなるエビデンスが必要です。

クローブは，タバコに添加されることもあります。クローブのタバコ（Kreteks）には，一般的に60％のタバコと40％のクローブが含まれています。

クローブのオイルは，腎臓および肝臓への毒性があります。

安　全　性

クローブの経口摂取は，食品に含まれている量であれば，ほとんどの人に安全のようです。「くすり」として高用量を経口摂取する場合の安全性については，データが不十分です。

クローブの花を含むオイルまたはクリームを皮膚に塗布する場合は，おそらく安全です。ただし，クローブのオイルを，口内や歯茎に頻繁に繰り返し塗布すると，歯茎，歯髄，皮膚および粘膜に損傷を与えるおそれがあります。

クローブのタバコを吸う場合や，クローブのオイルを静脈内投与する場合は，おそらく安全ではないようです。呼吸器疾患や肺感染などの副作用を引き起こすおそれがあります。

乾燥させたクローブが，口内を刺激して過敏症を引き起こすおそれや，歯牙組織に損傷を与えるおそれもあります。

小児：小児がクローブのオイルを経口摂取する場合は，安全ではないようです。痙攣，肝障害および体液平衡異常など重度の副作用を引き起こすおそれがあります。

出血性疾患：クローブのオイルには，血液凝固を抑制するおそれのあるオイゲノールという化学物質が含まれています。出血性疾患の場合には，クローブのオイルを摂取すると，出血を引き起こすおそれがあります。

手術：クローブのオイルには，血液凝固を抑制するおそれのあるオイゲノールという化学物質が含まれています。このため，手術中および術後に，出血を引き起こすおそれがあります。少なくとも手術前２週間は，使用しないでください。

●妊娠中および母乳授乳期

クローブの経口摂取は，食品に含まれている量であれば，ほとんどの人に安全のようです。妊娠中および母乳授乳期に，「くすり」としての量を使用する場合の安全性についてはデータが不十分です。安全性を考慮し，摂取は避けてください。

有　効　性

◆有効性レベル③

・早漏。クローブの花，朝鮮人参の根，アンゼリカの根，ニクジュヨウ，サンショウ種，Torlidis seed，細辛（サイシン），シナモン樹皮および蟾酥（センソ）を含むクリームを陰茎の皮膚に塗布することにより，早漏が改善することが研究から示唆されています。

◆科学的データが不十分です

・裂肛，歯垢，防蚊剤，疼痛，歯痛，抜歯後の乾燥抜歯窩，嘔吐，胃のむかつき，吐き気，腸内ガス（鼓腸），下痢，ヘルニア，口腔および咽頭の疼痛および腫脹（炎症），咳など。

●体内での働き

クローブのオイルには，疼痛を緩和する可能性のある化学物質が含まれています。

医薬品との相互作用

低イブプロフェン

研究室の実験では，皮膚に塗布する前にイブプロフェンをクローブ精油（チョウジ油）に加えると，イブプロフェンの皮膚からの浸透が促進されます。このことはヒトでは示されていません。ただし，理論的には，イブプロフェンの浸透する量が上昇してイブプロフェンの副作用が増強する可能性があります。

低血液凝固を抑制する医薬品（抗凝固薬/抗血小板薬）

クローブには，血液凝固を抑制する可能性があるオイゲノールが含まれます。クローブ精油（チョウジ油）と血液凝固を抑制する医薬品を併用すると，紫斑および出血のリスクが高まるおそれがあります。このような医薬品には，アスピリン，クロピドグレル硫酸塩，ジクロフェナクナトリウム，イブプロフェン，ナプロキセン，ダルテパリンナトリウム，エノキサパリンナトリウム，ヘパリン，ワルファリンカリウムなどがあります。

中糖尿病治療薬

クローブには血糖値を低下させる可能性のある化学物質が含まれます。糖尿病治療薬も血糖値を低下させるために用いられます。クローブと糖尿病治療薬を併用すると，血糖値が過度に低下するおそれがあります。血糖値を注意深く監視してください。糖尿病治療薬の用量を変更する必要があるかもしれません。このような糖尿病治療薬には，グリメピリド，グリベンクラミド，ピオグリタゾン塩酸塩，マレイン酸ロシグリタゾン（販売中止），クロルプロパミド，Glipizide，トルブタミド（販売中止）などがあります。糖尿病治療薬のインスリンには，インスリンリスプロ，インスリンアスパルト，インスリングルリジン，インスリンヒト，インスリングラルギン，インスリンデテミル，NPHなどがあります。

ハーブおよび健康食品・サプリメントとの相互作用

血液凝固を抑制するおそれのあるハーブおよび健康食品・サプリメント

クローブは血液凝固を抑制するおそれがあります。クローブと，血液凝固を抑制するおそれのあるほかのハーブおよび健康食品・サプリメントを併用すると，紫斑および出血のリスクが高まるおそれがあります。このようなハーブおよび健康食品・サプリメントには，アンゼリカ，タンジン，ニンニク，ショウガ，イチョウ，レッドクローバー，ウコン，ヤナギなどがあります。

使用量の目安

●皮膚への塗布

早漏

クローブの花と，朝鮮人参の根，アンゼリカの根，ニクジュヨウ，サンショウ種，Torlidis seed，細辛（サイシン），シナモン樹皮および蟾酥（センソ）を含む総合クリーム剤を，性交1時間前に陰茎亀頭に塗布し，性交直前に洗い落とします。

グローブマロー

GLOBEMALLOW

別名ほか

Common Globemallow, Copper Globemallow, Desert Mallow, False Mallow, Flame Mallow, Hierba del Negro, Moss Rose, Narrowleaf Desertmallow, Narrowleaf Globemallow, Pale Globemallow, Prairie Mallow, Red False Mallow, Scarlet Globemallow, Sphaeralcea angustifolia, Sphaeralcea coccinea, Sphaeralcea incana, Vara de San José

概　要

グローブマローは植物です。葉と根を用いて「くすり」を作ることもあります。

グローブマローは，咳，感冒，インフルエンザ，および下痢に対し，経口摂取されます。グローブマローは，ヘビ咬傷，疼痛，創傷に対し，また熱傷の予防や治療の目的で，皮膚に塗布されます。

安　全　性

グローブマローの安全性および副作用については，データが不十分です。

●妊娠中および母乳授乳期

妊娠中および母乳授乳期の使用の安全性についてはデータが不十分です。安全性を考慮し，摂取は避けてください。

有　効　性

◆科学的データが不十分です

・咳，感冒，インフルエンザ，下痢，疼痛，熱傷，皮膚創傷，ヘビ咬傷など。

●体内での働き

グローブマローが，炎症を軽減させる可能性や，免疫機能を活性化させる可能性があります。

医薬品との相互作用

ほかの医薬品との相互作用については明らかではありません。

ハーブおよび健康食品・サプリメントとの相互作用

ほかのハーブ，健康食品・サプリメントとの相互作用についてはまだ明らかではありません。

使用量の目安

通常の食品に含まれている量を超えて経口摂取した場

合の安全性および副作用については，明らかになっていません。

クログルミ

BLACK WALNUT

●代表的な別名

ブラックウォルナット

別名ほか

ブラックウォルナット（Juglans nigra），アメリカンブラックウォルナット（Nogal americano），Nogueira-preta，Noyer Noir，Schwarze Walnuss

概　　要

クログルミは樹木です。ナッツの外皮を用いて「くすり」を作ることもあります。

●要説（ナチュラル・スタンダード）

クログルミ（黒いクルミ）は，その高品質の木材と，一般的に食品成分として使用されている食用クルミで知られる大木です。

米国食品医薬品局（FDA）は，脂肪の少ない食事の一部としてクルミを１日当たり42.5g食べると心臓病のリスクを減らす可能性を示す栄養機能表示を発表しました。

クログルミは，炎症を鎮めたり組織を強固にする可能性があるタンニンと呼ばれる化学物質が含まれていることが示唆されています。伝統的にクログルミは，便秘や下痢を緩和するために使用されます。

安　全　性

クログルミは，短期間，経口摂取する場合，ほとんどの人におそらく安全です。短期間摂取する場合の副作用についてはデータが不十分です。

皮膚に直接塗布する場合，特に毎日塗布するのは，おそらく安全ではありません。舌がんや口唇がんを引き起こすおそれのあるユグロンと呼ばれる化学物質を含んでいます。

●妊娠中および母乳授乳期

妊娠中および母乳授乳期には，皮膚に塗布しないでください。局所使用はおそらく安全ではありません。妊娠中および母乳授乳期の経口摂取の安全性についてはデータが不十分です。安全性を考慮し，摂取は避けてください。

有　効　性

◆科学的データが不十分です

・白血病，ジフテリア，梅毒，腸内寄生虫，うがい薬，皮膚創傷など。

●体内での働き

高濃度のタンニンが含まれ，疼痛，腫脹を低減し，粘液などの体液を乾燥させる可能性があります。

医薬品との相互作用

ほかの医薬品との相互作用については明らかではありません。

ハーブおよび健康食品・サプリメントとの相互作用

タンニンを含有するハーブおよび健康食品・サプリメント

クログルミのように大量のタンニンを含有するハーブおよび健康食品・サプリメントは，ほかのハーブおよび健康食品・サプリメントに含まれる成分と反応し，それらの体内における働きに変化をもたらすことが懸念されます。

使用量の目安

通常の食品に含まれている量を超えて経口摂取した場合の安全性および副作用については，明らかになっていません。

黒コショウ

BLACK PEPPER

別名ほか

Black Peppercorn，Extrait de Poivre，Grain de Poivre，Hu Jiao，Kali Mirchi，Kosho，Marich，Maricha，Miris，Peber，Peper，Pepe，Peppar，Pepper，Pepper Extract，Peppercorn，Pfeffer，Pimenta，Pimienta，Pimienta Negra，Pipar，Piper，Piper nigrum，Piperine，Pippuri，Poivre，Poivre Noir，Poivrier，Schwarzer Pfeffer，Vellaja

概　　要

黒コショウは，インドおよびほかの東南アジアの国々が原産です。黒コショウは，世界中で最もよく使われる香辛料の１つです。黒コショウと白コショウは同じ種の植物に由来していますが，作り方が異なっています。黒コショウは，未熟の果実を乾燥させて作るのに対し，白コショウは，完熟した果実の種子から作ります。

関節炎，気管支喘息，胃のむかつき，気管支炎，コレラ（下痢を引き起こす細菌感染症），仙痛，うつ病，下痢，腸内ガス，頭痛，性欲，月経痛，鼻詰まり，副鼻腔炎，めまい感，白斑（皮膚変色），体重減少，およびがんには，黒コショウを経口摂取します。

麻疹，神経痛，疥癬（ダニによる皮膚の痒み），疼痛には，黒コショウを皮膚に塗布します。

転倒予防，禁煙の補助，嚥下困難には，黒コショウオイルを吸入します。

食物としては，黒コショウおよび黒コショウオイルは香辛料として使用されます。

安全性

黒コショウの経口摂取は，通常の食品に含まれる量であれば，ほとんどの人に安全のようです。

黒コショウを，「くすり」として，適量を経口摂取する場合には，おそらく安全です。通常，黒コショウのオイルが，副作用を引き起こすことはありません。ヒリヒリとした後味を感じるかもしれません。多量に経口摂取した黒コショウが，誤って肺に入り，死亡に至った例が報告されています。特に小児に起こり得る例です。

小児：黒コショウの経口摂取は，通常の食品に含まれる量であれば，ほとんどの人に安全のようです。高用量の黒コショウを経口摂取する場合には，おそらく安全ではありません。死に至る報告例が複数あります。小児の皮膚に，黒コショウのオイルを塗布する場合の安全性については，データが不十分です。

出血性疾患：黒コショウに含まれている，ピペリンという成分が，血液凝固を抑制するおそれがあります。理論上，出血性疾患の場合に，食品に含まれている量を超える黒コショウを摂取すると，出血のリスクが高まるおそれがあります。

糖尿病：黒コショウが，血糖値に影響を与えるおそれがあります。理論上，糖尿病患者が，食品に含まれている量を超える黒コショウを摂取すると，血糖値コントロールに影響を与えるおそれがあります。糖尿病治療薬の服薬量を調節する必要があるかもしれません。

手術：黒コショウに含まれているピペリンという成分が，血液凝固を抑制し，血糖値に影響を与えるおそれがあります。理論上，食品に含まれている量を超える黒コショウを摂取すると，出血性合併症を引き起こすおそれや，手術中の血糖値に影響を与えるおそれがあります。少なくとも手術前2週間は，食品に含まれている量を超える黒コショウを摂取しないでください。

●妊娠中および母乳授乳期

妊娠中の，黒コショウの経口摂取は，通常の食品に含まれる量であれば，ほとんどの人に安全のようです。ただし，妊娠中に，「くすり」としての量を摂取する場合には，安全ではないようです。妊娠中に，黒コショウを皮膚に塗布する場合の安全性については，データが不十分です。

母乳授乳期の，黒コショウの経口摂取は，通常の食品に含まれる量であれば，ほとんどの人に安全のようです。母乳授乳期に，「くすり」としての量の黒コショウを摂取する場合の安全性については，データが不十分です。

有効性

◆科学的データが不十分です

・転倒予防，禁煙補助，嚥下困難，コレラ（下痢を引き起こす細菌感染症），関節炎，気管支喘息，気管支炎，がん，仙痛，うつ病，下痢，白斑（皮膚変色），めまい感，腸内ガス，頭痛，疥癬（ダニによる皮膚の痒み），麻疹，月経痛，神経痛，疼痛，性欲，鼻詰まり，副鼻腔炎，胃の不調，体重減少など。

●体内での働き

黒コショウには，ピペリンという成分が含まれています。ピペリンは，体内における様々な働きがあるようです。ピペリンが，疼痛を緩和したり，呼吸を改善したり，炎症を抑制するようです。ピペリンには，脳機能を改善する働きもあるようですが，どのように作用するのかは明らかではありません。

医薬品との相互作用

低アモキシシリン水和物

黒コショウはピペリンと呼ばれる化学物質を含みます。ピペリンは血中のアモキシシリン水和物の濃度を上昇させる可能性があります。理論的には，黒コショウとアモキシシリン水和物を併用すると，アモキシシリン水和物の作用および副作用を増強させるおそれがあります。しかし，この潜在的な相互作用が大きな問題であるかについては十分に明らかではありません。

低カルバマゼピン

黒コショウはカルバマゼピンの体内での吸収量を増加させる可能性があります。また，黒コショウは，カルバマゼピンの体内での代謝および体内からの排泄を抑制する可能性もあります。そのため，体内のカルバマゼピン量が増加し，潜在的に副作用のリスクが高まるおそれがあります。しかし，この相互作用が大きな問題であるかについては十分に明らかではありません。

中シクロスポリン

黒コショウはピペリンと呼ばれる化学物質を含みます。ピペリンは体内のシクロスポリン量を増加させる可能性があります。理論的には，黒コショウとシクロスポリンを併用すると，シクロスポリンの作用および副作用が増強するおそれがあります。しかし，この相互作用の可能性が大きな問題であるかについては十分に明らかではありません。

中テオフィリン

黒コショウはテオフィリンの体内での吸収量を増加させる可能性があります。そのため，テオフィリンの作用および副作用を増強させるおそれがあります。

中ネビラピン

黒コショウはピペリンと呼ばれる化学物質を含みます。ピペリンは体内のネビラピン量を増加させる可能性があります。理論的には，黒コショウとネビラピンを併用すると，ネビラピンの作用および副作用が増強するおそれがあります。しかし，この相互作用の可能性が大きな問題であるかについては十分に明らかではありません。

中フェニトイン

黒コショウはフェニトインの体内への吸収量を増加す

相互作用レベル：高この医薬品と併用してはいけません　中この医薬品とは慎重に併用するか併用しないでください
低この医薬品との併用には注意が必要です

る可能性があります。黒コショウとフェニトインを併用すると，フェニトインの作用と副作用を増強するおそれがあります。

中プロプラノロール塩酸塩

黒コショウおよび白コショウは，プロプラノロール塩酸塩の体内への吸収量を増加させる可能性があります。黒コショウ，白コショウとプロプラノロール塩酸塩を併用すると，プロプラノロール塩酸塩の効果および副作用が増強するおそれがあります。

中ペントバルビタールカルシウム

黒コショウはピペリンと呼ばれる化学物質を含みます。ピペリンはペントバルビタールカルシウムに起因する眠気を促進する可能性があります。理論的には，黒コショウとペントバルビタールカルシウムを併用すると，ペントバルビタールカルシウムの鎮静作用が増強するおそれがあります。

中リファンピシン

黒コショウおよび白コショウはリファンピシンの体内での吸収量を増加させる可能性があります。黒コショウ，白コショウとリファンピシンを併用すると，リファンピシンの作用および副作用が増強するおそれがあります。

中肝臓で代謝される医薬品（シトクロムP450 1A1（CYP1A1）の基質となる医薬品）

特定の医薬品は肝臓で代謝されます。黒コショウはこのような医薬品の代謝を抑制する可能性があります。黒コショウと肝臓で代謝される医薬品を併用すると，医薬品の副作用のリスクが高まるおそれがあります。このような医薬品にはクロルゾキサゾン，テオフィリン，Bufuralolがあります。

中肝臓で代謝される医薬品（シトクロムP450 2B1（CYP2B1）の基質となる医薬品）

特定の医薬品は肝臓で代謝されます。黒コショウはこのような医薬品の代謝を抑制する可能性があります。黒コショウと肝臓で代謝される医薬品を併用すると，医薬品の副作用のリスクが高まるおそれがあります。このような医薬品にはシクロホスファミド水和物，イホスファミド，バルビツール酸系薬，Bromobenzeneがあります。

中肝臓で代謝される医薬品（シトクロムP450 2D6（CYP2D6）の基質となる医薬品）

特定の医薬品は肝臓で代謝されます。黒コショウは医薬品の代謝を抑制する可能性があります。黒コショウと肝臓で代謝される医薬品を併用すると，医薬品の副作用のリスクが高まる可能性があります。このような医薬品にはアミトリプチリン塩酸塩，コデインリン酸塩水和物，塩酸デシプラミン（販売中止），フレカイニド酢酸塩，ハロペリドール，イミプラミン塩酸塩，メトプロロール酒石酸塩，オンダンセトロン塩酸塩水和物，パロキセチン塩酸塩水和物，リスペリドン，トラマドール塩酸塩，ベンラファキシン塩酸塩などがあります。

中肝臓で代謝される医薬品（シトクロムP450 3A4（CYP3A4）の基質となる医薬品）

特定の医薬品は肝臓で代謝されます。黒コショウと白コショウは医薬品の代謝を抑制する可能性があります。コショウと肝臓で代謝される医薬品を併用すると，医薬品の作用および副作用を増強させる可能性があります。このような医薬品にはLovastatin，ケトコナゾール，イトラコナゾール，フェキソフェナジン塩酸塩，トリアゾラムなど多くあります。

中血液凝固を抑制する医薬品（抗凝固薬/抗血小板薬）

黒コショウには化学物質ピペリンが含まれています。ピペリンは血液凝固を抑制する可能性があります。理論的には，黒コショウと血液凝固を抑制する医薬品を併用すると，紫斑および出血のリスクが高まるおそれがあります。このような医薬品にはアスピリン，クロピドグレル硫酸塩，ダルテパリンナトリウム，エノキサパリンナトリウム，ヘパリン，チクロピジン塩酸塩，ワルファリンカリウムなどがあります。

中細胞内のポンプによって輸送される医薬品（P糖タンパク質の基質となる医薬品）

特定の医薬品は細胞内のポンプによって輸送されます。黒コショウは，ポンプの働きを弱め，特定の医薬品の体内への吸収量を増加させる可能性があります。そのため，医薬品の副作用が増強するおそれがあります。このような医薬品には，エトポシド，パクリタキセル，ビンブラスチン硫酸塩，ビンクリスチン硫酸塩，ビンデシン硫酸塩，ケトコナゾール，イトラコナゾール，アンプレナビル（販売中止），インジナビル硫酸塩エタノール付加物（販売中止），ネルフィナビルメシル酸塩，サキナビルメシル酸塩，シメチジン，ラニチジン塩酸塩，ジルチアゼム塩酸塩，ベラパミル塩酸塩，副腎皮質ステロイド，エリスロマイシン，シサプリド（販売中止），フェキソフェナジン塩酸塩，シクロスポリン，ロペラミド塩酸塩，キニジン硫酸塩水和物などがあります。

中炭酸リチウム

黒コショウは，利尿薬のように作用する可能性があります。黒コショウを摂取すると，炭酸リチウムの体内からの排泄を抑制する可能性があります。そのため，体内の炭酸リチウム量が増加し，重大な副作用が現れるおそれがあります。

中糖尿病治療薬

黒コショウはピペリンと呼ばれる化学物質を含みます。また，ピペリンが血糖値を低下させる可能性があるとされる研究があります。理論的には，黒コショウが糖尿病治療薬との相互作用を誘発し，その結果，血糖値が過度に低下するおそれがあります。さらに明らかになるまでは，黒コショウを摂取する場合は血糖値を注意深く監視してください。糖尿病治療薬の用量を変更する必要があるかもしれません。このような糖尿病治療薬にはグリメピリド，グリベンクラミド，インスリン，ピオグリタゾン塩酸塩，マレイン酸ロシグリタゾン（販売中止）

などがあります。

低セフォタキシムナトリウム

黒コショウはピペリンと呼ばれる化学物質を含みます。ピペリンはセフォタキシムナトリウムの血中濃度を上昇させる可能性があります。理論的には，黒コショウとセフォタキシムナトリウムを併用すると，セフォタキシムナトリウムの作用および副作用を増強させるおそれがあります。しかし，この相互作用の可能性が大きな問題であるかについては十分に明らかではありません。

ハーブおよび健康食品・サプリメントとの相互作用

血糖値を低下させるおそれのあるハーブおよび健康食品・サプリメント

黒コショウが，血糖値を低下させるおそれがあります。黒コショウと，血糖値を低下させるおそれのあるハーブおよび健康食品・サプリメントを併用すると，人によっては，血糖値が過度に低下するおそれがあります。このようなハーブおよび健康食品・サプリメントには，デビルズクロー，フェヌグリーク，グアーガム，朝鮮人参，エゾウコギなどがあります。

血液凝固を抑制するおそれのあるハーブおよび健康食品・サプリメント

黒コショウが，血液凝固を抑制するおそれがあります。黒コショウと，血液凝固を抑制するおそれのあるほかのハーブおよび健康食品・サプリメントを併用すると，人によっては，出血のリスクが高まるおそれがあります。このようなハーブおよび健康食品・サプリメントには，アンゼリカ，タンジンニンニク，ショウガ，イチョウ，レッドクローバー，ウコン，ヤナギ，朝鮮人参などがあります。

ラジオラ

黒コショウには，ピペリンという成分が含まれています。ピペリンが，体内におけるラジオラの作用を抑制するおそれがあります。

スパルテイン

黒コショウには，ピペリンという成分が含まれています。ピペリンが，体内におけるスパルテインの作用を抑制するおそれがあります。スパルテインは，エニシダに含まれる成分です。

使用量の目安

通常の食品に含まれている量を超えて経口摂取した場合の安全性および副作用については，明らかになっていません。

クロトンの種子

CROTON SEEDS

別名ほか

巴豆（Croton tiglium），トウダイグサ科ハズ，クロトン（Croton），Tiglium，Tiglium Seeds

概　　要

クロトンの種子は植物です。種油を用いて「くすり」を作ることもあります。

安 全 性

経口あるいは皮膚に塗布するのは，安全ではありません。

オイルは１滴垂らしても副作用をもたらすでしょう。また，20滴使用すると，命にかかわるかもしれません。口の炎症，嘔吐，めまい，知覚麻痺，痛みのある排便，流産，また，経口摂取すると卒倒を起こすおそれがあります。オイルを皮膚に塗布すると，皮膚のかゆみ，炎症，水疱を起こすかもしれません。

●妊娠中および母乳授乳期

誰にとっても安全ではありません。とくに妊娠中の場合には，細心の注意を払い，使用は避けてください。流産を引き起こすおそれがあります。母乳授乳期の使用も安全ではありません。

有 効 性

◆科学的データが不十分です

- 経口摂取する場合には，胆のう障害，腸閉塞，マラリア，胃腸の内容物排泄および洗浄など。
- 皮膚に塗布する場合には，関節痛，痛風，神経痛，および気管支炎など。

●体内での働き

胃や腸に対する強力な刺激効果がある化合物が含まれます。

医薬品との相互作用

ほかの医薬品との相互作用については明らかではありません。

ハーブおよび健康食品・サプリメントとの相互作用

ほかのハーブ，健康食品・サプリメントとの相互作用についてはまだ明らかではありません。

使用量の目安

標準使用量に関するデータがありません。

クロフサスグリ

BLACK CURRANT

●代表的な別名

ブラックカラント

別名ほか

カシス（Cassisx），ブラックカラントリーフ（Black Currant Leaf），European Black Currant，Ribes nigri Folium，Ribes nero，Ribes nigrum

概　　要

クロフサスグリは植物です。種油，葉，果実，花を用いて「くすり」を作ることもあります。

●要説（ナチュラル・スタンダード）

クロフサスグリは，欧州とアジアの一部が原産の低木で，東欧やロシアで，特に人気があります。伝統的な薬草医は，クロフサスグリが利尿（尿量を増加させ），発汗（発汗を促進），解熱（解熱薬）の特性があることを支持しています。欧州では，アトピー性皮膚炎などの皮膚疾患を治療するために，局所的に使用されたり（皮膚に塗布される），うがい薬の一成分として，咽喉痛を治療するために使用されてきました。クロフサスグリ汁は，ロブと呼ばれる甘いエキスに煮詰めて，咽喉痛，炎症，感冒，インフルエンザ，および熱性（熱）の病気を治療します。クロフサスグリの樹皮から作られた混合物が歯石（固まったプラーク），浮腫（むくみ），および痔を治療するために使用されてきました。

ビタミンC含有量がオレンジ（2,000mg/kg）の５倍であると推定されるクロフサスグリは，潜在的な食物の効果があります。クロフサスグリは，抗酸化物質として知られているルチンや他のフラボノイドが豊富です。クロフサスグリの必須脂肪酸含量が高いために，研究者は，クロフサスグリが炎症疾患治療および疼痛の管理，ならびに循環系を調節し，免疫力を増大させるのに有効な可能性があるとしています。

薬物療法として，クロフサスグリ種子油は，植物でもっとも一般的に使用される部分であり，カプセルの形で利用可能です。クロフサスグリ種子油の効果はまちまちですが，非アレルギー性の人では，安全性への懸念は大きくないと考えられます。

安　全　性

通常の食品に含まれる量，または「くすり」として適切な量の果実または種子のオイルを経口摂取する場合，ほとんどの人に安全のようです。乾燥させた葉の安全性についてはデータが不十分です。

出血性疾患：クロフサスグリが血液凝固を抑制するおそれがあります。出血性疾患患者では紫斑および出血のリスクが高まるおそれがあります。

低血圧：クロフサスグリが血圧を低下させるおそれがあります。理論上，低血圧患者では血圧が過度に低下するおそれがあります。

手術：クロフサスグリが血液凝固を抑制するおそれがあります。手術中・手術後の出血リスクが高まるおそれがあります。少なくとも手術前２週間は，使用しないでください。

●妊娠中および母乳授乳期

妊娠中および母乳授乳期の使用の安全性については，データが不十分です。安全性を考慮し，摂取は避けてください。

有　効　性

◆科学的データが不十分です

・高コレステロール血症，高血圧，スギ花粉症，筋疲労，末梢動脈疾患，関節リウマチ，静脈血流不全症，更年期症状，月経前症候群（PMS），月経痛，胸痛，免疫システムの改善，関節炎，痛風，アルツハイマー病，下痢，肝障害，口内炎および咽喉炎，咳，感冒，体液貯留，膀胱結石，創傷，昆虫刺傷など。

●体内での働き

γ-リノレン酸（GLA）という化学物質を含んでいます。γ-リノレン酸の免疫システムへの有効性を示唆する科学的データもあります。種油や葉は腫脹を抑えるようです。

医薬品との相互作用

中フェノチアジン系薬

クロフサスグリとフェノチアジン系薬を併用すると，人によっては発作を誘発するリスクが高まります。フェノチアジン系薬にはクロルプロマジン塩酸塩，フルフェナジン，トリフロペラジン，チオリダジン塩酸塩（販売中止）などがあります。

中血液凝固を抑制する医薬品（抗凝固薬/抗血小板薬）

クロフサスグリは血液凝固を抑制する可能性があります。クロフサスグリと血液凝固を抑制する医薬品を併用すると，紫斑および出血のリスクが高まるおそれがあります。このような医薬品にはアスピリン，クロピドグレル硫酸塩，ジクロフェナクナトリウム，イブプロフェン，ナプロキセン，ダルテパリンナトリウム，エノキサパリンナトリウム，ヘパリン，ワルファリンカリウムなどがあります。

中降圧薬

クロフサスグリは，人によっては血圧を低下させる可能性があります。クロフサスグリと降圧薬を併用すると，血圧が過度に低下するおそれがあります。降圧薬を服用中にクロフサスグリを過剰に摂取しないでください。このような降圧薬にはニフェジピン，ベラパミル塩酸塩，ジルチアゼム塩酸塩，Isradipine，フェロジピン，アムロジピンベシル酸塩などがあります。

中手術中に用いられる医薬品（麻酔薬）

クロフサスグリには手術中に用いられる医薬品と相互作用が生じるおそれがあります。脂肪酸のγ-リノレン酸を含むサプリメントを摂取した人が手術中に発作を起こしたという報告が１例あります。クロフサスグリにも，γ-リノレン酸が含まれます。安全のために，手術の少なくとも２週間前からクロフサスグリを摂取しないでください。

ハーブおよび健康食品・サプリメントとの相互作用

血圧を低下させるおそれのあるハーブおよび健康食品・サプリメント

クロフサスグリは血圧を低下させるおそれがあります。クロフサスグリと，同様の作用をもつほかのハーブおよび健康食品・サプリメントとを併用すると，血圧が過度に低下するおそれがあります。このようなハーブおよび健康食品・サプリメントには，アンドログラフィス，カゼイン・ペプチド，キャッツクロー，コエンザイムQ-10，魚油，L-アルギニン，クコ，イラクサ，テアニンなどがあります。

血液凝固を抑制するおそれのあるハーブおよび健康食品・サプリメント

クロフサスグリは血液凝固を抑制するおそれがあります。クロフサスグリと，同様の作用をもつほかのハーブおよび健康食品・サプリメントとを併用すると，紫斑や出血のリスクが高まるおそれがあります。このようなハーブおよび健康食品・サプリメントには，アンゼリカ，クローブ，タンジン，ニンニク，ショウガ，イチョウ，朝鮮人参などがあります。

使用量の目安

通常の食品に含まれている量を超えて経口摂取した場合の安全性および副作用については，明らかになっていません。

クロマメノキ

BOG BILBERRY

別名ほか

黒豆の木，浅間葡萄（Vaccinium uliginosum），Moosbeere，Western-Huckleberry

概　要

クロマメノキは植物です。乾燥した完熟果実を用いて「くすり」を作ることもあります。コケモモの果実または葉と混同しないよう注意してください。

安 全 性

安全だとはいえません。真菌が発生しているおそれのあるものを多量に使用すると，中毒を起こす可能性があります。中毒症状としては，嘔吐，気分の変化，体力低下，視覚の変化などがあります。

●妊娠中および母乳授乳期

多量の摂取は安全ではないようです。使用は避けてください。

有 効 性

◆科学的データが不十分です

・胃炎および腸炎，下痢，膀胱障害など。

●体内での働き

炎症や下痢を楽にするというタンニンを含んでいます。

医薬品との相互作用

ほかの医薬品との相互作用については明らかではありません。

ハーブおよび健康食品・サプリメントとの相互作用

ほかのハーブ，健康食品・サプリメントとの相互作用についてはまだ明らかではありません。

使用量の目安

●経口摂取

甘味料を加えていないお茶（ティースプーンに山盛り２杯の乾燥した完熟果実を250mLの冷水に10～12時間浸し，その後，ろ過して作る）として，１回コップ１杯，１日１～２回摂取します。

クロム

CHROMIUM

別名ほか

原子番号24（Atomic number 24），塩素クロム（Chromic chloride），塩化クロム（Chromium chloride），ニコチン酸クロム（Chromium Nicotinate），ピコリン酸クロム（Chromium picolinate），Cr

概　要

クロムは金属です。非常にわずかな量が人の健康維持に必要なことから，必須微量元素と呼ばれます。３価と６価の２つの状態で存在します。一般的に食品やサプリメントに含まれる３価のクロムは低毒性です。６価のクロムはよく知られる毒素で，肌の問題や肺がんを起こすおそれがあります。クロムは，前糖尿病，１型・２型糖尿病を有する人における血糖コントロールおよびステロイドの投与やHIV治療による高血糖値を改善するために経口摂取されます。また，うつ病，ターナー症候群，多のう胞性卵巣症候群（PCOS），悪玉コレステロール値の低下，アドレナリンβ受容体遮断薬という心臓薬を使用している人の善玉コレステロール値上昇，肥満，メタボリックシンドローム，心臓発作，統合失調症，双極性障害，むちゃ食い障害，反応性低血糖といわれる疾患などに対して経口摂取されます。体重減少，筋肉増強，体脂肪の減少などの身体調整を目的としてクロムを経口摂取する人もいます。クロムはまた，運動能力向上，活力向上，年齢の正常値に比べ著しい高齢者の記憶力と思考能力の低下の治療のためなどに経口摂取されます。

安全性

成人が，「くすり」としての量のクロムを経口摂取する場合には，短期間であれば，ほとんどの人に安全のようです。1日当たり，最大1,000μg，最長6カ月までのクロムの摂取は安全です。

成人が，同じ用量で長期にわたり，クロムを経口摂取しても，ほとんどの場合は，おそらく安全です。少数の研究で，1日当たり，200～1,000μg，最長2年にわたり，クロムは安全に摂取されています。人によっては，皮膚過敏，頭痛，めまい感，吐き気，気分の変調，思考障害，判断力の衰え，協調運動障害などの副作用を引き起こすおそれがあります。高用量の摂取と，血液疾患，肝障害，腎障害など，より深刻な副作用を結びつける報告もありますが，クロムが実際に，これらの副作用の原因であるかどうかは，明らかではありません。

小児：クロムの経口摂取は，目安量（AI）以下であれば，ほとんどの人に安全のようです。目安量（AI）は以下の通りです。

0～6カ月：1日0.2μg
7～12カ月：1日5.5μg
1～3歳：1日11μg
4～8歳：1日15μg
9～13歳の男子：1日25μg
14～18歳の男子：1日35μg
9～13歳の女子：1日21μg
14～18歳の女子：1日24μg

小児が目安量（AI）を超えない量のクロムを経口摂取しても，おそらく安全です。

うつ病，不安，統合失調症などの，行動疾患および精神障害：クロムが脳内物質に影響を与え，行動疾患および精神障害の症状が悪化するおそれがあります。これらの疾患の場合には，クロムのサプリメントの使用に注意してください。気分の変調に注意してください。

クロム酸塩や革に対する接触アレルギー：クロム酸塩や革に対する接触アレルギーの場合には，クロムのサプリメントにより，アレルギー反応を引き起こすおそれがあります。症状としては，皮膚の発赤や腫脹，落屑などです。

糖尿病：クロムと糖尿病治療薬を併用すると，血糖値が過度に低下するおそれがあります。糖尿病の場合には，クロム製品の使用に注意し，血糖値を注意深く監視してください。糖尿病治療薬の服薬量を調節する必要があるかもしれません。

腎疾患：ピコリン酸クロムの摂取した患者が腎障害を引き起こした例が少なくとも3件，報告されています。腎疾患がある場合には，クロムのサプリメントを摂取してはいけません。

肝疾患：ピコリン酸クロムの摂取により，肝障害を引き起こした例が少なくとも3件，報告されています。肝疾患がある場合には，クロムのサプリメントを摂取してはいけません。

●妊娠中および母乳授乳期

妊娠中：妊娠中のクロムの経口摂取は，目安量（AI）以下であれば，ほとんどの人に安全のようです。

目安量（AI）は，以下の通りです。

14～18歳：1日29μg
19～50歳：1日30μg

妊娠中に，目安量（AI）を超える量のクロムを経口摂取しても，おそらく安全です。ただし，医師などの指示がない限り，妊娠中にクロムのサプリメントを摂取すべきではありません。

母乳授乳期：母乳授乳期のクロムの経口摂取は，目安量（AI）以下であれば，ほとんどの人に安全のようです。

目安量（AI）は，以下の通りです。

14～18歳：1日当たり，44μg
19～50歳：1日当たり，45μg

母乳授乳期に，高用量のクロムを摂取する場合の安全性については，データが不十分です。安全性を考慮し，摂取は避けてください。

有効性

◆有効性レベル②

・クロム欠乏症。クロムの経口摂取は，クロム欠乏症の予防に有効です。

◆有効性レベル③

・糖尿病。複数のエビデンスにより，2型糖尿病患者が，ピコリン酸クロム（クロムを含む化合物）を，単体または，ビオチンと併用して経口摂取することにより，空腹時血糖およびインスリン値が低下する可能性や，インスリンの働きを促進する可能性があることが示唆されています。また，2型糖尿病患者がスルホニル尿素類の糖尿病治療薬を摂取している場合には，ピコリン酸クロムにより，体重の増加，および，脂肪の蓄積が抑制される可能性があります。高用量のクロムは，作用が高まり，効果も早く現れる可能性があります。高用量のクロムにより，人によっては，特定の血中脂質量（コレステロールおよびトリグリセリド）が低下する可能性もあります。初期の研究により，ピコリン酸クロムの作用は，1型糖尿病患者や，ステロイド治療に起因する糖尿病患者，妊娠中の糖尿病患者に対しても，同様であることが示唆されています。ただし，研究者の間では，クロムの糖尿病に対する有効性を示唆する研究結果を慎重に受け止めています。全ての患者に対して有効でないおそれがあります。複数の研究者が，クロムのサプリメントは，栄養不足やクロムの値が低い場合にのみ，有効であることを示唆しています。糖尿病患者は，クロムの値が正常よりも低いおそれがあります。ほかの研究者の中には，クロムは糖尿病とインスリン抵抗性がある患者のみに有効と考える人もいます。

・高コレステロール血症や高トリグリセリド血症（高脂血症）。複数の研究により，コレステロール値が，わずかに高い状態から高い状態である場合には，1日15～200μgのクロムを，6～12週にわたり，摂取することにより，低比重リポタンパク（LDL，悪玉）コレステロール値および総コレステロール値が低下することが示唆されています。ほかの研究により，クロムを7～16カ月にわたり，摂取することにより，トリグリセリドおよび，低比重リポタンパク（LDL，悪玉）コレステロール値が低下し，高比重リポタンパク（HDL，善玉）コレステロール値が上昇することが示唆されています。血中脂質量が高い場合にも，クロムを単体または，ほかのサプリメントと併用して摂取することにより，血中脂質量が減少するようです。ただし，一部の研究では，閉経後の女性がクロムを10週間毎日摂取してもコレステロール値を改善しないことが示唆されています。

◆有効性レベル④

・運動能力。複数の初期のエビデンスにより，レジスタンストレーニング中に，クロムを摂取することにより，体重および体脂肪の減少が促進し，除脂肪体重が増加する可能性があることが示唆されています。ただし，信頼できる研究の大部分が，クロムを経口摂取しても，筋肉，筋力，除脂肪体重を増強することはないことを示唆しています。

・むちゃ食い障害。研究により，むちゃ食い障害の場合に，ピコリン酸クロムを6カ月にわたり，毎日経口摂取しても，体重，うつ病の症状，むちゃ食いの回数に影響を与えることはないことが示唆されています。

・前糖尿病。前糖尿病患者が，クロムを摂取しても，血糖値コントロールにつながることはないようです。

・肥満。クロムの肥満に対する作用について，相反するエビデンスが複数あります。一部の研究では，過体重または肥満の場合には，クロムにより，人によっては，体重減少を促進させる可能性があることが示唆されています。ただし，減少する体重は，おそらく臨床的に有意な量ではありません。また，大部分の研究により，クロムを経口摂取しても，体重は減少しないことが示唆されています。

・統合失調症。研究により，統合失調症の患者が，1日400μgのクロムを，3カ月にわたり摂取しても，体重やメンタルヘルスには影響しないことが示唆されています。

◆科学的データが不十分です

・抗レトロウイルス薬剤によるインスリン抵抗性（HIV/エイズの治療薬によるインスリン抵抗性），非定型うつ病，アドレナリンβ受容体遮断薬（降圧薬）によって引き起こされる脂質異常症，双極性障害，年齢の正常値に比べ著しい高齢者の記憶力と思考能力の低下，低血糖，糖尿病・心疾患・脳卒中のリスクを高める一群の症候（メタボリックシンドローム），心臓発作，のう胞を伴う卵巣腫大が生じるホルモンの病気（多のう胞性卵巣症候群（PCOS）），女子に低身長と学習障害を引き起こす遺伝的疾患（ターナー症候群），ステロイドの使用に関連する高血糖症など。

●体内での働き

クロムには，体内におけるインスリンの働きを改善し，血糖値を正常な状態に維持する働きがある可能性があります。

医薬品との相互作用

低アスピリン

アスピリンはクロムの体内への吸収量を増加させ，血中のクロム濃度を上昇させる可能性があります。理論的には，クロムとアスピリンを併用すると，副作用のリスクが高まるおそれがあります。

中インスリン

インスリンは血糖値を低下させるために用いられます。クロムはインスリンの作用を増強する可能性があります。クロムとインスリンを併用すると，血糖値が過度に低下するおそれがあります。血糖値を注意深く監視してください。インスリンの用量を変更する必要があるかもしれません。

中レボチロキシンナトリウム水和物

クロムとレボチロキシンナトリウム水和物を併用すると，レボチロキシンナトリウム水和物の体内への吸収量が減少する可能性があります。そのため，レボチロキシンナトリウム水和物の効果が弱まるおそれがあります。この相互作用を避けるために，レボチロキシンナトリウム水和物の服用前3～4時間，または服用後30分間はクロムを摂取しないでください。

中糖尿病治療薬

クロムは血糖値を低下させる可能性があります。糖尿病治療薬もまた血糖値を低下させるために用いられます。クロムと糖尿病治療薬を併用すると，血糖値が過度に低下するおそれがあります。血糖値を注意深く監視してください。糖尿病治療薬の用量を変更する必要があるかもしれません。このような糖尿病治療薬には，グリメピリド，グリベンクラミド，インスリン，メトホルミン塩酸塩，ピオグリタゾン塩酸塩，マレイン酸ロシグリタゾン（販売中止）などがあります。

低非ステロイド性抗炎症薬（NSAIDs）

非ステロイド性抗炎症薬（NSAIDs）は痛みと腫脹を軽減するために用いられる抗炎症薬です。NSAIDsは体内のクロム量を増加させ，副作用のリスクを高めるおそれがあります。クロムサプリメントとNSAIDsは併用しないでください。このようなNSAIDsには，イブプロフェン，インドメタシン，ナプロキセン，ピロキシカム，アスピリンなどがあります。

ハーブおよび健康食品・サプリメントとの相互作用

クロムを含有するハーブおよび健康食品・サプリメント

ツクシ（スギナ）（Equisetum arvense），カスカラサグラダ（Rhamus purshiana）などの，クロムを含有するハーブを，長期にわたり摂取する場合や，クロムのサプリメントと併用して摂取する場合には，クロム中毒のリスクが高まるおそれがあります。

血糖値を低下させるおそれのあるハーブおよび健康食品・サプリメント

クロムが，血糖値を低下させるおそれがあります。クロムを，血糖値を低下させるおそれのあるハーブおよび健康食品・サプリメントと併用すると，人によっては，血糖値が過度に低下するおそれがあります。このようなハーブおよび健康食品・サプリメントには，α-リポ酸，ニガウリ，デビルズクロー，フェヌグリーク，ニンニク，グアーガム，セイヨウトチノキ，朝鮮人参，サイリウム，エゾウコギなどがあります。

鉄

クロムが，体内における鉄の利用を困難にするおそれがあります。このため，人によっては，鉄欠乏症を引き起こすおそれがあります。ただし，規定量のクロムのサプリメントを摂取している場合には，この作用は現れないようです。

ビタミンC

ビタミンCを，クロムと併用して摂取することにより，クロムの吸収量が増加するおそれがあります。

亜鉛

亜鉛を，クロムと併用して摂取することにより，クロムと亜鉛いずれも吸収量が低下するおそれがあります。

使用量の目安

【成人】

●経口摂取

全般

クロムの安全性および耐容上限量（UL）については明らかではありません。ただし，クロムの１日の目安量（AI）は，以下の通り定められています。

14～50歳の男性：１日35μg
51歳以上の男性：１日30μg
19～50歳の女性：１日25μg
51歳以上の女性：１日20μg
14～18歳の妊娠中の女性：１日29μg
19～50歳の妊娠中の女性：１日30μg
14～18歳の母乳授乳期の女性：１日44μg
19～50歳の母乳授乳期の女性：１日45μg

糖尿病

２型糖尿病患者は，１日当たり，200～1,000μgのクロムを，単回，または複数回に分けて摂取します。１日当たり，600μgのクロムと２mgのビオチンを含む特定の併用製品を，最長３カ月にわたり摂取することもあります。また，１日当たり，クロム酵母の形態のクロムを1,000μg，1,000mgのビタミンC，800IUのビタミンEを併用して，６カ月にわたり摂取することもあります。妊娠糖尿病の場合には，１日当たり，４～８μg/kgのピコリン酸クロムを８週にわたり摂取します。医薬品である副腎皮質ステロイドの使用に起因する高血糖症の場合には，400μgのクロムを１日１回，または，200μgのクロ

クロムの食事摂取基準（μg／日）

日本人の食事摂取基準 2020 年版

性別	男性		女性	
年齢等	目安量	耐容上限量	目安量	耐容上限量
0～5（月）	0.8	—	0.8	—
6～11（月）	1.0	—	1.0	—
1～2（歳）	—	—	—	—
3～5（歳）	—	—	—	—
6～7（歳）	—	—	—	—
8～9（歳）	—	—	—	—
10～11（歳）	—	—	—	—
12～14（歳）	—	—	—	—
15～17（歳）	—	—	—	—
18～29（歳）	10	500	10	500
30～49（歳）	10	500	10	500
50～64（歳）	10	500	10	500
65～74（歳）	10	500	10	500
75 以上（歳）	10	500	10	500
妊婦			10	—
授乳婦			10	—

ムを１日３回摂取します。

高コレステロール血症や高トリグリセリド血症（高脂血症）

塩化クロムまたはピコリン酸クロムの形態のクロムを50～250 μg，または，15～48 μgのクロムを含むビール酵母を，１週間に５～７日，最長16カ月にわたり摂取します。200 μgのポリニコチン酸クロムを，100mgのブドウ種子エキスと併用して，１日２回，２カ月にわたり摂取します。240mgのキトサン，55mgのガルシニアカンボジアのエキス，19mgのクロムを含んだ特定のサプリメントのカプセルを１～２錠，毎日，４週にわたり摂取します。

【小児】

●経口摂取

全般

小児に対する，クロムの安全性および耐容上限量（UL）については明らかではありません。ただし，クロムの目安量（AI）は，以下の通り定められています。

０～６カ月：１日0.2 μg
７～12カ月：１日5.5 μg
１～３歳：１日11 μg
４～８歳：１日15 μg
９～13歳の男子：１日25 μg
14～18歳の男子：１日35 μg
９～13歳の女子：１日21 μg
14～18歳：１日当たり，24 μg

高コレステロール血症や高トリグリセリド血症（高脂血症）

400～600 μgのポリニコチン酸クロムと，1,000～1,500mgのコンニャクマンナンを，１日２回，８週にわたり摂取します。

クロレラ

CHLORELLA

別名ほか

クロレラ・ブルガリス（Chlorella vulgaris），クロレラ・ピレノイドサ（Chlorella pyrenoidosa）

概　要

クロレラは淡水に住む藻です。全体部分を用いて「くすり」を作ることもあります。

錠剤およびエキスに加工されます。エキスには，アミノ酸，ペプチド，タンパク質，ビタミン，糖分および核酸を含む水溶性のクロレラエキスといわれる「クロレラ成長因子」が含まれています。

クロレラ製品は，加工に使用される原末の培養，採取，および加工方法によってきわめて多種多様であることを注意しなければなりません。調査によると，乾燥原末の成分の含有量はそれぞれ，タンパク質が７～88％，糖質が６～38％，脂質が７～75％でした。

●要説（ナチュラル・スタンダード）

クロレラ種は，すぐに再生する単細胞緑藻で，二酸化炭素，水，日光，および数種類の鉱物のみを使用しています。1940年代にクロレラは，「スーパーフード」として，カロリー，脂肪，ビタミン，および当時知られていた10種類の必須アミノ酸（急成長した人口を養うための）を供給すると考えられていました。科学者たちはクロレラを使用して，宇宙船での生物再生支援組織や，第２生物圏など他の閉じられた生物系を探求しました。

クロレラへの現在の関心は，免疫システムを高めたり解毒のための使用が含まれます。有害金属の損傷効果に耐えることができるので，クロレラは，おそらく水からヒ素を除去するために，たとえば，水を解毒するために使用できる可能性があります。

線維筋痛症の患者に対するクロレラの影響を研究する２つの臨床試験では，高質の研究がクロレラ研究すべての領域に必要とされていますが，これまでは陽性の結果が示されてきました。

安　全　性

クロレラの経口摂取は，短期間（最長２カ月間）であれば，おそらく安全です。一般的な副作用には，下痢，吐き気，腸内ガス（鼓腸），緑色便，胃痙攣などがあり，とくに使用開始から１週間の間に現れます。

クロレラは，気管支喘息をはじめとする危険な呼吸器疾患など，深刻なアレルギー反応を引き起こしています。

クロレラにより，皮膚の日光過敏を引き起こすおそれがあります。とくに色白の場合には，屋外では日焼け止めを使用してください。

ヨウ素過敏症：クロレラにはヨウ素が含まれているおそれがあります。このため，ヨウ素に敏感な場合には，クロレラにより，アレルギー反応を引き起こすおそれがあります。

免疫不全（免疫システムの低下）：免疫不全の場合には，クロレラにより，腸内に悪い細菌が繁殖するおそれがあります。免疫不全の場合には，クロレラの使用に注意してください。

多発性硬化症（MS），ループス（全身性エリテマトーデス，SLE），関節リウマチ（RA）などの自己免疫疾患：クロレラが免疫システムを活性化させ，それにより自己免疫疾患の症状が悪化するおそれがあります。これらの疾患のうちいずれかの場合には，クロレラの使用を避けるのが最善です。

●アレルギー

糸状菌（カビ）に対するアレルギー：糸状菌（カビ）に対するアレルギーがある場合には，クロレラがアレルギー反応を引き起こすおそれがあります。

●妊娠中および母乳授乳期

妊娠中および母乳授乳期の使用の安全性については

データが不十分です。安全性を考慮し，摂取は避けてください。

有　効　性

◆科学的データが不十分です

・線維筋痛症，神経膠腫（脳腫瘍），高血圧，がん予防，感冒，クローン病，潰瘍性大腸炎，潰瘍，便秘，口臭，高コレステロール血症など。

●体内での働き

タンパク質，脂肪，炭水化物，食物繊維，クロロフィル，ビタミン類，ミネラル類が豊富に含まれています。体内でクロレラを消化するには，クロレラの細胞壁を分解しなければなりません。

医薬品との相互作用

中ワルファリンカリウム

クロレラには多量のビタミンKが含まれます。ビタミンKは体内で血液凝固に利用されます。ワルファリンカリウムは血液凝固を抑制するために用いられます。クロレラが血液凝固を促進することで，ワルファリンカリウムの効果が弱まるおそれがあります。定期的に血液検査をしてください。ワルファリンカリウムの用量を変更する必要があるかもしれません。

ハーブおよび健康食品・サプリメントとの相互作用

ほかのハーブ，健康食品・サプリメントとの相互作用についてはまだ明らかではありません。

使用量の目安

通常の食品に含まれている量を超えて経口摂取した場合の安全性および副作用については，明らかになっていません。

クロロフィリン

CHLOROPHYLLIN

別名ほか

Chlorophylline, Chlorophylline de Cuivre Sodique, Chlorophylline de Sodium et Cuivre, Clorofilina, Sel Cuprique de la Chlorophylle, Sodium Copper Chlorophyll, Sodium Copper Chlorophyllin

概　　要

クロロフィリンは，クロロフィルから取り出した化合物です。「くすり」として使用されることもあります。

クロロフィリンとクロロフィルを混同しないでください。

安　全　性

クロロフィリンは，ほとんどの人に安全のようです。

●妊娠中および母乳授乳期

妊娠中および母乳授乳期の使用の安全性についてはデータが不十分です。安全性を考慮し，摂取は避けてください。

有　効　性

◆有効性レベル④

・排尿を我慢できない高齢患者や，カテーテルを留置した高齢患者の尿臭の抑制。

◆科学的データが不十分です

・体臭の軽減，便秘，便臭の軽減，腸内ガス（鼓腸）など。

●体内での働き

どのように作用するかについては，十分なデータが得られていません。

医薬品との相互作用

中光への過敏性を高める医薬品（光感作性薬）

特定の医薬品は光への過敏性を高めます。クロロフィリンも光への過敏性を高める可能性があります。クロロフィリンと光への過敏性を高める医薬品を併用すると，肌の露出した部分に日光皮膚炎，水疱，発疹を生じるリスクが高まるおそれがあります。日なたでは日焼け止めクリームを使用し，日よけの衣服を着用してください。このような医薬品には，アミトリプチリン塩酸塩，シプロフロキサシン，ノルフロキサシン，ロメフロキサシン塩酸塩，オフロキサシン，レボフロキサシン水和物，スパルフロキサシン（販売中止），ガチフロキサシン水和物，モキシフロキサシン塩酸塩，スルファメトキサゾール・トリメトプリム配合，テトラサイクリン塩酸塩，メトキサレン，トリオキシサレン（販売中止）などがあります。

ハーブおよび健康食品・サプリメントとの相互作用

ほかのハーブ，健康食品・サプリメントとの相互作用についてはまだ明らかではありません。

使用量の目安

通常の食品に含まれている量を超えて経口摂取した場合の安全性および副作用については，明らかになっていません。

クロロフィル

CHLOROPHYLL

●代表的な別名

葉緑素

ケ

別名ほか

クロロフィルa（Chlorophyll A），クロロフィルb（Chlorophyll B），クロロフィルc（Chlorophyll C），クロロフィルd（Chlorophyll D）

概　　要

クロロフィルは植物にみられる緑色の色素です。植物は，クロロフィルと太陽光から栄養素を合成します。クロロフィルは,「くすり」として使われることがあります。「くすり」の一般的な原料は，アルファルファ（ムラサキウマゴヤシ）および蚕の糞のクロロフィルです。

●要説（ナチュラル・スタンダード）

クロロフィルは，植物に緑色を与える化合物です。血液中の赤い色を与えるプロトヘムと呼ばれる別の化合物と親類です。クロロフィルは，緑が豊富な緑色野菜（ブロッコリー，芽キャベツ，キャベツ，レタス，ホウレンソウなど），海藻，小麦草，ジャガイモ，緑茶，およびハーブ（例えばアルファルファ，ダミアナ，イラクサ，パセリなど）から摂取することが可能です。

クロロフィルは，口臭や，尿と便臭，体臭，および感染創からの臭いを改善するために使用されてきました。アジアでは何世紀にもわたって，体臭を減らすための内服用消臭剤や丸薬として使用されてきました。

より最近では，クロロフィルは，肝臓毒素を除去して肝機能を改善するために使用されてきました。膵炎の改善に役立つ可能性を示唆するエビデンスがあります。また，酸化防止および抗がんの効果がある可能性もあります。

クロロフィルが，ヘルペス，良性乳房疾患，結核，関節リウマチを治療するため，ならびにがん予防に役立つ可能性があることを示す研究があります。クロロフィルはまた，２型糖尿病や体重減少のためにも研究されています。

安　全　性

クロロフィルの経口摂取は，ほとんどの人に安全のようです。医師などの指導のもとで静脈内投与する場合や，皮膚へ塗布する場合は，おそらく安全です。

クロロフィルは，皮膚の日光過敏を引き起こすおそれがあります。とくに色白の場合には，屋外では日焼け止めを使用してください。

●妊娠中および母乳授乳期

妊娠中および母乳授乳期の使用の安全性についてはデータが不十分です。安全性を考慮し，摂取は避けてください。

有　効　性

◆有効性レベル③

・膵炎（膵臓の腫脹）。慢性再発性膵炎患者にクロロフィルを静脈内投与すると，疼痛などの症状が緩和されるようです。

◆有効性レベル④

・人工肛門による臭気の軽減。クロロフィルを経口摂取しても，人工肛門による臭気が軽減することはないようです。

◆科学的データが不十分です

・単純ヘルペスウィルス（HSV）に起因する痛み，帯状疱疹，肺がん，皮膚がん，口臭，便秘，創傷治癒など。

●体内での働き

どのように作用するかについては，十分なデータが得られていません。

医薬品との相互作用

中光への過敏性を高める医薬品（光感作性薬）

特定の医薬品は光への過敏性を高めます。クロロフィルもまた光への過敏性を高める可能性があります。クロロフィルと光への過敏性を高める医薬品を併用すると，肌の露出した部分に日光皮膚炎，水疱，発疹を生じるリスクが高まるおそれがあります。日なたでは日焼け止めクリームを使用し，日よけの衣服を着用してください。このような医薬品には，アミトリプチリン塩酸塩，シプロフロキサシン，ノルフロキサシン，ロメフロキサシン塩酸塩，オフロキサシン，レボフロキサシン水和物，スパルフロキサシン（販売中止），ガチフロキサシン水和物，モキシフロキサシン塩酸塩，スルファメトキサゾール・トリメトプリム配合，テトラサイクリン塩酸塩，メトキサレン，トリオキシサレン（販売中止）などがあります。

中メトトレキサート

クロロフィルはメトトレキサートの体内からの排泄を抑制する可能性があります。そのため，メトトレキサートの体内量が増加し，副作用のリスクが高まるおそれがあります。さらに明らかになるまでは，メトトレキサートによる治療の少なくとも２日前にクロロフィルの使用を止めてください。

ハーブおよび健康食品・サプリメントとの相互作用

ほかのハーブ，健康食品・サプリメントとの相互作用についてはまだ明らかではありません。

使用量の目安

●静脈内投与

膵炎（膵臓の疼痛および腫脹（炎症））

医師などにより，クロロフィルを静脈内投与します。

ケイガイ（荊芥）

SCHIZONEPETA

●代表的な別名

ハッカ

別名ほか

ハッカ（Japanese Mint），Japanese Catnip，Jing Jie，Schizonepeta multifida，Schizonepeta tenuifolia，Tenuifolia

概　要

ケイガイ（荊芥）は植物です。地上部を用いて「くすり」を作ることもあります。

安全性

少量を摂取するなら，ほとんどの人に安全のようです。

多量に摂取すると，含有成分が肝臓の損傷を起こすかもしれません。

肝疾患：症状を悪化させるおそれがあります。肝疾患の場合には，使用しないでください。

●妊娠中および母乳授乳期

妊娠中および母乳授乳期の使用の安全性についてはデータが不十分です。安全性を考慮し，摂取は避けてください。

有効性

◆科学的データが不十分です

・湿疹。科学的研究の結果は一致していません。ケイガイとほかの9種類のハーブの組み合わせが，赤みおよび炎症を軽減する可能性を示唆する研究があります。ただし，効果がないことを示唆する研究もあります。感冒，発熱，咽頭痛，乾癬，月経過多など。

●体内での働き

湿疹のような皮膚疾患を緩和する化合物を含んでいます。

医薬品との相互作用

中 肝臓で代謝される医薬品（シトクロムP450 1A2（CYP1A2）の基質となる医薬品）

特定の医薬品は肝臓で代謝されます。ケイガイ（荊芥）はこのような医薬品の代謝を抑制する可能性があります。ケイガイと肝臓で代謝される医薬品を併用すると，医薬品の作用および副作用が増強するおそれがあります。このような医薬品には，クロザピン，Cyclobenzaprine，フルボキサミンマレイン酸塩，ハロペリドール，イミプラミン塩酸塩，メキシレチン塩酸塩，オランザピン，塩酸ペンタゾシン，プロプラノロール塩酸塩，Tacrine，テオフィリン，Zileuton，ゾルミトリプタンなどがあります。

中 肝臓で代謝される医薬品（シトクロムP450 2D6（CYP2D6）の基質となる医薬品）

特定の医薬品は肝臓で代謝されます。ケイガイ（荊芥）はこのような医薬品の代謝を抑制する可能性があります。ケイガイと肝臓で代謝される医薬品を併用すると，医薬品の作用および副作用が増強するおそれがあります。このような医薬品には，アミトリプチリン塩酸塩，コデインリン酸塩水和物，塩酸デシプラミン（販売中止），フレカイニド酢酸塩，ハロペリドール，イミプラミン塩酸塩，メトプロロール酒石酸塩，オンダンセトロン塩酸塩水和物，パロキセチン塩酸塩水和物，リスペリドン，トラマドール塩酸塩，ベンラファキシン塩酸塩などがあります。

中 肝臓で代謝される医薬品（シトクロムP450 2E1（CYP2E1）の基質となる医薬品）

特定の医薬品は肝臓で代謝されます。ケイガイ（荊芥）はこのような医薬品の代謝を抑制する可能性があります。ケイガイと肝臓で代謝される医薬品を併用すると，医薬品の作用および副作用が増強するおそれがあります。このような医薬品には，アセトアミノフェン，クロルゾキサゾン，アルコール，テオフィリン，麻酔薬（エンフルラン（販売中止），ハロタン（販売中止），イソフルラン，Methoxyfluraneなど）などがあります。

中 肝臓で代謝される医薬品（シトクロムP450 3A4（CYP3A4）の基質となる医薬品）

特定の医薬品は肝臓で代謝されます。ケイガイ（荊芥）はこのような医薬品の代謝を促進する可能性があります。ケイガイと肝臓で代謝される医薬品を併用すると，医薬品の作用が減弱するおそれがあります。このような医薬品には，Lovastatin，ケトコナゾール，イトラコナゾール，フェキソフェナジン塩酸塩，トリアゾラムなど数多くあります。

ハーブおよび健康食品・サプリメントとの相互作用

ほかのハーブ，健康食品・サプリメントとの相互作用についてはまだ明らかではありません。

使用量の目安

●経口摂取

湿疹

1日約5.625～7.5gをお茶として摂取します。

ゲウム

PHEASANT'S EYE

別名ほか

フィーザンツアイ，アキザキフクジュソウ（Adonis vernalis），フェザントアイ（Pheasants Eye），ハルガヤ（Sweet Vernal），Adonis herba，False Hellebore，Oxeye，Red Morocco，Rose-A-Rubie，Yellow Pheasants Eye，Yellow Pheasant's Eye

概　要

ゲウムはハーブです。地上部を用いて「くすり」を作ることもあります。

ケ

安全性

市販されているエキス製品を医師の指導の下で使用する場合に限って，安全だと考えられています。

医師の指示を受けず，勝手に使用するのは安全ではありません。きわめて有毒です。悪心，嘔吐，心拍の異常のような副作用をもたらすかもしれません。

誰であれ，医師の指導を受けずにゲウムを使用するのは安全ではありません。とくに以下の疾患，状態の場合には，深刻な副作用をともなうおそれがあります。

血中カルシウム高濃度：血中カルシウム濃度が高い場合の使用は安全ではありません。使用は避けてください。

血中カリウム低濃度：血中カリウム濃度が低い場合の使用は安全ではありません。使用は避けてください。

●妊娠中および母乳授乳期

妊娠中および母乳授乳期における使用は安全ではありません。使用は避けてください。

有効性

◆科学的データが不十分です

・軽度の心不全，心調律異常，痙攣，発熱，および月経障害。

●体内での働き

心臓の鼓動を抑え気味に，また強めもし，血液の供給をより効率的にします。

医薬品との相互作用

高ジゴキシン

ジゴキシンには強心作用がありますが，ゲウムもまた，心臓に影響を与えるようです。併用すると，ジゴキシンの作用が増強され，副作用も強く現れるおそれがあります。

中抗炎症薬（副腎皮質ステロイド）

ゲウムは心臓に影響を与えるようです。副腎皮質ステロイドはカリウム濃度を下げますが，カリウム値が下がると，心臓に影響し，ゲウムの副作用のリスクを高めるおそれがあります。このような副腎皮質ステロイドには，デキサメタゾン，ヒドロコルチゾン，メチルプレドニゾロン，Prednisoneなどがあります。

中刺激性下剤

ゲウムは心臓に影響を及ぼすようです。心臓の機能維持にカリウムは大切ですが，刺激性下剤は体内のカリウム濃度を下げると考えられています。カリウム値が下がると，ゲウムの副作用が現れるリスクを高めるおそれがあります。刺激性下剤には，ビサコジル，カスカラサグラダ，ヒマシ油，センナなどがあります。

中利尿薬

ゲウムは心臓に影響するようですが，利尿薬はカリウム濃度を下げることがあり，カリウム値が下がると心臓に影響して，ゲウムの副作用が現れるリスクを高めると考えられます。このような利尿薬にはクロロチアジド（販売中止），クロルタリドン（販売中止），フロセミド，ヒドロクロロチアジドなどがあります。

中カルシウムサプリメント

ゲウムは心臓の機能を促進する可能性がありますが，カルシウムもまた，心臓に影響を与えるようです。併用すると，心臓への刺激が強くなりすぎるおそれがありますから，併用してはいけません。

中キニジン硫酸塩水和物

ゲウムは心臓に影響するようですが，キニジン硫酸塩水和物もまた，心臓に影響を与えると考えられています。併用すると，深刻な心臓の異常を引き起こすおそれがあります。

ハーブおよび健康食品・サプリメントとの相互作用

カリウム

ゲウムは心拍に刺激を与えるおそれがあります。カリウムも心臓に影響を与えるおそれがあります。ゲウムとカリウムを併用すると，心臓への刺激が強くなりすぎるおそれがあります。ゲウムとカリウムを併用しないでください。

強心配糖体を含むハーブおよび健康食品・サプリメント

ゲウムは強心配糖体と呼ばれる心臓に影響を与える化学物質を含んでいます。ゲウムと心臓に影響を与えるおそれのあるほかのハーブおよび健康食品・サプリメントと併用すると，心臓を障害するおそれがあるため，併用は避けてください。このようなハーブには，クリスマスローズ，トウワタの根，ジギタリスの葉，カキネガラシ，セイヨウゴマノハグサ，ドイツスズランの根，ヤクモソウ，オレアンダー，ヤナギトウワタ，海葱の鱗片葉，ストロファンツス，およびダイオウがあります。

ツクシ

ゲウムは強心配糖体と呼ばれる化学物質を含んでいます。ツクシと，ゲウムのように強心配糖体を含むハーブおよび健康食品・サプリメントを併用すると，カリウムを過度に喪失し，心臓障害のリスクが高まる懸念があります。

甘草

ゲウムは強心配糖体と呼ばれる化学物質を含んでいます。甘草と，ゲウムのように強心配糖体を含むハーブおよび健康食品・サプリメントを併用すると，カリウムを過度に喪失し心臓障害のリスクが高まる懸念があります。

刺激性下剤ハーブおよび健康食品・サプリメント

ゲウムは強心配糖体と呼ばれる化学物質を含んでいます。刺激性下剤のような作用があるハーブおよび健康食品・サプリメントと，ゲウムのように強心配糖体を含むハーブを併用すると，カリウムを過度に喪失し，心臓障害のリスクが高まる懸念があります。このようなハーブには，アロエ，セイヨウイソノキ，ブラックルート，ブルーフラッグ，バターナットの樹皮，コロシント，ヨーロピアンバックソーン，フォーチ，ガンボジ，ゴシポール，ヒロハヒルガオ，ヤラッパ，マンナ，メキシカン・スキャモニイ・ルート，ルバーブ，センナ，およびイエロードックがあります。

使用量の目安

標準使用量に関するデータがありません。

ケーラ

KHELLA

別名ほか

アンミ（Ammi），クエラ（Ammi visnaga），ケリン（Khellin），Ammi daucoides，Bischofskrautfruchte，Bishop's Weed，Bishops Weed Fruit，Daucus Visagna，Fruits de Khella Fruit，Toothpick Ammi，Toothpick Plant，Visnaga，Visnagae，Visnagafruchte，Visnaga Fruit，Visgagin

概　要

ケーラは植物です。熟した果実を乾燥させて，「くすり」を作ることもあります。

●要説（ナチュラル・スタンダード）

ケーラ（Ammi visnaga）は，もとは古代エジプト人が栽培し，尿路障害をはじめとする多くの慢性疾患の治療に用いていました。中世には利尿薬としても用いられていました。

ケーラは，昔から果実全体が，気管支喘息，気管支炎，肺気腫，百日咳だけでなく，心疾患，月経前症候群，肝臓障害および胆のう障害の治療に用いられています。利尿を促進して尿量を増加させるためにも用いられています。それらの作用は，細い気管支の筋，冠動脈および尿管に対する抗攣縮作用が関連しています。ケーラが冠動脈を拡張し，心筋への血液供給量が増加するので，軽度の狭心症（胸痛）の治療に用いることもあります。胆のうおよび胆管の攣縮や収縮に関連する疾患の治療に用い，腎結石および胆石の排泄を促進させます。

ケーラの成分であるケリンの，冠動脈，呼吸器官および泌尿器に対する臨床的な治療効果を示す試験があります。現時点でのケーラの適応症は，軽い狭心症（胸痛）をはじめ，尿路結石症（腎結石症）の術後療法，および軽度の閉塞性肺疾患の補助治療です。

ケーラ（この植物全体か成分であるケリンのどちらが有効なのか）に関する臨床試験はほとんど実施されていませんが，従来の使用実績を考慮すれば，乾癬（慢性皮膚疾患）や血中コレステロール・血中脂質の疾患の治療に対してケーラの使用が認められるかもしれません。

安 全 性

ケーラの高用量の摂取または長期間の摂取は，おそらく安全ではありません。肝障害，吐き気，めまい感，便秘，食欲不振，頭痛，そう痒，睡眠障害，光感作（日光に対する皮膚過敏症）などの副作用を引き起こすおそれがあります。

肝疾患：ケーラが，肝疾患を悪化させるおそれがあります。肝疾患の場合には，ケーラを使用してはいけません。

●妊娠中および母乳授乳期

妊娠中の摂取は，安全ではないようです。ケーラには，子宮の収縮を引き起こすおそれのある，ケリンという化学物質が含まれています。このため，流産を引き起こすおそれがあります。

母乳授乳期の使用も避けるのが最善です。乳児に対する安全性については，データが不十分です。

有 効 性

◆科学的データが不十分です

・乾癬，白班（皮膚変色疾患），胃痙攣，腎結石，月経痛，月経前症候群（PMS），気管支喘息，気管支炎，咳，百日咳，高血圧，脈拍不整（不整脈），うっ血性心不全（CHF），狭心症（胸痛），動脈硬化，高コレステロール血症など。

●体内での働き

ケーラに含まれる物質には，血管の弛緩および拡張，心収縮の低下，肺の開放，高比重リポタンパク（HDL，善玉）コレステロールの増加，細菌，ウイルスおよび真菌への抵抗などの作用があるようです。

amiodarone，nifedipine，cromolynなど数種類の処方薬は，ケーラから作られています。

医薬品との相互作用

中ジゴキシン

ジゴキシンには強心作用があります。ケーラは心拍を遅くするようです。ケーラとジゴキシンを併用すると，ジゴキシンの効果を弱めるおそれがあります。ジゴキシンの服用中にケーラを摂取しないでください。

中肝臓を害する可能性のある医薬品

ケーラは肝臓に有害のようです。肝臓を害する可能性のある医薬品と併用すると，肝障害を起こす危険を高めますので，併用してはいけません。このような医薬品にはアセトアミノフェン，アミオダロン塩酸塩，カルバマゼピン，イソニアジド，メトトレキサート，メチルドパ水和物，フルコナゾール，イトラコナゾール，エリスロマイシン，フェニトイン，Lovastatin，プラバスタチンナトリウム，シンバスタチンなどがあります。

中光への過敏性を高める医薬品（光感作性薬）

特定の医薬品は光への過敏性を高めます。ケーラもまた光への過敏性を高める可能性があります。ケーラと光への過敏性を高める医薬品を併用すると，肌の露出した部分に日光皮膚炎，水疱，発疹を生じるリスクが高まるおそれがあります。日なたでは日焼け止めクリームを使用し，日よけの衣服を着用してください。このような医薬品には，アミトリプチリン塩酸塩，シプロフロキサシン，ノルフロキサシン，ロメフロキサシン塩酸塩，オフロキサシン，レボフロキサシン水和物，スパルフロキサシン（販売中止），ガチフロキサシン水和物，モキシフロキサシン塩酸塩，スルファメトキサゾール・トリメトプリム配合，テトラサイクリン塩酸塩，メトキサレン，トリオキシサレン（販売中止）があります。

ハーブおよび健康食品・サプリメントとの相互作用

肝臓を害するおそれのあるハーブおよび健康食品・サプリメント

ケーラは肝臓を害するおそれがあります。同様の作用をもつほかのハーブおよび健康食品・サプリメントと併用すると，肝障害のリスクが高まるおそれがあります。併用は避けてください。このようなハーブおよび健康食品・サプリメントには，ボラージ，チャパラル，ウバウルシなどがあります。

強心配糖体を含むハーブおよび健康食品・サプリメント

ハーブの中には，強心配糖体と呼ばれる，処方薬「ジゴキシン」に類似した化学物質を含むものがあります。これらの化学物質は，心拍に影響を及ぼします。ケーラは，これらの化学物質の心臓への作用を弱めるおそれがあります。このようなハーブおよび健康食品・サプリメントには，クリスマスローズ，トウワタの根，ジギタリスの葉，カキネガラシ，セイヨウゴマノハグサ，ドイツスズランの根，マザーワート，オレアンダーの葉，ゲウム，ヤナギトウワタ，海葱（カイソウ）の球根の鱗片，スターオブベツレヘム，ストロファンツスの種子，ダイオウなどがあります。

日光に対する過敏性を高めるハーブおよび健康食品・サプリメント

ケーラにより，屋外で日光皮膚炎に罹患するリスクが高まるおそれがあります。同様の作用をもつほかのハーブおよび健康食品・サプリメントと併用すると，日光皮膚炎に罹患するリスクがさらに高まるおそれがあります。このようなハーブおよび健康食品・サプリメントには，セント・ジョンズ・ワートなどがあります。併用は避けてください。

使用量の目安

通常の食品に含まれている量を超えて経口摂取した場合の安全性および副作用については，明らかになっていません。

ケール

KALE

●代表的な別名

緑葉カンラン

別名ほか

Boerenkool, Borecole, Brassica oleracea var. acephala, Brassica oleracea var. viridis, Chou Fourrager, Kale Leaf, Winter Greens

概　要

ケールは食材として通常に食される，黒い葉菜です。「くすり」としても摂取されます。

ケールは抗酸化食材として摂取され，膀胱がん，乳がん，心臓病，大腸炎，便秘，クローン病，糖尿病，二日酔い，顔面紅潮（ほてり），高コレステロール，視力低下（黄斑変性），創傷治癒に有効であると考えられています。

安　全　性

ケールの摂取は，食品に含まれている量であれば，ほとんどの人に安全のようです。「くすり」としての量を摂取する場合の安全性および副作用については，明らかではありません。

●妊娠中および母乳授乳期

妊娠中および母乳授乳期に，「くすり」としての量を摂取する場合の安全性についてはデータが不十分です。安全性を考慮し，食品の量の範囲内で摂取してください。

有　効　性

◆科学的データが不十分です

・膀胱がん，乳がん，心疾患，大腸炎，便秘，クローン病，糖尿病，二日酔い，顔面紅潮（ほてり），高コレステロール血症，黄斑変性（視力低下），創傷治癒など。

●体内での働き

ケールには，がんを予防すると考えられている化学物質が含まれています。ケールに含まれている化学物質には，抗酸化作用がある可能性もあります。

医薬品との相互作用

ほかの医薬品との相互作用については明らかではありません。

ハーブおよび健康食品・サプリメントとの相互作用

ほかのハーブ，健康食品・サプリメントとの相互作用についてはまだ明らかではありません。

使用量の目安

通常の食品に含まれている量を超えて経口摂取した場合の安全性および副作用については，明らかになってい

ません。

ケシの実

POPPY SEED

●代表的な別名

アヘン

別名ほか

Abou en Noum, Abu el Noom, Abu el-Num, Adormidera, Afyun, Ahiphenam, Amapola, Amapola Real, Anfiao, Aphioni, Aphukam, Bhainzi, Birkes, Blauwmaanzaad, Breadseed Poppy, Dormideira, Edible-Seeded Poppy, Garden Poppy, Garten Mohn, Hashhash, Herba Dormidora, Keshi, Khishkhash, Maankop, Maanzaad, Mak, Mak Lekarski, Mak Sety, Medicinal Poppy, Mohn, Oeillette, Oilseed Poppy, Oopiumjunikko, Opievallmo, Opium Poppy, Opiummohn, Opiumpapawer, Opiumvallmo, Opiumvalmue, Papaver somniferum, Papavero da Oppio, Papavero Domestico, Papavero Sonnifero, Papoula, Paragtarbuti, Pavot Officinal, Pavot Somnifere, Pavot a Opium, Pavot de Jardin, Pintacoques, Pioniunikko, Pionvallmo, Schlafmohn, Slaapbol, Slaappapver, Small Opium Poppy, Small-Flower Opium Poppy, Uniko, Vallmo, Valmuafra, Valmue, Valmue Fro, Vrtni Mak, White Poppy, Wild Poppy, Yanggwibi, Ying Su, Za Zang

概　要

ケシの実は，ケシの植物から採れる種子です。

気管支喘息，便秘，咳，感染症に起因する下痢，睡眠障害の場合に，および膀胱腸瘻の診断にケシの実を経口摂取します。

食品としては，ケシの実はケーキ，ペイストリー，フィリング，（料理の）照り，粥に使用されます。

製品としては，ケシの実油は石鹸，ペンキ，ニスに使用されます。

安 全 性

通常の食品に含まれる量の範囲でケシの実を経口摂取することは，ほとんどの成人に安全のようです。

「くすり」としての量のケシの実を経口摂取することは，おそらく安全です。飲み物もしくはヨーグルト１食分に対し，ケシの実を35～250gであれば安全に摂取できます。

●アレルギー

まれに，ケシの実を経口摂取すると，人によってはアレルギー反応を引き起こすおそれがあります。アレルギーの症状には嘔吐，口腔内の腫脹，蕁麻疹，眼の腫脹（結膜炎），呼吸困難などがあります。ケシの実を吸引すると，皮膚の発赤，皮下の腫脹などのアレルギー症状を引き起こすおそれがあります。

ケシの実にアレルギーがある場合には，ヘーゼルナッツ，ホソムギの穀粒，キウイ，ゴマ，ソバにもアレルギーがあるおそれがあります。ケシの実にアレルギーがある場合には，これらのほかの食品およびサプリメントを摂取する前に医師などに相談してください。

●妊娠中および母乳授乳期

通常の食品に含まれる量の範囲で経口摂取するのは，ほとんどの人に安全のようです。十分なデータが得られるまでは,「くすり」としての多量摂取は避けてください。

有 効 性

◆有効性レベル②

・膀胱腸瘻の診断。研究により，膀胱腸瘻を診断するためにケシの実を検査に使用できる可能性が示されています。膀胱腸瘻の疑いがある場合には，この検査として35～250gのケシの実をヨーグルトか飲み物に混ぜて摂取します。摂取後48時間尿を監視します。尿にケシの実が見られる場合，膀胱腸瘻であると診断されます。

◆科学的データが不十分です

・気管支喘息，便秘，咳，感染症に起因する下痢，睡眠障害など。

●体内での働き

ケシの実は，ある種のがんの発症を予防する可能性があります。

医薬品との相互作用

ほかの医薬品との相互作用については明らかではありません。

ハーブおよび健康食品・サプリメントとの相互作用

ほかのハーブ，健康食品・サプリメントとの相互作用についてはまだ明らかではありません。

使用量の目安

●経口摂取

膀胱腸瘻の診断

飲み物またはヨーグルトに，ケシの実を35～250g混ぜて経口摂取します。摂取後48時間尿を監視してください。

ケチョウセンアサガオ

DATURA WRIGHTII

別名ほか

California Jimson Weed, Hairy Thorn Apple, Hoary

Thorn Apple, Recurved Thorn Apple, Sacred Thorn Apple, Stramoine de Wright

概　要

ケチョウセンアサガオは植物です。葉および根を用いて「くすり」を作ることもあります。

一般的に安全ではないとみなされていますが，ケチョウセンアサガオは，幻覚剤や，食欲不振の医薬品として経口摂取されています。

皮膚疾患に対し，皮膚に塗布されることもあります。

歴史的には，米国の原住民文化の通過儀礼の儀式において，幻覚を引き起こすために用いられてきました。

安 全 性

ケチョウセンアサガオの経口摂取は，安全ではないようです。ケチョウセンアサガオには，有毒なおそれがある化学物質が含まれています。

口内乾燥，瞳孔の拡大，霧視，呼吸困難，幻覚，パニックなどの副作用を引き起こすおそれや，死に至るおそれもあります。

うっ血性心不全（CHF）：ケチョウセンアサガオが，頻拍（心拍数が高い状態）を引き起こし，うっ血性心不全を悪化させるおそれがあります。

便秘：ケチョウセンアサガオが，便秘を悪化させるおそれがあります。

ダウン症候群：ダウン症候群患者は，ケチョウセンアサガオに含まれる潜在的に有毒な化学物質やその有害作用にとくに敏感であるおそれがあります。

食道逆流：ケチョウセンアサガオが，食道逆流を悪化させるおそれがあります。

発熱：発熱がある場合には，ケチョウセンアサガオにより，過度に発熱するリスクが高まるおそれがあります。

胃潰瘍：ケチョウセンアサガオが，胃潰瘍を悪化させるおそれがあります。

消化管（GI）感染症：ケチョウセンアサガオにより，腸内容排出が遅くなり，感染症の原因となる細菌やウイルスの滞留を引き起こすおそれがあります。

消化管（GI）閉塞：ケチョウセンアサガオが，閉塞性消化管疾患（無緊張弛緩，麻痺性イレウス，狭窄など）を悪化させるおそれがあります。

裂孔ヘルニア：ケチョウセンアサガオが，裂孔ヘルニアを悪化させるおそれがあります。

狭隅角緑内障：ケチョウセンアサガオが，狭隅角緑内障を悪化させるおそれがあります。

精神疾患：ケチョウセンアサガオが，精神疾患を悪化させるおそれがあります。

頻拍（心拍数が高い状態）：ケチョウセンアサガオが，頻拍を悪化させるおそれがあります。

手術：ケチョウセンアサガオが，呼吸を遅くするおそれがあります。手術中に用いられる医薬品も，呼吸を遅くすることがあります。ケチョウセンアサガオと手術中に用いられる医薬品を併用すると，呼吸が過度に遅くなるおそれがあります。少なくとも手術前２週間は，使用しないでください。

潰瘍性大腸炎：ケチョウセンアサガオが，潰瘍性大腸炎の合併症を進行させるおそれがあります。

尿閉（排尿困難）：ケチョウセンアサガオが，尿閉を悪化させるおそれがあります。

●妊娠中および母乳授乳期

妊娠中および母乳授乳期のケチョウセンアサガオの経口摂取は，安全ではないようです。ケチョウセンアサガオには，有毒なおそれがある化学物質が含まれているため，深刻な副作用を引き起こすおそれがあります。

有 効 性

◆科学的データが不十分です

・食欲増進，皮膚疾患など。

●体内での働き

ケチョウセンアサガオには，神経系の機能を妨げるおそれがある化学物質が含まれています。神経系により調節されている身体機能には，唾液分泌，発汗，瞳孔の大きさ，排尿，消化機能などがあります。

医薬品との相互作用

中口渇作用などの乾燥作用のある医薬品（抗コリン薬）

ケチョウセンアサガオには，乾燥作用を引き起こす化学物質が含まれます。また，脳および心臓に影響を及ぼします。抗コリン薬と呼ばれる口渇などの乾燥作用のある医薬品も，これらの作用を引き起こします。ケチョウセンアサガオとこのような医薬品を併用すると，乾燥肌，めまい，低血圧，動悸などの副作用や他の重大な副作用を発現させる可能性があります。このような医薬品にはアトロピン硫酸塩水和物，スコポラミン臭化水素酸塩水和物，特定の抗アレルギー薬（抗ヒスタミン薬），特定の抗うつ薬などがあります。

中手術中に用いられる医薬品（麻酔薬）

ケチョウセンアサガオは呼吸を遅くする可能性があります。手術中に用いられる医薬品もまた，呼吸を遅くする可能性があります。ケチョウセンアサガオと手術中に用いられる医薬品を併用すると，呼吸が過度に遅くなるおそれがあります。手術の少なくとも２週間前からケチョウセンアサガオを摂取しないでください。

ハーブおよび健康食品・サプリメントとの相互作用

ほかのハーブ，健康食品・サプリメントとの相互作用についてはまだ明らかではありません。

使用量の目安

通常の食品に含まれている量を超えて経口摂取した場合の安全性および副作用については，明らかになっていません。

ケッパー

CAPERS

別名ほか

ケイパー，フウチョウボク（Capparis spinosa），Cabra，Cappero，Himsra

概　　要

ケッパーは植物です。まだ開花していない蕾や地上部が「くすり」として使用されます。

ケッパーは，食品として，また風味付けに使用されます。

●要説（ナチュラル・スタンダード）

ケッパーは，伝統的に，ガス，肝機能，心疾患，腎疾患，寄生虫感染，貧血，関節炎，痛風，強壮などのために使用されてきました。ケッパーはまた，低血糖治療にも使用されてきました。ケッパーの，酸化防止，肝臓保護，抗炎症，抗菌，および日焼け予防効果を示す初期の研究があります。

酸化第二鉄やケッパーなど，他のハーブ成分が含まれている併用療法リブ52R（ヒマラヤ漢方，インド）は，肝硬変のための効果的な治療法の可能性があります。ケッパーのみを使用した肝硬変やその他の疾患での有効性は，まだ証明されていません。

安　全　性

食品として摂取する場合は，ほとんどの人に安全のようです。「くすり」としての量の摂取の安全性については，データが不十分です。皮疹および皮膚過敏を引き起こすおそれがあります。

糖尿病：糖尿病患者の血糖コントロールに影響を与えるおそれがあります。糖尿病に罹患していてケッパーを使用する場合は，血糖値を注意深く監視してください。

手術：ケッパーは，血糖値に影響を与えるおそれがあるため，手術中および術後の血糖コントロールを妨げるおそれがあります。少なくとも手術前２週間は，使用しないでください。

●妊娠中および母乳授乳期

通常の食品の量の範囲で経口摂取するのは安全のようです。ただし，「くすり」としての高用量摂取の安全性についてはデータが不十分です。十分なデータが得られるまでは，食品の量の範囲内で摂取してください。

有　効　性

◆科学的データが不十分です

・糖尿病，真菌感染，胸部うっ血，腸内寄生虫，リーシュマニア症（寄生虫による皮膚疾患）など。

・直接塗布する場合には，皮膚疾患，皮膚表面付近の血流の改善，乾燥皮膚など。

●体内での働き

血糖値のコントロールに役立つ可能性のある化学物質が含まれています。また，抗酸化作用をもつ可能性があります。

医薬品との相互作用

中 糖尿病治療薬

ケッパーは血糖値を低下させる可能性があります。糖尿病治療薬もまた血糖値を低下させるために用いられます。ケッパーと糖尿病治療薬を併用すると，血糖値が過度に低下するおそれがあります。血糖値を注意深く監視してください。糖尿病治療薬の用量を変更する必要があるかもしれません。このような糖尿病治療薬にはグリメピリド，グリベンクラミド，インスリン，ピオグリタゾン塩酸塩，マレイン酸ロシグリタゾン（販売中止），クロルプロパミド，Glipizide，トルブタミド（販売中止）などがあります。

ハーブおよび健康食品・サプリメントとの相互作用

血糖値を低下させるおそれのあるハーブおよび健康食品・サプリメント

ケッパーは血糖値を低下させるおそれがあります。同様の作用をもつほかのハーブと併用すると，血糖値が過度に低下するおそれがあります。このようなハーブには，デビルズクロー，フェヌグリーク，グアーガム，朝鮮人参，エゾウコギなどがあります。これらのいずれかとケッパーとの併用は避けてください。

使用量の目安

通常の食品に含まれている量を超えて経口摂取した場合の安全性および副作用については，明らかになっていません。

ケトグルタルオルニチン

ORNITHINE KETOGLUTARATE

別名ほか

アルファ・ケトグルタル酸オルニチン（Ornithine alpha ketoglutarate），OKG，Ornicetil，L-ornithine alpha-ketoglutarate，L(+)-Ornithine alpha-ketoglutarate

概　　要

ケトグルタルオルニチンはアミノ酸です。アミノ酸は体内のタンパク質を構成します。ケトグルタルオルニチンは体内で合成されます。化学的に合成することもできます。「くすり」として使用されることもあります。

ケトグルタルオルニチンと，オルニチンを混同してはいけません。

●要説（ナチュラル・スタンダード）

ケトグルタルオルニチンは，体内では合成されません。代謝における重要な働きがあるとされている２種類のアミノ酸，オルニチンとα-ケトグルタール酸を組み合わせて作ります。

ケトグルタルオルニチンは，熱傷および創傷の治療や，外傷，脳卒中，手術後の筋タンパクの生産を促進するため，および長期にわたって経静脈的に栄養摂取をしている（完全静脈栄養，あるいはTPNと呼ばれています）小児の成長を促進するために用いられます。大きな外傷，病気，および脳疾患からの回復に関する研究がなされています。運動パフォーマンス改善，筋肉増強のために用いられることもしばしばありますが，有効性を結論付けるにはさらなる研究が必要です。

安全性

十分なデータが得られていないので，経口の際の安全性については不明です。

医師が行う静脈注射なら，ほとんどの人に安全のようです。

●妊娠中および母乳授乳期

妊娠中および母乳授乳期の使用の安全性についてはデータが不十分です。安全性を考慮し，摂取は避けてください。

有効性

◆有効性レベル③

・熱傷の患者の傷の回復。

◆有効性レベル④

・運動能力の向上。

◆有効性レベル⑤

・肝疾患が原因の精神的変化の治療。これは，医師が経静脈投与を行った場合です。

◆科学的データが不十分です

・手術の合併症または長期にわたる静脈からの栄養補給。

・小児が長期にわたり経静脈投与により摂取する場合には，著しい成長の遅れを防止する効果。

●体内での働き

タンパク質構成物質であるアミノ酸の体内での反応経路を変えます。インスリン，血糖値を調整するホルモンを増加させる効果もあります。

医薬品との相互作用

ほかの医薬品との相互作用については明らかではありません。

ハーブおよび健康食品・サプリメントとの相互作用

ほかのハーブ，健康食品・サプリメントとの相互作用についてはまだ明らかではありません。

使用量の目安

●経口摂取

熱傷

１日30gを投与します。

●経静脈投与

長期間にわたり中心静脈栄養法を受けている小児における成長遅延を予防する目的で，１日15gを中心静脈栄養法に追加します。手術後に骨格筋のタンパク質生成を促す目的で，１日350mg/kgを中心静脈栄養法に追加します。人工股関節置換術後に筋肉中の遊離グルタミン酸量の低下を予防し，タンパク質生成を維持する目的で，１日280mg/kgを中心静脈栄養法に追加します。

ゲニスチン配糖体

GENISTEIN COMBINED POLYSACCHARIDE

別名ほか

発酵イソフラボン（Fermented isoflavone），Basidiomycetes polysaccharide，Fermented genistein，GCP，Genistein polysaccharide，Isoflavone combined polysaccharide，Soy isofla-vone polysaccharide

概要

ゲニスチン配糖体は，発酵した大豆のエキスです。

安全性

どのように作用するかについては十分なデータが得られていません。

乳がん，子宮がん，卵巣がん，子宮内膜症，および子宮筋腫などのホルモン感受性の症状：ゲニスチン配糖体は，エストロゲン様作用をすることがあります。エストロゲンにより悪化するような症状がある場合は，ゲニスチン配糖体を使用しないでください。

●妊娠中および母乳授乳期

妊娠中および母乳授乳期のゲニスチン配糖体の使用の安全性についてはデータが不十分です。安全性を考慮し，使用を控えてください。

有効性

◆科学的データが不十分です

・前立腺がん。ゲニスチン配糖体を６週間使用して，１名の前立腺がん患者に有効だったようです。前立腺がんが縮小し，細胞検査でも改善が示唆されました。

・乳がん。

●体内での働き

特定のホルモンを減少させることにより，ある種のがんに作用することがあります。

医薬品との相互作用

ほかの医薬品との相互作用については明らかではありません。

ハーブおよび健康食品・サプリメントとの相互作用

ほかのハーブ，健康食品・サプリメントとの相互作用についてはまだ明らかではありません。

使用量の目安

●経口摂取

前立腺がん

1日1.5gを摂取します。

ケノポジ油

CHENOPODIUM OIL

別名ほか

アリタソウ，有田草，ケアリタソウ（Chenopodium ambrosioides），アカザ（Chenopodium ambrosioides Anthelminticum）

概　　要

ケノポジはハーブです。抽出されたオイルが「くすり」として用いられることもあります。研究者の間では，ケノポジ油は，植物の生のままの花，果実からとったオイルのことなのか，種子からとったオイルのことか見解が一致していません。

安 全 性

安全ではありません。非常に毒性のあるアスカリドールを含んでいます。皮膚や口，のど，胃や腸の壁に炎症を起こし，嘔吐，頭痛，めまい，腎臓および肝臓障害，一時的な難聴，痙攣，麻痺，さらに命にかかわる副作用を引き起こします。

熱を加えたり酸と混ぜると，爆発するおそれがあります。

●妊娠中および母乳授乳期

ケノポジ油の使用は，すべての人に安全ではありません。有毒な成分が含まれているので，とくに妊娠中および母乳授乳期には，使用しないでください。

有 効 性

◆科学的データが不十分です

・腸内寄生虫の処置。

●体内での働き

腸内の寄生虫を麻痺させるという働きをするようです。

医薬品との相互作用

中 光への過敏性を高める医薬品（光感作性薬）

光への過敏性を高める医薬品がありますが，ケノポジ油を局所使用したときにも光への過敏性を高めることがあります。光への過敏性を高める医薬品と併用すると，肌の露出した部分に日光皮膚炎，水疱，発疹を生じるリスクが高まるおそれがあります。太陽の下で過ごすときには，必ず日焼け止めクリームを使用し，肌を隠す衣服を着用してください。このような医薬品には，アミトリプチリン塩酸塩，シプロフロキサシン，ノルフロキサシン，ロメフロキサシン塩酸塩，オフロキサシン，レボフロキサシン水和物，スパルフロキサシン（販売中止），ガチフロキサシン水和物，モキシフロキサシン塩酸塩，スルファメトキサゾール・トリメトプリム配合，テトラサイクリン塩酸塩，メトキサレン，トリオキシサレン（販売中止）があります。

ハーブおよび健康食品・サプリメントとの相互作用

ほかのハーブ，健康食品・サプリメントとの相互作用についてはまだ明らかではありません。

使用量の目安

標準使用量に関するデータがありません。

ケフィア

KEFIR

別名ほか

発酵乳製品（Fermented Dairy Product），発酵乳（Fermented Milk），ケフィアチーズ（Kefir Cheese），ケフィアヨーグルト（Kefir Yogurt），Kefir Grains

概　　要

ケフィアはミルクの発酵製品です。

●要説（ナチュラル・スタンダード）

ケフィアは，牛乳にケフィア粒を加えて発酵させることにより製造される体に良い飲料です。ケフィア粒は，細菌，酵母など多糖類の混合物で，中東の多くの地域で人気があります。「ケフィア」という語はトルコ語で「気分が良い」という意味で，「牛乳」「泡（froth）」「泡（foam）」を意味するトルコ語のkopurに由来すると考えられています。ケフィアは，典型的には酸味とさわやかな風味があり，二酸化炭素が自然に発生することから少し炭酸化しており，牛乳よりもやや濃い目です。味は，酸味があり，濃くてクリーミーと表現されます。果実での味付けも可能ですが，天然のケフィアは甘くありません。

ケフィアは，ヨーグルトよりもより栄養価が高くて治療にも使用可能です。ケフィアは，完全なタンパク質，必須ミネラル，重要なビタミンBを供給します。ケフィアに含まれる体に良い細菌は，部分的に多くの乳タンパク質を消化し，他の乳製品よりも容易に体内で活用されます。現時点では，どのような適応症についてもケフィアの使用を裏付ける，ヒトでの質の高い研究は不十分です。どのような健康上の疾患治療にこの製品を服用するかの結論を得る前に，より良く計画された臨床試験が必要です。

安全性

ケフィアは，6カ月を上限に使用すればほとんどの大人にとって安全です。1歳から5歳までの小児は，10日間を上限に使用すれば安全な可能性があります。

腸の痙攣や便秘が起こるかもしれません。これはとくに，初めて使用する場合に見られます。

エイズ，および免疫系を弱める他の疾患：ケフィアには成長が速いバクテリアやイーストが含まれています。免疫系の弱い人は，こうしたバクテリアやイーストが原因で感染症を発症するおそれがより高くなります。

●妊娠中および母乳授乳期

妊娠中および母乳授乳期におけるケフィアの使用に関しては，十分知られていません。安全を考慮し，使用は避けてください。

有効性

◆有効性レベル⑤

・血清中のコレステロール値を低下。

◆科学的データが不十分です

・特定のケフィア含有飲料（商品名：プロバグズ，ライフウェイフーズ社）が，抗生物質によって小児の下痢が減らなかったという研究もあります。

・乳糖不耐症，消化の改善。

●体内での働き

発育菌や酵母菌を含んでいます。ミルクに作用して，食物の消化行程に影響を与える酵素や化合物の分泌を引き出します。

医薬品との相互作用

低ジスルフィラム

ケフィアはアルコールを含む可能性があります。アルコールは体内で代謝されてから排泄されます。ジスルフィラムはアルコールの代謝を抑制する可能性があります。ケフィアとジスルフィラムを併用すると，頭痛，嘔吐，皮膚の紅潮などの不快な反応を引き起こすおそれがあります。ジスルフィラムを服用中にアルコールを摂取しないでください。

中免疫抑制薬

ケフィアは生菌や酵母を含みます。免疫機能は通常，体内の細菌および酵母を制御して感染を防ぎます。免疫抑制薬は細菌や酵母に起因する病気にかかるリスクを高めます。ケフィアと免疫抑制薬を併用すると，病気にかかる可能性が高くなるおそれがあります。このような免疫抑制薬には，アザチオプリン，バシリキシマブ，シクロスポリン，Daclizumab，ムロモナブ-CD3（販売中止），ミコフェノール酸モフェチル，タクロリムス水和物，シロリムス，Prednisone，副腎皮質ステロイドなどがあります。

ハーブおよび健康食品・サプリメントとの相互作用

ほかのハーブ，健康食品・サプリメントとの相互作用についてはまだ明らかではありません。

使用量の目安

●経口摂取

脂質異常症

1日125～500mLを最長6カ月間摂取します。

ケブラコ

QUEBRACHO

別名ほか

インヘニエロ・フアレスケブラーチョ・ブランコ（Aspidosperma Quebracho-blanco），Quebracho Blanco，White Quebracho

概要

ケブラコは植物です。樹皮が「くすり」として使用されることもあります。キョウチクトウ科の白ケブラコ（Quebracho Blanco）をウルシ科の赤ケブラコ（Quebracho Colorado）と混同しないよう注意してください。どちらもケブラコという名前が付いていますが，異なった化学物質を含んでいます。この情報は白ケブラコにも関係あります。

食品や飲料には，風味付けとして使用されます。

安全性

ケブラコは，食品の量としての摂取は安全です。

十分な情報が得られていないため，薬用量が安全かどうかは不明です。よだれ，頭痛，激しい発汗，めまい，知覚障害，眠気などの副作用を引き起こす場合があります。

多量に摂取すると，悪心や嘔吐が起こるかもしれません。

●妊娠中および母乳授乳期

食品に含まれる量を摂取するのは安全ですが，「くすり」として高用量摂取の安全性についてのデータは，不十分です。安全性を考慮して，妊娠中および母乳授乳期の場合，食品の量の範囲内で摂取してください。

有効性

◆科学的データが不十分です

・気管支喘息，肺疾患，咳，高血圧症，痙攣，体液貯留，月経痛，発熱，性欲増進など。

●体内での働き

どのように作用するかについては十分なデータが得られていません。

医薬品との相互作用

ほかの医薬品との相互作用については明らかではありません。

ハーブおよび健康食品・サプリメントとの相互作用

ほかのハーブ，健康食品・サプリメントとの相互作用についてはまだ明らかではありません。

使用量の目安

●経口摂取

エキスまたは粉末を気管支治療と併用します。

ケルセチン

QUERCETIN

別名ほか

柑橘類バイオフラボノイド（Citrus Bioflavonoids），シトラスバイオフラボノイド（Citrus Bioflavonoid），Meletin（メレチン），Sophretin

概　要

ケルセチンは，植物の色素（フラボノイド）です。赤ワイン，タマネギ，緑茶，リンゴ，ベリー類，イチョウ葉，セント・ジョンズ・ワート，アメリカニワトコなどの植物や食べ物の多くに含まれています。そば茶はケルセチンを大量に含んでいます。「くすり」として使用されることもあります。ケルセチンは，「動脈硬化」（アテローム性動脈硬化症），高コレステロール，心臓疾患，および循環障害など，心臓および血管の改善に使用されます。ケルセチンは，糖尿病，白内障，花粉症，消化性潰瘍，統合失調症，炎症，喘息，痛風，ウイルス感染症，慢性疲労症候群（CFS），がん予防，前立腺の慢性感染症改善などのために使用されます。また，耐久性向上や運動能力改善のためにも使用されます。

●要説（ナチュラル・スタンダード）

ケルセチンは主要なフラボノールの1つであり，赤ワインや，タマネギ，緑茶，リンゴ，ベリー類，アブラナ属の野菜（キャベツ，ブロッコリー，カリフラワー，カブ）など，植物由来の食物に含まれる，約4,000種のフラボノイド（抗酸化物質）の1つです。ケルセチンはまたギンコ・ビローバ（Ginkgo biloba），セント・ジョンズ・ワート，アメリカンエルダーにも含まれます。

ケルセチンとルチンは，多くの国で血管保護薬「Vasoprotectants」として使用され，多くのマルチビタミン剤やハーブ薬の原料となっています。主にグリコシドとして作用し，それは糖との結びつきを意味します。しかし，体がこの化合物を吸収できるかはよくわかっていません。

ケルセチンと他のフラボノールには，さまざまな生物学的作用がありますが，病気予防や治療への使用についての科学的根拠は十分ではありません。心血管疾患，高コレステロール，糖尿病性白内障，炎症，虚血性傷害，慢性前立腺炎，慢性静脈不全，胃腸潰瘍，肝炎，アレルギー，気管支喘息，ウイルス感染，花粉症の治療が目的とされています。

文献を検索すると，これまでケルセチンについて，冠動脈疾患，脳卒中，高血圧症，および，その他の疾患のリスク軽減に関するいくつかの研究があります。しかしながらいずれも，しっかりした科学的根拠には欠けるようです。

・新型コロナウイルス感染症（COVID-19）。
　COVID-19に対してケルセチンの使用を裏付ける十分なエビデンス（科学的根拠）はありません。

安全性

経口で500mgを1日2回まで摂取するなら，ほとんどの人に安全です。

多量摂取が安全かどうかは不明です。ケルセチンは，頭痛や手足のうずきを起こすかもしれません。

かなり大量に摂取すると，腎臓に損傷を受ける可能性があります。

短期間の経口摂取であれば，ほとんどの人に安全のようです。500mgを1日に2回，12週間までなら安全であるとの報告があります。長期間やそれ以上の摂取量については知見がありません。

ケルセチンは頭痛および四肢の刺痛を引き起こす可能性があります。大量摂取で肝臓障害を引き起こす可能性があります。

静脈注射で適量（722mg以下）を投与する場合，おそらく安全です。静脈注射で大量投与した場合にはおそらく安全ではありません。

●妊娠中および母乳授乳期

妊娠中，母乳授乳期は使用してはいけません。

有効性

◆有効性レベル③

・前立腺痛および前立腺の炎症（腫脹）。ケルセチンを経口摂取すると，感染が原因ではない前立腺の障害による痛みが軽減され，生活の質（QOL）を改善しますが，排尿の障害は改善しないようです。

◆科学的データが不十分です

・心疾患。紅茶，タマネギ，リンゴなどのケルセチンが豊富な食品を食べることは，高齢男性における心疾患関連死のリスクを減らせることを示している研究もあります。しかしながら，他の初期の研究は，毎日ケルセチンサプリメントを服用しても，心疾患リスク因子が改善しないことを示唆しています。
・高コレステロール。ケルセチンサプリメントの短期使用は，LDL-コレステロールと，総コレステロールを低下させる，あるいはHDL-コレステロールを上昇させることはないようです。
・高血圧症。未治療の軽症高血圧の人が１日２回ケルセチンアグリコン365mgを摂取すると，血圧が下がる（５～７mmHg）ことを示す研究があります。これがどの程度重要なのかは不明です。
・運動に関連する呼吸器感染症。自転車による激しい運動をする３週間前から１日２回ケルセチン500mgを摂取し，運動を開始してから３日間摂取を続けると，運動後14日間の上気道感染症の発症数が減少することを示す開発研究があります。
・腎臓移植。腎臓移植の24時間以内に１日１回または２回ケルセチン20mgと480mgのクルクミンの併用を開始し，１カ月間継続し，拒絶抑制薬と併用すると，移植された腎臓の早期の機能が改善することを示唆する研究があります。
・肺がん。食事でケルセチンを大量に摂取することで，とくに喫煙男性の肺がんリスクを減らす可能性があることを示唆する研究があります。
・卵巣がん。食事からのケルセチン摂取と卵巣がんリスクに関連を認めない研究が１つあります。
・膵臓がん。食事でケルセチンを大量に摂取することで，とくに喫煙男性の膵臓がんリスクを減らす可能性があることを示す研究があります。
・運動耐久，動脈硬化（アテローム性動脈硬化症），糖尿病，白内障，花粉症（アレルギー性鼻炎），胃と腸の潰瘍，統合失調症，痛みや腫れ（炎症），気管支喘息，痛風，ウイルス感染症，慢性疲労症候群，がん，など。

●体内での働き

抗酸化作用および抗炎症作用をもち，前立腺の炎症緩和に役立つ可能性があります。

医薬品との相互作用

中キノロン系抗菌薬

ケルセチンと特定の抗菌薬を併用すると，抗菌薬の効果が弱まるおそれがあります。ケルセチンが抗菌薬の抗菌作用を妨げるおそれがあると考える研究者もいます。しかし，このことが大きな問題であるかどうかについては，まだ明らかではありません。このような抗菌薬には，シプロフロキサシン，Gemifloxacin，レボフロキサシン水和物，モキシフロキサシン塩酸塩などがあります。

中シクロスポリン

ケルセチンはシクロスポリンの代謝を抑制する可能性があります。ケルセチンとシクロスポリンを併用すると，シクロスポリンの作用および副作用が増強するおそれがあります。

中ワルファリンカリウム

ケルセチンは体内でのワルファリンカリウムの作用を促進する可能性があります。ケルセチンとワルファリンカリウムを併用すると，ワルファリンの副作用（紫斑および出血など）のリスクが高まるおそれがあります。

中肝臓で代謝される医薬品（シトクロムP450 2C8（CYP2C8）の基質となる医薬品）

特定の医薬品は肝臓で代謝されます。ケルセチンはこのような医薬品の代謝を抑制する可能性があります。ケルセチンと肝臓で代謝される医薬品を併用すると，医薬品の作用および副作用が増強するおそれがあります。肝臓で代謝される医薬品を服用する場合には，医師や薬剤師に相談することなくケルセチンを摂取しないでください。このような医薬品には，パクリタキセル，マレイン酸ロシグリタゾン（販売中止），アミオダロン塩酸塩，ドセタキセル水和物，トレチノイン，レパグリニド，ベラパミル塩酸塩などがあります。

中肝臓で代謝される医薬品（シトクロムP450 2C9（CYP2C9）の基質となる医薬品）

特定の医薬品は肝臓で代謝されます。ケルセチンはこのような医薬品の代謝を抑制する可能性があります。ケルセチンと肝臓で代謝される医薬品を併用すると，医薬品の作用および副作用が増強するおそれがあります。肝臓で代謝される医薬品を服用する場合には，医師や薬剤師に相談することなくケルセチンを摂取しないでください。このような医薬品には，セレコキシブ，ジクロフェナクナトリウム，フルバスタチンナトリウム，Glipizide，イブプロフェン，イルベサルタン，ロサルタンカリウム，フェニトイン，ピロキシカム，タモキシフェンクエン酸塩，トルブタミド（販売中止），トラセミド，ワルファリンカリウムなどがあります。

中肝臓で代謝される医薬品（シトクロムP450 2D6（CYP2D6）の基質となる医薬品）

特定の医薬品は肝臓で代謝されます。ケルセチンはこのような医薬品の代謝を抑制する可能性があります。ケルセチンと肝臓で代謝される医薬品を併用すると，医薬品の作用および副作用が増強するおそれがあります。肝臓で代謝される医薬品を服用する場合には，医師や薬剤師に相談することなくケルセチンを摂取しないでください。このような医薬品には，アミトリプチリン塩酸塩，コデインリン酸塩水和物，フレカイニド酢酸塩，ハロペリドール，イミプラミン塩酸塩，メトプロロール酒石酸塩，オンダンセトロン塩酸塩水和物，パロキセチン塩酸塩水和物，リスペリドン，トラマドール塩酸塩，ベンラファキシン塩酸塩などがあります。

中肝臓で代謝される医薬品（シトクロムP450 3A4（CYP3A4）の基質となる医薬品）

特定の医薬品は肝臓で代謝されます。ケルセチンはこのような医薬品の代謝を変化させる可能性があります。ケルセチンと肝臓で代謝される医薬品を併用すると，医薬品の作用および副作用が強弱するおそれがあります。肝臓で代謝される医薬品を服用する場合には，医師や薬剤師に相談することなくケルセチンを摂取しないでください。このような医薬品には，カルシウム拮抗薬（ジルチアゼム塩酸塩，ニカルジピン塩酸塩，ベラパミル塩酸塩），化学療法薬（エトポシド，パクリタキセル，ビンブラスチン硫酸塩，ビンクリスチン硫酸塩，ビンデシン硫酸塩），抗真菌薬（ケトコナゾール，イトラコナゾール），グルココルチコイド，Alfentanil，フェンタニルクエン酸塩，ロサルタンカリウム，塩酸フルオキセチン（販売中止），ミダゾラム，オメプラゾール，ランソプラゾール，オンダンセトロン塩酸塩水和物，プロプラノロール塩酸塩，フェキソフェナジン塩酸塩，アミトリプチリン塩酸塩，アミオダロン塩酸塩，Citalopram，塩酸セルトラリン，クエチアピンフマル酸塩など数多くあります。

中降圧薬

ケルセチンは血圧を低下させるようです。ケルセチンと降圧薬を併用すると，血圧が過度に低下するおそれがあります。このような降圧薬には，カプトプリル，エナラプリルマレイン酸塩，ロサルタンカリウム，バルサルタン，ジルチアゼム塩酸塩，アムロジピンベシル酸塩，ヒドロクロロチアジド，フロセミドなど数多くあります。

中細胞内のポンプによって輸送される医薬品（P糖タンパク質の基質となる医薬品）

ケルセチンは特定の医薬品の代謝に影響を及ぼす可能性があります。ケルセチンはこのような医薬品の生物学的利用能を高め，また，体内滞留時間を長引かせる可能性があります。このような医薬品には，パクリタキセル，ジルチアゼム塩酸塩，シクロスポリン，サキナビルメシル酸塩，ジゴキシン，抗悪性腫瘍薬（エトポシド，ビンブラスチン硫酸塩，ビンクリスチン硫酸塩，ビンデシン硫酸塩），抗真菌薬（ケトコナゾール，イトラコナゾール），プロテアーゼ阻害薬（アンプレナビル，インジナビル硫酸塩エタノール付加物（販売中止），ネルフィナビルメシル酸塩），H２受容体拮抗薬（シメチジン，ラニチジン塩酸塩），ベラパミル塩酸塩，副腎皮質ステロイド，エリスロマイシン，フェキソフェナジン塩酸塩，ロペラミド塩酸塩，キニジン硫酸塩水和物，クエチアピンフマル酸塩などがあります。

中クエチアピンフマル酸塩

ケルセチンはクエチアピンフマル酸塩の濃度を上昇させる可能性があります。ケルセチンとクエチアピフマル酸塩を併用すると，クエチアピンフマル酸塩の作用および副作用が増強するおそれがあります。

中ロサルタンカリウム

ケルセチンはロサルタンカリウムの体内への吸収量を増加させ，その代謝を抑制する可能性があります。ロサルタンカリウムは通常，ほかの化学物質（活性代謝物）に代謝され，その化学物質は血圧に対してロサルタンカリウムより強い作用があります。ケルセチンがロサルタンカリウムの体内での代謝を抑制することで，ロサルタンカリウムの活性代謝物の濃度が低下するおそれがあります。ケルセチンとロサルタンカリウムを併用すると，ロサルタンカリウムの活性代謝物の作用が減弱する一方で，ロサルタンカリウムの作用および副作用が増強するおそれがあります。

中ジクロフェナクナトリウム

ケルセチンはジクロフェナクナトリウムの代謝を抑制する可能性があります。ケルセチンとジクロフェナクナトリウムを併用すると，ジクロフェナクナトリウムの作用および副作用が増強するおそれがあります。

中糖尿病治療薬

ケルセチンは糖尿病患者の血糖値を低下させる可能性があります。糖尿病治療薬も血糖値を低下させるために用いられます。ケルセチンと糖尿病治療薬を併用すると，血糖値が過度に低下するおそれがあります。血糖値を注意深く監視してください。糖尿病治療薬の用量を変更する必要があるかもしれません。このような糖尿病治療薬には，グリメピリド，グリベンクラミド，インスリン，ピオグリタゾン塩酸塩，マレイン酸ロシグリタゾン（販売中止），クロルプロパミド，Glipizide，トルブタミド（販売中止）などがあります。

中細胞内のポンプによって輸送される医薬品（有機アニオン輸送ポリペプチドの基質となる医薬品）

特定の医薬品は細胞内のポンプによって輸送されます。ケルセチンはポンプの働きを変化させ，このような医薬品の体内からの排泄量に影響を及ぼす可能性があります。そのため，医薬品の血中滞留時間が長引き，医薬品の作用および副作用が増強するおそれがあります。このような医薬品には，ボセンタン水和物，セリプロロール塩酸塩，エトポシド，フェキソフェナジン塩酸塩，ニューキノロン系抗菌薬，グリベンクラミド，イリノテカン塩酸塩水和物，メトトレキサート，パクリタキセル，サキナビルメシル酸塩，リファンピシン，スタチン系薬，Talinolol，トラセミド，トログリタゾン（販売中止），バルサルタンなどがあります。

中ミダゾラム

ケルセチンはミダゾラムの体内での代謝を促進する可能性があります。ケルセチンとミダゾラムを併用すると，ミダゾラムの作用が減弱するおそれがあります。

中プラバスタチンナトリウム

特定の医薬品は肝臓に取り込まれて，代謝され，そして排泄されます。ケルセチンはプラバスタチンナトリウムの取込みを抑制する可能性があります。そのため，プラバスタチンナトリウムの血中滞留時間が長くなり，プラバスタチンナトリウムの作用および副作用が増強するおそれがあります。

中細胞内のポンプによって輸送される医薬品（有機アニオン輸送の基質となる医薬品（OAT１））

特定の医薬品は細胞内のポンプによって輸送されま

ケ

す。ケルセチンはポンプの働きを変化させ，このような医薬品の体内からの排泄量に影響を及ぼす可能性があります。そのため，医薬品の血中滞留時間が長引き，医薬品の作用および副作用が増強するおそれがあります。このような医薬品には，シプロフロキサシン，イブプロフェン，メトトレキサート，プラバスタチンナトリウムなどがあります。

中細胞内のポンプによって輸送される医薬品（有機アニオン輸送の基質となる医薬品（OAT3））

特定の医薬品は細胞内のポンプによって輸送されます。ケルセチンはポンプの働きを変化させ，このような医薬品の体内からの排泄量に影響を及ぼす可能性があります。そのため，医薬品の血中滞留時間が長引き，医薬品の作用および副作用が増強するおそれがあります。このような医薬品には，アデホビル ピボキシル，ジドブジン，シプロフロキサシン，メトトレキサート，プラバスタチンナトリウムなどがあります。

ハーブおよび健康食品・サプリメントとの相互作用

血圧を下げる可能性があるハーブやサプリメント

ケルセチンは，高血圧の人の血圧をわずかに下げる可能性があります。血圧を下げる他のハーブやサプリメントと一緒にケルセチンを摂取すると，血圧が低くなりすぎるおそれがあります。 血圧を下げる可能性がある他のハーブやサプリメントには，アンドログラフィス，カゼインペプチド，キャッツクロー，コエンザイムQ-10，魚油，L-アルギニン，リチウム，イラクサ，テアニンなどが含まれます。

使用量の目安

標準使用量に関するデータがありません。

ゲルセミウム

GELSEMIUM

別名ほか

カロラインジャスミン（Caroline Jasmine），イブニングトランペットフラワー（Evening Trumpet Flower），トランペットフラワー（Trumpet Flower），イエロージャスミン（Yellow Jasmine），Bignonia sempervirens, False Jasmine，Gelsemii rhizoma，Gelsemin, Gelsemium nitidum，Gelsemium sempervirens, Gelsemiumwurzelstock Jessamine，Woodbine，Yellow Jessamine Root

概　　要

ゲルセミウムは植物です。根および根茎（地下茎）を用いて「くすり」を作ることもあります。ツタ属として知られるアメリカンアイビーまたはスイカズラと混同しないよう注意してください。ゲルセミウムを手に入れたい場合は，gelsemium sempervirens，Gelsemium nitidum，Bignonia sempervirensの学術名で探してください。

安　全　性

安全ではありません。比較的少量でも，かなり有毒で，ときには，命にかかわる場合もあります。中毒症状には，頭痛，視覚障害，嚥下困難，めまい，筋肉異常，ひきつけ，呼吸困難，心臓機能の弱まりなどがあります。

ゲルセミウムの使用は，すべての人にとって安全ではありません。とくに安全ではない場合があります。

小児：子どもには使用してはいけません。非常に微量でも毒になります。

心疾患および心臓が弱っている場合：心臓になんらかの問題がある場合，とくに安全ではありません。

●妊娠中および母乳授乳期

妊娠中および母乳授乳期の使用は安全ではありません。非常に毒性がありますので，使用しないでください。

有　効　性

◆科学的データが不十分です

・気管支喘息のほか，片頭痛，三叉神経痛と呼ばれる顔面神経の症状が原因の痛みなど。

●体内での働き

脳内で作用し，痛みを和らげる可能性がある物質を含んでいます。

医薬品との相互作用

ほかの医薬品との相互作用については明らかではありません。

ハーブおよび健康食品・サプリメントとの相互作用

ほかのハーブ，健康食品・サプリメントとの相互作用についてはまだ明らかではありません。

使用量の目安

●経口摂取

通常，チンキ剤を0.3～1mL摂取します。

ゲルマニウム

GERMANIUM

別名ほか

Atomic number 32，Bis-Carboxyethyl Germanium Sesquioxide，Carboxyethylgermanium Sesquioxide, Ge, Ge-132, Ge-Oxy 132, Germanio, Germanium-132, Germanium Inorganique, Germanium Lactate Citrate, Germanium Sesquioxide，Inorganic Germanium,

相互作用レベル：高この医薬品と併用してはいけません　中この医薬品とは慎重に併用するか併用しないでください
低この医薬品との併用には注意が必要です

Numéro Atomique 32, Organic Germanium, Sesquioxyde de Germanium, Spirogermanium

概　要

ゲルマニウムは元素です。「くすり」として使用されることもあります。

●要説（ナチュラル・スタンダード）

ゲルマニウムには一般的に，有機ゲルマニウム化合物と無機ゲルマニウム化合物の２種類の形態があります。有機ゲルマニウム化合物は，炭素を含む化合物です。無機ゲルマニウム化合物は，炭素を含まない化合物です。本項目ではゲルマニウム元素は無機に分類します。無機ゲルマニウムは，すべての生きている植物および動物にマイクロ単位の量で存在します。

近年では，無機ゲルマニウム塩および新型有機ゲルマニウム化合物を栄養補助食品として販売する国があります。免疫調節効果や，健康維持に対する万能効果が期待されています。Bis（2-carboxyethyl germanium sesquioxide）は，単にGermanium sesquioxideとも呼ばれます。動物実験によりGermanium sesquioxideには，抗ウイルス効果があることが示唆されています。γインターフェロン，マクロファージ，サプレッサーT細胞の誘発効果，ナチュラルキラー細胞の増強効果など，免疫学的特性があることも示唆されています。有機ゲルマニウムのスピロゲルマニウムは，重金属化合物で，ゲルマニウムがアザスピランの環構造に置換されています。免疫増強，酸素富化，フリーラジカル捕捉，鎮痛，重金属解毒などの治療に対する有機ゲルマニウムの有効性が期待されています。ただし，市販の有機化合物は汚染されているおそれがあります。曖昧かつ質の低い科学的レビューもあります。現時点ではすべてのタイプのゲルマニウムは安全ではないとされています。

National Nutritional Foods Associationでは，ゲルマニウムの販売を自粛しています。2007年２月２日時点の情報によれば，ゲルマニウム製品の輸入に対する警告は継続されています。この重要な警告は1988年に発令され，ゲルマニウムを含む製品の輸入を防ぐために1995年に改正されています。米国食品医薬品局（FDA）では，ゲルマニウムを含む製品を，毒物および劇物または未承認新薬とみなしています。

安　全　性

ゲルマニウムは，通常の食品に含まれる量を経口摂取する場合，ほとんどの人に安全のようです。通常，１日の食事には0.4～3.4mgのゲルマニウムが含まれています。

スピロゲルマニウムという特定の形態のゲルマニウムは，医師などにより推奨量を静脈内投与する場合，おそらく安全です。また，プロパゲルマニウムという別の形態のゲルマニウムは，推奨量を経口摂取する場合，最長７カ月間まででであればおそらく安全です。

元素形態のゲルマニウムや，酸化ゲルマニウムや乳酸-クエン酸-ゲルマニウム（germanium lactate-citrate）など特定の化合物形態のゲルマニウムを経口摂取する場合，安全ではないようです。こうした形態のゲルマニウムの使用に関連して，腎不全や死亡例の報告が30件以上あります。体内に蓄積して，腎臓などの重要な臓器を損傷するおそれがあります。また，貧血，筋力低下，神経障害などの副作用をもたらすおそれがあります。

●妊娠中および母乳授乳期

妊娠中および母乳授乳期の経口摂取は，安全ではないようです。ゲルマニウム摂取に関連して30件以上の死亡例が報告されています。使用してはいけません。

有　効　性

◆科学的データが不十分です

・がん，B型肝炎，関節炎，疼痛，骨粗鬆症，気力の低下，エイズ，高血圧，高コレステロール血症，心疾患，緑内障，白内障，うつ病，肝障害，食物アレルギー，酵母菌感染，ウイルス感染，重金属中毒など。

●体内での働き

ゲルマニウムは抗炎症作用をもつ可能性があります。また，抗酸化作用をもち，免疫システムに影響を及ぼす可能性があります。

医薬品との相互作用

中フロセミド

ゲルマニウムはフロセミドの働きを抑制する可能性があります。しかし，このことが重大な問題であるかについては十分に明らかではありません。

ハーブおよび健康食品・サプリメントとの相互作用

ほかのハーブ，健康食品・サプリメントとの相互作用についてはまだ明らかではありません。

使用量の目安

通常の食品に含まれている量を超えて経口摂取した場合の安全性および副作用については，明らかになっていません。

ゴア・パウダー

GOA POWDER

別名ほか

Andira araroba, Araoba, Bahia Powder, Brazil Powder, Chrysatobine, Crude Chrysarobin, Ringworm Powder

概　要

ゴア・パウダーは，ブラジルに生育するAndira

ararobaという樹木のゴムのような樹液を乾燥させて粉末にしたものです。「くすり」に使用されることもあります。

安全性

おそらく安全ではありません。皮膚に使用すると大変な刺激となり，発赤，腫脹および吹き出物などの副作用を引き起こす可能性があります。皮膚から吸収されて嘔吐，下痢および腎疾患を引き起こす可能性もあります。経口摂取はしてはいけません。

●妊娠中および母乳授乳期

妊娠中および母乳授乳期の使用の安全性についてはデータが不十分です。安全性を考慮し，摂取は避けてください。

有効性

◆科学的データが不十分です

・乾癬または真菌症は，皮膚への塗布による使用。

●体内での働き

乾癬の処方薬に似た化合物を含んでいます。

医薬品との相互作用

ほかの医薬品との相互作用については明らかではありません。

ハーブおよび健康食品・サプリメントとの相互作用

ほかのハーブ，健康食品・サプリメントとの相互作用についてはまだ明らかではありません。

使用量の目安

●局所投与

通常２％の軟膏を用います。

甲状腺抽出物

THYROID EXTRACT

別名ほか

Desiccated thyroid

概要

甲状腺抽出物は，動物の甲状腺組織から抽出されます。甲状腺抽出物サプリメントには，動物の甲状腺を乾燥した組織やすりつぶした生の組織が入っている場合や，動物の甲状腺の抽出物が入っている場合があります。甲状腺で産生される主なホルモンは，トリヨードサイロニン（Ｔ３）とサイロキシン（Ｔ４）の２つですが，甲状腺抽出物にはこの２つのホルモンが含まれています。

アダムス・ストークス症候群と呼ばれる心拍障害やクレチン病（心身発育不良，甲状腺腫（甲状腺肥大），橋本病（免疫システムが甲状腺を攻撃する疾患），甲状腺機能低下症（低甲状腺ホルモン産生），不妊，粘液水腫（重度に低い甲状腺ホルモン産生，甲状腺がんに罹患している場合には，甲状腺抽出物を経口摂取します。

安全性

甲状腺抽出物を経口摂取する場合は，おそらく安全ではありません。甲状腺抽出物に含まれるホルモンの濃度は一定でないため，適量を摂取するのは困難です。甲状腺抽出物を摂取すると，甲状腺ホルモン濃度が過度に上昇し，心臓合併症が生じるリスクが高まるおそれがあります。

心疾患または心不全：甲状腺抽出物には，甲状腺ホルモンのトリヨードサイロニン（Ｔ３）とサイロキシン（Ｔ４）が含まれています。そのため，甲状腺抽出物を摂取すると，甲状腺ホルモン濃度が過度に上昇するリスクが高まるおそれがあります。それによって心臓に重度のストレスがかかるため，心疾患や心不全の場合には，さらに障害が生じるおそれがあります。

高齢者：甲状腺抽出物には，甲状腺ホルモンのトリヨードサイロニン（Ｔ３）とサイロキシン（Ｔ４）が含まれています。そのため，甲状腺抽出物を摂取すると，甲状腺ホルモン濃度が過度に上昇するリスクが高まるおそれがあります。それによって心臓へのストレスが増加するため，心臓が弱い高齢者の場合には，深刻な障害が生じるおそれがあります。

甲状腺ホルモン濃度が高い：甲状腺抽出物には，甲状腺ホルモンのトリヨードサイロニン（Ｔ３）とサイロキシン（Ｔ４）が含まれています。そのため，とくに甲状腺ホルモン濃度が高い場合には，甲状腺抽出物を摂取すると，甲状腺ホルモン濃度が過度に上昇するリスクが高まるおそれがあります。

●妊娠中および母乳授乳期

妊娠中および母乳授乳期の使用の安全性についてはデータが不十分です。安全性を考慮し，摂取は避けてください。

有効性

◆科学的データが不十分です

・不妊，アダムス・ストークス症候群と呼ばれる心拍障害，クレチン病（心身発育不良），甲状腺腫（甲状腺肥大），橋本病（免疫システムが甲状腺を攻撃する疾患），甲状腺機能低下症（低甲状腺ホルモン産生），粘液水腫（重度に低い甲状腺ホルモン産生），甲状腺がんなど。

●体内での働き

甲状腺抽出物には，甲状腺ホルモンのトリヨードサイロニン（Ｔ３）とサイロキシン（Ｔ４）が含まれています。このホルモンは体内でさまざまな過程に関与しています。Ｔ３とＴ４は成長と発達の制御をしており，とくに発育中の胎児の骨や脳の発達に関与しています。

医薬品との相互作用

中 レボチロキシンナトリウム水和物

甲状腺抽出物は，甲状腺ホルモンであるトリヨードサイロニン（T３）およびチロキシン（T４）を含みます。レボチロキシンナトリウム水和物は，甲状腺ホルモン量が過剰に減少した人の甲状腺ホルモン量を増加させるために用いられます。理論的には，甲状腺抽出物とレボチロキシンナトリウム水和物を併用すると，レボチロキシンナトリウム水和物の作用および副作用が増強するおそれがあります。

ハーブおよび健康食品・サプリメントとの相互作用

ほかのハーブ，健康食品・サプリメントとの相互作用についてはまだ明らかではありません。

使用量の目安

通常の食品に含まれている量を超えて経口摂取した場合の安全性および副作用については，明らかになっていません。

紅茶

BLACK TEA

別名ほか

チャノキ（Camellia sinensis），Black Leaf Tea，Thea bohea，Thea sinensis，Thea viridis

概　　要

紅茶はチャノキから作られます。熟成した葉および茎を用いて「くすり」を作ることもあります。チャノキの新鮮な葉から作る緑茶には，また別の効能があります。

紅茶は，精神的覚醒，学習能力，記憶，情報処理能力を改善する目的で用いられます。また，頭痛の治療，低血圧および高血圧，高コレステロール血症，動脈硬化や心臓発作など心疾患の予防，脳卒中の予防，パーキンソン病の予防，骨粗鬆症リスクの低下の目的で用いられます。そのほか胃がん，小腸がん，結腸がん，直腸がん，肺がん，卵巣がん，膀胱がん，口腔がん，膵がん，前立腺がん，乳がん，腎がん，食道がん，子宮内膜がんなどのがんを予防する目的で経口摂取されます。２型糖尿病，胃疾患，嘔吐，下痢に対して，また尿流量を増加させる目的でも用いられます。う歯や腎結石を予防する目的や，ストレスを低下させるために用いることもあります。また，ほかのさまざまな製品と併用して，体重減少のために用いられます。

飲料としては，温かくしたり冷やしたりして用います。

安　全　性

適量の紅茶を飲むのは，ほとんどの成人に安全のようです。

紅茶の飲みすぎ，たとえば１日カップ５杯以上飲むのは，おそらく安全ではありません。飲みすぎると紅茶に含まれるカフェインが原因で副作用が起こるおそれがあります。こうした副作用には軽いものから深刻なものまであり，たとえば頭痛，神経過敏，睡眠障害，嘔吐，下痢，易刺激性，脈拍不整，振戦，むねやけ，めまい感，耳鳴，痙攣，錯乱などがあります。また，紅茶などのカフェイン飲料を常時，とくに多量に飲む人は，精神的依存症になるおそれがあります。

10g超のカフェインを含む紅茶を大量に飲むのは，安全ではないようです。重度の副作用を引き起こし，死に至るおそれもあります。

小児：小児が通常の食品に含まれる量を経口摂取する場合は，おそらく安全です。

貧血：鉄欠乏症患者が紅茶を飲むと，貧血が悪化するおそれがあります。

不安障害：紅茶に含まれるカフェインにより，不安障害が悪化するおそれがあります。

出血性疾患：ヒトでのエビデンスはないものの，紅茶に含まれるカフェインが血液凝固を抑制するおそれがあると考える根拠がいくらかあります。出血性疾患の場合には，カフェインは慎重に摂取してください。

心疾患：人によっては，紅茶に含まれるカフェインが脈拍不整を引き起こすおそれがあります。心疾患の場合には，カフェインは慎重に摂取してください。

糖尿病：紅茶に含まれるカフェインが，血糖値に影響を及ぼすおそれがあります。糖尿病の場合には，紅茶は慎重に摂取してください。

下痢：とくに大量に摂取すると，紅茶に含まれるカフェインが，下痢を悪化させるおそれがあります。

痙攣：紅茶にはカフェインが含まれています。高用量のカフェインを摂取すると，痙攣を起こしたり，痙攣を予防する医薬品の効果が低減したりするおそれがあります。痙攣の既往歴がある場合は，カフェインや，紅茶などカフェインを含むハーブおよび健康食品・サプリメントを高用量で摂取してはいけません。

緑内障：カフェイン入り紅茶を飲むと，30分以内に眼圧が上昇し，眼圧が高い状態が90分以上続きます。

乳がん，子宮がん，卵巣がん，子宮内膜症，子宮線維腫などのホルモン感受性疾患：紅茶はエストロゲンのように作用するおそれがあります。エストロゲンにさらされると悪化するおそれのある疾患の場合には，紅茶を摂取してはいけません。

高血圧：紅茶に含まれるカフェインが，高血圧患者の血圧を上昇させるおそれがあります。ただし，紅茶をはじめとするカフェイン入り飲料を日常的に飲んでいる人には，血圧の上昇は起こらないようです。

過敏性腸症候群（IBS）：とくに大量に摂取すると，紅茶に含まれるカフェインが，下痢および過敏性腸症候群の症状を悪化させるおそれがあります。

骨粗鬆症：カフェイン入り紅茶を飲むと，尿に流出するカルシウム量が増え，骨が脆くなるおそれがあります。カフェイン１日300mg（カップ約２～３杯の紅茶）を超えて摂取してはいけません。流出したカルシウムを補うため，カルシウムを余分にとるのも効果的かもしれません。ビタミンDの体内利用に影響を及ぼす遺伝性疾患のある高齢女性は，カフェインは慎重に摂取してください。

過活動膀胱：紅茶に含まれるカフェインが，過活動膀胱の発症リスクを高めるおそれがあります。また，すでに過活動膀胱を発症している人の症状を悪化させるおそれがあります。過活動膀胱の人は，紅茶は慎重に摂取してください。

●妊娠中および母乳授乳期

妊娠中および母乳授乳期の紅茶の摂取は，少量であればおそらく安全です。１日カップ２杯を上回る量を飲んではいけません。カップ２杯の紅茶にはカフェイン約200mgが含まれます。妊娠中にこれを上回る量のカフェインを摂取するのは，おそらく安全ではありません。流産や乳児突然死症候群（SIDS）のリスク上昇のほか，新生児のカフェイン離脱症状，出産時低体重など負の影響との関連が認められています。

母乳授乳期に１日カップ３杯を上回る量の紅茶を飲むのは，おそらく安全ではありません。乳児が過敏になりやすくなったり，便通が増えたりするおそれがあります。

有　効　性

◆有効性レベル②

・精神的覚醒。紅茶をはじめとするカフェイン入り飲料を終日飲んでいると，長時間起きていても，覚醒状態を保ち，注意力を向上させるのに役立ちます。この作用は，カフェイン飲料に含まれるカフェイン量が増えるほど高まるようです。

◆有効性レベル③

・食後低血圧。紅茶にはカフェインが含まれています。食後低血圧の高齢者がカフェインを含む飲料を摂取すると，血圧の上昇に役立つ可能性があります。
・心臓発作。紅茶を飲む人は心臓発作のリスクが低いことを示す研究があります。１年間以上紅茶を飲んでいる人は，心臓発作後の死亡リスクが低くなるようです。
・骨粗鬆症。紅茶を飲む量が多い高齢女性の方が，少ない高齢女性よりも骨が強いことを示唆する初期の研究があります。また，高齢の男女両方で，紅茶を飲む量が増えると大腿骨近位部骨折リスクが低下するようです。
・卵巣がん。紅茶や緑茶などの茶を日常的に飲む女性は，まったく飲まない，またはほとんど飲まない女性よりも，卵巣がん発症リスクが低いようです。
・パーキンソン病。コーヒー，紅茶，コーラなどカフェインを含む飲料を摂取する人は，パーキンソン病発症リスクが低下することを示す研究があります。リスク低下とカフェイン用量には，男性では直接の関連があるようですが，女性ではこの関連はないようです。また，紅茶の摂取は，喫煙者のパーキンソン病リスクの低下とも関連があるようです。

◆有効性レベル④

・膀胱がん。紅茶や緑茶などの茶を飲む人が，飲まない人よりも膀胱がんリスクが低くなることはないようです。
・乳がん。紅茶を飲む人が，飲まない人よりも乳がんリスクが低くなることはないようです。
・大腸がん。紅茶または緑茶の摂取と大腸がんリスク低下との関連を示唆する初期の研究があります。しかし，ほとんどの研究では，茶の摂取と大腸がんリスク低下には関連がないことが示されています。むしろ，一部の初期の研究では，紅茶の摂取量が増加すると，大腸がんリスクが上昇する可能性が示唆されています。
・糖尿病。糖尿病患者が紅茶および緑茶のエキスを摂取しても，平均血糖値は改善しないことを示唆する初期の研究があります。そのほか，日本の成人が１日カップ１杯以上の紅茶を摂取しても，２型糖尿病発症リスクの低下につながらないことを示唆する初期の研究もあります。
・子宮内膜がん。紅茶を飲む量が多い女性が少ない女性より子宮内膜がんリスクが低くなることはないようです。
・食道がん。紅茶を飲む量が多い人が少ない人より食道がんリスクが低くなることはないようです。
・胃がん。紅茶または緑茶の摂取と胃がんリスク低下との関連を示唆する初期の研究がいくつかあります。しかし，ほとんどの研究では，紅茶や緑茶を飲んでも胃がんリスクは低下しないことが示されています。むしろ，紅茶を飲む量が多い人は少ない人より胃がんリスクが高い可能性があることを示唆する初期の研究もあります。
・肺がん。緑茶および紅茶には，フィトエストロゲンという化学物質が含まれています。食事から多くのフィトエストロゲンを摂取する男性は，摂取しない男性より肺がん発症リスクが低いことを示唆する初期の研究があります。しかし，紅茶の摂取と肺がんリスク低下との関連は認められておらず，むしろ肺がんリスク上昇につながる可能性も示されています。

◆科学的データが不十分です

・動脈硬化，心疾患，う歯，高コレステロール血症，高血圧，腎結石，膵がん，前立腺がん，腎がん，ストレス，脳卒中，体重減少，下痢，頭痛，胃障害，嘔吐など。

●体内での働き

紅茶には２～４％のカフェインが含まれています。カフェインは思考および覚醒に影響を及ぼし，排尿量を増加します。またパーキンソン病の症状を緩和する可能性があります。また紅茶に含まれる抗酸化成分などの物質は，心臓および血管の保護を促す可能性があります。

医薬品との相互作用

中Felbamate

Felbamateは痙攣発作の治療に用いられます。紅茶に含まれるカフェインは，Felbamateの作用を減弱させるおそれがあります。紅茶とFelbamateを併用すると，Felbamateの作用が減弱し，人によっては痙攣発作のリスクが高まるおそれがあります。

低Tiagabine

紅茶にはカフェインが含まれます。カフェインとTiagabineを長期間併用すると，体内のTiagabine量が増加する可能性があります。そのため，Tiagabineの作用および副作用が増強するおそれがあります。

中アデノシン

紅茶にはカフェインが含まれます。紅茶に含まれるカフェインはアデノシンの作用を妨げる可能性があります。アデノシンは心臓の検査に頻用されます。この検査は薬剤負荷心筋シンチグラフィと呼ばれます。この検査を受ける少なくとも24時間前から，紅茶などのカフェインを含む製品を摂取しないでください。

低アルコール

紅茶にはカフェインが含まれます。カフェインは体内で代謝されてから排泄されます。アルコールはカフェインの代謝を抑制する可能性があります。紅茶とアルコールを併用すると，血中のカフェインが過剰になり，カフェインの副作用（神経過敏，頭痛，動悸など）が現れるおそれがあります。

中エストロゲン（卵胞ホルモン）製剤

紅茶にはカフェインが含まれます。カフェインは体内で代謝されてから排泄されます。エストロゲンはカフェインの代謝を抑制する可能性があります。紅茶とエストロゲン製剤を併用すると，神経過敏，頭痛，動悸などの副作用が現れるおそれがあります。エストロゲン製剤の服用中はカフェインの摂取を制限してください。このようなエストロゲン製剤には，結合型エストロゲン，エチニルエストラジオール，エストラジオールなどがあります。

中エトスクシミド

エトスクシミドは痙攣発作の治療に用いられます。紅茶に含まれるカフェインはエトスクシミドの作用を減弱させる可能性があります。紅茶とエトスクシミドを併用すると，エトスクシミドの作用が減弱し，人によっては痙攣発作のリスクが高まるおそれがあります。

中エフェドリン塩酸塩

紅茶にはカフェインが含まれます。カフェインは興奮薬です。興奮薬は神経系を亢進します。エフェドリン塩酸塩も興奮薬です。紅茶とエフェドリン塩酸塩を併用すると，過度に興奮し，場合によっては重大な副作用および心臓の異常が引き起こされるおそれがあります。カフェインを含む製品とエフェドリン塩酸塩を同時に摂取しないでください。

中カルバマゼピン

カルバマゼピンは痙攣発作の治療に用いられます。カフェインはカルバマゼピンの作用を減弱させる可能性があります。紅茶はカフェインを含むため，理論的には，紅茶とカルバマゼピンを併用すると，カルバマゼピンの作用が減弱し，人によっては痙攣発作のリスクが高まるおそれがあります。

中キノロン系抗菌薬

紅茶にはカフェインが含まれます。カフェインは体内で代謝されてから排泄されます。特定の抗菌薬はカフェインの代謝を抑制する可能性があります。紅茶と抗菌薬を併用すると，副作用（神経過敏，頭痛，動悸など）のリスクが高まるおそれがあります。このような抗菌薬には，シプロフロキサシン，Gemifloxacin，レボフロキサシン水和物，モキシフロキサシン塩酸塩などがあります。

中クロザピン

クロザピンは体内で代謝されてから排泄されます。紅茶に含まれるカフェインはクロザピンの代謝を抑制するようです。紅茶とクロザピンを併用すると，クロザピンの作用および副作用が増強するおそれがあります。

中ジスルフィラム

紅茶にはカフェインが含まれます。カフェインは体内で代謝されてから排泄されます。ジスルフィラムはカフェインの排泄を抑制する可能性があります。紅茶とジスルフィラムを併用すると，カフェインの作用および副作用（神経過敏，活動亢進，易刺激性など）が増強するおそれがあります。

中ジピリダモール

紅茶にはカフェインが含まれます。紅茶に含まれるカフェインはジピリダモールの作用を妨げる可能性があります。ジピリダモールは心臓の検査に頻用されます。この検査は薬剤負荷心筋シンチグラフィと呼ばれます。この検査を受ける少なくとも24時間前から，紅茶などのカフェインを含む製品を摂取しないでください。

中シメチジン

紅茶にはカフェインが含まれます。カフェインは体内で代謝されてから排泄されます。シメチジンはカフェインの代謝を抑制する可能性があります。紅茶とシメチジンを併用すると，カフェインの副作用（神経過敏，頭痛，動悸など）のリスクが高まるおそれがあります。

低チクロピジン塩酸塩

紅茶に含まれるカフェインは体内で代謝されてから排泄されます。チクロピジン塩酸塩はカフェインの排泄を抑制する可能性があります。紅茶とチクロピジン塩酸塩を併用すると，カフェインの作用および副作用（神経過敏，活動亢進，易刺激性など）が増強するおそれがあります。

中テオフィリン

紅茶にはカフェインが含まれます。カフェインにはテオフィリンに類似した作用があります。また，カフェインはテオフィリンの体内からの排泄を抑制する可能性があります。そのため，テオフィリンの作用および副作用が増強するおそれがあります。

低テルビナフィン塩酸塩

紅茶に含まれるカフェインは体内で代謝されてから排泄されます。テルビナフィン塩酸塩はカフェインの代謝を抑制し，副作用（神経過敏，頭痛，頻脈など）のリスクを高めるおそれがあります。

中ニコチン

紅茶にはカフェインが含まれます。カフェインは心臓を刺激する可能性があります。ニコチンも心臓を刺激する可能性があります。カフェインとニコチンを併用すると，過度に刺激され，心臓の異常（頻脈や高血圧など）が引き起こされるおそれがあります。

中バルプロ酸ナトリウム

バルプロ酸ナトリウムは痙攣発作の治療に用いられます。紅茶に含まれるカフェインはバルプロ酸ナトリウムの作用を減弱させ，人によっては痙攣発作のリスクが高まるおそれがあります。

中フェニトイン

フェニトインは痙攣発作の治療に用いられます。紅茶に含まれるカフェインはフェニトインの作用を減弱させる可能性があります。紅茶とフェニトインを併用すると，フェニトインの作用が減弱し，人によっては痙攣発作のリスクが高まるおそれがあります。

低フェノチアジン系薬

紅茶には化学物質（タンニン）が含まれます。タンニンは多くの医薬品（フェノチアジン系薬など）と結合し，医薬品の体内への吸収量を減少させる可能性があります。この相互作用を避けるために，フェノチアジン系薬の服用前1時間から服用後2時間までは紅茶を摂取しないでください。このようなフェノチアジン系薬には，フルフェナジン，クロルプロマジン塩酸塩，ハロペリドール，プロクロルペラジンマレイン酸塩，チオリダジン塩酸塩（販売中止），塩酸トリフロペラジン（販売中止）などがあります。

中フェノバルビタール

フェノバルビタールは痙攣発作の治療に用いられます。紅茶に含まれるカフェインはフェノバルビタールの作用を減弱させ，人によっては痙攣発作のリスクが高まるおそれがあります。

低フルコナゾール

紅茶にはカフェインが含まれます。カフェインは体内で代謝されてから排泄されます。フルコナゾールはカフェインの排泄を抑制する可能性があります。そのため，体内のカフェイン量が過剰になり，副作用（神経過敏，不安，不眠など）のリスクが高まるおそれがあります。

中フルタミド

フルタミドは体内で代謝されてから排泄されます。紅茶に含まれるカフェインは，フルタミドの排泄を抑制する可能性があります。そのため，体内のフルタミド量が過剰になり，フルタミドの副作用のリスクが高まるおそれがあります。

中フルボキサミンマレイン酸塩

紅茶にはカフェインが含まれます。カフェインは体内で代謝されてから排泄されます。フルボキサミンマレイン酸塩はカフェインの代謝を抑制する可能性があります。カフェインとフルボキサミンマレイン酸塩を併用すると，体内のカフェイン量が過剰になり，カフェインの作用および副作用が増強するおそれがあります。

中ベラパミル塩酸塩

紅茶に含まれるカフェインは体内で代謝されてから排泄されます。ベラパミル塩酸塩はカフェインの排泄を抑制する可能性があります。紅茶とベラパミル塩酸塩を併用すると，カフェインの副作用（神経過敏，頭痛，頻脈など）のリスクが高まるおそれがあります。

中ペントバルビタールカルシウム

紅茶に含まれるカフェインの興奮作用は，ペントバルビタールカルシウムの催眠作用を妨げるおそれがあります。

低メキシレチン塩酸塩

紅茶にはカフェインが含まれます。カフェインは体内で代謝されてから排泄されます。メキシレチン塩酸塩はカフェインの代謝を抑制する可能性があります。紅茶とメキシレチン塩酸塩を併用すると，紅茶に含まれるカフェインの作用および副作用が増強するおそれがあります。

低メトキサレン

紅茶にはカフェインが含まれます。カフェインは体内で代謝されてから排泄されます。メトキサレンはカフェインの代謝を抑制する可能性があります。カフェインとメトキサレンを併用すると，体内のカフェイン量が過剰になり，カフェインの作用および副作用が増強するおそれがあります。

低メトホルミン塩酸塩

紅茶にはカフェインが含まれます。カフェインは体内で代謝されてから排泄されます。メトホルミン塩酸塩はカフェインの代謝を抑制する可能性があります。紅茶とメトホルミン塩酸塩を併用すると，体内のカフェイン量が過剰になり，カフェインの作用および副作用が増強するおそれがあります。

中モノアミン酸化酵素阻害薬（MAO阻害薬）

紅茶にはカフェインが含まれます。カフェインは身体を刺激する可能性があります。モノアミン酸化酵素阻害薬（MAO阻害薬）も身体を刺激する可能性があります。紅茶とMAO阻害薬を併用すると，身体が過度に刺激され，重大な副作用（動悸，高血圧，神経過敏など）が現れるおそれがあります。このようなMAO阻害薬には，

Phenelzine, Tranylcypromineなどがあります。

中リルゾール

リルゾールは体内で分解されてから排泄されます。紅茶を摂取すると，リルゾールの代謝が抑制され，リルゾールの作用および副作用が増強するおそれがあります。

中ワルファリンカリウム

ワルファリンカリウムは血液凝固を抑制するために用いられます。多量の紅茶はワルファリンカリウムの血液凝固抑制作用を減弱させる可能性があります。ワルファリンカリウムの血液凝固抑制作用が減弱することにより，血液凝固のリスクが高まるおそれがあります。この相互作用が生じる原因については明らかではありません。定期的に血液検査をしてください。ワルファリンカリウムの用量を変更する必要があるかもしれません。

中塩酸フェニルプロパノールアミン【販売中止】

紅茶に含まれるカフェインは身体を刺激する可能性があります。塩酸フェニルプロパノールアミンも身体を刺激する可能性があります。カフェインと塩酸フェニルプロパノールアミンを併用すると，過度に刺激され，頻脈，高血圧，神経過敏が引き起こされるおそれがあります。

中肝臓でほかの医薬品の代謝を抑制する医薬品（シトクロムP450 1A2（CYP1A2）を阻害する医薬品）

紅茶にはカフェインが含まれます。カフェインは肝臓で代謝されます。特定の医薬品は肝臓でほかの医薬品の代謝を抑制します。特定の医薬品は，紅茶に含まれるカフェインの体内での代謝を抑制する可能性があります。そのため，紅茶に含まれるカフェインの作用および副作用が増強するおそれがあります。このような医薬品には，シメチジン，シプロフロキサシン，フルボキサミンマレイン酸塩などがあります。

中気管支喘息治療薬（アドレナリンβ受容体作動薬）

紅茶にはカフェインが含まれます。カフェインは心臓を刺激する可能性があります。特定の気管支喘息治療薬も心臓を刺激する可能性があります。カフェインと気管支喘息治療薬を併用すると，過度に刺激され，心臓の異常が引き起こされるおそれがあります。このような気管支喘息治療薬には，サルブタモール硫酸塩，オルシプレナリン硫酸塩（販売中止），テルブタリン硫酸塩，イソプレナリン塩酸塩などがあります。

中興奮薬

興奮薬は神経系を亢進させます。神経系を亢進させることにより，興奮薬は神経を過敏にし，心拍数を上昇させる可能性があります。紅茶に含まれるカフェインも神経系を亢進させる可能性があります。紅茶と興奮薬を併用すると，重大な問題（頻脈や高血圧など）を引き起こすおそれがあります。紅茶と興奮薬を併用しないでください。このような興奮薬には，Diethylpropion，エピネフリン，Phentermine，塩酸プソイドエフェドリンなど数多くあります。

中血液凝固を抑制する医薬品（抗凝固薬/抗血小板薬）

紅茶にはカフェインが含まれます。カフェインは血液凝固を抑制する可能性があります。紅茶と血液凝固を抑制する医薬品を併用すると，紫斑および出血のリスクが高まるおそれがあります。このような医薬品には，アスピリン，クロピドグレル硫酸塩，ジクロフェナクナトリウム，イブプロフェン，ナプロキセン，ダルテパリンナトリウム，エノキサパリンナトリウム，ヘパリン，ワルファリンカリウムなどがあります。

低三環系抗うつ薬

紅茶には化学物質（タンニン）が含まれます。タンニンは多くの医薬品（三環系抗うつ薬など）と結合し，医薬品の体内への吸収量を減少させる可能性があります。この相互作用を避けるために，三環系抗うつ薬の服用前１時間から服用後２時間までは紅茶を摂取しないでください。このような抗うつ薬には，アミトリプチリン塩酸塩，イミプラミン塩酸塩などがあります。

中炭酸リチウム

炭酸リチウムは体内から自然に排泄されます。紅茶に含まれるカフェインは炭酸リチウムの排泄を促進する可能性があります。カフェインを含む製品と炭酸リチウムを併用している場合には，その製品の摂取を徐々にやめてください。すぐにやめると，炭酸リチウムの副作用が増強するおそれがあります。

低糖尿病治療薬

紅茶にはカフェインが含まれます。カフェインは血糖値を上昇させる可能性があります。糖尿病治療薬は血糖値を低下させるために用いられます。紅茶のカフェインが血糖値を上昇させることにより，糖尿病薬の効果が弱まるおそれがあります。血糖値を注意深く監視してください。糖尿病治療薬の用量を変更する必要があるかもしれません。このような糖尿病治療薬には，グリメピリド，グリベンクラミド，インスリン，ピオグリタゾン塩酸塩，マレイン酸ロシグリタゾン（販売中止），クロルプロパミド，Glipizide，トルブタミド（販売中止）などがあります。

低避妊薬

紅茶にはカフェインが含まれます。カフェインは体内で代謝されてから排泄されます。避妊薬はカフェインの代謝を抑制する可能性があります。紅茶と避妊薬を併用すると，副作用（神経過敏，頭痛，動悸など）が現れるおそれがあります。このような避妊薬には，エチニルエストラジオール・レボノルゲストレル配合，エチニルエストラジオール・ノルエチステロン配合などがあります。

中利尿薬

紅茶にはカフェインが含まれます。カフェイン（特に過量の場合）は体内のカリウムを減少させる可能性があります。利尿薬も体内のカリウムを減少させる可能性があります。カフェイン含有製品と利尿薬を併用すると，体内のカリウムが過度に減少するおそれがあります。このような利尿薬には，クロロチアジド（販売中止），クロルタリドン（販売中止），フロセミド，ヒドロクロロチアジドなどがあります。

中細胞内のポンプによって輸送される医薬品（有機アニオン輸送ポリペプチドの基質となる医薬品）

特定の医薬品は細胞内のポンプによって輸送されます。紅茶はポンプの働きを変化させ，このような医薬品の体内への吸収量を減少させる可能性があります。そのため，医薬品の効果が弱まるおそれがあります。このような医薬品には，ボセンタン水和物，セリプロロール塩酸塩，エトポシド，フェキソフェナジン塩酸塩，ニューキノロン系抗菌薬，グリベンクラミド，イリノテカン塩酸塩水和物，メトトレキサート，ナドロール，パクリタキセル，サキナビルメシル酸塩，リファンピシン，スタチン系薬，Talinolol，トラセミド，トログリタゾン（販売中止），バルサルタンなどがあります。

中ロスバスタチンカルシウム

紅茶はロバスタチンの体内への吸収量を減少させる可能性があります。紅茶とロバスタチンを併用すると，ロバスタチンの作用および副作用が増強するおそれがあります。

ハーブおよび健康食品・サプリメントとの相互作用

ダイダイ

ダイダイと，紅茶などカフェインを含むハーブおよび健康食品・サプリメントを併用すると，正常血圧の健康な成人で血圧および心拍数が上昇し，深刻な心臓障害のリスクが高まるおそれがあります。

カフェインを含むハーブおよび健康食品・サプリメント

紅茶にはカフェインが含まれています。紅茶と，カフェインを含むほかのハーブおよび健康食品・サプリメントを併用すると，カフェインの副作用リスクが高まるおそれがあります。カフェインを含むハーブおよび健康食品・サプリメントには，コーヒー，紅茶，緑茶，ウーロン茶，ガラナ豆，マテなどがあります。

カルシウム

紅茶などの飲料や食品から高用量のカフェインを摂取すると，体内のカルシウムが尿に流出します。

冬虫夏草

紅茶にはカフェインが含まれています。身体はカフェインを分解して除去します。冬虫夏草はカフェインの除去スピードを速める可能性があるため，カフェインの作用が低減するおそれがあります。

クレアチン

紅茶に含まれるカフェインと，マオウ（麻黄）およびクレアチンを併用すると，深刻な有害作用のリスクが高まるおそれがあります。クレアチン・モノハイドレート６g，カフェイン400～600mg，マオウ（麻黄）40～60mgに加えてほかのさまざまなサプリメントを，６週間にわたり毎日摂取したスポーツ選手が脳卒中を起こした例が報告されています。カフェインはまた，クレアチンが運動能力にもたらす有益な作用を低減させるおそれがあります。

タンジン

紅茶にはカフェインが含まれています。身体はカフェインを分解して除去します。タンジンはカフェインの除去スピードを遅くする可能性があります。紅茶とタンジンを併用すると，神経過敏，頭痛，頻脈など，カフェインの副作用のリスクが高まるおそれがあります。

エキナセア

紅茶にはカフェインが含まれています。身体はカフェインを分解して除去します。エキナセアはカフェインの除去スピードを遅くする可能性があります。紅茶とエキナセアを併用すると，神経過敏，頭痛，頻脈など，カフェインの副作用のリスクが高まるおそれがあります。

マオウ（麻黄）

マオウ（麻黄）と紅茶はともに興奮成分で，中枢神経系の作用を亢進します。併用すると，中枢神経系の作用が過度に亢進し，高血圧，心臓発作，脳卒中，痙攣，さらには死亡に至るリスクが高まるおそれがあります。紅茶をマオウ（麻黄）などの興奮成分と併用してはいけません。

葉酸

紅茶により，身体が吸収し使用できる葉酸の量が低下するおそれがあります。

血液凝固を抑制するおそれのあるハーブおよび健康食品・サプリメント

紅茶は血液凝固を抑制するおそれがあります。紅茶と，血液凝固を抑制するおそれのあるほかのハーブおよび健康食品・サプリメントを併用すると，人によっては紫斑および出血のリスクが高まるおそれがあります。このようなハーブおよび健康食品・サプリメントには，アンゼリカ，クローブ，タンジン，ニンニク，ショウガ，イチョウ，朝鮮人参などがあります。

鉄

紅茶は，身体が鉄を吸収する能力を妨げるおそれがあります。ほとんどの人にとっては問題にはなりませんが，鉄欠乏症患者では問題となります。鉄欠乏症患者は，この相互作用を避けるため，紅茶を飲むのは食事と一緒にではなく食間にしてください。

クズ

紅茶にはカフェインが含まれています。身体はカフェインを分解して除去します。クズはカフェインの除去スピードを遅くする可能性があります。紅茶とクズを併用すると，神経過敏，頭痛，頻脈など，カフェインの副作用のリスクが高まるおそれがあります。

マグネシウム

紅茶を大量に飲むと，尿に流出するマグネシウム量が増えるおそれがあります。

メラトニン

紅茶にはカフェインが含まれています。カフェインとメラトニンを併用すると，メラトニン値が上昇するおそれがあります。カフェインはまた，健康な人の自然なメラトニン値を上昇させるおそれがあります。

レッドクローバー

紅茶にはカフェインが含まれています。身体はカフェインを分解して除去します。レッドクローバーに含まれる化学物質はカフェインの除去スピードを遅くする可能性があります。紅茶とレッドクローバーを併用すると，神経過敏，頭痛，頻脈など，カフェインの副作用のリスクが高まるおそれがあります。

通常の食品との相互作用

鉄

紅茶は，身体が鉄を吸収する能力を妨げるおそれがあります。ほとんどの人にとっては問題にはなりませんが，鉄欠乏症患者では問題となります。鉄欠乏症患者は，この相互作用を避けるため，紅茶を飲むのは食事と一緒にではなく食間にしてください。

牛乳

紅茶に牛乳を加えると，紅茶による心臓の健康への便益がいくらか低減するようです。牛乳が紅茶に含まれる抗酸化物質と結合し吸収を妨げるおそれがあります。ただし，これと異なる研究結果もあります。紅茶と牛乳の相互作用があるとしても，その重要性を判断するには，より多くのエビデンスが必要です。

使用量の目安

紅茶約240mLには，有効成分であるカフェインが40～120mg含まれています。

●経口摂取

精神的覚醒の向上

カフェイン30～100mgを含む紅茶カップ１～３杯を摂取します。

心臓発作

１日カップ１杯以上を摂取します。

卵巣がん

１日カップ２杯以上を摂取します。

パーキンソン病の予防

男性では，１日421～2,716mgのカフェイン（カップ約５～33杯の紅茶に相当）を摂取すると，発症リスクがもっとも低くなりますが，１日わずか124～208mgのカフェイン（約１～３杯）の摂取でもリスクは著しく低下します。女性では，ほどほどの摂取量（１日カップ１～４杯）が最善のようです。

紅茶キノコ

KOMBUCHA TEA

別名ほか

Champagne of Life, Combucha Tea, Mushroom Infusion, Fungus Japonicus, Kargasok Tea, Kombucha Mushroom Tea, Kwassan, Manchurian Fungus, Manchurian Mushroom Tea, Spumonto, T' Chai from the Sea, Tschambucco

概　要

紅茶キノコは，酵母の一種です。キノコと記載されることもしばしばありますが，誤りです。紅茶キノコは，紅茶や砂糖などの材料に紅茶キノコと細菌を加え発酵させて作ります。どのような疾患に対する治療の有効性に関しても，科学的エビデンスはありませんが，紅茶キノコは「くすり」として用いられています。

●要説（ナチュラル・スタンダード）

紅茶キノコは甘い茶を１～２週間発酵させて，細菌や酵母の種培養物と混ぜて作る飲料です。この種培養物は，紅茶キノコ，満州のキノコなどと呼ばれています。発酵によって，コロニー上の細菌や酵母で飲料が産生されます。この飲料中の成分には，酢酸，乳酸，酵素，アミノ酸，ポリフェノール，ビタミンB群，少量のアルコール（0.5～1.5%）が含まれています。

紅茶キノコは，中国，ロシア，インドネシアを含め，多くの文化で飲まれてきました。

紅茶キノコは，健康を増進するために飲まれます。他の伝統的な用途は，免疫増強，がんの予防と治療，老化防止，抗菌作用，胃の健康，肝臓と腎臓の健康や精神的健康のためなどが含まれます。

どのような医学的疾患の治療についても，紅茶キノコ茶使用を裏づけるエビデンスは不十分です。専門家は，紅茶キノコ茶はおそらく有害な有機体で汚染されている可能性があると警告しています。

紅茶キノコの副作用と成分は，種培養物と関連する可能性があります。

安　全　性

紅茶キノコの経口摂取は，ほとんどの成人に，おそらく安全ではありません。胃疾患，酵母菌感染，アレルギー反応，黄疸（皮膚の黄変），吐き気，嘔吐，頭痛，頸部痛などの副作用を引き起こすおそれや，死に至るおそれがあります。

紅茶キノコは，とくに家庭で作られたものは，無菌状態を維持するのが難しく，真菌（アスペルギルス）や細菌（炭疽菌など）が混入するおそれがあります。イランでは，20名の人が紅茶キノコの摂取により，炭疽菌感染を起こしています。HIV/エイズなど，免疫システムが弱くなり，感染を起こしやすい場合には，紅茶キノコは安全ではないようです。また，紅茶キノコ摂取後の鉛中毒が報告されており，鉛の釉薬を使用した器で作られた場合も，安全ではないようです。

アルコール依存症：紅茶キノコにはアルコールが含まれています。アルコール依存症の場合には，摂取を避けてください。

糖尿病：紅茶キノコが，糖尿病患者の血糖値に影響を及ぼすおそれがあります。糖尿病患者が紅茶キノコを使用する場合には，低血糖の徴候に注意し，血糖値を注意深く監視してください。

下痢：紅茶キノコにはカフェインが含まれています。とくに大量に摂取する場合には，紅茶キノコに含まれるカフェインが下痢を悪化させるおそれがあります。

過敏性腸症候群（IBS）：紅茶キノコにはカフェインが含まれています。とくに大量に摂取する場合には，紅茶キノコに含まれるカフェインが下痢を悪化させ，過敏性腸症候群の症状を悪化させるおそれがあります。

手術：紅茶キノコが，血糖値に影響を及ぼすようです。このため，手術中・手術後の血糖値コントロールを妨げるおそれがあります。少なくとも手術前２週間は，使用しないでください。

免疫システムの機能低下：HIV/エイズなどにより，免疫システムが弱まっている場合には，紅茶キノコを使用してはいけません。紅茶キノコが細菌および真菌の増殖を促進し，深刻な感染を引き起こすおそれがあります。

●妊娠中および母乳授乳期

妊娠中および母乳授乳期の使用は，おそらく安全ではありません。安全性を考慮し，摂取は避けてください。

有　効　性

◆科学的データが不十分です

・記憶喪失，月経前症候群（PMS），関節リウマチ，加齢，食欲不振，エイズ，がん，高血圧，白血球（T細胞）数の増加，免疫システムおよび代謝の活性化，便秘，関節炎，発毛など。

・皮膚に塗布する場合には，疼痛など。

●体内での働き

紅茶キノコには，アルコール，酢，ビタミンB類，カフェイン，糖類などの物質が含まれています。ただし，紅茶キノコが「くすり」としてどのように作用するかについては，エビデンスが不十分です。

医薬品との相互作用

低ジスルフィラム

紅茶キノコにはアルコールが含まれています。アルコールは体内で代謝されてから排泄されますが，ジスルフィラムはアルコールの代謝を抑制します。紅茶キノコをジスルフィラムとともに摂取すると，頭痛，悪心，顔面紅潮（ほてり）など，不快な症状を引き起こすことがあります。ジスルフィラムを服用しているときには紅茶キノコを摂取しないでください。

中糖尿病治療薬

紅茶キノコは血糖値を低下させる可能性があります。糖尿病治療薬もまた血糖値を低下させるために用いられます。紅茶キノコと糖尿病治療薬を併用すると，血糖値が過度に低下するおそれがあります。血糖値を注意深く監視してください。糖尿病治療薬の用量を変更する必要があるかもしれません。このような糖尿病治療薬にはグリメピリド，グリベンクラミド，インスリン，メトホルミン塩酸塩，ピオグリタゾン塩酸塩，マレイン酸ロシグリタゾン（販売中止）などがあります。

ハーブおよび健康食品・サプリメントとの相互作用

カフェインを含むハーブおよび健康食品・サプリメント

紅茶キノコには紅茶が含まれているため，カフェインが含まれています。紅茶キノコと，カフェインを含むほかのハーブおよび健康食品・サプリメントを併用すると，睡眠障害，神経質，胃の過敏，頻拍などカフェインの副作用を発現するリスクが高まるおそれがあります。このようなハーブおよび健康食品・サプリメントには，コーヒー，紅茶，緑茶，マテ，コーラノキなどがあります。

血糖値を低下させるおそれのあるハーブおよび健康食品・サプリメント

紅茶キノコは血糖値を低下させるおそれがあります。同様の作用をもつほかのハーブおよび健康食品・サプリメントと併用すると，人によっては，低血糖のリスクが高まるおそれがあります。このようなハーブおよび健康食品・サプリメントには，α-リポ酸，ニガウリ，クロム，デビルズクロー，フェヌグリーク，ニンニク，グアーガム，セイヨウトチノキ，朝鮮人参，サイリウム，エゾウコギなどがあります。

使用量の目安

通常の食品に含まれている量を超えて経口摂取した場合の安全性および副作用については，明らかになっていません。

コエンザイムQ-10

COENZYME Q-10

●代表的な別名

ユビキノン

別名ほか

コーキューテン（CoQ-10），ユビデカレノン（Ubidecarenone），ユビキノール（Ubiquinol），ユビキノン（Ubiquinone），CoQ，Mitoquinone，Q10

概　　要

コエンザイムQ-10はビタミン様物質で，全身に存在しますが，とくに心臓，肝臓，腎臓，膵臓にみられます。肉や魚介類に少量含まれています。化学的に合成することもできます。

コエンザイムQ-10の用途としてもっとも多いのは，心不全および体液貯留（うっ血性心不全（CHF）），胸痛（狭心症），高血圧など，心臓に影響を及ぼす疾患に対するものです。そのほか片頭痛，パーキンソン病など，多くの疾患の予防にも用いられます。

コエンザイムQ-10は1957年に初めて確認されました。「Q-10」はこの物質の化学構造を表しています。

相互作用レベル：高この医薬品と併用してはいけません　中この医薬品とは慎重に併用するか併用しないでください　低この医薬品との併用には注意が必要です

安 全 性

コエンザイムQ-10は，成人が経口摂取する場合には，ほとんどの人に安全のようです。ほとんどの人はコエンザイムQ-10に良好な耐容性を示しますが，胃のむかつき，食欲不振，吐き気，嘔吐，下痢など軽度の副作用を起こすおそれもあります。人によっては，アレルギー性皮疹を起こすおそれもあります。また，血圧を低下させることもあるため，低血圧の場合には，血圧を注意深く監視してください。1日用量を一度に摂取せずに，1日2～3回に分けて少量ずつ摂取すると，副作用が軽減する可能性があります。

歯肉に直接塗布する場合，ほとんどの成人に安全のようです。

小児が経口摂取する場合は，おそらく安全です。ただし,小児は医師などの指導なしに使用しないでください。

化学療法：アルキル化薬という医薬品による化学療法を受けている場合は，コエンザイムQ-10を慎重に使用してください。コエンザイムQ-10はこの医薬品の作用を減弱させるおそれがあります。アルキル化薬には，ブスルファン，カルボプラチン，シスプラチン，シクロホスファミド水和物，ダカルバジン，チオテパ（販売中止）など多くの種類があります。

高血圧および低血圧：コエンザイムQ-10は，血圧を低下させる可能性があるため，降圧薬の作用を増強するおそれがあります。血圧に異常がある患者がコエンザイムQ-10を摂取する場合には，医師などに相談してください。

喫煙：喫煙により，体内に貯蔵されているコエンザイムQ-10の量が激減します。

手術：コエンザイムQ-10が，手術中・手術後の血圧コントロールを妨げるおそれがあります。少なくとも手術前2週間は，使用しないでください。

●妊娠中および母乳授乳期

妊娠中の経口摂取は，適量であれば，おそらく安全です。妊娠20週から出産まで1日2回の摂取が安全に行われています。母乳授乳期の使用の安全性についてはデータが不十分です。安全性を考慮し，摂取は避けてください。

有 効 性

◆有効性レベル②

- コエンザイムQ-10欠乏症。コエンザイムQ-10の経口摂取により，コエンザイムQ-10欠乏症の症状が改善するようです。これは非常にまれな疾患で，脱力，疲労，痙攣などの症状がみられます。
- ミトコンドリア病（筋力低下を主症状とする複合的な病態の総称）。コエンザイムQ-10の経口摂取により，ミトコンドリア病の症状が軽減するようです。ただし,症状の改善には時間がかかります。人によっては，最大の効果を得るために，コエンザイムQ-10を6カ月間摂取する必要があります。

◆有効性レベル③

- 心不全および体液貯留（うっ血性心不全（CHF））。コエンザイムQ-10値が低いと心不全につながるおそれが初期の研究で示唆されています。一部の研究では，コエンザイムQ-10を摂取すると心不全の一部の症状を軽減できる可能性が示されています。また，心不全に関連した死亡や入院のリスクを低下させる可能性もあります。
- 糖尿病性神経障害（糖尿病性ニューロパチー）。糖尿病に起因する神経障害患者がコエンザイムQ-10を摂取すると，神経痛が改善することが，研究により示唆されています。
- 線維筋痛症。線維筋痛症患者がコエンザイムQ-10を経口摂取すると，疼痛，圧痛，疲労，睡眠障害が減少することが一部の研究で示されています。
- HIV/エイズ。HIV/エイズ患者がコエンザイムQ-10を経口摂取すると，免疫機能が改善するようです。
- 虚血再灌流傷害（血流が制限されたのち，再開した時に生じる組織損傷）。心臓または血管の手術中，血液供給が低下すると組織の酸素が失われ，血液供給がもとに戻る際に組織が損傷を受けることがあります。心臓バイパス手術や血管手術の前，少なくとも1週間コエンザイムQ-10を経口摂取すると，組織損傷の軽減につながるというエビデンスがあります。ただし，相反する研究結果もあります。
- 片頭痛。コエンザイムQ-10を経口摂取すると，片頭痛を予防できるようです。成人がコエンザイムQ-10を経口摂取すると，頭痛の頻度が約30%，頭痛に起因する吐き気をともなう日数が約45%低下する可能性が，研究で示されています。コエンザイムQ-10を摂取した患者の半数以上で，1カ月間に頭痛のある日数が50%低下しています。また，コエンザイムQ-10の値が低い小児がコエンザイムQ-10を摂取すると，片頭痛の頻度が低下するようです。明らかな効果が現れるまでに，3カ月ほどかかることもあります。
- 多発性硬化症（MS）。多発性硬化症患者がコエンザイムQ-10を経口摂取すると，疲労や気分の落ち込みなどが軽減するようです。
- 筋力低下および筋肉減少を引き起こす遺伝性疾患の総称（筋ジストロフィー）。筋ジストロフィー患者がコエンザイムQ-10を経口摂取すると，人によっては，身体能力が改善するようです。
- 心臓発作。心臓発作発症から72時間以内にコエンザイムQ-10の摂取を開始し，1年間継続すると，新たな心臓発作などの心関連事象リスクが低下するようです。
- 陰茎硬化症（ペロニー病）。勃起の際に痛みをともなう男性がコエンザイムQ-10を摂取すると，勃起機能が改善することが研究で示されています。

◆有効性レベル④

- アルツハイマー病。アルツハイマー病患者がコエンザイムQ-10を摂取しても，精神機能は改善しないようです。

・筋萎縮性側索硬化症またはルー・ゲーリッグ病（神経変性疾患）。コエンザイムQ-10を摂取しても筋萎縮性側索硬化症の進行は抑制されないことが，研究で示唆されています。

・抗悪性腫瘍薬治療による疲労感。乳がん治療を受けている患者がコエンザイムQ-10を摂取しても，疲労感は緩和しないようです。

・コカイン依存症。コエンザイムQ-10とL-カルニチンを併用摂取しても，コカインの使用頻度は低下しません。

・糖尿病。研究によると，1型もしくは2型の糖尿病患者がコエンザイムQ-10を摂取しても，血糖値は低下しないようです。

・ポリオ後症候群（ポリオから回復した患者の筋力低下や疲労症状）。ポリオ後症候群患者がコエンザイムQ-10を摂取しても筋力や筋機能や疲労は改善しないことが，研究で示唆されています。

◆有効性レベル⑤

・運動能力。運動選手やそれ以外の人が，コエンザイムQ-10をほかの成分との併用の有無を問わず経口摂取しても，運動能力は改善しません。

・運動・精神・思考に影響を及ぼす遺伝性の脳障害（ハンチントン病）。ある大規模な研究では，高用量（1日2.4g）のコエンザイムQ-10を最長5年間摂取してもハンチントン病の症状悪化を抑制できないことが示唆されています。

◆科学的データが不十分です

・胸痛（狭心症），アントラサイクリン心毒性（抗悪性腫瘍薬による心臓障害），自閉症，双極性障害，乳がん，がん，小脳性運動失調（筋肉の運動に影響する脳障害），呼吸困難を引き起こす肺疾患（慢性閉塞性肺疾患（COPD）），角膜潰瘍，周期性嘔吐症（吐き気と嘔吐の発作を繰り返す障害（CVS）），拡張型心筋症（心機能低下と心臓の拡張），口内乾燥，フリードライヒ運動失調症（神経と筋肉の遺伝性疾患），聴力損失，C型肝炎ウイルスによる肝臓の腫脹（炎症）（C型肝炎），高コレステロール血症や高トリグリセリド血症（高脂血症），高血圧，肥大型心筋症（心機能低下と心筋の肥大化），妊娠を望んでから1年以内に妊娠せず男性側に原因がある疾患（男性不妊），難聴を伴う遺伝性糖尿病，非アルコール性脂肪性肝炎（NAFLD），パーキンソン病，重度の歯肉感染（歯周炎），のう胞を伴う卵巣腫大が生じるホルモンの病気（多のう胞性卵巣症候群（PCOS）），プラダー・ウィリ症候群（肥満，低身長，学習障害を引き起こすまれな遺伝性疾患），高血圧とタンパク尿を認める妊娠合併症（妊娠高血圧腎症），腎不全，血液感染（敗血症），スタチン系薬誘発性ミオパチーによる筋力低下，ワルファリン使用による脱毛，日焼けによる皮膚の皺，加齢黄斑変性（加齢にともなう視力低下），気管支喘息，白内障，慢性疲労症候群（CFS），ドライアイ，心疾患，寿命の延長，ライム病，前立腺がん，心筋炎など。

●体内での働き

コエンザイムQ-10は，体内の多くの器官や化学変化が正常に機能するために重要な，ビタミン様物質です。細胞へのエネルギー供給を促します。抗酸化作用もあるようです。心不全，高血圧，歯周病，パーキンソン病，血液感染，特定の筋肉疾患，HIV感染などの疾患があると，コエンザイムQ-10の値が低いことがあります。

医薬品との相互作用

中 ワルファリンカリウム

ワルファリンカリウムは血液凝固を抑制するために用いられますが，コエンザイムQ-10は血液凝固を促進する可能性があります。コエンザイムQ-10が血液凝固を促進することにより，ワルファリンカリウムの効果が弱まり，深刻な血液凝固のリスクを高めるおそれがあります。定期的に血液検査をしてください。ワルファリンカリウムの用量を変更する必要があるかもしれません。

中 抗悪性腫瘍薬（アルキル化薬）

コエンザイムQ-10は抗酸化物質です。抗酸化物質が特定の抗悪性腫瘍薬の効果を弱める可能性があると懸念されています。しかし，この相互作用が起こるかどうかは現時点で明らかではありません。このような抗悪性腫瘍薬には，ブスルファン，カルボプラチン，シスプラチン，シクロホスファミド水和物，ダカルバジン，チオテパなど数多くあります。

中 降圧薬

コエンザイムQ-10は血圧を低下させる可能性があります。コエンザイムQ-10と降圧薬を併用すると，血圧が過度に低下するおそれがあります。このような降圧薬には，カプトプリル，エナラプリルマレイン酸塩，ロサルタンカリウム，バルサルタン，ジルチアゼム塩酸塩，アムロジピンベシル酸塩，ヒドロクロロチアジド，フロセミドなど数多くあります。

ハーブおよび健康食品・サプリメントとの相互作用

アカシア

コエンザイムQ-10をアカシアのガムと併用して摂取すると，コエンザイムQ-10の体内への吸収が促進されるようです。理論上，これによりコエンザイムQ-10の作用および副作用が増大するおそれがあります。

β-カロテン

コエンザイムQ-10が，血中β-カロテン濃度を上昇させるおそれがあります。理論上，β-カロテンの作用および副作用が増大するおそれがあります。

血圧を低下させるおそれのあるハーブおよび健康食品・サプリメント

コエンザイムQ-10は血圧を低下させるおそれがあります。血圧を低下させるおそれのあるほかのハーブおよび健康食品・サプリメントと併用すると，血圧が過度に低下するおそれがあります。このようなハーブおよび健康食品・サプリメントには，アンドログラフィス，カゼイン・ペプチド，キャッツクロー，魚油，L-アルギニン，クコ，イラクサ，テアニンなどがあります。

n-3系脂肪酸

コエンザイムQ-10とn-3系脂肪酸を併用すると，コエンザイムQ-10の血中濃度が低下するおそれがあります。理論上，コエンザイムQ-10の作用が減弱するおそれがあります。

紅麹

紅麹は，コエンザイムQ-10の血中濃度を低下させるおそれがあります。理論上，コエンザイムQ-10の作用が減弱するおそれがあります。

ビタミンA

コエンザイムQ-10が，血中ビタミンA濃度を上昇させるおそれがあります。理論上，ビタミンAの作用および副作用が増大するおそれがあります。

ビタミンC

コエンザイムQ-10が，血中ビタミンC濃度を上昇させるおそれがあります。理論上，ビタミンCの作用および副作用が増大するおそれがあります。

ビタミンE

コエンザイムQ-10が，血中ビタミンE濃度を上昇させるおそれがあります。理論上，ビタミンEの作用および副作用が増大するおそれがあります。

ビタミンK

コエンザイムQ-10は，体内でビタミンKとよく似た作用を示す可能性があります。たとえば，ワルファリンなどの抗凝血薬の作用を抑制する作用などがあります。抗凝血薬を服薬している人が，コエンザイムQ-10とビタミンKを併用摂取すると，血液凝固のリスクが高まるおそれがあります。

使用量の目安

【成人】

●経口摂取

コエンザイムQ-10欠乏症

1日150～2,400mgを摂取します。

ミトコンドリア病（筋力低下を主症状とする複合的な病態の総称）

1日150～160mgまたは1日2mg/kgを摂取します。場合によっては，1日3,000mgまで徐々に増量することもあります。

心不全および体液貯留（うっ血性心不全（CHF））

1日1回30mg，もしくは1日300mgを上限として2～3回に分けて最長2年間，または1日2mg/kgを最長1年間摂取します。

糖尿病性神経障害（糖尿病性ニューロパチー）

1日400mgを12週間摂取します。

線維筋痛症

1日300mgを約6週間，あるいは200mgを1日に2回，3カ月間摂取します。またはコエンザイムQ-10 1日200mgとイチョウ1日200mgを12週間摂取します。

HIV/エイズ

1日100～200mgを4年間以上摂取します。

虚血再灌流傷害（血流が制限されたのち，再開した時に生じる組織損傷）

手術前1～2週間，1日150～300mgを最大3回に分けて摂取します。

片頭痛

予防のために，100mgを1日3回，あるいは150mgまたは100mgを1日1回，3カ月間摂取します。または1日1～3mg/kgを3カ月間摂取します。

多発性硬化症

500mgを1日2回，3カ月間摂取します。

筋ジストロフィー（筋力低下と筋肉の減少を引き起こす遺伝性筋疾患）

1日100mgを3カ月間摂取します。

心臓発作

1日120mgを2回に分けて最長1年間摂取します。またはコエンザイムQ-10 1日100mgとセレン1日100μgを併用して最長1年間摂取します。

ペロニー病

1日300mgを6カ月間摂取します。

【小児】

●経口摂取

コエンザイムQ-10欠乏症

1日60～250mgを最大3回に分けて摂取します。

片頭痛

3～18歳の患者では，予防のために，1日1～3mg/kgを3カ月間摂取します。

筋力低下および筋肉減少を引き起こす遺伝性疾患の総称（筋ジストロフィー）

8～15歳の患者では，1日100mgを3カ月間摂取します。

コーヒー

COFFEE

別名ほか

リベリカ種（Coffea liberica），アラビカコーヒーノキ（Coffea arabica），ロブスターコーヒーノキ（Coffea canephora），リベリアコーヒーノキ，エスプレッソ（Coffea robusta，Espresso），ジャワ（Java），モカ（Mocha），Cafe，Caffea

概　　要

コーヒーは，コーヒー豆から作られた飲み物で，コーヒーの木（Coffea arabica bush）の実を炒ったものです。

人々は精神的，肉体的疲労を和らげるためや，覚醒を強めるためにコーヒーを飲みます。また，パーキンソン病，胆石，２型糖尿病，胃腸がん，肺がん，乳がんを予防するために使用されます。他の用途としては，頭痛，低血圧，肥満，および注意欠陥・多動性障害（ADHD）の改善があります。

コーヒーは，"ガーソン（ゲルソン）療法"の一部として，がんをケアする浣腸剤の用途で使用されています。ガーソン療法では，がん患者に対し毎日４時間ごとにカフェイン入りコーヒーを浣腸剤として用います。ガーソン療法の期間は，患者はレバーと野菜の食事のほか，各種医薬品を処方されます（カリウム，ペプシン，ルゴール液，ナイアシン，パンクレアチン，および甲状腺抽出物）。ガーソン療法は，米国では容認できない医療行為と考えられていますが，ティファナにあるバハカリフォルニア病院や，米国から１マイル離れたメキシコではこの療法が継続して行われています。

安 全 性

コーヒーは，ほとんどの成人に安全です。６杯/日以上の飲用は，不安や興奮などの症状を伴う「カフェイン中毒」を引き起こす可能性があります。毎日コーヒーをたくさん飲む人は，同様の効果を得るために，より多くのコーヒーを飲む必要があるかもしれません。また，そのような人たちは，突然コーヒーを飲むのをやめた場合に，禁断症状をともなう「依存症」になる可能性があります。

カフェインを含むコーヒーは，不眠，神経過敏や落ち着きのなさ，胃の不調，吐き気，嘔吐，心拍数や呼吸数の増加，および他の副作用を引き起こす可能性があります。コーヒーの大量消費は，頭痛，不安，興奮，耳鳴り，および不整脈を引き起こす可能性があります。

濾過されていないコーヒーを飲むことは，総コレステロール，LDL-コレステロール，中性脂肪を増加させる可能性があり，心臓病の発症リスクを高める可能性があります。コーヒーフィルターの使用は，このようなコレステロールへの影響を軽減するのに役立ちます。

コーヒーを５杯/日以上飲むことは，心臓病患者には安全ではないかもしれないという懸念があります。しかし，心臓病患者でなければ，１日に数杯のコーヒーを飲むことが，心疾患の発症リスクを高めることはないと思われます。

たまにコーヒーを飲むことが，心臓発作を誘発するかもしれないという懸念もあります。通常，１杯/日以上はコーヒーを飲まない人で，複数の心臓病リスク因子を持つ人は，コーヒーを飲んだ１時間後に心臓発作をおこすリスクが上昇すると考えられます。しかし，定期的に大量のコーヒーを飲む人には，そのようなリスクはないと考えられます。

浣腸として直腸に使用する場合，コーヒーは安全でない可能性があります。コーヒー浣腸は，死亡を含む重篤な副作用を引き起こすことがあります。

小児：カフェイン入りコーヒーを飲むことは安全でない可能性があります。カフェインと関連する副作用は，一般的に，成人よりも小児においてより深刻です。

不安障害：コーヒー中のカフェインは，不安を悪化させる可能性があります。

出血性疾患：コーヒーは出血性疾患を悪化させるかもしれないという懸念があります。

心臓病：濾過していないコーヒー（豆ごと沸かしたコーヒー）を飲むことは，血中コレステロールやその他の血中脂質を増加し，ホモシステインのレベルを上昇させます。これらは心臓病の発症リスク増加と関連しています。いくつかの研究は，心臓発作とコーヒー飲用との関連を示唆しています。

糖尿病：いくつかの研究では，コーヒーに含まれるカフェインが糖尿病患者の糖代謝を変化させると報告しています。またカフェインは，血糖値の上下を引き起こすことが報告されています。糖尿病患者の場合，カフェインを利用する際には血糖値の変化に注意をしてください。

下痢：コーヒー中カフェインは，特に大量摂取した場合には，下痢を悪化させることがあります。

過敏性腸症候群（IBS）：コーヒー中カフェインは，特に大量摂取した場合には，下痢およびIBSの症状を悪化させる可能性があります。

緑内障：カフェイン入りのコーヒーは眼圧を上昇させる可能性があります。眼圧上昇は，飲用30分以内に開始し，少なくとも90分間持続します。

高血圧症：カフェイン入りコーヒーの飲用は，高血圧症患者の血圧を高める可能性があります。しかし，定期的にコーヒーを飲む人であれば，影響はより少ないかもしれません。

骨粗鬆症：カフェイン入りのコーヒーの飲用は，カルシウムの尿中排泄量を増加する可能性があり，骨を弱める可能性があります。骨粗鬆症患者の場合，カフェイン摂取量は300mg/日未満に制限してください（約２～３杯分）。カルシウムサプリメントの摂取が，カルシウム補給に役立つ可能性があります。日常的なビタミンD投与によってカルシウム量を維持している閉経後女性の場合は，カフェインの摂取には特に注意が必要です。

●妊娠中および母乳授乳期

カフェイン入りコーヒーは，２杯/日以下ならば，おそらく安全です。この量のコーヒーは，約200mgのカフェインを含みます。この量以上を飲むと，流産，早産，低出生体重のリスクを引き起こすことがあります。母親が妊娠中に飲むコーヒー量の増加に従って，これらのリスクも増加します。

１～２杯/日のコーヒーは，授乳中の母乳と乳児に安全であると思われます。これ以上のカフェイン摂取は，乳児の消化管を刺激したり，睡眠障害や神経過敏を引き起こす可能性があります。

有　効　性

◆有効性レベル②

・精神覚醒。コーヒーやカフェインが含まれる飲料を日中飲むことにより，覚醒が強まり思考力が明快になるようです。カフェインは，睡眠不足後の覚醒を増強することがあります。カフェインをほかのグルコースと併せて「エネルギー飲料」(Energy drink) として飲むと，カフェイン単独またはグルコース単独で飲むよりも注意力を増強させるようです。

◆有効性レベル③

・結腸・直腸がんのリスクの低減。ある研究によると，1日3杯以上のコーヒーを毎日飲むと，直腸がんのリスクが著しく低減することが示されています。

・食事後の低血圧が原因の高齢者のめまい（食事性低血圧）を予防。コーヒーなどのカフェイン含有飲料を飲むと，食後のめまいを感じる高齢者の血圧を上昇させるようです。

・パーキンソン病の予防または抑制。コーヒー，紅茶，コーラなどのカフェイン含有飲料を飲む人はパーキンソン病のリスクが低いことが報告されています。男性における効果はカフェインの摂取量に依存するようです。1日840mL（3～4杯）ともっとも多量のカフェイン入りコーヒーを飲んだ男性は，リスク低減の効果がもっとも高かったようです。一方で，1日のコーヒー摂取量が1～2杯の人でも有意にリスクが低減されました。女性における有効性はカフェイン摂取量にあまり依存していないようです。カフェイン入りコーヒーの摂取量が中程度である1日1～3杯の女性でリスクの低減の効果がもっとも高かったようです。興味深いことに，喫煙者に対してはコーヒーのパーキンソン病予防効果はないようです。

・胆石の予防。コーヒーなどのカフェイン含有飲料で1日最低400mgのカフェインを摂取すると，胆石のリスクを低減するようです。カフェインの摂取量が多いほどリスクは低下します。1日800mgのカフェイン（4杯以上）を摂取するとリスク低減にもっとも効果的です。

・2型糖尿病のリスク低減。日本の成人で1日2～3杯のコーヒーを飲む人は，1日1杯以下しか飲まない人に比べて，2型糖尿病を発症するリスクが42%低いとされています。カフェインレスコーヒーには糖尿病予防の効果はないようです。

◆有効性レベル④

・食道，胃，および結腸がんのリスク低減。
・乳がんのリスク低減。

◆科学的データが不十分です

・肺がん，痛風，思考力の改善など。

●体内での働き

カフェインを含んでいます。中枢神経，心臓，筋肉を刺激し作用します。

医薬品との相互作用

中アデノシン

コーヒーに含まれるカフェインはアデノシンの作用を妨げる可能性があります。アデノシンは心臓の検査に頻用されます。この検査は薬剤負荷心筋シンチグラフィと呼ばれます。この検査を受ける少なくとも24時間前から，コーヒーなどのカフェイン含む製品を摂取しないでください。

中アルコール

コーヒーに含まれるカフェインは体内で代謝されてから排泄されます。アルコールはカフェインの代謝を抑制する可能性があります。コーヒーとアルコールを併用すると，血中のカフェインが過剰になり，カフェインの副作用（神経過敏，頭痛，動悸など）が現れるおそれがあります。

中アレンドロン酸ナトリウム水和物

コーヒーはアレンドロン酸ナトリウム水和物の体内への吸収量を減少させる可能性があります。コーヒーとアレンドロン酸ナトリウム水和物を併用すると，アレンドロン酸ナトリウム水和物の効果が弱まるおそれがあります。アレンドロン酸ナトリウム水和物の服用から2時間以内はコーヒーを摂取しないでください。

中エストロゲン（卵胞ホルモン）製剤

コーヒーに含まれるカフェインは体内で代謝されてから排泄されます。エストロゲンはカフェインの代謝を抑制する可能性があります。コーヒーとエストロゲン製剤を併用すると，神経過敏，頭痛，動悸などの副作用が現れるおそれがあります。エストロゲン製剤の服用中はカフェインの摂取を制限してください。このようなエストロゲン製剤には，結合型エストロゲン，エチニルエストラジオール，エストラジオールなどがあります。

高エフェドリン塩酸塩

興奮薬は神経系を亢進させます。コーヒーに含まれるカフェインとエフェドリン塩酸塩はいずれも興奮薬です。コーヒーとエフェドリン塩酸塩を併用すると，過度に興奮し，場合によっては重大な副作用および心臓の異常が引き起こされるおそれがあります。カフェインを含む製品とエフェドリン塩酸塩を同時に摂取しないでください。

中キノロン系抗菌薬

コーヒーにはカフェインが含まれます。カフェインは体内で代謝されてから排泄されます。特定の抗菌薬はカフェインの代謝を抑制する可能性があります。コーヒーと特定の抗菌薬を併用すると，副作用（神経過敏，頭痛，動悸など）のリスクが高まるおそれがあります。このような抗菌薬には，シプロフロキサシン，Gemifloxacin，レボフロキサシン水和物，モキシフロキサシン塩酸塩などがあります。

中クロザピン

クロザピンは体内で代謝されてから排泄されます。

有効性レベル：①効きます　②おそらく効きます　③効くと断言できませんが、効能の可能性が科学的に示唆されています　④効かないかもしれません　⑤おそらく効きません　⑥効きません

コーヒーに含まれるカフェインはクロザピンの代謝を抑制する可能性があります。コーヒーとクロザピンを併用すると，クロザピンの作用および副作用が増強するおそれがあります。

中ジスルフィラム

コーヒーに含まれるカフェインは体内で代謝されてから排泄されます。ジスルフィラムはカフェインの排泄を抑制する可能性があります。コーヒーとジスルフィラムを併用すると，コーヒーの作用および副作用（神経過敏，活動亢進，易刺激性など）が増強するおそれがあります。

中ジピリダモール

コーヒーに含まれるカフェインはジピリダモールの作用を妨げる可能性があります。ジピリダモールは心臓の検査に頻用されます。この検査は薬剤負荷心筋シンチグラフィと呼ばれます。この検査を受ける少なくとも24時間前から，コーヒーなどのカフェインが含まれる製品を摂取しないでください。

低シメチジン

コーヒーに含まれるカフェインは体内で代謝されてから排泄されます。シメチジンはカフェインの代謝を抑制する可能性があります。コーヒーとシメチジンを併用すると，カフェインの副作用（神経過敏，頭痛，動悸など）のリスクが高まるおそれがあります。

中テオフィリン

コーヒーに含まれるカフェインにはテオフィリンに類似した作用があります。また，カフェインはテオフィリンの体内からの排泄を抑制する可能性があります。コーヒーとテオフィリンを併用すると，テオフィリンの作用および副作用が増強するおそれがあります。

低テルビナフィン塩酸塩

コーヒーに含まれるカフェインは体内で代謝されてから排泄されます。テルビナフィン塩酸塩はカフェインの代謝を抑制し，副作用（神経過敏，頭痛，頻脈など）のリスクを高めるおそれがあります。

中フェノチアジン系薬

コーヒーには化学物質（タンニン）が含まれます。タンニンは多くの医薬品と結合し，医薬品の体内への吸収量を減少させる可能性があります。この相互作用を避けるために，フェノチアジン系薬を服用する1時間以上前から服用後2時間まではコーヒーを摂取しないでください。このようなフェノチアジン系薬には，フルフェナジン，クロルプロマジン塩酸塩，ハロペリドール，プロクロルペラジンマレイン酸塩，チオリダジン塩酸塩（販売中止），塩酸トリフロペラジン（販売中止）などがあります。

低フルコナゾール

コーヒーに含まれるカフェインは体内で代謝されてから排泄されます。フルコナゾールはカフェインの排泄を抑制する可能性があります。コーヒーとフルコナゾールを併用すると，コーヒーの作用および副作用（神経過敏，不安感，不眠症など）が増強するおそれがあります。

中フルボキサミンマレイン酸塩

コーヒーに含まれるカフェインは体内で代謝されてから排泄されます。フルボキサミンマレイン酸塩はカフェインの代謝を抑制する可能性があります。カフェインとフルボキサミンマレイン酸塩を併用すると，体内のカフェイン量が過剰になり，カフェインの作用および副作用が増強するおそれがあります。

中ベラパミル塩酸塩

コーヒーに含まれるカフェインは体内で代謝されてから排泄されます。ベラパミル塩酸塩はカフェインの排泄を抑制する可能性があります。コーヒーとベラパミル塩酸塩を併用すると，カフェインの副作用（神経過敏，頭痛，頻脈など）のリスクが高まるおそれがあります。

中ペントバルビタールカルシウム

コーヒーに含まれるカフェインの興奮作用は，ペントバルビタールカルシウムの催眠作用を妨げるおそれがあります。

低メキシレチン塩酸塩

コーヒーにはカフェインが含まれます。カフェインは体内で代謝されてから排泄されます。メキシレチン塩酸塩はカフェインの代謝を抑制する可能性があります。コーヒーとメキシレチン塩酸塩を併用すると，コーヒーに含まれるカフェインの作用および副作用が増強するおそれがあります。

中モノアミン酸化酵素阻害薬（MAO阻害薬）

コーヒーに含まれるカフェインは身体を刺激する可能性があります。モノアミン酸化酵素阻害薬（MAO阻害薬）も身体を刺激する可能性があります。カフェインを含むコーヒーとMAO阻害薬を併用すると，身体が過度に刺激され，重大な副作用（動悸，高血圧，神経過敏など）が現れる可能性があります。このようなMAO阻害薬には，Phenelzine，Tranylcypromineなどがあります。

中リルゾール

リルゾールは体内で代謝されてから排泄されます。コーヒーを摂取すると，リルゾールの代謝が抑制され，リルゾールの作用および副作用が増強するおそれがあります。

中レボチロキシンナトリウム水和物

コーヒーの種類によっては，経口摂取したレボチロキシンナトリウム水和物の吸収量を減少させる可能性があります。そのため，レボチロキシンナトリウム水和物の作用が弱まるおそれがあります。レボチロキシンナトリウム水和物の服用時および服用後1時間はコーヒーを摂取しないでください。

中塩酸フェニルプロパノールアミン【販売中止】

コーヒーに含まれるカフェインは身体を刺激する可能性があります。塩酸フェニルプロパノールアミンも身体を刺激する可能性があります。コーヒーと塩酸フェニルプロパノールアミンを併用すると，過度に刺激され，頻脈，高血圧，神経過敏が引き起こされるおそれがあります。

中気管支喘息治療薬（アドレナリンβ受容体作動薬）

コーヒーにはカフェインが含まれます。カフェインは心臓を刺激する可能性があります。特定の気管支喘息治療薬も心臓を刺激する可能性があります。気管支喘息治療薬とカフェインを併用すると，過度に刺激され，心臓の異常が引き起こされるおそれがあります。このような気管支喘息治療薬には，サルブタモール硫酸塩，オルシプレナリン硫酸塩（販売中止），テルブタリン硫酸塩，イソプレナリン塩酸塩などがあります。

中興奮薬

興奮薬は神経系を亢進させます。神経系を亢進させることにより，興奮薬は神経を過敏にし，心拍数を上昇させる可能性があります。コーヒーに含まれるカフェインも神経系を亢進させる可能性があります。コーヒーと興奮薬を併用すると，重大な副作用（頻脈や高血圧など）が現れるおそれがあります。コーヒーと興奮薬を併用しないでください。このような興奮薬には，Diethylpropion，エピネフリン，Phentermine，塩酸プソイドエフェドリンなど数多くあります。

中血液凝固を抑制する医薬品（抗凝固薬/抗血小板薬）

コーヒーは血液凝固を抑制する可能性があります。コーヒーと血液凝固を抑制する医薬品を併用すると，紫斑や出血のリスクが高まるおそれがあります。このような医薬品には，アスピリン，クロピドグレル硫酸塩，ジクロフェナクナトリウム，イブプロフェン，ナプロキセン，ダルテパリンナトリウム，エノキサパリンナトリウム，ヘパリン，ワルファリンカリウムなどがあります。

中三環系抗うつ薬

コーヒーには化学物質（タンニン）が含まれます。タンニンは多くの医薬品と結合し，医薬品の体内への吸収量を減少させる可能性があります。この相互作用を避けるために，三環系抗うつ薬の服用前1時間から服用後2時間まではコーヒーを摂取しないでください。このような抗うつ薬には，アミトリプチリン塩酸塩，イミプラミン塩酸塩などがあります。

中炭酸リチウム

炭酸リチウムは体内から自然に排泄されます。コーヒーに含まれるカフェインは炭酸リチウムの排泄を促進する可能性があります。カフェインを含む製品と炭酸リチウムを併用している場合には，その製品の摂取を徐々にやめてください。すぐにやめると，炭酸リチウムの副作用が増強するおそれがあります。

低糖尿病治療薬

コーヒーは血糖値を上昇させる可能性があります。糖尿病治療薬は血糖値を低下させるため用いられます。コーヒーが血糖値を上昇させることで，糖尿病治療薬の効果が弱まるおそれがあります。血糖値を注意深く監視してください。糖尿病治療薬の用量を変更する必要があるかもしれません。このような糖尿病治療薬には，グリメピリド，グリベンクラミド，インスリン，ピオグリタゾン塩酸塩，マレイン酸ロシグリタゾン（販売中止），クロルプロパミド，Glipizide，トルブタミド（販売中止）などがあります。

中避妊薬

コーヒーに含まれるカフェインは体内で代謝されてから排泄されます。避妊薬はカフェインの代謝を抑制する可能性があります。コーヒーと避妊薬を併用すると，副作用（神経過敏，頭痛，動悸など）が現れるおそれがあります。このような避妊薬には，エチニルエストラジオール・レボノルゲストレル配合，エチニルエストラジオール・ノルエチステロン配合などがあります。

中ニコチン

コーヒーに含まれるカフェインとニコチンを併用すると，頻脈の悪化や血圧の上昇が生じるおそれがあります。

中利尿薬

コーヒーに含まれるカフェインはカリウムを減少させる可能性があります。利尿薬も体内のカリウムを減少させる可能性があります。カフェインと利尿薬を併用すると，体内のカリウムが過度に減少するおそれがあります。このような利尿薬には，クロロチアジド（販売中止），クロルタリドン（販売中止），フロセミド，ヒドロクロロチアジドなどがあります。

ハーブおよび健康食品・サプリメントとの相互作用

ダイダイ

ダイダイと，カフェインおよびカフェイン含有ハーブを併用すると，血圧が正常値の健康な成人の血圧および心拍数を上昇させることがあります。これにより重篤な心臓障害を招くおそれがあります。この併用は避けてください。

カフェイン含有ハーブおよび健康食品・サプリメント

コーヒーとほかのカフェイン含有ハーブおよび健康食品・サプリメントを併用するとカフェインへの暴露が増加し，カフェインに関連する副作用のリスクが増強します。ほかのカフェインを含有する食品には，紅茶，ココア，コーラノキの種，緑茶，ウーロン茶，ガラナ豆，およびマテがあります。

カルシウム

コーヒーなどの食品でカフェインを多量に摂取すると，カルシウムの尿中排泄量が増加します。

クレアチン

カフェインまたはカフェイン含有飲料とマオウおよびクレアチンを含むハーブを併用すると，重篤な副作用のリスクが高まる可能性があります。クレアチンモノハイドレイト，カフェイン，マオウ（麻黄），およびほかの種々のハーブおよび健康食品・サプリメントを毎日6週間摂取したスポーツ選手が脳卒中を引き起こしたとの報告があります。カフェインは，運動能力において有益と考えられるクレアチン効果を減弱させる可能性もあります。

マオウ（麻黄）

コーヒーは刺激物質であるカフェインを含んでいます。同じく刺激物質であるマオウ（麻黄）とコーヒーを併用すると，高血圧症，心臓発作，脳卒中，痙攣，および死など，重篤な命が脅かされる副作用のリスクが増強される可能性があります。マオウ（麻黄）やほかの刺激物質とコーヒーの併用は避けてください。

血液凝固を抑制するハーブおよび健康食品・サプリメント

コーヒーに含まれるカフェインは血液凝固を抑制することがあります。コーヒーとほかの血液凝固を抑制するハーブおよび健康食品・サプリメントを併用すると，出血傾向が強くなることがあります。このようなハーブにはアンゼリカ，クローブ，タンジン，ニンニク，ショウガ，イチョウ，朝鮮人参などがあります。

マグネシウム

コーヒーを大量に摂取すると，尿中のマグネシウム排泄が増加します。

使用量の目安

●経口摂取

頭痛，精神的敏捷性回復

1日最大250mgまたはコーヒーでカップ約2杯を摂取します。

パーキンソン病の予防

進行の予防を目的で使用する場合，カフェインを抜いていないコーヒー1日3～4杯（840mL），またはカフェインを421～2,716mg摂取します。ただし，カフェイン124～208mg（コーヒーにして約1～2杯）だけでも危険性はかなり低くなります。女性の場合，カフェインが軽いコーヒーを1日1～3杯飲んでも有効のようです。

症候性胆石症の予防

カフェインを1日400mg以上（コーヒー2杯以上）摂取します。最低1日800mg以上（コーヒー4杯以上）摂取すると，危険性を著しく低下させます。

2型糖尿病の予防

1日約900mg（コーヒー6杯以上）を長期間摂取します。副作用を防ぐにはフィルターを使ったドリップコーヒーをお飲みください。コーヒーの種類，豆の挽き方，コーヒーと水の比率などの要因で，香りや強さが決まります。

カフェイン含有量（カップ当たりの平均）：パーコレーター使用100～150mg；インスタントコーヒー85～100mg；デカフェ約8mg。深煎りは，作業中の昇華によりカフェインが少なくなっています。

コーヒー炭

COFFEE CHARCOAL

別名ほか

アラビアコーヒーノキ，コフィア・アラビカ（Coffea arabica），ロブスターコーヒーノキ，コフィアカネフォラ（Coffea canephora），リベリアコーヒーノキ，コフィアリベリカ（Coffea liberica）

概　要

コーヒー炭は，ハーブです。コーヒー豆の外側部分を黒くなるか炭化するまでローストして作られます。

安全性

ほとんどの人に安全のようです。

●妊娠中および母乳授乳期

妊娠中および母乳授乳期の使用の安全性についてはデータが不十分です。安全性を考慮し，摂取は避けてください。

有効性

◆科学的データが不十分です

・下痢，口内および咽頭の炎症（直接投与），感染創（直接投与）。

●体内での働き

炎症の軽減に有効で，組織を乾燥させる（収れん）効果があると考えられます。

医薬品との相互作用

中経口薬

コーヒー炭は，胃腸の中の物質を吸着します。経口薬と併用すると，体内で吸収される医薬品の量が減少し，その効果が弱まるおそれがあります。この相互作用を避けるため，経口薬を摂取後，1時間以上経過してから使用してください。

ハーブおよび健康食品・サプリメントとの相互作用

ほかのハーブ，健康食品・サプリメントとの相互作用についてはまだ明らかではありません。

使用量の目安

●経口摂取

1回の平均摂取量は3gで，1日の合計は9gです。保管する場合，密閉できる容器に入れてください。3～4日以上下痢が続くようなら，医師の診断を受けてください。

●局所投与

標準使用量に関するデータがありません。

コーラノキの種

COLA NUT

別名ほか

コーラノキ（Cola acuminata），Bissy Nut，Cola nitida，Guru Nut，Gworo，Kola Nut，Soudan Coffee，

Sterculia acuminata

概　要

コーラノキの種は，ナイジェリアやほかの西アフリカ諸国において，伝統的なもてなしや，文化的および社会的儀式に幅広く利用され，同時に「くすり」として使われることがあります。

●要説（ナチュラル・スタンダード）

コーラノキの種は，カメルーンおよびコンゴ民主共和国に分布する数種類の木から採取されます。Cola vera は医療用としてよく使用されています。

コーラノキの種は，昔から刺激性カフェインとして用いられ，欧米の清涼飲料に一般的に添加されています。集中力や体力の向上，気分高揚，触覚感度の向上，および食欲抑制効果があるとされています。体温，血圧，および呼吸数を上昇させるおそれもあります。

コーラノキの種は，体重減少効果を示唆する予備段階の研究結果があります。ただし，利用できる臨床情報は限られています。

安 全 性

通常の食品としての量を摂取する場合，ほとんどの人に安全のようです。

「くすり」としての量を摂取する場合，短期間であればおそらく安全です。コーラノキの種に含まれるカフェインは，不眠，神経質，情動不安，胃の過敏，吐き気，嘔吐，心拍や呼吸数の増加などの副作用をもたらすおそれがあります。

「くすり」としての量を長期にわたり摂取する場合，おそらく安全ではありません。コーラノキの種を噛む行為は，口腔がんおよび消化器がんのリスクの上昇と関連しています。多量に摂取すると，頭痛，不安，興奮，耳鳴，脈拍不整を起こすこともあります。摂取を突然に中止すると，頭痛，過敏，神経質，不安，めまい感などを起こすこともあります。

とくに大量に経口摂取する場合，カフェインを大量に含むため，安全ではないようです。とくに大量のカフェインにより，死に至るおそれもあります。致死量は約10～14gと推定されています。これは体重１kg当たり150～200mgに相当します。

小児：通常の食品としての量を摂取する場合，ほとんどの小児に安全のようです。

不安障害：コーラノキの種に含まれるカフェインにより，不安障害が悪化するおそれがあります。

出血性疾患：コーラノキの種に含まれるカフェインが血液凝固を抑制するおそれがあります。これにより出血性疾患が悪化するおそれが専門家の間で危惧されています。

心疾患：コーラノキの種に含まれるカフェインが脈拍不整を引き起こすおそれがあります。心疾患患者は注意して使用してください。

糖尿病：コーラノキの種に含まれるカフェインが，糖の代謝に影響を及ぼし，糖尿病を悪化させるおそれがあるとする研究があります。しかし，カフェインを含む飲料やハーブおよび健康食品・サプリメントの作用については，データが不十分です。糖尿病患者は注意して使用してください。

下痢：コーラノキの種に含まれるカフェインは，特に大量に摂取する場合，下痢を悪化させるおそれがあります。

緑内障：コーラノキの種に含まれるカフェインが眼圧を上昇させるおそれがあります。眼圧は30分以内に上昇し，90分以上高い状態が続くようです。

高血圧：コーラノキの種に含まれるカフェインにより，高血圧の人の血圧が上昇するおそれがあります。ただし，コーラノキの種やほかのカフェイン製品を日常的に摂取している人では，血圧は上昇しないようです

過敏性腸症候群（IBS）：コーラノキの種に含まれるカフェインは，とくに大量に摂取する場合，下痢および過敏性腸症候群の症状を悪化させるおそれがあります。

骨粗鬆症：コーラノキの種に含まれるカフェインが尿中に排出されるカルシウム量を増加させるおそれがあります。骨粗鬆症患者や骨密度の低い人は，カフェインを１日300mg（コーヒーで約２～３杯）未満に制限してください。また，尿中に排出される分のカルシウムを余分に摂取するのもよいでしょう。ビタミンD代謝に影響を及ぼす遺伝性疾患をもつ高齢女性がカフェインを摂取する場合は，注意してください。ビタミンDはカルシウムと協調して骨をつくります。

手術：コーラノキの種が血糖値に影響を及ぼし，手術中・手術後の血糖コントロールに干渉するおそれがあります。少なくとも手術前２週間は，使用しないでください。

●妊娠中および母乳授乳期

妊娠中および母乳授乳期の摂取は，通常の食品としての量であれば，おそらく安全です。量が多くなるとカフェインの供給量が過度になり，おそらく安全ではありません。母親は１日のカフェイン摂取量を200mg以下に抑える必要があります。これはコーヒーまたは茶２杯分のカフェインに相当します。妊娠中にこれより多く摂取すると，流産，早産，および出生時の低体重を引き起こす可能性が高まるおそれがあります。カフェインは母乳中に排出されるため，母乳授乳期はコーラノキの種の摂取を管理し，少量に限ることを確認する必要があります。コーラノキの種のカフェインは，母乳哺育の乳児において睡眠障害，過敏，過度の便通などを引き起こすおそれがあります。

有 効 性

◆科学的データが不十分です

・体重減少，うつ病，消耗，慢性疲労症候群（CFS），赤痢，下痢，食欲不振，片頭痛，心身の疲労など。

有効性レベル：①効きます　②おそらく効きます　③効くと断言できませんが、効能の可能性が科学的に示唆されています
④効かないかもしれません　⑤おそらく効きません　⑥効きません

●体内での働き

コーラノキの種にはカフェインが含まれています。カフェインには中枢神経系，心臓，筋肉を刺激する作用があります。

医薬品との相互作用

中アデノシン

コーラノキの種はカフェインを含みます。コーラノキの種に含まれるカフェインはアデノシンの作用を妨げる可能性があります。アデノシンは心臓の検査に頻用されます。この検査は薬剤負荷心筋シンチグラフィと呼ばれます。この検査を受ける前，少なくとも24時間はコーラノキの種など，カフェインを含む製品を摂取しないでください。

中アルコール

コーラノキの種に含まれるカフェインは，体内で代謝されてから排泄されます。アルコールは，カフェインの代謝を抑制する可能性があります。コーラノキの種とアルコールを併用すると，血中のカフェイン濃度が過剰になり，神経過敏，頭痛，動悸などのカフェインの副作用を発現させるおそれがあります。

高アンフェタミン類【販売中止】

アンフェタミン類などの興奮薬は神経系を亢進させます。興奮薬が神経系を亢進させることにより，神経が過敏になり，心拍数が上昇します。コーラノキの種に含まれるカフェインもまた神経系を亢進させます。カフェインと興奮薬を併用すると，頻脈や高血圧などの重大な問題を引き起こすおそれがあります。コーラノキの種と興奮薬を併用しないでください。

中エストロゲン（卵胞ホルモン）製剤

コーラノキの種に含まれるカフェインは体内で代謝されてから排泄されます。エストロゲンはカフェインの代謝を抑制する可能性があります。コーラノキの種とエストロゲン製剤を併用すると，神経過敏，頭痛，頻脈などの副作用が現れるおそれがあります。エストロゲン製剤を服用中にカフェインを摂取しないでください。このようなエストロゲン製剤には，結合型エストロゲン，エチニルエストラジオール，エストラジオールなどがあります。

高エフェドリン塩酸塩

興奮薬は神経系を亢進させます。コーラノキの種に含まれるカフェインおよびエフェドリン塩酸塩はいずれも興奮薬です。コーラノキの種とエフェドリン塩酸塩を併用すると，過度な興奮や，場合によっては重大な副作用および心臓の異常を引き起こすおそれがあります。カフェインを含む製品とエフェドリン塩酸塩を同時に併用しないでください。

中キノロン系抗菌薬

コーラノキの種に含まれるカフェインは体内で代謝されてから排泄されます。抗菌薬はカフェインの代謝を抑制する可能性があります。コーラノキの種と抗菌薬を併用すると，神経過敏，頭痛，頻脈などの副作用のリスクが高くなるおそれがあります。このような抗菌薬にはシプロフロキサシン，エノキサシン水和物（販売中止），ノルフロキサシン，スパルフロキサシン（販売中止），Trovafloxacin，塩酸グレパフロキサシン（販売中止）があります。

中クロザピン

クロザピンは体内で代謝されてから排泄されます。コーラノキの種に含まれるカフェインはクロザピンの代謝を抑制する可能性があります。コーラノキの種とクロザピンを併用すると，クロザピンの作用および副作用を増強させるおそれがあります。

高コカイン塩酸塩

コカイン塩酸塩などの興奮薬は神経系を亢進させます。神経系を亢進させることにより，興奮薬は神経を過敏にし，心拍数を上昇させます。コーラノキの種に含まれるカフェインもまた神経系を亢進させます。カフェインと興奮薬を併用すると，頻脈や高血圧などの深刻な問題を引き起こすおそれがあります。コーラノキの種と興奮薬を併用しないでください。

中ジスルフィラム

コーラノキの種に含まれるカフェインは体内で代謝されてから排泄されます。ジスルフィラムはカフェインの排泄を抑制する可能性があります。コーラノキの種とジスルフィラムを併用すると，神経過敏，活動亢進，易刺激性などの作用および副作用が増強するおそれがあります。

中ジピリダモール

コーラノキの種はカフェインを含みます。コーラノキの種に含まれるカフェインはジピリダモールの作用を妨げる可能性があります。ジピリダモールは心臓の検査に頻用されます。この検査は薬剤負荷心筋シンチグラフィと呼ばれます。この検査を受ける前の少なくとも24時間は，コーラノキの種などのカフェインを含む製品を摂取しないでください。

中シメチジン

コーラノキの種に含まれるカフェインは体内で代謝されてから排泄されます。シメチジンはカフェインの代謝を抑制する可能性があります。コーラノキの種とシメチジンを併用すると，神経過敏，頭痛，動悸など，カフェインの副作用のリスクが高まるおそれがあります。

中テオフィリン

コーラノキの種はカフェインを含みます。カフェインにはテオフィリンに類似した作用があります。カフェインはまたテオフィリンの体内での代謝を抑制する可能性があります。コーラノキの種とテオフィリンを併用すると，テオフィリンの作用および副作用を増強させるおそれがあります。

低テルビナフィン塩酸塩

コーラノキの種にはカフェインが含まれます。コーラの種に含まれるカフェインは，体内で代謝されてから排

相互作用レベル：高この医薬品と併用してはいけません　中この医薬品とは慎重に併用するか併用しないでください
低この医薬品との併用には注意が必要です

泄されます。テルビナフィン塩酸塩はカフェインの排泄を抑制する可能性があります。コーラノキの種とテルビナフィン塩酸塩を併用すると，神経過敏，頭痛，頻脈など，カフェインの副作用のリスクが高まるおそれがあります。

中ニコチン

ニコチンなどの興奮薬は神経系を亢進させます。興奮薬が神経系を亢進させることにより，神経が過敏になり，心拍数が上昇します。コーラノキの種に含まれているカフェインもまた神経系を亢進させます。カフェインと興奮薬を併用すると，頻脈や高血圧などの深刻な問題を引き起こすおそれがあります。コーラノキの種と興奮薬を併用しないでください。

低フルコナゾール

コーラノキの種はカフェインを含みます。カフェインは体内で代謝されてから排泄されます。フルコナゾールはカフェインの排泄を抑制する可能性があります。そのため，体内のカフェイン量が過剰になり，神経質，不安，不眠などの副作用のリスクが高まるおそれがあります。

中フルボキサミンマレイン酸塩

コーラノキの種に含まれるカフェインは，体内で代謝されてから排泄されます。フルボキサミンマレイン酸塩はカフェインの代謝を抑制する可能性があります。カフェインとフルボキサミンマレイン酸塩を併用すると，体内のカフェイン量が過剰になり，カフェインの作用および副作用が増強するおそれがあります。

中ベラパミル塩酸塩

コーラノキの種に含まれているカフェインは，体内で代謝されてから排泄されます。ベラパミル塩酸塩は，カフェインの排泄を抑制する可能性があります。コーラノキの種とベラパミル塩酸塩を併用すると，神経過敏，頭痛，頻脈などカフェインの副作用のリスクを高めるおそれがあります。

中ペントバルビタールカルシウム

コーラノキの種に含まれるカフェインの興奮作用は，ペントバルビタールカルシウムの催眠作用を妨げるおそれがあります。

低メキシレチン塩酸塩

コーラノキの種にはカフェインが含まれます。カフェインは体内で代謝されてから排泄されます。メキシレチン塩酸塩はカフェインの代謝を抑制する可能性があります。コーラノキの種とメキシレチン塩酸塩を併用すると，カフェインの作用および副作用が増強するおそれがあります。

中モノアミン酸化酵素阻害薬（MAO阻害薬）

コーラノキの種にはカフェインが含まれます。カフェインは身体を刺激する可能性があります。モノアミン酸化酵素阻害薬（MAO阻害薬）も身体を刺激する可能性があります。コーラノキの種とMAO阻害薬を併用すると，身体が過度に刺激される可能性があります。そのため，動悸，高血圧，神経過敏などの重大な副作用が現れるおそれがあります。このようなMAO酵素阻害薬には，Phenelzine，Tranylcypromineなどがあります。

中リルゾール

リルゾールは体内で代謝されてから排泄されます。コーラノキの種を摂取すると，リルゾールの代謝を抑制し，リルゾールの作用および副作用が増強するおそれがあります。

中塩酸フェニルプロパノールアミン【販売中止】

コーラノキの種に含まれるカフェインは，身体を刺激する可能性があります。塩酸フェニルプロパノールアミンもまた身体を刺激する可能性があります。コーラノキの種と塩酸フェニルプロパノールアミンを併用すると，過度に刺激を与え，頻脈，高血圧，神経過敏を引き起こすおそれがあります。

中気管支喘息治療薬（アドレナリンβ受容体作動薬）

コーラノキの種にはカフェインが含まれます。カフェインは心臓を刺激する可能性があります。気管支喘息治療薬のなかには心臓を刺激するものもあります。カフェインと気管支喘息治療薬を併用すると，過度に刺激を与え，心臓の異常を引き起こすおそれがあります。このような気管支喘息治療薬にはサルブタモール硫酸塩，オルシプレナリン硫酸塩（販売中止），テルブタリン硫酸塩，イソプレナリン塩酸塩があります。

中興奮薬

興奮薬は神経系を亢進させます。神経系を亢進させることにより，興奮薬は神経を過敏にして心拍数を上昇させる可能性があります。コーラノキの種に含まれるカフェインもまた神経系を亢進させる可能性があります。コーラノキの種と興奮薬を併用すると，頻脈や高血圧などの深刻な問題を引き起こすおそれがあります。このような興奮薬にはDiethylpropion，エピネフリン，Phentermine，塩酸プソイドエフェドリンなど多くあります。

中血液凝固を抑制する医薬品（抗凝固薬/抗血小板薬）

コーラノキの種にはカフェインが含まれています。カフェインは血液凝固を抑制する可能性があります。コーラノキの種など，カフェインを含んでいるものと血液凝固を抑制する医薬品を併用すると，出血のリスクを高めるおそれがあります。このような医薬品にはアスピリン，クロピドグレル硫酸塩，ダルテパリンナトリウム，ジピリダモール，エノキサパリンナトリウム，ヘパリン，チクロピジン塩酸塩，ワルファリンカリウムなどがあります。

中炭酸リチウム

炭酸リチウムは体内から自然に排泄されます。コーラノキの種に含まれるカフェインは，炭酸リチウムの排泄を促進させる可能性があります。カフェインを含んでいる製品と炭酸リチウムを併用している場合には，その製品の摂取を徐々にやめてください。すぐにやめると，炭酸リチウムの副作用が増強するおそれがあります。

低糖尿病治療薬

コーラノキの種はカフェインを含みます。カフェインは血糖値を上昇または低下させるという矛盾するエビデンスがあります。糖尿病治療薬は血糖値を低下させるために用いられます。コーラノキの種など，カフェインを含むものと糖尿病治療薬を併用すると，糖尿病治療薬の効果を弱めるおそれがあります。血糖値を注意深く監視してください。糖尿病治療薬の用量を変更する必要があるかもしれません。このような糖尿病治療薬にはグリメピリド，グリベンクラミド，インスリン，ピオグリタゾン塩酸塩，マレイン酸ロシグリタゾン（販売中止），クロルプロパミド，Glipizide，トルブタミド（販売中止）などがあります。

低避妊薬

コーラノキの種に含まれるカフェインは体内で代謝されてから排泄されます。経口避妊薬は，カフェインの代謝を抑制する可能性があります。コーラノキの種と避妊薬を併用すると，神経過敏，頭痛，動悸などの副作用が現れるおそれがあります。このような避妊薬には，エチニルエストラジオール・レボノルゲストレル配合，エチニルエストラジオール・ノルエチステロン配合などがあります。

ハーブおよび健康食品・サプリメントとの相互作用

ダイダイ

ダイダイはカフェインや，コーラノキの種などのカフェイン含有ハーブと併用すると，血圧が正常値の健康な成人に血圧および心拍数の上昇を引き起こすことがあります。これにより，重篤な心疾患および脳卒中のリスクが増加します。

カフェイン含有のハーブおよび健康食品・サプリメント

コーラノキの種とカフェイン含有のハーブおよび健康食品・サプリメントを併用すると，カフェインの作用と副作用が増強します。カフェインを含む食品には，コーヒー，紅茶，緑茶，ウーロン茶，ガラナ豆，マテなどがあります。

カルシウム

食品，飲料，およびコーラノキの種などのハーブからカフェインを大量に摂取すると，尿中のカルシウム排泄が増加するおそれがあります。

クレアチン

コーラノキの種などからのカフェインと，マオウ（麻黄）およびクレアチンを併用すると，重篤な副作用のリスクが増加します。スポーツ選手が１日に６gのクレアチン・モノハイドレート，400～600mgのカフェイン，40～60mgのマオウ（麻黄），およびほかの種々のサプリメントを毎日，６週間摂取し，脳卒中を引き起こしたとの報告があります。また，カフェインは運動能力に対するクレアチンの効果を減弱させるおそれがあります。

マオウ（麻黄）

マオウ（麻黄）をコーラノキの種と併用すると，マオウ（麻黄）とカフェインの相互作用によって身体に過度に刺激を与えるおそれがあります。マオウ（麻黄）をカフェインと併用すると，高血圧，心臓発作，脳卒中，痙攣などの重篤または有害な疾患，もしくは死亡のリスクが高まるおそれがあるというエビデンスがあります。コーラノキの種と，マオウ（麻黄）やほかの興奮薬を併用してはいけません。

血液凝固を抑制するハーブおよび健康食品・サプリメント

コーラノキの種に含まれるカフェインが血液凝固を抑制するおそれがあります。コーラノキの種と血液凝固を抑制するほかのハーブおよび健康食品・サプリメントを併用すると，出血のリスクが高まるおそれがあります。このようなハーブおよび健康食品・サプリメントには，アンゼリカ，クローブ，タンジン，ニンニク，ショウガ，イチョウ，朝鮮人参，レッドクローバー，ウコン，ヤナギなどがあります。

マグネシウム

コーラノキの種に含まれるカフェインは，とくに大量に摂取すると，尿中に排出されるマグネシウム量が上昇するおそれがあります。

使用量の目安

通常の食品に含まれている量を超えて経口摂取した場合の安全性および副作用については，明らかになっていません。

コーラルルート

CORAL ROOT

別名ほか

Chicken Toe，Corallorhiza Odontorhiza，Crawley，Crawley Root，Cymbidium odontorhizum，Fever Root，Scaley Dragon's Claw，Turkey Claw

概　　要

コーラルルートはハーブです。球根または根を用いて「くすり」を作ることもあります。コーラルルートとサンゴを混同してはいけません。

安 全 性

十分なデータは得られていないので，「くすり」として安全であるかどうかは不明です。

●妊娠中および母乳授乳期

妊娠中および母乳授乳期の使用の安全性についてはデータが不十分です。安全性を考慮し，摂取は避けてください。

有 効 性

◆科学的データが不十分です

相互作用レベル：高この医薬品と併用してはいけません　中この医薬品とは慎重に併用するか併用しないでください　低この医薬品との併用には注意が必要です

・感冒のほか発汗の誘発。

●体内での働き

発汗や解熱を補助し，また眠気を催すかもしれません。

医薬品との相互作用

ほかの医薬品との相互作用については明らかではありません。

ハーブおよび健康食品・サプリメントとの相互作用

ほかのハーブ，健康食品・サプリメントとの相互作用についてはまだ明らかではありません。

使用量の目安

標準使用量に関するデータがありません。

コールラビ

KOHLRABI

●代表的な別名

蕪カンラン

別名ほか

Bladkoolachtigen, Brassica oleracea L. var. caulorapa, Brassica oleracea var. gongylode, Cabbage Turnip, Cai Tou, Cavolo Rapa, Chou Navet, Chou Rave, Col Rábano, Coli Rabano, Colinabo, Colirrabano, Couve Nabo, Couve Rábano, Glaskalrabi, Hungarian Turnip, Kaalrabi, Kalarepa, Kålrabbi, Kålrabi, Karalábé, Knolkhol, Knolkool, Knudekål, Knutekal, Kol'rabi, Koolrabi, Kyssakaali, Kyuukei Kanran, Nuikapsas, Pie Lan, Rubkohl, Ryukyu Kanran, Stem Turnip, Turnip Cabbage, Turnip Kale, Turnip-Stemmed Cabbage

概　　要

コールラビは，キャベツやブロッコリー，カリフラワー，ケール，コラード，芽キャベツのような野菜です。食品や「くすり」として茎や葉が利用されます。

コールラビは抗酸化剤として経口投与され，その投与目的は，がん，心臓病，便秘，糖尿病，痛風，痔核，顔面紅潮（ほてり），高コレステロール，肝臓病，月経障害，坐骨神経痛と呼ばれる疼痛性障害，壊血病，体重の減少，創傷治癒などです。

コールラビは脱毛症状の改善のために皮膚に塗付されます。

安　全　性

コールラビの摂取は，食品に含まれている量であれば，ほとんどの人に安全のようです。「くすり」としての量を摂取する場合の安全性および副作用については，明らかではありません。

●妊娠中および母乳授乳期

妊娠中および母乳授乳期に，「くすり」としての量を摂取する場合の安全性についてはデータが不十分です。安全性を考慮し，食品の量の範囲内で摂取してください。

有　効　性

◆科学的データが不十分です

・がん，心疾患，大腸炎，便秘，クローン病，糖尿病，痛風，痔核，顔面紅潮（ほてり），高コレステロール血症，肝疾患，月経症状，坐骨神経痛（疼痛障害），壊血病，体重減少，創傷治癒，抜け毛など。

●体内での働き

コールラビには，がんを予防すると考えられている化学物質が含まれています。コールラビに含まれている化学物質には，抗酸化作用がある可能性もあります。

医薬品との相互作用

ほかの医薬品との相互作用については明らかではありません。

ハーブおよび健康食品・サプリメントとの相互作用

ほかのハーブ，健康食品・サプリメントとの相互作用についてはまだ明らかではありません。

使用量の目安

通常の食品に含まれている量を超えて経口摂取した場合の安全性および副作用については，明らかになっていません。

コーンシルク

CORN SILK

別名ほか

トウモロコシ（Zea Mays），Indian Corn, Maidis Stigma, Maize Silk, Stigma Maydis

概　　要

コーンシルクは，トウモロコシの先端から出ている長く光沢のある繊維（ひげ）です。「くすり」を作るのに用いられることもあります。

安　全　性

ほとんどの人には安全のようですが，血中のカリウム濃度を低下させ，皮膚に湿疹，かゆみ，アレルギーを起こすかもしれません。

糖尿病，高血圧症または低血圧症，カリウム濃度が低い人，トウモロコシアレルギーのある人は使用してはいけません。

●妊娠中および母乳授乳期

妊娠中，母乳授乳期は，使用してはいけません。

有　効　性

◆科学的データが不十分です

・夜尿症，膀胱感染症，前立腺炎，泌尿器系の炎症，腎結石，うっ血性心不全，糖尿病，疲労感，高血圧症，高コレステロール血症など。

●体内での働き

タンパク質，炭水化物，ビタミン，ミネラル，および食物繊維を含んでいます。利尿薬のような働きをする可能性がある化学物質も含んでいます。血糖値に影響を与えたり，炎症を軽減する作用がある可能性があります。

医薬品との相互作用

中ワルファリンカリウム

コーンシルクにはビタミンKが多量に含まれていますが，ビタミンKは体内で凝血を促す働きをします。ワルファリンカリウムは血液凝固を抑制する医薬品です。コーンシルクは凝血を促進してワルファリンカリウムの効果を弱めるおそれがあります。

中抗炎症薬（副腎皮質ステロイド）

副腎皮質ステロイドは体内のカリウム濃度を下げると考えられています。コーンシルクもまた，カリウム濃度を下げることがあります。併用すると，カリウム値が下がりすぎるおそれがあります。このような副腎皮質ステロイドには，デキサメタゾン，ヒドロコルチゾン，メチルプレドニゾロン，Prednisoneなどがあります。

中降圧薬

コーンシルクを多量に摂取すると，血圧を下げるようです。降圧薬と併用すると，血圧が下がりすぎるおそれがあります。このような降圧薬にはカプトプリル，エナラプリルマレイン酸塩，ロサルタンカリウム，バルサルタン，ジルチアゼム塩酸塩，アムロジピンベシル酸塩，ヒドロクロロチアジド，フロセミドなど多くあります。

中糖尿病治療薬

コーンシルクは血糖値を下げる可能性があります。糖尿病治療薬は血糖値を下げるための医薬品ですから，併用すると血糖値が下がりすぎるおそれがあります。このような糖尿病治療薬にはグリメピリド，グリベンクラミド，インスリン，ピオグリタゾン塩酸塩，マレイン酸ロシグリタゾン（販売中止），クロルプロパミド，Glipizide，トルブタミド（販売中止）などがあります。

中利尿薬

コーンシルクは利尿薬と同じような働きを示すようです。併用すると，水分と一緒にカリウムを排泄して，体内のカリウム濃度が下がりすぎるおそれがあります。このような利尿薬にはクロロチアジド（販売中止），クロルタリドン（販売中止），フロセミド，ヒドロクロロチアジドなどがあります。

ハーブおよび健康食品・サプリメントとの相互作用

利尿薬のように作用するハーブおよび健康食品・サプリメント

コーンシルクには，体内から水分およびカリウムを排出する利尿薬のような働きがある可能性があります。同じような働きのある天然製品と併用すると，副作用のリスクが高まるおそれがあります。これらのハーブおよび健康食品・サプリメントには，ゼニゴケ，アーティチョーク，ブークー，ゴボウ，セロリ，グアヤク，ツクシ，甘草，海葱，ウバウルシ，ノコギリソウなどのほか，多くのハーブおよび健康食品・サプリメントがあります。

使用量の目安

●経口摂取

標準使用量に関するデータがありません。ただし，従来から乾燥した花柱/柱頭４～８gを１日３回，またはお茶（乾燥コーンシルク0.5gを熱湯150mLでいれたもの）１回１杯を１日数回摂取します。トウモロコシ柱頭の流エキスを４～８mL摂取します。１回５～15mLのチンキ薬（１：５，25%アルコール）を１日３回摂取します。トウモロコシ柱頭シロップを８～15mL摂取します。

コカ

COCA

別名ほか

コカノキ（Erythroxylum coca），ナガバコカノキ（Erythroxylum novogranatense），インカ茶（Inca Tea），ジャワコカ（Java Coca），マテ・デ・コカ（Mate de Coca），ペルーコカ（Peruvian Coca），Bolivian Coca, Cocaine Plant, Health Inca Tea, Huanuco Coca, Inca Health Tea, Spadic, Truxillo Coca

概　　要

コカは植物です。情緒変化作用があり，鼻からの吸入，注射，または喫煙される違法薬物のコカインの原料です。コカインはまた，米国食品医薬品局（FDA）容認のスケジュールC-IIに分類される薬物です。つまりコカインは，医療提供者が処方できますが，その手続きは厳しく制限されています。コカインに関しての懸念は，その危険性と強い中毒性にあります。

コカイン成分を取り除いたコカの抽出物は，コーラや食品の味付けに使われます。

●要説（ナチュラル・スタンダード）

コカは，南米西部のアンデス地域原産です。南米の先住民族はコカの葉を何千年もの間，用いています。もともとコカは，古代の南米で司祭や王族が宗教儀式に用いるための植物だったようです。

昔からコカの製品は，疼痛や空腹感の軽減や，刺激作用のために用いられています。コカから採取されるコカインという化合物は，中毒性の高い覚醒剤です。

19世紀後半，局所麻酔の用途でコカインを使用することが一般に普及しました。処方薬，医薬品，コカ・コーラ®のような人気の炭酸飲料など，さまざまな製品に用いられました。近年では，コカインに中毒や死に至るリスクなどの弊害があるため，麻酔用途での使用は制限されています。

コカの葉はコカイン中毒の治療に用いられます。コカの葉は運動耐容能や低血糖に対しても用いられます。コカインの不正使用による反社会的行為や，健康への悪影響がありました。さらなる研究が必要です。

安　全　性

コカインを含まないコカの葉であれば，通常の食品に含まれる量を摂取する場合，ほとんどの人に安全のようです。医師などの指示および監視のもとであれば，眼や皮膚に使用しても，ほとんどの人に安全のようです。

コカインは，「くすり」として経口摂取する場合，安全ではないようです。嗜好用に経口摂取または吸入する場合，安全ではありません。薬用でも個人が勝手に使用するのは違法です。活動亢進，情動不安，興奮，片頭痛，痙攣，脳卒中，心臓発作，動脈瘤，高血圧，肝不全および腎不全を引き起こすおそれがあります。

茶さじ４分の１の量でも，命にかかわるおそれがあります。中毒性がかなり高いものです。

コカの使用はすべての人に対して安全ではありません。とくに次の疾患を有している場合には危険です。

気管支喘息：コカに含まれるコカインが気管支喘息を悪化させます。使用してはいけません。

心疾患：コカに含まれるコカインは心疾患を悪化させます。使用してはいけません。

糖尿病：コカやコカに含まれるコカインにより血糖値が上昇するおそれがあります。コカは糖尿病患者の血糖コントロールに影響を及ぼすおそれがあります。

高血圧：コカやコカに含まれるコカインにより血圧が上昇するおそれがあります。高血圧の人は使用を避けてください。

脳卒中既往のある人，またはそのリスクがある人：脳卒中既往のある人，またはそのリスクがある人は使用してはいけません。コカのコカインは脳の血管破裂による死亡リスクを高めます。

偽性コリンエステラーゼ：偽性コリンエステラーゼの人はそうでない人と比べ，コカイン使用後に痙攣を起こすリスクおよび/または死亡リスクが高くなっています。

●妊娠中および母乳授乳期

妊娠中にコカを吸入または経口摂取するのは，安全ではありません。コカに含まれるコカインが流産や先天異常を引き起こすおそれがあります。コカはまた，乳児突然死症候群と関係があるとされています。

また，母乳授乳期にコカを吸引または経口摂取する場合も，安全ではありません。母親がコカインを使用すると，コカインは母乳に排出され，母乳授乳した場合，乳児に有害な影響が起こるおそれがあります。

有　効　性

◆有効性レベル⑤

・身体機能の改善。コカは心拍数を上げますが，運動に対しての心拍出力またはほかの肉体的反応を改善することはありません。

◆科学的データが不十分です

・コカイン依存，胃機能の刺激，気管支喘息，感冒，高山病など。

●体内での働き

コカに含まれるコカインは，脳の活動を増大し，麻痺（麻酔）効果があります。強い中毒性があります。

医薬品との相互作用

高アルコール

コカはコカインを含みます。コカインは思考に影響を及ぼす可能性があります。アルコールもまた思考に影響を及ぼします。アルコールの摂取中にコカを摂取しないでください。

高ニフェジピン

コカはコカインを含みます。コカインとニフェジピンを併用すると，痙攣などの深刻な副作用のリスクを高めるおそれがあります。

中降圧薬

コカは血圧を上昇させる可能性があります。降圧薬は血圧を低下させるために用いられます。血圧を上昇させることにより，コカは降圧薬の効果を弱めるおそれがあります。血圧を注意深く監視してください。このような降圧薬にはカプトプリル，エナラプリルマレイン酸塩，ロサルタンカリウム，バルサルタン，ジルチアゼム塩酸塩，アムロジピンベシル酸塩，ヒドロクロロチアジド，フロセミドなど多くあります。

中糖尿病治療薬

コカは血糖値を上昇させる可能性があります。糖尿病治療薬は血糖値を低下させるために用いられます。コカが血糖値を上昇させることにより，糖尿病薬の効果を弱めるおそれがあります。血糖値を注意深く監視してください。糖尿病治療薬の用量を変更する必要があるかもしれません。このような糖尿病治療薬にはグリメピリド，グリベンクラミド，インスリン，ピオグリタゾン塩酸塩，マレイン酸ロシグリタゾン（販売中止），クロルプロパミド，Glipizide，トルブタミド（販売中止）などがあります。

ハーブおよび健康食品・サプリメントとの相互作用

トウガラシ

コカとトウガラシを併用すると，コカに含まれるコカインの有害な影響を増幅させるおそれがあります。トウガラシスプレー（催涙スプレーの一種）に含まれるトウガラシであっても，このおそれがあります。

マリファナ

コカとマリファナを併用すると，両方の有害な影響を増幅させるおそれがあります。懸念される影響の1つとして，心拍数の増加があります。

使用量の目安

通常の食品に含まれている量を超えて経口摂取した場合の安全性および副作用については，明らかになっていません。

ココア

COCOA

●代表的な別名

カカオ

別名ほか

カカオ（Cacao），カカオ豆（Cocoa Bean），カカオバター（Cocoa Butter），チョコレート（Chocolate），テオブロマ（Theobroma），テオブロマカカオ（Theobroma cacao），テオブロミン（Theobromine），Chocola，Cocoa oleum，Cocoa Seed，Cocoa semen，Cocoa Testae，Theobroma sativum

概　　要

ココアはチョコレートの原料となる植物です。ビターチョコレートは焙煎したココアの豆（種子）をすりつぶして作られます。ココアパウダーはビターチョコレートから脂肪分を取り除き，粉末にしたものです。スイートチョコレートはビターチョコレートに砂糖とバニラを加えたものです。ホワイトチョコレートは砂糖，ココアバターおよび乳固形分を合わせたものです。

長い間ご馳走とされてきたココアは，現在は「くすり」としても使用されています。ココアの種は，感染性腸疾患，下痢，気管支喘息，気管支炎，肺うっ血が原因の去痰などに使用されます。種皮は，肝臓，膀胱，腎疾患治療に使用されます。また，糖尿病，強壮薬，一般的な治療薬としても使用されます。ココアバターは，高コレステロール血症に対して使用されます。

チョコレート，とくにビターチョコレートの心臓の健康に関する効果についての話題を聞いたことがあるかもしれません。実際に製菓会社マーズ社は，今後数年間，心血管の健康におけるココアフラボノイドの潜在的な役割に関する委託研究に基づいて，米国食品医薬品局（FDA）からのチョコレートの健康強調表示を認めてもらうことを計画しています。フラボノイドは，血圧を下げる可能性がある化学物質です。ビターチョコレートには，ミルクチョコレートやホワイトチョコレートよりも多くのフラボノイドが含まれています。マーズ社はまた，ココアフラボノイドが加齢にともなう記憶力低下を軽減する可能性があるかどうかを確認する研究を支援しています。

ココアバターは，製薬会社によって製造されるさまざまな軟膏や座薬の成分として使用されています。

コカの葉（Erythroxylon coca）とココアを混同しないでください。

●要説（ナチュラル・スタンダード）

ココアやチョコレートは，カカオ豆に由来します。カカオ豆は南米が原産で，少なくとも3,000年前から熱帯地方で栽培されています。アフリカの国コートジボワールは，もっとも多く生ココアを供給する国の1つです。

ココア製品は，多くの文化ではご馳走とされてきました。ココアには抗酸化作用があるフラボノイドが含まれ，血液をさらさらにする作用，およびおそらくそれ以外の健康上の効果があります。この理由から，とても人気があるため，チョコレートは広く研究されています。

チョコレートは心臓病，皮膚疾患，便秘，およびほかのさまざまな疾患のために研究されてきました。もっとも強力なエビデンスは，ココアに血圧を低下させる能力が存在することに関するものです。

安　全　性

ココアの経口摂取は，ほとんどの人に安全のようです。カフェインおよびカフェイン関連成分を含み，大量に摂取すると，神経質，尿量増加，不眠，動悸などカフェイン関連の副作用をもたらすおそれがあります。

ココアは，皮膚のアレルギー反応，便秘，片頭痛を引き起こすことがあります。また，吐き気，腸の不快感，胃のごろつき，腸内ガスなどの消化器の不調を引き起こすこともあります。

ココアバターを皮膚へ塗布する場合，ほとんどの人に安全のようです。しかし，皮疹を引き起こすおそれがあります。

不安：大量のココアを摂取する場合，カフェインにより不安症状が悪化するおそれがあります。

出血性疾患：ココアが血液凝固を抑制するおそれがあります。出血性疾患患者が大量のココアを摂取する場合，出血および紫斑のリスクが高まるおそれがあります。

心疾患：ココアに含まれるカフェインが脈拍不整を引き起こすおそれがあります。心疾患患者は注意して使用してください。

糖尿病：ココアは血糖値を上昇させ，糖尿病患者の血糖コントロールに干渉するおそれがあります。

下痢：特に大量に摂取する場合，ココアに含まれるカフェインにより下痢を悪化させるおそれがあります。

胃食道逆流症：胃内の食物の食道や気道への逆流を防ぐ食道の弁の働きが，ココアによって妨げられ，これにより胃食道逆流症の症状が悪化するおそれがあります。

緑内障：ココアに含まれるカフェインが眼圧を上昇させるおそれがあります。緑内障患者は注意して使用してください。

高血圧：ココアに含まれるカフェインにより，高血圧の人の血圧が上昇するおそれがあります。ただし，すでに多量のカフェインを摂取している人であれば，それほど上昇しない可能性があります。

過敏性腸症候群（IBS）：特に大量に摂取する場合，ココアに含まれるカフェインにより，下痢および過敏性腸症候群の症状を悪化させるおそれがあります。

片頭痛：ココアが片頭痛を引き起こすことがあります。

骨粗鬆症：ココアに含まれるカフェインが尿中に排出されるカルシウム量を増加させるおそれがあります。骨粗鬆症患者は注意して使用してください。

手術：ココアが手術中・手術後の血糖コントロールに干渉するおそれがあります。少なくとも手術前２週間は，使用しないでください。

頻脈性脈拍不整：ブラックチョコレートのココアにより心拍数が増加するおそれがあります。また，ココア製品により脈拍不整が悪化するおそれがあります。

●アレルギー

ココアは皮膚のアレルギー反応を起こすことがあります。

●妊娠中および母乳授乳期

妊娠中および母乳授乳期にココアを摂取する場合，通常の食品としての中程度の量であれば，おそらく安全です。摂取量を管理してください。

大量に摂取するのは，カフェインを含むため，おそらく安全ではありません。ココアに含まれるカフェインが胎盤を通り，胎児の血液と母親の血液のカフェイン濃度が同様になり，胎児の命にかかわるためです。諸説ありますが，カフェインの妊娠中の大量摂取と，未熟児，低体重児，および流産との関連を示唆する研究があります。専門家は妊婦のカフェイン摂取は１日200mg以下にするよう助言しています。チョコレート１食分に２～35mg，ホットココア１杯には10mgほどのカフェインが含まれていることに留意してください。

カフェインは母乳授乳期にも懸念があります。母乳に含まれるカフェイン濃度は母親の血中カフェイン値の約半分と考えられます。母親が大量にチョコレートを摂取すると（１日453g），カフェインの影響により，母乳を飲む乳児は興奮しやすく，排便が頻繁になるおそれがあります。

有効性

◆有効性レベル③

・高血圧。ほとんどの研究により，血圧が正常の人および高血圧の人が，２～18週間にわたり，ビターチョコレートまたはココア製品を食べると，収縮期血圧が2.8～4.7mmHg，拡張期血圧が1.9～2.8mmHg，それぞれ低下する可能性があることが示されています。

◆有効性レベル④

・高コレステロール血症。ほとんどの研究により，ココア製品によって高コレステロール血症患者のコレステロール値が改善することはないことが示唆されています。

◆科学的データが不十分です

・心疾患，慢性疲労症候群，硬変，精神機能，便秘，糖尿病，昆虫忌避，孤立性収縮期高血圧，パーキンソン病，体重減少，腸疾患，下痢，気管支喘息，気管支炎，肺のうっ血，肝臓，膀胱・腎臓の病気，皺の予防，妊娠線の予防など。

●体内での働き

フラボノイドと呼ばれる抗酸化物質を含むさまざまな化学物質を含んでいます。体内でどのように作用するかについては不明ですが，静脈を弛緩させるようです。このことにより血圧が低下する可能性があります。

医薬品との相互作用

中アデノシン

ココアにはカフェインが含まれます。ココアに含まれるカフェインはアデノシンの作用を妨げる可能性があり，アデノシンは心臓の検査（薬剤負荷心筋シンチグラフィ）に頻用されます。検査前の少なくとも24時間はココアを摂取しないでください。

中アルコール

ココアに含まれるカフェインは体内で代謝されてから排泄されます。アルコールはカフェインの代謝を抑制する可能性があります。ココアを摂取し，アルコールを併用すると，カフェインの副作用（神経過敏，頭痛，動悸など）のリスクが高まるおそれがあります。

中エストロゲン（卵胞ホルモン）製剤

ココアにはカフェインが含まれます。カフェインは体内で代謝されてから排泄されます。エストロゲン製剤はカフェインの代謝を抑制する可能性があります。ココアを摂取し，エストロゲン製剤を併用すると，カフェインの副作用（神経過敏，頭痛，動悸など）のリスクが高まるおそれがあります。このようなエストロゲン製剤には，結合型エストロゲン，エチニルエストラジオール，エストラジオールなどがあります。

中エフェドリン塩酸塩

興奮薬は神経系を亢進します。カフェイン（ココアに含まれる）およびエフェドリン塩酸塩はいずれも興奮薬です。ココアを摂取し，エフェドリン塩酸塩を併用すると，過度な興奮，重大な副作用，心臓の異常を引き起こすおそれがあります。

低キノロン系抗菌薬

ココアに含まれるカフェインは体内で代謝されてから排泄されます。キノロン系抗菌薬はカフェインの代謝を抑制する可能性があります。抗菌薬を服用し，ココアを併用すると，カフェインの副作用（神経過敏，頭痛，動悸など）のリスクが高まるおそれがあります。このような抗菌薬には，シプロフロキサシン，エノキサシン水和物（販売中止），ノルフロキサシン，スパルフロキサシン（販売中止），Trovafloxacin，塩酸グレパフロキサシン（販売中止）があります。

低ジスルフィラム

ココアにはカフェインが含まれます。カフェインは体内で代謝されてから排泄されます。ジスルフィラムはカフェインの排泄を抑制する可能性があります。ココアを摂取し，ジスルフィラムを併用すると，カフェインの副作用（神経過敏，頭痛，動悸など）のリスクが高まるおそれがあります。

中ジピリダモール

ココアにはカフェインが含まれます。ココアに含まれるカフェインはジピリダモールの作用を妨げる可能性があり，ジピリダモールは心臓の検査（薬剤負荷心筋シンチグラフィ）に頻用されます。検査前の少なくとも24時間はココアを摂取しないでください。

低シメチジン

ココアにはカフェインが含まれます。カフェインは体内で代謝されてから排泄されます。シメチジンはカフェインの代謝を抑制する可能性があります。ココアを摂取し，シメチジンを併用すると，カフェインの副作用（神経過敏，頭痛，動悸など）のリスクが高まるおそれがあります。

中テオフィリン

ココアにはカフェインが含まれます。カフェインは体内でテオフィリンに類似した作用をもたらします。また，カフェインはテオフィリンの体内での代謝を抑制する可能性があります。ココアを摂取し，テオフィリンを併用すると，テオフィリンの作用および副作用を増強させるおそれがあります。

低テルビナフィン塩酸塩

ココアにはカフェインが含まれます。カフェインは体内で代謝されてから排泄されます。テルビナフィン塩酸塩はカフェインの代謝を抑制し，カフェインの副作用（神経過敏，頭痛，動悸など）のリスクを高めるおそれがあります。

低フルコナゾール

ココアにはカフェインが含まれます。カフェインは体内で代謝されてから排泄されます。フルコナゾールはカフェインの排泄を抑制する可能性があります。ココアを摂取し，フルコナゾールを併用すると，カフェインの副作用（神経過敏，頭痛，動悸など）のリスクが高まるおそれがあります。

中フルボキサミンマレイン酸塩

ココアにはカフェインが含まれます。カフェインは体内で代謝されてから排泄されます。フルボキサミンマレイン酸塩はカフェインの代謝を抑制する可能性があります。ココアを摂取し，フルボキサミンマレイン酸塩を併用すると，カフェインの副作用（神経過敏，頭痛，頻脈など）のリスクが高まるおそれがあります。

低ベラパミル塩酸塩

ココアに含まれるカフェインは体内で代謝されてから排泄されます。ベラパミル塩酸塩はカフェインの排泄を抑制する可能性があります。カフェインを摂取し，ベラパミル塩酸塩を併用すると，カフェインの副作用（神経過敏，頭痛，動悸など）のリスクを高めるおそれがあります。

中ペントバルビタールカルシウム

ココアに含まれるカフェインによる興奮作用はペントバルビタールカルシウムの作用を妨げるおそれがあります。

低メキシレチン塩酸塩

ココアにはカフェインが含まれます。カフェインは体内で代謝されてから排泄されます。メキシレチン塩酸塩はカフェインの排泄を抑制する可能性があります。メキシレチン塩酸塩を服用し，ココアと併用すると，カフェインの副作用（神経過敏，頭痛，動悸など）のリスクが高まるおそれがあります。

中モノアミン酸化酵素阻害薬（MAO阻害薬）

ココアにはカフェインが含まれます。カフェインは特定の医薬品（モノアミン酸化酵素阻害薬（MAO阻害薬））に相互作用をもたらす可能性があると懸念されています。このような医薬品とカフェインを併用摂取すると，重大な副作用（動悸，急激な血圧上昇など）のリスクが高まるおそれがあります。このようなMAO阻害薬には，Phenelzine，セレギリン塩酸塩，Tranylcypromineなどがあります。

中リルゾール

リルゾールは体内で代謝されてから排泄されます。ココアを摂取すると，リルゾールの代謝が抑制され，リルゾールの作用および副作用が増強するおそれがあります。

中塩酸フェニルプロパノールアミン【販売中止】

ココアに含まれるカフェインは身体を刺激する可能性があります。塩酸フェニルプロパノールアミンも身体を刺激する可能性があります。ココアを摂取し，塩酸フェニルプロパノールアミンを併用すると，過度に刺激を与え，頻脈，高血圧，神経過敏を引き起こすおそれがあります。

中気管支喘息治療薬（アドレナリンβ受容体作動薬）

ココアにはカフェインが含まれます。カフェインは心臓を刺激する可能性があります。特定の気管支喘息治療薬も心臓を刺激する可能性があります。カフェインを摂取し，気管支喘息治療薬を併用すると，過度に刺激を与え，心臓の異常を引き起こすおそれがあります。このような気管支喘息治療薬には，サルブタモール硫酸塩，オルシプレナリン硫酸塩（販売中止），テルブタリン硫酸塩，イソプレナリン塩酸塩があります。

中興奮薬

興奮薬（アンフェタミン類，コカイン塩酸塩など）は神経系を亢進させます。興奮薬が神経系を亢進させることで血圧や心拍数が上昇する可能性があります。ココアにはカフェインが含まれます。カフェインも神経系を亢進させる可能性があります。ココアを摂取し，興奮薬を併用すると，重大な問題（頻脈や高血圧など）を引き起こすおそれがあります。このような興奮薬には，Diethylpropion，エピネフリン，Phentermine，塩酸プソイドエフェドリンなど数多くあります。

中血液凝固を抑制する医薬品（抗凝固薬/抗血小板薬）

ココアは血液凝固を抑制する可能性があります。ココアを摂取し，血液凝固を抑制する医薬品を併用すると，紫斑および出血のリスクが高まるおそれがあります。このような医薬品には，アスピリン，クロピドグレル硫酸塩，ダルテパリンナトリウム，エノキサパリンナトリウム，ヘパリン，チクロピジン塩酸塩，ワルファリンカリウムなどがあります。

中降圧薬

ココアは血圧を低下させる可能性があります。ココアを摂取し，降圧薬を併用すると，血圧が過度に低下するおそれがあります。血圧を注意深く監視してください。このような降圧薬には，カプトプリル，エナラプリルマレイン酸塩，ロサルタンカリウム，バルサルタン，ジルチアゼム塩酸塩，アムロジピンベシル酸塩，ヒドロクロロチアジド，フロセミドなど数多くあります。

中降圧薬（アンジオテンシン変換酵素（ACE）阻害薬）

ココアは体内でアンジオテンシン変換酵素（ACE）が処理される際に影響を及ぼす可能性があります。ココアを摂取し，アンジオテンシン変換酵素（ACE）阻害薬を併用すると，作用および副作用が増強するおそれがあります。アンジオテンシン変換酵素（ACE）阻害薬には，ベナゼプリル塩酸塩，カプトプリル，エナラプリルマレイン酸塩，Fosinopril，リシノプリル水和物，Moexipril，ペリンドプリルエルブミン，キナプリル塩酸塩，Ramipril，トランドラプリルがあります。

中炭酸リチウム

炭酸リチウムは体内から自然に排泄されます。ココアに含まれるカフェインは炭酸リチウムの排泄を促進する可能性があります。定期的にカフェインを摂取し，炭酸リチウムを併用している場合には，カフェインの量をすぐに変更しないようにしてください。すぐにやめると，炭酸リチウムの副作用が増強するおそれがあります。カフェインの摂取をやめる際は徐々に量を減らしてください。

低避妊薬

ココアにはカフェインが含まれます。カフェインは体内で代謝されてから排泄されます。避妊薬はカフェインの代謝を抑制する可能性があります。そのため，カフェインの副作用（神経過敏，頭痛，動悸など）のリスクが高まるおそれがあります。このような避妊薬には，エチニルエストラジオール・レボノルゲストレル配合，エチニルエストラジオール・ノルエチステロン配合などがあります。

中フルタミド

フルタミドは体内で代謝されてから排泄されます。ココアに含まれるカフェインはフルタミドの代謝を抑制する可能性があります。理論的には，ココアを摂取し，フルタミドを併用すると，フルタミドの作用および副作用が増強するおそれがあります。

中肝臓でほかの医薬品の代謝を抑制する医薬品（シトクロムP450 1A2（CYP1A2）を阻害する医薬品）

ココアは肝臓で代謝されます。特定の医薬品はココアの代謝を抑制します。そのため，ココアの作用および副作用が変化する可能性があります。このような医薬品には，シメチジン，フルボキサミンマレイン酸塩，メキシレチン塩酸塩，クロザピン，テオフィリンなどがあります。

低メトホルミン塩酸塩

ココアにはカフェインが含まれます。カフェインは体内で代謝されてから排泄されます。メトホルミン塩酸塩はカフェインの代謝を抑制する可能性があります。メトホルミン塩酸塩を服用し，ココアと併用すると，カフェインの副作用（神経過敏，頭痛，動悸など）のリスクが高まるおそれがあります。

低メトキサレン

ココアにはカフェインが含まれます。ココアは体内で代謝されてから排泄されます。メトキサレンはカフェインの代謝を抑制する可能性があります。メトキサレンを服用し，ココアと併用すると，カフェインの副作用（神経過敏，頭痛，動悸など）のリスクが高まるおそれがあります。

中ニコチン

興奮薬（ニコチンなど）は神経系を亢進させます。ココアに含まれるカフェインも神経系を亢進させます。ココアを摂取し，興奮薬を併用すると，重大な問題（頻脈，高血圧など）が引き起こされるおそれがあります。

中フェノバルビタール

フェノバルビタールは抗てんかん薬です。ココアに含まれるカフェインは，人によってはフェノバルビタールの作用を減弱させ，痙攣発作のリスクが高まるおそれがあります。

低フェノチアジン系薬

ココアにはカフェインが含まれます。カフェインは体内で代謝されてから排泄されます。フェノチアジン系薬はカフェインの代謝を抑制する可能性があります。フェノチアジン系薬を服用し，カフェインと併用すると，カフェインの作用および副作用が増強するおそれがあります。このようなフェノチアジン系薬には，クロルプロマジン塩酸塩，フルフェナジン，トリフロペラジン（販売中止），チオリダジン塩酸塩（販売中止）などがあります。

中フェニトイン

フェニトインは抗てんかん薬です。ココアに含まれるカフェインはフェニトインの作用を減弱させる可能性があります。ココアを摂取し，フェニトインを併用すると，人によってはフェニトインの作用が減弱し，痙攣発作のリスクが高まるおそれがあります。

低Tiagabine

Tiagabineは抗てんかん薬です。ココアに含まれるカフェインがTiagabineの作用を減弱させる可能性があると一部で懸念されています。しかし，研究では，Tiagabineとカフェインを併用摂取してもTiagabineの働きは維持されることが示されています。

低チクロピジン塩酸塩

ココアにはカフェインが含まれます。カフェインは体内で代謝されてから排泄されます。チクロピジン塩酸塩はカフェインの排泄を抑制する可能性があります。理論的には，ココアを摂取し，チクロピジン塩酸塩を併用すると，カフェインの副作用（神経過敏，頭痛，動悸など）のリスクが高まるおそれがあります。

中バルプロ酸ナトリウム

バルプロ酸ナトリウムは抗てんかん薬です。ココアに含まれるカフェインは，人によってはバルプロ酸ナトリウムの作用を減弱させ，痙攣発作のリスクを高めるおそれがあります。

中利尿薬

ココアにはカフェインが含まれます。カフェインはカリウム量を減少させる可能性があります。利尿薬もカリウム量を減少させる可能性があります。ココアを摂取し，利尿薬を併用すると，カリウム量が過度に減少するおそれがあります。このような利尿薬には，クロロチアジド（販売中止），クロルタリドン（販売中止），フロセミド，ヒドロクロロチアジドなどがあります。

ハーブおよび健康食品・サプリメントとの相互作用

ダイダイ

ココアに含まれるカフェインがダイダイの興奮作用を増大させ，有害な副作用のリスクを高めるおそれがあります。

カルシウム

ココアに含まれるカフェインが尿中に排出されるカルシウム量を増加させるおそれがあります。

マオウ（麻黄）

ココアに含まれるカフェインがマオウの興奮作用を増大させ，有害な副作用のリスクを高めるおそれがあります。

カフェインを含むハーブおよび健康食品・サプリメント

ココアはカフェインを含み，カフェインを含むほかのハーブおよび健康食品・サプリメントを併用すると，カフェインの副作用リスクが高まるおそれがあります。このようなハーブおよび健康食品・サプリメントには，紅茶，コーラノキの種，緑茶，ウーロン茶，ガラナ豆，マテなどがあります。

血圧を低下させるおそれのあるハーブおよび健康食品・サプリメント

ココアが血圧を低下させるおそれがあります。血圧を低下させるほかのハーブおよび健康食品・サプリメントと併用すると，血圧が過度に低下するおそれがあります。このようなハーブおよび健康食品・サプリメントには，アンドログラフィス，カゼイン・ペプチド，キャッツクロー，コエンザイムQ-10，魚油，L-アルギニン，クコ，イラクサ，テアニンなどがあります。

血液凝固を抑制するおそれのあるハーブおよび健康食品・サプリメント

ココアが血液凝固にかかる時間を延長させるおそれがあります。血液凝固を抑制するほかのハーブおよび健康食品・サプリメントと併用すると，血液凝固がさらに遅くなり，出血および紫斑のリスクが高まるおそれがあります。このようなハーブおよび健康食品・サプリメントには，アンゼリカ，クローブ，タンジン，ニンニク，ショウガ，イチョウ，朝鮮人参などがあります。

鉄

ココアが非ヘム鉄の体内吸収量に影響を及ぼすおそれがあります。

マグネシウム

ココアに含まれるカフェインが尿中に排出されるマグネシウム量を増加させるおそれがあります。

通常の食品との相互作用

グレープフルーツジュース

グレープフルーツはカフェインの排泄を遅らせることがあります。ココアとグレープフルーツを一緒に摂取すると，ココアに含まれるカフェインの副作用が増大するおそれがあります。

使用量の目安

●経口摂取

高血圧

1日につき，活性成分ココアポリフェノール213～500mgを含有する46～105gのブラックチョコレートまたはミルクチョコレートを摂取します。

ココナッツ

COCONUT

●代表的な別名

コプラ

別名ほか

Coco da Bahia，Coco da Praia，Coconut Palm，Cocos nucifera，Cocotero，Cocotier，Copra，Coqueiro，Coqueiro da Bahia，Coqueiro da Praia，Kokosnuss，Kokospalm，Kokospalme，Mnazi

概　要

ココナッツはココナッツヤシの実です。食品として，または薬として摂取されます。

ココナッツは膀胱結石や糖尿病，高コレステロール，体重減少のために経口摂取されます。

食品としては，ココナッツはさまざまな料理に使用されます。

安 全 性

ココナッツを「くすり」として使用する場合の安全性については，データが不十分です。人によってはココナッツを摂取すると，皮疹や呼吸困難などの症状を含むアレルギー反応を起こすおそれがあります。

高コレステロール血症：ココナッツを摂取するとコレステロール値が上昇するおそれがあります。しかし反対に，ココナッツミルクを取り除いた後に作られるココナッツ粉を含む食品を摂取すると，実際に総コレステロール値と悪玉コレステロール値を低下させる可能性があることを示すエビデンスもあります。

●アレルギー

ココナッツオイルや関連植物に対するアレルギー：ココナッツオイル，ココヤシの花粉，ココナッツの構成成分，またはヤシ科のほかの植物にアレルギーがある場合には，ココナッツによって深刻なアレルギー反応を起こすおそれがあります。

●妊娠中および母乳授乳期

妊娠中および母乳授乳期に「くすり」として使用する場合の安全性についてはデータが不十分です。安全性を考慮し，摂取は避けてください。

有 効 性

◆科学的データが不十分です

・高コレステロール血症，膀胱結石，糖尿病，体重減少など。

●体内での働き

ココナッツからココナッツミルクを取り除いた後の副製品からできるココナッツ粉は食物繊維を豊富に含んでいます。この食物繊維はコレステロール値を低下させ，血糖値をコントロールするのを助けるといわれています。

ココナッツは中鎖脂肪酸という飽和脂肪を多量に含んでいます。この脂肪は体内のほかの飽和脂肪とは異なる働きをします。脂肪燃焼を増加させ，脂肪蓄積を減少させる可能性があります。

医薬品との相互作用

ほかの医薬品との相互作用については明らかではありません。

ハーブおよび健康食品・サプリメントとの相互作用

ほかのハーブ，健康食品・サプリメントとの相互作用についてはまだ明らかではありません。

使用量の目安

通常の食品に含まれている量を超えて経口摂取した場合の安全性および副作用については，明らかになっていません。

ココナッツオイル

COCONUT OIL

●代表的な別名

ココヤシ油

別名ほか

ココヤシ，低温圧搾ココナッツオイル，発酵ココナッツオイル，バージン・ココナッツオイル，Coco Palm，Cocos nucifera

概 要

ココナッツオイルはココヤシの木の実（果実）から採れるオイルです。ココナッツオイルを用いて「くすり」を作ることもあります。一部のココナッツオイル製品には「バージン」ココナッツオイルと記されているものがあります。オリーブオイルと異なり，ココナッツオイルには「バージン」の業界基準が設定されていません。この表記は一般的に非精製を意味するものと認識されています。「バージン」ココナッツオイルは通常，脱色，脱臭，精製されていないことを表しています。

ココナッツオイル製品の中には，低温圧搾ココナッツオイルと表示されているものがあります。低温圧搾とは一般に，オイルを搾るのに機械は用いても，外部の熱は加えずに搾る方法です。オイルの抽出には高圧をかける必要があり，自然に熱が生じますが，その際，温度が華氏120度を超えないように調整されています。

●要説（ナチュラル・スタンダード）

ココナッツの果実は，世界中の熱帯地域に分布するココヤシから採れます。ココナッツもココナッツ水も，よく調理に用いられます。ココナッツ水には，糖類，繊維，タンパク質，抗酸化物質，ビタミン，およびミネラルが含まれています。

ココナッツ水には，体内の水分補給や，運動後の血液量を回復する働きがあることを示唆する研究があります。軽度から中度の皮膚乾燥に対する保湿薬としても有効な可能性があります。血圧を低下させる可能性もあります。

ココナッツがコレステロール値を下げることを示唆する研究もあります。ただし，結果は一致しておらず，有効性を結論づけるにはさらなるエビデンスが必要です。

安 全 性

ココナッツオイルを皮膚へ塗布する場合は，ほとんどの人に安全のようです。食品としての量を経口摂取する場合も，ほとんどの人に安全のようです。ただし，ココナッツオイルにはコレステロール値を上昇させるおそれのある脂肪が含まれているため，過剰に摂取するのは避けてください。「くすり」として短期間使用する場合は，おそらく安全です。10mLの用量で１日２～３回，最大12週間までの摂取は安全のようです。

小児：皮膚へ塗布する場合，約１カ月間の使用であればおそらく安全です。「くすり」としての量を経口摂取する場合の安全性については，データが不十分です。

高コレステロール血症：ココナッツオイルにはコレステロール値を上昇させるおそれのある脂肪が含まれています。ココナッツオイルを含む食事を定期的に摂ると，低比重リポタンパク（LDL，悪玉）コレステロール値が上昇するおそれがあります。これは既に高コレステロール血症がある場合には，問題となるおそれがあります。

●妊娠中および母乳授乳期

妊娠中および母乳授乳期に「くすり」としての量を使用する場合の安全性についてはデータが不十分です。

有　効　性

◆有効性レベル③

・湿疹。ココナッツオイルを皮膚へ塗布すると，小児の湿疹の重症度が，ミネラルオイルより約30％改善する可能性があります。

◆科学的データが不十分です

・乳がん，動脈血栓，下痢，胎児死亡および早期乳児死亡，アタマジラミ，新生児の体重増加，肥満，乾癬，乾燥肌，アルツハイマー病，慢性疲労，クローン病，糖尿病，過敏性腸症候群，甲状腺疾患など。

●体内での働き

ココナッツオイルには，中鎖脂肪酸という脂肪が含まれています。中鎖脂肪酸の一部は，体内でほかの飽和脂肪とは異なる働きをします。皮膚に塗布すると，保湿作用があります。

医薬品との相互作用

ほかの医薬品との相互作用については明らかではありません。

ハーブおよび健康食品・サプリメントとの相互作用

インドオオバコ（サイリウム）

サイリウムはココナッツオイルに含まれる脂質の吸収を軽減します。

使用量の目安

【小児】

●皮膚への塗布

湿疹

バージンココナッツオイル10mLを１日２回に分け，８週間，身体全体に塗布します。

ゴシポール

GOSSYPOL

別名ほか

綿実油（Cottonseed oil），リクチメン，陸地綿（Gossypium hirsutum），ゴシピュームヘルバシューム，シロバナワタ（Gossypium herbaceum），Karpasa

概　　要

ゴシポールは，ワタに含まれる物質です。種子から抽出され，「くすり」として使用されることもあります。

安　全　性

ゴシポールの使用は，医師などによる指導がない場合，おそらく安全ではありません。男性が経口摂取する場合，精子への影響は予測不可能で，長期間使用すると不妊をもたらすおそれがあります。女性が経口摂取する場合，子宮の細胞壁にとって毒となり，卵巣の正常機能を妨害するおそれもあります。

また，エネルギーの浪費や食欲の変化，性欲（リビドー）の減退，カリウム濃度の変化，消化器官の障害をもたらすこともあります。大量に摂取すると（避妊薬の含有量の100倍），栄養不良，血液循環の異常，心不全，髪色の変色などの副作用を引き起こすおそれがあります。

皮膚に直接使用する場合の安全性についてはデータが不十分です。灼熱感を引き起こすおそれがあります。

カリウム低値（低カリウム血症）：ゴシポールは低カリウム血症を悪化させるおそれがあります。摂取は避けてください。

尿路過敏：ゴシポールは尿路過敏を悪化させるおそれがあります。摂取は避けてください。

●妊娠中および母乳授乳期

妊娠中にゴシポールを摂取する場合，安全ではないようです。流産のおそれがあります。母乳授乳期にゴシポールを摂取する場合，おそらく安全ではありません。

有　効　性

◆有効性レベル③

・男性の避妊（経口摂取の場合）。ゴシポールを経口摂取すると，男性の60～100％で精子の数と機能が低下するようです。男性の50～77％では，治療を中止した後３～24カ月以内に精子が回復し，約10％では，4.5年以上にわたって精子数が非常に少なくなります。ゴシポールを継続的に使用すると生殖能力を永久に失う場合もあります。

◆科学的データが不十分です

・がん，子宮および卵巣の障害，HIV/エイズなど。
・膣内に投与する場合には，精子の死滅など。

●体内での働き

相互作用レベル：高この医薬品と併用してはいけません　中この医薬品とは慎重に併用するか併用しないでください　低この医薬品との併用には注意が必要です

精子の発達および機能を妨害します。

医薬品との相互作用

中ジゴキシン

ゴシポールを多量に摂取すると，体内のカリウム量が減少する可能性があります。カリウム量が減少すると，ジゴキシンの副作用が増強するおそれがあります。

中テオフィリン

テオフィリンはゴシポールの作用を弱める可能性があります。

中刺激性下剤

刺激性下剤は腸の運動を亢進させます。刺激性下剤を過度に使用すると，体内のミネラル量が減少するおそれがあります。ゴシポールもミネラル量を減少させる可能性があります。ゴシポールと刺激性下剤を併用しないでください。

中非ステロイド性抗炎症薬（NSAIDs）

非ステロイド性抗炎症薬（NSAIDs）は痛みと腫脹を軽減するために用いられます。NSAIDsは胃や腸を刺激する可能性があります。ゴシポールも胃や腸を刺激する可能性があります。ゴシポールとNSAIDsを併用すると，副作用のリスクが高まるおそれがあります。ゴシポールとNSAIDsを併用しないでください。このようなNSAIDsには，イブプロフェン，インドメタシン，ナプロキセン，ピロキシカム，アスピリンなどがあります。

中利尿薬

多量のゴシポールは体内のカリウム量を減少させる可能性があります。利尿薬も体内のカリウム量を減少させる可能性があります。ゴシポールと利尿薬を併用すると，体内のカリウム量が過剰に減少するおそれがあります。このような利尿薬には，クロロチアジド（販売中止），クロルタリドン（販売中止），フロセミド，ヒドロクロロチアジドなどがあります。

ハーブおよび健康食品・サプリメントとの相互作用

強心配糖体を含むハーブおよび健康食品・サプリメント

ゴシポールには，処方薬「ジゴキシン」に似た強心配糖体という化学物質が含まれています。強心配糖体は体内からカリウムを過度に喪失させ，そのために心臓障害をもたらすおそれがあります。ゴシポールを，強心配糖体が含まれるほかのハーブおよび健康食品・サプリメントと併用すると，心臓障害のリスクが高まります。このようなハーブおよび健康食品・サプリメントには，クリスマスローズ，トウワタの根，ジギタリスの葉，カキネガラシ，ヒメリョウキンカ，ドイツスズランの根，マザーワート，オレアンダーの葉，ゲウム，ヤナギトウワタ，海葱（カイソウ）の鱗片葉，スターオブベツレヘム，ストロファンツスの種子，ダイオウなどがあります。ゴシポールをこれらのいずれとも併用しないでください。

ツクシ

ゴシポールには，強心配糖体という化学物質が含まれています。強心配糖体は体内からカリウムを過度に喪失させ，そのために心臓障害をもたらすおそれがあります。ツクシは尿を産出し（利尿薬として作用），体内からカリウムを喪失させます。ツクシと，ゴシポールのような強心配糖体が含まれるハーブを併用すると，大量のカリウムが排出され，心臓障害のリスクが高まるおそれがあります。ツクシとゴシポールを併用しないでください。

甘草

ゴシポールには，強心配糖体という化学物質が含まれています。強心配糖体は体内からカリウムを過度に喪失させ，そのために心臓障害をもたらすおそれがあります。甘草も体内からカリウムを喪失させます。甘草と，ゴシポールのような強心配糖体が含まれるハーブを併用するとカリウムを過度に喪失し，心臓障害のリスクが高まるおそれがあります。甘草とゴシポールを併用しないでください。

刺激性緩下作用をもつハーブおよび健康食品・サプリメント

刺激性緩下作用をもつハーブおよび健康食品・サプリメントは排便を促進します。その結果，食物が長期間腸に残らず，カリウムのようなミネラルが十分体内に吸収されなくなります。このことによって，カリウムが適正な値よりも低くなります。ゴシポールは，含まれる強心配糖体の効果によってカリウムを過度に喪失させるおそれがあります。ゴシポールと，刺激性緩下作用をもつハーブおよび健康食品・サプリメントを併用すると，カリウム値が過度に低下し，心臓障害をもたらすおそれがあります。このようなハーブおよび健康食品・サプリメントには，アロエ，セイヨウイソノキ，ブラックルート，ニオイイリス，バターナットの皮，コロシント，ヨーロピアンバックソーン，フォーチ，ガンボジ，ゴシポール，ヒロハヒルガオ，ポークウィード，マンナ，メキシカン・スキャモニイ・ルート，ルバーブ，センナ，イエロードックなどがあります。ゴシポールを，これらのいずれとも併用しないでください。

通常の食品との相互作用

アルコール

ゴシポールが体内のアルコール処理を遅らせるというエビデンスがあります。このことによって，血中アルコール値が高くなるおそれがあります。ゴシポールを使用している場合は，飲酒してはいけません。

使用量の目安

●経口摂取

男性の避妊

1日15～20mgを12～16週間毎日摂取し，その後1日7.5～10mgを維持用量として摂取します。ゴシポールの作用は予測がつかず，生殖能力を永久に失うおそれもあるため，医師などにより注意深く監視してください。

虎杖（コジョウ）

HU ZHANG

別名ほか

イタドリ，ゼット・フー・ツァン，Fleeceflower，Fleece Flower，Hu Zhang Extract，Hu Zhang Root，Japanese Bamboo，Japanese Knotweed，Mexican bamboo，PCWE，Polygonum Cuspidatum，Polygonum Cuspidatum Water Extract

概　要

虎杖（コジョウ）は植物です。根が「くすり」として使われることもあります。

安 全 性

十分なデータが得られていないため安全性については不明です。

有 効 性

◆科学的データが不十分です

・便秘，生理不順，ほてり，心疾患，高コレステロール血症，がん，日焼け，肝疾患，痛風および胆石。

●体内での働き

どのように作用するかについては十分なデータが得られていません。細胞の増殖速度を低下させることのある化合物が含まれています。

医薬品との相互作用

中エストロゲン（卵胞ホルモン）製剤

虎杖にはエストロゲン様作用があるようです。虎杖とエストロゲン製剤を併用すると，エストロゲン製剤の作用が減弱するおそれがあります。このようなエストロゲン製剤には，結合型エストロゲン，エチニルエストラジオール，エストラジオールなどがあります。

低カルバマゼピン

虎杖はカルバマゼピンの血中での代謝を抑制する可能性があります。そのため，副作用が増強するおそれがあります。

中肝臓で代謝される医薬品（シトクロムP450 1A1（CYP1A1）の基質となる医薬品）

特定の医薬品は肝臓で代謝されます。虎杖にはレスベラトロールという成分が含まれます。レスベラトロールは特定の医薬品の代謝を抑制する可能性があります。虎杖と肝臓で代謝される医薬品を併用すると，医薬品の作用および副作用が増強するおそれがあります。このような医薬品には，クロルゾキサゾン，テオフィリン，Bufuralolなどがあります。

中肝臓で代謝される医薬品（シトクロムP450 1A2（CYP1A2）の基質となる医薬品）

特定の医薬品は肝臓で代謝されます。虎杖にはレスベラトロールが含まれ，レスベラトロールは特定の医薬品の代謝を抑制する可能性があります。虎杖と肝臓で代謝される医薬品を併用すると，医薬品の作用および副作用が増強するおそれがあります。このような医薬品には，クロザピン，Cyclobenzaprine，フルボキサミンマレイン酸塩，ハロペリドール，イミプラミン塩酸塩，メキシレチン塩酸塩，オランザピン，塩酸ペンタゾシン，プロプラノロール塩酸塩，Tacrine，Zileuton，ゾルミトリプタンなどがあります。

中肝臓で代謝される医薬品（シトクロムP450 1B1（CYP1B1）の基質となる医薬品）

特定の医薬品は肝臓で代謝されます。虎杖にはレスベラトロールが含まれ，レスベラトロールは特定の医薬品の代謝を抑制する可能性があります。虎杖と肝臓で代謝される医薬品を併用すると，医薬品の作用および副作用が増強するおそれがあります。このような医薬品には，テオフィリン，オメプラゾール，クロザピン，プロゲステロン，ランソプラゾール，フルタミド，オキサリプラチン，エルロチニブ塩酸塩，カフェインなどがあります。

中肝臓で代謝される医薬品（シトクロムP450 2C19（CYP2C19）の基質となる医薬品）

特定の医薬品は肝臓で代謝されます。虎杖にはレスベラトロールが含まれ，レスベラトロールは特定の医薬品の代謝を抑制する可能性があります。虎杖と肝臓で代謝される医薬品を併用すると，医薬品の作用および副作用が増強するおそれがあります。このような医薬品には，オメプラゾール，ランソプラゾール，パントプラゾールナトリウム水和物（販売中止），ジアゼパム，カリソプロドール（販売中止），ネルフィナビルメシル酸塩などがあります。

中肝臓で代謝される医薬品（シトクロムP450 2E1（CYP2E1）の基質となる医薬品）

特定の医薬品は肝臓で代謝されます。虎杖にはレスベラトロールが含まれ，レスベラトロールは特定の医薬品の代謝を抑制する可能性があります。虎杖と肝臓で代謝される医薬品を併用すると，医薬品の作用および副作用が増強するおそれがあります。このような医薬品には，アセトアミノフェン，クロルゾキサゾン，アルコール，テオフィリン，麻酔薬（エンフルラン（販売中止），ハロタン（販売中止），イソフルラン，Methoxyfluraneなど）があります。

中肝臓で代謝される医薬品（シトクロムP450 3A4（CYP3A4）の基質となる医薬品）

特定の医薬品は肝臓で代謝されます。虎杖にはレスベラトロールが含まれ，レスベラトロールは医薬品の代謝を抑制する可能性があります。虎杖と肝臓で代謝される医薬品を併用すると，医薬品の作用および副作用が増強するおそれがあります。このような医薬品には，Lovastatin，ケトコナゾール，イトラコナゾール，フェキソフェナジン塩酸塩，トリアゾラムなど数多くあります。

中 血液凝固を抑制する医薬品（抗凝固薬/抗血小板薬）

虎杖にはレスベラトロールが含まれます。レスベラトロールは血液凝固を抑制する可能性がある化学物質です。虎杖と血液凝固を抑制する医薬品を併用すると，紫斑および出血のリスクが高まるおそれがあります。このような医薬品には，アスピリン，クロピドグレル硫酸塩，ジクロフェナクナトリウム，イブプロフェン，ナプロキセン，ダルテパリンナトリウム，エノキサパリンナトリウム，ヘパリン，ワルファリンカリウムなどがあります。

ハーブおよび健康食品・サプリメントとの相互作用

ほかのハーブ，健康食品・サプリメントとの相互作用についてはまだ明らかではありません。

使用量の目安

標準使用量に関するデータがありません。

コシラナ

COCILLANA

別名ほか

ウパス，イボー（Upas），Grape Bark，Guapi，Guarea rusbyi，Sycocarpus rusby，Trompillo

概　要

コシラナはハーブです。皮を用いて「くすり」を作ることもあります。

コシラナは，咳止めシロップの原料です。痰を軟らかくすることで，痰を喀出しやすくします。

安全性

十分なデータが得られていないので，安全であるかどうか不明です。

●妊娠中および母乳授乳期

妊娠中および母乳授乳期の使用の安全性についてはデータが不十分です。安全性を考慮し，摂取は避けてください。

有効性

◆科学的データが不十分です

・咳および皮膚腫瘍。

●体内での働き

どのように作用するかについては十分なデータが得られていません。

医薬品との相互作用

ほかの医薬品との相互作用については明らかではありません。

ハーブおよび健康食品・サプリメントとの相互作用

ほかのハーブ，健康食品・サプリメントとの相互作用についてはまだ明らかではありません。

使用量の目安

標準使用量に関するデータがありません。

コスタス

COSTUS

●代表的な別名

ヤギクカ

別名ほか

ヤギクカ，野菊花（Aucklandia lappa），木香，広木香（Mokko），雲木香（Yun Mu Xiang），Aucklandia costus，Costus Oil，Costus Root，Kushta，Kushtha，Kuth，Mokkou，Mu Xiang，Saussurea costus，Saussurea lappa

概　要

コスタスはハーブです。根および根から抽出したオイルを用いて「くすり」を作ることもあります。

オイルは，食品や飲料の香料として用いられます。

製品としては，オイルは，化粧品の安定剤や香料としても用いられます。

●要説（ナチュラル・スタンダード）

・Saussurea（コスタスの別名）について

Saussureaは，漢方医学では昔から用いられています。韓国，チベット，インド，ウイグル，パキスタン，およびモンゴルの文化圏の伝統医学でも用いられています。

Costus Rootと呼ばれる根を用いて，AucklandiaまたはMu Xiangと呼ばれる「くすり」を作ることもあります。アジアには，アヘンの代わりにコスタスの根を燻製にする地域もあります。スパイスや香としても用いられます。蛾から布地を守るためにも用いられます。

Saussureaの多くの種と同様に，コスタスのエキスも筋痙攣の防止，肺の換気促進，血圧低下，炎症の軽減，神経および胃を保護するために用いられます。

関節炎，気管支喘息，胃腸疾患，および寄生虫に関する研究がなされています。ただし現時点では，いずれの疾患に対しても，効果を支持する信頼できるエビデンスは十分ではありません。

安全性

通常の食品に含まれる量のコスタスのオイルを経口摂取する場合，ほとんどの人に安全のようです。コスタスの根を適量，経口摂取する場合，ほとんどの人におそらく安全です。しかし，コスタスはアリストロキア酸という化学物質を含んでいます。この化学物質は腎臓に損傷を与え，がんを発症させるおそれがあります。アリストロキア酸が含まれるコスタス製品は安全ではありません。アリストロキア酸が含まれていないことが証明されていない限り，いかなるコスタス製剤も使用しないでください。法律により米国食品医薬品局（FDA）では，アリストロキア酸を含むと思われる植物生成物全般を没収することができます。アリストロキア酸が含まれていないという製造元の証明がない限り，返却されません。

●アレルギー

キク科の植物にアレルギーがある場合には，コスタスのアレルギーを引き起こすおそれがあります。このような植物には，ブタクサ，キク，マリーゴールド，デイジーなど，ほかにも多くの植物があります。これらにアレルギーがある場合，コスタスを摂取する前に，医師などに相談してください。

●妊娠中および母乳授乳期

妊娠中および母乳授乳期の使用の安全性についてはデータが不十分です。安全性を考慮し，摂取は避けてください。

有　効　性

◆科学的データが不十分です

・寄生虫（線虫），消化器障害，腸内ガス，気管支喘息，咳，赤痢，コレラなど。

●体内での働き

コスタスの根には，寄生虫（線虫）を駆除すると考えられる化学物質が含まれています。コスタスのオイルには，気道の締め付けを防ぎ，血圧を低下させるような化学物質が含まれていると考える研究者もいます。

医薬品との相互作用

ほかの医薬品との相互作用については明らかではありません。

ハーブおよび健康食品・サプリメントとの相互作用

ほかのハーブ，健康食品・サプリメントとの相互作用についてはまだ明らかではありません。

使用量の目安

通常の食品に含まれている量を超えて経口摂取した場合の安全性および副作用については，明らかになっていません。

コタニワタリ

HARTSTONGUE

別名ほか

チャセンシダ（Asplenium scolopendrium），Buttonhole，God's-Hair，Hind's Tongue，Horse Tongue，Scolopendrium vulgare

概　　要

コタニワタリはシダです。葉，茎および花を用いて「くすり」を作ることもあります。

安　全　性

十分なデータが得られていないので，安全であるかどうか不明です。

●妊娠中および母乳授乳期

妊娠中，母乳授乳期は使用してはいけません。

有　効　性

◆科学的データが不十分です

・消化器系疾患および尿路疾患。

●体内での働き

尿量を増加させ，便を柔らかくし，腸収縮を刺激して排便を促すことがあります。

医薬品との相互作用

ほかの医薬品との相互作用については明らかではありません。

ハーブおよび健康食品・サプリメントとの相互作用

ほかのハーブ，健康食品・サプリメントとの相互作用についてはまだ明らかではありません。

使用量の目安

標準使用量に関するデータがありません。

コノテガシワ

ORIENTAL ARBORVITAE

●代表的な別名

ソクハク

別名ほか

ソクハク，側柏（Biota orientalis），児の手柏，児手柏，コノテヒバ（Chinese Arborvitae），Platycladus orientalis，Thuja orientalis

概　　要

コノテガシワは植物です。種子および葉のある小枝を用いて「くすり」を作ることもあります。

安　全　性

少量を短期間使用するなら，安全でしょう。

ただ，ツヨンと呼ばれる毒性化合物が含まれており，落ち着きのなさ，気分の変化，嘔吐，めまい，振戦，腎臓の損傷，痙攣などの副作用をもたらすかもしれません。これは，とくに多量または長期にわたって摂取する場合に見られます。

コノテガシワを皮膚に塗布して安全かどうかは，よく知られていません。

ポルフィリン症（遺伝性疾患）：コノテガシワはポルフィリン症を悪化させる可能性があります。

腎疾患：コノテガシワは，腎臓病を悪化させるおそれがあります。

有 効 性

◆科学的データが不十分です

・頭痛，筋肉および関節痛，不安感，発熱，寄生虫感染症，悪心，筋肉および関節痛，神経疾患，がん，便秘，痙攣発作，月経障害，射精障害，過度の出血（大量出血），過度の発汗（経口摂取や皮膚へ塗布する場合），眠れない場合（不眠症），熱傷（皮膚に塗布する場合）など。

●体内での働き

ある種の細菌に対抗する作用をもつようです。

医薬品との相互作用

ほかの医薬品との相互作用については明らかではありません。

ハーブおよび健康食品・サプリメントとの相互作用

ツヨンを含むハーブ

コノテガシワにはツヨンと呼ばれる化学物質が含まれています。ツヨンが含まれている他のハーブと併用すると，ツヨン中毒の危険性が高くなります。ツヨンは，情緒不安，精神的な変化，嘔吐，めまい，振戦，腎障害，痙攣発作などの副作用を起こす可能性があります。ツヨンが含まれるハーブには，オークモス，セージ，ヨモギギク，ヒバ，木苔，ヨモギがあります。これらいずれともコノテガシワを併用しないでください。

使用量の目安

●経口摂取

葉の多い小枝をそのままあるいは焼いてから，1日5～15gお茶として摂取します。

●局所投与

標準使用量に関するデータがありません。

コパイバ・バルサム

COPAIBA BALSAM

別名ほか

コパイフェラバルサムノキ（Copaifera officinalis），コパイバ，コパイーバ（Copaiva），Copaifera langsdorfii, Copaifera reticulata, Jesuit's Balsam

概　　要

コパイバ・バルサムは，Copaifera種の木の幹から採取する，樹液に似た物質（オレオレジン）です。コパイバ・バルサムを加工してコパイバ・オイルを作ることもあります。コパイバ・バルサムおよびコパイバ・オイルを用いて「くすり」を作ることもあります。

食品や飲料の原料として用いられます。

コパイバ・バルサムおよびコパイバ・オイルは，石けん，化粧品，および香水に用いられます。

コパイバ・バルサムおよびコパイバ・オイルは，咳止め薬や利尿薬に用いられます。

安 全 性

通常の食べ物から摂取する量なら，ほとんどの人は安全のようです。

「くすり」としては安全とはいえません。胃痛，嘔吐，下痢，湿疹，振戦，股間の痛み，睡眠障害（不眠症）をもたらすおそれがあります。

皮膚に塗布すると，発赤，かゆみ，湿疹が出て，治っても茶色いシミが残るかもしれません。

●妊娠中および母乳授乳期

通常の食品に含まれている量の摂取は安全です。ただし，「くすり」としての高用量摂取は安全ではないようです。妊娠中および母乳授乳期は，食品の量の範囲内で摂取してください。

有 効 性

◆科学的データが不十分です

・コパイバ・バルサムに含まれるほかの物質が，胸部うっ血を緩和し，去痰薬の働きをする可能性があります。
・痔核，下痢，尿路感染症，便秘，気管支炎など。

●体内での働き

殺菌，炎症（腫脹）の抑制，尿量の増大（利尿）を補助する可能性があります。

医薬品との相互作用

ほかの医薬品との相互作用については明らかではありません。

ハーブおよび健康食品・サプリメントとの相互作用

ほかのハーブ，健康食品・サプリメントとの相互作用についてはまだ明らかではありません。

使用量の目安

標準使用量に関するデータがありません。

コ

コハク酸塩

SUCCINATE

別名ほか

Acide d'Ambre, Acide Butanedioïque, Acide Éthylène Dicarboxylique, Acide Succinique, Amber, Amber Acid, Ammonium Succinate, Butanedioic Acid, Esprit Volatil de Succin, Oil of Amber, Sel Volatil de Succin, Spirit of Amber, Succinato, Succinic Acid, Succinum

概　要

コハク酸塩は，体内での化学反応に関連した物質です。サプリメントとして，顔面紅潮（ほてり）やイライラ感などの更年期障害の症状に使用されています。

また，関節炎や関節の痛みに皮膚に塗布して使用ていされます。

安 全 性

安全性についてのデータは十分ではありません。

●妊娠中および母乳授乳期

妊娠中および母乳授乳期の使用の安全性についてはデータが不十分です。安全性を考慮し，摂取は避けてください。

有 効 性

◆科学的データが不十分です

・更年期障害，関節炎，痛み。

●体内での働き

どのように症状に作用するかのデータは十分ではありません。

医薬品との相互作用

ほかの医薬品との相互作用については明らかではありません。

ハーブおよび健康食品・サプリメントとの相互作用

ほかのハーブ，健康食品・サプリメントとの相互作用についてはまだ明らかではありません。

使用量の目安

標準使用量に関するデータがありません。

5-ヒドロキシトリプトファン

5-HTP

別名ほか

L-5ヒドロキシトリプトファン（L-5 HTP, L-5 hydroxytryptophan），オキシトリプタン（Oxitriptan），5-hydroxytryptophan

概　要

5-ヒドロキシトリプトファンは，タンパク質構成物質であるL-トリプトファンの化学的副産物です。またアフリカ産植物（Griffonia simplicifolia）の種子を原料に製品化されています。

注：わが国では「46通知」により，「専ら医薬品として使用される成分本質（原材料）」とされています。

5-ヒドロキシトリプトファンの使用は安全ではありません。詳細が判明するまで使用しないでください。使用した人の中には，極度に筋肉圧痛（筋痛）と血液異常（好酸球増加）を起こす，好酸球増多・筋痛症候群になった人もいます。好酸球増多・筋痛症候群は，5-ヒドロキシトリプトファン製品にたまたま入っていた汚染された原材料により起こると考える人もいます。しかしながら，好酸球増多・筋痛症候群が5-ヒドロキシトリプトファンの汚染材料によるのか，または，ほかの要因なのかを示す科学的証拠は十分ではありません。安全性に十分なデータが得られるまで，5-ヒドロキシトリプトファンの使用は避けてください。

●要説（ナチュラル・スタンダード）

5-ヒドロキシトリプトファンは，神経伝達物質のセトロニンの前駆物質です。アフリカ産植物（Griffonia simplicifolia）の種子を原料に製品化されています。

5-ヒドロキシトリプトファンは，多くの疾患の治療法として提示されています。小脳性運動失調症，頭痛，うつ病，精神障害，線維筋痛症の治療として，また食欲抑制薬または減量薬としての使用の有効性を裏付ける研究もあります。そのほかの疾患への使用について有効性を裏付ける十分な科学的エビデンスはありません。

5-ヒドロキシトリプトファンは，胃腸障害，気分障害，発作または赤血球数/白血球数の異常を起こすおそれがあります。5-ヒドロキシトリプトファン製品の混入物によって起こる副作用もあります。

安 全 性

5-ヒドロキシトリプトファンの経口摂取は，適量であれば，おそらく安全です。5-ヒドロキシトリプトファンは，1日当たり，最大400mg，最長1年にわたり摂取する場合には，安全に用いられています。ただし，5-ヒドロキシトリプトファンの摂取により，過度の筋圧痛（筋肉痛）や好酸球増加症（血液の異常）などの深刻な症状をともなう好酸球増多・筋痛症候群を引き起こす場合もあります。好酸球増多・筋痛症候群は，一部の5-ヒドロキシトリプトファン製品に，偶発的に混入した成分や汚染物質に起因すると考える人もいます。ただし，5-ヒドロキシトリプトファンによる好酸球増多・筋痛症候群の発症の原因が，汚染物質や偶発的に混入した成分によるものなのかどうかを判断するには，データが不十分です。十分なデータが得られるまでは，5-ヒドロキシトリプトファンの摂取は避けるべきです。

5-ヒドロキシトリプトファンの副作用として，ほかにも，むねやけ，胃痛，吐き気，嘔吐，下痢，傾眠，性機能障害および筋肉障害などがあります。

高用量の5-ヒドロキシトリプトファンを経口摂取する場合には，おそらく安全ではありません。1日当たり，6～10gの5-ヒドロキシトリプトファンを摂取する場合には，深刻な胃腸疾患および筋痙攣を引き起こします。

小児：5-ヒドロキシトリプトファンの経口摂取は，適量であればおそらく安全です。12歳以下の乳児および小児の場合には，1日当たり，5mg/kg以下，3年以内であれば，安全に用いられています。成人の場合と同様，小児に対しても，過度の筋圧痛（筋肉痛）や好酸球増加症（血液の異常）などの深刻な症状をともなう好酸球増多・筋痛症候群を引き起こすおそれがあります。

手術：5-ヒドロキシトリプトファンがセロトニンと呼ばれる脳内物質に影響を与えるおそれがあります。手術中に用いる医薬品の中には，セロトニンに影響を与えるおそれのあるものもあります。5-ヒドロキシトリプトファンを手術前に摂取することにより，脳内のセロトニンが過剰になり，心臓の異常，悪寒戦慄，不安などの深刻な副作用を引き起こすおそれがあります。少なくとも手術前2週間は，使用しないでください。

●妊娠中および母乳授乳期

妊娠中および母乳授乳期の使用の安全性についてはデータが不十分です。安全性を考慮し，摂取は避けてください。

有　効　性

◆有効性レベル③

・うつ病。複数の臨床試験により，5-ヒドロキシトリプトファンの経口摂取により，人によっては，うつ病の症状が改善することが示唆されています。特定の抗うつ薬と同程度の効果がある可能性があることが，複数の臨床試験により示唆されています。大部分の研究では，1日当たり150～800mgの5-ヒドロキシトリプトファンが用いられています。場合によっては，より高用量が用いられています。

◆有効性レベル④

・ダウン症候群。複数の研究により，ダウン症候群の乳児に5-ヒドロキシトリプトファンを投与することにより，筋肉および活動が改善することが示唆されています。ほかの研究では，乳児期から3～4歳まで5-ヒドロキシトリプトファンを摂取しても，筋肉および発育が改善することはないことが示唆されています。また，研究により，5-ヒドロキシトリプトファンを従来の処方薬と併用して摂取することにより，発育，社会生活技能，言語技能が改善することが示唆されています。

◆科学的データが不十分です

・アルコール依存症，アルツハイマー病，不安，小脳性運動失調症（神経系疾患），線維筋痛症，更年期症状，片頭痛，肥満，パーキンソン病，統合失調症，緊張性頭痛，ヘロイン離脱症状，注意欠陥多動障害（ADHD），不眠，月経前不機嫌性（不快気分）障害，月経前症候群，ラムゼイハント症候群など。

●体内での働き

5-ヒドロキシトリプトファンは，セロトニン合成を促進し，脳および中枢神経系に作用します。セロトニンは，睡眠，食欲，体温，性行動および痛覚に影響を与える可能性があります。5-ヒドロキシトリプトファンはセロトニン合成を促進するため，うつ病，不眠，肥満など，セロトニンが重要な役割を担うと考えられるさまざまな疾患に対して用いられています。

医薬品との相互作用

中カルビドパ水和物【販売中止】

5-ヒドロキシトリプトファンは脳に影響を及ぼす可能性があります。カルビドパ水和物も脳に影響を及ぼす可能性があります。5-ヒドロキシトリプトファンとカルビドパ水和物を併用すると，重大な副作用（早口，不安，攻撃性など）のリスクを高めるおそれがあります。

中鎮静薬（中枢神経抑制薬）

5-ヒドロキシトリプトファンは眠気および注意力低下を引き起こす可能性があります。鎮静薬は眠気を引き起こす医薬品です。5-ヒドロキシトリプトファンと鎮静薬を併用すると，過度の眠気を引き起こすおそれがあります。このような鎮静薬には，クロナゼパム，ロラゼパム，フェノバルビタール，ゾルピデム酒石酸塩などがあります。

中セロトニン作用薬

5-ヒドロキシトリプトファンは脳内物質のセロトニンを増加させる可能性があります。特定の医薬品もセロトニンを増加させます。5-ヒドロキシトリプトファンとこのような医薬品を併用すると，セロトニンが過剰に増加するおそれがあります。そのため，重大な副作用（激しい頭痛，心臓の異常，悪寒戦慄，錯乱，不安など）が現れるおそれがあります。このような医薬品には，塩酸フルオキセチン（販売中止），パロキセチン塩酸塩水和物，塩酸セルトラリン，アミトリプチリン塩酸塩，クロミプラミン塩酸塩，イミプラミン塩酸塩，スマトリプタン，ゾルミトリプタン，リザトリプタン安息香酸塩，メサドン塩酸塩，トラマドール塩酸塩など数多くあります。

高モノアミン酸化酵素阻害薬（MAO阻害薬）

5-ヒドロキシトリプトファンは脳内物質のセロトニンを増加させます。モノアミン酸化酵素阻害薬（MAO阻害薬）もセロトニンを増加させます。5-ヒドロキシトリプトファンとMAO阻害薬を併用すると，体内のセロトニンが過剰に増加する可能性があります。そのため，重大な副作用（激しい頭痛，心臓の異常，悪寒戦慄，不安など）が現れるおそれがあります。このようなMAO阻害薬には，Phenelzine，Tranylcypromineなどがあります。

ハーブおよび健康食品・サプリメントとの相互作用

鎮静作用のあるハーブおよび健康食品・サプリメント

5-ヒドロキシトリプトファンが，眠気または注意力低下を引き起こすおそれがあります。5-ヒドロキシトリプトファンと，眠気または注意力低下を引き起こすおそれのある，ほかのハーブおよび健康食品・サプリメントを併用すると，過度の眠気を引き起こすおそれがあります。このようなハーブおよび健康食品・サプリメントには，ショウブ，ハナビシソウ，キャットニップ，ホップ，ジャマイカ・ドッグウッド，カバ，セント・ジョンズ・ワート，スカルキャップ，カノコソウ，アネモプシス・カリフォルニカなどがあります。

セロトニン作動特性のあるハーブおよび健康食品・サプリメント

5-ヒドロキシトリプトファンが，セロトニンという脳内化学物質を増加させます。5-ヒドロキシトリプトファンと，セロトニンを増加させるほかのハーブおよび健康食品・サプリメントを併用すると，セロトニンが過度に増加し，心臓の異常，悪寒戦慄，不安などの副作用を引き起こすおそれがあります。このようなハーブおよび健康食品・サプリメントには，ハワイアンベビーウッドローズ，L-トリプトファン，S-アデノシルメチオニン（SAMe），セント・ジョーズ・ワートなどがあります。

使用量の目安

【成人】

●経口摂取

うつ病

1日当たり，150～800mgを，2～6週にわたり摂取するのが，もっとも一般的です。複数に分けて摂取することもあります。1日3回，50～100mgを摂取することもあります。低用量からはじめ，1～2週間かけて徐々に目標値まで量を増やしていくこともあります。高用量を用いることはまれです。1件の研究では，1日当たり3gまで増量されています。

ゴボウ

BURDOCK

別名ほか

ゴボウ属（Arctium lappa），アクチウムミヌス（Arctium minus），Arctium，Arctium tomentosum，Bardana，Bardana-minor，Bardanae Radix，Bardane，Beggar's Buttons，Burr Seed，Clotbur，Cocklebur，Cockle Buttons，Edible Burdock，Fox's Clote，Great Bur，Great Burdocks，Happy Major，Hardock，Harebur，Lappa，Love Leaves，Orelha-de-gigante，Personata，Philanthropium，Thorny Burr

概　　要

ゴボウは植物です。根，葉，種子を用いて「くすり」を作ることもあります。

●要説（ナチュラル・スタンダード）

ゴボウは，歴史的に，関節炎，糖尿病，脱毛症，炎症，皺といった，さまざまな病気の治療に使用されてきました。主要なハーブ成分で，人気のがん治療薬であるEssiac（ルバーブ，スイバ，ぬるぬるしたニレを含む）やHoxsey（赤いクローバー，ポーク，アメリカサンショウ，赤根草，メギを含む）に含まれています。

ゴボウの果実は，動物の血糖を低下させることが判明しており，初期のヒトでの研究は，糖尿病のためにゴボウを検証しました。ヒト以外の研究では，細菌感染，がん，HIV，および腎臓結石のためのゴボウの使用が検討されています。どのような疾患に対しても，治療を効果的にするためにゴボウが有効であると裏づける十分なエビデンスは今のところありません。

安 全 性

アジアでは，食品として安全に使用されています。食品に通常含まれる量の摂取であれば，ほとんどの人に安全のようです。「くすり」としての量の摂取の安全性については，データが不十分です。

ある種の花やハーブに敏感な人には，アレルギー反応を引き起こすおそれがあります。皮膚に塗布した場合に，皮疹を引き起こすおそれがあります。

出血性疾患：血液凝固を抑制するおそれがあります。出血性疾患の場合には，ゴボウを摂取すると出血のリスクが高まるおそれがあります。

糖尿病：いくつかのエビデンスにより，ゴボウを摂取すると血糖値が低下する可能性があることが示唆されています。血糖値を低下させるための医薬品を服薬している糖尿病の人では，ゴボウの摂取により，血糖値が過度に低下するおそれがあります。

手術：手術中および手術後の出血リスクを高めるおそれがあります。少なくとも手術前2週間は，使用しないでください。

●アレルギー

ブタクサや関連する植物に対するアレルギー：キク科植物に敏感な人にアレルギー反応を引き起こすおそれがあります。キク科には，ブタクサ，キク，マリーゴールド，デイジーなど多くの植物があります。アレルギーの場合には，ゴボウを摂取する前に必ず医師などに相談してください。

●妊娠中および母乳授乳期

妊娠中および母乳授乳期の使用の安全性についてはデータが不十分です。安全性を考慮し，摂取は避けてください。

有 効 性

◆科学的データが不十分です

・乳がん，糖尿病，体液貯留，発熱，食欲不振，胃疾患，痛風，ざ瘡（にきび），重度の乾燥皮膚，乾癬など。

●体内での働き

細菌や炎症に対する活性をもつ可能性がある化学物質が含まれています。

医薬品との相互作用

中 血液凝固を抑制する医薬品（抗凝固薬/抗血小板薬）

ゴボウは血液凝固を抑制する可能性があります。ゴボウと血液凝固を抑制する医薬品を併用すると，紫斑および出血のリスクが高まるおそれがあります。このような医薬品にはアスピリン，クロピドグレル硫酸塩，ジクロフェナクナトリウム，イブプロフェン，ナプロキセン，ダルテパリンナトリウム，エノキサパリンナトリウム，ヘパリン，ワルファリンカリウムなどがあります。

中 糖尿病治療薬

ゴボウは２型糖尿病患者の血糖値を低下させる可能性があります。糖尿病治療薬もまた血糖値を低下させるために用いられます。ゴボウと糖尿病治療薬を併用すると，血糖値が過度に低下するおそれがあります。血糖値を注意深く監視してください。糖尿病治療薬の用量を変更する必要があるかもしれません。このような糖尿病治療薬にはグリメピリド，グリベンクラミド，インスリン，ピオグリタゾン塩酸塩，マレイン酸ロシグリタゾン（販売中止），クロルプロパミド，Glipizide，トルブタミド（販売中止）などがあります。

ハーブおよび健康食品・サプリメントとの相互作用

血糖値を低下させるおそれのあるハーブおよび健康食品・サプリメント

ゴボウは血糖値を低下させるおそれがあります。同様の作用をもつほかのハーブおよび健康食品・サプリメントと併用すると，人によっては血糖値が過度に低下するおそれがあります。このようなハーブおよび健康食品・サプリメントには，デビルズクロー，フェヌグリーク，グアーガム，朝鮮人参，エゾウコギなどがあります。

血液凝固を抑制するおそれのあるハーブおよび健康食品・サプリメント

ゴボウは血液凝固を抑制するおそれがあります。同様の作用をもつほかのハーブおよび健康食品・サプリメントと併用すると，人によっては紫斑や出血のリスクが高まるおそれがあります。このようなハーブおよび健康食品・サプリメントには，アンゼリカ，クローブ，タンジン，ニンニク，ショウガ，イチョウ，朝鮮人参などがあります。

使用量の目安

通常の食品に含まれている量を超えて経口摂取した場合の安全性および副作用については，明らかになっていません。

ゴマ

SESAME

別名ほか

Ajonjolí, Beniseed, Benneseed, Benniseed, Chamkkae, Gergelim, Gimgelim, Gingelly, Goma, Hu Ma, Sésam, Sésamo, Sesamo, Sesamum indicum , Sesamum mulayanum, Sesamum orientale, Simsim, Til, Ufuta, Wangila, Zhi Ma

概 要

ゴマは油糧作物で，種子から油をとります。アジア，アフリカ，南米の熱帯および亜熱帯地域に生育しています。ピーナッツ，大豆，セイヨウアブラナなどの類似の作物に比べ，ゴマの種子にはもっとも多くの油分が含まれているといわれています。ゴマの種子にはタンパク質，ビタミンおよびアンチオキシダント（抗酸化物質）も多く含まれています。

アルツハイマー病，貧血，関節炎，心疾患の予防，白内障，便秘，高コレステロール血症，男性不妊，更年期，骨粗鬆症，疼痛，胃潰瘍，胃がん，脳卒中，体重減少の場合にゴマを経口摂取します。

皮膚の加齢変化，脱毛，不安，凍瘡，乾癬，疣贅，創傷治癒，昆虫刺傷の予防の場合には，ゴマ油を皮膚塗布します。

声帯を改善するためにゴマ油を注射します。

食品としては，調理用油に，およびドレッシングやソースを作るためにゴマ油を使用します。ゴマの種子は香料として食品に添加します。

安 全 性

ゴマの経口摂取は，通常の食品に含まれる量であれば，ほとんどの人に安全のようです。

ゴマの経鼻胃投与や，鼻腔用スプレーとしての投与は，短期間であればおそらく安全です。ゴマのオイルを含む，特定の鼻腔用スプレーは，最長20日にわたり，安全に用いられています。

ゴマをほかの投与方法で，「くすり」として使用する場合の安全性についてのデータは不十分です。

小児：ゴマの経口摂取は，通常の食品に含まれる量であれば，ほとんどの人に安全のようです。ゴマの経口摂取は，短期間，適量を摂取する場合には，おそらく安全です。就寝時に５mLのゴマのオイルを摂取する場合には，最長３日にわたり，安全に用いられています。

糖尿病：ゴマが，血糖値に影響を与えるおそれがあります。理論上，ゴマが，糖尿病患者の血糖値コントロールに影響を与えるおそれがあります。

低血圧：ゴマが，血圧を低下させるおそれがあります。理論上，低血圧の場合には，ゴマにより，血圧が過度に低下するおそれがあります。

手術：ゴマが，血糖値に影響を与えるおそれがあります。理論上，ゴマが，手術中および術後の血糖値コントロールを妨げるおそれがあります。少なくとも手術前２週間は，使用しないでください。

●妊娠中および母乳授乳期

妊娠中および母乳授乳期の，ゴマの経口摂取は，通常の食品に含まれる量の範囲内であれば，ほとんどの人に安全のようです。妊娠中および母乳授乳期に，「くすり」として使用する場合の安全性についてのデータは不十分です。安全性を考慮し，摂取は避けてください。

有効性

◆有効性レベル③

・咳。研究により，感冒の小児が，３日間，就寝前にゴマのオイルを経口摂取しても，咳が緩和することはないことが示唆されています。

◆科学的データが不十分です

・エイズに起因する体重減少，熱傷，糖尿病，歯肉炎，高血圧，乳児の発育，くる病，小腸の閉塞，アルツハイマー病，貧血，関節炎，心疾患の予防，白内障，便秘，高コレステロール血症，男性不妊，更年期，骨粗鬆症，疼痛，胃潰瘍，胃がん，脳卒中，体重減少，皮膚の加齢変化，脱毛症，不安，凍瘡，乾癬，疣贅（いぼ），創傷治癒，昆虫刺傷の予防，声帯の強化など。

●体内での働き

ゴマが，免疫系を刺激し，創傷の治癒を促進するようです。また，食品からの糖類の吸収速度を抑制する可能性があります。このため，糖尿病患者に有効である可能性があります。そのほか，歯垢の原因となる細菌を死滅させる可能性もあります。ゴマには，カルシウムが含まれており，くる病の治療につながる可能性があります。抗炎症作用や抗酸化作用もあります。

医薬品との相互作用

中タモキシフェンクエン酸塩

ゴマはタモキシフェンクエン酸塩の作用を減弱させる可能性があります。タモキシフェンクエン酸塩を服用中に，食品中に含まれる量以上のゴマを摂取しないでください。

中肝臓で代謝される医薬品（シトクロムP450 2C9（CYP2C9）の基質となる医薬品）

特定の医薬品は肝臓で代謝されます。ゴマは特定の医薬品の代謝を抑制する可能性があります。ゴマと肝臓で代謝される医薬品を併用すると，医薬品の作用および副作用が増強する可能性があります。このような医薬品にはアミオダロン塩酸塩，フルコナゾール，Lovastatin，パロキセチン塩酸塩水和物，ザフィルルカスト（販売中止）など多くあります。

中降圧薬

ゴマは血圧を低下させる可能性があります。ゴマと降圧薬を併用すると，降圧薬の作用が増強し，血圧が過度に低下するおそれがあります。このような降圧薬にはカプトプリル，エナラプリルマレイン酸塩，ロサルタンカリウム，バルサルタン，ジルチアゼム塩酸塩，アムロジピンベシル酸塩，ヒドロクロロチアジド，フロセミドなど多くあります。

低細胞内のポンプによって輸送される医薬品（P糖タンパク質の基質となる医薬品）

特定の医薬品は細胞内のポンプによって輸送されます。ゴマは，ポンプの働きを弱め，特定の医薬品の体内への吸収量を増加させる可能性があります。そのため，医薬品の効果が増強する可能性があります。しかし，このことが重要であるかどうかは，現時点では明らかではありません。このような医薬品には，エトポシド，パクリタキセル，ビンブラスチン硫酸塩，ビンクリスチン硫酸塩，ビンデシン硫酸塩，ケトコナゾール，イトラコナゾール，アンプレナビル（販売中止），インジナビル硫酸塩エタノール付加物（販売中止），ネルフィナビルメシル酸塩，サキナビルメシル酸塩，シメチジン，ラニチジン塩酸塩，ジルチアゼム塩酸塩，ベラパミル塩酸塩，副腎皮質ステロイド，エリスロマイシン，シサプリド（販売中止），フェキソフェナジン塩酸塩，シクロスポリン，ロペラミド塩酸塩，キニジン硫酸塩水和物などがあります。

中糖尿病治療薬

ゴマは血糖値を低下させる可能性があります。糖尿病治療薬もまた血糖値を低下させるために用いられます。ゴマと糖尿病治療薬を併用すると，血糖値が過度に低下するおそれがあります。血糖値を注意深く監視してください。糖尿病治療薬の用量を変更する必要があるかもしれません。このような糖尿病治療薬にはグリメピリド，グリベンクラミド，インスリン，ピオグリタゾン塩酸塩，マレイン酸ロシグリタゾン（販売中止）などがあります。

ハーブおよび健康食品・サプリメントとの相互作用

血圧を低下させるおそれのあるハーブおよび健康食品・サプリメント

ゴマが，血圧を低下させるおそれがあります。ゴマと血圧を低下させるおそれのあるほかのハーブおよび健康食品・サプリメントを併用すると，人によっては，血圧が過度に低下するリスクが高まるおそれがあります。このようなハーブおよび健康食品・サプリメントには，アンドログラフィス，カゼイン・ペプチド，キャッツクロー，コエンザイムQ-10，魚油，L-アルギニン，クコ，イラクサ，テアニンなどがあります。

血糖値を低下させるおそれのあるハーブおよび健康食品・サプリメント

ゴマが，血糖値を低下させるおそれがあります。ゴマと，血糖値を低下させるおそれのあるほかのハーブおよび健康食品・サプリメントを併用すると，血糖値が過度に低下するおそれがあります。このようなハーブおよび健康食品・サプリメントには，デビルズクロー，フェヌグリーク，グアーガム，朝鮮人参，エゾウコギなどがあります。

使用量の目安

通常の食品に含まれている量を超えて経口摂取した場合の安全性および副作用については，明らかになっていません。

米タンパク質

RICE PROTEIN

●代表的な別名

ライスプロテイン，コメタンパク

別名ほか

Extensively Hydrolyzed Rice Protein, Extensive Rice Hydrolysate, Hydrolyzed Rice Bran Protein, Hydrolyzed Rice Protein, Partial Rice Hydrolysate, Partially Hydrolyzed Rice Protein, Rice Bran Protein, Rice Endosperm Protein, Rice Protein Hydrolysate, 加水分解コメタンパク，Rice Protein Isolate

概　　要

米タンパク質は米に由来するタンパク質です。加水分解されるものもあります。加水分解されたものは加水分解コメタンパクといいます。

米タンパク質は筋肉増強および筋肉痛のために経口摂取されます。また，牛乳アレルギーのある乳児用の調整乳に使用されます。

米タンパク質はスキンケア製品やヘアケア製品に使用されます。

安　全　性

米タンパク質の経口摂取は，食品の原料として使用される場合はおそらく安全です。

米タンパク質の皮膚への塗布はおそらく安全です。

小児：米タンパク質の経口摂取は生後1ヶ月以上の小児の場合はおそらく安全です。牛乳アレルギーのある乳児用の調整乳として安全に使用されています。しかし，なかには米タンパク質にアレルギーが現れる可能性のある乳児もいるため，医療従事者の指導のもとでこの種の調整乳を使用してください。

米には，多量に摂取すると安全ではない可能性のある無機ヒ素が含まれています。製品の表示ラベルでヒ素の含有量を確認してください。

注：現在，日本ではヒ素値の表示義務はありません。

●妊娠中および母乳授乳期

妊娠中および母乳授乳期の使用の安全性についてはデータが不十分です。安全性を考慮し，摂取は避けてください。

有　効　性

◆有効性レベル③

・食物アレルギー。ほとんどの乳児用調整乳は牛乳由来のタンパク質で作られています。乳児に牛乳アレルギーがある場合，牛乳調整乳の代替として使用できます。しかし，このような調整乳は苦味があることが多いです。ほとんどの研究では，米タンパク質の調整乳は牛乳アレルギーのある乳児にとって良い代替タンパク質になり得ることを示しています。米タンパク質が乳児用調整乳で使用される場合，米タンパク質は加水分解されます。また，乳児に必要な栄養素を充足するために，他の栄養素が添加されます。

◆科学的データが不十分です

・運動による筋肉痛，筋肉増強。

●体内での働き

身体は米タンパク質からアミノ酸という栄養素を取り入れます。米タンパク質に含まれるアミノ酸は高血糖からの保護に役立つ可能性があります。米タンパク質はまた，血圧と血中脂質の低下に役立つ可能性があります。

医薬品との相互作用

中 降圧薬（アンジオテンシン変換酵素（ACE）阻害薬）

米タンパク質は体内の化学物質（アンジオテンシン変換酵素（ACE））を阻害します。アンジオテンシン変換酵素（ACE）阻害薬は血圧を下げるために用いられます。米タンパク質とACE阻害薬を併用すると，血圧が過度に低下するおそれがあります。このような降圧薬には，ベナゼプリル塩酸塩，カプトプリル，エナラプリルマレイン酸塩，Fosinopril，リシノプリル水和物，Moexipril，ペリンドプリルエルブミン，キナプリル塩酸塩，Ramipril，トランドラプリルなどがあります。

ハーブおよび健康食品・サプリメントとの相互作用

ほかのハーブ，健康食品・サプリメントとの相互作用についてはまだ明らかではありません。

使用量の目安

●経口摂取

食物アレルギー

米タンパク質などの栄養素を含む乳児用調整乳は，生後1～6カ月の乳児にとって唯一の食料源として使用されています。生後6カ月～2歳の小児はほかの食事と併用されます。

米ぬか

RICE BRAN

別名ほか

米ぬか油(Ricebran oil), ダイエットファイバー(Dietary Fiber), イネ (Oryza sativa), Rice bran oil, Stabilized rice bran

概　　要

米ぬかは植物です。ぬか（粒の外皮）を「くすり」に使用することもあります。オート麦や小麦ぬかのような別の形と混同しないよう注意してください。

安　全　性

経口摂取の場合，ほとんどの人に安全です。

食べる量を増やすと，最初の数週間は，排便が不規則になったり，腸内ガスや胃の不調を起こしたりもします。

湯船に垂らして入浴時に使用するのは，ほとんどの人に安全なようです。ぬか液で入浴すると，皮膚にかゆみや発赤が生じることもあります。まれにですが，シラミダニという害虫が発生したぬかを使うと，湿疹やかゆみが生じることもあります。

腸の潰瘍や癒着，消化器官を狭くしたり塞ぐような病気，嚥下困難，消化不良などの胃腸障害に罹っている患者，カルシウム値が低い，鉄分が低い，または貧血がある人は使用してはいけません。

●妊娠中および母乳授乳期

妊娠中，母乳授乳期は，使用してはいけません。

有　効　性

◆有効性レベル③

・高コレステロール血症。低脂肪食に加えて85gの米ぬかを毎日摂取すると，血清総コレステロール値を８％，およびLDL-コレステロールを14％低下させます。米ぬかはトリグリセリドや，HDL-コレステロールは，減少させないようです。11.8gの低脂肪タイプの米ぬかには，同様の効果は認められないようです。コレステロール値の減少には，全脂肪，低脂肪の双方のタイプとも，フスマと同様の効果があります。

・高コレステロール血症。米ぬか油は血清総コレステロール値を14％，LDL-コレステロール値を20％，トリグリセリドを20％減少させ，HDL-コレステロールは41％上昇させる可能性があります。

・高カルシウム値の人の腎結石を予防。

・アトピー性皮膚炎（アレルギー性の皮膚の湿疹）。

・胃がんを予防。

◆有効性レベル④

・結腸や直腸のがんの予防。

◆科学的データが不十分です

・糖尿病，高血圧症，アルコール依存症，体重減少，HIV/エイズ，免疫システムの強化，気力の増進，運動能力の向上，肝機能の改善，心血管疾患の予防。

●体内での働き

血清コレステロール値低下を補助すると考えられますが，これは，ぬかのオイルに含まれるいくつかの物質の働きによるもので，コレステロールの吸収を抑え，排出を増加させます。物質の１つにはカルシウムの吸収を抑える働きがあるようですが，これによってある種の腎結石の抑制を補助する可能性があります。

医薬品との相互作用

ほかの医薬品との相互作用については明らかではありません。

ハーブおよび健康食品・サプリメントとの相互作用

カルシウム

米ぬかは，腸でのカルシウムの吸収量を低下させる可能性があります。

鉄

米ぬかは，腸での鉄の吸収量を低下させる可能性があります。

使用量の目安

●経口摂取

血清コレステロール値低下

米ぬかを１日12～84g，または米ぬか油4.8g（トコトリエノール312mg，トコフェロール360mg，非けん化性物質2.4g含有）を摂取します。

腎結石予防

１回10gを１日２回摂取します。

ポリ塩化ビフェニル（PCB）およびポリ塩化ジベンゾフラン（PCDF）の浄化

米ぬか１日10gを50％食物繊維とコレスチラミン４gとともに１日３回摂取します。

米ぬかアラビノキシラン化合物

RICE BRAN ARABINOXYLAN COMPOUND

●代表的な別名

アラビノキシラン誘導体

別名ほか

Arabinoxylan rice bran, 米ぬかアラビノキシラン, Arabinoxylane, アラビノキシラン, Arabinoxylane Compound Proprietary Blend, BioBran, バイオブラン, Hemicellulose Complex with Arabinoxylane, アラビノキシランを含有するヘミセルロース複合体, MGN-3,

相互作用レベル：高この医薬品と併用してはいけません　中この医薬品とは慎重に併用するか併用しないでください　低この医薬品との併用には注意が必要です

MGN-3 Arabinoxylan, Rice Bran Arabinoxylan

概　　要

米ぬかアラビノキシラン化合物は，米ぬか由来のアラビノキシランの抽出物です。「くすり」として使用されることもあります。

米ぬかアラビノキシラン化合物は，通常，免疫システムの活性化に用いられます。がん（がん治療の副作用の軽減），慢性疲労症候群（CFS），C型肝炎などの疾患に対しても使用されますが，これらの用途を十分に裏づけるエビデンスはありません。

安　全　性

短期間経口摂取する場合，米ぬかアラビノキシラン化合物はおそらく安全です。ア米ぬかアラビノキシラン化合物は，　1日1gを12カ月間，または1日最大6gを2～3カ月間の使用量で安全に使用されています。これ以上の使用期間の安全性については，データが不十分です。

多発性硬化症（MS），ループス（全身性エリテマトーデス，SLE），関節リウマチ（RA）などの"自己免疫疾患"：米ぬかアラビノキシラン化合物は，免疫系を活性化させる可能性があります。そのため，自己免疫疾患の症状を悪化させるおそれがあります。自己免疫疾患の場合，アラビノキシラン誘導体を摂取してはいけません。

●妊娠中および母乳授乳期

妊娠中および母乳授乳期の使用の安全性についてはデータが不十分です。安全性を考慮し，摂取は避けてください。

有　効　性

◆科学的データが不十分です

・慢性疲労症候群（CFS），C型肝炎ウイルスによる肝臓の腫脹（炎症）（C型肝炎），肝臓がん，免疫系の活性化，糖尿病，HIV/エイズ，がんの予防と治療など。

●体内での働き

米ぬかアラビノキシラン化合物は生体の自然免疫システムを改善することで作用する可能性があります。

医薬品との相互作用

中免疫抑制薬

米ぬかアラビノキシラン化合物は免疫機能を高める可能性があります。免疫機能を高めることにより，米ぬかアラビノキシラン化合物は免疫抑制薬の効果を弱めるおそれがあります。このような免疫抑制薬には，アザチオプリン，バシリキシマブ，シクロスポリン，Daclizumab，ムロモナブ-CD3（販売中止），ミコフェノール酸モフェチル，タクロリムス水和物，シロリムス，Prednisone，副腎皮質ステロイドなどがあります。

ハーブおよび健康食品・サプリメントとの相互作用

ほかのハーブ，健康食品・サプリメントとの相互作用についてはまだ明らかではありません。

使用量の目安

通常の食品に含まれている量を超えて経口摂取した場合の安全性および副作用については，明らかになっていません。

コラーゲンペプチド

COLLAGEN PEPTIDES

別名ほか

Collagen Hydrolysate，コラーゲン加水分解物，Collagen Peptidesi，Collagène Dénaturé，Collagène Hydrolysé，Collagène Marin Hydrolysé，Denatured Collagen，変性コラーゲン，Hydrolised Collagen，Hydrolysed Collagen，Hydrolyzed Collagen，加水分解コラーゲン，Hydrolyzed Collagen Protein，コラーゲンタンパク質加水分解物，Marine Collagen Hydrolysate，海洋性コラーゲン加水分解物，マリンコラーゲン加水分解物，Protéine de Collagène Hydrolysé

概　　要

コラーゲンペプチドは動物由来の小さなタンパク質です。

コラーゲンペプチドは，皮膚の加齢変化，骨粗鬆症，爪の脆弱化，筋肉増強など，多くの症状に使用されますが，これらの用途のほとんどを裏付ける十分な科学的根拠（エビデンス）はありません。

コラーゲンペプチドをⅠ型コラーゲン（天然），Ⅱ型コラーゲン（天然），ゼラチンと混同しないでください。

安　全　性

コラーゲンペプチドを経口摂取した場合はおそらく安全です。1日最大10gのコラーゲンペプチドが最長5カ月間は安全に使用できるという科学的根拠(エビデンス)があります。

●妊娠中および母乳授乳期

妊娠中および母乳授乳期の使用の安全性については，情報が不十分です。安全性を考慮して摂取しないでください。

有　効　性

◆有効性レベル③

・皮膚の加齢変化。コラーゲンペプチドを経口摂取すると，高齢者の皮膚の湿潤化や弾力が改善されるようです。また，皺を減らす可能性もありますが，その効果はごくわずかに過ぎません。

・変形性関節症。コラーゲンペプチドを経口摂取すると，わずかに変形性膝関節症の疼痛が緩和し，関節機能が改善するようです。効果が現れるまでには，毎日摂取して約３～５カ月間かかるかもしれません。

◆科学的データが不十分です

・湿疹（アトピー性皮膚炎），爪の脆弱化，糖尿病，運動による筋肉痛，高血圧，関節痛，筋肉増強，肥満，骨量減少（オステオペニア），褥瘡性潰瘍，加齢による筋肉の減少（サルコペニア），捻挫，腱の酷使による疼痛を伴う状態（腱障害），創傷治癒，日焼けのダメージによる皮膚の皺，骨と関節の強化，乾燥皮膚，弱くて折れやすい骨（骨粗鬆症）など。

●体内での働き

コラーゲンペプチドはコラーゲンを構成する非常に小さな物質です。コラーゲンは，軟骨，骨，皮膚を構成する物質の１つです。コラーゲンペプチドを経口摂取すると，皮膚や軟骨でコラーゲンペプチドが増加するようです。そのため，皮膚や関節の一部の症状の改善に役立つ可能性があります。

医薬品との相互作用

ほかの医薬品との相互作用については明らかではありません。

ハーブおよび健康食品・サプリメントとの相互作用

ほかのハーブ，健康食品・サプリメントとの相互作用についてはまだ明らかではありません。

使用量の目安

●経口摂取

皮膚の加齢変化

通常，１日2.5～10gのコラーゲンペプチドを８～12週間経口摂取します。特定の製品では臨床研究によって一部の効果が示されています。コラーゲンペプチドとほかの原料を含む特定の配合製品でもある程度の効果が示されています。

変形性関節症

１日10gのコラーゲンペプチドを１～２回に分けて３～５カ月間摂取します。コラーゲンペプチドとほかの原料を含む特定の配合商品は１日に１gを２回，最長10週間使用します。

コラード

COLLARD

別名ほか

Berza, Brassica oleracea var. acephala, Brassica oleracea var. viridis, Chou Cavalier, Collard Greens, Cow Cabbage, Dalmatian Cabbage, Morris Heading, Spring Heading Cabbage, Tall

概　　要

コラードは，緑黄色野菜です。一般的な食材として食されます。コラードの葉は，「くすり」として食されることもあります。

コラードは，貧血，心疾患，便秘，糖尿病，緑内障（視神経の損傷を引き起こす眼疾患），高コレステロール血症，黄斑変性（視力低下），減量に対してアンチオキシダント（抗酸化物質）として経口摂取されたり，膀胱がん，乳がん，前立腺がん，壊血病の予防目的に経口摂取されています。

安　全　性

コラードの摂取は，食品に含まれている量であれば，ほとんどの人に安全のようです。「くすり」としての量のコラードを摂取した場合の安全性および副作用については明らかではありません。

●妊娠中および母乳授乳期

妊娠中および母乳授乳期の使用の安全性についてはデータが不十分です。安全性を考慮し，通常の食品に含まれている量を超える量の摂取は控えてください。

有　効　性

◆科学的データが不十分です

・膀胱がん，乳がん，前立腺がん，貧血，心疾患，便秘，糖尿病，緑内障（視神経の損傷を引き起こす眼疾患），高コレステロール血症，黄斑変性（視力低下），体重減少，壊血病など。

●体内での働き

コラードには，がんを予防すると考えられている成分が含まれています。コラードに含まれている成分には，抗酸化作用がある可能性もあります。

医薬品との相互作用

中 糖尿病治療薬

コラードのエキスは血糖値を低下させる可能性があります。コラードのエキスを摂取し，糖尿病治療薬を併用すると，血糖値が過度に低下する可能性があります。血糖値を血糖値を注意深く監視してください。このような糖尿病治療薬には，グリメピリド，グリベンクラミド，インスリン，ピオグリタゾン塩酸塩，マレイン酸ロシグリタゾン（販売中止），クロルプロパミド，Glipizide，トルブタミド（販売中止）などがあります。

ハーブおよび健康食品・サプリメントとの相互作用

ほかのハーブ，健康食品・サプリメントとの相互作用についてはまだ明らかではありません。

使用量の目安

通常の食品に含まれている量を超えて経口摂取した場合の安全性および副作用については，明らかになってい

ません。

コリアンダー

CORIANDER

●代表的な別名

チャイニーズパセリ

別名ほか

チャイニーズパセリ

概　　要

コリアンダーは植物です。種子が「くすり」に使用されることもあります。

食品でコリアンダーは料理のスパイスとして，また食中毒の予防に使用されます。

製品としては，コリアンダーは医薬品やタバコの風味付けとして，また化粧品や石けんの香料として使用されます。

●要説（ナチュラル・スタンダード）

コリアンダー（Coriandrum sativum）は，セリ科の一年草です。葉はCoriander leaves，Chinese parsley，またはCilantroとも呼ばれます。コリアンダーは，植物そのものと，種子から作られたスパイスの両方を指します。

Fresh corianderとレシピにある場合は，葉（Cilantro）を指します。CorianderもCilantroも，ともにスープ，サラダ，ドレッシング，サルサ，およびチャツネに一般的に用いられます。葉はカレーやグアカモーレに用いられます。根を用いるタイ料理もあります。種子はよく知られているコリアンダースパイスを作るのに用いられます。

コリアンダーを挽いて粉末にしたものは，かんきつ類とセージを混ぜたような独特な味がします。汎用性があり，デザート，甘い菓子パン，インドカレー，肉料理，魚料理，シチュー，マリネードなどに用いられます。東南アジア，とくにタイ料理によく用いられます。中国，メキシコ，東インド，南米，およびスペイン南部の料理にも用いられます。

便秘，過敏性腸症候群の治療だけでなく，視力，消化力，血糖値，コレステロール値を改善する働きがあることを示唆する研究があります。ただし，いずれの疾患に対しても有効性を結論付けるには，さらなるエビデンスが必要です。

安　全　性

コリアンダーを，食品に含まれている量の範囲内で摂取する場合には，ほとんどの人に安全のようです。「くすり」として適切な量を摂取する場合にも，ほとんどの人にとって，おそらく安全です。

コリアンダーを経口摂取する場合や，吸入する場合には，アレルギー反応を引き起こすおそれがあります。アレルギー反応の症状としては，気管支喘息，鼻腔の腫脹，じんましん，口腔の腫脹などがあります。食品業界でスパイスを扱う人は，このようなアレルギー反応を起こすことが珍しくありません。

コリアンダーが，皮膚に付着すると，皮膚の過敏や炎症を引き起こすおそれがあります。

糖尿病：コリアンダーが，血糖値を低下させるおそれがあります。糖尿病患者がコリアンダーを摂取する場合には，血糖値を注意深く監視してください。

低血圧：コリアンダーが，血圧を低下させるおそれがあります。低血圧の場合には，コリアンダーにより，血圧が過度に低下するおそれがあります。低血圧の場合や，血圧を低下させる医薬品を服薬している場合には，注意して使用してください。

手術：コリアンダーが，血糖値を低下させるおそれがあります。コリアンダーが，手術中の血糖値コントロールを妨げるおそれがあります。少なくとも手術前２週間は，使用しないでください。

●アレルギー

マグワート，アニシード，キャラウェイ，フェンネル，ディルおよび類似した植物にアレルギーがある場合には，コリアンダーにもアレルギーがあるおそれがあります。

●妊娠中および母乳授乳期

妊娠中および母乳授乳期の使用の安全性についてはデータが不十分です。安全性を考慮し，摂取は避けてください。

有　効　性

◆科学的データが不十分です

・便秘，過敏性腸症候群，不安，細菌感染症，痙攣，糖尿病，不眠，腸内ガス（放屁），関節の疼痛および腫脹，吐き気，下痢，胃の不調，蟯虫病など。

●体内での働き

コリアンダーが，消化管を刺激し，胃酸の分泌を促進するおそれがあります。このため，消化不良，便秘および腸内ガスに有効である可能性があります。コリアンダーが，消化管における筋痙攣を緩和する可能性もあります。この作用により，下痢などの胃腸疾患の治療につながる可能性があります。コリアンダーが，インスリンの分泌を刺激し，血糖値を低下させるおそれもあります。コリアンダーが，血管を拡張させ，利尿薬のような働きをするため，血圧が低下するおそれもあります。

医薬品との相互作用

中 光への過敏性を高める医薬品（光感作性薬）

特定の医薬品は光への過敏性を高める可能性があります。コリアンダーも光への過敏性を高める可能性があります。コリアンダーと光への過敏性を高める医薬品を併用すると，肌の露出した部分に日光皮膚炎，水疱，発疹を生じるリスクが高まるおそれがあります。日なたでは日焼け止めクリームを使用し，日よけの衣服を着用してください。このような医薬品には，アミトリプチリン塩酸塩，シプロフロキサシン，ノルフロキサシン，ロメフロキサシン塩酸塩，オフロキサシン，レボフロキサシン水和物，スパルフロキサシン（販売中止），ガチフロキサシン水和物，モキシフロキサシン塩酸塩，スルファメトキサゾール・トリメトプリム配合，テトラサイクリン塩酸塩，メトキサレン，トリオキシサレン（販売中止）があります。

中降圧薬

コリアンダーは血圧を低下させる可能性があります。「くすり」の用量のコリアンダーと降圧薬を併用すると，血圧が過度に低下するおそれがあります。このような降圧薬には，カプトプリル，エナラプリルマレイン酸塩，ロサルタンカリウム，バルサルタン，ジルチアゼム塩酸塩，アムロジピンベシル酸塩，ヒドロクロロチアジド，フロセミドなど数多くあります。

中鎮静薬（中枢神経抑制薬）

コリアンダーは眠気および注意力低下を引き起こす可能性があります。鎮静薬は眠気を引き起こす医薬品です。「くすり」の用量のコリアンダーと鎮静薬を併用すると，過度の眠気を引き起こすおそれがあります。このような鎮静薬には，クロナゼパム，ロラゼパム，フェノバルビタール，ゾルピデム酒石酸塩などがあります。

中糖尿病治療薬

コリアンダーは血糖値を低下させる可能性があります。糖尿病治療薬もまた血糖値を低下させるために用いられます。「くすり」として使用される用量のコリアンダーと糖尿病治療薬を併用すると，血糖値が過度に低下するおそれがあります。血糖値を注意深く監視してください。糖尿病治療薬の用量を変更する必要があるかもしれません。このような糖尿病治療薬には，グリメピリド，グリベンクラミド，インスリン，ピオグリタゾン塩酸塩，マレイン酸ロシグリタゾン（販売中止），クロルプロパミド，Glipizide，トルブタミド（販売中止）などがあります。

ハーブおよび健康食品・サプリメントとの相互作用

眠気および注意力低下を引き起こすハーブおよび健康食品・サプリメント

コリアンダーが眠気および注意力低下を引き起こすおそれがあります。コリアンダーと，眠気および注意力低下を引き起こすおそれのある，ほかのハーブおよび健康食品・サプリメントを併用すると，過度の眠気を引き起こすおそれがあります。このようなハーブおよび健康食品・サプリメントには，5-ヒドロキシトリプトファン，ショウブ，ハナビシソウ，キャットニップ，ホップ，ジャマイカ・ドッグウッド，カバ，セント・ジョンズ・ワート，スカルキャップ，カノコソウ，アネモプシス・カリフォルニカなどがあります。

血糖値を低下させるおそれのあるハーブおよび健康食品・サプリメント

コリアンダーが，血糖値を低下させるおそれがあります。コリアンダーと，血糖値を低下させるおそれのあるハーブおよび健康食品・サプリメントを併用すると，血糖値が過度に低下するおそれがあります。このようなハーブおよび健康食品・サプリメントには，デビルズクロー，フェヌグリーク，グアーガム，朝鮮人参，エゾウコギなどがあります。

血圧を低下させるおそれのあるハーブおよび健康食品・サプリメント

コリアンダーが，血圧を低下させるおそれがあります。コリアンダーと，血圧を低下させるおそれのあるハーブおよび健康食品・サプリメントを併用すると，血圧が過度に低下するおそれがあります。このようなハーブおよび健康食品・サプリメントには，アンドログラフィス，カゼイン・ペプチド，キャッツクロー，コエンザイムQ-10，魚油，L-アルギニン，クコ，イラクサ，テアニンなどがあります。

使用量の目安

通常の食品に含まれている量を超えて経口摂取した場合の安全性および副作用については，明らかになっていません。

コリウス

COLEUS

●代表的な別名

キンランジソ

別名ほか

17beta-acetoxy-8,13-epoxy-1alpha,6beta,9alpha-trihydroxylabd-14-en-11-one，Borforsin，Coleus Barbatus，Coleus Forskolii，Coleus Forskohlii，Coleus Penzigii，Colforsin，Colforsine，Forskohlii，Forskolin，Forskolina，Forskoline，Gandir，Garamar，HL-362，L-75-1362B，Makandi，Plectranthus Barbatus，Plectranthus forskohlii

概　　要

コリウスは古来より高血圧，胸痛（狭心症）などの心疾患や，気管支喘息などの呼吸器疾患に使用されてきた植物です。フォルスコリンはコリウスの根から抽出される化学物質です。

アレルギー，ドライアイ，湿疹・感染などの皮膚症状，肥満，月経痛，過敏性腸症候群（IBS），尿路感染，膀胱炎，進行がん，血液凝固，男性の性機能障害，睡眠障害（不眠），および痙攣の治療として経口摂取されます。

医師などにより心疾患に対して静脈内投与されること

もあります。

気管支喘息に対してコリウス粉末を吸入することもあります。

緑内障に対して眼に点眼することもあります。

ハーブおよび健康食品・サプリメントのメーカーは，フォルスコリンを多量に含むエキスを製造しています。これらの製剤はフォルスコリンが元来用いられてきたのと同じ症状に対して推奨されているものの，現在のところコリウスエキスの経口摂取の有効性を示す信頼性の高い科学的データはありません。

安　全　性

コリウスを経口摂取，静脈内投与，吸入，点眼する場合，ほとんどの成人にとっておそらく安全です。しかしながら，副作用が起こることもあります。静脈内投与する場合，皮膚の紅潮や低血圧を引き起こすおそれがあります。吸入する場合，咽頭の過敏，咳，振戦，情動不安を引き起こすおそれがあります。コリウスを含む点眼薬を点眼する場合，刺すような疼痛を引き起こすおそれがあります。

出血性疾患：コリウスに含まれる化学物質フォルスコリンにより，出血のリスクが高まるおそれがあるというエビデンスがあります。

心疾患：コリウスに含まれる化学物質フォルスコリンにより，血圧が低下するおそれがあります。コリウスが心疾患や血管疾患の治療に干渉し，これらを悪化させる懸念があります。心疾患患者がコリウスを使用する際は，注意してください。

低血圧：コリウスに含まれる化学物質フォルスコリンにより，血圧が低下するおそれがあります。すでに低血圧の場合，コリウスの摂取により血圧が過度に低下するおそれがあります。

手術：コリウスに含まれる化学物質フォルスコリンにより，手術中・手術後の出血量が増えるおそれがあります。少なくとも手術前２週間は，使用しないでください。

●妊娠中および母乳授乳期

妊娠中の使用は，おそらく安全ではありません。高用量を使用する場合，胎児の成長が遅れたり止まったりするおそれがあります。安全性を考慮し，摂取は避けてください。

母乳授乳期の使用の安全性についてはデータが不十分です。安全性を考慮し，摂取は避けてください。

有　効　性

◆科学的データが不十分です

・気管支喘息，ドライアイ，勃起障害，高血圧，特発性拡張型心筋症，緑内障，肥満，アレルギー，血液凝固，がん，胸痛，不眠，過敏性腸症候群（IBS），月経痛，痙攣，皮膚，尿路感染（UTI）および膀胱炎など。

●体内での働き

コリウスは心筋および血管壁に作用し，心拍動を強め，血管を拡張することにより血圧を低下させます。

医薬品との相互作用

中血液凝固を抑制する医薬品（抗凝固薬/抗血小板薬）

コリウスは血液凝固を抑制する可能性があります。コリウスと血液凝固を抑制する医薬品を併用すると，紫斑および出血のリスクが高まるおそれがあります。このような医薬品には，アスピリン，クロピドグレル硫酸塩，ジクロフェナクナトリウム，イブプロフェン，ナプロキセン，ダルテパリンナトリウム，エノキサパリンナトリウム，ヘパリン，ワルファリンカリウムなどがあります。

高抗狭心症薬（硝酸薬）

コリウスは血流を増加させます。抗狭心症薬とコリウスを併用すると，めまい感や立ちくらみのリスクが高まるおそれがあります。抗狭心症薬の服用中にコリウスを摂取しないでください。このような抗狭心症薬には，ニトログリセリン，硝酸イソソルビドがあります。

中降圧薬

コリウスは血圧を低下させる可能性があります。コリウスと降圧薬を併用すると，血圧が過度に低下するおそれがあります。このような降圧薬には，カプトプリル，エナラプリルマレイン酸塩，ロサルタンカリウム，バルサルタン，ジルチアゼム塩酸塩，アムロジピンベシル酸塩，ヒドロクロロチアジド，フロセミドなど数多くあります。

高降圧薬（カルシウム拮抗薬）

コリウスは血圧を低下させる可能性があります。カルシウム拮抗薬は降圧薬の一種です。コリウスとカルシウム拮抗薬を併用すると，血圧が過度に低下するおそれがあります。カルシウム拮抗薬を服用中にコレウスを摂取しないでください。このような降圧薬には，ニフェジピン，ベラパミル塩酸塩，ジルチアゼム塩酸塩，Isradipine，フェロジピン，アムロジピンベシル酸塩などがあります。

中肝臓で代謝される医薬品（シトクロムP450 2C9（CYP2C9）の基質となる医薬品）

特定の医薬品は肝臓で代謝されます。コリウスはこのような医薬品の代謝に影響を及ぼす可能性があります。このような医薬品には，アミトリプチリン塩酸塩，ジアゼパム，Zileuton，セレコキシブ，ジクロフェナクナトリウム，フルバスタチンナトリウム，Glipizide，イブプロフェン，イルベサルタン，ロサルタンカリウム，フェニトイン，ピロキシカム，タモキシフェンクエン酸塩，トルブタミド（販売中止），トラセミド，ワルファリンカリウムなどがあります。

中肝臓で代謝される医薬品（シトクロムP450 3A4（CYP3A4）の基質となる医薬品）

特定の医薬品は肝臓で代謝されます。コリウスはこのような医薬品の代謝を促進する可能性があります。コリウスと肝臓で代謝される医薬品を併用すると，医薬品の効果が弱まるおそれがあります。このような医薬品には，Lovastatin，ケトコナゾール，イトラコナゾール，

有効性レベル：①効きます　②おそらく効きます　③効くと断言できませんが、効能の可能性が科学的に示唆されています　④効かないかもしれません　⑤おそらく効きません　⑥効きません

フェキソフェナジン塩酸塩，トリアゾラムなど数多くあります。

中ワルファリンカリウム

コリウスはワルファリンカリウムの代謝を変化させる可能性があります。慎重に併用してください。

ハーブおよび健康食品・サプリメントとの相互作用

血圧を低下させるおそれのあるハーブおよび健康食品・サプリメント

コリウスが血圧を低下させることを示す初期の研究があります。血圧を低下させるおそれのあるほかのハーブおよび健康食品・サプリメントと併用すると，血圧が過度に低下するおそれがあります。このようなハーブおよび健康食品・サプリメントには，アンドログラフィス，カゼイン・ペプチド，キャッツクロー，コエンザイムQ-10，魚油，L-アルギニン，クコ，イラクサ，テアニンなどがあります。

血液凝固を抑制するおそれのあるハーブおよび健康食品・サプリメント

コリウスが血液凝固を抑制するおそれがあります。血液凝固を抑制するほかのハーブおよび健康食品・サプリメントと併用すると，紫斑および出血のリスクが高まるおそれがあります。このようなハーブおよび健康食品・サプリメントには，アンゼリカ，アニス，アルニカ，ジャイアントフェンネル，ミツガシワ，ボルド，トウガラシ，セロリ，カモミール，クローブ，タンジン，フェヌグリーク，フィーバーフュー，ニンニク，ショウガ，イチョウ，朝鮮人参，ホースラディッシュ，甘草，メドウスイート，プリックリーアッシュ，タマネギ，パパイン，パッションフラワー，ポプラ，カッシア，レッドクローバー，ウコン，ワイルドキャロット，ワイルドレタス，ヤナギなどがあります。

使用量の目安

通常の食品に含まれている量を超えて経口摂取した場合の安全性および副作用については，明らかになっていません。

コリン

CHOLINE

別名ほか

酒石酸水素，塩化コリン（Choline chloride），抗脂肝因子，脂向性因子（Lipotropic Factor），Choline bitartrate，Intrachol，Methylated Phosphatidylethanolamine，Trimethylethanolamine，（Beta-hydroxyethyl）Trimethylammonium hydroxide

概　要

コリンはビタミンB群によく似た栄養素です。肝臓で生成することができます。肉，魚，ナッツ，豆，野菜，卵などの食品にも含まれています。

コリンの用途でもっとも多いのは肝疾患に対するものです。そのほか記憶，精神機能，ある種の先天異常の予防など，多くの疾患に対して用いられますが，こうした多くの用途を十分に裏づける科学的エビデンスはありません。

安 全 性

コリンの経口摂取や，静脈内投与は，適量であれば，ほとんどの成人に安全のようです。成人が高用量のコリンを経口摂取するのは，副作用のリスクが高まるため，おそらく安全ではありません。18歳超の成人では3.5g以下の用量であれば，望ましくない副作用は現れないようです。１日3.5gを超える用量を摂取すると，発汗，生臭い体臭，下痢，嘔吐などの副作用を引き起こすおそれが高まります。

小児：経口摂取の場合は，適量であれば，ほとんどの小児に安全のようです。高用量のコリンを経口摂取するのは，副作用のリスクが高まるため，おそらく安全ではありません。１～８歳は１日１g以下，９～13歳は１日２g以下，14～18歳は１日３g以下の用量であれば，望ましくない副作用は現れないようです。

膀胱機能の障害：コリンを１日９g以上摂取すると，この疾患が悪化するおそれがあります。

●妊娠中および母乳授乳期

妊娠中および母乳授乳期のコリンの経口摂取は，適量であれば，ほとんどの人に安全のようです。18歳以下は１日３g以下，19歳以上は１日3.5g以下の用量であれば，望ましくない副作用は現れないようです。これらの量を超えて使用する場合の安全性については，データが不十分です。推奨量を守って摂取するのが最善です。

有 効 性

◆有効性レベル②

・脂肪性肝疾患。静脈栄養を受けている人はコリン欠乏症を発症することがあります。コリン欠乏症になると，肝臓に脂肪が蓄積するおそれがあります。コリンの静脈内投与により，この疾患を治療することができます。

◆有効性レベル③

・気管支喘息。人によっては，コリンの経口摂取により気管支喘息の症状が緩和し，気管支喘息が問題となる日数も少なくなるようです。また，気管支拡張薬の必要性も低下するようです。
・神経管奇形（脳と脊髄にかかわる先天異常）。初期の研究により，食事からコリンを大量に摂取している女性は，神経管奇形の乳児を出産するリスクが低下することが示唆されています。

◆有効性レベル④

・アルツハイマー病。コリンを経口摂取しても，アルツハイマー病の症状が緩和することはありません。

・運動能力。コリンを経口摂取しても，運動能力が改善したり，運動中の疲労が軽減したりすることはないようです。

・小脳性運動失調（脳疾患）。ほとんどの研究により，コリンを摂取しても，この疾患は改善しないことが示されています。

◆有効性レベル⑤

・加齢にともなう記憶喪失。記憶喪失のある高齢者がコリンを経口摂取しても，記憶力が改善することはありません。

・統合失調症。コリンを経口摂取しても，統合失調症の症状が緩和することはありません。

◆科学的データが不十分です

・アレルギー（花粉症），双極性障害，気管支炎，精神機能，痙攣，胎児性アルコール症候群，乳児および小児の成長，非アルコール性脂肪性肝疾患，術後痛，腸管不全，うつ病，肝炎などの肝障害，高コレステロール血症，ハンチントン病，トウレット症候群など。

●体内での働き

ビタミンBによく似ており，体内の多くの化学反応に使用されます。神経系や正常な脳機能の発達に重要なものであるようです。気管支喘息に対しては，腫脹および炎症の緩和に役立つ可能性があります。

医薬品との相互作用

低アトロピン硫酸塩水和物

コリンとアトロピン硫酸塩水和物を併用すると，アトロピン硫酸塩水和物の効果を弱めるおそれがあります。

ハーブおよび健康食品・サプリメントとの相互作用

ほかのハーブ，健康食品・サプリメントとの相互作用についてはまだ明らかではありません。

使用量の目安

【成人】

●経口摂取

全般

成人のコリンの目安量（AI）は，以下の通りです。

男性：１日550mg

女性：１日425mg

妊娠中の女性：１日450mg

母乳授乳期の女性：１日550mg

コリンの１日当たりの耐容上限量（UL，有害作用のリスクがないと思われる摂取量の最大値）は，以下の通りです。

成人：１日3.5g

気管支喘息

コリン500～1,000mgを１日３回，約４カ月間摂取します。１日計３gの方が１日1.5gよりも効果があるようです。

●静脈内投与

脂肪性肝疾患

コリン１～４gを毎日，最大24週間投与します。

【小児】

●経口摂取

全般

コリンの目安量（AI）は，以下の通りです。

６カ月未満の乳児：１日125mg

７～12カ月の乳児：１日150mg

１～３歳の小児：１日200mg

４～８歳の小児：１日250mg

９～13歳の小児：１日375mg

コリンの１日当たりの耐容上限量（UL）は，以下の通りです。

１～８歳の小児：１日１g

９～13歳の小児：１日２g

14～18歳の青少年：１日３g

コルクノキ

CORKWOOD TREE

別名ほか

Duboisia myoporoides, Pituri

概　要

コルクノキは樹木です。干して丸くなった葉を用いて「くすり」を作ることもあります。

安　全　性

経口摂取は，安全ではありません。口内乾燥症，発汗作用の低下，瞳孔拡大，かすみ目，発赤，乾燥皮膚，体温の上昇，心拍数増加，排尿障害，幻覚，痙攣，急性精神疾患，発作，昏睡など，さまざまな副作用を起こすことがあります。

過剰摂取による中毒症状としては，眠気とそれに続く情動不安，幻覚，精神錯乱，ならびに躁状態とそれに続く極度の疲労と睡眠があります。死亡の原因になることもあります。

●妊娠中および母乳授乳期

妊娠中および母乳授乳期の女性を含め，誰にとっても安全ではありません。死に至るおそれのある有害性化学物質を含んでいます。

有　効　性

◆科学的データが不十分です

・空腹感，痛み，倦怠など。

●体内での働き

コルクノキは，中枢神経系に影響を与えるおそれのある成分を含んでいます。乗り物酔いの予防や，眠気をもたらす医薬品に用いる成分と類似する成分もあります。ほかにも瞳孔を拡大させたり，痙攣を止める医薬品に用いる成分と類似する成分もあります。

医薬品との相互作用

ほかの医薬品との相互作用については明らかではありません。

ハーブおよび健康食品・サプリメントとの相互作用

ほかのハーブ，健康食品・サプリメントとの相互作用についてはまだ明らかではありません。

使用量の目安

●経口摂取

保存処理した葉を少量巻いて使用しています。オーストラリアの先住民はこれを噛みます。

コロシント

COLOCYNTH

別名ほか

コロシントウリ（Citrullus colocynthis），コロシント実（Colocynth Pulp），Alhandal，Bitter Apple，Bitter Cucumber, Colocynthis vulgaris, Cucumis colocynthis, Colocynthidis fructus，Koloquinthen，Tumba，Vine-of-Sodom，Wild Gourd

概　　要

コロシントはハーブです。熟した実は「くすり」として使用されることもあります。

安　全　性

安全ではありません。1991年に，米国食品医薬品局（FDA）によって禁止されました。

ごく少量の摂取で，胃腸の内壁の重度の炎症，出血性下痢，腎損傷，血尿，排尿不能を起こすことがあります。

そのほかの副作用としては痙攣，麻痺および死亡例があります。小匙1.5杯分ほどの粉末摂取による死亡例の報告も数件あります。

毒を摂取した場合には，解毒剤として薄いタンニン酸を，卵を溶いた大量の液体（タンパク質飲料）と一緒に摂取します。

●妊娠中および母乳授乳期

妊娠中および母乳授乳期の使用は安全ではありません。使用しないでください。

有　効　性

◆科学的データが不十分です

・便秘，肝臓障害および胆のう障害。

●体内での働き

胃腸の粘膜など粘膜を極度に刺激する化学的なククルビタシンが含まれています。

医薬品との相互作用

中ジゴキシン

コロシントは刺激性下剤の一種ですが，刺激性下剤は体内のカリウム量を減少させることがあります。カリウム量が減少するとジゴキシンの副作用が現れるリスクが高まると考えられます。

中ワルファリンカリウム

コロシントは下剤として作用するようです。コロシントにより下痢を引き起こす人もいます。下痢はワルファリンカリウムの効果を増強し，出血のリスクを高めます。ワルファリンカリウムを服用している人は，コロシントを過剰に摂取しないでください。

中利尿薬

コロシントは下剤の一種ですが，ある種の下剤は体内のカリウム量を減少させることがあります。利尿薬の中には体内のカリウム量を減少させるものがありますから，コロシントをこのような利尿薬とともに摂取すると，カリウム量が下がりすぎてしまうおそれがあります。このような利尿薬にはクロロチアジド（販売中止），クロルタリドン（販売中止），フロセミド，ヒドロクロロチアジドなどがあります。

ハーブおよび健康食品・サプリメントとの相互作用

ツクシ

ツクシとコロシントを併用すると，カリウムが失われすぎるため，心臓障害のリスクが高まる懸念があります。

甘草

甘草とコロシントを併用すると，カリウムが失われすぎるため，心臓障害のリスクが高まる懸念があります。

刺激性下剤ハーブおよび健康食品・サプリメント

コロシントは刺激性下剤の働きをします。体内からカリウムを過度に喪失させ，心臓を障害するおそれがあります。コロシントと，ほかの刺激性下剤の働きをするハーブおよび健康食品・サプリメントを併用すると，体内からカリウムを過度に喪失させ，心臓を障害するおそれがあります。これらのハーブおよび健康食品・サプリメントにはアロエ，セイヨウイソノキ，ブラックルート，ブルーフラッグ，バターナットの樹皮，ヨーロピアンバックソーン，フォーチ，ガンボジ，ゴシポール，ヒロハヒルガオ，ヤラッパ，マンナ，メキシカン・スキャモニイ・ルート，ルバーブ，センナ，イエロードックなどがあります。

相互作用レベル：高この医薬品と併用してはいけません　中この医薬品とは慎重に併用するか併用しないでください　低この医薬品との併用には注意が必要です

使用量の目安

標準使用量に関するデータがありません。

コロンボ根

COLOMBO

別名ほか

コロンボ（Jateorhiza columba），Calomba Root，Calumba，Calumbo Root，Cocculus palmatus，Jateorhiza miersii，Jateorhiza palmate，Menispermum columba，Menispermum palmatum，Wateorhiza palmate

概　　要

コロンボ根はハーブです。根を用いて「くすり」を作ることもあります。

安　全　性

十分なデータは得られていないので，安全かどうか不明です。

大量に摂取すると，嘔吐や胃痛を起こすことがあります。過剰摂取は，麻痺や意識喪失につながることがあります。

●妊娠中および母乳授乳期

妊娠中および母乳授乳期の使用の安全性についてはデータが不十分です。安全性を考慮し，摂取は避けてください。

有　効　性

◆科学的データが不十分です

・胃のむかつき，胸やけ，腸障害，および下痢。

●体内での働き

腸管の筋肉弛緩に役立つことがあります。また，胃酸分泌を増加させるかもしれません。

医薬品との相互作用

低胃酸分泌抑制薬（H2受容体拮抗薬）

コロンボ根は胃酸を増加させる可能性があります。H２受容体拮抗薬は胃酸を減少させるために用いられる医薬品ですが，コロンボ根と併用すると効果が減弱する可能性があります。H２受容体拮抗薬には，シメチジン，ラニチジン塩酸塩，ニザチジン，ファモチジンがあります。

低胃酸分泌抑制薬（プロトンポンプ阻害薬）

コロンボ根は胃酸を増加させる可能性があります。プロトンポンプ阻害薬は胃酸を減少させるために用いられる医薬品ですが，コロンボ根と併用すると効果が減弱する可能性があります。プロトンポンプ阻害薬には，オメプラゾール，ランソプラゾール，ラベプラゾールナトリウム，パントプラゾールナトリウム水和物（販売中止），エソメプラゾールマグネシウム水和物があります。

低制酸薬

制酸薬は胃酸を減少するように働きますが，コロンボ根には胃酸の分泌を促進する作用があると考えられています。コロンボ根を併用すると制酸薬の効果を弱めるおそれがあります。制酸薬としては，沈降炭酸カルシウム，Dihydroxyaluminum sodium carbonate，Magaldrate，硫酸マグネシウム水和物，乾燥水酸化アルミニウムゲルなどがあります。

ハーブおよび健康食品・サプリメントとの相互作用

ほかのハーブ，健康食品・サプリメントとの相互作用についてはまだ明らかではありません。

使用量の目安

●経口摂取

煎じた根をお茶として通常茶さじ２杯，１時間ごとに摂取します。エキスの場合，１回20滴，チンキ薬なら2.5gを摂取します。根は乾燥した場所に保管してください。

コンズランゴ

CONDURANGO

別名ほか

Common Condorvine，Condurango cortex，Eagle-Vine Bark，Gonolobus cundurango，Marsdenia condurango，Marsdenia reichenbachii

概　　要

コンズランゴはハーブです。樹皮を用いて「くすり」を作ることもあります。

安　全　性

一般的には安全なようです。

●アレルギー

ラテックスアレルギーにアレルギー反応のある人は，コンズランゴにもアレルギー反応があることがあります。そのアレルギー反応は重篤なものです。ラテックスアレルギーの場合，注意して使用を避けてください。

●妊娠中および母乳授乳期

妊娠中および母乳授乳期の使用の安全性についてはデータが不十分です。安全性を考慮し，摂取は避けてください。

有　効　性

◆科学的データが不十分です

・食欲の増進（刺激），消化器系障害，および胃がん。

●体内での働き

唾液や胃液の分泌を刺激する物質が含まれています。

医薬品との相互作用

ほかの医薬品との相互作用については明らかではありません。

ハーブおよび健康食品・サプリメントとの相互作用

ほかのハーブ，健康食品・サプリメントとの相互作用についてはまだ明らかではありません。

使用量の目安

●経口摂取

樹皮の場合，通常１日２～４g摂取します。水製エキスは，１日200～500mgを摂取します。流エキスの一般摂取量は１日２～４g。チンキ剤は通常，１日２～５gを摂取します。

コンドロイチン硫酸

CHONDROITIN SULFATE

別名ほか

コンドロイチン硫酸A（Chondroitin sulfate A），コンドロイチン硫酸塩（Chondroitin sulfates），コンドロイチン硫酸B（Chondroitin sulfate B），コンドロイチン硫酸C（Chondroitin sulfate C），コンドロイチン（Chondroitin），CDS，Chondroitin polysulphate，Chondroitin sulphates，Chondroitin Sulphate A Sodium，condroitin，CS，CPS，CSA，CSC，GAG，Galactosaminoglucuronoglycan Sulfate，Chondroitin 4-sulfate，Chondroitin 4- and 6-sulfate

概　　要

コンドロイチン硫酸は通常，身体の中の関節周囲にある軟骨に見いだされる化合物です。牛の軟骨など動物由来のものから製造されます。

●要説（ナチュラル・スタンダード）

コンドロイチン硫酸は，体内に存在する化合物です。骨関節炎，および咀嚼に関する筋肉と関節の問題などの治療にもっともよく使用されています。

コンドロイチンの骨関節炎に対する臨床試験では，有望な結果が出ています。しかしながら，それらの研究の多くは２年未満の検討です。長期使用での安全性，副作用や効果に関しての適切な評価は不十分です。

コンドロイチンが鉄の吸収を促進する，または冠動脈疾患程度を改善することを示唆する初期段階のエビデンスがあります。しかし，これらの分野に関してはより多くの研究が必要です。

安　全　性

コンドロイチン硫酸を経口摂取する場合，または，白内障手術中に眼科用液剤として使用する場合には，ほとんどの人に安全のようです。研究では，コンドロイチン硫酸は，最長６年間にわたり，安全に経口摂取されています。また，コンドロイチン硫酸を，白内障手術中の眼科用液剤として使用することは，米国食品医薬品局（FDA）により，市販前承認されています。

ただし，コンドロイチン硫酸は動物由来であるため，安全性についていくらか懸念があります。危険な製造工程のために，ウシ海綿状脳症（狂牛病）の感染源など病気の動物組織により，コンドロイチン製品が汚染されるおそれを懸念する人もいます。現時点では，コンドロイチンによるヒト疾患の報告はなく，リスクは低いと考えられます。コンドロイチン硫酸は，軽度の胃痛および吐き気を引き起こすおそれがあります。そのほかに報告された副作用として，腫脹，下痢，便秘，頭痛，眼瞼の腫れ，脚の腫脹，抜け毛，皮疹，および脈拍不整があります。

一部のコンドロイチン製品には，マンガンが過剰に含まれています。製品の信頼性については，医師などに相談してください。

コンドロイチン硫酸を，筋肉へ短期間注射する場合，皮膚へ短期間塗布する場合，点眼薬として短期間使用する場合，医師などによりカテーテルを使用して膀胱へ注入する場合には，おそらく安全です。

気管支喘息：コンドロイチン硫酸が，気管支喘息を悪化させるおそれがあります。気管支喘息の場合には，注意してコンドロイチン硫酸を使用してください。

血液凝固障害：理論上，血液凝固障害の患者にコンドロイチン硫酸を投与すると，出血のリスクが高まるおそれがあります。

前立腺がん：初期の研究により，コンドロイチンが，前立腺がんの転移または再発を引き起こすおそれがあることが示唆されています。この作用は，コンドロイチン硫酸サプリメントでは示されていません。ただし，前立腺がんに罹患している場合や，（兄弟や父親が前立腺がんを発症しているなど）発症リスクが高い場合には，十分なデータが得られるまで，コンドロイチン硫酸を摂取してはいけません。

●妊娠中および母乳授乳期

妊娠中および母乳授乳期の使用の安全性についてはデータが不十分です。安全性を考慮し，摂取は避けてください。

有　効　性

◆有効性レベル③

・白内障。研究により，白内障の手術中に，コンドロイチン硫酸およびヒアルロン酸ナトリウムを含む溶液を点眼することにより，眼が保護されることが示唆されています。コンドロイチン硫酸およびヒアルロン酸ナトリウムを含むさまざまな製品が，白内障手術における使用について，米国食品医薬品局（FDA）により検証されています。ただし，ヒアルロン酸ナトリウムにコンドロイチン硫酸を加えると，ほかの類似した処置よりも，白内障手術後の眼圧低下につながるかどうかは，明らかにされていません。初期の研究により，コンドロイチン硫酸およびヒアルロン酸を含む特定の眼科用液剤が，白内障を除去した後の，眼圧を低下させ，眼の健康全般を改善する可能性が示唆されています。ただし，ヒアルロン酸単体を含む溶液，または，ヒドロキシプロピルメチルセルロース（ヒプロメロース）と呼ばれる化学物質を含む溶液と比べて，効果があるとはいえないようです。コンドロイチン硫酸のみを含む溶液の，白内障手術に対する作用については，データが不十分です。

・変形性関節症。臨床研究により，コンドロイチン硫酸を最大６カ月間まで経口摂取すると，変形性関節症の人の一部で，疼痛および機能がわずかに改善することが示されています。疼痛の重症度が高く，医薬品等級の製剤を使用している人で，もっとも効果が高いようです。変形性関節症患者に対する有益性が示されている特定の製品がいくつかありますが，疼痛緩和効果はそれほど大きくないようです。別の研究では，コンドロイチン硫酸を最大２年間摂取することにより，変形性関節症の進行が抑制される可能性があることが示されています。コンドロイチン硫酸を，グルコサミンと併用して経口摂取した場合の効果は，複数の研究により評価されています。一部の研究では，コンドロイチン硫酸とグルコサミンを含む特定の製品により，変形性関節症の症状が緩和することが示唆されています。市販されていない製剤を用いた別の研究では，有益性は示されていません。コンドロイチン硫酸とグルコサミンを長期間摂取すると，変形性関節症の進行を遅らせることができるようです。コンドロイチン硫酸と，グルコサミン硫酸塩，サメ軟骨および樟脳を含むスキンクリームにより，変形性関節症の症状が緩和する可能性があることを示唆するエビデンスが複数あります。ただし，症状緩和は，主に樟脳によるものであり，ほかの成分によるものではないようです。コンドロイチンが皮膚を通じて吸収されることを示唆する研究はありません。

・尿路感染症（UTI）。初期の研究により，尿路感染の既往症のある女性に，特定のコンドロイチン硫酸およびヒアルロン酸の溶剤を，カテーテルにより週１回，４週間投与し，その後，月１回，約５カ月間投与することにより，尿路感染症が緩和することが示唆されています。

◆科学的データが不十分です

・乳がん治療薬に起因する関節痛，ドライアイ（眼乾燥症），運動後の筋肉痛，酸逆流，間質性膀胱炎，カシン・ベック病（骨および関節の疾患），心臓発作，乾癬（皮膚の発赤および過敏），過活動膀胱，心疾患，骨粗鬆症，高コレステロール血症など。

●体内での働き

変形性関節症の場合には，関節の軟骨が破壊されます。軟骨の構成物質の１つであるコンドロイチン硫酸を摂取することにより，軟骨の破壊が抑制される可能性があります。

医薬品との相互作用

中 ワルファリンカリウム

ワルファリンカリウムは血液凝固を抑制するために用いられます。コンドロイチン硫酸とグルコサミンを併用すると，ワルファリンカリウムの血液凝固に関する作用を増強することが報告されています。そのため，深刻な紫斑や出血を引き起こすおそれがあります。ワルファリンカリウムの服用中にコンドロイチン硫酸を摂取しないでください。

ハーブおよび健康食品・サプリメントとの相互作用

ほかのハーブ，健康食品・サプリメントとの相互作用についてはまだ明らかではありません。

使用量の目安

●経口摂取

変形性関節症

一般的に，800～2,000mgのコンドロイチン硫酸を単回または１日２～３回にわけて，最長３年間摂取します。

●皮膚への塗布

変形性関節症

コンドロイチン硫酸50mg/g，グルコサミン硫酸塩30mg/g，サメ軟膏140mg/g，樟脳32mg/gを含むクリームを必要に応じて，痛みのある関節に，最長８週間塗布します。

●筋肉内投与

変形性関節症

コンドロイチン硫酸を，毎日または週２回，６カ月間，筋肉内投与します。

●膀胱内投与

尿路感染（UTI）

コンドロイチン硫酸およびヒアルロン酸を含む特定の溶剤50mLを，週１回４週間，膀胱へ注入します。その後，月１～２回，最長５カ月間継続します。

●点眼

白内障

ヒアルロン酸ナトリウムおよびコンドロイチン硫酸を含む複数の点眼液が，白内障の手術中に使用されています。

コンニャクマンナン

GLUCOMANNAN

別名ほか

コンニャク，蒟蒻（Amorphophallus konjac），Konjac mannan，Konjac

概　要

コンニャクマンナンはコンニャク（Amorphophallus Konjac）の根から作られる糖です。粉末，カプセルおよび錠剤が「くすり」として使われることがあります。

●要説（ナチュラル・スタンダード）

アジア原産のコンニャク植物（Amorphophallus konjac）は，その重い塊茎（重さ4.53kg以上）と，しみのような蛇革模様のついた茎を特徴とします。コンニャクマンナンの源としてもっともよく知られています。そして，可溶性と発酵性があり，非常に粘り気がある食物繊維が植物の根から採取されます。

コンニャク植物は，1,000年以上の間，伝統的なアジアの食物として，また薬品の原料として使用されてきました。最近では，コンニャク植物に由来するコンニャクマンナン抽出物がサプリメントとして，また，食品で砂糖の代用品でもあるマンノースの素として使用されてきました。

コンニャクマンナン繊維には強い粘着性があるため，消化管で効果的に水を吸収して，炭水化物とコレステロールの吸収を減少させます。このようにコレステロール値，便秘，血糖，体重を低下させるとして，西洋医学では1980年代からコンニャクマンナンを高く評価してきました。人工皮膚製品の構成要素，および高血圧治療や甲状腺機能亢進症の治療について研究されてきました。これらの分野では，さらなる研究が必要です。

安　全　性

コンニャクマンナン粉末は，通常の食品として摂取する場合，ほとんどの人に安全のようです。「くすり」としての量の粉末およびカプセルを摂取する場合，最長4カ月間までであれば，ほとんどの成人および小児におそらく安全です。しかし，コンニャクマンナン配合の固形錠剤は，成人にはおそらく安全ではなく，小児には安全ではないようです。ときに咽喉や腸を詰まらせるおそれがあります。

糖尿病：コンニャクマンナンが血糖コントロールを妨げるおそれがあります。糖尿病患者がコンニャクマンナンを摂取する場合は，血糖値を注意深く監視してください。

手術：コンニャクマンナンが手術中・手術後の血糖コントロールを妨げるおそれがあります。少なくとも手術前2週間は，使用しないでください。

●妊娠中および母乳授乳期

妊娠中および母乳授乳期の使用の安全性についてはデータが不十分です。安全性を考慮し，摂取は避けてください。

有　効　性

◆有効性レベル③

・便秘。コンニャクマンナンの経口摂取により，小児および成人の便秘が緩和することを示唆する研究があります。

・糖尿病。コンニャクマンナンの経口摂取により，糖尿病患者のコレステロール値，血糖値および血圧が低下するようです。

・高コレステロール血症。コンニャクマンナンの経口摂取により，糖尿病の有無にかかわらず，高コレステロール血症患者のコレステロール値が改善するようです。

◆科学的データが不十分です

・ダンピング症候群，高血圧，甲状腺機能亢進症，肥満など。

●体内での働き

コンニャクマンナンは，胃腸で水分を吸収することにより食物繊維が膨張し，便秘を改善する可能性があります。また，糖およびコレステロールの腸からの吸収をゆるやかにし，糖尿病の血糖コントロールや，コレステロール値の低下に役立つ可能性があります。

医薬品との相互作用

中経口薬

コンニャクマンナンと経口薬を併用すると，医薬品の体内への吸収量を減少させる可能性があります。この相互作用を避けるために，経口薬の服用後，少なくとも1時間はコンニャクマンナンを摂取しないでください。

ハーブおよび健康食品・サプリメントとの相互作用

血糖値を低下させるおそれのあるハーブおよび健康食品・サプリメント

コンニャクマンナンが血糖値を低下させるというエビデンスがあります。コンニャクマンナンと，血糖値を低下させるおそれのあるほかのハーブおよび健康食品・サプリメントを併用すると，血糖値が過度に低下するおそれがあります。このようなハーブおよび健康食品・サプリメントには，ニガウリ，ハッショウマメ，ショウガ，ゴーツルー，フェヌグリーク，クズ，ウィローバークなどがあります。

ビタミンA，D，E，K

コンニャクマンナンがビタミンA，D，E，Kなどの脂溶性ビタミンを吸収する能力を低下させるおそれがあります。水溶性ビタミンの吸収には影響はないようです。

使用量の目安

●経口摂取

高コレステロール血症をともなう２型糖尿病

コンニャクマンナン１日3.6～10.6gを摂取します。

コンブ

LAMINARIA

●代表的な別名

ケルプ

別名ほか

ラミナリア・ディギタータ，ケルプ，アルギナート（Laminaria digitata），マコンブ（Makombu），Thallus, Brown Algae, Kelp, Kombu, Laminaria japonica, Sea Girdles, Seagirdle thallus

概　　要

コンブは植物で，日本の海藻です。これを用いて「くすり」を作ることもあります。

安 全 性

安全ではないようです。かなりの量のヨウ化物が含まれており，経口摂取すると甲状腺に有害作用をもたらすかもしれません。かなりの量のヒ素を含む製品もあります。

腎臓に問題がある人はカリウム量が危険なほどに増加するおそれがあるので使用してはいけません。

甲状腺疾患のある人も使用してはいけません。

●妊娠中および母乳授乳期

妊娠中または出産時の子宮頸部への直接使用は安全ではありません。感染，子宮頸部破裂や赤ちゃんの死亡など，母親と子どもの両方に重篤な副作用を起こすことがあります。

妊娠中，母乳授乳期は使用してはいけません。

有 効 性

◆有効性レベル③

・分娩。分娩または分娩の過程において子宮頸管を広げます。コンブは分娩を促進する可能性がありますが，そのことで帝王切開の処置例数は減少していないようです。コンブは母親と胎児の双方の感染症を増加させます。

◆科学的データが不十分です

・体重減少，高血圧症，がん予防，胸やけなど。

●体内での働き

ヨウ化物が含まれますが，どのような作用をするかについては不明です。

コンブは水分を吸収すると厚い粘着性のゲルを形成するようです。同時に，子宮頸管に挿入されたコンブ稈は膨張し，子宮頸部を熟化させ陣痛を促進します。コンブ稈は水分を吸収し穏やかに膨らみ４～６時間で子宮口を直径2.5cmに広げます。こうして膨張することにより子宮頸管が拡張され，陣痛が開始されます。

医薬品との相互作用

中カリウムサプリメント

コンブには多量のカリウムが含まれます。カリウムサプリメントとコンブを併用摂取すると，体内のカリウム量が過剰になるおそれがあります。カリウムサプリメントの使用中にはコンブを摂取しないでください。

中カリウム保持性利尿薬

コンブには多量のカリウムが含まれます。特定の利尿薬も体内のカリウム量を増加させる可能性があります。利尿薬を服用し，コンブを併用すると，体内のカリウム量が過剰になるおそれがあります。このようなカリウム保持性利尿薬には，Amiloride，スピロノラクトン，トリアムテレンなどがあります。

中ジゴキシン

コンブには多量のカリウムが含まれます。多量のカリウムはジゴキシンの作用および副作用を増強するおそれがあります。ジゴキシンの服用中は医師や薬剤師に相談することなくコンブを使用しないでください。

中降圧薬（アンジオテンシン変換酵素（ACE）阻害薬）

コンブには多量のカリウムが含まれます。特定の降圧薬は血中のカリウム値を上昇させる可能性があります。コンブを摂取し，降圧薬を併用すると，血中のカリウム値が過度に上昇するおそれがあります。このような降圧薬には，カプトプリル，エナラプリルマレイン酸塩，リシノプリル水和物，Ramiprilなどがあります。

中甲状腺ホルモン製剤

甲状腺ホルモンは体内で自然に産生されます。コンブは甲状腺ホルモンの産生量を増加させる可能性があります。コンブを摂取し，甲状腺ホルモン製剤を併用すると，甲状腺ホルモン製剤の作用および副作用が増強するおそれがあります。このような甲状腺ホルモン製剤には，レボチロキシンナトリウム水和物，リオチロニンナトリウム，乾燥甲状腺などがあります。

ハーブおよび健康食品・サプリメントとの相互作用

ほかのハーブ，健康食品・サプリメントとの相互作用についてはまだ明らかではありません。

使用量の目安

●経口摂取

通常，細かく砕いたコンブ500～650mgを含むカプセルまたは錠剤として摂取します。

●局所投与

標準使用量に関するデータがありません。

コ

有効性レベル：①効きます　②おそらく効きます　③効くと断言できませんが、効能の可能性が科学的に示唆されています
④効かないかもしれません　⑤おそらく効きません　⑥効きません

コンフリー

COMFREY

●代表的な別名

ヒレハリソウ

別名ほか

ヒレハリソウ，鰭玻璃草（Symphytum officinale），ブルーズワート（Bruisewort），コモンコンフリー（Common Comfrey），ニットバック（Knitback），ニットボーン（Knitbone），Black Root，Blackwort，Consolidae Radix，Consound，Gum Plant，Healing Herb，Salsify，Slippery Root，Symphytum radix，Wallwort

概　要

コンフリーは植物です。毒性のある化学物質ピロリジジンアルカロイド類（PAs）を含みますが，葉，根，根茎（根のような茎）は「くすり」として使用されることもあります。

コンフリーは，安全性に懸念があるにもかかわらず，胃潰瘍，過多月経，下痢，血尿，咳，気管支炎，がん，胸痛（狭心症）に対して経口摂取されます。歯周病および咽喉痛に対しても，うがい薬として使用されます。

コンフリーは，潰瘍，創傷，筋肉痛，あざ（打撲），関節リウマチ，静脈瘤，痛風，骨折に対して，皮膚に塗布されます。

安 全 性

コンフリーを経口摂取する場合，すべての人に安全ではないようです。コンフリーは，肝障害，肺障害，がんを引き起こすおそれがある化学物質（ピロリジジンアルカロイド類（PAs））を含みます。米国食品医薬品局（FDA）は，すべての経口用コンフリー製品を市場から排除することを推奨しています。

少量のコンフリーを10日未満，傷のない皮膚に塗布する場合，ほとんどの人におそらく安全です。コンフリーに含まれる有毒な化学物質が皮膚を通して吸収されるおそれがあることを覚えておくことが重要です。そのため，傷のある皮膚に塗布したり，6週間を超えて大量に皮膚に塗布したりする場合，おそらく安全ではありません。

傷や肌荒れのある皮膚：コンフリーを傷や肌荒れのある皮膚に塗布してはいけません。コンフリーに含まれる大量の化学物質に曝露することで，肝障害など，健康に重大な影響が出るおそれがあります。

肝疾患：コンフリーが肝疾患を悪化させるおそれがあります。肝疾患がある人はコンフリーを使用してはいけません。

●妊娠中および母乳授乳期

妊娠中および母乳授乳期のコンフリーの経口摂取および皮膚への塗布は安全ではないようです。コンフリーに含まれるピロリジジンアルカロイド類（PAs）によって，肝障害，場合によっては，がん，さらには，先天異常も引き起こすおそれがあります。ピロリジジンアルカロイド類（PAs）は皮膚を通して吸収されるおそれがあるため，局所でも使用は避けてください。

有 効 性

◆有効性レベル③

・背部痛。コンフリーエキス軟膏を患部に5日間塗布する場合，腰痛または背痛が緩和するようです。コンフリーエキスとニコチン酸メチルを含むクリームを患部に5日間塗布することで，安静時または体動時の背部痛が緩和するようです。
・変形性関節症。コンフリーエキス軟膏を患部に3週間塗布する場合，またはコンフリーエキス，タンニン酸，アロエベラゲル，ユーカリ油，フランキンセンス油を含む特定のクリームを患部に6～12週間塗布する場合，膝の変形性関節症患者の疼痛が緩和するようです。
・捻挫。コンフリー軟膏を最大2週間患部に塗布する場合，可動性の改善，捻挫の疼痛・圧痛・腫脹の緩和を示唆する初期の研究があります。コンフリー軟膏の疼痛および腫脹を緩和する作用は，ジクロフェナクゲルに相当するようです。

◆科学的データが不十分です

・あざ（打撲），月経期の異常な大量出血（過多月経），尿中の血液（血尿），がん，胸痛（狭心症），咳，下痢，骨折，痛風，歯周病（歯肉炎），痔核，血流不良に起因する下腿潰瘍（静脈性下腿潰瘍），筋肉痛，関節リウマチ，咽喉痛（咽頭炎），胃潰瘍，肺の気管支粘膜の腫脹（炎症）（気管支炎），胃粘膜の炎症（胃炎），結核，静脈瘤，創傷治癒など。

●体内での働き

コンフリーに含まれる化学物質は，皮膚に塗布する場合，創傷治癒作用があり，炎症を軽減する可能性があります。ただし，皮膚から吸収されるおそれのある有毒な化学物質も含まれます。

医薬品との相互作用

中 肝臓でほかの医薬品の代謝を促進する医薬品（シトクロムP450 3A4（CYP3A4）を誘導する医薬品）

コンフリーは肝臓で代謝されます。肝臓でコンフリーが代謝されるときに生成される特定の化学物質は有害である可能性があります。肝臓でコンフリーの代謝を促進する医薬品は，コンフリーに含まれる化学物質の毒性を強める可能性があります。このような医薬品には，カルバマゼピン，フェノバルビタール，フェニトイン，リファンピシン，リファブチンなどがあります。

中 肝臓を害する可能性のある医薬品

コンフリーは肝臓を害する可能性があります。コンフリーと肝臓を害する可能性のある医薬品を併用すると，肝障害のリスクが高まるおそれがあります。肝臓を害する可能性のある医薬品を服用中にコンフリーを摂取しないでください。このような医薬品には，アセトアミノフェン，アミオダロン塩酸塩，カルバマゼピン，イソニアジド，メトトレキサート，メチルドパ水和物，フルコナゾール，イトラコナゾール，エリスロマイシン，フェニトイン，Lovastatin，プラバスタチンナトリウム，シンバスタチンなど数多くあります。

ハーブおよび健康食品・サプリメントとの相互作用

肝障害を引き起こすおそれのあるハーブおよび健康食品・サプリメント

コンフリーは肝障害を起こすおそれがあります。コンフリーと，肝臓を害するおそれのあるほかのハーブおよび健康食品・サプリメントを併用すると，肝疾患のリスクが高まるおそれがあります。このようなハーブおよび健康食品・サプリメントには，チャパラル，アジョワン，ボラージ，カバ，ウバウルシなどがあります。

肝障害を引き起こすピロリジジンアルカロイド類（PAs）を含むハーブおよび健康食品・サプリメント

コンフリーはピロリジジンアルカロイド類を含みます。コンフリーと，ピロリジジンアルカロイド類を含むほかのハーブおよび健康食品・サプリメントを併用すると，肝障害を引き起こすリスクが高まるおそれがあります。このようなハーブには，アルカナ，ヒヨドリバナ，ボラージ，セイヨウフキ，フキタンポポ，ワスレナグサ，シモツケソウ，ヘンプ・アグリモニー，オオルリソウや，ダスティー・ミラー，ノボロギク，サワギク，ヤコブボロギクなどキク科の植物があります。

肝臓でほかのハーブの分解を促進するハーブ

コンフリーは肝臓で分解されます。肝臓でコンフリーが分解される際に生じる化学物質が有害であるおそれがあります。コンフリーを肝臓で分解させるハーブおよび健康食品・サプリメントは，コンフリーに含まれる化学物質の毒性を高めるおそれがあります。このようなハーブには，エキナセア，ニンニク，甘草，セント・ジョンズ・ワート，チョウセンゴミシなどがあります。

使用量の目安

●皮膚への塗布

背部痛

コンフリー根エキスを35%含有する特定の軟膏の場合，約4g，1日3回，5日間塗布します。コンフリーを35%，ニコチン酸メチルを1.2%含有するクリームの場合も約4g，1日3回，5日間塗布します。

変形性関節症

コンフリー根エキスを35%含有する特定の軟膏の場合，約2g，1日3回，3週間膝に塗布します。また，コンフリーエキス，タンニン酸，アロエベラゲル，ユーカリ油，フランキンセンス油が配合されている特定のクリームの場合も約3.5g，1日3回，6～12週間膝に塗布します。

捻挫

コンフリーエキスを35%含有する特定の軟膏を約2g，1日4回，8日間足関節の患部に塗布します。

サーチ

SEA BUCKTHORN

別名ほか

沙棘（Argousier），サジー，ヒッポファエ・ラムノイデス，ヒッポファエ，ヤナギハグミ（Hippophae rhamnoides），オビルピーハ（Oblepikha），Argasse, Buckthorn, Dhar-Bu, Espino Armarillo, Espino Falso, Finbar, Grisset, Meerdorn, Purging Thorn, Rokitnik, Sallow Thorn, Sanddorn, Sea Buckhorn, Sceitbezien, Seedorn, Star-Bu, Tindved

概　　要

サーチはハーブです。葉，花，実を用いて「くすり」を作ることもあります。

●要説（ナチュラル・スタンダード）

サーチ（Hippophae rhamnoides）は，ヨーロッパ，アジア，主に，東ヨーロッパ，中央アジアに分布します。かつては，オレンジ色の果実，果肉および種子から採取したオイルは，皮膚疾患，消化管障害，咳など，さまざまな疾患の治療に用いられていました。ドライアイ，熱傷，および鱗屑（鱗状のかゆみをともなう発疹）に対する有効性を支持する初期のエビデンスが有望視されています。

サーチには，抗酸化作用があることでよく知られています。がん，心疾患，免疫機能，抗炎症，肝疾患，放射線障害，および眼疾患に対する有効性は抗酸化作用による可能性があります。

サーチの副作用に関する質の高い研究は十分ではありません。

安 全 性

サーチの実は，食べ物として摂取するのは安全のようです。

サーチの実はジャム，パイ，飲み物，および他の食品に使われます。

サーチの実の「くすり」としての摂取も，安全である可能性があります。90日間までの試験では，安全性が認められています。

ただし，サーチの葉やエキスに関する安全性についてはデータが不十分です。

●妊娠中および母乳授乳期

妊娠中および母乳授乳期のサーチの使用の安全性についてはデータが不十分です。安全性を考慮し，使用を控えてください。

有 効 性

◆科学的データが不十分です

・心臓および血管における疾患（心血管疾患）。心臓病患者において10mgの特定のサーチエキスを，1日3回6週間毎日摂取すると血清コレステロール値の低下，胸痛の減弱，および心機能の改善がみられると示唆されています。

・肝硬変症。サーチエキスの摂取は肝臓酵素および肝障害を表す物質の血中濃度を低減する可能性があります。

・消化管の感染。毎日28gのサーチの実の冷凍ピューレを90日間摂取した研究では，消化管の感染症の著しい予防効果はないことが示されています。

・感冒。毎日28gのサーチの実の冷凍ピューレを90日間摂取した結果，普通感冒を予防したり，症状の早期改善の著しい効果はないことを示しています。

・ドライアイ。特定のサーチ製品の摂取は眼の赤みや，灼熱感を低減することを示しています。

・関節炎，胃潰瘍，腸潰瘍，痛風，高血圧症，高コレステロール血症，視力障害，老化，咳，気管支喘息，狭心症，がん，胸やけ，日焼け，創傷，褥瘡，熱傷，切創，にきび，乾燥皮膚，湿疹など。

●体内での働き

ビタミンA，B_1，B_2，B_6，C，そのほかの活性成分が含まれています。胃腸の潰瘍と胸やけの症状に対していくらかの活性をもっているかもしれません。

医薬品との相互作用

中 血液凝固を抑制する医薬品（抗凝固薬/抗血小板薬）

サーチは血液の凝固を抑える作用があると考えられていますから，血液凝固を抑制する医薬品とサーチを併用すると，紫斑や出血のリスクが高まるおそれがあります。このような医薬品には，アスピリン，クロピドグレル硫酸塩，ジクロフェナクナトリウム，イブプロフェン，ナプロキセン，ダルテパリンナトリウム，エノキサパリンナトリウム，ヘパリン，ワルファリンカリウムなどがあります。

ハーブおよび健康食品・サプリメントとの相互作用

血液凝固を抑制するハーブおよび健康食品・サプリメント

サーチは血液凝固を抑制するようです。他の血液凝固を抑制する自然食品と併用すると，紫斑および出血のリスクが増加する可能性があります。これらの製品には，アンゼリカ，クローブ，タンジン，フィーバーフュー，魚油，ニンニク，ショウガ，イチョウ，朝鮮人参，セイヨウトチノキ，レッドクローバー，ターメリック，およびビタミンEなどがあります。

使用量の目安

●経口摂取

葉で入れたお茶を1日1～2杯摂取します。種油カプセル（500mg/1個）を1回1～3個，1日3回摂取します。種油は1回3～5mLを1日3回摂取します。果実オイルは１回最大２滴を１日３回摂取します。

●局所投与

果実または種油を１日３～４回使用します。

サイゴンシナモン

SAIGON CINNAMON

別名ほか

Baker's Cinnamon, Canela de Saigón, Cinnamomum loureirii, Cinnamomum loureiroi, Nikkei, Nhucque, Que Thanh, Saigon Cassia, Saigonkanel, Saigonzimt, Saigonzimtbaum, Vietnamese Cassia, Vietnamese Cinnamon, Yukgyenamu

概　要

サイゴンシナモンはベトナムに生育するシナモンの一種です。

糖尿病や関節リウマチに対して経口摂取されますが，これらの用途を裏づける研究は多くありません。

食品および飲料には，香料として用いられます。

安 全 性

通常量のサイゴンシナモンを摂取した場合の安全性および副作用については，データが不十分です。

長期間にわたって大量に経口摂取した場合には，おそらく安全ではありません。大量に摂取すると，人によっては副作用が起きるおそれがあります。サイゴンシナモンにはクマリンという化学物質が含まれています。クマリンは，過敏な人には肝疾患を引き起こしたり，悪化させたりするおそれがあります。

肝疾患：サイゴンシナモンには，肝臓を害するおそれのある化学物質が含まれています。肝疾患の場合には，通常の食品に含まれている量を超えて摂取してはいけません。

●妊娠中および母乳授乳期

妊娠中および母乳授乳期の使用の安全性についてはデータが不十分です。安全性を考慮し，摂取は避けてください。

有 効 性

◆科学的データが不十分です

・糖尿病，関節リウマチなど。

●体内での働き

疾患に対してどのように作用するかについては，十分なデータが得られていません。

医薬品との相互作用

中肝臓を害する可能性のある医薬品

非常に多量のサイゴンシナモンは，特に肝疾患患者の肝臓をさらに害する可能性があります。多量のサイゴンシナモンと肝臓を害する可能性のある医薬品を併用すると，肝障害のリスクが高まる可能性があります。肝臓を害する可能性のある医薬品を服用中に，多量のサイゴンシナモンを摂取しないでください。このような医薬品には，アセトアミノフェン，アミオダロン塩酸塩，カルバマゼピン，イソニアジド，メトトレキサート，メチルドパ水和物，フルコナゾール，イトラコナゾール，エリスロマイシン，フェニトイン，Lovastatin，プラバスタチンナトリウム，シンバスタチンなど数多くあります。

ハーブおよび健康食品・サプリメントとの相互作用

肝臓を害するおそれのあるハーブおよび健康食品・サプリメント

サイゴンシナモンを大量に摂取すると，人によって，とくに肝疾患に罹患している場合には，深刻な肝障害を引き起こすおそれがあります。肝臓を害するおそれのあるほかのハーブおよび健康食品・サプリメントと併用すると，肝障害の発症リスクが高まるおそれがあります。このようなハーブおよび健康食品・サプリメントには，チャパラル，コンフリー，デヒドロエピアンドロステロン，ジャーマンダー，カバ，ニコチン酸，ペニーロイヤルミントのオイル，紅麹などがあります。

使用量の目安

通常の食品に含まれている量を超えて経口摂取した場合の安全性および副作用については，明らかになっていません。

サクラソウ

COWSLIP

●代表的な別名

プリムラ

別名ほか

カウスリップ（English Cowslip），プリムローズ（Primrose），プリムラ（Primula），プリムラエラチオール，セイタカセイヨウサクラソウ（Primula elatior），セイヨウサクラソウ，キバナクリンソウ（Primula officinalis），キバナクリンザクラ（Primula veris），Artetyke, Arthritica, Buckels, Butter Rose, Crewel, Drelip, Fairy Caps, Herb Perter, Key Flower, Key of Heaven, Mayflower, Our Lady's Keys, Paigle, Paigle Peggle, Palsywort, Password, Peagle, Peagles, Petty Mulleins, Plumrocks

概　要

サクラソウは，ヨーロッパとアジア全域に生息する植物です。花と根を用いて「くすり」を作ることもありま

サ

有効性レベル：①効きます　②おそらく効きます　③効くと断言できませんが、効能の可能性が科学的に示唆されています　④効かないかもしれません　⑤おそらく効きません　⑥効きません

す。

サクラソウの花は，鼻と咽喉の腫脹および気管支炎に対してもっとも一般的に使用されます。睡眠障害，頭痛，筋痙攣，心不全などその他多くの疾患に対しても使用されますが，これらの用途を十分に裏づけるエビデンスはありません。

サクラソウは，リンドウの根，セイヨウニワトコの花，バーベナ，スイバと併用して，健康な副鼻腔を維持するため，およびウイルス感染に起因する副鼻腔の腫脹および痛み（副鼻腔炎）を治療するために一般的に使用されます。

安全性

サクラソウは，リンドウの根，セイヨウニワトコの花，バーベナおよびスイバを含む併用製品の一部として少量を経口摂取する場合，またはサクラソウとタイムを含む併用製品の一部として摂取する場合，ほとんどの人におそらく安全です。併用製品の一部としての利用以外で「くすり」としての量を使用した場合の安全性については，データが不十分です。併用製品で消化器系のむかつきや，場合によってはアレルギー性皮疹を生じるおそれがあります。

●妊娠中および母乳授乳期

妊娠中および母乳授乳期のサクラソウの使用の安全性についてはデータが不十分です。安全性を考慮し，摂取は避けてください。

有効性

◆有効性レベル③

・鼻腔の炎症（副鼻腔炎）。サクラソウ，リンドウの根，セイヨウニワトコの花，バーベナおよびスイバの併用製品を使用した場合，副鼻腔炎の症状が改善するようです。サクラソウとこれらの原料を含む類似の製品を鼻噴霧用ステロイド薬とともに使用した場合も，ステロイド点鼻薬のみを使用した場合より，鼻の症状を改善させるようです。

◆科学的データが不十分です

・気管支喘息，咳，体液貯留，痛風，頭痛，ヒステリー，不眠，神経痛，神経の易興奮性，神経系の症状，痙攣，振戦，百日咳など。

●体内での働き

サクラソウは，粘液の粘調度を低下させ排出を容易にする可能性のある化学物質を含んでいます。

医薬品との相互作用

ほかの医薬品との相互作用については明らかではありません。

ハーブおよび健康食品・サプリメントとの相互作用

ほかのハーブ，健康食品・サプリメントとの相互作用についてはまだ明らかではありません。

使用量の目安

【成人】

●経口摂取

鼻腔の炎症（副鼻腔炎）

サクラソウの花36mg，リンドウの根12mg，セイヨウニワトコの花36mg，バーベナ36mg，スイバ36mgを含む特定の併用製品を，1日3回，7日間摂取します。

ザクロ

POMEGRANATE

別名ほか

Anardana，Dadim，Dadima，Delima，Extrait de Feuille de Grenade，Extrait de Grenade，Extrait de Polyphénol de Grenade，Feuille de Grenade，Fleur de Grenade，Fruit du Grenadier，Fruit of the Dead，Gangsalan，Granaatappel，Granad，Granada，Granado，Granatapfel，Grenade，Grenadier，Limoni，Melogranato，Melograno Granato，PE，PLE，Pomegranate Extract，ザクロエキス，Pomegranate Flower，ザクロの花，Pomegranate Fruit，ザクロの果実，Pomegranate Leaf，ザクロの葉，Pomegranate Leaf Extract，ザクロの葉エキス，Pomegranate Polyphenol Extract，ザクロのポリフェノールのエキス，Pomme Grenade，Pomo Granato，Pomo Punico，PPE，Punica granatum，Roma，Romazeira，Romeira，Shi Liu Gen Pi，Shi Liu Pi，Tab Tim，若榴，石榴，柘榴

概要

ザクロは樹木です。木や果実のさまざまな部分を用いて「くすり」を作ります。

慢性閉塞性肺疾患（COPD），心疾患，高血圧などの疾患や，運動能力および運動後の回復のために用いられますが，これらの用途を十分に裏づけるエビデンスはありません。

ザクロは数千年にわたり用いられてきました。ギリシャ，ヘブライ，仏教，イスラム教，キリスト教の神話や諸書にも登場します。紀元前1,500年頃にさかのぼる記録に，条虫などの寄生虫の治療に用いられていたことが記述されています。

多くの文化で，民間療法としてザクロを使用しています。ザクロはイランが原産です。主に地中海沿岸の国々，また，米国，アフガニスタン，ロシア，インド，中国，日本の一部で栽培されています。ザクロが王室や医療機関の紋章に用いられていることもあります。

・新型コロナウイルス感染症（COVID-19）。
COVID-19に対してザクロの使用を裏付ける十分なエビデンス（科学的根拠）はありません。

安 全 性

ザクロジュースを経口摂取する場合，ほとんどの人に安全のようです。ほとんどの人に副作用はありません。一部の人がザクロの果実にアレルギー反応を起こすおそれがあります。

ザクロエキスを経口摂取する場合や皮膚へ塗布する場合，おそらく安全です。一部の人はザクロエキスによる過敏症を起こしています。過敏症の症状にはそう痒，腫脹，鼻水，呼吸困難などがあります。

ザクロの根，枝，果皮を大量に経口摂取する場合は，おそらく安全ではありません。根，枝，果皮には毒が含まれます。

ザクロエキスを皮膚に塗布する場合，おそらく安全です。一部の人がザクロエキスによる過敏症を起こしています。過敏症の症状にはそう痒，腫脹，鼻水，呼吸困難などがあります。

低血圧：ザクロジュースを摂取すると，血圧がわずかに低下する可能性があります。低血圧の人が摂取すると，血圧が過度に低下するリスクが高まるおそれがあります。

手術：ザクロは血圧に影響を及ぼす可能性があります。そのため，手術中・手術後の血圧コントロールを妨げるおそれがあります。少なくとも手術前２週間は，使用しないでください。

●アレルギー

植物に対するアレルギー：植物アレルギーのある人は，ザクロにもアレルギー反応を起こす可能性が高いようです。

●妊娠中および母乳授乳期

妊娠中および母乳授乳期には，ザクロジュースはおそらく安全です。ただし，ザクロエキスなど，ジュース以外の形態で使用した場合の安全性については，データが不十分です。妊娠中および母乳授乳期には，ジュース以外は使用しないでください。

有 効 性

◆有効性レベル③

・高血圧。ザクロジュースを毎日摂取すると，収縮期血圧（最高血圧）を約５mmHg低下させる可能性があることを示す研究があります。摂取量が少なくても多くても同じように作用する可能性があります。ザクロジュースは拡張期血圧（最低血圧）を低下させることはないようです。

◆有効性レベル④

・呼吸困難を引き起こす肺疾患（慢性閉塞性肺疾患（COPD））。この疾患の場合にザクロジュースを摂取しても，症状や呼吸が改善することはないようです。
・高コレステロール血症や高トリグリセリド血症（高脂血症）。高コレステロール血症の場合でもそうでない場合でも，ザクロの摂取により血清コレステロール値が低下することはないようです。

◆科学的データが不十分です

・動脈硬化，運動能力，心疾患，歯垢，糖尿病，末期腎不全（ESRD），勃起障害（ED），運動による筋肉痛，更年期症状，糖尿病・心疾患・脳卒中のリスクを高める一群の症候（メタボリックシンドローム），筋肉増強，肥満，重度の歯肉感染（歯周炎），前立腺がん，関節リウマチ（RA），鵞口瘡（がこうそう），日光皮膚炎，膣トリコモナス（Trichomonas vaginalis）という原虫による性感染症（トリコモナス症），下痢，赤痢，痔核，腸の寄生虫感染，咽喉痛など。

●体内での働き

ザクロに含まれるさまざまな化学物質には抗酸化作用がある可能性があります。ザクロジュースに含まれる化学物質が動脈硬化の進行を抑制し，また，がん細胞と戦う可能性が，いくつかの予備研究で示唆されています。ただし，ヒトがザクロジュースを摂取したときにもこの作用がみられるかどうかはわかっていません。

医薬品との相互作用

中 カルバマゼピン

カルバマゼピンは体内で代謝されます。ザクロジュースはカルバマゼピンの代謝を抑制する可能性があります。ザクロジュースとカルバマゼピンを併用すると，カルバマゼピンの作用および副作用が増強するおそれがあります。

低 トルブタミド【販売中止】

トルブタミド（販売中止）は肝臓で代謝されます。ザクロジュースはトルブタミドの代謝を抑制する可能性があります。ザクロとトルブタミドを併用すると，トルブタミドの作用および副作用が増強するおそれがあります。

中 ロスバスタチンカルシウム

ロスバスタチンカルシウムは肝臓で代謝されます。ザクロジュースはロスバスタチンカルシウムの代謝を抑制する可能性があります。ザクロジュースとロスバスタチンカルシウムを併用すると，ロスバスタチンカルシウムの作用および副作用が増強するおそれがあります。

中 ワルファリンカリウム

ワルファリンカリウムは体内で代謝されます。ザクロジュースはワルファリンカリウムの代謝を抑制する可能性があります。そのため，ワルファリンカリウムの作用および副作用が増強するおそれがあります。

低 肝臓で代謝される医薬品（シトクロムP450 2C9（CYP2C9）の基質となる医薬品）

特定の医薬品は肝臓で代謝されます。ザクロはこのような医薬品の代謝を抑制する可能性があります。ザクロと肝臓で代謝される医薬品を併用すると，医薬品の作用および副作用が増強するおそれがあります。このような医薬品には，セレコキシブ，ジクロフェナクナトリウム，フルバスタチンナトリウム，Glipizide，イブプロフェン，イルベサルタン，ロサルタンカリウム，フェニトイン，ピロキシカム，タモキシフェンクエン酸塩，トルブタミド（販売中止），トラセミド，ワルファリンカリウムがあります。

中肝臓で代謝される医薬品（シトクロムP450 2D6（CYP2D6）の基質となる医薬品）

特定の医薬品は肝臓で代謝されます。ザクロはこのような医薬品の代謝を抑制する可能性があります。ザクロと肝臓で代謝される医薬品を併用すると，医薬品の作用および副作用が増強するおそれがあります。このような医薬品には，アミトリプチリン塩酸塩，コデインリン酸塩水和物，塩酸デシプラミン（販売中止），フレカイニド酢酸塩，塩酸フルオキセチン（販売中止），オンダンセトロン塩酸塩水和物，トラマドール塩酸塩などがあります。

中肝臓で代謝される医薬品（シトクロムP450 3A4（CYP3A4）の基質となる医薬品）

特定の医薬品は肝臓で代謝されます。ザクロジュースはこのような医薬品の肝臓での代謝を抑制する可能性があります。ザクロジュースと肝臓で代謝される医薬品を併用すると，医薬品の作用および副作用が増強するおそれがあります。このような医薬品には，アムロジピンベシル酸塩，ジルチアゼム塩酸塩，ベラパミル塩酸塩，インジナビル硫酸塩エタノール付加物（販売中止），ネルフィナビルメシル酸塩，リトナビル，サキナビルメシル酸塩，Alfentanil，フェンタニルクエン酸塩，ミダゾラム，オンダンセトロン塩酸塩水和物，プロプラノロール塩酸塩など数多くあります。

中降圧薬

ザクロは血圧を低下させる可能性があります。ザクロと降圧薬を併用すると，血圧が過度に低下するおそれがあります。このような降圧薬には，カプトプリル，エナラプリルマレイン酸塩，ロサルタンカリウム，バルサルタン，ジルチアゼム塩酸塩，アムロジピンベシル酸塩，ヒドロクロロチアジド，フロセミドなど数多くあります。

中降圧薬（アンジオテンシン変換酵素（ACE）阻害薬）

ザクロジュースは血圧を低下させる可能性があります。ザクロジュースと降圧薬を併用すると，血圧が過度に低下するおそれがあります。このような降圧薬には，カプトプリル，エナラプリルマレイン酸塩，リシノプリル水和物，Ramiprilなどがあります。

ハーブおよび健康食品・サプリメントとの相互作用

血圧を低下させるおそれのあるハーブおよび健康食品・サプリメント

ザクロは血圧を低下させる可能性があります。血圧を低下させる可能性のあるほかのハーブおよび健康食品・サプリメントとザクロを併用すると，血圧が過度に低下するおそれがあります。このようなハーブおよび健康食品・サプリメントには，タンジン，ショウガ，朝鮮人参，ウコン，カノコソウなどがあります。

使用量の目安

【成人】

●経口摂取

高血圧

ザクロジュース43〜330mLを毎日，最長18カ月間摂取します。

ササフラス

SASSAFRAS

別名ほか

サッサフラス（Sassafras albidum），Ague Tree，Cinnamon Wood，Common Sassafras，Kuntze Saloop，Laurus albida，Sassafrax，Sassafras variifolium，Saxifrax

概　　要

ササフラスは植物です。根皮を用いて「くすり」を作ることもあります。

●要説（ナチュラル・スタンダード）

ササフラス属の主な種は，Sassafras albidum（Nutt.）NeesおよびSassafras tzumu（Hemsl.）Hemsl. の2種類です。Sassafras albidum（Nutt.）Neesは北米東部に，Sassafras tzumu（Hemsl.）Hemsl. はアジア，とくに中国に分布します。

もとはアメリカ先住民の「くすり」でしたが，ササフラスのオイルおよびお茶に含まれるサフロール（safrole）には発がん性があるため，摂取してはいけません。ササフラスを摂取する習慣をもつ地域において，食道がんの発生率増加が指摘されています。さらに，サフロールには，肝障害を起こす肝毒性があります。

いずれの適応症に対しても，ササフラスの効果を支持するヒトを対象としたエビデンスは十分ではありません。

安　全　性

ササフラス油の主成分であるサフロール非化合物を食物や飲料に使用すれば安全なようです。

医薬品としての使用は安全ではありません。発汗やのぼせを起こすことがあります。

高用量では嘔吐，高血圧症，幻覚などさらに重度の副作用が起きることがあります。

皮膚に使用すると，皮疹が起きることがあります。

子どもには安全ではありません。数滴のオイルが命にかかわることがあります。

尿路感染など尿路の疾患がある人は使用してはいけません。

術中や術後に使われる医薬品を併用すると，過度の鎮静状態になることがあります。２週間以内に手術を受ける予定の人は使用してはいけません。

●妊娠中および母乳授乳期

妊娠中，母乳授乳期は使用してはいけません。

有　効　性

◆科学的データが不十分です

・尿路障害，痛風，関節炎，皮膚障害，眼の腫脹，捻挫，昆虫刺傷，刺傷，血液浄化など。

●体内での働き

どのように作用するかについては十分なデータが得られていません。

医薬品との相互作用

中鎮静薬（中枢神経抑制薬）

ササフラスは眠気を引き起こす可能性がありますが，鎮静薬も眠気を引き起こす医薬品です。鎮静薬を服用しているときにササフラスを摂取すると過度の眠気を引き起こすおそれがあります。このような鎮静薬としては，クロナゼパム，ロラゼパム，フェノバルビタール，ゾルピデム酒石酸塩などがあります。

ハーブおよび健康食品・サプリメントとの相互作用

ほかのハーブ，健康食品・サプリメントとの相互作用についてはまだ明らかではありません。

使用量の目安

標準使用量に関するデータがありません。

サッカロミセス・ブラディー

SACCHAROMYCES BOULARDII

別名ほか

サッカロマイセス属（Saccharomyces），プロバイオティクス（Probiotics），S. boulardii

概　　要

サッカロミセス・ブラディーは機能性酵母で，菌の一種です。以前特異な酵母として確認されましたが，現在は酵母（パンのイースト菌）の菌株と認識されています。サッカロミセス・ブラディーは「くすり」として使われることがあります。

●要説（ナチュラル・スタンダード）

サッカロミセス・ブラディーは，下痢の治療および予防のために使用されている非病原性酵母株です。 サッカロミセス・ブラディーは，「プロバイオティクス（probiotics）」すなわち，摂取されたときに，宿主の健康にプラスの影響をもつ可能性がある微生物として分類されます。

プロバイオティクスは，直接胃腸系に対して効果を発揮したり，より大きな範囲で，免疫系を調節することが可能です。

ヒトを対象とした研究では，サッカロミセス・ブラディーが予防できるのは，抗生物質が原因の下痢や，抗生物質療法と組み合わせたクロストリジウム・ディフィシル（Clostridium difficile）下痢や，経管栄養にともなう下痢や，急性小児下痢などであることが，示唆されています。期待できる初期研究では， サッカロミセス・ブラディーは，HIVにともなう下痢を治療するのに有効な可能性があることを示唆しています。

ドイツ当局は，サッカロミセス・ブラディーの使用を次の用途で承認しています。すなわち，急性下痢の対症療法，旅行中の下痢予防や対症療法，経管栄養中に発生した下痢の治療，慢性のにきびや食事サプリメントやビタミンB群とタンパク質の供給源のための免疫補助薬としての使用です。

・新型コロナウイルス感染症（COVID-19）。
　COVID-19に対してサッカロミセス・ブラディーの使用を裏付ける十分なエビデンス（科学的根拠）タはありません。

安　全　性

経口使用はほとんどの成人に安全です。

まれに，罹患すると全身に広がる可能性があるカビの感染症を生じることがあります。

子どもにも安全なようですが，子どもに使用する前に，医師による下痢の診察が必要です。

免疫系が弱い人，または免疫系改善の医薬品を服用している人は使用してはいけません。

●アレルギー

イーストにアレルギーのある人は使用してはいけません。

●妊娠中および母乳授乳期

妊娠中，母乳授乳期は，医師への相談なしに使用してはいけません。

有　効　性

◆有効性レベル③

・抗生物質の使用による下痢の予防。
・旅行者下痢症の予防。
・幼児の下痢の予防。
・HIV/エイズ関連の下痢。
・クロストリジウム・ディフィシルと呼ばれる細菌性腸疾患の再発予防。
・ほかの治療薬との併用で，にきび。
・ヘリコバクター・ピロリ菌による潰瘍の治療で生じる副作用の抑制。

◆科学的データが不十分です

・クローン病。サッカロミセス・ブラディーはメサラミンと併用するとクローン病患者の寛解維持に役立つとの報告があります。寛解とは疾患の症状が抑制されている時期を表します。サッカロミセス・ブラディーを摂取することにより，クローン病患者の排便の回数を減少するのに役立つようです。
・のう胞性線維症患者の消化管内でのイースト菌の過成長の予防，尿路感染症，イースト菌感染症，高コレステロール血症，ライム病，じんましん，発熱疱疹，口内びらん，過敏性腸症候群，潰瘍性大腸炎，乳糖不耐症など。

●体内での働き

「プロバイオティクス」と呼ばれる身体によい微生物で，細菌やイースト菌などの腸内細菌が疾患とたたかうのを補助します。

医薬品との相互作用

低抗真菌薬

サッカロミセス・ブラディーは真菌ですが，抗真菌薬は体内と体表の真菌を減少させます。抗真菌薬とサッカロミセス・ブラディーを併用すると，サッカロミセス・ブラディーの効果を弱める可能性があります。抗真菌薬にはフルコナゾール，カスポファンギン酢酸塩，イトラコナゾール，Amphotericinなどがあります。

ハーブおよび健康食品・サプリメントとの相互作用

ほかのハーブ，健康食品・サプリメントとの相互作用についてはまだ明らかではありません。

使用量の目安

●経口摂取

下痢の予防

通常，１回250～500mgを１日２～４回摂取します。

慢性下痢治療（成人）

抗生物質治療と併用で，１日１gを４週間摂取します。

クローン病の治療

１回250mgを１日３回，最大９週間摂取します。乳児に使用する場合，年齢に応じて１回250mgを１日２～４回摂取します。留置カテーテルの汚染を防止するには，手袋をはめ病室の外で，包装やカプセルを開けます。ヘリコバクター･ピロリ菌治療の補助として使用する場合，１回50億コロニー形成単位（CFU）を１日１回摂取します。

サトウカエデ

RED MAPLE

●代表的な別名

アメリカハナノキ

別名ほか

ベニカエデ，ルブラカエデ，アカカエデ（Acer rubrum），バーズアイメープル（Bird's Eye Maple），Sugar Maple，Swamp Maple

概　　要

サトウカエデは樹木です。樹皮を用いて「くすり」を作ることもあります。

安 全 性

安全性または副作用については不明です。

●妊娠中および母乳授乳期

妊娠中および母乳授乳期の使用の安全性についてはデータが不十分です。安全性を考慮し，摂取は避けてください。

有 効 性

◆科学的データが不十分です

・眼疾患用または乾燥剤として使用。

●体内での働き

どのように作用するかについては十分なデータが得られていません。

医薬品との相互作用

ほかの医薬品との相互作用については明らかではありません。

ハーブおよび健康食品・サプリメントとの相互作用

ほかのハーブ，健康食品・サプリメントとの相互作用についてはまだ明らかではありません。

使用量の目安

標準使用量に関するデータがありません。

サニクル

SANICLE

別名ほか

ウマノミツバ属（Sanicula europaea），European Sanicle，Poolroot，Saniculae herba，Self-Heal，Wood Sanicle

概　　要

サニクルは植物です。地上部は「くすり」に使用されることもあります。サニクル（ウマノミツバ属）とウツボグサはどちらも自己回復作用があるとして知られていますので，混同しないよう注意してください。また，ウマノミツバ属とアストランチア属はどちらもサニクルとして知られているので混同しないよう注意してください。

●要説（ナチュラル・スタンダード）

サニクル（Sanicula europaea，Sanicula europa）は，セリ科の多年生植物です。ヨーロッパ，アジア，およびアフリカに拡がる森林地帯に分布します。植物の地上部を用いてサニクル製品を作るのが一般的です。

サニクルは，中度の肺炎，肺うっ血，咳，および気管支炎に対して用いられてきています。抗真菌性，抗酸化性，抗ウイルス性，および抗HIV性に関する研究が初期になされています。中耳炎，アトピー性湿疹，および気管支喘息に関する研究もなされています。

安全性

一般的には安全なようです。

大量に使用すると，胃の不調，悪心，嘔吐などの副作用を起こすかもしれません。

消化器潰瘍，過敏性腸症候群，潰瘍性大腸炎およびほかの消化管疾患などの胃腸疾患：症状を悪化させるおそれがあります。胃腸疾患の場合には使用しないでください。

●妊娠中および母乳授乳期

妊娠中および母乳授乳期の使用の安全性についてはデータが不十分です。安全性を考慮し，摂取は避けてください。

有効性

◆科学的データが不十分です

・咳，気管支炎など気道の炎症。

●体内での働き

粘液を薄めて咳をして吐き出しやすくするようです。

医薬品との相互作用

ほかの医薬品との相互作用については明らかではありません。

ハーブおよび健康食品・サプリメントとの相互作用

カフェインを含むハーブおよび健康食品・サプリメント

サニクルにはカフェインが含まれているため，カフェインを含むほかの自然食品と併用すると，不眠症，神経症などカフェインの副作用をともなうリスクが高まるおそれがあります。このような自然食品には，コーヒー，紅茶，緑茶，マテ，コーラなどがあります。

使用量の目安

●経口摂取

乾燥した地上部を１日４～６g摂取します。

サビナ

SAVIN TOPS

別名ほか

サビナビャクシン（Juniperus sabina），サビン（Savin），Sabina，Savine

概要

サビナは植物です。枝と葉を用いて「くすり」を作ることもあります。

安全性

安全ではなく，毒があります。毒性症状には胃のむかつき，不整脈，痙攣，腎障害，血尿，運動麻痺，意識不明などがあり，死に至ることもあります。肺，消化管，肝臓および腎臓に重度の刺激（それぞれ肺炎，胃腸炎，肝炎および腎炎）を引き起こす可能性もあります。

皮膚に使うと，刺激，水疱，および死んだ細胞による障害（壊死）を引き起こす可能性があります。

皮膚，眼，鼻，口またはのどに炎症のある人は使用してはいけません。

●妊娠中および母乳授乳期

妊娠中，母乳授乳期は使用してはいけません。

有効性

◆科学的データが不十分です

・疣贅（いぼ）の一部，流産の原因となるもの，およびそのほかの用途。

●体内での働き

陰部疣贅などのいぼは，ウイルスが引き起こします。ある種のウイルスに対抗して働く化合物を含んでいるようです。

医薬品との相互作用

ほかの医薬品との相互作用については明らかではありません。

ハーブおよび健康食品・サプリメントとの相互作用

ほかのハーブ，健康食品・サプリメントとの相互作用についてはまだ明らかではありません。

使用量の目安

●経口摂取

標準使用量に関するデータがありません。

●局所投与

粉末を１日２回（投与量は不特定）投与します（皮膚のひだに絆創膏をあてます）。

サフラン

SAFFRON

サ

別名ほか

オータムクロッカス（Colchicum autumnale），イヌサフラン（Autumn crocus），ヤクヨウサフラン（Crocus sativus），スパニッシュサフラン（Spanish Saffron），Azafron，Croci stigma，Indian Saffron，Kumkuma，Saffron Crocus，Safran，True Saffron

概　要

サフランは植物です。乾燥させた柱頭（花の糸状の部位）を用いて，サフランスパイスが作られます。１ポンドのサフランスパイスを作るために75,000個ものサフランの花が必要です。サフランの栽培と収穫はほとんどが手作業により，収穫に要する労働者の人数からも，サフランは世界一高価なスパイスの１つであるとみなされています。柱頭を用いて「くすり」を作ることもあります。

サフランは，スパイスや，食品の黄色着色料および香料添加剤として用いられます。

サフランのエキスは，香水の香料や，衣類の染料として用いられます。

●要説（ナチュラル・スタンダード）

サフランは，クロッカス（ヤクヨウサフラン，Crocus sativus）の花の柱頭を乾燥させたものです。繊維状のものも，粉末のものも市販されています。１ポンドのサフランを作るために，およそ75,000個もの花が必要です。このため，価格には１オンス当たり50～300ドルの幅があります。

サフランは，スパイス，「くすり」，黄色の染料としての用途には，長い歴史があります。クロッカスは古代ギリシャ文明，古代ローマ文明，中世エジプトでも用いられたと報告されています。

サフランは，抗がん作用，抗うつ作用，神経保護作用，抗酸化作用，および免疫系に働きかける効果をもつ可能性があります。アルツハイマー型認知症，気管支喘息，不妊症，月経不順，および乾癬の症状を改善する効果についての研究もなされています。

安 全 性

医薬品として使う場合，６週間まではほとんどの人に安全なようです。

可能性がある副作用には，不安感，嗜眠，食欲の変化および頭痛などがあります。

アレルギー反応を生じる人もいます。

大量に摂取すると，皮膚・眼・粘膜の黄化，嘔吐，めまい，血便，鼻・唇・まぶたからの出血，そのほかの重い副作用など，中毒を引き起こす可能性があり，12～20gの用量は死亡の原因となることがあります。

双極性障害：サフランは気分に作用するようです。双極性障害患者において，興奮および衝動的行動の誘因となる可能性が懸念されています。双極性障害患者はサフランを使用しないでください。

●アレルギー

ロリウム（Lolium），オリーブ，オカヒジキ（Salsola）などの植物にアレルギーの人は，サフランにもアレルギーである可能性があります。

●妊娠中および母乳授乳期

食べ物に通常含まれる量を超える量のサフランを摂取しないでください。サフランの多量摂取は子宮の収縮を引き起こし，流産の原因となる可能性があります。

母乳授乳時のサフランの摂取の安全性についてはデータが不十分です。安全性を考慮し，使用を控えてください。

有 効 性

◆有効性レベル③

・うつ病。６～８週間特定のサフランエキス（Novin Saferan社，イラン）を治療に使用すると重度の不安障害の症状を改善するようです。一部の試験では，サフランはフルオキセチン（fluoxetine）やイミプラミン（imipramine）などの，抗うつ薬の低用量摂取と同等の効果がある可能性が示唆されています。

・月経前症候群。臨床試験によると，特定のサフランエキスを摂取すると，２回の月経周期後から月経前症候群の著しい改善が認められます。

・月経における不快感。臨床試験では，サフラン，アニス，およびセロリ種を含んだ特定の製品は月経にともなう痛みの重症度および持続時間を減少させることが示されています。

・アルツハイマー病。一部の研究では22週間の特定のサフラン製品による治療は，処方薬のドネペジル（Aricept）と同様に効果的に症状を改善することが示されています。

◆科学的データが不十分です

・気管支喘息。サフラン，アニス，ブラックシード，キャラウェイ，カルダモン，カモミール，フェンネル，および甘草を混合したハーブティーを飲むことで，アレルギー性気管支喘息患者の気管支喘息の症状が軽減する可能性を示唆する予備的研究もあります。

・勃起不全。サフランを摂取することで，勃起不全を軽減し，勃起の回数および継続時間が増加する可能性を示唆する予備的研究もあります。

・運動能力。サフランに含まれるクロセチン（crocetin）と呼ばれる化学物質を摂取することで，男性の運動中の疲労が軽減する可能性を示唆する予備的研究もあります。

・乾癬。果物や野菜の多い食事と一緒にサフランのお茶を毎日飲むことで，乾癬の症状が軽減する可能性を示唆する予備的研究もあります。

・男性不妊症。サフランには男性の精子機能を改善する可能性があることを示唆するエビデンスもあります。ただし，研究結果は一致していません。

・不眠症，がん，アテローム動脈硬化，咳，胃ガス，早漏症，脱毛症，疼痛など。

●体内での働き

どのように作用するかについての十分なデータがありません。

医薬品との相互作用

中降圧薬

サフランは血圧を低下させる可能性があります。サフランと降圧薬を併用すると，血圧が過度に低下するおそれがあります。このような降圧薬には，カプトプリル，エナラプリルマレイン酸塩，ロサルタンカリウム，バルサルタン，ジルチアゼム塩酸塩，アムロジピンベシル酸塩，ヒドロクロロチアジド，フロセミドなど数多くあります。

中降圧薬（カルシウム拮抗薬）

サフランは血圧を低下させる可能性があります。サフランと降圧薬を併用すると，血圧が過度に低下するおそれがあります。このような降圧薬には，ニフェジピン，ベラパミル塩酸塩，ジルチアゼム塩酸塩，Isradipine，フェロジピン，アムロジピンベシル酸塩などがあります。

中肝臓で代謝される医薬品（シトクロムP450 1A2（CYP1A2）の基質となる医薬品）

特定の医薬品は肝臓で代謝されます。サフランはこのような医薬品の代謝を抑制する可能性があります。サフランと肝臓で代謝される医薬品を併用すると，医薬品の作用および副作用が増強するおそれがあります。肝臓で代謝される医薬品を服用する場合には，医師や薬剤師に相談することなくサフランを摂取しないでください。このような医薬品には，クロザピン，Cyclobenzaprine，フルボキサミンマレイン酸塩，ハロペリドール，イミプラミン塩酸塩，メキシレチン塩酸塩，オランザピン，塩酸ペンタゾシン，プロプラノロール塩酸塩，Tacrine，テオフィリン，Zileuton，ゾルミトリプタンなどがあります。

中糖尿病治療薬

サフランは血糖値を低下させる可能性があります。糖尿病治療薬も血糖値を低下させるために用いられます。サフランと糖尿病治療薬を併用すると，血糖値が過度に低下するおそれがあります。血糖値を注意深く監視してください。糖尿病治療薬の用量を変更する必要があるかもしれません。このような糖尿病治療薬には，グリメピリド，グリベンクラミド，インスリン，ピオグリタゾン塩酸塩，マレイン酸ロシグリタゾン（販売中止），クロルプロパミド，Glipizide，トルブタミド（販売中止）などがあります。

中鎮静薬（中枢神経抑制薬）

サフランは眠気および注意力低下を引き起こす可能性があります。鎮静薬は眠気を引き起こす医薬品です。サフランと鎮静薬を併用すると，過度の眠気を引き起こすおそれがあります。このような鎮静薬には，ペントバルビタールカルシウム，フェノバルビタール，セコバルビタールナトリウム，チオペンタールナトリウム，フェンタニルクエン酸塩，モルヒネ塩酸塩水和物，プロポフォールなどがあります。

ハーブおよび健康食品・サプリメントとの相互作用

ほかのハーブ，健康食品・サプリメントとの相互作用についてはまだ明らかではありません。

使用量の目安

●経口摂取

うつ病

特定のエタノール・サフラン・エキスを1日30mg摂取します。

月経前症候群

特定のエタノール・サフラン・エキス15mgを1日2回。

月経の不快感

サフラン，セロリの種子，およびアニスエキスの特定の混合製剤（商品名：SGA，Gol Daro Herbal Medicine Laboratory）500mgを1日3回，月経開始日より3日間摂取。

アルツハイマー病

特定サフラン製品（商品名：IMPIRAN，Green Plants of Life社，イラン）を1日30mg。

サマーサボリー

SUMMER SAVORY

●代表的な別名

サマーセイボリー，ヤマキダチハッカ

別名ほか

ヤマキダチハッカ，山木立薄荷，キダチハッカ，サマーセイボリー（Satureja hortensis），セイボリー，サボリー（Savory），Bean Herb，Bohnenkraut，Calamintha hortensis

概　要

サマーサボリーは植物です。葉と茎を用いて「くすり」を作ることもあります。

●要説（ナチュラル・スタンダード）

サボリーは，風味を向上させるために料理に使用される芳香植物です。サマーサボリー（Satureja hortensis）とウィンターサボリー（Satureja montana）は，もっとも一般的に使用される2種類です。一般的に研究されている成分は，カルバクロール（carvacrol）です。

サボリーは地中海地方の原産ですが，肉やサラダ用調味料として，ヨーロッパ，北米，南米で使用されてきています。

伝統的な医学では，サボリーは下痢，吐き気，痙攣，筋肉痛，消化不良，感染症を治療するために使用されています。限られたエビデンスですが，サボリーは糖尿病患者における血清コレステロールの低下を助ける可能性があることが示されています。

安 全 性

サマーサボリーは，食品に含まれている量の摂取であれば安全です。通常の「くすり」としての量の経口摂取，および希釈したオイルを皮膚に塗布する場合には，ほとんどの人に安全のようです。

サマーサボリーは，皮膚疾患を引き起こすおそれがあります。高濃度の，希釈されていないオイルは強い刺激があります。使用しないでください。

●妊娠中および母乳授乳期

妊娠中および母乳授乳期の使用の安全性についてはデータが不十分です。安全性を考慮し，摂取は避けてください。

有 効 性

◆科学的データが不十分です

・食欲刺激，咳，腸内ガス，腸痙攣，消化器系障害，下痢，悪心，糖尿病患者の口渇，咽喉痛，催淫，昆虫刺傷など。

●体内での働き

含まれている化合物は，筋痙攣を軽減し，細菌や真菌を殺すと考えられています。

医薬品との相互作用

ほかの医薬品との相互作用については明らかではありません。

ハーブおよび健康食品・サプリメントとの相互作用

ほかのハーブ，健康食品・サプリメントとの相互作用についてはまだ明らかではありません。

使用量の目安

●経口摂取

通常，茶さじ3杯摂取します。飲み物を作る際，沸騰させないでください。植物をよく浸すことは構いません。

●局所投与

標準使用量に関するデータがありません。

サメ肝油

SHARK LIVER OIL

●代表的な別名

ウバザメ肝油

別名ほか

ウバザメ肝油（Basking Shark Liver Oil），深海サメ肝油（Deep Sea Shark Liver Oil），ウバザメ（Cetorhinus maximus），スクアレン，スクアラン（Shark Oil），アブラツノザメ（Sqaulus acanthias），Centroporus squamosus，Dog Fish Liver Oil，Shark Liver

概 要

サメ肝油は，「くすり」を作るために用いられます。3種類のサメ，すなわちヒレザメ（Centrophorus squamosus），アブラノツメザメ（Sqaulus acanthias），ウバザメ（Cetorhinus maximus）の肝臓から採取します。これらのサメの肝臓は，総体重のおよそ25％を占めています。

安 全 性

十分なデータは得られていないので，安全であるかどうかは不明です。

肺にたまたま吸い込んだ人に肺炎を引き起こすことがあります。

●妊娠中および母乳授乳期

妊娠中および母乳授乳期の使用の安全性についてはデータが不十分です。安全性を考慮し，摂取は避けてください。

有 効 性

◆科学的データが不十分です

・白血病およびそのほかのがん，放射線症および白血球数の減少などのがん治療の副作用，普通感冒，インフルエンザ，皮膚障害など。

●体内での働き

がんや，がん治療に関係した副作用に拮抗作用のある化合物を含んでいます。

医薬品との相互作用

ほかの医薬品との相互作用については明らかではありません。

ハーブおよび健康食品・サプリメントとの相互作用

ほかのハーブ，健康食品・サプリメントとの相互作用についてはまだ明らかではありません。

使用量の目安

標準使用量に関するデータがありません。

サメ軟骨

SHARK CARTILAGE

別名ほか

サメ軟骨粉（Shark Cartilage Powder），サメ軟骨エキス（Shark Cartilage Extract），アブラツノザメ（Squalus acanthias），AE-941，MSI-1256F，Neovastat

概　要

サメ軟骨は，太平洋で捕獲されたサメからとれます。軟骨は身体の構造を支えるからだの中の物質です。

●要説（ナチュラル・スタンダード）

サメ軟骨は，米国でもっとも人気のあるサプリメントの1つです。1995年に販売された製品だけで，40種類以上のブランドがありました。主にがん治療に用いられます。質の低い研究ではありますが，いくつかの研究により，“奇跡のがん治療法”であることが示唆され，1980年代に，一般的に用いられていました。

サメ軟骨由来の製品であるAE-941に関する研究が，がん，眼疾患，皮膚疾患，および炎症性疾患に対するサメ軟骨の使用に対する新たな関心を呼びよせました。ただし現時点では，いずれの適応症に対してもサメ軟骨の使用を推奨すべきか，不使用を推奨すべきかを示唆するエビデンスは十分ではありません。AE-941は，さまざまな疾患に対してさまざまな名称で市販されています。たとえば，Neovastatはがん，Psovascarは皮膚疾患，Neoretnaは眼疾患，Arthrovasは関節疾患に対する名称です。米国食品医薬品局（FDA）により，2002年にオーファンドラッグ（希用薬）に指定されています。

市販のサメ軟骨の主な構成要素は，コンドロイチン硫酸（グリコサミノグリカン）です。コンドロイチン硫酸は，体内でグルコサミンやほかの物質に分解されます。コンドロイチンおよびグルコサミンの関節リウマチに対する研究は広範囲に行われていますが，サメ軟骨製剤の関節リウマチに対する有効性を支持するエビデンスは十分ではありません。サメ軟骨はカルシウムも含んでいます。メーカーがサメ軟骨をカルシウムのサプリメントとして機能表示することもあります。

サメ軟骨のサプリメントを1カ月，標準量摂取する場合にかかるコストは700～1,000ドルです。

安　全　性

一般的には安全なようです。

口の中の不快な味，悪心，嘔吐，胃の不調，便秘，低血圧，めまい感，高血糖，高カルシウム血症，疲労を起こすことがあります。

製品によっては不快なにおいや味がするものがあります。

血清カルシウム値が高い人は使用してはいけません。

●妊娠中および母乳授乳期

妊娠中，母乳授乳期は使用してはいけません。

有　効　性

◆有効性レベル④

- 既治療で，進行性の乳房，結腸，肺，前立腺，脳などの各がん，および非ホジキンリンパ腫。しかしながら，進行性でないがん患者のサメ軟骨摂取に関する研究は公表されていません。

◆科学的データが不十分です

- 腎臓がん。サメ軟骨抽出物AE-941を経口摂取すると，進行した腎臓がん（腎細胞がん）患者の生存率を向上させると思われます。この製品は，腎細胞がん治療のために米国食品医薬品局（FDA）が認可したオーファンドラッグです。オーファンドラッグ法は，まれな疾患の治療薬を研究する特別な権利を製薬業者に与える法律です。
- 乾癬。進行中の研究では，経口摂取したAE-941によって外見が改善し，乾癬プラークのかゆみを減らす可能性を示しています。
- 変形性関節症。皮膚に適用する場合（局所的に使用する），コンドロイチン硫酸，グルコサミン硫酸塩，樟脳と併用したサメ軟骨を含む製品は，関節炎の症状を減少させたという報告がいくつかあります。しかしながら，いずれの症状緩和も樟脳によるもので，他の成分の影響はありません。また，サメ軟骨が皮膚から吸収されることを示した研究はありません。
- 関節炎，眼の合併症，創傷治癒など。

●体内での働き

腫瘍増殖を予防する補助になるかもしれません。

医薬品との相互作用

中 免疫抑制薬

サメ軟骨は免疫機能を高める可能性があります。サメ軟骨が免疫機能を高めることにより，免疫抑制薬の効果が弱まるおそれがあります。このような免疫抑制薬にはアザチオプリン，バシリキシマブ，シクロスポリン，Daclizumab，ムロモナブ-CD3（販売中止），ミコフェノール酸モフェチル，タクロリムス水和物，シロリムス，Prednisone，副腎皮質ステロイド（グルココルチコイド）などがあります。

ハーブおよび健康食品・サプリメントとの相互作用

ほかのハーブ，健康食品・サプリメントとの相互作用についてはまだ明らかではありません。

使用量の目安

●経口摂取

抵抗性転移性腎細胞がん

1日60～240mLの特定水溶性サメ軟骨エキス，AE-941を摂取します。

固形腫瘍の治療

1日30～240mLを摂取します。

尋常性乾癬の治療

1日30～240mLを最大12週間摂取します。

皮膚カポジ肉腫

1日3,750～4,500mgを摂取します。市販製品では，500mg～4.5gの範囲を1日2～6回に分けて摂取することを勧めています。

サラシア

SALACIA

別名ほか

ポンコランチ（Chundan, Ponkoranti），サラシア・オブロンガ（Salacia oblonga），Kathala Hibutu Tea, SO, S. oblonga, Salacia reticulata

概　　要

サラシアは，インドとスリランカ原産のハーブです。根と茎を用いて「くすり」を作ることもあります。

●要説（ナチュラル・スタンダード）

サラシア属の植物は，インド，スリランカ，中国，およびほかの東南アジア諸国の原産です。アーユルヴェーダやユナニー医学など伝統医療では，糖尿病，肥満，淋病，関節リウマチ，そう痒，および気管支喘息の治療に用いられてきました。Salacia chinensis, Salacia reticulata，サラシア・オブロンガ（Salacia oblonga）など，サラシア属の植物のエキスは，日本，韓国，米国，およびインドでは，肥満や糖尿病の予防および治療のための健康食品・サプリメントとして摂取されています。

２型糖尿病患者の治療に対する有効性については，研究が限られています。さらなる質の高い研究が必要です。

安　全　性

サラシアの経口摂取は，短期間であれば，おそらく安全です。１回当たり1,000mgまで安全に摂取されています。サラシアの茶を食品と併用して摂取する場合には，最長３カ月までであれば，ほとんどの人に安全のようです。サラシアを長期にわたり使用する場合の安全性については，データが不十分です。

人によっては，腸内ガス，げっぷ，腹痛，吐き気，下痢など不快な副作用を引き起こすおそれがあります。

糖尿病：サラシアは血糖値を低下させるおそれがあります。医師などにより糖尿病治療薬の服薬量を調節する必要があるかもしれません。

手術：サラシアは血糖値を低下させるおそれがあります。このため，手術中および術後の血糖値コントロールを妨げるおそれがあります。少なくとも手術前２週間は，使用しないでください。

●妊娠中および母乳授乳期

妊娠中および母乳授乳期の使用の安全性についてはデータが不十分です。安全性を考慮し，摂取は避けてください。

有　効　性

◆有効性レベル③

・糖尿病。初期の研究により，２型糖尿病の患者が，食事ごとにサラシアの茶を摂取することにより，ヘモグロビンA1C（HbA1C）の値が低下する可能性が示唆されています。ヘモグロビンA1Cは血糖値コントロールの基準となっています。１回用量のサラシアを食事と併用するだけでも，健常ボランティアおよび２型糖尿病患者で，食後のインスリン値および血糖値が低下するようです。これは，血糖値コントロールが改善されていることを示しています。別の初期の研究により，２型糖尿病の患者が，サラシアを食品と併用して６週間にわたり摂取することにより，食前の血糖値およびヘモグロビンA1C値が低下するようであることが示唆されています。

◆科学的データが不十分です

・皮膚のそう痒，淋病，関節障害，気管支喘息，体重減少など。

●体内での働き

サラシアに含まれる化学物質が，食品に含まれる糖の体内への吸収を抑制するようです。

医薬品との相互作用

中糖尿病治療薬

サラシアは血糖値を低下させる可能性があります。糖尿病治療薬もまた血糖値を低下させるために用いられます。サラシアと糖尿病治療薬を併用すると，血糖値が過度に低下するおそれがあります。血糖値を注意深く監視してください。糖尿病治療薬の用量を変更する必要があるかもしれません。このような糖尿病治療薬にはグリメピリド，グリベンクラミド，インスリン，ピオグリタゾン塩酸塩，マレイン酸ロシグリタゾン（販売中止），クロルプロパミド，Glipizide，トルブタミド（販売中止）などがあります。

ハーブおよび健康食品・サプリメントとの相互作用

血糖値を低下させるおそれのあるハーブおよび健康食品・サプリメント

サラシアは血糖値を低下させるおそれがあります。サラシアと，血糖値を低下させるおそれのあるほかのハーブおよび健康食品・サプリメントを併用すると，血糖値が過度に低下するおそれがあります。このようなハーブおよび健康食品・サプリメントには，デビルズクロー，フェヌグリーク，ニンニク，グアーガム，セイヨウトチノキ，朝鮮人参，サイリウム，エゾウコギなどがあります。

使用量の目安

通常の食品に含まれている量を超えて経口摂取した場合の安全性および副作用については，明らかになっていません。

サラシナショウマ

BITTER MILKWORT

別名ほか

晒菜升麻（Snakeroot），キミフキガ，European Bitter Polygala，European Senega，Evergreen Snakeroot，Flowering Wintergreen，Little Pollom，Polygala amara

概　要

サラシナショウマは植物です。花部および根を用いて「くすり」を作ることもあります。

オウシュウサイシン（Polygala amara）をアサラバッカ（Asarum europaeum）あるいはセネガ（Polygala senega）と混同しないよう注意してください。これら3つの植物は，ドクゼリ（snakeroot）と呼ばれることもあります。

・新型コロナウイルス感染症（COVID-19）。

COVID-19に対してサラシナショウマの使用を裏付ける十分なエビデンス（科学的根拠）はありません。

安 全 性

十分なデータは得られていないので，安全であるかどうか不明です。

●妊娠中および母乳授乳期

妊娠中および母乳授乳期の使用の安全性についてはデータが不十分です。安全性を考慮し，摂取は避けてください。

有 効 性

◆科学的データが不十分です

・肺疾患，気管支炎，咳など。

●体内での働き

痰を薄めて吐き出しやすくして，息苦しさを緩和する成分（去痰薬）が含まれています。

医薬品との相互作用

ほかの医薬品との相互作用については明らかではありません。

ハーブおよび健康食品・サプリメントとの相互作用

ほかのハーブ，健康食品・サプリメントとの相互作用についてはまだ明らかではありません。

使用量の目安

標準使用量に関するデータがありません。

サラトリム

SALATRIM

別名ほか

Short- and Long-Chain Acyl Triglyceride Molecules

概　要

サラトリムは人工の化学物質です。人工脂肪として使用されます。体重減少のためにもサラトリムは摂取されます。

食品としては，サラトリムは食後の満腹感を変えずに脂肪分を減少させるために食品に添加します。

安 全 性

通常の食品に含まれる量の範囲でサラトリムを経口摂取するのは，ほとんどの人に安全のようです。サラトリムを1日30g経口摂取するのはおそらく安全です。人によっては，サラトリムの摂取が，胃に軽度の不快感を引き起こすことが報告されています。

●妊娠中および母乳授乳期

妊娠中および母乳授乳期の使用の安全性についてはデータが不十分です。安全性を考慮し，摂取は避けてください。

有 効 性

◆科学的データが不十分です

・体重減少など。

●体内での働き

サラトリムは満腹感を感じるのに役立つ可能性があり，これにより体重減少を促す可能性があります。

医薬品との相互作用

ほかの医薬品との相互作用については明らかではありません。

ハーブおよび健康食品・サプリメントとの相互作用

ほかのハーブ，健康食品・サプリメントとの相互作用についてはまだ明らかではありません。

使用量の目安

通常の食品に含まれている量を超えて経口摂取した場合の安全性および副作用については，明らかになっていません。

サルオガセ

USNEA

サ

別名ほか

苔癬，高山苔（Usnea barbata），ウスニン酸（Usnic Acid），Beard Moss，Old Man's Beard，Sodium Usniate，Tree Moss，Tree's Dandruff，Usnea forida，Usnea hirta，Usnea lichen，Usnea plicata，Woman's Long Hair

概　要

サルオガセは，樹木に生える地衣類です。植物体を用いて「くすり」を作ることもあります。

地衣植物は単体植物のようですが，実際のところ苔類と藻類がお互いの生存のために一緒に樹木に生育する共同体です。地衣類はいろいろな色をしていて，平らな斑点状のものです。サルオガセは，白っぽかったり，赤っぽかったり，あるいは黒色です。

オークモス（Evernia prunastri）と混同しないよう注意してください。サルオガセとオークモスは，ツリーモス（tree moss）と呼ばれることもあります。

●要説（ナチュラル・スタンダード）

サルオガセ種は，菌類と藻類の共生である低木状の地衣類に分類されます。サルオガセは，針葉樹（トウヒ，モミ，松など）と落葉広葉樹材（オーク，ヒッコリー，クルミ，リンゴなど果物の木）の樹皮や木に寄生して成長し，アジアやヨーロッパや北米など，北半球全体に認められます。

サルオガセは数千年の伝統的中国医学で，治療薬として使用されてきました。サルオガセロンギッシマ（Usnea longissima）は伝統的に，肺や上気道の感染症治療には経口摂取され，皮膚感染症や皮膚潰瘍を治療するためには皮膚に塗布されます。今日も伝統的中国医学では，結核性リンパ節炎を治療するために，液体エキスやチンキとして使用されています。

ウスニン酸（Usnic acid）は，すべての地衣類に含まれる二次代謝産物です。サルオガセあるいはウスニン酸は，有効性が限定されていますが，ヒトパピローマウイルス（HPV）の治療や口腔衛生薬として使用されています。

ウスニン酸は，体重減少薬として市販されているリポキネティックス（Lipokinetix）など，さまざまな口腔用サプリメントに含まれています。しかし，リポキネティックスは安全でない可能性があり，肝障害の原因となる可能性があります。現在，市場から撤退したリポキネティックスには，フェニルプロパノールアミン（phenylpropanolamine），カフェイン，ヨヒンビン塩酸塩，ジヨードチロニン，ウスニン酸が含まれていました。

安　全　性

皮膚に使用すれば，アレルギー反応を起こすことはありますが，おそらく安全です。

経口摂取の安全性は不明ですが，サルオガセに含まれるウスニン酸ナトリウムが，肝障害を起こす懸念があります。この懸念は，市場にある体重減少のためのリポキネティックスという製品の成分がウスニン酸ナトリウムであることに起因しています。

2000年の７月から12月にかけて，リポキネティックスを摂取して肝障害を発症した例が少なくとも７件ありました。吐き気，衰弱・疲労，腹痛，黄疸などの症状が，通常，リポキネティックス摂取開始後２週間から３カ月のうちに発症します。これらの症状は，摂取をやめるとなくなります。ウスニン酸ナトリウムがこれらの副作用の原因かは明らかではありません。しかし，リポキネティックスの使用は避けるのが賢明です。

●アレルギー

皮膚に使用すると，アレルギー反応を起こすことがあります。

●妊娠中および母乳授乳期

妊娠中および母乳授乳期の使用の安全性についてはデータが不十分です。安全性を考慮し，摂取は避けてください。

有　効　性

◆科学的データが不十分です

・体重減少，痛み，発熱，口内および咽頭の軽度の炎症（腫脹）。

●体内での働き

感染の原因となりうる細菌に対して活性があるとみられる成分が含まれています。また，炎症，疼痛，発熱を軽くする可能性があります。

医薬品との相互作用

ほかの医薬品との相互作用については明らかではありません。

ハーブおよび健康食品・サプリメントとの相互作用

ほかのハーブ，健康食品・サプリメントとの相互作用についてはまだ明らかではありません。

使用量の目安

標準使用量に関するデータがありません。

サルサパリラ

SARSAPARILLA

別名ほか

サルサ根（Sarsaparillae radix），Sarsaparillewurzel（サルサパリラの根），エクアドルサルサパリア（Ecudorian sarsaparilla），ホンジュラスサルサパリア（Honduras sarsaparilla），メキシコサルサパリア（Mexican sarsaparilla），Smilax（スミラックス），Jamaican sarsaparilla, Salsaparilha, Salsepareille, Sarsa, Smilax aristolochiaefolii, Smilax regelii, Smilax febrifuga, Smilax medica

概　要

サルサパリラは植物です。根を用いて「くすり」を作ることもあります。

●要説（ナチュラル・スタンダード）

サルサパリラ（Smilax species）は，茎には棘があり，艶のある葉，赤みがかった茶色の根をもつつる植物です。サルサパリラとして知られている植物の中では，Smilax officinalisとしても知られているジャマイカのSmilax regeliiがもっとも一般的に栽培されており，商業用にも「くすり」にも用いられます。

サルサパリラは，飲料の香料として用いたり，ホメオパシーに用いられます。伝統中国医学でも，さまざまな疾患の治療に用いられます。根茎，地下部の茎，果実から採取した化合物の，がん，関節炎，HIV，およびさまざまな炎症性疾患の治療に対する有効性に関する研究がなされています。スリランカの伝統医療では，Nigella sativaの種子，Hemidesmus indicusの根，およびSmilax glabraの根茎を混ぜたものが，がんの治療に用いられています。

安　全　性

医薬品として使用する場合は，一般的に安全なようです。

胃の炎症を起こすかもしれません。

高用量では，腎疾患になることがあります。

根の粉塵で，鼻水や気管支喘息の症状が起きることがあります。

気管支喘息，腎疾患のある人は使用してはいけません。

●妊娠中および母乳授乳期

妊娠中および母乳授乳期の使用についてはデータが不十分です。安全性を考慮し，使用は控えてください。

有　効　性

◆科学的データが不十分です

・乾癬，関節リウマチ，腎障害，体液貯留，消化器系障害，梅毒，淋病など。

●体内での働き

サルサパリラに含まれる化学物質は関節痛，そう痒を軽減させ，細菌を減少させるのに役立ちます。他の化学物質は炎症（とくに疼痛と腫脹）に有効であり，肝臓を毒性物質から保護します。

医薬品との相互作用

中ジゴキシン

ジゴキシンは強い強心作用を示す医薬品ですが，サルサパリラはジゴキシンの体内への吸収量を増加させると考えられています。ジゴキシンの体内への吸収量を増加させることで，サルサパリラはジゴキシンの作用を増強し，副作用を強くするおそれがあります。

ハーブおよび健康食品・サプリメントとの相互作用

ほかのハーブ，健康食品・サプリメントとの相互作用についてはまだ明らかではありません。

使用量の目安

●経口摂取

乾燥根１日１～４g，またはお茶ティーカップ１杯を１日３回摂取します。お茶は，乾燥した根１～４gを熱湯で５～10分煮出してからこします。流エキス（１：１，20％アルコールまたは10％グリセロール）の場合，８～15mLを摂取します。

サ

サルビア・ディビノラム

SALVIA DIVINORUM

別名ほか

Divine Mexican Mint, Diviner's Mint, Diviners Sage, Divinorin, Divinorin A, Feuilles de la Bergère, Feuilles de la Vierge, Herb-of-the-Virgin, Herba de María, Hierba de la Virgen, Hojas de la Pastora, La Hembra, Leaves of the Virgin Shepherdess, Magic Mint, Menthe Magique, Mexican Sage, Mexican Sage Incense, Pipiltzintzintli, Sadi, Sally-D, Salvia, Salvia divinorum, Salvinorin, Salvinorin A, Sage of the Seers, Sauge des Devins, Sauge Divinatoire, Ska Maria, Ska Maria Pastora, Yerba de Maria, Yerba Maria

概　要

サルビア・ディビノラムはハッカ属のハーブです。メキシコのオアハカに住む先住民マサテコ族の間で，古くから宗教儀式に使用されており，聖母マリアの化身であると信じられています。

サルビア・ディビノラムは，快楽を得るための麻薬としてよく知られています。吸入したり，葉をかんだり，エキスを舌下に投与すると，幻覚を引き起こします。米国では，タバコ販売店やインターネットを通して，濃縮したものが広く入手可能で，タバコや香として使用されます。サルビア・ディビノラムの所持・使用に関しては，米国のほとんどの州で合法ですが，麻薬取締局（DEA）が規制薬物に指定することを検討しています。デラウェア州，ルイジアナ州，メイン州，ミズーリ州，オクラホマ州，テネシー州では非合法とされています。

サルビア・ディノラムは，下痢，頭痛，関節痛（リウマチ），腹部膨満の「くすり」として，または強壮薬や終末期の治療のため，経口摂取されます。排尿・排便の調節にも用いられます。

安　全　性

サルビア･ディノラムはおそらく安全ではありません。吐き気，めまい，不明瞭言語，錯乱，偏執症，幻覚などの副作用を引き起こすおそれがあります。

●妊娠中および母乳授乳期

妊娠中および母乳授乳期の使用の安全性についてはデータが不十分です。安全性を考慮し，使用を避けてください。

有　効　性

◆科学的データが不十分です

・幻覚の発生，下痢，頭痛，リウマチ，膨満，排尿・排便の調節，強壮薬としての使用など。

●体内での働き

サルビア・ディビノラムは，幻覚を引き起こす化学物質を含んでいます。この物質は消化液により死滅します。どのように作用するかについては，十分なデータが得られていません。

医薬品との相互作用

ほかの医薬品との相互作用については明らかではありません。

ハーブおよび健康食品・サプリメントとの相互作用

ほかのハーブ，健康食品・サプリメントとの相互作用についてはまだ明らかではありません。

使用量の目安

通常の食品に含まれている量を超えて経口摂取した場合の安全性および副作用については，明らかになっていません。

サレップ

SALEP

別名ほか

野生ラン（Orchis morio），ラン（Orchid），サハレップ，サーレップ（Sahlep），Cuckoo Flower，Levant Salep，Saloop，Satyrion

概　　要

サレップは植物です。根（塊茎）は粉末にして水に溶かし，「くすり」として用いられます。

安　全　性

一般的にはおそらく安全ですが，副作用は不明です。

●妊娠中および母乳授乳期

妊娠中および母乳授乳期の使用の安全性についてはデータが不十分です。安全性を考慮し，摂取は避けてください。

有　効　性

◆科学的データが不十分です

・下痢，胸やけ，腸内ガス（膨満），および消化器系障害。

●体内での働き

消化管を鎮静化する可能性がある粘液様の物質が含まれています。

医薬品との相互作用

ほかの医薬品との相互作用については明らかではありません。

ハーブおよび健康食品・サプリメントとの相互作用

ほかのハーブ，健康食品・サプリメントとの相互作用についてはまだ明らかではありません。

使用量の目安

●経口摂取

通常，粉末の薬用調合薬として使用します。食前または食後に水に混ぜて摂取します。

サワギク

GOLDEN RAGWORT

別名ほか

ライフルート（Life Root），Ragwort，Cocash Weed，Coughweed，False Valerian，Female Regulator，Golden Groundsel，Golden Senecio，Grundy Swallow，Senecio aureus，Squaw Weed

概　　要

サワギクは植物です。「くすり」に使用されることもあります。サワギクのほかの種類（キオンやヤコブボロギク）と混同しないよう注意してください。

安　全　性

サワギクは，肝毒性をもつピロリジジンアルカロイド（PAs）という動脈の血流阻害や肝障害を引き起こすおそれがある成分を含むため，「くすり」としての使用には多くの懸念があります。「肝毒性をもつピロリジジンアルカロイドはまた，がんや先天性異常を引き起こすと考えられています。肝毒性をもつピロリジジンアルカロイドなし」の認定のラベルがないサワギクの薬剤は，安全ではないと考えられます。

またサワギクは傷口に塗るのも安全ではありません。危険な成分が傷口から速やかに吸収され体内中にその毒素がまわるおそれがあります。「肝毒性をもつピロリジジンアルカロイドなし」認定のラベルのないスキンケア製品の使用は避けてください。皮膚への塗布の安全性に関してのデータは十分ではありません。使用は避けてください。

肝疾患：サワギクに含まれている肝毒性をもつピロリジジンアルカロイドが肝疾患を悪化させるおそれがあります。

●アレルギー

サワギクは，キク科の植物にアレルギーのある人に対してアレルギーを引き起こすかもしれません。この種類の植物には，ブタクサ，キク，マリーゴールド，デイジーなどがあります。

●妊娠中および母乳授乳期

妊娠中に肝毒性をもつピロリジジンアルカロイドを含むサワギクの使用は安全ではありません。これらの製品は先天性異常や肝障害を起こすおそれがあります。

母乳授乳期にも肝毒性をもつピロリジジンアルカロイドを含むサワギクの使用は安全ではありません。成分が母乳を通して乳児に害を及ぼすおそれがあります。

妊娠中および母乳授乳期の，「肝毒性をもつピロリジジンアルカロイドなし」の認定製品の使用に関してのデータは不十分です。安全性を考慮し，使用は避けてください。

有　効　性

◆科学的データが不十分です

・糖尿病，高血圧症，痙攣，体液貯留，出血，月経不順または月経痛など。

●体内での働き

どのように作用するかについては十分なデータが得られていません。

医薬品との相互作用

中肝臓でほかの医薬品の代謝を促進する医薬品（シトクロムP450 3A4（CYP3A4）を誘導する医薬品）

サワギクが肝臓で代謝されるときに形成される化学物質に，有害なものがあると考えられます。サワギクを肝臓で代謝させる医薬品は，サワギクに含まれる成分の毒性作用を増強するおそれがあります。このような医薬品には，カルバマゼピン，フェノバルビタール，フェニトイン，リファンピシン，リファブチンなどがあります。

ハーブおよび健康食品・サプリメントとの相互作用

肝毒性をもつピロリジジンアルカロイドを含むハーブおよび健康食品・サプリメント

サワギクは，肝毒性をもつピロリジジンアルカロイドを含みます。この有毒成分を含むほかのハーブおよび健康食品・サプリメントとの併用は，肝障害やがんなどの重篤な副作用を起こす可能性を高めるおそれがあります。肝毒性をもつピロリジジンアルカロイドを含むハーブには，アルカナ，ヒヨドリバナ，ボラージ，セイヨウフキ，フキタンポポ，コンフリー，ワスレナグサ，シモツケソウ，ノボロギク，ヘンプ・アグリモニー，オオルリソウ，ダスティーミラー，ノボロギク，ヤコブボロギクなどがあります。

サワギクの肝臓での代謝（分解）を促進するハーブおよび健康食品・サプリメント（シトクロムP450 3A4［CYP3A4］誘導因子）

サワギクは肝臓で代謝分解されますが，代謝時に形成される化学物質の中には有害なものがあります。肝臓でのサワギクの代謝を促進させるハーブは，サワギクに含まれる化学物質の毒性作用を増強するおそれがあります。それらのハーブには，エキナセア，ニンニク，甘草，セント・ジョンズ・ワート，チョウセンゴミシがあります。

使用量の目安

標準使用量に関するデータがありません。

サングレ・デ・グラード

SANGRE DE GRADO

別名ほか

ドラゴンズブラッド（Dragon's Blood），サングレ・ド・ドラゴ（Sangre de Drago），Blood of the Dragon, Croton Lechleri, Drago, Lan-Hiqui, Laniqui, Sangre de Dragon, Sangue de Agua, Sangue de Drago, SP 303, SP-303, Taspine

概　　要

サングレ・デ・グラードは，南米のアマゾン川流域に分布する樹木です。樹皮および樹液が「くすり」として用いられることもあります。

●要説（ナチュラル・スタンダード）

ペルー語ではサングレ・デ・グラード（sangre de grado），エクアドル語ではサングレ・ド・ドラゴ（sangre de drago）です。「ドラゴンの血」という意味があります。中背の木で，ペルー，エクアドル，およびコロンビアのアマゾン川上流域に分布しています。葉は大きくハート型で，花は緑がかった白い色です。木の樹皮に傷をつけると，暗い赤色の樹脂が出ます。南米の伝統医療では今でも，出血，創傷に対して用いたり，消毒薬として用いられています。胃，口腔，喉頭，および十二指腸の潰瘍を保護するために用いたり，抗ウイルス薬，抗がん薬，下痢止め薬として用いたり，皮膚疾患や虫さされに対して局所的に用いることもあります。

サングレ・デ・グラードの樹液から分離された化合物の，下痢およびヘルペスウイルス感染症に対する有効性に関する研究がなされてきています。さらなる研究が必要です。

安　全　性

一般的には安全なようです。

皮膚に塗布すると，痛みや灼熱感，傷が生じることがあります。

白血病：サングレ・デ・グラードは，症状を悪化させるおそれがあります。白血病の場合には使用を避けてください。

●妊娠中および母乳授乳期

妊娠中および母乳授乳期の使用の安全性についてはデータが不十分です。安全性を考慮し，摂取は避けてください。

有　効　性

◆有効性レベル③

・エイズに起因する下痢。SP-303（SB-Normal Stool Formula，ShamanBotanicals. com）という化学物質を含むサングレ・デ・グラードのエキスを摂取することで，エイズに起因する下痢患者の排便の量および頻度が軽減するようです。

・旅行者の下痢。SP-303という化学物質を含むサングレ・デ・グラードのエキスを摂取することで，旅行者の下痢の症状の治療に有効であるようです。

・エイズ患者のヘルペス病変（生殖器および肛門部）の治療。エイズ患者の生殖器および肛門部の単純ヘルペスの中には，SP-303という化学物質を含むサングレ・デ・グラードのエキスを皮膚に直接塗布することで治療に有効であるものもあるようです。

◆科学的データが不十分です

・昆虫刺傷。サングレ・デ・グラードを塗布することで，虫さされ（カミアリ，カリバチ，ハナバチ）および害虫駆除に携わる労働者の植物反応を軽減したことがありました。ただし，昆虫刺傷に対する有効性があるかどうかを結論付けるエビデンスは十分ではありません。アレルギー性皮膚反応の治療，がん治療，過敏性腸症候群，肺感染，口内および咽喉の潰瘍，胃潰瘍および腸潰瘍，歯肉の出血，骨折，痔核，湿疹，刺傷など。

●体内での働き

腸の働きの速度を落とすことで下痢に有効なようです。また，いくつかのウイルスが細胞に入るのを予防するかもしれません。

医薬品との相互作用

ほかの医薬品との相互作用については明らかではありません。

ハーブおよび健康食品・サプリメントとの相互作用

ほかのハーブ，健康食品・サプリメントとの相互作用についてはまだ明らかではありません。

使用量の目安

●経口摂取

HIV/エイズ関連下痢の治療

500mgのSP-303を含有するサングレ・デ・グラードエキスを６時間ごとに摂取します。

旅行者下痢症の治療

125～500mgのSP-303を含有するサングレ・デ・グラードエキスを１日４回，２日間摂取します。

サンゴ

CORAL

別名ほか

ハナガササンゴ属（Goniopora Species），イシサンゴ属（Madrepora Species），ハマサンゴ属（Porites Species），コーラルカルシウム（Coral Calcium），Calcium Carbonate Matrix，Coralline Hydroxyapatite，Sea Coral

概　　要

サンゴは海洋動物で，サンゴ礁を形成します。サンゴ（coral）と，コーラルルート（coral root. corallorhiza ondontorhiza）を混同しないでください。

●要説（ナチュラル・スタンダード）

サンゴは，群生する海洋動物です。熱帯海洋にもっとも多く分布します。硬い骨格を形成するために炭酸カルシウムを分泌するので，リーフビルダー（reef builders）として知られています。

現在，天然サンゴと人工サンゴの両方に対し，骨移植に関する研究がなされています。周囲の骨に取り込まれることで，骨の強度が上がることが示唆されています。

骨移植の代替として有効な可能性はありますが，研究者は安全性および有効性に関するさらに長期間にわたる研究の必要性を主張しています。感染症の増加と関連しており，腎結石の患者，腎結石の傾向がある場合には，問題を引き起こすおそれがあります。

安　全　性

外科手術で代用骨としてサンゴを使用する場合，ほとんどの人に安全のようです。経口摂取の安全性についてはデータが不十分です。経口摂取する製品には鉛が含まれているものがあります。

●妊娠中および母乳授乳期

妊娠中および母乳授乳期におけるサンゴの使用の安全性についてはデータが不十分です。安全性を考慮し，使用は避けてください。

有　効　性

◆有効性レベル③

・代用骨（人工骨）。サンゴは人工骨として，脊椎固定術や骨腫瘍，歯，顔面やほかの外科手術に使われます。サンゴは骨移植においても，特定の効果があります。サンゴは，感染症のリスクが低く，エイズ，肝炎，またはクロイツフェルト・ヤコブ病に感染するリスクもありません。

◆科学的データが不十分です

・カルシウム補給，多発性硬化症の治療，がん・心疾患やほかの慢性健康障害の治療など。

●体内での働き

外科医が代用骨として使います。使用された部位で，新しい骨の成長が可能なようです。

医薬品との相互作用

ほかの医薬品との相互作用については明らかではありません。

ハーブおよび健康食品・サプリメントとの相互作用

ほかのハーブ，健康食品・サプリメントとの相互作用についてはまだ明らかではありません。

使用量の目安

通常の食品に含まれている量を超えて経口摂取した場合の安全性および副作用については，明らかになっていません。

サンザシ

HAWTHORN

別名ほか

山査子（Crataegi fructus），セイヨウサンザシ，アカバナサンザシ（Crataegus laevigata），オオサンザシ，オオミサンザシ，キレバサンザシ，ミサンザシ，チャイニーズホーソーン（Crataegus pinnatifida），イングリッシュホーソン，ヒトシベサンザシ（English Hawthorn），Aubepine，Bianco Spino，Crataegus cuneata，Crataegus oxyacantha，Crataegus monogyna，Epine Blanche，Epine de Mai，Haagdorn，Hagedorn，Harthorne，Haw，Hawthron，Hedgethorn，May，Maybush，Maythorn，Mehlbeebaum，Meidorn，Nan Shanzha，Oneseed Hawthorn，Shanzha，Weissdorn，Whitehorn

概　　要

サンザシは植物です。葉，球果，花を用いて「くすり」を作ることもあります。

安　全　性

サンザシは，推奨量を，短期間（最長16週間）使用する場合には，ほとんどの成人にとって，おそらく安全です。長期にわたり使用する場合の，サンザシの安全性については，明らかではありません。

人によっては，サンザシが，吐き気，胃の不調，疲労，発汗，頭痛，めまい感，動悸，鼻血，不眠および情動不安などを引き起こすおそれがあります。

心疾患：サンザシには，心疾患の治療に使用されるさまざまな医薬品と相互作用するおそれがあります。心疾患の場合には，医師などの指導なしに，サンザシを使用してはいけません。

●妊娠中および母乳授乳期

妊娠中および母乳授乳期の使用の安全性についてはデータが不十分です。安全性を考慮し，摂取は避けてください。

有　効　性

◆有効性レベル③

・心不全。軽度から中等度の心不全患者が，特定のサンザシ製品を摂取することにより，心不全の症状の一部が改善するようです。ただし，ほかの研究では，これらの製品により，実際には，心不全が悪化し，死亡や入院のリスクが高まるおそれがあることが示唆されています。

◆科学的データが不十分です

・不安，胸痛（狭心症），高血圧，血液循環障害，心機能の低下，高コレステロール血症，脈拍不整（不整脈），筋痙攣，鎮静作用など。

●体内での働き

サンザシが，心臓の収縮時に，心臓から送り出される血液の量を増加させ，血管を拡張し，神経信号の伝達を活性化させる可能性があります。

初期の研究によれば，サンザシには，血圧降下作用があり，末梢血管を弛緩させるようです。この効果は，サンザシに含まれているプロアントシアニジンと呼ばれる成分の作用によるものであるようです。

研究により，サンザシが，コレステロール，低比重リポタンパク（LDL，悪玉）コレステロールおよびトリグリセリド（血中脂質）を低下させる可能性が示唆されています。サンザシは，肝臓および大動脈（心臓の近くにある動脈）における脂肪蓄積を低下させるようです。サンザシの果実のエキスが，胆汁の排出を促進し，コレステロールの形成を減少させ，LDL-コレステロール受容体を活性化させることで，コレステロール値が低下する可能性があります。また，サンザシには，抗酸化作用があるようです。

医薬品との相互作用

中ジゴキシン

ジゴキシンには強心作用があります。サンザシもまた心臓に影響を及ぼすようです。サンザシとジゴキシンを併用すると，ジゴキシンの作用が増強し，副作用のリスクが高まるおそれがあります。ジゴキシンの服用中にサンザシを摂取しないでください。

高抗狭心症薬（硝酸薬）

サンザシは血流を増加させます。抗狭心症薬とサンザシを併用すると，めまい感や立ちくらみのリスクが高まるおそれがあります。抗狭心症薬にはニトログリセリン，硝酸イソソルビドがあります。

中降圧薬（アドレナリンβ受容体遮断薬）

サンザシは血圧を低下させる可能性があります。サンザシと降圧薬を併用すると，血圧が過度に低下するおそれがあります。このような降圧薬にはアテノロール，メトプロロール酒石酸塩，ナドロール，プロプラノロール塩酸塩などがあります。

中降圧薬（カルシウム拮抗薬）

サンザシは血圧を低下させる可能性があります。サンザシと降圧薬を併用すると，血圧が過度に低下するおそれがあります。このような降圧薬にはニフェジピン，ベラパミル塩酸塩，ジルチアゼム塩酸塩，Isradipine，フェロジピン，アムロジピンベシル酸塩などがあります。

高勃起不全改善薬（ホスホジエステラーゼ-5阻害薬）

サンザシは血圧を低下させる可能性があります。特定の勃起不全改善薬もまた，血圧を低下させる可能性があります。サンザシと勃起不全改善薬を併用すると，血圧が過度に低下するおそれがあります。このような勃起不全改善薬にはシルデナフィルクエン酸塩，タダラフィル，バルデナフィル塩酸塩水和物があります。

ハーブおよび健康食品・サプリメントとの相互作用

血圧を低下させるおそれのあるハーブおよび健康食品・サプリメント

サンザシが，血圧を低下させるおそれがあります。サンザシと，血圧を低下させるおそれのあるハーブおよび健康食品・サプリメントを併用すると，血圧が過度に低下するおそれがあります。このようなハーブおよび健康食品・サプリメントには，タンジン，イカリソウ，ショウガ，朝鮮人参，ウコン，カノコソウなどがあります。

使用量の目安

●経口摂取

心不全

特定のサンザシの製品160～1,800mgを，1日2～3回に分けて摂取します。人によっては，この分量を摂取することにより，心不全の症状が改善する場合もありますが，死亡や入院のリスクが高まる場合もあります。

三色スミレ

HEART'S EASE

別名ほか

ジョニージャンプアップ（Johnny-Jump-Up），パンジー（Pansy），Pensee Sauvage，ビオラ（Viola），ヴィオラトリコロール（Viola tricolor），ハーツイーズ，ワイルドパンジー（Wild Pansy），European Wild Pansy，Field Pansy，Ladies Delight，Violae tricoloris herba

概　　要

三色スミレは植物です。地上部を用いて「くすり」を作ることもあります。

三色スミレは，密閉容器に保存し，光を避けてください。

●要説（ナチュラル・スタンダード）

野生のパンジーとも呼ばれる三色スミレは，栽培されているパンジーの前身です。花や葉は食べることができます。

三色スミレは，何世紀もの間，呼吸器疾患（気管支喘息，気管支炎，百日咳など）や皮膚（湿疹や脂漏症など）の治療のため，薬草医によって使用されてきました。また，関節炎，リウマチ，てんかん治療にも使用されてきました。抗炎症，利尿，粘稠度軽減，下剤，無痛，創傷治癒の特性があるとされているからです。

三色スミレを伝統的に使用されてきている多くの方法を確認するための科学的根拠は限られています。初期の研究では，三色スミレが抗がん薬および抗菌薬としての特性がある可能性を示しています。

安　全　性

三色スミレは，経口摂取または皮膚への塗布では，おそらく安全といえます。

●妊娠中および母乳授乳期

妊娠中および母乳授乳期の使用の安全性についてはデータが不十分です。安全性を考慮し，摂取は避けてください。

有　効　性

◆科学的データが不十分です

・代謝促進，咽喉痛の無痛化，百日咳，皮膚に塗布した場合，以下のような症状-乾性皮膚，鱗屑性皮膚，疣贅（いぼ），にきび，発疹，湿疹，とびひ（impetigo）など。

●体内での働き

炎症を軽減し，抗酸化作用をもっているかもしれません。

医薬品との相互作用

ほかの医薬品との相互作用については明らかではあり

ません。

ハーブおよび健康食品・サプリメントとの相互作用

ほかのハーブ，健康食品・サプリメントとの相互作用についてはまだ明らかではありません。

使用量の目安

●経口摂取

通常の摂取量はお茶1カップを1日3回。お茶は地上部1.5gを150mLの沸騰した湯に5～10分間浸し，ろ過して作ります。

●局所投与

通常，湿布またはお茶にして，1日3回外部から塗布します。

サンディ・エヴァーラスティング

SANDY EVERLASTING

別名ほか

エバーラスティングフラワー（Eternal Flower），ヘリクリサム（Helichrysum），ムギワラギク，イモーテル，インモルテル（Helichrysum augustifolium），カレープラント（Helichrysum italicum），Common Shrubby Everlasting，Everlasting，Fleur de Pied de Chat，Goldilocks，Harnblumen，Helichrysum oriental，Helichrysum stoechas，Katzenpfotchenbluten，Yellow Chaste Weed

概　　要

サンディ・エヴァーラスティングは，一般にヨーロッパで見つかる香ばしい香りのする潅木です。300以上の関連種があります。地面より上で成長する植物の部分（とくにドライフラワー）は，「くすり」を作るのに用いられます。

食物や飲料や煙草においては，サンディ・エヴァーラスティングの抽出物は調味料として使用されます。

香水として，そして日焼け前後の製品として使用されます。

安 全 性

サンディ・エヴァーラスティングは，食品に含まれている量であれば安全で，適切な投薬量を経口摂取する場合，ほとんどの人に安全なようです。

胆石：胆石があるときは，サンディ・エヴァーラスティングの使用を避けてください。治療が干渉されます。

胆管閉塞：この疾患があるときは，サンディ・エヴァーラスティングを使用しないでください。

●アレルギー

キク科の植物類に過敏な人は，サンディ・エヴァーラスティングに，アレルギー反応を起こす可能性があります。この植物には，ブタクサ，キク，マリーゴールド，デイジーほかがあります。

●妊娠中および母乳授乳期

サンディ・エヴァーラスティングを食品に含まれている量を摂取していれば，妊娠中および母乳授乳期は安全です。しかし，さらなる研究結果がわかるまでは，大量摂取は避けるべきです。

有 効 性

◆科学的データが不十分です

- 肝疾患，胆のう疾患，体液貯留，気管支炎，気管支喘息，百日咳，乾癬，熱傷，リウマチ，頭痛，片頭痛，アレルギー，胃の不快感など。

●体内での働き

細菌に抵抗し，炎症を抑え，消化液の産生増加に役立つことのある化合物を含んでいます。毒素を処理する肝臓の能力を高めることもあります。サンディ・エヴァーラスティングの300以上の種は，多くの似たような作用をもつ成分を含んでいますが，含有量は種類によって異なります。

医薬品との相互作用

ほかの医薬品との相互作用については明らかではありません。

ハーブおよび健康食品・サプリメントとの相互作用

ほかのハーブ，健康食品・サプリメントとの相互作用についてはまだ明らかではありません。

使用量の目安

●経口摂取

煎れたてのお茶（1gの乾燥花を150mLの熱湯に5～10分浸しこしたもの）ティーカップ1杯を1日数回摂取します。乾燥花を1日平均3g使うことになります。

●局所投与

標準使用量に関するデータがありません。

サントリナ

LAVENDER COTTON

別名ほか

ワタスギギク，綿杉菊，コットンラベンダー，ラベンダー・コットン（Santolina, Santolina chamaecyparissus）

概　　要

サントリナは植物です。葉，茎，花，根皮を用いて「くすり」を作ることもあります。

有効性レベル：①効きます　②おそらく効きます　③効くと断言できませんが、効能の可能性が科学的に示唆されています
④効かないかもしれません　⑤おそらく効きません　⑥効きません

安　全　性

十分なデータは得られていないので，安全であるかどうか不明です。

●アレルギー

キク科の植物にアレルギーがある場合には，サントリナのアレルギー反応を引き起こすおそれがあります。このような植物には，ブタクサ，キク，マリーゴールド，デイジーなど，ほかにも多くの植物があります。

●妊娠中および母乳授乳期

妊娠中および母乳授乳期の使用の安全性についてはデータが不十分です。安全性を考慮し，摂取は避けてください。

有　効　性

◆科学的データが不十分です

・消化器系疾患，月経前症候群，寄生虫，黄疸など。

●体内での働き

どのように作用するかについては十分なデータが得られていません。

医薬品との相互作用

ほかの医薬品との相互作用については明らかではありません。

ハーブおよび健康食品・サプリメントとの相互作用

ほかのハーブ，健康食品・サプリメントとの相互作用についてはまだ明らかではありません。

使用量の目安

●経口摂取

通常，根皮小さじ１杯を水３カップとともに蓋つきの容器にいれて30分間沸騰させます。液は蓋をした容器の中でゆっくりと冷まし，冷めた液を１日１～２カップ摂取します。

サンヒャン

SANGHUANG

別名ほか

Black Hoof Fungus, Black Hoof Mushroom, Meshima, Meshimakobu, Phellinus linteus, Song Gen

概　　要

サンヒャンはモリンダの木に生えるオレンジ色のキノコです。何世紀にもわたり日本，韓国および中国で「くすり」として使用されてきました。サンヒャンという名前は，属としての木を意味する“sang”と，黄色を意味する“huang”という中国語の単語に由来します。

アレルギー，関節炎，糖尿病，下痢，食道がん，ウイルス性胃腸炎，出血，肝臓の瘢痕化，肝がん，胃がんおよび胃痛の場合にサンヒャンを経口摂取します。

安　全　性

サンヒャンの安全性については，データが不十分です。

自己免疫疾患：初期の研究により，サンヒャンが免疫機能を促進する可能性が示唆されています。理論上，これにより自己免疫疾患が悪化するおそれがあります。多発性硬化症（MS），全身性エリテマトーデス（SLE），関節リウマチ（RA）などの自己免疫疾患の場合には，サンヒャンを慎重に摂取するか，摂取を避けてください。

良性前立腺肥大：サンヒャンが前立腺を肥大化するおそれがあります。良性前立腺肥大の場合には，サンヒャンの摂取は避けてください。

●妊娠中および母乳授乳期

妊娠中および母乳授乳期の使用の安全性についてはデータが不十分です。安全性を考慮し，摂取は避けてください。

有　効　性

◆科学的データが不十分です

・アレルギー，関節炎，糖尿病，下痢，食道がん，ウイルス性胃腸炎，出血，肝臓の瘢痕化，肝がん，胃がん，胃痛など。

●体内での働き

サンヒャンには，アレルギー症状を引き起こす反応の遮断，細菌の成長の予防，糖尿病における神経や眼の障害を引き起こす酵素の遮断，腫脹の軽減，コレステロール値の低下，がんの成長の予防，毒素からの肝臓の保護などの作用がある可能性があります。サンヒャンには免疫促進作用および抗酸化作用があるようです。

医薬品との相互作用

中 肝臓で代謝される医薬品（シトクロムP450 1A1（CYP1A1）の基質となる医薬品）

特定の医薬品は肝臓で代謝されます。サンヒャンはこのような医薬品の代謝を抑制する可能性があります。サンヒャンと肝臓で代謝される医薬品を併用すると，医薬品の作用および副作用が増強するおそれがあります。このような医薬品にはクロルゾキサゾン，テオフィリン，Bufuralolがあります。

中 肝臓で代謝される医薬品（シトクロムP450 1A2（CYP1A2）の基質となる医薬品）

特定の医薬品は肝臓で代謝されます。サンヒャンはこのような医薬品の代謝を抑制する可能性があります。サンヒャンと肝臓で代謝される医薬品を併用すると，医薬品の作用および副作用を増強するおそれがあります。このような医薬品にはクロザピン，Cyclobenzaprine，フルボキサミンマレイン酸塩，ハロペリドール，イミプラミン塩酸塩，メキシレチン塩酸塩，オランザピン，塩酸ペンタゾシン，プロプラノロール塩酸塩，Tacrine，テオフィリン，Zileuton，ゾルミトリプタンなどがあります。

中肝臓で代謝される医薬品（シトクロムP450 2B1（CYP2B1）の基質となる医薬品）

特定の医薬品は肝臓で代謝されます。サンヒャンはこのような医薬品の代謝を抑制する可能性があります。サンヒャンと肝臓で代謝される医薬品を併用すると，医薬品の作用および副作用が増強するおそれがあります。このような医薬品にはシクロホスファミド水和物，イホスファミド，バルビツール酸系薬，Bromobenzeneなどがあります。

中肝臓で代謝される医薬品（シトクロムP450 2E1（CYP2E1）の基質となる医薬品）

特定の医薬品は肝臓で代謝されます。サンヒャンはこのような医薬品の代謝を抑制する可能性があります。サンヒャンと肝臓で代謝される医薬品を併用すると，医薬品の作用および副作用が増強するおそれがあります。このような医薬品には，アセトアミノフェン，クロルゾキサゾン，アルコール，テオフィリンと，エンフルラン（販売中止），ハロタン（販売中止），イソフルラン，Methoxyfluraneなどの麻酔薬があります。

中免疫抑制薬

サンヒャンは免疫機能を刺激する可能性があります。理論的には，サンヒャンと免疫抑制薬を併用すると，免疫抑制薬の効果を弱めるおそれがあります。このような免疫抑制薬にはアザチオプリン，バシリキシマブ，シクロスポリン，Daclizumab，ムロモナブ-CD３（販売中止），ミコフェノール酸モフェチル，タクロリムス水和物，シロリムス，Prednisone，副腎皮質ステロイドなどがあります。

ハーブおよび健康食品・サプリメントとの相互作用

ほかのハーブ，健康食品・サプリメントとの相互作用についてはまだ明らかではありません。

使用量の目安

通常の食品に含まれている量を超えて経口摂取した場合の安全性および副作用については，明らかになっていません。

サンファイア

SAMPHIRE

別名ほか

アツケシソウ，厚岸草（Sea Fennel），クリスマムマリチマム（Crithmum maritimum），Crest Marine，Peter's Cress，Pierce-Stone，Sampier

概　　要

サンファイアは植物です。地上部が「くすり」に使用されることもあります。

安　全　性

ほとんどの人にとっておそらく安全ですが，副作用は不明です。

●妊娠中および母乳授乳期

妊娠中および母乳授乳期の使用の安全性についてはデータが不十分です。安全性を考慮し，摂取は避けてください。

有　効　性

◆科学的データが不十分です

・壊血病（ビタミンC欠乏症）など。

●体内での働き

壊血病の治療および予防に使用されるビタミンCが含まれています。

医薬品との相互作用

中炭酸リチウム

サンファイアには利尿薬のような作用があります。サンファイアを摂取すると，体内の炭酸リチウムを排泄する作用を弱めるかもしれません。それにより血中の炭酸リチウム濃度が上昇し，深刻な副作用を生じる可能性があります。

ハーブおよび健康食品・サプリメントとの相互作用

ほかのハーブ，健康食品・サプリメントとの相互作用についてはまだ明らかではありません。

使用量の目安

標準使用量に関するデータがありません。

サンブクス・エビュルス

DWARF ELDER

別名ほか

デーンワート（Danewort），Blood Elder，Blood Hilder，Sambucus ebulus，Walewort

概　　要

サンブクス・エビュルスはハーブです。実，乾燥させた葉，および乾燥させた根を用いて「くすり」を作ることもあります。

安　全　性

大量使用は安全ではありません。嘔吐，血の混じった下痢，めまいおよび頭痛を引き起こす可能性があります。呼吸困難を引き起こし意識不明になることがあり，死に至ることもあります。少量なら安全に使えるかどうかは不明です。

●妊娠中および母乳授乳期

妊娠中，母乳授乳期は使用してはいけません。

有効性

◆科学的データが不十分です

・関節炎，体重減少，および尿量の増加（利尿薬）。

●体内での働き

どのように作用するかについては十分なデータが得られていません。

医薬品との相互作用

ほかの医薬品との相互作用については明らかではありません。

ハーブおよび健康食品・サプリメントとの相互作用

ほかのハーブ，健康食品・サプリメントとの相互作用についてはまだ明らかではありません。

使用量の目安

標準使用量に関するデータがありません。

ジアオグラン

JIAOGULAN

別名ほか

甘茶蔓（Amachazuru），アマチャズル（Gynostemma pentaphyllum），Dungkulcha，Fairy Herb，Gynostemma pedatum，Miracle Grass，Penta Tea，Southern Ginseng，Vitis pentaphylla

概要

ジアオグランは日本，中国，東南アジアに自生する植物です。葉は「くすり」に使われます。ジアオグランは中国の中南部にみられ，朝鮮人参のように使用されることから「南の朝鮮人参」と呼ばれることがあります。

●要説（ナチュラル・スタンダード）

ジアオグラン（アマチャヅル。Gynostemma pentaphyllum）は，伝統的な中国医学のハーブとしては，もっともよく知られています。中国貴州省では，抗加齢ハーブとして使用され，ジアオグラン茶を飲む多くの人々はかなり高齢です。しかし，ジアオグラン茶と寿命の延長との関係は，科学的には証明されていません。

ジアオグランは，がんを治療するために有望であることが示されてきています。ジアオグランは，非アルコール性脂肪肝を減らす可能性がありますが，患者に勧める前に，がんでも脂肪肝の領域でも，さらなる研究が必要とされます。

安全性

ジアオグランの経口摂取は，短期間（最長４カ月間）であれば，おそらく安全です。人によっては，深刻な吐き気や排便回数の増加などの副作用を引き起こすおそれがあります。

多発性硬化症（MS），ループス（全身性エリテマトーデス，SLE），関節リウマチ（RA）などの自己免疫疾患：ジアオグランが，免疫システムを活性化させるおそれがあります。このため，自己免疫疾患の症状が悪化するおそれがあります。自己免疫疾患の場合には，十分なデータが得られるまで，ジアオグランの使用を避けるのが最善です。

出血性疾患：ジアオグランは血液凝固を抑制するおそれがあります。ジアオグランにより，出血性疾患が悪化するおそれがあります。

糖尿病：インスリンや医薬品により血糖をコントロールしている糖尿病患者がジアオグランを摂取すると，血糖値が過度に低下するおそれがあります。糖尿病の場合には注意して使用してください。

手術：ジアオグランは血液凝固を抑制するおそれがあります。このため，手術中・手術後の出血リスクが高まるおそれがあります。少なくとも手術前２週間は，使用しないでください。

●妊娠中および母乳授乳期

妊娠中の経口摂取は，おそらく安全ではありません。ジアオグランに含まれている化学物質の１つが，先天異常を引き起こすおそれがあります。

母乳授乳期の使用の安全性についてはデータが不十分です。安全性を考慮し，摂取は避けてください。

有効性

◆有効性レベル③

・高コレステロール血症。高コレステロール血症の患者がジアオグランを摂取すると，総コレステロールが減少し，総コレステロールに占める高比重リポタンパク（HDL，善玉）コレステロールの割合が増加する可能性を示すエビデンスが複数あります。

◆科学的データが不十分です

・糖尿病，非アルコール性脂肪肝疾患，肥満，背部痛，気管支炎，がん，便秘，胆石，心機能の改善，記憶力の改善，疼痛，血圧の調整，胃疾患，不眠（睡眠障害），潰瘍など。

●体内での働き

ジアオグランには，コレステロール値を低下させる可能性のある物質が含まれています。

医薬品との相互作用

中 血液凝固を抑制する医薬品（抗凝固薬/抗血小板薬）

相互作用レベル：高 この医薬品と併用してはいけません　中 この医薬品とは慎重に併用するか併用しないでください　低 この医薬品との併用には注意が必要です

ジアオグランは血液凝固を抑制する可能性があります。ジアオグランと同じく血液凝固を抑制する医薬品を併用すると，紫斑および出血のリスクが高まるおそれがあります。このような医薬品にはアスピリン，ダルテパリンナトリウム，エノキサパリンナトリウム，ヘパリン，インドメタシン，チクロピジン塩酸塩，ワルファリンカリウムなどがあります。

中糖尿病治療薬

ジアオグランは血糖値を低下させる可能性があります。糖尿病治療薬もまた血糖値を低下させるために用いられます。ジアオグランと糖尿病治療薬を併用すると，血糖値が過度に低下するおそれがあります。血糖値を注意深く監視してください。糖尿病治療薬の用量を変更する必要があるかもしれません。このような糖尿病治療薬にはグリメピリド，グリベンクラミド，インスリン，ピオグリタゾン塩酸塩，マレイン酸ロシグリタゾン（販売中止）などがあります。

中免疫抑制薬

ジアオグランは免疫機能を高めます。ジアオグランが免疫機能を高めることにより，免疫抑制薬の効果を弱めるおそれがあります。このような免疫抑制薬には，アザチオプリン，バシリキシマブ，シクロスポリン，Daclizumab，ムロモナブ-CD３（販売中止），ミコフェノール酸モフェチル，タクロリムス水和物，シロリムス，Prednisone，副腎皮質ステロイドなどがあります。

ハーブおよび健康食品・サプリメントとの相互作用

血糖値を低下させるおそれのあるハーブおよび健康食品・サプリメント

ジアオグランは血糖値を低下させるおそれがあります。同様の作用をもつほかのハーブおよび健康食品・サプリメントと併用すると，人によっては血糖値が過度に低下するおそれがあります。このようなハーブおよび健康食品・サプリメントには，α-リポ酸，ニガウリ，クロム，デビルズクロー，フェヌグリーク，ニンニク，グアーガム，セイヨウトチノキ種子，朝鮮人参，サイリウム，エゾウコギなどがあります。

血液凝固を抑制するおそれのあるハーブおよび健康食品・サプリメント

ジアオグランが，血液凝固を抑制するおそれがあります。ジアオグランと，血液凝固を抑制するおそれのあるほかのハーブおよび健康食品・サプリメントを併用すると，紫斑および出血のリスクが高まるおそれがあります。このようなハーブおよび健康食品・サプリメントには，アンゼリカ，クローブ，タンジン，ニンニク，ショウガ，イチョウ，朝鮮人参，セイヨウトチノキ，レッドクローバー，ウコンなどがあります。

使用量の目安

【成人】

●経口摂取

高コレステロール血症

ジアオグランのエキス10mgを１日３回摂取します。

ジアシルグリセロール

DIACYLGLYCEROL

別名ほか

ジグリセリド（Diglyceride），ジアシルグリセロールオイル（Diacylglycerol Oil），DAG

概　　要

ジアシルグリセロールは植物油の微量成分です。濃縮したものでは，食事の脂肪分に代えて使用されることもあります。

製品としては，ジアシルグリセロールは安定剤，濃厚剤，調質剤（texturizer）として使用されます。

安 全 性

一般的には安全なようです。消化管の不調，頭痛，にきびおよび皮疹を起こすことがあります。

●妊娠中および母乳授乳期

妊娠中および母乳授乳期のジアシルグリセロール使用の安全性についてはデータが不十分です。安全性を考慮し，摂取は避けてください。

注：ジアシルグリセロールを関与成分とする食用油（特定保健用食品。後日許可取り下げ）の製造過程でグリシドール脂肪酸エステルが生成された。動物の体内でグリシドール脂肪酸エステルは，発がん性物質（IARC：グループ２A）に変換されることが報告されています。

有 効 性

◆有効性レベル③

・体重減少と体脂肪の減少。ジアシルグリセロールは，他の脂肪の代わりに使用されると，中程度の体重減少を促進します。ジアシルグリセロールは，一般的に製品（例えばマフィン，クラッカー，スープ，クッキー，グラノーラ・バー）に加えられます。

◆科学的データが不十分です

・２型糖尿病および高グリセリド血症。ジアシルグリセロール（ジアシルグリセリド）は，２型糖尿病患者において血糖値を下げ，トリグリセリドを下げることを示唆する研究があります。また，ジアシルグリセロールが，おそらくトリグリセリドを減らすことで，２型糖尿病患者にみられる腎不全の進行を遅らせる可能性を示したエビデンスもあります。

●体内での働き

エネルギーの消費を増大させ，脂肪を分解することによって作用するかもしれません。

医薬品との相互作用

ほかの医薬品との相互作用については明らかではありません。

ハーブおよび健康食品・サプリメントとの相互作用

ほかのハーブ，健康食品・サプリメントとの相互作用についてはまだ明らかではありません。

使用量の目安

●経口摂取

ダイエットおよび体脂肪低減を目的に使用する場合，ほかの脂肪の代わりに，ジアシルグリセロールを1日10～45g摂取します。通常の摂取量は8～9gですが，ほかの脂肪の代用としてはその2～5倍を使用します。

シアバター

SHEA BUTTER

●代表的な別名

シアーバター

別名ほか

Arbre à Beurre, Arbol Montequero, Bambouk, Bassia parkii, Butirospermo, Buttertree, Butyrospermum paradoxum, Butyrospermum parkii, Cárei, Carité, Galam Buttertree, Karite Nut, Karité, Schibutterbaum, Shea Buttertree, Sheasmörträd, Sheatree, Vitellaria paradoxa

概　要

シアバターは，Sheaの木から取れる種子の脂肪です。Sheaの木は熱帯アフリカ西部および東部に生息しています。シアバターは，Sheaの種子にある2つの脂肪性の仁から得られます。種子から仁を取りだした後，すりつぶして粉にしてから茹で，浮いてきた脂肪分を固めます。

にきび，関節炎，熱傷，ふけ，皮膚炎，乾燥皮膚，湿疹，昆虫刺傷，そう痒，筋肉痛，乾癬，皮疹，ダニによる皮膚の炎症（疥癬），瘢痕，副鼻腔炎，皮膚のひび割れ，皮膚線条，創傷治癒，皮膚の皺の場合にシアバターを皮膚塗布します。

食品としては，シアバターは料理の脂肪として使用します。

製品としては，シアバターは化粧品に使用されます。

安　全　性

シアバターを通常の食品に含まれる量の範囲で経口摂取するのは，ほとんどの人に安全のようです。

シアバターを短期間，適切な方法で皮膚に塗布するのは，おそらく安全です。シアバター約2～4gが，最大4日間まで，鼻の内側に安全に塗布されています。

シアバターの長期使用の安全性については，データが不十分です。

小児：通常の食品に含まれる量の範囲でシアバターを経口摂取するのは，ほとんどの小児に安全のようです。シアバターを短期間，適切な方法で皮膚に塗布するのは，おそらく安全です。シアバター約2～4gが，最大4日間まで，鼻の内側に安全に塗布されています。

●妊娠中および母乳授乳期

通常の食品の量の範囲でシアバターを経口摂取するのは，ほとんどの人に安全のようです。妊娠中および母乳授乳期に通常の食品に含まれる量の範囲を超えて使用することの安全性については，データが不十分です。安全性を考慮し，摂取は避けてください。

有　効　性

◆科学的データが不十分です

・ブタクサ花粉症，ざ瘡（にきび），関節炎，熱傷，ふけ，皮膚炎，乾燥皮膚，湿疹，昆虫刺傷，そう痒，筋肉痛，乾癬（うろこ状でかゆみを伴う皮膚），皮疹，疥癬（ダニによる皮膚の炎症），瘢痕，副鼻腔炎，皮膚潰瘍，皮膚線条，創傷治癒，皮膚の皺など。

●体内での働き

シアバターは皮膚軟化剤として働きます。シアバターを使用すると，乾燥した皮膚が柔らかく，滑らかになる可能性があります。シアバターには皮膚の腫脹を軽減する可能性のある物質も含まれており，湿疹などの皮膚の腫脹をともなう疾患の治療を補助する可能性があります。

医薬品との相互作用

ほかの医薬品との相互作用については明らかではありません。

ハーブおよび健康食品・サプリメントとの相互作用

ほかのハーブ，健康食品・サプリメントとの相互作用についてはまだ明らかではありません。

使用量の目安

通常の食品に含まれている量を超えて経口摂取した場合の安全性および副作用については，明らかになっていません。

シイタケ

SHIITAKE MUSHROOM

別名ほか

椎茸（Shiitake），レンチヌラ属（Lentinula），Forest Mushroom, Hua Gu, Lenticus edodes, Lentinan edodes, Lentinula edodes, Tricholomopsis edodes, Lentinus edodes, Pasania Fungus, Shiitake, Snake Butter

概　　要

シイタケはキノコです。このキノコの抽出液は「くすり」として使われることがあります。

●要説（ナチュラル・スタンダード）

シイタケは元々天然のオークの幹で，日本でのみ栽培されていますが，現在は米国でも利用可能になりました。これらのキノコは，大きくて黒茶色で土のような風味があります。この真菌類は，炒め物，スープ，肉の代用として食品で消費されています。

シイタケにはタンパク質，脂肪，炭水化物，水溶性食物繊維，ビタミン類（A，B，B_{12}，C，D，ナイアシン），ミネラルが含まれています。市販製品は，多くの場合，キノコのかさや幹が成長する前にキノコの菌糸体粉末を使用します。この製品は，シイタケ菌糸体抽出物（Lentinus edodes mycelium extract）と呼ばれています。この製品は，多糖類とリグナンが豊富です。

シイタケは，免疫系機能促進，血清コレステロール値低下，抗加齢のために経口摂取されてきました。現在提案されている多数の適応症に対する，ヒトでの質の高い科学的根拠は不十分ですが，シイタケから導き出されたレンチナン（lentinan）は，がんやHIV感染の補助治療薬として注射されてきました。精製されたレンチナンは，日本では医薬品として考えられています。

安　全　性

食物の量で使用する場合は安全ですが，医薬品としての使用は安全ではないようです。胃の不快感，血液異常，皮膚の炎症（腫脹）を起こすことがあります。

日光に過敏になり，皮膚のアレルギー反応，呼吸困難も起きるかもしれません。

好酸球増加症：この疾患のある人はシイタケを摂取しないでください。好酸球増加症が悪化することがあります。

●妊娠中および母乳授乳期

妊娠中および母乳授乳期の食品を超えた量の摂取についてはデータが不十分です。安全性を考慮し，使用は控えてください。

有　効　性

◆科学的データが不十分です

・高コレステロール値の低下など。

●体内での働き

血清コレステロール値を下げるのを補助する可能性がある化合物が含まれています。

医薬品との相互作用

中免疫抑制薬

シイタケは免疫機能を高めるようです。シイタケが免疫機能を高めることにより，免疫抑制薬の効果が弱まるおそれがあります。このような免疫抑制薬にはアザチオプリン，バシリキシマブ，シクロスポリン，Daclizumab，ムロモナブ-CD 3（販売中止），ミコフェノール酸モフェチル，タクロリムス水和物，シロリムス，Prednisone，副腎皮質ステロイド（グルココルチコイド）などがあります。

ハーブおよび健康食品・サプリメントとの相互作用

ほかのハーブ，健康食品・サプリメントとの相互作用についてはまだ明らかではありません。

使用量の目安

●経口摂取

前立腺がん

1日8gのシイタケエキスを最大6カ月間摂取します。

シ

ジインドリルメタン

DIINDOLYLMETHANE

別名ほか

3,3'-ジインドリルメタン（3,3'-Diindolylmethane），DIM

概　　要

ジインドリルメタンは，キャベツ，芽キャベツ，カリフラワー，およびブロッコリーなどのアブラナ科の野菜に含まれる成分により体内で生成されます。これらの野菜は，ジインドリルメタンおよびそれに関連するインドール-3-メタノールを含んでいることから，抗がん作用がある可能性があると考えられています。

●要説（ナチュラル・スタンダード）

3,3'-ジインドリルメタン（DIM，I33'）は，indole-3-carbinol（I3C）から作られます。I3Cは，ブロッコリー，キャベツ，芽キャベツなど，アブラナ属の多くの野菜に含まれます。胃酸の働きでI3Cがジインドリルメタンに変化します。

ジインドリルメタンは一般的に健康食品・サプリメントとして用いられ，抗がん作用があるとされています。ジインドリルメタンの抗がん作用は，さまざまながん細胞株，とくに乳がんおよび前立腺がんのがん細胞株に対して認められています。1件の研究により，ジインドリルメタンがI3Cと比べ，臨床的に優れているのではなく，I3Cの効果を促進する可能性があることが示唆されています。

エストロゲン代謝とがんの関係を示唆するエビデンスだけでなく，食事によるジインドリルメタンおよびI3C

などの摂取量が増加することで，エストロゲン代謝が変化する可能性を示唆するエビデンスも増えています。食事療法の介入で，がんを予防するためのエストロゲン代謝を変化させる可能性があります。ただし，I3Cがエストロゲンの代謝物生成を促進させたり，エストロゲン受容体を活性化させることで，腫瘍を引き起こすおそれを警告する研究もあります。確かな結論づけには，さらなる研究が必要です。

安　全　性

ジインドリルメタンは，通常の食品に含まれる少量を摂取する場合，ほとんどの人に安全のようです。ジインドリルメタンの典型的なサプリメントには，ジインドリルメタン２～24mgが含まれます。「くすり」としての量を摂取する場合，短期間であれば，ほとんどの人におそらく安全です。「くすり」としての量を超える大量摂取は，おそらく安全ではありません。１日600mgの摂取で，低ナトリウム血症を起こした例が報告されています。

小児：ジインドリルメタンは，通常の食品に含まれる少量を摂取する場合，ほとんどの小児に安全のようです。しかし，大量に摂取してはいけません。小児が大量摂取する場合の安全性についてはデータが不十分です。

乳がん，子宮がん，卵巣がん，子宮内膜症，子宮筋腫などのホルモン感受性疾患：ジインドリルメタンはエストロゲンのような働きをする可能性があるため，ホルモン感受性疾患が悪化すると懸念されています。これらの疾患には，乳がん，子宮がん，卵巣がん，子宮内膜症，子宮筋腫が含まれます。進展中の研究では，ジインドリルメタンはエストロゲンに対して作用し，ホルモン依存性がんを防ぐ可能性もあるとも示唆されています。さらに多くが解明されるまでは，安全性を考慮し，ホルモン感受性疾患の人はジインドリルメタンの使用は避けてください。

●妊娠中および母乳授乳期

ジインドリルメタンは，通常の食品に含まれる少量を摂取する場合，ほとんどの人に安全のようです。しかし，大量に摂取してはいけません。妊娠中および母乳授乳期における大量摂取の安全性についてはデータが不十分です。

有　効　性

◆科学的データが不十分です

・子宮頚部異形成，前立腺がん，乳がんの予防，子宮がんの予防，結腸がんの予防，良性前立腺肥大の予防，月経前症候群（PMS）の治療など。

●体内での働き

体内のエストロゲンと同様に作用する可能性がある一方，エストロゲンの作用を阻害するおそれがあるというエビデンスもあります。

医薬品との相互作用

中エストロゲン（卵胞ホルモン）製剤

ジインドリルメタンにはエストロゲン様作用のある可能性があります。また，ジインドリルメタンには抗エストロゲン作用もあります。多量のジインドリルメタンを摂取すると，ホルモン補充療法に影響を及ぼすおそれがあります。

低肝臓で代謝される医薬品（シトクロムP450 1A2（CYP1A2）の基質となる医薬品）

特定の医薬品は肝臓で代謝されます。ジインドリルメタンは医薬品の代謝を促進する可能性があります。ジインドリルメタンと肝臓で代謝される医薬品を併用すると，医薬品の効果を弱めるおそれがあります。このような医薬品にはクロザピン，Cyclobenzaprine，フルボキサミンマレイン酸塩，ハロペリドール，イミプラミン塩酸塩，メキシレチン塩酸塩，オランザピン，塩酸ペンタゾシン，プロプラノロール塩酸塩，Tacrine，テオフィリン，Zileuton，ゾルミトリプタンなどがあります。

中利尿薬

ジインドリルメタンは体内のナトリウム量を減少させる可能性があります。特定の利尿薬もまた体内のナトリウム量を減少させることがあります。ジインドリルメタンと利尿薬を併用すると，ナトリウム量が過剰に減少する可能性があります。このような利尿薬にはアセタゾラミド，クロロチアジド（販売中止），クロルタリドン（販売中止），フロセミド，ヒドロクロロチアジドなどがあります。

ハーブおよび健康食品・サプリメントとの相互作用

ほかのハーブ，健康食品・サプリメントとの相互作用についてはまだ明らかではありません。

使用量の目安

通常の食品に含まれている量を超えて経口摂取した場合の安全性および副作用については，明らかになっていません。

シェラック

SHELLAC

●代表的な別名

ラックカイガラムシ

別名ほか

シャクセキシ，赤石脂（Lac），ラック，ラックカイガラムシ（Laccifer），Gommelaque，Lacca

概　　要

シェラックはカイガラムシという昆虫から作られま

相互作用レベル：高この医薬品と併用してはいけません　中この医薬品とは慎重に併用するか併用しないでください　低この医薬品との併用には注意が必要です

す。入れ歯やそのほかの歯科製品を作るため歯科で使用されたり，錠剤のコーティングやそのほかの目的で「くすり」に使用されることもあります。

安全性

医薬品として経口摂取すれば，一般的には安全です。

少数ですが，アレルギーのある人もいます。

工具店にあるニスのような製品と歯科および医薬品に使われるこのシェラックとを混同してはいけません。ニスのようなシェラックにはメタノール（木精）が含まれており，非常に毒性が強いものです。

●アレルギー

シェラックにアレルギーがある人もいます。アレルギーがある場合には，使用しないでください。

●妊娠中および母乳授乳期

妊娠中および母乳授乳期の使用の安全性についてはデータが不十分です。安全性を考慮し，摂取は避けてください。

有効性

◆科学的データが不十分です

・歯科および製薬以外の医薬品としての用途。

●体内での働き

透明なコーティング剤としての特性があり，自然の「糊」として使用されます。

医薬品との相互作用

ほかの医薬品との相互作用については明らかではありません。

ハーブおよび健康食品・サプリメントとの相互作用

ほかのハーブ，健康食品・サプリメントとの相互作用についてはまだ明らかではありません。

使用量の目安

標準使用量に関するデータがありません。

ジオウ（地黄）

REHMANNIA

別名ほか

Chinese rehmanniae radix, Chinese RR, Di huang, Gun-Ji-Whang, Japanese rehmanniae radix, Japanese RR, Jio, Juku-jio, Kan-jio, R. glutinosa, Rehmannia glutinosa, Rehmanniae, Rehmannia glutinosa oligosaccharide, Rehmanniae radix, Rehmanniae root, RR, Rhemannia root, Rehmannia steamed root, RGAE, RGX, ROS, Saeng-Ji-Whang, Sho-jio, Shu Di Huang, Sook-Ji-Whang, To-byun

概　要

ジオウは植物です。根および地上部を用いて「くすり」を作ることもあります。伝統中国医学や日本漢方医学では，薬草と組み合わされることが一般的です。

●要説（ナチュラル・スタンダード）

ジオウは，伝統中国医学では広範囲にわたり用いられています。詳細な臨床試験は十分ではありませんが，中国での研究では，関節リウマチ，気管支喘息，じんましん，および慢性腎炎の治療に用いられています。コルチコステロイド薬の免疫抑制効果を防止する働きがある可能性もあります。

ジオウは，再生不良性貧血の治療，化学療法薬やHIV治療薬の副作用軽減，乾皮症の治療に対して有望視されているようです。肺がん，骨肉腫，椎間板突出による痛みの緩和，ループス腎炎および高コレステロール血症をともなう２型糖尿病の改善に対しても有望視されているようです。ただし現時点では，いずれの適応症に対しても，有効性を支持する質の高い大規模テンダム化比較試験はありません。

中国薬局方に掲載されていますが，英国General Sale Listには掲載されていません。ドイツのCommission E monograph にも掲載されていません。米国食品医薬品局（FDA）のGRAS（一般的に安全と認められる食品）には指定されていませんが，1994年に可決したダイエタリーサプリメント教育法に基づく健康食品・サプリメントとして米国で販売されています。

安全性

安全かどうか，または副作用を生じる可能性があるかについて判断するための十分なデータがありません。

糖尿病：ジオウは，血糖値に影響を与えるおそれがあります。糖尿病の場合には，摂取を避けるか，細心の注意を払って摂取してください。糖尿病患者がジオウを摂取する場合には，血糖値を注意深く監視してください。

手術：ジオウは，血糖値に影響を与え，手術中および術後の血糖値コントロールを困難にするおそれがあります。少なくとも手術前２週間は，使用しないでください。

●妊娠中および母乳授乳期

妊娠中および母乳授乳期の使用の安全性についてはデータが不十分です。安全性を考慮し，摂取は避けてください。

有効性

◆科学的データが不十分です

・糖尿病，貧血，発熱，骨粗鬆症，アレルギーなど。また，一般的な強壮剤として。

●体内での働き

症状に対してどのように作用するか判断するための十分なデータがありません。

ただし，ジオウの中の化学物質に免疫系に影響を与えて，疼痛および腫脹を軽減する作用を示すものがあるようです。

医薬品との相互作用

中 糖尿病治療薬

ジオウ（地黄）は血糖値を低下させる可能性があります。ジオウと糖尿病治療薬を併用すると，血糖値が過度に低下する可能性が懸念されています。血糖値を注意深く監視してください。糖尿病治療薬の用量を変更する必要があるかもしれません。このような糖尿病治療薬には，グリメピリド，グリベンクラミド，インスリン，ピオグリタゾン塩酸塩，マレイン酸ロシグリタゾン（販売中止），クロルプロパミド，Glipizide，トルブタミド（販売中止）などがあります。

中 降圧薬

ジオウ（地黄）は血圧を低下させる可能性があります。ジオウと降圧薬を併用すると血圧が過度に低下するおそれが懸念されています。血圧を注意深く監視してください。降圧薬の用量を変更する必要があるかもしれません。このような降圧薬には，カプトプリル，エナラプリルマレイン酸塩，ロサルタンカリウム，バルサルタン，ジルチアゼム塩酸塩，アムロジピンベシル酸塩，ヒドロクロロチアジド，フロセミドなどがあります。

ハーブおよび健康食品・サプリメントとの相互作用

血糖値を下げるハーブおよび健康食品・サプリメント

ジオウは血糖値を下げる可能性があります。ジオウと血糖値を下げる可能性があるほかの天然産物を併用すると，血糖値が下がりすぎるおそれがあります。このような天然産物には，ニガウリ，ハッショウマメ，ショウガ，薬用ガレーガ，フェヌグリーク，クズ，ウィローバークなどがあります。

使用量の目安

標準使用量に関するデータがありません。

シオガマギク

LOUSEWORT

別名ほか

Bracteate Lousewort, Bracted Lousewort, Bracted Pedicularis, Common Lousewort, Dwarf Lousewort, Early Lousewort, Pedicularis bracteosa, Pedicularis canadensis, Pedicularis centranthera, Pedicularis gracilis, Pedicularis longiflora, Pedicularis siphonantha, Pinyon-Juniper Lousewort, Wood Betony

概　　要

シオガマギクは植物のグループです。葉は「くすり」を作るのに使用されます。

シオガマギクは心臓を活性，強化するために経口摂取されます。

安 全 性

シオガマギクの安全性および副作用については，データが不十分です。

鉄欠乏性貧血：シオガマギクには鉄と結合する化学物質が含まれています。理論上は，食品やサプリメントから体内へ吸収される鉄の量を減少させるおそれがあります。

●妊娠中および母乳授乳期

妊娠中および母乳授乳期の使用の安全性についてはデータが不十分です。安全性を考慮し，摂取は避けてください。

有 効 性

◆科学的データが不十分です

・心臓の強化など。

●体内での働き

シオガマギクには抗酸化剤として作用する可能性のある化学物質が含まれています。

医薬品との相互作用

ほかの医薬品との相互作用については明らかではありません。

ハーブおよび健康食品・サプリメントとの相互作用

鉄

シオガマギクには鉄と結合する化学物質が含まれています。理論上は，食品やサプリメントから体内へ吸収される鉄の量を減少させるおそれがあります。

使用量の目安

通常の食品に含まれている量を超えて経口摂取した場合の安全性および副作用については，明らかになっていません。

ジオスミン

DIOSMIN

●代表的な別名

柑橘フラボノイド

別名ほか

シトラスバイオフラボノイド（Citrus Bioflavonoid），Citrus Bioflavonoids，Diosmetin

概　要

ジオスミンは，主に柑橘類の果物に見いだされる植物由来の化合物の1つです。これを用いて「くすり」を作ることもあります。

安 全 性

3カ月までの短期の使用であれば，一般的には安全です。

胃痛および腹痛，下痢，頭痛などの副作用を起こすことがあります。医師の指導を受けずに，3カ月以上使用してはいけません。

●妊娠中および母乳授乳期

妊娠中および母乳授乳期の使用の安全性についてはデータが不十分です。安全性を考慮し，使用は控えてください。

有 効 性

◆有効性レベル③

・ヘスペリジン（hesperidin）との併用で，痔の治療および，再発の防止。

・血行不良による下腿潰瘍の治療。ただし，ヘスペリジンと併用したとき。

◆有効性レベル④

・乳がんの手術後にみられる腕の腫脹の治療。

◆科学的データが不十分です

・静脈瘤，眼の出血，歯肉の出血，および肝臓損傷の予防。

●体内での働き

炎症（腫脹）を軽減し，正常な静脈の機能を回復させることによる痔核の治療に役立つかもしれません。

医薬品との相互作用

中クロルゾキサゾン

ジオスミンはクロルゾキサゾンの体内での代謝を抑制する可能性があります。ジオスミンを摂取し，クロルゾキサゾンを併用すると，クロルゾキサゾンの作用および副作用が増強するおそれがあります。

中ジクロフェナクナトリウム

ジオスミンはジクロフェナクナトリウムの体内での代謝を抑制する可能性があります。ジオスミンを摂取し，ジクロフェナクナトリウムを併用すると，ジクロフェナクナトリウムの作用および副作用が増強するおそれがあります。

中肝臓で代謝される医薬品（シトクロムP450 2C9（CYP2C9）の基質となる医薬品）

特定の医薬品は肝臓で代謝されます。ジオスミンはこのような医薬品の代謝を変化させる可能性があります。そのため，医薬品の作用および副作用が変化するおそれがあります。このような医薬品には，セレコキシブ，ジクロフェナクナトリウム，フルバスタチンナトリウム，Glipizide，イブプロフェン，イルベサルタン，ロサルタンカリウム，フェニトイン，ピロキシカム，タモキシフェンクエン酸塩，トルブタミド（販売中止），トラセミド，ワルファリンカリウムなどがあります。

中肝臓で代謝される医薬品（シトクロムP450 2E1（CYP2E1）の基質となる医薬品）

特定の医薬品は肝臓で代謝されます。ジオスミンはこのような医薬品の代謝を変化させる可能性があります。そのため，医薬品の作用および副作用が変化するおそれがあります。このような医薬品には，アセトアミノフェン，クロルゾキサゾン，アルコール，テオフィリン，麻酔薬（エンフルラン（販売中止），ハロタン（販売中止），イソフルラン，Methoxyfluraneなど）などがあります。

中血液凝固を抑制する医薬品（抗凝固薬/抗血小板薬）

ジオスミンは血液凝固を抑制する可能性があります。ジオスミンを摂取し，血液凝固を抑制する医薬品を併用すると，紫斑および出血のリスクが高まるおそれがあります。このような医薬品には，アスピリン，クロピドグレル硫酸塩，ジクロフェナクナトリウム，イブプロフェン，ナプロキセン，ダルテパリンナトリウム，エノキサパリンナトリウム，ヘパリン，ワルファリンカリウムなどがあります。

中細胞内のポンプによって輸送される医薬品（P糖タンパク質の基質となる医薬品）

特定の医薬品は細胞内のポンプによって細胞内に輸送，細胞外に排出されます。ジオスミンはポンプの働きを変化させ，医薬品が体内に留まる量を変化させる可能性があります。そのため，場合によっては医薬品の作用および副作用が変化するおそれがあります。このような医薬品には，化学療法薬（エトポシド，パクリタキセル，ビンブラスチン硫酸塩，ビンクリスチン硫酸塩，ビンデシン硫酸塩），抗真菌薬（ケトコナゾール，イトラコナゾール），プロテアーゼ阻害薬（アンプレナビル（販売中止），インジナビル硫酸塩エタノール付加物（販売中止），ネルフィナビルメシル酸塩，サキナビルメシル酸塩），H2受容体拮抗薬（シメチジン，ラニチジン塩酸塩），特定のカルシウム拮抗薬（ジルチアゼム塩酸塩，ベラパミル塩酸塩），副腎皮質ステロイド，エリスロマイシン，シサプリド，フェキソフェナジン塩酸塩，シクロスポリン，ロペラミド塩酸塩，キニジン硫酸塩水和物などがあります。

中カルバマゼピン

ジオスミンはカルバマゼピンの体内での代謝を抑制する可能性があります。ジオスミンを摂取し，カルバマゼピンを併用すると，カルバマゼピンの作用および副作用が増強するおそれがあります。

中フェキソフェナジン塩酸塩

特定の医薬品（フェキソフェナジン塩酸塩など）は細胞内のポンプによって輸送されます。ジオスミンはポンプの働きを弱め，医薬品の体内への吸収量を増加させる可能性があります。そのため，医薬品（フェキソフェナジン塩酸塩など）の副作用が多く現れるおそれがあります。

中 肝臓で代謝される医薬品（シトクロムP450 3A4（CYP3A4）の基質となる医薬品）

特定の医薬品は肝臓で代謝されます。ジオスミンはこのような医薬品の代謝を変化させる可能性があります。そのため，医薬品の作用および副作用が変化するおそれがあります。このような医薬品には，Lovastatin，ケトコナゾール，イトラコナゾール，クラリスロマイシン，エリスロマイシン，シクロスポリン，アムロジピンベシル酸塩，ベラパミル塩酸塩，ジルチアゼム塩酸塩，エストロゲン（卵胞ホルモン）製剤，インジナビル硫酸塩エタノール付加物（販売中止），フェキソフェナジン塩酸塩，トリアゾラム，アルプラゾラムなど数多くあります。

ハーブおよび健康食品・サプリメントとの相互作用

ほかのハーブ，健康食品・サプリメントとの相互作用についてはまだ明らかではありません。

使用量の目安

●経口摂取

内痔核

ジオスミン1,350mgとヘスペリジン150mgを1日2回，4日間摂取した後，ジオスミン900mgとヘスペリジン100mgを1日2回，3日間続けます。また，ジオスミン1回600mgを1日3回，4日間摂取した後，ジオスミン300mgを1日2回とサイリウム1日11gを合わせて試す医師もいます。ただ，ジオスミン摂取量を減らすと効果は出ないようです。内痔核の再発を予防する目的で使用する場合，ジオスミン450mgとヘスペリジン50mgを1日2回，3カ月間摂取します。

乳がん手術後のリンパ性浮腫

ジオスミン1日900mgとヘスペリジン100mgを6カ月間まで摂取します。

うっ血性潰瘍

ジオスミン1日900mgとヘスペリジン100mgを2カ月間を限度に摂取します。

シガテラ

CIGUATERA

●代表的な別名

シガテラ毒

別名ほか

ウズベンモウソウ，渦鞭毛藻（Gambierdiscus toxicus）

概　　要

シガテラは毒です。汚染された魚を食べて摂取してしまうことがあります。

●要説（ナチュラル・スタンダード）

シガテラ中毒（Ciguatera fish poisoning）は，海洋性渦鞭毛藻の微細藻類，Gambierdiscus toxicusの毒に汚染された魚を摂取することにより引き起こされます。

シガテラは，胃腸，神経系，および心血管系の症状を引き起こします。徴候や症状は大きく異なりますが，通常は毒に汚染された魚を摂取した後，神経学的愁訴をともなう吐き気，嘔吐，下痢，腹痛など，胃腸に関する症状が現れます。症状は数カ月から数年継続することもあります。

シガテラがもっとも蔓延しているのは，熱帯および亜熱帯地域沿岸で，通常は大型の肉食魚を摂取することにより引き起こされます。米国では魚に関連する中毒の半数以上をシガテラ中毒が占めています。毒は無味無臭です。シガテラ毒をもつ魚には，バラクーダ（barracuda），アカハタ（black grouper），blackfin snapper，cubera snapper，dog snapper，カンパチ（greater amberjack），hogfish，horse-eye jack，キングマッケレル（king mackerel），yellowfin grouperなどがあります。

年間およそ20,000件のシガテラ中毒が発生していると推定されます。

安　全　性

シガテラの経口摂取は，安全ではありません。汚染された魚を1口食べただけでも，症状が現れるおそれがあります。最も一般的な症状は，胃痙攣，吐き気，嘔吐および下痢です。ほかにも，そう痒や，唇，舌および咽頭のしびれ感，霧視，低血圧，心拍数の減少，温感と冷感が交互にくる症状，昏睡などがあります。深刻な場合には，ショックや筋麻痺を引き起こすおそれや，死に至るおそれがあります。シガテラ中毒を起こした人の最大20%が死亡しています。

●妊娠中および母乳授乳期

妊娠中および母乳授乳期の女性はもちろん，誰にとっても，シガテラは安全ではありません。シガテラ中毒を起こした女性が流産した例が1件報告されています。母乳授乳期の場合には，特に注意して，シガテラの摂取を避けてください。シガテラは母乳に移行するため，乳児に影響を与えるおそれがあります。

有　効　性

◆科学的データが不十分です

・シガテラには「くすり」としての用途はなんらありません。

●体内での働き

シガテラは，神経細胞の正常な機能を妨げます。

医薬品との相互作用

ほかの医薬品との相互作用については明らかではありません。

ハーブおよび健康食品・サプリメントとの相互作用

ほかのハーブ，健康食品・サプリメントとの相互作用についてはまだ明らかではありません。

使用量の目安

通常の食品に含まれている量を超えて経口摂取した場合の安全性および副作用については，明らかになっていません。

鹿の角

DEER VELVET

別名ほか

鹿の若角（Cornu cervi parvum），鹿の角芽，大鹿の角（Elk Antler Velvet），ロクジョウ，鹿茸（Rokujo），アカシカ（Cervus elaphus），ニホンジカ（Cervus nippon），Deer Antler，ベルベット（Deer Antler Velvet），Elk Antler，Horns of Gold，Lu Rong，Nokyong，Velvet Antler，Velvet of Young Deer Horn

概　要

鹿の角は，鹿の枝角内で発達する成長骨と軟骨のことです。「くすり」として使用されることもあります。

●要説（ナチュラル・スタンダード）

Antler Velvetとも呼ばれる鹿の角は，成長段階の柔らかいビロードのような毛で覆われている時期に抜け落ちた枝角です。抜け落ちた後の枝角を乾燥させて粉末にします。西洋諸国では，性機能および全エネルギーの向上，ストレス軽減，および体力増強によい健康食品・サプリメントとして鹿の角の粉末が販売されています。伝統中国医学では，鹿の角は，内分泌腺および免疫系，エネルギー代謝，成長，および性機能に対する「陽」の効果があるとされ，用いられます。

現時点では，いずれの医療用途に対しても，効果を支持するヒトを対象とした臨床的エビデンスは十分ではありません。安全性に関する評価および堅固な結論づけには質の高い臨床試験が必要です。

安 全 性

鹿の角は，最大12週間にわたり経口摂取する場合，おそらく安全です。副作用については，まだわかっていません。

乳がん，子宮がん，卵巣がん，子宮内膜症，子宮筋腫などのホルモン感受性疾患：鹿の角はエストロゲンのように作用するおそれがあります。エストロゲン曝露により悪化するおそれのある疾患のある場合は，鹿の角を使用してはいけません。

●妊娠中および母乳授乳期

妊娠中および母乳授乳期の使用の安全性についてはデータが不十分です。安全性を考慮し，摂取は避けてください。

有 効 性

◆科学的データが不十分です

・運動能力，性的欲求，筋肉痛，免疫システム機能，高コレステロール血症，高血圧，気管支喘息，消化不良，ざ瘡（にきび），がんなど。

●体内での働き

女性ホルモンのエストロゲンやエストラジオールなどのさまざまな物質が含まれています。また，細胞の増殖や機能を補助する可能性のある物質も含まれています。

医薬品との相互作用

中エストロゲン（卵胞ホルモン）製剤

鹿の角にはエストロゲン様作用のある可能性があります。しかし，鹿の角にはエストロゲン製剤と同等の強さはありません。鹿の角とエストロゲン製剤を併用すると，エストロゲン製剤の作用が減弱するおそれがあります。このようなエストロゲン製剤には，結合型エストロゲン，エチニルエストラジオール，エストラジオールなどがあります。

中避妊薬

特定の避妊薬はエストロゲンを含みます。鹿の角にはエストロゲン様作用があります。しかし，鹿の角にはエストロゲン製剤と同等の作用はありません。鹿の角と避妊薬を併用すると，避妊薬の効果を弱めるおそれがあります。併用中の場合には，コンドームなど，ほかの避妊方法も使用してください。このような避妊薬には，エチニルエストラジオール・レボノルゲストレル配合，エチニルエストラジオール・ノルエチステロン配合などがあります。

ハーブおよび健康食品・サプリメントとの相互作用

ほかのハーブ，健康食品・サプリメントとの相互作用についてはまだ明らかではありません。

使用量の目安

通常の食品に含まれている量を超えて経口摂取した場合の安全性および副作用については，明らかになっていません。

ジギタリス

FOXGLOVE

別名ほか

毛ジギタリス，ケジギタリス（Digitalis lanata），バルカン産ジギタリス，キツネノテブクロ（Digitalis

シ

purpurea), フォックスグラブ (Purple Foxglove), Dead Man's Bells, Fairy Cap, Fairy Finger, Lady's Thimble, Lion's Mouth, Scotch Mercury, Throatwort, Witch's Bells, Wolly Foxglove

概要

ジギタリスは植物です。ジギタリスの地上部を用いて「くすり」を作ることもありますが，自己治療に用いるのは安全ではありません。植物の全部位が有毒です。

ジギタリスから採取した化学物質を用いて，ジゴキシンと呼ばれる処方薬が作られます。米国では，Digitalis lanataがジゴキシンの主要な材料です。

●要説（ナチュラル・スタンダード）

ジギタリスは，Digitalis purpureaやDigitalis lanataなど，ジギタリス属に分類される植物の総称です。伝統医学では，心疾患，発熱，創傷，腫脹や炎症，びらん，潰瘍，がん，浮腫，および感染の治療にジギタリスが用いられます。

いくつかの報告書では，ジギタリスの葉が，Inula conyza (ploughman's spikenard)，エリキャンペーン（Inula helenium)，コンフリー（ヒレハリソウ)，ビロード毛蕋花 (great mullein)，およびプリムローズ（Primulaceae）など，ほかの種の葉と似ていると説明しています。

ジギタリスには毒性があり，吐き気，嘔吐，緑視症・黄視症をともなうことや，死に至ることもあるため，現代医学で用いることはめったにありません。それでもジギタリスなどジギタリス属の植物の中には，強心配糖体（心拍の強さおよび速度を増すことで知られる物質）を含むものがあり，特定の心疾患の治療に有効ではないかと期待されています。ただし，天然物の安全性および有効性についての科学的研究は十分ではありません。しかし，最新薬のジゴキシンはDigitalis lanataから作られ，特定の心疾患の治療に用いられます。ただし，ジゴキシンはジギタリスの天然物と異なり，管理された実験室内で，規格化されています。

安全性

ジギタリスの経口摂取は，医師などの指導がない限り，誰にとっても安全ではありません。ジギタリスの毒性副作用にとくに敏感な人もいます。このような人は，ジギタリスを使用しないよう十分に注意してください。

ジギタリスにより，心機能不全を起こしたり，死に至ったりするおそれがあります。ジギタリス中毒の徴候には，胃のむかつき，瞳孔の縮小，霧視，極度の徐脈，吐き気，嘔吐，めまい感，多尿，疲労，筋力低下，振戦，昏迷，錯乱，痙攣，心拍異常などがあります。死に至ることもあります。長期の使用により，視覚暈輪，黄視症や緑視症，胃のむかつきなどの毒性症状を引き起こすおそれがあります。

コンフリーと間違えて使用し，死に至った例もあります。

小児：経口摂取は安全ではないようです。

心疾患：ジギタリスが有効な心疾患もありますが，自己判断で使用するのは危険が大きすぎます。心疾患は，医師などによる診断，治療，監視が必要です。

腎疾患：腎疾患の場合には，体内からうまくジギタリスを排出することができなくなるおそれがあり，ジギタリスが蓄積し中毒に至るリスクが高まるおそれがあります。

●妊娠中および母乳授乳期

自己治療として経口摂取するのは，安全ではありません。使用してはいけません。

有効性

◆有効性レベル②

- 心調律異常（心房細動)。ジギタリスの経口摂取により，心房細動や粗動などの心調律異常が改善される可能性があります。
- うっ血性心不全（CHF)。ジギタリスの経口摂取により，うっ血性心不全やこれに関連する腫脹が改善される可能性があります。

◆科学的データが不十分です

- 気管支喘息，てんかん，結核，便秘，頭痛，痙攣，創傷，熱傷，嘔吐の誘発など。

●体内での働き

処方薬「ジゴキシン」の原料となる化学物質が含まれています。この化学物質が心筋収縮の強度を高め，心拍を変化させ，心臓からの血液量を増大する可能性があります。

医薬品との相互作用

高キニーネ塩酸塩水和物

ジギタリスは心臓に影響を及ぼす可能性があります。キニーネ塩酸塩水和物もまた心臓に影響を及ぼします。ジギタリスとキニーネ塩酸塩水和物を併用すると，重大な心臓の異常を引き起こすおそれがあります。

高ジゴキシン

ジゴキシンには強心作用があります。ジギタリスもまた心臓に影響を及ぼすようです。ジギタリスとジゴキシンを併用すると，ジゴキシンの作用が増強し，副作用のリスクが高まるおそれがあります。

中テトラサイクリン系抗菌薬

ジギタリスとテトラサイクリン系抗菌薬を併用すると，ジギタリスの副作用のリスクが高まるおそれがあります。このようなテトラサイクリン系抗菌薬にはデメチルクロルテトラサイクリン塩酸塩，ミノサイクリン塩酸塩，テトラサイクリン塩酸塩があります。

中マクロライド系抗菌薬

ジギタリスは心臓に影響を及ぼす可能性があります。特定の抗菌薬はジギタリスの体内吸収量を増加させる可能性があります。ジギタリスの吸収量が増加するため，ジギタリスの作用および副作用を増加させるおそれがあります。このような抗菌薬にはエリスロマイシン，アジスロマイシン水和物，クラリスロマイシンがあります。

中刺激性下剤

ジギタリスは心臓に影響を及ぼす可能性があります。心臓はカリウムを必要とします。刺激性下剤と呼ばれる下剤は，体内のカリウム量を減少させる可能性があります。カリウム量が減少すると，ジギタリスによる副作用のリスクが高まるおそれがあります。このような刺激性下剤にはビサコジル，カスカラサグラダ，ヒマシ油，センナなどがあります。

中利尿薬

ジギタリスは心臓に影響を及ぼす可能性があります。利尿薬は体内のカリウム量を減少させる可能性があります。カリウム量が減少すると，心臓に影響を及ぼし，ジギタリスによる副作用のリスクが高めるおそれがあります。このような利尿薬にはクロロチアジド（販売中止），クロルタリドン（販売中止），フロセミド，ヒドロクロロチアジドなどがあります。

ハーブおよび健康食品・サプリメントとの相互作用

強心配糖体を含むハーブおよび健康食品・サプリメント

ジギタリスには強心配糖体という，心臓に影響を及ぼすおそれのある化学物質が含まれています。ジギタリスと，強心配糖体を含むほかのハーブおよび健康食品・サプリメントを併用すると，心臓を害するリスクが高まるおそれがあります。このようなハーブおよび健康食品・サプリメントには，クリスマスローズ，トウワタの根，カキネガラシ，セイヨウゴマノハグサ，ドイツスズランの根，マザーワート，オレアンダーの葉，ゲウム，ヤナギトウワタ，海葱（カイソウ）の鱗片葉，ストロファンツスの種子などがあります。

ツクシ

ジギタリスには強心配糖体という，心臓に影響を及ぼすおそれのある化学物質が含まれています。ツクシと，ジギタリスのように強心配糖体を含むハーブおよび健康食品・サプリメントを併用すると，カリウム濃度が過度に低下し，健康にきわめて深刻な影響を及ぼすリスクが高まります。

甘草

ジギタリスには強心配糖体という，心臓に影響を及ぼすおそれのある化学物質が含まれています。甘草と，ジギタリスのように強心配糖体を含むハーブおよび健康食品・サプリメントを併用すると，カリウム濃度が過度に低下し，健康にきわめて深刻な影響を及ぼすリスクが高まります。

刺激性緩下作用をもつハーブおよび健康食品・サプリメント

ジギタリスには強心配糖体という，心臓に影響を及ぼすおそれのある化学物質が含まれています。刺激性緩下作用をもつハーブおよび健康食品・サプリメントと，ジギタリスのように強心配糖体を含むハーブおよび健康食品・サプリメントを併用すると，カリウム濃度が過度に低下し，健康にきわめて深刻な影響を及ぼすリスクが高まります。これらの刺激性緩下作用をもつハーブおよび健康食品・サプリメントには，アロエ，セイヨウイソノキ，ブラックルート，ブルーフラッグ，バターナットの樹皮，コロシント，ヨーロピアンバックソーン，フォーチ，ガンボジ，ゴシポール，ヒロハヒルガオ，ヤラッパ，マンナ，メキシカン・スキャモニイ・ルート，ルバーブ，センナ，イエロードックなどがあります。

使用量の目安

通常の食品に含まれている量を超えて経口摂取した場合の安全性および副作用については，明らかになっていません。

シクラメン

CYCLAMEN

別名ほか

丸葉シクラメン（Cyclamen europaeum），マルバシクラメン，Groundbread，Ivy-Leafed Cyclamen，Sowbread，Swinebread

概　要

シクラメンは植物です。根と根のような茎（地下茎）が「くすり」に使用されることもあります。

安 全 性

安全ではありません。中毒は用量300mgで報告されています。中毒症状には，胃痛，悪心，嘔吐，下痢があります。

高用量を摂取すると，重度の中毒を起こし，結果として痙攣や重篤な呼吸困難などの症状が起きることがあります。

●妊娠中および母乳授乳期

妊娠中および母乳授乳期の女性を含め，誰にとっても安全ではありません。有毒です。使用しないでください。

有 効 性

◆科学的データが不十分です

- 月経性愁訴，イライラした感情的な状態，および消化器系障害。

●体内での働き

どのように作用するかについては，十分なデータが得られていません。

医薬品との相互作用

ほかの医薬品との相互作用については明らかではあり

ません。

ハーブおよび健康食品・サプリメントとの相互作用

ほかのハーブ，健康食品・サプリメントとの相互作用についてはまだ明らかではありません。

使用量の目安

●経口摂取

通常，根の粉末1,300〜2,600mgを摂取します。シクラメンは，医師の指示がない場合は使用しないでください。

シソ

PERILLA

別名ほか

Beefsteak Plant, Perilla frutescens, Dentidia nankinensis, Ocimum frutescens, Perilla arguta, Perilla nankinensis, Perilla ocymoides, Wild Coleus

概　　要

シソはハーブです。葉と種子を用いて「くすり」を作ることもあります。

●要説（ナチュラル・スタンダード）

シソは，中国，インド，日本，韓国，タイ，およびほかのアジア諸国の伝統的な作物です。北アメリカでは，ペリラ（perilla）の代わりに日本語でシソと呼ばれることもあります。北アメリカでは，Purple Mint，Chinese Basil，あるいはWild Coleusとしても知られています。シソの種油は調理に用いたり，乾性油や燃料として用いられます。シソの種油は，オメガ３系（n-３系）脂肪酸，すなわちα-リノレン酸を豊富に含んでいます。

アジアでは医師が，呼吸器疾患や呼吸器疾患の予防，妊娠にまつわる症状，魚介類中毒，およびエネルギーバランスの不調などに対し，シソを処方します。

シソのオイルには気管支喘息の症状を軽減する効果があり，シソのエキスには季節性アレルギーに対する有効性があることを示唆するエビデンスがあります。シソの臨床的利用を推奨するには，さらなる臨床試験が必要です。

安 全 性

経口摂取であれば一般的には安全なようです。

●アレルギー

皮膚に塗布すると，アレルギー性の皮膚反応や発疹を起こすことがあります。

●妊娠中および母乳授乳期

妊娠中および母乳授乳期のシソの安全性についてはデータが不十分です。安全性を考慮し，使用を控えてください。

有 効 性

◆科学的データが不十分です

・気管支喘息，悪心，日射病，発汗の誘発，または痙攣の緩和。

●体内での働き

腫脹を軽減し，気管支喘息の症状の原因であるほかの化合物に作用する可能性がある化合物が含まれています。

医薬品との相互作用

ほかの医薬品との相互作用については明らかではありません。

ハーブおよび健康食品・サプリメントとの相互作用

ほかのハーブ，健康食品・サプリメントとの相互作用についてはまだ明らかではありません。

使用量の目安

●経口摂取

喘息

種油を１日10〜20g摂取します。

紫檀

RED SANDALWOOD

別名ほか

シタン（Pterocarpus santalinus），レッドサンダルウッド（Red Sanderswood），ルビーウッド（Rubywood），Red Saunders, Sandalwood Padauk, Santali lignum rubrum, Sappan

概　　要

紫檀は植物です。心材が「くすり」に使用されます。

製品としては，紫檀はアルコール飲料の風味付けに使用されます。

紫檀（Pterocarpus santalinus）を白檀（Santalum album）と混同しないよう注意してください。

安 全 性

一般的には，おそらく安全です。副作用は不明です。

●妊娠中および母乳授乳期

妊娠中および母乳授乳期の使用の安全性についてはデータが不十分です。安全性を考慮し，摂取は避けてください。

有 効 性

◆科学的データが不十分です

・消化管の軽い疾患，体液貯留，咳など。

●体内での働き

排尿により体液の喪失を増加させるかもしれません（利尿作用）。また，下痢を軽くしたり，粘液を分解して咳を出やすくする収れん作用もあるかもしれません。

医薬品との相互作用

中炭酸リチウム

紫檀は利尿薬のように作用する可能性があります。紫檀を摂取すると，炭酸リチウムの体内からの排泄が抑制される可能性があります。そのため，体内の炭酸リチウムの量が増加し，重大な副作用が現れるおそれがあります。炭酸リチウムの服用中は，医師や薬剤師に相談することなく紫檀を摂取しないでください。炭酸リチウムの量を変更する必要があるかもしれません。

中糖尿病治療薬

紫檀の抽出物は血糖値を低下させる可能性があります。紫檀の抽出物を摂取し，糖尿病治療薬を併用すると，血糖値が過度に低下するおそれがあります。血糖値を注意深く監視してください。このような医薬品には，グリメピリド，グリベンクラミド，インスリン，ピオグリタゾン塩酸塩，マレイン酸ロシグリタゾン（販売中止），クロルプロパミド，Glipizide，トルブタミド（販売中止）などがあります。

ハーブおよび健康食品・サプリメントとの相互作用

ほかのハーブ，健康食品・サプリメントとの相互作用についてはまだ明らかではありません。

使用量の目安

標準使用量に関するデータがありません。

シチコリン

CITICOLINE

別名ほか

ニコリン（Citicholine），CDPコリン（CDP Choline），CDPC，CDP-Choline，Cytidine 5-diphosphocholine，Cytidine 5'-diphosphocholine，Cytidine(5') diphosphocholine，Cytidine diphosphate choline，Cytidine diphosphocholine，Cytidinediphosphocholine

概　要

シチコリンは体内で生成する脳内物質です。サプリメントを「くすり」として使用することもあります。

●要説（ナチュラル・スタンダード）

シチコリンは，脳卒中の治療に初めて用いられました。神経および脳の疾患の治療に有効な可能性があります。脳への血流が減少した後，体内における有害な化学物質の放出を抑制する働きをする可能性があります。

シチコリンは，記憶喪失，緑内障（眼圧が増加する），神経機能の疾患など，加齢にともなう疾患の治療に関する研究がなされています。

シチコリンは，欧州や日本では，脳卒中，頭部外傷，およびほかの神経疾患に対して用いられます。

安　全　性

シチコリンの経口摂取は，短期間（最長90日間）であれば，おそらく安全です。長期使用の安全性については，明らかではありません。シチコリンの摂取により問題となる副作用を引き起こす人は，ほとんどいません。ただし，人によっては，睡眠障害（不眠），頭痛，下痢，高血圧，低血圧，吐き気，霧視，胸痛などの副作用を引き起こすおそれがあります。

●妊娠中および母乳授乳期

妊娠中および母乳授乳期の使用の安全性についてはデータが不十分です。安全性を考慮し，摂取は避けてください。

有　効　性

◆有効性レベル③

・加齢にともなう記憶障害。50〜85歳の人がシチコリンを摂取すると，記憶喪失に有効であるようです。
・長期にわたる脳血管障害（脳の血液循環疾患）。長期にわたり脳卒中などの脳血管障害を有する患者が，シチコリンを経口摂取する場合や，静脈または筋肉に注射する場合には，記憶力および行動が改善する可能性があるというエビデンスが複数あります。
・脳卒中からの回復。虚血性脳卒中（凝血塊に起因する脳卒中）などを起こしてから24時間以内にシチコリンを経口摂取すると，しない患者とくらべ，３カ月以内に完全に回復する傾向が高いようです。虚血性脳卒中を起こしてから12時間以内にシチコリンを静脈内投与し，その後，７日間にわたり毎日継続する場合にも，回復が早まります。

◆科学的データが不十分です

・アルツハイマー病などの認知症，弱視，双極性障害，コカイン嗜癖，緑内障，虚血性視神経障害（視神経の閉塞に起因する視力低下），記憶力，筋力，パーキンソン病，手術後の回復，脳血管性認知症，注意欠陥多動障害（ADHD），頭部外傷など。

●体内での働き

シチリコンはホスファチジルコリンという脳内化学物質を増加させるようです。この脳内化学物質は，脳機能にとって重要なものです。また脳が損傷を受けたときに脳組織障害を軽減する可能性があります。

医薬品との相互作用

ほかの医薬品との相互作用については明らかではありません。

ハーブおよび健康食品・サプリメントとの相互作用

ほかのハーブ，健康食品・サプリメントとの相互作用についてはまだ明らかではありません。

使用量の目安

●経口摂取

加齢にともなう思考能力の衰退

1日1,000～2,000mgのシチコリンを摂取します。

慢性脳血管障害（進行中の脳血管疾患）

1日600mgのシチコリンを摂取します。

虚血性脳卒中の即時治療

脳卒中発症から24時間以内から，1日500～2,000mgのシチコリンを摂取します。

●静脈内投与

加齢にともなう思考能力の衰退または慢性脳血管障害

医師などにより，シチコリンを静脈内投与します。

●注射（点滴）

慢性脳血管障害

医師などにより，シチコリンを注射します。

シッサスプベスケンス

CISSUS QUADRANGULARIS

●代表的な別名

シカクヤブガラシ

別名ほか

クアドランスグラリス（C. Quadrangularis, Cissus Quadrangularis, Quadrangularis），クアドランスグラリス抽出物（Quadrangularis Extract），シッサス（Cissus），シッサス抽出物（Cissus Extract），Asthisonhara, Chadhuri, Chaudhari, Cissus Formula, Cissus Formulation, Cissus, CORE, CQ, CQE, CQR-300, Hadjod, Hadjora, Harbhanga, Harsankari, Hasjora, Kandavela, Mangaroli, Nalleru, Namunungwa, Phet Cha Sung Khaat, Phet Sang Kat, Phet Sangkhat, Pirandai, Samroi To, San Cha Khuat, Vajravalli, Vedhari, Veld Grape, Veldt-grape, Vitis Quadrangularis, Winged Treebine

概　　要

シッサスプベスケンスは，アフリカおよびアジアを産地とするツル性の多肉植物です。タイでは「くすり」として使用されるもっとも一般的な植物で，アフリカや，アーユルヴェーダ医学でも使われています。植物のすべての部位が「くすり」として使われます。

●要説（ナチュラル・スタンダード）

シッサスプベスケンスは，アフリカ，東南アジア，およびインド原産のつる植物です。歴史的に，骨の健康，鎮痛，および胃の疾患に対して用いられました。

昔からシッサス属の植物の部位は，すりつぶす，焼く，汁を絞る，果肉を取る，調理するなどしてから用いられています。近年では，シッサスプベスケンスは粉末やカプセルの形状で摂取されています。

シッサスプベスケンスは，骨粗鬆症および肥満の治療に対する有効性に関する研究がなされています。これらの有効性について，さらなる研究が必要です。

安　全　性

シッサスプベスケンスを含む特定の市販製品を経口摂取する場合には，適量，短期間（最長6～8週間）であれば，おそらく安全です。このような製品は，頭痛，腸内ガス，口内乾燥，下痢および不眠などの副作用を引き起こすおそれがあります。ただし，これらの副作用が現れる頻度については，データが不十分です。

シッサスプベスケンスをヒトが使用する場合については，データが不十分であり，長期の安全性については明らかにされていません。

糖尿病：シッサスプベスケンスは，血糖値を低下させるおそれがあります。シッサスプベスケンスと糖尿病治療薬を併用すると，血糖値が過度に低下するおそれがあります。糖尿病患者がシッサスプベスケンスを使用する場合には，低血糖の徴候に注意し，血糖値を注意深く監視してください。

手術：シッサスプベスケンスは，血糖値を低下させ，手術中および術後の血糖コントロールを妨げるおそれがあります。少なくとも手術前2週間は，使用しないでください。

●妊娠中および母乳授乳期

妊娠中および母乳授乳期の使用の安全性についてはデータが不十分です。安全性を考慮し，摂取は避けてください。

有　効　性

◆科学的データが不十分です

・骨折，痔核，肥満，体重減少，歯周病に起因する骨欠損，糖尿病，メタボリックシンドロームにともなう心疾患の危険因子，高コレステロール血症，骨粗鬆症，壊血病，がん，胃のむかつき，胃潰瘍，月経不快感（月経痛），気管支喘息，マラリア，疼痛，ボディービルなど。

●体内での働き

ヒトが「くすり」として使用する際，どのように作用するかについては，データが不十分です。試験管内研究および動物実験では，抗酸化，鎮静および抗炎症作用があることが示唆されています。マラリアの病原体に対する活性をもつ可能性があります。

医薬品との相互作用

中 糖尿病治療薬

シッサスプベスケンスは血糖値を低下させる可能性があります。糖尿病治療薬も血糖値を低下させるために用いられます。シッサスプベスケンスと糖尿病治療薬を併用すると，血糖値が過度に低下するおそれがあります。血糖値を注意深く監視してください。糖尿病治療薬の用量を変更する必要があるかもしれません。このような糖尿病治療薬には，グリメピリド，グリベンクラミド，インスリン，ピオグリタゾン塩酸塩，マレイン酸ロシグリタゾン（販売中止），クロルプロパミド，Glipizide，トルブタミド（販売中止）などがあります。

ハーブおよび健康食品・サプリメントとの相互作用

血糖値を低下させるおそれのあるハーブおよび健康食品・サプリメント

シッサスプベスケンスは，血糖値を低下させるおそれがあります。同様の作用をもつほかのハーブおよび健康食品・サプリメントと併用すると，人によっては，血糖値が過度に低下するリスクが高まるおそれがあります。このようなハーブおよび健康食品・サプリメントには，α-リポ酸，クロム，デビルズクロー，フェヌグリーク，ニンニク，グアーガム，朝鮮人参，サイリウム，エゾウコギなどがあります。

使用量の目安

通常の食品に含まれている量を超えて経口摂取した場合の安全性および副作用については，明らかになっていません。

シトスタノール

SITOSTANOL

別名ほか

β-シトスタノール（Beta-sitostanol），Dihydro-beta-sitosterol，Fucostanol，Phytostanol，Plant stanol，Stigmastanol，24-alpha-ethylcholestanol

概　要

シトスタノールは植物生成物です。植物オイルまたは松の木の木材パルプから得たオイルから作られ，その後，菜種油と組み合わせます。

安全性

シトスタノールは経口摂取する場合，ほとんどの人に安全のようです。成人は最長１年間，小児は最長３カ月間まで安全に使用できます。胃のむかつきや脂肪便を引き起こすおそれがあります。

シトスタノールは脂肪吸収を抑制するため，一部の栄養素の吸収を減少させるという懸念が一部にあります。食事のβ-カロテンの吸収を低下させるようですが，健康には問題ないと考えられます。

●妊娠中および母乳授乳期

妊娠中および母乳授乳期の使用の安全性についてはデータが不十分です。安全性を考慮し，摂取は避けてください。

有効性

◆有効性レベル②

・コレステロール値の低下。シトスタノールは高コレステロール血症の成人のコレステロール値を低下させる効果があります。食事と一緒に摂取しなくても効果を示します。コレステロール値はシトスタノールの摂取を開始して２～３週間以内に低下し，摂取を中止すると２～３週間以内に摂取前の値に戻ります。また，すべての人に同じように効果があるわけではありません。患者の約12%は，シトスタノールで効果が得られません。通常はマーガリンなどのシトスタノール強化食品から摂取します。シトスタノール単独で，総コレステロール値および低比重リポタンパク（LDL，悪玉）コレステロール値を６～20%低下させることができます。ほとんどの研究では，１日約２～３gの用量でコレステロール値がもっとも低下することが示されています。これ以上用量を高くしても，効果は増大しないようです。コレステロールを低下させる処方薬にシトスタノールを追加すると，総コレステロールがさらに３～11%，LDL-コレステロールがさらに７～16%低下します。シトスタノールはまた，健康な小児のコレステロール値の低下にも効果があるようです。ただし，小児では低比重リポタンパク（LDL，悪玉）コレステロール値が190mg/dLを上回る場合，またはほかにも心疾患の危険因子があれば160mg/dLを超える場合でないかぎり，シトスタノールによる治療は推奨されません。

◆有効性レベル③

・遺伝的に高コレステロール傾向のある人（家族性高コレステロール血症）のコレステロール値の低下。シトスタノールは，家族性高コレステロール血症によりコレステロール値が高い小児および成人のコレステロール値低下におそらく有効です。コレステロールを低下させるスタチン系薬による治療を受けている小児および成人がシトスタノールを摂取すると，総コレステロールが11～14%，低比重リポタンパク（LDL，悪玉）コレステロールが15～33%低下するようです。シトスタノールにより高比重リポタンパク（HDL，善玉）コレステロール値が上昇したり，トリグリセリド値が低下したりすることはありません。

◆科学的データが不十分です

・心疾患など。

●体内での働き

シトスタノールは，食品に含まれるコレステロールおよび肝臓で生成されたコレステロールが体内へ取り込まれるのを阻害します。

医薬品との相互作用

ほかの医薬品との相互作用については明らかではありません。

ハーブおよび健康食品・サプリメントとの相互作用

β-カロテン

シトスタノールはβ-カロテンの吸収および血中濃度を低下させるおそれがあります。ただし健康には問題ないと思われるため，β-カロテンを余分に摂取する必要はないようです。この相互作用が気になる場合は，β-カロテンが豊富な野菜の摂取を増やしてください。

通常の食品との相互作用

β-カロテン

シトスタノールはβ-カロテンの吸収および血中濃度を低下させるおそれがあります。ただし健康には問題ないと思われるため，β-カロテンを余分に摂取する必要はないようです。この相互作用が気になる場合は，β-カロテンが豊富な野菜の摂取を増やしてください。

使用量の目安

【成人】

●経口摂取

高コレステロール血症

シトスタノールが豊富に含まれる植物スタノール200mg～９gを毎日摂取します。１日２～３gを上回る用量を摂取しても，効果はわずかにしか高まらないようです。１日用量を１回に摂取しても，１日２～３回に分けて摂取しても同程度の効果があるようです。

遺伝的に高コレステロール傾向のある成人（家族性高コレステロール血症）のコレステロール値の低下

シトスタノール１日約２gを最長３カ月間摂取します。

【小児】

●経口摂取

高コレステロール血症

６歳以下の小児で，シトスタノール１日1.5gを摂取します。

遺伝的に高コレステロール傾向のある小児（家族性高コレステロール血症）のコレステロール値の低下

２～15歳の小児で，シトスタノール１日1.5~6.0gを摂取します。

シトロネラオイル

CITRONELLA OIL

別名ほか

シトロネラ，シトロネラ・セイロン（Ceylon Citronella），セイロンシトロネラ，コウスイガヤ（Cymbopogon nardus），シトロネラ・ジャワ，ジャワシトロネラ（Java Citronella），Andropogon nardus，Cymbopogon winterianus

概　　要

シトロネラオイルは，オガルカヤ（Cymbopogon）属植物のある種の草を蒸気蒸留することによって作られます。セイロンやシトロネオイル，あるいはレナバツシトロネラオイルは，オガルカヤナルドゥスによって作られます。ジャヴァ・シトロネラオイルまたはマハ・ペンギ・シトロネラオイルは，オガルカヤ・ウィンタリアヌス（Cymbopogon winterianus）から作られます。コウスイガヤの植物もこのグループに属していますが，それはシトロネラオイルを作るのに使用されません。

食物や飲料においては，シトロネラオイルは調味料に使用されます。

製品としては，シトロネラオイルは化粧品や石けんの香料として使用されます。

安　全　性

シトロネラオイルは，食物に含まれているような少量である限りは，ほとんどの人にとっては安全のようです。

シトロネラオイルは，虫除けとして肌に塗布されるときは，ほとんどの人にとっては安全のようです。

シトロネラオイルは，吸い込むと安全ではありません。肺損傷の報告もあります。

シトロネラオイルを経口で小児に与えるのは安全ではありません。小児には，有毒であるという報告がありますし，よちよち歩きの子どもが，シトロネラオイルを含んでいる虫除けを飲み込んで死亡しました。

●妊娠中および母乳授乳期

妊娠中および母乳授乳期のシトロネラオイル使用の安全性についてはデータが不十分です。安全性を考慮し，摂取は避けてください。

有　効　性

◆有効性レベル③

・虫除け。シトロネラオイルは，店で購入可能な蚊の虫除けに含まれる成分です。蚊に刺されるのを短時間（典型的には20分未満）予防すると思われます。他の虫除け（例えばDEET（N, N-diethyl-3-methylbenzamide）を含むもの）が通常好まれるのは，これらの虫除けがより長くもつからです。

◆科学的データが不十分です

・寄生虫，体液貯留，痙攣など。

●体内での働き

どのように作用するかについては十分なデータは得ら

相互作用レベル：高この医薬品と併用してはいけません　中この医薬品とは慎重に併用するか併用しないでください　低この医薬品との併用には注意が必要です

れていません。

医薬品との相互作用

ほかの医薬品との相互作用については明らかではありません。

ハーブおよび健康食品・サプリメントとの相互作用

ほかのハーブ，健康食品・サプリメントとの相互作用についてはまだ明らかではありません。

使用量の目安

●局所投与

蚊除けを目的として，0.5〜10%のシトロネラオイルを塗布します。

シナノキ

LINDEN

別名ほか

Basswood，Bois de Tilleul，European Linden，Feuille de Tilleul, Feuille Séchée de Tilleul, Fleur de Tilleul, Fleur Séchée de Tilleul，Hungarian Silver Linden，Lime Blossom，Lime Flower，Lime Tree，Linden Charcoal，Linden Dried Flower，Linden Dried Leaf，Linden Dried Sapwood，Linden Flower，Linden Leaf，Linden Sapwood，Linden Wood，Silver Lime，Silver linden，Tila，Tilia argentea，Tilia cordata，Tilia europaea，Tiliae flos，Tiliae folium，Tilia grandifolia，Tiliae lignum，Tilia parvifolia，Tilia platyphyllos，Tilia rubra，Tilia tomentosa，Tilia ulmifolia，Tilia vulgaris，Tilleul，Tilleul à Feuilles en Cœur，Tilleul à Grandes Feuilles，Tilleul à Petites Feuilles，Tilleul d'Europe，Tilleul d'Hiver，Tilleul des Bois，Tilleul Mâle，Tilleul Sauvage，Tilo

概　　要

シナノキは樹木です。乾燥花，乾燥葉，乾燥木質部を用いて「くすり」を作ることもあります。

葉は，感冒，鼻詰まり，咽喉痛，呼吸器疾患（気管支炎），頭痛，発熱に対して用いられます。また，去痰薬として機能し，咳をして痰を出しやすくします。頻拍，高血圧，過度の出血（大量出血），神経張力，睡眠障害（不眠），膀胱の調節障害（失禁），筋痙攣にも用いられます。さらに，発汗を促し，尿生成を増やすためにも使用されます。

木質部は，肝疾患，胆囊疾患，感染症，皮膚の感染症（蜂窩織炎）に用いられます。木質部から作られる木炭は，腸疾患に使用されます。

血行不良による皮膚のそう痒，関節痛（リウマチ），下腿部の創傷（下腿潰瘍）の場合，皮膚に直接塗布する人もいます。

安　全　性

シナノキの経口摂取は安全のようです。皮膚への使用はかゆみを引き起こすことがあります。

心臓病：シナノキ茶の頻繁な飲用は，心臓の障害と関連性があります。心臓病の場合は，医師の指示なしにはシナノキを用いないでください。

●妊娠中および母乳授乳期

妊娠中および母乳授乳期の使用の安全性についてはデータが不十分です。安全性を考慮し，使用を避けてください。

有　効　性

◆科学的データが不十分です

・睡眠障害（不眠），片頭痛を含む頭痛，膀胱機能の障害（失禁），過度の出血（大量出血），皮膚のそう痒，痛みをともなう関節の腫脹（リウマチ），気管支炎，咳，痙攣，膨満，発汗など。

●体内での働き

シナノキは粘液の分泌を増加し，不安を和らげるようですが，十分なデータが得られていません。

医薬品との相互作用

中 炭酸リチウム

シナノキは利尿薬のように作用する可能性があります。シナノキを摂取すると，炭酸リチウムの体内からの排泄を抑制する可能性があります。そのため，体内の炭酸リチウム量が増加し，重大な副作用が現れるおそれがあります。

ハーブおよび健康食品・サプリメントとの相互作用

ほかのハーブ，健康食品・サプリメントとの相互作用についてはまだ明らかではありません。

使用量の目安

通常の食品に含まれている量を超えて経口摂取した場合の安全性および副作用については，明らかになっていません。

シナモン（カシア）

CASSIA CINNAMON

●代表的な別名

桂皮

別名ほか

ケイ樹皮，桂皮（Cassia Bark），ケイヒ（Chinese Cinnamon），カシア（Cinnamomum cassia），

Cinnamomum aromaticum, Bastard Cinnamon, Canton Cassia, Cassia, Cassia aromaticum, Cassia Lignea, Cinnamon Flos, Cinnamomi Cassiae Cortex, Cinnamomum, Cortex cinnamomi, Cinnamon, False Cinnamon, Nees, Rou Gui, Sthula Tvak, Taja, Zimbluten

概　要

シナモン（カシア）は植物です。樹皮と花が「くすり」として使用されることもあります。

食品・飲料では，シナモンは風味づけに使われます。

シナモンには，多くの種類があります。セイロンシナモン（Cinnamomum verum），カシアシナモンまたはチャイニーズシナモン（Cinnamomum aromaticum）が，一般的に使用されます。多くの場合，食料品店で購入するシナモンは，この２つのシナモンを混ぜたものです。今のところカシアシナモンのみが，人で血糖値を下げる作用を示しています。しかしながら，セイロンシナモンもまた，血糖値を下げる効果のある成分を含んでいると考えられています。シナモン樹皮（Cinnamon Bark）に関しては，別掲の項目を参照してください。

●要説（ナチュラル・スタンダード）

シナモンは何世紀もの間，世界中でスパイスとして使用されてきました。またその治療効果の可能性が理由で使用されてきました。胃腸の改善や腸内ガスが出ないように使われます。２つのスパイスのみが，クスノキ科（Cinnamomum）の医薬用ハーブとして認められています。桂皮（Cinnamomum zeylanicum）とカシア（C. cassia）です。樹皮は桂皮と呼ばれ，スパイスとして使われます。

シナモンの疾患・症状の改善への使用を支持するエビデンスはありません。

シナモンは２型糖尿病の治療に対して研究されています。効果あり・なしの対立する結果がありますが，多くの試験は血糖値の減少効果が大いにあることを示唆しています。血糖値やインスリン代謝の改善に対して，有効であることを示しています。

シナモンは，抗炎症，抗菌，抗真菌，抗酸化の効果があると考えられています。現在行われている研究では，がんまたは重篤なウイルス感染に対しての使用の可能性を探っています。

安 全 性

通常の食品に含まれている量および「くすり」としての用量を経口摂取する場合，最長４カ月までであればほとんどの人に安全のようです。

皮膚に塗布する場合は，短期間であればおそらく安全です。

大量のシナモンを長期にわたり経口摂取する場合は，おそらく安全ではありません。大量のシナモンを摂取すると，人によっては副作用を引きこすおそれがあります。シナモンには，クマリンという化学物質が大量に含まれている可能性があります。敏感な人では，クマリンが肝疾患を引き起こしたり，悪化させたりするおそれがあります。皮膚に塗布すると，皮膚過敏およびアレルギー性皮膚反応を引き起こすおそれがあります。

小児：適切な量を経口摂取する場合は，おそらく安全です。13～18歳の青年に１日１gのシナモンが最長３カ月まで安全に用いられています。

糖尿病：糖尿病の人の血糖値を低下させるおそれがあります。糖尿病に罹患していて通常の食品に含まれる量を超えてシナモンを使用する場合には，低血糖の徴候がないかどうか観察し，血糖値を注意深く監視してください。

肝疾患：シナモンには肝臓を害するおそれのある化学物質が含まれています。肝疾患の場合には，通常の食品に含まれる量を超えてシナモンを使用してはいけません。

手術：シナモンは血糖値を低下させるおそれがあるため，手術中および術後の血糖コントロールを妨げるおそれがあります。少なくとも手術前２週間は，「くすり」として使用しないでください。

●妊娠中および母乳授乳期

妊娠中および母乳授乳期の使用の安全性についてはデータが不十分です。安全性を考慮し，摂取は避けてください。

有 効 性

◆有効性レベル③

・糖尿病。いくつかの研究により，２型糖尿病の人がシナモンを毎日，最長３カ月間にわたり摂取すると，血糖コントロールに役立ち，コレステロールが低下することが示されています。１型糖尿病の人では，シナモンにより血糖コントロールおよび関連する症状が改善することはないようです。

◆科学的データが不十分です

・防蚊剤，夜尿，がん，胸痛，感冒，下痢，勃起障害（ED），高血圧，腸内ガス，関節痛，腎疾患，食欲不振，更年期症状，月経不順，筋痙攣，胃痙攣，吐き気，嘔吐など。

●体内での働き

ヒドロキシカルコンやそれに類似した化学物質が含まれています。これらの化学物質はインスリン感受性を改善するようです。また，血糖取り込みを増加させる血液タンパクを活性化する可能性のある化学物質が含まれています。この作用により，糖尿病の人の血糖コントロールを改善できる可能性があります。さらに，桂皮アルデヒドが含まれています。桂皮アルデヒドは細菌や真菌に活性を示す可能性があるほか，何種類かの充実性腫瘍細胞の増殖を停止するようです。

医薬品との相互作用

高肝臓を害する可能性のある医薬品

非常に多量のシナモンを摂取すると，現在，肝疾患を患っている人々においては，さらに肝臓を害する可能性があります。多量のシナモンと肝臓を害する可能性のある医薬品を併用すると，肝障害のリスクが高まる可能性があります。肝臓を害する可能性のある医薬品を服用している場合は，多量のシナモンを摂取しないでください。このような医薬品にはアセトアミノフェン，アミオダロン塩酸塩，カルバマゼピン，イソニアジド，メトトレキサート，メチルドパ水和物，フルコナゾール，イトラコナゾール，エリスロマイシン，フェニトイン，Lovastatin，プラバスタチンナトリウム，シンバスタチンなどがあります。

中糖尿病治療薬

シナモン（カシア）は血糖値を低下させる可能性があります。糖尿病治療薬もまた血糖値を低下させるために用いられます。シナモン（カシア）と糖尿病治療薬を併用すると，血糖値が過度に低下するおそれがあります。血糖値を注意深く監視してください。糖尿病治療薬の用量を変更する必要があるかもしれません。このような糖尿病治療薬にはグリメピリド，グリベンクラミド，インスリン，メトホルミン塩酸塩，ピオグリタゾン塩酸塩，マレイン酸ロシグリタゾン（販売中止），クロルプロパミド，Glipizide，トルブタミド（販売中止）などがあります。

ハーブおよび健康食品・サプリメントとの相互作用

肝臓を害するおそれのあるハーブおよび健康食品・サプリメント

シナモンを大量に摂取すると，人によって，とくに肝疾患に罹患している場合には，深刻な肝障害を引き起こすおそれがあります。シナモンを，肝臓を害するおそれのあるほかのハーブおよび健康食品・サプリメントと併用すると，肝障害の発症リスクが高まるおそれがあります。このようなハーブおよび健康食品・サプリメントには，チャパラル，コンフリー，デヒドロエピアンドロステロン，ジャーマンダー，カバ，ニコチン酸，ペニーロイヤル，紅麹などがあります。

血糖値を低下させるおそれのあるハーブおよび健康食品・サプリメント

シナモンは血糖値を低下させるおそれがあります。シナモンと，血糖値を低下させるおそれのあるほかのハーブおよび健康食品･サプリメントを併用すると，人によっては血糖値が過度に低下するおそれがあります。このようなハーブおよび健康食品・サプリメントには，α-リポ酸，ニガウリ，クロム，デビルズクロー，フェヌグリーク，ニンニク，グアーガム，セイヨウトチノキ，朝鮮人参，サイリウム，エゾウコギなどがあります。

使用量の目安

通常の食品に含まれている量を超えて経口摂取した場合の安全性および副作用については，明らかになっていません。

ジビジビ

DIVI-DIVI

●代表的な別名

ディヴィ-ディヴィ

別名ほか

Caesalpinia bonducella，Nichol Seeds，Nikkar Nuts，Putikaranja，Udakiryaka

概　要

ジビジビはハーブです。種子を挽くか煎って「くすり」に使用することもあります。

安 全 性

十分なデータが得られていないので，安全であるかどうか不明です。

●妊娠中および母乳授乳期

妊娠中，母乳授乳期は使用してはいけません。

有 効 性

◆科学的データが不十分です

・発熱および糖尿病。

●体内での働き

どのように作用するかについては十分なデータが得られていません。

医薬品との相互作用

ほかの医薬品との相互作用については明らかではありません。

ハーブおよび健康食品・サプリメントとの相互作用

ほかのハーブ，健康食品・サプリメントとの相互作用についてはまだ明らかではありません。

使用量の目安

標準使用量に関するデータがありません。

ジプシーワート

BUGLEWEED

別名ほか

Gypsywort，ホアハウンド（Hoarhound），ヒメサルダヒコ，キセワタ（Lycopus europaeus），Archangle，Ashangee，Green Wolf's Foot，Gypsy Weed，Lycopi herba，Lycopus americanus，Lycopus virginicus，Paul's Betony，Sweet Bugle，Water Bugle，Water Hoarhound，Water Horehound，Virginia Water Horehound，Wolfstrapp

概　要

ジプシーワートは植物です。地上部が「くすり」として使用されることもあります。

●要説（ナチュラル・スタンダード）

ジプシーワートは伝えられるところによると，米国南東部における川のほとりで発見されましたが，現在は北米全土で生育しています。歴史的には甲状腺機能亢進症に使用され，とくに，息切れ，動悸，振戦などの症状に使用されてきました。

ジプシーワートは，収れん，血糖値低下，軽度の麻酔作用，軽い鎮静への使用が提案されています。薬草医（日本，中国，韓国でいう漢方医または中医）は伝統的に，咳，軽度の心疾患，結核による肺出血，重い月経を治療したり，インフルエンザや感冒のときの発熱や粘液産生を減らすために，ジプシーワートを使用してきました。また，グレーブス病や他の甲状腺機能亢進症の患者を治療するためにも，レモンバームと併用してきました。

現在，ジプシーワートの安全性や有効性を研究した質の高い臨床試験は十分ではありません。

安 全 性

経口摂取はほとんどの人におそらく安全ですが，甲状腺疾患の場合には合併症が生じることがあるので，自己療法は避けるべきです。長期間使用すると，甲状腺肥大を引き起こすおそれがあります。また，使用を突然中止すると，甲状腺およびプロラクチンの濃度が高くなり，身体症状を引き起こすおそれがあります。

糖尿病：ジプシーワートは血糖値を低下させるおそれがあります。糖尿病の場合には，低血糖の症状がないかどうか観察し，血糖値を注意深く監視しながら使用してください。糖尿病薬の服薬量を調整する必要があるかもしれません。

手術：ジプシーワートは血糖値に影響を与えるおそれがあるため，手術中および術後の血糖コントロールを妨げるおそれがあります。少なくとも手術前２週間は，使用しないでください。

甲状腺肥大および甲状腺機能低下：甲状腺肥大および甲状腺機能低下のいずれかの疾患がある場合や，甲状腺治療を受けている場合には，ジプシーワートを使用してはいけません。

●妊娠中および母乳授乳期

妊娠中の経口摂取は，ホルモンに影響を与えるおそれがあるため，安全ではないようです。母乳授乳期の経口摂取も安全ではないようです。母乳の産生に影響を与えるおそれがあります。

有 効 性

◆科学的データが不十分です

・月経前症候群（PMS），神経質，睡眠障害（不眠），出血，甲状腺ホルモンの高値（甲状腺機能亢進症），乳房痛など。

●体内での働き

ジプシーワートは，甲状腺ホルモンの産生を減少させるおそれがあります。また，プロラクチンというホルモンの放出を減少させ，乳房痛を緩和する可能性があるようです。

医薬品との相互作用

中 甲状腺ホルモン製剤

ジプシーワートを摂取すると，甲状腺ホルモン製剤の働きを抑制するおそれがあります。甲状腺ホルモン製剤を服用中にジプシーワートを摂取しないでください。

中 糖尿病治療薬

ジプシーワートは血糖値を低下させる可能性があります。糖尿病治療薬もまた血糖値を低下させるために用いられます。ジプシーワートと糖尿病治療薬を併用すると，血糖値が過度に低下するおそれがあります。血糖値を注意深く監視してください。糖尿病治療薬の用量を変更する必要があるかもしれません。このような糖尿病治療薬にはグリメピリド，グリベンクラミド，インスリン，ピオグリタゾン塩酸塩，マレイン酸ロシグリタゾン（販売中止），クロルプロパミド，Glipizide，トルブタミド（販売中止）などがあります。

ハーブおよび健康食品・サプリメントとの相互作用

血糖値を低下させるおそれのあるハーブおよび健康食品・サプリメント

ジプシーワートが血糖値を低下させるおそれがあるというエビデンスがあります。同様の作用をもつほかのハーブおよび健康食品・サプリメントと併用すると，血糖値が過度に低下するおそれがあります。このようなハーブおよび健康食品・サプリメントには，デビルズクロー，フェヌグリーク，グアーガム，朝鮮人参，エゾウコギなどがあります。

甲状腺ホルモン産生を抑制するハーブおよび健康食品・サプリメント

ジプシーワートは体内での甲状腺ホルモン産生を抑制するおそれがあります。同様の作用をもつほかのハーブおよび健康食品・サプリメントと併用すると，甲状腺ホルモン濃度が過度に低下するおそれがあります。このようなハーブおよび健康食品・サプリメントには，バームの葉，イブキジャコウソウの植物などがあります。

使用量の目安

通常の食品に含まれている量を超えて経口摂取した場合の安全性および副作用については，明らかになっていません。

シベット

CIVET

●代表的な別名

ジャコウネコ

別名ほか

アフリカジャコウネコ（Civettictis civetta），インドジャコウネコ（Large Indian Civet），オオジャコウネコ（Viverra zibetha），African Civet，Viverra civetta，Zibeth

概　　要

シベットはアフリカの哺乳動物の腺からの分泌物です。これを用いて「くすり」を作ることもあります。

安 全 性

食物に含まれている程度の量の使用であれば，一般的に安全なようです。

十分なデータは得られていないので，どのような健康状態の人であっても安全であるかどうかは不明です。

●妊娠中および母乳授乳期

妊娠中および母乳授乳期の使用の安全性についてはデータが不十分です。安全性を考慮し，摂取は避けてください。

有 効 性

◆科学的データが不十分です

・鎮痛および不眠。

●体内での働き

どのように作用するかについては十分なデータがありません。

医薬品との相互作用

ほかの医薬品との相互作用については明らかではありません。

ハーブおよび健康食品・サプリメントとの相互作用

ほかのハーブ，健康食品・サプリメントとの相互作用についてはまだ明らかではありません。

使用量の目安

標準使用量に関するデータがありません。

シマニシキソウ

EUPHORBIA HIRTA

●代表的な別名

タイワンニシキソウ

別名ほか

ユーフォルビア・ヒルタ，Asthmaplant，Chamaesyce hirta，Euforbia，ユーフォルビア，トウダイグサ，Euphorbe，Garden Spurge，Pill-Bearing Spurge，Tawa-Tawa，タイワンニシキソウ

概　　要

シマニシキソウはハーブです。地上部を用いて「くすり」を作ることもあります。

シマニシキソウは，呼吸障害，デング熱，消化管障害，重度の下痢（赤痢）など，多くの疾患に対して使用されますが，これらの用途を裏付ける十分なエビデンスはありません。

安 全 性

シマニシキソウを経口摂取した場合，その安全性については情報が不十分です。吐き気や嘔吐などの副作用が現れるおそれがあります。

シマニシキソウを皮膚に塗布した場合，その安全性については情報が不十分です。皮膚過敏やアレルギー反応などの副作用が現れるおそれがあります。

胃腸疾患：シマニシキソウは胃腸を刺激する可能性があります。胃腸疾患のある場合には使用しないでください。

●妊娠中および母乳授乳期

妊娠中および母乳授乳期にシマニシキソウを経口摂取した場合，おそらく安全ではありません。子宮を収縮させるおそれがあるというエビデンスがいくつかあり，これにより流産を引き起こすおそれがあります。

有 効 性

◆科学的データが不十分です

・気管支喘息，気管支炎，咳，デング熱，花粉症，腫瘍，消化管障害，腸内寄生虫，淋病など。

●体内での働き

シマニシキソウがどのように働くかについては情報が不十分です。

医薬品との相互作用

ほかの医薬品との相互作用については明らかではありません。

ハーブおよび健康食品・サプリメントとの相互作用

ほかのハーブ，健康食品・サプリメントとの相互作用

についてはまだ明らかではありません。

使用量の目安

シマニシキソウの適量は複数の要因（年齢，健康状態などさまざまな状況）により異なります。現時点ではシマニシキソウの適量の範囲を決定する十分なエビデンスはありません。自然由来の製品は必ずしも常に安全ではなく，使用量が重要になりうることに留意してください。製品の表示にある注意事項に従い，また，医師・薬剤師などに相談することなく製品を使用しないでください。

シマルバ

SIMARUBA

別名ほか

シマルバ樹皮（Simaruba amara），Bitter Damson，Dysentery Bark，Mountain Damson，Slave Wood，Stave Wood，Sumaroub，Quassia Simarouba

概　要

シマルバは植物です。樹皮を用いて「くすり」を作ることもあります。

安 全 性

安全性については不明です。大量摂取すると，嘔吐を引き起こします。

●妊娠中および母乳授乳期

妊娠中の使用は安全ではありません。流産を起こすおそれがあります。使用しないでください。

有 効 性

◆科学的データが不十分です

・下痢，マラリア，水分貯留，発熱，胃の不快感，人工中絶など。

●体内での働き

タンニンと呼ばれる化合物を高濃度に含んでいます。タンニンは下痢の緩和に役立つことがあります。

医薬品との相互作用

ほかの医薬品との相互作用については明らかではありません。

ハーブおよび健康食品・サプリメントとの相互作用

ほかのハーブ，健康食品・サプリメントとの相互作用についてはまだ明らかではありません。

使用量の目安

●経口摂取

通常１gを摂取します。

ジメチルアミルアミン

DIMETHYLAMYLAMINE

●代表的な別名

DMAA

別名ほか

1,3-Dimethylamylamine，1,3-Dimethyl-5-Amine，1,3-Dimethylamylamine HCL，1,3 Dimethylpentylamine，1,3-dimethylpentylamine，2-amino-4-methylhexane，4-methyl-2-hexanamine，4-methyl-2-hexyl-amine，4-methylhexan-2-amine，Dimetilamilamina，Dimethylpentylamine，Diméthylpentylamine，DMAA，Forthan，Forthane，Floradrene，Geranamine，Geranium，Géranium，Methylhexanamine，Méthylhexanamine，Methylhexaneamine，Méthylhexanéamine

概　要

ジメチルアミルアミンは，実験室で合成的に作られる「くすり」です。もともとは鼻づまり薬（充血除去薬）として使用されていました。今日では，サプリメントとして，注意欠陥多動障害（ADHD），体重減少，運動能力向上やボディビルディングのために販売されています。

ジメチルアミルアミンがローズゼラニウムオイル由来の天然成分でできているとする製品もあります。この原材料を含むサプリメントは，ローズゼラニウムオイル，ゼラニウムオイル，ゼラニウムの茎を表記しています。しかし，研究者によるとこれはおそらく天然成分からのものではなく，製造者が人工的に加えたものだろうと考えられています。カナダでは，医薬品として扱われており，サプリメントあるいは天然由来の健康食品としての扱いは禁止されています。多くのアスリートたちはジメチルアミルアミンを運動能力の向上のために使用しています。しかし，2010年にジメチルアミルアミンは世界アンチ・ドーピング機構（World Anti-Doping Agency）の禁止物質リストに追加されました。使用を避けてください。

安全性を考慮して，米国では一時的に軍関係の店から製品が撤去されました。また，ニュージーランドでは，使用が禁止されています。米国食品医薬品局（FDA）は，ジメチルアミルアミンを含むサプリメントは非合法であると考えています。使用により，生命にかかわるような深刻な副作用がいくつか報告されたからです。

安 全 性

ジメチルアミルアミンの経口摂取は，安全ではないようです。興奮薬のような作用があると考えられており，頻拍，高血圧，心臓発作や脳卒中のリスク上昇など，深刻な副作用を引き起こすおそれがあります。

ジメチルアミルアミンを摂取した人が，脳卒中，乳酸アシドーシス，心臓発作，肝障害などの危険な副作用を起こした報告や，死に至った報告が複数あります。

緑内障：ジメチルアミルアミンには，興奮作用があり，血管を収縮させるおそれがあります。このため，一部の緑内障が悪化するおそれがあります。緑内障の場合には，摂取を避けてください。

脈拍不整（不整脈）：ジメチルアミルアミンには，興奮作用があり，頻拍を引き起こすおそれがあります。このため，不整脈が悪化するおそれがあります。

手術：ジメチルアミルアミンには，興奮作用があり，心拍数および血圧を上昇させ，手術を妨げるおそれがあります。少なくとも手術前２週間は，使用しないでください。

●妊娠中および母乳授乳期

妊娠中および母乳授乳期の使用の安全性についてはデータが不十分です。安全性を考慮し，摂取は避けてください。

高血圧：ジメチルアミルアミンには，興奮作用があり，血圧を上昇させるおそれがあります。高血圧の場合には，摂取を避けてください。

有　効　性

◆科学的データが不十分です

・体重減少，注意欠陥多動障害（ADHD），運動能力，ボディービルなど。

●体内での働き

ジメチルアミルアミンには，塩酸プソイドエフェドリン，エフェドリン塩酸塩などの鼻粘膜血管収縮薬に似た興奮作用があると考えられています。推奨者の中には，エフェドリンに代わる，より安全なものとみなす人もいます。ただし，このような見解を裏づける科学的データは不十分です。

医薬品との相互作用

中 肝臓で代謝される医薬品（シトクロムP450 2D6（CYP2D6）の基質となる医薬品）

特定の医薬品は肝臓で代謝されます。ジメチルアミルアミンはこのような医薬品の代謝を抑制する可能性があります。ジメチルアミルアミンと肝臓で代謝される医薬品を併用すると，医薬品の作用および副作用を増強させるおそれがあります。このような医薬品には，アミトリプチリン塩酸塩，クロザピン，コデインリン酸塩水和物，塩酸デシプラミン（販売中止），ドネペジル塩酸塩，フェンタニルクエン酸塩，フレカイニド酢酸塩，塩酸フルオキセチン（販売中止），ペチジン塩酸塩，メサドン塩酸塩，メトプロロール酒石酸塩，オランザピン，オンダンセトロン塩酸塩水和物，トラマドール塩酸塩，トラゾドン塩酸塩などがあります。

中 興奮薬

興奮薬は神経系を亢進させます。神経系を亢進させることにより，興奮薬は神経を過敏にして心拍数を上昇させる可能性があります。ジメチルアミルアミンもまた神経系を亢進させる可能性があります。ジメチルアミルアミンと興奮薬を併用すると，頻脈や高血圧などの重大な問題を引き起こすおそれがあります。このような興奮薬には，アンフェタミン（販売中止），カフェイン，Diethylpropion，メチルフェニデート塩酸塩，Phentermine，塩酸プソイドエフェドリンなど数多くあります。

ハーブおよび健康食品・サプリメントとの相互作用

興奮作用をもつハーブおよび健康食品・サプリメント

ジメチルアミルアミンは，興奮作用をもつ可能性があります。ジメチルアミルアミンと，興奮作用をもつほかのハーブおよび健康食品・サプリメントを併用すると，頻拍や高血圧など，興奮作用による副作用のリスクが高まるおそれがあります。このようなハーブおよび健康食品・サプリメントには，マオウ（麻黄），ダイダイ，カフェインのほか，コーヒー，コーラノキの種，ガラナ豆，マテなどカフェインを含むハーブなどがあります。

使用量の目安

通常の食品に含まれている量を超えて経口摂取した場合の安全性および副作用については，明らかになっていません。

ジメチルグリシン

DIMETHYLGLYCINE

別名ほか

N,N-ジメチルグリシン（N,N-dimethylglycine），Dimethyl Glycine，(Dimethylamino)acetic acid，DMG，N,N-dimethylaminoacetic Acid，N-methylsarcosine

概　　要

ジメチルグリシンはタンパク質を構成するアミノ酸で，体内に微量存在しています。ジメチルグリシンは，「くすり」として使われることがあります。

安　全　性

ジメチルグリシンは，28日間を上限とする短期間の使用に関しては安全です。

長期間の使用に関してのデータはありません。

●妊娠中および母乳授乳期

妊娠中および母乳授乳期の使用についてはデータが不十分です。安全性を考慮し，使用は控えてください。

有　効　性

◆有効性レベル④

・てんかんの治療。
・自閉症の治療。

◆科学的データが不十分です

・注意欠陥多動性障害，がん，慢性疲労症候群，ストレス，アレルギー，呼吸困難，アルコール依存症，薬物中毒，高血圧症，高コレステロール血症，身体の免疫システムの改善など。

●体内での働き

免疫機能の改善に役立つことがあります。

医薬品との相互作用

ほかの医薬品との相互作用については明らかではありません。

ハーブおよび健康食品・サプリメントとの相互作用

ほかのハーブ，健康食品・サプリメントとの相互作用についてはまだ明らかではありません。

使用量の目安

標準使用量に関するデータがありません。

ジメチルスルホキシド（DMSO）

DIMETHYLSULFOXIDE（DMSO）

別名ほか

Dimethylis Sulfoxidum, Dimethyl Sulfoxide, Dimethyl Sulphoxide, Dimethylsulfoxide, Diméthylsulfoxyde, Dimetilsulfóxido, DMSO, Methyl Sulphoxide, メチルスルホキシド, NSC-763, SQ-9453, Sulfoxyde de Diméthyl, Sulphinybismethane, スルフィニルビスメタン

概　要

ジメチルスルホキシド（DMSO）は化学物質です。処方箋医薬品やサプリメントとして入手可能です。DMSOは，経口，経皮（局所），経静脈（注射，IV）で投与されます。

DMSOは，膀胱の炎症（間質性膀胱炎），一般的に外傷後に生じる四肢の疼痛（複合性局所疼痛症候群），静脈注射した医薬品が血管外の周辺組織に漏れること（血管外漏出）に対して使用されます。また，これ以外の症状にも使用されますが，その用途を裏付ける十分なエビデンスはありません。

訳注）ジメチルスルホキシド（DMSO）は日本ではサプリメントとして入手できません。

安　全　性

ジメチルスルホキシド（DMSO）を経口摂取した場合，安全性および副作用については情報が不十分です。

非処方箋製品のジメチルスルホキシド（DMSO）を皮膚へ塗布した場合，おそらく安全ではありません。非処方箋製品の一部は「工業用グレード」でヒトの使用を対象としていません。このような製品には，健康問題を招くおそれのある不純物が含まれる可能性があります。さらに悪いことには，DMSOは皮膚から吸収されやすいため，すぐに体内にその不純物が取り込まれます。DMSOの摂取による副作用には，皮膚症状，乾燥皮膚，頭痛，めまい感，傾眠，吐き気，嘔吐，下痢，便秘，呼吸器疾患，アレルギー反応などがあります。また，DMSOはニンニクに似た味で，口臭および体臭に現れます。

ジメチルスルホキシド（DMSO）を膀胱内投与した場合，処方薬のDMSOであればほとんどの人に安全です。医師などに処方されていないDMSO製品は使用しないでください。

ジメチルスルホキシド（DMSO）を静脈投与した場合，その安全性については情報が不十分です。血液の異常，脆弱，錯乱などの副作用が現れるおそれがあります。

糖尿病：ジメチルスルホキシド（DMSO）を局所投与すると体内のインスリンの働きが変化する可能性が報告されています。糖尿病をインスリンで治療している患者がDMSOを使用する場合は，血糖値を注意深く監視してください。インスリンの投与量を調整する必要があるかもしれません。

特定の血液疾患：ジメチルスルホキシド（DMSO）を静脈内投与すると赤血球が破壊される可能性があります。そのため，特定の血液疾患の場合に問題が生じるおそれがあります。DMSOにより症状が悪化するおそれがあります。

腎障害：ジメチルスルホキシド（DMSO）が腎臓に悪影響を与えるおそれがあります。腎疾患患者がDMSOを使用する場合，6カ月おきの腎機能検査が推奨されます。

肝疾患：ジメチルスルホキシド（DMSO）が肝臓に悪影響を与えるおそれがあります。肝疾患患者がDMSOを使用する場合，6カ月おきに肝機能検査を受けてください。

●妊娠中および母乳授乳期

妊娠中および母乳授乳期にジメチルスルホキシド（DMSO）を使用する安全性については情報が不十分です。安全性を考慮し，摂取しないでください。

有　効　性

◆有効性レベル①

・間質性膀胱炎。ジメチルスルホキシド（DMSO）は，間質性膀胱炎の治療用に米国食品医薬品局（FDA）で承認されています。DMSOを用いて膀胱を洗浄することで，間質性膀胱炎による疼痛などの症状が改善します。

◆有効性レベル③

・一般的に外傷後に生じる四肢の疼痛（複合性局所疼痛

症候群）。ジメチルスルホキシド（DMSO）を50%含むクリームを皮膚に塗布することで疼痛が緩和されることを示唆する研究があります。
・静脈注射した医薬品が血管外の周辺組織に漏れること（血管外漏出）。一部の化学療法薬は静脈外の周辺組織に漏れると周辺組織に障害を起こすおそれがあります。研究では，ジメチルスルホキシド（DMSO）を皮膚に塗布することで障害の進行を防ぐ可能性が示唆されています。

◆有効性レベル④

・皮膚や結合組織の硬化（強皮症）。ほとんどの研究で，ジメチルスルホキシド（DMSO）を皮膚に塗布しても強皮症の皮膚症状の治療の助けにならないことが示唆されています。

◆科学的データが不十分です

・異常なタンパク質の体内への蓄積（アミロイドーシス），糖尿病による足部潰瘍，帯状疱疹，頭蓋内圧亢進，変形性関節症，胃潰瘍，床ずれ（褥瘡性潰瘍），関節リウマチ（RA），帯状疱疹による神経痛（帯状疱疹後神経痛），手術後の皮弁への血流不足，腱の酷使による疼痛を伴う状態（腱障害），気管支喘息，眼疾患，胆石，頭痛，筋肉障害，胼胝（たこ）などの皮膚疾患など。

●体内での働き

ジメチルスルホキシド（DMSO）が皮膚からの医薬品の吸収を補助し，体内のタンパク質，炭水化物，脂肪，水分に影響を及ぼす可能性があります。

医薬品との相互作用

中皮膚，目，または耳に適用される医薬品（局所用薬）

ジメチルスルホキシド（DMSO）は医薬品の体内への吸収量を増加させる可能性があります。皮膚，目または耳に使用する医薬品とDMSOを併用して塗布すると，医薬品の吸収量が増加する可能性があります。そのため，医薬品の作用および副作用が増強するおそれがあります。

中カルボプラチン

カルボプラチンを溶解するためにジメチルスルホキシド（DMSO）を使用すると，カルボプラチンのがん治療に対する働きが弱まるおそれがあります。

中シスプラチン

シスプラチンを溶解するためにジメチルスルホキシド（DMSO）を使用すると，シスプラチンのがん治療に対する働きが弱まるおそれがあります。

中オキサリプラチン

オキサリプラチンを溶解するためにジメチルスルホキシド（DMSO）を使用すると，オキサリプラチンのがん治療に対する働きが弱まるおそれがあります。

中血液凝固を抑制する医薬品（抗凝固薬/抗血小板薬）

ジメチルスルホキシド（DMSO）は血液凝固を抑制する可能性があります。DMSOと血液凝固を抑制する医薬品を併用すると，紫斑および出血のリスクが高まるおそれがあります。このような医薬品には，アスピリン，シロスタゾール，クロピドグレル硫酸塩，ジクロフェナクナトリウム，イブプロフェン，ナプロキセン，ダルテパリンナトリウム，エノキサパリンナトリウム，ヘパリン，チクロピジン塩酸塩，ワルファリンカリウムなどがあります。

中スリンダク

ジメチルスルホキシド（DMSO）とスリンダクを併用すると，スリンダクの疼痛治療に対する働きが弱まるおそれがあります。また，DMSOとスリンダクの併用が神経痛のリスクを高めるおそれが懸念されています。

中緑内障，アルツハイマー病などに使用される医薬品（コリン作動薬）

ジメチルスルホキシド（DMSO）は，脳や心臓などで特定の化学物質を増加させる可能性があります。緑内障，アルツハイマー病などに使用される医薬品（コリン作動薬）もこの化学物質に影響を及ぼします。DMSOとコリン作動薬を併用すると，副作用のリスクが高まるおそれがあります。このような医薬品には，ピロカルピン塩酸塩，ドネペジル塩酸塩，Tacrineなどがあります。

中ベルテポルフィン

ジメチルスルホキシド（DMSO）とベルテポルフィンを併用すると，ベルテポルフィンの働きが弱まるおそれがあります。

ハーブおよび健康食品・サプリメントとの相互作用

ほかのハーブ，健康食品・サプリメントとの相互作用についてはまだ明らかではありません。

使用量の目安

●皮膚への塗布

一般的に外傷後に生じる四肢の疼痛（複合性局所疼痛症候群）

ジメチルスルホキシド（DMSO）を50%含むクリームを１日最大５回，２～12カ月間，患部に塗布します。

静脈注射した医薬品が血管外の周辺組織に漏れること（血管外漏出）

ジメチルスルホキシド（DMSO）を77～90%含む溶液を含ませた包帯剤を３～８時間おきに最大２週間貼ります。

●膀胱内投与

間質性膀胱炎

医師などにより，カテーテル（管）を用いてジメチルスルホキシド（DMSO）溶液を膀胱内に注入します。カテーテルの抜去後に患者は一定時間，膀胱内に溶液を保持してから，排尿します。

ジメチルヘキシルアミン（DMHA）

DIMETHYLHEXYLAMINE（DMHA）

別名ほか

1,5-DMHA, 1,5-Dimethylhexylamine, 1,5-ジメチルヘキシルアミン, 1,5-Diméthylhexylamine, 2-Amino-5-Methylheptane, 2-Amino-5-Méthylheptane, 2-Amino-6-Methylheptane, 2-Amino-6-Méthylheptane, 2-Aminoisoheptane, 2-Heptylamine, 2-ヘプチルアミン, 6-Methyl-2-Heptylamine, 6-メチル-2-ヘプタノン, 6-Méthyl-2-Heptylamine, 6-Methyl-2-Isooctyl Amine, 6-Méthylheptane-2-Amine, Aconite Extract, トリカブト抽出物, Aconitum Kusnezoffii, Amino-5-Methylheptane, Amidrine, Extrait d'Aconit, Octodrina, Octodrine, オクトドリン, Vaporpac, バポルパック

概　要

ジメチルヘキシルアミン（DMHA）はもともと鼻閉を改善する薬として用いられていました。現在は，運動能力の強化,「脂肪燃焼」, 体重減少の促進を目的とした健康食品・サプリメント製品の原材料の１つとして用いられています。しかし，これらの用途を裏付ける十分なエビデンスはありません。

一部の製品はDMHAがトリカブト由来の天然のものであると謳っていますが，DMHAがトリカブトに含まれている可能性があるという明らかなエビデンスはありません。健康食品・サプリメントに含まれるDMHAは，天然成分由来のものではなく，人工的に作られているようです。

DMHAはジメチルアミルアミン（DMAA）と呼ばれる興奮剤に類似しているようです。DMAAは安全上の懸念から，一部の国では市場から排除されています。

安　全　性

ジメチルヘキシルアミン（DMHA）を経口摂取した場合，おそらく安全ではありません。DMHAにはジメチルアミルアミン（DMAA）と類似した副作用（心臓発作や死亡など）があるおそれがあります。

高血圧：ジメチルヘキシルアミン（DMHA）には興奮作用があり，血圧を上昇させるおそれがあります。高血圧の場合には，DMHAを摂取しないでください。

緑内障：ジメチルヘキシルアミン（DMHA）には興奮作用があり，血管を収縮させるおそれがあります。そのため，一部の種類の緑内障を悪化させるおそれがあります。緑内障の場合には，DMHAを摂取しないでください。

脈拍不整（不整脈）：ジメチルヘキシルアミン（DMHA）には興奮作用があり，頻拍を引き起こすおそれがあります。そのため，不整脈を悪化させるおそれがあります。脈拍不整がある場合には，DMHAを摂取しないでください。

手術：ジメチルヘキシルアミン（DMHA）には興奮作用があり，心拍数や血圧を上昇させて手術を妨げるおそれがあります。少なくとも手術前２週間は，DMHAを使用しないでください。

●妊娠中および母乳授乳期

妊娠中および母乳授乳期にジメチルヘキシルアミン（DMHA）を使用する安全性については情報が不十分です。安全性を考慮し，摂取は避けてください。

有　効　性

◆科学的データが不十分です

・運動能力，体重減少など。

●体内での働き

ジメチルヘキシルアミン（DMHA）には塩酸プソイドエフェドリン，エフェドリン塩酸塩などの鼻粘膜血管収縮薬に類似した興奮作用があると考えられています。一部の推奨者は，DMHAがエフェドリン塩酸塩やジメチルアミルアミン（DMAA）より安全で，その代用品であるとしています。ただし，この主張を裏づけるエビデンスはありません。

医薬品との相互作用

中興奮薬

興奮薬は神経系を亢進させます。興奮薬が神経系を亢進させることで，神経が過敏になり，心拍数が上昇する可能性があります。ジメチルヘキシルアミン（DMHA）も神経系を亢進させる可能性があります。DMHAと興奮薬を併用すると，重大な問題（頻脈や高血圧など）を引き起こすおそれがあります。DMHAと興奮薬を併用しないでください。このような興奮薬には，アンフェタミン（販売中止），カフェイン，Diethylpropion，メチルフェニデート塩酸塩，Phentermine，塩酸プソイドエフェドリンなど数多くあります。

ハーブおよび健康食品・サプリメントとの相互作用

興奮作用をもつハーブおよび健康食品・サプリメント

ジメチルヘキシルアミン（DMHA）には興奮作用がある可能性があります。DMHAと，興奮作用をもつほかのハーブおよび健康食品・サプリメントを併用すると，興奮作用による副作用（頻拍や高血圧など）のリスクが高まるおそれがあります。このようなハーブおよび健康食品・サプリメントには，マオウ（麻黄），ダイダイ，ジメチルアミルアミン（DMAA），カフェインのほか，カフェインを含むもの（コーヒー，コーラノキの種，ガラナ豆，マテなど）などがあります。

使用量の目安

ジメチルヘキシルアミン（DMHA）の適量は複数の要因（年齢，健康状態などさまざまな状況）に左右されます。現時点ではDMHAの適量の範囲を決定する十分な

エビデンスはありません。自然由来の製品は必ずしも常に安全ではなく，使用量が重要になりうることに留意してください。製品の表示にある注意事項に従い，また，医師・薬剤師などに相談することなく製品を使用しないでください。

シモツケソウ

GRAVEL ROOT

別名ほか

スイートジョーパイ（Eupatorium purpureum），ジョーパイウィード（Joe-Pye Weed），クイーンオブザミドー（Queen of the Meadow），Kidney Root，Purple Boneset，Roter Wasserhanf，Trumpet Weed

概　要

シモツケソウはハーブです。地上部，球根，根を用いて「くすり」を作ることもあります。

●要説（ナチュラル・スタンダード）

シモツケソウは北米原産です。カナダからフロリダ，西はテキサスにまで分布しています。40を超える種類があり，その多くは医療用です。

シモツケソウは，アメリカ先住民が，排尿および発汗の増加，腎結石や膀胱結石の予防および治療，発熱緩和に対し用いたとされています。膀胱炎，尿道の腫脹，関節障害，および関節炎の治療にも用いられてきています。

科学的根拠が十分ではないため，現在はシモツケソウの使用が限られています。

安 全 性

シモツケソウを損傷した皮膚に塗布するのは安全ではありません。シモツケソウに含まれる危険な化学物質が，損傷した皮膚を通じて急速に吸収され，全身に毒性が回るおそれがあります。認可されていない製品，「肝毒性をもつピロリジジンアルカロイド（pyrrolizidine alkaloids）なし」の表示がない製品の使用は避けてください。

正常な皮膚に塗布する場合の安全性についてはデータが不十分です。使用を避けるのが最善です。

肝疾患：シモツケソウに含まれる肝毒性をもつピロリジジンアルカロイドが肝疾患を悪化させるおそれがあります。

●アレルギー

キク科の植物にアレルギーがある場合には，シモツケソウに対してもアレルギー反応を引き起こすおそれがあります。このような植物には，ブタクサ，キク，マリーゴールド，デイジーなど，ほかにも多くの植物があります。

●妊娠中および母乳授乳期

妊娠中に肝毒性をもつピロリジジンアルカロイドを含んでいるシモツケソウ製剤を使用するのは，安全ではありません。先天異常や肝疾患を引き起こすおそれがあります。

母乳授乳期に肝毒性をもつピロリジジンアルカロイドを含んでいるシモツケソウ製剤を使用することも安全ではありません。母乳を通じて乳児に悪影響を与えるおそれがあります。

妊娠中および母乳授乳期の認可済みで，「肝毒性をもつピロリジジンアルカロイドなし」と表示されている製品でさえも，使用の安全性についてはデータが不十分です。安全性を考慮し，使用は避けてください。

有 効 性

◆科学的データが不十分です

・尿路結石，腎結石，関節炎様の痛み，痛風など。

●体内での働き

炎症（腫脹）を抑えることによってある種の症状に作用します。

医薬品との相互作用

中 肝臓でほかの医薬品の代謝を促進する医薬品（シトクロムP450 3A4（CYP3A4）を誘導する医薬品）

シモツケソウは肝臓で代謝されますが，そのときに生成される化学物質の中に有害なものがあります。肝臓でシモツケソウの代謝を促進させる医薬品は，シモツケソウに含まれている化学物質の毒性作用を増強するおそれがあります。このような医薬品には，カルバマゼピン，フェノバルビタール，フェニトイン，リファンピシン，リファブチンなどがあります。

中 炭酸リチウム

シモツケソウは利尿薬のように作用する可能性があります。シモツケソウを摂取すると，炭酸リチウムの体内からの排泄が抑制される可能性があります。そのため，体内の炭酸リチウム量が増加し，重大な副作用が現れるおそれがあります。

ハーブおよび健康食品・サプリメントとの相互作用

肝毒性をもつピロリジジンアルカロイド（PAs）を含むハーブおよび健康食品・サプリメント

シモツケソウは，肝毒性をもつピロリジジンアルカロイドを含んでいます。シモツケソウと肝毒性をもつピロリジジンアルカロイドを含むほかのハーブおよび健康食品・サプリメントを併用すると，肝障害やがんを含む深刻な副作用をもたらす可能性が高まるおそれがあります。

これらのハーブおよび健康食品・サプリメントには，アルカナ，ヒヨドリバナ，ボラージ，セイヨウフキ，フキタンポポ，コンフリー，ワスレナグサ，ノボロギク，ヘンプ・アグリモニー，オオルリソウ，ダスティーミラー，サワギク，ヤコブボロギクなどがあります。

シモツケソウの肝臓での代謝（分解）を促進するハーブおよび健康食品・サプリメント（シトクロムP450 3A4［CYP3A4］誘導因子）

シモツケソウは肝臓で分解されますが，そのときに生成される化学物質の中に有害なものがあります。肝臓でシモツケソウの分解を促進させるほかのハーブおよび健康食品・サプリメントは，シモツケソウ分解時に生成される化学物質の毒性作用を増強するおそれがあります。これらのハーブおよび健康食品・サプリメントには，エキナセア，ニンニク，甘草，セント・ジョンズ・ワート，チョウセンゴミシなどがあります。

使用量の目安

標準使用量に関するデータがありません。

ジャーマン・イペカック

GERMAN IPECAC

別名ほか

Cynanchum vincetoxicum, Swallow Wort

概　　要

ジャーマン・イペカックは植物です。葉，根および地下茎を用いて「くすり」を作ることもあります。

安　全　性

ジャーマン・イペカックの経口摂取は安全ではありません。嘔吐，呼吸器系疾患，麻痺，心停止などを引き起こすことがあります。

皮膚に塗布する場合の安全性についてはデータが不十分です。

●妊娠中および母乳授乳期

誰にとっても安全ではないようです。妊娠中および母乳授乳期の場合には，胎児の健康を考慮し，使用しないでください。

有　効　性

◆科学的データが不十分です

・消化管疾患，腎疾患，月経痛，ヘビ咬傷，および体液貯留。皮膚に塗布する場合には，腫脹および紫斑など。

●体内での働き

どのように作用するかについては，十分なデータが得られていません。

医薬品との相互作用

ほかの医薬品との相互作用については明らかではありません。

ハーブおよび健康食品・サプリメントとの相互作用

ほかのハーブ，健康食品・サプリメントとの相互作用についてはまだ明らかではありません。

使用量の目安

標準使用量に関するデータがありません。

ジャーマン・カモミール

GERMAN CHAMOMILE

●代表的な別名

ジャーマン・カモマイル

別名ほか

カモミール（Chamomile），カミルレ（Chamomilla recutita），ハンガリアンカモミール（Hungarian Chamomile），カミツレ（Matricaria chamomilla），カモミールジャーマン（Matricaria recutita），Camomilla, Camomille Allemande, Echte Kamille, Feldkamille, Fleur de Camomile, Kamillen, Kleine Kamille, Manzanilla, Matricaire, Matricariae Flos, Pin Heads, Sweet False Chamomile, True Chamomile, Wild Chamomile

概　　要

ジャーマン・カモミールはハーブです。花頭を用いて「くすり」を作ることもあります。

食品や飲料では，ジャーマン・カモミールは香料として使用されています。

製品としては，ジャーマン・カモミールは，化粧品，石けん，うがい薬に使用されています。

ローマン・カモミールとジャーマン・カモミールを混同しないでください。

●要説（ナチュラル・スタンダード）

カモミールは，何千年もの間「くすり」として使用されており，とくにヨーロッパで広く使用されています。睡眠障害，不安，消化/腸疾患，皮膚感染症/炎症（湿疹を含む），創傷治癒，乳児疝痛，歯が生えるときの疼痛，そしておむつかぶれを含む多数の病気の治療法として人気があります。米国では，カモミールは軽い鎮静効果を宣伝しているハーブティーの成分として知られています。

ジャーマン・カモミール（Matricaria recutita）とローマン・カモミール（Chamaemelum nobile）は，カモミールの２つの主要な種類で，「くすり」として使用されます。ジャーマン・カモミールのほうがいくぶん強いかもしれませんが，それらは，体に対して同様の効果をもつと考えられます。ほとんどの研究で使用されるのはジャーマン・カモミールで，ローマン・カモミールがより一般的に使用されているイギリスを除いて，どこでも一般的に使用されています。

カモミールは広く使用されていますが，あらゆる疾患・症状への使用を裏付けるための，ヒトを対象とした，信頼性の高い研究が不足しています。刺激の少ない薬用植物としての評判にもかかわらず，摂取後やカモミール製剤に触れた後に，アナフィラキシー（生命を脅かす全身アレルギー反応）を含む多くのアレルギー反応についての報告があります。

安 全 性

ジャーマン・カモミールの摂取は，食品に含まれる量であれば，ほとんどの人に安全のようです。実際に，ジャーマン・カモミールは，米国におけるGRAS（一般的に安全と認められる食品）として認められています。ジャーマン・カモミールを「くすり」として経口摂取する場合には，短期間（最長８週間）であれば，おそらく安全です。成人の場合には，ジャーマン・カモミールを，短期間皮膚に塗布することもあります。ジャーマン・カモミールを長期にわたり使用する場合の安全性については，明らかではありません。

ジャーマン・カモミールの経口摂取により，人によっては，アレルギー反応を引き起こすおそれがあります。ジャーマン・カモミールは，ブタクサ，マリーゴールド，デイジーなどと同じ植物科に分類されています。

ジャーマン・カモミールを皮膚に塗布する場合には，アレルギー性皮膚反応を引き起こすおそれがあります。ジャーマン・カモミールを眼の周りに塗布する場合には，眼の過敏を引き起こすおそれがあります。

小児：ジャーマン・カモミールの経口摂取は，短期間に，適量を摂取する場合には，おそらく安全です。初期の研究により，乳児に対し，最長１週間までであれば，安全に使用されるジャーマン・カモミールを含む製品があることも示唆されています。

乳がん，子宮がん，卵巣がん，子宮内膜症，子宮筋腫などのホルモン感受性の疾患：ジャーマン・カモミールが，体内においてエストロゲンのような働きをするおそれがあります。エストロゲンへの曝露により悪化するおそれのある疾患の場合には，ジャーマン・カモミールを使用してはいけません。

手術：ジャーマン・カモミールが，手術中に用いる麻酔と相互作用するおそれがあります。少なくとも手術前２週間は，使用しないでください。

●アレルギー

ブタクサおよび類似した植物に対するアレルギー：キク科の植物に敏感な場合には，ジャーマン・カモミールにより，アレルギー反応を引き起こすおそれがあります。このような植物には，ブタクサ，キク，マリーゴールド，デイジーなど，多数の植物があります。

●妊娠中および母乳授乳期

妊娠中および母乳授乳期の使用の安全性についてはデータが不十分です。安全性を考慮し，摂取は避けてください。

有 効 性

◆有効性レベル③

・不安。研究により，全般性不安障害の成人が，１日当たり，220～1,100mgのジャーマン・カモミールのエキスを含んだカプセルを，８週にわたり摂取する場合には，不安およびうつ病が緩和することが示唆されています。
・仙痛。研究により，フェンネル，レモンバームおよびジャーマン・カモミールを含んだ特定の製品を，１日２回，２週にわたり摂取する場合には，仙痛の乳幼児が泣くことが少なくなることが示唆されています。ほかの研究では，ジャーマン・カモミール，バーベイン，甘草，フェンネルおよびレモンバームを含むハーブティーを，１日３回，疝痛を引き起こした後，７日にわたり摂取することにより，疝痛が起きなくなる乳児もいることが示唆されています。ただし，夜間覚醒の回数が減ることはないようです。
・下痢。６カ月～６歳の小児が，リンゴペクチンおよびジャーマン・カモミールを含む製品を，１～３日にわたり摂取する場合には，下痢が緩和するようです。
・消化不良（むねやけ）。研究により，ジャーマン・カモミールとほかの成分を含む２種類の製品を摂取することにより，むねやけの症状が改善することが示唆されています。また，ジャーマン・カモミールとほかの成分を含む，別の併用製品を摂取することにより，プラセーボによる治療とくらべ，むねやけが40％改善することも示唆されています。

◆有効性レベル④

・皮膚過敏（皮膚炎）。ジャーマン・カモミールのクリームを，皮膚に塗布しても，がんの放射線治療に起因する皮膚過敏が予防されることはないようです。

◆科学的データが不十分です

・感冒，湿疹（皮膚炎，肌荒れ），歯周病，痔核，不眠，口内炎（口腔粘膜が腫れたり，荒れている状態），人工肛門周囲の皮膚損傷（ストーマ周囲病変），膣感染症（膣炎），創傷治癒，注意欠陥多動障害（ADHD），線維筋痛症，花粉症，腸内ガス，月経痛，鼻腔の腫脹（炎症），情動不安，胃腸疾患，乗り物酔いなど。

●体内での働き

ジャーマン・カモミールには，リラクゼーションを促進し，腫脹（炎症）を緩和すると考えられている成分が含まれています。

研究者の間でも，ジャーマン・カモミールの成分のうち，どの成分により，リラクゼーションが促進されるのか，明らかにされていません。

ジャーマン・カモミールは，体内で放出されると，通常，腫脹反応を引き起こす，プロスタグランジン，ロイコトリエンおよびヒスタミンと呼ばれる化学物質の生成

シ

を抑制することにより，腫脹を緩和する可能性があります。

医薬品との相互作用

中エストロゲン（卵胞ホルモン）製剤

多量のジャーマン・カモミールはエストロゲン（卵胞ホルモン）製剤の作用を変化させる可能性があります。ジャーマン・カモミールとエストロゲン製剤を併用すると，エストロゲン製剤の作用が減弱するおそれがあります。このようなエストロゲン製剤には，結合型エストロゲン，エチニルエストラジオール，エストラジオールなどがあります。

中タモキシフェンクエン酸塩

がんの種類によっては体内のホルモンの影響を受けます。タモキシフェンクエン酸塩はこのようながんの治療および再発予防のために用いられます。ジャーマン・カモミールも体内のエストロゲン量に影響を及ぼす可能性があります。ジャーマン・カモミールが体内のエストロゲンに影響を及ぼすことにより，タモキシフェンクエン酸塩の作用が変化するおそれがあります。タモキシフェンクエン酸塩を服用中にジャーマン・カモミールを摂取しないでください。

中ワルファリンカリウム

ワルファリンカリウムは血液凝固を抑制するために用いられます。ジャーマン・カモミールとワルファリンカリウムを併用すると，血液凝固を過剰に抑制し，紫斑および出血を引き起こすおそれがあります。定期的に血液検査をしてください。ワルファリンカリウムの用量を変更する必要があるかもしれません。

低肝臓で代謝される医薬品（シトクロムP450 1A2（CYP1A2）の基質となる医薬品）

特定の医薬品は肝臓で代謝されます。ジャーマン・カモミールはこのような医薬品の代謝を抑制する可能性があります。ジャーマン・カモミールと肝臓で代謝される医薬品を併用すると，医薬品の作用および副作用が増強するおそれがあります。このような医薬品には，アミトリプチリン塩酸塩，ハロペリドール，オンダンセトロン塩酸塩水和物，プロプラノロール塩酸塩，テオフィリン，ベラパミル塩酸塩などがあります。

中肝臓で代謝される医薬品（シトクロムP450 2C9（CYP2C9）の基質となる医薬品）

特定の医薬品は肝臓で代謝されます。ジャーマン・カモミールはこのような医薬品の代謝を抑制する可能性があります。ジャーマン・カモミールと肝臓で代謝される医薬品を併用すると，医薬品の作用および副作用が増強するおそれがあります。このような医薬品には，非ステロイド性抗炎症薬（NSAIDs）（ジクロフェナクナトリウム，イブプロフェン，メロキシカム，ピロキシカム，セレコキシブなど），アミトリプチリン塩酸塩，ワルファリンカリウム，Glipizide，ロサルタンカリウムなどがあります。

中肝臓で代謝される医薬品（シトクロムP450 2D6（CYP2D6）の基質となる医薬品）

特定の医薬品は肝臓で代謝されます。ジャーマン・カモミールはこのような医薬品の代謝を抑制する可能性があります。ジャーマン・カモミールと肝臓で代謝される医薬品を併用すると，医薬品の作用および副作用が増強するおそれがあります。このような医薬品には，三環系抗うつ薬（イミプラミン塩酸塩，アミトリプチリン塩酸塩など），抗精神病薬（ハロペリドール，リスペリドン，クロルプロマジン塩酸塩など），アドレナリンβ受容体遮断薬（プロプラノロール塩酸塩，メトプロロール酒石酸塩，カルベジロールなど），タモキシフェンクエン酸塩などがあります。

中肝臓で代謝される医薬品（シトクロムP450 3A4（CYP3A4）の基質となる医薬品）

特定の医薬品は肝臓で代謝されます。ジャーマン・カモミールはこのような医薬品の代謝を抑制する可能性があります。ジャーマン・カモミールと肝臓で代謝される医薬品を併用すると，医薬品の作用および副作用が増強するおそれがあります。このような医薬品には，Lovastatin，ケトコナゾール，イトラコナゾール，フェキソフェナジン塩酸塩，トリアゾラムなど数多くあります。

中鎮静薬（中枢神経抑制薬）

ジャーマン・カモミールは眠気および注意力低下を引き起こす可能性があります。鎮静薬は眠気を引き起こす医薬品です。ジャーマン・カモミールと鎮静薬を併用すると，過度の眠気を引き起こすおそれがあります。このような鎮静薬には，ペントバルビタールカルシウム，フェノバルビタール，セコバルビタールナトリウム，フェンタニルクエン酸塩，モルヒネ塩酸塩水和物，ゾルピデム酒石酸塩などがあります。

中避妊薬

特定の避妊薬にはエストロゲンが含まれます。ジャーマン・カモミールにはエストロゲン様作用のある可能性があります。ただし，ジャーマン・カモミールは避妊薬のエストロゲン製剤ほど強くありません。ジャーマン・カモミールと避妊薬を併用すると，避妊薬の効果が弱まるおそれがあります。併用する場合には，コンドームなど，ほかの避妊方法も使用してください。このような避妊薬には，エチニルエストラジオール・レボノルゲストレル配合，エチニルエストラジオール・ノルエチステロン配合などがあります。

ハーブおよび健康食品・サプリメントとの相互作用

眠気または注意力低下を引き起こすおそれのあるハーブおよび健康食品・サプリメント

ジャーマン・カモミールが，眠気および注意力低下を引き起こすおそれがあります。ジャーマン・カモミールと，眠気を引き起こすおそれのある，ほかのハーブおよび健康食品・サプリメントを併用すると，過度の眠気を引き起こすおそれがあります。このようなハーブおよび

相互作用レベル：高この医薬品と併用してはいけません　中この医薬品とは慎重に併用するか併用しないでください　低この医薬品との併用には注意が必要です

健康食品・サプリメントには，5-ヒドロキシトリプトファン，ショウブ，ハナビシソウ，キャットニップ，ホップ，ジャマイカ・ドッグウッド，カバ，セント・ジョンズ・ワート，スカルキャップ，カノコソウ，アネモプシス・カリフォルニカなどがあります。

使用量の目安

【成人】

●経口摂取

不安

1日当たり，220～1,100mgのジャーマン・カモミールのエキスを，8週にわたり摂取します。

消化不良（むねやけ）

甘草，ミルクシスル，ペパーミントリーフ，ジャーマン・カモミール，キャラウェイ，セランダイン，アンゼリカ，レモンバーム，およびマガリバナを含む特定の製品，1mLを，1日3回，4週にわたり摂取します。甘草，ミルクシスル，ペパーミントリーフ，ジャーマン・カモミール，キャラウェイ，セランダイン，アンゼリカ，レモンバームを含む別の製品1mLを，1日3回，4週にわたり摂取することもあります。マガリバナ，ジャーマン・カモミール，ペパーミント，キャラウェイ，甘草，およびレモンバームを含む別の製品1mLを，1日3回，最長12週にわたり摂取することもあります。

【小児】

●経口摂取

仙痛

164mgのフェンネル，97mgのレモンバーム，および，178mgのジャーマン・カモミールを含んだ製品を，1日2回，1週にわたり摂取します。ジャーマン・カモミールのエキス，バーベイン，甘草，フェンネルおよびレモンバームを含むハーブティー150mLを，1日3回，仙痛を引き起こした後，7日にわたり摂取します。

下痢

6カ月～6歳の小児の場合には，リンゴペクチン，およびジャーマン・カモミールのエキスを含む製品を，1～3日にわたり摂取します。

ジャーマン・サルサパリラ

GERMAN SARSAPARILLA

●代表的な別名

レッドセージ

別名ほか

レッドセージ（Red Sage），Carex arenaria，Caricis rhizoma，Red Couchgrass，Sandriedgraswurzelstock，Sand Sedge，Sea Sedge

概　要

ジャーマン・サルサパリラは植物です。地下茎を用いて「くすり」を作ることもあります。ジャーマン・サルサパリラとほかのサルサパリラを混同しないよう注意してください。

安　全　性

十分なデータは得られていないので，安全であるかどうか不明です。皮膚，鼻，眼または消化管に接触すると刺激を引き起こすことがあります。

気管支喘息：症状を悪化させるおそれがあります。気管支喘息の場合には，使用してはいけません。

●アレルギー

アスピリンにアレルギーがある場合には，ジャーマン・サルサパリラにもアレルギーがあるおそれがあります。アスピリンにアレルギーがある場合には，使用してはいけません。

●妊娠中および母乳授乳期

妊娠中および母乳授乳期の使用の安全性についてはデータが不十分です。安全性を考慮し，摂取は避けてください。

有　効　性

◆科学的データが不十分です

・痛風予防，発汗の誘発，関節炎，皮膚障害，体液貯留，性感染症（性行為感染症，性病），腸内ガス，疝痛，肝障害，糖尿病，結核，無月経症など。

●体内での働き

アスピリンに似たサリチル酸塩など，多くの化合物を含んでいます。

医薬品との相互作用

ほかの医薬品との相互作用については明らかではありません。

ハーブおよび健康食品・サプリメントとの相互作用

ほかのハーブ，健康食品・サプリメントとの相互作用についてはまだ明らかではありません。

使用量の目安

標準使用量に関するデータがありません。

ジャーマンダー

GERMANDER

別名ほか

テウクリウム（Teucrium chamaedrys），ウォールジャーマンダー（Wall Germander），コモンジャーマンダー，

Wild Germander

概　　要

ジャーマンダーは植物です。地上部を用いて「くすり」を作ることもあります。

製品としては，アルコール飲料の風味付けに使用されます。

安 全 性

フランスでは販売が禁止されています。カナダではジャーマンダーを経口で摂取する製品に入れることは禁じられています。しかし，米国では未だにアルコール飲料の風味付けとして少量の使用は許されています。

ジャーマンダーは，安全性の懸念があり，数例の肝炎を引き起こしており，死亡者もいます。

摂取は誰に対しても安全ではありません。人によっては副作用のリスクが高いことがありますので，とくに注意して使用を避ける必要があります。

●妊娠中および母乳授乳期

ジャーマンダーの「くすり」としての使用は，誰に対しても安全ではありません。妊娠中および母乳授乳期の摂取は，母体および乳児にも安全ではありません。使用しないでください。

有 効 性

◆科学的データが不十分です

- 胆のう疾患，発熱，痛風，胃痛，下痢，体重減少，消毒薬としての使用，洗口薬としての使用など。

●体内での働き

どのように作用するかについては，十分なデータが得られていません。

医薬品との相互作用

ほかの医薬品との相互作用については明らかではありません。

ハーブおよび健康食品・サプリメントとの相互作用

ほかのハーブ，健康食品・サプリメントとの相互作用についてはまだ明らかではありません。

使用量の目安

標準使用量に関するデータがありません。

ジャイアントフェンネル

ASAFOETIDA

●代表的な別名

アサフェティーダ

別名ほか

アギ，阿魏，ヒーング（Ferula assa-foetida），Giant Fennel, Asafetida, Asa foetida, Assant, Devil's Dung, Ferula foetida, Ferula rubricaulis, Food of the Gods, Fum，Heeng

概　　要

ジャイアントフェンネルは植物です。匂いは臭く，苦い味がします。“悪魔の糞”と呼ばれることがあります。

ジャイアントフェンネルの樹脂（ゴムのようなもの）を用いて「くすり」を作ることもあります。ジャイアントフェンネルの樹脂は，植物の生の根茎に入れた切り込みからしみ出る液体を凝固させたものです。

ジャイアントフェンネルは，呼吸と喉の症状，消化不良などに対して使用され，また，何らかの理由で止まった月経を再開させるために女性が使用します。うおのめ・たこに対して，皮膚に直接塗布することもありますが，これらの用途を十分に裏づけるエビデンスはありません。

ジャイアントフェンネルは，工業品では，化粧品，食品，飲料の香料として用いられます。ジャイアントフェンネルは，イヌ，ネコ，野生動物の撃退用品にも用いられます。

安 全 性

ジャイアントフェンネルを経口摂取する場合，食品に通常含まれる量であれば，ほとんどの人に安全のようです。「くすり」としての経口摂取する場合，おそらく安全であるという複数のエビデンスがあります。唇の腫脹，げっぷ，腸内ガス，下痢，頭痛，痙攣，血液疾患などの副作用を引き起こすおそれがあります。

皮膚に塗布する場合，ジャイアントフェンネルの安全性および副作用については，データが不十分です。

小児：ジャイアントフェンネルが，特定の血液疾患を引き起こすおそれがあるため，乳児の経口摂取は安全ではありません。

出血性疾患：ジャイアントフェンネルにより出血のリスクが高まる懸念があります。出血性疾患の場合には，使用してはいけません。

てんかん，または痙攣の既往：てんかんをはじめ，痙攣発作を引き起こすおそれがある中枢神経系疾患の場合には，ジャイアントフェンネルを使用してはいけません。

胃腸疾患（消化器疾患）：ジャイアントフェンネルが消化管を刺激するおそれがあります。胃腸感染などの胃腸疾患の場合には，使用してはいけません。

高血圧および低血圧：ジャイアントフェンネルが，血圧コントロールを妨げる懸念があります。血圧に異常がある場合には，使用は避けてください。

手術：ジャイアントフェンネルが，血液凝固を抑制するおそれがあります。手術中・手術後の出血リスクが高まる懸念があります。少なくとも手術前２週間は，使用しないでください。

●妊娠中および母乳授乳期

妊娠中の経口摂取は安全ではないようです。流産を誘発するおそれがあります。摂取は避けてください。

母乳授乳期の経口摂取は，安全ではありません。ジャイアントフェンネルに含まれる化学物質が母乳に移行し，乳児に血液疾患を引き起こすおそれがあります。摂取は避けてください。

有　効　性

◆科学的データが不十分です

・気管支喘息，気管支炎，痙攣，うおのめ・たこ，ヒステリー，腸内ガス，過敏性結腸，月経異常，神経疾患，胃のむかつきなど。

●体内での働き

ジャイアントフェンネルに含まれる化学物質が過敏性腸症候群（IBS）の治療に役立ち，コレステロールやトリグリセリドなどの血中脂質値の上昇を防ぐ可能性があるというエビデンスが複数あります。ジャイアントフェンネルに含まれる化学物質のクマリンは，血液凝固を抑制する可能性があります。

医薬品との相互作用

中血液凝固を抑制する医薬品（抗凝固薬/抗血小板薬）

ジャイアントフェンネルは血液凝固を抑制する可能性があります。ジャイアントフェンネルと血液凝固を抑制する医薬品を併用すると，紫斑および出血のリスクが高まるおそれがあります。このような医薬品には，アスピリン，クロピドグレル硫酸塩，ジクロフェナクナトリウム，イブプロフェン，ナプロキセン，ダルテパリンナトリウム，エノキサパリンナトリウム，ヘパリン，ワルファリンカリウムなどがあります。

中降圧薬

ジャイアントフェンネルは血圧を低下させるようです。ジャイアントフェンネルと降圧薬を併用すると，血圧が過度に低下するおそれがあります。このような降圧薬には，カプトプリル，エナラプリルマレイン酸塩，ロサルタンカリウム，バルサルタン，ジルチアゼム塩酸塩，アムロジピンベシル酸塩，ヒドロクロロチアジド，フロセミドなど数多くあります。

ハーブおよび健康食品・サプリメントとの相互作用

血圧を低下させるおそれのあるハーブおよび健康食品・サプリメント

ジャイアントフェンネルは，血圧を低下させるおそれがあります。ジャイアントフェンネルと，血圧を低下させるおそれのあるほかのハーブおよび健康食品・サプリメントを併用すると，血圧が過度に低下するおそれがあります。このようなハーブおよび健康食品・サプリメントには，アンドログラフィス，カゼイン･ペプチド，キャッツクロー，コエンザイムQ-10，魚油，L-アルギニン，クコ属，イラクサ，テアニンなどがあります。

血液凝固を抑制するおそれのあるハーブおよび健康食品・サプリメント

ジャイアントフェンネルは，血液凝固を抑制するおそれがあります。ジャイアントフェンネルと，血液凝固を抑制するおそれのあるほかのハーブおよび健康食品・サプリメントを併用すると，紫斑および出血のリスクが高まるおそれがあります。このようなハーブおよび健康食品・サプリメントには，アンゼリカ，クローブ，タンジン，ニンニク，ショウガ，イチョウ，朝鮮人参などがあります。

使用量の目安

通常の食品に含まれている量を超えて経口摂取した場合の安全性および副作用については，明らかになっていません。

ジャガイモ

POTATO

●代表的な別名

バレイショ

別名ほか

Irish Potato, Solanum tuberosum, White Potato

概　　要

ジャガイモは植物です。ジャガイモは，野菜として広く食べられています。塊茎（ジャガイモ）を用いて「くすり」を作ることもあります。

食用として，ジャガイモは食され，でんぷんやアルコール発酵の原料として使用されます。

安　全　性

傷がなく，熟したジャガイモを食品または「くすり」として摂取することは一般に安全なようです。

傷のあるものや緑色に変色したジャガイモ，および芽は毒性のある化合物を含んでおり，それは調理によっても破壊されることがありません。それらの毒性化合物は，頭痛，顔面紅潮（ほてり），悪心，嘔吐，下痢，胃痛，のどの渇き，情動不安を引き起こし，死に至ることもあります。

糖尿病：ジャガイモは血糖値に作用します。炭水化物源としてジャガイモを摂取する場合には，血糖値に留意してください。

●妊娠中および母乳授乳期

食物に含まれる量で傷のない，熟したジャガイモを摂取するのは安全です。しかし，「くすり」として使用する場合の安全性については，どのように胎児あるいは乳児に影響があるかデータが十分ではありません。十分なデータがあるまで使用しないでください。

有 効 性

◆科学的データが不十分です

・経口摂取の場合，胃腸疾患，肥満症など。
・皮膚への塗布の場合，関節炎，感染症，膿皮症，熱傷など。

●体内での働き

一種の食欲抑制薬として体重減少につながる働きがあるようです。ジャガイモの皮に含まれる化合物は，細菌の攻撃から細胞を防御するようです。ビタミンC，鉄，リボフラビンおよび炭水化物の供給源です。

シ

医薬品との相互作用

中血栓を溶かす医薬品（血栓溶解薬）

ジャガイモには血液凝固を抑制する化学物質が含まれます。多量のジャガイモと血栓を溶かす医薬品を併用すると，紫斑および出血のリスクが高まるおそれがあります。このような医薬品には，アルテプラーゼ，Anistreplase，Reteplase，Streptokinase，ウロキナーゼなどがあります。

中スキサメトニウム塩化物水和物

手術の前夜にジャガイモを摂取すると，手術中に使用する医薬品の滞留時間を延長する可能性があります。そのため，麻酔からの回復が遅くなるおそれがあります。

ハーブおよび健康食品・サプリメントとの相互作用

ほかのハーブ，健康食品・サプリメントとの相互作用についてはまだ明らかではありません。

使用量の目安

●経口摂取

食欲不振・体重減少

ジャガイモから抽出したタンパク質を精製することによって得られた，プロテイナーゼ阻害薬含有製品が市販されています。これを約230mLの水と混和して食事の15分前に摂取します。

ジャガイモの絞り汁については，標準的な摂取量に関するデータはありません。

●局所投与

生のジャガイモを湿布薬として使用します。

シャクヤク

PEONY

別名ほか

白シャクヤク，ツリーピオニー，Bai Shao，Chi Shao，Common Peony，Coral Peony，European Peony，Moutan，Mu Dan PI，Paeonia，Paeonia lactiflora，Paeonia mascula，Paeonia obovata，Paeonia officinalis，Paeonia suffruticosa，Paeonia veitchii，Paeoniae Flos，Paeoniae Radix，Peony Flower，Peony Root，Piney，Red Peony

概 要

シャクヤクは植物です。葉や根を用いて「くすり」を作ることもあります。

●要説（ナチュラル・スタンダード）

シャクヤクの根は，伝統中国医学では数世紀にわたって用いられています。シャクヤクの花も，咳止めシロップやハーブティーなど，「くすり」として用いられます。シャクヤクとほかのハーブを併用し，月経不順，腎障害，肺性心，子宮筋腫，肺炎など，さまざまな疾患の治療に広く用いられてきています。シャクヤクは，皺防止のために皮膚に塗布したり，肺性心および慢性肝炎の治療のために経口摂取します。

肺性心の治療に対するシャクヤクの有効性に関して，十分な科学的根拠があります。月経不順，子宮筋腫，ホルモン調節，女性特有の疾患に，心疾患予防の，シャクヤクを用いた伝統中国医学の処方薬に関する研究も増えつつあります。強力に推奨するには，質の高い研究が必要です。

安 全 性

短期間の使用であれば安全のようです。腹痛を起こしたり，過敏の人は肌に触れると湿疹が出ることもあるようです。

出血異常のある人は使ってはいけません。

２週間以内に手術を受ける予定の人は使用してはいけません。出血のリスクが高まります。

●妊娠中および母乳授乳期

妊娠中，母乳授乳期は使ってはいけません。

有 効 性

◆科学的データが不十分です

・筋肉の痙攣，痛風，変形性関節症，呼吸困難，咳，皮膚疾患，痔核，心疾患，腹痛，ひきつけ，神経障害，片頭痛，慢性疲労症候群など。

●体内での働き

体内で作られる，筋肉の痙攣を起こす原因となる化合物の生成を阻止する作用があるようです。血液凝固を防いだり，抗酸化物質としての働きもするようです。

医薬品との相互作用

中フェニトイン

シャクヤクの根はフェニトインの体内への吸収量を減少させる可能性があります。シャクヤクの根とフェニトインを併用すると，フェニトインの効果が弱まり，痙攣発作のリスクが高まるおそれがあります。

中 **血液凝固を抑制する医薬品（抗凝固薬/抗血小板薬）**

シャクヤクは血液凝固を抑制する可能性があります。シャクヤクと血液凝固を抑制する医薬品を併用すると，紫斑および出血のリスクが高まるおそれがあります。このような医薬品には，アスピリン，クロピドグレル硫酸塩，ジクロフェナクナトリウム，イブプロフェン，ナプロキセン，ダルテパリンナトリウム，エノキサパリンナトリウム，ヘパリン，ワルファリンカリウムなどがあります。

中 **避妊薬**

特定の避妊薬にはエストロゲンが含まれます。シャクヤクにはエストロゲン様作用があります。シャクヤクと避妊薬を併用すると，副作用が増加するおそれがあります。また，避妊薬の効果が弱まるおそれがあります。併用中の場合には，コンドームなど，ほかの避妊方法も使用してください。このような避妊薬には，エチニルエストラジオール・レボノルゲストレル配合，エチニルエストラジオール・ノルエチステロン配合などがあります。

中 **クロザピン**

シャクヤクはクロザピンの体内量を増加させる可能性があります。シャクヤクとクロザピンを併用すると，クロザピンの作用が増強し，クロザピンによる副作用のリスクが高まるおそれがあります。

ハーブおよび健康食品・サプリメントとの相互作用

ほかのハーブ，健康食品・サプリメントとの相互作用についてはまだ明らかではありません。

使用量の目安

●経口摂取

標準使用量に関するデータがありません。

しかし，従来から１日にティーカップ１杯のお茶（１gの花部を150mLの熱湯に５～10分間浸し，その後ろ過する）が摂取されています。

●局所投与

標準使用量に関するデータがありません。

麝香

MUSK

別名ほか

ジャコウジカ（Moschus moschiferus），Deer Musk，Tonquin Musk

概　　要

麝香は，オスの麝香鹿のジャコウ腺から分泌される化合物です。「くすり」に使用されることもあります。

安 全 性

低濃度，通常は0.00001％未満を使用する場合は，一般に安全です。

麝香に過敏な人は皮膚刺激を起こすことがあります。

0.00001％以上の量を使った場合，安全かどうかについては十分なデータが得られていません。

●妊娠中および母乳授乳期

妊娠中および母乳授乳期の使用の安全性についてはデータが不十分です。安全性を考慮し，摂取は避けてください。

有 効 性

◆科学的データが不十分です

・脳卒中，昏睡，神経障害，痙攣，心臓痛，触痛など。

●体内での働き

炎症を軽減することがあります。

医薬品との相互作用

ほかの医薬品との相互作用については明らかではありません。

ハーブおよび健康食品・サプリメントとの相互作用

ほかのハーブ，健康食品・サプリメントとの相互作用についてはまだ明らかではありません。

使用量の目安

標準使用量に関するデータがありません。

ジャコウソウモドキ

TURTLE HEAD

別名ほか

麝香草擬，バーモニー，リオン，ケロネ，チュロネ，タートルヘッド，Balmony，Bitter Herb，Chelone，Chelone glabra

概　　要

ジャコウソウモドキは植物です。地上部と根を用いて「くすり」を作ることもあります。赤ジャコウソウモドキ（Chelone Oblique）と混同しないよう注意してください。

安 全 性

経口使用は一般に安全なようですが，副作用についてはわかっていません。

●妊娠中および母乳授乳期

妊娠中および母乳授乳期の使用の安全性についてはデータが不十分です。安全性を考慮し，摂取は避けてく

ださい。

有 効 性

◆科学的データが不十分です

・便秘，腸の浄化など。

●体内での働き

どのように作用するかについては不明です。

医薬品との相互作用

ほかの医薬品との相互作用については明らかではありません。

ハーブおよび健康食品・サプリメントとの相互作用

ほかのハーブ，健康食品・サプリメントとの相互作用についてはまだ明らかではありません。

使用量の目安

標準使用量に関するデータがありません。

ジャスティシア・ペクトラリス

JUSTICIA PECTORALIS

別名ほか

Achillée Millefeuille, Achillée Mille-Feuille, Anador, Carmentine, Carpenter's Bush, Carpenter's Grass, Chachamba, Chamba, Clover Cumaru, Clover Tree, Curía, Death Angel, Freshcut, Herbe charpentier, Tilo

概 要

ジャスティシア・ペクトラリスは南アメリカや中央アメリカを含むアメリカ大陸の熱帯地域で育つ，花をつけるハーブです。トリニダード・トバゴを含むカリブ諸島の一部でも育ちます。

ジャスティシア・ペクトラリスは，更年期症状，創傷治癒，不安，肺疾患など，多くに用いられますが，これらの用途を裏付ける十分な科学的根拠（エビデンス）はありません。

安 全 性

ジャスティシア・ペクトラリスを経口摂取した場合，その安全性や副作用については情報が不十分です。

ジャスティシア・ペクトラリスを皮膚に塗布した場合，その安全性や副作用については情報が不十分です。

●妊娠中および母乳授乳期

妊娠中および母乳授乳期にジャスティシア・ペクトラリスを使用する安全性については情報が不十分です。安全性を考慮し，摂取しないでください。

有 効 性

◆科学的データが不十分です

・更年期症状，生理痛（月経困難），月経前症候群（PMS），前立腺疾患，不安，疼痛，アレルギー，気管支喘息，肺の気管支粘膜の腫脹（炎症）（気管支炎），乳児の激しい泣き声（コリック），咳，感冒，うっ血，糖尿病，痙攣発作（てんかん），発熱，高血圧，不眠，肺炎，吐き気，くる病，結核，分娩誘発，皮疹，紫斑，創傷治癒，虫よけなど。

●体内での働き

ジャスティシア・ペクトラリスは体内にさまざまな多くの影響を及ぼす可能性があります。ジャスティシア・ペクトラリスには抗菌，抗炎症の作用があるようです。また，ホルモンの活性にも影響を及ぼすようです。

医薬品との相互作用

ほかの医薬品との相互作用については明らかではありません。

ハーブおよび健康食品・サプリメントとの相互作用

ほかのハーブ，健康食品・サプリメントとの相互作用についてはまだ明らかではありません。

使用量の目安

ジャスティシア・ペクトラリスの適量は複数の要因（年齢，健康状態などさまざまな状況）により異なります。現時点ではジャスティシア・ペクトラリスの適量の範囲を決定する十分な科学的根拠（エビデンス）はありません。自然由来の製品は必ずしも常に安全ではなく，使用量が重要になりうることに留意してください。製品の表示にある注意事項に従い，また，医師・薬剤師などに相談することなく製品を使用しないでください。

ジャスミン

JASMINE

別名ほか

ソケイ，素馨（Jasminum grandiflorum），コモンジャスミン（Common Jasmine），オオバナソケイ，シロモッコウ（Jasminum officinale），ロイヤルジャスミン（Royal Jasmine），スパニッシュジャスミン（Spanish Jasmine），Catalonina Jasmine, Italian Jasmine, Jati, Poet's Jessamine

概 要

ジャスミンは植物です。花を用いて「くすり」を作ることもあります。

食品としては，飲料，アイスクリーム，キャンディー，焼き菓子，ゼラチン，プリンなどの香料として用いられます。

製品としては，クリーム，化粧水，香水の香料として用いられます。

●要説（ナチュラル・スタンダード）

ジャスミンは，甘く，香ばしい花をもつ植物です。花とオイルが，香水や芳香油や食品香料に使用されています。

初期の研究では，ジャスミンを使用するアロマセラピーでは，リラックス効果の可能性があることを示しています。ジャスミンが母乳減少に効果的な可能性を示した研究もあります。限られた研究では，ジャスミンが含まれたお茶は，ジャスミンが含まれていない紅茶や緑茶に比べて，脳卒中のリスクを減らす効果が少ないという報告もされています。さらなる研究が必要です。

安全性

通常の食品に含まれている量の摂取は，ほとんどの人に安全のようです。ただし，「くすり」としての量の摂取の安全性についてはデータが不十分です。アレルギー反応を引き起こすおそれがあります。

●妊娠中および母乳授乳期

妊娠中および母乳授乳期の通常の食品に含まれる量の摂取は安全です。ただし，「くすり」としての高用量摂取の安全性についてはデータが不十分です。食品の量の範囲内で摂取してください。

有効性

◆科学的データが不十分です

・肝炎および肝硬変などの肝障害，重度の下痢（赤痢）を原因とする胃痛，性的欲求の亢進（催淫），がん治療，鎮静薬としての使用など。

●体内での働き

肝炎および肝硬変などの肝障害，重度の下痢（赤痢）を原因とする胃痛，性的欲求の亢進（催淫），がん治療，鎮静薬としての使用など。

医薬品との相互作用

ほかの医薬品との相互作用については明らかではありません。

ハーブおよび健康食品・サプリメントとの相互作用

ほかのハーブ，健康食品・サプリメントとの相互作用についてはまだ明らかではありません。

使用量の目安

●経口摂取

通常，ジャスミンの花小さじ１～２杯を水１カップに加えて作るお茶として摂取します。摂取量は１日１カップです。

蛇退皮

SNAKE SKIN

別名ほか

Shed Snake Skin，Snake Slough

概要

蛇退皮の皮膚への塗布および経口摂取は，古代中国医学に始まりました。蛇が脱皮した皮はヒト用の医薬品を試験する際の実験で使用されています。

皮膚疾患，痙攣，胆のう疾患，高血圧に罹患している場合には，蛇退皮を経口摂取します。

痛み，膿瘍，せつ，かゆみ，乾癬（うろこ状でかゆみをともなう皮膚），疥癬などの皮膚疾患や，眼感染症，眼内の混濁，咽喉痛，痔核を有する場合には，皮膚に塗布します。疼痛やこわばりを軽減する軟膏やクリームにも使用されます。

安全性

蛇退皮の安全性および副作用については，データが不十分です。

●妊娠中および母乳授乳期

妊娠中および母乳授乳期の使用の安全性についてはデータが不十分です。安全性を考慮し，摂取は避けてください。

有効性

◆科学的データが不十分です

・角膜混濁（眼内の混濁），痛み，膿瘍，せつ，かゆみ，乾癬（うろこ状でかゆみをともなう皮膚），疥癬，眼感染症，咽喉痛，痔核，疼痛およびこわばり，痙攣，胆のう疾患，高血圧など。

●体内での働き

蛇退皮にはコレステロールなどの脂肪が含まれています。厚みと脂肪含量が適していることから，医薬品研究でヒト皮膚のモデルとして使用されることがよくあります。

医薬品との相互作用

ほかの医薬品との相互作用については明らかではありません。

ハーブおよび健康食品・サプリメントとの相互作用

ほかのハーブ，健康食品・サプリメントとの相互作用についてはまだ明らかではありません。

使用量の目安

通常の食品に含まれている量を超えて経口摂取した場合の安全性および副作用については，明らかになってい

ません。

シャタバリ

ASPARAGUS RACEMOSUS

別名ほか

アスパラガス(Asparagus), アスパラガス根(Asparagus Root), Shatavari, 野生アスパラガス(Wild Asparagus), Aheruballi, Chatavali, Inli-chedi, Kairuwa, Majjigegadde, Narbodh, Norkanto, Philli-gaddalu, Satavari, Satawar, Satawari, Satmooli, Satmuli, Shatamuli, Shatmuli, Shimaishadavari, Toala-gaddalu

概　要

シャタバリ(asparagus racemosus)は, インドの伝統的な医療(アーユルヴェーダ)で使われる「くすり」です。根を使って,「くすり」を作ることがあります。

シャタバリと, 野菜としてよく食べられるアスパラガスとを混同しないでください。

安 全 性

安全かどうかについての十分なデータがありません。

●妊娠中および母乳授乳期

妊娠中および母乳授乳期のシャタバリの使用の安全性についてはデータが不十分です。安全性を考慮し, 摂取は避けてください。

有 効 性

◆科学的データが不十分です

・疼痛, 不安感, 胃および母乳の産生刺激, 子宮出血, 月経前症候群, アルコール離脱, 胸やけ, 下痢, 気管支炎, 糖尿病, 認知症など。

●体内での働き

医療用途でどのように作用するかについては, 十分なデータがありません。シャタバリに抗酸化作用, 抗菌作用, および免疫系刺激作用があるかどうかをテーマとした試験管内および動物での科学的研究が行われています。

医薬品との相互作用

中炭酸リチウム

シャタバリは, 利尿薬のような効果があります。シャタバリを摂取すると, 体から炭酸リチウムが除去されます。このことで体内の炭酸リチウムが増え, 重大な副作用をもたらします。

ハーブおよび健康食品・サプリメントとの相互作用

ほかのハーブ, 健康食品・サプリメントとの相互作用についてはまだ明らかではありません。

使用量の目安

標準使用量に関するデータがありません。

ジャックフルーツ

JACKFRUIT

●代表的な別名

パラミツ

別名ほか

パンノキ(Arbol Del Pan), パラミツ(Artocarpus heterophyllus), Baramil, Bo Luo Mi, Cakki, Chakka, Derakhte Nan, Falso Albero Del Pane, Fenesi, Finesy, Fruta Del Pobre, Halasina Hannu, Halasu, Indischer Brotfruchtbaum, Jaca, Jack, Jackfrucht, Jackfrugttrae, Jackfrukt, Jacktrad, Jacquier, Jak, Jaka, Jaqueira, Jaqueiro, Katahal, Kathal, Kanthal, Keledang, Khanun, Khnor, Konthal, Konto Phol, Kontok Phol, Kontoki, Kontoki Phol, Kos, Langka, Maak Laang, Mai Mi, Mak Mi, Makmee, Mu Bo Luo, Nagami Pannoki, Nangka, Palaa, Palavu, Panasa, Panasah, Panasam, Panasero, Paramitsu, Phanas, Phannasa, Pholkontok, Rukh Kutaherr, Shu Bo Luo

概　要

ジャックフルーツは植物です。実や種子を食品として, または「くすり」として食されます。媚薬として, または糖尿病の治療のために経口摂取されます。ジャックフルーツのペーストは毒性のある動物に噛まれた皮膚に使用されます。また, ジャックフルーツの木は家具や楽器の作製に使用されます。

安 全 性

ジャックフルーツを「くすり」として摂取する場合の安全性については, データが不十分です。傾眠を引き起こすおそれがあります。

糖尿病：ジャックフルーツは血糖値を低下させるおそれがあります。このため, 糖尿病の人の血糖コントロールに影響を与えるおそれがあります。糖尿病治療薬の服薬量を調整する必要があるかもしれません。

手術：ジャックフルーツと, 手術中および術後に使用する医薬品を併用すると, 過度の傾眠を引き起こすおそれがあります。少なくとも手術前２週間は, 使用しないでください。

●アレルギー

カバノキ花粉に対するアレルギー：カバノキ花粉に対するアレルギーがある場合, 人によっては, ジャックフルーツにもアレルギー反応を示す場合があります。カバノキ花粉アレルギーの場合には, 注意して使用してください。

●妊娠中および母乳授乳期

妊娠中および母乳授乳期の使用の安全性についてはデータが不十分です。安全性を考慮し，摂取は避けてください。

有効性

◆科学的データが不十分です

・糖尿病など。

●体内での働き

ジャックフルーツが，食後の血糖値上昇を抑制することにより，糖尿病の人に有効となる可能性があります。

医薬品との相互作用

中 鎮静薬（中枢神経抑制薬）

ジャックフルーツは眠気および注意力低下を引き起こす可能性があります。鎮静薬は眠気を引き起こす医薬品です。ジャックフルーツと鎮静薬を併用すると，過度の眠気を引き起こす可能性があります。このような鎮静薬にはクロナゼパム，ロラゼパム，フェノバルビタール，ゾルピデム酒石酸塩などがあります。

中 糖尿病治療薬

ジャックフルーツは血糖値を低下させる可能性があります。糖尿病治療薬もまた血糖値を低下させるために用いられます。ジャックフルーツと糖尿病治療薬を併用すると，血糖値が過度に低下するおそれがあります。血糖値を注意深く監視してください。糖尿病治療薬の用量を変更する必要があるかもしれません。このような糖尿病治療薬にはグリメピリド，グリベンクラミド，インスリン，ピオグリタゾン塩酸塩，マレイン酸ロシグリタゾン（販売中止），クロルプロパミド，Glipizide，トルブタミド（販売中止）などがあります。

ハーブおよび健康食品・サプリメントとの相互作用

血糖値を低下させるおそれのあるハーブおよび健康食品・サプリメント

ジャックフルーツは，血糖値を低下させるおそれがあります。ジャックフルーツと，血糖値を低下させるおそれのあるほかのハーブおよび健康食品・サプリメントを併用すると，血糖値が過度に低下するリスクが高まるおそれがあります。このようなハーブおよび健康食品・サプリメントには，ニガウリ，ショウガ，薬用ガレーガ，フェヌグリーク，クズ，ウィローバークなどがあります。

眠気および注意力低下を引き起こすハーブおよび健康食品・サプリメント

ジャックフルーツは，眠気および注意力低下を引き起こすおそれがあります。ジャックフルーツと，眠気および注意力低下を引き起こすおそれのあるほかのハーブおよび健康食品・サプリメントを併用すると，過度の眠気を引き起こすおそれがあります。このようなハーブおよび健康食品・サプリメントには，5-ヒドロキシトリプトファン，ショウブ，ハナビシソウ，キャットニップ，ホップ，ジャマイカ・ドッグウッド，カバ，セント・ジョンズ・ワート，スカルキャップ，カノコソウ，アネモプシス・カリフォルニカなどがあります。

使用量の目安

通常の食品に含まれている量を超えて経口摂取した場合の安全性および副作用については，明らかになっていません。

ジャマイカ・ドッグウッド

JAMAICAN DOGWOOD

別名ほか

Jamaica Dogwood, Fishfudle, Fish Poison Bark, Fish-Poison Tree, Ichthyomethia piscipula, Piscidia communis, Piscidia erythrina, Piscidia piscipula, West Indian Dogwood

概要

ジャマイカ・ドッグウッドは植物です。根の皮を用いて「くすり」を作ることもあります。アメリカ・ドッグウッドと混同しないよう注意してください。

●要説（ナチュラル・スタンダード）

ジャマイカ・ドッグウッドの木は，西インド諸島，米国フロリダ州，中米が原産です。その学名は，ピシーダ・コミュニス（Piscidia communis），ピシーダ・エリスリナ（Piscidia erythrina），ピシーダ・ピシプラ（Piscidia piscipula）があります。樹皮には苦みや不快な臭いがあります。魚を簡単に捕らえるために動きを遅くするという伝統的な使用がされていることから，「魚毒」「魚酔い」とも呼ばれています。

ジャマイカ・ドッグウッドの医学における伝統的な用途は，鎮痛，鎮静，月経困難，精神疾患，胃腸疾患，陣痛緩和などがあります。しかし現時点では，ジャマイカ・ドッグウッドの上記疾患・症状に対する有効性を裏づける科学的証拠は不十分です。ジャマイカ・ドッグウッドは有毒のおそれがあり，呼吸困難，眠気，筋弛緩，協調運動の欠如を引き起こすおそれがあります。ジャマイカ・ドッグウッドの「くすり」としての使用は，医師などの指示を受けていない限り推奨されません。

安全性

ジャマイカ・ドッグウッドを自己治療で経口摂取する場合，毒性があるため安全ではないようです。刺激があり，しびれ感，振戦，唾液分泌，および発汗を引き起こすおそれがあります。

誰にとっても安全ではないようですが，毒性作用にとくに過敏な人は使用しないでください。

有効性レベル：①効きます　②おそらく効きます　③効くと断言できませんが、効能の可能性が科学的に示唆されています　④効かないかもしれません　⑤おそらく効きません　⑥効きません

小児：小児が経口摂取する場合，安全ではないようです。小児はこの植物に含まれる毒性物質にとくに過敏です。小児に与えてはいけません。

手術：ジャマイカ・ドッグウッドが中枢神経系を鈍らせるおそれがあります。手術中・手術後に使われる麻酔などの医薬品と併用すると，中枢神経系の働きが過度に抑制されるおそれがあります。少なくとも手術前２週間は，使用しないでください。

●妊娠中および母乳授乳期

妊娠中の女性が経口摂取する場合，安全ではないようです。子宮に影響を及ぼすおそれがあります。母乳授乳期の女性が経口摂取する場合も，その毒性のため安全ではないようです。

有効性

◆科学的データが不十分です

・不安，恐怖，神経痛，片頭痛，睡眠障害（不眠），月経異常，月経痛など。

●体内での働き

ジャマイカ・ドッグウッドは眠気を引き起こしたり，疼痛や炎症を緩和したり，内臓の筋痙攣を抑制したりする可能性があります。

医薬品との相互作用

中 鎮静薬（中枢神経抑制薬）

ジャマイカ・ドッグウッドは眠気を引き起こす可能性がありますが，鎮静薬も眠気を引き起こす医薬品です。鎮静薬を服用しているときにジャマイカ・ドッグウッドを摂取すると過度の眠気を引き起こすおそれがあります。このような鎮静薬には，クロナゼパム，ロラゼパム，フェノバルビタール，ゾルピデム酒石酸塩などがあります。

ハーブおよび健康食品・サプリメントとの相互作用

眠気を引き起こすおそれのあるハーブおよび健康食品・サプリメント

ジャマイカ・ドッグウッドが眠気を引き起こすおそれがあります。同様の作用をもつほかのハーブおよび健康食品・サプリメントと併用すると，過度の眠気を引き起こすおそれがあります。このようなハーブおよび健康食品・サプリメントには，5-ヒドロキシトリプトファン，ショウブ，ハナビシソウ，キャットニップ，ホップ，カバ，セント・ジョンズ・ワート，バイカルスカルキャップ，カノコソウ，アネモプシス・カリフォルニカなどがあります。

使用量の目安

通常の食品に含まれている量を超えて経口摂取した場合の安全性および副作用については，明らかになっていません。

ジャワ・ターメリック

JAVANESE TURMERIC

●代表的な別名

ジャワウコン

別名ほか

ジャワウコン，ジャワクルクマ，ガジュツ，クスリウコン（Curcuma xanthorrhiza），タムラワウコン（Temu Lawak），Curcuma, Curcumae, Xanthorrhizae rhizoma, Temu Lawas, Tewon Lawa

概　要

ジャワ・ターメリックは，インドネシアとマレー半島の森林に生育する植物です。根と地下茎を用いて「くすり」が作られます。ジャワ・ターメリックとウコン（ターメリック）を混同しないよう気をつけてください。

安全性

短期間（18週間まで）使用する場合には，一般に安全なようです。

大量使用または長期間の使用はおそらく安全ではありません。胃への刺激や悪心を引き起こすことがあります。

肝臓または胆のう疾患：使用しないでください。ジャワ・ターメリックは胆汁の産生を増やし，症状を悪化させる可能性があります。使用の前に医学的な助言を受けてください。

●妊娠中および母乳授乳期

妊娠中および母乳授乳期の使用の安全性についてはデータが不十分です。安全性を考慮し，摂取は避けてください。

有効性

◆有効性レベル④

・過敏性腸症候群。

◆科学的データが不十分です

・胃疾患，消化不良，腸内ガス，肝疾患，胆のう疾患，食欲増進など。

●体内での働き

胆汁の産生を刺激することのある物質を含んでいます。

医薬品との相互作用

ほかの医薬品との相互作用については明らかではありません。

ハーブおよび健康食品・サプリメントとの相互作用

ほかのハーブ，健康食品・サプリメントとの相互作用についてはまだ明らかではありません。

使用量の目安

●経口摂取

胆汁生成を刺激

通常の摂取量は１カップのお茶を１日数回食間に摂取します。お茶は，粗い粉末状の根0.5～１gを150mLの沸騰した湯に５～10分間浸し，ろ過して作ります。１日の平均使用量は根２gまたは同等製品です。

食欲，消化の改善，または腸内ガス

通常の摂取量は食事前あるいは食事中にお茶１カップ。お茶は粗い粉末状の根0.5～１gを150mLの沸騰した湯に５～10分間浸し，ろ過して作ります。１日の平均使用量は根２gまたは同等製品です。

ジャワティー

JAVA TEA

●代表的な別名

ジャワ茶

別名ほか

クミスクチン（Orthosiphonis folium），ネコノヒゲソウ，ネコノヒゲ，ジャワ茶（Orthosiphon stamineus），Orthosiphon，Orthosiphon spicatus

概　要

ジャワティーは植物です。葉と茎頂を用いて「くすり」を作ることもあります。

安 全 性

十分なデータが得られてないので，安全性については不明です。

水分貯留（浮腫）：心臓あるいは腎臓の疾患が原因の水分貯留（浮腫）である場合，利尿薬として使用しないでください。

●妊娠中および母乳授乳期

妊娠中および母乳授乳期の使用の安全性についてはデータが不十分です。安全性を考慮し，摂取は避けてください。

有 効 性

◆科学的データが不十分です

・肝臓に関する愁訴，膀胱障害，腎障害，胆石，痛風，リウマチなど。

●体内での働き

体から尿中に放出される水分量の増加（利尿作用），痙攣を抑制し，細菌などの微生物に抵抗することがあるようです。

医薬品との相互作用

中 炭酸リチウム

ジャワティーは利尿薬のように作用する可能性があります。ジャワティーを摂取すると，炭酸リチウムの体内からの排泄が抑制される可能性があります。そのため，体内の炭酸リチウム量が増加し，重大な副作用が現れるおそれがあります。炭酸リチウムを服用中は医師や薬剤師に相談することなく，ジャワティーを摂取しないでください。炭酸リチウムの用量を変更する必要があるかもしれません。

中 降圧薬

ジャワティーは血圧を低下させるようです。ジャワティーと降圧薬を併用すると，血圧が過度に低下するおそれがあります。このような降圧薬には，カプトプリル，エナラプリルマレイン酸塩，ロサルタンカリウム，バルサルタン，ジルチアゼム塩酸塩，アムロジピンベシル酸塩，ヒドロクロロチアジド，フロセミドなど数多くあります。

ハーブおよび健康食品・サプリメントとの相互作用

ほかのハーブ，健康食品・サプリメントとの相互作用についてはまだ明らかではありません。

使用量の目安

●経口摂取

通常の摂取量は，１日当たり乾燥葉または茎の先端６～12g，またはお茶などの同等製品です。最低１日２Lの十分な水分摂取が必要です。

ジャワニッケイ

CINNAMOMUM BURMANNII

別名ほか

Batavia Cassia，Batavia Cinnamon，Birmazimt，Birmazimtbaum，Canelle de Padang，Cannelier de Malaisie，Cassia Vera，Cinnamon Stick，Fagot Cassia，Indonesian Cassia，Indonesian Cinnamon，Indonesische Kaneel，Indonesischer Zimt，Jaavakaneli，Java Cassia，Java Cinnamon，Kayo Manis Padang，Kayu Manis Padang，Korintje，Korintje Cassia，Korintje Cinnamon，Padang Cassia，Padang Cinnamon，Padang Zimt，Padangzimt，Padangzimtbaum，Timor Cassia

概　要

ジャワニッケイはシナモンの一種です。東南アジアにみられる低木の樹皮から作られます。シナモン（カシア）やセイロンニッケイなど，ほかのシナモンより安価なため，米国でもっとも一般的に販売されている種類です。

糖尿病，体重減少，メタボリックシンドローム，多嚢胞性卵巣症候群（PCOS）に対して用いられますが，これらの用途を十分に裏づける科学的エビデンスはありません。

食品や飲料に，香料として用いられます。

ジャワニッケイはほかのシナモンと関連する植物ですが，それらはどれも同じものではありません。シナモン（カシア），セイロンニッケイ，タマラニッケイについてはそれぞれの項目を参照してください。

安全性

ジャワニッケイは，通常の食品に含まれる量を経口摂取する場合は，ほとんどの人に安全のようです。

「くすり」として経口摂取する場合には，1日最大1,500mgまでの用量を最長6カ月間までであれば，おそらく安全です。

長期間にわたって大量に経口摂取する場合には，おそらく安全ではありません。ジャワニッケイにはクマリンという化学物質が含まれています。過敏な人では，クマリンが肝臓を害するおそれがあります。

糖尿病：ジャワニッケイは糖尿病患者の血糖値を低下させる可能性があります。糖尿病患者が通常の食品に含まれる量を超えて摂取する場合には，低血糖の徴候がないかどうか観察し，血糖値を注意深く監視してください。

肝疾患：ジャワニッケイには，肝臓を害するおそれのある化学物質が含まれています。肝疾患の場合には，通常の食品に含まれている量を超えて摂取してはいけません。

手術：ジャワニッケイは血糖値を低下させ，手術中・手術後の血糖コントロールを妨げるおそれがあります。少なくとも手術前2週間は，「くすり」として使用しないでください。

●妊娠中および母乳授乳期

妊娠中および母乳授乳期に「くすり」としての量を使用する場合の安全性についてはデータが不十分です。安全性を考慮し，摂取は避けてください。

有効性

◆科学的データが不十分です

・糖尿病，メタボリックシンドローム，体重減少，多嚢胞性卵巣症候群（PCOS）など。

●体内での働き

ジャワニッケイに含まれる化学物質には，身体の血糖処理やインスリンへの反応を改善する作用があるようです。この作用が，糖尿病患者の血糖コントロールを改善する可能性があります。

医薬品との相互作用

中 肝臓で代謝される医薬品（シトクロムP450 3A4（CYP3A4）の基質となる医薬品）

特定の医薬品は肝臓で代謝されます。ジャワニッケイは特定の医薬品の代謝を抑制する可能性があります。ジャワニッケイと肝臓で代謝される医薬品を併用すると，医薬品の作用および副作用が増強するおそれがあります。このような医薬品には，カルシウム拮抗薬（ジルチアゼム塩酸塩，ニカルジピン塩酸塩，ベラパミル塩酸塩），抗悪性腫瘍薬（エトポシド，パクリタキセル，ビンブラスチン硫酸塩，ビンクリスチン硫酸塩，ビンデシン硫酸塩），抗真菌薬（ケトコナゾール，イトラコナゾール），ステロイド，シサプリド（販売中止），フェンタニルクエン酸塩，ロサルタンカリウム，塩酸フルオキセチン（販売中止），ミダゾラム，オメプラゾール，オンダンセトロン塩酸塩水和物，プロプラノロール塩酸塩，フェキソフェナジン塩酸塩など数多くあります。

中 肝臓を害する可能性のある医薬品

ジャワニッケイは肝臓を害する可能性のある化学物質を含みます。多量のジャワニッケイと肝臓を害する可能性のある医薬品を併用すると，肝障害のリスクが高まるおそれがあります。肝臓を害する医薬品を服用中に多量のジャワニッケイを摂取しないでください。このような医薬品には，アセトアミノフェン，アミオダロン塩酸塩，カルバマゼピン，イソニアジド，メトトレキサート，メチルドパ水和物，フルコナゾール，イトラコナゾール，エリスロマイシン，フェニトイン，Lovastatin，プラバスタチンナトリウム，シンバスタチンなど数多くあります。

中 糖尿病治療薬

ジャワニッケイは血糖値を低下させる可能性があります。糖尿病治療薬もまた血糖値を低下させるために用いられます。ジャワニッケイと糖尿病治療薬を併用すると，血糖値が過度に低下するおそれがあります。血糖値を注意深く監視してください。糖尿病治療薬の用量を変更する必要があるかもしれません。このような糖尿病治療薬には，グリメピリド，グリベンクラミド，インスリン，メトホルミン塩酸塩，ピオグリタゾン塩酸塩，マレイン酸ロシグリタゾン（販売中止），クロルプロパミド，Glipizide，トルブタミド（販売中止）などがあります。

ハーブおよび健康食品・サプリメントとの相互作用

肝臓を害するおそれのあるハーブおよび健康食品・サプリメント

ジャワニッケイには肝臓を害するおそれのある化学物質が含まれています。肝臓を害するおそれのあるほかのハーブおよび健康食品・サプリメントと併用すると，肝障害の発症リスクが高まるおそれがあります。このようなハーブおよび健康食品・サプリメントには，チャパラル，コンフリー，デヒドロエピアンドロステロン，ジャーマンダー，カバ，ニコチン酸，ペニーロイヤルミントのオイル，紅麹などがあります。

血糖値を低下させるおそれのあるハーブおよび健康食品・サプリメント

ジャワニッケイは血糖値を低下させるおそれがありま

す。血糖値を低下させるおそれのあるほかのハーブおよび健康食品・サプリメントと併用すると，人によっては血糖値が過度に低下するおそれがあります。このようなハーブおよび健康食品・サプリメントには，α-リポ酸，ニガウリ，クロム，デビルズクロー，フェヌグリーク，ニンニク，グアーガム，セイヨウトチノキ，朝鮮人参，サイリウム，エゾウコギなどがあります。

使用量の目安

通常の食品に含まれている量を超えて経口摂取した場合の安全性および副作用については，明らかになっていません。

ジャンボラン

JAMBOLAN

●代表的な別名

ムラサキフトモモ

別名ほか

ジャンブー（Jambu），ジャンブル（Jambul），ローズアップル（Rose Apple），ムラサキフトモモ（Syzygium cumini），Badijamun，Black Plum，Duhat，Eugenia cumini，Eugenia jambolana，Indian Blackberry，Jamam，Jambolao，Jamelonguier，Java Plum，Jumbul，Kavika Ni India，Mahajambu，Mesegerak，Phadena，Plum，Rajajambu，Syxygii Cumini，Syxygii Cumini Cortex，Syzygium jambolanum

概　　要

ジャンボランは樹木です。種子，葉，樹皮および果実を使って「くすり」を作ることがあります。

安　全　性

ジャンボランはほぼすべての人にとって，通常の「くすり」としての量での経口摂取はほとんど安全です。

糖尿病：種子と樹皮のエキスは，血糖値を下げる作用があると考えられています。糖尿病の場合は，血糖値を注意深く監視してください。

手術：血糖値を下げるかもしれません。手術中，術後の血糖値のコントロールを阻害するかもしれないという懸念があります。少なくとも手術を受ける2週間前には，ジャンボランを摂取するのをやめてください。

●妊娠中および母乳授乳期

妊娠中および母乳授乳期の使用の安全性についてはデータが不十分です。安全性を考慮し，摂取は避けてください。

有　効　性

◆有効性レベル④

・糖尿病（ジャンボランの葉）。2gのジャンボランの葉を1Lの水で作ったジャンボラン茶で飲んでも，2型糖尿病の空腹時血糖値の改善はみられないというエビデンスがあります。しかし，動物実験では，種子と樹皮は血糖値を下げると示唆していますが，ヒトではその効果はみられません。ほかの研究では，ジャンボランの種子は糖尿病であって，高コレステロール血症の人の血清コレステロール値を下げると示唆しています。しかし，この効果もまたヒトではみられません。

◆科学的データが不十分です

・気管支炎，気管支喘息，赤痢，皮膚潰瘍（皮膚へ塗布した場合），口腔内痛および咽頭痛（患部へ投与した場合），皮膚腫脹（炎症）（皮膚へ塗布した場合），腸内ガス（鼓腸），痙攣，胃の障害，性的欲求の亢進（催淫），ほかのハーブと併用での便秘，ほかのハーブと併用での極度の疲労，ほかのハーブと併用でのうつ病，ほかのハーブと併用での情緒障害，ほかのハーブと併用での膵臓疾患。

●体内での働き

ジャンボランの種子と樹皮には血糖値を下げる化合物が含まれていますが，葉と実のエキスには血糖値を下げる作用はないようです。抗酸化作用および抗炎症作用のある化合物も含む可能性があります。

医薬品との相互作用

中 糖尿病治療薬

ジャンボランの種子と樹皮のエキスは血糖値を低下させる可能性があります。糖尿病治療薬も血糖値を低下させるために用いられます。ジャンボランの種子あるいは樹皮と糖尿病治療薬を併用すると，血糖値が過度に低下するおそれがあります。血糖値を注意深く監視してください。糖尿病治療薬の用量を変更する必要があるかもしれません。このような糖尿病治療薬には，グリメピリド，グリベンクラミド，インスリン，ピオグリタゾン塩酸塩，マレイン酸ロシグリタゾン（販売中止），クロルプロパミド，Glipizide，トルブタミド（販売中止）などがあります。

中 肝臓で代謝される医薬品（シトクロムP450 2C9（CYP2C9）の基質となる医薬品）

特定の医薬品は肝臓で代謝されます。ジャンボランはこのような医薬品の代謝を抑制する可能性があります。ジャンボランと肝臓で代謝される医薬品を併用すると，医薬品の作用および副作用が増強するおそれがあります。このような医薬品には，アミトリプチリン塩酸塩，ジアゼパム，Zileuton，セレコキシブ，ジクロフェナクナトリウム，フルバスタチンナトリウム，Glipizide，イブプロフェン，イルベサルタン，ロサルタンカリウム，フェニトイン，ピロキシカム，タモキシフェンクエン酸塩，トルブタミド（販売中止），トラセミド，ワルファリンカリウムなどがあります。

低 シタグリプチンリン酸塩水和物

ジャンボランはシタグリプチンリン酸塩水和物の血中濃度を低下させる可能性があります。シタグリプチンリン酸塩水和物は糖尿病患者の血糖値を正常値に低下させます。ジャンボランとシタグリプチンリン酸塩水和物を併用すると，血糖値が過度に低下するおそれがあります。血糖値を注意深く監視してください。シタグリプチンリン酸塩水和物の用量を変更する必要があるかもしれません。

ハーブおよび健康食品・サプリメントとの相互作用

血糖値を下げるハーブおよび健康食品・サプリメント

ジャンボランの種子と樹皮のエキスは血糖値を下げるかもしれません。同じ効果のあるほかの自然由来の製品を併用すると血糖値を下げすぎてしまう懸念があります。血糖値を下げるほかのハーブ・健康食品・サプリメントは，α-リポ酸，ニガウリ，カルケージャ，クロム，デビルズクロー，フェヌグリーク，ニンニク，グアーガム，セイヨウトチノキ，朝鮮人参，サイリウム，エゾウコギなどです。

使用量の目安

●経口摂取

標準使用量に関するデータがありません。しかし，粉末にした種子0.3～2gが摂取されています。種子の流エキス薬も使用します。

19-ノル-DHEA

19-NOR-DHEA

別名ほか

19nor-dehydroepiandrosterone,
19-nor-dehydroepiandrosterone，19nor-DHEA

概　　要

19-ノル-DHEAは，体内でホルモンに変換されると考えられている化学物質です。体内でテストステロンに似たホルモンの量を増加させると考えて摂取する人もいます。

運動選手やボディービルダー向けに販売されているさまざまなサプリメントの成分として含まれています。

安 全 性

19-ノル-DHEAの安全性や副作用については，データが不十分です。

心疾患：19-ノル-DHEAは，人によっては心疾患を悪化させるおそれがあります。

肝疾患：19-ノル-DHEAは，人によっては肝疾患を悪化させるおそれがあります。

●妊娠中および母乳授乳期

妊娠中および母乳授乳期の使用の安全性についてはデータが不十分です。安全性を考慮し，摂取は避けてください。

有 効 性

◆科学的データが不十分です

・運動能力など。

●体内での働き

19-ノル-DHEAを摂取すると，体内でホルモンという化学物質に変換されると考えられています。これらのホルモンに，テストステロンによく似たものがあります。テストステロンやその類似ホルモンは筋肉の増強に役立ちますが，危険な副作用を引き起こすおそれもあります。

医薬品との相互作用

中テストステロンエナント酸エステル

19-ノル-DHEAは体内でテストステロンに類似した化学物質に変化する可能性があります。19-ノル-DHEAとテストステロンエナント酸エステルを併用すると，気分障害や心臓，腎臓，肝臓の異常など，副作用のリスクが高まるおそれがあります。

ハーブおよび健康食品・サプリメントとの相互作用

ほかのハーブ，健康食品・サプリメントとの相互作用についてはまだ明らかではありません。

使用量の目安

通常の食品に含まれている量を超えて経口摂取した場合の安全性および副作用については，明らかになっていません。

シュシュハウジ

CHUCHUHUASI

別名ほか

Chuchasha, Chuchuasi, Chuchuhuasca, Chuchuhuasha, Maytenus krukovii, Maytenus laevis, Maytenus macrocarpa

概　　要

シュシュハウジは樹木です。樹皮，根および葉を用いて「くすり」を作ることもあります。

シュシュハウジは，関節炎，背部痛，骨折，下痢，出産後の合併症，関節疾患，性的刺激の対策や，強壮剤として経口摂取されます。

シュシュハウジは，皮膚がんに対して，皮膚に塗布されます。

シュシュハウジは，食品の香料として用いられます。

安　全　性

シュシュハウジの安全性および副作用については，データが不十分です。

●妊娠中および母乳授乳期

妊娠中および母乳授乳期の使用の安全性についてはデータが不十分です。安全性を考慮し，摂取は避けてください。

有　効　性

◆科学的データが不十分です

・関節炎，背部痛，骨折，下痢，出産後の合併症，関節疾患，性的刺激など。

●体内での働き

シュシュハウジは，がんの増殖を抑制する可能性があります。細菌感染や真菌感染を予防する可能性もあります。シュシュハウジは，アンチオキシダント（抗酸化物質）作用を有する化学物質を含んでいます。

医薬品との相互作用

ほかの医薬品との相互作用については明らかではありません。

ハーブおよび健康食品・サプリメントとの相互作用

ほかのハーブ，健康食品・サプリメントとの相互作用についてはまだ明らかではありません。

使用量の目安

通常の食品に含まれている量を超えて経口摂取した場合の安全性および副作用については，明らかになっていません。

ジュズダマ（ハトムギ）

JOB'S TEARS

別名ほか

Adlay, Adlay Millet, Adlay Seed, Chinese Pearl Barley, Coix, Coix Lacryma, Coix Lacryma-jobi, Coix Lachrymal, Coix Ma-yuen, Coix Seed, Coix stenocarpa, Dehulled Adlay, Job's-tears, Larmes de Job, Juzudama, Lagrimas de Job, Lagrimas de San Pedro, Soft-shelled Job' Tears, Yi Hato-mugi, Yi Yi

概　　要

ジュズダマ（ハトムギ）はイネ科の植物です。葉，根および種子を使って「くすり」を作ることがあります。

●要説（ナチュラル・スタンダード）

ジュズダマ（ハトムギ）は，幅の広い葉で枝分かれしているイネ科の草です。中国，インド，パキスタン，スリランカ，マレーシアの原産です。アジアの国々では，栄養価の高い健康食品とされています。種子は涙の形をしており，黄，茶，白，紫色とさまざまな色をしており，装飾用のビーズとして使われることもあります。根や種子は，「くすり」として用いられることがあります。

安　全　性

食品として摂取した場合は安全なようです。

サプリメントとして錠剤のかたちで摂取する場合の安全性については，十分なデータがありません。

手術：ジュズダマは血糖値を下げると考えられます。これは，手術中，術後の血糖値コントロールに影響を与えるおそれがあります。２週間以内に手術を受ける予定の人は使用してはいけません。

●妊娠中および母乳授乳期

妊娠中の使用は安全ではありません。使用しないでください。動物実験では，成長中の胎児に有害な影響を与えるおそれがあると示唆しています。また，子宮を収縮させるため妊娠の継続を困難にすると考えられています。

母乳授乳期の使用の安全性についてのデータは不十分です。安全性を考慮して，使用は避けてください。

有　効　性

◆科学的データが不十分です

・高コレステロール血症。コメの代わりにジュズダマを４週間摂取したところ，総コレステロールとLDL-コレステロールの大幅な低下が，高コレステロール血症の人にみられたと示唆する研究があります。この効果は，ジュズダマに含まれる食物繊維によるものだと考えられます。

・アレルギー，がん，疣贅（いぼ），寄生虫の感染症，関節炎，肥満症，ならびに呼吸器感染症。

●体内での働き

がん細胞の増殖を阻害する化合物が含まれています。ほかに，抗酸化作用のある化合物，細菌や寄生虫の増殖を低減させる化合物もあります。ただし，ほとんどの研究は動物実験や試験管内レベルのものです。ジュズダマに含まれる食物繊維は，脂肪とコレステロールの体内吸収率を低減することがあります。

医薬品との相互作用

中 糖尿病治療薬

ジュズダマは血糖値を低下させる可能性があります。糖尿病治療薬も血糖値を低下させるために用いられます。ジュズダマと糖尿病治療薬を併用すると，血糖値が過度に低下するおそれがあります。血糖値を注意深く監視してください。糖尿病治療薬の用量を変更する必要があるかもしれません。このような糖尿病治療薬には，グリメピリド，グリベンクラミド，インスリン，ピオグリタゾン塩酸塩，マレイン酸ロシグリタゾン（販売中止），クロルプロパミド，Glipizide，トルブタミド（販売中止）などがあります。

ハーブおよび健康食品・サプリメントとの相互作用

血糖値を低下させるおそれのあるハーブおよび健康食品・サプリメント

ジュズダマは，血糖値を下げるというエビデンスがあります。ジュズダマと同じ作用のあるほかの自然由来の製品と併用すると，血糖値が下がりすぎることがあります。血糖値を下げるハーブには，ビターメロン，ハッショウマメ，ショウガ，コンニャクマンナン，薬用ガレーガ，フェヌグリーク，クズ，ウィローバークなどがあります。

シ

使用量の目安

標準使用量に関するデータがありません。

ジュニパー

JUNIPER

別名ほか

ジュニパーベリーオイル（Juniper Berry Oil），ジュニパーエキス（Extract of Juniper），ジュニパーベリー（Juniper Berry），ジュニパーオイル（Juniper Oil），Common Juniper，Common Juniper Berry，Enebro，Genievre，Ginepro，Juniper Extract，Juniperi fructus，Juniperus communis Oil，Oil of Juniper，Wacholderbeeren，Zimbro

概　　要

ジュニパーは低ないし中等度の高さの木で，ヨーロッパ，北アメリカ，およびアジアの一部の地域に自生します。ジュニパーには多種ありますが，北アメリカではセイヨウネズ（juniperus communis）がもっとも一般的です。

ジュニパーの果実であるベリーは，「くすり」として使われることがあります。「くすり」の製剤にはジュニパーのエキスおよび精油が使用されます。ジュニパーオイルと，ジュニパーの木質部（juniperus oxycedrus）から蒸留されたジュニパータール油とを混同しないでください。

●要説（ナチュラル・スタンダード）

ジュニパー種は，世界中の多くの人に使用されていますが，有毒植物として認識されています。ジュニパーは，ジンや他の飲料に使われている香味料で，少量ではスパイスとして使用されています。ジュニパーは，腎臓や皮膚治療など医療での少量の使用を除くと，顕著な毒性が表れます。ジュニパーは，石けん，シャンプー，化粧品，サシェ（匂い袋）などの製品において，香料として安全に使用されています。

ジュニパーは，ベリー茶としては消化不良（胃のむかつき）に，カデオイルやジュニパーオイルとしては，湿疹など他の皮膚疾患治療に使用されています。ジュニパーは，ウバウルシ，マンザニータ，ウメガサソウなどと併用すると，より効果的で刺激が少ないと考えられています。欧州や中国でのジュニパー使用には長い歴史がありますが，臨床試験に関しては公表されていません。

安　全　性

短期間の使用ならたいていの成人に安全なようですが，４週間以上使用してはいけません。

長期の使用は，腎臓障害，発作などの重篤な副作用を引き起こす可能性があります。

皮膚の狭い範囲に塗布するのは安全なようです。皮膚に使うと，刺激，熱感，発赤，腫脹などの副作用を引き起こすことがあります。

糖尿病，胃が不調な人，２週間以内に手術を受ける予定の人は使用してはいけません。

●妊娠中および母乳授乳期

妊娠中，母乳授乳期は使用してはいけません。

有　効　性

◆科学的データが不十分です

・胃のむかつき，胸やけ，鼓脹，食欲不振，尿路感染症，腎結石，膀胱結石，関節痛，筋肉痛，創傷など。

●体内での働き

ジュニパーには，炎症および膨満を抑制する成分が含まれています。球果は炎症と腸内ガスを抑えることのある化合物を含んでいます。抗菌・抗ウイルス作用があるようです。利尿作用もあるようで，排尿を増やすことがあります。

医薬品との相互作用

中糖尿病治療薬

ジュニパーは血糖値を低下させる可能性があります。糖尿病治療薬も血糖値を低下させるために用いられます。ジュニパーと糖尿病治療薬を併用すると，血糖値が過度に低下するおそれがあります。血糖値を注意深く監視してください。糖尿病治療薬の用量を変更する必要があるかもしれません。このような糖尿病治療薬には，グリメピリド，グリベンクラミド，インスリン，ピオグリタゾン塩酸塩，マレイン酸ロシグリタゾン（販売中止），クロルプロパミド，Glipizide，トルブタミド（販売中止）などがあります。

低利尿薬

ジュニパーには利尿薬のような働きがあり，体内の水分量を低下させるようです。ジュニパーと利尿薬を併用すると，体内の水分量が過度に減少するおそれがあります。水分量が過度に減少した場合，めまいや過度の血圧低下を引き起こすおそれがあります。このような利尿薬には，クロロチアジド（販売中止），クロルタリドン（販売中止），フロセミド，ヒドロクロロチアジドなどがあります。

低炭酸リチウム

ジュニパーは利尿薬のように作用する可能性があります。ジュニパーを摂取すると，炭酸リチウムの体内からの排泄が抑制される可能性があります。そのため，体内のリチウム量が増加し，重大な副作用が現れるおそれがあります。炭酸リチウムを服用中の場合には，医師や薬剤師に相談することなくジュニパー製品を摂取しないでください。炭酸リチウムの用量を変更する必要があるかもしれません。

ハーブおよび健康食品・サプリメントとの相互作用

ほかのハーブ，健康食品・サプリメントとの相互作用についてはまだ明らかではありません。

使用量の目安

●経口摂取

通常摂取量は，ジュニパー（漿果）1～2gを1日3回またはお茶1カップを1日3～4回。お茶は小さじ1杯のつぶしたジュニパー（約2～3g）を150mLの沸騰した湯に10分間浸し，ろ過して作ります。最大摂取量は乾燥ジュニパーを1日10gまでで，エッセンシャルオイル20～100mgに相当します。医師に相談することなくこの摂取量を4週間以上続けてはいけません。流エキス薬（1：1，25%アルコール）の通常の摂取量は，1回2～4mLを1日3回。チンキ薬（1：5，45%アルコール）の通常の摂取量は1回1～2mLを1日3回。

ジュニパーオイル（1：5，45%アルコール）は通常1回0.03～0.2mLを1日3回摂取します。

注：ジュニパーオイルは，必ず専門家の指示に従い摂取してください。

●局所投与

ジュニパーは，リウマチの治療のために，通常，入浴剤に加えて使用します。

ジュニパータール油

CADE

別名ほか

ケード・ジュニパー（Juniper Tar），プリックリー・ジュニパー（Juniperus oxycedrus），ケードオイル（Oil of Cade），ジュニパーケードオイル，Oil of Juniper Tar, Alquitran de Enebro, Goudron de Cade, Juniper Tar Oil, Kadeol, Oleum Cadinum, Oleum Juniperi Empyreumaticum, Pix Cadi, Pix Juniper, Pix Oxycedri, Pyroleum Juniperi, Pyroleum Oxycedri, Wacholderteer

概　要

ジュニパータール油がとれるケードは植物です。葉，茎，樹木からとれるオイルを用いて「くすり」を作ることもあります。

製品としては，オイルはスキンクリーム，軟膏，フケとりシャンプーの材料に使われます。

安全性

十分なデータが得られていないので，安全性については不明です。

●アレルギー

ヒノキアレルギーの人にジュニパータール油がとれるケードの花粉は，アレルギー反応を起こさせます。

●妊娠中および母乳授乳期

妊娠中および母乳授乳期の使用の安全性についてはデータが不十分です。安全性を考慮し，摂取は避けてください。

有効性

◆科学的データが不十分です

- 経口摂取の場合，糖尿病，下痢，消化性潰瘍，高血圧症，気管支炎，肺炎，かゆみなど。
- 皮膚に塗布する場合，乾癬，湿疹，寄生虫による皮膚感染症，創傷，頭皮の疾患，フケ症，脱毛，がんなど。

●体内での働き

抽出物は試験管中の細菌を殺菌します。また動物実験では，ジュニパータール油は痛みを緩和し，腫脹（炎症）を軽減します。ヒトに対してこれらの効果があるかどうかのデータは十分ではありません。

医薬品との相互作用

ほかの医薬品との相互作用については明らかではありません。

ハーブおよび健康食品・サプリメントとの相互作用

ほかのハーブ，健康食品・サプリメントとの相互作用についてはまだ明らかではありません。

使用量の目安

標準使用量に関するデータがありません。

ショウガ

GINGER

●代表的な別名

ジンジャー

別名ほか

African Ginger, Amomum Zingiber, Ardraka, Black

シ

Ginger，黒生姜，黒しょうが，黒ショウガ，ブラックジンジャー，Cochin Ginger，Gan Jiang，Gingembre，Gingembre Africain，Gingembre Cochin，Gingembre Indien，Gingembre Jamaïquain，Gingembre Noir，Ginger Essential Oil，ジンジャー精油，ショウガ精油，ショウガのエッセンシャルオイル，Ginger Root，ジンジャールート，ジンジャーの根，根生姜，根ショウガ，根しょうが，Huile Essentielle de Gingembre，Imber，Indian Ginger，Jamaica Ginger，ジャマイカジンジャー，Jengibre，Jiang，Kankyo，Kanshokyo，Nagara，Race Ginger，Racine de Gingembre，Rhizoma Zingiberi，Rhizoma Zingiberis，Rhizoma Zingiberis Recens，Shen Jiang，Sheng Jiang，Shoga，しょうが，Shokyo，ショウキョウ，Shunthi，Srungavera，Sunth，Sunthi，Vishvabheshaja，Zingiber Officinale，Zingiberis Rhizoma，Zingiberis Siccatum Rhizoma，Zinzeberis，Zinziber Officinale，Zinziber Officinalis

シ

概　要

ショウガは偽茎で，花は黄緑色の植物です。スパイスとしてのショウガは，植物の根茎から作られます。ショウガは，中国，日本，インドなど，アジアの温暖な地域に自生していますが，今では南アメリカやアフリカの一部でも栽培されています。また，中東でも「くすり」や食品として用いるために栽培されています。

ショウガは一般的に，様々な「胃の不調」に用いられ，例えば，乗り物酔い，妊娠中のつわり（胃のむかつきや嘔吐），仙痛，胃のむかつき，腸内ガス，下痢，過敏性腸症候群（IBS），吐き気，がん治療による吐き気，HIV/エイズ治療による吐き気，手術後の吐き気と嘔吐，食欲不振などです。

ほかにも，関節リウマチ（RA），変形性関節症，月経痛などの鎮痛に用います。ただし，これらの用途を十分に裏づけるエビデンスはありません。

新鮮なショウガの絞り汁を熱傷した皮膚にふりかけて，治療に使う人もいます。ジンジャーオイルは疼痛を緩和ために塗布することもあります。また，ショウガエキスも昆虫刺傷を予防するために皮膚に塗布されます。

食品や飲料では，ショウガは香味材に用いられます。

工業品では，ショウガは石けんや化粧品の香料に用いられます。

ショウガに含まれる化学物質の一つは，緩下剤，消化管内ガス除去薬，制酸薬の原料に用いられます。

・新型コロナウイルス感染症（COVID-19）。
COVID-19に対してショウガの使用を裏付ける十分なエビデンス（科学的根拠）はありません。

安 全 性

ショウガを適切に経口摂取する場合は，ほとんどの人に安全のようです。ショウガは，むねやけ，下痢，一般的な胃の不快感など，軽度の副作用を引き起こすおそれがあります。女性の場合，人によっては，ショウガの摂取期間中に過多月経が報告されています。

ショウガを適切に短期間，皮膚へ塗布する場合は，おそらく安全です。人によっては，皮膚過敏を引き起こすおそれがあります。

小児：10代の女性が月経開始頃に最長４日間経口摂取する場合は，おそらく安全です。

出血性疾患：ショウガの摂取により，出血のリスクが高まるおそれがあります。

糖尿病：ショウガにより，インスリン値が上昇したり，血糖値が低下したりするおそれがあります。そのため，医師などの指導のもと，糖尿病治療薬の服用量を調節する必要があるかもしれません。

心疾患：高用量のショウガにより，一部の心疾患が悪化するおそれがあります。

●妊娠中および母乳授乳期

妊娠中：妊娠中に「くすり」として経口摂取する場合は，おそらく安全です。ただし，妊娠中のショウガの使用については見解が一致していません。ショウガは，胎児の性ホルモンに影響を与えたり，死産のリスクを上昇させたりするおそれがあります。つわりに対しショウガを使用した妊娠中の女性が，妊娠12週に流産した例が１件報告されています。ただし，妊娠中の女性を対象とした研究のほとんどでは，つわりの対策として，胎児へ害を及ぼすことなく，ショウガを安全に使用できることが示唆されています。ショウガを摂取した女性の胎児が深刻な奇形となるリスクは，一般的な割合（１～３％）より高くはないようです。早産や低出生体重のリスクが高まることもないようです。ショウガにより出血のリスクが高まるおそれがあり，そのため，出産日近くにはショウガを使用しないように推奨する専門家もいます。妊娠中に服用する医薬品と同様に，便益とリスクを比較検討することが重要です。妊娠中にショウガを使用する際は，医師などに相談してください。

母乳授乳期：母乳授乳期の使用の安全性についてはデータが不十分です。安全性を考慮し，摂取は避けてください。

有 効 性

◆有効性レベル③

・HIV/エイズ治療薬（抗レトロウイルス薬）による吐き気および嘔吐。HIV治療を受けている患者が，14日間毎日，抗レトロウイルス薬の各服用の30分前にショウガを摂取すると，吐き気および嘔吐のリスクが低下することが研究で示唆されています。

・生理痛（月経困難）。生理痛のある成人および10代の女性が月経開始から３～４日間，ショウガ粉末500～2,000mgを摂取すると，疼痛がわずかに緩和することが研究で示されています。別の研究では，月経または生理痛の始まりから約３日間，ショウガを摂取しました。複数の研究によると，ショウガの摂取は，鎮痛薬

「イブプロフェン」や「メフェナム酸」などと同様の効果があるようです。

・変形性関節症。ほとんどの研究で，変形性関節症の場合にショウガを経口摂取すると，人によっては疼痛がわずかに減少する可能性が示されています。ショウガの摂取は，変形性関節症による股関節とひざ関節の疼痛に対して，特定の医薬品「イブプロフェン」や「ジクロフェナク」などと同様の効果があるというエビデンスが複数あります。しかし，相反する研究結果もあります。複数の初期の研究では，ショウガゲルを膝に塗布したり，ジンジャーオイルで膝をマッサージしたりすることによっても，変形性関節症の疼痛を緩和できる可能性が示されています。

・妊娠中のつわり（胃のむかつきや嘔吐）。人によっては，妊娠中にショウガを経口摂取することにより，吐き気および嘔吐の症状が緩和するようです。ただし，制吐薬よりも，効果が現れるまでに時間がかかり，効き目が弱い可能性があります。どのようなハーブや医薬品も，妊娠中の摂取は慎重に検討する必要があります。ショウガを摂取する前に，リスクの可能性について医師などに相談してください。

・めまい感（回転性めまい）。ショウガの摂取により，めまい感の症状（吐き気など）が緩和するようです。

◆有効性レベル④

・運動による筋肉痛。ショウガを摂取しても，運動時の筋肉痛は緩和されないことが研究で示されています。また，運動後の筋肉痛の治療や予防にも役立たないようです。

・乗物酔い。旅行の4時間前までにショウガを摂取しても，乗物酔いの予防にはならないことがほとんどの研究で示唆されています。気分がよくなったと報告した人もいますが，試験の実データからは，異なる結果が示されています。しかし，ある研究によれば，乗物酔いに関連する胃のむかつきに対して，医薬品「ジメンヒドリナート」よりショウガの方が高い効果を示すようです。

◆科学的データが不十分です

・急性かつ重大な肺疾患（急性呼吸促迫症候群（ARDS）），抗悪性腫瘍薬治療による吐き気および嘔吐，呼吸困難を引き起こす肺疾患（慢性閉塞性肺疾患（COPD）），糖尿病，消化不良，二日酔い，高コレステロール血症や高トリグリセリド血症（高脂血症），高血圧，昆虫刺傷，腹痛を引き起こす大腸の慢性疾患（過敏性腸症候群（IBS）），関節痛，月経期の異常な大量出血（過多月経），片頭痛，肥満，分娩，手術後の回復，手術後の吐き気と嘔吐，関節リウマチ（RA），嚥下困難，化学物質による肝障害，神経性食欲不振症，腸の細菌感染による下痢（コレラ），脱毛症，出血，感冒，インフルエンザ，食欲不振，歯痛など。

●体内での働き

ショウガには，吐き気および炎症を緩和する可能性のある化学物質が含まれています。研究者は，この化学物質は主に胃腸で作用すると考えていますが，脳や神経系にも作用して吐き気を制御する可能性があります。

医薬品との相互作用

中 Phenprocoumon

Phenprocoumonは，ヨーロッパで血液凝固を抑制するために用いられます。ショウガもまた血液凝固を抑制する可能性があります。ショウガとPhenprocoumonを併用すると，紫斑および出血のリスクが高まるおそれがあります。定期的に血液検査をしてください。Phenprocoumonの用量を変更する必要があるかもしれません。

低 シクロスポリン

シクロスポリンを服用する2時間前にショウガを摂取すると，シクロスポリンの体内への吸収量が増加する可能性があります。そのため，シクロスポリンの副作用が増強するおそれがあります。ただし，ショウガとシクロスポリンを同時に併用すると，ショウガはシクロスポリンの体内への吸収量に影響を及ぼさないようです。

中 ニフェジピン

ショウガとニフェジピンを併用すると，血液凝固が抑制され，紫斑および出血のリスクが高まるおそれがあります。

低 メトロニダゾール

ショウガはメトロニダゾールの体内への吸収量を増加させる可能性があります。ショウガとメトロニダゾールを併用すると，メトロニダゾールの副作用が増強するおそれがあります。

中 ワルファリンカリウム

ワルファリンカリウムは血液凝固を抑制するために用いられます。ショウガもまた血液凝固を抑制する可能性があります。ショウガとワルファリンカリウムを併用すると，紫斑および出血のリスクが高まるおそれがあります。定期的に血液検査をしてください。ワルファリンカリウムの用量を変更する必要があるかもしれません。

中 血液凝固を抑制する医薬品（抗凝固薬/抗血小板薬）

ショウガは血液凝固を抑制する可能性があります。ショウガと血液凝固を抑制する医薬品を併用すると，紫斑および出血のリスクが高まるおそれがあります。このような医薬品には，アスピリン，クロピドグレル硫酸塩，ジクロフェナクナトリウム，イブプロフェン，ナプロキセン，ダルテパリンナトリウム，エノキサパリンナトリウム，ヘパリン，ワルファリンカリウムなどがあります。

低 降圧薬（カルシウム拮抗薬）

ショウガは，血圧や心疾患に使用される特定の医薬品と同様に血圧を低下させる可能性があります。ショウガと特定の医薬品を併用すると，過度の血圧低下または不整脈をひき起こすおそれがあります。このような医薬品には，ニフェジピン，ベラパミル塩酸塩，ジルチアゼム塩酸塩，Isradipine，フェロジピン，アムロジピンベシル酸塩などがあります。

低糖尿病治療薬

ショウガは，インスリン濃度を高め，かつ（または）血糖値を低下させる可能性があります。糖尿病治療薬も血糖値を低下させるために用いられます。ショウガと糖尿病治療薬を併用すると，血糖値が過度に低下するおそれがあります。血糖値を注意深く監視してください。糖尿病治療薬の用量を変更する必要があるかもしれません。このような糖尿病治療薬には，グリメピリド，グリベンクラミド，インスリン，メトホルミン塩酸塩，ピオグリタゾン塩酸塩，マレイン酸ロシグリタゾン（販売中止）などがあります。

中ロサルタンカリウム

ショウガとロサルタンカリウムを併用すると，ロサルタンカリウムの血中濃度が上昇し，効果が強まるおそれがあります。

ハーブおよび健康食品・サプリメントとの相互作用

血糖値を低下させるおそれのあるハーブおよび健康食品・サプリメント

ショウガはインスリン値を上昇させたり，血糖値を低下させたりする可能性があります。血糖値を低下させるおそれのあるほかのハーブおよび健康食品・サプリメントと併用すると，血糖値が過度に低下するおそれがあります。このようなハーブおよび健康食品・サプリメントには，デビルズクロー，フェヌグリーク，グアーガム，朝鮮人参，エゾウコギなどがあります。

血液凝固を抑制するおそれのあるハーブおよび健康食品・サプリメント

ショウガと，血液凝固を抑制するおそれのあるほかのハーブおよび健康食品・サプリメントを併用すると，人によっては，出血のリスクが高まるおそれがあります。このようなハーブおよび健康食品・サプリメントには，アンゼリカ，クローブ，タンジン，ニンニク，イチョウ，朝鮮人参，レッドクローバー，ウコンなどがあります。

使用量の目安

●経口摂取

HIV/エイズ治療薬（抗レトロウイルス薬）による吐き気および嘔吐

ショウガ１日１gを２回に分けて14日間，抗レトロウイルス薬の各服用の30分前に摂取します。

生理痛（月経困難）

特定のショウガエキス250mgを１日４回，月経開始から３日間摂取します。または，ショウガ粉末１日1,500mgを最大３回までに分けて，月経の最長２日前から，月経３日目まで摂取します。

妊娠中のつわり（胃のむかつきや嘔吐）

ショウガ１日500～2,500mgを２～４回に分けて，３日～３週間摂取します。

変形性関節症

さまざまなショウガエキス製品が試験に使用されています。用量は製品によって異なります。あるショウガエキスの場合は，170mgを１日３回摂取します。アルピニアが配合された別のショウガエキスの場合は，255mgを１日２回摂取します。250mgを１日４回摂取するショウガエキスもあります。また，グルコサミン１日1,000mgと併用して，１日340mg，４週間摂取するショウガエキスもあります。

めまい感（回転性めまい）

ショウガ粉末１gを単回で，めまい感が起こる１時間前に摂取します。

●皮膚への塗布

変形性関節症

ショウガおよびポンツクショウガ（プライ）を含む特定のゲル１日４gを４回に分けて，６週間塗布します。

樟脳

CAMPHOR

●代表的な別名

クスノキ

別名ほか

楠（Camphor Tree），クスノキ（Cinnamomum camphora），カンファー（Gum Camphor），Camphora, Cemphire，Karpoora，Laurel Camphor，Laurus camphora

概　　要

樟脳は，従来はクスノキの皮や薪を水蒸気蒸留することにより得ていました。現在はテレピンオイルから化学的に製造されています。「ヴイックスヴェポラッブ」などに使われています。

樟脳の製品は，皮膚にこすったり（局所塗布），吸入することができます。製品がどのように投与されるか理解するために，ラベルをきちんとお読みください。

樟脳は，きちんと確立された民間療法であり，一般的に使用されています。樟脳油（綿実油に20％の樟脳が含まれています）は，安全性の懸念があったので1980年代に米国市場から撤収されました。カナダでは，今も処方箋なしで入手可能です。

●要説（ナチュラル・スタンダード）

樟脳は，天然または合成生産物または両方が混合の場合もあります。天然物は，典型的にはアジアに生息するクスノキ（Cinnamomum camphora）の木材に由来します。樟脳は，アジア料理や宗教的な儀式で香味料として使用されています。

樟脳と樟脳含有製品は，一般的に皮膚に塗布されます。こうした樟脳含有製品の摂取は中毒となり，有害で潜在的には致命的な副作用を多く引き起こす可能性があります。しかし，ドイツ当局は樟脳を，低張性循環調節障害，気道の粘液排出，筋肉リウマチ（痛みをともなう筋肉疾患），心臓の症状などのために，内服および皮膚塗布を承認しました。

樟脳含有製品と他のサプリメント混合製品の中で，例えば，グルコサミン硫酸塩，コンドロイチン硫酸，ペパーミントオイル，およびサンザシベリーなどとの混合製品は，変形性関節症の痛みを軽減し，起立性低血圧を有する患者に効果が示されています。

安 全 性

クリームかローションのかたちで低濃度を皮膚に塗布する場合は，ほとんどの成人に安全のようです。皮膚の発赤や過敏など軽微な副作用を引き起こすおそれがあります。希釈していない樟脳製品および樟脳を11％以上含んだ製品を使用してはいけません。刺激を生じるおそれがあり，安全ではありません。アロマセラピーの一環として，少量を蒸気として吸引することはほとんどの成人に安全のようです。水約１L当たり樟脳溶液大さじ１杯を超える吸入液を使用してはいけません。

樟脳が含まれた製品を電子レンジで加熱しないでください。破裂して重度の熱傷を引き起こすおそれがあります。

樟脳が含まれる製品を損傷のある皮膚に塗布するのは，安全ではないようです。樟脳は，皮膚の損傷から容易に吸収され，体内で有毒な濃度に達するおそれがあります。

成人による経口摂取は安全ではありません。樟脳を経口摂取すると重度の副作用を引き起こし，死に至るおそれもあります。樟脳の毒による最初の症状はただち（５～90分以内）に発現し，口や咽喉の灼熱感，吐き気，嘔吐などが起こるおそれがあります。そのほか，痙攣，錯乱，筋収縮，視覚への影響など，神経系に影響を及ぼす症状が現れます。

小児：皮膚への塗布は，小児におそらく安全ではありません。小児は副作用の影響を受けやすい傾向があります。医師らは小児の皮膚に樟脳製品を使用しないよう推奨しています。小児による経口摂取は安全ではありません。樟脳製品を経口摂取すると，痙攣を生じたり，死に至ったりするおそれがあります。念のため，樟脳が含まれる製品は小児の手の届かないところに保管してください。

肝疾患：樟脳の経口摂取や皮膚への塗布は，肝障害の可能性との関連が認められています。理論上は，樟脳の使用により肝疾患が悪化するおそれがあります。

●妊娠中および母乳授乳期

樟脳の経口摂取は安全ではありません。皮膚への塗布の安全性については，データが不十分です。母子の健康を危険にさらさないでください。妊娠中の樟脳の使用は避けてください。

有 効 性

◆有効性レベル②

- 咳。樟脳は濃度11％未満で胸部塗布剤として，米国食品医薬品局（FDA）で認可されています。
- 疼痛。樟脳は濃度３～11％で鎮痛薬として，皮膚への使用が米国食品医薬品局（FDA）で認可されています。口唇ヘルペス，昆虫刺傷，軽度の熱傷，痔核などにともなう疼痛緩和の目的で，多くの塗布剤に配合されています。
- 皮膚のそう痒や過敏。樟脳は濃度３～11％でそう痒や過敏の緩和に対する皮膚への使用が米国食品医薬品局（FDA）で認可されています。

◆有効性レベル③

- 変形性関節症。樟脳，グルコサミン硫酸塩，コンドロイチン硫酸を含む塗布クリームにより，変形性関節症の症状の重症度をほぼ半減することができるようです。研究者はこの効果は，ほかの成分ではなく，樟脳によるものであろうと考えています。

◆科学的データが不十分です

- 昆虫刺傷，爪真菌症（足爪の真菌），起立性低血圧，疣贅（いぼ），痔核など。

●体内での働き

皮膚に塗布すると，神経終末を刺激して疼痛やそう痒などの症状を緩和するようです。足爪に感染を引き起こす真菌にも活性を示します。また鼻腔に冷感を生み，呼吸を楽に感じさせるようです。

医薬品との相互作用

中 肝臓を害する可能性のある医薬品

樟脳を使用すると肝臓を害する可能性があります。肝臓を害する可能性のある医薬品を服用中に樟脳を皮膚に塗布すると，肝障害のリスクが高まる可能性があります。肝臓を害する可能性のある医薬品を服用中に樟脳を使用しないでください。このような医薬品にはアカルボース，アミオダロン塩酸塩，アトルバスタチンカルシウム水和物，アザチオプリン，カルバマゼピン，セリバスタチンナトリウム（販売中止），ジクロフェナクナトリウム，フェノフィブラート，フルバスタチンナトリウム，ゲムフィブロジル（販売中止），イソニアジド，イトラコナゾール，ケトコナゾール，レフルノミド，Lovastatin，メトトレキサート，ネビラピン，ニコチン酸，ニトロフラントイン（販売中止），ピオグリタゾン塩酸塩，プラバスタチンナトリウム，ピラジナミド，リファンピシン，リトナビル，マレイン酸ロシグリタゾン（販売中止），シンバスタチン，Tacrine，タモキシフェンクエン酸塩，テルビナフィン塩酸塩，バルプロ酸ナトリウム，Zileutonがあります。

ハーブおよび健康食品・サプリメントとの相互作用

肝臓を害するおそれのあるハーブおよび健康食品・サプリメント

樟脳は肝臓を害するおそれがあります。肝臓を害するおそれのあるほかのハーブおよび健康食品・サプリメントと併用すると，危険な肝障害のリスクを高めるおそれがあります。このようなハーブおよび健康食品・サプリメントには，アンドロステンジオン，チャパラル，コンフリー，デヒドロエピアンドロステロン，ジャーマンダー，カバ，ニコチン酸，ペニーロイヤルオイル，紅麹などがあります。

使用量の目安

●皮膚への塗布

咳

4.7〜5.3%の軟膏剤を頸部および胸部に厚く塗布します。塗布部位は乾いた温かい布で覆うか，何もかぶせないままにしておきます。

皮膚のそう痒

3〜11%の軟膏剤を通常1日3〜4回塗布します。

疼痛

3〜11%の軟膏剤を通常1日3〜4回塗布します。

変形性関節症

樟脳（32mg/g），グルコサミン硫酸塩（30mg/g），コンドロイチン硫酸（50mg/g）を含む局所クリームを疼痛のある関節に，必要に応じて最長8週間塗布します。

ショウブ

CALAMUS

別名ほか

セキショウ，石菖（Acorus gramineus），シナモンセッジ（Cinnamon Sedge），スイートカラムス（Sweet Calamus），Acorus americanus，Acorus calamus，Acorus Sp，Bach，Flagroot，Gladdon，Grass Myrtle，Kalmus，Myrtle Flag，Myrtle Sedge，Sadgrantha，Sweet Cane，Sweet Cinnamon，Sweet Flag，Sweet Grass，Sweet Myrtle，Sweet Root，Sweet Rush，Sweet Sedge，Ugragandha，Vacha，Vayambur

概　　要

ショウブは植物です。根のような部分を用いて「くすり」を作ることもあります。

●要説（ナチュラル・スタンダード）

ショウブ（Acorus calamus L，サトイモ属およびショウブ属）には，細長い葉と芳香のする根茎があります。外観はアヤメに似ており，北米，欧州，アジアの，池や小川や沼のほとりなどの湿った生息地で見られます。

伝統医学では根茎が使用され，ハーブの主な伝統的な用途には，仙痛，消化不良（胃のむかつき），鼓腸（ガス）の治療があります。アーユルヴェーダでは，主にショウブを腎疾患，肝疾患，湿疹，リウマチの治療や記憶の増強に使用しています。現在，伝統的な用途については，医学文献での具体例が十分ではありません。嘔吐は，ショウブの根を多幸症治療に投与した後に起こる主な毒性として報告されています。

安　全　性

経口摂取は安全ではないようです。腎障害，振戦，および痙攣を引き起こすおそれがあります。

世界で確認されているショウブ4種のうち3種にβ-イソアサロンという発がん性物質が含まれているため，米国食品医薬品局（FDA）はショウブを食品に使用することを禁止しています。ただし，β-イソアサロンの含有率は種によって0%から96%と大きく異なる可能性があり，食品の安全性にも差がある可能性があります。

心疾患：ショウブは血圧および心拍数を低下させるおそれがあります。理論上は，心疾患の場合にショウブを大量に摂取すると，人によっては心疾患が悪化するおそれがあります。

低血圧：ショウブは血圧を低下させるおそれがあります。理論上は，低血圧の場合にショウブを摂取すると，血圧が過度に低下するおそれがあります。

手術：ショウブは中枢神経系に影響を及ぼすおそれがあります。このため，手術中および手術後に使用される医薬品と併用すると，過度の眠気を引き起こすおそれがあります。安全面の懸念材料がありながらショウブを使用している場合は，少なくとも手術前2週間は，使用しないでください。

●妊娠中および母乳授乳期

妊娠中および母乳授乳期の経口摂取は安全ではないようです。使用は避けてください。

有　効　性

◆科学的データが不十分です

・潰瘍，腸内ガス，胃の不調，食欲増進，関節炎，脳卒中，皮膚疾患など。

●体内での働き

ショウブに含まれる化学物質が，筋弛緩や鎮静をもたらすと考えられています。

医薬品との相互作用

中モノアミン酸化酵素阻害薬（MAO阻害薬）

ショウブは身体に影響を及ぼす化学物質を含みます。この化学物質はモノアミン酸化酵素阻害薬（MAO阻害薬）の副作用を増強させるおそれがあります。このようなMAO阻害薬には，Phenelzine，Tranylcypromineなどがあります。

低胃酸分泌抑制薬（H2受容体拮抗薬）

ショウブは胃酸を増加させる可能性があります。胃酸を増加させることにより，ショウブはH2受容体拮抗薬

相互作用レベル：高この医薬品と併用してはいけません　中この医薬品とは慎重に併用するか併用しないでください　低この医薬品との併用には注意が必要です

と呼ばれる胃酸分泌抑制薬の有効性を弱めるおそれがあります。H２受容体拮抗薬にはシメチジン，ラニチジン塩酸塩，ニザチジン，ファモチジンがあります。

低胃酸分泌抑制薬（プロトンポンプ阻害薬）

ショウブは胃酸を増加させる可能性があります。胃酸を増加させることにより，ショウブはプロトンポンプ阻害薬と呼ばれる胃酸分泌抑制薬の効果を弱めるおそれがあります。プロトンポンプ阻害薬にはオメプラゾール，ランソプラゾール，ラベプラゾールナトリウム，パントプラゾールナトリウム水和物（販売中止），エソメプラゾールマグネシウム水和物があります。

中口渇作用などの乾燥作用のある医薬品（抗コリン薬）

ショウブは脳および心臓などで作用する特定の化学物質の体内量を増加させる可能性があります。抗コリン薬と呼ばれる口渇などの乾燥作用のある医薬品のなかには，この同じ化学物質の体内量を異なった方法で増加させる可能性があるものもあります。このような医薬品はショウブの作用を弱め，ショウブが医薬品の作用を弱めるおそれがあります。このような医薬品にはアトロピン硫酸塩水和物，スコポラミン臭化水素酸塩水和物，特定の抗アレルギー薬（抗ヒスタミン薬），特定の抗うつ薬などがあります。

中降圧薬

ショウブは血圧を低下させる可能性があります。ショウブと降圧薬を併用すると，血圧が過度に低下するおそれがあります。降圧薬を服用中にショウブを過剰に摂取しないでください。このような降圧薬にはカプトプリル，エナラプリルマレイン酸塩，ロサルタンカリウム，バルサルタン，ジルチアゼム塩酸塩，アムロジピンベシル酸塩，ヒドロクロロチアジド，フロセミドなど多くあります。

低制酸薬

制酸薬は胃酸を減少させるために用いられます。ショウブは胃酸を増加させる可能性があります。胃酸を増加させることにより，ショウブは制酸薬の有効性を低下させるおそれがあります。このような制酸薬には沈降炭酸カルシウム，Dihydroxyaluminum sodium carbonate，Magaldrate，硫酸マグネシウム水和物，乾燥水酸化アルミニウムゲルなどがあります。

中鎮静薬（中枢神経抑制薬）

ショウブは眠気および注意力低下を引き起こす可能性があります。鎮静薬は眠気を引き起こす医薬品です。ショウブと鎮静薬を併用すると，過度の眠気を引き起こすおそれがあります。このような鎮静薬にはクロナゼパム，ロラゼパム，フェノバルビタール，ゾルピデム酒石酸塩などがあります。

中緑内障，アルツハイマー病などに使用される医薬品（コリン作動薬）

ショウブは脳，心臓などで作用する特定の化学物質の体内量を増加させる可能性があります。緑内障，アルツハイマー病などに使用される医薬品のなかにもまた，この化学物質に影響を及ぼすものがあります。ショウブとこのような医薬品を併用すると，医薬品の副作用のリスクが高まるおそれがあります。このような医薬品には，ピロカルピン塩酸塩，ドネペジル塩酸塩，Tacrineなどがあります。

ハーブおよび健康食品・サプリメントとの相互作用

眠気（鎮静）を引き起こすおそれのあるハーブおよび健康食品・サプリメント

ショウブは中枢神経系に作用し，眠気を引き起こすおそれがあります。ショウブと，鎮静作用のあるほかのハーブおよび健康食品・サプリメントを併用すると，過度の眠気を引き起こすおそれがあります。このようなハーブおよび健康食品・サプリメントには，５-ヒドロキシトリプトファン，ハナビシソウ，キャットニップ，ホップ，ジャマイカ・ドックウッド，カバ，セント・ジョンズ・ワート，スカルキャップ，カノコソウ，アネモプシス・カリフォルニカなどがあります。

血圧を低下させるおそれのあるハーブおよび健康食品・サプリメント

ショウブは血圧を低下させるおそれがあります。同様の作用をもつほかのハーブおよび健康食品・サプリメントを併用すると，人によっては，血圧が過度に低下するリスクが高まるおそれがあります。このようなハーブおよび健康食品・サプリメントには，アンドログラフィス，カゼイン・ペプチド，キャッツクロー，コエンザイムQ-10，魚油，L-アルギニン，クコ，イラクサ，テアニンなどがあります。

使用量の目安

通常の食品に含まれている量を超えて経口摂取した場合の安全性および副作用については，明らかになっていません。

ジヨードサイロニン

DIIODOTHYRONINE

別名ほか

3,5-ジョード-L-サイロニン，3,5-L-ジョードサイロニン，3,5-T2，T2，T-2

概　要

ジヨードサイロニンはホルモンです。「くすり」として用いられることもあります。

安 全 性

十分なデータが得られていないため，安全性は不明です。

●妊娠中および母乳授乳期

妊娠中および母乳授乳期の使用の安全性についてはデータが不十分です。安全性を考慮し，摂取は避けてください。

有効性

◆科学的データが不十分です

・減量，高コレステロール血症，および運動能力の向上。

●体内での働き

動物実験や試験管での実験でジヨードサイロニンが，代謝を促進させ脂肪の蓄積を減らすことが示唆されています。しかし，ヒトでの信頼性のある研究は行われていないので，これらの作用があるかどうかのデータは不十分です。

医薬品との相互作用

ほかの医薬品との相互作用については明らかではありません。

ハーブおよび健康食品・サプリメントとの相互作用

ほかのハーブ，健康食品・サプリメントとの相互作用についてはまだ明らかではありません。

使用量の目安

標準使用量に関するデータがありません。

植物ステロール

PLANT STEROLS

別名ほか

Avenasterol, B-sitosterol 3-B-D-glucoside, B-Sitosterolin, B-Sitosterols, Beta Sitosterin, Bêta-sitostérine, Beta Sitosterol, Bêta-Sitostérol, Beta-sitosterol glucoside, Beta-sitosterol glycoside, Betasitosterol, Brassicasterol, Campest-5-en-3beta-ol, Campesterol, Campestérol, Cinchol, Cupreol, Dihydro-beta-sitosterol, Ester de Stérol Végétal, Esters de Phytostérol, Esters de Stérol Dérivés d'huile Végétale, Glucoside de Bêta-Sitostérol, Phytosterol, Phytostérol, Phytosterol Esters, Phytosterols, Phytostérols, Plant Phytosterols, Plant Sterol Esters, Plant Sterolins, Quebrachol, Rhamnol, Sitosterin, Sitosterol, Sitosterolins, Sitosterols, Sterinol, Stérolines, Stérolines Végétales, Sterolins, Stérols Végétaux, Stigmasterin, Stigmasterol, Stigmastérol, Vegetable Oil Sterol Esters, Vegetable Sterol Esters, 5,22-Stigmastadien-3beta-ol, 3-beta, 3-beta-stigmast-5-en-3-ol, 22, 23-dihydrostigmasterol, 24-beta-ethyl-delta-5-cholesten-3beta-ol, 24-ethyl-cholesterol

概要

植物ステロールは，植物内で作られる一群の物質です。植物油，ナッツ，種子類などの食品に最も多く含まれています。「くすり」として用いられることもあります。

植物ステロールは，血清コレステロール値を低下させたり，心疾患や心臓発作を予防したりする目的で経口摂取されます。また，胃がん，結腸がん，直腸がんなどのがんに対して用いられます。体重減少の目的でも用いられます。

食品としては，一部のマーガリンに添加されています。米国食品医薬品局（FDA）は，植物ステロールエステルを含む食品が冠状動脈性心疾患（CHD）のリスク軽減に役立つと表示することを製造業者に許可しています。この規則は，植物ステロールエステルが血清コレステロール値低下作用により，冠状動脈性心疾患リスクを低下させる可能性があるという結論を米国食品医薬品局（FDA）が出したことに基づいています。植物ステロールが血清コレステロール値を低下させるというエビデンスは多数あります。ただし，長期使用により実際に冠状動脈性心疾患リスクが低下するという証拠はありません。

植物ステロールとβ-シトステロールを混同しないでください。β-シトステロールは植物ステロールの一種ですが，独自の用途で用いられています。また，植物ステロールとシトスタノールを混同しないでください。シトスタノールは植物スタノールです。

安全性

植物ステロールは経口摂取する場合，ほとんどの人に安全のようです。下痢や脂肪便などの副作用を引き起こすおそれがあります。

シトステロール血症（まれな遺伝性脂肪蓄積疾患）：植物ステロールはシトステロール血症患者の血中および組織中に蓄積することがあり，これによりシトステロール血症患者が早期の心疾患に罹患しやすくなるおそれがあります。植物ステロールの摂取はこの症状を悪化させるおそれがあります。シトステロール血症の場合は植物ステロールを摂取してはいけません。

短腸症候群（腸の一部切除後に生じる疾患）：植物ステロールを含む栄養素を与えられた短腸症候群患者に，肝機能の悪化が報告されています。栄養素から植物ステロールを除去したところ，肝機能は改善しました。この事象が植物ステロールによるものかどうかは明らかになっていません。短腸症候群の場合には，十分なデータが得られるまで，植物ステロールを摂取してはいけません。

●妊娠中および母乳授乳期

妊娠中および母乳授乳期の使用の安全性についてはデータが不十分です。安全性を考慮し，摂取は避けてく

ださい。

有 効 性

◆有効性レベル②

・遺伝的な高コレステロール血症（家族性高コレステロール血症）患者の血清コレステロール値の低下。植物ステロールは，家族性高コレステロール血症によりコレステロール値が高い小児および成人の血清コレステロール値低下に有効です。低脂肪食または低コレステロール食を摂っている人が植物ステロールを摂取すると，食事療法のみの場合よりも，総コレステロール値および低比重リポタンパク（LDL，悪玉）コレステロール値を低下させることができます。植物ステロールはトリグリセリドと呼ばれる血清脂質値を低下させたり，高比重リポタンパク（HDL，善玉）コレステロール値を上昇させることはありません。

・高コレステロール血症。コレステロール低下食を摂っている高コレステロール血症患者が植物ステロールを摂取すると，総コレステロール値および低比重リポタンパク（LDL，悪玉）コレステロール値が約３～15%低下します。血清コレステロール値を低下させる処方薬（例えば特定のスタチン系薬）に植物ステロールを追加すると，総コレステロール値がさらに12～22mg/dL，LDL-コレステロール値がさらに11～16mg/dL低下します。植物ステロールは，マーガリンや乳製品，パン，シリアルなどに添加されたものを用いたり，錠剤の形態で摂取したりすることができます。研究では，１日約２～３gの用量でもっとも高い血清コレステロール低下作用を示すことが示唆されています。ただし，摂取期間が２～３カ月を超えると，作用しなくなる可能性があります。植物ステロールは高比重リポタンパク（HDL，善玉）コレステロール値を上昇させることはありません。

◆科学的データが不十分です

・結腸直腸がん，胃がん，メタボリックシンドローム，心臓発作，肥満，心疾患など。

●体内での働き

植物ステロールはコレステロールに似た一群の植物性物質です。体内に取り込まれるコレステロールの量を制限することにより，血清コレステロール値の低下を促す可能性があります。一部の植物ステロールは，体内で作られるコレステロールの量も減らす可能性があります。

医薬品との相互作用

低 プラバスタチンナトリウム

プラバスタチンナトリウムを服用すると，植物ステロールの体内への吸収量が低下する可能性があります。そのため，植物ステロールの効果が弱まるおそれがあります。

ハーブおよび健康食品・サプリメントとの相互作用

α-カロテン

植物ステロールはα-カロテンの吸収および血中濃度を低下させるおそれがあります。しかし，健康にはおそらく問題ないと思われます。α-カロテンを余分に摂取する必要はないようです。この相互作用が気になる場合は，ニンジンなどのα-カロテンが豊富な野菜の摂取を増やすか，α-カロテンを含むマルチビタミンを摂取してください。

β-カロテン

植物ステロールはβ-カロテンの吸収および血中濃度を低下させるおそれがあります。しかし，健康には問題ないと思われます。β-カロテンを余分に摂取する必要はないようです。この相互作用が気になる場合は，β-カロテンが豊富な野菜の摂取を増やすか，β-カロテンを含むマルチビタミンを摂取してください。

シ

β-クリプトキサンチン

植物ステロールはβ-クリプトキサンチンの吸収および血中濃度を低下させるおそれがあります。しかし，健康にはおそらく問題ないと思われます。β-クリプトキサンチンを余分に摂取する必要はないようです。この相互作用が気になる場合は，パパイヤや卵などのβ-クリプトキサンチンが豊富な食品の摂取を増やしてください。

ルテイン

植物ステロールは体内に取り込まれるルテインの量を減少させるおそれがあります。しかし，健康にはおそらく問題ないと思われます。ルテインを余分に摂取する必要はないようです。この相互作用が気になる場合は，トウモロコシなどルテインが豊富な食品の摂取を増やしてください。

リコピン

植物ステロールはリコピンの吸収および血中濃度を低下させるおそれがあります。しかし，健康には問題ないと思われます。リコピンを余分に摂取する必要はないようです。この相互作用が気になる場合は，トマトなどのリコピンが豊富な食品の摂取を増やしてください。

ビタミンE

植物ステロールは体内に取り込まれるビタミンEの量を減少させるおそれがあります。しかし，健康には問題ないと思われます。ビタミンEを余分に摂取する必要はないようです。この相互作用が気になる場合は，植物油やナッツなどビタミンEが豊富な食品の摂取を増やしてください。

ゼアキサンチン

植物ステロールはゼアキサンチンの吸収および血中濃度を低下させるおそれがあります。しかし，健康には問題ないと思われます。ゼアキサンチンを余分に摂取する必要はないようです。この相互作用が気になる場合は，トウモロコシや青菜などのゼアキサンチンが豊富な野菜の摂取を増やしてください。

通常の食品との相互作用

カロテノイドを含む食品

カロテノイドは，一部の食品に含まれる化合物です。

カロテノイドには，α-カロテン，β-カロテン，β-クリプトキサンチン，カンタキサンチン，ルテイン，リコピン，ゼアキサンチンがあります。植物ステロールはカロテノイドの吸収および血中濃度を低下させるおそれがあります。しかし，健康には問題ないと思われます。カロテノイドを余分に摂取する必要はないようです。この相互作用が気になる場合は，ニンジンやトマトなどのカロテノイドが豊富な食品の摂取を増やしてください。

ビタミンEを含む食品

植物ステロールは体内に取り込まれるビタミンEの量を減少させるおそれがあります。しかし，健康には問題ないと思われます。ビタミンEを余分に摂取する必要はないようです。この相互作用が気になる場合は，植物油やナッツなどビタミンEが豊富な食品の摂取を増やしてください。

使用量の目安

【成人】

●経口摂取

遺伝的な高コレステロール血症（家族性高コレステロール血症）患者の血清コレステロールの低下

植物ステロール１日1.6～1.8gを８～26週間摂取します。

高コレステロール血症

毎日約２～３gの用量が最も効果があるようです。

【小児】

●経口摂取

遺伝的な高コレステロール血症（家族性高コレステロール血症）患者（小児）の血清コレステロールの低下

６～16歳の小児で，植物ステロール１日1.6～2.3gを摂取します。

通常，植物ステロールと低脂肪食を併用します。

除虫菊

PYRETHRUM

●代表的な別名

アカバナムシヨケギク

別名ほか

シロバナムシヨケギク（Chrysanthemum cinerariifolium），ジョチュウギク，ピレスラム（Tanacetum cinerariifolium），Dalmation Insect Flowers，Dalmation Pellitory

概　要

除虫菊は植物です。花の部分が「くすり」として使用されることもあります。ピレスリンと混同しないよう，注意してください。ピレスラム（Pyrethrum）は，シルバーレース（Chrysanthemum cinerariifolium）の花から抽出した原液の名前です。ピレスリンはさらに精製されたエキスです。A-200 Pyrinate，Barc，Lice-Enz，Licetrol，Pronto，R and C，RID，Tisit，Tisit Blue，Triple Xなどシラミ用の「くすり」に配合されることもあります。

安全性

除虫菊（0.17～0.33％）とピペロニルブトキサイド（２～４％）配合のエアロゾルタイプでない市販薬を患部に塗布するのは安全のようです。

２g未満を皮膚に塗るなら，ほとんどの人に安全です。

少量なら毒性は制限されますが，頭痛，耳鳴り，悪心，指や足指の疼き，呼吸困難および，そのほか神経中毒の症状など副作用を引き起こす場合があります。

小児：２歳未満の幼児に除虫菊を使用するのは安全ではありません。

気管支喘息：気管支喘息を悪化させるおそれがあるので，除虫菊や除虫菊を含んだ製品の使用は避けてください。

●アレルギー

除虫菊の花あるいはその抽出物は，キク科の植物に敏感な人にアレルギー反応を起こすかもしれません。キク科の植物には，ブタクサ，キク，マリーゴールド，デイジー，など多くあります。

●妊娠中および母乳授乳期

妊娠中および母乳授乳期の使用の安全性についてはデータが不十分です。安全性を考慮し，摂取は避けてください。

有効性

◆有効性レベル①

・アタマジラミやケジラミの発生。0.17％～0.33％の濃度の除虫菊を皮膚の患部に塗布して12～24時間おくと，アタマジラミやケジラミの治療に有効です。除虫菊は通常ピペロニルブトキサイド（２％～４％）と併用するとより効果的です。

◆有効性レベル⑥

・疥癬の発生（ダニ）。

●体内での働き

活性成分（ピレスリン）は，虫の神経組織にとって有毒です。

医薬品との相互作用

ほかの医薬品との相互作用については明らかではありません。

ハーブおよび健康食品・サプリメントとの相互作用

ほかのハーブ，健康食品・サプリメントとの相互作用についてはまだ明らかではありません。

使用量の目安

●局所投与

流エキスを外用として用います。使用後は，洗い流すこと。通常，ピレトリン（0.17〜0.33%）およびピペロニルブトキサイド（2〜4%）配合の市販薬を患部に塗布し，最低10分おきます。その後ぬるま湯できれいに洗い流すこと。

シリアン・ルー

SYRIAN RUE

別名ほか

African Rue, Alharma, Gamarza, Harmalkraute, Harmel, Harmelbuske, Peganum harmala, Rue Savage, Steppenraute, Wild Rue

概　要

シリアン・ルーは米国，アジア，アフリカ，欧州の一部に生息する植物です。種子には刺激作用があり，経口摂取すると幻覚を引き起こすおそれがあります。

妊娠中絶や無月経，がん，うつ病，糖尿病，月経痛，低体温，不眠，疼痛，寄生虫，パーキンソン病，関節リウマチと呼ばれる関節疾患などに罹患している場合には，経口摂取します。

抜け毛，ふけ，湿疹，痔核，乾癬（うろこ状でそう痒をともなう皮膚）には皮膚に塗布します。

安 全 性

シリアン・ルーを低用量経口摂取する場合はおそらく安全ではありません。シリアン・ルーの種子を3〜4g摂取すると，幻覚や興奮を引き起こすおそれがあります。

シリアン・ルーを高用量経口摂取する場合は安全ではないようです。シリアン・ルーの種子を高用量摂取した場合の神経系，心臓，肝臓，腎臓への深刻な副作用や死亡が報告されています。

心拍数低下および心疾患：シリアン・ルーにはハルマリンおよびハルミンという化学物質が含まれています。この化学物質は，心拍数が低下している場合や心疾患の場合に，合併症を引き起こすおそれがあります。このような疾患の場合には，シリアン・ルーの摂取を避けてください。

胃閉塞：シリアン・ルーにはハルマリンおよびハルミンという化学物質が含まれています。この化学物質は，胃閉塞の場合に合併症を引き起こすおそれがあります。このような疾患の場合には，シリアン・ルーの摂取を避けてください。

肝疾患：シリアン・ルーを摂取して肝障害が発症した例があります。肝炎など肝疾患に罹患している場合には，シリアン・ルーの摂取を避けてください。

胃潰瘍：シリアン・ルーにはハルマリンおよびハルミンという化学物質が含まれています。この化学物質は，胃潰瘍の場合に合併症を引き起こすおそれがあります。胃潰瘍に罹患している場合には，シリアン・ルーの摂取を避けてください。

肺疾患：シリアン・ルーにはハルマリンおよびハルミンという化学物質が含まれています。この化学物質は，気管支喘息や慢性閉塞性肺疾患（COPD）などの肺疾患の場合に，合併症を引き起こすおそれがあります。肺疾患に罹患している場合には，シリアン・ルーの摂取を避けてください。

痙攣：シリアン・ルーにはハルマリンおよびハルミンという化学物質が含まれています。この化学物質は，痙攣が起こりやすい場合に，合併症を引き起こすおそれがあります。痙攣が起こりやすい場合には，シリアン・ルーの摂取を避けてください。

手術：シリアン・ルーは脳内のセロトニン濃度に影響を及ぼす可能性があります。そのため，シリアン・ルーが手術処置を妨げるおそれがあります。少なくとも手術前2週間は，使用しないでください。

尿路閉塞：シリアン・ルーにはハルマリンおよびハルミンという化学物質が含まれています。この化学物質は，尿路閉塞の場合に，合併症を引き起こすおそれがあります。尿路閉塞に罹患している場合には，シリアン・ルーの摂取を避けてください。

●妊娠中および母乳授乳期

妊娠中および母乳授乳期の経口摂取は安全ではないようです。妊娠中の女性がシリアン・ルーを摂取すると陣痛を引き起こすおそれがあります。摂取は避けてください。

有 効 性

◆科学的データが不十分です

・妊娠中絶，毎月の月経の欠如（無月経），がん，うつ病，糖尿病，月経痛，低体温，不眠，疼痛，寄生虫，パーキンソン病，関節疾患（関節リウマチ）など。

●体内での働き

シリアン・ルーの種子にはβ-カルボリンと呼ばれる化学物質が含まれています。この化学物質は興奮や幻覚など，体内でさまざまな作用を引き起こします。ただし，この成分にはアルツハイマー病治療に使用されている医薬品と同じような作用もあるようです。

医薬品との相互作用

中カフェイン

シリアン・ルーにはハルマリンと呼ばれる化学物質が

含まれます。ハルマリンとカフェインを併用すると，振戦を引き起こすおそれがあります。

中パーキンソン病治療薬（ドパミン受容体作動薬）

シリアン・ルーには脳に影響を及ぼす化学物質が含まれます。これらの化学物質は特定のパーキンソン病治療薬と同じように脳に影響を及ぼします。理論的には，シリアン・ルーとパーキンソン病治療薬を併用すると，パーキンソン病治療薬の作用および副作用が増強するおそれがあります。このようなパーキンソン病治療薬には，ブロモクリプチンメシル酸塩，レボドパ，プラミペキソール塩酸塩水和物，ロピニロール塩酸塩などがあります。

中肝臓で代謝される医薬品（シトクロムP450 2D6（CYP2D6）の基質となる医薬品）

特定の医薬品は肝臓で代謝されます。理論的には，シリアン・ルーはこのような医薬品の代謝を抑制する可能性があります。シリアン・ルーと肝臓で代謝される医薬品を併用すると，医薬品の作用および副作用が増強するおそれがあります。このような医薬品には，アミトリプチリン塩酸塩，クロザピン，コデインリン酸塩水和物，塩酸デシプラミン（販売中止），ドネペジル塩酸塩，フェンタニルクエン酸塩，フレカイニド酢酸塩，塩酸フルオキセチン（販売中止），ペチジン塩酸塩，メサドン塩酸塩，メトプロロール酒石酸塩，オランザピン，オンダンセトロン塩酸塩水和物，トラマドール塩酸塩，トラゾドン塩酸塩などがあります。

中肝臓で代謝される医薬品（シトクロムP450 3A4（CYP3A4）の基質となる医薬品）

特定の医薬品は肝臓で代謝されます。理論的には，シリアン・ルーはこのような医薬品の代謝を抑制する可能性があります。シリアン・ルーと肝臓で代謝される医薬品を併用すると，医薬品の作用および副作用が増強する可能性があります。このような医薬品には，Lovastatin，クラリスロマイシン，インジナビル硫酸塩エタノール付加物（販売中止），シルデナフィルクエン酸塩，トリアゾラムなど数多くあります。

中肝臓を害する可能性のある医薬品

シリアン・ルーが肝臓を害するおそれが懸念されています。理論的には，シリアン・ルーと肝臓を害する可能性のある医薬品を併用すると，肝障害のリスクが高まるおそれがあります。このような医薬品には，アカルボース，アミオダロン塩酸塩，アトルバスタチンカルシウム水和物，アザチオプリン，カルバマゼピン，セリバスタチンナトリウム（販売中止），ジクロフェナクナトリウム，Felbamate，フェノフィブラート，フルバスタチンナトリウム，ゲムフィブロジル（販売中止），イソニアジド，イトラコナゾール，ケトコナゾール，レフルノミド，Lovastatin，メトトレキサート，ネビラピン，ニコチン酸，ニトロフラントイン（販売中止），ピオグリタゾン塩酸塩，プラバスタチンナトリウム，ピラジナミド，リファンピシン，リトナビル，マレイン酸ロシグリタゾン（販売中止），シンバスタチン，Tacrine，タモキシフェンクエン酸塩，テルビナフィン塩酸塩，バルプロ酸ナトリウム，Zileutonがあります。

中口渇作用などの乾燥作用のある医薬品（抗コリン薬）

シリアン・ルーには，脳および心臓に影響を及ぼす可能性のある化学物質が含まれます。口渇などの乾燥作用のある医薬品（抗コリン薬）も脳および心臓に影響を及ぼす可能性があります。理論的には，シリアン・ルーとこのような医薬品を併用すると，シリアン・ルーまたは抗コリン薬の効果が弱まるおそれがあります。このような医薬品には，アトロピン硫酸塩水和物，メシル酸ベンツトロピン（販売中止），ビペリデン塩酸塩，プロシクリジン，トリヘキシフェニジル塩酸塩などがあります。

中緑内障，アルツハイマー病などに使用される医薬品（コリン作動薬）

シリアン・ルーには身体に影響を及ぼす化学物質が含まれます。この化学物質は緑内障，アルツハイマー病などに使用される医薬品に類似しています。理論的には，シリアン・ルーとこのような医薬品を併用すると，副作用のリスクが高まるおそれがあります。このような医薬品には，ベタネコール塩化物，ドネペジル塩酸塩，エコチオパートヨウ化物（販売中止），エドロホニウム塩化物，ネオスチグミン臭化物，サリチル酸フィゾスチグミン（販売中止），ピリドスチグミン臭化物，スキサメトニウム塩化物水和物，Tacrineなどがあります。

中セロトニン作用薬

シリアン・ルーは脳内物質のセロトニンを増加させる可能性があります。特定の医薬品もセロトニンを増加させます。シリアン・ルーとこのような医薬品を併用すると，セロトニンが過剰に増加するおそれがあります。そのため，重大な副作用（激しい頭痛頭痛，心臓の異常，悪寒戦慄，錯乱，不安など）が現れるおそれがあります。このような医薬品には，塩酸フルオキセチン（販売中止），パロキセチン塩酸塩水和物，塩酸セルトラリン，アミトリプチリン塩酸塩，クロミプラミン塩酸塩，イミプラミン塩酸塩，スマトリプタン，ゾルミトリプタン，リザトリプタン安息香酸塩，メサドン塩酸塩，トラマドール塩酸塩など数多くあります。

ハーブおよび健康食品・サプリメントとの相互作用

肝臓を害するおそれのあるハーブおよび健康食品・サプリメント

シリアン・ルーが肝臓を害するおそれがあります。そのため，肝臓を害するおそれがあるほかのハーブおよび健康食品・サプリメントとシリアン・ルーを併用すると，深刻な肝障害のリスクが高まるおそれがあります。

このようなハーブおよび健康食品・サプリメントには，アンドロステンジオン，チャパラル，コンフリー，デヒドロエピアンドロステロン，ジャーマンダー，ニコチン酸，ペニーロイヤル，紅麹などがあります。

セロトニン作動性特性のあるハーブおよび健康食品・サプリメント

シリアン・ルーはセロトニンという脳内化学物質を増加させる可能性があります。このため，セロトニンを増加させる可能性があるほかのハーブおよび健康食品・サプリメントとシリアン・ルーを併用すると，セロトニンが過度に増加し，心臓の異常，悪寒戦慄，不安などの副作用を引き起こすおそれがあります。

このようなハーブおよび健康食品･サプリメントには，5-ヒドロキシトリプトファン，ハワイベビーウッドローズ，L-トリプトファン，S-アデノシルメチオニン（SAMe），セント・ジョンズ・ワートなどがあります。

通常の食品との相互作用

チラミンを含む食品

シリアン・ルーはチラミンと呼ばれる化学物質の分解を遅らせることがあります。そのため，チラミンを含む食品とともにシリアン・ルーを摂取すると，副作用のリスクが高まるおそれがあります。

チラミンを含む食品には，熟成チーズ，熟成・塩漬け肉，ソラマメ，ザワークラウト（塩漬け発酵キャベツ），醤油，生ビールなどがあります。

使用量の目安

通常の食品に含まれている量を超えて経口摂取した場合の安全性および副作用については，明らかになっていません。

シリコン

SILICON

●代表的な別名

シリカ

別名ほか

オルトケイ酸（Orthosilicic acid），Phytolithic silica，ケイ土，ケイ石粉，ケイ石（Silica），二酸化ケイ素（Silicon dioxide），ケイ酸ナトリウム（Sodium silicate），シリカ，Silicium

概　　要

シリコンは鉱物です。食物中や環境内に存在します。シリコンのサプリメントとして使用されることもあります。

●要説（ナチュラル・スタンダード）

シリコン（ケイ素）は，酸素の後に発生した地球の地殻中で二番目に豊富な元素です。シリコンは酸素と結合して，結晶すなわちアモルファスシリカ（二酸化ケイ素，SiO_2），そして，ケイ酸シリコン（$Si(OH)_4$），石英などのケイ酸塩を形成します。シリコンは岩石，土壌，砂，結晶性シリカのダストに含まれています。ケイ酸はシリカから自然に形成されており，人の消化管で容易に吸収されます。

シリコンは超微量元素で，1 mg未満の量が必要量と推測されていますが，生物学的過程での必須栄養素としての役割は知られていません。シリコンの食事摂取基準（DRI）すなわち推奨量（RDA），あるいは目安量（AI）は，まだ確立されていません。

食事では，シリコンは主に飲料水，植物を原料とした食品，すなわち，ビール，精製されていない穀物（オート麦，大麦，米，小麦フスマ），果物，野菜（ほうれん草），豆（赤レンズ豆）などに含まれています。

シリコンは，化粧品や医薬製剤にケイ酸塩として含まれています。ケイ酸塩はまた加工食品および飲料に添加され，凝結防止剤，増粘剤，安定剤として機能し，ビールやワインには清澄剤として使用されています。

シリコンは生体適合性があり，心臓ペースメーカー，除細動器，ステント，形成外科や再建手術のための材料（乳房移植や骨移植片を含む），徐放薬，シート（手術後の瘢痕形成の治療と予防のためのもの），ライナーソケット，すなわち四肢切断後に義肢を装着するためのスリーブなど，多くの移植可能な医療器具に使用されてきました。

さまざまな目的のために，多くの研究者がシリコン使用を検討してきましたが，アルツハイマー病の原因と関係があるアルミニウムの毒性を低減するために使用することには，議論の余地があります。いくつかの研究では，シリコンは，体内の骨の成長や他の組織の健康と成長のために，人には必須であることを示しています。人のあらゆる疾患を治療するためのシリコン使用を支持する，質の高い科学的根拠は不十分です。

安　全　性

食品に含まれる量なら安全なようです。

医薬品としての安全性は不明です。まれに，シリコン含有の制酸薬を長期間使用した人に腎結石の生じることがあります。

●妊娠中および母乳授乳期

妊娠中，母乳授乳期は，「くすり」としての量で使用してはいけません。

有　効　性

◆有効性レベル③

・食品から摂取した場合，骨密度の増加。

◆科学的データが不十分です

・心疾患，アルツハイマー病，捻挫，挫傷，および消化器系障害。

●体内での働き

ヒトでの生物学的機能は明確にはなっていません。しかし，骨とコラーゲンの形成に役割を担うという証拠はあります。

医薬品との相互作用

ほかの医薬品との相互作用については明らかではありません。

ハーブおよび健康食品・サプリメントとの相互作用

ほかのハーブ，健康食品・サプリメントとの相互作用についてはまだ明らかではありません。

使用量の目安

●経口摂取

骨粗鬆症

食事からの40mg摂取は，それ以下の量の摂取に比べ，骨ミネラル密度の増大に関連します。生理学的役割に関する不可欠な科学的なデータが不十分なため，推奨量（RDA）に関するデータはありません。

白カラシ

WHITE MUSTARD

別名ほか

和カラシ，イエローマスタード，シロガラシ，American Yellow Mustard, Brassica alba, Semen, Sinapis alba, Sinapis albae, Weibesenfsamen, White Mustard Flour, White Mustard Greens, White Mustard Oil, White Mustard Paste, White Mustard Plaster, White Mustard Powder, White Mustard Seed, Yellow Mustard

概　　要

白カラシはハーブです。種子を用いて「くすり」を作ることもあります。

食物では，白カラシは，カラシ調味料を作るのに通常使用される３つのカラシのうちの１つです。黒カラシ（Brassica nigra）がもっとも辛みが強く，また白カラシ（Brassica alba）はもっとも辛みがまろやかで，アメリカのイエローマスタードに伝統的に使用されています。茶カラシ（Brassica juncea）は濃い黄色をしていて辛みもあり，ディジョンマスタード（Dijon mustard）に使用されます。黒カラシの種子を収穫するより茶カラシの種子を収穫する方が容易なため，多くのマスタード調味料には，現在，黒カラシの種子の代わりに茶カラシの種子が使用されています。

安 全 性

食品として摂取する場合は安全です。

「くすり」として経口摂取あるいは皮膚に塗布した場合の安全性に関する科学的なデータが十分ではありません。長期間皮膚に塗ると，熱傷，水ぶくれ，潰瘍を生じることがあります。

●妊娠中および母乳授乳期

妊娠中に「くすり」としての量を摂取は安全ではありません。生理が始まり流産を起こすおそれがあるエビデンスもあります。

母乳授乳期に「くすり」としての量を摂取する安全性についてのデータが不十分です。安全性を考慮して食品の量の範囲内で摂取してください。

有 効 性

◆科学的データが不十分です

・経口摂取の場合，感染症予防，嘔吐誘発，体内貯留を解消するため尿量の増加（利尿薬として），食欲増進など。

・皮膚へ塗布する場合，咳および感冒，気管支炎，関節炎のような痛み（リウマチ），口内，咽頭，関節の炎症（腫脹）など。

●体内での働き

どのように作用するかについては十分なデータが得られていません。

医薬品との相互作用

ほかの医薬品との相互作用については明らかではありません。

ハーブおよび健康食品・サプリメントとの相互作用

ほかのハーブ，健康食品・サプリメントとの相互作用についてはまだ明らかではありません。

使用量の目安

●経口摂取

標準使用量に関するデータがありません。しかし，従来から声を「明るく鮮明」にするには，カラシ粉または粉末カラシを蜂蜜に混ぜ，団子状にします。この団子１～２個を空腹時に摂取します。

●局所投与

標準使用量に関するデータがありません。しかし，従来から足湯として使用する場合，20～30gのカラシ粉を水１Lに混ぜます。入浴に使用する場合，150gのカラシ粉を袋に入れ，湯船に浮かべます。局所塗布には，大さじ４杯（50～70g）の種子粉末をぬるま湯で延ばして柔らかくし，成人なら10～15分，６歳以上の小児では５～10分当てておきます。敏感肌の患者は，適用時間を短くします。治療は２週間を超えないようにしてください。

白桂皮

CANELLA

●代表的な別名

ホワイトシナモン

別名ほか

ホワイトシナモン（White Cinnamon），ホワイトウッド（White Wood），ワイルドシナモン（Wild Cinnamon），Barbasco，Curbana，Macambo，Canella alba，Canella winteriana，Laurus winteriana，Winterana canella

概　　要

白桂皮はハーブです。地上部の皮が食品の風味づけおよび「くすり」に使用されることもあります。

安 全 性

安全かどうか，また副作用のリスクについては不明です。

●妊娠中および母乳授乳期

妊娠中および母乳授乳期の使用の安全性についてはデータが不十分です。安全性を考慮し，摂取は避けてください。

有 効 性

◆科学的データが不十分です

・感冒，血行不良など。

●体内での働き

刺激，強壮，および抗菌作用があるようです。

医薬品との相互作用

ほかの医薬品との相互作用については明らかではありません。

ハーブおよび健康食品・サプリメントとの相互作用

ほかのハーブ，健康食品・サプリメントとの相互作用についてはまだ明らかではありません。

使用量の目安

標準使用量に関するデータがありません。

白コショウ

WHITE PEPPER

別名ほか

Blanc Poivre，Peber，Peper，Pepe，Peppar，Pepper，Pepper Extract，Peppercorn，Pfeffer，Pimienta Blanca，Pipar，Piper，Piper nigrum，Piperine，Pippuri，Poivre，Poivre Blanc，Poivrier，Weißer Pfeffer

概　　要

白コショウは，インドおよびほかの東南アジアの国々が原産です。黒コショウと白コショウは同じ種の植物に由来していますが，作り方が異なっています。黒コショウは，未熟の果実を乾燥させて作るのに対し，白コショウは，完熟した果実の種子から作ります。

胃のむかつき，マラリア，コレラ（下痢を引き起こす細菌感染症），およびがんには，白コショウを経口摂取します。

疼痛には，白コショウを皮膚に塗布します。

白コショウは，食物や飲み物の風味付けとして加えられます。

白コショウの精油は，アロマテラピーで使用されます。

安 全 性

白コショウの経口摂取は，通常の食品に含まれる量であれば，ほとんどの人に安全のようです。

白コショウを，「くすり」として，適量を経口摂取する場合には，おそらく安全です。ヒリヒリとした後味を感じるかもしれません。多量に経口摂取した白コショウが，誤って肺に入り，死亡に至った例が報告されています。とくに小児の場合には，起こり得る例です。

小児：白コショウの経口摂取は，通常の食品に含まれる量であれば，ほとんどの人に安全のようです。高用量の白コショウを経口摂取する場合には，おそらく安全ではありません。

出血性疾患：白コショウに含まれている，ピペリンという成分が，血液凝固を抑制するおそれがあります。理論上，出血性疾患の場合に，食品に含まれている量を超える白コショウを摂取すると，出血のリスクが高まるおそれがあります。

糖尿病：白コショウが，血糖値に影響を与えるおそれがあります。理論上，糖尿病患者が，食品に含まれている量を超える白コショウを摂取すると，血糖値コントロールに影響を与えるおそれがあります。糖尿病治療薬の服薬量を調節する必要があるかもしれません。

手術：白コショウに含まれている，ピペリンという成分が，血液凝固を抑制し，血糖値に影響を与えるおそれがあります。理論上，白コショウにより，出血性合併症を引き起こすおそれや，手術中の血糖値に影響を与えるおそれがあります。少なくとも手術前２週間は，食品に含まれている量を超える白コショウを摂取しないでください。

●妊娠中および母乳授乳期

妊娠中の，白コショウの経口摂取は，通常の食品に含まれる量であれば，ほとんどの人に安全のようです。妊娠中に，「くすり」としての量の白コショウを摂取する場合や，白コショウのオイルを皮膚に塗布する場合の安全性については，データが不十分です。

母乳授乳期の，白コショウの経口摂取は，通常の食品に含まれる量であれば，ほとんどの人に安全のようです。母乳授乳期に，「くすり」としての量の白コショウを摂取する場合の安全性については，データが不十分です。

有効性レベル：①効きます　②おそらく効きます　③効くと断言できませんが、効能の可能性が科学的に示唆されています　④効かないかもしれません　⑤おそらく効きません　⑥効きません

有効性

◆科学的データが不十分です

・がん，コレラ（下痢を引き起こす細菌感染症），マラリア，疼痛，胃の不調など。

●体内での働き

白コショウには，ピペリンという成分が含まれています。ピペリンは，体内における様々な働きがあるようです。ピペリンが，疼痛を緩和したり，呼吸を改善したり，炎症を抑制するようです。ピペリンには，脳機能を改善する働きもあるようですが，どのように作用するのかは明らかではありません。

医薬品との相互作用

低アモキシシリン水和物

白コショウはピペリンと呼ばれる化学物質を含みます。ピペリンは血中のアモキシシリン水和物の濃度を上昇させる可能性があります。理論的には，白コショウとアモキシシリン水和物を併用すると，アモキシシリン水和物の作用および副作用を増強させるおそれがあります。しかし，この潜在的な相互作用が大きな問題であるかについては十分に明らかではありません。

低カルバマゼピン

白コショウはカルバマゼピンの体内での吸収量を増加させる可能性があります。また，白コショウは，カルバマゼピンの体内での代謝および体内からの排泄を抑制する可能性もあります。そのため，体内のカルバマゼピン量が増加し，潜在的に副作用のリスクが高まるおそれがあります。しかし，この相互作用がおおきな問題であるかについては十分に明らかではありません。

中シクロスポリン

白コショウはピペリンと呼ばれる化学物質を含みます。ピペリンは体内のシクロスポリン量を増加させる可能性があります。理論的には，白コショウとシクロスポリンを併用すると，シクロスポリンの作用および副作用が増強するおそれがあります。

低セフォタキシムナトリウム

白コショウはピペリンと呼ばれる化学物質を含みます。ピペリンはセフォタキシムナトリウムの血中濃度を上昇させる可能性があります。理論的には，白コショウとセフォタキシムナトリウムを併用すると，セフォタキシムナトリウムの作用および副作用を増強させるおそれがあります。しかし，この相互作用の可能性が大きな問題であるかについては十分に明らかではありません。

中テオフィリン

白コショウはテオフィリンの体内での吸収量を増加させる可能性があります。そのため，テオフィリンの作用および副作用を増強させるおそれがあります。

中ネビラピン

白コショウはピペリンと呼ばれる化学物質を含みます。ピペリンは体内のネビラピン量を増加させる可能性があります。理論的には，白コショウとネビラピンを併用すると，ネビラピンの作用および副作用が増強するおそれがあります。しかし，この相互作用の可能性が大きな問題であるかについては十分に明らかではありません。

中フェニトイン

白コショウはフェニトインの体内への吸収量を増加する可能性があります。白コショウとフェニトインを併用すると，フェニトインの作用と副作用を増強するおそれがあります。

中プロプラノロール塩酸塩

白コショウはプロプラノロール塩酸塩の体内への吸収量を増加させる可能性があります。白コショウとプロプラノロール塩酸塩を併用すると，プロプラノロール塩酸塩の作用および副作用が増強するおそれがあります。

中ペントバルビタールカルシウム

白コショウはピペリンと呼ばれる化学物質を含みます。ピペリンはペントバルビタールカルシウムに起因する眠気を促進する可能性があります。理論的には，白コショウとペントバルビタールカルシウムを併用すると，ペントバルビタールカルシウムの鎮静作用が増強するおそれがあります。

中リファンピシン

白コショウはリファンピシンの体内での吸収量を増加させる可能性があります。白コショウとリファンピシンを併用すると，リファンピシンの作用および副作用が増強するおそれがあります。

中肝臓で代謝される医薬品（シトクロムP450 1A1（CYP1A1）の基質となる医薬品）

特定の医薬品は肝臓で代謝されます。白コショウはこのような医薬品の代謝を抑制する可能性があります。白コショウと肝臓で代謝される医薬品を併用すると，医薬品の副作用のリスクが高まるおそれがあります。このような医薬品にはクロルゾキサゾン，テオフィリン，Bufuralolがあります。

中肝臓で代謝される医薬品（シトクロムP450 2B1（CYP2B1）の基質となる医薬品）

特定の医薬品は肝臓で代謝されます。白コショウはこのような医薬品の代謝を抑制する可能性があります。白コショウと肝臓で代謝される医薬品を併用すると，医薬品の副作用のリスクが高まるおそれがあります。このような医薬品にはシクロホスファミド水和物，イホスファミド，バルビツール酸系薬，Bromobenzeneがあります。

中肝臓で代謝される医薬品（シトクロムP450 2D6（CYP2D6）の基質となる医薬品）

特定の医薬品は肝臓で代謝されます。白コショウは医薬品の代謝を抑制する可能性があります。白コショウと肝臓で代謝される医薬品を併用すると，医薬品の副作用を増強させる可能性があります。このような医薬品にはアミトリプチリン塩酸塩，コデインリン酸塩水和物，塩酸デシプラミン（販売中止），フレカイニド酢酸塩，ハロペリドール，イミプラミン塩酸塩，メトプロロール酒石酸塩，オンダンセトロン塩酸塩水和物，パロキセチン塩酸塩水和物，リスペリドン，トラマドール塩酸塩，ベンラファキシン塩酸塩などがあります。

中肝臓で代謝される医薬品（シトクロムP450 3A4（CYP3A4）の基質となる医薬品）

特定の医薬品は肝臓で代謝されます。白コショウは医薬品の代謝を抑制する可能性があります。白コショウと肝臓で代謝される医薬品を併用すると，医薬品の副作用のリスクが高まるおそれがあります。このような医薬品には，特定のカルシウム拮抗薬（ジルチアゼム塩酸塩，ニカルジピン塩酸塩，ベラパミル塩酸塩），化学療法薬（エトポシド，パクリタキセル，ビンブラスチン硫酸塩，ビンクリスチン硫酸塩，ビンデシン硫酸塩），抗真菌薬（ケトコナゾール，イトラコナゾール），グルココルチコイド，シサプリド（販売中止），Alfentanil，フェンタニルクエン酸塩，ロサルタンカリウム，塩酸フルオキセチン（販売中止），ミダゾラム，オメプラゾール，オンダンセトロン塩酸塩水和物，プロプラノロール塩酸塩，フェキソフェナジン塩酸塩など多くあります。

中血液凝固を抑制する医薬品（抗凝固薬/抗血小板薬）

白コショウには，ピペリンと呼ばれる化学物質が含まれています。ピペリンは血液凝固を抑制する可能性があります。理論的には，白コショウと血液凝固を抑制する医薬品を併用すると，紫斑および出血のリスクが高まるおそれがあります。このような医薬品にはアスピリン，クロピドグレル硫酸塩，ダルテパリンナトリウム，エノキサパリンナトリウム，ヘパリン，チクロピジン塩酸塩，ワルファリンカリウムなどがあります。

中細胞内のポンプによって輸送される医薬品（P糖タンパク質の基質となる医薬品）

特定の医薬品は細胞内のポンプによって輸送されます。白コショウは，ポンプの働きを弱め，特定の医薬品の体内への吸収量を増加させるかもしれません。そのため，医薬品の副作用が増強するおそれがあります。このような医薬品には，エトポシド，パクリタキセル，ビンブラスチン硫酸塩，ビンクリスチン硫酸塩，ビンデシン硫酸塩，ケトコナゾール，イトラコナゾール，アンプレナビル（販売中止），インジナビル硫酸塩エタノール付加物（販売中止），ネルフィナビルメシル酸塩，サキナビルメシル酸塩，シメチジン，ラニチジン塩酸塩，ジルチアゼム塩酸塩，ベラパミル塩酸塩，副腎皮質ステロイド，エリスロマイシン，シサプリド（販売中止），フェキソフェナジン塩酸塩，シクロスポリン，ロペラミド塩酸塩，キニジン硫酸塩水和物などがあります。

中炭酸リチウム

白コショウは利尿薬のように作用する可能性があります。白コショウを摂取すると，炭酸リチウムの体内からの排泄が抑制される可能性があります。そのため，体内の炭酸リチウム量が増加し，重大な副作用が現れるおそれがあります。

中糖尿病治療薬

白コショウはピペリンと呼ばれる化学物質を含みます。また，ピペリンが血糖値を低下させる可能性があるとされる研究があります。理論的には，白コショウが糖尿病治療薬との相互作用を誘発し，その結果，血糖値が過度に低下するおそれがあります。さらに明らかになるまでは，白コショウを摂取する場合は血糖値を注意深く監視してください。糖尿病治療薬の用量を変更する必要があるかもしれません。このような糖尿病治療薬にはグリメピリド，グリベンクラミド，インスリン，ピオグリタゾン塩酸塩，マレイン酸ロシグリタゾン（販売中止）などがあります。

ハーブおよび健康食品・サプリメントとの相互作用

血糖値を低下させるおそれのあるハーブおよび健康食品・サプリメント

白コショウが，血糖値を低下させるおそれがあります。白コショウと，血糖値を低下させるおそれのあるハーブおよび健康食品・サプリメントを併用すると，人によっては，血糖値が過度に低下するおそれがあります。このようなハーブおよび健康食品・サプリメントには，デビルズクロー，フェヌグリーク，グアーガム，朝鮮人参，エゾウコギなどがあります。

血液凝固を抑制するおそれのあるハーブおよび健康食品・サプリメント

白コショウが，血液凝固を抑制するおそれがあります。白コショウと，血液凝固を抑制するおそれのあるほかのハーブおよび健康食品・サプリメントを併用すると，人によっては，出血のリスクが高まるおそれがあります。このようなハーブおよび健康食品・サプリメントには，アンゼリカ，タンジンニンニク，ショウガ，イチョウ，レッドクローバー，ウコン，ヤナギ，朝鮮人参などがあります。

ラジオラ

白コショウには，ピペリンという成分が含まれています。ピペリンが，体内におけるラジオラの作用を抑制するおそれがあります。

スパルテイン

黒コショウには，ピペリンという成分が含まれています。ピペリンが，体内におけるスパルテインの作用を抑制するおそれがあります。スパルテインは，エニシダに含まれる成分です。

使用量の目安

通常の食品に含まれている量を超えて経口摂取した場合の安全性および副作用については，明らかになっていません。

スイートアーモンド

SWEET ALMOND

別名ほか

不揮発性固定アーモンドオイル（Fixed Almond Oil），アーモンドオイル（Almond Oil），スイートアーモンドオイル（Sweet Almond Oil），Almendra Dulce, Amande Douce, Amandier à Fruits Doux, Amandier Doux, Amendoa Doce, Amygdala dulcis, Expressed Almond Oil, Mandorla Dolce, Mindal' Sladkii, Prunus amygdalus var. dulcis, Prunus amygdalus Dulcis, Prunus amygdalus var. sativa, Prunus dulcis, Suessmandel, Suessmandelbaum, Zoete Amandel

概　　要

スイートアーモンドは植物です。スイートアーモンドの実は食用として一般的です。スイートアーモンドの実を圧搾して得られるオイルを用いて「くすり」を作ることもあります。

製品としては，化粧品に広く用いられます。

●要説（ナチュラル・スタンダード）

アーモンドは，モモ，アプリコット，チェリー（いずれも核果に分類される）と密接に関連しています。しかしながら他の植物とは異なり，アーモンドの外層は食べられません。アーモンドの可食部分は種子です。

スイートアーモンドは，栄養価が高く，人気のある食品です。一価不飽和脂肪酸が，血中脂質に対して有益な効果があると思われるからです。研究者はとくに，一価不飽和脂肪の含有量に興味があります。

アーモンドオイルは，広くローションや化粧品に使用されています。

安　全　性

医薬品として使用した場合の安全性については十分なデータがありません。

●妊娠中および母乳授乳期

妊娠中および母乳授乳期の使用の安全性についてはデータが不十分です。安全性を考慮し，摂取は避けてください。

有　効　性

◆科学的データが不十分です

・便秘，炎症を起こした肌，膀胱がん，乳がん，喉頭がん，脾臓がん，子宮がんの治療。

●体内での働き

脂肪酸が豊富に含まれるため，下剤として作用することがあります。皮膚に塗布した場合は，その油分が肌荒れや粘膜の炎症を改善するように作用することがあります。

医薬品との相互作用

中糖尿病治療薬

スイートアーモンドは，人によっては血糖値を低下させる可能性があります。糖尿病治療薬もまた血糖値を低下させるために用いられます。スイートアーモンドと糖尿病治療薬を併用すると，血糖値が過度に低下するおそれがあります。血糖値を注意深く監視してください。糖尿病治療薬の用量を変更する必要があるかもしれません。このような糖尿病治療薬にはグリメピリド，グリベンクラミド，インスリン，ピオグリタゾン塩酸塩，マレイン酸ロシグリタゾン（販売中止），クロルプロパミド，Glipizide，トルブタミド（販売中止）などがあります。

ハーブおよび健康食品・サプリメントとの相互作用

ほかのハーブ，健康食品・サプリメントとの相互作用についてはまだ明らかではありません。

使用量の目安

標準使用量に関するデータがありません。

スイートオレンジ

SWEET ORANGE

別名ほか

Bioflavonoid Complex, Bioflavonoid Concentrate, Bioflavonoid Extract, Bioflavonoïde d'Agrumes, Bioflavonoïdes, Bioflavonoids, Blood Orange, Citri Sinensis, Citrus, Citrus aurantium, Citrus aurantium var. dulcis, Citrus aurantium var. sinensis, Citrus Bioflavones, Citrus Bioflavonoid, Citrus Bioflavonoid Extract, Citrus Bioflavonoids, Citrus Extract, Citrus Flavones, Citrus Flavonoids, Citrus macracantha, Citrus Peel Extract, Citrus Seed Extract, Citrus sinensis, Complexe de Bioflavonoïde, Concentré de Bioflavonoïde, Extrait d'Agrume, Extrait de Bioflavonoïde, Extrait de Bioflavonoïde d'Agrumes, Extrait de Zeste d'Agrume, Flavonoïdes d'Agrumes, Flavonoids, Jaffa Orange, Jus d'Orange, Naranja Dulce, Navel Orange, Orange, Orange Bioflavonoids, Orange de Jaffa, Orange de Valence, Orange Douce, Orange Douce Sauvage, Orange Juice, Orange Peel, Orange Sanguine, Pericarpium, Red Orange, Shamouti Orange, Shamouti Sweet Orange, Valencia Orange, Wild Orange, Wild Sweet Orange, Zeste d'Orange, Zeste d'Orange Douce

概　　要

スイートオレンジは果物です。皮と果汁を用いて「くすり」を作ることもあります。

安 全 性

スイートオレンジのジュースおよび果実は，成人が食品としての量を用いる場合は，ほとんどの人に安全のようです。「くすり」として用いる場合は，おそらく安全です。

スイートオレンジのジュースまたは果実は，小児が通常の食品としての量を用いる場合は，ほとんどの人に安全のようです。果皮を大量に摂取するのは安全ではないようです。仙痛や痙攣を起こしたり，死に至ったりするおそれがあります。

●妊娠中および母乳授乳期

通常の食品としての量を摂取する場合は安全のようです。

有 効 性

◆有効性レベル③

・高血圧の予防。スイートオレンジジュースを飲むと，高血圧リスクの低下に役立つようです。米国食品医薬品局（FDA）は，一食当たりに含まれるカリウムが350mg以上で，ナトリウム，飽和脂肪およびコレステロールの含有量が少ないスイートオレンジ製品を製造する業者に，高血圧発症リスクを低下させる可能性がある旨を製品表示に記載することを許可しています。

・高コレステロール血症。スイートオレンジジュースを飲むと，コレステロール値の改善に役立つようです。高コレステロール血症患者がスイートオレンジジュースを大量に（1日750mL（240mL入りグラス3杯）を4週間）飲むと，高比重リポタンパク（HDL，善玉）コレステロールが増加し，HDL-コレステロールに対するLDL-コレステロールの比率を低下させるようです。

・脳卒中の予防。スイートオレンジジュースを飲むと，脳卒中リスクの低下に役立つようです。米国食品医薬品局（FDA）は，一食当たりに含まれるカリウムが350mg以上で，ナトリウム，飽和脂肪およびコレステロールの含有量が少ないスイートオレンジ製品を製造する業者に，脳卒中リスクを低下させる可能性がある旨を製品表示に記載することを許可しています。

◆有効性レベル④

・前立腺がんの予防。食事によるスイートオレンジジュースの摂取量の増加と，前立腺がんリスクの低下には関連がありません。

◆科学的データが不十分です

・気管支喘息，感冒，腎結石（腎石症），肥満，ストレス，咳，摂食障害，がん性の乳房痛など。

●体内での働き

スイートオレンジにはビタミンCが大量に含まれています。ビタミンCの抗酸化作用により，気管支喘息に役立つ可能性があると考える研究者もいます。

また，カリウムも大量に含まれています。カリウムは高血圧および脳卒中の予防に役立つ可能性があるというエビデンスがあります。

スイートオレンジの果実およびジュースには，クエン酸塩という化学物質が大量に含まれているため，腎結石の予防に用いられています。クエン酸塩はカルシウムが腎結石を形成する前に，カルシウムと結合する傾向があります。

医薬品との相互作用

高イベルメクチン

スイートオレンジのジュースを摂取すると，イベルメクチンの体内吸収を抑制すると考えられています。イベルメクチンを服用しているときにスイートオレンジを摂取すると，イベルメクチンの作用を弱めるおそれがあります。

中キノロン系抗菌薬

カルシウム強化したスイートオレンジのジュースは抗菌薬の体内吸収量を減少させて，その抗菌作用を弱めるおそれがあります。カルシウム強化されていないスイートオレンジジュースは抗菌薬に影響を与えないようです。このような抗菌薬にはシプロフロキサシン，エノキサシン水和物（販売中止），ガチフロキサシン水和物，レボフロキサシン水和物，ロメフロキサシン塩酸塩，モキシフロキサシン塩酸塩，ノルフロキサシン，オフロキサシン，Trovafloxacinなどがあります。

高セリプロロール塩酸塩

大量のスイートオレンジのジュースを摂取すると，セリプロロール塩酸塩の体内吸収を抑制して，その作用を弱めると考えられています。この相互作用を避けるために，この医薬品とスイートオレンジの摂取を少なくとも4時間はあけてください。

中フェキソフェナジン塩酸塩

スイートオレンジはフェキソフェナジン塩酸塩の体内吸収を抑制すると考えられています。フェキソフェナジン塩酸塩を服用しているときにスイートオレンジを摂取すると，フェキソフェナジン塩酸塩の作用を弱めるおそれがあります。この相互作用を避けるために，この医薬品とスイートオレンジの摂取を少なくとも4時間はあけてください。

高プラバスタチンナトリウム

スイートオレンジのジュースを飲むとプラバスタチンナトリウムの体内吸収量が増えることがあります。プラバスタチンナトリウムを服用しているときにスイートオレンジのジュースを摂取すると，体内の薬物濃度が高まり，副作用が発生しやすくなります。

中細胞内のポンプによって輸送される医薬品（P糖タンパク質の基質となる医薬品）

細胞内のポンプによって輸送される医薬品があります。スイートオレンジは，こうしたポンプの輸送方法を変更したり，体内に吸収される医薬品の量を減少させま

ス

有効性レベル：①効きます　②おそらく効きます　③効くと断言できませんが、効能の可能性が科学的に示唆されています
④効かないかもしれません　⑤おそらく効きません　⑥効きません

す。この相互作用の重要性に関しては，十分なデータがありません。さらに多くのことがわかるまで，スイートオレンジジュースは，これらのポンプによって輸送される医薬品を慎重に使用する必要があります。このような医薬品には，エトポシド，パクリタキセル，ビンブラスチン硫酸塩，ビンクリスチン硫酸塩，ビンデシン硫酸塩，ケトコナゾール，イトラコナゾール，アンプレナビル（販売中止），インジナビル硫酸塩エタノール付加物（販売中止），ネルフィナビルメシル酸塩，サキナビルメシル酸塩，シメチジン，ラニチジン塩酸塩，ジルチアゼム塩酸塩，ベラパミル塩酸塩，副腎皮質ステロイド，エリスロマイシン，シサプリド（販売中止），フェキソフェナジン塩酸塩，シクロスポリン，ロペラミド塩酸塩，キニジン硫酸塩水和物などがあります。

スーパースクリプト

高細胞内のポンプによって輸送される医薬品（有機アニオン輸送ポリペプチドの基質となる医薬品）

細胞内のポンプによって輸送される医薬品があります。スイートオレンジは，こうしたポンプの輸送方法を変更したり，体内に吸収される医薬品の量を減少させます。このことによって，こうした医薬品が効果的でなくなる可能性があります。この相互作用を避けるために，この医薬品とスイートオレンジの摂取を少なくとも４時間はあけてください。これらの医薬品にはボセンタン水和物，セリプロロール塩酸塩，エトポシド，フェキソフェナジン塩酸塩，ニューキノロン系抗菌薬，グリベンクラミド，イリノテカン塩酸塩水和物，メトトレキサート，パクリタキセル，サキナビルメシル酸塩，リファンピシン，血清コレステロール値を下げる医薬品（スタチン系薬），Talinolol，トラセミド，トログリタゾン（販売中止），バルサルタンなどが含まれます。

ハーブおよび健康食品・サプリメントとの相互作用

ほかのハーブ，健康食品・サプリメントとの相互作用についてはまだ明らかではありません。

使用量の目安

●経口摂取

高コレステロール血症

スイートオレンジジュース１日750mLを摂取します。

高血圧の予防

一食当たりに含まれるカリウムが350mg以上で，ナトリウム，飽和脂肪およびコレステロールの含有量が少ないスイートオレンジジュース製品は，高血圧発症リスクを低下させる可能性がある旨を製品表示に記載する許可を米国食品医薬品局（FDA）から得ています。

脳卒中の予防

一食当たりに含まれるカリウムが350mg以上で，ナトリウム，飽和脂肪およびコレステロールの含有量が少ないスイートオレンジジュース製品は，脳卒中リスクを低下させる可能性がある旨を製品表示に記載する許可を米国食品医薬品局（FDA）から得ています。

スイートクローバー

SWEET CLOVER

別名ほか

メリロート（Melilot），セイヨウエビラハギ，シナガワハギ（Melilotus officinalis），イエローメリロート（Yellow Melilot），イエロースイートクローバー（Yellow Sweet Clover），Common Melilot，Field Melilot，Hart's Tree，Hay Flower，King's Clover，Meliloti Herba，Melilotus Altissimus，Sweet Lucerne，Sweet Melilot，Tall Melilot，Wild Laburnum

概　　要

スイートクローバーはハーブです。ふさ状の花と葉を用いて「くすり」を作ることもあります。

安 全 性

一般に安全なようです。

大量に使用すると肝障害や出血性疾患を引き起こすことがあります。

肝疾患の人は使用してはいけません。

２週間以内に手術を受ける予定の人は使用してはいけません。出血のリスクが高まります。

●妊娠中および母乳授乳期

妊娠中，母乳授乳期は使用してはいけません。

有 効 性

◆有効性レベル③

・足の痙攣および腫脹などの循環器系障害。

・静脈瘤。

◆科学的データが不十分です

・水分貯留，痔核，打撲傷など。

●体内での働き

血液を薄めて傷の治りを補助する成分を含んでいます。

医薬品との相互作用

中肝臓を害する可能性のある医薬品

多量のスイートクローバーは肝臓を害する可能性があります。スイートクローバーと肝臓を害する可能性のある医薬品を併用すると，肝障害のリスクが高まるおそれがあります。肝臓を害する可能性のある医薬品を服用中にスイートクローバーを摂取しないでください。このような医薬品には，アセトアミノフェン，アミオダロン塩酸塩，カルバマゼピン，イソニアジド，メトトレキサート，メチルドパ水和物，フルコナゾール，イトラコナゾール，エリスロマイシン，フェニトイン，Lovastatin，プラバスタチンナトリウム，シンバスタチンなど数多くあります。

中血液凝固を抑制する医薬品（抗凝固薬/抗血小板薬）

スイートクローバーは血液凝固を抑制する可能性があります。スイートクローバーと血液凝固を抑制する医薬品を併用すると，紫斑および出血のリスクが高まるおそれがあります。このような医薬品には，アスピリン，クロピドグレル硫酸塩，ジクロフェナクナトリウム，イブプロフェン，ナプロキセン，ダルテパリンナトリウム，エノキサパリンナトリウム，ヘパリン，ワルファリンカリウムなどがあります。

中インターフェロンベータ

スイートクローバーとインターフェロンベータを併用すると，肝障害のリスクが高まるおそれがあります。スイートクローバーとインターフェロンベータはいずれも肝臓を害する可能性があります。スイートクローバーを摂取した１人の女性が多発性硬化症の治療にインターフェロンベータを服用し，血液検査で肝臓障害が確認されました。スイートクローバーとインターフェロンベータを中止したら肝臓は改善しました。インターフェロンベータのみを再開した後は肝臓障害にはなりませんでした。インターフェロンベータを服用中にスイートクローバーを摂取しないでください。

ハーブおよび健康食品・サプリメントとの相互作用

ほかのハーブ，健康食品・サプリメントとの相互作用についてはまだ明らかではありません。

使用量の目安

●経口摂取

スイートクローバーの平均摂取量は，クマリンを１日に３～30mg摂取するのに相当する量です。

静脈炎または静脈瘤

お茶（茶さじ１～２杯の細かく刻んだスイートクローバーを熱湯150mLに５～10分浸してからこしたもの）を１日２～３杯摂取します。ある研究では，スイートクローバー/ルチン調合薬（３mgのクマリン含有のスイートクローバー600mgおよびルチン150mg）６mL/日を使用しています。

注意：経口摂取の場合，とくに肝臓障害のおそれがある患者に対しては，肝臓酵素を注意して見守る必要性があります。

●局所投与

３～５mg/gのクマリンを含有する半固形エキスを使用します。痛む箇所や痔核の湿布として使用する場合，スイートクローバーをリンネルに包み，全体を熱いお湯に浸してから患部にあてます。

●注射

非経口用液を，クマリン１～7.5mg/日に相応する量投与します。

スイートシスリー

SWEET CICELY

別名ほか

グレートチャービル，シスレースイート（Myrrhis Odorata)，スイートチャービル（Sweet Chervil)，British Myrrh，Shepherd's Needle，Sweet Bracken，Sweet-Cus，Sweet-Fern，Sweet-HumLock，Sweets，The Roman Plant

概　　要

スイートシスリーはハーブです。

安 全 性

安全であるかについては不明です。

●妊娠中および母乳授乳期

妊娠中および母乳授乳期の使用の安全性についてはデータが不十分です。安全性を考慮し，摂取は避けてください。

有 効 性

◆科学的データが不十分です

・気管支喘息，うっ血，消化器系障害，痛風，および尿路疾患。

●体内での働き

医薬品としてはどのように作用するかは不明です。

医薬品との相互作用

ほかの医薬品との相互作用については明らかではありません。

ハーブおよび健康食品・サプリメントとの相互作用

ほかのハーブ，健康食品・サプリメントとの相互作用についてはまだ明らかではありません。

使用量の目安

標準使用量に関するデータがありません。

スイートスマック

SWEET SUMACH

別名ほか

Aromatic Sumac，Fragrant Sumac，Rhus aromatica，Rhus canadensis，Polecatbush，Skunkbrush，Squawbush

ス

概　要

スイートスマックは植物です。根の皮を用いて「くすり」を作ることもあります。

安　全　性

十分なデータが得られていないので安全性については不明です。スイートスマックは，ツタウルシの一種のため，皮膚がかぶれるおそれがあります。

●妊娠中および母乳授乳期

妊娠中および母乳授乳期の使用の安全性についてはデータが不十分です。安全性を考慮し，摂取は避けてください。

有　効　性

◆科学的データが不十分です

・腎障害，膀胱障害，および子宮出血。

●体内での働き

どのように作用するかについては十分なデータが得られていません。

医薬品との相互作用

ほかの医薬品との相互作用については明らかではありません。

ハーブおよび健康食品・サプリメントとの相互作用

ほかのハーブ，健康食品・サプリメントとの相互作用についてはまだ明らかではありません。

使用量の目安

標準使用量に関するデータがありません。

膵消化酵素

PANCREATIC ENZYME PRODUCTS

別名ほか

Enzyme Therapy，Fungal Pancreatin，Pancreatic Enzyme Formulation，膵消化酵素製剤，Pancreatic Enzyme Replacement Therapy（PERT），膵酵素補充療法，Pancreatic Enzymes，Pancreatin，パンクレアチン，Pancreatina，Pancréatine，Pancréatine Fongique，Pancreatinum，Pancreatis Pulvis，Pancrelipase，パンクリパーゼ，Thérapie Enzymatique，膵消化酵素補充剤

概　要

膵消化酵素は，通常，豚の膵臓から得られます。牛の膵臓から得られることもあります。膵臓は動物および人にある器官で，正常な消化に必要な化学物質（アミラーゼ，リパーゼ，プロテアーゼ）を分泌します。膵消化酵素は処方薬やサプリメントに含まれます。

処方薬の膵消化酵素は，通常，膵臓の切除後や，膵臓の機能不全時に生じる消化不良を治療するために用いられます。のう胞性線維症または慢性膵炎はともに，膵臓の機能低下を引き起こすおそれがある疾患です。膵消化酵素は健康食品・サプリメントにも含まれますが，このような疾患には推奨されません。

安　全　性

医師などの指導で膵消化酵素の処方薬を服用する場合，ほとんどの人に安全のようです。血糖値の上昇または低下，胃痛，排便異常，腸内ガス，頭痛，めまい感などの副作用が現れる可能性があります。処方された用量の指示に必ず従ってください。処方された用量を超えて膵消化酵素を摂取することは，おそらく安全ではありません。高用量によって，稀な腸疾患になるリスクが高まるおそれがあります。膵消化酵素を含むサプリメントの安全性については，データが不十分です。

小児：医師などの指導で，膵消化酵素の処方薬を服用する場合，ほとんどの人に安全のようです。血糖値の上昇または低下，胃痛，排便異常，腸内ガス，頭痛，めまい感などの副作用が現れる可能性があります。処方された用量の指示に必ず従ってください。処方された用量を超えて膵消化酵素を摂取することは，おそらく安全ではありません。高用量によって，稀な腸疾患になるリスクが高まるおそれがあります。膵消化酵素を含むサプリメントの安全性については，データが不十分です。

糖尿病：膵消化酵素は，一部の糖尿病患者の血糖コントロールを困難にするおそれがあります。糖尿病患者が膵消化酵素を使用する場合，血糖値を注意深く監視し，低血糖または高血糖の徴候に注意してください。

●妊娠中および母乳授乳期

妊娠中および母乳授乳期の使用の安全性についてはデータが不十分です。安全性を考慮し，医師などによる処方以外は，摂取は避けてください。

有　効　性

◆有効性レベル①

・膵臓疾患に起因する消化不良（膵臓不全）。膵消化酵素の処方薬を服用すると，のう胞性繊維症，膵臓切除，膵臓腫脹（膵炎）のために食物を適切に消化できない場合に，脂肪，タンパク質，エネルギーの吸収が改善されるようです。処方薬でない膵消化酵素は使用しないでください。

◆有効性レベル③

・非アルコール性脂肪性肝疾患（NAFLD）。NAFLDは，膵臓を切除された人に起こることがあります。膵消化酵素の処方薬を服用すると，NAFLDの予防に役立つ可能性があることが研究によって示されています。処方薬でないパンクレアチンにも効果がある可能性があ

ることを示す研究も複数ありますが，これらを推奨するには情報が不十分です。

◆科学的データが不十分です

・HIV/エイズ，膵がんなど。

●体内での働き

膵消化酵素には，アミラーゼ，リパーゼ，プロテアーゼがあります。これらの消化酵素は通常，膵臓で分泌され，食物の消化を促進します。

医薬品との相互作用

中 アカルボース

アカルボースは2型糖尿病の治療補助に用いられます。アカルボースは食物の分解を抑制することで作用します。膵消化酵素製品は特定の食物の体内での分解を促進するようです。食物の分解促進により，膵消化酵素製品はアカルボースの効果を弱めるおそれがあります。

ハーブおよび健康食品・サプリメントとの相互作用

葉酸

膵消化酵素によって，体内に葉酸が取り込まれる（吸収される）機能が低下するおそれがあります。

通常の食品との相互作用

酸性食品

酸性食品またはフルーツジュースは，有効性関与成分である膵消化酵素を分解するおそれがあります。腸溶性コーティングされた膵消化酵素を選ぶようにしてください。腸溶性コーティングは膵消化酵素を酸から保護します。

アルカリ性食品

腸溶性コーティングされた膵消化酵素とアルカリ性食品（鶏肉，仔牛肉，サヤマメなど）を併用すると，コーティングが溶出するおそれがあります。

使用量の目安

【成人】

●経口摂取

膵臓疾患に起因する消化不良（膵臓不全）

医師などによって，膵臓疾患に起因する消化器系の異常に対して膵消化酵素製剤は処方されます。服用量はリパーゼ単位で表されます。リパーゼは，パンクレアチンに含まれる化学物質の1つで，消化を促進します。開始時服用量は，通常は，食事ごとに，体重1kg当たり500～1,000リパーゼ単位であり，上限の服用量は，食事1回につき体重1kg当たり2,500リパーゼ単位または1日につき脂肪1g当たり4,000リパーゼ単位までです。食事1回につき体重1kg当たり2,500リパーゼ単位を超える量は，治療上必要な場合にのみ処方されます。

非アルコール性脂肪性疾患（NAFLD）

処方された特定の徐放性膵消化酵素製剤は1日1,800mg，6～12カ月間服用します。この製品は，米国内で入手できます。

【小児】

●経口摂取

膵臓疾患に起因する消化不良（膵臓不全）

医師などによって，膵臓疾患に起因する消化器系の異常に対して膵消化酵素製剤は処方されます。服用量は，リパーゼ単位で表されます。リパーゼは，パンクレアチンに含まれる化学物質の1つで，消化を助けます。開始時服用量は，通常，食事ごとに，体重1kg当たり500～1,000リパーゼ単位であり，上限の服用量は，食事1回につき体重1kg当たり2,500リパーゼ単位または1日につき脂肪1g当たり4,000リパーゼ単位までです。食事1回につき体重1kg当たり2,500リパーゼ単位を超える量は，治療上必要な場合にのみ処方されます。

注：消化酵素製剤の消化力測定法と表記は，日本と米国で異なっているので，リパーゼ単位は参考値としてください。

スイバ

SORREL

別名ほか

酸葉，スカンポ（Rumex acetosa），ガーデンソレル（Garden Sorrel），Acedera Commún，Azeda-Brava，Common Sorrel，Field Sorrel，Red Sorrel，Rumex acetosella，Sheep's Sorrel，Sorrel Dock，Sour Dock，Wiesensauerampfer

概　　要

スイバは植物です。地上部を用いて「くすり」を作ることもあります。ジャマイカスイバまたはギニアスイバとして知られるローゼル（Hibiscus Sabdariffa）と混同しないよう注意してください。

●要説（ナチュラル・スタンダード）

歴史的には，スイバは，サラダの緑，強壮薬，下剤，弱い利尿薬，鼻腔炎用の無痛化薬として使用されています。スイバは1930年代以来，ドイツでは気管支炎や副鼻腔症状を治療するために，他のハーブと併用されています。多成分の製品であるSinupretの有効性は，最近の臨床試験によって支持されています。スイバはまた，がん治療ハーブであるEssiacにも含まれていますが，有効性は証明されていません。

スイバは，大量投与すると潜在的に有毒なシュウ酸塩が含まれています。濃縮されたスイバスープの摂取後に，臓器障害や死亡が報告されました。他の副作用や医薬品・ハーブとの相互作用の可能性もあります。

安　全　性

リンドウの根，エルダーフラワー，バーベナ，サクラソウと組み合わせた製品を少量使用する場合は，一般に安全なようです。

組み合わせた製品としてではなく医薬品として使用した場合の安全性については，十分なデータが得られていません。

重度の刺激や副作用を引き起こす可能性があるシュウ酸塩を含んでいます。

大量摂取は一般に安全ではないようです。下痢，悪心，頻尿，カルシウム値の危険な低下，皮膚の炎症（皮膚炎），ならびに言語障害や窒息をともなうような口，舌およびのどの腫脹などの重篤な副作用を引き起こす可能性があります。

腐食作用があり，消化管を傷つけます。腎臓，血管，心臓，肺および肝臓を傷つけるシュウ酸塩の形成につながる可能性もあります。

小児に与えないでください。小児はとくにこれらの副作用と毒性に感受性があります。

血液疾患または凝固障害，胃腸の潰瘍，腎疾患の人は使用してはいけません。

●妊娠中および母乳授乳期

妊娠中および母乳授乳期の使用についてはデータが不十分です。安全性を考慮し，使用は控えてください。

有　効　性

◆有効性レベル③

・リンドウの根，エルダーフラワー，バーベナ，サクラソウ（Cowslip Flower）と一緒に摂取した場合，鼻腔の炎症（副鼻腔炎）。

◆科学的データが不十分です

・体液貯留，感染症など。

●体内での働き

粘液の産生を抑える収れん作用のあるタンニンを含んでいます。

医薬品との相互作用

中フェキソフェナジン塩酸塩

スイバはフェキソフェナジン塩酸塩の体内への吸収量を減少させる可能性があります。スイバとフェキソフェナジン塩酸塩を併用すると，フェキソフェナジン塩酸塩の効果が弱まるおそれがあります。

中細胞内のポンプによって輸送される医薬品（有機アニオン輸送ポリペプチドの基質となる医薬品）

特定の医薬品は細胞内のポンプによって輸送されます。スイバはポンプの働きを変化させ，このような医薬品の体内への吸収量を減少させる可能性があります。そのため，医薬品の効果が弱まるおそれがあります。このような医薬品には，ボセンタン水和物，セリプロロール塩酸塩，エトポシド，フェキソフェナジン塩酸塩，ニューキノロン系抗菌薬，グリベンクラミド，イリノテカン塩酸塩水和物，メトトレキサート，パクリタキセル，サキナビルメシル酸塩，リファンピシン，スタチン系薬，Talinolol，トラセミド，トログリタゾン（販売中止），バルサルタンなどがあります。

中血液凝固を抑制する医薬品（抗凝固薬/抗血小板薬）

スイバは血液凝固を抑制する可能性があります。スイバと血液凝固を抑制する医薬品を併用すると，紫斑および出血のリスクが高まるおそれがあります。このような医薬品には，アスピリン，クロピドグレル硫酸塩，ダルテパリンナトリウム，エノキサパリンナトリウム，ヘパリン，チクロピジン塩酸塩，ワルファリンカリウムなどがあります。

ハーブおよび健康食品・サプリメントとの相互作用

ほかのハーブ，健康食品・サプリメントとの相互作用についてはまだ明らかではありません。

使用量の目安

●経口摂取

急性，慢性副鼻腔炎

臨床試験では，Sinupret錠剤1回2錠を1日3回，最大2週間使用しています。これは，リンドウの根12mg，エルダーフラワー36mg，バーベナ36mg，サクラソウの花36mg，スイバ36mgを1日3回摂取する量に相当します。

スーパーオキシド・ジスムターゼ

SUPEROXIDE DISMUTASE

●代表的な別名

SOD，スーパーオキシド・デスチターゼ

別名ほか

Orgotein，SOD，Super Dioxide Dismutase

概　　要

スーパーオキシド・ジスムターゼは，生体の細胞内にみられる酵素です。酵素とは，特定の化学反応を迅速化する物質です。「くすり」として用いられるスーパーオキシド・ジスムターゼは，牛から採取されることもあります。

安　全　性

臨床試験で用いられてきた注射製剤は安全なようです。

経口摂取した製品が体内に吸収されるかどうかは立証されていません。

動物由来の製品もあります。病気の動物から汚染が伝わる懸念があります。詳細なデータが得られるまで，動物由来の製品は使わないでください。

●妊娠中および母乳授乳期

妊娠中および母乳授乳期の使用の安全性については

データが不十分です。安全性を考慮し，摂取は避けてください。

有　効　性

◆有効性レベル③

・注射する場合には，変形性関節症および関節リウマチ。
・新生児の肺障害。
・間質性膀胱炎。

◆有効性レベル⑤

・注射する場合には，心臓発作後の心臓障害の軽減。

◆科学的データが不十分です

・角膜の潰瘍。一連の症例報告により，特定の点眼薬でスーパーオキシド・ジスムターゼを，少なくとも２週間継続して点眼することで，潰瘍が小さくなり，治癒効果が高まることが示唆されています。
・スポーツ障害，痛風，がん，放射線治療患者の苦痛緩和，腎臓移植の拒絶反応予防など。

●体内での働き

細胞内の有害な酸素化合物の分解を促すことによって，体内組織を損傷から防御する酵素です。酸素分子の効用があると考えられている病態において，スーパーオキシド・ジスムターゼに改善効果があるのかについての研究が進行中です。

医薬品との相互作用

ほかの医薬品との相互作用については明らかではありません。

ハーブおよび健康食品・サプリメントとの相互作用

ほかのハーブ，健康食品・サプリメントとの相互作用についてはまだ明らかではありません。

使用量の目安

●経口摂取

標準使用量に関するデータがありません。

●注射

変形性関節症

関節内注射により２週間ごとに16mgを投与します。

関節リウマチ

関節内注射により１週間に４mgを投与します。

間質性または放射線誘発膀胱炎

膀胱の壁に12mgを最大６回投与します。

放射線誘発膀胱炎

筋肉内投与により１日８mgを投与します。

腎臓移植の拒絶反応予防

手術中に200mgを静脈内投与します。

新生児性呼吸促迫症候群の気管支肺異形成症予防

人工呼吸器の必要性がなくなるまで，0.25mg/kgを１日２回皮下注射します。

スカルキャップ

SKULLCAP

別名ほか

American Skullcap, Blue Pimpernel, Blue Skullcap, Escutelaria, Grande Toque, Helmet Flower, Hoodwort, Mad-Dog Herb, Mad-Dog Skullcap, Mad-Dog Weed, Mad Weed, Quaker Bonnet, Scullcap, Scutellaria, Scutellaire, Scutellaire de Virginie, Scutellaire Latériflore, Scutelluria, Scutellaria lateriflora, Toque Bleue, Toque Casquée, Toque des Marais

ス

概　　要

スカルキャップは植物です。地上部を用いて「くすり」を作ることもあります。

●要説（ナチュラル・スタンダード）

スカルキャップは米国原産で，鎮静薬や神経安定薬，利尿薬として，また筋肉の痙攣防止のために用いられてきました。

スカルキャップの不安やうつ病に対する効果が研究されてきましたが，使用に関してはまだ十分な検証がなされていません。

安　全　性

疾患に対してスカルキャップを使用する場合の安全性については，データが不十分です。

手術：スカルキャップは，中枢神経系を抑制する可能性があります。手術中・手術後に使用する麻酔などの医薬品がこの作用を増強するおそれが懸念されています。少なくとも手術前２週間は，使用しないでください。

●妊娠中および母乳授乳期

妊娠中および母乳授乳期の使用の安全性についてはデータが不十分です。安全性を考慮し，摂取は避けてください。

有　効　性

◆科学的データが不十分です

・不安，痙攣，脳卒中，睡眠障害（不眠）など。

●体内での働き

スカルキャップに含まれる化学物質は，鎮静（傾眠）を引き起こすと考えられています。

医薬品との相互作用

ほかの医薬品との相互作用については明らかではありません。

ハーブおよび健康食品・サプリメントとの相互作用

眠気を引き起こすおそれのあるハーブおよび健康食品・サプリメント

スカルキャップは眠気および注意力低下を引き起こすおそれがあります。スカルキャップと，眠気を引き起こすおそれのあるほかのハーブおよび健康食品・サプリメントを併用すると，過度の眠気を引き起こすおそれがあります。このようなハーブおよび健康食品・サプリメントには，5-ヒドロキシトリプトファン，ショウブ，ハナビシソウ，キャットニップ，ホップ，ジャマイカ・ドッグウッド，カバ，セント・ジョンズ・ワート，カノコソウ，アネモプシス・カリフォルニカなどがあります。

使用量の目安

通常の食品に含まれている量を超えて経口摂取した場合の安全性および副作用については，明らかになっていません。

スカンポ

CANAIGRE

別名ほか

Red American Ginseng, Rumex Hymenosepalus, Wild Red American Ginseng, Wild Red Desert Ginseng

概　　要

スカンポは植物です。根を用いて「くすり」を作ることもあります。

安 全 性

一般に安全なようですが，過度の使用は安全でないことがあります。

●妊娠中および母乳授乳期

妊娠中および母乳授乳期の使用の安全性についてはデータが不十分です。安全性を考慮し，摂取は避けてください。

有 効 性

◆科学的データが不十分です

・うつ病，体液貯留，ハンセン病，スタミナ増強，仕事効率の向上，思考力や集中力の向上，一般的な強壮薬など。

●体内での働き

乾燥薬として働く化合物を含んでいます。

医薬品との相互作用

ほかの医薬品との相互作用については明らかではありません。

ハーブおよび健康食品・サプリメントとの相互作用

ほかのハーブ，健康食品・サプリメントとの相互作用についてはまだ明らかではありません。

使用量の目安

標準使用量に関するデータがありません。

スクアラミン

SQUALAMINE

別名ほか

スパイニー・ドッグフィッシュ（Spiny Dogfish Shark），アブラツノザメ（Squalus acanthias）

概　　要

スクアラミンは，アブラツノザメの胃および肝臓由来の化学物質です。実験室内で合成されることもあります。

スクアラミンとサメ軟骨（shark cartilage）を混同してはいけません。サメ軟骨は，アブラツノザメ，シュモクザメ（アカシュモクザメ，Sphyrna lewini），およびほかの種類のサメの軟骨から作られます。

安 全 性

安全かどうかは不明です。

●妊娠中および母乳授乳期

妊娠中および母乳授乳期の使用の安全性についてはデータが不十分です。安全性を考慮し，摂取は避けてください。

有 効 性

◆科学的データが不十分です

・がん，糖尿病患者の眼疾患など。
・経口摂取および皮膚に塗布する場合には，感染症。

●体内での働き

スクアラミンは，感染症を引き起こす細菌の発育を抑制すると考えられています。腫瘍の形成，成長を抑制すると思われる化学物質も含んでいます。

医薬品との相互作用

ほかの医薬品との相互作用については明らかではありません。

ハーブおよび健康食品・サプリメントとの相互作用

ほかのハーブ，健康食品・サプリメントとの相互作用についてはまだ明らかではありません。

使用量の目安

標準使用量に関するデータがありません。

錫

TIN

別名ほか

Atomic number 50, Estanho, Estaño, Etain, Latta, Sn, Stannum, Tenn, Zinn

概　　要

錫（化学記号Sn）は金属です。単独で純粋化合物として存在することも無機化合物や有機化合物の一部として存在することもあります。無機錫化合物は，錫が塩化物，フッ化物，硫黄，酸素などと結びついたものです。有機錫化合物は，錫が炭素と結合したものです。

がんに罹患している場合には，経口摂取します。

口臭，う歯，歯の知覚過敏，歯肉炎，歯垢，抜け毛の場合には，錫を皮膚に塗布します。

錫は，製品としてはプラスティック製品，農薬，塗料，木材防腐剤，防鼠忌避剤の材料として使用されます。

安 全 性

錫の安全性については，データが不十分です。

一部の形態の錫（無機錫）を大量に経口摂取すると，下痢，胃痛，吐き気などの胃疾患を引き起こすおそれがあります。そのほかの形態の錫（有機錫）を経口摂取または吸入すると，頭痛，めまい感，痙攣，視力障害，錯乱を引き起こすおそれがあり，死に至るおそれもあります。

●妊娠中および母乳授乳期

妊娠中および母乳授乳期の使用の安全性についてはデータが不十分です。安全性を考慮し，摂取は避けてください。

有 効 性

◆科学的データが不十分です

・歯の知覚過敏，歯垢，歯肉炎，がん，口臭，う歯，抜け毛など。

●体内での働き

フッ化錫は細菌の形成を阻害すると思われるため，歯垢やう歯を予防する可能性があります。また，錫化合物は歯の神経が刺激を受けるのを防ぐと思われるため，歯の知覚過敏を予防する可能性があります。

医薬品との相互作用

ほかの医薬品との相互作用については明らかではありません。

ハーブおよび健康食品・サプリメントとの相互作用

銅

食事由来の錫は組織に貯留する銅の量を減少させ，尿中に排出される銅の量を増加させるおそれがあります。そのため，食事由来の錫により，血中銅濃度が過度に低下するおそれがあります。

鉄

食事由来の錫は血中の鉄量を減少させるおそれがあります。そのため，食事由来の錫により，血中鉄濃度が過度に低下するおそれがあります。

ビタミンD

特定の形態の錫（酸化トリブチル錫）を皮膚に塗布すると，血中ビタミンD濃度が低下するおそれがあります。そのため，酸化トリブチル錫により，血中ビタミンD濃度が過度に低下するおそれがあります。

亜鉛

食事由来の錫は組織に貯留する亜鉛の量を減少させ，尿中に排出される亜鉛の量を増加させるおそれがあります。そのため，食事由来の錫により，血中亜鉛濃度が過度に低下するおそれがあります。

使用量の目安

通常の食品に含まれている量を超えて経口摂取した場合の安全性および副作用については，明らかになっていません。

スターオブベツレヘム

STAR OF BETHLEHEM

別名ほか

Étoile de Bethléem, Nap-at-noon, Ornithogalum umbellatum, Sleepydick, Snowdrop

概　　要

スターオブベツレヘムは植物です。球根には化学物質が含まれていて,「くすり」として使用されてきています。

安 全 性

「くすり」としての使用は安全ではありません。強心配糖体が含まれており，ジゴキシン（心不全治療薬・ジギタリス製剤）と似た作用があります。不整脈などの生命に関わる副作用の可能性があります。

●妊娠中および母乳授乳期

使用は妊娠中であってもなくても安全ではありません。スターオブベツレヘムに含まれる強心配糖体は死に至るような害を与えます。

有効性

◆科学的データが不十分です

・心不全。スターオブベツレヘムの抽出物の使用で，心機能の改善，肺うっ血の減少，下肢の体液貯留の減少の報告があります。しかし，これらの効果が常にあるのかは，正式な科学的研究が必要です。

●体内での働き

スターオブベツレヘムの球根に含まれている化学物質に，ジゴキシン（心不全治療薬･ジギタリス製剤）と似た作用があります。

医薬品との相互作用

中キニーネ塩酸塩水和物

スターオブベツレヘムは，キニーネ塩酸塩水和物同様に心臓に作用します。併用は重篤な心臓の異常を起こすおそれがあります。

中ジゴキシン

シゴキシンは心拍を亢進させます。スターオブベツレヘムも心臓に作用します。この併用は，両方の効果および副作用のリスクを高めるおそれがあります。

中テトラサイクリン系抗菌薬

スターオブベツレヘムは心臓に作用します。抗菌薬の中にはスターオブベツレヘムの体内吸収を増加させるものがあります。そのような抗菌薬との併用はスターオブベツレヘムの効果および副作用を高めます。このようなテトラサイクリン系抗菌薬には，デメチルクロルテトラサイクリン塩酸塩，ミノサイクリン塩酸塩，テトラサイクリン塩酸塩があります。

中マクロライド系抗菌薬

スターオブベツレヘムは心臓に作用します。抗菌薬の中には，スターオブベツレヘムの体内吸収を増加させるものがあります。そのような抗菌薬との併用は，スターオブベツレヘムの効果および副作用のリスクを高めます。これらはマクロライド系抗菌薬と呼ばれ，エリスロマイシン，アジスロマイシン水和物，クラリスロマイシンがあります。

中刺激性下剤

スターオブベツレヘムは心臓に影響を与えます。心臓はカリウムを必要とします。刺激性下剤は体内のカリウム濃度を下げ，スターオブベツレヘムによる副作用のリスクをあげます。このような刺激性下剤にはビサコジル，カスカラサグラダ，ヒマシ油，センナなどがあります。

中利尿薬

スターオブベツレヘムは心臓に作用します。利尿薬は体内のカリウム濃度を下げます。体内のカリウム濃度が低いと心臓に影響を与え，スターオブベツレヘムの副作用のリスクを高めるおそれがあります。このような利尿薬にはクロロチアジド（販売中止），クロルタリドン（販売中止），フロセミド，ヒドロクロロチアジドなどがあります。

ハーブおよび健康食品・サプリメントとの相互作用

強心配糖体を含むハーブおよび健康食品・サプリメント

スターオブベツレヘムは強心配糖体を含んでおり，体内のカリウム濃度を低下させ,心臓に障害をおこします。この物質を含んだほかのハーブとの併用は，心臓に悪影響を及ぼすリスクが高まります。併用は避けてください。強心配糖体を含んだハーブとしては，クリスマスローズ，トウワタ，ジギタリス，カキナガラシ，セイヨウゴマノハグサ，ドイツスズラン，マザーワート，オレアンダー，ゲウム，ヤナギトウワタ，海葱，ストロファンツス，ダイオウがあります。

ツクシ

スターオブベツレヘムは強心配糖体を含んでおり，体内のカリウム濃度を低下させ，心臓に害を及ぼします。ツクシは尿量を増加させ（利尿薬の作用），これによりカリウムが体から排泄がされます。ツクシと強心配糖体を含むスターオブベツレヘムなどのハーブとの併用は，体内カリウム濃度を過度に低下させるリスクが高まり，心臓に悪影響を与えるおそれがあります。この併用は避けてください。

甘草

スターオブベツレヘムは強心配糖体を含んでおり，体内のカリウム濃度を低下させ，心臓に害を及ぼすおそれがあります。甘草もまたカリウムを体から排出させます。甘草と強心配糖体を含むスターオブベツレヘムなどのハーブとの併用は，過度に体内カリウム濃度を低下させるリスクが高まり，心臓に悪影響を与えるおそれがあります。この併用は避けてください。

刺激性緩下作用をもつハーブおよび健康食品・サプリメント

スターオブベツレヘムは強心配糖体を含んでおり，体内カリウム濃度を低下させ，心臓に害を及ぼすおそれがあります。刺激性緩下作用をもつハーブおよび健康食品・サプリメントと強心配糖体を含むスターオブベツレヘムのようなハーブとの併用は，体内カリウム濃度が過度に低下するため，心臓障害のリスクが高まります。刺激性緩下作用をもつハーブおよび健康食品・サプリメントには，アロエ，ハンノキ，サーチ，ブラックルート，バターナットバーク，コロシント，ヨーロピアンバックソーン，フォーチ，ガンボジ，ゴジポール，ヒロハヒルガオ，ヤラッパ，マンナ，メキシカン・スキャモニイ・ルート，ルバーブ，センナ，イエロードックがあります。

使用量の目安

標準使用量に関するデータがありません。

ステビア

STEVIA

別名ほか

Azucacaa, Caa-ehe, Ca-A-Jhei, Ca-A-Yupi, Capim Doce, Eira-Caa, Erva Doce, Kaa Jhee, Paraguayan Sweet Herb, Sweetleaf, Sweet Leaf of Paraguay, Stevia rebaudiana, Stevia eupatorium, Yerba Dulce

概　　要

ステビアは南米を原産とする植物です。自然甘味料としてもっともよく知られています。南米の先住民は数百年にわたりステビアを甘味料として利用してきました。葉は「くすり」に使われることもあります。

●要説（ナチュラル・スタンダード）

ステビアの葉の抽出物は，南アメリカにおいて，糖尿病の伝統的な治療に長年使用されてきました。パラグアイの農村部や先住民は，避妊のためにステビアを使用してきました。

ステビアは，レバウディオサイドA（rebaudioside A，レブ-A：Reb-A）とステビオシド（stevioside）と呼ばれる化合物が含まれています。これらは，天然甘味料またはサプリメントとして使用されています。研究報告によれば，それらにはショ糖の250倍までの甘味強度があります。レバウディオサイドAは一般に，米国食品医薬品局（FDA）によってGRAS（一般的に安全と認められる食品）として認定され，ゼロカロリーの甘味料として，使用されている飲料もあります。

綿密に計画された研究が必要ではありますが，高血圧および２型糖尿病におけるステビアの使用に関する研究が期待できます。

安　全　性

ステビアおよび，ステビオシドやレバウディオサイドAなどステビアに含まれている化学物質を，食品の甘味料として経口摂取する場合には，ほとんどの人に安全のようです。レバウディオサイドAは，食品の甘味料として，米国における一般的に安全と認められる食品（GRAS）として認定されています。研究において，１日当たり，1,500mgのステビアを，２年にわたり摂取する場合には，安全に使用されています。

ステビアおよびステビオシドの摂取により，人によっては，腫脹や吐き気を引きおこすおそれがあります。めまい感，筋肉痛，無感覚症などを引き起こした例もあります。

糖尿病：複数の進行中の研究により，ステビアに含まれている化学物質の一部が，血糖値を低下させ，血糖値コントロールを妨げるおそれが示唆されています。ただし，異を唱えている研究もあります。糖尿病患者が，ステビアまたは，ステビアを含む甘味料を摂取する場合には，血糖値を注意深く監視し，医師などと相談してください。

低血圧：ステビアに含まれる化学物質の一部が，血圧を低下させるおそれがあることを示唆するエビデンスがありますが，最終的な結論ではありません。低血圧の場合には，これらの化学物質により，血圧が過度に低下するおそれがあります。低血圧の場合には，ステビアまたは，ステビアを含む甘味料を摂取する前に，医師などに相談してください。

●アレルギー

ブタクサおよび類似した植物に対するアレルギー：ステビアは，キク科の植物です。キク科の植物には，ブタクサ，キク，マリーゴールド，デイジーなど，多数の植物があります。理論上，ブタクサおよび類似した植物に対するアレルギーの場合には，ステビアにも敏感であるおそれがあります。

●妊娠中および母乳授乳期

妊娠中および母乳授乳期の使用の安全性についてはデータが不十分です。安全性を考慮し，摂取は避けてください。

有　効　性

◆科学的データが不十分です

・糖尿病，高血圧，心臓の異常，胸やけ，体重減少，水分貯留など。

●体内での働き

ステビアは，天然の甘味料を含む植物で，食品に使用されています。研究者の間では，ステビアに含まれている化学物質が血圧および血糖値に作用すると考えられていますが，見解は一致していません。

医薬品との相互作用

低降圧薬

ステビアは血圧を低下させる可能性があるとされる研究があります。理論的には，ステビアと降圧薬を併用すると，降圧薬の作用が増強し，血圧が過度に低下するおそれがあります。しかし，ステビアは血圧に影響を及ぼさないことを示唆する研究もあります。したがって，この相互作用の可能性が大きな問題であるかについては明らかではありません。このような降圧薬にはカプトプリル，エナラプリルマレイン酸塩，ロサルタンカリウム，バルサルタン，ジルチアゼム塩酸塩，アムロジピンベシル酸塩，ヒドロクロロチアジド，フロセミドなど多くあります。

中炭酸リチウム

ステビアは利尿薬のように作用する可能性があります。ステビアを摂取すると，炭酸リチウムの体内からの排泄が抑制される可能性があります。そのため，体内の炭酸リチウム量が増加し，重大な副作用が現れるおそれがあります。

低糖尿病治療薬

ステビアは２型糖尿病患者の血糖値を低下させる可能性があるとされる研究があります。理論的には，ステビアが糖尿病治療薬との相互作用を誘発し，その結果，血糖値が過度に低下するおそれがあります。しかし，あらゆる研究がステビアの血糖値低下を示唆しているわけではありません。したがって，この相互作用の可能性が大きな問題であるかは明らかではありません。さらに明らかになるまでは，ステビアを摂取する場合は血糖値を注意深く監視してください。糖尿病治療薬の用量を変更する必要があるかもしれません。このような糖尿病治療薬にはグリメピリド，グリベンクラミド，インスリン，ピオグリタゾン塩酸塩，マレイン酸ロシグリタゾン（販売中止），クロルプロパミド，Glipizide，トルブタミド（販売中止）などがあります。

ハーブおよび健康食品・サプリメントとの相互作用

血圧を低下させるおそれのあるハーブおよび健康食品・サプリメント

ステビアが，血圧を低下させるおそれがあります。ステビアと，血圧を低下させるおそれのあるほかのハーブおよび健康食品・サプリメントを併用すると，人によっては，血圧が過度に低下するリスクが高まるおそれがあります。このようなハーブおよび健康食品・サプリメントには，アンドログラフィス，カゼイン・ペプチド，キャッツクロー，コエンザイムQ-10，魚油，L-アルギニン，クコ，イラクサ，テアニンなどがあります。

血糖値を低下させるおそれのあるハーブおよび健康食品・サプリメント

ステビアが，血糖値を低下させるおそれがあります。ステビアと，血糖値を低下させるおそれのあるハーブおよび健康食品・サプリメントを併用すると，人によっては，血糖値が過度に低下するおそれがあります。このようなハーブおよび健康食品・サプリメントには，α-リポ酸，ニガウリ，クロム，デビルズクロー，フェヌグリーク，ニンニク，グアーガム，セイヨウトチノキの種子，朝鮮人参，サイリウム，エゾウコギなどがあります。

使用量の目安

通常の食品に含まれている量を超えて経口摂取した場合の安全性および副作用については，明らかになっていません。

ステレオスペルマム

STEREOSPERMUM

別名ほか

Adakapari，Bignonia chelonoides，Bignonia suaveolens，Fragrant Padritree，Krishnavrinda，Kuberakshi，Kuber Bacha，Padeli，Pader，Padhala，Palol，Patala，Patali，Patiri，Poopatiri，Pulila，Stereospermum chelonoides，Stereospermum suaveolens，Tamrapushpi，Trumpet Flower Tree，Yellow Snake Tree

概　要

ステレオスペルマムはインド，バングラディッシュ，ミャンマーに分布する大きな木です。ステレオスペルマムに関する研究の大半が，樹皮とその作用に対象を絞っています。消化不良，しゃっくり，嘔吐，下痢，疼痛，発熱，糖尿病，肝疾患，気管支喘息を罹患している場合には経口摂取します。傷の治療の場合には皮膚に塗布します。

安 全 性

ステレオスペルマムの安全性についてはデータが不十分です。

●妊娠中および母乳授乳期

妊娠中および母乳授乳期の使用の安全性についてはデータが不十分です。安全性を考慮し，摂取は避けてください。

有 効 性

◆科学的データが不十分です

・消化不良，しゃっくり，嘔吐，下痢，疼痛，発熱，糖尿病，肝疾患，気管支喘息，創傷治癒など。

●体内での働き

ステレオスペルマムは，血糖値やコレステロール値を低下させ，疼痛や腫脹を緩和し，熱を下げ，肝臓を毒素から守る可能性があります。血流の減少やパーキンソン病などの疾患による損傷から脳を守る可能性もあります。ステレオスペルマムには抗酸化作用があるようです。

医薬品との相互作用

中糖尿病治療薬

ステレオスペルマムは血糖値を低下させる可能性があります。糖尿病治療薬も血糖値を低下させるために用いられます。ステレオスペルマムと糖尿病治療薬を併用すると，血糖値が過度に低下するおそれがあります。血糖値を注意深く監視してください。糖尿病治療薬の用量を変更する必要があるかもしれません。このような糖尿病治療薬には，グリメピリド，グリベンクラミド，インスリン，ピオグリタゾン塩酸塩，マレイン酸ロシグリタゾン（販売中止），クロルプロパミド，Glipizide，トルブタミド（販売中止）などがあります。

ハーブおよび健康食品・サプリメントとの相互作用

ほかのハーブ，健康食品・サプリメントとの相互作用についてはまだ明らかではありません。

使用量の目安

通常の食品に含まれている量を超えて経口摂取した場合の安全性および副作用については，明らかになっていません。

ストーンルート

STONE ROOT

●代表的な別名

シトロネラ

別名ほか

シトロネラ（Citronella），ヒメムカシヨモギ（Horseweed），Colinsonia，Collinsonia canadensis，Hardback，Hardhack，Heal-all，Horse Balm，Knob Grass，Knob Root，Knobweed，Richleaf，Rich Weed

概　　要

ストーンルートはハーブです。非常に強い，人によっては耐えられないほどの臭いがあります。根茎や地下茎を用いて「くすり」を作ることもあります。

安 全 性

安全なようです。

大量摂取は，めまい，悪心，排尿時の痛みおよび胃への刺激などの副作用を引き起こす可能性があります。

●妊娠中および母乳授乳期

妊娠中および母乳授乳期の使用の安全性についてはデータが不十分です。安全性を考慮し，摂取は避けてください。

有 効 性

◆科学的データが不十分です

・膀胱炎，体液貯留（浮腫），頭痛，消化不良，腎結石，胃腸障害，および水分貯留。

●体内での働き

医薬品としてどのように作用するかは不明です。

医薬品との相互作用

中炭酸リチウム

ストーンルートは利尿薬のような作用があります。ストーンルートを摂取することで炭酸リチウムの通常の体外排泄が減少します。この結果，体内炭酸リチウム濃度が上昇し，深刻な副作用を起こすおそれがあります。

中利尿薬

ストーンルートには利尿薬に類似した作用があると考えられています。ストーンルートと利尿薬を併用すると，水分とともに体内のカリウムを排泄して，体内のカリウムが減りすぎるおそれがあります。このような利尿薬にはクロロチアジド（販売中止），クロルタリドン（販売中止），フロセミド，ヒドロクロロチアジドなどがあります。

ハーブおよび健康食品・サプリメントとの相互作用

利尿薬のように作用するハーブおよび健康食品・サプリメント

ストーンルートは利尿薬のように作用します。尿量を増やし体外に排出させるので，カリウムの体内濃度は急激に下がり，カリウム欠乏症を起こすおそれがあります。同様に作用するほかのハーブとの併用は，カリウム欠乏症や予想外の副作用を起こす危険性が高くなります。この併用は避けてください。これらのハーブには，ゼニゴケ，アーティチョーク，ブークー，ゴボウ，セロリ，コーンシルク，ゲアヤク，海葱など多くあります。

使用量の目安

●経口摂取

1～4gの乾燥根，またはお茶にして1日3回摂取します。お茶は，根または地下茎1～4gを熱湯150mLで5～10分煮出してからこします。流エキス（1：1，25%アルコール）では，1回1～4mLを1日3回摂取します。チンキ剤（1：5，40%アルコール）の場合，1回2～8mLを1日3回摂取します。ストーンルートのチンキ薬は2～8mLを摂取します。

ストロファンツス

STROPHANTHUS

別名ほか

ストロファンツス・グラーツス，クリームフルーツ（Strophanthus gratus），Kombe，Kombe-strophanthus Seeds，Strophanthi Grati Semen，Strophanthi Kombe Semen，Strophanthus kombe，Strophanthus Seeds

概　　要

ストロファンツスはハーブです。種子を用いて「くすり」を作ることもあります。

安 全 性

医師・薬剤師の直接指導なく使用するのは危険です。悪心，嘔吐，頭痛，色覚障害および心臓疾患などの副作用を引き起こす可能性があります。

心疾患：ストロファンツスは，不整脈を引き起こすおそれがあります。心疾患の場合には，医師，薬剤師の指導なしでは使用しないでください。

●妊娠中および母乳授乳期

妊娠中の使用は安全ではありません。子宮を収縮させ，流産を引き起こすおそれがあります。母乳授乳期の使用も安全ではありません。

有効性

◆科学的データが不十分です

・動脈疾患，心臓障害，および高血圧症など。

●体内での働き

心臓を刺激する成分を含んでいます。

医薬品との相互作用

高キニーネ塩酸塩水和物

ストロファンツスは心臓に影響を及ぼすと考えられます。キニーネ塩酸塩水和物も心臓に影響すると考えられています。キニーネ塩酸塩水和物を服用しているときにストロファンツスを摂取すると，心臓に重大な障害が起こるおそれがあります。

高キニジン硫酸塩水和物

ストロファンツスは心臓に影響を及ぼすと考えられますが，キニジン硫酸塩水和物も心臓に影響すると考えられている物質です。キニジン硫酸塩水和物を服用しているときにストロファンツスを摂取すると，心臓に重大な障害が起こるおそれがあります。

中ジゴキシン

ジゴキシンは強い強心作用を示す医薬品ですが，ストロファンツスも心臓に促進的な影響を及ぼすと考えられます。ジゴキシンを服用しているときにストロファンツスを摂取すると，ジゴキシンの作用が増強され，副作用が現れるリスクが高くなると考えられます。

中抗炎症薬（副腎皮質ステロイド）

ストロファンツスは心臓に強心的な影響を及ぼすと考えられています。他方，副腎皮質ステロイドの中には体内のカリウム量を減少させるものがあり，カリウム量が減少すると心臓が影響を受けて，ストロファンツスの副作用が現れるリスクが高まると考えられます。副腎皮質ステロイドには，デキサメタゾン，ヒドロコルチゾン，メチルプレドニゾロン，Prednisoneなどがあります。

中刺激性下剤

ストロファンツスは心臓に影響を及ぼすと考えられます。心臓の機能維持にカリウムは重要な役割を果たしますが，刺激性下剤はこの体内カリウム量を減少させることがあります。カリウム量が減少するとストロファンツスの副作用が現れるリスクが高くなると考えられます。このような刺激性下剤にはビサコジル，カスカラサグラダ，ヒマシ油，センナなどがあります。

中利尿薬

ストロファンツスは心臓に影響を及ぼすと考えられます。利尿薬は体内のカリウム量を減少させることがあります。カリウム量が減少すると，心臓に影響が及び，ストロファンツスの副作用が現れるリスクが高くなると考えられます。このような利尿薬にはクロロチアジド（販売中止），クロルタリドン（販売中止），フロセミド，ヒドロクロロチアジドなどがあります。

ハーブおよび健康食品・サプリメントとの相互作用

キナ

キナとストロファンツスを併用すると，心疾患のリスクが高まるおそれがあります。

マオウ（麻黄）

マオウとストロファンツスを併用すると，心疾患のリスクが高まるおそれがあります。

強心配糖体を含むハーブおよび健康食品・サプリメント

ストロファンツスは，処方薬のジゴキシンと似た，強心配糖体を含んでいます。強心配糖体は，体内のカリウムを過剰に排出し，心臓に悪影響を与えるおそれがあります。ストロファンツスと強心配糖体を含むハーブおよび健康食品・サプリメントとを併用すると，心臓を障害するリスクが高まるおそれがあるため，併用は避けてください。このようなハーブには，クリスマスローズ，トウワタの根，ジキタリスの葉，カキネガラシ，セイヨウゴマノハグサ，ドイツスズランの根，マザーワート，オレアンダーの葉，ゲウム，ヤナギトウワタ，海葱の鱗片葉，スターオブベツレヘム，ダイオウなどがあります。

ツクシ

ストロファンツスは，強心配糖体を含んでいます。強心配糖体は，体内のカリウムを過剰に排出し，心臓に悪影響を与えるおそれがあります。ツクシには，尿量を増加させる利尿薬のような作用があり，体内のカリウムを過剰に排出するおそれがあります。ツクシとストロファンツスなど強心配糖体を含むハーブおよび健康食品・サプリメントとを併用すると，カリウムが過剰に排出され，心臓を障害するリスクが高まるおそれがあるため，併用は避けてください。

甘草

ストロファンツスは，強心配糖体を含んでいます。強心配糖体は，体内のカリウムを過剰に排出し，心臓に悪影響を与えるおそれがあります。甘草にも体内のカリウムを過剰に排出する働きがあります。甘草とストロファンツスなど強心配糖体を含むハーブおよび健康食品・サプリメントとを併用すると，カリウムが過剰に排出され，心臓を障害するリスクが高まるおそれがあるため，併用は避けてください。

刺激性緩下作用をもつハーブおよび健康食品・サプリメント

刺激性緩下作用をもつハーブおよび健康食品・サプリメントは，腸の運動を活発にします。カリウムなどのミネラルが体内に吸収されるのに必要な時間，食物が腸に留まらないおそれがあります。これにより，カリウム値が適正値よりも低下するおそれがあります。強心配糖体が含まれているストロファンツスも，体内のカリウムを過剰に排出するおそれがあります。ストロファンツスと刺激性緩下作用をもつハーブおよび健康食品・サプリメントを併用すると，カリウムが失われすぎ，心臓障害のリスクが高まる懸念があるため，併用しないでください。

刺激性緩下作用をもつハーブおよび健康食品・サプリメントには，アロエ，セイヨウイソノキ，ブラックルート，ブルーフラッグ，バターナットの樹皮，コロシント，ヨーロピアンバックソーン，フォーチ，ガンボジ，ゴシポール，ヒロハヒルガオ，ヤラッパ，マンナ，メキシカン・スキャモニイ・ルート，ルバーブ，センナ，イエロードックなどがあります。

使用量の目安

標準使用量に関するデータがありません。

ストロンチウム

STRONTIUM

別名ほか

安定型ストロンチウム（Stable Strontium），塩化ストロンチウム，ラネリック酸ストロンチウム（Strontium ranelate），ストロンチウム・クロライド（Strontium chloride），Strontium-89 chloride，Strontium citrate

概　要

ストロンチウムは，自然界に存在する銀色の金属で非放射性です。体内のストロンチウムの99％は骨に存在します。

●要説（ナチュラル・スタンダード）

ストロンチウムは16種類あります。12種類が放射性，4種類が非放射性です。ストロンチウム88は，天然ストロンチウムの83％を占め，もっとも一般的な種類です。ストロンチウム90は，1950年代の核兵器実験で放出された危険な副産物であることから，世間が注目する放射性物質です。塩化ストロンチウム89は，がん患者の疼痛を軽減するために使用される放射性物質で，米国食品医薬品局（FDA）が承認した医薬品（商品名：Metastron）の活性成分です。

米国では，ストロンチウム塩（炭酸塩，塩化物，クエン酸塩，グルコン酸塩，硫酸塩など）は，サプリメントとして利用可能です。二次データ源によると，サプリメントに含まれるストロンチウムのもっとも一般的な種類は，塩化ストロンチウムです。塩化ストロンチウムと酢酸ストロンチウムは，歯の知覚過敏が原因の痛みを軽減するために使用される練り歯磨きセンソダインのような，歯のための製品に含まれている可能性があります。

ヨーロッパでは，ラネル酸ストロンチウムは，骨粗鬆症治療に使用される処方薬です。商品名プロトス（Protos），プロテロス（Protelos），オセオール（Osseor），ビヴァロス（Bivalos），プロタクソス（Protaxos）で市販されています。過去および現在進行中の研究によると，ラネル酸ストロンチウムは，骨量減少の予防，骨強度増加，閉経後の女性における骨折の減少が可能です。また，変形性関節症をもつ人に効果をもたらす可能性があります。

硝酸ストロンチウムは，化粧品，皮膚のパーソナルケア製品，薬剤へのアレルギー反応や職業性曝露が原因の皮膚刺激や皮膚炎症のために研究されてきました。しかしながら，結論が出される前に，大規模で適切に計画された臨床試験が必要とされます。

専門家によると，カルシウムとストロンチウムを同時に摂取すると，ストロンチウムの吸収を減少させる可能性があります。ラネル酸ストロンチウムは，腎疾患の人には使用すべきではありません。予備的研究では，ストロンチウムは，動脈閉塞のリスクを高める可能性があることを示しています。

安 全 性

医師・薬剤師の指導のもと処方薬としてストロンチウムを使用することは安全です。ラネリック酸ストロンチウム（Strontium ranelate）は，胃痛や下痢および頭痛などの副作用を起こすかもしれません。

しかし，サプリメントに含まれるストロンチウムの安全性については，十分なデータが得られていません。非常に高用量では骨に障害を与える可能性があるともみられています。

ストロンチウムのサプリメントは小児には安全ではありません。

腎臓疾患，血栓症の既往歴のある人，骨のページェット病の人は使用してはいけません。

●妊娠中および母乳授乳期

妊娠中，母乳授乳期は使用してはいけません。

有 効 性

◆有効性レベル①

・がんに関連した骨痛。注射剤として使用されるストロンチウムはこの用途で使用します。
・歯の知覚過敏。塩化ストロンチウムはこの用途で歯磨き粉に添加されています。

◆有効性レベル③

・閉経女性の骨粗鬆症の治療。ラネリック酸ストロンチウムと呼ばれる特別な剤形のストロンチウムを使用。この剤形は健康食品・サプリメントには使用されていません。健康食品・サプリメント中のストロンチウムが骨粗鬆症に有効かどうかは不明です。
・ほかの療法に反応しない前立腺がんの治療。この用途ではストロンチウムの処方薬を注射の形で投与。

◆科学的データが不十分です

・歯の窩洞，変形性関節症など。いずれの症状に関しても，健康食品・サプリメントに含まれるストロンチウムの有効性について信頼できるデータはありません。

●体内での働き

ラネリック酸ストロンチウムと呼ばれるストロンチウム薬は，閉経後の骨粗鬆症の女性が使うと骨の形成を増やし骨の消失を防ぎます。健康食品・サプリメントに含まれているストロンチウムにこのような作用があるのかは不明です。放射性のストロンチウムはある種のがん細胞を殺します。こういったストロンチウムはサプリメントとして入手することはできません。

変形性関節症の治療にストロンチウムを取り入れることに関心が高まっています。進行中の研究では関節においてコラーゲンと軟骨の形成を促進する可能性が示唆されています。

比較的高値でストロンチウムを含有する水道水を飲む人に，う歯が少ないことから，う歯予防とストロンチウムの研究に関心が高まっています。

ストロンチウムを含有する練り歯磨きは，米国食品医薬品局から安全承認を受けています。

医薬品との相互作用

中エストロゲン（卵胞ホルモン）製剤

エストロゲンはストロンチウムの体外への排泄を抑制する可能性があります。そのため，体内のストロンチウム量が過剰になり，副作用が現れる可能性があります。このようなエストロゲン製剤には，結合型エストロゲン，エチニルエストラジオール，エストラジオールなどがあります。

中キノロン系抗菌薬

ストロンチウムは胃の中でキノロン系抗菌薬に結合し，キノロン系抗菌薬の吸収量を減少させる可能性があります。ストロンチウムとキノロン系抗菌薬を併用すると，それぞれの作用を減弱させるおそれがあります。この相互作用を避けるため，キノロン系抗菌薬の服用前後，少なくとも2時間はストロンチウムを摂取しないでください。このような抗菌薬にはシプロフロキサシン，Gemifloxacin，レボフロキサシン水和物，モキシフロキサシン塩酸塩などがあります。

中テトラサイクリン系抗菌薬

ストロンチウムは胃の中でテトラサイクリン系抗菌薬に結合し，これにより，テトラサイクリン系抗菌薬の吸収量が減少します。ストロンチウムとテトラサイクリン系抗菌薬を併用すると，それぞれの作用を減弱させるおそれがあります。この相互作用を避けるため，テトラサイクリン系抗菌薬の摂取前後の最低2時間はストロンチウムを摂取しないでください。このようなテトラサイクリン系抗菌薬にはデメチルクロルテトラサイクリン塩酸塩，ミノサイクリン塩酸塩，テトラサイクリン塩酸塩などがあります。

中制酸薬

制酸薬は胃酸を減少させるために使用します。制酸薬はストロンチウムの吸収を抑制します。この相互作用を防ぐためには，制酸薬を服用する場合は，ストロンチウムの摂取後は最低でも2時間あけるようにしてください。制酸薬には，沈降炭酸カルシウム，Dihydroxyaluminum sodium carbonate，炭酸ナトリウム，Magaldrate，水酸化アルミニウムゲル・水酸化マグネシウム配合などがあります。

中男性ホルモン薬（アンドロゲン）

男性ホルモン薬はストロンチウムの排泄を遅らせるおそれがあります。これにより体内に過剰なストロンチウムが残ることがあり，副作用を生じる可能性があります。男性ホルモン薬には，テストステロンエナント酸エステル，Nandrolone，Oxandrolone，Oxymetholoneなどがあります。

ハーブおよび健康食品・サプリメントとの相互作用

アルギン

アルギン酸塩としても知られるアルギンは，ストロンチウムと結合し消化管（GI）での吸収を減少させます。この働きは中毒症におけるストロンチウムの吸収と毒性を低減させるために利用されてきましたが，ストロンチウムのサプリメントの吸収も阻害する可能性があります。

ブラダーラック

ケルプとしても知られるブラダーラックはアルギン酸塩を含み，ストロンチウムと結合し，消化管での吸収を減少させます。この働きは中毒症におけるストロンチウムの吸収と毒性を低減させるために利用されてきましたが，ストロンチウムのサプリメントの吸収も阻害する可能性があります。

カルシウム

ラネリック酸ストロンチウムの吸収は，カルシウムとの併用で60～70％減少します。ラネリック酸ストロンチウムはカルシウムの摂取から，前後2時間空けて摂取する必要があります。ストロンチウムは，カルシウムの吸収も阻害します。

コンブ

コンブは，ストロンチウムと結合し消化管での吸収を減少させるアルギン酸塩を含みます。この働きは中毒症におけるストロンチウムの吸収と毒性を低減させるために利用されてきましたが，ストロンチウムのサプリメントの吸収も阻害する可能性があります。

ビタミンD

ビタミンDサプリメントの短期での摂取は，ストロンチウムの吸収を35％増加させます。長期でストロンチウムとビタミンDを摂取した場合にストロンチウム中毒のリスクが増加するかはわかっていません。

乳製品，カルシウム強化食品

カルシウムを含む食品と同時に摂取すると，ラネリック酸ストロンチウムの吸収は60～70％減少します。ストロンチウムはカルシウム含有食品摂取前後，2時間空けて摂取する必要があります。この相互作用は，ストロンチウムサプリメントでも同様に生じます。

使用量の目安

●経口摂取

骨粗鬆症

ストロンチウム680mgを含有するラネリック酸ストロンチウムを1日2g摂取します。

●静脈内投与

転移性骨腫瘍の治療

148MBqの塩化ストロンチウム（Sr-89）を1～2分かけて投与。または，1.5～2.2MBq/kg，あるいは40～60μCi（キューリー）/kgの摂取量が使用されることもあります。

スパイニーレストハロー

SPINY RESTHARROW

別名ほか

野生のカンゾウ（Wild Liquorice），ハリモクシュク，ハリモクシュ，オノニス（Ononis spinosa），レストハロー（Restharrow），Cammock，Ground Furze，Hauhechelwurzel，Land Whin，Ononidis radix，Petty Whin，Stay Plough，Stinking Tommy

概　　要

スパイニーレストハローはハーブです。根とオイルを用いて「くすり」を作ることもあります。

安 全 性

安全なようです。今までのところ，有害な副作用は報告されていません。

体液貯留（浮腫）：腎疾患あるいは心疾患による浮腫の場合，使用しないでください。

●妊娠中および母乳授乳期

妊娠中および母乳授乳期の使用の安全性についてはデータが不十分です。安全性を考慮し，摂取は避けてください。

有 効 性

◆科学的データが不十分です

・痛風，関節痛または筋肉痛，尿路感染症，腎結石および膀胱結石。

●体内での働き

どのように作用するかについては不明です。

医薬品との相互作用

中炭酸リチウム

スパイニーレストハローは，利尿薬のような作用があります。スパイニーレストハローを摂取することで，炭酸リチウムの体外排泄が減少します。この結果，体内炭酸リチウム濃度が上昇し，深刻な副作用を起こすおそれがあります。

ハーブおよび健康食品・サプリメントとの相互作用

ほかのハーブ，健康食品・サプリメントとの相互作用についてはまだ明らかではありません。

使用量の目安

●経口摂取

1日6～12g，またはお茶にして摂取します。お茶は，挽いたスパイニーレストハロー2～2.5gに熱湯を注いで20～30分置き，こします。飲むときは，たっぷりの水分と一緒に摂取します。

スペアミント

SPEARMINT

別名ほか

カールドミント（Curled Mint），ガーデンミント（Garden Mint），グリーンミント（Green Mint），ラムミント（Lamb Mint），オランダハッカ，カーリー・ミント（Mentha spicata），チリメンハッカ，ミドリハッカ（Mentha viridis），Fish Mint，Mackerel Mint，Our Lady's Mint，Pahari pudina，Putiha，Sage of Bethlehem，Spire Mint，Yerba Buena

概　　要

スペアミントはハーブです。葉とオイルを用いて「くすり」を作ることもあります。

食品や飲料で，風味付けに使用されます。

製品としては，健康食品，化粧品，うがい薬や歯磨き粉といった口腔衛生製品に使用されます。

●要説（ナチュラル・スタンダード）

スペアミント（ハッカ・エノコログサ：Mentha viridisやハッカ・スピカータ：Mentha spicata）は，欧州とアジア原産のミント種で，ほぼすべての温帯気候でよく生育しています。その名称は，槍のような形をした細長い葉の先端に由来します。スペアミントは，米国の五大湖地域に生育している外来種です。

スペアミントオイル，すなわち，芳香があり，駆風薬（胃腸内のガスを追い出すもの）として利用されている精油を採るために，スペアミントは栽培されています。スペアミントの葉は，全体が使用可能です。例えば，みじん切りにしたり，乾燥させたり，乾燥して粉砕したり，凍結したりして使用されています。また，塩，砂糖，シュガーシロップ，アルコール，油脂の中に入れて保存することが可能です。

スペアミントは，モヒート（mojito）やミントジュレップ（mint julep）などのアルコール飲料中の成分です。氷で冷やされたスペアミント風味の甘いお茶は，米国南部での夏の風物詩です。歯磨き粉や菓子用の香味料として使用されたり，ときにはシャンプーや石けんに添加されます。栽培品種ハッカ・スピカタ（Mentha spicata）「ナナ（Nana）」（モロッコのナナミント）は，味が濃くて辛いものの軽めな香りがあり，トゥアレグ茶（Touareg tea）の必須成分です。

スペアミントが原料のスプレーは，ゾウムシ，ダニ，温室コナジラミ，シアリッドバエ，回虫，線虫などの害虫を駆除するために使用されてきました。

民間療法では，スペアミントは胃腸障害，呼吸器系疾患，腹痛，フケ，口臭，慢性気管支炎治療のために使用されてきました。また，鎮静，流産，月経促進薬としても使用されてきました。

ヒトでの研究の中には，飲料のスペアミント茶が多嚢胞性卵巣症候群を患う女性の過剰な髪の成長（多毛症と呼ばれる）を減らすのに役立つ可能性を示しているものもあります。初期の研究では，スペアミントを含むハーブの併用製品は，過敏性腸症候群の治療に役立つことを示しています。スペアミント風味のチューインガムが記憶力を向上させるかどうかは不明で，研究が混在しています。

現時点では，ヒトでの質の高い試験は，あらゆる適応症治療にスペアミント使用を支持していません。あらゆる疾患にスペアミントの摂取が有効であるという結論が出るまでには，適切に計画された臨床試験が必要です。

スペアミント，スペアミントエキス，スペアミントオイルは，米国食品医薬品局（FDA）のGRAS（一般的に安全と認められる食品）に掲載されています。

スペアミントは，用量依存性の肝臓や腎臓の障害を引き起こすことが判明していますので，注意が必要とされます。スペアミントやスペアミントオイルに対するアレルギー反応も報告されています。

一般的に胃腸逆流症の患者は，スペアミントやペパーミントを避けるべきですが，健常者を対象とした研究では，スペアミントが食道括約筋機能と胃酸逆流に影響を与えないことを示唆しています。

安 全 性

スペアミントおよびスペアミントオイルは，通常の食品に含まれる量を経口摂取する場合は，ほとんどの人に安全のようです。「くすり」としての量を経口摂取する場合や，皮膚へ塗布する場合は，おそらく安全です。

腎疾患：スペアミント茶は腎障害を増加させるおそれがあります。スペアミント茶の摂取量が増えるほど，作用は大きくなるようです。理論上，スペアミント茶を大量に摂取すると，腎疾患が悪化するおそれがあります。

肝疾患：スペアミント茶は肝障害を増加させるおそれがあります。スペアミント茶の摂取量が増えるほど，作用は大きくなるようです。理論上，スペアミント茶を大量に摂取すると，肝疾患が悪化するおそれがあります。

●妊娠中および母乳授乳期

妊娠中に過剰な量を用いるのはおそらく安全ではありません。スペアミント茶を過剰に摂取すると，子宮に障害をもたらすおそれがあります。妊娠中はスペアミントを大量に使用するのは避けてください。

母乳授乳期の使用の安全性についてはデータが不十分です。安全性を考慮し，通常の食品に含まれる量を超える摂取は避けてください。

有 効 性

◆有効性レベル④

・記憶。健康な成人がスペアミント味のガムをかんでも，記憶力は改善しないようです。

◆科学的データが不十分です

・男性型多毛症，過敏性腸症候群（IBS），変形性関節症，手術後の吐き気および嘔吐，がん，感冒，筋痙攣，下痢，腸内ガス（鼓腸），頭痛，消化不良，筋肉痛，皮膚症状，咽喉痛，歯痛など。

●体内での働き

スペアミントのオイルに含まれる化学物質には，炎症（腫脹）を緩和したり，体内のテストステロンなどのホルモンの濃度を変化させたりする働きがあります。また，がん細胞を傷つけたり，細菌を死滅させたりする可能性があります。

医薬品との相互作用

中 肝臓を害する可能性のある医薬品

スペアミントを多量に使用すると肝臓を害する可能性があります。特定の医薬品も肝臓を害する可能性があります。多量のスペアミントと特定の医薬品を併用すると，肝障害のリスクが高まるおそれがあります。肝臓を害する可能性のある医薬品を服用中に多量のスペアミントを摂取しないでください。このような医薬品には，アセトアミノフェン，アミオダロン塩酸塩，カルバマゼピン，イソニアジド，メトトレキサート，メチルドパ水和物，フルコナゾール，イトラコナゾール，エリスロマイシン，フェニトイン，Lovastatin，プラバスタチンナトリウム，シンバスタチンなど数多くあります。

中 鎮静薬（中枢神経抑制薬）

スペアミントには眠気および注意力低下を引き起こす化学物質が含まれます。鎮静薬は眠気および注意力低下を引き起こす医薬品です。スペアミントと鎮静薬を併用摂取すると，過度の眠気を引き起こすおそれがあります。このような鎮静薬には，クロナゼパム，ロラゼパム，フェノバルビタール，ゾルピデム酒石酸塩などがあります。

ハーブおよび健康食品・サプリメントとの相互作用

眠気および注意力低下を引き起こすおそれのあるハーブおよび健康食品・サプリメント

スペアミントには眠気および注意力低下を引き起こすおそれのある化学物質が含まれています。スペアミントと，眠気を引き起こすおそれのあるほかのハーブおよび健康食品・サプリメントを併用すると，過度の眠気および注意力低下を引き起こすおそれがあります。このようなハーブおよび健康食品・サプリメントには，5‒ヒドロキシトリプトファン，ショウブ，ハナビシソウ，キャットニップ，ホップ，ジャマイカ・ドッグウッド，カバ，セント・ジョンズ・ワート，スカルキャップ，カノコソウ，アネモプシス・カリフォルニカなどがあります。

肝臓を害するおそれのあるハーブおよび健康食品・サプリメント

スペアミントは肝臓を害するおそれがあります。スペアミントと，肝臓を害するおそれのあるほかのハーブおよび健康食品・サプリメントを併用すると，肝障害のリスクを高めるおそれがあります。このようなハーブおよび健康食品・サプリメントには，アンドロステンジオン，チャパラル，コンフリー，デヒドロエピアンドロステロン，ジャーマンダー，ニコチン酸，ペニーロイヤルミントオイル，紅麹などがあります。

使用量の目安

通常の食品に含まれている量を超えて経口摂取した場合の安全性および副作用については，明らかになっていません。

スペックルド・オルダー

SMOOTH ALDER

別名ほか

Alnus serrulata，Hazel Alder，Tag Alder

概　要

スペックルド・オルダーは樹木です。樹皮を用いて「くすり」を作ることもあります。

安 全 性

スペックルド・オルダーの使用の安全性や副作用についてのデータはありません。

●妊娠中および母乳授乳期

妊娠中および母乳授乳期の使用の安全性についてはデータが不十分です。安全性を考慮し，摂取は避けてください。

有 効 性

◆科学的データが不十分です

・咽喉痛および腸の出血。

●体内での働き

どのように作用するかについては十分なデータが得られていません。

医薬品との相互作用

ほかの医薬品との相互作用については明らかではありません。

ハーブおよび健康食品・サプリメントとの相互作用

ほかのハーブ，健康食品・サプリメントとの相互作用については まだ明らかではありません。

使用量の目安

標準使用量に関するデータがありません。

スマ

SUMA

別名ほか

ブラジル人参(Brazilian Ginseng)，アマゾン人参(Pfaffia paniculata)，パフィア，ファフィア，プファフィア(Pfaffia)，ジンセン・ブラジレイロ，ソーマ，Gomphrena paniculata，Hebanthe eriantha，Hebanthe paniculata

概　要

スマは植物です。スマは朝鮮人参とは関連していませんが，ブラジル朝鮮人参と呼ばれることがあります。根を用いて「くすり」を作ることもあります。

●要説（ナチュラル・スタンダード）

スマは，アマゾン流域や他の南米熱帯地域原産で，大きく，幹が根元から分かれているつる性の植物です。歴史的に，月経障害などの種々の疾患治療に使用されており，また，性的増強薬，ボディービルディング薬，および一般的な強壮薬などとしても使用されています。初期の研究によれば，スマは抗がん薬としての可能性もあります。限られた研究では，スマはホルモンに影響があり，性的行動を向上させる可能性を示しています。

あらゆる疾患治療にスマの有効性を支持するヒトでの質の高い試験は，現在，不十分です。

安 全 性

経口で短期間摂取する場合は，ほとんどの人に安全であると考えられています。

皮膚への使用が安全かどうかは十分なデータが得られていません。

粉末を吸い込むと，気管支喘息の症状を引き起こす可能性があります。

●妊娠中および母乳授乳期

妊娠中および母乳授乳期の使用の安全性についてはデータが不十分です。安全性を考慮し，摂取は避けてください。

有 効 性

◆科学的データが不十分です

・免疫システムの改善，がん，腫瘍，糖尿病，創傷，および皮膚障害。

●体内での働き

含まれている化合物に，特定のがんを阻害したり，腫脹を抑えたり，痛みを緩和したりする性質があると考える研究者がいます。

医薬品との相互作用

ほかの医薬品との相互作用については明らかではありません。

ハーブおよび健康食品・サプリメントとの相互作用

ほかのハーブ，健康食品・サプリメントとの相互作用についてはまだ明らかではありません。

使用量の目安

標準使用量に関するデータがありません。

スミノミザクラ

SOUR CHERRY

別名ほか

酸果桜桃（Prunus cerasus），モレロチェリー，クロサクランボ（Morello Cherry），Cerezo Acido，Cerisier Acide，English Morello，Ginjeira，Griottier，Guindo，Montmorency Cherry，Pie Cherry，Red Cherry，Richmond，Sauerkirsche，Sauerkirschenbaum，Tart Cherry，Cerasus vulgaris，Prunus vulgaris

概　　要

スミノミザクラは果実です。果実と茎は，「くすり」および食品に使われます。270種以上のスミノミザクラのうち，商品価値のある種は僅かで，モンモラシー（Montmorency），リッチモンド（Richmond），クロサクランボ（English Morello）などです。

安　全　性

食品として食べる場合は，ほとんどの人に安全です。

しかし，スミノミザクラの茎やスミノミザクラを含んだ健康食品・サプリメントが安全かどうかは不明です。スミノミザクラの茎やスミノミザクラを含んだ健康食品・サプリメントは避けてください。安全性を考慮し，スミノミザクラの摂取は食べ物の量に控えてください。

●妊娠中および母乳授乳期

妊娠中，母乳授乳期の女性に安全です。しかし，スミノミザクラの茎やスミノミザクラを含んだ健康食品・サプリメントが安全かどうかは不明のため，摂取は避けてください。安全性を考慮し，スミノミザクラの摂取は食べ物の量に控えてください。

有　効　性

◆科学的データが不十分です

・不眠症。モンモラシーチェリー果汁（Montmorency tart cherries）と，リンゴ果汁の混合ジュースを１日２回およそ30mLずつ飲むと，一部の不眠症患者の睡眠パターンをわずかに改善する可能性があることを示しています。

・関節炎，痛風，利尿作用，および消化の改善。

●体内での働き

果実は炎症を抑制すると考えられている成分を含んでいます。睡眠パターンを調整する働きのあるメラトニンも含んでいます。

医薬品との相互作用

中 糖尿病治療薬

スミノミザクラは血糖値を低下させる可能性があります。糖尿病治療薬も血糖値を低下させるために用いられます。スミノミザクラと糖尿病治療薬を併用すると，血糖値が過度に低下するおそれがあります。血糖値を注意深く監視してください。糖尿病治療薬の用量を変更する必要があるかもしれません。このような糖尿病治療薬にはグリメピリド，グリベンクラミド，インスリン，ピオグリタゾン塩酸塩，マレイン酸ロシグリタゾン（販売中止），クロルプロパミド，Glipizide，トルブタミド（販売中止）などがあります。

ハーブおよび健康食品・サプリメントとの相互作用

ほかのハーブ，健康食品・サプリメントとの相互作用についてはまだ明らかではありません。

使用量の目安

標準使用量に関するデータがありません。

スムースラプチャーワート

RUPTUREWORT

●代表的な別名

コゴメビユ

別名ほか

コゴメビユ（Herniaria glabra），Bruchkraut，Flax weed，Herniaria hirsuta，Herniariae herba，Herniary

概　　要

スムースラプチャーワートは植物です。地上部を用いて「くすり」を作ることもあります。

安　全　性

安全かどうか，また副作用の可能性については不明です。

●妊娠中および母乳授乳期

妊娠中および母乳授乳期の使用の安全性についてはデータが不十分です。安全性を考慮し，摂取は避けてください。

有 効 性

◆科学的データが不十分です

・尿路障害，気道の障害，神経炎，痛風，関節炎，リウマチ，体液貯留，血液浄化など。

●体内での働き

痙攣を止め，体内の水分の排泄を促すことに役立つ化合物を含んでいます。

医薬品との相互作用

ほかの医薬品との相互作用については明らかではありません。

ハーブおよび健康食品・サプリメントとの相互作用

ほかのハーブ，健康食品・サプリメントとの相互作用についてはまだ明らかではありません。

使用量の目安

標準使用量に関するデータがありません。

ズルカマラ

BITTERSWEET NIGHTSHADE

別名ほか

ビタースイート，ツルナス（Bittersweet），イヌホオズキ（Deadly Nightshade），ソラヌム・ドゥルカマラ，マルバノホロシ（Solanum dulcamara），ウッディナイトシェード（Woody Nightshade），Bitter Nightshade，Blud Nightshade，Common Nightshade，Dulcamara，Fellen，Fellonwood，Felonwort，Fever Twig，Mortal，Scarlet Berry，Sanke Berry，Staff Vine，Violet Bloom，Woody

概 要

ズルカマラはつる性の植物です。米国とカナダ全土，ヨーロッパとアジアの一部地域で見つかります。トマトおよびジャガイモと同じ仲間です。茎を用いて「くすり」を作ることもあります。葉とベリーは有害です。

安 全 性

茎はたいていの成人に安全なようです。葉と実は危険で大変有害です。毒性症状には，のどがいがらっぽくなること，頭痛，めまい，瞳孔散大，言語障害，低体温，嘔吐，下痢，胃腸内の出血，痙攣，血液循環および呼吸回数の減少などがあり，死に至ることさえあります。

小児：ズルカマラは，小児には安全ではありません。熟していないズルカマラのベリーを食べて死亡した小児がいます。

潰瘍や過敏性腸症候群などの消化管疾患：もしこうした疾患のときはズルカマラの使用を避けてください。胃や腸を刺激し，さらに疾患が悪化します。

●妊娠中および母乳授乳期

妊娠中ズルカマラを経口摂取するのは安全ではありません。この植物に含まれる化学物質の中には，動物の先天性異常と関連があります。母乳授乳期にズルカマラを口から摂取するのも安全ではありません。

妊娠中および母乳授乳期におけるズルカマラの塗布に関しては，十分知られていません。安全を考慮し，使用を避けてください。

有 効 性

◆科学的データが不十分です

・にきび，皮膚のそう痒感，傷ついた皮膚，疣贅（いぼ），関節炎様の痛み，膿皮症，湿疹，水分損失の促進（利尿作用），鎮痛，および神経の興奮の鎮静。

●体内での働き

どのように作用するかについては十分なデータが得られていません。

医薬品との相互作用

ほかの医薬品との相互作用については明らかではありません。

ハーブおよび健康食品・サプリメントとの相互作用

ほかのハーブ，健康食品・サプリメントとの相互作用についてはまだ明らかではありません。

使用量の目安

●経口摂取

ズルカマラの茎の通常の摂取量は1日当たり乾燥させたハーブ1～3gで，お茶として摂取。お茶はハーブを150mLの沸騰したお湯に5～10分間浸し，ろ過して作ります。

●局所投与

乾燥させた茎，1～2gを250mLの沸騰したお湯に5～10分間浸し，ろ過して作ったものを湿布薬として使用。

スルフォラファン

SULFORAPHANE

別名ほか

Sulphorafane，Sulforafane，SFN，
1-isothiocayanate-4-methyl-sulfonyl butane

概　要

スルフォラファンは，ブロッコリー，キャベツおよびカリフラワーなどの種類の野菜に見られる化合物です。

安 全 性

食品に含まれている量を摂取する場合は安全です。

十分なデータが得られていないので，医薬品として経口で使用することが安全かどうかは不明です。

●妊娠中および母乳授乳期

食品に含まれる量の摂取は安全です。しかし「くすり」として高用量を摂取する場合の安全性についてのデータは不十分です。

有 効 性

◆科学的データが不十分です

・がんの予防。

●体内での働き

がん細胞の死滅を促すことがあります。

医薬品との相互作用

中肝臓で代謝される医薬品（シトクロムP450 1A2（CYP1A2）の基質となる医薬品）

特定の医薬品は肝臓で代謝されます。スルフォラファンはこのような医薬品の代謝を抑制する可能性があります。スルフォラファンと肝臓で代謝される医薬品を併用すると，医薬品の作用および副作用が増強するおそれがあります。このような医薬品には，クロザピン，Cyclobenzaprine，フルボキサミンマレイン酸塩，ハロペリドール，イミプラミン塩酸塩，メキシレチン塩酸塩，オランザピン，塩酸ペンタゾシン，プロプラノロール塩酸塩，Tacrine，テオフィリン，Zileuton，ゾルミトリプタンなどがあります。

中肝臓で代謝される医薬品（シトクロムP450 2E1（CYP2E1）の基質となる医薬品）

特定の医薬品は肝臓で代謝されます。スルフォラファンはこのような医薬品の代謝を抑制する可能性があります。スルフォラファンと肝臓で代謝される医薬品を併用すると，医薬品の作用および副作用が増強するおそれがあります。このような医薬品には，アセトアミノフェン，クロルゾキサゾン，アルコール，テオフィリン，麻酔薬（エンフルラン（販売中止），ハロタン（販売中止），イソフルラン，Methoxyfluraneなど）などがあります。

中肝臓で代謝される医薬品（シトクロムP450 3A4（CYP3A4）の基質となる医薬品）

特定の医薬品は肝臓で代謝されます。スルフォラファンはこのような医薬品の代謝を抑制する可能性があります。そのため，医薬品の副作用が増強するおそれがあります。このような医薬品には，Lovastatin，クラリスロマイシン，シクロスポリン，ジルチアゼム塩酸塩，エストロゲン（卵胞ホルモン）製剤，インジナビル硫酸塩エタノール付加物（販売中止），トリアゾラムなどがあります。

ハーブおよび健康食品・サプリメントとの相互作用

ほかのハーブ，健康食品・サプリメントとの相互作用についてはまだ明らかではありません。

使用量の目安

標準使用量に関するデータがありません。

スルブチアミン

SULBUTIAMINE

●代表的な別名

ビスブチアミン

別名ほか

[(E)-4-[(4-amino-2-methyl-pyrimidin-5-yl)methyl-formyl-amino]-3-[[(E)-2-[(4-amino-2-methylpyrimidin-5-yl)methyl-formylamino]-5-(2-methylpropanoyloxy)pent-2-en-3-yl]disulfanyl]-pent-3-enyl]-2-methylpropanoate，2-Isobutyryl-thiamine Disulfide，Bis(2-(isobutyryloxy)ethyl-1-N-((4-amino-2-methylpyrimidin-5-yl)methyl)formamido-2-propene-1-yl)disulfide，O-Isobutyrylthiamine Disulfide，Bisibuthiamine，Bisibutiamin，ビスイブチアミン，Bisibutiamine，Sulbuthiamine，Sulbutiamin，Sulbutiamina，Sulbutiaminum，Vitaberin

概　要

スルブチアミンはチアミン（ビタミンB_1）に似た人工の化学物質です。水溶性のチアミンとは異なり，スルブチアミンは脂溶性です。スルブチアミンは脳内のチアミン値を高めることから，運動選手の興奮薬として使用されていると考えられています。

アルツハイマー病，脱力感，運動能力，うつ病，糖尿病神経障害，勃起障害，疲労，記憶に対して経口摂取します。

安 全 性

スルブチアミンは，適切に短期間経口摂取する場合は，おそらく安全です。600mgを毎日摂取した場合，最大4週間まで安全に使用されています。スルブチアミンを摂取した人の少数が吐き気，頭痛，疲労，睡眠障害を報告しています。

スルブチアミンを長期にわたり使用した場合の安全性については，データが不十分です。

精神疾患：双極性障害など，特定の精神疾患の場合，薬物を乱用する可能性が高くなるおそれがあります。そのため，スルブチアミンを乱用する可能性が高くなるおそれがあります。十分なデータが得られるまでは，精神疾患の場合にはスルブチアミンを慎重に使用してください。また，処方薬の服用を中止してはいけません。

●妊娠中および母乳授乳期

妊娠中および母乳授乳期の使用の安全性についてはデータが不十分です。安全性を考慮し，摂取は避けてください。

有効性

◆有効性レベル④

・感染による疲労。初期の研究によると，感染のある場合に，標準的な感染治療に加えてスルブチアミンを15日間毎日摂取すると，脱力感と疲労が軽減されるようです。ただし，さらに長期間摂取しても疲労は改善されないようです。感染のある場合に28日間毎日スルブチアミンを摂取しても疲労が改善されないことを示す研究もあります。

◆科学的データが不十分です

・アルツハイマー病，うつ病，糖尿病神経障害に伴う疼痛，勃起障害（ED），多発性硬化症（MS）による疲労，脱力感，運動能力，記憶など。

●体内での働き

スルブチアミンの作用についてはデータが不十分です。ただし，脳に対するさまざまな作用があり，記憶を改善したり脱力感を軽減したりする可能性があるようです。

医薬品との相互作用

ほかの医薬品との相互作用については明らかではありません。

ハーブおよび健康食品・サプリメントとの相互作用

ほかのハーブ，健康食品・サプリメントとの相互作用についてはまだ明らかではありません。

使用量の目安

通常の食品に含まれている量を超えて経口摂取した場合の安全性および副作用については，明らかになっていません。

スワロールート

SWALLOWROOT

別名ほか

Decalepis hamiltonii, Makali Beru, Nannari

概要

スワロールートは植物です。根を用いて「くすり」を作ることもあります。

安全性

安全性または副作用の可能性についてはまだ明らかになっていません。

手術：血液凝固を抑制しますので，手術中および術後に過剰な出血を引き起こすおそれがあります。少なくとも手術前2週間は，使用しないでください。

●妊娠中および母乳授乳期

妊娠中および母乳授乳期の使用の安全性についてはデータが不十分です。安全性を考慮し，摂取は避けてください。

有効性

◆科学的データが不十分です

・食欲増進，血液をサラサラにする効果など。

●体内での働き

予備的研究では，抗酸化作用および抗菌作用を示しました。

医薬品との相互作用

中 血液凝固を抑制する医薬品（抗凝固薬/抗血小板薬）

スワロールートは血液凝固を抑制することがあります。血液凝固を抑制する医薬品を服用しているときにスワロールートを摂ると，紫斑および出血のリスクが高まるおそれがあります。このような医薬品には，アスピリン，クロピドグレル硫酸塩，ジクロフェナクナトリウム，イブプロフェン，ナプロキセン，ダルテパリンナトリウム，エノキサパリンナトリウム，ヘパリン，ワルファリンカリウムなどがあります。

ハーブおよび健康食品・サプリメントとの相互作用

血液凝固を抑制するハーブおよび健康食品・サプリメント

スワロールートは，血液凝固を抑制するおそれがあります。血液凝固を抑制するおそれのあるほかのハーブおよび健康食品・サプリメントと併用すると，出血および紫斑が生じる可能性が高まるおそれがあるため，併用しないでください。これらのハーブおよび健康食品・サプリメントには，アンゼリカ，クローブ，タンジン，フィーバーフュー，ニンニク，ショウガ，イチョウ，朝鮮人参，セイヨウトチノキ，レッドクローバー，ウコンなどがあります。

使用量の目安

標準使用量に関するデータがありません。

スワンプミルクウィード

SWAMP MILKWEED

別名ほか

アスクレピアス・インカルナータ，フウセントウワタ（Asclepias incarnata），Rose-Colored Silkweed, Swamp Silkweed

概　要

スワンプミルクウィードはハーブです。根を用いて「くすり」を作ることもあります。

安 全 性

使用は安全ではありません。処方薬ジゴキシンと同様の化合物を含んでおり，危険なレベルの不整脈を引き起こす可能性があります。このハーブに触れると皮膚の炎症（腫脹）を生じる可能性があります。

心疾患：症状を悪化させるおそれがあります。使用は避けてください。

●妊娠中および母乳授乳期

妊娠中および母乳授乳期の女性を含め，誰にとっても安全ではありません。危険性の高い不整脈を引き起こすおそれがあります。

有 効 性

◆科学的データが不十分です

・消化器系疾患。

●体内での働き

医薬品としてどのように作用するかについては十分なデータが得られていません。

医薬品との相互作用

高キニーネ塩酸塩水和物

キニーネ塩酸塩水和物は心臓に影響を及ぼすと考えられます。スワンプミルクウィードも心臓に作用すると考えられています。キニーネ塩酸塩水和物を服用しているときにスワンプミルクウィードを摂取すると，心臓に重大な障害が起こるおそれがあります。

高ジゴキシン

ジゴキシンは強い強心作用を示す薬ですが，スワンプミルクウィードも心臓に影響を及ぼすと考えられます。ジゴキシンを服用しているときにスワンプミルクウィードを摂取すると，ジゴキシンの作用が増強され，副作用が現れるリスクが高くなると考えられます。

中テトラサイクリン系抗菌薬

スワンプミルクウィードとテトラサイクリン系抗菌薬を併用すると，スワンプミルクウィードの副作用が現れるリスクが高くなると考えられます。このようなテトラサイクリン系抗菌薬には，デメチルクロルテトラサイクリン塩酸塩，ミノサイクリン塩酸塩，テトラサイクリン塩酸塩などがあります。

中マクロライド系抗菌薬

スワンプミルクウィードは心臓に影響を及ぼすと考えられます。抗菌薬の中にはスワンプミルクウィードの体内吸収を促進する可能性のあるものがあり，それによってスワンプミルクウィードの作用が増強し，副作用も強く現れるおそれがあります。このような抗菌薬には，エリスロマイシン，アジスロマイシン水和物，クラリスロマイシンなどがあります。

中刺激性下剤

スワンプミルクウィードは心臓に影響を及ぼすと考えられます。心臓の機能維持にカリウムは重要な役割を果たしますが，刺激性下剤は体内のカリウム量を減少させることがあります。カリウム量が減少するとスワンプミルクウィードの副作用が現れるリスクが高くなると考えられます。このような刺激性下剤にはビサコジル，カスカラサグラダ，ヒマシ油，センナなどがあります。

中利尿薬

スワンプミルクウィードは心臓に影響を及ぼすと考えられます。利尿薬の中には体内のカリウム量を減少させるものがあり，カリウム量が減少すると，心臓に影響が及び，スワンプミルクウィードの副作用が現れるリスクが高くなると考えられます。このような利尿薬にはクロロチアジド（販売中止），クロルタリドン（販売中止），フロセミド，ヒドロクロロチアジドなどがあります。

ハーブおよび健康食品・サプリメントとの相互作用

強心配糖体を含むハーブおよび健康食品・サプリメント

強心配糖体を含むハーブおよび健康食品・サプリメントは，体内のカリウムを過剰に排出するおそれがあります。体内のカリウムの量が低下すると，心臓に影響を与え，スワンプミルクウィードの副作用のリスクが高まるおそれがあります。このようなハーブおよび健康食品・サプリメントには，クリスマスローズ，トウワタの根，ジキタリスの葉，カキネガラシ，セイヨウゴマノハグサ，ドイツスズランの根，マザーワート，オレアンダーの葉，ゲウム，ヤナギトウワタ，海忽の鱗片葉，スターオブベツレヘム，ストロファンツスの種，ダイオウなどがあります。

ツクシ

ツクシには尿量を増加させる利尿薬のような作用があり，体内のカリウムを低下させるおそれがあります。体内のカリウムの量が低下すると，心臓に影響を与え，スワンプミルクウィードの副作用のリスクが高まるおそれがあります。スワンプミルクウィードとツクシの併用は避けてください。

甘草

甘草は体内のカリウムを低下させるおそれがあります。体内のカリウムの量が低下すると，心臓に影響を与え，スワンプミルクウィードの副作用のリスクが高まるおそれがあります。スワンプミルクウィードと甘草の併用は避けてください。

刺激性緩下作用をもつハーブおよび健康食品・サプリメント

刺激性緩下作用をもつハーブおよび健康食品・サプリメントは，腸の運動を活発にするため，カリウムなどのミネラルが体内に十分吸収されるだけの時間，食物が腸に留まらないおそれがあります。これにより，カリウム値が適正値よりも低下するおそれがあります。体内のカリウムの量が低下すると，心臓に影響を与え，スワンプミルクウィードの副作用のリスクが高まるおそれがあります。刺激性緩下作用をもつハーブおよび健康食品・サプリメントには，アロエ，セイヨウイソノキ，ブラックルート，ブルーフラッグ，バターナットの樹皮，コロシント，ヨーロピアンバックソーン，フォーチ，ガンボジ，ゴシポール，ヒロハヒルガオ，ヤラッパ，マンナ，メキシカン・スキャモニイ・ルート，ルバーブ，センナ，イエロードックなどがあります。

使用量の目安

標準使用量に関するデータがありません。

スンブル

SUMBUL

別名ほか

マスクルート（Musk Root），Ferula Sumbul，Ferrula

概　　要

スンブルはハーブです。根を用いて「くすり」を作ることもあります。

安　全　性

十分なデータが得られていないので，安全かどうか不明です。

●妊娠中および母乳授乳期

妊娠中および母乳授乳期のスンブル使用の安全性についてはデータが不十分です。安全性を考慮し，摂取は避けてください。

有　効　性

◆科学的データが不十分です

・気管支喘息，気管支炎，筋痙攣，弛緩の原因など。

●体内での働き

どのように作用するかについては十分なデータが得られていません。

医薬品との相互作用

ほかの医薬品との相互作用については明らかではありません。

ハーブおよび健康食品・サプリメントとの相互作用

ほかのハーブ，健康食品・サプリメントとの相互作用についてはまだ明らかではありません。

使用量の目安

標準使用量に関するデータがありません。

精巣（睾丸）抽出物

ORCHIC EXTRACT

別名ほか

牛睾丸抽出物質（Bovine testicle extract），Bovine orchic extract, Bull balls extract, Orchic concentrate, Orchic factors，Orchic substance

概　　要

精巣（睾丸）抽出物は，牛の精巣からの抽出物です。「くすり」に使用されることもあります。

安　全　性

安全性について十分に信頼できるデータは得られていません。しかし，動物由来の抽出製剤であるので，病気にかかった動物器官による汚染の懸念があります。

しかし，今のところ汚染された精巣抽出物使用による感染症の報告はありません。

●妊娠中および母乳授乳期

女性が精巣抽出物を使用することはあまり考えられないので，妊娠中および母乳授乳期の使用の安全性については研究されていません。安全性を考慮し，使用は控えて下さい。

有　効　性

◆科学的データが不十分です

・男性の正常な精巣機能の維持など。

●体内での働き

販売者はテストステロン（男性ホルモン）の豊富な供給源だと主張しています。しかし，現在のところこれを裏付ける証拠はありません。

医薬品との相互作用

ほかの医薬品との相互作用については明らかではありません。

ハーブおよび健康食品・サプリメントとの相互作用

ほかのハーブ，健康食品・サプリメントとの相互作用についてはまだ明らかではありません。

使用量の目安

標準使用量に関するデータがありません。

セイタカアワダチソウ

GOLDENROD

別名ほか

ビロードモウズイカ（Aaron's Rod），カナダアキノキリンソウ（European Goldenrod，Solidago canadensis），オオアワダチソウ（Solidago gigantea），オオアワダチソウ（Solidago longifolia，Solidago serotina），ウーンドワート，イヌゴマ（Woundwort），Solidago virgaurea

概　要

セイタカアワダチソウはハーブです。地上部が「くすり」として使用されることもあります。

●要説（ナチュラル・スタンダード）

セイタカアワダチソウは，欧州原産です。セイタカアワダチソウ属には，同様の「くすり」としての作用をもつ種が多数あります。セイタカアワダチソウ（Solidago canadenis），オオアワダチソウ（Solidago gigantea，Solidago serotina），Solidago odora，Solidago nemoralis，Solidago radiata，Solidago spathulata，およびほかの多くの種がSolidago virgaureaと区別されずに用いられています。本項目では主にセイタカアワダチソウ属のSolidago virgaureaについて言及し，「セイタカアワダチソウ」と記述しておきます。

セイタカアワダチソウは，膀胱炎，尿道炎，関節炎に対する抗炎症治療に用いられます。腎結石の予防にも用いられます。昔から，利尿薬として用いられています。現時点では，利尿効果を裏づけるヒトを対象としたデータはありませんが，動物実験では利尿効果のあることが示唆されています。昔から下部尿路の疾患の治療で，尿量を増加させるためにたっぷりの水分とともに摂取する「灌注法（irrigation therapy）」としても用いられています。

現時点では，有効性に関する質の高い臨床試験はなされていませんが，動物実験により炎症および腫瘍に対する効果が示唆されています。

・新型コロナウイルス感染症（COVID-19）。

COVID-19に対してセイタカアワダチソウの使用を裏付ける十分なデータはありません。

安　全　性

セイタカアワダチソウを「くすり」として摂取する場合の安全性については，データが不十分です。

心疾患または腎疾患による体液貯留（浮腫）：セイタカアワダチソウをたっぷりの液体とともに用いて尿量を増やす「灌注法」は，心疾患または腎疾患による体液貯留のみられる人に行ってはいけません。

高血圧：セイタカアワダチソウが体内に塩分を蓄積し，これにより高血圧が悪化するおそれがあります。

尿路感染（UTI）：ハーブを用いた「灌注法」には感染を抑える作用はなく，抗生剤を追加で用いる必要がある場合があります。「灌注法」を行う場合は，注意深く監視してください。感染を抑える目的で使用してはいけません。

●アレルギー

ブタクサや関連植物に対するアレルギー：セイタカアワダチソウは，キク科植物に敏感な人にアレルギー反応を引き起こすおそれがあります。キク科には，ブタクサ，キク，マリーゴールド，デイジーなど多くの植物があります。アレルギーの場合には，使用する前に必ず医師などに相談してください。

●妊娠中および母乳授乳期

妊娠中および母乳授乳期の使用の安全性についてはデータが不十分です。安全性を考慮し，摂取は避けてください。

有　効　性

◆科学的データが不十分です

・痙攣，口内・咽喉および下部尿路の炎症（腫脹），創傷，痛風，関節炎，腎結石，皮膚症状，結核，糖尿病，肝肥大，痔核，内出血，気管支喘息，花粉症，前立腺肥大など。

●体内での働き

利尿を促進する作用や腫脹を抑える（抗炎症）作用のある化学物質が含まれています。

医薬品との相互作用

低利尿薬

セイタカアワダチソウは利尿薬のように作用して，体内の水分を減少させます。セイタカアワダチソウと利尿薬を併用すると，体内の水分を過剰に排出する可能性があります。水分が過剰に排出されると，めまいが起きたり，血圧が過剰に低下するおそれがあります。このような利尿薬にはクロロチアジド（販売中止），クロルタリドン（販売中止），フロセミド，ヒドロクロロチアジドなどがあります。

ハーブおよび健康食品・サプリメントとの相互作用

ほかのハーブ，健康食品・サプリメントとの相互作用についてはまだ明らかではありません。

使用量の目安

通常の食品に含まれている量を超えて経口摂取した場合の安全性および副作用については，明らかになっていません。

セイフドムズリ

SAFED MUSLI

●代表的な別名

コーヒー酸

別名ほか

C. borivilianum, Chlorophytum arundinaceum, Chlorophytum borivilianum

概　　要

セイフドムズリは，インドの希少なハーブです。アーユルヴェーダ，ユナニ医学，ホメオパシーなどの伝統的な療法に使用されます。伝統的に関節炎，がん，糖尿病，スタミナ増強，性的精力増強など多くの目的で使用されます。

今日では，ボディビルディングのサプリメントとして使用されています。

この植物は乱採取のため今や絶滅危惧種です。

安 全 性

安全性についてのデータは十分ではありません。

●妊娠中および母乳授乳期

妊娠中および母乳授乳期においての使用の安全性については，データが不十分です。安全性を考慮して，使用は避けてください。

有 効 性

◆科学的データが不十分です

・ボディビルディング，減量，性的精力増強，勃起不全，ストレス，関節炎，がん，糖尿病，下痢，赤痢，排尿障害，母乳授乳期の乳量増加，淋病，精子減少症，感染症。

●体内での働き

セイフドムズリには体内で作用する化学物質が含まれています。動物実験では，抗炎症作用のあることを示唆しています。また，別の動物実験では，性的活動を増進し，テステロンに似た作用のあることを示しています。しかし，この研究はまだ初期段階です。ヒトを対象とした信頼性のある研究はありません。

医薬品との相互作用

ほかの医薬品との相互作用については明らかではありません。

ハーブおよび健康食品・サプリメントとの相互作用

ほかのハーブ，健康食品・サプリメントとの相互作用についてはまだ明らかではありません。

使用量の目安

標準使用量に関するデータがありません。

セイヨウアカネ

MADDER

別名ほか

西洋茜（Rubia tinctorum），ダイヤーズマダー（Dyer's Madder），Fäberröte，Garance，Robbia，Rubia，Rubiae tinctorum radix

概　　要

セイヨウアカネは植物です。根を用いて「くすり」を作ることもあります。

安 全 性

安全ではないとみなされています。含まれる化合物ががんを引き起こすことがあります。尿，唾液，汗，涙および母乳を赤く変色させる可能性もあります。

●妊娠中および母乳授乳期

妊娠中の使用は安全ではありません。使用しないでください。月経を起こし，流産のおそれがあります。また，胎児の先天性異常を起こすおそれがあります。

また，母乳授乳期の使用も避けてください。乳児に害をあたえ母乳を赤に変色させるおそれがあります。

有 効 性

◆科学的データが不十分です

・腎結石，月経障害，尿障害など。

●体内での働き

腎結石の予防に役立つことのある化合物が含まれています。

医薬品との相互作用

ほかの医薬品との相互作用については明らかではありません。

ハーブおよび健康食品・サプリメントとの相互作用

ほかのハーブ，健康食品・サプリメントとの相互作用についてはまだ明らかではありません。

使用量の目安

●経口摂取

ティースプーンに１杯の樹皮を３カップの水に入れ，蓋付きの鍋で30分間煮詰めた後，蓋をしたままゆっくりと冷まします。この煎じ液を１日当たりカップに１～２杯摂取。

セイヨウイソノキ

ALDER BUCKTHORN

●代表的な別名

クロウメモドキ

別名ほか

クロウメモドキ樹皮（Buckthorn Bark），西洋イソノキ，Alder Dogwood，アローウッド（Arrow Wood），ガマズミ，クロウメモドキ（Buckthorn），フランギュラ（Frangula alnus），フラングラ皮（Frangulae Cortex），セイヨウクロウメモドキ（Rhamnus frangula），Black Dogwood，Dog Wood，Frangula Bark，Glossy Buckthorn

概　　要

セイヨウイソノキは植物です。熟成または熱処理した樹皮は，「くすり」に使われます。セイヨウイソノキと，ヨーロピアンバックソーン（European buckthorn）を混同しないでください。

安　全　性

セイヨウイソノキを経口摂取する場合は，８～10日間未満であれば，ほとんどの成人におそらく安全です。８～10日間以上経口摂取する場合は，おそらく安全ではありません。低カリウム血症，心臓の異常，胃の異常，筋力低下，血尿など血液の異常を引き起こすおそれがあります。セイヨウイソノキにより，不快な痙攣を生じる人もいます。セイヨウイソノキの使用時に下痢や水様便を来たした場合は，使用を中止してください。

新鮮な樹皮は重度の嘔吐を引き起こすおそれがあります。樹皮製品を使用する場合は，採取して１年以上経過しているか，または加熱処理されていることを確認してください。

小児：12歳未満の小児がセイヨウイソノキを経口摂取するのは，安全ではないようです。

下痢：下痢の場合にはセイヨウイソノキを使用してはいけません。セイヨウイソノキの緩下作用により，下痢が悪化するおそれがあります。

腸閉塞，虫垂炎，クローン病，過敏性腸症候群（IBS），潰瘍性大腸炎などの腸疾患：腸閉塞，虫垂炎，原因不明の胃痛のほか，クローン病，大腸炎，過敏性腸症候群（IBS）など炎症性の腸疾患の場合には，セイヨウイソノキを使用してはいけません。

●妊娠中および母乳授乳期

妊娠中および母乳授乳期の経口摂取は安全ではないようです。摂取は避けてください。

有　効　性

◆有効性レベル③

・便秘。セイヨウイソノキは緩下剤として作用する化学物質を含むことが知られています。便秘の緩和に，カスカラサグラダと同程度の効果があるようです。

◆科学的データが不十分です

・がんなど。

●体内での働き

腸を刺激することにより緩下剤として作用する化学物質を含んでいます。

医薬品との相互作用

中ジゴキシン

セイヨウイソノキは刺激性下剤と呼ばれる下剤の一種です。刺激性下剤は体内のカリウム量を減少させる可能性があります。カリウム量が減少するとジゴキシンの副作用のリスクが高まるおそれがあります。

中ワルファリンカリウム

セイヨウイソノキは下剤として作用する可能性があります。人によってはセイヨウイソノキは下痢を引き起こす可能性があります。下痢はワルファリンカリウムの作用を増強させ，出血のリスクを高めるおそれがあります。ワルファリンカリウムの服用中に過量のセイヨウイソノキを摂取しないでください。

中抗炎症薬（副腎皮質ステロイド）

特定の抗炎症薬は体内のカリウムを減少させる可能性があります。セイヨウイソノキは体内のカリウムを減少させる可能性のある下剤の一種です。セイヨウイソノキと特定の抗炎症薬を併用すると，体内のカリウム量が過度に減少するおそれがあります。特定の抗炎症薬には，デキサメタゾン，ヒドロコルチゾン，メチルプレドニゾロン，Prednisoneなどがあります。

中刺激性下剤

セイヨウイソノキは刺激性下剤と呼ばれる下剤の一種です。刺激性下剤は腸の運動を促します。セイヨウイソノキと他の下剤を併用すると，腸の運動が過度に促され，脱水および体内のミネラル欠乏を引き起こすおそれがあります。このような刺激性下剤にはビサコジル，カスカラサグラダ，ヒマシ油，センナなどがあります。

中利尿薬

セイヨウイソノキは下剤です。特定の下剤は体内のカリウム量を減少させる可能性があります。利尿薬もまた体内のカリウム量を減少させる可能性があります。セイヨウイソノキと利尿薬を併用すると，体内のカリウム量が過剰に減少するおそれがあります。このような利尿薬にはクロロチアジド（販売中止），クロルタリドン（販売中止），フロセミド，ヒドロクロロチアジドなどがあります。

ハーブおよび健康食品・サプリメントとの相互作用

強心配糖体を含むハーブおよび健康食品・サプリメント

強心配糖体は，処方薬「ジゴキシン」に似た化学物質です。強心配糖体は体内のカリウムを低下させるおそれがあります。

セイヨウイソノキは刺激性緩下作用を持つため，同様に体内のカリウムを低下させるおそれがあります。刺激性緩下剤は腸の運動を促進します。そのため，食物が腸内に留まる時間が短くなって，カリウムなどのミネラルが体内に十分吸収されず，体内のカリウムが理想的な濃度を下回ることになるおそれがあります。

セイヨウイソノキと，強心配糖体を含むハーブおよび健康食品・サプリメントを併用すると，体内のカリウム濃度が過度に低下して，強心配糖体による副作用が増加し，心障害を引き起こすおそれがあります。

強心配糖体を含むハーブおよび健康食品・サプリメントには，クリスマスローズ，トウワタの根，ジギタリスの葉，カキネガラシ，セイヨウゴマノハグサ，ドイツスズランの根，マザーワート，オレアンダーの葉，ゲウムの植物，ヤナギトウワタ，海葱（カイソウ）の球根鱗片葉，スターオブベツレヘム，ストロファンツスの種子，ダイオウなどがあります。このようなハーブおよび健康食品・サプリメントとセイヨウイソノキとの併用は避けてください。

ツクシ

セイヨウイソノキは刺激性緩下剤という緩下剤の一種です。刺激性緩下剤は体内のカリウム濃度を低下させるおそれがあります。ツクシもカリウム濃度を低下させるおそれがあるため，セイヨウイソノキとツクシを併用すると，カリウム値が過度に低下するリスクが高まるおそれがあります。

甘草

セイヨウイソノキは刺激性緩下剤という緩下剤の一種です。刺激性緩下剤は体内のカリウム濃度を低下させるおそれがあります。甘草もカリウム濃度を低下させるおそれがあるため，セイヨウイソノキと甘草を併用すると，カリウム値が過度に低下するリスクが高まるおそれがあります。

刺激性緩下作用をもつハーブおよび健康食品・サプリメント

セイヨウイソノキと，刺激性緩下作用をもつほかのハーブおよび健康食品・サプリメントを併用すると，カリウム値が過度に低下するリスクが高まるおそれがあります。このようなハーブおよび健康食品・サプリメントには，アロエ，ブラックルート，ブルーフラッグ，バターナットの樹皮，コロシント，ヨーロピアンバックソーン，フォーチ，ガンボジ，ゴシポール，ヒロハヒルガオ，ヤラッパ，マンナ，メキシカン・スキャモニイ・ルート，ルバーブ，センナ，イエロードックなどがあります。

使用量の目安

●経口摂取

便秘

通常の摂取量は乾燥樹皮0.5～2.5gです。樹皮は軟便を起こすのに必要な量のみを摂取します。セイヨウイソノキは茶としても摂取します。茶は，セイヨウイソノキ２gを熱湯150mLに５～10分間浸したあと，濾して作ります。このほか流エキス剤として使用できます。流エキス剤（25％アルコールに１：１）の通常の摂取量は２～５mL，１日３回です。流エキス剤は，食事改善や膨張性緩下剤で効果が得られない場合にのみ使用し，７～10日間を超えて使用しないでください。

セイヨウウツボグサ

SELF-HEAL

別名ほか

夏枯草（Prunella vulgaris），ヒールオール（Heal-All），ウツボグサ，All-Heal，Blue Curls，Brownwort，Carpenter's Herb，Carpenter's Weed，Heart of the Earth，Hercules Woundwort，Hock-Heal，Prunella，Self Heal，Sicklewort，Siclewort，Slough-Heal，Woundwort

概　要

セイヨウウツボグサはハーブです。地上部を用いて「くすり」を作ることもあります。

安 全 性

一般に安全なようです。

●妊娠中および母乳授乳期

妊娠中，母乳授乳期は使用してはいけません。

有 効 性

◆科学的データが不十分です

・口内および咽喉の潰瘍，胃の不快感および刺激感，内出血，婦人科疾患，創傷，HIV/エイズ疾患，クローン病，潰瘍性大腸炎など。

●体内での働き

ビタミンC，Kおよびチアミンを含んでいます。皮膚の炎症（腫脹）を抑え，組織を乾燥（収れん）させる作用のあるタンニンと呼ばれる化合物も含んでいます。

医薬品との相互作用

ほかの医薬品との相互作用については明らかではありません。

ハーブおよび健康食品・サプリメントとの相互作用

ほかのハーブ，健康食品・サプリメントとの相互作用についてはまだ明らかではありません。

使用量の目安

●経口摂取

通常，お茶にしてティーカップ１杯を摂取します。お茶の入れ方としては，茶さじ１杯の乾燥したセイヨウウツボグサを熱湯150mLで10～15分煮出してからこします。うがいに用いる場合，セイヨウウツボグサを９分間煮出してください。

セイヨウオニシバリ

MEZEREON

●代表的な別名

セイヨウジンチョウゲ

別名ほか

西洋沈丁花（Daphne Mezereum），Camolea，Daphne，ヨウシュジンチョウゲ，Dwarf Bay，Spurge Flax，Spurge Laurel，Spurge Olive，Wild Pepper

概　　要

セイヨウオニシバリは潅木です。歴史的に皮を用いて「くすり」を作ることもあります。しかし近年では，その使用の安全性の問題から，また保護植物として保護されているため，ほとんど「くすり」として使用されていません。

安 全 性

経口摂取は安全ではありません。口の発赤および腫脹，消化管の不調，血尿，幻覚，心拍増加，痙攣などの重篤な副作用を生じ，死に至ることがあります。

皮膚に直接塗布するのは安全ではないようです。皮膚に触れると，赤く痛みのある腫脹，壊死を生じる可能性があります。

●妊娠中および母乳授乳期

妊娠中，母乳授乳期でのセイヨウオニバシリの使用は，経口摂取でも皮膚に塗布することでも安全ではありません。使用しないでください。

有 効 性

◆科学的データが不十分です

・頭痛，歯痛，関節痛（皮膚に塗布），血行促進（皮膚に塗布）など。

●体内での働き

皮膚を刺激することがあります。

医薬品との相互作用

ほかの医薬品との相互作用については明らかではありません。

ハーブおよび健康食品・サプリメントとの相互作用

ほかのハーブ，健康食品・サプリメントとの相互作用についてはまだ明らかではありません。

使用量の目安

●局所投与

20％含有の軟膏を使用。

セイヨウキンバイ（キンバイソウ）

GLOBE FLOWER

別名ほか

トロリウス・エウロパエウス，オウシュウボタンキンバイ，セイヨウキンバイソウ（Trollius europaeus），Globe Crowfoot，Globe ranunculus，Globe trollius

概　　要

セイヨウキンバイ（キンバイソウ）は植物です。新鮮な植物全体を用いて「くすり」を作ることもあります。

安 全 性

安全ではありません。消化管を非常に刺激して胃痛や下痢を引き起こす物質を含んでいます。腎臓や膀胱などの泌尿器も刺激します。

皮膚に触れると，治りにくい水疱や熱傷を生じる可能性があります。

乾燥させたものの安全性や副作用のリスクについては十分なデータが得られていません。

●妊娠中および母乳授乳期

経口摂取であれ，皮膚塗布での使用であれ，妊娠中および母乳授乳期だけでなく，すべての人に安全ではありません。乾燥させたセイヨウキンバイ使用の安全性についての十分なデータはありません。安全性を考慮して，乾燥製品の使用も避けてください。

有 効 性

◆科学的データが不十分です

・壊血病（ビタミンC欠乏症）など。

●体内での働き

どのように作用するかについては十分なデータが得られていません。

医薬品との相互作用

ほかの医薬品との相互作用については明らかではありません。

ハーブおよび健康食品・サプリメントとの相互作用

ほかのハーブ，健康食品・サプリメントとの相互作用についてはまだ明らかではありません。

使用量の目安

標準使用量に関するデータがありません。

セイヨウキンポウゲ

BULBOUS BUTTERCUP

別名ほか

パイルワート，バイカルキンポウゲ（Pilewort），Crowfoot，Cuckoo Buds，Frogsfoot，Frogwort，Goldcup，King's Cup，Meadowbloom，Ranunculus bulbosus，St. Anthony's Turnip

概　　要

セイヨウキンポウゲは植物です。花全体を使って「くすり」を作ることもあります。キンポウゲおよび有毒なキンポウゲと混同しないよう注意してください。

●要説（ナチュラル・スタンダード）

セイヨウキンポウゲ（Ranunculus bulbosus）は，茎の下部で白い突起のある球根（bulbous）が発見されたことで名づけられました。一般名である「水ぶくれの植物（blister plant）」の名称は，牛がこの植物を食べるときに，口や腸管内に水ぶくれ（水疱）が発生したことに由来します。

1世紀以上前に，セイヨウキンポウゲは薬草医によって，皮膚，リウマチ，胃腸，および歯科の症状を治療するために推奨されていました。皮膚にこすりつけると，局所や皮下の痛みを軽減するといわれていますが，水疱や腫脹や局所性潰瘍を引き起こします。この植物すべての部分が刺激的ですので，嘔吐や下痢を誘発するために使用されました。鎮痛薬として，この植物は，う歯に詰められたり，歯が生えかけの乳児の歯肉に注入されました。

セイヨウキンポウゲには，刺激の強い化学物質が含まれていて，身体と接触する所はどこでも不快で重篤な反応を引き起こします。このため現在は，ハーブとしてはあまり使用されていません。この植物のすべての部分が，現在は有毒であることが知られています。セイヨウキンポウゲの活性は，加熱や乾燥により破壊されると考えられています。医療目的のためにセイヨウキンポウゲを使用することに関しては，質の高い臨床試験はありません。

安　全　性

経口摂取および皮膚への直接塗布は，安全ではないようです。尿路および消化管の粘膜をつよく刺激し，胃痛や下痢を引き起こすおそれがあります。また，皮膚に塗布した場合は，難治性の水疱や熱傷を引き起こすおそれがあります。

●妊娠中および母乳授乳期

セイヨウキンポウゲの使用は誰にとっても安全ではないようですが，とくに妊娠中および母乳授乳期の使用は安全ではないようです。経口摂取すると，消化管および尿路を刺激するおそれがあります。皮膚に塗布すると，皮膚刺激を引き起こすおそれがあります。

有　効　性

◆科学的データが不十分です

・皮膚疾患，関節炎，痛風，神経痛，インフルエンザ，髄膜炎など。

●体内での働き

どのように作用するかについては十分なデータが得られていません。

医薬品との相互作用

ほかの医薬品との相互作用については明らかではありません。

ハーブおよび健康食品・サプリメントとの相互作用

ほかのハーブ，健康食品・サプリメントとの相互作用についてはまだ明らかではありません。

使用量の目安

通常の食品に含まれている量を超えて経口摂取した場合の安全性および副作用については，明らかになっていません。

セイヨウゴマノハグサ

FIGWORT

別名ほか

西洋ゴマノハグサ（Scrophularia nodosa），ゴマノハグサ科（Scrophularia），Carpenter's Square，Common Figwort，Heal-all，Rosenoble，Scrophularia mailandica，Scrophula Plant，Throatwort

概　　要

セイヨウゴマノハグサはハーブです。全体を用いて「くすり」を作ることもあります。

セイヨウゴマノハグサをデビルズクローの代用品として使用する人もいます。これは，この2種類のハーブに似たような化学物質が含まれているからです。

安　全　性

十分なデータは得られていないので，安全であるかどうかは不明です。

糖尿病：セイヨウゴマノハグサは血糖値コントロールに影響を与えます。糖尿病の人がセイヨウゴマノハグサを使用するなら，自分の血糖値を注意深く監視してください。

心室性頻拍：この疾患があるときは，セイヨウゴマノハグサを使用しないでください。

●妊娠中および母乳授乳期

妊娠中および母乳授乳期のセイヨウゴマノハグサ使用の安全性についてはデータが不十分です。安全性を考慮し，摂取は避けてください。

有 効 性

◆科学的データが不十分です

・湿疹，そう痒，乾癬，痔核，皮膚の腫脹および発疹など。

●体内での働き

炎症（腫脹）を抑える物質を含んでいます。

医薬品との相互作用

中炭酸リチウム

セイヨウゴマノハグサは，利尿薬のような効果をもつ可能性があります。セイヨウゴマノハグサを使用すると，体からかなりの炭酸リチウムが減少します。このことによって，体内の炭酸リチウムが増えて，結果として深刻な副作用を起こします。

中利尿薬

セイヨウゴマノハグサは利尿薬に似た働きがあるようです。ある種の利尿薬と併用すると，水分と一緒にカリウムを排泄して，体内のカリウム濃度が下がりすぎるおそれがあります。このような利尿薬にはクロロチアジド（販売中止），クロルタリドン（販売中止），フロセミド，ヒドロクロロチアジドなどがあります。

ハーブおよび健康食品・サプリメントとの相互作用

ほかのハーブ，健康食品・サプリメントとの相互作用についてはまだ明らかではありません。

使用量の目安

●経口摂取

お茶にして使用する場合，２～８gの乾燥した地上部を熱湯150mLに５～10分浸します。流エキス（25%アルコールに１：１）は２～８mLを摂取。チンキ剤（45%アルコールに１：10）なら２～４mLを摂取します。

●局所投与

標準使用量に関するデータがありません。

セイヨウツゲ

BOXWOOD

●代表的な別名

ボックスウッド

別名ほか

ツゲ科（Buxaceae），Buxus sempervirens，Boxwood Extract，Bush Tree，Buxus，Dudgeon，Spv 30

概　　要

セイヨウツゲは植物です。葉を用いて「くすり」を作ることもあります。

安 全 性

セイヨウツゲのエキスを経口摂取する場合，16カ月間まで，ほとんどの人にとっておそらく安全です。下痢や胃痙攣が起こることがあります。

葉全体を摂取する場合，安全ではないようです。葉のエキスでは起こらない，痙攣，麻痺など，生命を脅かすような重篤なものを含む中毒を起こし，死に至るおそれもあります。

徐脈：セイヨウツゲのエキスを摂取すると，徐脈を引き起こすおそれがあります。心拍数が少ない人では問題となることがあります。

消化管の通過障害：腸のうっ血を引き起こすおそれがあります。腸に通過障害のある場合には問題となることがあります。

潰瘍：胃腸内の分泌が増えるおそれがあります。潰瘍が悪化するおそれがあります。

肺疾患：肺の分泌液が増えるおそれがあります。気管支喘息や肺気腫などの肺疾患が悪化するおそれがあります。

痙攣：痙攣のリスクが高まるおそれがあります。

尿路閉塞：尿路内の分泌が増えるおそれがあります。尿路閉塞が悪化するおそれがあります。

●妊娠中および母乳授乳期

葉全体を摂取するのは，妊娠中または母乳授乳期であるかどうかにかかわらず，安全ではないようです。セイヨウツゲのエキスを妊娠中または母乳授乳期に摂取する安全性についてはデータが不十分です。安全性を考慮し，摂取は避けてください。

有 効 性

◆科学的データが不十分です

・HIV/エイズの治療，免疫システムへの刺激，関節炎，血液の解毒など。

●体内での働き

ウイルスの増殖を止めると考えられていますが，これを裏づける科学的な根拠はありません。

医薬品との相互作用

中口渇作用などの乾燥作用のある医薬品（抗コリン薬）

セイヨウツゲ抽出物は，脳や心臓などで作用する特定の化学物質の体内量を増加させる可能性があります。抗コリン薬と呼ばれる口渇などの乾燥作用のある医薬品のなかには，この同じ化学物質の体内量を異なった方法で増加させる可能性があるものもあります。このような医薬品はセイヨウツゲ抽出物の作用を弱め，セイヨウツゲ抽出物が抗コリン薬の作用を弱めるおそれがあります。

このような医薬品にはアトロピン硫酸塩水和物，スコポラミン臭化水素酸塩水和物，特定の抗アレルギー薬（抗ヒスタミン薬），特定の抗うつ薬などがあります。

中 緑内障，アルツハイマー病などに使用される医薬品（コリン作動薬）

セイヨウツゲは脳，心臓などで作用する特定の化学物質の体内量を増加させる可能性があります。緑内障，アルツハイマー病などに使用される医薬品のなかにもまた，この化学物質に影響を及ぼすものがあります。セイヨウツゲとこのような医薬品を併用すると，医薬品の副作用のリスクが高まるおそれがあります。このような医薬品にはピロカルピン塩酸塩，ドネペジル塩酸塩，Tacrineなどがあります。

ハーブおよび健康食品・サプリメントとの相互作用

ほかのハーブ，健康食品・サプリメントとの相互作用についてはまだ明らかではありません。

使用量の目安

通常の食品に含まれている量を超えて経口摂取した場合の安全性および副作用については，明らかになっていません。

セイヨウトチノキ

HORSE CHESTNUT

別名ほか

マロニエ，ウマグリ（Aesculus hippocastanum），Buckeye，Chestnut，Escine，Hippocastani cortex，Hippocastani flos，Hippocastani folium，Hippocastani semen，Marron Europeen，Spanish Chestnut，Venastat，Venostat，Venostasin Retard

概　要

セイヨウトチノキは植物です。種子，樹皮，花および葉を用いて「くすり」を作ることもあります。エスクリン（esculin）という毒を非常に多く含み，生で摂取すると死に至ることがあります。

カリフォルニアトチノキやオハイオトチノキと混同しないよう注意してください。3種類ともトチノキと呼ばれることがあります。ここで触れるのはセイヨウトチノキです。

注：わが国の「46通知」によると，セイヨウトチノキの種子は「医薬品」，樹皮，葉，花，芽は「非医薬品」とされています。なお，トチノキの種子は「非医薬品」です。

●要説（ナチュラル・スタンダード）

セイヨウトチノキの種子のエキスは，トチノキ木（buckeye tree）に由来します。その主要な有効成分は，エスシンと呼ばれています。セイヨウトチノキの種子のエキスは，疼痛，そう痒，皮膚疾患や潰瘍を治療するために，欧州で広く使われています。限定的な研究では，セイヨウトチノキの種子のエキスが手術後の炎症，不妊，腸閉塞のために使われる可能性があることを示しています。

下肢の循環器疾患へのセイヨウトチノキの種子のエキスの使用を裏づける強いエデビンスがあります。この疾患の従来の治療法と併用する場合，セイヨウトチノキの種子のエキスの費用効果がよい可能性があることを示す研究もあります。

十分に処理されていないセイヨウトチノキの花や樹皮や葉には，出血と中毒のリスクがあるので，避けるべきです。セイヨウトチノキ種子のエキスを経管栄養によって投与するのは，腎疾患や致命的なアレルギー反応と感染のリスクがあるので避けるべきです。

安　全　性

セイヨウトチノキは，標準化された種子エキス製品を経口摂取する場合，短期間であればほとんどの人に安全のようです。標準化された製品は，検証ずみの化学物質の含有量が定められています。毒性物質であるエスクリンが除去されている製品を選んでください。セイヨウトチノキ製品は，ときには，めまい感，頭痛，胃のむかつき，そう痒などの副作用を引き起こすことがあります。

セイヨウトチノキの花粉はアレルギー反応を引き起こすおそれがあります。直腸に使用すると（坐薬），肛門付近に炎症およびそう痒を生じるおそれがあります。

セイヨウトチノキの生の種子，樹皮，花および葉の経口摂取は，成人，小児ともに安全ではありません。死に至るおそれもあります。中毒の徴候には，胃のむかつき，腎障害，筋単収縮，脱力，協調運動障害，瞳孔の散大，嘔吐，下痢，うつ病，麻痺，昏迷などがあります。誤って摂取した場合は，直ちに医師などに相談してください。葉や枝から作った茶または種子を飲んだ小児の中毒例があります。

出血性疾患：血液凝固を抑制するおそれがあります。出血性疾患患者では紫斑および出血のリスクが高まるおそれがあります。

糖尿病：血糖値を低下させるおそれがあります。糖尿病患者は，血糖値を注意深く監視し，低血糖の徴候に気をつけてください。

消化不良：セイヨウトチノキの種子および樹皮が消化管を刺激するおそれがあります。胃腸疾患のある場合は使用しないでください。

肝疾患：セイヨウトチノキの使用と肝障害を関連づける報告があります。肝疾患患者は，セイヨウトチノキの使用を避けるのが最善です。

腎疾患：腎疾患を悪化させるおそれがあります。腎臓に問題のある場合は使用しないでください。

手術：血液凝固を抑制するおそれがあります。手術前に摂取すると，出血のリスクが高まるおそれがあります。少なくとも手術前2週間は，使用しないでください。

●アレルギー

ラテックスアレルギー：ラテックスにアレルギーのある人は，セイヨウトチノキにもアレルギーを起こすおそれがあります。

●妊娠中および母乳授乳期

セイヨウトチノキの生の種子，樹皮，花および葉の経口摂取は，安全ではなく，死に至るおそれもあります。妊娠中および母乳授乳期に，毒性物質であるエスクリンを除去したセイヨウトチノキの種子エキスを摂取する場合の安全性については，データが不十分です。安全性を考慮し，摂取は避けてください。

有効性

◆有効性レベル②

・慢性静脈血流不全症（静脈瘤などの循環器系障害）。エスシンという化学物質を16～20％含むセイヨウトチノキの種子のエキスを摂取すると，下肢の静脈瘤，疼痛，疲労，腫脹，そう痒，水分貯留などの血行不良の症状が緩和する可能性があります。ただし，下肢の腫脹や筋痙攣の緩和に，セイヨウトチノキはピクノジェノールほどの効果はみられないことを示唆する初期の研究があります。

◆科学的データが不十分です

・男性の不妊，痔核，下痢，発熱，咳，前立腺肥大，湿疹，月経痛，骨折および捻挫による軟部組織の腫脹，関節炎，関節痛など。

●体内での働き

血液の粘度を低下させる物質が含まれています。体液が血管や毛細血管から洩れないようにし，また尿による体液の排泄をわずかに促進することで，水分貯留（浮腫）の予防に役立ちます。

医薬品との相互作用

中血液凝固を抑制する医薬品（抗凝固薬/抗血小板薬）

セイヨウトチノキは血液凝固を抑制する可能性があります。セイヨウトチノキと血液凝固を抑制する医薬品を併用すると，紫斑および出血のリスクが高まるおそれがあります。このような医薬品には，アスピリン，クロピドグレル硫酸塩，ジクロフェナクナトリウム，イブプロフェン，ナプロキセン，ダルテパリンナトリウム，エノキサパリンナトリウム，ヘパリン，ワルファリンカリウムなどがあります。

中炭酸リチウム

セイヨウトチノキは利尿薬のように作用する可能性があります。セイヨウトチノキを摂取すると，炭酸リチウムの体内からの排泄が抑制される可能性があります。そのため，体内の炭酸リチウム量が増加し，重大な副作用が現れるおそれがあります。

中糖尿病治療薬

セイヨウトチノキは血糖値を低下させる可能性があります。糖尿病治療薬もまた血糖値を低下させるために用いられます。セイヨウトチノキと糖尿病治療薬を併用すると，血糖値が過度に低下するおそれがあります。血糖値を注意深く監視してください。糖尿病治療薬の用量を変更する必要があるかもしれません。このような糖尿病治療薬にはグリメピリド，グリベンクラミド，インスリン，ピオグリタゾン塩酸塩，マレイン酸ロシグリタゾン（販売中止），クロルプロパミド，Glipizide，トルブタミド（販売中止）などがあります。

ハーブおよび健康食品・サプリメントとの相互作用

血糖値を低下させるおそれのあるハーブおよび健康食品・サプリメント

セイヨウトチノキが血糖値を低下させるおそれがあります。血糖値を低下させる作用のあるほかのハーブおよび健康食品・サプリメントと併用すると，血糖値が過度に低下するおそれあります。このようなハーブおよび健康食品・サプリメントには，α-リポ酸，クロム，デビルズクロー，フェヌグリーク，ニンニク，グアーガム，朝鮮人参，サイリウム，エゾウコギなどがあります。

血液凝固を抑制するおそれのあるハーブおよび健康食品・サプリメント

セイヨウトチノキが血液凝固を抑制するおそれがあります。血液凝固を抑制するおそれのあるほかのハーブおよび健康食品・サプリメントと併用すると，人によっては紫斑および出血のリスクが高まるおそれがあります。このようなハーブおよび健康食品・サプリメントには，アンゼリカ，クローブ，タンジン，ニンニク，ショウガ，イチョウ，朝鮮人参，レッドクローバーなどがあります。

使用量の目安

●経口摂取

慢性静脈血流不全症（血行不良）

有効成分エスシン50mgを含むセイヨウトチノキ種子のエキス300mgを，1日2回摂取します。

セイヨウナシ

PEAR

別名ほか

Pyrus communis

概　要

セイヨウナシは樹木です。果実を用いて「くすり」を作ることもあります。

セイヨウナシは，食品として生のまま，あるいは保存果物や調理に使用されます。

安全性

果実を食べる場合は一般に安全です。

医薬品として使用した場合や副作用のリスクについては，十分なデータが得られていません。

●妊娠中および母乳授乳期

果物として，通常の摂取をするのであれば安全ですが，「くすり」としての高用量摂取の安全性についてはデータが不十分です。妊娠中や母乳授乳期の場合，果実として通常の範囲内で摂取してください。

有効性

◆科学的データが不十分です

・消化器系障害，疝痛，下痢，悪心，肝疾患，痙攣，腫瘍，発熱，便秘，体液貯留など。

●体内での働き

下痢の緩和を補助するペクチンと呼ばれる物質を含んでいます。

医薬品との相互作用

ほかの医薬品との相互作用については明らかではありません。

ハーブおよび健康食品・サプリメントとの相互作用

ほかのハーブ，健康食品・サプリメントとの相互作用についてはまだ明らかではありません。

使用量の目安

標準使用量に関するデータがありません。

セイヨウニンジンボク

VITEX AGNUS-CASTUS

別名ほか

蔓荊（Vitex rotundifolia），セイヨウ人参木，チェイストベリー，チェストベリー（Chaste Berry），チェストツリーベリー，イタリアニンジンボク（Chaste Tree Berry），モンクスペッパー（Monk's Pepper），バイテックス（Vitex），ハマゴウ，ミツバハマゴウ（Vitex trifolia），Agnus-Castus，Chastetree，Chinese Vitex，Gattilier，Hemp Tree，Viticis Fructus

概要

セイヨウニンジンボクは木の果実です。果実と種子を用いて「くすり」を作ることもあります。セイヨウニンジンボクは，ときとして“女性のハーブ”と呼ばれます。生理不順，月経前症候群，月経前不機嫌性（不快気分）障害と呼ばれるより重度の月経前症候群，更年期の諸症状に使用されます。

安全性

ほとんどの人に安全だと考えられます。

まれですが，胃のむかつき，悪心，かゆみ，発疹，にきび，頭痛，睡眠障害，体重増加などの副作用を引き起こす可能性があります。

摂取開始時に経血量に変化が見られる女性もいます。

子宮内膜症，子宮筋腫，乳がん，子宮がん，卵巣がんなどのホルモンに影響を受けやすい諸疾患：セイヨウニンジンボクはホルモンに影響を及ぼすため，エストロゲンの値に影響を与える可能性があります。ホルモンに影響を受けやすい疾患の場合には，使用しないでください。

体外授精：セイヨウニンジンボクは体外授精の効果に影響を及ぼします。体外授精を行っている場合には，使用しないでください。

●妊娠中および母乳授乳期

妊娠中および母乳授乳期のセイヨウニンジンボクの摂取はおそらく安全ではありません。セイヨウニンジンボクがホルモンと相互作用する可能性があるからです。妊娠中および母乳授乳期には，使用しないでください。

有効性

◆有効性レベル③

・月経前症候群。セイヨウニンジンボクの経口摂取は，とくに乳房痛や便秘，過敏性（イライラ），抑うつ気分，気変わり，怒りやすい，頭痛などの月経前症候群の症状を緩和すると見られています。

・月経前不機嫌性（不快気分）障害。セイヨウニンジンボクは月経前不機嫌性（不快気分）障害の諸症状に対し，フルオキセチンのような医療用治療薬と同程度の効果があります。ただし，セイヨウニンジンボクは，乳房痛，腫脹，痙攣，食べ物嗜癖（food cravings）などの身体面での症状により効果的で，一方，フルオキセチンはうつ，イライラ，不眠症，精神的緊張，自分を制御できないなどの心理面により効果的だとみられています。

◆科学的データが不十分です

・不妊症。セイヨウニンジンボクの経口摂取が妊娠をサポートするとするデータがあります。プロゲステロンと呼ばれるホルモンが十分でないために不妊の女性がいます。ただしセイヨウニンジンボクには即効性はないと見られています。妊娠するまでに3カ月から7カ月間の摂取が必要となります。

・虫除け。セイヨウニンジンボク種子の抽出液を皮膚に塗布することで，ダニ，ノミから6時間，蚊から3時間から8時間，サシバエから3時間，皮膚を守ることができます。

・再発性の乳房痛。予備調査ではセイヨウニンジンボクのほかに5種類のハーブを調合した製品による再発性の乳房痛の緩和が示唆されています。

●体内での働き

女性の性周期を調整するホルモンに作用すると考えられます。

医薬品との相互作用

中エストロゲン（卵胞ホルモン）製剤

セイヨウニンジンボクは体内のホルモン量を変化させるようです。セイヨウニンジンボクとエストロゲン製剤を併用すると，エストロゲン製剤の作用が減弱するおそれがあります。このようなエストロゲン製剤には，結合型エストロゲン，エチニルエストラジオール，エストラジオールなどがあります。

中パーキンソン病治療薬（ドパミン受容体作動薬）

セイヨウニンジンボクは脳に影響を与える化学物質を含みます。これらの化学物質は特定のパーキンソン病治療薬と同じように脳に影響を及ぼします。セイヨウニンジンボクとパーキンソン病治療薬を併用すると，パーキンソン病治療薬の作用および副作用が増強するおそれがあります。このようなパーキンソン病治療薬には，ブロモクリプチンメシル酸塩，レボドパ，プラミペキソール塩酸塩水和物，ロピニロール塩酸塩などがあります。

中メトクロプラミド

セイヨウニンジンボクは脳内物質のドーパミンに影響を与えるようです。メトクロプラミドもまたドーパミンに影響を与えます。セイヨウニンジンボクとメトクロプラミドを併用すると，メトクロプラミドの効果が弱まるおそれがあります。

中抗精神病薬

セイヨウニンジンボクはドーパミンと呼ばれる脳内物質に影響を与えるようです。特定の抗精神病薬は，ドーパミンの作用を減少させます。セイヨウニンジンボクと抗精神病薬を併用すると，抗精神病薬の効果が弱まるおそれがあります。このような抗精神病薬には，クロルプロマジン塩酸塩，クロザピン，フルフェナジン，ハロペリドール，オランザピン，ペルフェナジン，プロクロルペラジンマレイン酸塩，クエチアピンフマル酸塩，リスペリドン，チオリダジン塩酸塩（販売中止），チオチキセン（販売中止）などがあります。

中避妊薬

セイヨウニンジンボクは体内のホルモン量を変化させるようです。避妊薬はホルモンを含みます。セイヨウニンジンボクと避妊薬を併用すると，避妊薬の効果が弱まり，妊娠の可能性が高まるおそれがあります。避妊薬とセイヨウニンジンボクを併用する場合には，コンドームなど，ほかの避妊方法を併用してください。このような避妊薬にはエチニルエストラジオール・レボノルゲストレル配合，エチニルエストラジオール・ノルエチステロン配合などがあります。

ハーブおよび健康食品・サプリメントとの相互作用

ほかのハーブ，健康食品・サプリメントとの相互作用についてはまだ明らかではありません。

使用量の目安

●経口摂取

月経前症候群など

摂取量には大きなばらつきがあります。製剤によって処方される摂取量が異なります。ある臨床試験では，特定のエキス剤（Agnolyt）を１日４mg使用しています。特定のエキス剤Ze 440を用いた試験では，１日20mgを使用しています。また，別の試験では，特定のエキス剤BNO 1095を１日20mg使用しています。乾燥果実のエキス（6.7～12.5：１）を1.6～3.0mg含むカプセル薬（Femicur）１カプセルを１日２回使用している試験もあります。

月経前不機嫌性（不快気分）障害

１日20～40mgを摂取します。粗ハーブエキスを通常１日20～240mg，最大で1,800mg，２～３回に分けて摂取します。

セイヨウフキ

BUTTERBUR

別名ほか

セイヨウフキ（Butterburr），フキ属（Petasites），フキのヒブリドゥス種（Petasites hybridus），フキ葉（Petasites officinalis Petasites Leaf），フキ根（Petasites Root），バターバー，Blatterdock，Bog Rhubarb，Bogshorns，Butter Bur，Butter-Dock，Butterfly Dock，Capdockin，Exwort，Flapperdock，Langwort，Petasites Flower，Petasites rhizome，Petasitidis folium，Petasitidis rhizoma，Petasitidis hybridus，Plague Root，Tussilago hybrida，Umbrella Leaves

概　要

セイヨウフキはハーブです。葉，根および球根を用いて「くすり」を作ることもあります。

●要説（ナチュラル・スタンダード）

セイヨウフキは多年生の潅木です。欧州やアジアと北米の地域で見られます。通常は，じめじめした湿地，湿気を帯びた森，川または水路に隣接して見つかります。この植物の葉は，植物学上ならびに一般的な名称に由来します。すなわち一般的な名称（Butterbur）は，暖かい気候の間，バターを包むのに用いられている大きな葉に由来します。

セイヨウフキは，鎮痙薬と鎮痛薬として伝統的に使われてきました。セイヨウフキは，消化を促進して胆汁流出障害の改善を補助すると考えられています。セイヨウフキは，尿路の炎症と痙攣治療にも投与されてきました。片頭痛予防のために，また，アレルギー性鼻炎のためにセイヨウフキの使用を支持するエビデンスがあります。

他の疾患には，それほど強いエビデンスはありません。

ピロリジジンアルカロイドは，通常，十分に耐性があると思われていますが，ピロリジジンアルカロイドを含まない市販の製品に限られているべきです。生で未処理のセイヨウフキの摂取は安全ではなく，肝臓に障害を与える可能性があります。

安全性

ピロリジジンアルカロイドを含まないセイヨウフキ製品を適切な方法で経口摂取する場合，最大16週間までは，おそらく安全です。一部のセイヨウフキ製品にはピロリジジンアルカロイドが含まれていることがあり，安全面の大きな懸念事項となっています。ピロリジジンアルカロイドは，肝臓，肺，血液循環を損傷するおそれがあり，がんの原因になるおそれもあります。ピロリジジンアルカロイドが含まれているセイヨウフキ製品の経口摂取および傷口への塗布は，安全ではないようです。傷口へ塗布すると，傷口から化学物質が体内に吸収されます。ピロリジジンアルカロイドを含まないと認定され，その旨が記載されていないセイヨウフキ製品は，使用してはいけません。

ピロリジジンアルカロイドを含まないセイヨウフキ製品を傷口に塗布する場合の安全性については，データが不十分です。使用してはいけません。

ピロリジジンアルカロイドを含まないセイヨウフキの耐容性はおおむね良好です。おくび，頭痛，眼のそう痒，下痢，気管支喘息，胃の不調，疲労および傾眠を引き起こすおそれがありますが，セチリジン塩酸塩による傾眠と疲労よりは軽度のようです。ブタクサ，マリーゴールド，デイジーなどにアレルギーのある人に，セイヨウフキ製品がアレルギー反応を引き起こすおそれがあります。

小児：ピロリジジンアルカロイドを含まないセイヨウフキを適切な方法で経口摂取する場合は，おそらく安全です。ピロリジジンアルカロイドを含まない特定のセイヨウフキ根茎エキスを，6～17歳の小児に最大4カ月間まで安全に使用できるというエビデンスがあります。

肝疾患：セイヨウフキは肝疾患を悪化させるおそれがあります。使用してはいけません。

●アレルギー

ブタクサや関連する植物に対するアレルギー：セイヨウフキは，キク科植物に敏感な人にアレルギー反応を引き起こすおそれがあります。キク科には，ブタクサ，キク，マリーゴールド，デイジーなど多くの植物があります。アレルギーの場合には，セイヨウフキを摂取する前に必ず医師などに相談してください。

●妊娠中および母乳授乳期

妊娠中および母乳授乳期の経口摂取は，安全ではないようです。ピロリジジンアルカロイドが含まれるセイヨウフキ製品は，先天異常や肝障害を引き起こすおそれがあります。妊娠中および母乳授乳期にピロリジジンアルカロイドが含まれていないセイヨウフキの製品を使用することの安全性については，データが不十分です。使用してはいけません。

有効性

◆有効性レベル③

- 花粉症。特定のセイヨウフキ葉エキスを摂取すると，花粉症の人の鼻の不快感が減少するようです。また，このエキスに，セチリジン塩酸塩1日10mgまたはフェキソフェナジン塩酸塩1日180mgとほぼ同じ効果があることを示唆するエビデンスもあります。ただし，このエキスを2週間摂取しても，気流量，鼻と眼の症状，生活の質が改善することはないようです。
- 片頭痛。セイヨウフキを経口摂取すると片頭痛を予防できるようです。セイヨウフキの根から抽出した特定のエキスを16週間にわたり使用すると，片頭痛の発症回数と重症度や持続時間が減少する可能性があります。このセイヨウフキエキスは，片頭痛の回数をほぼ半分にするようです。最良の効果を得るには，少なくとも1日2回75mgの投与量が必要のようです。1日2回50mgの低用量だと，成人には効果がない可能性があります。また，このセイヨウフキエキスは，6～17歳の小児でも片頭痛の頻度を減少させる可能性があるというエビデンスもあります。
- 身体表現性障害（身体的な疼痛を引き起こす精神疾患）。研究により，セイヨウフキ，カノコソウの根，レモンバームの葉，パッションフラワーが含まれる，ある特定の製品を摂取すると，身体的疼痛がある人の不安やうつ状態が軽減されることが示されています。

◆有効性レベル④

- 湿疹（皮膚のそう痒および炎症）。研究により，特定のセイヨウフキエキスを1日2回，1週間にわたり摂取しても，アレルギーによる皮膚の炎症が軽減されないことが示されています。

◆科学的データが不十分です

- 気管支喘息，慢性閉塞性気管支炎，不安，悪寒，仙痛，咳，発熱，不眠，過敏膀胱，疼痛，ペスト，胃潰瘍，胃の不調，尿路痙攣，創傷など。

●体内での働き

痙攣を緩和し，炎症（腫脹）を抑える可能性のある化学物質を含んでいます。

医薬品との相互作用

中肝臓でほかの医薬品の代謝を促進する医薬品（シトクロムP450 3A4（CYP3A4）を誘導する医薬品）

セイヨウフキは肝臓で代謝されます。肝臓でセイヨウフキが代謝されるときに生成する特定の化学物質は有害である可能性があります。肝臓でセイヨウフキの代謝を促進する医薬品は，セイヨウフキに含まれる化学物質の毒性を強める可能性があります。このような医薬品にはカルバマゼピン，フェノバルビタール，フェニトイン，リファンピシン，リファブチンなどがあります。

ハーブおよび健康食品・サプリメントとの相互作用

肝臓に影響を与えるハーブおよび健康食品・サプリメント

ハーブおよび健康食品・サプリメントの中には，ピロリジジンアルカロイドなどの化学物質を肝臓が処理する過程に影響を与えるものがあります。こうしたハーブおよび健康食品・サプリメントによって，肝臓ではピロリジジンアルカロイドがさらに有毒な化学物質に変化するおそれがあります。このようなハーブおよび健康食品・サプリメントには，エキナセア，ニンニク，甘草，セント・ジョンズ・ワート，チョウセンゴミシなどがあります。

肝臓に障害を与えるピロリジジンアルカロイドが含まれるハーブおよび健康食品・サプリメント

セイヨウフキには，ピロリジジンアルカロイドと呼ばれる肝臓に障害を与える化学物質が含まれるおそれがあります。セイヨウフキを，この化学物質が含まれているおそれのあるほかのハーブおよび健康食品・サプリメントと併用すると，肝中毒をはじめ深刻な健康への影響が出るおそれがあります。このようなハーブおよび健康食品・サプリメントには，アルカナ，ヒヨドリバナ，ボラージ，フキタンポポ，コンフリー，ワスレナグサ，シモツケソウ，ヘンプ・アグリモニー，オオルリソウ，セネキオ属植物ダスティーミラー，ノボロギク，サワギク，ヤコブボロギクなどがあります。

使用量の目安

【成人】

●経口摂取

アレルギー性鼻炎（花粉症）

特定のセイヨウフキ葉エキス６錠以内を１日最大３回にわけて１～２週間摂取します。特定のセイヨウフキ根部全体のエキス50mgを，１日２回，２週間摂取します。

片頭痛

特定のセイヨウフキ根茎エキス75～150mgを，１日最大２回にわけて，最大４カ月間摂取します。

身体表現性障害（身体的な疼痛を引き起こす精神疾患）

セイヨウフキ根の乾燥エキス90mg，カノコソウの根90mg，パッションフラワーハーブ90mg，レモンバームの葉60mgが含まれる，特定の製品を，１日３回２週間摂取します。

【小児】

●経口摂取

片頭痛

特定のセイヨウフキ根茎エキスを，８～９歳の小児は１日50～75mgを２～３回にわけて，10～17歳の小児は１日100～150mgを２～３回にわけて，最大４カ月間摂取します。

セイヨウミザクラ

SWEET CHERRY

別名ほか

さくらんぼ，ノザクラ，*Prunus avium*

概　　要

セイヨウミザクラは果物です。セイヨウミザクラの実を用いて「くすり」や食品を作ることもあります。

安 全 性

セイヨウミザクラの実を食品として摂取する場合，ほとんどの人に安全です。

治療目的で利用する場合の安全性はまだ明らかになっていません。

●アレルギー

セイヨウミザクラに過敏な人はアレルギー反応を起こすことがあります。

●妊娠中および母乳授乳期

妊娠中および母乳授乳期のセイヨウミザクラの摂取は，通常の食べ物に含まれる量であれば安全です。十分なデータが得られるまで「くすり」としての多量摂取は控えてください。

有 効 性

◆科学的データが不十分です

・関節炎，痛風，がんの予防，心疾患の予防。

●体内での働き

ビタミンC などの抗酸化作用のある成分を含んでいます。

医薬品との相互作用

ほかの医薬品との相互作用については明らかではありません。

ハーブおよび健康食品・サプリメントとの相互作用

ほかのハーブ，健康食品・サプリメントとの相互作用についてはまだ明らかではありません。

使用量の目安

標準使用量に関するデータがありません。

セイヨウメギ

EUROPEAN BARBERRY

別名ほか

西洋メギ (Berberis vulgaris), メギ (Berberry), マウンテングレープ, ヒイラギメギ (Mountain Grape), オレゴングレープ (Oregon Grape), Agracejo, Berberidis Cortex, Berberidis Fructus, Berberidis radicis Cortex, Berberidis Radix, Berberitze, Berbis, Common Barberry, Épine-Vinette, Espino Cambrón, Jaundice Berry, Pipperidge, Piprage, Sauerdorn, Sow Berry, Vinettier

概　　要

セイヨウメギはハーブです。果実，樹皮，および根を用いて「くすり」を作ることもあります。

安 全 性

セイヨウメギの果実は，通常の食品としての量を摂取する場合は，ほとんどの人に安全のようです。「くすり」としての量を摂取する場合の安全性については，データが不十分です。

小児：新生児が経口摂取するのは，安全ではないようです。セイヨウメギにはベルベリンという化学物質が含まれています。ベルベリンは，とくに黄疸のある未熟児に，脳障害を引き起こすおそれがあります。黄疸は乳児の体内のビリルビン過剰による疾患です。ビリルビンは赤血球が正常に分解されることにより産生されます。黄疸があると乳児の皮膚や眼が黄色くなります。小児にセイヨウメギを与えてはいけません。

出血性疾患：セイヨウメギにはベルベリンという化学物質が含まれています。ベルベリンは血液凝固を抑制し，出血リスクを高めるおそれがあります。理論上，セイヨウメギは出血性疾患を悪化させるおそれがあります。

糖尿病：セイヨウメギにはベルベリンという化学物質が含まれています。ベルベリンは血糖値を低下させる可能性があります。糖尿病に罹患していて，通常の食品に含まれる量を超えるセイヨウメギを使用する場合は，低血糖の徴候に注意し，血糖値を注意深く監視してください。

低血圧：セイヨウメギにはベルベリンという化学物質が含まれています。ベルベリンは血圧を低下させる可能性があります。理論上，低血圧の場合には，セイヨウメギの摂取により，血圧が過度に低下するおそれがあります。

手術：セイヨウメギにはベルベリンという化学物質が含まれています。セイヨウメギに含まれるベルベリンが手術中・手術後に出血を長引かせ，神経系を鈍化させ，血糖コントロールに干渉するおそれがあります。少なくとも手術前２週間は，使用しないでください。

●妊娠中および母乳授乳期

妊娠中および母乳授乳期にセイヨウメギを経口摂取してはいけません。胎児および乳児に安全ではないようです。セイヨウメギに含まれるベルベリンは，母胎から胎盤を通じて胎児に移行するおそれがあります。ベルベリンにさらされた新生児に，脳障害が発症しています。同様に，ベルベリンのほかにも，セイヨウメギに含まれる有害化学物質が母乳を通じて乳児に移行し，脳障害を引き起こすおそれがあります。

有 効 性

◆科学的データが不十分です

・歯垢，糖尿病，歯肉炎，腎疾患，膀胱疾患，むねやけ，胃痙攣，便秘，下痢，肝疾患，脾疾患，肺疾患，心疾患，循環器疾患，発熱，痛風，関節炎など。

●体内での働き

心拍動を強める可能性のある化学物質が含まれています。また，炎症を抑える可能性があります。

医薬品との相互作用

中シクロスポリン

シクロスポリンは体内で代謝されてから排泄されます。セイヨウメギはシクロスポリンの代謝を抑制する可能性があります。そのため，セイヨウメギとシクロスポリンを併用すると，シクロスポリンの体内量が過剰になり，副作用の危険を高めるおそれがあります。

中肝臓で代謝される医薬品（シトクロムP450 3A4（CYP3A4）の基質となる医薬品）

特定の医薬品は肝臓で代謝されます。セイヨウメギはこのような医薬品の肝臓での代謝を抑制する可能性があります。セイヨウメギと肝臓で代謝される医薬品を併用すると，医薬品の作用および副作用が増強されるおそれがあります。このような医薬品には，シクロスポリン，Lovastatin，クラリスロマイシン，インジナビル硫酸塩エタノール付加物（販売中止），シルデナフィルクエン酸塩，トリアゾラムなど数多くあります。

中血液凝固を抑制する医薬品（抗凝固薬/抗血小板薬）

セイヨウメギは血液凝固を抑制する可能性があります。セイヨウメギと血液凝固を抑制する医薬品を併用すると，紫斑および出血のリスクが高まるおそれがあります。このような医薬品にはアスピリン，クロピドグレル硫酸塩，ジクロフェナクナトリウム，イブプロフェン，ナプロキセン，ダルテパリンナトリウム，エノキサパリンナトリウム，ヘパリン，ワルファリンカリウムなどがあります。

中口渇作用などの乾燥作用のある医薬品（抗コリン薬）

セイヨウメギは脳および心臓などで作用する特定の化学物質の体内量を増加させる可能性があります。抗コリン薬と呼ばれる口渇などの乾燥作用のある医薬品のなかにも，同じ化学物質の体内量を異なった方法で増加させる可能性があるものがあります。このような医薬品はセイヨウメギの作用を弱め，セイヨウメギは医薬品の乾燥作用を弱めるおそれがあります。このような医薬品には

セ

アトロピン硫酸塩水和物，スコポラミン臭化水素酸塩水和物，特定の抗アレルギー薬（抗ヒスタミン薬），特定の抗うつ薬などがあります。

中降圧薬

セイヨウメギは，人によっては血圧を低下させる可能性があります。セイヨウメギと降圧薬を併用すると，血圧が過度に低下するおそれがあります。降圧薬を服用中にセイヨウメギを過剰に摂取しないでください。このような降圧薬にはニフェジピン，ベラパミル塩酸塩，ジルチアゼム塩酸塩，Isradipine，フェロジピン，アムロジピンベシル酸塩などがあります。

中鎮静薬（中枢神経抑制薬）

セイヨウメギは眠気および注意力低下を引き起こす可能性があります。鎮静薬は眠気を引き起こす医薬品です。セイヨウメギと鎮静薬を併用すると，過度の眠気を引き起こすおそれがあります。セイヨウメギと手術で使用される鎮静薬を併用すると，鎮静作用が長時間続く可能性があります。このような鎮静薬には，ペントバルビタールカルシウム，フェノバルビタール，セコバルビタールナトリウム，チオペンタールナトリウム，フェンタニルクエン酸塩，モルヒネ塩酸塩水和物，プロポフォールなどがあります。

中糖尿病治療薬

セイヨウメギは血糖値を低下させる可能性があります。糖尿病治療薬もまた血糖値を低下させるために用いられます。セイヨウメギと糖尿病治療薬を併用すると，血糖値が過度に低下するおそれがあります。血糖値を注意深く監視してください。糖尿病治療薬の用量を変更する必要があるかもしれません。このような糖尿病治療薬にはグリメピリド，グリベンクラミド，インスリン，メトホルミン塩酸塩，ピオグリタゾン塩酸塩，マレイン酸ロシグリタゾン（販売中止），クロルプロパミド，Glipizide，トルブタミド（販売中止）などがあります。

中緑内障，アルツハイマー病などに使用される医薬品（コリン作動薬）

セイヨウメギは脳，心臓などの体内に存在する特定の化学物質を増加させる可能性があります。緑内障，アルツハイマー病などに使用される特定の医薬品もまた，同じ化学物質に影響を及ぼします。セイヨウメギとこのような医薬品を併用すると，副作用のリスクが高まるおそれがあります。このような医薬品にはピロカルピン塩酸塩，ドネペジル塩酸塩，Tacrineなどがあります。

ハーブおよび健康食品・サプリメントとの相互作用

眠気を引き起こすおそれのあるハーブおよび健康食品・サプリメント

セイヨウメギと，鎮静作用のあるほかのハーブおよび健康食品・サプリメントを併用すると，セイヨウメギの作用および副作用が増強されるおそれがあります。このようなハーブおよび健康食品・サプリメントには，5-ヒドロキシトリプトファン，ショウブ，ハナビシソウ，キャットニップ，ホップ，ジャマイカ・ドックウッド，カバ，セント・ジョンズ・ワート，スカルキャップ，カノコソウ，アネモプシス・カリフォルニカなどがあります。

血圧を低下させるおそれのあるハーブおよび健康食品・サプリメント

セイヨウメギは血圧を低下させるおそれがあります。同様の作用をもつほかのハーブおよび健康食品・サプリメントと併用すると，人によっては，血圧が過度に低下するリスクが高まるおそれがあります。このようなハーブおよび健康食品・サプリメントには，アンドログラフィス，カゼイン・ペプチド，キャッツクロー，コエンザイムQ-10，魚油，L-アルギニン，クコ，イラクサ，テアニンなどがあります。

血糖値を低下させるおそれのあるハーブおよび健康食品・サプリメント

セイヨウメギは血糖値を低下させるおそれがあります。セイヨウメギと，血糖値を低下させるおそれのあるほかのハーブおよび健康食品・サプリメントを併用すると，血糖値が過度に低下するおそれがあります。このようなハーブおよび健康食品・サプリメントには，α-リポ酸，ニガウリ，クロム，デビルズクロー，フェヌグリーク，ニンニク，グアーガム，セイヨウトチノキ，朝鮮人参，サイリウム，エゾウコギなどがあります。

血液凝固を抑制するおそれのあるハーブおよび健康食品・サプリメント

セイヨウメギは血液凝固を抑制するおそれがあります。セイヨウメギと，血液凝固を抑制するおそれのあるほかのハーブおよび健康食品・サプリメントを併用すると，人によっては出血のリスクが高まるおそれがあります。このようなハーブおよび健康食品・サプリメントには，アンゼリカ，クローブ，タンジン，ショウガ，イチョウ，レッドクローバー，ウコン，ビタミンE，ヤナギなどがあります。

使用量の目安

通常の食品に含まれている量を超えて経口摂取した場合の安全性および副作用については，明らかになっていません。

セイヨウメシダ

LADY FERN

別名ほか

メシダ（Athyrium filix-femina），Brake Root，Common Polypod，Oak Fern，Polypodium filix-femina，Rock Brake，Rock of Polypody

概　要

セイヨウメシダは植物です。根と根に似た茎を用いて「くすり」を作ることもあります。

安 全 性

安全性および副作用については不明です。

●妊娠中および母乳授乳期

妊娠中，母乳授乳期は使用してはいけません。

有 効 性

◆科学的データが不十分です

・肺疾患，呼吸器系障害，咳，消化器系疾患など。

●体内での働き

どのように作用するかについては十分なデータが得られていません。

医薬品との相互作用

ほかの医薬品との相互作用については明らかではありません。

ハーブおよび健康食品・サプリメントとの相互作用

ほかのハーブ，健康食品・サプリメントとの相互作用についてはまだ明らかではありません。

使用量の目安

標準使用量に関するデータがありません。

セイロンニッケイ

CEYLON CINNAMON

●代表的な別名

セイロンシナモン

別名ほか

セイロン肉桂，セイロンシナモン，Batavia Cassia，Batavia Cinnamon，Canela，Canelero de Ceilán，Cannelier de Ceylan，Cannelle de Ceylan，Cannelle de Saïgon，Cannelle du Sri Lanka，Ceylonzimt，Ceylonzimtbaum，Cinnamomum verum，Cinnamomum zeylanicum，Cinnamon Bark，シナモン樹皮，シナモンバーク，桂皮，ケイヒ，Corteza de Canela，Dalchini，Écorce de Cannelle，Echter Ceylonzimt，Laurus cinnamomum，Madagascar Cinnamon，マダガスカルシナモン，Padang-Cassia，Panang Cinnamon，Saigon Cassia，Saigon Cinnamon，Sri Lanka Cinnamon，スリランカ産シナモン，Thwak，True Cinnamon，Tvak，Xi Lan Rou Gui，Zimtbaum

概　要

セイロンニッケイは，樹木（学名：Cinnamomum verum）から採取します。樹皮を用いて「くすり」を作ることもあります。

セイロンニッケイは，胃のむかつき，下痢，腸内ガスに対して経口摂取されることがあります。また，糖尿病，食欲増進，感染症治療のほか，過体重や肥満の体重減少に対しても使用されます。ただし，このような用途を十分に裏づけるエビデンスはありません。

シナモンは，食品ではスパイスとして，飲料では香料として使用されます。

工業品では，桂皮油が，歯磨きペースト，洗口液，うがい薬，ローション，塗布薬，石けん，洗剤などの医薬品や化粧品に少量使用されています。

シナモンにはさまざまな種類があります。Cinnamomum verum（セイロンシナモン）とCinnamomum aromaticum（シナモン（カシア）またはシナニッケイ（トンキンニッケイ））が一般的に使用されます。多くの場合，食料品店で購入したシナモンスパイスには，このような種類のシナモンが組み合わされたものが含まれています。

安 全 性

セイロンニッケイの摂取は，食品に含まれる量であれば，ほとんどの人に安全のようです。「くすり」としての量を最長３カ月間経口摂取する場合には，ほとんどの人におそらく安全です。「くすり」としての量は，食品に含まれる量よりもわずかに多いです。ただし，高用量または長期間，セイロンニッケイを経口摂取する場合には，おそらく安全ではありません。桂皮油の経口摂取も，おそらく安全ではありません。桂皮油は，皮膚や粘膜（胃，腸，尿路などの粘膜）を刺激するおそれがあります。また，下痢，嘔吐，めまい感，傾眠などの副作用を引き起こすおそれがあります。

糖尿病：２型糖尿病または前糖尿病の場合には，セイロンニッケイにより，血糖値が低下するおそれがあります。糖尿病患者がセイロンニッケイを使用する場合には，低血糖の徴候に注意し，血糖値を注意深く監視してください。

低血圧：セイロンニッケイは血圧を低下させる可能性があります。既に血圧が低い場合にセイロンニッケイを摂取すると，血圧が過度に低下するおそれがあります。

手術：セイロンニッケイは血圧および血糖値に影響を与え，手術中・手術後の血圧コントロールや血糖コントロールを妨げるおそれがあります。少なくとも手術前２週間は，使用しないでください。

●妊娠中および母乳授乳期

妊娠中および母乳授乳期に，食品に含まれる量のセイロンニッケイを摂取する場合は，ほとんどの人に安全のようです。

妊娠中：食品としての量を超えて摂取する場合は，安全ではないようです。

母乳授乳期：高用量摂取の安全性については，データが不十分です。安全性を考慮し，食品としての量の範囲内で摂取してください。

有　効　性

◆有効性レベル④

・糖尿病。セイロンニッケイを毎日摂取すると，コントロール良好の糖尿病患者であれば，血糖値は低下しないことが初期の研究で示されています。コントロール不良の糖尿病患者に役立つ可能性があるという弱いエビデンスがあります。ただし，これを裏付けるにはさらに質の高い研究が必要です。

・肥満。セイロンニッケイを毎日２～３カ月間摂取しても，体重を減少させないようです。

◆科学的データが不十分です

・酵母菌による感染（カンジダ症），義歯性口内炎，のう胞を伴う卵巣腫大が生じるホルモンの病気（多のう胞性卵巣症候群（PCOS）），サルモネラ感染（食中毒），食欲不振，感冒，糖尿病，下痢，腸内ガス（鼓腸），花粉症（アレルギー性鼻炎），感染，インフルエンザ，過敏性腸症候群（IBS），月経不快感，前糖尿病，早漏，痙攣，胃のむかつき，寄生虫感染など。

●体内での働き

セイロンニッケイに含まれる油には，痙攣の緩和，腸内ガス（鼓腸）の軽減，食欲の増進，細菌や真菌への抵抗などの作用があると考えられています。また，シナモンは血圧を低下させたり，血中脂質を減少させたりする可能性があります。セイロンニッケイには，インスリンのように血糖値を低下させる働きをする可能性のある化学物質が含まれます。ただし，これらの作用はきわめて弱いと考えられています。

セイロンニッケイにはタンニンという成分も含まれ，タンニンは，創傷に対して収れん剤のように作用したり，下痢を予防したりする可能性があります。

医薬品との相互作用

中 糖尿病治療薬

シナモン樹皮は血糖値を低下させる可能性があります。糖尿病治療薬もまた血糖値を低下させるために用いられます。シナモン樹皮と糖尿病治療薬を併用すると，血糖値が過度に低下するおそれがあります。血糖値を注意深く監視してください。糖尿病治療薬の用量を変更する必要があるかもしれません。このような糖尿病治療薬には，グリメピリド，グリベンクラミド，インスリン，ピオグリタゾン塩酸塩，マレイン酸ロシグリタゾン（販売中止），クロルプロパミド，Glipizide，メトホルミン塩酸塩，トルブタミド（販売中止）などがあります。

中 降圧薬

シナモン樹皮は，人によっては血圧を低下させる可能性があります。シナモン樹皮と降圧薬を併用すると，血圧が過度に低下するおそれがあります。しかし，この相互作用が大きな問題であるかについては明らかではありません。降圧薬を服用中にシナモン樹皮を過剰に摂取しないでください。このような降圧薬には，カプトプリル，エナラプリルマレイン酸塩，ロサルタンカリウム，バルサルタン，ジルチアゼム塩酸塩，アムロジピンベシル酸塩，ヒドロクロロチアジド，フロセミドなど数多くあります。

ハーブおよび健康食品・サプリメントとの相互作用

血圧を低下させるおそれのあるハーブおよび健康食品・サプリメント

セイロンニッケイは血圧を低下させる可能性があります。同様の作用があるほかのハーブおよび健康食品・サプリメントとセイロンニッケイを併用すると，人によっては血圧が過度に低下するリスクが高まるおそれがあります。このようなハーブおよび健康食品・サプリメントには，アンドログラフィス，カゼイン・ペプチド，キャッツクロー，コエンザイムQ-10，魚油，L-アルギニン，クコ属，イラクサ，テアニンなどがあります。

血糖値を低下させるおそれのあるハーブおよび健康食品・サプリメント

セイロンニッケイは血糖値を低下させる可能性があります。血糖値を低下させるおそれのあるほかのハーブおよび健康食品・サプリメントとセイロンニッケイを併用すると，血糖値が過度に低下するおそれがあります。このようなハーブおよび健康食品・サプリメントには，α-リポ酸，ニガウリ，クロム，デビルズクロー，フェヌグリーク，ニンニク，グアーガム，セイヨウトチノキ，朝鮮人参，サイリウム，エゾウコギなどがあります。

使用量の目安

通常の食品に含まれている量を超えて経口摂取した場合の安全性および副作用については，明らかになっていません。

セージ

SAGE

別名ほか

Common Sage，Dalmatian Sage，Garden Sage，Meadow Sage，Salvia lavandulaefolia，Salvia officinalis，Sauge，Scarlet Sage，Spanish Sage，True Sage

概　　要

セージはハーブです。葉を用いて「くすり」を作ることもあります。

食品においてセージは，一般的な香辛料として使用されます。

製品としては，セージは，石けんや化粧品における香料成分として使用されます。

●要説（ナチュラル・スタンダード）

セージは，香辛料や「くすり」として何世紀にもわたってヨーロッパで使用されています。サルビア・オフィキナリス（Salvia officinalis）とサルビア・ラヴァンドゥリフォリア（Salvia lavandulaefolia）は，セージのもっとも一般的な２種類です。

セージは，口や咽頭の炎症，消化不良（胃のむかつき），過度な発汗の治療にも，ヨーロッパで人気があります。

あらゆる疾患治療のためのセージ使用を支持するエビデンスは限られており，すべての研究結果は決定的ではありません。より確かな評価を行うためには，さらなる研究が必要です。

安 全 性

食品に通常使われている量なら安全です。短期間，経口で摂取する場合は一般に安全なようです。

毒性化合物を含む種類もあり，大量摂取で痙攣を引き起こす可能性があります。

セージは，悪心，嘔吐，異常な痛み，めまい，興奮，および喘鳴を引き起こす可能性があります。

大量使用は，痙攣を引き起こし，肝臓および神経系を損傷する可能性があります。

糖尿病：セージは糖尿病患者の血糖値を下げることがあります。

高血圧症：セージを摂取すると高血圧症の人で血圧が上昇することがあります。血圧を注意深く観察してください。

てんかん，痙攣性疾患の人は使用してはいけません。

●妊娠中および母乳授乳期

妊娠中，母乳授乳期は使用してはいけません。

有 効 性

◆有効性レベル③

・アルツハイマー型認知症。２種のセージ（学名：Salvia officinalisとSalvia lavandulaefolia）の抽出液を４カ月間摂取すると軽度，および中等度のアルツハイマー型認知症患者において，学習，記憶，および情報処理の機能が改善されるようです。

・セージおよびルバーブを含有するクリームの使用時の口唇ヘルペス。セージとルバーブ（Rheum officinaleとRheum palmatum）を含有するクリームは，口唇ヘルペスに塗布するとアシクロビルクリームと同等の効果があるようです。アシクロビルクリームの使用は6日間で口唇ヘルペスが治癒しますが，セージとルバーブクリームの併用では７日間で治癒します。セージとルバーブの同時使用は，セージ単独よりも効果が早く現れます。

◆科学的データが不十分です

・記憶の改善，更年期の顔面紅潮（ほてり），食欲不振，胃痛，口内乾燥，月経痛，気管支喘息，下痢，腸内ガス，腹部膨満感，消化器系障害，過度の発汗など。

●体内での働き

アルツハイマー病の症状を引き起こす脳内の化合物のバランスを整えるのに役立つことがあります。

医薬品との相互作用

中エストロゲン（卵胞ホルモン）製剤

スパニッシュセージ（Salvialavandulaefolia）に含まれる化学物質（ゲラニオール）には，エストロゲン様作用のある可能性があります。しかし，スパニッシュセージのゲラニオールにはエストロゲン製剤と同等の強さはありません。スパニッシュセージとエストロゲン製剤を併用すると，エストロゲン製剤の作用が変化するおそれがあります。このようなエストロゲン製剤には，結合型エストロゲン，エチニルエストラジオール，エストラジオールなどがあります。

中抗てんかん薬

抗てんかん薬は脳内の化学物質に影響を及ぼします。セージも脳内の化学物質に影響を及ぼす可能性があります。セージが脳内の化学物質に影響を及ぼすことで，抗てんかん薬の効果が弱まるおそれがあります。このような抗てんかん薬には，フェノバルビタール，プリミドン，バルプロ酸ナトリウム，ガバペンチン，カルバマゼピン，フェニトインなどがあります。

中鎮静薬（中枢神経抑制薬）

セージは眠気および注意力低下を引き起こす可能性があります。鎮静薬は眠気を引き起こす医薬品です。セージと鎮静薬を併用すると，過度の眠気を引き起こすおそれがあります。このような鎮静薬には，クロナゼパム，ロラゼパム，フェノバルビタール，ゾルピデム酒石酸塩などがあります。

中糖尿病治療薬

セージは血糖値を低下させる可能性があります。糖尿病治療薬も血糖値を低下させるために用いられます。セージと糖尿病治療薬を併用すると，血糖値が過度に低下するおそれがあります。血糖値を注意深く監視してください。糖尿病治療薬の用量を変更する必要があるかもしれません。このような糖尿病治療薬には，グリメピリド，グリベンクラミド，インスリン，ピオグリタゾン塩酸塩，マレイン酸ロシグリタゾン（販売中止），クロルプロパミド，Glipizide，トルブタミド（販売中止）などがあります。

中口渇作用などの乾燥作用のある医薬品（抗コリン薬）

コモンセージ（Salvia officinalis）とスパニッシュセージ（Salvia lavandulaefolia）は，脳や心臓などで働く，体内にある特定の化学物質の濃度を上昇させる可能性があります。口渇作用などのある医薬品（抗コリン薬）は同じ化学物質に影響を及ぼす可能性がありますが，その方法は異なります。口渇作用のある医薬品はセージの作用

有効性レベル：①効きます　②おそらく効きます　③効くと断言できませんが、効能の可能性が科学的に示唆されています
④効かないかもしれません　⑤おそらく効きません　⑥効きません

を弱め，セージは医薬品の作用を弱める可能性があります。このような医薬品には，アトロピン硫酸塩水和物，スコポラミン臭化水素酸塩水和物，特定の抗アレルギー薬（抗ヒスタミン薬），特定の抗うつ薬などがあります。

中肝臓で代謝される医薬品（シトクロムP450 2C19（CYP2C19）の基質となる医薬品）

特定の医薬品は肝臓で代謝されます。セージはこのような医薬品の代謝を抑制する可能性があります。セージと肝臓で代謝される医薬品を併用すると，医薬品の作用および副作用が増強するおそれがあります。肝臓で代謝される医薬品を服用する場合には，医師や薬剤師に相談することなくセージを摂取しないでください。このような医薬品には，オメプラゾール，ランソプラゾール，パントプラゾールナトリウム水和物（販売中止），ジアゼパム，カリソプロドール（販売中止），ネルフィナビルメシル酸塩などがあります。

中肝臓で代謝される医薬品（シトクロムP450 2C9（CYP2C9）の基質となる医薬品）

特定の医薬品は肝臓で代謝されます。セージはこのような医薬品の代謝を抑制する可能性があります。セージと肝臓で代謝される医薬品を併用すると，医薬品の作用および副作用が増強するおそれがあります。肝臓で代謝される医薬品を服用する場合には，医師や薬剤師に相談することなくセージを摂取しないでください。このような医薬品には，ジクロフェナクナトリウム，イブプロフェン，メロキシカム，ピロキシカム，セレコキシブ，アミトリプチリン塩酸塩，ワルファリンカリウム，Glipizide，ロサルタンカリウムなどがあります。

中肝臓で代謝される医薬品（シトクロムP450 2D6（CYP2D6）の基質となる医薬品）

特定の医薬品は肝臓で代謝されます。セージはこのような医薬品の代謝を抑制する可能性があります。セージと肝臓で代謝される医薬品を併用すると，医薬品の作用および副作用が増強するおそれがあります。肝臓で代謝される医薬品を服用する場合には，医師や薬剤師に相談することなくケルセチンを摂取しないでください。このような医薬品には，アミトリプチリン塩酸塩，コデインリン酸塩水和物，塩酸デシプラミン（販売中止），フレカイニド酢酸塩，塩酸フルオキセチン（販売中止），オンダンセトロン塩酸塩水和物，トラマドール塩酸塩などがあります。

中肝臓で代謝される医薬品（シトクロムP450 2E1（CYP2E1）の基質となる医薬品）

特定の医薬品は肝臓で代謝されます。コモンセージはこのような医薬品の代謝を促進する可能性があります。コモンセージと肝臓で代謝される医薬品を併用すると，医薬品の作用および副作用が減弱するおそれがあります。肝臓で代謝される医薬品を服用する場合には，医師や薬剤師に相談することなく「くすり」としてコモンセージを摂取しないでください。このような医薬品には，アセトアミノフェン，クロルゾキサゾン，アルコール，テオフィリン，麻酔薬（エンフルラン（販売中止），ハロタン（販売中止），イソフルラン，Methoxyfluraneなど）などがあります。

中肝臓で代謝される医薬品（シトクロムP450 3A4（CYP3A4）の基質となる医薬品）

特定の医薬品は肝臓で代謝されます。セージはこのような医薬品の代謝を抑制する可能性があります。セージと肝臓で代謝される医薬品を併用すると，医薬品の作用および副作用が増強するおそれがあります。肝臓で代謝される医薬品を服用中に，医師や薬剤師に相談することなくセージを「くすり」として摂取しないでください。このような医薬品には，カルシウム拮抗薬（ジルチアゼム塩酸塩，ニカルジピン塩酸塩，ベラパミル塩酸塩），抗悪性腫瘍薬（エトポシド，パクリタキセル，ビンブラスチン硫酸塩，ビンクリスチン硫酸塩，ビンデシン硫酸塩），抗真菌薬（ケトコナゾール，イトラコナゾール），グルココルチコイド，Alfentanil，シサプリド（販売中止），フェンタニルクエン酸塩，リドカイン塩酸塩，ロサルタンカリウム，ミダゾラムなどがあります。

中降圧薬

コモンセージ（Salvia officinalis）は血圧を低下させるようです。コモンセージと降圧薬を併用すると，血圧が過度に低下するおそれがあります。ただ，スパニッシュセージ（Salvia lavandulaefolia）は血圧を上昇させる可能性があります。スパニッシュセージと降圧薬を併用すると，医薬品の作用が弱まるおそれがあります。このような降圧薬には，カプトプリル，エナラプリルマレイン酸塩，ロサルタンカリウム，バルサルタン，ジルチアゼム塩酸塩，アムロジピンベシル酸塩，ヒドロクロロチアジド，フロセミドなど数多くあります。

中細胞内のポンプによって輸送される医薬品（P糖タンパク質の基質となる医薬品）

特定の医薬品は細胞内のポンプによって輸送されます。コモンセージ（Salvia officinalis）は，ポンプの働きを弱め，このような医薬品の体内への吸収量を増加させる可能性があります。そのため，医薬品の副作用が増強するおそれがあります。このような医薬品には，エトポシド，パクリタキセル，ビンブラスチン硫酸塩，ビンクリスチン硫酸塩，ビンデシン硫酸塩，ケトコナゾール，イトラコナゾール，アンプレナビル（販売中止），インジナビル硫酸塩エタノール付加物（販売中止），ネルフィナビルメシル酸塩，サキナビルメシル酸塩，シメチジン，ラニチジン塩酸塩，ジルチアゼム塩酸塩，ベラパミル塩酸塩，副腎皮質ステロイド，エリスロマイシン，シサプリド（販売中止），フェキソフェナジン塩酸塩，シクロスポリン，ロペラミド塩酸塩，キニジン硫酸塩水和物などがあります。

中ベンゾジアゼピン系鎮静薬

コモンセージ（Salvia officinalis）は眠気および注意力低下を引き起こす可能性があります。鎮静薬は眠気および注意力低下を引き起こす医薬品です。コモンセージと鎮静薬を併用すると，過度の眠気を引き起こすおそれがあります。このような鎮静薬には，クロナゼパム，ジアゼパム，ロラゼパムなどがあります。

中緑内障，アルツハイマー病などに使用される医薬品（コリン作動薬）

コモンセージ（Salvia officinalis）とスパニッシュセージ（Salvia lavandulaefolia）は，脳や心臓などの体内にある特定の化学物質を増加させる可能性があります。緑内障，アルツハイマー病などに使用される医薬品も同じ化学物質に影響を及ぼす可能性があります。上記のセージと，緑内障，アルツハイマー病などに使用される医薬品を併用すると，副作用のリスクが高まるおそれがあります。このような医薬品には，ピロカルピン塩酸塩，ドネペジル塩酸塩，Tacrineなどがあります。

ハーブおよび健康食品・サプリメントとの相互作用

鎮静作用のあるハーブおよび健康食品・サプリメント

セージには眠気や嗜眠状態をもよおす作用があります。セージと，眠気をもよおすハーブを併用すると，眠くなりすぎることがあります。これらのサプリメントには，5-ヒドロキシトリプトファン，ショウブ，ハナビシソウ，キャットニップ，ホップ，ジャマイカ・ドッグウッド，カバ，セント・ジョンズ・ワート，スカルキャップ，カノコソウ，アネモプシス・カリフォルニカなどがあります。

血糖値を下げるハーブおよび健康食品・サプリメント

セージは血糖値を下げることがあります。同様の効果のあるハーブおよび健康食品・サプリメントと併用すると，過度に血糖値を下げることがあります。血糖値を下げる効果のあるハーブおよび健康食品・サプリメントには，デビルズクロー，フェヌグリーク，ニンニク，グアーガム，セイヨウトチノキの種子，朝鮮人参，サイリウム，およびエゾウコギがあります。血糖値を注意深く監視してください。

使用量の目安

●経口摂取

アルツハイマー病治療

固定用量のヤクヨウサルビア水アルコールエキス（セージ1日1gに相当）を使用。また，スパニッシュセージ・エキスを1回2.5mgまで漸増し，1日3回摂取する方法もあります。

●局所投与

口唇ヘルペス治療

セージ・エキスおよびルバーブ・エキスを各23mg/g含有するクリームを，就寝時以外の活動中2～4時間ごとに塗布しますが，治療は，発症日から始めて10～14日間続けます。

セクレチン

SECRETIN

別名ほか

Oxykrinin

概　　要

セクレチンは消化管で作られるホルモンの一種です。「くすり」として使用されることもあります。

安 全 性

医薬品として静脈注射に用いられますが，それらが適切に使用される場合は安全です。しかし，そのほかの製品に関しては安全かどうか不明です。

よくみられる副作用は，使用後すぐに現れる顔，首，胸のほてりです。これらよりも発生する頻度は低いながらも，嘔吐，下痢，失神，血栓，発熱，および頻脈が副作用として現れる可能性があります。

●アレルギー

発疹，皮膚の発赤などのアレルギー反応を起こす人もおり，また命にかかわるアレルギー反応（アナフィラキシー）を起こす可能性もあります。

●妊娠中および母乳授乳期

妊娠中および母乳授乳期の使用の安全性についてはデータが不十分です。安全性を考慮し，使用は避けてください。

有 効 性

◆有効性レベル⑤

・自閉症および広汎性発達障害。自閉症に対する，セクレチンの効能については，研究結果が一致していません。1回のセクレチン静脈内投与により，消化機能，社会生活能力，行動力，および言語能力の改善がみられたという報告もあります。ただし，実験室内で合成されたセクレチンおよび豚由来のセクレチンのどちらについても，1回の投与あるいは，投与を繰り返した場合でも，自閉症および広汎性発達障害が改善することはないことを示唆するエビデンスがほとんどです。

◆科学的データが不十分です

・重度の外傷および疾患に起因するストレス性潰瘍。現在進行中の研究によりますと，ストレス性潰瘍の予防効果が示唆されています。
・膵炎。進行中の膵炎に対する有効性を示唆するエビデンスもあります。
・十二指腸潰瘍，消化管出血，心不全など。

●体内での働き

セクレチンは，消化管で作られるホルモンの一種です。主な作用は，膵臓から重炭酸塩と水が分泌されるのを促して消化を補助することです。

医薬品との相互作用

ほかの医薬品との相互作用については明らかではありません。

ハーブおよび健康食品・サプリメントとの相互作用

ほかのハーブ，健康食品・サプリメントとの相互作用についてはまだ明らかではありません。

使用量の目安

●静脈内投与

自閉症

投与量は広範囲にわたっています。過敏反応のおそれがあるため，総量を投与する前に，0.1CUを試用します。臨床試験では，単回投与または，6週間以上の間隔で2回以上投与する反復投与のどちらかを使用しています。投与量は多くの場合，2CU/kgですが，医師によってかなり幅があります。今のところ，自閉症へのセクレチン投与を支持する臨床試験はありません。症状の改善を示す用量も確立されていません。

セシウム

CESIUM

別名ほか

塩化セシウム（Cesium chloride），セシウム137（Cesium-137），Caesium，High pH Therapy，Cs，CsCl

概　要

セシウムは元素の一種です。天然のセシウムは非放射性です。ただし，実験室内で放射性に変換させることができます。非放射性，放射性にかかわらず，「くすり」として用いられています。

放射性セシウムは，厚さ，湿度，液体の流れなどを測定する機器にも用いられます。

安　全　性

多量の摂取は安全ではありません。数週間にわたり多量の摂取を毎日続けた人に，命にかかわるような重篤な低血圧と不整脈が現れたという報告があります。

十分なデータは得られていないので，少量を摂取した場合に安全であるかどうか不明です。

経口摂取によって，悪心，下痢，および食欲不振が起こる場合があります。また，唇や手足にチクチクした痛みが現れるおそれもあります。

不整脈：セシウムは不整脈を悪化させるおそれがあります。不整脈の場合には，使用しないでください。

●妊娠中および母乳授乳期

妊娠中および母乳授乳期の使用の安全性についてはデータが不十分です。安全性を考慮し，摂取は避けてください。

有　効　性

◆科学的データが不十分です

・がん。初期の試験により，セシウムとほかのビタミンやミネラルを併用することで，がんのタイプによらず，がん患者の死亡率が低下する可能性が示唆されています。

・うつ病など。

●体内での働き

どのように作用するかについては十分なデータが得られていません。がん細胞のpH（酸性度）に影響を与えるという説もありますが，そのことを裏付ける科学的な研究は行われていません。

医薬品との相互作用

中 抗炎症薬（副腎皮質ステロイド）

特定の副腎皮質ステロイドは体内のカリウム量を減少させる可能性があります。セシウムも体内のカリウム量を減少させる可能性があります。セシウムと副腎皮質ステロイドを併用すると，カリウム量が過度に減少するおそれがあります。このような副腎皮質ステロイドには，デキサメタゾン，ヒドロコルチゾン，メチルプレドニゾロン，Prednisoneなどがあります。

高 不整脈を誘発する可能性がある医薬品（QT間隔を延長させる医薬品）

セシウムは不整脈を誘発するおそれがあります。セシウムと不整脈を誘発する可能性がある医薬品と併用すると，不整脈を含む深刻な副作用を引き起こすおそれがあります。不整脈を誘発する可能性がある医薬品には，アミオダロン塩酸塩，ジソピラミド，ドフェチリド（販売中止），Ibutilide，プロカインアミド塩酸塩，キニジン硫酸塩水和物，ソタロール塩酸塩，チオリダジン塩酸塩など数多くあります。

中 利尿薬

多量のセシウムは体内のカリウム量を減少させる可能性があります。利尿薬も体内のカリウム量を減少させる可能性があります。セシウムと利尿薬を併用すると，カリウム量が過度に減少するおそれがあります。このような利尿薬にはクロロチアジド（販売中止），クロルタリドン（販売中止），フロセミド，ヒドロクロロチアジドなどがあります。

ハーブおよび健康食品・サプリメントとの相互作用

ほかのハーブ，健康食品・サプリメントとの相互作用についてはまだ明らかではありません。

使用量の目安

●経口摂取

1日6～9gを3回に分けて摂取。

セチル化脂肪酸

CETYLATED FATTY ACIDS

別名ほか

ミスチリン酸セチル（Cetyl myristate），オレイン酸セチル（Cetyl oleate），パルミチル酸セチル（Cetyl palmitate），セチルミリストレート（Cetyl myristoleate），Cerasomal-cis-9-cetylmyristoleate，Cetyl laureate，Cetyl palmitoleate，Cetylated Monounsaturated Fatty Acids，Cetylmyristoleate，CM，CMO

概　　要

セチル化脂肪酸は自然に合成される脂肪のことで，セチルミリストレート，ミスチリン酸セチル，パルミチル酸セチル，ラウリン酸セチル，パルミチル酸セチルおよびオレイン酸セチルがあります。セチルミリストレートを含有する製品の多くはこれらのセチル化脂肪酸を含んでいます。

安 全 性

短期間経口使用または皮膚に塗布する場合は安全なようです。

副作用は報告されていませんが，長期使用の安全性についてのデータは十分とはいえません。

●妊娠中および母乳授乳期

妊娠中および母乳授乳期の使用の安全性についてはデータが不十分です。安全性を考慮し，使用は控えてください。

有 効 性

◆有効性レベル③

・変形性関節症に対し，経口使用または患部関節の上から塗布する場合。

◆科学的データが不十分です

・関節リウマチ，狼瘡，多発性硬化症，ライター症候群，ベーチェット症候群，シェーグレン症候群，乾癬，線維筋痛，気腫，良性の前立腺肥大，シリコーン乳房植込みによる疾患，白血病そのほかのがん，およびさまざまなタイプの背部痛。

●体内での働き

関節や筋肉を潤滑にし，柔軟性を高めるのに役立つことがあります。免疫系を補助して炎症（腫脹）を抑えることもあります。

医薬品との相互作用

ほかの医薬品との相互作用については明らかではありません。

ハーブおよび健康食品・サプリメントとの相互作用

ほかのハーブ，健康食品・サプリメントとの相互作用についてはまだ明らかではありません。

使用量の目安

●経口摂取

変形性関節症

セチル化脂肪酸を含む特定の配合薬を1回350mgで，大豆レシチン50mg，および魚油75mgとともに1日6回摂取。

●局所投与

変形性関節症

セチル化脂肪酸を含む特定の配合薬を罹患関節に1日2回塗布。

ゼニゴケ

AGRIMONY

●代表的な別名

アグリモニー

別名ほか

オナモミ（Cocklebur），セイヨウキンミズヒキ（Agrimonia eupatoria），Agromonia，Agrimonia procera，Agrimoniae herba，Ackerkraut，Common Agrimony，Church Steeples，Churchsteeples，Cockeburr，Cocklebur，Da Hua Long Ya Cao，Fragrant Agrimony，Funffing，Funffingerkraut，Herba agrimoniae，Herba eupatoriae，Herbe d'aigremoine，Herbe de saint-Guillaume，Liverwort，Stickwort，Philanthropos

概　　要

ゼニゴケはハーブです。地上部を乾燥させて「くすり」を作ることもあります。

●要説（ナチュラル・スタンダード）

Agrimoniaという名称は，白内障を治癒するとされている植物を指すギリシャ語のagremoneに由来し，Eupatoriaという種の名称は，ポントス王国（Pontus）の王であるミトリダテス・エウパトル（Mithradates Eupator）に由来します。ミトリダテス・エウパトルには，多くの薬草療法を導入した功績があります。16～17世紀に欧州で提唱された「The Doctrine of Signatures」という書物に，「くすり」に用いる物質の23種のうちの1つとしてゼニゴケが挙げられていることからも，当時のゼニゴケの評判が高かったことがわかります。

ドイツ当局では，ゼニゴケの茶には，下痢を抑制したり，のどの炎症を抑える効果（うがい薬として使用），冷やした茶には咽喉痛を抑える効果があることを承認しています。

ゼニゴケは，抗炎症，利尿作用があるハーブの中でも，もっとも有名なものの1つです。さまざまな「くすり」としての用途をもつ理由は，タンニン含有量の多さです。乾燥させた葉で茶を作ったり，うがい薬として用いることもあります。予備研究によれば，細菌感染やウイルス感染，腫瘍の成長抑制，糖尿病，高血圧に対する有効性のある可能性が示唆されています。皮膚疾患や胃腸疾患の治療に関する臨床試験が行われています。これらの疾患を含め，ほかの疾病に対するゼニゴケの有効性を結論づけるには，さらなるヒトを対象とした研究が必要です。

安 全 性

ゼニゴケは，短期間の使用であれば，ほとんどの成人におそらく安全です。ただし，ゼニゴケにはタンニンという化学物質が含まれているため，大量に摂取するのはおそらく安全ではありません。

人によっては，ゼニゴケの摂取により，皮膚が日光に過敏になり，日焼けしやすくなるおそれがあります。

糖尿病：ゼニゴケが血糖値を低下させるおそれがあります。糖尿病の場合には，血糖値を注意して監視する必要があります。糖尿病に罹患している場合には，ゼニゴケを使用する前に医師などに相談するのが最善です。

手術：ゼニゴケが血糖値に影響を及ぼすおそれがあるため，手術中および術後の血糖コンロールを妨げるおそれがあります。少なくとも手術前2週間は，使用しないでください。

●妊娠中および母乳授乳期

ゼニゴケは月経周期に影響を及ぼすおそれがあるため，妊娠中の使用はおそらく安全ではありません。

母乳授乳期の使用の安全性についてはデータが不十分です。安全性を考慮し，摂取は避けてください。

有 効 性

◆科学的データが不十分です

・皮膚ポルフィリン症と呼ばれる皮膚症状，下痢，過敏性腸症候群（IBS），咽喉痛，胃のむかつきなど。

●体内での働き

タンニンという化学物質を含み，タンニンは下痢などの疾患の症状を緩和すると考えられています。

医薬品との相互作用

中糖尿病治療薬

ゼニゴケは血糖値を低下させる可能性があります。糖尿病治療薬も血糖値を低下させるために用いられます。ゼニゴケと糖尿病治療薬を併用すると，血糖値が過度に低下するおそれがあります。血糖値を注意深く監視してください。糖尿病治療薬の用量を変更する必要があるかもしれません。このような糖尿病治療薬には，グリメピリド，グリベンクラミド，インスリン，ピオグリタゾン塩酸塩，マレイン酸ロシグリタゾン（販売中止），クロルプロパミド，Glipizide，トルブタミド（販売中止）などがあります。

ハーブおよび健康食品・サプリメントとの相互作用

血糖値を低下させるおそれのあるハーブおよび健康食品・サプリメント

ゼニゴケと，血糖値を低下させるおそれのあるほかのハーブおよび健康食品・サプリメントを併用すると，血糖値が過度に低下するおそれがあります。このようなハーブおよび健康食品・サプリメントには，α-リポ酸，デビルズクロー，フェヌグリーク，ニンニク，グアーガム，セイヨウトチノキ，朝鮮人参，サイリウム（オオバコ），エゾウコギなどがあります。

アルカロイドという化学物質を含むハーブおよび健康食品・サプリメント

ゼニゴケに含まれるタンニンが，ほかのハーブおよび健康食品・サプリメントに含まれるアルカロイドの体内での処理に影響を及ぼすおそれがあります。

使用量の目安

通常の食品に含まれている量を超えて経口摂取した場合の安全性および副作用については，明らかになっていません。

セネガ

SENEGA

別名ほか

オンジ，遠志（Polygalae radix），Chinese Senega, Flax, Klapperschlangen, Milkwort, Mountain Polygala, Rattlesnake Root, Senaga Snakeroot, Seneca, Seneca Snakeroot, Senega Snakeroot, Seneka, Snake Root

概 要

セネガは植物です。根を用いて「くすり」を作ることもあります。

注：わが国の「46通知」によると，セネガの根は「医薬品」とされている。

・新型コロナウイルス感染症（COVID-19）。
COVID-19に対してセネガの使用を裏付ける十分なデータはありません。

安 全 性

短期間の使用は安全だと考えられます。

長期間の使用の場合，胃の炎症，下痢，めまい，悪心，および嘔吐を起こす可能性があります。

発熱，胃食道逆流疾患，潰瘍，潰瘍性大腸炎，クローン病の人は使用してはいけません。

●妊娠中および母乳授乳期

妊娠中，母乳授乳期は使用してはいけません。

有 効 性

◆科学的データが不十分です

・気管支喘息，気腫，気管支炎のほか，咽喉，鼻，胸部の炎症（腫脹）など。

●体内での働き

セネガに含まれる化合物は，胃の内壁を刺激し，肺の分泌物の産生量を増加させる作用を示します。

医薬品との相互作用

ほかの医薬品との相互作用については明らかではありません。

ハーブおよび健康食品・サプリメントとの相互作用

ほかのハーブ，健康食品・サプリメントとの相互作用についてはまだ明らかではありません。

使用量の目安

●経口摂取

乾燥した根0.5～1gか，またはお茶にしてティーカップ1杯を1日3回摂取します。お茶の入れ方としては，乾燥した根0.5～1gを熱湯150mLに5～10分浸してからこします。

●局所投与

標準使用量に関するデータがありません。

ゼラチン

GELATIN

別名ほか

加水分解コラーゲン（Collagen hydrolysate），変性コラーゲン（Denatured collagen），加水分解ゼラチン（Hydrolyzed gelatin），Gelatine，Hydrolyzed collagen protein

概 要

ゼラチンは動物性のタンパク質の一種です。食品や化粧品，「くすり」の原料に使用されます。

●要説（ナチュラル・スタンダード）

ゼラチンは，液体の粘性を強化するために使用されるタンパク質です。色，香り，味がありません。牛の骨，軟骨，腱，および豚の皮といった動物組織を煮ることで得られます。ゼラチンは，多くの種類の食品，医薬品，サプリメント製品で使用されています。ゼラチンが含まれている食品の一般的な例としては，ゼラチンデザート，ゼリー，トライフル，アスピック，マシュマロ，ピープス（peeps）やグミベア（gummy bears）があります。ゼラチンは，食品，仕上げ剤，アイスクリーム，ジャム，ヨーグルト，クリームチーズ，フルーツジュース，ワイン，ビール，マーガリンに，厚さや質感を加えるために使用されているようです。ゼラチンには，さまざまなタイプやグレードがあり，食品および非食品製品で幅広く使用されます。

製薬業界では，ゼラチンはワクチンや医薬品に含まれる活性物質を保存するために使用されています。また，錠剤と坐薬の結合剤としても使用されます。ゼラチンカプセル（ジェルキャップ）は，しばしばさまざまな食品，サプリメント，医薬品を保存するためにも使用されます。

医薬品としては，ゼラチンは経口摂取され，関節疾患，関節炎，骨粗鬆症，肌や髪のケア，および体重減少などの治療に用いられています。初期の研究によりますと，新鮮凍結血漿入りのゼラチンが含まれている作用薬（代用血液）によって，未熟児の死亡を予防する可能性があることが示されています。

疾病に対するゼラチン使用の有効性に関しては，より多くの研究が必要とされます。

安 全 性

ほとんどの人に安全だと考えられます。

不快な味がしたり，胃重，腹部膨満感，胸やけ，およびげっぷを引き起こしたりする可能性があります。

動物を原料としているため，安全性には問題があると考えられています。製造工程の安全面に問題があり，牛海綿状脳症の感染源になりうる動物の組織が混入している可能性を懸念する声もあります。そのようなリスクは低いと考えられますが，多くの専門家は，ゼラチンのような動物を原料とした健康食品・サプリメントは使用しないことを勧めています。

●アレルギー

アレルギー反応を起こす人もいます。

●妊娠中および母乳授乳期

妊娠中，母乳授乳期は，通常食品中に含まれる量を超えて摂取してはいけません。

有 効 性

◆科学的データが不十分です

・関節炎の一種，骨関節炎。骨関節炎患者がゼラチンを摂取すると，痛みが緩和され，関節の機能が改善されるという臨床報告があります。

・骨粗鬆症（骨形成不全），骨と関節の強化，爪の強化，髪質の改善，体重減少，運動およびスポーツ関連の外傷後の回復期間の短縮など。

●体内での働き

軟骨や骨を構成する成分の1つであるコラーゲンが含まれているので，関節炎などの関節の病気に有効だという説もあります。

医薬品との相互作用

ほかの医薬品との相互作用については明らかではあり

ません。

ハーブおよび健康食品・サプリメントとの相互作用

ほかのハーブ，健康食品・サプリメントとの相互作用についてはまだ明らかではありません。

使用量の目安

●経口摂取

骨粗鬆症

1日10gを摂取。

セラペプターゼ

SERRAPEPTASE

●代表的な別名

カイコの酵素

別名ほか

チョウの酵素，カイコの酵素，カイコ抽出物，セラチオ・ペプチダーゼ，SER，Serratia Peptidase，Serratiopeptidase，Serrato Peptidase

概　　要

セラペプターゼは蚕からとれる化合物です。

安 全 性

短期間，成人が経口で使用する場合は安全なようです。長期使用の安全性については不明です。

出血異常のある人は使用してはいけません。２週間以内に手術を受ける予定の人は使用してはいけません。出血のリスクが高まります。

●妊娠中および母乳授乳期

妊娠中および母乳授乳期の使用の安全性についてはデータが不十分です。安全性を考慮し，使用は控えてください。

有 効 性

◆有効性レベル③

・副鼻腔手術後の顔の腫脹。

◆科学的データが不十分です

・慢性気管支炎。進行中の研究では４週間のセラペプターゼ療法は，慢性気管支炎患者の咳を減少させ，分泌物の粘度を低下させることが示されています。
・副鼻腔炎。セラペプターゼを３～４日間摂取することにより副鼻腔炎患者の痛み，鼻分泌物，および鼻閉塞が統計学的に有意に改善されることを示しています。
・喉頭炎（しわがれ声）。セラペプターゼを３～４日間摂取することにより，喉頭炎患者の痛み，分泌物，嚥下困難，および発熱を著しく緩和することを示しています。
・のどの痛み（咽頭炎）。セラペプターゼを３～４日間摂取することにより，咽頭炎患者の痛み，分泌物，嚥下困難，および発熱を著しく緩和することを示しています。
・背中の痛み，変形性関節症，関節リウマチ，骨粗鬆症，手根管症候群，糖尿病，下腹潰瘍，片頭痛，緊張性頭痛，気管支喘息，膿胸，血栓性静脈炎，線維筋痛症，線維嚢胞性乳腺疾患，潰瘍性大腸炎，クローン病などの炎症性大腸疾患，乳房うっ血（breast engorgement），心疾患，耳感染症など。

●体内での働き

タンパク質の分解を補助することで，炎症および粘液の抑制に役立ちます。

医薬品との相互作用

中 血液凝固を抑制する医薬品（抗凝固薬/抗血小板薬）

セラペプターゼは血液凝固を抑制することがありますので，血液凝固を抑制する医薬品と併用すると，紫斑および出血のリスクが高まるおそれがあります。このような医薬品には，アスピリン，クロピドグレル硫酸塩，ジクロフェナクナトリウム，イブプロフェン，ナプロキセン，ダルテパリンナトリウム，エノキサパリンナトリウム，ヘパリン，ワルファリンカリウムなどがあります。

ハーブおよび健康食品・サプリメントとの相互作用

血液凝固を抑制するハーブおよび健康食品・サプリメント

セラペプターゼは血液凝固を阻害することがあります。ほかの血液凝固を抑制する健康食品・サプリメントと併用すると紫斑および出血のリスクを上昇させる可能性があります。このような健康食品･サプリメントには，アンゼリカ，クローブ，タンジン，ニンニク，ショウガ，イチョウ，魚油，ターメリック，ビタミンE，ウィローバークなどがあります。

使用量の目安

●経口摂取

上顎洞切開術後の頬の腫脹

手術日に１回10mgを１日３回，手術日の夜に１回，術後１日３回を５日間摂取。

喉頭炎

１回10mgを１日３回，食後に摂取。

咽頭炎

１回10mgを１日３回，食後に摂取。

副鼻腔炎

１回10mgを１日３回，食後に摂取。

気管支炎

１日30mgを摂取。

セリ

WATER FENNEL

別名ほか

根白草，錦セリ（Horsebane），川菜草（Water Dropwort），Oenanthe aquatica

概　要

セリは植物です。熟した種子を用いて「くすり」を作ることもあります。

安 全 性

十分なデータは得られていないので，安全性および副作用については不明です。

●妊娠中および母乳授乳期

妊娠中および母乳授乳期の使用の安全性についてはデータが不十分です。安全性を考慮し，摂取は避けてください。

有 効 性

◆科学的データが不十分です

・咳，腸内ガス，水分貯留など。

●体内での働き

どのように作用するかについては十分なデータが得られていません。

医薬品との相互作用

ほかの医薬品との相互作用については明らかではありません。

ハーブおよび健康食品・サプリメントとの相互作用

ほかのハーブ，健康食品・サプリメントとの相互作用についてはまだ明らかではありません。

使用量の目安

標準使用量に関するデータがありません。

セレウス

CEREUS

●代表的な別名

月下美人

別名ほか

月下美人，夜の女王（Selenicereus grandiflorus），ドラゴンフルーツ（Night Blooming Cereus），Cactus grandiflorus，Cereus grandiflorus，Sweet Scented Cactus

概　要

セレウスはハーブです。花部，茎，および若芽が「くすり」として使用されることもあります。

安 全 性

セレウス摂取は，心疾患の患者を除いて，ほとんどの人にとって安全だと考えられます。心疾患の場合，心臓の専門医の直接の管理のもとでないかぎり，安全ではありません。心臓に対する作用を注意深く監視する必要があるので，自分だけの判断での摂取はしないでください。

生の果汁は，口内の灼熱感，悪心，嘔吐および下痢を引き起こすことがあります。皮膚に使用した場合，かゆみや水泡を起こす可能性があります。

心疾患：心疾患を悪化させたり，心臓治療に影響する懸念があります。

●妊娠中および母乳授乳期

妊娠中および母乳授乳期の使用の安全性についてはデータが不十分です。安全性を考慮し，摂取は避けてください。

有 効 性

◆科学的データが不十分です

・狭心症，心不全による体液貯留，重度の月経痛および失血，出血，息切れ，関節痛（皮膚に塗布した場合）など。

●体内での働き

心臓の機能を亢進させて強化すると考えられる成分が含まれています。

医薬品との相互作用

中 ジゴキシン

ジゴキシンは強い強心作用を示す医薬品ですが，セレウスも心臓に影響を及ぼすと考えられます。ジゴキシンを服用しているときにセレウスを摂取すると，ジゴキシンの作用が増強され，副作用が現れるリスクが高くなると考えられます。

中 モノアミン酸化酵素阻害薬（MAO阻害薬）

セレウスにはチラミンと呼ばれる化学物質が含まれます。多量のチラミンは高血圧を引き起こす可能性があります。しかし，チラミンは体内で自然に代謝されてから排泄されます。そのため，通常はチラミンが原因で高血圧になることはありません。しかし，モノアミン酸化酵素阻害薬（MAO阻害薬）はチラミンの分解を阻害します。そのため，体内のチラミンが過剰になり，危険なレベルの高血圧に至るおそれがあります。このようなMAO阻害薬には，Phenelzine，Tranylcypromineなどがあります。

有効性レベル：①効きます　②おそらく効きます　③効くと断言できませんが，効能の可能性が科学的に示唆されています　④効かないかもしれません　⑤おそらく効きません　⑥効きません

ハーブおよび健康食品・サプリメントとの相互作用

ほかのハーブ，健康食品・サプリメントとの相互作用についてはまだ明らかではありません。

使用量の目安

●経口摂取

流エキス（1：1）を1回0.6mLで1日1～10回摂取。チンキ剤（1：10）を，1回0.12～2mLで1日2～3回，あるいは10滴を甘味をつけた水で薄めて1日3～5回摂取。心疾患の自己治療に用いるべきではありません。

セレチウム

SCELETIUM

●代表的な別名

カンナ

別名ほか

Canna，Canna Root，Channa，Kanna，Kaugoed，Kauwgoed，Mesembryanthemum tortuosum，Phyllobolus tortuosus，Sceletium Powder，Sceletium Root，Sceletium tortuosum，Skeletium

概　　要

セレチウムは南米の植物です。南米の先住民に「くすり」として使用されてきた長い歴史があります。

伝統的には，根や葉を発酵させ，それをかんで使用されました。また鼻から吸い込んだり，タバコとしてあるいはお茶やチンキ薬として使用されます。

安　全　性

安全性についてのデータは十分ではありません。

使用した人の中には，頭痛，食欲減退，うつ状態などの副作用の報告があります。また，過度に摂取した人あるいは発酵直後に使用した人のなかには，中毒症状を起こしたという報告もあります。

●妊娠中および母乳授乳期

妊娠中および母乳授乳期の使用の安全性についてはデータが不十分です。安全性を考慮し，摂取は避けてください。

有　効　性

◆科学的データが不十分です

・アルコールからの離脱，不安感，疝痛，食欲減退，うつ病，痛み，リラクゼーションなど。

●体内での働き

セレチウムは，脳内で鎮静効果あるいは眠気を起こす作用があると考えられる化学物質を含んでいます。しかし人が摂取した場合，どのように作用するかの信頼性の高い科学的データはほとんどありません。

医薬品との相互作用

中 鎮静薬（中枢神経抑制薬）

セレチウムは，眠気（嗜眠状態）を引き起します。鎮静薬は眠気を引き起こす医薬品です。鎮静薬との併用は過度の眠気を引き起します。このような鎮静薬には，クロナゼパム，ロラゼパム，フェノバルビタール，ゾルピデム酒石酸塩などがあります。

ハーブおよび健康食品・サプリメントとの相互作用

鎮静作用のあるハーブおよび健康食品・サプリメント

セレチウムは，眠気（嗜眠状態）を起こします。同様な作用のあるハーブ・サプリメントとの併用は，過度な眠気を起こすおそれがあります。これらのハーブ・サプリメントには，5-ヒドロキシトリプトファン，ショウブ，ハナビシソウ，キャットニップ，ホップ，ジャマイカ・ドッグウッド，カバ，セント・ジョンズ・ワート，バイカルスカルキャップ，カノコソウ，ヤーバマンサなどがあります。

使用量の目安

標準使用量に関するデータがありません。

セレン

SELENIUM

別名ほか

原子番号34（Atomic number 34），Se，亜セレン酸塩（Selenite），二酸化セレン（Selenium dioxide），L-セレノメチオニン（L-Selenomethionine），Selenized yeast，Selenomethionine（セレノメチオニン）

概　　要

セレンはミネラルの一種です。水分や食物を通して体内に取り込まれます。「くすり」として使用されることもあります。

●要説（ナチュラル・スタンダード）

セレンは土壌，水，特定の食物に含まれる必須微量ミネラルです。体内の抗酸化酵素機能や細胞成長や細胞生存のために必須です。

その土地の植物に含まれているセレンの量と人々のセレン濃度とは，土壌のセレン濃度に依存しています。食物に含まれるセレンの量は，地理的場所，季節変化，タンパク質含有量や食品加工によって影響を受けます。土壌や食物のセレン濃度の定期的調査が必要です。セレンのサプリメントは，セレン濃度の非常に低い環境の地域に暮らす人々には有用であると考えられます。

セレンは，多くの重金属中毒，ある種の毒性成分による障害，キノコ中毒に対して，強力な防御作用をもっています。

がん予防に関して，セレンは近年研究や論議の対象となっています。がんの栄養学予防臨床試験（Nutritional Prevention of Cancer trial）の初期の成績によりますと，正常なPSA（前立腺特異抗原）値で血中のセレン値が低い男性の前立腺がんのリスクは，セレンを補給することで低下することを示唆しています。しかしこの研究では，セレンは，肺がん，結腸直腸がん，または皮膚の基底細胞がんのリスクは低下しませんでした。実際のところ扁平上皮がんのリスクは上昇しました。

・新型コロナウイルス感染症（COVID-19）。

COVID-19に対してセレンの使用を裏付ける十分なエビデンス（科学的根拠）はありません。

安　全　性

セレンの経口摂取は，１日当たり400μg未満を短期間摂取するのであれば，ほとんどの人に安全のようです。

高用量，または，長期間にわたり，セレンを経口摂取する場合には，おそらく安全ではありません。400μgを超える量のセレンを摂取すると，セレン中毒を起こすおそれがあります。少量であっても，長期にわたり摂取する場合には，糖尿病を発症するリスクが高まるおそれがあります。高用量のセレンは，吐き気，嘔吐，爪の変化，エネルギー喪失，易刺激性などの深刻な副作用を引き起こすおそれがあります。長期にわたる摂取に起因する中毒は，ヒ素中毒と似ており，脱毛，指の爪に白い横縞が現れる症状，爪の炎症，疲労，易刺激性，吐き気，嘔吐，口のニンニク臭および金属味などの症状を引き起こします。

セレンは，筋圧痛，振戦，めまい感，顔面紅潮（ほてり），血液凝固疾患，肝疾患，腎疾患などの副作用を引き起こすおそれがあります。

小児：小児が適量のセレンを経口摂取する場合には，おそらく安全です。セレンの短期間の摂取は，１日当たり，以下の量未満であれば，安全のようです。

０～６カ月：45μg
７～12カ月：60μg
１～３歳：90μg
４～８歳：150μg
９～13歳：280μg
14～18歳：400μg

自己免疫疾患：セレンは免疫系を刺激する可能性があります。このため，疾患を活性化し，自己免疫疾患を悪化させるおそれがあります。多発性硬化症，全身性エリテマトーデス，関節リウマチなどの自己免疫疾患の場合には，セレンのサプリメントの摂取は避けてください。

血液透析：血液透析を受けている場合には，血中セレン濃度が低下するおそれがあります。セレン入りの透析液を使用するとセレン濃度が上昇する可能性がありますが，人によっては，セレンの補給が必要になることがあります。

甲状腺機能低下症：とくにヨード欠乏症の場合には，セレンの摂取により，甲状腺機能低下症が悪化するおそれがあります。このような場合には，ヨウ素とセレンを併用して摂取するべきです。医師などに相談してください。

男性の生殖障害：セレンが精子の運動性を低下させ，生殖機能が減退するおそれがあります。妊娠計画がある場合には，セレンを摂取しないでください。

皮膚がん：長期にわたりセレンのサプリメントを摂取している場合には，皮膚がんの再発リスクがわずかに高まるおそれがあります。ただし，見解は一致していません。皮膚がんの既往症がある場合には，皮膚がんのリスクについて明らかになるまでは，長期間にわたるセレンの摂取は避けてください。

手術：セレンの摂取により，手術中・手術後の出血のリスクが高まるおそれがあります。少なくとも手術前２週間は，使用しないでください。

●妊娠中および母乳授乳期

妊娠中および母乳授乳期のセレンの短期間の使用は，１日当たり400μg以下であれば，おそらく安全です。１日当たり400μgを超える量の経口摂取は，中毒を引き起こすおそれがあり，おそらく安全ではありません。HIV陽性の女性の場合には，母乳に含まれるウイルス濃度が高まるおそれがあり，おそらく安全ではありません。

有　効　性

◆有効性レベル②

・セレン欠乏症。セレンの経口摂取には，セレン欠乏症の予防効果があります。

◆有効性レベル③

・橋本病（自己免疫性甲状腺炎）。１日当たり200μgのセレンを，甲状腺ホルモンと併用摂取することにより，自己免疫性甲状腺炎を引き起こす抗体が減少する可能性があることが，研究で示唆されています。セレンにより，自己免疫性甲状腺炎患者の気分や幸福感の改善につながる可能性があります。また，セレンにより，自己免疫性甲状腺炎患者の生活の質が改善するようです。１日当たり200μg未満の摂取では効果はない場合があります。また疾患が重度であるほど効果が高いようです。
・コレステロール値の異常。複数の研究により，１日当たり100～200μgの特定のセレンのサプリメントを，６カ月間にわたり摂取することにより，コレステロール値が適度に低下することが示唆されています。実験に参加した多くの人が，実験前とくらべ，体内のセレンの値の低下を示しました。体内のセレンの値が正常である場合に，過剰なセレンを摂取した場合のコレステロール値に対する効果があるかどうかについては，明らかではありません。
・血液感染（敗血症）。血液感染（敗血症）研究により，命を脅かす疾患の場合には，セレンをほかの栄養分と併用して静脈内投与すると，死亡リスクが11～27%低下することが示唆されています。ただし，入院期間が短縮することや，肺炎および腎不全のリスクが低下することはないようです。

◆有効性レベル④

・気管支喘息。研究により，血中セレン濃度と気管支喘息の間には，関連はないことが示唆されています。研究により，気管支喘息患者が，1日当たり100 μgのセレンを，最長24週にわたり摂取しても，生活の質，肺機能，気管支喘息の症状や，吸入頻度が改善することはないことも示唆されています。

・アトピー性皮膚炎（湿疹）。研究により，1日当たり，600 μgのセレンで強化されたイーストを，単独またはビタミンEと併用で，12週間にわたり摂取しても，湿疹の重症度が改善することはないことが示唆されています。

・心疾患。大部分の研究により，セレンを摂取しても，心疾患のリスクが低下することはないことが示唆されています。心疾患の場合に，100 μgのセレンを，β-カロテン，ビタミンC，ビタミンEと併用摂取しても，症状悪化の予防にはならないようです。また，1日当たり200 μgのセレンを，約8年間にわたり摂取しても，心疾患の発症リスクが低下することはありません。

・化学療法薬「シスプラチン」に起因する腎障害および聴覚障害。初期の研究により，シスプラチンによる治療を受けている人がセレンを，ビタミンC，ビタミンEと併用摂取しても，腎障害や聴覚障害は予防できないことが示唆されています。

・熱傷，頭部外傷，心的外傷などの重傷疾患。重傷患者が500～1,000 μgのセレンを静脈内投与する場合や，300 μgのセレン化合物（ebselen）を経口摂取する場合にも，死亡や感染症のリスクが低下することはないようです。

・糖尿病。複数の研究により，セレンの値が低いと，2型糖尿病を発症するリスクが高まることが示唆されています。ただし，ほかの研究によれば，セレンの値が高い場合にも，2型糖尿病を発症するリスクが高まることが示唆されています。さらに，大部分の研究により，1日当たり200 μgのセレンを，約7.7年間にわたり摂取している場合には，2型糖尿病を発症するリスクが高まることも示唆されています。

・C型肝炎。研究により，C型肝炎の患者が，200 μgのセレンと，ビタミンC，ビタミンEを併用して，6カ月にわたり摂取しても，肝機能の改善はみられないことが示唆されています。

・不妊。研究により，不妊の男性が，1日当たり100～200 μgのセレンを単独またはビタミンA，ビタミンC，ビタミンEと併用で，3～4カ月間にわたり摂取しても，精子機能が改善することはありません。

・低体重出産児。1日当たり7 μg/kgのセレンを経口摂取する場合や，1日当たり5 μg/kgのセレンを静脈内投与する場合にも，低体重出産児の健康状態が改善することはないようです。

・肺がん。初期の研究により，セレン欠乏症ではない場合には，1日当たり200 μgのセレンを摂取することにより，肺がんのリスクが46%低下することが示唆されています。ただし，この研究は再評価され，セレン値が低い場合にはセレンの有効性はあるものの，大部分の人にとって，セレンが肺がんのリスクを低下させることはないことが示唆されています。ほかの研究でも，セレンを単独またはほかの栄養分と併用で摂取しても，肺がんのリスクは低下しないことが示唆されています。

・前立腺がん。体内のセレンの値が高い男性は前立腺がんになることが少ないという調査結果を受け，セレンが前立腺がんのリスク低下につながるかどうかに，多くの関心が寄せられています。現在，複数の大規模，長期的な科学的研究が実施されています。大部分のエビデンスにより，セレンが前立腺がんのリスクを低下させることはないことが示唆されています。

・乾癬（皮膚の発赤および過敏）。研究により，1日当たり600 μgのセレンで強化されたイーストを摂取しても，乾癬の重症度が軽減することはないことが示唆されています。

・皮膚がん。200 μgのセレンを摂取しても，基底細胞がん（皮膚がんの一種）の発症リスクが低下することはないようです。実際には，複数の科学的エビデンスにより，過剰なセレンの摂取により，類上皮がんという別の皮膚がんの発症リスクが高まるおそれが示唆されています。

◆科学的データが不十分です

・アルコール性肝疾患，ヒ素中毒，前立腺肥大，膀胱がん，熱傷，がん，白内障，硬変（胆管の損傷），結腸がん，直腸がん，認知症，食道がん，胃がん，HIV/エイズ，甲状腺機能低下症（甲状腺ホルモン値が低い状態），脳卒中，カシン・ベック病（骨疾患および関節症），肝臓がん，水銀中毒，筋ジストロフィー，変形性関節症（関節炎），卵巣がん，全般的な死亡リスク，膵炎，手術後の手足の腫脹，妊娠に起因する高血圧，放射線治療に起因する下痢，関節リウマチ（RA），スタチン誘発性ミオパチー，潰瘍性大腸炎（炎症性腸疾患），子宮頸がん検査の異常，動脈硬化，トリインフルエンザおよびブタインフルエンザ，白内障，化学療法の副作用，慢性疲労症候群（CFS），白髪，花粉症，加齢黄斑変性（眼疾患），気分障害，流産の予防など。

●体内での働き

セレンは，多くの体内処理が正常に行われるために重要です。セレンは，抗酸化作用を促進するようです。

医薬品との相互作用

中ニコチン酸

相互作用レベル：高この医薬品と併用してはいけません　中この医薬品とは慎重に併用するか併用しないでください　低この医薬品との併用には注意が必要です

ニコチン酸とシンバスタチン（医薬品）を併用すると，HDL-コレステロール値を上昇させます。ニコチン酸とシンバスタチンに加え，セレンと他の抗酸化物質を併用すると，ニコチン酸およびシンバスタチンのHDL-コレステロールに対する作用が減弱するおそれがあります。セレン単体ではニコチン酸とシンバスタチンの併用によるHDL-コレステロールに対する作用が減弱するかについては明らかではありません。

中 バルビツール酸系鎮静薬

医薬品は体内で代謝されてから排泄されます。セレンはバルビツール酸系鎮痛薬の代謝を抑制する可能性があります。セレンとこのような鎮静薬を併用すると，鎮静薬の作用および副作用が増強するおそれがあります。

中 ワルファリンカリウム

セレンは血液凝固を抑制する可能性があります。また，セレンは体内でワルファリンカリウムの作用を増強する可能性があります。セレンとワルファリンカリウムを併用すると，紫斑および出血のリスクが高まるおそれがあります。

低 金製剤

金製剤はセレンと結合し，体内の一部でセレンを減少させます。そのため，セレンの正常な活性が弱まり，セレン欠乏症になるおそれがあります。金製剤には，Aurothioglucose，金チオリンゴ酸ナトリウム，オーラノフィンなどがあります。

中 血液凝固を抑制する医薬品（抗凝固薬/抗血小板薬）

セレンは血液凝固を抑制する可能性があります。セレンと血液凝固を抑制する医薬品を併用すると，紫斑および出血のリスクが高まるおそれがあります。このような医薬品には，アスピリン，クロピドグレル硫酸塩，ダルテパリンナトリウム，エノキサパリンナトリウム，ヘパリン，チクロピジン塩酸塩，ワルファリンカリウムなどがあります。

低 避妊薬

一部の研究で，避妊薬を服用している女性は血中のセレン濃度が上昇する可能性が示されています。ただし，別の研究では避妊薬を服用している女性のセレン濃度に変化がなかったことが示されています。避妊薬とセレンに重要な相互作用があるかどうかについては明らかではありません。このような避妊薬には，エチニルエストラジオール・レボノルゲストレル配合，エチニルエストラジオール・ノルエチステロン配合などがあります。

中 免疫抑制薬

セレンは免疫機能を刺激する可能性があります。免疫機能を刺激することにより，セレンは免疫抑制薬の効果を弱めるおそれがあります。このような免疫抑制薬には，アザチオプリン，バシリキシマブ，シクロスポリン，Daclizumab，ムロモナブ-CD 3（販売中止），ミコフェノール酸モフェチル，タクロリムス水和物，シロリムス，Prednisone，副腎皮質ステロイド（グルココルチコイド）などがあります。

中 血清コレステロール値を下げる医薬品（スタチン系薬）

セレン，β-カロテン，ビタミンC，ビタミンEを併用すると，血清コレステロール値を下げる特定の医薬品の効果が弱まるおそれがあります。セレン単体で血清コレステロール値を下げる医薬品の効果が弱まるかどうかについては明らかではありません。このような医薬品には，アトルバスタチンカルシウム水和物，フルバスタチンナトリウム，Lovastatin，プラバスタチンナトリウムなどがあります。

セ

セレンの食事摂取基準（μg / 日）

日本人の食事摂取基準 2020 年版

性　別	男　性				女　性			
年齢等	推定平均必要量	推奨量	目安量	耐容上限量	推定平均必要量	推奨量	目安量	耐容上限量
0～5（月）	—	—	15	—	—	—	15	—
6～11（月）	—	—	15	—	—	—	15	—
1～2（歳）	10	10	—	100	10	10	—	100
3～5（歳）	10	15	—	100	10	10	—	100
6～7（歳）	15	15	—	150	15	15	—	150
8～9（歳）	15	20	—	200	15	20	—	200
10～11（歳）	20	25	—	250	20	25	—	250
12～14（歳）	25	30	—	350	25	30	—	300
15～17（歳）	30	35	—	400	20	25	—	350
18～29（歳）	25	30	—	450	20	25	—	350
30～49（歳）	25	30	—	450	20	25	—	350
50～64（歳）	25	30	—	450	20	25	—	350
65～74（歳）	25	30	—	450	20	25	—	350
75 以上（歳）	25	30	—	400	20	25	—	350
妊　婦（付加量）					+5	+5	—	—
授乳婦（付加量）					+15	+20	—	—

有効性レベル：①効きます　②おそらく効きます　③効くと断言できませんが、効能の可能性が科学的に示唆されています
④効かないかもしれません　⑤おそらく効きません　⑥効きません

ハーブおよび健康食品・サプリメントとの相互作用

ゲンゲ（マメ科ゲンゲ属の植物の総称）

一部のゲンゲ，とくにセレンを豊富に含む土壌で育ったものには，高用量のセレンが含まれています。このような植物を原料とする製品を，セレンのサプリメントと併用して摂取すると，セレン中毒を引き起こすおそれがあります。ただし，大部分のゲンゲのサプリメントが，セレンを蓄積しないタイツリオウギを原料として用いています。

銅

セレンが，体内からの銅の排出を促進するおそれがあります。このため，セレンの摂取により，体内の銅濃度が低下するおそれがあります。

血液凝固を抑制するおそれのあるハーブおよび健康食品・サプリメント

セレンと，血液凝固を抑制するおそれのあるほかのハーブおよび健康食品・サプリメントを併用すると，人によっては，出血のリスクが高まるおそれがあります。このようなハーブおよび健康食品・サプリメントには，アンゼリカ，クローブ，タンジン，ニンニク，ショウガ，イチョウ，朝鮮人参などがあります。

ニコチン酸

ニコチン酸は高比重リポタンパク（HDL，善玉）コレステロール値を上昇させる可能性があります。セレンを，β-カロテン，ビタミンEおよびビタミンCと併用すると，高比重リポタンパク（HDL，善玉）コレステロールに対するニコチン酸の作用が弱まるおそれがあります。セレン単独でもこの作用が弱まるかどうかは明らかになっていません。

n-３系脂肪酸

セレンを，n-３系脂肪酸と併用して摂取すると，セレンの体内への吸収が抑制されるおそれがあります。

ビタミンC

ビタミンCの摂取が，一部のサプリメントからセレンが体内へ吸収される量に影響を与えるおそれがあります。ただし，この相互作用が，大きな問題となることはないようです。

亜鉛

亜鉛が，食品からのセレンの吸収を困難にするおそれがあります。

通常の食品との相互作用

ケトン産生食

高脂肪，低炭水化物の食生活により，セレン欠乏症などの，ビタミン・ミネラル欠乏症につながるおそれがあります。

使用量の目安

【成人】

●経口摂取

推奨量（RDA）は，以下の通りです。

成人男性および成人女性：１日55μg

妊娠中の女性：１日60μg

母乳授乳期の女性：１日70μg

耐容上限量（UL）は，400μgです。

橋本病（自己免疫性甲状腺炎）

１日当たり200μgを摂取します。

コレステロール値の異常

特定のセレンの製品を，１日当たり100～200μg，６カ月にわたり摂取します。

●静脈内投与

敗血症（血流感染）

１日当たり100～4,000μgの亜セレン酸ナトリウムを，必要に応じて，最長28日にわたり，静脈内投与します。ほとんどの場合，負荷量を投与したのち，それより低い維持量を投与します。

【小児】

●経口摂取

推奨量（RDA）は，以下の通りです。

０～６カ月：１日15μg

６～12カ月：１日20μg

１～３歳：１日20μg

４～８歳：１日30μg

９～13歳：１日40μg

14～18歳：１日55μg

乳児に対する目安量（AI）は，以下の通りです。

０～６カ月：１日2.1μg/kg

７～12カ月：１日2.2μg/kg

１日最大摂取量は，以下の通りです。

０～６カ月：１日45μg

７～12カ月：１日60μg

１～３歳：１日90μg

４～８歳：１日150μg

９～13歳：１日280μg

●静脈内投与

敗血症（血流感染）

セレンを亜鉛およびグルタミン酸塩，メトクロプラミドと併用して，静脈内投与します。年齢に応じた，１日当たりのセレンの投与量は，以下の通りです。

１～３歳：40μg

３～５歳：100μg

５～12歳：200μg

青少年：400μg

セロリ

CELERY

●代表的な別名

オランダミツバ

別名ほか

洋芹，芹人参（Apium graveolens），オランダ三つ葉，セロリ種（Celery Seed），セロリシード，ラビッジ，チャイニーズセロリ，ワイルドセロリ（Smallage），Aches des Marais，Ajamoda，Apii frutus，Celery Fruit，Fruit de Celeri，Selleriefruchte，Selleriesamen

概　　要

セロリは植物で，乾燥した実と種子，または実と種子から圧搾された精油は「くすり」に使われることがあります。セロリオイルはカプセル剤として市販されることもあります。セロリジュースが「くすり」として使われることもあります。古代ギリシャでは，セロリをワイン製造に使用しました。このワインは，スポーツ大会での賞品ともなっていました。

●要説（ナチュラル・スタンダード）

野生のセロリは，欧州や地中海周辺，アジアの一部で見られます。葉，茎，根，種子は食用です。西洋料理では，栽培された茎は一般的に，生のままで，またはサラダに入れられたり，さまざまなレシピでの調理成分として食べられています。セロリの種子は，利尿薬や痛風治療としても使用されています。

シラカバ花粉アレルゲンと類似のアレルゲンがセロリに含まれていることから，セロリアレルギーはかなり一般的です。生と調理されたセロリは，どちらも接触皮膚炎からアナフィラキシー・ショックまで，広範囲の反応を引き起こす可能性があります。セロリには，化学物質ソラーレン（psoralen）が含まれています。生でも調理されたセロリでも接触したり，摂取していて，その後，紫外線に曝露（日焼けなど）されると，急性皮膚反応が起こる可能性があります。その皮膚反応は，腫脹や発赤などの症状をともない，そして，継続的に紫外線曝露されていると，接触部位が過剰に黒い皮膚になる可能性があります。

古代ギリシア人とエジプト人は，セロリを栽培し，もともとは「くすり」として使用していたようです。エジプト人の墓には，セロリの葉と花が納められたものもあります。

安　全　性

セロリオイルおよびセロリ種子は，食品としての量を経口摂取する場合は，ほとんどの人に安全のようです。セロリを「くすり」としての量で経口摂取または皮膚に塗布する場合，短期間であればおそらく安全です。ただし，皮膚の炎症および日光過敏症を引き起こすおそれがあります。

出血性疾患：セロリを「くすり」としての量で使用すると，出血のリスクが高まるおそれがあります。出血性疾患の場合には，セロリを摂取してはいけません。

腎疾患：腎疾患の場合には，セロリを「くすり」としての量で使用してはいけません。セロリが炎症を引き起こすおそれがあります。

低血圧：セロリを「くすり」としての量で使用すると，血圧が低下するおそれがあります。低血圧の場合には，セロリを摂取すると血圧が過度に低下するおそれがあります。

手術：セロリは中枢神経系に影響を及ぼすおそれがあります。セロリと，手術中および術後に使用する麻酔などの医薬品を併用すると，中枢神経系を過度に抑制するおそれがあります。少なくとも手術前２週間は，使用しないでください。

●アレルギー

ワイルドキャロット，マグワート，カバノキ，タンポポなどの植物や香辛料に敏感な人には，セロリによりアレルギー反応が起こるおそれがあります。これは「セロリ-ニンジン-マグワート-香辛料症候群」と呼ばれています。

●妊娠中および母乳授乳期

妊娠中にセロリオイルおよびセロリ種子を「くすり」としての量で経口摂取する場合は，安全ではないようです。セロリを大量に摂取すると子宮が収縮し，流産を引き起こすおそれがあります。母乳授乳期にセロリオイルおよびセロリ種子を摂取する場合の安全性については，データが不十分です。安全性を考慮し，摂取は避けてください。

有　効　性

◆有効性レベル③

・月経不快感（月経痛）。一部の臨床研究では，セロリ種子，アニスおよびサフランを含む特定の製品を３日間摂取すると，月経時の疼痛の重症度が低下し，持続期間が短縮することが示されています。

・防蚊剤。一部の研究では，セロリエキス５～25％を含むジェルを皮膚に塗布すると，最長4.5時間蚊を忌避できることが示されています。別の研究では，セロリエキス５％，バニリン，ユーカリオイル，オレンジオイルおよびシトロネラオイルを含む特定の製品を塗布すると，一部の市販製品と同様に蚊を忌避できることが示されています。

◆科学的データが不十分です

・筋肉および関節の疼痛，痛風，神経質，頭痛，食欲刺激，消耗，体液貯留，便通の調節，催眠鎮静薬としての使用，腸内ガス，月経の誘発，母乳分泌抑制，消化の促進など。

●体内での働き

セロリに含まれる化学物質には，眠気誘発，尿量増加による体液貯留減少，関節炎の症状緩和，血圧低下，血糖値低下，血液凝固抑制，筋弛緩などの作用があると考えられています。

医薬品との相互作用

低アミノピリン【販売中止】

アミノピリンは肝臓で体内から排泄されます。セロリはアミノピリンの代謝および排泄を抑制する可能性があります。セロリジュースとアミノピリンを併用すると，アミノピリンの作用および副作用が増強するおそれがあります。

中レボチロキシンナトリウム水和物

レボチロキシンナトリウム水和物は甲状腺機能低下症の治療に用いられます。セロリとレボチロキシンナトリウム水和物を併用すると，レボチロキシンナトリウム水和物による甲状腺機能の調整が妨げられるおそれがあります。

中肝臓で代謝される医薬品（シトクロムP450 1A2（CYP1A2）の基質となる医薬品）

特定の医薬品は肝臓で代謝されます。セロリはこのような医薬品の代謝を抑制する可能性があります。セロリと肝臓で代謝される医薬品を併用すると，医薬品の作用および副作用が増強するおそれがあります。このような医薬品には，アミトリプチリン塩酸塩，ハロペリドール，オンダンセトロン塩酸塩水和物，プロプラノロール塩酸塩，テオフィリン，ベラパミル塩酸塩などがあります。

中血液凝固を抑制する医薬品（抗凝固薬/抗血小板薬）

セロリは血液凝固を抑制する可能性があります。「くすり」の用量のセロリと血液凝固を抑制する医薬品を併用すると，出血のリスクが高まるおそれがあります。このような医薬品には，アスピリン，クロピドグレル硫酸塩，非ステロイド性抗炎症薬（NSAIDs）（ジクロフェナクナトリウム，イブプロフェン，ナプロキセンなど），ダルテパリンナトリウム，エノキサパリンナトリウム，ヘパリン，ワルファリンカリウムなどがあります。

低光への過敏性を高める医薬品（光感作性薬）

セロリには光への過敏性を高める成分が含まれます。特定の医薬品も光への過敏性を高める可能性があります。セロリと光への過敏性を高める医薬品を併用すると，肌の露出した部分に日光皮膚炎，水疱，発疹を生じるリスクが高まるおそれがあります。日なたでは日焼け止めクリームを使用し，日よけの衣服を着用してください。このような医薬品には，ナプロキセン，アミオダロン塩酸塩，アミトリプチリン塩酸塩，シプロフロキサシン，レボフロキサシン水和物，モキシフロキサシン塩酸塩，スルファメトキサゾール・トリメトプリム配合，テトラサイクリン塩酸塩，メトキサレン，Glipizide，ラモトリギンなどがあります。

中降圧薬

セロリは血圧を低下させる可能性があります。「くすり」の用量のセロリと降圧薬を併用すると，血圧が過度に低下するおそれがあります。このような降圧薬には，カプトプリル，エナラプリルマレイン酸塩，ロサルタンカリウム，バルサルタン，ジルチアゼム塩酸塩，アムロジピンベシル酸塩，ヒドロクロロチアジド，フロセミドなど多くあります。

中炭酸リチウム

セロリは利尿薬のように作用する可能性があります。セロリを摂取すると，リチウムの体内からの排泄が抑制される可能性があります。そのため，体内のリチウム量が増加し，重大な副作用が現れるおそれがあります。

中鎮静薬（中枢神経抑制薬）

セロリは眠気および注意力低下を引き起こす可能性があります。鎮静薬は眠気を引き起こす医薬品です。セロリと鎮静薬を併用すると，過度の眠気を引き起こすおそれがあります。このような鎮静薬には，クロナゼパム，ロラゼパム，フェノバルビタール，ゾルピデム酒石酸塩などがあります。

中ベンラファキシン塩酸塩

ベンラファキシン塩酸塩は肝臓によって体内から排泄されます。セロリはベンラファキシン塩酸塩の代謝および排泄を抑制する可能性があります。セロリとベンラファキシン塩酸塩を併用すると，ベンラファキシン塩酸塩の作用および副作用が増強するおそれがあります。

低アセトアミノフェン

セロリジュースとアセトアミノフェンを併用すると，アセトアミノフェンの効果が長引くおそれがあります。セロリによる肝臓での作用が原因である可能性があります。この併用によってアセトアミノフェンの作用および副作用が増強するおそれがあります。

ハーブおよび健康食品・サプリメントとの相互作用

血圧を低下させるおそれのあるハーブおよび健康食品・サプリメント

セロリは「くすり」としての量で使用すると，血圧を低下させるおそれがあります。このため，同様に血圧を低下させるおそれのあるほかのハーブおよび健康食品・サプリメントの血圧低下作用を増強するおそれがあります。このようなハーブおよび健康食品・サプリメントには，アンドログラフィス，カゼイン・ペプチド，キャッツクロー，コエンザイムQ-10，L-アルギニン，クコ，イラクサ，テアニンなどがあります。

血液凝固を抑制するおそれのあるハーブおよび健康食品・サプリメント

セロリは「くすり」としての用量で使用すると，血液凝固を抑制するおそれがあります。「くすり」としての用量のセロリと，血液凝固を抑制するおそれのあるほかのハーブおよび健康食品・サプリメントを併用すると，人によっては出血を引き起こすおそれがあります。このようなハーブおよび健康食品・サプリメントには，アンゼリカ，クローブ，タンジン，ニンニク，ショウガ，イチョウ，朝鮮人参，レッドクローバー，ウコン，ヤナギなどがあります。

使用量の目安

●経口摂取

月経不快感（月経痛）

月経開始から３日間，サフラン，セロリ種子およびアニスエキスを含む特定の複合製品500mgを１日３回摂取します。

セント・ジョンズ・ワート

ST. JOHN'S WORT

別名ほか

Amber, Amber Touch-and-Heal, Barbe de Saint-Jean, Chasse-diable, Demon Chaser, Fuga Daemonum, Goatweed, Hardhay, Herbe à la Brûlure, Herbe à Mille Trous, Herbe Aux Fées, Herbe Aux Mille Vertus, Herbe Aux Piqûres, Herbe de Saint Éloi, Herbe de la Saint-Jean, Herbe du Charpentier, Herbe Percée, Hierba de San Juan, Hypereikon, Hyperici Herba, Hypericum perforatum, Klamath Weed, Millepertuis, Millepertuis Perforé, Rosin Rose, Saynt Johannes Wort, SJW, Tipton Weed, セイヨウオトギリソウ

概　　要

セント・ジョンズ・ワートはハーブです。花部および葉を用いて「くすり」を作ることもあります。

●要説（ナチュラル・スタンダード）

昔から，セント・ジョンズ・ワート（セイヨウオトギリソウ，Hypericum perforatum L）のエキスは，幅広い病状に対する使用が推奨されてきました。現代では，うつ病に対する使用がもっとも一般的です。いくつかの研究により，三環系抗うつ薬および軽度から中度の抗うつ薬である選択的セロトニン再取り込み阻害薬と同様の効果があることが示唆されています。

結論としては，軽度から中度のうつ病に対するセント・ジョンズ・ワートの有効性が示唆されています。重度のうつ病に関する明確なエビデンスはありません。

セント・ジョンズ・ワートは，処方薬，ハーブおよび健康食品・サプリメントとの深刻な相互作用を引き起こすおそれがあります。

安　全　性

セント・ジョンズ・ワートは，経口摂取する場合，最長12週間まではほとんどの人に安全のようです。１年間以上安全に使用できることを示唆するエビデンスがいくつかあります。睡眠障害，鮮明な夢，じっと座っていられない，神経過敏，易刺激性，胃のむかつき，疲労，口内乾燥，めまい感，頭痛，皮疹，下痢，皮膚のピリピリ感などの副作用を引き起こすおそれがあります。睡眠障害が生じるようであれば，朝に摂取するか，用量を減らしてください。

高用量を経口摂取する場合は，おそらく安全ではありません。高用量を経口摂取すると，日光曝露に対する重度の皮膚反応を引き起こすおそれがあります。女性は通常用量でも重度の皮膚反応を起こすおそれがあります。とくに色白の場合には，外出時は日焼け止めを使用してください。

セント・ジョンズ・ワートは多くの医薬品との相互作用があります（下記参照）。セント・ジョンズ・ワートを摂取する際は，使用している医薬品との問題がないかどうかを確認できるよう，医師などに報告してください。

皮膚へ塗布する場合の安全性についてはデータが不十分です。日光曝露に対する重度の皮膚反応を引き起こすおそれがあります。

小児：６～17歳の小児が経口摂取する場合，最長８週間まではおそらく安全です。

アルツハイマー病：セント・ジョンズ・ワートは，アルツハイマー病患者の認知症の原因となるおそれがあります。

麻酔：セント・ジョンズ・ワートを６カ月間使用している人に麻酔を用いると，手術中に深刻な心合併症を引き起こすおそれがあります。少なくとも手術前２週間は，使用しないでください。

注意欠陥多動障害（ADHD）：とくにADHD治療にメチルフェニデートを服薬している場合には，セント・ジョンズ・ワートによりADHDの症状が悪化するおそれがあります。十分なデータが得られるまでは，メチルフェニデートを服薬している場合は，セント・ジョンズ・ワートを使用してはいけません。

双極性障害：双極性障害の人は，うつ状態と躁状態のサイクルを繰り返します。躁状態は過剰な身体活動と衝動的行動を特徴とします。セント・ジョンズ・ワートは双極性障害患者の躁状態を引き起こしたり，うつ状態と躁状態のサイクルを早めたりするおそれがあります。

うつ病：大うつ病の場合には，セント・ジョンズ・ワートが躁状態を引き起こすおそれがあります。躁状態は過剰な身体活動と衝動的行動を特徴とします。

不妊：セント・ジョンズ・ワートは妊娠を妨げるおそれがあります。妊娠を考えている場合，とくに妊孕性障害のある場合には，セント・ジョンズ・ワートを使用してはいけません。

統合失調症：統合失調症の場合，人によってはセント・ジョンズ・ワートが精神疾患を引き起こすおそれがあります。

手術：セント・ジョンズ・ワートは脳内のセロトニン値に影響を及ぼし，その結果，手術に干渉するおそれがあります。少なくとも手術前２週間は，使用しないでください。

●妊娠中および母乳授乳期

妊娠中の経口摂取は，おそらく安全ではありません。ラットの胎児に先天異常を引き起こすというエビデンスがあります。ヒトの胎児にも同じ作用をもたらすかどうかについてはデータが不十分です。母乳授乳期の母親が摂取すると，乳児が仙痛，傾眠，ぐずり泣きを起こすおそれがあります。十分なデータが得られるまでは，妊娠中および母乳授乳期には使用してはいけません。

有 効 性

◆有効性レベル②

・うつ病。セント・ジョンズ・ワートエキスを経口摂取すると，気分が改善し，うつ病に関連する神経過敏および疲労が緩和されます。多くの処方薬と同程度の効果があるようです。米国内科学会のガイドラインは，軽度うつ病の短期的治療に対し，セント・ジョンズ・ワートは処方薬にならぶ選択肢とみなすことができるとしています。ただし，セント・ジョンズ・ワートは多くの医薬品と相互作用を起こすため，多くの人にとってよい選択肢となるとは限らないという見解も示しています。重度のうつ病にはそれほど効果はない可能性があります。

◆有効性レベル③

・更年期症状。セント・ジョンズ・ワートの経口摂取により，顔面紅潮（ほてり）をはじめとする更年期症状が緩和する可能性が，ほとんどの研究で示されています。また，セント・ジョンズ・ワートとブラックコホシュの特定の併用製品により，顔面紅潮（ほてり）や気分の変調など更年期症状の一部が改善される可能性を示唆するエビデンスがあります。ただし，すべての併用製品が効果を示すわけではないようです。

・身体化障害（精神的感情により身体症状が引き起こされる疾患）。特定のセント・ジョンズ・ワート製品を6週間毎日摂取すると，身体化障害の症状が緩和するようです。

・創傷治癒。帝王切開後にセント・ジョンズ・ワートを含む軟膏剤を1日3回，16日間塗布すると，創傷治癒が促進し，瘢痕化が減少するようです。

◆有効性レベル④

・口腔内灼熱症候群（口腔内の疼痛）。セント・ジョンズ・ワートを1日3回，12週間摂取しても，口腔内灼熱症候群による疼痛は緩和しません。

・C型肝炎感染。セント・ジョンズ・ワートを経口摂取しても，C型肝炎に感染した成人に対する治療効果はないようです。

・HIV/エイズ。セント・ジョンズ・ワートを経口摂取しても，HIVに感染した成人に対する治療効果はないようです。

・過敏性腸症候群（IBS）。特定のセント・ジョンズ・ワートエキスを1日2回摂取しても，過敏性腸症候群の症状緩和には効果がないことが，初期の研究で示されています。

・神経痛。糖尿病の有無にかかわらず，セント・ジョンズ・ワートを経口摂取しても，神経痛は緩和されないようです。

・緊張。セント・ジョンズ・ワートを毎日摂取しても，緊張は改善しないようです。

◆科学的データが不十分です

・血管形成術，不安，注意欠陥多動障害（ADHD），ビリルビン蓄積を引き起こす遺伝性疾患，脳腫瘍，ヘルペス，片頭痛，強迫性障害（OCD），尋常性乾癬，月経前症候群（PMS），季節的感情障害，禁煙，抜歯，あざ（打撲），がん，慢性疲労症候群（CFS），興奮性，極度の疲労，筋肉痛，神経痛，坐骨神経痛，皮膚症状，胃のむかつき，体重減少など。

●体内での働き

科学者らは長年，セント・ジョンズ・ワートに含まれるヒペリシンという化学物質が気分改善作用をもたらすと考えていました。最近のデータからは，ハイパーフォリンなど，ほかの化学物質がより大きな役割を果たしている可能性が示唆されています。このような化学物質は，気分を調節する神経系の伝達物質として作用します。

医薬品との相互作用

中グリクラジド

グリクラジドは糖尿病患者の血糖値を低下させるために用いられます。グリクラジドは体内で代謝されてから排泄されます。セント・ジョンズ・ワートはグリクラジドの代謝を促進する可能性があります。セント・ジョンズ・ワートがグリクラジドの代謝を促進すると，グリクラジドの効果が弱まるおそれがあります。

中インジナビル硫酸塩エタノール付加物【販売中止】

インジナビル硫酸塩エタノール付加物はHIV感染症の治療に用いられます。インジナビル硫酸塩エタノール付加物は体内で代謝されてから排泄されます。セント・ジョンズ・ワートはインジナビル硫酸塩エタノール付加物の代謝を促進し，インジナビル硫酸塩エタノール付加物の効果を弱めるおそれがあります。

低Boceprevir

セント・ジョンズ・ワートにはヒペリシンと呼ばれる化学物質が含まれます。セント・ジョンズ・ワートとBoceprevirを併用すると，体内のヒペリシンの量が増加する可能性があります。そのため，セント・ジョンズ・ワートの作用および副作用が増強するおそれがあります。

高Fenfluramine

Fenfluramineはセロトニンと呼ばれる脳内物質を増加させます。セント・ジョンズ・ワートもセロトニンを増加させる可能性があります。セント・ジョンズ・ワートとFenfluramineを併用すると，セロトニンが過剰になる可能性があります。そのため，重大な副作用（心臓の異常，悪寒戦慄，吐き気，頭痛，不安など）が現れるおそれがあります。

中Ivabradine

Ivabradineは心臓の異常を治療するために用いられます。Ivabradineは体内で代謝されてから排泄されます。セント・ジョンズ・ワートはIvabradineの代謝を促進し，Ivabradineの効果を弱めるおそれがあります。

高Mephenytoin

Mephenytoinは体内で代謝されます。セント・ジョンズ・ワートはMephenytoinの代謝を促進する可能性があります。そのため，Mephenytoinの効果が弱まるおそれがあります。

高Phenprocoumon

Phenprocoumonは米国以外で使用される血液凝固抑制薬の一種です。Phenprocoumonは体内で代謝されてから排泄されます。セント・ジョンズ・ワートはPhenprocoumonの代謝を促進します。そのため，Phenprocoumonの効果が弱まるおそれがあります。

中アミノレブリン酸塩酸塩

アミノレブリン酸塩酸塩は光への過敏性を高める可能性があります。セント・ジョンズ・ワートも光への過敏性を高める可能性があります。セント・ジョンズ・ワートとアミノレブリン酸塩酸塩を併用すると，肌の露出した部分に日光皮膚炎，水疱，発疹を生じるリスクが高まるおそれがあります。日なたでは日焼け止めクリームを使用し，日よけの衣服を着用してください。

高アルプラゾラム

アルプラゾラムは，通常，不安の治療に用いられます。アルプラゾラムは体内で代謝されてから排泄されます。セント・ジョンズ・ワートはアルプラゾラムの体内からの排泄を促進する可能性があります。セント・ジョンズ・ワートとアルプラゾラムを併用すると，アルプラゾラムの効果が弱まるおそれがあります。

低アンブリセンタン

アンブリセンタンは体内で代謝されてから排泄されます。セント・ジョンズ・ワートはアンブリセンタンの代謝を促進する可能性があります。しかし，この相互作用はおそらく大きな問題ではありません。

高イマチニブメシル酸塩

イマチニブメシル酸塩は特定のがんの治療に用いられます。イマチニブメシル酸塩は体内で代謝されてから排泄されます。セント・ジョンズ・ワートはイマチニブメシル酸塩の排泄を促進する可能性があります。セント・ジョンズ・ワートとイマチニブメシル酸塩を併用すると，イマチニブメシル酸塩の効果が弱まるおそれがあります。

高イリノテカン塩酸塩水和物

イリノテカン塩酸塩水和物はがんの治療に用いられます。イリノテカン塩酸塩水和物は体内で代謝されてから排泄されます。セント・ジョンズ・ワートはイリノテカン塩酸塩水和物の代謝を促進し，イリノテカン塩酸塩水和物の効果を弱めるおそれがあります。

高オキシコドン塩酸塩水和物

オキシコドン塩酸塩水和物は麻薬性鎮痛薬です。オキシコドン塩酸塩水和物は体内で代謝されてから排泄されます。セント・ジョンズ・ワートはオキシコドン塩酸塩水和物の代謝を促進し，オキシコドン塩酸塩水和物の効果を弱めるおそれがあります。

高オメプラゾール

オメプラゾールは制酸薬の一種です。オメプラゾールは体内で代謝されてから排泄されます。セント・ジョンズ・ワートはオメプラゾールの代謝を促進させる可能性があります。そのため，オメプラゾールの効果が弱まるおそれがあります。

中クロザピン

クロザピンは体内で代謝されてから排泄されます。セント・ジョンズ・ワートはクロザピンの代謝を促進する可能性があります。そのため，クロザピンの働きが弱まるおそれがあります。

中クロピドグレル硫酸塩

クロピドグレル硫酸塩は体内で代謝されて，血液凝固を抑制する化学物質になります。セント・ジョンズ・ワートとクロピドグレル硫酸塩を併用すると，クロピドグレル硫酸塩の代謝が促進され，血液凝固が過度に抑制されるおそれがあります。

高ケタミン塩酸塩

ケタミン塩酸塩は麻酔薬の一種で，手術中の疼痛管理に用いられます。ケタミン塩酸塩は体内で代謝されてから排泄されます。セント・ジョンズ・ワートはケタミン塩酸塩の代謝を促進し，ケタミン塩酸塩の効果を弱めるおそれがあります。

高シクロスポリン

シクロスポリンは体内で代謝されてから排泄されます。セント・ジョンズ・ワートはシクロスポリンの代謝を促進し，シクロスポリンの働きを弱めるおそれがあります。

高ジゴキシン

ジゴキシンには強心作用があります。セント・ジョンズ・ワートはジゴキシンの体内への吸収量を減少させる可能性があります。セント・ジョンズ・ワートがジゴキシンの吸収量を減少させることで，ジゴキシンの作用が減弱するおそれがあります。

中ゾルピデム酒石酸塩

ゾルピデム酒石酸塩は睡眠障害の治療に用いられます。ゾルピデム酒石酸塩は体内で代謝されてから排泄されます。セント・ジョンズ・ワートはゾルピデム酒石酸塩の代謝を促進する可能性があります。セント・ジョンズ・ワートとゾルピデム酒石酸塩を併用すると，ゾルピデム酒石酸塩の効果が弱まるおそれがあります。ただし，この相互作用の可能性が大きな問題であるかについては明らかではありません。

高タクロリムス水和物

タクロリムス水和物は免疫機能を抑制し，湿疹の治療に用いられます。タクロリムス水和物は体内で代謝されてから排泄されます。セント・ジョンズ・ワートはタクロリムス水和物の代謝を促進する可能性があります。そのため，タクロリムス水和物の効果が弱まるおそれがあります。

低テオフィリン

テオフィリンは喘息や肺疾患の治療に用いられます。テオフィリンは体内で代謝されてから排泄されます。セント・ジョンズ・ワートはテオフィリンの代謝を促進する可能性があります。セント・ジョンズ・ワートとテオフィリンを併用すると，テオフィリンの効果が弱まるおそれがあります。しかし，この相互作用が大きな問題であるかについては明らかではありません。

高ドセタキセル水和物

セント・ジョンズ・ワートは特定の医薬品の肝臓での代謝を促進する可能性があります。セント・ジョンズ・ワートとこのような医薬品を併用すると，特定の医薬品（ドセタキセル水和物（抗悪性腫瘍薬）など）の効果が弱まるおそれがあります。

中トラマドール塩酸塩

トラマドール塩酸塩は疼痛の治療に用いられます。トラマドール塩酸塩は体内で代謝されてから排泄されます。セント・ジョンズ・ワートはトラマドール塩酸塩の代謝を促進し，トラマドール塩酸塩の効果を弱めるおそれがあります。また，トラマドール塩酸塩はセロトニンと呼ばれる脳内物質に影響を及ぼします。セント・ジョンズ・ワートもセロトニンに影響を及ぼす可能性があります。セント・ジョンズ・ワートとトラマドール塩酸塩を併用すると，脳内のセロトニンが過剰になる可能性があります。そのため，重大な副作用（錯乱，悪寒戦慄，筋肉硬直など）が現れるおそれがあります。

中フィナステリド

フィナステリドは体内で代謝されてから排泄されます。セント・ジョンズ・ワートはフィナステリドの排泄を促進する可能性があります。セント・ジョンズ・ワートとフィナステリドを併用すると，フィナステリドの効果が弱まるおそれがあります。

中フェキソフェナジン塩酸塩

フェキソフェナジン塩酸塩は体内で代謝されてから排泄されます。セント・ジョンズ・ワートはフェキソフェナジン塩酸塩の排泄を抑制する可能性があります。そのため，体内にフェキソフェナジン塩酸塩が長時間留まり，フェキソフェナジン塩酸塩の作用および副作用が増強するおそれがあります。

高フェニトイン

フェニトインは抗てんかん薬です。フェニトインは体内で代謝されてから排泄されます。セント・ジョンズ・ワートはフェニトインの代謝を促進する可能性があります。そのため，フェニトインの効果が弱まり，痙攣発作のリスクが高まるおそれがあります。

高フェノバルビタール

フェノバルビタールは抗てんかん薬です。フェノバルビタールは体内で代謝されてから排泄されます。セント・ジョンズ・ワートはフェノバルビタールの代謝を促進する可能性があります。そのため，フェノバルビタールの働きが弱まり，痙攣発作のリスクが高まるおそれがあります。

中フェンタニルクエン酸塩

フェンタニルクエン酸塩は疼痛の治療に用いられます。フェンタニルクエン酸塩は体内で代謝されてから排泄されます。セント・ジョンズ・ワートはフェンタニルクエン酸塩の排泄を促進する可能性があります。セント・ジョンズ・ワートとフェンタニルクエン酸塩を併用すると，フェンタニルクエン酸塩の効果が弱まるおそれがあります。

中ブプロピオン塩酸塩【販売中止】

ブプロピオン塩酸塩は抗うつ薬または禁煙補助薬に用いられます。ブプロピオン塩酸塩は体内で代謝されてから排泄されます。セント・ジョンズ・ワートは特定の医薬品の代謝を促進する可能性があります。セント・ジョンズ・ワートがブプロピオン塩酸塩の代謝を促進することで，ブプロピオン塩酸塩の効果が弱まるおそれがあります。

中プロカインアミド塩酸塩

プロカインアミド塩酸塩は不整脈の治療に用いられます。セント・ジョンズ・ワートエキスはプロカインアミド塩酸塩の体内への吸収量を増加させる可能性があります。そのため，プロカインアミド塩酸塩の作用および副作用が増強するおそれがあります。しかし，この相互作用の可能性が大きな問題であるかについては明らかではありません。

中ボリコナゾール

ボリコナゾールは抗真菌薬です。ボリコナゾールは体内で代謝されてから排泄されます。セント・ジョンズ・ワートはボリコナゾールの排泄を促進する可能性があります。セント・ジョンズ・ワートとボリコナゾールを併用すると，ボリコナゾールの効果が弱まるおそれがあります。

中メサドン塩酸塩

メサドン塩酸塩は麻薬性鎮痛薬です。メサドン塩酸塩は体内で代謝されてから排泄されます。セント・ジョンズ・ワートはメサドン塩酸塩の代謝を促進し，メサドン塩酸塩の効果を弱めるおそれがあります。

低メチルフェニデート塩酸塩

メチルフェニデート塩酸塩は注意欠陥多動障害の治療に用いられます。セント·ジョンズ·ワートとメチルフェニデート塩酸塩を併用すると，メチルフェニデート塩酸塩の働きが弱まるおそれがあります。

中レセルピン

セント・ジョンズ・ワートはレセルピンの作用を減弱させるおそれがあります。

高ワルファリンカリウム

ワルファリンカリウムは血液凝固を抑制するために用

いられます。ワルファリンカリウムは体内で代謝されてから排泄されます。セント・ジョンズ・ワートはワルファリンカリウムの代謝を促進し，ワルファリンカリウムの効果を弱めるおそれがあります。ワルファリンカリウムの効果が弱まると，血液凝固のリスクが高まるおそれがあります。定期的に血液検査をしてください。ワルファリンカリウムの用量を変更する必要があるかもしれません。

中肝臓で代謝される医薬品（シトクロムP450 1A2（CYP1A2）の基質となる医薬品）

特定の医薬品は肝臓で代謝されます。セント・ジョンズ・ワートはこのような医薬品の代謝を促進する可能性があります。セント・ジョンズ・ワートと肝臓で代謝される医薬品を併用すると，医薬品の効果が弱まるおそれがあります。このような医薬品には，クロザピン，Cyclobenzaprine，フルボキサミンマレイン酸塩，ハロペリドール，イミプラミン塩酸塩，メキシレチン塩酸塩，オランザピン，塩酸ペンタゾシン，プロプラノロール塩酸塩，Tacrine，Zileuton，ゾルミトリプタンなどがあります。

中肝臓で代謝される医薬品（シトクロムP450 2B6（CYP2B6）の基質となる医薬品）

特定の医薬品は肝臓で代謝されます。セント・ジョンズ・ワートはこのような医薬品の代謝を促進する可能性があります。理論的には，セント・ジョンズ・ワートと肝臓で代謝される医薬品を併用すると，医薬品の効果が弱まるおそれがあります。このような医薬品には，ケタミン塩酸塩，フェノバルビタール，Orphenadrine，セコバルビタールナトリウム，デキサメタゾンなどがあります。

中肝臓で代謝される医薬品（シトクロムP450 2C19（CYP2C19）の基質となる医薬品）

特定の医薬品は肝臓で代謝されます。セント・ジョンズ・ワートはこのような医薬品の代謝を促進する可能性があります。セント・ジョンズ・ワートと肝臓で代謝される医薬品を併用すると，医薬品の効果が弱まるおそれがあります。肝臓で代謝される医薬品を服用する場合には，医師や薬剤師に相談することなくセント・ジョンズ・ワートを摂取しないでください。このような医薬品には，アミトリプチリン塩酸塩，カリソプロドール（販売中止），Citalopram，ジアゼパム，ランソプラゾール，オメプラゾール，フェニトイン，ワルファリンカリウムなど数多くあります。

中肝臓で代謝される医薬品（シトクロムP450 2C9（CYP2C9）の基質となる医薬品）

特定の医薬品は肝臓で代謝されます。セント・ジョンズ・ワートはこのような医薬品の代謝を促進する可能性があります。セント・ジョンズ・ワートと肝臓で代謝される医薬品を併用すると，医薬品の効果が弱まるおそれがあります。肝臓で代謝される医薬品を服用する場合には，医師や薬剤師に相談することなくセント・ジョンズ・ワートを摂取しないでください。このような医薬品には，セレコキシブ，ジクロフェナクナトリウム，フルバスタチンナトリウム，Glipizide，イブプロフェン，イルベサルタン，ロサルタンカリウム，フェニトイン，ピロキシカム，タモキシフェンクエン酸塩，トルブタミド（販売中止），トラセミド，ワルファリンカリウムなどがあります。

高肝臓で代謝される医薬品（シトクロムP450 3A4（CYP3A4）の基質となる医薬品）

特定の医薬品は肝臓で代謝されます。セント・ジョンズ・ワートはこのような医薬品の代謝を促進する可能性があります。セント・ジョンズ・ワートと肝臓で代謝される医薬品を併用すると，医薬品の効果が弱まるおそれがあります。肝臓で代謝される医薬品を服用している場合には，医師や薬剤師に相談することなくセント・ジョンズ・ワートを摂取しないでください。このような医薬品には，Lovastatin，ケトコナゾール，イトラコナゾール，トリアゾラムなど数多くあります。

中血清コレステロール値を下げる医薬品（スタチン系薬）

血清コレステロール値を下げる特定の医薬品は体内で代謝されてから排泄されます。セント・ジョンズ・ワートはこのような医薬品の排泄を促進する可能性があります。セント・ジョンズ・ワートと血清コレステロール値を下げる医薬品を併用すると，医薬品の効果が弱まるおそれがあります。このような医薬品には，シンバスタチン，アトルバスタチンカルシウム水和物，Lovastatin，ロスバスタチンカルシウムなどがあります。

中光への過敏性を高める医薬品（光感作性薬）

特定の医薬品は光への過敏性を高める可能性があります。セント・ジョンズ・ワートも光への過敏性を高める可能性があります。セント・ジョンズ・ワートと光への過敏性を高める医薬品を併用すると，肌の露出した部分に日光皮膚炎，水疱，発疹を生じるリスクが高まるおそれがあります。日なたでは日焼け止めクリームを使用し，日よけの衣服を着用してください。このような医薬品には，ナプロキセン，アミオダロン塩酸塩，アミトリプチリン塩酸塩，シプロフロキサシン，レボフロキサシン水和物，モキシフロキサシン塩酸塩，スルファメトキサゾール・トリメトプリム配合，テトラサイクリン塩酸塩，メトキサレン，Glipizide，ラモトリギンなどがあります。

高抗HIV薬（HIVプロテアーゼ阻害薬）

抗HIV薬は体内で代謝されてから排泄されます。セント・ジョンズ・ワートは抗HIV薬の代謝を促進する可能性があります。セント・ジョンズ・ワートと抗HIV薬を併用すると，抗HIV薬の働きが弱まるおそれがあります。このような抗HIV薬には，アンプレナビル（販売中止），インジナビル硫酸塩エタノール付加物（販売中止），ネルフィナビルメシル酸塩，リトナビル，サキナビルメシル酸塩（販売中止）などがあります。

セ

高抗HIV薬（非ヌクレオシド系逆転酵素阻害薬（NNRTI））

抗HIV薬は体内で代謝されてから排泄されます。セント・ジョンズ・ワートは抗HIV薬の代謝を促進する可能性があります。セント・ジョンズ・ワートと抗HIV薬を併用すると，抗HIV薬の働きが弱まるおそれがあります。このような抗HIV薬には，エトラビリン，ネビラピン，デラビルジンメシル酸塩（販売中止），エファビレンツなどがあります。

高細胞内のポンプによって輸送される医薬品（P糖タンパク質の基質となる医薬品）

特定の医薬品は細胞内のポンプによって輸送されます。セント・ジョンズ・ワートはポンプの働きを高め，医薬品の体内への吸収量を減少させる可能性があります。そのため，医薬品の効果が弱まるおそれがあります。このような医薬品には，エトポシド，パクリタキセル，ビンブラスチン硫酸塩，ビンクリスチン硫酸塩，ビンデシン硫酸塩，ケトコナゾール，イトラコナゾール，アンプレナビル（販売中止），インジナビル硫酸塩エタノール付加物（販売中止），ネルフィナビルメシル酸塩，サキナビルメシル酸塩（販売中止），シメチジン，ラニチジン塩酸塩，ジルチアゼム塩酸塩，ベラパミル塩酸塩，副腎皮質ステロイド，エリスロマイシン，シサプリド（販売中止），シクロスポリン，ロペラミド塩酸塩，キニジン硫酸塩水和物などがあります。

高避妊薬

特定の避妊薬にはエストロゲンが含まれます。避妊薬のエストロゲンは体内で代謝されてから排泄されます。セント・ジョンズ・ワートはエストロゲンの代謝を促進する可能性があります。セント・ジョンズ・ワートと避妊薬を併用すると，避妊薬の効果が弱まるおそれがあります。併用中の場合には，コンドームなど，ほかの避妊方法も使用してください。このような避妊薬には，エチニルエストラジオール・レボノルゲストレル配合，エチニルエストラジオール・ノルエチステロン配合などがあります。

中セロトニン作用薬

セント・ジョンズ・ワートは脳内物質のセロトニンを増加させる可能性があります。特定の医薬品もセロトニンを増加させます。セント・ジョンズ・ワートとこのような医薬品を併用すると，セロトニンが過剰に増加するおそれがあります。そのため，重大な副作用（激しい頭痛，心臓の異常，悪寒戦慄，錯乱，不安など）が現れるおそれがあります。このような医薬品には，塩酸フルオキセチン（販売中止），パロキセチン塩酸塩水和物，塩酸セルトラリン，アミトリプチリン塩酸塩，クロミプラミン塩酸塩，イミプラミン塩酸塩，スマトリプタン，ゾルミトリプタン，リザトリプタン安息香酸塩，メサドン塩酸塩，トラマドール塩酸塩など数多くあります。

高リバーロキサバン

リバーロキサバンは，血栓やほかの心臓に関する問題を予防するために血液凝固を抑制します。リバーロキサバンは体内で代謝されてから排泄されます。セント・ジョンズ・ワートはリバーロキサバンの代謝を促進する可能性があります。そのため，リバーロキサバンの効果が弱まるおそれがあります。

ハーブおよび健康食品・サプリメントとの相互作用

強心配糖体を含むハーブおよび健康食品・サプリメント

強心配糖体を含むハーブおよび健康食品・サプリメントは，心拍動を強化するのに用いられます。セント・ジョンズ・ワートは，強心配糖体の体内吸収を低下させる可能性があるため，このようなハーブおよび健康食品・サプリメントの作用を減弱させるおそれがあります。

セロトニン作動性をもつハーブおよび健康食品・サプリメント

セント・ジョンズ・ワートは，セロトニンという脳内化学物質を増やす可能性があります。脳内セロトニンを増やす可能性のあるほかのハーブおよび健康食品・サプリメントと併用すると，脳内セロトニンが過剰になるおそれがあります。このようなハーブおよび健康食品・サプリメントには，5-ヒドロキシトリプトファン，ハワイベビーウッドローズ，L-トリプトファン，S-アデノシルメチオニン（SAMe）などがあります。

鉄

セント・ジョンズ・ワートは，鉄の吸収を低下させるおそれがあります。

紅麹

セント・ジョンズ・ワートは，肝臓でスタチン系薬が分解される速度を速めるおそれがあります。紅麹には，スタチン系薬によく似た化学物質が含まれています。理論上，セント・ジョンズ・ワートが紅麹に含まれる化学物質の血中濃度を低下させるおそれがあります。

トリプトファン

セント・ジョンズ・ワートとトリプトファンを併用すると，セロトニンという脳内化学物質の値が過度に上昇するおそれがあります。セロトニン値が高いと，錯乱，悪寒戦慄，筋硬直などの有害作用を引き起こすおそれがあります。

使用量の目安

【成人】

●経口摂取

軽度から中等度の気分の落ち込みまたはうつ病

ヒペリシンを0.3％含むよう標準化したセント・ジョンズ・ワートエキス300mgを１日３回摂取します。または，ヒペリシンを0.2％含むよう標準化したセント・ジョンズ・ワートエキス250mgを１日２回摂取します。または，ヒペリシンを５％含むよう標準化したセント・ジョンズ・ワートエキス300mgを１日３回摂取します。

更年期症状

ヒペリシン0.2mg/mLを含む特定のセント・ジョン

ズ・ワートエキス20滴を１日３回，２カ月間摂取します。または，セント・ジョンズ・ワート300mgを１日３回，３～４カ月間摂取します。

身体化障害（精神的感情により身体症状が引き起こされる疾患）

特定のセント・ジョンズ・ワートエキスを１日600mg摂取します。

●皮膚への塗布

創傷治癒

帝王切開実施の24時間後から16日間，セント・ジョンズ・ワートエキス５％を含む軟膏剤を１日３回塗布します。

【小児】

●経口摂取

軽度から中等度のうつ病

6～17歳の小児で，セント・ジョンズ・ワート150～300mgを１日３回，８週間摂取します。または特定のセント・ジョンズ・ワートエキス300～1800mgを１日３回に分けて，最長６週間摂取します。

セント・ジョンズ・ワートは急に中止してはいけません。不快な副作用を生じるおそれがあります。中止する場合は，時間をかけて少しずつ減量してください。

有　効　性

◆科学的データが不十分です

・食欲不振および胃部不快感。

●体内での働き

食欲を刺激する可能性がある化合物が含まれています。

医薬品との相互作用

ほかの医薬品との相互作用については明らかではありません。

ハーブおよび健康食品・サプリメントとの相互作用

ほかのハーブ，健康食品・サプリメントとの相互作用についてはまだ明らかではありません。

使用量の目安

●経口摂取

１回２～４gをそのままあるいはお茶（150mLの熱湯に浸す）として１日３回摂取します。平均的な１日摂取量は６gです。流エキス（１：１，25%アルコール）を１回２～４mLで１日３回摂取します。

セントーリー

CENTAURY

別名ほか

シマセンブリ，ベニバナセンブリ，セントーリ（Centaurium erythraea），Centaurium umbellatum，Bitter Herb，Centaurium minus，Common Centaury，Drug Centaurium，Erythraea centaurium，Lesser Centauru，Minor Centaury

概　　要

セントーリーはハーブです。乾燥させた地上部を用いて「くすり」を作ることもあります。

飲料では風味付けに使われます。

安　全　性

セントーリーは，食べ物に含まれる量を摂取するのであれば安全です。「くすり」としての量を使用する場合は，ほとんどの人に対して安全なようです。

●妊娠中および母乳授乳期

妊娠中および母乳授乳期の女性が，食べ物に含まれる量を摂取するのであれば安全です。ただし，「くすり」としての高用量摂取の安全性についてはデータが不十分です。

センナ

SENNA

別名ほか

桂皮（Cassia acutifolia），カシア桂皮（Cassia angustifolia），アレキサンドリア・センナ（Alexandrian Senna），Casse，インド・センナ（Indian Senna），チンネベリーセンナ（Tinnevelly Senna），ホソバセンナ，コバノセンナ，カシアセンナ（Cassia senna），Khartoum senna，Sénéd'Egypte，Sena alejandrina，Senna alexandrina，Sennae folium，Sennae fructus，True Senna

概　　要

センナはハーブです。葉および果実を用いて「くすり」を作ることもあります。

●要説（ナチュラル・スタンダード）

９世紀頃から現在に至るまで，アラビアでは，センナ（Cassia senna）の葉や鞘を緩下薬として医師が用いています。現在では，米国食品医薬品局（FDA）にOTC薬として承認され，市販の緩下剤の原料として用いられています。

センナ（Cassia）には400以上の種類があります。葉と果実の両方に，アントラキノン（anthraquinone）と呼ばれる化合物が含まれており，緩下薬としての効果があります。センナに含まれているアントラキノンは，カスカラサグラダ（カスカラサグラダ樹脂：Cascara sagrada）をはじめ，ルバーブ（Rheum spp），アロエ（Aloe vera）など，緩下剤の効果があるほかの植物にも含まれています。センナは，多くの緩下剤のように排泄物を柔らかくせずに，排便を促進します。推奨される摂取量よりも過剰な量を摂取したり，長期間使用（乱用）すると，低血中カリウム濃度などの副作用を引き起こすおそれがあります。

成人の慢性便秘症や，出産や医薬品により誘発された便秘の治療に対するセンナの有効性を支持するエビデンスがあります。小児の慢性便秘症の治療には，センナに比べ鉱油（mineral oil）やラクツロース（lactulose）の方が有効な可能性があることが，エビデンスにより示唆されています。医薬品により誘発された便秘の場合には，カスカラサグラダやアロエよりもセンナのほうが有効であるとする専門家もいます。鎮痛薬としてオピオノイドを摂取している終末期がん患者のおよそ80%が緩下剤を要します。これらの患者にとってセンナは，ラクツロースと同じくらい効果があり，安全でもあることを示唆するエビデンスもあります。

安全性

短期間なら，ほとんどの成人と２歳以上の子どもには安全で，処方箋のいらない医薬品の１つとして米国食品医薬品局（FDA）に承認されています。

胃の不調，さしこみ，および下痢などの副作用を生じることがあります。

２週間を超えて使用してはいけません。長期間の使用によって，腸の機能に障害をきたし，下剤への依存が生じる可能性があります。また，長期使用によって体内の電解質が減少し，心機能の障害，筋肉の衰え，肝機能障害，などの副作用が引き起こされるおそれもあります。

胃腸障害，痔核，体内の電解質の不足，脱水症状のある人，下痢や軟便のある人は使用してはいけません。

●妊娠中および母乳授乳期

妊娠していて医師の診察を受けていない人は，使用してはいけません。

有効性

◆有効性レベル②

・便秘。
・大腸内視鏡検査前の腸の前処置。

◆科学的データが不十分です

・痔核，過敏性の腸疾患，体重減少などの症状。

●体内での働き

複数の種類のセンノシドと呼ばれている成分が含まれており，これらが大腸の内壁を刺激して緩下作用を示します。

医薬品との相互作用

中エストロゲン（卵胞ホルモン）製剤

ホルモン補充療法に用いられる医薬品には化学物質エストロンを含むものがあります。センナは体内のエストロン量を減少させる可能性があります。また，ホルモン補充療法に用いられる他の医薬品には化学物質エチニルエストラジオールを含むものがあります。センナはエストラジオールの体内への吸収量を減少させる可能性があります。センナはホルモン補充療法の作用を減弱させるおそれがあります。このようなエストロゲン製剤には，結合型エストロゲン，エチニルエストラジオール，エストラジオールなどがあります。

中ジゴキシン

センナは刺激性下剤と呼ばれる下剤の一種です。刺激性下剤は体内のカリウム量を減少させる可能性があります。カリウム量が減少すると，ジゴキシンの副作用のリスクが高まるおそれがあります。

中ワルファリンカリウム

センナは下剤として作用します。人によっては，センナが下痢を引き起こす可能性があります。下痢はワルファリンカリウムの作用を増強し，出血のリスクを高めおそれがあります。ワルファリンカリウムの服用中に過量のセンナを摂取しないでください。

中避妊薬

エチニルエストラジオールは特定の経口避妊薬に含まれるエストロゲンの一種です。 センナはエストラジオールの体内への吸収量を減少させる可能性があります。センナと特定の避妊薬を併用すると，避妊薬の効果が弱まるおそれがあります。

中利尿薬

センナは下剤です。特定の下剤は体内のカリウム量を減少させる可能性があります。利尿薬もまた，体内のカリウム量を減少させる可能性があります。センナと利尿薬を併用すると，体内のカリウム量が過剰に減少するおそれがあります。このような利尿薬には，クロロチアジド（販売中止），クロルタリドン（販売中止），フロセミド，ヒドロクロロチアジドなどがあります。

ハーブおよび健康食品・サプリメントとの相互作用

ほかのハーブ，健康食品・サプリメントとの相互作用についてはまだ明らかではありません。

使用量の目安

●経口摂取

１日15～30mgのヒドロキシアントラセン誘導体（センノシドBに換算）を摂取。センナの葉は通常，お茶にして朝または就寝時にティーカップ１杯摂取します。お茶の入れ方としては，細かく刻んだ葉0.5～２gをぬるま湯に10分間浸してからこします。または，水出しのお茶は胃腸への副作用が少なくて済みます。入れ方は，細かく刻んだ葉0.5～２gを冷水に10～12時間浸してからこします。葉の流エキス（１：１，25%アルコール）は0.5～2.0mL（回数は不特定）を摂取。果実茶ティーカップ１杯を朝および/または就寝時に摂取。お茶の入れ方は，茶さじすりきり半分のセンナの実をぬるま湯150mLに10分浸してからこします。軟便を維持するために必要な量は，それぞれの患者の最低量に合わせるようにします。センナの葉は，１～２週間以上は続けて使わないようにしてください。標準化された市販のセンナ葉製品はばらつきをなくし，投与量制御を改善します。

藻油

ALGAL OIL

別名ほか

DHA-S Oil, DHA-T Oil, DHASCO Oil, DHASCO-S, DHASCO-T, High-Oleic Algal Oil, 高オレイン酸藻油, Algal Triacylglycerol, 藻由来トリグリセリド, Microalgae Oil, 微細藻類由来油, Schizochytrium Oil, シゾキトリウム（Schizochytrium）属由来海藻オイル, Single Cell Oil

概　　要

藻油は特定の海藻類から作られます。魚油と同様に藻油はn-３系脂肪酸の供給源です。藻油には最も重要な２つのn-３系脂肪酸が含まれ，それはDHA（ドコサヘキサエン酸）とEPA（エイコサペンタエン酸）です。藻油は食品や「くすり」として使用されます。

藻油は，乳児用調整乳の栄養価を高めるために，最も一般的にほかの脂肪酸と併用されます。また，小児や高齢者の思考能力の改善，血清コレステロールの低下，特定の眼疾患（網膜色素変性症）の改善など，多くの疾患に対しても使用されますが，これらの用途を裏づける研究は不十分です。

藻油を藍藻，褐藻，クロレラ，コンブと混同しないでください。また，DHAやEPAのほかの供給源（魚油など）と混同しないようにしてください。

安 全 性

藻油の経口摂取はほとんどの成人に安全なようです。研究では，最大４年間安全に使用されています。藻油の副作用はほとんどが軽く，魚臭，胃腸症状，血清コレステロール値のわずかな上昇などです。しかし，藻油はn-３系脂肪酸であるDHAやEPAの供給源です。DHAおよびEPA は１日３g以下，健康食品・サプリメントからは２g以下に摂取を制限してください。１日３gを超えるDHAおよびEPAを含む藻油はおそらく安全ではありません。DHAおよびEPA を１日３g超えて摂取すると，血液凝固が抑制されて出血のリスクが高まる可能性が懸念されます。

乳児および小児：藻油は，適切に使用すればほとんどの乳児および小児に安全です。藻油はDHAの供給源として乳児用調整乳に含まれることがあります。この使用は“一般に安全と認められて”います（GRAS）。藻油は，７歳以上の小児がn-３系脂肪酸のDHAを１日30 mg/kg，４年間使用しても安全であるとされています。

アスピリン過敏症：藻油のなかにはDHAを含むものがあります。アスピリン過敏症の場合，DHAが呼吸に影響を及ぼす可能性があります。

出血性疾患：藻油のなかにはn-３系脂肪酸のDHAおよびEPAを含むものがあります。DHAのみでは血液凝固に影響を及ぼさないようです。しかし，EPAおよびDHAを１日３gを超える量を含む藻油を摂取すると，出血のリスクが高まる可能性が懸念されます。

早産児の呼吸困難：藻油のなかにはDHAを含むものがあります。DHAは呼吸障害のある早産児の呼吸を悪化させるおそれがあります。

糖尿病：藻油のなかにはDHAを含むものがあります。DHAは２型糖尿病患者の空腹時血糖値を上昇させる可能性があります。

低血圧：藻油のなかにはDHAを含むものがあります。DHAは血圧を低下させる可能性があります。そのため，低血圧の場合に血圧が過度に低下するおそれがあります。

●妊娠中および母乳授乳期

妊娠中および授乳中に適量を経口摂取する場合は，ほとんどの人に安全のようです。藻油はn-３系脂肪酸（DHA）の供給源として妊婦用ビタミンや乳児用調整乳に含まれることがあります。授乳中に母親が摂取すると，母乳のDHA濃度が上昇します。妊娠中および授乳中の女性は毎日200～300 mgのDHAを摂取することが推奨されます。この量は妊娠中に週に２～３人前，授乳中に週に１～２人前を摂取することで達成できますが，栄養不足または魚を食べない女性は藻油のような健康食品・サプリメントを摂取することでこの必要量を満たすことが可能です。

有 効 性

◆科学的データが不十分です

・加齢にともなう記憶と思考能力の低下，小児の発達，青少年における記憶と思考能力（認知機能），高コレステロール血症や高トリグリセリド血症（高脂血症），骨量減少（オステオペニア），夜盲や視野狭窄を引き起こす遺伝性の眼疾患（網膜色素変性症），ADHD，自閉症，のう胞性線維症，乳児の発達など。

●体内での働き

藻油には，n-３系脂肪酸およびn-９系脂肪酸が含まれています。これらの脂肪酸は炎症（腫脹）を抑制したり，血中脂肪値を改善させたり，脳機能を助ける可能性があります。

医薬品との相互作用

低 血液凝固を抑制する医薬品（抗凝固薬/抗血小板薬）

高用量の藻油と血液凝固を抑制する医薬品を併用すると，紫斑および出血のリスクが高まるおそれがあります。慎重に併用してください。藻油にはDHA（ドコサヘキサエン酸）およびEPA（エイコサペンタエン酸）が含まれます。DHAは血液凝固に影響を及ぼさないようですが，多量のEPAを摂取すると，EPA単体であってもDHAと一緒であても血液凝固を抑制する可能性があります。このような医薬品には，アスピリン，クロピドグレル硫酸塩，ジクロフェナクナトリウム，イブプロフェン，ナプロキセン，ダルテパリンナトリウム，エノキサパリンナトリウム，ヘパリン，ワルファリンカリウムなどがあります。

中降圧薬

藻油と降圧薬を併用すると，降圧薬の作用が増強し，血圧が過度に低下するおそれがあります。藻油にはn-３系脂肪酸が含まれます。n-３系脂肪酸は血圧を低下させるようです。このような降圧薬には，カプトプリル，エナラプリルマレイン酸塩，ロサルタンカリウム，バルサルタン，ジルチアゼム塩酸塩，アムロジピンベシル酸塩，ヒドロクロロチアジド，フロセミドなど数多くあります。

中糖尿病治療薬

藻油の中にはDHA（ドコサヘキサエン酸）を含むものがあります。DHAは血糖値を上昇させる可能性があります。糖尿病治療薬は血糖値を低下させるために用いられます。藻油が血糖値を上昇させることにより，糖尿病の作用を阻害するおそれがあります。血糖値を注意深く監視してください。糖尿病治療薬の用量を変更する必要があるかもしれません。このような糖尿病治療薬には，グリメピリド，グリベンクラミド，インスリン，メトホルミン塩酸塩，ピオグリタゾン塩酸塩，マレイン酸ロシグリタゾン（販売中止）などがあります。

ハーブおよび健康食品・サプリメントとの相互作用

血圧を低下させるおそれのあるハーブおよび健康食品・サプリメント

藻油のなかにはDHA（ドコサヘキサエン酸）を含むものがあります。DHAは血圧を低下させる可能性があります。DHAを含む藻油と血圧を低下させるおそれのあるハーブおよび健康食品・サプリメントを併用すると，血圧が過度に低下するおそれがあります。このようなハーブおよび健康食品・サプリメントには，アンドログラフィス，カゼイン・ペプチド，キャッツクロー，コエンザイムQ-10，魚油，L-アルギニン，クコ属，イラクサ，テアニンなどがあります。

血液凝固を抑制するおそれのあるハーブおよび健康食品・サプリメント

多量の藻油と血液凝固を抑制するおそれのあるハーブおよび健康食品・サプリメントを併用すると，血液凝固が抑制され，出血のリスクが高まるおそれがあります。併用には注意してください。魚油と同様に，藻油にはDHA（ドコサヘキサエン酸）およびEPA（エイコサペンタエン酸）が含まれます。このn-３系脂肪酸を多量に摂取すると，血液凝固が抑制される可能性があります。このようなハーブおよび健康食品・サプリメントには，アンゼリカ，タンジン，ニンニク，ショウガ，イチョウ，レッドクローバー，ウコン，ヤナギなどがあります。

使用量の目安

通常の食品に含まれている量を超えて経口摂取した場合の安全性および副作用については，明らかになっていません。

ソープワート

RED SOAPWORT

別名ほか

石けん草（Saponaria officinalis），サボンソウ，シャボンソウ（Bouncing-Bet），サポナリア，Saponariae Rubrae radix，Soapwort

概　要

ソープワートは植物です。根が「くすり」として使用されることもあります。ホワイト・ソープワートと混同しないでください。

安 全 性

皮膚に使用した場合，ほとんどの人に安全です。石けんやシャンプーとして用いて副作用が起きたという報告はありません。

経口摂取はほとんどの人に安全だと考えられます。

胃の炎症，悪心，嘔吐などの副作用を引き起こす可能性があります。

胃・十二指腸潰瘍，炎症性腸疾患：症状を悪化させるおそれがあります。胃腸疾患の場合には使用しないでください。

●妊娠中および母乳授乳期

妊娠中および母乳授乳期の使用の安全性についてはデータが不十分です。安全性を考慮し，摂取は避けてください。

有 効 性

◆科学的データが不十分です

・気管支炎（気道の腫脹）など。皮膚に塗布した場合には，ツタウルシ（メキシコデンドロン属），にきび，乾癬，湿疹，膿皮症（せつ，ようなど）。

●体内での働き

痰を薄めて吐き出しやすくする成分が含まれています。

医薬品との相互作用

ほかの医薬品との相互作用については明らかではありません。

ハーブおよび健康食品・サプリメントとの相互作用

ほかのハーブ，健康食品・サプリメントとの相互作用についてはまだ明らかではありません。

使用量の目安

●経口摂取

1日1.5gの乾燥根をお茶として，またはそれに相当する製品を摂取します。

●局所投与

標準使用量に関するデータがありません。

ソバ

BUCKWHEAT

別名ほか

ファゴピルム・エクスレントゥム（Fagopyrum Esculentum），Buchweizen，Fagopyrum Sagittatum，Fagopyrum Vulgare，Grano Turco，Sarrasin，Silverhull Buckwheat

概　要

ソバは植物です。ソバの葉や花でそば粉を作ります。そば粉は食品（通常はパン，パンケーキ，麺）または「くすり」として使用されます。

「くすり」として，ソバは，静脈および微小血管を強くすることによって血流を改善するため，足の静脈瘤および血行不良を治療するため，および動脈硬化を予防するために使用されています。

ソバは，糖尿病，肥満，高血圧，高コレステロール血症，および便秘に対しても使用されています。

安 全 性

ソバを「くすり」として経口摂取する場合，成人にはおそらく安全です。人によっては，ソバにアレルギー反応を引き起こすおそれがあります。

●アレルギー

ソバアレルギー：職場などでソバに触れることでソバアレルギーになることがありますが，それ以外の要因でソバアレルギーになる人もいます。ソバアレルギーの人が再度ソバにさらされると，皮疹，鼻水，気管支喘息，致死性のおそれがある血圧下降，そう痒，腫脹，呼吸困難（アナフィラキシーショック）などの重篤なアレルギー反応を引き起こすおそれがあります。

セリアック病またはグルテン過敏症：グルテンフリー食にソバを用いるのは安全ではないと考える人もいます。ただし，Celiac Disease Foundation（セリアック病財団）およびGluten Intolerance Group（グルテン不耐症団体）は，ソバを許容できる食品とみなしています。ソバアレルギーでない限り，セリアック病やグルテン過敏症の人がグルテンフリー施設で生産されたソバを摂取するのは安全です。

ラテックスまたはその他の食品（米など）に対するアレルギー：米アレルギーのある人のなかには，ソバアレルギーになるおそれのある人もいます。

●妊娠中および母乳授乳期

妊娠中および母乳授乳期の「くすり」としての使用の安全性についてはデータが不十分です。安全性を考慮し，摂取は避けてください。

有 効 性

◆科学的データが不十分です

・循環障害（慢性静脈不全），糖尿病，糖尿病による視覚の異常（網膜症），血流改善，動脈硬化の予防など。

●体内での働き

ソバは，糖尿病患者の血糖コントロールの改善を促進する可能性があります。

医薬品との相互作用

ほかの医薬品との相互作用については明らかではありません。

ハーブおよび健康食品・サプリメントとの相互作用

ほかのハーブ，健康食品・サプリメントとの相互作用についてはまだ明らかではありません。

使用量の目安

通常の食品に含まれている量を超えて経口摂取した場合の安全性および副作用については，明らかになっていません。

ソリチャ

NEW JERSEY TEA

●代表的な別名

ニュージャージーティー

別名ほか

セアノサス（Ceanothus americanus），Jersey Tea，Mountain-sweet，Redroot，Red Root，Walpole Tea，Wild Snowball

概　要

ソリチャは植物です。根，根の皮および葉を用いて「くすり」を作ることもあります。

安全性

ほとんどの人に安全なようです。

●妊娠中および母乳授乳期

妊娠中および母乳授乳期のソリチャ使用の安全性についてはデータが不十分です。安全性を考慮し，摂取は避けてください。

有効性

◆科学的データが不十分です

・咳，痙攣，出血，淋病，梅毒，感冒，発熱，悪寒など。

●体内での働き

どのように作用するかは不明です。動物実験では血液の凝固時間を短縮することがあります。

医薬品との相互作用

ほかの医薬品との相互作用については明らかではありません。

ハーブおよび健康食品・サプリメントとの相互作用

ほかのハーブ，健康食品・サプリメントとの相互作用についてはまだ明らかではありません。

使用量の目安

●経口摂取

エキスとして摂取します。

ソルガム

SORGHUM

●代表的な別名

モロコシ

別名ほか

タカキビ，コウリャン，コーリャン，マイロ，Andropogon sorghum，Blé de Guinée，Broom Corn，ホウキモロコシ，Darri，Durri，Guinea Corn，Holcus bicolor，Milium nigricans，Millet，Panicum caffrorum，Sorgho，ソルゴー，Sorgho à Balais，Sorgho Commun，Sorgho à Graine，Sorgho Vulgaire，Sorghum bicolor，モロコシ，Sorghum vulgare，Sorgo

概要

ソルガムは穀物です。アフリカでは穀物のシリアルが一般的に食されています。また，種子や葉を用いて，時には「くすり」を作ることもあります。

ソルガムは，消化不良，HIV/エイズ，肥満，糖尿病などに対して使用されますが，このような用途を裏付ける十分な科学的根拠（エビデンス）はありません。

安全性

ソルガムを経口摂取した場合，通常の食品に含まれる量であればほとんどの人に安全のようです。ソルガムを「くすり」として摂取する場合の安全性や副作用については情報が不十分です。

●妊娠中および母乳授乳期

妊娠中，母乳授乳期にソルガムを使用する安全性については情報が不十分です。安全性を考慮し，摂取しないでください。

有効性

◆科学的データが不十分です

・HIV/エイズ，鉄欠乏を原因とする赤血球レベルの低下（貧血），肥満，消化不良，糖尿病など。

●体内での働き

ソルガムには消化器系の不調を整える作用があるようです。

医薬品との相互作用

ほかの医薬品との相互作用については明らかではありません。

ハーブおよび健康食品・サプリメントとの相互作用

ほかのハーブ，健康食品・サプリメントとの相互作用についてはまだ明らかではありません。

使用量の目安

ソルガムの適量は複数の要因（年齢，健康状態などさまざまな状況）により異なります。現時点ではソルガムの適量の範囲を決定する十分な科学的根拠(エビデンス)はありません。自然由来の製品は必ずしも常に安全ではなく，使用量が重要になりうることに留意してください。製品の表示にある注意事項に従い，また，医師・薬剤師などに相談することなく製品を使用しないでください。

ソロモンズシール

SOLOMON'S SEAL

別名ほか

ナルコユリ属，ポリゴナタム・マルチフロリウム，アマドコロ（Polygonatum Multiflorum），Dropberry，Lady's Seals，Sealroot，Sealwort，St．Mary's Seal

概要

ソロモンズシールはハーブです。「くすり」として使用されることもあります。

安　全　性

短期間の使用の場合，ほとんどの成人に安全です。

長期間の使用，あるいは多量の使用によって，下痢，胃の障害，悪心などの副作用が起こる可能性があります。

糖尿病：血糖値を下げるので，血糖値コントロールに影響する懸念が考えられます。ソロモンズシールと糖尿病治療薬を併用する場合，血糖値を慎重に監視してください。

手術：血糖値を下げると考えられるので，手術中や術後の血糖値に影響する懸念があります。２週間以内に手術を受ける予定の人は使用してはいけません。

●妊娠中および母乳授乳期

妊娠中および母乳授乳期の使用の安全性についてはデータが不十分です。安全性を考慮し，摂取は避けてください。

有　効　性

◆科学的データが不十分です

・経口摂取の場合，肺疾患，炎症（腫脹）など。

・皮膚に塗布する場合，打撲傷，瘭疽（指先の化膿），痔核，皮膚発赤など。

●体内での働き

血糖値を下げると考えられている成分が含まれています。

医薬品との相互作用

中インスリン

インスリンは血糖値を下げるために用いられる医薬品ですが，ソロモンズシールも血糖値を下げることがあります。ソロモンズシールとインスリンを併用すると，血糖値が下がりすぎてしまうおそれがあります。

中クロルプロパミド

クロルプロパミドは糖尿病の人の血糖値を下げる医薬品ですが，ソロモンズシールも血糖値を下げることがあります。クロルプロパミドを服用しているときにソロモンズシールを摂取すると，血糖値が下がりすぎてしまうおそれがあります。

中糖尿病治療薬

糖尿病治療薬は血糖値を下げるために用いられる医薬品ですが，ソロモンズシールも血糖値を下げることがあります。ソロモンズシールと糖尿病治療薬を併用すると，血糖値が過度に低下するおそれがあります。このような糖尿病治療薬にはグリメピリド，グリベンクラミド，インスリン，ピオグリタゾン塩酸塩，マレイン酸ロシグリタゾン（販売中止），クロルプロパミド，Glipizide，トルブタミド（販売中止）などがあります。

ハーブおよび健康食品・サプリメントとの相互作用

血糖値を下げるハーブおよび健康食品・サプリメント

ソロモンズシールは，血糖値を下げると考えられています。同様の作用のあるハーブおよび健康食品・サプリメントと併用すると，血糖値を下げ過ぎてしまうおそれが考えられます。このような併用は避けてください。この作用のあるハーブには，デビルズクロー，フェヌグリーク，ニンニク，グアーガム，セイヨウトチノキ，朝鮮人参，サイリウム，エゾウコギなどがあります。

使用量の目安

標準使用量に関するデータがありません。

ターミナリア

TERMINALIA

別名ほか

セイタカミロバラン（Beleric Myrobalan），ハリタキー（Haritaki），インデアン・アーモンド（Indian Almond），ミロバラン（Myrobalan），アルジュナ，モモタマナ（Terminalia arjuna），ターミナリア・ベリリカ（Terminalia bellirica），ミロバランノキ，ミロバラン（Terminalia chebula），トロピカル・アーモンド（Tropical Almond），ビビタキ（Vibhitaki），Arjuna, Axjun Argun, Bahera, Bala Harade, Balera, Behada, Chebulic Myrobalan, Hara, Harada, He Zi, Hirala, Kalidruma, Karshaphala

概　要

ターミナリアは樹木です。樹皮および果実を用いて「くすり」を作ることもあります。

注：わが国では「46通知」によると，ターミナリア・ベリリカ（完熟果実）は「非医薬品」です。

●要説（ナチュラル・スタンダード）

ターミナリアは，インドに起源を持つ伝統的なホリスティック医学であるアーユルヴェーダ医学で広く使用されている一般的な草本植物です。ターミナリアは，漬け物や砂糖漬けにしたり，フルーツジャムに入れて食べます。

ターミナリアは，さまざまな状況に対する医薬品として使用されています。もっとも一般的なのは，便秘，消化疾患，感染などです。ターミナリアの果実には，下剤や収れん効果のある化学物質が含まれています。抗菌，抗炎症，抗酸化，抗アレルギー，利尿特性も有する可能性があります。どのような医学的状況について，ターミナリアが安全かつ有効であるかどうかを決定するためには，きちんと計画されたヒトでの研究が必要とされます。

安 全 性

3カ月以下の短い期間の使用ならば安全だと考えられます。

医師の管理下以外では使用してはいけません。心臓に影響があるかもしれません。

●妊娠中および母乳授乳期

妊娠中，母乳授乳期は使用してはいけません。

有 効 性

◆有効性レベル③

・従来の治療方法に加えて使用した場合，心臓発作が起こった後の胸痛（狭心症）を軽減する作用。

・従来の治療方法に加えて使用した場合，うっ血性心不全の治療効果。ターミナリアが循環器疾患にどのように役立っているかを明白にするには，大規模で長期的な治験が必要です。

◆科学的データが不十分です

・耳痛，HIV/エイズ，肺疾患，重度の下痢，排尿障害，水分貯留など。

●体内での働き

心臓の機能を亢進させる作用のある成分が含まれています。また，血清コレステロール値や血圧を下げることによって，心臓の働きを補助する作用もあると考えられます。

医薬品との相互作用

中 糖尿病治療薬

ターミナリアは血糖値を低下させる可能性があります。糖尿病治療薬も血糖値を低下させるために用いられます。ターミナリアと糖尿病治療薬を併用すると，血糖値が過度に低下するおそれがあります。しかし，この相互作用が重大な問題であるかについてはさらなるエビデンス（科学的根拠）が必要です。血糖値を注意深く監視してください。このような糖尿病治療薬には，グリメピリド，グリベンクラミド，インスリン，ピオグリタゾン塩酸塩，マレイン酸ロシグリタゾン（販売中止），クロルプロパミド，Glipizide，トルブタミド（販売中止）などがあります。

中 血液凝固を抑制する医薬品（抗凝固薬/抗血小板薬）

ターミナリアは血液凝固を抑制する可能性があります。ターミナリアを摂取し，血液凝固を抑制する医薬品を併用すると，紫斑および出血のリスクが高まるおそれがあります。このような医薬品には，アスピリン，クロピドグレル硫酸塩，ジクロフェナクナトリウム，イブプロフェン，ナプロキセン，ダルテパリンナトリウム，エノキサパリンナトリウム，ヘパリン，ワルファリンカリウムなどがあります。

中 肝臓で代謝される医薬品（シトクロムP450 2C9（CYP2C9）の基質となる医薬品）

特定の医薬品は肝臓で代謝されます。研究では，ターミナリア・アルジュナはこのような医薬品の代謝を抑制する可能性がある一方で，他種のターミナリアにはこの作用がない可能性があると示唆されています。ターミナリアを摂取し，肝臓で代謝される医薬品を併用すると，医薬品の作用および副作用が変化するおそれがあります。このような医薬品には，アミトリプチリン塩酸塩，ジアゼパム，Zileuton，セレコキシブ，ジクロフェナクナトリウム，フルバスタチンナトリウム，Glipizide，イブプロフェン，イルベサルタン，ロサルタンカリウム，フェニトイン，ピロキシカム，タモキシフェンクエン酸塩，トルブタミド（販売中止），トラセミド，ワルファリンカリウムなどがあります。

中 肝臓で代謝される医薬品（シトクロムP450 2D6（CYP2D6）の基質となる医薬品）

特定の医薬品は肝臓で代謝されます。研究では，ターミナリア・アルジュナはこのような医薬品の代謝を抑制する可能性がある一方で，他種のターミナリアにはこの作用がない可能性があると示唆されています。ターミナリアを摂取し，肝臓で代謝される医薬品を併用すると，医薬品の作用および副作用が変化するおそれがあります。このような医薬品には，アミトリプチリン塩酸塩，クロザピン，コデインリン酸塩水和物，塩酸デシプラミン（販売中止），ドネペジル塩酸塩，フェンタニルクエン酸塩，フレカイニド酢酸塩，塩酸フルオキセチン（販売中止），ペチジン塩酸塩，メサドン塩酸塩，メトプロロール酒石酸塩，オランザピン，オンダンセトロン塩酸塩水和物，トラマドール塩酸塩，トラゾドン塩酸塩などがあります。

中肝臓で代謝される医薬品（シトクロムP450 3A4（CYP3A4）の基質となる医薬品）

特定の医薬品は肝臓で代謝されます。研究では，ターミナリア・アルジュナはこのような医薬品の代謝を抑制する可能性がある一方で，他種のターミナリアにはこの作用はない可能性があると示唆されています。ターミナリアと肝臓で代謝される医薬品を併用すると，医薬品の作用および副作用が変化するおそれがあります。このような医薬品には，Lovastatin，クラリスロマイシン，シクロスポリン，ジルチアゼム塩酸塩，エストロゲン（卵胞ホルモン）製剤，インジナビル硫酸塩エタノール付加物（販売中止），トリアゾラムなど数多くあります。

中オメプラゾール

オメプラゾールは体内で代謝されてから排泄されます。ミロバラン（ターミナリアの一種）はオメプラゾールの代謝を抑制する可能性があります。ミロバランを摂取し，オメプラゾールを併用すると，オメプラゾールの作用および副作用が増強するおそれがあります。

中クロルゾキサゾン

クロルゾキサゾンは体内で代謝されます。ミロバラン（ターミナリアの一種）はクロルゾキサゾンの代謝を抑制する可能性があります。ターミナリアを摂取し，クロルゾキサゾンを併用すると，クロルゾキサゾンの作用および副作用が増強するおそれがあります。

ハーブおよび健康食品・サプリメントとの相互作用

ほかのハーブ，健康食品・サプリメントとの相互作用についてはまだ明らかではありません。

使用量の目安

●経口摂取

左心室機能の改善

心筋梗塞後の狭心痛，またうっ血性心不全の通常治療を補助する目的に使用する場合，粉末樹皮500mgを８時間ごとに摂取します。

ダイオウ

UZARA

●代表的な別名

大黄

別名ほか

Uzarae radix，Xysmalobium undulatum

概　要

ダイオウは植物です。根を用いて「くすり」を作ることもあります。

安全性

短期間の経口摂取の場合，安全だと考えられますが，副作用に関してはまだ明らかになっていません。

注射による使用は安全ではなく，死に至った例もあります。

心疾患：状態を悪化させたり，治療に影響する物質を含んでいるおそれがあります。心臓病がある人は使用しないでください。

カリウム値が低い場合：カリウム値が低下すると心臓の健康が脅かされます。ダイオウを使用することで，カリウム値がさらに低下し，心臓障害のリスクが高まるおそれがあります。

●妊娠中および母乳授乳期

妊娠中および母乳授乳期の使用の安全性についてはデータが不十分です。安全性を考慮し，摂取は避けてください。

有効性

◆科学的データが不十分です

・下痢など。

●体内での働き

腸の内容物の移動を遅くすると考えられる成分が含まれています。

医薬品との相互作用

中キニーネ塩酸塩水和物

ダイオウは心臓に影響を及ぼすと考えられますが，キニーネ塩酸塩水和物も心臓に作用する医薬品です。ダイオウとキニーネ塩酸塩水和物を併用すると，心臓に重大な障害が起こるおそれがあります。

高ジゴキシン

ジゴキシンは強い強心作用を示す医薬品ですが，ダイオウも心臓に影響を及ぼすと考えられています。ジゴキシンを服用しているときにダイオウを摂取すると，ジゴキシンの作用が増強され，その副作用が現れるリスクが高まると考えられます。

中テトラサイクリン系抗菌薬

タ

有効性レベル：①効きます　②おそらく効きます　③効くと断言できませんが、効能の可能性が科学的に示唆されています
④効かないかもしれません　⑤おそらく効きません　⑥効きません

ダイオウとテトラサイクリン系抗菌薬を併用すると，ダイオウの副作用が現れるリスクが高まると考えられます。このようなテトラサイクリン系抗菌薬には，デメチルクロルテトラサイクリン塩酸塩，ミノサイクリン塩酸塩，テトラサイクリン塩酸塩などがあります。

中マクロライド系抗菌薬

ダイオウは心臓に影響を及ぼすと考えられています。抗菌薬の中にはダイオウの体内吸収を促進すると考えられるものがあり，それによってダイオウの作用が増強され，副作用も強く現れるおそれがあります。このような抗菌薬には，エリスロマイシン，アジスロマイシン水和物，クラリスロマイシンなどがあります。

中刺激性下剤

ダイオウは心臓に影響を及ぼすと考えられています。心臓の機能維持にはカリウムが重要な役割を果たしていますが，刺激性下剤は体内のカリウム量を減少させることがあり，カリウム量が減少するとダイオウの副作用が現れるリスクが高まると考えられます。このような刺激性下剤にはビサコジル，カスカラサグラダ，ヒマシ油，センナなどがあります。

中利尿薬

ダイオウは心臓に影響を及ぼすと考えられています。利尿薬の中には体内のカリウム量を減少させるものがあります。カリウム量が減少すると，心臓に影響が及ぶリスクが増しますので，併用するとダイオウの副作用が現れるリスクが高くなると考えられます。このような利尿薬にはクロロチアジド（販売中止），クロルタリドン（販売中止），フロセミド，ヒドロクロロチアジドなどがあります。

ハーブおよび健康食品・サプリメントとの相互作用

強心配糖体を含むハーブおよび健康食品・サプリメント

ダイオウは，処方薬のジゴキシンと似た，強心配糖体と呼ばれる物質を含んでいます。強心配糖体は，体内のカリウムを過度に喪失させ，心臓を障害するおそれがあります。ダイオウと強心配糖体を含むほかのハーブおよび健康食品・サプリメントと併用すると，心臓を障害するリスクが高まるおそれがあるため，併用は避けてください。このようなハーブには，クリスマスローズ，トウワタの根，ジキタリスの葉，ゴシポール，カキネガラシ，セイヨウゴマノハグサ，ドイツスズランの根，マザーワート，オレアンダーの葉，ゲウム，ヤナギトウワタ，海葱の鱗片葉，スターオブベツレヘム，ストロファンツスの種などがあります。

ツクシ

ダイオウは，強心配糖体と呼ばれる物質を含んでいます。強心配糖体は，体内のカリウムを過度に喪失させ，心臓を障害するおそれがあります。ツクシには，尿量を増加させる利尿薬のような作用があり，体内のカリウムを喪失させるおそれがあります。ツクシとダイオウなど強心配糖体を含むほかのハーブおよび健康食品・サプリメントと併用すると，カリウムを過度に喪失させ，心臓を障害するリスクが高まるおそれがあるため，併用は避けてください。

甘草

ダイオウは，強心配糖体と呼ばれる物質を含んでいます。強心配糖体は，体内のカリウムを過度に喪失させ，心臓に障害するおそれがあります。甘草にも体内のカリウムを喪失させる働きがあります。甘草とダイオウなど強心配糖体を含むほかのハーブおよび健康食品・サプリメントと併用すると，カリウムが過度に喪失させ，心臓を障害するリスクが高まるおそれがあるため，併用は避けてください。

刺激性下剤ハーブおよび健康食品・サプリメント

刺激性下剤ハーブおよび健康食品・サプリメントは，腸の運動を活発にするため，カリウムなどのミネラルが体内に吸収されるために十分なほど長く食物が腸に留まらないおそれがあります。これにより，カリウム値が適正値よりも低下するおそれがあります。強心配糖体が含まれているダイオウも，体内のカリウムを喪失させるおそれがあります。ダイオウと刺激性下剤ハーブおよび健康食品・サプリメントを併用すると，カリウムが低くなりすぎ，心臓障害のリスクが高まる懸念があるため，併用しないでください。刺激性下剤ハーブおよび健康食品・サプリメントには，アロエ，セイヨウイソノキ，ブラックルート，ブルーフラッグ，バターナットの樹皮，コロシント，ヨーロピアンバックソーン，フォーチ，ガンボジ，ヒロハヒルガオ，ヤラッパ，マンナ，メキシカン・スキャモニイ・ルート，ルバーブ，センナ，イエロードックなどがあります。

使用量の目安

●経口摂取

通常，エタノール/水エキス，またはメタノール/水エキスから抽出された乾燥エキスを使用します。初めは，総配糖体（uzarinに換算）75mg，または乾燥根１gに相当する量を摂取します。その後，総配糖体（uzarinに換算）１日45～90mgを摂取します。下痢が３～４日以上続く場合があります。

ダイコンソウ

AVENS

別名ほか

ゲウム（Geum），セイヨウダイコンソウ，クローブルート，ウッドアベンス（Geum urbanum），ハーブベネット（Herb Bennet），Benedict's Herb，Bennet's Root，Colewort

相互作用レベル：高この医薬品と併用してはいけません　中この医薬品とは慎重に併用するか併用しないでください
低この医薬品との併用には注意が必要です

概　　要

ダイコンソウは植物です。地上部を用いて「くすり」を作ることもあります。

注：わが国では,「46通知」によるとダイコンソウ（全草）は「非医薬品」です。

安 全 性

食品の調味料として少量を用いる場合は安全です。

十分なデータが得られていないので,「くすり」として使用した場合に安全であるかどうか不明です。

●妊娠中および母乳授乳期

妊娠中，母乳授乳期は使用してはいけません。

有 効 性

◆科学的データが不十分です

・下痢，大腸炎，子宮出血，発熱など。

●体内での働き

炎症（腫脹）を鎮めることによって下痢を治療する働きのあるタンニンという成分が含まれています。

医薬品との相互作用

ほかの医薬品との相互作用については明らかではありません。

ハーブおよび健康食品・サプリメントとの相互作用

ほかのハーブ，健康食品・サプリメントとの相互作用についてはまだ明らかではありません。

使用量の目安

●経口摂取

通常，１～４gを沸騰したお湯に浸し，ろ過して１日３回摂取します。流エキス剤（１：１，25%アルコール）１～４mLも１日３回摂取します。

大豆

SOY

●代表的な別名

ソイビーン

別名ほか

枝豆（Edamame），植物エストロゲン，植物由来エストロゲン様物質，エストロゲン様作用物質，ホルモン様物質（Phytoestrogen），醤油（Shoyu），豆乳（Soy Milk），豆豉（Touchi），豆腐（Tofu），大豆タンパク（Soy protein），ダイゼイン（Daidzein），ゲニステイン（Genistein），イソフラボン（Isoflavones），フィトエストロゲン，トウチー，Frijol de Soya, Genestein, Haba Soya, Plant estrogen, Soja, Sojabohne, Soya, Soybean, Soybean curd, Soy fiber

概　　要

大豆はマメ科の植物です。大豆は，大豆タンパクに加工されます。大豆タンパクには，粉末，豆乳（大豆を原料とする飲料で，カルシウムを追加し栄養強化したものもあります），繊維（大豆の繊維質の多い部分を含んでいます）などがあります。

大豆は，高コレステロール血症や高血圧に対して，また心臓や血管の疾患予防のため，経口摂取されます。また，２型糖尿病，糖尿病に起因する腎疾患，気管支喘息に対して使用されたり，骨粗鬆症の予防，関節炎による関節痛やこわばりの予防，腎疾患の進行抑制などを目的に使用されたりすることもあります。このほか，さまざまながんの予防を目的として経口摂取されます。

大豆は，便秘，下痢，クローン病，C型肝炎，メタボリックシンドローム，線維筋痛症，体重減少，前立腺肥大の治療として，また，腎疾患患者の尿中タンパク質の減少，記憶力および精神機能の改善，筋力増強，運動による筋肉痛の治療を目的として，経口摂取されることもあります。

女性の乳房痛，乳がん後の顔面紅潮（ほてり）の予防，更年期症状，月経前症候群（PMS）および月経中の片頭痛に対して，大豆が経口摂取されることもあります。

大豆は，乳児の授乳用調合乳の代用乳成分として，また牛乳の代替品として使用されています。大豆は，ガラクトースを分解できない乳児や，乳糖不耐症，遺伝性乳糖分解酵素欠乏症，仙痛などを有する乳児に対して与えられます。

大豆は，光加齢や皺の改善を目的に，皮膚へ塗布されます。

大豆は，膣の潤滑性の低下に伴う壁の肥厚，または膣の壁が薄くなる萎縮の治療を目的に，膣内に塗布されます。

大豆は，ゆでたり，焼いたりして，食されます。大豆粉は，食品，飲料，香料の材料として使用されます。

大豆に含まれる有効成分は，イソフラボンと呼ばれています。市販されている大豆サプリメントの品質に関する研究によると，ラベルに表示されたイソフラボン含有量の90%が含まれている製品は全体の25%にも満たないことが示唆されています。高額な製品であるからといって，ラベルに表示された含有量が正確であるとは限りません。

安 全 性

大豆タンパクを含む食品や，大豆タンパク製品の摂取は，ほとんどの人に安全のようです。大豆のエキスを含んだサプリメントの摂取は，短期間（最長６カ月）であれば，おそらく安全です。大豆により，便秘，鼓腸，吐き気など，胃腸に関連する軽度の副作用を引き起こすおそれがあります。人によっては，皮疹やそう痒などのアレルギー反応を引き起こすおそれがあります。人によっては，疲労を感じるおそれがあります。大豆は甲状腺機能に影響を与えるおそれもあります。ただし，甲状腺機能への影響は，主にヨウ素欠乏症の場合にみられるようです。

高用量の大豆のエキスを，長期にわたり摂取する場合には，おそらく安全ではありません。高用量のエキスを摂取すると，子宮内に異常組織の増殖を引き起こすおそれがあります。ただし，高用量の大豆を摂取しても，この作用は現れないようです。

小児：通常の食品や乳児用調合乳に含まれる量を摂取する場合には，ほとんどの小児に安全のようです。大豆調合乳を使用しても，将来的に健康および生殖上の問題を引き起こすことはないようです。ただし，乳児用に作られていない豆乳を乳児用調合乳の代わりとして使用するべきではありません。通常の豆乳により，栄養欠乏を引き起こすおそれがあります。

牛乳アレルギーがある小児に対して，大豆を牛乳の代わりに使用する場合には，おそらく安全ではありません。牛乳アレルギーのある小児には大豆タンパクによる乳児用調合乳をすすめられることがよくありますが，このような小児は大豆にアレルギーがあることも少なくありません。

通常の食品や調合乳に含まれる量を超える高用量の大豆を小児に与えてはいけません。高用量の大豆を小児に与えた場合の安全性については，データが不十分です。

気管支喘息：気管支喘息の場合には，大豆の皮にアレルギーがあることが多いようです。大豆製品の摂取は避けてください。

乳がん：乳がん患者に対する大豆の作用は，明らかにされていません。複数の研究により，大豆が，エストロゲンのように作用し，特定の乳がんを促進するおそれがあることが示されています。別の研究では，大豆が，乳がんを予防するようであることが示されています。大豆の作用に関する見解の不一致は，大豆の摂取量の違いによる可能性があります。大豆の作用についてデータが不十分であるため，乳がんの女性や，乳がんの既往歴や家族歴のある女性は，十分なデータが得られるまで，大豆の使用を避けることが最善です。

のう胞性線維症：豆乳が，のう胞性線維症の小児のタンパク質の代謝を妨げるおそれがあります。のう胞性線維症の小児に大豆製品を与えてはいけません。

糖尿病：糖尿病患者が，血糖値をコントロールするための医薬品を服薬している場合には，大豆により，血糖値が過度に低下するリスクが高まるおそれがあります。

子宮内膜がん：濃縮された大豆イソフラボンの錠剤を長期にわたり使用すると，子宮内膜組織において，前がん性変化の発生頻度が高まるおそれがあります。ただし，相反するエビデンスもあります。子宮内膜がんのリスクがある場合には，大豆イソフラボンを含むサプリメントは，注意して使用してください。大豆食品は，ほとんどの人に安全のようです。

甲状腺機能低下症：大豆の摂取により，甲状腺機能低下症が悪化するおそれがあります。

腎結石：大豆製品には，多量のシュウ酸塩が含まれています。シュウ酸塩は，腎結石の主成分であるため，大豆製品により，腎結石のリスクが高まるおそれがあります。また，重篤な腎疾患の場合には，大豆に含まれる化学物質の一部を代謝できないおそれがあります。このため，これらの化学物質の濃度が危険なほど高まるおそれがあります。腎結石の既往歴がある場合には，高用量の大豆の摂取は避けてください。

腎不全：大豆には，植物性エストロゲンが含まれています。植物性エストロゲンの値が過度に上昇すると，毒性を示すおそれがあります。腎不全の患者が大豆製品を使用する場合には，植物性エストロゲンの血中濃度が過度に上昇するリスクがあります。腎不全の場合には，高用量の大豆の摂取は避けてください。

膀胱がん：大豆製品により，膀胱がんの発症リスクが高まるおそれがあります。膀胱がんに罹患している場合や，膀胱がんの発症リスクが高い（膀胱がんの家族歴がある）場合は，大豆食品を避けてください。

●アレルギー

花粉症（アレルギー性鼻炎）：花粉症の場合には，大豆の皮にアレルギーがあることが多いようです。

牛乳アレルギー：深刻な牛乳アレルギーのある小児は，大豆製品にも敏感であるおそれがあります。大豆製品は，注意して使用してください。

●妊娠中および母乳授乳期

妊娠中および母乳授乳期の大豆タンパクの摂取は，通常の食品に含まれる量の範囲内であれば，ほとんどの人に安全のようです。ただし，妊娠中に「くすり」としての量の大豆を摂取する場合には，おそらく安全ではありません。妊娠中に高用量を摂取すると，胎児の成長に悪影響を与えるおそれがあります。母乳授乳期に高用量を摂取する場合の安全性については，データが不十分です。安全性を考慮し，高用量の摂取は避けてください。

有 効 性

◆有効性レベル③

・乳がん。大豆が豊富な食事の摂取は，一部の女性で乳がん発症リスクのわずかな低下に関連しています。アジア女性では，大豆が豊富な食事を摂っている人の方が大豆の摂取量が少ない人よりも，乳がん発症リスクが低いようです。しかし，ほとんどの研究では，西欧文化圏の女性に対する有益性は示されていません。西欧文化圏の女性は有益性がみられるほど十分に大豆を摂取していない可能性があります。また，乳がんリスクに対する大豆の作用は，女性の年齢および更年期の状態によって異なるようです。青年期に大豆が豊富な食事を摂る女性では，乳がん発症リスクが低下するようです。このことは，若い時期に大豆を摂取すると，後年の乳がんを予防する可能性があることを示唆しています。既に乳がんと診断された女性では，大豆が豊富な食事の摂取が乳がん再発リスクの低下に関連しています。ただし，大豆イソフラボンのサプリメントを摂取すると乳がんの増殖が抑制されるかどうかについては，データが不十分です。

- 糖尿病。大部分のエビデンスにより，糖尿病患者が大豆製品を摂取すると，血糖値が低下することが示唆されています。ただし，すべての研究において，有益性が示されているわけではありません。一般に，食用大豆，大豆繊維および醗酵大豆により，血糖値が低下するようですが，大豆から分離したタンパクなどの加工大豆製品には効果がないようです。
- 糖尿病患者の腎疾患。研究により，糖尿病患者が，食事の一部として，動物タンパクの代わりに大豆タンパクを摂取することにより，腎疾患の予防や治療に役立つ可能性が示唆されています。ただし，初期の研究の中には，豆乳を摂取しても効果はないことを示唆するものもあります。
- 下痢。大豆繊維を追加した調合乳を，単体または経口補液剤と併用で乳児に与えると，牛乳による調合乳または経口補液剤のみを与えた場合とくらべ，下痢の持続時間が短縮するようです。ただし，大豆を追加した調合乳の効果は，牛乳による調合乳と同程度であることを示唆する研究もあります。成人では，大豆繊維を摂取しても，下痢の頻度が減少することはないことが初期のエビデンスで示唆されています。
- ガラクトース血症（ガラクトースの消化障害）。ガラクトース血症の乳児にとって，大豆による調合乳は有効であるようです。
- 遺伝性ラクトース欠乏症（ラクトースの消化障害）。遺伝性ラクトース欠乏症の乳児にとって，大豆による調合乳は有効であるようです。
- 高コレステロール血症。ほかの食品タンパクの代わりに大豆タンパクを摂取したり，大豆繊維製品を摂取したりすることにより，総コレステロールおよび低比重リポタンパク（LDL，悪玉）コレステロールがわずかに減少するようです。イソフラボンを豊富に含む大豆タンパクは，イソフラボンをほとんどまたはまったく含まない大豆タンパクよりも，有効である可能性があります。また，高コレステロール血症の症状が深刻なほど，大豆が有効である可能性があります。精製された大豆イソフラボンを含むサプリメントには，効果がないようです。大豆により，トリグリセリドが減少することはないようです。大部分の研究により，大豆が高比重リポタンパク（HDL，善玉）コレステロールを増加させることはないことも示唆されています。
- 腎疾患。腎疾患の患者が，大豆タンパクを経口摂取することにより，尿中タンパクが減少するようです。長期にわたり腎疾患に罹患している場合には，リンやクレアチニンなどの特定の栄養素や老廃物が血中に蓄積するおそれがあります。大豆タンパクはそれらを減少させるようです。
- 乳糖不耐症（ラクトースの消化障害）。乳糖不耐症の乳児にとって，大豆による調合乳は有効であるようです。
- 更年期症状。大豆タンパクや，大豆イソフラボンの濃縮エキスを摂取することにより，人によっては，更年期に起因する顔面紅潮（ほてり）の緩和につながるようです。100～200mgのイソフラボンを含む大豆製品を１日２～３回にわけて摂取すると，より少ない量を摂取する場合や，回数を減らして摂取する場合よりも，有効であるようです。また，ゲニステインという特定のイソフラボンを少なくとも15mg含む製品を摂取すると，ゲニステインの含有量が少ない製品よりも，高い効果が得られるようです。また，更年期後の女性が大豆を摂取することにより，うつ病や体重が改善するようです。大豆が，更年期にともなう膣の乾燥やそう痒を緩和するかどうかについては，明らかにされていません。大豆が，乳がんの女性の顔面紅潮（ほてり）を緩和することはないようです。
- 骨粗鬆症。大部分のエビデンスにより，更年期前後の女性が大豆タンパクまたは大豆のエキスを摂取すると，骨密度（BMD）が高まったり，骨密度の減少が抑制されたりする可能性が示唆されています。この効果を得るためには，少なくとも75mgのイソフラボンを含む大豆製品が必要であるようです。一部の女性では，大豆により骨折のリスクが低下する可能性もあります。若い女性の骨密度には，大豆が影響を与えることはないようです。

◆有効性レベル④

- 良性前立腺肥大（BPH）。前立腺肥大の患者が，大豆から分離したイソフラボンを摂取しても，排尿などの症状が改善することはないようです。
- 乳がんに関連する顔面紅潮（ほてり）。研究により，大豆を含む飲料または大豆エキスを含む錠剤を摂取しても，乳がんサバイバーの顔面紅潮（ほてり）が緩和されることはないことが示唆されています。
- 大腸がん。研究により，大豆タンパクを摂取しても，大腸がんの進行が抑制されることはないことが示唆されています。
- 運動に起因する筋肉痛。運動前に大豆イソフラボンのエキスを経口摂取しても，筋肉痛の予防となることはないようです。
- 線維筋痛症。線維筋痛症の患者が，大豆イソフラボンを含む大豆タンパクシェイクを摂取しても，身体機能やうつ病の症状が改善することはないようです。
- 関節リウマチ。初期の研究により，関節リウマチの患者が，大豆タンパクを含む特定の流動食を摂取しても，疼痛，こわばり，関節腫脹が改善することはないことが示唆されています。

◆科学的データが不十分です

・気管支喘息，心疾患，精神機能，クローン病，子宮内膜がん，C型肝炎，高血圧，乳児の仙痛，肺がん，乳房痛，記憶力，メタボリックシンドローム（糖尿病および心疾患のリスクが高まる状態），片頭痛，筋力，変形性関節症，日焼けによる皮膚の損傷，月経前症候群（PMS），前立腺がん，甲状腺がん，膣萎縮（潤滑の低下や膣組織の薄化による膣過敏），体重減少，皺など。

●体内での働き

大豆にはイソフラボンが含まれています。イソフラボンは，体内で植物性エストロゲンに転換されます。植物性エストロゲンの分子は，ホルモンであるエストロゲンと化学構造が類似しています。場合によっては，植物性エストロゲンが，エストロゲンと同様に作用する可能性もあります。一方，場合によっては，植物性エストロゲンが，エストロゲンの作用を阻害するおそれもあります。

医薬品との相互作用

中エストロゲン（卵胞ホルモン）製剤

多量の大豆にはエストロゲン様作用のある可能性があります。大豆を摂取し，エストロゲン製剤を併用すると，エストロゲン製剤の作用が減弱するおそれがあります。このようなエストロゲン製剤には，結合型エストロゲン，エチニルエストラジオール，エストラジオールなどがあります。

中タモキシフェンクエン酸塩

タモキシフェンクエン酸塩は体内のエストロゲンの活性に影響を及ぼします。大豆も体内のエストロゲンの活性に影響を及ぼします。大豆を摂取し，タモキシフェンクエン酸を併用すると，タモキシフェンクエン酸の作用が変化するおそれがあります。タモキシフェンクエン酸を服用中の場合には，医師や薬剤師に相談することなく大豆を摂取しないでください。

中プロゲステロン

一部の研究では，骨粗鬆症の女性が豆乳を摂取してプロゲステロンを併用すると，骨密度の減少が促進するおそれがあることが示されています。

高モノアミン酸化酵素阻害薬（MAO阻害薬）

発酵大豆製品（豆腐，醤油など）にはチラミンが含まれます。チラミンは自然に産生される化学物質で血圧調整に関与しています。モノアミン酸化酵素阻害薬（MAO阻害薬）はチラミンの代謝を抑制する可能性があります。MAO阻害薬を服用中に6 mgを上回るチラミンを摂取すると，重大な副作用（急激な血圧上昇など）のリスクが高まるおそれがあります。MAO阻害薬を服用中に多量のチラミンを含む発酵大豆製品を摂取しないでください。このようなMAO阻害薬には，Phenelzine，セレギリン塩酸塩，Tranylcypromineなどがあります。

中レボチロキシンナトリウム水和物

レボチロキシンナトリウム水和物は甲状腺機能低下症の治療に用いられます。大豆は，乳児の場合にレボチロキシンナトリウム水和物の体内への吸収量を減少させるようですが，成人の場合は減少しないようです。そのため，乳児の場合はレボチロキシンナトリウム水和物の作用が減弱するおそれがあります。定期的に大豆を摂取する場合（大豆調整乳など）には，レボチロキシンナトリウム水和物の用量を調整する必要があるかもしれません。もしくは併用時に少なくとも4時間あけて摂取してください。

中ワルファリンカリウム

ワルファリンカリウムは血液凝固を抑制するために用いられます。大豆はワルファリンカリウムの作用を減弱させることが報告されています。そのため，血液凝固のリスクが高まるおそれがあります。定期的に血液検査をしてください。ワルファリンカリウムの用量を変更する必要があるかもしれません。

低肝臓で代謝される医薬品（シトクロムP450 2C9（CYP2C9）の基質となる医薬品）

特定の医薬品は肝臓で代謝されます。大豆はこのような医薬品の代謝を変化させる可能性があります。そのため，医薬品の作用および副作用が変化するおそれがあります。このような医薬品には，カルベジロール，フルバスタチンナトリウム，ロサルタンカリウム，フェニトインなど数多くあります。

低抗菌薬

抗菌薬は体内の有害な細菌を減少させるために用いられます。また，抗菌薬は有益な腸内細菌を減少させる可能性もあります。有益な腸内細菌は大豆を活性型に変換する上で役立ちます。抗菌薬が細菌数を減少させることで，大豆の作用が減弱する可能性があります。しかし，この相互作用が重大な問題であるかについては，現時点では明らかではありません。

中降圧薬

大豆は血圧を低下させる可能性があります。大豆を摂取し，降圧薬を併用すると，血圧が過度に低下するおそれがあります。血圧を注意深く監視してください。このような降圧薬には，カプトプリル，エナラプリルマレイン酸塩，ロサルタンカリウム，バルサルタン，ジルチアゼム塩酸塩，アムロジピンベシル酸塩，ヒドロクロロチアジド，フロセミドなど数多くあります。

中糖尿病治療薬

大豆は血糖値を低下させる可能性があります。大豆を摂取し，糖尿病治療薬を併用すると，血糖値が過度に低下するおそれがあります。血糖値を注意深く監視してください。このような糖尿病治療薬には，グリメピリド，グリベンクラミド，インスリン，メトホルミン塩酸塩，ピオグリタゾン塩酸塩，マレイン酸ロシグリタゾン（販売中止）などがあります。

中利尿薬

大豆は尿量を増やす可能性があります。この作用は利尿薬の作用に類似しているようです。大豆を摂取し，利尿薬を併用すると，副作用のリスクが高まるおそれがあります。

相互作用レベル：高この医薬品と併用してはいけません　中この医薬品とは慎重に併用するか併用しないでください
低この医薬品との併用には注意が必要です

中カフェイン

大豆にはゲニスチン（化学物質）が含まれます。ゲニスチンはカフェインの体内からの排泄を抑制する可能性があります。そのため，カフェインの作用が増強するおそれがあります。

ハーブおよび健康食品・サプリメントとの相互作用

緑茶

緑茶には，カテキンとよばれる成分が含まれています。緑茶の健康効果の多くが，カテキンによるものと考えられています。大豆タンパクと緑茶を併用して摂取すると，カテキンの体内吸収が抑制されます。このため，緑茶を飲みながら大豆を食べると，緑茶の作用が低下するおそれがあります。この相互作用を避けるため，緑茶と大豆タンパクを摂取する間隔を，少なくとも３時間あけてください。

血圧を低下させるおそれのあるハーブおよび健康食品・サプリメント

大豆は血圧を低下させるおそれがあります。大豆と，血圧を低下させるおそれのあるほかのハーブおよび健康食品・サプリメントを併用すると，血圧を低下させる作用が高まるおそれがあります。このようなハーブおよび健康食品・サプリメントには，アンドログラフィス，カゼイン・ペプチド，キャッツクロー，コエンザイムQ-10，魚油，L-アルギニン，クコ，イラクサ，テアニンなどがあります。

血糖値を低下させるおそれのあるハーブおよび健康食品・サプリメント

大豆は血糖値を低下させるおそれがあります。大豆と，血糖値を低下させるおそれのあるほかのハーブおよび健康食品・サプリメントを併用すると，血糖値が過度に低下するおそれがあります。このようなハーブおよび健康食品・サプリメントには，デビルズクロー，フェヌグリーク，ニンニク，グアーガム，セイヨウトチノキ，朝鮮人参，サイリウム，エゾウコギなどがあります。

鉄

大豆は鉄の吸収に影響を与えるおそれがあります。この作用は，一部の大豆製品に含まれる，フィチン酸という化学物質の有無によって変わる可能性があります。フィチン酸は鉄の吸収を抑制します。ただし，大豆が発酵している場合には，大豆に含まれるフィチン酸の量は減少します。

マンガン

大豆は体内のマンガンの有用性を低下させるおそれがあります。この作用は，一部の大豆製品に含まれる，フィチン酸という化学物質に起因します。フィチン酸は，マンガンの吸収を抑制します。ただし，大豆が発酵している場合には，大豆に含まれるフィチン酸の量は減少します。

亜鉛

大豆は血中亜鉛濃度を低下させるおそれがあります。この作用は，一部の大豆製品に含まれる，フィチン酸という化学物質に起因します。フィチン酸は，亜鉛の吸収を抑制します。ただし，大豆が発酵している場合には，大豆に含まれるフィチン酸の量は減少します。

通常の食品との相互作用

植物由来の食品

大豆タンパクは，植物源からの鉄の吸収を抑制します。

使用量の目安

【成人】

●経口摂取

２型糖尿病

豆鼓のエキス300mgを，１日３回，３～６カ月間にわたり摂取します。豆鼓は，大豆を原料とする中国の伝統的な食品です。

大豆の皮の繊維質を１日当たり26g，４週間にわたり摂取します。１回当たり７～10gの大豆繊維を摂取することもあります。

１日当たり30gの大豆タンパク（132mgの植物性エストロゲンに相当）を，最長12週間にわたり摂取します。

高コレステロール血症

１日当たり20～50gの大豆タンパクを摂取します。

腎疾患患者の尿中タンパク

大豆タンパクの食事からの摂取量を，１日当たり700～800mg/kgに制限します。

顔面紅潮（ほてり）などの更年期症状

１日当たり20～60gの大豆タンパク（34～80mgのイソフラボンに相当）を摂取します。

濃縮された大豆イソフラボンのエキス（１日当たり35～200mgのイソフラボンに相当）を摂取します。

１日当たり54mgのゲニステイン（大豆イソフラボンの一種）を摂取します。

うつ病などの更年期症状

100mgの大豆（50mgのイソフラボンに相当）を，１日当たり50mgの塩酸セルトラリンと併用して摂取します。

更年期の体重減少補助

１日当たり100mg未満の大豆イソフラボンを，最長６カ月間にわたり摂取します。

骨粗鬆症の予防

２～1.25mg/gのイソフラボンを含む大豆タンパクを，１日当たり40g，３～６カ月間にわたり摂取します。80mgのイソフラボンを含む大豆のエキスを１g，１年間にわたり摂取します。

【小児】

●経口摂取

乳児の下痢

１L当たり18～20gの大豆タンパクを含む，大豆繊維を添加した調合乳を与えます。

大豆食品に含まれるイソフラボンの量は以下のようにさまざまです。

タ

大豆粉：１g当たり2.6mg
醗酵大豆：１g当たり1.3mg
ゆで大豆：１g当たり0.6mg
豆乳：１g当たり0.4mg
豆腐：１g当たり0.5mg
油揚げ：１g当たり0.7mg
みそ：１g当たり0.4mg
しょうゆ：１g当たり0.016mg

大豆油

SOYBEAN OIL

別名ほか

大豆（Soybean），野生ダイズ（Glycine soja），ツルマメ，ヤブマメ，ダイズ，イントラリピッド（Intralipid），Soyca，Travmulsion

概　要

大豆油は大豆の種子から生産されます。

安 全 性

ほとんどの成人に安全です。

大豆油は食品としての量を経口摂取したり，用量を守って虫除けとして皮膚に塗布するのは，ほとんどの成人において安全です。

医療用品質の大豆油を，栄養補助薬として静脈内投与するのも安全です。

大豆油不けん化物（日本での一般名：ソイステロール）は試験研究において６カ月間安全に試験されました。

●アレルギー

ピーナッツや大豆にアレルギーをもっている人は使用してはいけません。

●妊娠中および母乳授乳期

妊娠中および授乳中は，食事の一部として摂取する場合は安全ですが，通常の食品中に含まれる量を超えた摂取の安全性については不明です。

有 効 性

◆有効性レベル①

・静脈注射による栄養補給薬としての使用。

◆有効性レベル②

・皮膚に塗布して蚊の刺されを予防。大豆油は一部の蚊除け製品の成分です。少量のディート（DEET）を成分に含む，蚊除け製品と同等の効力があります。

◆有効性レベル③

・血清コレステロール値が高い人のコレステロール値の低減。植物性油脂に含まれる大豆油の植物ステロールは，総コレステロールおよびLDL-コレステロールをHDL-コレステロールを損なうことなく低下させるようです。米国食品医薬品局（FDA）は，「Take Control」と「Benecol」の両商品のラベルに，この効能を表記することを承認しました。

・大豆油不けん化物をアボカドオイルとともに用いた場合に変形性関節症の治療。この併用は，痛みおよび機能障害全般を著しく改善するようです。腰および膝における変形性関節症に，より有効のようです。

●体内での働き

消化管からのコレステロールの吸収を抑えることにより，血清コレステロール値を下げる作用があります。特殊な加工を施して得られる大豆油不けん化物は，関節に有益な作用をもたらすと考えられます。

医薬品との相互作用

ほかの医薬品との相互作用については明らかではありません。

ハーブおよび健康食品・サプリメントとの相互作用

ほかのハーブ，健康食品・サプリメントとの相互作用についてはまだ明らかではありません。

使用量の目安

●経口摂取

植物ステロールを豊富に含有したマーガリンで使用する場合，１杯分は大さじ１杯，または14gです。

変形性関節症

１日300mg（アボカド１/３，大豆油不けん化物２/３を併せて）を摂取します。

●局所投与

蚊など防虫を目的として使用する場合，２%大豆油製品を使用します。市販製品によっては，２時間ごとに繰り返し使用するよう勧めています。

●非経口投与

標準使用量に関するデータがありません。

タイセイ

ISATIS

●代表的な別名

バンランコン

別名ほか

蓼藍（Da Qing Ye），バンランコン，板藍根（Ban Lan Gen），ヨーロッパ大青（Woad），ニワフジ，イワフジ，タデアイ，アイ（Chinese Indigo），ホソバタイセイ（Isatis tinctoria），ウォード，Ban Lang Gen，Da Quing Ye，Dyer's Woad，Farberwaid　(Fürberwaid)，Folium isatidis，Hierba pastel，Indigo Woad，Isatis indigotica，Pastel Des Teinturiers，Qing Dai，Quing Dai，Radix Isatidis

概　　要

タイセイはハーブです。乾燥した葉および根は，昔から生薬として使用されています。伝統的な中国医学では，タイセイの根を板藍根（バンランコン），葉を大青葉（タイセイヨウ）と呼びます。

安 全 性

十分なデータは得られていないので，安全であるかどうか不明です。

●アレルギー

タイセイはアスピリンに含まれる成分と似た成分を含んでいます。そのため，タイセイにより気管支喘息の発作や，アスピリン・アレルギーが誘発されることが懸念されています。

●妊娠中および母乳授乳期

妊娠中および母乳授乳期のタイセイの使用の安全性についてはデータが不十分です。安全を考慮し，使用を控えてください。

有 効 性

◆科学的データが不十分です

・乾癬。タイセイにキハダ（phellodendron）とバイカルスカルキャップ（Baikal Skullcap）を併せた軟膏を，通常の治療法が奏効しなかった８歳の男児に投与したところ，乾癬の改善が見られました。
・前立腺がん，上気道感染，脳内炎症，肝炎，肺膿瘍，下痢，およびHIV/エイズ。

●体内での働き

細菌やウイルスの繁殖を抑える，熱を下げる，炎症を抑える，およびがんを治療する作用があると考えられます。

医薬品との相互作用

ほかの医薬品との相互作用については明らかではありません。

ハーブおよび健康食品・サプリメントとの相互作用

ほかのハーブ，健康食品・サプリメントとの相互作用についてはまだ明らかではありません。

使用量の目安

標準使用量に関するデータがありません。

ダイダイ

BITTER ORANGE

●代表的な別名

ビターオレンジ

別名ほか

枳殻（Zhi Qiao），枳実（Zhi Shi），ビターオレンジの花（Bitter Orange Flower），トウヒ（Aurantii pericarpium），ビターオレンジピール（Bitter Orange Peel），オレンジ（Citrus vulgaris），キジツ（Kijitsu），ネロリオイル（Neroli Oil），ビターオレンジ（Seville Orange），Citrus amara，Citrus aurantium，Citrus bigarradia，Fructus aurantii，Green Orange，Shangzhou Zhiqiao，Sour Orange，Synephrine

概　　要

ダイダイは植物です。果皮，花，葉，果実および果汁を用いて「くすり」を作ることもあります。ダイダイのオイルは果皮から作られます。

ダイダイには，経口摂取でも皮膚への塗布でも，多くの用途があります。ただし現時点で科学的に示されているのは，オイルを皮膚へ塗布すると皮膚真菌感染（白癬，股部白癬，足部白癬）の治療に有効である可能性のみです。

果皮は食欲増進のため，また反対に体重減少のために用いられます。果実および果皮はそのほか，胃のむかつき，鼻閉，慢性疲労症候群（CFS）に対して用いられます。

花およびオイルは，腸の潰瘍，便秘，下痢，血便，肛門脱，直腸脱，腸内ガスなどの胃腸疾患に用いられます。花およびオイルはまた，血中脂質濃度の調節，糖尿病患者の血糖値低下，心臓および循環の刺激，血液浄化，肝疾患，胆のう疾患，腎疾患，膀胱疾患に対して用いられたり，睡眠障害の鎮静薬として用いられたりします。

花およびオイルを，全般的な虚弱，貧血，皮膚の不純物，脱毛，がん，しもやけに対して用いたり，強壮薬として用いたりすることもあります。

果皮は，眼瞼およびその粘膜や網膜の腫脹（炎症）に対して，皮膚へ塗布されます。そのほか網膜出血，感冒による消耗，頭痛，神経痛，筋肉痛，関節痛，あざ（打撲），静脈炎，褥瘡にも用いられます。

アロマセラピーでは，精油を皮膚へ塗布したり，鎮痛薬として吸入したりします。

食品には，オイルが香味料として用いられます。果実はマーマレードや，トリプル・セック，グランマルニエ，コアントロー，キュラソーなどのリキュールを作るのに用います。果実は酸味と苦味が強いため，そのまま食べることはあまりありませんが，イランやメキシコでは食べられています。乾燥させた果皮も調味料として用いられます。

製造業では，オイルを医薬品，化粧品，石鹸などに用います。

アジア医学では，乾燥させた未熟果を丸ごと，主に消化器疾患に対して用います。

米国食品医薬品局（FDA）が2004年に心臓に対する深

刻な副作用があるとしてマオウ（麻黄）の使用を禁止して以来，ダイダイは「マオウを含まない」製品によく利用されています。体重減少やボディビル用の製品によく用いられるダイダイとカフェインの組み合わせは，血圧が正常な健康成人にも血圧上昇や頻脈を引き起こすおそれがあります。

ダイダイがマオウより安全であることを示唆するエビデンスはありません。

ダイダイ（シネフリン）は全米大学競技協会（NCAA）により禁止物質に指定されています。

何らかの医薬品を服薬している場合は，ダイダイを摂取する前に医師などに相談してください。ダイダイには多くの医薬品との相互作用のおそれがあります。

安 全 性

ダイダイは通常の食品に含まれる量を摂取する場合，ほとんどの小児および成人に安全のようです。ダイダイの精油を皮膚に塗布したりアロマテラピーとして吸入したりする場合は，おそらく安全です。

しかし，体重減少などの医療目的でサプリメントとして摂取する場合，おそらく安全ではありません。とくに，カフェインやカフェインを含むハーブなどの興奮成分と併用すると，高血圧，失神，心臓発作，脳卒中など重度の副作用のリスクが高まります。

人によっては片頭痛や群発頭痛などの頭痛を引き起こすおそれがあるという報告もあります。

日光過敏症を引き起こすおそれもあります。とくに肌の色が薄い人が外出する際は，日焼け止めを塗布してください。

糖尿病：ダイダイが２型糖尿病患者の血糖コントロールを妨げるおそれがあることを示唆するエビデンスがあります。注意して摂取し，血糖値を注意深く監視してください。

高血圧：一部の研究では，とくにカフェインと併用で摂取すると，健康な人の血圧が上昇することが示唆されています。一方，血圧の上昇はみられないとする研究もあります。高血圧患者の血圧にダイダイが及ぼす影響については，これまで研究が行われていません。高血圧患者は，とくにカフェインなど興奮成分と併用しての摂取を避けてください。

緑内障：緑内障を悪化させるおそれがあります。緑内障の場合，摂取は避けてください。

心疾患：とくにカフェインなど興奮成分と併用して摂取すると，「QT延長症候群」（心電図の波形からとられた病名）という心疾患の患者では，重篤な副作用のリスクが高まるおそれがあります。

脈拍不整（不整脈）：健康な人が，とくにカフェインと併用して摂取すると，心拍数が上昇するおそれがあることを示す研究があります。一方，心拍数への影響はみられないとする研究もあります。脈拍不整のある患者にダイダイが及ぼす影響については，これまで研究が行われていません。脈拍不整がある場合には，とくにカフェインなど興奮成分と併用しての摂取は避けてください。

手術：ダイダイは興奮薬のように作用し，心拍数および血圧を上げ，手術の妨げとなるおそれがあります。少なくとも手術前２週間は，使用しないでください。

●妊娠中および母乳授乳期

妊娠中に，通常の食品に含まれる量を摂取する場合，ほとんどの人に安全のようです。しかし，「くすり」としての量の摂取はおそらく安全ではありません。授乳中の乳児への影響についてはデータが不十分です。安全性を考慮し，妊娠中および母乳授乳期の摂取は避けてください。

有 効 性

◆有効性レベル③

・白癬，足部白癬，股部白癬など皮膚真菌感染の治療。
ダイダイオイルを塗布すると，皮膚真菌感染の治療に役立つようです。

◆科学的データが不十分です

・糖尿病，消化不良，体重減少，手術前不安，鼻閉，アレルギー，腸内ガス，がん，胃腸のむかつき，腸潰瘍，コレステロール調整，慢性疲労症候群（CFS），肝障害や胆のう障害，心臓および血液循環の刺激，眼の腫脹，感冒，頭痛，神経痛および筋肉痛，あざ（打撲），食欲増進，不眠など。

●体内での働き

神経系に影響を及ぼす化学物質が多く含まれています。これらの化学物質の濃度および作用は，この植物の部位や精製方法によって変わります。これらの化学物質により，血管圧迫，血圧上昇および心拍数上昇のおそれがあります。

医薬品との相互作用

中インジナビル硫酸塩エタノール付加物【販売中止】

インジナビル硫酸塩エタノール付加物は肝臓で代謝されてから排泄されます。ダイダイはインジナビル硫酸塩エタノール付加物の代謝を抑制する可能性があります。ダイダイを摂取し，インジナビル硫酸塩エタノール付加物を併用すると，インジナビル硫酸塩エタノール付加物の作用および副作用が増強するおそれがあります。

中カフェイン

ダイダイには興奮作用があります。カフェインにも興奮作用があります。ダイダイとカフェインを併用摂取すると，血圧上昇や頻脈を引き起こすおそれがあります。そのため，重大な副作用（心臓発作，脳卒中など）が現れるおそれがあります。

中デキストロメトルファン臭化水素酸塩水和物

ダイダイはデキストロメトルファン臭化水素酸塩水和物の肝臓での代謝を抑制する可能性があります。ダイダイを摂取し，デキストロメトルファン臭化水素酸塩水和物を併用すると，デキストロメトルファン臭化水素酸塩水和物の作用および副作用（神経過敏，傾眠など）が増強するおそれがあります。

中フェロジピン

フェロジピンは体内で代謝されてから排泄されます。ダイダイはフェロジピンの排泄を抑制する可能性があります。ダイダイを摂取し，フェロジピンを併用すると，フェロジピンの作用および副作用が増強するおそれがあります。

高ミダゾラム

ダイダイはミダゾラムの体内での代謝を抑制する可能性があります。ダイダイを摂取し，ミダゾラムを併用すると，ミダゾラムの作用および副作用が増強するおそれがあります。

高モノアミン酸化酵素阻害薬（MAO阻害薬）

ダイダイには身体を刺激する化学物質が含まれます。モノアミン酸化酵素阻害薬（MAO阻害薬）はこれらの化学物質を増加させる可能性があります。ダイダイを摂取し，MAO阻害薬を併用すると，重大な副作用（危険な動悸，急激な血圧上昇など）が現れるおそれがあります。このようなMAO阻害薬には，Phenelzine，セレギリン塩酸塩，Tranylcypromineなどがあります。

中肝臓で代謝される医薬品（シトクロムP450 3A4（CYP3A4）の基質となる医薬品）

特定の医薬品は肝臓で代謝されます。ダイダイはこのような医薬品の代謝を変化させる可能性があります。そのため，医薬品の作用および副作用が変化するおそれがあります。このような医薬品には，アミオダロン塩酸塩，Lovastatin，ケトコナゾール，イトラコナゾール，フェキソフェナジン塩酸塩，トリアゾラムなど数多くあります。

中興奮薬

興奮薬（アンフェタミン類，コカイン塩酸塩など）は神経系を亢進させます。興奮薬が神経系を亢進させることで血圧や心拍数が上昇する可能性があります。。ダイダイも神経系を亢進させる可能性があります。ダイダイを摂取し，興奮薬を併用すると，重大な問題（頻脈，高血圧など）を引き起こすおそれがあります。このような興奮薬には，Diethylpropion，エピネフリン，Phentermine，塩酸プソイドエフェドリンなど数多くあります。

中糖尿病治療薬

ダイダイは血糖値を低下させる可能性があります。ダイダイを摂取し，糖尿病治療薬を併用すると，血糖値が過度に低下するおそれがあります。血糖値を注意深く監視してください。このような糖尿病治療薬には，グリメピリド，グリベンクラミド，インスリン，メトホルミン塩酸塩，ピオグリタゾン塩酸塩，エンパグリフロジンなどがあります。

中不整脈を誘発する可能性がある医薬品（QT間隔を延長させる医薬品）

ダイダイは心臓の電気の流れに影響を及ぼす可能性があります。そのため，不整脈になるリスクが高まるおそれがあります。特定の医薬品にも同じ作用のある可能性があります。ダイダイを摂取し，不整脈を誘発する可能性がある医薬品を併用すると，心臓に重大な問題が生じるリスクが高まるおそれがあります。このような医薬品には，アミオダロン塩酸塩，ジソピラミド，ドフェチリド（販売中止），Ibutilide，プロカインアミド塩酸塩，キニジン硫酸塩水和物，ソタロール塩酸塩，チオリダジン塩酸塩（販売中止）など数多くあります。

中コルヒチン

ダイダイはコルヒチンの量に影響を及ぼす可能性があります。コルヒチンを使用し，ダイダイを併用すると，コルヒチンの効果が弱まる，または副作用が増強するおそれがあります。

中シルデナフィルクエン酸塩

シルデナフィルクエン酸塩は体内で代謝されてから排泄されます。ダイダイはシルデナフィルクエン酸塩の代謝を抑制する可能性があります。ダイダイを摂取し，シルデナフィルクエン酸塩を併用すると，シルデナフィルクエン酸塩の作用および副作用が増強するおそれがあります。

低肝臓で代謝される医薬品（シトクロムP450 2D6（CYP2D6）の基質となる医薬品）

特定の医薬品は肝臓で代謝されます。ダイダイはこのような医薬品の代謝を変化させる可能性があります。そのため，医薬品の作用および副作用が変化するおそれがあります。このような医薬品には，アミトリプチリン塩酸塩，クロザピン，コデインリン酸塩水和物，塩酸デシプラミン（販売中止），ドネペジル塩酸塩，フェンタニルクエン酸塩，フレカイニド酢酸塩，塩酸フルオキセチン（販売中止），ペチジン塩酸塩，メサドン塩酸塩，メトプロロール酒石酸塩，オランザピン，オンダンセトロン塩酸塩水和物，トラマドール塩酸塩，トラゾドン塩酸塩などがあります。

ハーブおよび健康食品・サプリメントとの相互作用

血糖値を低下させるおそれのあるハーブおよび健康食品・サプリメント

ダイダイは血糖値を低下させるおそれがあります。ダイダイと，血糖値を低下させるおそれのあるほかのハーブおよび健康食品・サプリメントを併用すると，人によっては血糖値が過度に低下するおそれがあります。このようなハーブおよび健康食品・サプリメントには，ニガウリ，ハッショウマメ，ショウガ，薬用ガレーガ，フェヌグリーク，クズ，ウィローバークなどがあります。

興奮作用のあるハーブおよび健康食品・サプリメント

ダイダイと，興奮作用のあるハーブおよび健康食品・サプリメントを併用すると，高血圧や，心臓に影響を及ぼす深刻な副作用のリスクが高まるようです。このようなハーブおよび健康食品・サプリメントには，マオウ（麻黄），カフェインのほか，コーヒー，コーラノキの種，ガラナ豆，マテなどカフェインを含むものなどがあります。

タ

朝鮮人参

ダイダイは脈拍不整のリスクを高めるおそれがあります。朝鮮人参にも同様の作用があるため，併用すると，脈拍不整のリスクがさらに高まるおそれがあります。

通常の食品との相互作用

カフェイン

ダイダイとカフェインを併用すると，血圧が正常な健康成人で，血圧および心拍数が高まるおそれがあります。

使用量の目安

●皮膚への塗布

皮膚真菌感染の治療

ダイダイのピュアオイルを1日1回，1～3週間塗布します。

タ

ダイフウシノキ

CHAULMOOGRA

別名ほか

Hydnocarp，Hydnocarpus anthelminthicus，Hydnocarpus kurzii，Gynocardia Oil，Oleum chaulmoograe，Taraktogenos kurzii

概　　要

ダイフウシノキはハーブです。種子を用いて「くすり」を作ることもあります。

安　全　性

シアン化物中毒を引き起こす可能性があるため，安全ではありません。咳，呼吸困難，のどの痙攣，腎障害，視覚障害，頭痛，筋肉痛，および麻痺を引き起こす可能性があります。

皮膚に使用した場合，炎症を引き起こす可能性があります。

●妊娠中および母乳授乳期

妊娠中，母乳授乳期は使用してはいけません。

有　効　性

◆科学的データが不十分です

・皮膚疾患，乾癬，湿疹，およびハンセン病。

●体内での働き

鎮静作用および解熱作用があると考えられます。ハンセン病の原因菌による皮膚感染症などの皮膚の病気に効果があります。

医薬品との相互作用

ほかの医薬品との相互作用については明らかではありません。

ハーブおよび健康食品・サプリメントとの相互作用

ほかのハーブ，健康食品・サプリメントとの相互作用についてはまだ明らかではありません。

使用量の目安

●経口摂取

標準使用量に関するデータがありません。

●局所投与

粉末，オイル，乳剤，あるいは軟膏剤として使用します。

●非経口投与

標準使用量に関するデータがありません。

タイマツバナ茶

OSWEGO TEA

別名ほか

タイマツバナ，松明花（Monarda didyma），ビーバーム（Bee Balm），ハイバーム（High Balm），モナルダ（Monarda），モナルダ・ディディマ，Blue Balm，Low Balm，Mountain Balm，Mountain Mint，Scarlet Monarda

概　　要

タイマツバナ茶は植物から作ることもあります。お茶が「くすり」として使用されることもあります。レモンバーム（セイヨウヤマハッカ）と混同しないよう注意してください。どちらもビーバームと呼ばれます。

安　全　性

十分なデータは得られていないので，安全であるかどうかは不明です。

●妊娠中および母乳授乳期

妊娠中，母乳授乳期は使用してはいけません。

有　効　性

◆科学的データが不十分です

・消化器系障害，腸内ガス，月経前症候群，痙攣，体液貯留，発熱など。

●体内での働き

どのように作用するかについては，信頼できるデータが十分ではありません。

医薬品との相互作用

ほかの医薬品との相互作用については明らかではありません。

ハーブおよび健康食品・サプリメントとの相互作用

ほかのハーブ，健康食品・サプリメントとの相互作用についてはまだ明らかではありません。

使用量の目安

●経口摂取

粉末で作ったお茶を摂取します。

タイム

THYME

別名ほか

コモンタイム（Common Thyme），フレンチタイム（French Thyme），ガーデンタイム（Garden Thyme），タチジャコウソウ（Thymus vulgaris），Red Thyme Oil，Rubbed Thyme，Spanish Thyme，Thyme aetheroleum，Thymi herba，Thymus zygis，White Thyme Oil

概　　要

タイムはハーブです。花部，葉，およびオイルが「くすり」として使用されることもあります。タイムは他のハーブと併用されることもあります。

●要説（ナチュラル・スタンダード）

タイム（タチジャコウソウ）は，地中海原産の多年草亜低木であり，ヨーロッパの多くの国と同様に，モロッコ，米国で商業的に栽培されています。また，アルバニアやブルガリアなどのヨーロッパ諸国では，野草として収集されます。スペインタイム（チムスジギス）は，多くの場合，医療目的のためにタチジャコウソウの代用にも使用されます。

タイムは何千年もの間，医学で使用されてきました。一般的な料理への使用を超えて，抗菌，鎮咳，鎮痙，抗酸化活性に基づく多くの適応症治療に使用されてきました。タイムの構成成分のひとつであるチモールは抗菌うがい薬に含まれ，プラーク形成，歯肉炎，およびう歯の減少を裏付ける限定的なエビデンスがあります。

タイムの伝統な用途は，咳や上気道のうっ血があり，これらの適応症治療に現在もヨーロッパでもっとも一般的に推奨されるハーブのひとつです。ドイツ当局は，気管支炎，百日咳，およびカタル（上気道粘膜の炎症）の症状治療にタイムを承認しました。

専門家が抗菌性を理由にチモールの使用を推奨しているのは，放線菌症（ランピー顎病），爪甲剥離症（爪床からの爪や足爪の剥離や緩み），爪周囲炎（爪や足爪周囲の組織炎症） などです。

安　全　性

食品として，または短期間医薬品として摂取する場合は安全です。

消化器のむかつきを生じることもあります。

タイム・オイルを皮膚に用いた場合も安全だと考えられますが，たまに炎症を起こす人もいます。

２週間以内に手術を受ける予定の人は使用してはいけません。出血のリスクが高まります。

●アレルギー

オレガノというハーブに対するアレルギーをもっている人は，タイムにもアレルギーを起こす可能性が高いと考えられますから，使用してはいけません。

●妊娠中および母乳授乳期

妊娠中および母乳授乳期に通常の食物の量でタイムを摂取するのは安全です。ただし「くすり」としての多量摂取の安全性は確認されていません。妊娠中および母乳授乳期には食物の量に制限してください。

有　効　性

◆科学的データが不十分です

・サクラソウ（Cowslip）との併用で気管支炎。タイムをサクラソウと併用すると，咳，発熱，および痰などの症状を軽減することが示唆されています。
・他の薬剤との併用で，小児の行為障害（ディスプラキシー，dyspraxia）。タイムオイルを月見草油，魚油，およびビタミンEと併用すると小児の行為障害を改善するようです。
・他の薬剤との併用で小児の運動障害（運動失行）。タイムオイルを月見草油，魚油，およびビタミンEと併用すると小児の運動障害を改善するようです。
・疝痛，耳感染症，扁桃腺の炎症（腫脹），夜尿症の予防，のどの痛み，口臭，肺および口の炎症（腫脹）など。

●体内での働き

細菌・真菌感染症，および軽い炎症を改善する効果があります。咳き込み時などの筋れん縮を和らげる働きもあります。

医薬品との相互作用

中エストロゲン（卵胞ホルモン）製剤

タイムは体内でエストロゲン受容体に結合する可能性があります。そのため，エストロゲンの結合可能な部位数が減少する可能性があります。タイムとエストロゲン製剤を併用すると，エストロゲン製剤の作用が減弱するおそれがあります。このようなエストロゲン製剤には，結合型エストロゲン，エチニルエストラジオール，エストラジオールなどがあります。

低ケトプロフェン

タイムはチモールと呼ばれる化学物質を含みます。チモールを含有する局所用ゲルは局所用ケトプロフェン製品の吸収を増加させる可能性があります。 そのため，ケトプロフェンによる副作用のリスクが高まるおそれがあります。

低ナプロキセン

タイムはチモールと呼ばれる化学物質を含みます。チモールを含有する局所用ゲルは，局所用ナプロキセンの吸収を増加させる可能性があります。そのため，ナプロキセンによる副作用のリスクが高まるおそれがあります。

中血液凝固を抑制する医薬品（抗凝固薬/抗血小板薬）

タイムは血液凝固を抑制する可能性があります。タイムと血液凝固を抑制する医薬品を併用すると，紫斑および出血のリスクが高まるおそれがあります。このような医薬品にはアスピリン，クロピドグレル硫酸塩，ジクロフェナクナトリウム，イブプロフェン，ナプロキセン，ダルテパリンナトリウム，エノキサパリンナトリウム，ヘパリン，ワルファリンカリウムなどがあります。

中口渇作用などの乾燥作用のある医薬品（抗コリン薬）

タイムに含まれる化学物質のなかには，脳および心臓などで作用する特定の化学物質の体内量を増加させる可能性があるものがあります。抗コリン薬と呼ばれる口渇などの乾燥作用のある医薬品のなかにも，同じ化学物質の体内量を異なった方法で増加させる可能性があるものがあります。このような医薬品はタイムの作用を減弱させ，タイムはもまた医薬品の作用を減弱させるおそれがあります。このような医薬品にはアトロピン硫酸塩水和物，メシル酸ベンツトロピン（販売中止），スコポラミン臭化水素酸塩水和物，特定の抗アレルギー薬（抗ヒスタミン薬），特定の抗うつ薬などがあります。

中緑内障，アルツハイマー病などに使用される医薬品（コリン作動薬）

タイムに含まれる化学物質は脳や心臓などの体内に存在する特定の化学物質を増加させる可能性があります。緑内障，アルツハイマー病などに使用される特定の医薬品もまた，同じ化学物質に影響を及ぼします。タイムとこのような医薬品を併用すると，副作用のリスクが高まるおそれがあります。このような医薬品にはベタネコール塩化物，ドネペジル塩酸塩，エコチオパートヨウ化物（販売中止），エドロホニウム塩化物，ネオスチグミン臭化物，サリチル酸フィゾスチグミン（販売中止），ピリドスチグミン臭化物，スキサメトニウム塩化物水和物，Tacrineがあります。

ハーブおよび健康食品・サプリメントとの相互作用

血液凝固を抑制するハーブおよび健康食品・サプリメント

タイムは血液凝固を抑制することがあります。他の同様の働きをする自然食品と併用すると，出血および紫斑のできるリスクが増加する可能性があります。これらの自然食品には，アンゼリカ，アニス，アルニカ，ジャイアントフェンネル，ミツガシワ，ボルド，トウガラシ，セロリ，カモミール，クローブ，フェヌグリーク，フィーバーフュー，ニンニク，ショウガ，イチョウ，朝鮮人参，セイヨウトチノキ，ホースラディッシュ，甘草，メドウスイート，タマネギ，プリックリーアッシュ，パパイン，パッションフラワー，ポプラ，カッシア，レッドクローバー，ターメリック，ワイルドキャロット，ワイルドレタス，ウィローバークなどがあります。

使用量の目安

●経口摂取

標準使用量に関するデータがありません。ただし，乾燥した葉または花１～２gをお茶にして摂取します。流エキスの場合，１～２gを１日最大３回摂取します。

●局所投与

円形脱毛症

タイム２滴（88mg），ローズマリー３滴（114mg），ラベンダー３滴（108mg），シーダーウッド２滴（94mg）を配合したエッセンシャルオイルと，ホホバオイル３mL，ブドウ種オイル20mLをすべて混ぜ合わせて使用します。混合液で毎晩，頭皮を２分間マッサージしますが，その際，暖めたタオルを頭に巻くと吸収が良くなります。

タウゴギ

BURR MARIGOLD

別名ほか

田五加木，田五加（Bidens tripartita），Water Agrimony

概　　要

タウゴギは植物です。地上部が「くすり」として使用されることもあります。

安 全 性

十分なデータは得られていないので，ほとんどの人に安全であるかどうか不明です。

●アレルギー

過敏症の人にはアレルギー反応を引き起こすことがあり，とくにブタクサ，キク，マリーゴールド，デイジーなどの植物にアレルギーのある人はその可能性が高いと考えられます。ブタクサ，キク，マリーゴールド，デイジーなどの植物にアレルギーのある人は使用してはいけません。

●妊娠中および母乳授乳期

妊娠中，母乳授乳期は使用してはいけません。

有 効 性

◆科学的データが不十分です

・脱毛，大腸炎，痛風，体液貯留，発汗促進など。

●体内での働き

どのように作用するかについては十分なデータが得られていません。

医薬品との相互作用

ほかの医薬品との相互作用については明らかではありません。

ハーブおよび健康食品・サプリメントとの相互作用

ほかのハーブ，健康食品・サプリメントとの相互作用についてはまだ明らかではありません。

使用量の目安

標準使用量に関するデータがありません。

タウリン

TAURINE

別名ほか

2-Aminoethylsulfonic Acid，2-Aminoethane Sulfonic Acid，Acide Aminoéthylsulfonique，Acide Kétoisocaproïque de Taurine，Acid Aminoethanesulfonate，Aminoethanesulfonate，Aminoéthylsulfonique，Éthyl Ester de Taurine，L-Taurine，Taurina，Taurine Ethyl Ester，Taurine Ketoisocaproic Acid

概　　要

タウリンはアミノスルホン酸ですが，タンパク質に必須の構成要素であるアミノ酸と呼ばれることもよくあります。脳，網膜，心臓および血小板に大量に含まれています。食品では肉や魚に豊富に含まれます。

タウリンは「必須アミノ酸」と区別して，「条件つきアミノ酸」と呼ばれることがあります。「条件つきアミノ酸」は体内で生成できますが，「必須アミノ酸」は生成できないため食事から摂取する必要があります。何らかの理由でタウリンを生成できない人は，必要なタウリンをすべて食事またはサプリメントから得る必要があります。たとえば，母乳哺育でない乳児はタウリン生成能力が未発達で，牛乳にはタウリンが十分に含まれていないため，タウリンの補給が必要です。そのため乳児用調合乳には，たいていタウリンが添加されています。同様に経管栄養を受けている人もタウリンが必要なことが多いため，経管栄養剤に添加されています。余分なタウリンは腎臓により排出されます。

タウリンサプリメントは，うっ血性心不全（CHF），高血圧，肝炎，高コレステロール血症，のう胞性線維症の治療の「くすり」として摂取されることがあります。そのほか，てんかん，自閉症，注意欠陥多動障害（ADHD），網膜障害，糖尿病，精神疾患，アルコール依存症などに用いられます。精神機能を向上させる目的で用いたり，抗酸化剤として用いたりすることもあります。抗酸化剤は酸化作用による障害から体細胞を保護するものです。

安　全　性

タウリンは，成人および小児が経口摂取する場合，適量であればおそらく安全です。研究では成人に最大1年間まで，小児には最大4カ月間まで，安全に使用されています。臨床研究の被験者には，タウリン使用に関連した副作用はなんら報告されていません。ただし，タウリン約14gをインスリンおよびタンパク同化ステロイドと併用摂取したボディービルダーに脳障害が1件報告されています。これがタウリンによるものか，ほかの医薬品によるものかはわかっていません。

双極性障害：タウリンの摂取量が多すぎると双極性障害が悪化するおそれがあります。ある症例では，双極性障害が適切にコントロールされていた36歳男性が4日間にわたり，タウリン，カフェイン，イノシトールなどを含む栄養飲料を数缶摂取したところ，躁病症状のため入院しました。これがタウリン，カフェイン，イノシトールなどのいずれか，またはその組み合わせによるものであるかどうかはわかっていません。

●妊娠中および母乳授乳期

妊娠中および母乳授乳期の使用の安全性についてはデータが不十分です。摂取は避けてください。

有　効　性

◆有効性レベル③

・うっ血性心不全（CHF）。中等度（ニューヨーク心臓病学会（NYHA）機能分類II）から重度（機能分類IV）の心不全患者がタウリン2～3gを1日1～2回，6～8週間経口摂取すると，心機能および症状が改善するようです。重度の患者の一部は4～8週間の治療で機能分類IVからIIに急速に改善しています。改善はタウリンによる治療の間，1年間まで継続するようです。

・肝炎。初期の研究により，肝炎患者がタウリン1日1.5～4gを最大3カ月間摂取すると，肝機能が改善することが示唆されています。

◆有効性レベル④

・乳児の発育。研究により，タウリンを含む調合乳を最大12週間乳児に与えても，乳児の体重，身長，頭囲，行動には影響がないことが示唆されています。

◆科学的データが不十分です

・加齢黄斑変性，化学療法による吐き気および嘔吐，のう胞性線維症，糖尿病，疲労，運動能力，ヘリコバクター・ピロリ感染による胃潰瘍，高血圧，鉄欠乏性貧血，精神機能，筋肉痛，筋強直性ジストロフィー，睡眠不足など。

●体内での働き

タウリンがうっ血性心不全（CHF）に役立つようである理由は研究者にもはっきりわかっていません。一部に

有効性レベル：①効きます　②おそらく効きます　③効くと断言できませんが、効能の可能性が科学的に示唆されています
④効かないかもしれません　⑤おそらく効きません　⑥効きません

はタウリンが左心室の機能を改善するというエビデンスがあります。また血圧を低下させ，高血圧やうっ血性心不全の人では亢進しがちな交感神経系を抑制するようであることも，心不全を改善する理由かもしれません。交感神経系はストレスに反応する神経系の一部です。

医薬品との相互作用

中炭酸リチウム

タウリンは炭酸リチウムの体内からの排泄量を減少させる可能性があります。そのため，体内の炭酸リチウム量が増加するおそれがあります。その結果，炭酸リチウムの用量を変更する必要があるかもしれません。

中降圧薬

タウリンは，人によっては血圧を低下させる可能性があります。タウリンと降圧薬を併用すると，血圧が過度に低下するおそれがあります。このような降圧薬には，カプトプリル，エナラプリルマレイン酸塩，ロサルタンカリウム，バルサルタン，ジルチアゼム塩酸塩，アムロジピンベシル酸塩，ヒドロクロロチアジド，フロセミドなど数多くあります。

タ

ハーブおよび健康食品・サプリメントとの相互作用

血圧を低下させるおそれのあるハーブおよび健康食品・サプリメント

タウリンは血圧を低下させるおそれがあります。同様の作用をもつほかのハーブおよび健康食品・サプリメントと併用すると，人によっては血圧が過度に低下するリスクが高まるおそれがあります。このようなハーブおよび健康食品・サプリメントには，アンドログラフィス，カゼイン・ペプチド，キャッツクロー，コエンザイムQ-10，魚油，L-アルギニン，クコなどがあります。

通常の食品との相互作用

脂肪

タウリンは脂肪の体内吸収量を増加させるおそれがあります。

使用量の目安

●経口摂取

うっ血性心不全

タウリン1日2～6gを2～3回に分けて摂取します。

肝炎

タウリン4gを1日3回，6週間摂取します。

化学療法による吐き気および嘔吐

タウリン1日2gを6カ月間摂取します。

運動後の筋肉痛

運動前にタウリン2gを1日3回食後に摂取し，運動後も3日間継続します。

タガラシ

POISONOUS BUTTERCUP

別名ほか

Celery-Leafed Crowfoot, Cursed Crowfoot, Ranunculus sceleratus

概　要

タガラシはハーブです。地上部を用いて「くすり」を作ることもあります。

安 全 性

皮膚への使用は安全ではありません。十分なデータは得られていないので，経口摂取が安全であるかどうか不明です。

新鮮なもの，または潰れた状態のものが皮膚に接触した場合に，治療が困難な水疱や熱傷を起こすおそれがあります。

また，日焼けによる炎症を起こすリスクが高くなると考えられます。

●妊娠中および母乳授乳期

妊娠中，母乳授乳期は使用してはいけません。

有 効 性

◆科学的データが不十分です

・皮膚病，および皮膚色の欠如。

●体内での働き

皮膚や粘膜を激しく刺激する成分が含まれています。痛みや灼熱感，舌の炎症（腫脹）を引き起こし，唾液量が増加します。

医薬品との相互作用

ほかの医薬品との相互作用については明らかではありません。

ハーブおよび健康食品・サプリメントとの相互作用

ほかのハーブ，健康食品・サプリメントとの相互作用についてはまだ明らかではありません。

使用量の目安

●局所投与

チンキ剤が使用されています。

竹

BAMBOO

●代表的な別名

バンブー

別名ほか

矢竹（Yadake），ヤダケ（Arrow Bamboo），プセウドササ（Pseudosasa japonica），Arundinaria japonica，Sasa Japonica

概　　要

竹は植物です。竹の若い茎からの抽出液を用いて「くすり」を作ることもあります。

●要説（ナチュラル・スタンダード）

タケ類のうち，茎が硬く木質化するのが竹です。古代中国では，吸角療法やhorn methodに竹の容器が用いられました。現代でも中国では，組織の血行促進，疼痛の軽減，および治癒促進のために吸角療法を行います。

中国では竹は，理想的な人格の象徴，つまり，融通が利き，我慢強く，粘り強いことの象徴ととらえられています。竹の茎はたわみますが，割れないのです。

民間療法では，竹の葉は血液疾患や炎症の治療に用いられます。竹に含まれる硬化物のTabashirは，結核，気管支喘息，およびハンセン病に対して用いられます。中国の食事療法では，タケノコと鯉のスープを麻疹の治療に用います。インドでは子宮に関する疾患に対し，枝の先端を用います。新芽は食欲増進や消化促進の効果があるとされています。根は白癬に対して用いられます。花から作ったジュースは，耳痛や難聴に対して用いられます。

トウや竹は，矯正器具や人工装具の基礎構成素材の代用となる可能性があります。竹の夜間用装具や上肢用装具は有効とされています。竹の歩行器，松葉杖，および車椅子も安価で軽量，非常に便利です。

新芽には，抗甲状腺効果，抗酸化活性，および酸化促進作用がある可能性があります。十分な研究はなされていませんが，竹は代用骨になる可能性もあります。現時点では，いずれの疾患に対しても，竹の効果を支持する臨床試験はありません。

安　全　性

竹の安全性については，データが不十分です。

甲状腺機能低下症，甲状腺腫，甲状腺腫瘍などの甲状腺疾患：タケノコの長期にわたる摂取により，これらの疾患が悪化するおそれがあります。

●妊娠中および母乳授乳期

妊娠中および母乳授乳期の使用の安全性についてはデータが不十分です。安全性を考慮し，摂取は避けてください。

有　効　性

◆科学的データが不十分です

・気管支喘息，咳，胆のう障害など。

●体内での働き

どのように作用するかについては十分なデータが得られていません。

医薬品との相互作用

中 甲状腺機能亢進症治療薬（抗甲状腺薬）

タケノコを長期間摂取すると，甲状腺の機能を低下させる可能性があります。甲状腺機能亢進症治療薬は甲状腺機能を低下させます。タケノコと甲状腺機能亢進症治療薬を併用すると，甲状腺の機能が過度に低下するおそれがあります。甲状腺機能亢進症治療薬を服用中にタケノコを長期間摂取しないでください。このような医薬品には，チアマゾール，ヨウ化カリウムなどがあります。

ハーブおよび健康食品・サプリメントとの相互作用

ほかのハーブ，健康食品・サプリメントとの相互作用についてはまだ明らかではありません。

使用量の目安

通常の食品に含まれている量を超えて経口摂取した場合の安全性および副作用については，明らかになっていません。

ダスティーミラー

DUSTY MILLER

別名ほか

シロタエギク，白妙菊（Senecio cineraria），セネシオ・シネラリア，Cineraria maritima

概　　要

ダスティーミラーはハーブです。地上部を用いて「くすり」を作ることもあります。

安　全　性

安全ではありません。いくつかの成分が血液循環や肝臓，腎臓に障害を及ぼす可能性があり，またDNA損傷のリスクや発がん性をもつとの疑いもあります。

●アレルギー

ブタクサ，マリーゴールド，デイジーなどの植物に過敏な人はアレルギー反応を起こす可能性があります。

●妊娠中および母乳授乳期

妊娠中，母乳授乳期は使用してはいけません。

有　効　性

◆科学的データが不十分です

・片頭痛，視力障害，および月経の改善。

●体内での働き

どのように作用するかについては十分なデータが得られていません。

医薬品との相互作用

ほかの医薬品との相互作用については明らかではありません。

ハーブおよび健康食品・サプリメントとの相互作用

ほかのハーブ，健康食品・サプリメントとの相互作用についてはまだ明らかではありません。

使用量の目安

標準使用量に関するデータがありません。

タチアオイ

HOLLYHOCK

別名ほか

ハナアオイ（Alcea rosea），ホリホック（Hollyhock Flower），ブルーマロー，マローブルー（Malva Flower），ローズマロー（Rose Mallow），Althaea rosea，Althea Rose，Malvae arboreae flos，Malva

概　要

タチアオイは植物です。花部を用いて「くすり」を作ることもあります。

安 全 性

ほとんどの人に安全だと考えられますが，副作用が起こるかどうかは不明です。

●妊娠中および母乳授乳期

妊娠中，母乳授乳期は使用してはいけません。

有 効 性

◆科学的データが不十分です

・呼吸器系疾患，消化器系障害，皮膚炎，皮膚潰瘍など。

●体内での働き

どのように作用するかについては十分なデータが得られていません。

医薬品との相互作用

中糖尿病治療薬

タチアオイは血糖値を低下させる可能性があります。糖尿病治療薬も血糖値を低下させるために用いられます。タチアオイと糖尿病治療薬を併用すると，血糖値が過度に低下するおそれがあります。血糖値を注意深く監視してください。糖尿病治療薬の用量を変更する必要があるかもしれません。このような糖尿病治療薬には，グリメピリド，グリベンクラミド，インスリン，メトホルミン塩酸塩，ピオグリタゾン塩酸塩，マレイン酸ロシグリタゾン（販売中止），クロルプロパミド，Glipizide，トルブタミド（販売中止）などがあります。

ハーブおよび健康食品・サプリメントとの相互作用

ほかのハーブ，健康食品・サプリメントとの相互作用についてはまだ明らかではありません。

使用量の目安

標準使用量に関するデータがありません。

タチキジムシロ

TORMENTIL

別名ほか

トルメンチラ根（Tormentillae rhizoma），Potentilla erecta，トルメンチラ（Tormentilla），Biscuits，Bloodroot，Cinquefoil，Earthbank，English Sarsaparilla，Ewe Daisy，Flesh and Blood，Potentilla，Septfoil，Shepherd's Knapperty，Shepherd's Knot，Thormantle

概　要

タチキジムシロはハーブです。根を用いて「くすり」を作ることもあります。

●要説（ナチュラル・スタンダード）

タチキジムシロは伝統的に，胃の疾患，出血，創傷治療に使用されるバラ科の植物です。いくつかのエビデンスでは，タチキジムシロが下痢に効果がある可能性を示しています。タチキジムシロは，他の疾患のためにも研究されています。しかしながら，ヒトでの利用可能な研究は限られていて，より多くの研究が必要です。

安 全 性

ほとんどの人に安全だと考えられます。悪心，嘔吐，胃の不調などの副作用を引き起こす可能性があります。

●妊娠中および母乳授乳期

妊娠中，母乳授乳期は使用してはいけません。

有 効 性

◆科学的データが不十分です

・出血，発熱，胃の不調，下痢，および軽度の口内および咽頭の炎症（腫脹）。

●体内での働き

皮膚の炎症を鎮める働き，および組織の収れん作用（組織の収縮あるいは縮小を促す，分泌を停止させる，出血を抑制させること）があると考えられるタンニンという成分が含まれています。また，出血を止める作用もあると考えられます。

医薬品との相互作用

ほかの医薬品との相互作用については明らかではあり

相互作用レベル：高この医薬品と併用してはいけません　中この医薬品とは慎重に併用するか併用しないでください　低この医薬品との併用には注意が必要です

ません。

ハーブおよび健康食品・サプリメントとの相互作用

ほかのハーブ，健康食品・サプリメントとの相互作用についてはまだ明らかではありません。

使用量の目安

●経口摂取

下痢

お茶ティーカップ1杯を食間に1日2～4回摂取します。根の摂取量は1日最大4～6gまでです。お茶は，細かく刻んだ根または粉末2～3gを熱湯150mLに10～15分浸してからこします。

ロタウイルス性下痢（小児）

1：10根エキスを年齢1歳当たり3滴，1日3回，最大5日間摂取します。

●局所投与

チンキ剤（1：10）としては，コップ1杯の水に10～20滴垂らしたものを，口内あるいはのどを洗浄する際に使います。

ダッチマンズブリーチーズ

TURKEY CORN

別名ほか

ブリーディングハート（Bleeding Heart），ディセントラ・ククラリア，ツノコマクサ（Dicentra cucullaria），Dutchman's Breeches，Squirrel Corn，Staggerweed

概　　要

ダッチマンズブリーチーズは植物です。地下茎（塊茎）を用いて「くすり」を作ることもあります。

安 全 性

安全ではないと考えられます。中毒を起こすおそれがあります。

●妊娠中および母乳授乳期

妊娠中，母乳授乳期は使用してはいけません。

有 効 性

◆科学的データが不十分です

・消化器系障害，月経障害，尿路疾患，および皮膚発疹。

●体内での働き

尿量を増し，体内水分の排出を促す働きがあると考えられます。

医薬品との相互作用

ほかの医薬品との相互作用については明らかではありません。

ハーブおよび健康食品・サプリメントとの相互作用

ほかのハーブ，健康食品・サプリメントとの相互作用についてはまだ明らかではありません。

使用量の目安

●経口摂取

ダッチマンズブリーチーズは，流エキスとして使用します。

タデ

KNOTWEED

別名ほか

ノットグラス（Knot Grass），ミチヤナギ，ニワヤナギ，ヘンチク（Polygonum aviculare），Allseed Nine-Joints，Armstrong，Beggarweed，Bird's Tongue，Birdweed，Centinode，Cow Grass，Crawlgrass，Doorweed，Hogweed，Knotweed Herb，Mexican Sanguinaria，Ninety-Knot，Pigrush，Pigweed，Polygoni avicularis herba，Red Robin，Sparrow Tongue，Swine Grass，Swynel Grass，Vogelknoeterichkraut

概　　要

タデはハーブです。開花した植物全体を用いて「くすり」を作ることもあります。

安 全 性

ほとんどの人に安全だと考えられますが，副作用が起こるかどうかは不明です。

●妊娠中および母乳授乳期

妊娠中，母乳授乳期は使用してはいけません。

有 効 性

◆科学的データが不十分です

・気管支炎，咳，肺疾患，皮膚病のほか，結核にともなう発汗の減少，尿量の増加，発赤，腫脹のほか，歯肉，口内，咽頭の出血，および出血予防または止血。

●体内での働き

収れん作用および抗炎症作用があると考えられます。また，歯垢が歯に付着するのを防ぐ働きもあると考えられます。

医薬品との相互作用

ほかの医薬品との相互作用については明らかではありません。

ハーブおよび健康食品・サプリメントとの相互作用

ほかのハーブ，健康食品・サプリメントとの相互作用

についてはまだ明らかではありません。

使用量の目安

●経口摂取

お茶１カップ（1.4gの細かく砕いた乾燥ハーブを150mLの沸騰した湯に入れて10～15分煮て，その後，ろ過）を通常１日３～５回摂取します。１日に４～６gの細かく砕いた乾燥ハーブを摂取することもあります。

歯肉炎

滅菌水と根のタデエキス（１mg/mL）を含むうがい液を１日２回使用します。

タヌキモ

BLADDERWORT

別名ほか

Utricularia vulgaris

概　要

タヌキモは植物です。乾燥させた葉を用いて「くすり」用のお茶を作ることもあります。

安 全 性

十分なデータは得られていないので，安全性および副作用については不明です。

●妊娠中および母乳授乳期

妊娠中，母乳授乳期は使用してはいけません。

有 効 性

◆科学的データが不十分です

・尿路感染症，腎結石，体液貯留，体重減少，炎症，痙攣，熱傷など。

●体内での働き

どのように作用するかについては十分なデータが得られていません。

医薬品との相互作用

ほかの医薬品との相互作用については明らかではありません。

ハーブおよび健康食品・サプリメントとの相互作用

ほかのハーブ，健康食品・サプリメントとの相互作用についてはまだ明らかではありません。

使用量の目安

標準使用量に関するデータがありません。

タマネギ

ONION

別名ほか

若玉葱（Green Onion），ネギ，グリーンオニオン，Allii Cepae Bulbus，Allium cepa，Onions

概　要

タマネギは植物です。鱗茎を用いて「くすり」を作ることもあります。

●要説（ナチュラル・スタンダード）

タマネギは，食品として世界中で広く用いられています。薬剤に適用されることもあります。

参照できる研究のほとんどが，瘢痕の予防に注目しています。ただし，関連分野に関する結果は一致していません。糖尿病，がん，心疾患，および円形脱毛症（脱毛）の治療に用いられます。

食品として一般的に食されるので，少量の摂取は安全のようです。ただし過敏な人で，皮膚の発疹や胃腸疾患をともなう報告があります。

安 全 性

タマネギは，通常の食品に含まれる量を経口摂取する場合や，タマネギエキスを皮膚へ塗布する場合は，ほとんどの人に安全のようです。タマネギエキスの経口摂取はほとんどの人におそらく安全です。タマネギエキス約400mg以下を６週間摂取するのは安全のようです。副作用として，皮膚に接触した後の皮膚過敏や湿疹，臭気が眼に入ったときの涙の分泌，経口摂取した後の胃の不快感や胃痛などが起きるおそれがあります。

出血性疾患：タマネギは血液凝固を抑制するおそれがあります。「くすり」としての量を摂取する場合，出血リスクが高まるおそれがあります。出血性疾患のある場合は，「くすり」としての量のタマネギおよびタマネギエキスを摂取してはいけません。

糖尿病：血糖値を低下させるおそれがあります。糖尿病患者が「くすり」としての量のタマネギを摂取する場合は，血糖値を注意深く監視してください。

回腸のう肛門吻合術：肛門付近にのうを設置する回腸のう肛門吻合術を受けた人は，タマネギを摂取すると腹部膨満感が増大するおそれがあります。この手術を受けた場合はタマネギを大量に摂取してはいけません。

消化不良：よく消化不良を起こす人は，タマネギを摂取すると消化不良の症状が悪化するおそれがあります。タマネギで症状が悪化する場合は，大量に摂取してはいけません。

手術：タマネギが血液凝固を抑制し，血糖値を低下させるおそれがあります。理論上，手術中・手術後の出血リスクを高め，血糖コントロールに干渉するおそれがあります。少なくとも手術前２週間は,「くすり」としての量を使用しないでください。

●アレルギー

交叉抗原性：マグワートやセロリにアレルギーのある人は，タマネギにもアレルギーを起こすおそれがあります。マグワートやセロリにアレルギーがある場合は,「くすり」としての量のタマネギを摂取してはいけません。

●妊娠中および母乳授乳期

妊娠中および母乳授乳期の「くすり」としての量のタマネギの摂取の安全性についてはデータが不十分です。安全性を考慮し，通常の食品としての量を超える摂取は避けてください。

有　効　性

◆有効性レベル③

・瘢痕。ほとんどの研究により，タマネギエキスが含まれるゲルを単独で，またはほかの成分と併用で皮膚に10週間以上塗布すると，瘢痕の外観が改善することが示されています。タマネギエキスをほかの成分と併用で皮膚に塗布する場合，10週間未満だと効果はないようです。

◆科学的データが不十分です

・円形脱毛症，糖尿病，高血圧，肥満，多のう胞性卵巣症候群（PCOS），前立腺がん，妊娠線，気管支喘息，胃のむかつき，発熱，感冒，咳，気管支炎，口内および咽頭の腫脹（炎症），創傷，食欲不振，動脈硬化の予防など。

●体内での働き

タマネギに含まれる化学物質には，腫脹（炎症）を緩和し，気管支喘息患者の肺の圧迫感を軽減し，血中コレステロールおよび血糖値を低下させる作用があるようです。

医薬品との相互作用

中アスピリン

タマネギにアレルギーのある人がいます。アスピリンはこのような人のタマネギへの過敏性を高めるおそれがあります。これは１例しか報告されていません。しかし，タマネギにアレルギーのある人は安全のためにアスピリンとタマネギを併用しないでください。

中血液凝固を抑制する医薬品（抗凝固薬/抗血小板薬）

タマネギは血液凝固を抑制する可能性があります。タマネギと血液凝固を抑制する医薬品を併用すると，紫斑および出血のリスクが高まるおそれがあります。このような医薬品には，アスピリン，クロピドグレル硫酸塩，ジクロフェナクナトリウム，イブプロフェン，ナプロキセン，ダルテパリンナトリウム，エノキサパリンナトリウム，ヘパリン，ワルファリンカリウムなどがあります。

中炭酸リチウム

タマネギは利尿薬のように作用する可能性があります。タマネギを摂取すると，リチウムの体内からの排泄が抑制される可能性があります。そのため，体内のリチウム量が増加し，重大な副作用が現れるおそれがあります。

中糖尿病治療薬

タマネギは血糖値を低下させる可能性があります。糖尿病治療薬も血糖値を低下させるために用いられます。タマネギと糖尿病治療薬を併用すると，血糖値が過度に低下するおそれがあります。血糖値を注意深く監視してください。糖尿病治療薬の用量を変更する必要があるかもしれません。このような糖尿病治療薬には，グリメピリド，グリベンクラミド，インスリン，ピオグリタゾン塩酸塩，マレイン酸ロシグリタゾン（販売中止），クロルプロパミド，Glipizide，トルブタミド（販売中止）などがあります。

中肝臓で代謝される医薬品（シトクロムP450 2E1（CYP2E1）の基質となる医薬品）

特定の医薬品は肝臓で代謝されます。タマネギはこのような医薬品の代謝を抑制する可能性があります。タマネギと肝臓で代謝される医薬品を併用すると，医薬品の作用および副作用が増強するおそれがあります。このような医薬品には，アセトアミノフェン，クロルゾキサゾン，アルコール，テオフィリン，麻酔薬（エンフルラン（販売中止），ハロタン（販売中止），イソフルラン，Methoxyfluraneなど）などがあります。

ハーブおよび健康食品・サプリメントとの相互作用

血液凝固を抑制するおそれのあるハーブおよび健康食品・サプリメント

タマネギが血液凝固を抑制するおそれがあります。タマネギと，血液凝固を抑制するおそれのあるほかのハーブおよび健康食品･サプリメントを併用すると，人によっては紫斑および出血のリスクが高まるおそれがあります。このようなハーブおよび健康食品・サプリメントには，アンゼリカ，クローブ，タンジン，ニンニク，ショウガ，イチョウ，朝鮮人参，セイヨウトチノキ，レッドクローバー，ウコンなどがあります。

血糖値を低下させるおそれのあるハーブおよび健康食品・サプリメント

タマネギが血糖値を低下させるおそれがあります。同様の作用をもつほかのハーブおよび健康食品・サプリメントと併用すると，人によっては低血糖のリスクが高まるおそれがあります。このようなハーブおよび健康食品・サプリメントには，デビルズクロー，フェヌグリーク，グアーガム，朝鮮人参，エゾウコギなどがあります。

使用量の目安

通常の食品に含まれている量を超えて経口摂取した場合の安全性および副作用については，明らかになっていません。

タ

タマラニッケイ

INDIAN CASSIA

別名ほか

Chai Gui, Cinnamomum tamala, Indian Bay Leaf, Indian Bark, Malobathrum, Talisha Pattri, Tamala, Tamala Patar, Tamala Patra, Tamalpatra, Tejpat, Tejpat Oil, Tejpata, Tejpatra, Tejpatta, Tez Pat, Tezpat, タマラ肉桂

概　　要

タマラニッケイは樹木です。ヒマラヤ地域，インド北部，アジア，オーストラリアに生育します。葉と樹皮を「くすり」として用いることもあります。

タマラニッケイは，糖尿病，咳，感冒，関節リウマチ（RA）など，多くの疾患に用いられますが，これらの用途を裏付ける十分なエビデンスはありません。

食品では，スパイスや香料として用いられます。

安 全 性

タマラニッケイを経口摂取した場合，その安全性や副作用については情報が不十分です。

タマラニッケイを皮膚に塗布した場合，その安全性や副作用については情報が不十分です。

糖尿病：タマラニッケイは血糖値を低下させる可能性があります。糖尿病患者がタマラニッケイを使用する場合には，低血糖の徴候を観察し，血糖値を注意深く監視してください。

手術：タマラニッケイは血糖値を低下させる可能性があります。手術中・手術後の血糖コントロールが妨げられるおそれが一部で懸念されています。少なくとも手術前２週間は，タマラニッケイを使用しないでください。

●妊娠中および母乳授乳期

妊娠中および母乳授乳期にタマラニッケイを使用する安全性については情報が不十分です。安全性を考慮し，摂取しないでください。

有 効 性

◆科学的データが不十分です

・糖尿病，気管支喘息，口臭，乳児の激しい泣き声（コリック），感冒，出産後の合併症，咳，下痢，淋病，生理痛（月経困難），心疾患，消化不良，肝臓病，吐き気・嘔吐，関節リウマチ（RA），性行為に伴う満足感に関する問題，日光による皮膚障害，咽喉痛，結核など。

●体内での働き

タマラニッケイは膵臓のインスリン分泌を助ける可能性があります。そのため，糖尿病患者の血糖値が低下する可能性があります。

医薬品との相互作用

中糖尿病治療薬

タマラニッケイは血糖値を低下させる可能性があります。糖尿病治療薬も血糖値を低下させるために用いられます。タマラニッケイと糖尿病治療薬を併用すると，血糖値が過度に低下するおそれがあります。血糖値を注意深く監視してください。糖尿病治療薬の用量を変更する必要があるかもしれません。このような糖尿病治療薬には，グリメピリド，グリベンクラミド，インスリン，ピオグリタゾン塩酸塩，マレイン酸ロシグリタゾン（販売中止），クロルプロパミド，Glipizide，トルブタミド（販売中止）などがあります。

中利尿薬

タマラニッケイは体内のカリウム量を減少させる可能性があります。利尿薬も体内のカリウム量を減少させる可能性があります。タマラニッケイと利尿薬を併用すると，体内のカリウム量が過度に減少するおそれがあります。このような利尿薬には，クロロチアジド（販売中止），クロルタリドン（販売中止），フロセミド，ヒドロクロロチアジドなどがあります。

ハーブおよび健康食品・サプリメントとの相互作用

血糖値を低下させるおそれのあるハーブおよび健康食品・サプリメント

タマラニッケイは血糖値を低下させる可能性があります。同様の作用があるほかのハーブおよび健康食品・サプリメントと併用すると，血糖値が過度に低下するおそれがあります。このようなハーブおよび健康食品・サプリメントには，バナバ，ニガウリ，ハッショウマメ，ショウガ，コンニャクマンナン，薬用ガレーガ，フェヌグリーク，クズ，ウィローバークなどがあります。

ツクシ

タマラニッケイは体内のカリウムを減少させる可能性があります。ツクシにも同様の可能性があります。タマラニッケイとツクシを併用すると，体内のカリウムが過度に減少するおそれがあります。

甘草

タマラニッケイは体内のカリウムを減少させる可能性があります。甘草も同様の可能性があります。タマラニッケイと甘草を併用すると，体内のカリウムが過度に減少するおそれがあります。

使用量の目安

タマラニッケイの適量は複数の要因（年齢，健康状態などさまざまな状況）により異なります。現時点ではタマラニッケイの適量の範囲を決定する十分なエビデンスはありません。自然由来の製品は必ずしも常に安全ではなく，使用量が重要になりうることに留意してください。製品の表示にある注意事項に従い，また，医師・薬剤師などに相談することなく製品を使用しないでください。

タ

タマリクス・ディオイカ

TAMARIX DIOICA

●代表的な別名

タマリスク

別名ほか

Tamarisk, Tamarix, Saltcedar

概要

タマリクス・ディオイカは常緑の低木です。

安全性

安全性についてのデータが十分に得られていません。

●妊娠中および母乳授乳期

妊娠中，母乳授乳期は使用してはいけません。

有効性

◆科学的データが不十分です

・肝障害，発熱，腎障害。

●体内での働き

体内でどのように作用するかについてはまだ明らかになっていません。

医薬品との相互作用

ほかの医薬品との相互作用については明らかではありません。

ハーブおよび健康食品・サプリメントとの相互作用

ほかのハーブ，健康食品・サプリメントとの相互作用についてはまだ明らかではありません。

使用量の目安

標準使用量に関するデータがありません。

タマリンド

TAMARIND

別名ほか

チョウセンモダマ，朝鮮藻玉，ラボウシ，羅望子 (Tamarindus indica), Imlee, Tamarindo

概要

タマリンドは果実です。半乾燥させた果実を用いて「くすり」を作ることもあります。

●要説（ナチュラル・スタンダード）

タマリンドは熱帯アフリカ原産で，スーダン全体で生育しています。数千年前にインドに伝えられました。ヨルダンなどの中東諸国では，タマリンドの木から抽出されるタマリンドの汁に，乾燥したタマリンドパルプが注入されることで，ドリンクが調合されます。また，食品の保存のためにも使用されています。タマリンドは，ペーストやソースとしても使用され，レシピにも書かれています。タマリンドは，アーユルヴェーダ医学の一部としてインドでも使用されています。

動物試験においてタマリンドは，血清コレステロールや血糖値を下げることがわかりつつあります。ヒトでの参照できる臨床試験が不足しているため，高コレステロール血症（高コレステロール）や糖尿病の治療にタマリンドの使用を奨励するにはエビデンスは不十分です。

ヒトでの研究に基づくと，タマリンドを摂取した時には，フッ化物の排泄を高めてフッ素症の進行を遅らせることが可能です。しかしながら，こうした結果を確認するためには追加の研究が必要とされます。

安全性

食品として摂取する場合は安全です。

十分なデータが得られていないので，医薬品として使用した場合に安全であるかどうか不明です。

●妊娠中および母乳授乳期

妊娠中，母乳授乳期は使用してはいけません。

有効性

◆科学的データが不十分です

・便秘，発熱，肝臓疾患，胆のう疾患など。

●体内での働き

緩下作用，ならびに一部の真菌および細菌の繁殖を抑える作用があると考えられる成分が含まれています。

医薬品との相互作用

中アスピリン

タマリンドをアスピリンとともに用いると，アスピリンの吸収量が増加すると考えられています。体内のアスピリン量が増加すると，アスピリンの副作用が起こる危険が高まるおそれがあります。

中イブプロフェン

タリマンドとイブプロフェンを併用すると，イブプロフェンの体内への吸収量を増加させる可能性があります。そのため，体内のイブプロフェン量が増加し，イブプロフェンの副作用のリスクが高まるおそれがあります。

中糖尿病治療薬

タマリンドは血糖値を低下させる可能性があります。糖尿病治療薬もまた血糖値を低下させるために用いられます。タマリンドと糖尿病治療薬を併用すると，血糖値が過度に低下するおそれがあります。血糖値を注意深く監視してください。糖尿病治療薬の用量を変更する必要があるかもしれません。このような糖尿病治療薬にはグリメピリド，グリベンクラミド，インスリン，メトホルミン塩酸塩，ピオグリタゾン塩酸塩，マレイン酸ロシグリタゾン（販売中止），クロルプロパミド，Glipizide，トルブタミド（販売中止）などがあります。

ハーブおよび健康食品・サプリメントとの相互作用

ほかのハーブ，健康食品・サプリメントとの相互作用についてはまだ明らかではありません。

使用量の目安

●経口摂取

下剤として使用する場合，タマリンドのペースト10～50gをフルーツキューブとして摂取します。このペーストは，発酵させたタマリンド果実で作ります。

●局所投与

標準使用量に関するデータがありません。

ダミアナ

DAMIANA

●代表的な別名

ツルネラ・ディフサ

別名ほか

トゥルネラ・アフロディジィアカ（Damiana aphrodisiaca），Herba de la Pastora，Mexican Damiana，Mizibcoc，Old Woman's Broom，Rosemary，Turnera diffusa，Turnerae diffusae folium，Turnerae diffusae herba，Turnera microphyllia

概　　要

ダミアナは，メキシコ，中米，西インド諸島に自生する低木です。茎や葉は「くすり」として使われることがあります。歴史的には，主に性的欲求を高める目的（催淫薬）に使われていました。

●要説（ナチュラル・スタンダード）

Turnera diffusaおよびトゥルネラ・アフロディジィアカもダミアナの一種です。これらの近縁植物はターネラ科に属し，米国やアフリカの亜熱帯地方に自生します。ダミアナは，咳止め，利尿薬（尿量を増加させる），および媚薬など，伝統薬として広く用いられています。Turnera diffusaに催淫薬としての効果があるという民間の噂がありますが，ラットに対する近年の研究により信憑性が高まっています。

メキシコ圏では，胃腸疾患に用いられます。ダミアナの抽出物には，胃腸に影響を与えるおそれのあるグラム陽性菌に対してもグラム陰性菌に対しても抗菌作用があることが示唆されています。

ダミアナは，米国食品医薬品局（FDA）によりGRAS（一般的に安全と認められる食品）と認められ，食品の香料として広く用いられています。ただし，ダミアナは微量のシアン化物様化合物を含んでいるので，過剰な摂取は危険なおそれがあります。

安　全　性

通常の食事に含まれる量のダミアナを経口摂取する場合，ほとんどの人に安全のようです。「くすり」としての量を経口摂取する場合，おそらく安全ですが，重篤な副作用が現れた例があります。ダミアナのエキス200gを摂取した後に，痙攣，および恐水病やストリキニーネ中毒によく似た症状が現れたという報告があります。

糖尿病：ダミアナが糖尿病患者の血糖値に影響を及ぼすおそれあります。糖尿病患者がダミアナを使用する場合，血糖値の定期的な測定を行い，低血糖の徴候に注意してください。

手術：ダミアナが血糖値に影響を及ぼすおそれがあります。手術中・手術後の血糖コントロールを妨げるおそれがあります。少なくとも手術前２週間は，使用しないでください。

●妊娠中および母乳授乳期

妊娠中および母乳授乳期の使用の安全性についてはデータが不十分です。安全性を考慮し，摂取は避けてください。

有　効　性

◆科学的データが不十分です

・性機能障害，体重減少，頭痛，夜尿，うつ病，神経性の胃炎，便秘，心身の活力の向上など。

●体内での働き

脳や神経系に作用する成分が含まれています。

医薬品との相互作用

中 糖尿病治療薬

ダミアナは血糖値を低下させる可能性があります。糖尿病治療薬もまた血糖値を低下させるために用いられます。ダミアナと糖尿病治療薬を併用すると，血糖値が過度に低下するおそれがあります。血糖値を注意深く監視してください。糖尿病治療薬の用量を変更する必要があるかもしれません。このような糖尿病治療薬にはグリメピリド，グリベンクラミド，インスリン，メトホルミン塩酸塩，ピオグリタゾン塩酸塩，マレイン酸ロシグリタゾン（販売中止）などがあります。

ハーブおよび健康食品・サプリメントとの相互作用

血糖値を低下させるおそれのあるハーブおよび健康食品・サプリメント

ダミアナが血糖値を低下させるおそれがあります。同様の作用をもつほかのハーブおよび健康食品・サプリメントと併用すると，血糖値が過度に低下するおそれがあります。このようなハーブおよび健康食品・サプリメントには，α-リポ酸，ニガウリ，クロム，デビルズクロー，フェヌグリーク，ニンニク，グアーガム，セイヨウトチノキ，朝鮮人参，サイリウム，エゾウコギなどがあります。

使用量の目安

通常の食品に含まれている量を超えて経口摂取した場合の安全性および副作用については，明らかになっていません。

タラ肝油

COD LIVER OIL

別名ほか

魚油（Fish oil），肝油（Liver oil），多価不飽和脂肪酸（Polyunsaturated fatty acids），オメガ3系脂肪酸（Omega-3 Fatty acid），n-3系脂肪酸（n-3 Fatty acids），Cod oil

概　　要

タラ肝油は，新鮮なタラの肝臓を食品としてとるか，あるいはサプリメントによって摂取することも可能です。

安　全　性

ほとんどの人に安全です。

げっぷや口臭，胸やけ，鼻血などの副作用を引き起こします。食後に摂取することで，このような副作用のほとんどは防ぐことができると考えられます。

多量に摂取すると，血液凝固が阻止されて出血傾向が強まります。

また体内のビタミンAおよびビタミンDの量が増えすぎる可能性もあります。

アスピリンに過敏な人は呼吸に影響を及ぼすので使用してはいけません。

高血圧症：タラ肝油は血圧を下げる効果があるため，降圧薬を服用している場合，血圧が下がりすぎてしまうことがあります。降圧薬を服用している場合には，タラ肝油の摂取には注意してください。

●妊娠中および母乳授乳期

妊娠中，母乳授乳期は使用してはいけません。

有　効　性

◆有効性レベル②

・血清トリグリセリド値の低下。タラ肝油の経口摂取により，血清トリグリセリド値が高い場合に，トリグリセリド値を20%から50%まで下げることができます。

◆有効性レベル③

・高血圧症。軽症高血圧症の人がタラ肝油を経口摂取すると，血圧（収縮期血圧，拡張期血圧の両方）低下がわずかですが認められますが，これくらいの低下でも重要です。

・２型糖尿病の腎臓障害。タラ肝油の摂取により，腎臓病重症度のマーカーとなる尿タンパクの値が低下すると見られます。

◆有効性レベル④

・変形性関節症。

・家族性高コレステロール血症。

◆科学的データが不十分です

・うつ病。タラ肝油を摂取している人は，そうでない人に比べ，うつ症状の発症頻度が少ないとするデータがあります。

・心臓病の人の不整脈の予防。タラ肝油の摂取が，特定のタイプの不整脈を予防する可能性があるとする初期のデータがあります。

・幼児の耳感染症の予防。タラ肝油とセレンを配合した総合ビタミン・ミネラル製品を服用している子どもの場合，耳感染症の予防，あるいは発症頻度低下の可能性を示唆する予備研究があります。

・心疾患，全身性エリテマトーデス，創傷，緑内障。

●体内での働き

血栓の形成を抑える作用をもつ「脂肪酸」が含まれています。これらの脂肪酸には痛みや腫脹を緩和する効果もあります。

医薬品との相互作用

中 血液凝固を抑制する医薬品（抗凝固薬/抗血小板薬）

タラ肝油は血液凝固を抑制する可能性があります。タラ肝油と血液凝固を抑制する医薬品を併用すると，紫斑および出血のリスクが高まるおそれがあります。このような医薬品には，アスピリン，クロピドグレル硫酸塩，ジクロフェナクナトリウム，ジピリダモール，イブプロフェン，ナプロキセン，ダルテパリンナトリウム，エノキサパリンナトリウム，ヘパリン，チクロピジン塩酸塩，ワルファリンカリウムなどがあります。

中 降圧薬

タラ肝油は血圧を低下させるようです。タラ肝油と降圧薬を併用すると，血圧が過度に低下するおそれがあります。このような降圧薬には，カプトプリル，エナラプリルマレイン酸塩，ロサルタンカリウム，バルサルタン，ジルチアゼム塩酸塩，アムロジピンベシル酸塩，ヒドロクロロチアジド，フロセミドなど数多くあります。

中 糖尿病治療薬

タラ肝油は血糖値を低下させる可能性があります。糖尿病治療薬も血糖値を低下させるために用いられます。タラ肝油と糖尿病治療薬を併用すると，血糖値が過度に低下するおそれがあります。血糖値を注意深く監視してください。糖尿病治療薬の用量を変更する必要があるかもしれません。このような糖尿病治療薬には，グリメピリド，グリベンクラミド，インスリン，メトホルミン塩酸塩，ピオグリタゾン塩酸塩，マレイン酸ロシグリタゾン（販売中止），クロルプロパミド，Glipizide，トルブタミド（販売中止）などがあります。

ハーブおよび健康食品・サプリメントとの相互作用

血液凝固を抑制するハーブおよび健康食品・サプリメント

タラ肝油は血液凝固を抑制する効果があります。タラ肝油と，血液凝固を抑制するハーブおよび健康食品・サプリメントとを併用すると，紫斑や出血が起こりやすくなることがあります。こうしたハーブには，アンゼリカ，ボラージシードオイル，クローブ，ニンニク，ショウガ，イチョウ，レッドクローバー，ウコン，ウィローバークなどがあります。

使用量の目安

タ

●経口摂取

血清トリグリセリド値降下

1日20mL摂取します。

家族性高コレステロール血症

1日30mLを摂取します。

血圧降下

1日20mLを摂取します。

タラゴン

TARRAGON

別名ほか

フレンチタラゴン（Artemisia dracunculus），Artemisia glauca，エストラゴン（Estragon），ヨモギ（Mugwort），Little Dragon

概　　要

タラゴンはハーブです。根を用いて「くすり」を作ることもあります。

●要説（ナチュラル・スタンダード）

タラゴンはキク科の多年草で，ヨモギと関係があります。タラゴンは広く食品の味付けに使用されます。植物の香りの葉は，食べ物にアニスのような風味を添えます。

タラゴンは欧米で，胃のむかつきを治療するためのアジアのお茶として長い間使用されてきました。嘔吐や吐き気の治療に，ショウガやカルダモンとの併用に関して研究されてきました。タラゴンは，血糖値を管理するハーブとしても研究されてきました。

タラゴンには，エストラゴールや肝臓がんの原因となる可能性がある化合物が含まれています。しかしながら，成人が推奨用量でハーブやサプリメントとして短期間エストラゴールを使用する程度であれば，がんのリスクは高くないと思われます。

安　全　性

短期間ならば医薬品として用いても安全だと考えられます。

長期間にわたる使用はがんを引き起こす可能性があります。

●アレルギー

ブタクサ，マリーゴールド，デイジーなどの植物にアレルギーのある人は使用してはいけません。

●妊娠中および母乳授乳期

妊娠中，母乳授乳期は，通常食品に含まれる量を超えて使用してはいけません。

有　効　性

◆科学的データが不十分です

・消化器系障害，月経不順，歯痛，水分貯留など。

●体内での働き

カリウムが豊富に含まれています。また，抗菌作用のある成分が含まれています。

医薬品との相互作用

中 血液凝固を抑制する医薬品（抗凝固薬/抗血小板薬）

タラゴン抽出物は血液凝固を抑制する可能性があります。タラゴン抽出物と血液凝固を抑制する医薬品を併用すると，紫斑および出血のリスクが高まるおそれがあります。このような医薬品にはアスピリン，クロピドグレル硫酸塩，ジクロフェナクナトリウム，イブプロフェン，ナプロキセン，ダルテパリンナトリウム，エノキサパリンナトリウム，ヘパリン，ワルファリンカリウムなどがあります。

中 鎮静薬（中枢神経抑制薬）

タラゴンのエッセンシャルオイルは眠気および注意力低下を引き起こす可能性があります。鎮静薬も眠気を引き起こす医薬品です。タラゴンのエッセンシャルオイルと鎮静薬を併用すると，過度の眠気を引き起こすおそれがあります。また，手術中に併用すると，鎮静作用が長時間続くおそれがあります。このような鎮静薬にはペントバルビタールカルシウム，フェノバルビタール，セコバルビタールナトリウム，チオペンタールナトリウム，フェンタニルクエン酸塩，モルヒネ塩酸塩水和物，プロポフォールなどがあります。

ハーブおよび健康食品・サプリメントとの相互作用

ほかのハーブ，健康食品・サプリメントとの相互作用についてはまだ明らかではありません。

使用量の目安

標準使用量に関するデータがありません。

タラノキ

MANCHURIAN THORN

別名ほか

Aralia elata，Aralia mandshurica，Manchurian Angelica Tree，Mandschurische Aralie

概　要

タラノキは，樹木です。樹皮や根を用いて「くすり」を作ることもあります。

タラノキは，体重減少，疲労，脱力，頭痛，うつ病，ストレス，免疫システムの活性化，刺激剤として，または適応促進薬として経口摂取されます。

安 全 性

タラノキの安全性については，データが不十分です。高用量のタラノキを摂取することにより，肝障害を引き起こすおそれがあります。

糖尿病：タラノキが，血糖値を低下させるおそれがあります。糖尿病の場合には，血糖値を注意深く監視してください。糖尿病の場合には，タラノキを摂取する前に，医師などに相談するのが最善です。

肝障害：タラノキが，肝障害を悪化させるおそれがあります。

●妊娠中および母乳授乳期

妊娠中および母乳授乳期の使用の安全性についてはデータが不十分です。安全性を考慮し，摂取は避けてください。

有 効 性

◆科学的データが不十分です

・体重減少，疲労，脱力，頭痛，うつ病，ストレス，免疫システムの活性化など。

●体内での働き

タラノキを単独で摂取した場合の「くすり」としての働きについては，データが不十分です。ただし，タラノキとコウキを含む併用製品を摂取すると，脂肪燃焼に関わる酵素の量が増加し，体重減少に効果がある可能性があります。

医薬品との相互作用

中 肝臓を害する可能性のある医薬品

タラノキは肝臓を害する可能性があります。タラノキと肝臓を害する可能性のある医薬品を併用すると，肝障害のリスクが高まる可能性があります。肝臓を害する可能性のある医薬品を服用中にタラノキを摂取しないでください。このような医薬品にはアセトアミノフェン，アミオダロン塩酸塩，カルバマゼピン，イソニアジド，メトトレキサート，メチルドパ水和物，フルコナゾール，イトラコナゾール，エリスロマイシン，フェニトイン，Lovastatin，プラバスタチンナトリウム，シンバスタチンなどがあります。

中 糖尿病治療薬

タラノキは血糖値を低下させる可能性があります。糖尿病治療薬もまた血糖値を低下させるために用いられます。タラノキと糖尿病治療薬を併用すると，血糖値が過度に低下するおそれがあります。血糖値を注意深く監視してください。糖尿病治療薬の用量を変更する必要があるかもしれません。このような糖尿病治療薬にはグリメピリド，グリベンクラミド，インスリン，ピオグリタゾン塩酸塩，マレイン酸ロシグリタゾン（販売中止），クロルプロパミド，Glipizide，トルブタミド（販売中止）などがあります。

ハーブおよび健康食品・サプリメントとの相互作用

肝臓に悪影響を与えるおそれのあるハーブおよび健康食品・サプリメント

タラノキが，肝臓に悪影響を与えるおそれがあります。タラノキと，肝臓に悪影響を与えるおそれのあるほかのハーブおよび健康食品・サプリメントを併用すると，肝障害のリスクが高まるおそれがあります。このようなハーブおよび健康食品・サプリメントには，アジョワン，ボラージ，ウバウルシなどがあります。

血糖値を低下させるおそれのあるハーブおよび健康食品・サプリメント

タラノキと，血糖値を低下させるおそれのあるほかのハーブおよび健康食品・サプリメントを併用すると，血糖値が過度に低下するおそれがあります。このようなハーブおよび健康食品・サプリメントには，α-リポ酸，デビルズクロー，フェヌグリーク，ニンニク，グアーガム，セイヨウトチノキ，朝鮮人参，サイリウム，エゾウコギなどがあります。

使用量の目安

通常の食品に含まれている量を超えて経口摂取した場合の安全性および副作用については，明らかになっていません。

炭酸水素ナトリウム

SODIUM BICARBONATE

●代表的な別名

ベーキング・ソーダ

別名ほか

Baking Soda，Bicarbonate of Soda，Bread Soda，Cooking Soda，Sodium Hydrogen Carbonate

タ

概　　要

炭酸水素ナトリウムは，水中でナトリウムと重炭酸塩に分解される塩です。この分解により液体はアルカリ性になり酸を中和できるようになるため，炭酸水素ナトリウムは胸やけなど体内の酸性度が高いことにより生ずる症状の治療によく使用されています。

腸洗浄，腎機能低下，消化不良，運動能力，高カリウム血症，新生児の蘇生，胃潰瘍，尿結石には，炭酸水素ナトリウムを経口摂取します。

化学熱傷，歯垢，耳垢，湿疹，昆虫刺傷，不妊，消化管粘膜炎症，有毒オークおよびツタウルシ，皮膚のそう痒，うろこ状で痒みを伴う皮膚（乾癬）には，炭酸水素ナトリウムを皮膚に塗布します。

心臓蘇生，腎機能低下，コカイン中毒，一部のX線検査中に使用される造影剤により生じる腎障害の予防，特定のアレルギー薬による中毒，新生児の蘇生，農薬中毒，抗悪性腫瘍薬の副作用予防，筋肉損傷，特定の化学物質により肺水腫状態を有する場合には，炭酸水素ナトリウムを静脈内投与します。

ほかにも，重曹として料理の材料に使用します。

安　全　性

炭酸水素ナトリウムは，適量を，短期間経口摂取する場合や，医師などの指導のもと，適量を静脈内投与する場合には，ほとんどの人に安全のようです。米国食品医薬品局では，炭酸水素ナトリウムを含む，市販の制酸薬は，安全で効果があると判断されています。米国食品医薬品局では，１日最大摂取量として，以下の通り定めています。

60歳以下：ナトリウム，200mEq。重炭酸塩，200mEq。
61歳以上：ナトリウム，100mEq。重炭酸塩，100mEq。（最長２週間）

高用量の炭酸水素ナトリウムを経口摂取する場合には，おそらく安全ではありません。炭酸水素ナトリウムを長期にわたり使用する場合や，過剰に使用する場合には，胃破裂や，深刻な電解質値の異常などの合併症を引き起こした例が報告されています。

皮膚に塗布する場合の安全性については，データが不十分です。

小児：乳児および小児が，医師などの指導のもと，炭酸水素ナトリウムを静脈内投与する場合には，おそらく安全です。小児が，炭酸水素ナトリウム（ベーキング・ソーダ）を皮膚に塗布する場合には，使用後に血中ナトリウム濃度が高くなることが報告されており，おそらく安全ではありません。小児が炭酸水素ナトリウムを経口摂取する場合の安全性については，データが不十分です。安全性を考慮し，摂取は避けてください。

糖尿病ケトアシドーシス：炭酸水素ナトリウムが，ケトンと呼ばれる酸を増やし，血液の酸性度が過度に上昇する糖尿病の合併症を引き起こします。糖尿病ケトアシドーシスの場合には，炭酸水素ナトリウムを避けるべきです。

腫脹（浮腫）：炭酸水素ナトリウムには，ナトリウムが含まれているため，体液過剰に起因する腫脹のリスクが高まるおそれがあります。心不全，肝疾患など，体液貯留による症状を有している場合には，炭酸水素ナトリウムを注意して使用してください。

高カルシウム血症：血中カルシウム値が高い場合には，重炭酸塩を体内から排泄することが困難であるおそれがあります。このため，炭酸水素ナトリウムを使用すると，ミルクアルカリ症候群などの合併症のリスクが高まるおそれがあります。

高ナトリウム血症：炭酸水素ナトリウムが，血中ナトリウム濃度を上昇させるおそれがあります。高ナトリウム血症の場合には，炭酸水素ナトリウムを避けるべきです。

高血圧：炭酸水素ナトリウムが，血圧を上昇させるおそれがあります。高血圧の場合には，炭酸水素ナトリウムを避けるべきです。

低カリウム血症：炭酸水素ナトリウムが，カリウム値を低下させるおそれがあります。低カリウム血症の場合には，炭酸水素ナトリウムを避けるべきです。

鉄欠乏性：炭酸水素ナトリウムにより，体内に吸収される鉄の量が減少します。鉄欠乏性の場合には，炭酸水素ナトリウムと鉄のサプリメントは，間隔をあけて摂取するべきです。

●妊娠中および母乳授乳期

妊娠中の経口摂取および静脈内投与は，おそらく安全ではありません。水分貯留や，組織内のpH不均衡を引き起こすリスクが高まるおそれがあります。母乳授乳期の使用の安全性についてはデータが不十分です。安全性を考慮し，摂取は避けてください。

有　効　性

◆有効性レベル③

・一部のレントゲン検査に使用される造影剤に起因する腎機能低下。複数の研究により，動脈内を見えるようにする検査，血管造影の前に，炭酸水素ナトリウムを静脈内投与することにより，腎機能の低下リスクが低下する可能性が示唆されています。ただし，見解は一致していません。

・運動能力。研究により，炭酸水素ナトリウムを，短時間かつ高負荷の運動の１～２時間前に，経口摂取することにより，運動時の体力が改善されることが示唆されています。別の研究では，短時間かつ高負荷の運動の３時間前までに，炭酸水素ナトリウムを経口摂取または静脈内投与することにより，運動能力が改善することが示唆されています。ただし，女性やスポーツ選手でない人が炭酸水素ナトリウムを摂取しても，運動能力が改善することはないようです。また，10分以上の運動を継続する場合には，運動能力の向上はみられないようです。

◆科学的データが不十分です

・慢性腎臓病，歯垢，耳垢，新生児の回復，腸の洗浄，化学熱傷，湿疹，高カリウム血症，消化不良，不妊，消化管粘膜炎症，昆虫刺傷，そう痒（敏感肌），有毒オーク，ツタウルシ，乾癬（うろこ状の敏感肌），胃潰瘍，尿路結石など。

●体内での働き

炭酸水素ナトリウムは，血液，尿など体液内でナトリウムと重炭酸塩に分解される塩です。この分解により液体はアルカリ性になり，酸を中和するため，胃に酸が過剰になることにより生じる消化不良など，体液が強い酸性となる症状の治療につながります。

医薬品との相互作用

中アスピリン

炭酸水素ナトリウムを静脈内投与すると，体内でのアスピリンの代謝および排泄を促進させる可能性があります。そのため，アスピリンの作用を弱めるおそれがあります。アスピリンと炭酸水素ナトリウムは時間をあけて摂取してください。

中アミノグリコシド系抗菌薬

炭酸水素ナトリウムは体内のカリウム量を減少させる可能性があります。アミノグルコシド系抗菌薬もまた体内のカリウム量を減少させる可能性があります。理論的には，炭酸水素ナトリウムとアミノグリコシド系抗菌薬を併用すると，体内のカリウム量が過度に減少するおそれがあります。カリウムサプリメントが必要かもしれません。このようなアミノグリコシド系抗菌薬にはアミカシン硫酸塩，ゲンタマイシン硫酸塩，カナマイシン硫酸塩，ストレプトマイシン硫酸塩，トブラマイシンがあります。

中アムホテリシンB

炭酸水素ナトリウムは体内のカリウム量を減少させる可能性があります。アムホテリシンBもまた体内のカリウム量を減少させる可能性があります。理論的には，炭酸水素ナトリウムとアムホテリシンBを併用すると，体内のカリウム量が過度に減少するおそれがあります。カリウムサプリメントが必要になるかもしれません。

中クロルプロパミド

炭酸水素ナトリウムと糖尿病治療薬のクロルプロパミドを併用すると，クロルプロパミドの体内からの排泄を促進する可能性があります。そのため，糖尿病治療薬の働きが弱まるおそれがあります。

中サイアザイド系利尿薬

炭酸水素ナトリウムは体内のカリウム量を減少させる可能性があります。利尿薬もまた体内のカリウム量を減少させる可能性があります。炭酸水素ナトリウムと利尿薬を併用すると，体内のカリウム量が過度に減少するおそれがあります。このような利尿薬には，クロロチアジド（販売中止），ヒドロクロロチアジド，インダパミド，メチクロチアジド（販売中止），メトラゾン（販売中止）などがあります。

中シスプラチン

炭酸水素ナトリウムは体内のカリウム量を減少させる可能性があります。シスプラチンもまた体内のカリウム量を減少させる可能性があります。理論的には，炭酸水素ナトリウムとシスプラチンを併用すると，体内のカリウム量が過度に減少するおそれがあります。カリウムサプリメントが必要になるかもしれません。

中セフポドキシム プロキセチル

炭酸水素ナトリウムとセフポドキシムプロキセチルを併用すると，体内のセフポドキシム プロキセチル量を減少させる可能性があります。そのため，抗菌薬としての働きを抑制するおそれがあります。

中フルコナゾール

炭酸水素ナトリウムは体内のカリウム量を減少させる可能性があります。フルコナゾールもまた体内のカリウム量を減少させる可能性があります。理論的には，炭酸水素ナトリウムとフルコナゾールを併用すると，体内のカリウム量が過度に減少するおそれがあります。カリウムサプリメントが必要になるかもしれません。

中ペニシリン系薬

炭酸水素ナトリウムは体内のカリウム量を減少させる可能性があります。ペニシリンもまた体内のカリウムを減少させる可能性があります。理論的には，炭酸水素ナトリウムとペニシリンを併用すると，体内のカリウム量が過度に減少するおそれがあります。カリウムサプリメントが必要になるかもしれません。カリウムを減少する可能性のあるペニシリン系薬にはPenicillin G sodium，メズロシリンナトリウム（販売中止），カルベニシリンナトリウム（販売中止），チカルシリンナトリウム（販売中止），ピペラシリンナトリウムがあります。

中メチルキサンチン類

炭酸水素ナトリウムは体内のカリウム量を減少させる可能性があります。メチルキサンチン類もまた体内のカリウム量を減少させる可能性があります。理論的には，炭酸水素ナトリウムとメチルキサンチン類を併用すると，体内のカリウム量が過度に減少するおそれがあります。カリウムサプリメントが必要になるかもしれません。

中ループ利尿薬

炭酸水素ナトリウムは体内のカリウム量を減少させる可能性があります。利尿薬もまた体内のカリウム量を減少させる可能性があります。炭酸水素ナトリウムと利尿薬を併用すると，体内のカリウム量が過度に減少するおそれがあります。このような利尿薬にはブメタニド，エタクリン酸（販売中止），フロセミド，トラセミドなどがあります。

中塩酸プソイドエフェドリン

炭酸水素ナトリウムを静脈注射すると，塩酸プソイドエフェドリンの体内での代謝を抑制する可能性がありま

タ

す。そのため，体内の塩酸プソイドエフェドリンの量が増加し，塩酸プソイドエフェドリンの毒性が現れるリスクが高まるおそれがあります。

中刺激性下剤

炭酸水素ナトリウムは体内のカリウム量を減少させる可能性があります。刺激性下剤（腸内洗浄の際など）もまた，体内のカリウム量を減少させる可能性があります。理論的には，炭酸水素ナトリウムと刺激性下剤を併用すると，体内のカリウム量を過度に減少するおそれがあります。カリウムサプリメントが必要になるかもしれません。このような刺激性下剤にはカスカラサグラダ，センナ，ビサコジルなどがあります。

ハーブおよび健康食品・サプリメントとの相互作用

カルシウム

カルシウム値が高い場合には，重炭酸塩の体内からの排泄が抑制されるおそれがあります。炭酸水素ナトリウムとカルシウムのサプリメントを併用すると，血中重炭酸塩値が過度に高くなるおそれがあります。このため，代謝性アルカローシスと呼ばれる疾患を引き起こすおそれがあります。

鉄

炭酸水素ナトリウムが，鉄の体内吸収を抑制します。炭酸水素ナトリウムと鉄のサプリメントは，間隔をあけて摂取するべきです。

ナトリウム

炭酸水素ナトリウムが，血中ナトリウム濃度を上昇させるおそれがあります。ほかにナトリウムのサプリメントを摂取している場合には，炭酸水素ナトリウムにより，ナトリウム値が過度に上昇するおそれがあります。

使用量の目安

【成人】

●経口摂取

運動能力

体重１kg当たり，100～400mgを，運動の１～３時間前に摂取します。

●静脈内投与または注射（点滴）

レントゲン検査中に使用される造影剤に起因する腎障害の予防

炭酸水素ナトリウム溶液を，心血管造影前に，体重１kg当たり，１時間に１mL，最大12時間にわたり静脈内投与します。または，心血管造影の１時間前に，体重１kg当たり，１時間に３mLを投与します。それぞれ，心血管造影後６～12時間にわたり，体重１kg当たり，１時間に１mLを投与します。炭酸水素ナトリウムと，2,400mgのN-アセチルシステインを併用して使用する例もあります。

運動能力

体重１kg当たり，100～400mgを，運動の３時間前に投与します。

タンジェリン

TANGERINE

●代表的な別名

マンダリンオレンジ

別名ほか

Bergamota, Citrus nobilis, Citrus reticulate, Culate Mandarin, Gan Ju, Mandarin, Mandarin Orange, Mandarina, Mandarina, Mandarina, Mandarine Orange, Mandarinen, Mandarinenbaum, Mandarinier, Ponkan, Santara, Småcitrus, Swatow Orange, Tangerina

概　要

タンジェリンはかんきつ類の果物で，アジアの熱帯地域に生育しています。

気管支喘息，消化不良，動脈血栓，がん予防，化学療法の副作用，結腸および直腸がん，過敏性腸症候群（IBS），肝疾患，肺がんを罹患している場合には，果皮を経口摂取します。

タンジェリンの果実および果皮は食品として摂取できます。タンジェリンの果実はジュースにすることもできます。

安　全　性

タンジェリンの安全性については，データが不十分です。

●妊娠中および母乳授乳期

妊娠中および母乳授乳期の使用の安全性についてはデータが不十分です。安全性を考慮し，摂取は避けてください。

有　効　性

◆科学的データが不十分です

・がん，気管支喘息，消化不良，動脈血栓，化学療法の副作用，結腸および直腸がん，過敏性腸症候群（IBS），肝疾患，肺がんなど。

●体内での働き

タンジェリンは，がんのリスクを低下させる可能性があります。タンジェリン果皮はがん細胞の増殖を停止したり，がん細胞死を促進したりするようです。

医薬品との相互作用

低ミダゾラム

ミダゾラムは体内で分解されてから代謝されます。タンジェリンはミダゾラムの体内での分解を促進する可能性があります。理論的には，タンジェリンとミダゾラムを併用すると，ミダゾラムの作用が減弱するおそれがあります。

タ

低 肝臓で代謝される医薬品（シトクロムP450 3A4（CYP3A4）の基質となる医薬品）

特定の医薬品は肝臓で代謝されます。タンジェリンは医薬品の代謝を促進する可能性があります。理論的には，タンジェリンと肝臓で代謝される医薬品を併用すると，医薬品の作用を減弱させるおそれがあります。このような医薬品にはアミトリプチリン塩酸塩，アミオダロン塩酸塩，Citalopram，フェロジピン，ランソプラゾール，オンダンセトロン塩酸塩水和物，Prednisone，塩酸セルトラリン，シブトラミン塩酸塩水和物（販売中止）など多くあります。

ハーブおよび健康食品・サプリメントとの相互作用

ほかのハーブ，健康食品・サプリメントとの相互作用についてはまだ明らかではありません。

使用量の目安

通常の食品に含まれている量を超えて経口摂取した場合の安全性および副作用については，明らかになっていません。

タンジン

DANSHEN

別名ほか

丹参（Dan-Shen），レッドルーテッドセージ（Red Rooted Sage），レッドセージ（Red Sage），チャイニーズセージ（Salvia miltiorrhiza），Ch'ih Shen，Chinese Salvia, Huang Ken, Pin-Ma Ts'ao, Salvia Bowelyana, Salvia przewalskii, Salvia przewalskii mandarinorum, Salvia yunnanensis，Shu-Wei Ts'ao，Tan-Shen，Tzu Tan-Ken

概　　要

タンジンはハーブです。根は「くすり」に使われます。

タンジンは胸痛（狭心症），心疾患，高血圧，糖尿病網膜症などの病状に用いられます。

安 全 性

タンジンを経口摂取する場合，ほとんどの人におそらく安全です。そう痒，胃のむかつき，食欲不振などの副作用が現れることがあります。

タンジンを静脈内投与した場合の安全性については，データが不十分です。そう痒，胃のむかつき，食欲不振などの副作用が現れるおそれがあります。

出血性疾患：タンジンが出血リスクを高めるおそれがあります。出血性疾患の患者は摂取してはいけません。

低血圧：タンジンが血圧を低下させるおそれがあります。理論上，低血圧の人では血圧が過度に低下するおそれがあります。

手術：タンジンが血液凝固を抑制し，手術中・手術後の出血のリスクが高まるおそれがあります。少なくとも手術前２週間は，使用しないでください。

●妊娠中および母乳授乳期

妊娠中および母乳授乳期の使用の安全性についてはデータが不十分です。安全性を考慮し，摂取は避けてください。

有 効 性

◆科学的データが不十分です

・胸痛（狭心症），心疾患，静脈血栓塞栓症（VTE），肝臓の瘢痕化（肝硬変），糖尿病網膜症，高コレステロール血症や高トリグリセリド血症（高脂血症），高血圧，脳卒中，腎移植，高血圧とタンパク尿を認める妊娠合併症（妊娠高血圧腎症），ざ瘡（にきび），あざ（打撲），糖尿病，湿疹（アトピー性皮膚炎），動脈硬化，心臓発作，肥満，うろこ状で痒い皮膚（乾癬），肝臓の腫脹（炎症）（肝炎），膵炎，創傷治癒など。

●体内での働き

タンジンは血液および血小板の凝固を阻害して，血液の粘度を低下させるようです。タンジンは血管を拡張するため，血液循環を改善します。

医薬品との相互作用

中 肝臓で代謝される医薬品（シトクロムP450 2C9（CYP2C9）の基質となる医薬品）

特定の医薬品は肝臓で代謝されます。タンジンはこのような医薬品の代謝を抑制する可能性があります。タンジンと肝臓で代謝される医薬品を併用すると，医薬品の作用および副作用が増強するおそれがあります。このような医薬品には，非ステロイド性抗炎症薬（ジクロフェナクナトリウム，イブプロフェン，メロキシカム，ピロキシカム，セレコキシブなど），アミトリプチリン塩酸塩，ワルファリンカリウム，Glipizide，ロサルタンカリウムなどがあります。これらの医薬品を服用中には，タンジンを使用しない，または慎重に使用してください。

中 肝臓で代謝される医薬品（シトクロムP450 3A4（CYP3A4）の基質となる医薬品）

特定の医薬品は肝臓で代謝されます。タンジンはこのような医薬品の代謝を促進する可能性があります。タンジンと肝臓で代謝される医薬品を併用すると，医薬品の効果が弱まるおそれがあります。このような医薬品には，Lovastatin，クラリスロマイシン，シクロスポリン，ジルチアゼム塩酸塩，エストロゲン（卵胞ホルモン）製剤，インジナビル硫酸塩エタノール付加物（販売中止），トリアゾラムなどがあります。

中 アスピリン

タンジンとアスピリンを併用すると，血中のアスピリン濃度が上昇する可能性があります。 そのため，理論的には，アスピリンの作用および副作用が増強するおそれがあります。

中クロピドグレル硫酸塩

クロピドグレル硫酸塩は肝臓で代謝されます。タンジンはクロピドグレル硫酸塩の代謝を抑制する可能性があります。そのため，クロピドグレル硫酸塩の作用および副作用が増強するおそれがあります。

高ジゴキシン

ジゴキシンには強心作用があります。タンジンもまた心臓に影響を及ぼすようです。タンジンとジゴキシンを併用すると，ジゴキシンの作用が増強し，副作用のリスクが高まるおそれがあります。

中フェキソフェナジン塩酸塩

フェキソフェナジン塩酸塩は細胞内のポンプによって輸送されます。タンジンは，ポンプの働きを弱め，フェキソフェナジン塩酸塩の体内への吸収量を増加させる可能性があります。そのため，フェキソフェナジン塩酸塩の体内量が増加し，副作用が増強するおそれがあります。

中ミダゾラム

ミダゾラムは体内で代謝されます。タンジンはミダゾラムの代謝を促進する可能性があります。そのため，ミダゾラムの作用が減弱するおそれがあります。

中ロスバスタチンカルシウム

タンジンは血中のロスバスタチンカルシウム濃度を上昇させる可能性があります。 そのため，ロスバスタチンカルシウムの作用および副作用が増強するおそれがあります。

中ワルファリンカリウム

ワルファリンカリウムは血液凝固を抑制するために用いられます。タンジンは，ワルファリンカリウムが体内に留まる時間を長くし，紫斑および出血のリスクを高めるおそれがあります。定期的に血液検査をしてください。ワルファリンカリウムの用量を変更する必要があるかもしれません。

中肝臓で代謝される医薬品（シトクロムP450 1A2（CYP1A2）の基質となる医薬品）

特定の医薬品は肝臓で代謝されます。タンジンはこのような医薬品の代謝を抑制する可能性があります。タンジンと肝臓で代謝される医薬品を併用すると，医薬品の作用および副作用が増強するおそれがあります。このような医薬品には，クロザピン，Cyclobenzaprine，フルボキサミンマレイン酸塩，ハロペリドール，イミプラミン塩酸塩，メキシレチン塩酸塩，オランザピン，塩酸ペンタゾシン，プロプラノロール塩酸塩，Tacrine，Zileuton，ゾルミトリプタンなどがあります。

中肝臓で代謝される医薬品（シトクロムP450 2E1（CYP2E1）の基質となる医薬品）

特定の医薬品は肝臓で代謝されます。タンジンはこのような医薬品の代謝を抑制する可能性があります。タンジンと肝臓で代謝される医薬品を併用すると，医薬品の作用および副作用が増強するおそれがあります。このような医薬品には，アセトアミノフェン，クロルゾキサゾン，アルコール，テオフィリン，麻酔薬（エンフルラン（販売中止），ハロタン（販売中止），イソフルラン，Methoxyfluraneなど）などがあります。

高血液凝固を抑制する医薬品（抗凝固薬/抗血小板薬）

タンジンは血液凝固を抑制する可能性があります。タンジンと血液凝固を抑制する医薬品を併用すると，紫斑および出血のリスクが高まるおそれがあります。このような医薬品には，アスピリン，クロピドグレル硫酸塩，ジクロフェナクナトリウム，イブプロフェン，ナプロキセン，ダルテパリンナトリウム，エノキサパリンナトリウム，ヘパリン，ワルファリンカリウムなどがあります。

中降圧薬

タンジンは血圧を低下させる可能性があります。タンジンと降圧薬を併用すると，血圧が過度に低下するおそれがあります。このような降圧薬には，カプトプリル，エナラプリルマレイン酸塩，ロサルタンカリウム，バルサルタン，ジルチアゼム塩酸塩，アムロジピンベシル酸塩，ヒドロクロロチアジド，フロセミドなど数多くあります。

中細胞内のポンプによって輸送される医薬品（P糖タンパク質の基質となる医薬品）

特定の医薬品は細胞内のポンプによって輸送されます。タンジンは，ポンプの働きを弱め，このような医薬品の体内への吸収量を増加させる可能性があります。そのため，医薬品の体内量が増加し，副作用がさらに多く現れるおそれがあります。このような医薬品には，化学療法薬（エトポシド，パクリタキセル，ビンブラスチン硫酸塩，ビンクリスチン硫酸塩，ビンデシン硫酸塩），抗真菌薬（ケトコナゾール，イトラコナゾール），プロテアーゼ阻害薬（アンプレナビル（販売中止），インジナビル硫酸塩エタノール付加物（販売中止），ネルフィナビルメシル酸塩，サキナビルメシル酸塩），H２受容体拮抗薬（シメチジン，ラニチジン塩酸塩），特定のカルシウム拮抗薬（ジルチアゼム塩酸塩，ベラパミル塩酸塩），副腎皮質ステロイド，エリスロマイシン，シサプリド，フェキソフェナジン塩酸塩，シクロスポリン，ロペラミド塩酸塩，キニジン硫酸塩水和物などがあります。

中アムロジピンベシル酸塩

タンジンとアムロジピンベシル酸塩を併用すると，アムロジピンベシル酸塩の血中濃度が低下する可能性があります。 そのため，アムロジピンベシル酸塩の作用が減弱するおそれがあります。

ハーブおよび健康食品・サプリメントとの相互作用

血圧を低下させるおそれのあるハーブおよび健康食品・サプリメント

タンジンが血圧を低下させるおそれがあります。血圧を低下させるほかのハーブおよび健康食品・サプリメントと併用すると，血圧が過度に低下するおそれがあります。このようなハーブおよび健康食品・サプリメントには，アンドログラフィス，カゼイン・ペプチド，キャッツクロー，コエンザイムQ-10，L-アルギニン，クコ属，イラクサ，テアニンなどがあります。

血液凝固を抑制するおそれのあるハーブおよび健康食品・サプリメント

タンジンが血液凝固を抑制するおそれがあります。血液凝固を抑制する作用をもつほかのハーブおよび健康食品・サプリメントと併用すると，出血および紫斑のリスクが高まるおそれがあります。このようなハーブにはアンゼリカ，クローブ，フィーバーフュー，ニンニク，ショウガ，イチョウ，朝鮮人参，セイヨウトチノキ，レッドクローバー，ウコンなどがあります。

強心配糖体を含むハーブおよび健康食品・サプリメント

タンジンは，強心配糖体と呼ばれる物質に似た成分を含んでいます。強心配糖体は心臓に働き，脈拍不整の原因となることがあります。タンジンを，強心配糖体を含むハーブと併用すると，心臓を傷害するおそれがあります。強心配糖体を含むハーブには，クリスマスローズ，トウワタの根，ジギタリスの葉，カキネガラシ，セイヨウゴマノハグサ，ドイツスズランの根，マザーワート，オレアンダーの葉，ゲウム，ヤナギトウワタ，海葱（カイソウ）の鱗片葉，ストロファンツスの種子などがあります。

サリチル酸メチル油

タンジンを医薬品「ワルファリンカリウム」と併用し，皮膚にサリチル酸メチル油を塗布した人で，血液凝固に問題が出たという報告があります。

使用量の目安

通常の食品に含まれている量を超えて経口摂取した場合の安全性および副作用については，明らかになっていません。

タンニン酸

TANNIC ACID

別名ほか

Acide Tannique，Ácido Tánico

概　要

タンニン酸は，ナラの葉に含まれる成分です。

安 全 性

食品に含まれる量で摂取した場合は安全です。

しかし，皮膚に使用した場合，あるいは医薬品として経口摂取した場合には安全ではないと考えられます。

大量に摂取した場合，胃の炎症，悪心，嘔吐，肝障害などの副作用が引き起こされる可能性があります。

腎疾患，肝疾患，皮膚病，発熱，感染症，心疾患の人は使用してはいけません。

●妊娠中および母乳授乳期

妊娠中，母乳授乳期は使用してはいけません。

有 効 性

◆有効性レベル④

・単純ヘルペス。

・おむつかぶれ。

◆科学的データが不十分です

・がん，扁桃腺腫大，足指の嵌入爪，歯肉の非薄化，咽喉痛，ツタウルシ接触皮膚炎など。

●体内での働き

皮膚を防御する働きのある成分が含まれています。

医薬品との相互作用

ほかの医薬品との相互作用については明らかではありません。

ハーブおよび健康食品・サプリメントとの相互作用

ほかのハーブ，健康食品・サプリメントとの相互作用についてはまだ明らかではありません。

使用量の目安

標準使用量に関するデータがありません。

タンポポ

DANDELION

別名ほか

セイヨウタンポポ，食用タンポポ，タンポポの葉（Dandelion Herb），ダンデライオン（Common Dandelion），セイヨウタンポポ（Taraxacum officinale），Blowball，Cankerwort，Leontodon taracum，Lion's Teeth，Lion's Tooth，Pissenlit，Priest's Crown，Swine Snout，Taraxaci herba，Taraxacum vulgare，Wild Endive

概　要

タンポポはハーブです。地上部および根を用いて「くすり」を作ることもあります。

●要説（ナチュラル・スタンダード）

タンポポはチコリーに非常に近く，草地や牧草地，穏やかな気温の荒れ地などに生育します。

タンポポの根や葉は，ヨーロッパでは広く胃腸の症状に用いられます。ドイツ当局により，胆管不全や食欲不振，消化不良，また排尿改善の治療としての使用が認められています。

タンポポの葉はビタミンAが豊富です。サラダの材料とされたり，ローストした根やエキスはコーヒーの代替品として使用されることがあります。

安全性

タンポポの経口摂取は，通常の食品に含まれる量であれば，ほとんどの人に安全のようです。タンポポの経口摂取は，「くすり」としての量（通常の食品に含まれる量を超える量）を摂取する場合には，おそらく安全です。タンポポの経口摂取により，人によっては，アレルギー反応，胃の不快感，下痢および胸やけを引き起こすおそれがあります。

出血性疾患：タンポポが，血液凝固を抑制するおそれがあります。理論上，出血性疾患の場合には，タンポポが，紫斑および出血のリスクを高めるおそれがあります。

腎不全：タンポポが，尿により排出されるシュウ酸塩の量を減少させるおそれがあります。理論上，腎疾患の場合には，合併症のリスクが高まるおそれがあります。

●アレルギー

ブタクサアレルギー：タンポポを経口摂取する場合や，タンポポに過敏な人の皮膚に塗布する場合には，アレルギー反応を引き起こすおそれがあります。ブタクサおよび，デイジー，キク，マリーゴールドなどのブタクサに類似した植物にアレルギーのある場合には，タンポポにもアレルギーがあるおそれがあります。アレルギーの場合には，タンポポを摂取する前に医師などに相談してください。

●妊娠中および母乳授乳期

妊娠中および母乳授乳期の使用の安全性についてはデータが不十分です。安全性を考慮し，摂取は避けてください。

有効性

◆科学的データが不十分です

・扁桃炎（へんとう腺の炎症），尿路感染症の予防，関節炎のような疼痛，あざ（打撲），便秘，湿疹，心不全，食欲不振，胃の不調，腸内ガス（放屁）など。

●体内での働き

タンポポには，尿量を増加させ，腫脹（炎症）を緩和する可能性のある成分が含まれています。

医薬品との相互作用

中カリウム保持性利尿薬

タンポポには多量のカリウムが含まれます。特定の利尿薬は体内のカリウム量を増加させる可能性があります。タンポポと利尿薬を併用すると，体内のカリウム量が過剰に増加するおそれがあります。このような利尿薬には，Amiloride，スピロノラクトン，トリアムテレンがあります。

中キノロン系抗菌薬

タンポポは抗菌薬の体内への吸収量を減少させる可能性があります。タンポポと特定の抗菌薬を併用すると，抗菌薬の効果が弱まるおそれがあります。このような抗菌薬には，シプロフロキサシン，Gemifloxacin，レボフロキサシン水和物，モキシフロキサシン塩酸塩などがあります。

中肝臓で代謝される医薬品（グルクロン酸抱合を受けて代謝される医薬品）

特定の医薬品は体内で代謝されてから排泄されます。肝臓には医薬品を代謝する働きがあります。タンポポはこのような医薬品の代謝を促進する可能性があります。そのため，医薬品の作用が減弱するおそれがあります。このような医薬品には，アセトアミノフェン，アトルバスタチンカルシウム水和物，ジアゼパム，ジゴキシン，エンタカポン，エストロゲン，イリノテカン塩酸塩水和物，ラモトリギン，ロラゼパム，Lovastatin，メプロバメート（販売中止），モルヒネ塩酸塩水和物，オキサゼパム（販売中止）などがあります。

中肝臓で代謝される医薬品（シトクロムP450 1A2（CYP1A2）の基質となる医薬品）

特定の医薬品は肝臓で代謝されます。タンポポはこのような医薬品の代謝を抑制する可能性があります。タンポポと肝臓で代謝される医薬品を併用すると，医薬品の作用および副作用が増強するおそれがあります。このような医薬品には，アミトリプチリン塩酸塩，ハロペリドール，オンダンセトロン塩酸塩水和物，プロプラノロール塩酸塩，テオフィリン，ベラパミル塩酸塩などがあります。

中血液凝固を抑制する医薬品（抗凝固薬/抗血小板薬）

タンポポは血液凝固を抑制する可能性があります。タンポポと血液凝固を抑制する医薬品を併用すると，紫斑および出血のリスクが高まるおそれがあります。このような医薬品には，アスピリン，クロピドグレル硫酸塩，ジクロフェナクナトリウム，イブプロフェン，ナプロキセン，ダルテパリンナトリウム，エノキサパリンナトリウム，ヘパリン，ワルファリンカリウムなどがあります。

中炭酸リチウム

タンポポは利尿薬のように作用する可能性があります。タンポポを摂取すると，炭酸リチウムの体内からの排泄が抑制される可能性があります。そのため，体内の炭酸リチウム量が増加し，重大な副作用が現れるおそれがあります。

中糖尿病治療薬

タンポポは血糖値を低下させる可能性があるという懸念があります。糖尿病治療薬は血糖値を低下させるために用いられます。理論的には，タンポポは糖尿病治療薬の作用を増強させ，血糖値が過度に低下するリスクを高めるおそれがあります。血糖値を注意深く監視してください。糖尿病治療薬の用量を変更する必要があるかもしれません。このような糖尿病治療薬には，グリメピリド，グリベンクラミド，インスリン，ピオグリタゾン塩酸塩，マレイン酸ロシグリタゾン（販売中止）などがあります。

ハーブおよび健康食品・サプリメントとの相互作用

相互作用レベル：高この医薬品と併用してはいけません　中この医薬品とは慎重に併用するか併用しないでください　低この医薬品との併用には注意が必要です

血糖値を低下させるおそれのあるハーブおよび健康食品・サプリメント

タンポポが，血糖値を低下させるおそれがあります。タンポポと，血糖値を低下させるおそれのあるハーブおよび健康食品・サプリメントを併用すると，血糖値が低下し，人によっては，血糖値が過度に低下するおそれがあります。このようなハーブおよび健康食品・サプリメントには，デビルズクロー，フェヌグリーク，グアーガム，朝鮮人参，エゾウコギなどがあります。

血液凝固を抑制するおそれのあるハーブおよび健康食品・サプリメント

タンポポが，血液凝固を抑制するおそれがあります。タンポポと血液凝固を抑制するおそれのあるほかのハーブおよび健康食品･サプリメントを併用すると，人によっては，出血のリスクが高まるおそれがあります。このようなハーブおよび健康食品・サプリメントには，ニンニク，アンゼリカ，クローブ，タンジン，ショウガ，イチョウ，レッドクローバー，ウコン，ビタミンE，ヤナギなどがあります。

使用量の目安

通常の食品に含まれている量を超えて経口摂取した場合の安全性および副作用については，明らかになっていません。

チア

CHIA

別名ほか

Chia Fresca, Chia Grain, Chia Oil, Chia Seed, Chia Sprout, Pinole, S. hispanica, Salba, Salba Grain, Salvia hispanica, Salvia hispanica L

概　　要

「チア」と聞くと,「チアペット」を思い浮かべるかもしれません。「チアペット」は米国で販売されている，チア新芽の成長を促す粘土製の人形です。しかしチアには「くすり」用ハーブとしてもっと長い歴史があります。メキシコ原産で，アステカ族が栽培していました。現在では，中米および南米で商業的に栽培されています。主にn-３系脂肪酸が豊富な種子を目的に栽培されます。

チアの種子は，糖尿病，運動能力の向上，高血圧，心疾患リスクの低下，心疾患リスクを上昇させる一連の病態の抑制，体重減少に用いられます。

また，そう痒に対して皮膚に塗布されます。

安　全　性

チアは，経口摂取する場合は最長12週間まで，皮膚に塗布する場合は最長８週間までであれば，おそらく安全です。人によってはチア種子の経口摂取によりアレルギー反応が起きるおそれがありますが，きわめてまれです。チアを長期間使用する場合の安全性については，データが不十分です。

高トリグリセリド血症：血液には，コレステロールやトリグリセリドなど，数種類の脂肪が含まれています。トリグリセリドの値が高い一部の人では，摂取するチアの種類によっては，トリグリセリド値がさらに高くなるおそれがあります。トリグリセリド値が高い場合には，サルバという特定の種類のチアを使用してください。サルバはトリグリセリド値を大きく上昇させることがありません。

前立腺がん：チアには，α-リノレン酸が豊富に含まれています。複数の研究により，食事から大量のα-リノレン酸を摂取すると，前立腺がんの発症リスクが高まるおそれがあることが示唆されています。前立腺がんの場合や，前立腺がんのリスクが高い場合には，チアの大量摂取は避けてください。

●妊娠中および母乳授乳期

妊娠中および母乳授乳期の使用の安全性についてはデータが不十分です。安全性を考慮し，摂取は避けてください。

有　効　性

◆有効性レベル④

・体重減少。過体重または肥満の人が，12週間にわたり，１日２回，食前に水に混ぜたチアの種子を摂取しても，身体成分が改善したり，血圧が低下したりすることはありません。また，過体重の女性が，10週間にわたり，チアの種子を挽いたもの，または挽いていないものを毎日摂取しても，身体成分や血圧が改善することはありません。

◆科学的データが不十分です

・糖尿病，運動能力，高血圧，メタボリックシンドローム，そう痒など。

●体内での働き

チアの種子には，健康によいn-３系脂肪酸および食物繊維が豊富に含まれています。研究者の間では，n-３系脂肪酸および食物繊維が心疾患危険因子の減少に役立つと考えられています。

医薬品との相互作用

ほかの医薬品との相互作用については明らかではありません。

ハーブおよび健康食品・サプリメントとの相互作用

ほかのハーブ，健康食品・サプリメントとの相互作用についてはまだ明らかではありません。

使用量の目安

通常の食品に含まれている量を超えて経口摂取した場

チ

合の安全性および副作用については，明らかになっていません。

チアミン

THIAMINE

●代表的な別名

サイアミン

別名ほか

抗脚気因子（Antiberiberi factor），抗神経炎因子（Antineuritic factor），抗脚気ビタミン（Antiberiberi vitamin），抗神経炎ビタミン（Antineuritic vitamin），ビタミンB群（B complex vitamin），塩化チアミン（Thiamine chloride），チアミン塩酸塩（Thiamine hydrochloride），Aneurine hydrochloride，Thiaminium chloride hydrochloride，Vitamin B_1，ビタミンB_1

概　要

チアミンはビタミンB_1とも呼ばれるビタミンです。ビタミンB_1は，イースト，穀物，豆類，ナッツ，肉など，多くの食品に含まれています。ほかのビタミンB類と併用で使用されることが多く，多数のビタミンB複合体製品に含まれています。一般に，ビタミンB複合体には，ビタミンB_1（チアミン），ビタミンB_2（リボフラビン），ビタミンB_3（ニコチン酸/ニコチンアミド），ビタミンB_5（パントテン酸），ビタミンB_6（ピリドキシン），ビタミンB_{12}（シアノコバラミン），葉酸が含まれます。ただし，これらの成分の一部が含まれていない製品もあれば，ビオチン，パラアミノ安息香酸（PABA），重酒石酸コリン，イノシトールなど，ほかの成分を含む製品もあります。

チアミンは，脚気のほか，ペラグラや妊娠にともなう神経炎など，チアミン値低下による疾患（チアミン欠乏症候群）に対して用いられます。

また，食欲不振，潰瘍性大腸炎，継続中の下痢などの消化管障害に用いられます。

そのほかエイズ，免疫システム活性化，糖尿病性疼痛，心疾患，アルコール依存症，加齢，小脳症候群，口唇潰瘍，白内障や緑内障などの視力障害，乗物酔いに対して用いられたり，子宮頸がん予防や２型糖尿病患者の腎疾患進行予防に用いられたりします。

積極的な心構えの維持，学習能力の向上，エネルギーの増進，ストレスへの抵抗，アルツハイマー病など記憶喪失の予防を目的として用いられることもあります。

ウェルニッケ脳症という記憶障害，危篤患者のチアミン欠乏症候群，アルコール離脱，昏睡に対し，医師などがチアミンの注射（点滴）を用いることもあります。

安　全　性

チアミンの経口摂取は，適量であれば，ほとんどの人に安全のようです。ただし，まれにアレルギー反応や皮膚過敏が起こっています。医師などによる静脈内投与や筋肉内投与も，適量であれば，ほとんどの人に安全のようです。チアミンの注射（点滴）は，処方薬として米国食品医薬品局（FDA）に認可されています。

肝疾患の場合やアルコールを多量に摂取している場合などには，チアミンが体内へ正常に吸収されないことがあります。

アルコール依存症および硬変（肝疾患）：アルコール依存症患者や硬変患者はチアミン値が低下していることがよくあります。アルコール依存症による神経痛は，チアミン欠乏症により悪化するおそれがあります。このような人にはチアミンサプリメントが必要になります。

重態：手術後の人など重態の患者は，チアミン値が低下していることがあります。このような人にはチアミンサプリメントが必要になります。

血液透析：血液透析治療を受けている患者は，チアミン値が低下していることがあります。このような人にはチアミンサプリメントが必要になります。

吸収不良症候群（体内への栄養吸収が困難になる疾患）：吸収不良症候群の患者は，チアミン値が低下していることがあります。このような人にはチアミンサプリメントが必要になります。

●妊娠中および母乳授乳期

妊娠中および母乳授乳期に，推奨量の１日1.4mgを摂取する場合には，ほとんどの人に安全のようです。推奨量を上回る用量を使用する場合の安全性については，データが不十分です。

有　効　性

◆有効性レベル①

・代謝障害。チアミンの経口摂取は，リー病，メープルシロップ尿症など特定の遺伝性代謝障害の改善に役立ちます。

・チアミン欠乏症。チアミンの経口摂取は，チアミン欠乏症の予防および治療に役立ちます。

・ウェルニッケ・コルサコフ症候群（チアミン欠乏症に起因する脳疾患）。チアミンにより，ウェルニッケ・コルサコフ症候群のリスクが低下し，症状が緩和されます。ウェルニッケ・コルサコフ症候群は，チアミン値低下に関連しており，アルコール依存症患者によくみられます。チアミンの注射（点滴）により，ウェルニッケ・コルサコフ症候群の発症リスクが低下し，アルコール離脱中のウェルニッケ・コルサコフ症候群の症状が緩和されるようです。

◆有効性レベル③

・白内障。食事の一部として高用量のチアミンを摂取することにより，白内障発症の確率が低下します。

・糖尿病患者の腎疾患。２型糖尿病患者が高用量のチアミン（１日300mg）を摂取すると尿中のアルブミン量が減少することが，初期の研究で示されています。尿中アルブミン量は，腎障害の程度を示す指標となります。

・月経困難（月経痛）。10代の少女および若い女性がチアミンを摂取すると，月経痛が緩和するようです。

◆有効性レベル④

・蚊除け。複数の研究により，チアミンなどのビタミンB類を摂取しても，蚊除けの効果はないことが示唆されています。

◆科学的データが不十分です

・子宮頸がんの予防，帯状疱疹，前糖尿病，加齢，エイズ，アルコール依存症，脳疾患，口唇潰瘍，慢性下痢，心疾患，食欲不振，胃疾患，ストレス，潰瘍性大腸炎など。

●体内での働き

チアミンは，体内で炭水化物が適切に使われるために必要です。神経機能を適切に維持する働きもあります。

医薬品との相互作用

ほかの医薬品との相互作用については明らかではありません。

ハーブおよび健康食品・サプリメントとの相互作用

ビンロウジ

ビンロウジは，チアミンを化学的に変化させるため，チアミンの作用を減弱させます。長期間定期的にビンロウジを噛んでいると，チアミン欠乏症を起こすおそれがあります。

ツクシ

ツクシ（トクサ属）は胃でチアミンを分解する成分を含んでいるため，チアミン欠乏症を引き起こすおそれがあります。カナダ政府は，トクサ属を含む製品から，この成分を除くことを義務付けています。安全性を考慮し，チアミン欠乏症のリスクがある場合には，ツクシを摂取してはいけません。

通常の食品との相互作用

コーヒーおよび茶

コーヒーおよび茶に含まれるタンニンという化学物質が，チアミンを体内に吸収されにくい形態に変化させ，チアミン欠乏症を引き起こすおそれがあります。チアミン欠乏症は，茶を多く（1日1L以上）摂取し，発酵茶葉を噛む習慣があるタイ地域の人々によくみられますが，西欧の人々は茶を習慣的に摂取するものの，影響があまりみられません。研究家の間では，コーヒーおよび茶と，チアミンとの関係性は，食事によるチアミンやビタミンCの摂取量が十分である場合には，さほど重要ではない可能性が示唆されています。ビタミンCが，チアミンと，コーヒーおよび茶に含まれるタンニンとの相互作用を弱めるようです。

海産食品

生の淡水魚および甲殻類には，チアミンを分解する化学物質が含まれています。生の魚および甲殻類を大量に摂取すると，チアミン欠乏症を引き起こすおそれがあります。ただし，加熱済の魚および甲殻類であれば，チアミンに作用することはないので問題ありません。調理することにより，チアミンに悪影響を与える成分は分解さ

ビタミン B_1 の食事摂取基準（mg/日）[1,2]

日本人の食事摂取基準 2020 年版

性別	男性			女性		
年齢等	推定平均必要量	推奨量	目安量	推定平均必要量	推奨量	目安量
0～5（月）	—	—	0.1	—	—	0.1
6～11（月）	—	—	0.2	—	—	0.2
1～2（歳）	0.4	0.5	—	0.4	0.5	—
3～5（歳）	0.6	0.7	—	0.6	0.7	—
6～7（歳）	0.7	0.8	—	0.7	0.8	—
8～9（歳）	0.8	1.0	—	0.8	0.9	—
10～11（歳）	1.0	1.2	—	0.9	1.1	—
12～14（歳）	1.2	1.4	—	1.1	1.3	—
15～17（歳）	1.3	1.5	—	1.0	1.2	—
18～29（歳）	1.2	1.4	—	0.9	1.1	—
30～49（歳）	1.2	1.4	—	0.9	1.1	—
50～64（歳）	1.1	1.3	—	0.9	1.1	—
65～74（歳）	1.1	1.3	—	0.9	1.1	—
75 以上（歳）	1.0	1.2	—	0.8	0.9	—
妊婦（付加量）				+0.2	+0.2	—
授乳婦（付加量）				+0.2	+0.2	—

[1] チアミン塩化物塩酸塩（分子量 =337.3）の重量として示した。

[2] 身体活動レベルⅡの推定エネルギー必要量を用いて算定した。

特記事項：推定平均必要量は，ビタミン B_1 の欠乏症である脚気を予防するに足る最小必要量からではなく，尿中にビタミン B_1 の排泄量が増大し始める摂取量（体内飽和量）から算定。

有効性レベル：①効きます　②おそらく効きます　③効くと断言できませんが、効能の可能性が科学的に示唆されています　④効かないかもしれません　⑤おそらく効きません　⑥効きません

れます。

使用量の目安

●経口摂取

成人のチアミン低値

通常，チアミン１日５～30mgを１回または数回に分けて，１カ月間摂取します。重度のチアミン欠乏症の場合には，通常１日最大300mgまで摂取可能です。

代謝障害

チアミン１日10～20mgが推奨されていますが，リー病の場合は１日600～4,000mgを数回に分けて摂取する必要があることもあります。

白内障の発症リスクの低下

チアミン１日約10mgを食事から摂取します。

糖尿病患者の腎疾患

チアミン100mgを１日３回，３カ月間摂取します。

月経困難（月経痛）

チアミン100mgを単独または魚油500mgと併用で毎日，最長90日間摂取します。

成人がチアミンを健康食品・サプリメントとして摂取する場合には，一般に１日１～２mgを摂取します。１日の推奨量（RDA）は，以下の通り定められています。

０～６カ月：0.2mg
７～12カ月：0.3mg
１～３歳：0.5mg
４～８歳：0.6mg
９～13歳の男子：0.9mg
14歳以上の男性：1.2mg
９～13歳の女子：0.9mg
14～18歳の女性：１mg
18歳以上の女性：1.1mg
妊娠中の女性：1.4mg
母乳授乳期の女性：1.5mg

●注射（点滴）

ウェルニッケ・コルサコフ症候群（アルコール離脱症状）

治療および予防の目的で，医師などによりチアミン５～200mgを１日１回，２日間注射（点滴）します。

チーゼル

TEAZLE

別名ほか

Barber's Brush, Brushes and Combs, Card Thistle, Church Broom, Dipsacus sylvestris, Venus' Basin

概　　要

チーゼルはハーブです。根を用いて「くすり」を作ることもあります。

安　全　性

十分なデータは得られていないので，安全であるかどうか不明です。

●妊娠中および母乳授乳期

妊娠中，母乳授乳期は使用してはいけません。

有　効　性

◆科学的データが不十分です

・関節炎，乾癬，および小さな創傷。

●体内での働き

どのように作用するかについては十分なデータが得られていません。

医薬品との相互作用

中口渇作用などの乾燥作用のある医薬品（抗コリン薬）

チーゼルは口渇作用などの乾燥作用のある特定の医薬品の作用を減弱させる可能性があります。このような医薬品には，アトロピン硫酸塩水和物，スコポラミン臭化水素酸塩水和物，特定の抗アレルギー薬（抗ヒスタミン薬），特定の抗うつ薬などがあります。

中緑内障，アルツハイマー病などに使用される医薬品（コリン作動薬）

チーゼルには緑内障，アルツハイマー病などに使用される医薬品に類似した作用のある可能性があります。チーゼルと，緑内障，アルツハイマー病などに使用される医薬品を併用すると，副作用のリスクが高まるおそれがあります。このような医薬品には，ピロカルピン塩酸塩，ドネペジル塩酸塩，Tacrineなどがあります。

ハーブおよび健康食品・サプリメントとの相互作用

ほかのハーブ，健康食品・サプリメントとの相互作用についてはまだ明らかではありません。

使用量の目安

標準使用量に関するデータがありません。

チェリーローレル・ウォーター

CHERRY LAUREL WATER

別名ほか

Prunus laurocerasus，ラウロセラズス葉（Laurocerasus Leaves），セイヨウバクチノキ，Common Cherry Laurel，Laurocerasus officinalis

概　　要

チェリーローレル・ウォーターは，セイヨウバクチノキの葉を蒸留して得られる水溶液です。「くすり」として使用されることもあります。

安 全 性

少量（ティースプーンに1～2杯まで）使用した場合は安全だと考えられます。

多量あるいは過剰な摂取によって中毒を起こす可能性があり，さらには死に至るおそれもあります。

●妊娠中および母乳授乳期

妊娠中，母乳授乳期は使用してはいけません。

有 効 性

◆科学的データが不十分です

・鎮痛，筋痙攣，咳，感冒，不眠，胃痙攣，腸痙攣，嘔吐，およびがん。

●体内での働き

どのように作用するかについては十分なデータが得られていません。

医薬品との相互作用

ほかの医薬品との相互作用については明らかではありません。

ハーブおよび健康食品・サプリメントとの相互作用

ほかのハーブ，健康食品・サプリメントとの相互作用についてはまだ明らかではありません。

使用量の目安

●経口摂取

2～8 mL摂取します。

チェロキーローズヒップ

CHEROKEE ROSEHIP

別名ほか

ナニワイバラ（Rosa laevigata），Chinese Rosehip，Fructus Rosae Laevigatae，Jinyingzi，Rosa camellia，Rosa cherokensis，Rosa nivea，Rosa sinica，Rosa ternata

概 要

チェロキーローズヒップはバラの花弁の下の丸い部分です。バラの種子を含んでいます。乾燥させたローズヒップと種子を用いて「くすり」を作ることもあります。

安 全 性

ほとんどの成人に安全なようです。

悪心，嘔吐，下痢，胸やけ，胃の痙攣，疲労，頭痛，不眠などの副作用を引き起こす可能性があります。

糖尿病，鎌状細胞疾患，グルコース-6-リン酸脱水素酵素（G6PD）欠損症と呼ばれる症状，ヘモクロマトーシス，サラセミアまたはある種の貧血など鉄関連疾患の人は使用してはいけません。

●アレルギー

粉末を吸い込んでアレルギー反応を生じる人もいます。

●妊娠中および母乳授乳期

妊娠中，母乳授乳期は使用してはいけません。

有 効 性

◆科学的データが不十分です

・感冒の予防と治療，感染，発熱，免疫機能の改善，胃の炎症，下痢，関節炎，糖尿病など。

●体内での働き

ビタミンC源として用いる人がいます。新鮮なものにはビタミンCが含まれていますが，加工と乾燥によってほとんどのビタミンCは破壊されます。

医薬品との相互作用

低Choline magnesium trisalicylate

チェロキーローズヒップに含まれるビタミンCはCholine magnesium trisalicylateの体外への排泄を遅らせることがありますが，この相互作用が大きな問題であるかどうか明らかではありません。

中アスピリン

アスピリンは体内で代謝されてから排泄されますが，チェロキーローズヒップに含まれる大量のビタミンCはこの代謝を抑制すると考えられています。大量のチェロキーローズヒップとアスピリンを併用すると，アスピリンの作用と副作用を増強するおそれがあります。大量のアスピリンを使用するときには，大量のチェロキーローズヒップを摂取しないでください。

中アルミニウム

アルミニウムは制酸薬のほとんどに含まれています。チェロキーローズヒップにはビタミンCが含まれていますが，ビタミンCはアルミニウムの体内での吸収量を増加させることがあります。この相互作用が大きな問題であるかどうか明らかではありませんが，ビタミンCの摂取は，制酸薬を服用する2時間以上前，または4時間以上後にしてください。

中エストロゲン（卵胞ホルモン）製剤

チェロキーローズヒップにはビタミンCが含まれていますが，ビタミンCはエストロゲンの体内での吸収量を増加させることがあります。チェロキーローズヒップを摂取すると，エストロゲンの作用および副作用が増強するおそれがあります。エストロゲン製剤には，結合型エストロゲン，エチニルエストラジオール，エストラジオールなどがあります。

中フルフェナジン

チェロキーローズヒップにはビタミンCが含まれていますが，大量のビタミンCはフルフェナジンが体内から排泄される速度を速めると考えられています。フルフェナジンの服用中にチェロキーローズヒップを摂取すると，フルフェナジンの効果を弱めるおそれがあります。

中ワルファリンカリウム

ワルファリンカリウムは血液凝固を抑制するために使用されています。チェロキーローズヒップにはビタミンCが含まれていますが，大量のビタミンCはワルファリンカリウムの効果を弱めて，血液が凝固するリスクを高める可能性があります。

ハーブおよび健康食品・サプリメントとの相互作用

ほかのハーブ，健康食品・サプリメントとの相互作用についてはまだ明らかではありません。

使用量の目安

標準使用量に関するデータがありません。

チコリー

CHICORY

●代表的な別名

キクニガナ

別名ほか

キクニガナ，アンディーブ（Cichorium intybus），Blue Sailors，Cichorii herba，Cichorii radix，Common Chicory Root，Hendibeh，Kasani，Succory，Wild Chicory

概　要

チコリーは植物です。根および乾燥した地上部を用いて「くすり」を作ることもあります。

●要説（ナチュラル・スタンダード）

チコリーは，欧州やアジアでの温帯地域原産で，米国で育てるよう改良されてきました。チコリーは，エジプト人が早くも5,000年前に薬用植物として栽培しました。伝統的に，チコリー汁は頭痛治療薬の１つとして使用されました。ローマ人は，野菜として，またはサラダの素材としてチコリーを使用しました。根は地に張り，カフェインのないコーヒーの代用として使用されました。

チコリーは，今も欧州，とくにフランス，ベルギー，オランダで重要なサラダ野菜です。米国では，チコリーはサラダ用野菜としても栽培されます。慢性肝炎に関してチコリーについて予備的研究があります。しかし，現時点ではあらゆる適応症にチコリー使用を裏づける質の高いヒトでの研究はありません。

安　全　性

チコリーは，通常の食品に含まれる量を摂取する場合は，ほとんどの成人に安全のようです。

「くすり」としての量のチコリーを経口摂取する場合には，ほとんどの成人におそらく安全です。チコリーの植物に触れると，皮膚の過敏を引き起こすおそれがあります。

胆石：チコリーは胆汁の生成を刺激するおそれがあります。このため，胆石がある場合には，問題となるおそれがあります。胆石がある場合には，医師などの指導なしに，チコリーを使用してはいけません。

●アレルギー

チコリーアレルギー：チコリーにアレルギーがある場合には，チコリーを経口摂取したり，チコリーに触れたりしてはいけません。

ブタクサおよび類似した植物に対するアレルギー：チコリーは，キク科植物に敏感な人にアレルギー反応を引き起こすおそれがあります。キク科には，ブタクサ，キク，マリーゴールド，デイジーなど多くの植物があります。アレルギーの場合には，チコリーを摂取する前に必ず医師などに相談してください。

●妊娠中および母乳授乳期

妊娠中に高用量のチコリーを経口摂取する場合は，おそらく安全ではありません。チコリーが，月経を誘発し，流産を引き起こすおそれがあります。

母乳授乳期の使用の安全性についてはデータが不十分です。安全性を考慮し，摂取は避けてください。

有　効　性

◆科学的データが不十分です

・便秘，肝障害，胆のう疾患，がん，皮膚の炎症，食欲不振，胃のむかつきなど。

●体内での働き

チコリーの根には，軽い緩下作用や，胆のうからの胆汁分泌を促進する作用，腫脹を緩和する作用があります。チコリーには，β-カロテンが豊富に含まれています。

医薬品との相互作用

中糖尿病治療薬

チコリーは血糖値を低下させる可能性があります。糖尿病治療薬も血糖値を低下させるために用いられます。チコリーと糖尿病治療薬を併用すると，血糖値が過度に低下するおそれがあります。血糖値を注意深く監視してください。糖尿病治療薬の用量を変更する必要があるかもしれません。このような糖尿病治療薬にはグリメピリド，グリベンクラミド，インスリン，メトホルミン塩酸塩，ピオグリタゾン塩酸塩，マレイン酸ロシグリタゾン（販売中止），クロルプロパミド，Glipizide，トルブタミド（販売中止）などがあります。

ハーブおよび健康食品・サプリメントとの相互作用

カルシウム

チコリーに含まれる化学物質のイヌリンが，食品から体内へのカルシウム吸収を促進するおそれがあります。チコリーとカルシウムを併用して摂取すると，カルシウムの作用および副作用が高まるおそれがあります。

使用量の目安

通常の食品に含まれている量を超えて経口摂取した場合の安全性および副作用については，明らかになっていません。

チャ・デ・ブグレ

CHA DE BUGRE

●代表的な別名

カフェ・ド・マト

別名ほか

カフェ・ド・マト，Boid d'inde，Bois d'ine，Brazlian diet pill，Bugrinho，Cafezinho，Café de bugre，Chá-de-negro-mina，Cha de frade，Claraiba，Coffee of the woods，Coquelicot，Cordia ecalyculata，Cor dia salicifolia，Grao-do-porco，Laran jeira-do-mato，Louro-salgueiro，Louro-mole，Porangaba，Rabugem

概　　要

チャ・デ・ブグレはブラジル原産の樹木で，パラグアイおよびアルゼンチンの熱帯雨林にも見られます。コーヒー豆によく似た赤い果実が実ります。果実は炒った後，煎じてコーヒーの代替品となることから，別名を「木のコーヒー」（cafe do mato，coffee of the woods）といいます。

安　全　性

安全かどうかについては明らかになっていません。

●妊娠中および母乳授乳期

妊娠中および母乳授乳期のチャ・デ・ブグレの使用の安全性についてはデータが不十分です。安全性を考慮し，使用を控えてください。

有　効　性

◆科学的データが不十分です

・減量および肥満，セルライトの軽減，咳，浮腫，痛風，がん，ヘルペス，ウイルス感染，発熱，心疾患および創傷。

●体内での働き

チャ・デ・ブグレが食欲を減退させると考える人がいますが，その科学的根拠はありません。治療目的ではどのように働くのかについては，十分なデータがありません。

医薬品との相互作用

ほかの医薬品との相互作用については明らかではありません。

ハーブおよび健康食品・サプリメントとの相互作用

ほかのハーブ，健康食品・サプリメントとの相互作用についてはまだ明らかではありません。

使用量の目安

標準使用量に関するデータがありません。

チャービル

CHERVIL

●代表的な別名

ウイキョウゼリ

別名ほか

セルフィーユ，ウイキョウゼリ（Anthriscus cerefolium），ガーデンチャービル（Garden Chervil），サラダチャービル（Salad Chervil），Anthriscus longirostris

概　　要

チャービルはハーブです。葉および乾燥した花部を用いて「くすり」を作ることもあります。

●要説（ナチュラル・スタンダード）

チャービル（チャービルやチャービル・トシ）は，欧州とアジアの境界にあるコーカサス地域原産の一年草ハーブです。庭のチャービルとかサラダチャービルと呼ばれているチャービルは，セリ科属の一種です。

19世紀には大人気だったチャービルは，スープ，サラダ，ソース，卵，チーズ，バターなどの季節食品に使用され，フランス料理でよく使用されています。チャービルの若葉はアニスに似ていて，香りを失う前に酢で保存されることが多いです。チャービルは，調理をすると風味が損なわれる可能性があるので，調理の最後に入れるか，または付け合わせとして料理に添えられます。

カブ根チャービルとか結節根チャービルと呼ばれるもう１つのチャービルの種類は，根菜として栽培されます。この種のチャービルは，葉を栽培するよりもはるかに厚い根をつくります。ノラニンジンとしても知られるワイルドチャービル（チャービル・シルベスト）は，有毒種で庭のチャービル（チャービル）とは遠縁のドクダミです。

歴史的に，チャービルは去痰，芳香，苦い強壮，消化促進，目をさわやかにする目薬として使用されます。二次データ源では，チャービルは，血液をさらさらにし，血圧を下げることでも知られています。チャービルはまた，試験的に抗酸化作用があることが示されています。チャービルは，ビタミンC吸収を補助するフラボノイドの豊富な供給源です。

現時点では，あらゆる医学的疾患にチャービルの有効性を裏づける，ヒトでの質の高い臨床試験は不十分です。

チャービルとチャービルの抽出物は，米国食品医薬品局（FDA）のGRAS（一般的に安全と認められる食品）リストに掲載されています。二次データ源によると，チャービルの精油は，刺激物と毒素によりスキンケア製品での使用には適していない可能性があります。

安 全 性

チャービルおよびチャービルエキスは，食品に含まれる量であれば，ほとんどの人に安全のようです。ただし，「くすり」としての高用量摂取の安全性については，データが不十分です。

●妊娠中および母乳授乳期

妊娠中に「くすり」としての量を使用する場合には，安全ではないようです。チャービルには，成長中の胎児の遺伝子に突然変異を引き起こすおそれのある化学物質が含まれています。

有 効 性

◆科学的データが不十分です

・咳，消化器障害，高血圧，湿疹，痛風，膿瘍など。

●体内での働き

カルシウムおよびカリウムが豊富に含まれています。チャービルがどのように作用するかについては，十分なデータが得られていません。

医薬品との相互作用

ほかの医薬品との相互作用については明らかではありません。

ハーブおよび健康食品・サプリメントとの相互作用

ほかのハーブ，健康食品・サプリメントとの相互作用についてはまだ明らかではありません。

使用量の目安

通常の食品に含まれている量を超えて経口摂取した場合の安全性および副作用については，明らかになっていません。

チャイニーズプリックリーアシュ

CHINESE PRICKLY ASH

別名ほか

四川山椒，トウザンショウ（唐山椒），サンショウ（山椒），センショウ（川椒），カショウ（花椒，ホワジョウ），カホクザンショウ

概 要

チャイニーズプリックリーアシュは植物です。皮とベリーが「くすり」に使われることもあります。

安 全 性

十分なデータが得られていないため安全性については不明です。

２週間以内に手術を受ける予定の人は使用してはいけません。出血のリスクが高まります。

●妊娠中および母乳授乳期

妊娠中，母乳授乳期は使用してはいけません。

有 効 性

◆科学的データが不十分です

・疼痛，嘔吐，下痢，腹痛，ヘビにかまれた傷，皮膚疾患など。

●体内での働き

どのように作用するかについては不明です。

医薬品との相互作用

中 血液凝固を抑制する医薬品（抗凝固薬/抗血小板薬）

チャイニーズプリックリーアシュは血液の凝固を抑える作用があると考えられていますから，血液凝固を抑制する医薬品を服用しているときに摂取すると，紫斑および出血のリスクが高まるおそれがあります。このような医薬品には，アスピリン，クロピドグレル硫酸塩，ジクロフェナクナトリウム，イブプロフェン，ナプロキセン，ダルテパリンナトリウム，エノキサパリンナトリウム，ヘパリン，ワルファリンカリウムなどがあります。

ハーブおよび健康食品・サプリメントとの相互作用

ほかのハーブ，健康食品・サプリメントとの相互作用についてはまだ明らかではありません。

使用量の目安

標準使用量に関するデータがありません。

チャイブ

CHIVE

別名ほか

Allium schoenoprasum，Cives

概 要

チャイブはハーブです。地上部を用いて「くすり」を作ることもあります。

●要説（ナチュラル・スタンダード）

チャイブは，欧州，アジア，北米が原産です。一般的にサラダ，スープ，野菜，ソースなど多くの食品に，口当たりの良いタマネギの風味を与えるハーブとして料理に使用されています。タマネギ科（ネギ科）とともに分

類されますが，チャイブ（シロウマアサツキ）はユリ科に属しています。

中国のチャイブ，ニンニク，タマネギなどのネギのハーブには硫黄元素が含まれているので，これらのハーブには強い匂いがあります。

チャイブとタマネギ科の野菜は，何世紀もの間，日焼けや咽喉痛の治療を含め，食品の調味料としての価値と薬効の特性があることで使用されてきました。

チャイブは，抗菌，抗真菌，抗ウイルス，抗がん作用がある可能性があります。チャイブなどのネギ野菜の消費と前立腺がんのリスク低下との間に関連があることを示す研究があります。

現時点では，あらゆる医学的疾患治療にチャイブの使用を裏づける根拠は十分ではありません。

安全性

通常の食品に含まれている量であれば，ほとんどの人に安全のようです。「くすり」として高用量を経口摂取する場合は，おそらく安全です。チャイブを過剰に摂取すると，胃のむかつきを引き起こすおそれがあります。

●妊娠中および母乳授乳期

通常の食品に含まれる量の摂取は安全のようです。ただし，「くすり」としての高用量摂取の安全性についてはデータが不十分です。安全性を考慮し，妊娠中および母乳授乳期の「くすり」としての使用は避けてください。

有効性

◆科学的データが不十分です

・寄生虫の駆除など。

●体内での働き

どのように作用するかについては，十分なデータが得られていません。

医薬品との相互作用

ほかの医薬品との相互作用については明らかではありません。

ハーブおよび健康食品・サプリメントとの相互作用

ほかのハーブ，健康食品・サプリメントとの相互作用についてはまだ明らかではありません。

使用量の目安

通常の食品に含まれている量を超えて経口摂取した場合の安全性および副作用については，明らかになっていません。

チャガ

CHAGA

別名ほか

Birch Mushroom, Chaga Conk, Cinder Conk, Clinker Polypore, Inonotus obliquus, Tchaga

概　要

チャガはキノコです。コンクと呼ばれる木のようなこぶをつけます。これを用いて「くすり」を作ることもあります。

チャガは，心疾患，糖尿病，胃腸のがん，肝疾患，寄生虫，胃痛および結核に対して，経口摂取されます。

安全性

チャガの安全性および副作用の可能性についてはデータが不十分です。腎臓を損傷する可能性のあるシュウ酸と呼ばれる化学物質を含んでいます。

多発性硬化症（MS），ループス（全身性エリテマトーデス，SLE），関節リウマチ（RA）などの自己免疫疾患：チャガは免疫システムの活性を高めるおそれがあります。これにより，自己免疫疾患の症状が悪化するおそれがあります。これらの疾患のいずれかの場合には，チャガの摂取を避けるのが最善です。

出血性疾患：チャガは出血リスクを高めるおそれがあります。出血性疾患の場合には，チャガを使用してはいけません。

糖尿病：チャガは糖尿病の人の血糖値を低下させるおそれがあります。糖尿病に罹患していてチャガ製品を使用する場合には，低血糖の徴候がないかどうか観察し，血糖値を注意深く監視してください。医師などにより糖尿病薬の服用量を調整する必要があるかもしれません。

手術：チャガは手術中および術後の血糖コントロールに影響を及ぼしたり，出血リスクを高めたりするおそれがあります。少なくとも手術前2週間は，使用しないでください。

●妊娠中および母乳授乳期

妊娠中および母乳授乳期の使用の安全性についてはデータが不十分です。安全性を考慮し，摂取は避けてください。

有効性

◆科学的データが不十分です

・心疾患，糖尿病，胃炎，胃腸のがん，肝疾患，結核など。

●体内での働き

免疫システムを刺激する可能性があります。抗酸化作用をもつ化学物質が含まれています。血糖値およびコレステロール値を低下させる可能性があります。

医薬品との相互作用

中 血液凝固を抑制する医薬品（抗凝固薬/抗血小板薬）

チャガは血液凝固を抑制する可能性があります。チャガと血液凝固を抑制する医薬品を併用すると，紫斑および出血のリスクが高まるおそれがあります。このような医薬品には，アスピリン，クロピドグレル硫酸塩，ジクロフェナクナトリウム，イブプロフェン，ナプロキセン，ダルテパリンナトリウム，エノキサパリンナトリウム，ヘパリン，ワルファリンカリウムなどがあります。

中 糖尿病治療薬

チャガは血糖値を低下させる可能性があります。糖尿病治療薬も血糖値を低下させるために用いられます。チャガと糖尿病治療薬を併用すると，血糖値が過度に低下するおそれがあります。血糖値を注意深く監視してください。糖尿病治療薬の用量を変更する必要があるかもしれません。このような糖尿病治療薬には，グリメピリド，グリベンクラミド，インスリン，ピオグリタゾン塩酸塩，マレイン酸ロシグリタゾン（販売中止），クロルプロパミド，Glipizide，トルブタミド（販売中止）などがあります。

中 免疫抑制薬

チャガは免疫機能を活性化させる可能性があります。特定の医薬品は免疫機能を低下させます。チャガと免疫抑制薬を併用すると，免疫抑制薬の効果が弱まるおそれがあります。このような免疫抑制薬には，アザチオプリン，バシリキシマブ，シクロスポリン，Daclizumab，ムロモナブ-CD３（販売中止），ミコフェノール酸モフェチル，タクロリムス水和物，シロリムス，Prednisone，副腎皮質ステロイドなどがあります。

ハーブおよび健康食品・サプリメントとの相互作用

血糖値を低下させるおそれのあるハーブおよび健康食品・サプリメント

チャガは血糖値を低下させるおそれがあります。同様の作用をもつほかのハーブおよび健康食品・サプリメントと併用すると，人によっては，血糖値が過度に低下するおそれがあります。このようなハーブおよび健康食品・サプリメントには，デビルズクロー，フェヌグリーク，グアーガム，朝鮮人参，エゾウコギなどがあります。

血液凝固を抑制するおそれのあるハーブおよび健康食品・サプリメント

チャガは血液凝固を抑制するおそれがあります。チャガと，血液凝固を抑制するおそれのあるほかのハーブおよび健康食品・サプリメントと併用すると，紫斑や出血のリスクが高まるおそれがあります。このようなハーブおよび健康食品・サプリメントには，アンゼリカ，クローブ，タンジン，ニンニク，ショウガ，イチョウ，朝鮮人参などがあります。

使用量の目安

通常の食品に含まれている量を超えて経口摂取した場合の安全性および副作用については，明らかではありません。

チャパラル

CHAPARRAL

●代表的な別名

クレオソート・ブッシュ

別名ほか

クレオソートブッシュ（Creosote Bush），ラレアディバリカタ（Larrea divaricata），Greasewood，Hediondilla，Larrea tridentata

概　　要

チャパラルは植物です。これを用いて「くすり」を作ることもあります。

●要説（ナチュラル・スタンダード）

チャパラルは，米国南西部とメキシコの砂漠地帯で見られる低木です。アメリカ先住民の一団が，水疱瘡（水痘），感冒，下痢，生理痛，疼痛，リウマチ性疾患，皮膚疾患，ヘビ咬傷などの治療のために，また嘔吐薬として使用していました。チャパ茶は，リゼルギン酸ジエチルアミドの残留物の除去作用が想定されており，幻覚の再発を防止のためにも使用されました。チャパラル葉は，紫斑，傷，そして髪の成長のために塗布としても使用されてきました。

チャパラル構成ジヒドログアイアレチン酸（NDGA）は，がんの治療薬として評価はされましたが，毒性のリスクにより安全とはみなされず，使用は推奨されていません。

安　全　性

安全ではありません。

腹痛，悪心，下痢，体重の減少，発熱，肝臓および腎臓の障害などの副作用を引き起こす可能性があります。皮膚に塗布した場合，発疹やかゆみなどの皮膚反応を引き起こす可能性があります。

腎疾患・肝疾患の人，あるいはこれらの病気に以前かかっていた人は使用してはいけません。

●妊娠中および母乳授乳期

妊娠中，母乳授乳期は使用してはいけません。

有　効　性

◆科学的データが不十分です

- 関節炎，がん，性感染症，結核，感冒，皮膚疾患，胃の軽い疾患（痙攣，腸内ガス），体重減少，尿路感染，気道感染，および水痘。

●体内での働き

抗酸化作用があると考えられる成分が含まれています。

医薬品との相互作用

中肝臓を害する可能性のある医薬品

チャパラルは肝臓に害を与える可能性がありますから，肝臓を害する可能性のある医薬品を服用中にチャパラルを摂取すると，肝障害を引き起こす危険が高まることが考えられます。このような医薬品を服用しているときにはチャパラルを摂取しないでください。このような医薬品にはアセトアミノフェン，アミオダロン塩酸塩，カルバマゼピン，イソニアジド，メトトレキサート，メチルドパ水和物，フルコナゾール，イトラコナゾール，エリスロマイシン，フェニトイン，Lovastatin，プラバスタチンナトリウム，シンバスタチンなどがあります。

ハーブおよび健康食品・サプリメントとの相互作用

ほかのハーブ，健康食品・サプリメントとの相互作用についてはまだ明らかではありません。

使用量の目安

標準使用量に関するデータがありません。

チャボアザミ

CARLINA

別名ほか

カルリナ・アカウリス，アルパインシスル（Carlina acaulis），Carlinae radix，Dwarf Carline，eberwurz，Ground Thistle，Racine de Carline Acaule，Radix cardopatiae，Radix chamaeleontis Albae，Silberdistelwurz，Stemless Carlina Root，Southernwood Root

概　　要

チャボアザミはハーブです。根のエキスが「くすり」として使用されることもあります。

安 全 性

十分なデータが得られていません。

●アレルギー

ブタクサ，キク，マリーゴールド，ヒナギクなどのキク科の植物に過敏な人は，アレルギー反応を起こすおそれがあります。

ブタクサなどのキク科の植物に対してアレルギーのある人は使用してはいけません。

●妊娠中および母乳授乳期

妊娠中，母乳授乳期は使用してはいけません。

有 効 性

◆科学的データが不十分です

・胆のう疾患，消化不良，食道，胃痙攣，腸痙攣，皮膚障害，創傷，舌がん，ヘルペス，歯痛，利尿薬，強壮薬，うがい薬，発汗目的での使用。

●体内での働き

殺菌効果のある成分が抽出物に含まれていると考えられます。

医薬品との相互作用

ほかの医薬品との相互作用については明らかではありません。

ハーブおよび健康食品・サプリメントとの相互作用

ほかのハーブ，健康食品・サプリメントとの相互作用についてはまだ明らかではありません。

使用量の目安

標準使用量に関するデータがありません。

チャンカピエドラ

CHANCA PIEDRA

●代表的な別名

砕石茶

別名ほか

砕石茶（Chancapiedra），キダチコミカンソウ，キダチミカンソウ（Phyllanthus niruri），ケブラペドラ（Quebra pedra），ストーンブレーカー（Stone Breaker），Chanca-Piedra blanca，Child Pick-a-Back，Derriere Dos，Derriére-Dos，Des Dos，Dukong Anak，Feuilles la Fievre，Memeniran，Meniran，Niruri，Pitirishi，Quebrapedra，Quinina criolla，Quinina Créole，Rami Buah，Sacha Foster，Sasha Foster，Seed on the Leaf，Shatter Stone，Stonebreaker，Tamalaka，Turi Hutan

概　　要

チャンカピエドラはハーブです。植物全体を用いて「くすり」を作ることもあります。

●要説（ナチュラル・スタンダード）

チャンカピエドラは，アマゾンの熱帯雨林や他の熱帯地域で見られる植物です。30～40cmの高さに成長することがあります。

チャンカピエドラは漢方薬での歴史があります。細菌感染，糖尿病，肝炎，高血圧，肝疾患，ウイルス感染，さらに胆管，腸，肝臓，胃，尿路疾患を治療するために使用されています。

現時点では，あらゆる疾患治療にチャンカピエドラの使用を裏づける研究は不十分です。初期の研究では，抗ウイルス，結石（臓器における無機物の石）の予防，肝臓保護，血糖や血圧低下作用が示唆されています。これらの分野での追加データが必要です。

安全性

チャンカピエドラの経口摂取は，短期間（最長３カ月間）であれば，おそらく安全です。

チャンカピエドラの副作用については，データが不十分です。

出血性疾患：チャンカピエドラが，血液凝固を抑制するおそれがあります。出血性疾患の場合には，チャンカピエドラの摂取により，出血を引きおこすおそれがあります。

糖尿病：チャンカピエドラが，血糖値に影響を与えるおそれがあります。糖尿病患者がチャンカピエドラを使用する場合には，低血糖の徴候に注意し，血糖値を注意深く監視してください。

手術：チャンカピエドラが，血糖値を低下させるおそれがあります。このため，手術中および術後の血糖値コントロールを妨げるおそれがあります。また，血液凝固を抑制し，出血リスクを高めるおそれもあります。少なくとも手術前２週間は，使用しないでください。

●妊娠中および母乳授乳期

妊娠中または妊娠を望んでいる女性が，チャンカピエドラを経口摂取する場合には，おそらく安全ではありません。高用量のチャンカピエドラを摂取すると，妊娠が妨げられるおそれや，出産時低体重や先天異常のリスクが高まるおそれがあります。

母乳授乳期の使用の安全性についてはデータが不十分です。安全性を考慮し，摂取は避けてください。

有効性

◆有効性レベル⑤

・B型肝炎。チャンカピエドラを１～６週間にわたり経口摂取しても，B型肝炎の症状が改善したり，急性B型肝炎の持続時間が短縮されたり，血中のB型肝炎マーカーの値が低下したりすることはありません。

◆科学的データが不十分です

・糖尿病，高血圧，腎結石，咽喉痛，扁桃咽頭炎（扁桃腺の腫脹），尿路感染，尿路の疼痛および腫脹（炎症），尿量の増加，腸内ガス，食欲増進，肝臓の強壮剤や血液浄化剤としての使用，胆石，仙痛，胃痛，消化不良，腸感染，便秘，赤痢，インフルエンザ，黄疸（皮膚の黄変），腹部腫瘍，発熱，疼痛，梅毒，淋病，マラリア，腫瘍，毛虫刺傷，咳，腫脹，そう痒，流産，直腸周辺の疼痛および腫脹，振戦，チフス，膣感染，貧血，気管支喘息，気管支炎，口渇，結核，めまい感など。

●体内での働き

痙攣や発熱を緩和し，尿量を増加させ，細菌およびウイルスに抵抗する可能性のある化学物質が含まれると考えられています。また，血糖値を低下させるおそれがあります。

医薬品との相互作用

中ノルエピネフリン

ノルエピネフリンは，血管を収縮することにより，低血圧を治療します。チャンカピエドラは，ノルエピネフリンのこの作用を減弱させる可能性のある化学物質を含みます。理論的には，チャンカピエドラはノルエピネフリンの作用を減弱させ，血圧を過度に低下させるリスクを高めるおそれがあります。

中血液凝固を抑制する医薬品（抗凝固薬/抗血小板薬）

チャンカピエドラは血液凝固を抑制する可能性があります。チャンカピエドラと血液凝固を抑制する医薬品を併用すると，出血のリスクが高まるおそれがあります。このような医薬品には，アスピリン，クロピドグレル硫酸塩，ダルテパリンナトリウム，ジピリダモール，エノキサパリンナトリウム，ヘパリン，チクロピジン塩酸塩，ワルファリンカリウムなどがあります。

中降圧薬

チャンカピエドラは血圧を低下させる可能性があります。チャンカピエドラと降圧薬を併用すると，降圧薬の作用が増強し，血圧が過度に低下するおそれがあります。このような降圧薬には，カプトプリル，エナラプリルマレイン酸塩，ロサルタンカリウム，バルサルタン，ジルチアゼム塩酸塩，アムロジピンベシル酸塩，ヒドロクロロチアジド，フロセミドなど数多くあります。

中炭酸リチウム

チャンカピエドラは利尿薬のように作用する可能性があります。チャンカピエドラを摂取すると，炭酸リチウムの体内からの排泄が抑制される可能性があります。そのため，体内の炭酸リチウム量が増加し，重大な副作用が現れるおそれがあります。

中糖尿病治療薬

チャンカピエドラは血糖値を低下させる可能性があります。糖尿病治療薬もまた血糖値を低下させるために用いられます。チャンカピエドラと糖尿病治療薬を併用すると，血糖値が過度に低下するおそれがあります。血糖値を注意深く監視してください。糖尿病治療薬の用量を変更する必要があるかもしれません。このような糖尿病治療薬には，グリメピリド，グリベンクラミド，インスリン，ピオグリタゾン塩酸塩，マレイン酸ロシグリタゾン（販売中止），クロルプロパミド，Glipizide，トルブタミド（販売中止）などがあります。

中利尿薬

チャンカピエドラは体内の水分を排出させ，利尿薬のように作用するようです。しかし，初期の研究では，チャンカピエドラにはこのような作用の可能性はないとするものがあります。チャンカピエドラと利尿薬を併用すると，体内の水分が過剰に排出される可能性があります。水分が過剰に排出されると，めまいが起きたり，血圧が過度に低下するおそれがあります。このような利尿薬には，クロロチアジド（販売中止），クロルタリドン（販売中止)，フロセミド，ヒドロクロロチアジドなどがあります。

ハーブおよび健康食品・サプリメントとの相互作用

血圧を低下させるおそれのあるハーブおよび健康食品・サプリメント

チャンカピエドラが，血圧を低下させるおそれがあります。チャンカピエドラと，血圧を低下させるおそれのあるほかのハーブおよび健康食品・サプリメントを併用すると，血圧を低下させる作用が高まるおそれがあります。このようなハーブおよび健康食品・サプリメントには，アンドログラフィス，カゼイン・ペプチド，キャッツクロー，コエンザイムQ-10，L-アルギニン，クコ，イラクサ，テアニンなどがあります。

血糖値を低下させるおそれのあるハーブおよび健康食品・サプリメント

チャンカピエドラが，血糖値を低下させるおそれがあります。チャンカピエドラと，血糖値を低下させるおそれのあるハーブおよび健康食品・サプリメントを併用すると，血糖値が過度に低下するおそれがあります。このようなハーブおよび健康食品・サプリメントには，α-リポ酸，デビルズクロー，フェヌグリーク，ニンニク，グアーガム，セイヨウトチノキ，朝鮮人参，サイリウム，エゾウコギなどがあります。

血液凝固を抑制するおそれのあるハーブおよび健康食品・サプリメント

チャンカピエドラが，血液凝固を抑制するおそれがあります。チャンカピエドラと，血液凝固を抑制するおそれのあるほかのハーブおよび健康食品・サプリメントを併用すると，人によっては，出血を引き起こすおそれがあります。このようなハーブおよび健康食品・サプリメントには，アンゼリカ，クローブ，タンジン，ニンニク，ショウガ，イチョウ，朝鮮人参，レッドクローバー，ウコン，ヤナギなどがあります。

使用量の目安

通常の食品に含まれている量を超えて経口摂取した場合の安全性および副作用については，明らかになっていません。

中鎖脂肪酸

MEDIUM CHAIN TRIGLYCERIDES (MCTs)

別名ほか

中鎖脂肪酸トリグリセリド，MCTs

概　　要

中鎖脂肪酸は半合成された脂肪です。これを用いて「くすり」を作ることもあります。

●要説（ナチュラル・スタンダード）

カプリル酸は，天然ヤシ，ヤシ油，人や牛の乳中に含まれる八炭素脂肪酸です。カプリル酸は，中鎖脂肪酸に分類され，化学的にはオクタン酸としても知られています。米国食品医薬品局（FDA）はカプリル酸を承認し，一般に安全と認める（GRAS）リストに掲載しました。カプリル酸は，栄養補給のために非経口的投与が必要な患者に使用されたり，何らかの薬剤，食品，あるいは化粧品の中に使用されます。

栄養士は多くの場合，カンジダ症（酵母感染症）や細菌感染の治療に使用するためにカプリル酸を奨励しています。しかしながら，カプリル酸を当該のあらゆる治療への使用を裏付けるための有効な臨床データは不十分です。

安　全　性

ほとんどの人に安全です。

下痢，悪心，神経過敏，嘔吐，胃の不快感，腸内ガスの発生，必須脂肪酸の欠乏などの副作用を引き起こす可能性があります。食後に摂取することによってこれらの副作用は軽減すると考えられます。

肝臓病，糖尿病の人は摂取を避けてください。

有　効　性

◆有効性レベル③

・子どもに見られるある種の痙攣の治療。
・重病の患者に見られる筋肉の衰えの予防。

◆有効性レベル④

・HIV/エイズにともなう体重の減少。

◆科学的データが不十分です

・運動競技のトレーニング時の栄養補給，体脂肪の低下および固い筋肉の増量，カルシウムおよびマグネシウムの吸収改善，乳び胸（まれな肺疾患）など。

●体内での働き

そのほかの種類の脂肪の耐性をもたない人に対しては，脂肪の供給源となります。

医薬品との相互作用

ほかの医薬品との相互作用については明らかではありません。

ハーブおよび健康食品・サプリメントとの相互作用

ほかのハーブ，健康食品・サプリメントとの相互作用についてはまだ明らかではありません。

使用量の目安

●経口摂取

小児てんかん

発作抑制を目的として，摂取カロリーの60%に相当する量の中鎖脂肪酸オイルを摂取します。

●静脈内投与

チ

有効性レベル：①効きます　②おそらく効きます　③効くと断言できませんが、効能の可能性が科学的に示唆されています
④効かないかもしれません　⑤おそらく効きません　⑥効きません

中心静脈栄養法における脂質の供給源として，中鎖脂肪酸50%と長鎖脂肪酸50%からなる混合物が用いられます。

チョウセンアサガオ

JIMSON WEED

別名ほか

ダツラ，ダチュラ（Datura），ヨウシュチョウセンアサガオ，シロバナチョウセンアサガオ（Datura inermis, Datura stramonium），フジイロマンダラゲ（Datura tatula），デビルズアップル（Devil's Apple），ソーンアップル，アメリカチョウセンアサガオ（Thorn-apple），Angel Tulip, Devil's Trumpet, Jamestown Weed, Locoweed, Mad-apple, Nightshade, Peru-apple, Stinkweed, Stinkwort, Stramonium

チ

概　要

チョウセンアサガオは植物です。葉および種子を用いて「くすり」を作ることもあります。

注：わが国では，「46通知」によるとチョウセンアサガオ（種子，葉，花）は「医薬品」です。

●要説（ナチュラル・スタンダード）

チョウセンアサガオ（Datura stramonium）は世界中で生育し，何世紀にもわたって幻覚誘発植物として知られてきました。伝えられるところによると，神聖な儀式の際に，シャーマンと先住民が使用していました。インドでは，チョウセンアサガオの煙は，気管支喘息の治療に使用されています。

チョウセンアサガオは，死亡を含めて重篤な毒性を起こすおそれがあります。非常に少量の摂取でも死に至るおそれがあります。したがって，チョウセンアサガオから抽出されたアルカロイドが承認薬であっても，今日ではチョウセンアサガオは医薬品としては使用されていません。

初期の研究ではチョウセンアサガオは，気管支喘息や慢性気管支炎のために研究されてきました。しかし，現時点ではチョウセンアサガオの安全性や効果的な使用を裏づける臨床でのエビデンスはありません。

安　全　性

チョウセンアサガオの経口摂取および吸入は，安全ではありません。チョウセンアサガオには毒性があり，口内乾燥および極度の口渇，視力障害，吐き気および嘔吐，頻拍，幻覚，高体温，痙攣，錯乱，意識消失，呼吸器疾患など多くの毒性作用を引き起こすおそれや，死に至るおそれがあります。成人の致死量は，葉15～100gまたは種子15～25gです。

いかなる場合であっても，チョウセンアサガオを使用するべきではありませんが，中毒性の副作用のリスクが，とくに高い場合があります。以下の場合には，とくに危険な副作用を引き起こします。

小児：小児による経口摂取および吸入は，安全ではありません。小児は，成人よりもチョウセンアサガオの毒性作用に敏感です。少量であっても，死に至るおそれがあります。

うっ血性心不全（CHF）：チョウセンアサガオが頻拍を引き起こし，うっ血性心不全が悪化するおそれがあります。

便秘：チョウセンアサガオが便秘を引き起こすおそれがあります。

ダウン症候群：ダウン症候群の場合にはとくに，チョウセンアサガオの危険な副作用に敏感であるおそれがあります。

痙攣：チョウセンアサガオが痙攣を引き起こすおそれがあります。頻繁に痙攣を起こす場合には，チョウセンアサガオを使用してはいけません。

食道逆流：食道逆流では，胃内の食品や液体が，口腔と胃をつなぐ管（食道）に逆流します。チョウセンアサガオは，胃内容排出処理を抑制するため，食道逆流を悪化させるおそれがあります。また，食道下部内の圧力を低下させるため，胃内容物が逆流しやすくなるおそれがあります。

発熱：チョウセンアサガオにより，発熱が悪化するおそれがあります。

胃潰瘍：チョウセンアサガオが，胃内容排出を抑制し，潰瘍を悪化させるおそれがあります。

胃腸の感染：チョウセンアサガオが，胃腸内容排出を抑制するおそれがあります。その結果，悪い細菌や細菌が産生する毒素が，通常よりも長時間にわたり，消化管にとどまるおそれがあります。このため，これらの細菌に起因する感染が悪化するおそれがあります。

裂孔ヘルニア：裂孔ヘルニアとは，横隔膜の穴や裂け目を通じ，胃の一部が，胸内に押し上げられる疾患です。横隔膜は胸腔と腹腔を隔てる筋肉です。チョウセンアサガオを摂取すると，裂孔ヘルニアが悪化するおそれがあります。チョウセンアサガオは胃内容排出処理を抑制するおそれがあります。

緑内障：緑内障は眼疾患です。緑内障を治療せずにいると，眼圧が上昇し，視覚消失に至るおそれがあります。チョウセンアサガオは，眼圧をさらに上昇させるおそれがあるため，緑内障の場合には，とくに危険です。

無緊張弛緩，麻痺性イレウス，狭窄などの閉塞性消化管疾患：チョウセンアサガオにより，これらの疾患が悪化するおそれがあります。

頻拍：チョウセンアサガオにより，頻拍が悪化するおそれがあります。

中毒性巨大結腸：中毒性巨大結腸は，感染などの腸障害により，大腸（結腸）が突然拡張する致命的な疾患です。チョウセンアサガオの摂取により，中毒性巨大結腸が悪化するおそれがあります。

潰瘍性大腸炎：潰瘍性大腸炎は，大腸に発症する炎症性腸疾患です。チョウセンアサガオの摂取により，潰瘍性大腸炎が悪化するおそれがあります。

尿閉（排尿困難）：チョウセンアサガオの摂取により，尿閉が悪化するおそれがあります。

●妊娠中および母乳授乳期

チョウセンアサガオの経口摂取および吸入は，母子いずれにも安全ではありません。

有効性

◆科学的データが不十分です

・気管支喘息，咳，神経疾患，多幸症（幻覚および気分の高揚）など。

●体内での働き

チョウセンアサガオには，アトロピン，ヒヨスチアミン，スコポラミンなどの化学物質が含まれています。これらの化学物質は，脳および神経内の伝達物質（アセチルコリン）の作用を妨げます。

医薬品との相互作用

中口渇作用などの乾燥作用のある医薬品（抗コリン薬）

チョウセンアサガオには脳や心臓に影響を及ぼす可能性のある成分が含まれています。口渇作用などの乾燥作用のある医薬品（抗コリン薬）のなかにも脳や心臓に作用するものがあります。抗コリン薬の服用中にチョウセンアサガオを摂取すると，皮膚の乾燥，めまい，低血圧症，頻脈などの重大な副作用を引き起こすおそれがあります。このような医薬品にはアトロピン硫酸塩水和物，スコポラミン臭化水素酸塩水和物などのほか，特定のアレルギー治療薬（抗ヒスタミン薬），特定の抗うつ薬などがあります。

ハーブおよび健康食品・サプリメントとの相互作用

ほかのハーブ，健康食品・サプリメントとの相互作用についてはまだ明らかではありません。

使用量の目安

通常の食品に含まれている量を超えて経口摂取した場合の安全性および副作用については，明らかになっていません。

チョウセンゴミシ

SCHISANDRA

別名ほか

Bac Ngu Vi Tu, Baie de Schisandra, Beiwuweizi, Bei Wu Wei Zi, Chinese Mongolavine, Chinese Schizandra, Chinesischer Limonenbaum, Chosen-Gomischi, Five-Flavor-Fruit, Five-Flavor-Seed, Fructus Schisandrae, Fructus Schisandrae Chinensis, Fruit aux Cinq Saveurs, Gomishi, Hoku-Gomishi, Kadsura chinensis, Kita-Gomishi, Limonnik Kitajskij, Mei Gee, Magnolia Vine, Matsbouza, Nanwuweizi, Ngu Mei Gee, Northern Schisandra, Omicha, Schisandra Berry, Schisandra chinensis, Schisandra chinensis var. rubriflora, Schisandra Sinensis, Schisandra sphaerandra, Schisandra sphenanthera, Schisandrae, Schizandra, Schizandra Chinensis, Schizandre Fructus, Schzandra, Southern Schisandra, Wuhzi, Wuweizi, Wu-Wei-Zi, Western Schisandra, Xiwuweizi

概要

チョウセンゴミシは植物です。果実を用いて「くすり」を作ることもあります。

●要説（ナチュラル・スタンダード）

チョウセンゴミシ（Schisandra chinensis, schizandra）は，中国北部および北東部，韓国，ロシア連邦原産の灌木に巻き付く，つる植物です。

チョウセンゴミシの小さな果実は，中国語でwu wei ziと呼ばれます。塩味，甘味，酸味，辛味，苦味をもつことから「５種類の味がする果実」と訳されます。乾燥させた果実を粉末，チンキ剤，ワインなどにし，カプセルやお茶にして用います。ほかのハーブと混ぜて用いることもあります。

伝統中国医学では，チョウセンゴミシの果実をストレスに対する抵抗力強化，肝臓保護，免疫機能強化などに用います。ハーブを調合する際の調和薬としても用います。ロシアでは，注意力，集中力，協調性，忍耐力，および精神力を高めるために用いられています。

安全性

チョウセンゴミシの果実は，適量を経口摂取する場合，おそらく安全です。むねやけ，胃のむかつき，食欲不振，胃痛，皮疹，そう痒を引き起こすおそれがあります。

てんかん：てんかん患者のチョウセンゴミシ使用に警鐘を鳴らす専門家がいます。この理由は明らかではありませんが，チョウセンゴミシが中枢神経系を刺激する可能性があるためのようです。

胃食道逆流症（GERD）または消化性潰瘍：チョウセンゴミシによって胃酸が増加し，これらの疾患が悪化するおそれがあります。

頭蓋内圧亢進：チョウセンゴミシは中枢神経系を刺激する可能性があるため，この疾患を悪化させるおそれがあります。

●妊娠中および母乳授乳期

妊娠中の経口摂取は，おそらく安全ではありません。子宮を収縮させ，流産を引き起こすおそれがあるというエビデンスがあります。妊娠中は使用してはいけません。母乳授乳期の使用の安全性についてはデータが不十分です。安全性を考慮し，摂取は避けてください。

有効性

◆有効性レベル③

・精神機能。チョウセンゴミシ果実エキスを経口摂取すると，集中力が向上するようです。また，チョウセンゴミシ，イワベンケイ，エゾウコギを含む特定の製品を摂取すると，注意力および思考速度が改善します。
・肝疾患（肝炎）。肝炎患者がチョウセンゴミシ果実エキスを経口摂取すると，グルタミン酸ピルビン酸トランスアミナーゼ酵素の血中濃度（SGPT）が低下します。SGPTは肝障害のマーカーで，SGPTが高いほど重症度が高く，SGPTが低いほど重症度が低いことを示しています。

チ

◆科学的データが不十分です

・運動能力，家族性地中海熱，近視，肺炎，医薬品「タクロリムス」による毒性，糖尿病，高血圧，乗物酔いの予防，早期老化の予防など。

●体内での働き

チョウセンゴミシに含まれる化学物質は，肝臓内の酵素（生化学反応速度を高めるタンパク質）を刺激して，肝細胞の増殖を促進することにより，肝機能を改善します。また，身体のエネルギーを高め，持久性および協調運動能力を向上させる可能性があります。

医薬品との相互作用

中Talinolol

チョウセンゴミシはTalinololの体内への吸収量を増加させる可能性があります。チョウセンゴミシとTalinololを併用すると，Talinololの作用および副作用が増強するおそれがあります。

中タクロリムス水和物

チョウセンゴミシはタクロリムス水和物の腸への吸収を促進する可能性があります。タクロリムス水和物とチョウセンゴミシを併用すると，タクロリムス水和物の作用および副作用を増強させるおそれがあります。しかし，このことが大きな問題であるかは明らかではありません。実際，ある調査によれば，チョウセンゴミシはタクロリムス水和物の副作用を増強せずに，下痢や不安感のような副作用を減少させる可能性が示唆されています。更なる事実が明らかになるまでは慎重に併用してください。チョウセンゴミシを摂取する場合は，タクロリムス水和物の用量を変更する必要があるかもしれません。

中フェノバルビタール

チョウセンゴミシとフェノバルビタールを併用すると，フェノバルビタールの作用および副作用が増強される可能性があります。慎重に併用してください。

中ミダゾラム

ミダゾラムは体内で代謝されて排泄されます。チョウセンゴミシはミダゾラムの体内での代謝を抑制するおそれがあります。チョウセンゴミシとミダゾラムを併用すると，ミダゾラムの作用および副作用が増強するおそれがあります。しかし，このことが大きな問題であるかは明らかではありません。

中ワルファリンカリウム

ワルファリンカリウムは血液凝固を抑制するために用いられます。服用したワルファリンカリウムは体内で代謝されてから排泄されます。チョウセンゴミシはワルファリンカリウムの代謝を促進して，ワルファリンカリウムの効果を弱める可能性があります。ワルファリンカリウムの効果を弱めることにより，血液凝固のリスクを高めるおそれがあります。定期的に血液検査をしてください。ワルファリンカリウムの用量を変更する必要があるかもしれません。

中肝臓で代謝される医薬品（シトクロムP450 2C9（CYP2C9）の基質となる医薬品）

特定の医薬品は肝臓で代謝されます。チョウセンゴミシは特定の医薬品の代謝を促進する可能性があります。チョウセンゴミシと肝臓で代謝される医薬品を併用すると，医薬品の作用が弱まるおそれがあります。このような医薬品にはセレコキシブ，ジクロフェナクナトリウム，フルバスタチンナトリウム，Glipizide，イブプロフェン，イルベサルタン，ロサルタンカリウム，フェニトイン，ピロキシカム，タモキシフェンクエン酸塩，トルブタミド（販売中止），トラセミド，ワルファリンカリウムなどがあります。

中肝臓で代謝される医薬品（シトクロムP450 3A4（CYP3A4）の基質となる医薬品）

特定の医薬品は肝臓で代謝されます。チョウセンゴミシはこの代謝に影響を与える可能性があります。チョウセンゴミシと肝臓で代謝される医薬品を併用すると，その医薬品の作用が強まったり，弱まったりすることがあります。このような医薬品には，Lovastatin，クラリスロマイシン，シクロスポリン，ジルチアゼム塩酸塩，エストロゲン，インジナビル硫酸塩エタノール付加物（販売中止），トリアゾラムなど数多くあります。

ハーブおよび健康食品・サプリメントとの相互作用

ほかのハーブ，健康食品・サプリメントとの相互作用についてはまだ明らかではありません。

使用量の目安

●経口摂取

肝炎

リグナンを20mg含有するよう標準化されたチョウセンゴミシエキス（未精製のチョウセンゴミシ1.5gに相当）を毎日摂取します。

精神機能の改善

チョウセンゴミシエキス１日500mg～２gまたは未精

相互作用レベル：高この医薬品と併用してはいけません　中この医薬品とは慎重に併用するか併用しないでください
低この医薬品との併用には注意が必要です

製のチョウセンゴミシ１日1.5～６gを摂取します。または，未精製のチョウセンゴミシで煎れた茶１日５g～15gを摂取します。またはイワベンケイ，チョウセンゴミシ，およびエゾウコギの混合物270mg（１回量）を含む，特定の併用製品を摂取します。

チョウセンゴヨウ

KOREAN PINE

●代表的な別名

チョウセンマツ

別名ほか

Borovica Kórejská, Borovice Korejská, Chinese Pinenut, Chōsen Goyō, Chōsen Matsu, Hong Song, Jatnamu, Korea Kiefer, Koreafyr, Koreai Fenyō, Korean Nut Pine, Koreansembra, Koreatall, Kóreufura, Pi de Corea, Pin de Corée, Pino de Corea, Pinus koraiensis, Sosna Koreańska

概　要

チョウセンゴヨウはロシア極東，中国，日本，韓国を含むアジア地域で育つ木です。これらの国では，チョウセンゴヨウは木材や食用の種子として経済的価値があります。

チョウセンゴヨウの実は，耳痛，鼻出血，授乳中の母乳の促進などに，経口摂取されます。チョウセンゴヨウの木の樹脂は，寄生虫，利尿促進に，または殺菌剤として，経口摂取されます。チョウセンゴヨウの実のオイルは体重減少に経口摂取されます。

チョウセンゴヨウの幹樹皮や樹脂は熱傷，疼痛，せつやその他の皮膚創傷などへの石膏，湿布，蒸気風呂として使用されます。

チョウセンゴヨウの実は食用としても摂取されます。

安　全　性

チョウセンゴヨウの安全性については，データが不十分です。マツ科の植物に過敏な人は，チョウセンゴヨウの実によりアレルギー反応を起こすおそれがあります。

低血圧/高血圧：チョウセンゴヨウの実のオイルは，血圧を低下させる可能性があります。このため，高血圧や低血圧の場合には，血圧コントロールに影響を及ぼすおそれがあります。

●アレルギー

マツや関連する植物に対するアレルギー：人によっては，チョウセンゴヨウの実がアレルギー反応を引き起こすおそれがあります。似たような植物に過敏な人は，チョウセンゴヨウの実は避けるべきです。

●妊娠中および母乳授乳期

妊娠中および母乳授乳期の使用の安全性についてはデータが不十分です。安全性を考慮し，摂取は避けてください。

有　効　性

◆科学的データが不十分です

・体重減少，耳痛，鼻出血，授乳期の母乳の増加，寄生虫，創傷治癒など。

●体内での働き

チョウセンゴヨウが食欲を抑えることによって，体重減少の助けとなる可能性があります。チョウセンゴヨウの実のオイルは，満腹感を覚えさせる特定のホルモンの濃度を上昇させます。

医薬品との相互作用

中 降圧薬

松（チョウセンゴヨウ）の実オイルは血圧を低下させる可能性があります。松の実オイルと降圧薬を併用すると，血圧が過度に低下するおそれがあります。このような降圧薬にはカプトプリル，エナラプリルマレイン酸塩，ロサルタンカリウム，バルサルタン，ジルチアゼム塩酸塩，アムロジピンベシル酸塩，ヒドロクロロチアジド，フロセミドなど多くあります。

ハーブおよび健康食品・サプリメントとの相互作用

血圧を低下させるおそれのあるハーブおよび健康食品・サプリメント

チョウセンゴヨウの実のオイルは，血圧を低下させるおそれがあります。チョウセンゴヨウの実のオイルと，血圧を低下させるおそれのあるほかのハーブおよび健康食品・サプリメントを併用すると，血圧が過度に低下するおそれがあります。このようなハーブおよび健康食品・サプリメントには，アンドログラフィス，カゼイン・ペプチド，キャッツクロー，コエンザイムQ-10，魚油，L-アルギニン，クコ，イラクサ，テアニンなどがあります。

使用量の目安

通常の食品に含まれている量を超えて経口摂取した場合の安全性および副作用については，明らかになっていません。

朝鮮人参

GINSENG, PANAX

●代表的な別名

高麗人参

別名ほか

高麗人参（Ginseng Root, Guigai, Hong Shen, Japanese Ginseng, Jen-shen, Jinsao, Jintsam, Insam,

チ

Korean Ginseng), 人参 (Korean Panax Ginseng, Korean Red Ginseng, Ninjin), 紅参, コウジン(Oriental Ginseng, Panax Schinseng, Radix Ginseng Rubra), ニンジン(Asiatic Ginseng, Chinese Ginseng, Ginseng, Ginseng Asiatique, Ginseng Radix), Asian Ginseng, Red Ginseng, Ren Shen, Renshen, Renxian, Sang, Seng, Sheng Shai Shen, White Ginseng

概　要

朝鮮人参は植物です。根を用いて「くすり」を作ることもあります。アメリカ人参，シベリア人参，または田七人参と混同しないようにしてください。

●要説（ナチュラル・スタンダード）

朝鮮人参は，ウコギ科トチバニンジン属の総称です。一般的によく用いられるのは，朝鮮人参とアメリカジンセンの２種類です。朝鮮人参とエゾウコギ(ハリウコギ)は植物分類が異なります。混同してはいけません。

朝鮮人参（Ginseng）の名称は，朝鮮人参を表す中国語のRen-shenに由来します。根が人の形に似ていることから，人型をした地球の魂，人型の根という意味があります。

伝統中国医学では，朝鮮人参が2,000年以上も用いられています。食欲増進をはじめ，筋力増強，記憶力向上，運動能力向上，疲労回復，ストレス緩和，および，生活の質を全般的に改善する効果などがあります。Shenmaiとも呼ばれるShengmaiとは，朝鮮人参，チョウセンゴミシの果実，およびジャノヒゲを混合したもので，伝統中国医学では心疾患および呼吸器系疾患の治療に用いられています。

朝鮮人参は昔から，がん治療に用いられています。現代では，がん予防に用いられています。感冒の症状軽減および知的能力向上効果を支持するエビデンスがあります。

朝鮮人参の主な有効成分はジンセノサイドです。専門家は，朝鮮人参の表記があるジンセノサイド４～７％の標準製品の購入をすすめています。

安 全 性

朝鮮人参を含む混合製品を，皮膚へ塗布する場合には，短期間であれば，おそらく安全です。

朝鮮人参を長期（６カ月を超える期間）にわたり経口摂取する場合には，おそらく安全ではありません。研究者の間では，朝鮮人参を長期にわたり使用する場合には，悪影響を与えるホルモン様作用が現れるおそれがあると考えられています。

一般的な副作用として，不眠（睡眠障害）があります。さほど一般的とはいえませんが，月経不順，乳房の疼痛，心拍数の上昇，高血圧または低血圧，頭痛，食欲不振，下痢，そう痒，皮疹，めまい感，気分の変調，膣内出血などの副作用を引き起こすおそれもあります。

まれな副作用としては，スティーブンス・ジョンソン症候群（重度の皮疹）や深刻なアレルギー反応も報告されています。

乳児および小児：乳児および小児にとって，朝鮮人参は，安全ではないようです。乳児が朝鮮人参を使用すると，死に至る中毒につながります。年長の小児に対する，朝鮮人参の安全性については，データが不十分です。十分なデータが得られるまで，年長の小児であっても，朝鮮人参を使用してはいけません。

自己免疫疾患：多発性硬化症（MS），ループス（全身性エリテマトーデス，SLE），関節リウマチ（RA）などの自己免疫疾患：朝鮮人参が，免疫システムを活性化させるようです。このため，自己免疫疾患が悪化するおそれがあります。自己免疫疾患の場合には，朝鮮人参を使用してはいけません。

出血性疾患：朝鮮人参が，血液凝固を妨げるようです。出血性疾患の場合には，朝鮮人参を使用してはいけません。

心疾患：朝鮮人参を使用した初日に，心拍および血圧にわずかに影響を与えるおそれがあります。ただし，継続して使用する場合には，通常，変化はみられません。ただし，心血管疾患に関する朝鮮人参の研究はなされていません。心疾患の場合には，朝鮮人参を注意して使用してください。

糖尿病：朝鮮人参が，血糖値を低下させるおそれがあります。血糖値を低下させる医薬品を服薬中の糖尿病患者が，朝鮮人参を摂取することにより，血糖値が過度に低下するおそれがあります。糖尿病の場合には，血糖値を注意深く監視してください。

乳がん，子宮がん，卵巣がん，子宮内膜症，子宮筋腫などのホルモン感受性の疾患：朝鮮人参にはエストロゲンのような作用を有するおそれのある化学物質（ジンセノサイド）が含まれています。エストロゲンへの曝露により悪化するおそれのある疾患の場合には，朝鮮人参を使用してはいけません。

不眠（睡眠障害）：高用量の朝鮮人参は，不眠につながります。睡眠障害の場合には，注意して朝鮮人参を使用してください。

臓器移植：朝鮮人参が，免疫システムを活性化させるおそれがあります。このため，臓器移植後の，臓器の拒絶反応を抑制するための医薬品の作用を妨げるおそれがあります。臓器移植を受けている場合には，朝鮮人参を使用してはいけません。

統合失調症（精神疾患）：統合失調症の場合には，高用量の朝鮮人参が，睡眠障害や情動不安につながります。統合失調症の場合には，朝鮮人参の使用に注意してください。

●妊娠中および母乳授乳期

妊娠中の経口摂取は，おそらく安全ではありません。朝鮮人参に含まれている，ある化学物質により，先天性異常を引き起こすことが，動物実験において判明しています。妊娠中は，摂取してはいけません。

母乳授乳期の使用の安全性についてはデータが不十分です。安全性を考慮し，摂取は避けてください。

有　効　性

◆有効性レベル③

・アルツハイマー病。エビデンスにより，アルツハイマー病の患者が，朝鮮人参の根を，毎日，12週にわたり摂取することにより，精神活動が改善する可能性が示唆されています。
・慢性閉塞性肺疾患（COPD）。朝鮮人参の経口摂取により，慢性閉塞性肺疾患の症状の一部が改善するようです。
・精神機能。若年期ではなく，中年期の成人が健康である場合には，朝鮮人参を経口摂取することにより，抽象的思考力，暗算力，反応力が改善する可能性があります。38～66歳の健康な成人が，朝鮮人参とイチョウの葉のエキスを併用することにより，記憶力が向上する可能性を示唆するエビデンスが複数あります。ただし，朝鮮人参単体では，記憶力は改善しないようです。
・勃起障害（ED）。朝鮮人参の経口摂取により，勃起障害の男性の性機能が改善するようです。
・インフルエンザ。特定の朝鮮人参を経口摂取することにより，感冒やインフルエンザのリスクが低下するようです。ただし，朝鮮人参により，インフルエンザの症状が緩和することや，疾病期間が短くなることはないようです。
・多発性硬化症に起因する疲労。多発性硬化症の女性が，朝鮮人参を３カ月にわたり摂取することにより，疲労感が軽減し，生活の質が改善されます。
・早漏。朝鮮人参，アンゼリカの根，ニクジュヨウ，サンショウ種，Torlidis seed，クローバーの花，細辛（サイシン），シナモン樹皮および蟾酥（センソ）を含むクリームを，性交の１時間前に陰茎へ塗布し，性交直前に洗い落とすことにより，早漏の予防となるようです。
・性的興奮。朝鮮人参の一種である紅参（Korean red ginseng）を摂取することにより，閉経後の女性の性的興奮および満足感が高まるようです。また，紅参などを含む特定の製品を使用することにより，性機能障害を訴える女性の性的欲求が改善されるようです。

◆有効性レベル④

・運動能力。朝鮮人参を，８週にわたり経口摂取しても，運動能力が改善することはありません。

◆科学的データが不十分です

・加齢にともなう記憶喪失，乳がん，気管支炎（肺の気道の感染症），がん，感冒，心不全，糖尿病，疲労，線維筋痛症，胆のう疾患，口臭，二日酔い，聴覚異常，HIV，高血圧，前糖尿病，男性不妊，記憶力，更年期症状，生活の質，皮膚の皺，うつ病，不安，貧血，体液貯留，胃炎などの消化管障害，慢性疲労症候群（CFS），発熱，ブタインフルエンザ，不眠（睡眠障害），妊娠中および分娩時の疾患，痙攣，出血性疾患，食欲不振，神経痛，関節痛，めまい感，加齢など。

●体内での働き

朝鮮人参には，有効成分が多数含まれています。最も重要であると思われるのが，ジンセノサイド（Ginsenoside）またはパナキソシド（Panaxoside）と呼ばれる化学物質です。ジンセノサイドは，アジアの研究家による造語で，パナキソシドは，初期のロシアの研究家によるものです。

朝鮮人参は，身体のさまざまな部位に影響を与えるため，総合健康薬とみなされることが少なくありません。

医薬品との相互作用

中イマチニブメシル酸塩

特定の医薬品（イマチニブメシル酸塩など）は肝臓で代謝されます。26歳の男性がイマチニブメシル酸塩と朝鮮人参を併用し，肝毒性があらわれたという報告があります。朝鮮人参はイマチニブメシル酸塩の肝臓での代謝を抑制し，イマチニブメシル酸塩の作用および副作用が増強したと見られています。

中インスリン

朝鮮人参は血糖値を低下させる可能性があります。インスリンもまた血糖値を低下させるために用いられます。朝鮮人参とインスリンを併用すると，血糖値が過度に低下するおそれがあります。血糖値を注意深く監視してください。インスリンの用量を変更する必要があるかもしれません。

中エストロゲン（卵胞ホルモン）製剤

朝鮮人参にはエストロゲン様作用のある可能性があります。ただし，朝鮮人参にはエストロゲン製剤と同等の強さはありません。朝鮮人参とエストロゲン製剤を併用すると，エストロゲン製剤の作用が減弱するおそれがあります。このようなエストロゲン製剤には，結合型エストロゲン，エチニルエストラジオール，エストラジオールなどがあります。

中カフェイン

カフェインは神経系を亢進させる可能性があります。カフェインが神経系を亢進させると，神経過敏になり，心拍数が上昇する可能性があります。朝鮮人参も神経系を亢進させる可能性があります。朝鮮人参とカフェインを併用すると，重大な問題（頻脈や高血圧など）を引き起こすおそれがあります。朝鮮人参とカフェインを併用しないでください。

中ニフェジピン

朝鮮人参はニフェジピンの体内での利用能に影響を及ぼす可能性があります。朝鮮人参とニフェジピンを併用すると，ニフェジピンの降圧作用が増強するおそれがあります。

低フェキソフェナジン塩酸塩

フェキソフェナジン塩酸塩は季節性アレルギーの治療に用いられます。朝鮮人参とフェキソフェナジン塩酸塩を併用すると，フェキソフェナジン塩酸塩の体内での利

チ

用能が減少する可能性があります。ただし，このことが重大な問題であるかについては，十分に明らかではありません。

中フロセミド

研究者の中には，朝鮮人参がフロセミドの働きを弱めると考える人がいます。しかし，このことが重大な問題であるかどうかについては，十分に明らかではありません。

中ミダゾラム

特定の医薬品（ミダゾラムなど）は肝臓で代謝されます。朝鮮人参はミダゾラムの代謝を促進する可能性があります。理論的には，朝鮮人参とミダゾラムを併用すると，ミダゾラムの作用が減弱するおそれがあります。

中モノアミン酸化酵素阻害薬（MAO阻害薬）

朝鮮人参は身体を刺激する可能性があります。モノアミン酸化酵素阻害薬（MAO阻害薬）も身体を刺激する可能性があります。朝鮮人参とMAO阻害薬を併用すると，身体が過度に刺激される可能性があります。そのため，副作用（不安，頭痛，情緒不安，不眠など）が現れるおそれがあります。このようなMAO阻害薬には，Phenelzine，Tranylcypromineなどがあります。

中ラルテグラビルカリウム

ラルテグラビルカリウムはHIV感染症の治療に用いられます。ラルテグラビルカリウムは，人によっては肝障害に関連することがあります。朝鮮人参とラルテグラビルカリウムを併用すると，ラルテグラビルカリウムを服用中の場合に，人によっては肝障害のリスクが高まるおそれがあります。

低ロピナビル・リトナビル配合

ロピナビル・リトナビル配合剤は肝臓で代謝されます。朝鮮人参は特定の医薬品の代謝に影響を及ぼす可能性があります。しかし，ヒトの場合にロピナビル・リトナビル配合剤の代謝に影響を及ぼすことはないようです。そのため，この相互作用はおそらく大きな問題ではありません。

中ワルファリンカリウム

ワルファリンカリウムは血液凝固を抑制するために用いられます。朝鮮人参はワルファリンカリウムの効果を弱めるおそれがあります。しかし，この相互作用が大きな問題であるかについては明らかではありません。定期的に血液検査をしてください。ワルファリンカリウムの用量を変更する必要があるかもしれません。

低肝臓で代謝される医薬品（シトクロムP450 1A1（CYP1A1）の基質となる医薬品）

特定の医薬品は肝臓で代謝されます。朝鮮人参はこのような医薬品の代謝を促進する可能性があります。朝鮮人参と肝臓で代謝される医薬品を併用すると，医薬品の作用および副作用が弱まる可能性があります。肝臓で代謝される医薬品を服用する場合には，医師や薬剤師に相談することなく朝鮮人参を摂取しないでください。このような医薬品には，クロルゾキサゾン，テオフィリン，Bufuralolなどがあります。

中肝臓で代謝される医薬品（シトクロムP450 2D6（CYP2D6）の基質となる医薬品）

特定の医薬品は肝臓で代謝されます。朝鮮人参はこのような医薬品の代謝を抑制する可能性があります。朝鮮人参と肝臓で代謝される医薬品を併用すると，医薬品の作用および副作用が増強するおそれがあります。肝臓で代謝される医薬品を服用する場合には，医師や薬剤師に相談することなく朝鮮人参を摂取しないでください。このような医薬品には，アミトリプチリン塩酸塩，クロザピン，コデインリン酸塩水和物，塩酸デシプラミン（販売中止），ドネペジル塩酸塩，フェンタニルクエン酸塩，フレカイニド酢酸塩，塩酸フルオキセチン（販売中止），ペチジン塩酸塩，メサドン塩酸塩，メトプロロール酒石酸塩，オランザピン，オンダンセトロン塩酸塩水和物，トラマドール塩酸塩，トラゾドン塩酸塩などがあります。

中肝臓で代謝される医薬品（シトクロムP450 3A4（CYP3A4）の基質となる医薬品）

特定の医薬品は肝臓で代謝されます。朝鮮人参はこのような医薬品の代謝を抑制する可能性があります。朝鮮人参と肝臓で代謝される医薬品を併用すると，医薬品の作用および副作用が増強するおそれがあります。肝臓で代謝される医薬品を服用する場合には，医師や薬剤師に相談することなく朝鮮人参を摂取しないでください。このような医薬品には，カルシウム拮抗薬（ジルチアゼム塩酸塩，ニカルジピン塩酸塩，ベラパミル塩酸塩），化学療法薬（エトポシド，パクリタキセル，ビンブラスチン硫酸塩，ビンクリスチン硫酸塩，ビンデシン硫酸塩），抗真菌薬（ケトコナゾール，イトラコナゾール），グルココルチコイド，シサプリド（販売中止），Alfentanil，フェンタニルクエン酸塩，ロサルタンカリウム，塩酸フルオキセチン（販売中止），ミダゾラム，オメプラゾール，オンダンセトロン塩酸塩水和物，プロプラノロール塩酸塩，フェキソフェナジン塩酸塩など数多くあります。

中興奮薬

興奮薬は神経系を亢進させます。興奮薬が神経系を亢進させると，神経過敏になり，心拍数が上昇する可能性があります。朝鮮人参も神経系を亢進させる可能性があります。朝鮮人参と興奮薬を併用すると，頻脈や高血圧などの重大な問題を引き起こすおそれがあります。朝鮮人参と興奮薬を併用しないでください。このような興奮薬には，Diethylpropion，エピネフリン，Phentermine，塩酸プソイドエフェドリンなど数多くあります。

中血液凝固を抑制する医薬品（抗凝固薬/抗血小板薬）

朝鮮人参は血液凝固を抑制する可能性があります。朝鮮人参と血液凝固を抑制する医薬品を併用すると，紫斑および出血のリスクが高まるおそれがあります。このような医薬品には，アスピリン，シロスタゾール，クロピドグレル硫酸塩，ジクロフェナクナトリウム，イブプロフェン，ナプロキセン，ダルテパリンナトリウム，エノキサパリンナトリウム，ヘパリン，チクロピジン塩酸塩，ワルファリンカリウムなどがあります。

中糖尿病治療薬

朝鮮人参は血糖値を低下させる可能性があります。糖尿病治療薬も血糖値を低下させるために用いられます。朝鮮人参と糖尿病治療薬を併用すると，相加作用により血糖値が過度に低下するおそれがあります。血糖値を注意深く監視してください。糖尿病治療薬の用量を変更する必要があるかもしれません。このような糖尿病治療薬には，グリメピリド，グリベンクラミド，インスリン，ピオグリタゾン塩酸塩，マレイン酸ロシグリタゾン（販売中止），クロルプロパミド，Glipizide，トルブタミド（販売中止）などがあります。

中不整脈を誘発する可能性がある医薬品（QT間隔を延長させる医薬品）

朝鮮人参は，短期間摂取した場合に不整脈を引き起こす可能性があります。朝鮮人参と不整脈を誘発する可能性がある医薬品を併用すると，心調律異常（不整脈）などの重大な副作用を引き起こすおそれがあります。このような医薬品には，アミオダロン塩酸塩，ジソピラミド，ドフェチリド（販売中止），Ibutilide，プロカインアミド塩酸塩，キニジン硫酸塩水和物，ソタロール塩酸塩，チオリダジン塩酸塩（販売中止）など数多くあります。

中免疫抑制薬

朝鮮人参は免疫機能を高めます。朝鮮人参が免疫機能を高めることにより，免疫抑制薬の効果が弱まるおそれがあります。このような免疫抑制薬には，アザチオプリン，バシリキシマブ，シクロスポリン，Daclizumab，ムロモナブ-CD3（販売中止），ミコフェノール酸モフェチル，タクロリムス水和物，シロリムス，Prednisone，副腎皮質ステロイドなどがあります。

中セレギリン塩酸塩

セレギリン塩酸塩はパーキンソン病の治療薬です。朝鮮人参はセレギリン塩酸塩の体内への吸収量を増減させる可能性があります。そのため，セレギリン塩酸塩の作用および副作用に影響を及ぼすおそれがあります。

ハーブおよび健康食品・サプリメントとの相互作用

ダイダイ

朝鮮人参と，ダイダイを併用して摂取すると，命にかかわるおそれのある心調律異常のリスクが高まるおそれがあります。

カントリーマロウ

カントリーマロウは，マオウ（麻黄）を含んでいます。マオウ（麻黄）が，心拍数に影響を与えるおそれがあります。朝鮮人参と，カントリーマロウを併用して摂取すると，命にかかわるおそれのある脈拍不整のリスクが高まるおそれがあります。

マオウ（麻黄）

マオウ（麻黄）が，心拍数に影響を与えるおそれがあります。朝鮮人参と，マオウ（麻黄）を併用して摂取すると，命にかかわるおそれのある脈拍不整のリスクが高まるおそれがあります。

血糖値を低下させるおそれのあるハーブおよび健康食品・サプリメント

朝鮮人参が，血糖値を低下させるおそれがあります。朝鮮人参と，血糖値を低下させるおそれのあるハーブおよび健康食品・サプリメントを併用すると，血糖値が過度に低下するおそれがあります。このようなハーブおよび健康食品・サプリメントには，ニガウリ，ショウガ，薬用ガレーガ，フェヌグリーク，クズ，ウィローバークなどがあります。

血液凝固を抑制するおそれのあるハーブおよび健康食品・サプリメント

朝鮮人参と，血液凝固を抑制するおそれのあるほかのハーブおよび健康食品・サプリメントを併用すると，人によっては，出血のリスクが高まるおそれがあります。このようなハーブおよび健康食品・サプリメントには，アンゼリカ，クローブ，タンジン，ショウガ，イチョウ，レッドクローバー，ウコン，ビタミンE，ヤナギなどがあります。

通常の食品との相互作用

アルコール

アルコールは，体内で代謝され，排出されます。朝鮮人参の摂取により，この代謝が促進する可能性があります。

コーヒー，茶

コーヒーおよび茶には，カフェインが含まれています。カフェインが，神経系を活性化させるおそれがあります。神経系が活性化することにより，神経過敏や，心拍数の増加を引き起こすおそれがあります。朝鮮人参も，神経系を活性化させるおそれがあります。朝鮮人参と，カフェインを併用して摂取すると，心拍数の増加や，高血圧など深刻な問題を引き起こすおそれがあります。朝鮮人参とカフェインの併用は避けてください。

使用量の目安

●経口摂取

アルツハイマー病

1日当たり，4.5～9gの朝鮮人参の根を，12週にわたり，使用します。

慢性閉塞性肺疾患（COPD）

1日当たり，100mg～6gの朝鮮人参を，最長3カ月にわたり使用します。

精神機能

特定の朝鮮人参のエキス200～400mgを，1日1～2回にわけて，最長12週にわたり使用します。または，200～960mgを単回摂取します。

勃起障害

1,400～2,700mgの朝鮮人参を，1日2～3回にわけて，最長12週にわたり使用します。

インフルエンザ

1日当たり，200mgの朝鮮人参のエキスを，インフルエンザの予防注射を受ける4週間前からはじめ，予防注射の摂取後，8週にわたり使用します。1gの朝鮮人参のエキスを，1日3回，12週にわたり使用することもあります。

多発性硬化症に起因する疲労

250mgの朝鮮人参を，1日2回，3カ月にわたり使用します。

性的興奮

朝鮮人参の一種である紅参(Korean red ginseng)を，1日当たり，3g，8週にわたり使用します。また，紅参などを含む女性向けの特定の製品を，4週にわたり毎日継続して使用することもあります。

●皮膚への塗布

早漏

朝鮮人参などを含むクリームを，性交の1時間前に陰茎亀頭に塗布し，性交前に洗い落とします。

チラータ

CHIRATA

別名ほか

Bitter Stick, Chirayta, Chiretta, East Indian Balmony, Gentiana chirata, Gentiana chirayita, Indian Bolonong, Indian Gentian, Kairata, Kirata, Swertia chirata, Swertia chirayita, Yin Du Zhang Ya Cai

概　　要

チラータはハーブです。地上部を用いて「くすり」を作ることもあります。

●要説（ナチュラル・スタンダード）

チラータは，カシミール，ネパール，ブータンの高地で生育する植物です。一年草で2～3フィートに成長する黄色の花がついています。今日では，その植物は貧弱な種子の発芽と低い生存率のために絶滅の危機にさらされており，それを維持しようと大変な努力を払っています。

チラータは，その苦味で知られており，肝疾患，マラリア，糖尿病，発熱，皮膚疾患を治療するための伝統医学で使用されてきました。チラータは，インド発祥の伝統医学の形であるアーユルヴェーダで使用されており，肝疾患やマラリア発熱の治療に役立つと考えられています。チラータはまた，ユナニーやシッダなど他の伝統的な医学体系において使用されてきました。

現時点では，あらゆる疾患治療にチラータ使用を裏づけるデータは十分ではありません。結論が出される前に，さらなる研究が必要です。

安　全　性

チラータの経口摂取は，飲料に含まれている量であれば，ほとんどの人に安全のようです。ただし，「くすり」として高用量を摂取する場合の安全性については，データが不十分です。

糖尿病：チラータにより，人によっては，血糖値が低下するおそれがあります。糖尿病患者がチラータを「くすり」として使用する場合には，低血糖の徴候に注意し，血糖値を注意深く監視してください。

十二指腸潰瘍：チラータは腸の潰瘍を悪化させるおそれがあります。

手術：チラータは血糖値を低下させるおそれがあります。このため，手術中および術後の血糖値コントロールを妨げるおそれがあります。少なくとも手術前2週間は，使用しないでください。

●妊娠中および母乳授乳期

妊娠中および母乳授乳期の使用の安全性についてはデータが不十分です。安全性を考慮し，摂取は避けてください。

有　効　性

◆科学的データが不十分です

・発熱，マラリア，便秘，寄生虫感染，胃のむかつき，食欲不振，皮膚疾患，がんなど。

●体内での働き

腫脹（炎症）を緩和し，マラリアにも効果を示す可能性のある化学物質が含まれています。

医薬品との相互作用

中 糖尿病治療薬

チラータは血糖値を低下させる可能性があります。糖尿病治療薬もまた血糖値を低下させるために用いられます。チラータと糖尿病治療薬を併用すると，血糖値が過度に低下するおそれがあります。血糖値を注意深く監視してください。糖尿病治療薬の用量を変更する必要があるかもしれません。このような糖尿病治療薬にはグリメピリド，グリベンクラミド，インスリン，ピオグリタゾン塩酸塩，マレイン酸ロシグリタゾン（販売中止），クロルプロパミド，Glipizide，トルブタミド（販売中止）などがあります。

ハーブおよび健康食品・サプリメントとの相互作用

血糖値を低下させるおそれのあるハーブおよび健康食品・サプリメント

チラータは血糖値を低下させるおそれがあります。チラータを「くすり」として，血糖値を低下させるおそれのあるほかのハーブおよび健康食品・サプリメントと併用すると，人によっては，血糖値が過度に低下するリスクが高まるおそれがあります。このようなハーブおよび健康食品・サプリメントには，デビルズクロー，フェヌグリーク，グアーガム，朝鮮人参，エゾウコギなどがあります。

使用量の目安

通常の食品に含まれている量を超えて経口摂取した場合の安全性および副作用については，明らかになっていません。

チラトリコール

TIRATRICOL

別名ほか

Triac，Triiodothyroacetic Acid，3,3′,5-triiodothyroacetic Acid

概　要

チラトリコールは体内に存在する天然の化合物で，合成することもできます。

安全性

医師・薬剤師が甲状腺の機能障害に対して用いる場合は安全ですが，重度の下痢，疲労，衰弱，体重減少といった副作用が起こることがあります。

高齢者，糖尿病，心疾患，高血圧症，肝臓障害がある人の場合は用いてはいけません。

●妊娠中および母乳授乳期

妊娠中でも，胎児に甲状腺機能障害がある場合は，医師・薬剤師の指導の下に用いることができます。しかし，妊娠中にそのほかの目的で用いてはいけません。母乳授乳期は，使用してはいけません。

有効性

◆有効性レベル②

・甲状腺の機能改善。

◆有効性レベル③

・レボチロキシン（医薬品）と併用した場合の甲状腺がんの治療。
・幼児における甲状腺の異常。

◆有効性レベル⑤

・減量。

◆科学的データが不十分です

・セルライトの減少。

●体内での働き

甲状腺の機能を改善することで作用すると考えられます。また，血清コレステロール値を下げ，骨の生成に刺激を与えます。

医薬品との相互作用

中コレスチラミン

コレスチラミンはチラトリコールの体内への吸収量を低下させる可能性があります。チラトリコールの吸収量が低下すると，チラトリコール・サプリメントの効果が弱まる可能性があります。この相互作用を避けるために，コレスチラミンの服用前少なくとも1時間，または服用後少なくとも4時間はチラトリコールを摂取しないでください。

中血液凝固を抑制する医薬品（抗凝固薬/抗血小板薬）

チラトリコールは血液凝固を抑制する可能性があります。チラトリコールと血液凝固を抑制する医薬品を併用すると，紫斑および出血のリスクが高まるおそれがあります。このような医薬品には，アスピリン，クロピドグレル硫酸塩，ジクロフェナクナトリウム，イブプロフェン，ナプロキセン，ダルテパリンナトリウム，エノキサパリンナトリウム，ヘパリン，ワルファリンカリウムなどがあります。

高甲状腺ホルモン製剤

チラトリコールには甲状腺ホルモン様作用があります。チラトリコールと甲状腺ホルモン製剤を併用すると，甲状腺ホルモン製剤の副作用のリスクが高まるおそれがあります。

中糖尿病治療薬

多量のチラトリコールは血糖値を低下させる可能性があります。糖尿病治療薬も血糖値を低下させるために用いられます。チラトリコールと糖尿病治療薬を併用すると，血糖値が過度に低下するおそれがあります。血糖値を注意深く監視してください。糖尿病治療薬の用量を変更する必要があるかもしれません。このような糖尿病治療薬には，グリメピリド，グリベンクラミド，インスリン，ピオグリタゾン塩酸塩，マレイン酸ロシグリタゾン（販売中止），クロルプロパミド，Glipizide，トルブタミド（販売中止）などがあります。

ハーブおよび健康食品・サプリメントとの相互作用

ほかのハーブ，健康食品・サプリメントとの相互作用についてはまだ明らかではありません。

使用量の目安

●経口摂取

TSH抑制療法として使用される場合，臨床試験では，初めに1回10～24μgを1日2回摂取し，TSH値が0.1mU/L未満になるまで漸増します。

チロシン

TYROSINE

別名ほか

L-チロシン（L-tyrosine），Tyr，Tyrosinum，2-amino-3-(4-hydroxyphenyl)propionic acid

概　要

チロシンはアミノ酸です。体内では，フェニルアラニンと呼ばれる別のアミノ酸からチロシンが生成されます。乳製品，肉，魚，卵，ナッツ，豆，小麦にも含まれています。

●要説（ナチュラル・スタンダード）

チロシンは非必須アミノ酸で，体内で通常十分な量を産生できます。チロシンは，フェニルアラニン（必須アミノ酸）から作られます。チロシンは，大豆製品，チキン，魚，アーモンド，アボカド，バナナ，酪農製品，ライマメ，カボチャ種やゴマ種に含まれています。しかしながら，医療目的で食物から十分なチロシンを得ることは難しいです。サプリメントとして，チロシンはタブレットまたはカプセルの形で摂取されることがあります。

チロシンは，フェニルケトン尿症（フェニルアラニンを加工することができない先天性欠損症）を治療するためにサプリメントに追加される可能性があります。その結果，十分なチロシンを作ることができずに，体内のフェニルアラニンが蓄積し，神経系を障害するおそれがあります。

チロシンは，体内で重要な化学物質（例えば，ドーパミン，エピネフリン，ノルエピネフリン）の生成に関与しています。チロシンは，注意力を改善し，気分を強化し，ストレスを弱め，脳の健康を促進すると考えられています。また，性衝動を増やし，食欲を減退させると考えられています。

チロシンはまた，メラニン（皮膚に色を与える合成物）の産生にも関与しています。このため，チロシンは色素欠乏症（髪，皮膚，目にほとんど色がない）のような肌の疾患に役立つと考えられます。また，甲状腺ホルモンの産生にも関与していて，甲状腺疾患治療にも使用されることがあります。

脳機能の向上や，うつ病，睡眠障害，パーキンソン病，統合失調症などの治療のために，チロシンの潜在的効果の研究がなされてきました。しかしながら，結論を出すには，さらなる研究が必要です。

安　全　性

経口での摂取，あるいは皮膚に塗布する場合，ほとんどすべての成人で安全ですが，悪心，頭痛，疲労，胸やけ，関節痛といった副作用を起こす人もいます。

医薬品としての量を小児に用いる場合の安全性については，十分なデータが得られていません。

甲状腺機能亢進がある場合，グレーブス病として知られている疾患がある場合に使用してはいけません。

●妊娠中および母乳授乳期

妊娠中および母乳授乳期の使用の安全性についてはデータが不十分です。安全性を考慮し，使用は控えてください。

有　効　性

◆有効性レベル①

・フェニルアラニンからチロシンを作ることができない人の症状であるフェニルケトン尿症の治療。

◆有効性レベル③

・睡眠障害後の覚醒の改善。一晩の不眠の後，150mg/kgのチロシンを摂取すると，通常より3時間ほど長く覚醒が続くようです。

◆有効性レベル④

・中等度のうつ病の治療。
・成人の注意欠陥多動性障害の治療。
・小児の注意欠陥多動性障害の治療。

◆科学的データが不十分です

・皮膚の皺，ストレス，月経前症候群，パーキンソン病，慢性疲労症候群，アルツハイマー病，心疾患，勃起不能，統合失調症（精神分裂病）など。

●体内での働き

体内ではチロシンから，覚醒状態など脳の状態とかかわる化学的な伝達物質が合成されます。

医薬品との相互作用

中レボドパ

チロシンはレボドパの体内への吸収量を減少させる可能性があります。チロシンがレボドパの体内への吸収量を低下させることにより，レボドパの効果を弱めるおそれがあります。チロシンとレボドパを同時に摂取しないでください。

ハーブおよび健康食品・サプリメントとの相互作用

ほかのハーブ，健康食品・サプリメントとの相互作用についてはまだ明らかではありません。

使用量の目安

●経口摂取

睡眠不足後の集中力改善

1日150mg/kgを摂取します。

月見草油

EVENING PRIMROSE

別名ほか

イブニングプリムローズ，オオマツヨイグサ，キングスキュアオール（King's Cureall），メマツヨイグサ（Oenothera biennis），アレチマツヨイグサ（Oenothera muricata），Epo，Fever Plant，Huile D'Onagre，Night Willow-herb，Primrose，Oenothera purpurata，Oenothera rubricaulis，Oenothera suaveolens，Onagra biennis，Scabish，Sun Drop

概　　要

月見草油は，メマツヨイグサの種子からとられる油です。

注：日本で一般的にいうツキミソウではありません。ここでいう月見草油は，メマツヨイグサの種子油です。

●要説（ナチュラル・スタンダード）

アメリカ先住民の間では昔から，月見草の種，葉および根を食用としていました。紫斑，創傷，痔，胃腸疾患および咽頭痛の治療にも月見草が用いられます。

月見草の種から抽出したオイルには，オメガ6系脂肪酸をはじめ，リノレン酸，γ-リノレン酸など，不飽和脂肪酸が豊富に含まれています。乳房痛および湿疹の治療に対するγ-リノレン酸の使用は，多くの国で認可されています。

さまざまな疾患，とくに必須脂肪酸の代謝物の影響による疾患に対する月見草油の有効性に関する研究が進んでいます。湿疹の治療に対する月見草油の有効性に関するエビデンスがあります。

安　全　性

ほとんどすべての人にとって安全ですが，胃のむかつき，悪心，下痢，頭痛といった軽い副作用が起こることもあります。

出血性疾患，てんかんやそのほかの発作性疾患，統合失調症の人は使用してはいけません。

2週間以内に手術を受ける予定の人は使用してはいけません。出血のリスクが高まります。

●妊娠中および母乳授乳期

妊娠中や出産時に問題が起こりやすくなる懸念があります。妊娠中，母乳授乳期は，使用してはいけません。

有　効　性

◆有効性レベル③

・乳房痛。
・カルシウムと魚油との併用で骨粗鬆症。

◆有効性レベル④

・月経前症候群の症状。
・注意欠陥多動性障害。
・アトピー性皮膚炎の症状の緩和。
・更年期の体のほてり。

◆科学的データが不十分です

・妊娠による高血圧症（子癇前症），妊婦の分娩時間の短縮，慢性疲労症候群，にきび，多発性硬化症，関節リウマチ，シェーグレン症候群，がん，心疾患，高コレステロール血症，アルツハイマー病など。

●体内での働き

「脂肪酸」（γ-リノレン酸）を含んでいます。乳房痛を訴える女性では，ある種の「脂肪酸」の濃度が十分でないことがあります。また脂肪酸は，関節炎や湿疹などに関連する炎症を抑える働きがあります。

医薬品との相互作用

中フェノチアジン系薬

月見草油とフェノチアジン系薬を併用すると，人によっては発作のリスクが高まるおそれがあります。フェノチアジン系薬には，クロルプロマジン塩酸塩，フルフェナジン，トリフロペラジン（販売中止），チオリダジン塩酸塩（販売中止）などがあります。

中血液凝固を抑制する医薬品（抗凝固薬/抗血小板薬）

月見草油は血液凝固を抑制するγ-リノレン酸（GLA）を含みます。月見草油と血液凝固を抑制する医薬品を併用すると，紫斑および出血のリスクが高まるおそれがあります。このような医薬品には，アスピリンやクロピドグレル硫酸塩，およびジクロフェナクナトリウムやイブプロフェンやナプロキセンなどの非ステロイド性抗炎症薬（NSAIDs），また，ダルテパリンナトリウム，エノキサパリンナトリウム，ヘパリン，ワルファリンカリウムなどがあります。

中ロピナビル・リトナビル配合

ロピナビル・リトナビル配合剤は体内で代謝されてから排泄されます。月見草油はロピナビル・リトナビル配合剤の代謝を抑制する可能性があります。月見草油とロピナビル・リトナビル配合剤を併用すると，ロピナビル・リトナビル配合剤の体内量が増加し，作用が増強するおそれがあります。

低肝臓で代謝される医薬品（シトクロムP450 2C9（CYP2C9）の基質となる医薬品）

特定の医薬品は肝臓で代謝されます。月見草油は特定の医薬品の代謝を抑制する可能性があります。月見草油と肝臓で代謝される医薬品を併用すると，医薬品の作用および副作用が増強するおそれがあります。このような医薬品にはセレコキシブ，ジクロフェナクナトリウム，フルバスタチンナトリウム，Glipizide，イブプロフェン，イルベサルタン，ロサルタンカリウム，フェニトイン，ピロキシカム，タモキシフェンクエン酸塩，トルブタミド（販売中止），トラセミド，ワルファリンカリウムなどがあります。

中手術中に用いられる医薬品（麻酔薬）

月見草油には手術中に用いられる医薬品と相互作用が生じるおそれがあります。月見草油と他の医薬品を併用した人が手術中に発作を起こしたという報告が1例あります。しかし，月見草油またはその医薬品が発作を引き起こしたかどうかについては十分に明らかではありません。月見草油にも，γ-リノレン酸が含まれます。安全のために，手術の少なくとも2週間前から月見草油を摂取しないでください。

低肝臓で代謝される医薬品（シトクロムP450 3A4（CYP3A4）の基質となる医薬品）

特定の医薬品は肝臓で代謝されます。月見草油は特定の医薬品の代謝を抑制する可能性があります。月見草油と肝臓で代謝される医薬品を併用すると，医薬品の作用

ツ

有効性レベル：①効きます　②おそらく効きます　③効くと断言できませんが、効能の可能性が科学的に示唆されています
④効かないかもしれません　⑤おそらく効きません　⑥効きません

および副作用が増強するおそれがあります。このような医薬品にはLovastatin，クラリスロマイシン，シクロスポリン，ジルチアゼム塩酸塩，エストロゲン，インジナビル硫酸塩エタノール付加物，トリアゾラムなどがあります。

ハーブおよび健康食品・サプリメントとの相互作用

ほかのハーブ，健康食品・サプリメントとの相互作用についてはまだ明らかではありません。

使用量の目安

●経口摂取

乳房痛

1日3～4gを摂取します。

月経前症候群

1日2～4g摂取します。

関節リウマチ

摂取量は，1日540mg～2.8gまで広範囲にわたります。

行動不全（小児）

運動障害の改善を目的に使用する場合，タイムオイル24mgと，DHA 480mgおよびアラキドン酸35mgを含有する魚油，月見草由来ガンマ-アルファリノール酸96mg，ビタミンE 80mgを併用します。

アトピー性皮膚炎

成人の場合，1日4～6g，小児の場合は1日3g摂取します。

ツクシ

HORSETAIL

別名ほか

ボトルブラッシュ（Bottle Brush），カリステモン，ハナマキ，ブラシノキ，スギナ（Equisetum arvense），ホーステイルグラス（Horsetail Grass），ホーステイル，ホーステール（Horse，tail Rush），Callistemon citrinus，Cav alinha，Coda cavallina，Common Horsetail，Corn Horsetail，Dutch Rushes，Equiseti herba，Equisetum，Equisetum telmateia，Field Horsetail，Horse Herb，Horse Willow，Pad dock-pipes，Pewterwort，Prele，Scouring Rush，Souring Rush，Shave Grass，Toadpipe

概　　要

ツクシは植物です。地上部を用いて「くすり」を作ることもあります。

●要説（ナチュラル・スタンダード）

ツクシ（Equisetum arvense）は欧州で浮腫（腫脹，体液貯留）を治療するための利尿薬として昔から用いられてきました。ドイツ当局の専門委員会により，浮腫はツクシの適応症として認められています。骨粗鬆症，腎結石，尿路の炎症，および局所的な創傷治癒に対して用いられることもあります。化粧品やシャンプーにも用いられています。これらの用途は科学的エビデンスというよりは，伝承に基づいています。

ヒトにおいてツクシの利尿効果を裏づける予備的エビデンスがあります。試験内容が適切ではありませんが，ヒトにおいてツクシがカルシウムサプリメントと同程度に骨密度を強化することを認める試験があります。

作用機序に基づく理論によれば，ツクシを高用量経口摂取すると，チアミン欠乏症や低カリウム血症，ニコチン中毒を引き起こすおそれがあります。皮膚炎をはじめとする副作用が報告されています。

安　全　性

長期にわたるツクシの経口摂取は，おそらく安全ではありません。ツクシには，ビタミンであるチアミンを分解するチアミナーゼという化学物質が含まれています。理論上，このチアミナーゼの作用によりチアミン欠乏症を引き起こすおそれがあります。製品の中には「チアミナーゼを含まず」と表示されたものがありますが，それらの製品が安全かどうかを判断するのに十分なデータがありません。

アルコール依存：アルコール依存の人は通常，チアミンが欠乏しています。ツクシがチアミン欠乏症を悪化させるおそれがあります。

糖尿病：ツクシが糖尿病患者の血糖値を低下させるおそれがあります。糖尿病患者がツクシを使用する場合は，低血糖の徴候に注意し，血糖値を注意深く監視してください。

低カリウム血症：ツクシがカリウムを体内から排出し，カリウム値を過度に低下させるおそれがあります。十分なデータが得られるまでは，カリウム欠乏症の危険がある場合の使用には注意してください。

チアミン欠乏症：ツクシがチアミン欠乏症を悪化させるおそれがあります。

●妊娠中および母乳授乳期

妊娠中および母乳授乳期の使用の安全性についてはデータが不十分です。安全性を考慮し，使用は避けてください。

有　効　性

◆科学的データが不十分です

- 骨粗鬆症，腎結石，膀胱結石，体重減少，脱毛，痛風，凍傷，過多月経，体液貯留，尿路感染，失禁など。
- 皮膚に塗布する場合には，創傷治癒など。

●体内での働き

ツクシに含まれる化学物質は，抗酸化作用および抗炎症作用をもつ可能性があります。ツクシに近い植物に含まれる化学物質には利尿作用があり尿量を増やしますが，ツクシにこの作用があるかどうかは不明です。

医薬品との相互作用

中エファビレンツ

エファビレンツはHIV感染症の治療に用いられます。ツクシとエファビレンツを併用すると，エファビレンツの作用が減弱するおそれがあります。

中炭酸リチウム

ツクシは利尿薬のように作用する可能性があります。ツクシを摂取すると，リチウムの体内からの排泄が抑制される可能性があります。そのため，体内のリチウム量が増加し，重大な副作用が現れるおそれがあります。

中糖尿病治療薬

ツクシは2型糖尿病の場合に血糖値を低下させる可能性があります。糖尿病治療薬も血糖値を低下させるために用いられます。ツクシと糖尿病治療薬を併用すると，血糖値が過度に低下するおそれがあります。血糖値を注意深く監視してください。糖尿病治療薬の用量を変更する必要があるかもしれません。このような糖尿病治療薬には，グリメピリド，グリベンクラミド，インスリン，ピオグリタゾン塩酸塩，マレイン酸ロシグリタゾン（販売中止），クロルプロパミド，Glipizide，トルブタミド（販売中止）などがあります。

中利尿薬

利尿薬は体内のカリウム量を減少させる可能性があります。多量のツクシを長期間摂取する場合も体内のカリウム量が減少する可能性があります。ツクシと利尿薬を併用すると，体内のカリウム量が過剰に減少するおそれがあります。このような利尿薬には，クロロチアジド（販売中止），クロルタリドン（販売中止），フロセミド，ヒドロクロロチアジドなどがあります。

ハーブおよび健康食品・サプリメントとの相互作用

ビンロウジュ

ツクシとビンロウジュはどちらも身体に必要なチアミン量を減少させます。ツクシとビンロウジュを併用すると，体内のチアミン量が過度に低下するリスクが高まります。

クロムを含有するハーブおよび健康食品・サプリメント

ツクシはクロムを0.0006％含有するので，クロムのサプリメントや，ビルベリー，ビール酵母，カスカラサグラダなどクロムを含有するハーブおよび健康食品・サプリメントと併用すると，クロム中毒のリスクが高まるおそれがあります。

血糖値を低下させるおそれのあるハーブおよび健康食品・サプリメント

ツクシが血糖値を低下させるおそれがあります。同様の作用のあるほかのハーブおよび健康食品・サプリメントと併用すると，人によっては血糖値が過度に低下するおそれがあります。このようなハーブおよび健康食品・サプリメントには，α-リポ酸，ニガウリ，クロム，デビルズクロー，フェヌグリーク，ニンニク，グアーガム，セイヨウトチノキ，朝鮮人参，サイリウム，エゾウコギなどがあります。

チアミン

生のツクシにはチアミンを分解するチアミナーゼが含まれています。ツクシを大量に食べた牛がチアミン欠乏症を発症した例があります。

使用量の目安

通常の食品に含まれている量を超えて経口摂取した場合の安全性および副作用については，明らかになっていません。

ツクバネソウ

HERB PARIS

別名ほか

ツクバネソウ属（Paris quadrifolia），パリス・クアドリフォリア，Einbeere，Herb-paris，One Berry，Tilki Uzumu，Uva De Raposa，Wang Sun

概　要

ツクバネソウは植物です。全体と実を用いて「くすり」を作ることもあります。

安 全 性

経口で服用する場合，安全ではありません。悪心，嘔吐，下痢，頭痛，瞳孔縮小，呼吸筋肉の麻痺，死亡といった副作用が起こります。

●妊娠中および母乳授乳期

妊娠中，母乳授乳期は使用してはいけません。

有 効 性

◆科学的データが不十分です

・頭痛，神経痛，触痛および痛みをともなう筋肉と関節，生殖器腫瘍，心臓の急激な拍動，筋痙攣への使用のほか，嘔吐を誘発する医薬品としての使用，または腸管の内容物排泄と洗浄のための使用。

●体内での働き

瞳孔を小さくしたり，呼吸を麻痺させ，止めたりする化合物を含んでいます。

医薬品との相互作用

ほかの医薬品との相互作用については明らかではありません。

ハーブおよび健康食品・サプリメントとの相互作用

ほかのハーブ，健康食品・サプリメントとの相互作用についてはまだ明らかではありません。

使用量の目安

標準使用量に関するデータがありません。

ツタ

WOODBINE

別名ほか

クレマチス属，センニチソウ属（Clematis），テッセン，カザグルマ（Traveler's Joy），ボタンヅル（and Virgin's Bower），Clematis virginiana，Devil's-darning-needle，Old Man's Beard，Vine Bower

概　　要

ツタはハーブです。葉と花を用いて「くすり」を作ることもあります。同じようにWoodbineと呼ばれることがあるアメリカンアイビー，ゲルセミウム，スイカズラと混同しないようにしてください。

安 全 性

経口摂取用や皮膚に塗る場合は安全ではありません。葉から出る汁は，口，胃，腸に強い刺激を与えます。

●妊娠中および母乳授乳期

妊娠中，母乳授乳期は使用してはいけません。

有 効 性

◆科学的データが不十分です

・皮膚ただれ，切創，かゆみ，性感染症，がん，腫瘍，発熱，腎障害，潰瘍，利尿薬，便秘，または結核。

●体内での働き

どのように作用するかについては十分なデータが得られていません。

医薬品との相互作用

ほかの医薬品との相互作用については明らかではありません。

ハーブおよび健康食品・サプリメントとの相互作用

ほかのハーブ，健康食品・サプリメントとの相互作用についてはまだ明らかではありません。

使用量の目安

●経口摂取

茶さじ山盛り1杯の葉と花を1カップの水に加え，30分おいたものを液として使用します。大さじ1杯を1日4～6回摂取します。

ツタウルシ

POISON IVY

別名ほか

ポイズンバイン（Poison Vine），Rhus toxicodendron，Markweed，Rhus radicans，Three-leafed Ivy，Toxicodendron pubescens，Toxicodendron quercifolium，Toxicodendron radicans，Toxicodendron toxicarium

概　　要

ツタウルシはハーブです。葉を用いて「くすり」を作ることもあります。

●要説（ナチュラル・スタンダード）

ツタウルシ（Toxicodendron radicans）は北米原産で，ほとんどの地域によく分布している植物です。葉は3出複葉で，季節に応じて大きさも色も変化します。春から夏にかけて，小さく赤い色をした葉は，そのうちに緑色になり，艶が出て，平坦になります。秋になると葉は，赤，オレンジ，黄色，あるいは茶色へと変化します。

アレルギー反応を引き起こす化合物を含んでいます。アメリカおよびカナダでは，もっとも一般的な皮疹の原因のひとつです。皮膚や目に触れたり，経口摂取や吸入により，深刻な反応を引き起こすおそれがあります。

安 全 性

安全ではありません。口，のど，胃腸内膜に強い刺激を与え，悪心，嘔吐，疝痛，下痢，めまい，血尿，発熱，昏睡を起こします。

皮膚に接触した場合は発赤，腫脹，水疱，重度の皮膚損傷，眼（角膜）の腫脹，あるいは失明などが起こる可能性があります。

燃やした場合にその煙を吸い込むと，発熱，肺感染症の発症や，死亡することがあります。

●妊娠中および母乳授乳期

妊娠中，母乳授乳期は使用してはいけません。

有 効 性

◆科学的データが不十分です

・疼痛。

●体内での働き

免疫系を刺激する強力な皮膚刺激物です。2度目に触れた場合にアレルギー反応を起こします。

医薬品との相互作用

ほかの医薬品との相互作用については明らかではありません。

ハーブおよび健康食品・サプリメントとの相互作用

ほかのハーブ，健康食品・サプリメントとの相互作用についてはまだ明らかではありません。

使用量の目安

標準使用量に関するデータがありません。

ツボクサ

GOTU KOLA

別名ほか

壺草（Tsubo-kusa），インディアンペニーワート（Indian Pennywort），センテラアシアティカ，ブラーミ，ゴツコラ，センテラ（Centella asiatica），ゴトゥコラ，ゴーツコーラ（Hydrocotyle asiatica），Brahma-Buti, Brahma-Manduki, Centellase, Gota Kola, Indischer Wassernabel, Indian Water Navelwort, Luei Gong Gen, Madecassol, Mandukaparni, Manduk Parani, Marsh Penny, Talepetrako, Thick-Leaved Pennywort, TTFCA, Tungchian, White Rot, Centella coriacea

概　　要

ツボクサはハーブです。地上部を用いて「くすり」を作ることもあります。

●要説（ナチュラル・スタンダード）

ツボクサは，多年生匍匐（ほふく）植物であるCentella asiatica（以前はHydrocotyle asiaticaとして知られていました）に由来する，パセリ科の一種です。インド，マダガスカル，スリランカ，アフリカ，オーストラリア，中国とインドネシアに生息します。

ツボクサは，古代中国やインドのアーユルヴェーダ医療にさかのぼるほどに，長い使用の歴史があります。ツボクサは，中国でおよそ2,000年以上前に編纂された『Shennong Herbal』に記載され，西暦1700年から医薬品として広く使われてきました。1852年以降，モーリシャスではハンセン病の治療に，フィリピンでは傷と淋病の治療に，中国では熱と呼吸器感染症の治療に使用されてきました。

米国でもっとも人気のあるツボクサの使用は，静脈瘤または蜂窩織炎の治療です。慢性静脈機能不全（おそらく静脈弁膜性機能不全または血栓症後症候群による下肢浮腫，静脈瘤，痛み，かゆみ，皮膚萎縮と潰瘍が特徴的な症候群）の治療において，Centella asiatica（TTFCA）の総トリテルペン酸分画が短期的（6～12カ月）に有効なことを示唆する予備的なエビデンスがあります。

ツボクサの有効性に関して人体への良質なエビデンスは不十分ですが，ツボクサは現在，皮膚クリーム，ローション，ヘア・コンディショナー，シャンプー，タブレット，滴剤，軟膏，粉，注射液の構成要素として世界中に普及しています。ツボクサは，コーラナッツ（コーラ幼虫目，Cola acuminata）とは関係がありません。ツボクサは興奮薬ではなく，カフェインは含まれていません。

安　全　性

ツボクサは，皮膚への塗布は最長12カ月間まで，経口摂取は最長８週間までの使用であれば，ほとんどの人におそらく安全です。経口摂取すると，吐き気および胃痛を引き起こしたり，まれに肝障害を引き起こしたりするおそれがあります。皮膚へ塗布すると，そう痒および発赤を引き起こすおそれがあります。

肝疾患：ツボクサが肝障害を引き起こすおそれがあります。肝炎などの肝疾患のある人は，摂取を避けてください。肝疾患が悪化するおそれがあります。

手術：ツボクサを手術中・手術後に使用される医薬品と併用すると，過度の眠気を引き起こすおそれがあります。少なくとも手術前２週間は，使用しないでください。

●妊娠中および母乳授乳期

妊娠中にツボクサを皮膚に塗布する場合，おそらく安全です。しかし，経口摂取してはいけません。経口摂取の安全性についてはデータが不十分です。母乳授乳期のツボクサの使用の安全性についてもデータが不十分です。授乳している場合は，使用を避けてください。

有　効　性

◆有効性レベル③

・静脈血流不全症（下肢から心臓への血液の戻りが低下する疾患）。足の血流の悪い人が，ツボクサまたは特定のツボクサエキスを４～８週間にわたり摂取すると，血流が改善し，腫脹が緩和するようです。

◆科学的データが不十分です

・動脈硬化，精神機能，航空機による移動中の下肢血栓の予防，糖尿病患者の血液循環の増大，ケロイド，瘢痕，住血吸虫症，妊娠線，創傷治癒，不安，感冒，インフルエンザ，下痢，疲労，肝炎，消化不良，黄疸，日射病，扁桃炎，尿路感染（UTI）など。

●体内での働き

ツボクサには，炎症を抑え血圧を低下させると考えられているある種の化学物質が含まれています。また，創傷の治癒に重要なコラーゲンの生成を促進するようです。

医薬品との相互作用

中 肝臓を害する可能性のある医薬品

ツボクサは肝臓を害する可能性があります。ツボクサと肝臓を害する可能性のある医薬品を併用すると，肝障害のリスクが高まるおそれがあります。このような医薬品には，アセトアミノフェン，アミオダロン塩酸塩，カルバマゼピン，イソニアジド，メトトレキサート，メチ

ツ

ルドパ水和物，フルコナゾール，イトラコナゾール，エリスロマイシン，フェニトイン，Lovastatin，プラバスタチンナトリウム，シンバスタチンなど数多くあります。

中鎮静薬（中枢神経抑制薬）

多量のツボクサは眠気および注意力低下を引き起こす可能性があります。鎮静薬は眠気を引き起こす医薬品です。ツボクサと鎮静薬を併用すると，過度の眠気を引き起こすおそれがあります。このような鎮静薬には，クロナゼパム，ロラゼパム，フェノバルビタール，ゾルピデム酒石酸塩などがあります。

ハーブおよび健康食品・サプリメントとの相互作用

眠気を引き起こすおそれのあるハーブおよび健康食品・サプリメント

ツボクサは眠気を引き起こすおそれがあります。同様の作用のあるハーブおよび健康食品・サプリメントと併用すると，過度の眠気を引き起こすおそれがあります。このようなハーブおよび健康食品・サプリメントには，5-ヒドロキシトリプトファン，ショウブ，ハナビシソウ，キャットニップ，ホップ，ジャマイカ・ドッグウッド，カバ，セント・ジョンズ・ワート，バイカルスカルキャップ，カノコソウ，アネモプシス・カリフォルニカなどがあります。

肝障害を引き起こすおそれのあるハーブおよび健康食品・サプリメント

ツボクサは肝障害を引き起こすおそれがあります。肝障害を引き起こすおそれのあるほかのハーブおよび健康食品・サプリメントと併用すると，肝障害を引き起こすリスクが高まるおそれがあります。肝障害を起こすおそれのあるハーブおよび健康食品・サプリメントには，アンドロステンジオン，チャパラル，コンフリー，デヒドロエピアンドロステロン，ジャーマンダー，ニコチン酸，ペニーロイヤル，紅麹などがあります。

使用量の目安

【成人】

●経口摂取

静脈血流不全症

ツボクサのエキス１日60～180mgを摂取します。

ツリーターメリック

TREE TURMERIC

●代表的な別名

ベルベリス・アリスタタ

別名ほか

ベルベリス・アリスタタ，Berberis chitria，Berberis coriaria，Chitra，Darhahed，Hint Amberparisi，Indian Lycium，Nepal Barberry Nepalese Barberry，Ophthalmic Barberry

概　要

ツリーターメリックは植物です。実，茎，葉，木部繊維，根，および根の皮を用いて「くすり」を作ることがあります。

安 全 性

十分なデータが得られていないため，薬用量が安全かどうかは不明です。

新生児には安全ではありません。

●妊娠中および母乳授乳期

妊娠中，母乳授乳期は使用してはいけません。

有 効 性

◆科学的データが不十分です

・心不全，胸やけ，トラコーマ（失明を引き起こす可能性がある眼の感染症）など。

●体内での働き

ツリーターメリックに含まれる化合物は心拍を速めることがあります。また，抗菌作用もあるようです。

医薬品との相互作用

高シクロスポリン

シクロスポリンは体内で代謝されてから排泄されます。ツリーターメリックはシクロスポリンの代謝を抑制する可能性があります。そのため，体内のシクロスポリンの量が増加し，副作用のリスクが高まるおそれがあります

中肝臓で代謝される医薬品（シトクロムP450 3A4（CYP3A4）の基質となる医薬品）

特定の医薬品は肝臓で代謝されます。ツリーターメリックはこのような医薬品の代謝を抑制する可能性があります。ツリーターメリックと肝臓で代謝される医薬品を併用すると，医薬品の作用および副作用を増強するおそれがあります。このような医薬品には，Lovastatin，クラリスロマイシン，インジナビル硫酸塩エタノール付加物（販売中止），シルデナフィルクエン酸塩，トリアゾラムなど数多くあります。

中デキストロメトルファン臭化水素酸塩水和物

デキストロメトルファン臭化水素酸塩水和物は体内で代謝されてから排泄されます。ツリーターメリックはデキストロメトルファン臭化水素酸塩水和物の代謝を抑制する可能性があります。ツリーターメリックとデキストロメトルファン臭化水素酸塩水和物を併用すると，デキストロメトルファン臭化水素酸塩水和物の作用および副作用を増強させるおそれがあります。

中肝臓で代謝される医薬品（シトクロムP450 2C9（CYP2C9）の基質となる医薬品）

特定の医薬品は肝臓で代謝されます。ツリーターメリックはこのような医薬品の代謝を抑制する可能性があ

ります。ツリーターメリックと肝臓で代謝される医薬品を併用すると，医薬品の作用および副作用が増強するおそれがあります。このような医薬品には，セレコキシブ，ジクロフェナクナトリウム，フルバスタチンナトリウム，Glipizide，イブプロフェン，イルベサルタン，ロサルタンカリウム，フェニトイン，ピロキシカム，タモキシフェンクエン酸塩，トルブタミド（販売中止），トラセミド，ワルファリンカリウムなどがあります。

中 肝臓で代謝される医薬品（シトクロムP450 2D6（CYP2D6）の基質となる医薬品）

特定の医薬品は肝臓で代謝されます。ツリーターメリックはこのような医薬品の代謝を抑制する可能性があります。ツリーターメリックと肝臓で代謝される医薬品を併用すると，医薬品の作用および副作用が増強するおそれがあります。このような医薬品には，アミトリプチリン塩酸塩，コデインリン酸塩水和物，塩酸デシプラミン（販売中止），フレカイニド酢酸塩，ハロペリドール，イミプラミン塩酸塩，メトプロロール酒石酸塩，オンダンセトロン塩酸塩水和物，パロキセチン塩酸塩水和物，リスペリドン，トラマドール塩酸塩，ベンラファキシン塩酸塩などがあります。

中 降圧薬

ツリーターメリックは，人によっては血圧を低下させる可能性があります。ツリーターメリックと降圧薬を併用すると，血圧が過度に低下するおそれがあります。このような降圧薬には，カプトプリル，エナラプリルマレイン酸塩，ロサルタンカリウム，バルサルタン，ジルチアゼム塩酸塩，アムロジピンベシル酸塩，ヒドロクロロチアジド，フロセミドなど数多くあります。

中 血液凝固を抑制する医薬品（抗凝固薬/抗血小板薬）

ツリーターメリックは血液凝固を抑制する可能性があります。ツリーターメリックと血液凝固を抑制する医薬品を併用すると，紫斑および出血のリスクが高まるおそれがあります。このような医薬品には，アスピリン，シロスタゾール，クロピドグレル硫酸塩，ダルテパリンナトリウム，エノキサパリンナトリウム，ヘパリン，チクロピジン塩酸塩などがあります。

中 ミダゾラム

ミダゾラムは体内で代謝されてから排泄されます。ツリーターメリックはミダゾラムの代謝を抑制する可能性があります。ツリーターメリックとミダゾラムを併用すると，ミダゾラムの作用および副作用が増強するおそれがあります。

中 ペントバルビタールカルシウム

ペントバルビタールカルシウムは眠気を引き起こす医薬品です。ツリーターメリックも眠気および注意力低下を引き起こす可能性があります。ツリーターメリックとペントバルビタールカルシウムを併用すると，過度の眠気を引き起こすおそれがあります。

中 鎮静薬（中枢神経抑制薬）

ツリーターメリックは眠気および注意力低下を引き起こす可能性があります。鎮静薬は眠気を引き起こす医薬品です。ツリーターメリックと鎮静薬を併用すると，過度の眠気を引き起こすおそれがあります。このような鎮静薬には，ベンゾジアゼピン系鎮静薬，ペントバルビタールカルシウム，フェノバルビタール，セコバルビタールナトリウム，チオペンタールナトリウム，フェンタニルクエン酸塩，モルヒネ塩酸塩水和物，プロポフォールなどがあります。

中 タクロリムス水和物

タクロリムス水和物は免疫抑制薬です。タクロリムス水和物は肝臓を経由して体内から排泄されます。ツリーターメリックはタクロリムス水和物の排泄を抑制する可能性があります。そのため，タクロリムス水和物の作用および副作用が増強するおそれがあります。

中 糖尿病治療薬

ツリーターメリックは血糖値を低下させる可能性があります。糖尿病治療薬も血糖値を低下させるために用いられます。ツリーターメリックと糖尿病治療薬を併用すると，血糖値が過度に低下するおそれがあります。血糖値を注意深く監視してください。糖尿病治療薬の用量を変更する必要があるかもしれません。このような糖尿病治療薬には，グリメピリド，グリベンクラミド，メトホルミン塩酸塩，ピオグリタゾン塩酸塩，マレイン酸ロシグリタゾン（販売中止），クロルプロパミド，Glipizide，トルブタミド（販売中止）などがあります。

ハーブおよび健康食品・サプリメントとの相互作用

ほかのハーブ，健康食品・サプリメントとの相互作用についてはまだ明らかではありません。

使用量の目安

標準使用量に関するデータがありません。

ツルウメモドキ

AMERICAN BITTERSWEET

別名ほか

Celastrus scandens, False Bittersweet, Waxwork

概　要

ツルウメモドキは植物です。根と皮を用いて「くすり」を作ることもあります。

安 全 性

十分なデータが得られていないので，安全性および副作用については不明です。

●妊娠中および母乳授乳期

妊娠中および母乳授乳期の使用の安全性についてはデータが不十分です。安全性を考慮し，摂取は避けてく

ツ

有効性レベル：①効きます　②おそらく効きます　③効くと断言できませんが、効能の可能性が科学的に示唆されています　④効かないかもしれません　⑤おそらく効きません　⑥効きません

ださい。

有　効　性

◆科学的データが不十分です

・関節症，月経不順，肝障害，体液貯留，発汗など。

●体内での働き

どのように作用するかについては十分なデータが得られていません。

医薬品との相互作用

ほかの医薬品との相互作用については明らかではありません。

ハーブおよび健康食品・サプリメントとの相互作用

ほかのハーブ，健康食品・サプリメントとの相互作用についてはまだ明らかではありません。

使用量の目安

標準使用量に関するデータがありません。

ツルニチニチソウ

PERIWINKLE

別名ほか

コモン・ペリウィンクル（Common Periwinkle），レッサー・ペリウィンクル（Lesser Periwinkle），ペリウィンクル，ビンカ・マイナー（Vinca Minor），Earlyflowering, Evergreen, Myrtle, Small Periwinkle, Vincae Minoris Herba，Wintergreen

概　　要

ツルニチニチソウはハーブです。地上部を用いて「くすり」を作ることもあります。

●要説（ナチュラル・スタンダード）

ツルニチニチソウ（ツルニチニチソウ属）およびニチニチソウ（Catharanthus spp.）はともに，キョウチクトウ科の植物です。ニチニチソウは，かつてはツルニチニチソウ属（Vinca rosea）に分類されていましたが，現代では別の種類に分類されています。ツルニチニチソウとニチニチソウは外見が似ており，どちらも一般的にツルニチニチソウと呼ばれています。

北アメリカおよびオーストラリアでは，ツルニチニチソウを浸入雑草とみなす地域もあり，装飾用のグランド・カバーとしてはあまり栽培されなくなりつつあります。ニチニチソウも一般的に装飾用植物として用いられますが，気温が華氏41度（摂氏５度）を下回らない亜熱帯の環境でしか繁殖しません。

２種類とも，アルカロイドを生産します。アルカロイドは，糖尿病，がん，高血圧症，脳卒中など，多岐にわたる疾患の治療のために研究がなされ，実際の治療にも用いられています。

ツルニチニチソウにはビンカ・アルカロイドが含まれているため，栄養補助食品としての摂取は推奨されていません。ビンカ・アルカロイドは，肝臓，腎臓，および神経に対するダメージを引き起こすおそれがあります。また，死に至るおそれがあります。

安　全　性

使用は安全ではなく，悪心，嘔吐，そのほか胃腸症状などの副作用が起こる可能性があります。また，神経障害，腎障害，肝障害が起こることもあります。

大量に摂取すると血圧が非常に下がることがあります。

低血圧症，高血圧症，便秘，２週間以内に手術を受ける予定の人は使用してはいけません。

●妊娠中および母乳授乳期

妊娠中，母乳授乳期は使用してはいけません。

有　効　性

◆科学的データが不十分です

・脳障害の予防，扁桃炎，咽喉痛，腸の炎症（腫脹），歯痛，胸部痛，創傷，高血圧症など。

●体内での働き

血圧を下げます。また，炎症（腫脹）を抑え，組織の収れん効果もあります。

医薬品との相互作用

中降圧薬

ツルニチニチソウは血圧を低下させる作用があると考えられています。ツルニチニチソウと降圧薬を併用すると，血圧が下がりすぎるおそれがあります。このような降圧薬にはカプトプリル，エナラプリルマレイン酸塩，ロサルタンカリウム，バルサルタン，ジルチアゼム塩酸塩，アムロジピンベシル酸塩，ヒドロクロロチアジド，フロセミドなど多くの医薬品があります。

ハーブおよび健康食品・サプリメントとの相互作用

ほかのハーブ，健康食品・サプリメントとの相互作用についてはまだ明らかではありません。

使用量の目安

●経口摂取

１回３～10滴のエキス薬（グリセリンおよびアルコールを含有）を水に加えて，１日２～３回摂取します。

ツルニンジン

CODONOPSIS

●代表的な別名

ジイソブ

別名ほか

蔓ニンジン，トウジン，党参（Dangshen），ジイソブ（Bonnet Bellflower），ヒカゲノツルニンジン（Codonopsis Pilosula），Bastard Ginseng，Bellflower，Codonopsis Tangshen，Codonopsis Tubulosa，Radix Codonopsis

概　　要

ツルニンジンはハーブです。根を用いて「くすり」を作ることもあります。

●要説（ナチュラル・スタンダード）

ツルニンジンは，アジア原産の小さな多年生植物です。とくに中国の山西省および四川省では豊富です。中国では，肺および脾臓の強壮薬として用いたり，血液を強化し滋養を与え，代謝機能を整えるために2,000年以上も用いられています。

昔から，朝鮮人参と似た特性があるとされています。ツルニンジンの中国名はdangshen（トウジン）であることからも，シャンタン地方の朝鮮人参であることがわかります。Shenという語は朝鮮人参や朝鮮人参に似たハーブを指す言葉です。朝鮮人参のようにツルニンジンは，ストレスに耐える能力を非特異的に調整し向上させる物質で，適応促進薬といわれています。適応促進薬は，全身の病気に対する抵抗力を高め，体の全体的な機能を向上させます。体力，スタミナおよび注意力の向上，元気回復，免疫系増強，慢性疾患の補助的治療，ストレス軽減，食欲促進など全身に対する効果があるとされています。

現時点では，いずれの疾患に対しても，ツルニンジンの有効性を支持するヒトを対象とした質の高いエビデンスは十分ではありません。

安　全　性

ツルニンジンは，適量を経口摂取する場合，ほとんどの人におそらく安全です。

出血性疾患：ツルニンジンが血液凝固を抑制し出血リスクを高めるおそれがあります。理論上，出血性疾患が悪化するおそれがあります。

手術：ツルニンジンが血液凝固を抑制するおそれがあります。理論上，手術中・手術後の出血リスクが高まるおそれがあります。少なくとも手術前２週間は，使用しないでください。

●妊娠中および母乳授乳期

妊娠中および母乳授乳期の使用の安全性についてはデータが不十分です。安全性を考慮し，摂取は避けてください。

有　効　性

◆科学的データが不十分です

・HIV感染，がん治療における放射線の副作用に対する防護，脳障害，食欲減退，下痢，気管支喘息，咳，糖尿病など。

●体内での働き

ツルニンジンは中枢神経系を刺激するようです。体重増加を促進し，持久力を高めます。また，赤血球数，白血球数を増やし，血液の循環をよくします。

医薬品との相互作用

中 血液凝固を抑制する医薬品（抗凝固薬/抗血小板薬）

ツルニンジンは血液凝固を抑制する可能性があります。ツルニンジンと血液凝固を抑制する医薬品を併用すると，紫斑および出血のリスクが高まるおそれがあります。このような医薬品にはアスピリン，クロピドグレル硫酸塩，ダルテパリンナトリウム，エノキサパリンナトリウム，ヘパリン，チクロピジン塩酸塩，ワルファリンカリウムなどがあります。

ハーブおよび健康食品・サプリメントとの相互作用

血液凝固を抑制するおそれのあるハーブおよび健康食品・サプリメント

ツルニンジンを，血液凝固を抑制するほかのハーブおよび健康食品・サプリメントと併用すると，人によっては出血のリスクが高まるおそれがあります。このようなハーブおよび健康食品・サプリメントには，アンゼリカ，ニンニク，ショウガ，イチョウ，朝鮮人参，レッドクローバー，ウコン，ヤナギなどがあります。

使用量の目安

通常の食品に含まれている量を超えて経口摂取した場合の安全性および副作用については，明らかになっていません。

テアクリン

THEACRINE

別名ほか

1,3,7,9-Tetramethylpurine-2,6,8-trione，1,3,7,9-Tetramethyluric Acid，Tetramethyluric Acid

概　　要

テアクリンはカフェインに似た天然化学物質で，さまざまな種類のコーヒーや茶，HerraniaおよびTheocrama種の植物の種子に含まれています。伝統的に長寿や感冒の治療に使用されているcamellia assamica var kuchaという茶植物にもカメリアは含まれています。

加齢，感冒，疲労，精神活動の場合に，テアクリンを経口摂取します。ほかにも運動能力を向上する目的で運動前に摂取するサプリメントにテアクリンが添加されて

有効性レベル：①効きます　②おそらく効きます　③効くと断言できませんが、効能の可能性が科学的に示唆されています
④効かないかもしれません　⑤おそらく効きません　⑥効きません

います。

安　全　性

テアクリンの安全性および副作用については，データが不十分です。

●妊娠中および母乳授乳期

妊娠中および母乳授乳期の使用の安全性についてはデータが不十分です。安全性を考慮し，摂取は避けてください。

有　効　性

◆科学的データが不十分です

・精神活動，体力，加齢，感冒，疲労など。

●体内での働き

テアクリンは脳にカフェインとほぼ同じ影響を及ぼすようです。カフェイン同様，テアクリンは高用量で中枢神経系を刺激し，低用量では中枢神経系の活性を低下させます。ただし，カフェインと異なり，テアクリンは血圧には影響を及ぼさないようです。また，テアクリンはストレスによる肝障害を軽減し，疼痛や腫脹を緩和するようです。

医薬品との相互作用

中鎮静薬（中枢神経抑制薬）

テアクリンは眠気および注意力低下を引き起こす可能性があります。鎮静薬は眠気を引き起こす医薬品です。テアクリンと鎮静薬を併用すると，過度の眠気を引き起こすおそれがあります。このような鎮静薬にはベンゾジアゼピン系薬，ペントバルビタールカルシウム，フェノバルビタール，セコバルビタールナトリウム，チオペンタールナトリウム，オピオイド，プロポフォールなどがあります。

ハーブおよび健康食品・サプリメントとの相互作用

ほかのハーブ，健康食品・サプリメントとの相互作用についてはまだ明らかではありません。

使用量の目安

通常の食品に含まれている量を超えて経口摂取した場合の安全性および副作用については，明らかになっていません。

テアニン

THEANINE

●代表的な別名

γ-グルタミルエチルアミド

別名ほか

L-テアニン（L-Theanine），Gamma-Glutamylethylamide，5-N-Ethylglutamine

概　要

テアニンは，緑茶に含まれるアミノ酸（タンパク質の構成成分）です。

●要説（ナチュラル・スタンダード）

テアニンは，お茶に自然に含まれるアミノ酸です。カフェインを除けば，テアニンはお茶の主要構成要素であることが確認されています。より新鮮で新しいお茶の葉にはカフェインがより豊富に含まれる傾向がある一方，古い葉にはより多いテアニンが含まれる傾向にあります。さらに，お茶生産時の乾燥プロセスでも，テアニン含有量は増加します。

テアニンが精神的な行動に影響を及ぼし，また血圧を低くすることを示唆するエビデンスがあります。単独と，カフェインと併用される場合の認知に及ぼす効果について研究されています。

安　全　性

テアニンの経口摂取は，短期間であれば，おそらく安全です。最大250mgを週１回の用量で，３週間安全に使用されています。そのほか，テアニンとそのほかの緑茶成分を含む特定の併用製品が，１日１回の摂取で最長５カ月間まで安全に使用されています。長期間使用する場合の安全性については，データが不十分です。テアニンは，頭痛など軽度の有害作用を引き起こすおそれがあります。

小児：テアニンは小児におそらく安全です。200mgを１日２回の用量で，最長６週間まで安全に使用されています。

低血圧：テアニンは血圧を低下させる可能性があります。理論上は，低血圧になりやすい人がテアニンを摂取すると，血圧が過度に低下するリスクが高まるおそれがあります。低血圧の場合には，テアニンの使用を開始する前に医師などに相談してください。

●妊娠中および母乳授乳期

妊娠中および母乳授乳期の使用の安全性についてはデータが不十分です。安全性を考慮し，摂取は避けてください。

有　効　性

◆有効性レベル③

・精神機能。試験実施前にテアニンを摂取すると，誤答率が低下する可能性があることが初期の研究で示されています。また，テアニンとカフェインを併用摂取すると，精神的覚醒が増大し，異なる作業間で注意を切り替える能力が改善することがほとんどの研究で示されています。

◆科学的データが不十分です

・注意欠陥多動障害（ADHD），インフルエンザ，ストレスなど。

●体内での働き

テアニンの化学構造はグルタミン酸塩とよく似ています。グルタミン酸塩は体内に存在するアミノ酸で，脳内の神経インパルスの伝達を補助します。テアニンは，グルタミン酸塩と同様の作用とグルタミン酸塩を遮断する作用の両方をもっているようです。また，GABA，ドーパミン，セロトニンなどの脳内化学物質に影響を及ぼす可能性があります。

医薬品との相互作用

中降圧薬

テアニンは血圧を低下させる可能性があります。テアニンと降圧薬を併用すると，血圧が過度に低下するおそれがあります。このような降圧薬にはカプトプリル，エナラプリルマレイン酸塩，ロサルタンカリウム，バルサルタン，ジルチアゼム塩酸塩，アムロジピンベシル酸塩，ヒドロクロロチアジド，フロセミドなど多くあります。

中興奮薬

興奮薬は神経系を亢進させます。神経系を亢進させることにより，興奮薬は神経を過敏にして心拍数を上昇させる可能性があります。テアニンは神経系を鎮静させる可能性があります。テアニンと興奮薬を併用すると，興奮薬の効果を弱めるおそれがあります。このような興奮薬にはDiethylpropion，エピネフリン，Phentermine，塩酸プソイドエフェドリンなど数多くあります。

ハーブおよび健康食品・サプリメントとの相互作用

カフェインを含むハーブおよび健康食品・サプリメント

テアニンは，カフェインおよびカフェインを含むハーブおよび健康食品・サプリメントの興奮作用を遮断するおそれがあります。カフェインを含むハーブおよび健康食品・サプリメントには，コーヒー，紅茶，ウーロン茶，ガラナ豆，マテ，コーラなどがあります。

血圧を低下させるおそれのあるハーブおよび健康食品・サプリメント

テアニンは血圧を低下させるようです。同様の作用をもつほかのハーブおよび健康食品・サプリメントと併用すると，血圧が過度に低下するおそれがあります。このようなハーブおよび健康食品・サプリメントには，アンドログラフィス，カゼイン・ペプチド，キャッツクロー，コエンザイムQ-10，魚油，L-アルギニン，クコ，イラクサなどがあります。

使用量の目安

●経口摂取

精神機能

試験実施前にテアニン100mgを単回摂取します。カフェインと併用で用いる場合は，カフェイン30～100mg，テアニン12～100mgの範囲で併用します。

デアノル

DEANOL

●代表的な別名

2-ジメチルアミノエタノール

別名ほか

ジメチルアミノエタノール（Dimethylaminoethanol），ディーエムエービー（DMAE），2-ジメチルアミノエタノール（2-dimethyl Aminoethanol），Deanol Aceglumate，Deanol Acetamidobenzoate，Deanol Benzilate，Deanol Bisorcate，Deanol Cyclohexylpropionate，Deanol Hemisuccinate，Deanol Pidolate，Deanol Tartrate，2-dimethylaminoethanol，Dimethylethanolamine

テ

概　要

デアノルは，脳や体内のそのほかの部分に存在する化合物アセチルコリンを作るために用いられる，体内物質コリンの前駆体です。

安 全 性

経口での服用と皮膚への塗布はほとんどすべての人にとって安全です。

経口で摂取した場合に，便秘，かゆみ，頭痛，眠気，不眠，刺激過度，鮮明な夢，精神錯乱，意気消沈，血圧上昇，統合失調症の徴候，顔や口の意図せぬ動きといった副作用が起こることがあります。

統合失調症，うつ病，発作性疾患の場合は使用してはいけません。

●妊娠中および母乳授乳期

妊娠中および母乳授乳期の使用の安全性についてはデータが不十分です。安全性を考慮し，使用は控えてください。

有 効 性

◆有効性レベル③

・運動能力の改善（朝鮮人参，ビタミン，ミネラルと併用する場合）。

◆有効性レベル④

・アルツハイマー病。
・顔や口の意図しない動き（遅発性ジスキネジア）。

◆科学的データが不十分です

・注意欠陥多動性障害を含むあらゆる医学的な症状，老化した皮膚，記憶と気分の減退，知能および体力エネルギーの向上，老化または肝斑の予防，赤血球機能の改善，筋肉反射の改善，酸素効率の向上，寿命の延長，および自閉症の治療。

●体内での働き

デアノルは，化合物コリンを生成するのに必要です。

体内のコリン増加はアセチルコリン生成を増やすようで，脳と神経系機能に関与します。

医薬品との相互作用

低口渇作用などの乾燥作用のある医薬品（抗コリン薬）

抗コリン薬と呼ばれる医薬品があります。デアノルと抗コリン薬は作用が拮抗するため，併用すると，抗コリン薬の作用が減少する可能性があります。このような医薬品にはアトロピン硫酸塩水和物，スコポラミン臭化水素酸塩水和物，特定のアレルギー治療薬（抗ヒスタミン薬），特定の抗うつ薬などがあります。

低緑内障，アルツハイマー病などに使用される医薬品（コリン作動薬）

デアノルはアセチルコリンと呼ばれる生理活性物質の量を増やす可能性があります。アセチルコリンの作用は，緑内障，アルツハイマー病など使用される医薬品（コリン作動薬）に類似しています。併用すると副作用が現れるリスクが高まると考えられます。このような医薬品には，ピロカルピン塩酸塩などがあります。

ハーブおよび健康食品・サプリメントとの相互作用

ほかのハーブ，健康食品・サプリメントとの相互作用についてはまだ明らかではありません。

使用量の目安

●経口摂取

臨床試験によると，１日300〜2,000mgの範囲で摂取されます。

●局所投与

加齢肌

３％ゲルを使用します。

テアフラビン

THEAFLAVIN

別名ほか

Theaflavins，Theaflavin-3-gallate，Theaflavin-3'-gallate，Theaflavin-3-3'-digallate

概　　要

テアフラビンは，緑茶を発酵させて作る紅茶の中にある化合物です。

安　全　性

テアフラビンのサプリメントを摂取することが安全かどうかについては，十分なデータがありません。

●妊娠中および母乳授乳期

妊娠中，母乳授乳期は使用してはいけません。

有　効　性

●体内での働き

体外実験と動物実験では，テアフラビンに抗酸化，抗ウイルス，抗がん作用が認められています。ヒトへの作用に関してはまだ研究されていません。

医薬品との相互作用

中糖尿病治療薬

テアフラビンは血糖値を低下させる可能性があります。糖尿病治療薬も血糖値を低下させるために用いられます。テアフラビンと糖尿病治療薬を併用すると，血糖値が過度に低下するおそれがあります。しかし，この相互作用が大きな問題であるかどうかについてはさらにエビデンスが必要です。血糖値を注意深く監視してください。このような糖尿病治療薬には，グリメピリド，グリベンクラミド，インスリン，ピオグリタゾン塩酸塩，マレイン酸ロシグリタゾン（販売中止），クロルプロパミド，Glipizide，トルブタミド（販売中止）などがあります。

中細胞内のポンプによって輸送される医薬品（有機アニオン輸送ポリペプチドの基質となる医薬品）

特定の医薬品は細胞内のポンプによって輸送されます。テアフラビンはポンプの働きを変化させ，このような医薬品の体内への吸収量を減少させる可能性があります。そのため，医薬品の効果が弱まるおそれがあります。このような医薬品には，ボセンタン水和物，セリプロロール塩酸塩，エトポシド，フェキソフェナジン塩酸塩，ニューキノロン系抗菌薬，グリベンクラミド，イリノテカン塩酸塩水和物，メトトレキサート，ナドロール，パクリタキセル，サキナビルメシル酸塩，リファンピシン，スタチン系薬，Talinolol，トラセミド，トログリタゾン（販売中止），バルサルタンなどがあります。

ハーブおよび健康食品・サプリメントとの相互作用

ほかのハーブ，健康食品・サプリメントとの相互作用についてはまだ明らかではありません。

使用量の目安

標準使用量に関するデータがありません。

ディアタング

DEERTONGUE

別名ほか

ディアーズタング（Deer's Tongue），ハウンズタング（Hound's Tongue），バニラリーフ（Vanilla Leaf），ワイルドバニラ（Wild Vanilla），Carolina Vanilla，Carphephorus odoratissimus，Trilisa odoratissima，Vanilla Plant，Vanilla Trilisa

概　要

ディアタングは植物です。葉を乾燥させて「くすり」を作ることもあります。

安 全 性

使用は安全ではありません。肝障害や出血を起こすことがあります。血液凝固異常のある人は使用してはいけません。

２週間以内に手術を受ける予定の人は使用してはいけません。出血のリスクが高まります。

●アレルギー

ブタクサ，デイジー，キク，マリーゴールド，そのほか多くのキク科の植物にアレルギーのある人は使用してはいけません。

●妊娠中および母乳授乳期

妊娠中，母乳授乳期は使用してはいけません。

有 効 性

◆科学的データが不十分です

・マラリア。

●体内での働き

血糖値を下げ，肝障害を起こすクマリンを含んでいます。医薬品として使用した場合にどのように作用するのか，十分なデータが得られていません。

医薬品との相互作用

中 血液凝固を抑制する医薬品（抗凝固薬/抗血小板薬）

ディアタングは血液の凝固を抑える作用があると考えられています。血液凝固を抑制する医薬品を服用しているときにディアタングを摂取すると，紫斑および出血のリスクが高まるおそれがあります。このような医薬品には，アスピリン，クロピドグレル硫酸塩，ジクロフェナクナトリウム，イブプロフェン，ナプロキセン，ダルテパリンナトリウム，エノキサパリンナトリウム，ヘパリン，ワルファリンカリウムなどがあります。

ハーブおよび健康食品・サプリメントとの相互作用

ほかのハーブ，健康食品・サプリメントとの相互作用についてはまだ明らかではありません。

使用量の目安

標準使用量に関するデータがありません。

DHA（ドコサヘキサエン酸）

DOCOSAHEXAENOIC ACID

別名ほか

オメガ脂肪酸（Omega Fatty Acid），オメガ-3脂肪酸（Omega-3 Fatty Acids），ニューロミン（Neuromins），Fish Oil Fatty Acid，N-3 Fatty Acid，Omega-3 Fatty Acid

概　要

DHA（ドコサヘキサエン酸）は脂肪酸で，サバ，ニシン，マグロ，オヒョウ，サケなど冷水魚の肉，タラ肝臓，クジラ皮下脂肪，アザラシ皮下脂肪などに含まれています。藻類により生成されるものもあります。

DHAとEPA（エイコサペンタエン酸）を混同しないようにしてください。いずれも魚油に含まれていますが，同じものではありません。DHAは体内でわずかな量がEPAに変換されます。魚油とEPAについては，それぞれの項目を参照してください。

DHAは，未熟児用のサプリメントとして，また精神発達を促す目的で生後１年間の乳児用調合乳の成分として用いられます。そのほか肺疾患，湿疹や花粉症などのアレルギー性疾患，下痢を予防する目的で乳児用調合乳に用いられます。こうした利用法はDHAが母乳に天然に含まれていることから始められたようです。DHAとアラキドン酸を併用で用いることもあります。

DHAはまた，健康な人や精神機能障害のある人の精神機能を改善する目的で，単独またはEPAと併用で経口摂取されます。認知症や加齢にともなう精神機能低下のある人の精神機能を改善する目的にも用いられます。そのほか注意欠陥多動障害（ADHD），うつ病，攻撃的行動，アルツハイマー病，自閉症に対して，また抗精神病薬の服薬を中止した統合失調症患者の再発予防の目的で経口摂取されます。

糖尿病，冠動脈疾患（CAD），脳卒中，高コレステロール血症，高脂血症，高血圧，乳がんや前立腺がんなどのがんに対して経口摂取されます。また，非アルコール性脂肪性肝炎，肥満，耳感染，小児の学習障害に対して用いられます。

視力の改善，加齢黄斑変性（AMD）の予防，網膜色素変性症の治療，のう胞性線維症患者のDHA値の上昇の目的で用いられることもあります。

DHAは，心疾患の予防および回復，心調律の安定，心臓手術後の脈拍異常，月経痛，ループス，特定の肝疾患の予防など，さまざまな疾患に対して，EPAと併用で経口摂取されます。EPAとDHAはまた，10代の片頭痛，ベーチェット症候群，乾癬，レイノー症候群，関節リウマチ，双極性障害，潰瘍性大腸炎を予防する目的で併用されます。

月見草油，タイム油，ビタミンEと併用して，統合運動障害のある小児の運動異常症を改善する目的に用いられることもあります。

安 全 性

DHAの経口摂取は，ほとんどの人（成人および小児）に安全のようです。研究では最長４年間まで安全に使用されています。DHAは，吐き気，腸内ガス，紫斑，長時間の止血を引き起こすおそれがあります。またDHAを含む魚油が，魚臭，おくび，鼻出血，軟便を引き起こすおそれがあります。DHAを食事と一緒に摂取すると，このような副作用を軽減できることがよくあります。

DHAをEPAと併用で静脈内投与する場合は，短期間であればおそらく安全です。この併用での静脈内投与は，最大14日間まで安全に用いられています。

高用量のDHAを用いるのは，おそらく安全ではありません。DHAを含むオイルを１日３g以上摂取すると，血液粘度が低下し，出血のリスクが高まるおそれがあります。女性では１日１g以上の摂取でもこの作用が起こるおそれがあります。

アスピリン過敏症：アスピリン過敏症の場合には，DHAが呼吸に影響を及ぼすおそれがあります。

出血性疾患：DHA単独では，血液凝固に影響を及ぼすことはないようです。ただし，EPAとともに魚油として１日３gを超えて摂取すると，出血リスクが高まるおそれがあります。

糖尿病：２型糖尿病の場合には，DHAにより，血糖値が上昇するようです。

低血圧：DHAが血圧を低下させる可能性があります。既に低血圧の場合には，DHAにより，血圧が過度に低下するリスクが高まるおそれがあります。

●妊娠中および母乳授乳期

妊娠中および母乳授乳期の使用は，適量であれば，ほとんどの人に安全のようです。DHAは，妊娠中にも一般的に使用されており，妊婦用ビタミンの成分にもなっています。DHAは，母乳の標準的な成分であり，一部の乳児用調合乳には栄養補助成分として添加されています。母乳授乳期の母親が摂取すると，母乳中のDHA濃度が上昇します。

有 効 性

◆有効性レベル③

- 動脈血栓（冠動脈疾患）。冠動脈疾患患者が食事からのDHA摂取量を増加させると，死亡リスクが低下する可能性があります。
- 高コレステロール血症。高コレステロール血症または高トリグリセリド血症の患者が１日1.25～４gのDHAを摂取すると，トリグリセリド値が低下する可能性が，研究で示唆されています。また，心疾患の危険因子が１つ以上ある人のコレステロール値が改善する可能性があります。ただし，DHAにより，高コレステロール血症患者の総コレステロールが減少することはないようです。また，ほとんどの研究では高比重リポタンパク（HDL，善玉）コレステロールは増加しないことが示唆されていますが，相反する研究結果もあります。DHAは低比重リポタンパク（LDL，悪玉）コレステロールを上昇させるおそれがありますが，この作用は臨床的に重大なものではない可能性もあります。高コレステロール血症の小児のコレステロールがDHAによって改善することはないようです。

◆有効性レベル④

- 加齢にともなう精神機能低下。ほとんどの研究では，加齢にともなう精神機能低下または軽度の精神機能障害のある人が，DHAを単独またはほかの成分と併用で摂取しても，記憶，健忘，学習能力は改善しないことが示されています。また，精神機能低下のない高齢者がDHAを摂取しても，学習能力および記憶は改善しません。しかし，いくつかの研究では，加齢にともなう精神機能低下のある人がDHAを摂取すると，出来事の記憶や視覚学習および空間学習の能力が改善する可能性があることが示されています。
- 注意欠陥多動障害（ADHD）。注意欠陥多動障害の小児の多くは，血中DHA濃度が低くなっています。しかし，DHAを摂取しても，注意欠陥多動障害の症状が改善することはないようです。ただし，初期の研究では，DHAには，注意欠陥多動障害の小児の攻撃性を弱め，協調性を高める働きがあることが示唆されています。
- がん。心疾患のある中高年が，ビタミンB摂取の有無を問わずDHAとEPAを併用摂取しても，がん発症リスクは低下しないことが研究で示唆されています。それどころか，DHAとEPAを併用摂取すると，女性のがんリスクは上昇するおそれがあります。
- 精神機能。健康な小児，若年女性，健康な成人がDHAを摂取しても，精神機能は向上しないことが研究で示唆されています。また，DHAとEPAを併用摂取しても，精神機能が改善することはありません。ある試験では，読字能力が20パーセンタイル未満の小児がDHAを摂取すると，読字スコアが改善することが示されていますが，そのほかの小児では読字スコアは改善しないようです。
- うつ病。DHAを経口摂取しても，ほとんどの人でうつ病の症状が緩和されたり予防されたりすることはないようです。また，うつ病をもたらすおそれのある治療を受けているC型肝炎患者でも，うつ病の発症が予防されることはないようですが，うつ病の発症時期が遅くなる可能性はあります。このほか，軽度の精神機能障害のある高齢者がDHAとEPAを併用摂取すると，うつ病の症状が改善する可能性があることが初期の研究で示唆されています。
- 糖尿病。２型糖尿病患者がDHAを経口摂取しても，血糖値やコレステロール値は低下しないようです。また，妊婦の血中DHA濃度と，出生児の１型糖尿病リスクとの相関はみられないようです。

◆科学的データが不十分です

- 加齢黄斑変性（AMD），アルツハイマー病，アトピー性皮膚炎（湿疹），過敏性，心調律異常，自閉症，乳がん，クローン病，のう胞性線維症，認知症，下痢，読字障害，統合運動障害，高血圧，乳児の発育向上，非アルコール性脂肪肝疾患，肥満，耳感染，前立腺がん，気道感染，網膜色素変性症（遺伝性の視力低下），統合失調症，脳卒中など。

●体内での働き

眼や神経組織の発達に重要な役割を担っています。また，血液粘度を低下させ，炎症（腫脹）を緩和し，血中トリグリセリド濃度を低下させることにより，心疾患や循環器疾患のリスクを低下させる可能性もあります。

医薬品との相互作用

中 血液凝固を抑制する医薬品（抗凝固薬/抗血小板薬）

DHAのみを摂取すると，血液凝固に影響を及ぼさないようです。しかし，DHAはよくEPA（エイコサペンタエン酸）と組み合わせて使用されます。EPAは血液凝固を抑制する可能性があります。DHAとEPAの組み合わせで，血液凝固を抑制する医薬品と併用すると，紫斑および出血のリスクが高まるおそれがあります。このような医薬品には，アスピリン，クロピドグレル硫酸塩，ジクロフェナクナトリウム，イブプロフェン，ナプロキセン，ダルテパリンナトリウム，エノキサパリンナトリウム，ヘパリン，ワルファリンカリウムなどがあります。

中 降圧薬

DHAは血圧を低下させる可能性があります。DHAと降圧薬を併用すると，血圧が過度に低下するおそれがあります。このような降圧薬には，カプトプリル，エナラプリルマレイン酸塩，ロサルタンカリウム，バルサルタン，ジルチアゼム塩酸塩，アムロジピンベシル酸塩，ヒドロクロロチアジド，フロセミドなど数多くあります。

中 糖尿病治療薬

DHAは血糖値を上昇させる可能性があります。糖尿病治療薬は血糖値を低下させるために用いられます。DHAが血糖値を上昇させることにより，糖尿病治療薬の効果が弱まるおそれがあります。血糖値を注意深く監視してください。糖尿病治療薬の用量を変更する必要があるかもしれません。このような糖尿病治療薬には，グリメピリド，グリベンクラミド，インスリン，メトホルミン塩酸塩，ピオグリタゾン塩酸塩，マレイン酸ロシグリタゾン（販売中止）などがあります。

ハーブおよび健康食品・サプリメントとの相互作用

血圧を低下させるおそれのあるハーブおよび健康食品・サプリメント

DHAは血圧を低下させるおそれがあります。血圧を低下させるおそれのあるほかのハーブおよび健康食品・サプリメントと併用すると，血圧が過度に低下するおそれがあります。このようなハーブおよび健康食品・サプリメントには，アンドログラフィス，カゼイン・ペプチド，キャッツクロー，コエンザイムQ-10，魚油，L-アルギニン，クコ，イラクサ，テアニンなどがあります。

血液凝固を抑制するおそれのあるハーブおよび健康食品・サプリメント

DHA単独では，血液凝固に影響を及ぼすことはないようです。ただし，DHAとEPAを含む魚油と，血液凝固を抑制するおそれのあるほかのハーブおよび健康食品・サプリメントを併用すると，人によっては，出血のリスクが高まるおそれがあります。このようなハーブおよび健康食品・サプリメントには，アンゼリカ，タンジン，ニンニク，ショウガ，イチョウ，レッドクローバー，ウコン，ヤナギなどがあります。

使用量の目安

【成人】

●経口摂取

全般

DHAは通常，EPAとともに魚油として用います。さまざまな投与量で用いられます。標準的な用量としては，EPA 169～563mgおよびDHA 72～312mgを含む魚油5gを摂取します。また専門家は，毎日の食事で，サバ，ニシン，マグロ，オヒョウ，サケなど冷水魚の摂取量を増やすことを推奨しています。

高コレステロール血症

DHA 1日1.25～4gを6～7週間摂取します。または，DHAを強化した菜種油を毎日，4週間摂取します。

ティーツリーオイル

TEA TREE OIL

別名ほか

オーストラリアンティーツリーオイル（Australian Tea Tree Oil），メラルーカアルテルニフォリア，ティートリー，ティーツリー，ティトゥリー（Melaleuca alternifolia），メラルーカオイル（Melaleuca Oil），Oleum melaleucae

概　　要

ティーツリーオイルはティーツリーの葉から採れるオイルです。ティーツリーという名前は18世紀，オーストラリア南東部沿岸の湿地帯に生育する木の葉から，ナツメグのような香りの茶を作った水夫によってつけられました。紅茶や緑茶を作る一般的な茶と，ティーツリーを混同してはいけません。

ティーツリーオイルは，ざ瘡（にきび），爪真菌症，シラミ，疥癬，足部白癬，白癬などの感染症に対して皮膚に塗布されます。また切傷や擦過傷に対する局所的消毒薬として用いられたり，熱傷，昆虫刺傷，せつ，膣感染，痔核，再発性の口唇ヘルペス，歯痛，口および鼻の感染，咽喉痛，耳感染に対して皮膚に塗布されたりします。また抗生剤に抵抗性のある細菌による感染の予防や治療の目的や，ニッケルとの接触による皮疹に対して用いられます。女性の男性型多毛症を緩和する目的で皮膚に塗布されることもあります。眼瞼には，基部のダニ感染に対して用いられます。頭皮にはふけに対して用いられます。口腔には歯垢，歯周病，口臭に対して用いられます。

咳，気管支うっ血，肺感染の治療の目的で浴水に添加することもあります。

安全性

ティーツリーオイルは，皮膚へ塗布する場合はほとんどの人におそらく安全です。ただし，皮膚の過敏および腫脹を引き起こすおそれがあります。ざ瘡（にきび）のある人には，ときに乾燥肌，そう痒，チクチク感，灼熱感，発赤を引き起こすおそれがあります。

思春期に達していない少年がティーツリーオイルとラベンダーオイルを含む製品を皮膚に塗布するのは，安全ではない可能性があります。このような製品には，少年の正常なホルモンを乱すホルモン作用があるおそれがあり，いくつかの症例で，女性化乳房が報告されています。このような製品を少女が使用した場合の安全性については，データが不十分です。

ティーツリーオイルの経口摂取は安全ではないようです。経口摂取してはいけません。深刻な副作用のおそれがあるため，原則として，希釈していないエッセンシャルオイルは絶対に経口摂取してはいけません。ティーツリーオイルの経口摂取により，錯乱，歩行不能，不安定，皮疹，昏睡など深刻な副作用が起こっています。

●妊娠中および母乳授乳期

皮膚へ塗布する場合はおそらく安全です。ただし，経口摂取は安全ではないようです。ティーツリーオイルの摂取は毒となるおそれがあります。

有効性

◆有効性レベル③

・軽度から中等度のざ瘡(にきび)。５％のティーツリーオイルゲルの塗布は，５％過酸化ベンゾイルと同じくらい，ざ瘡(にきび)の治療に有効のようです。ティーツリーオイルの方が過酸化ベンゾイルより治療に時間がかかりますが，顔の皮膚への刺激は少ないようです。ティーツリーオイルを１日２回，45日間塗布すると，ざ瘡（にきび）の重症度をはじめ，いくつかの症状が軽減します。ただし，ティーツリーオイルは，糸杉をプロバイオティクス乳酸菌で発酵させて作った別の製品ほどの効果はないようです。

・まつげのダニ寄生（眼毛包虫症)。多数の初期の研究から，ティーツリーオイルにより，よくみられるこの眼瞼感染が治癒し，眼の炎症や視力喪失など関連症状が緩和する可能性があることが示されています。

・爪真菌症。100％ティーツリーオイル溶液を１日２回，６カ月間皮膚に塗布すると，患者の約18％で足爪真菌感染が治癒する可能性があります。また，治療開始から３カ月後には患者の56%，６カ月後には60％で爪の外観および症状が改善する可能性があります。この治療効果はクロトリマゾール１％溶液を１日２回塗布した場合とほぼ同じのようです。ティーツリーオイルの濃度が低いとこれほどの効果はみられないようです。たとえば，５％ティーツリーオイルクリームを１日３回，２カ月間塗布しても，なんら効果はみられないというエビデンスがあります。

・足部白癬。鱗屑化，炎症，そう痒，灼熱感などの足部白癬症状の緩和について，10％ティーツリーオイルクリームの局所塗布は，トルナフタート１％クリームとほぼ同程度の効果がありますが，感染を治癒させることはないようです。より濃度の高いティーツリーオイル溶液（25％または50％）では，４週間塗布した人の約半数に，症状緩和と感染治癒のいずれもみられるようですが，感染治癒については，クロトリマゾールやテルビナフィンなどの医薬品ほどの効果はないようです。

◆科学的データが不十分です

・細菌性腟症，ふけ，歯垢，歯肉炎，口臭，痔核，口唇ヘルペス，男性型多毛症，シラミ，メチシリン耐性黄色ブドウ球菌（MRSA）感染，ニッケルに対するアレルギー性皮膚反応，鵞口瘡（中咽頭カンジダ症)，皮膚のウイルス感染，トリコモナス症，カンジダ症，うっ血，咳，耳感染，切傷・擦過傷・熱傷・昆虫刺傷・せつによる感染の予防，白癬，疥癬，咽喉痛など。

●体内での働き

ティーツリーオイルに含まれる化学物質には，細菌や真菌を死滅させたり，腫脹や炎症を軽減してアレルギー性皮膚反応を緩和したりする可能性があります。

医薬品との相互作用

ほかの医薬品との相互作用については明らかではありません。

ハーブおよび健康食品・サプリメントとの相互作用

ほかのハーブ，健康食品・サプリメントとの相互作用についてはまだ明らかではありません。

使用量の目安

【成人】

●皮膚への塗布

ざ瘡（にきび）

５％のティーツリーオイルゲルを毎日塗布します。

まつげのダニ寄生（眼毛包虫症）

50％ティーツリーオイルで週１回眼瞼をこすり洗いするとともに，ティーツリーシャンプーで毎日眼瞼をこすり洗いするか，10％ティーツリーオイルを１日１～２回，３～５分間，最大６週間塗布します。

爪真菌症

100％ティーツリーオイル溶液を１日２回，６カ月間塗布します。

足部白癬

25%または50%のティーツリーオイル溶液を1日2回，1カ月間塗布します。または10%のティーツリーオイルクリームを1日2回，1カ月間塗布します。

【小児】

●皮膚への塗布

ざ瘡（にきび）

5%のティーツリーオイルゲルを毎日塗布します。

まつげのダニ寄生（眼毛包虫症）

50%ティーツリーオイルで週1回眼瞼をこすり洗いするとともに，5%ティーツリー軟膏で毎日眼瞼をマッサージします。

D-マンノース

D-MANNOSE

別名ほか

カルビノース，マンノース，セミノース

概　要

D-マンノースはグルコースに関係する糖の一種です。

安 全 性

適量を経口で投与する場合は安全なようです。

軟便および膨満感を生じる可能性があります。

高用量では，腎臓に有害なことがあります。

●妊娠中および母乳授乳期

妊娠中，母乳授乳期，糖尿病の人は使用してはいけません。

有 効 性

◆科学的データが不十分です

・糖タンパク質糖鎖不全症候群1b型（まれな遺伝性疾患），尿路感染症の予防。

●体内での働き

D-マンノースは，マンノースの異常破壊および産生を引き起こす遺伝的欠陥によって生じる疾患を治療することがあります。D-マンノースは，尿路の壁をある種の細菌攻撃から防いで感染症を予防することがあります。

医薬品との相互作用

ほかの医薬品との相互作用については明らかではありません。

ハーブおよび健康食品・サプリメントとの相互作用

ほかのハーブ，健康食品・サプリメントとの相互作用についてはまだ明らかではありません。

使用量の目安

標準使用量に関するデータがありません。

ティノスポラ・コルディフォリア

TINOSPORA CORDIFOLIA

●代表的な別名

アンバーベル

別名ほか

Ambervel，Amrita，Gilo，Giloe，Giloya，Glunchanb，Guduchi，Gurcha，Heavenly elixir，Jetwatika，T. cordifolia，TC，TCRE，TCRET，Tinospora

概　要

ティノスポラ・コルディフォリアはインド原産の低木です。根，茎，および葉を含む全体を使って「くすり」を作ることがあります。

安 全 性

短期間の使用なら安全なようです。

長期使用（8週間以上）の場合の安全性は不明です。

ティノスポラ・コルディフォリアは血糖値に影響します。糖尿病の人が使う場合は注意深く使用してください。

多発性硬化症，狼瘡（全身性エリテマトーデス），慢性関節リウマチなどの免疫系障害，そのほかの「自己免疫疾患」と呼ばれる免疫系疾患の人，2週間以内に手術を受ける予定の人は使用してはいけません。

●妊娠中および母乳授乳期

妊娠中および母乳授乳期の使用の安全性についてはデータが不十分です。安全性を考慮し，使用は控えてください。

有 効 性

◆有効性レベル②

・枯草熱（花粉症）。ティノスポラ・コルディフォリアの特定のエキスを2週間使用すると，くしゃみ，鼻のかゆみ，鼻水，鼻づまりを統計学的に有意に軽減するようです。

◆科学的データが不十分です

・糖尿病，高コレステロール血症，胃のむかつき，痛風，リンパ腫を含むがん，慢性関節リウマチ，肝疾患，胃潰瘍，発熱，淋病，梅毒，免疫系の抑制に対する抵抗力増強。

●体内での働き

ティノスポラ・コルディフォリアは身体に影響を与える多くの化合物を含んでいます。その中のいくつかには抗酸化作用があります。ほかに身体の免疫系を強化する可能性をもつものがあります。試験管レベルの研究では，抗がん活性をもつようにみられる化合物があります。ほとんどの研究は試験管または動物で行われているものです。ティノスポラ・コルディフォリアが体内でどう作用するかについては十分なデータがありません。

医薬品との相互作用

中糖尿病治療薬

ティノスポラ・コルディフォリアは血糖値を下げることがあります。また，糖尿病治療薬は血糖値を下げるために使用します。ティノスポラ・コルディフォリアと糖尿病治療薬を併用すると，血糖値が過度に低下するおそれがあります。血糖値を注意深く監視してください。糖尿病治療薬の用量の変更が必要な場合があります。このような糖尿病治療薬にはグリメピリド，グリベンクラミド，インスリン，ピオグリタゾン塩酸塩，マレイン酸ロシグリタゾン（販売中止），クロルプロパミド，Glipizide，トルブタミド（販売中止）などがあります。

中免疫抑制薬

ティノスポラ・コルディフォリアは免疫系を強化します。ティノスポラ・コルディフォリアと免疫抑制薬を併用すると，免疫抑制薬の作用を減弱させることがあります。このような免疫抑制薬には，アザチオプリン，バシリキシマブ，シクロスポリン，Daclizumab，ムロモナブ-CD３（販売中止），ミコフェノール酸モフェチル，タクロリムス水和物，シロリムス，Prednisone，副腎皮質ステロイドなどがあります。

ハーブおよび健康食品・サプリメントとの相互作用

血糖値を下げるハーブおよび健康食品・サプリメント

ティノスポラ・コルディフォリアは血糖値を下げるという報告があります。同様の効果のあるハーブおよび健康食品・サプリメントと併用すると，血糖値が過度に下がることがあります。血糖値を下げる効果のあるハーブおよび健康食品・サプリメントには，ニガウリ，ハッショウマメ，ショウガ，薬用ガレーガ，フェヌグリーク，クズ，ウィローバークなどがあります。

使用量の目安

●経口摂取

アレルギー性鼻炎（花粉症）

特定のティノスポラ・コルディフォリアの茎の水性エキス薬１回300mgを１日３回，８週間摂取します。

ディル

DILL

別名ほか

American Dill，Aneth，Aneth Odorant，Anethi Fructus，Anethi Herba，Anethum graveolens，Anethum sowa，Dill Herb，Dill Oil，Dill Weed，Dillweed，Dilly，Eneldo，European Dill，Faux Anis，Fenouil Bâtard，Fenouil Puant，Huile d'Aneth，Indian Dill，Madhura，Peucedanum graveolens，Satahva，Shatpushpa，Sotapa，Sowa

概　要

ディルは料理用香味料としての長い歴史があります。また，魔除けや「くすり」としても使用されてきました。中世では魔術に対する防御として用いられました。ディルの種子や地上部を「くすり」として用いるようになったのは近年になってからです。

ディルは，食欲不振を含む消化不良，腸内ガス（鼓腸），肝臓および胆のうの異常に用いられます。また，腎疾患や排尿痛･排尿困難を含む泌尿器疾患にも用いられます。

発熱および感冒，咳，気管支炎，痔核，感染，攣縮，神経痛，性器潰瘍，月経痛および睡眠障害の治療に用いられることもあります。

口内および咽頭の疼痛や腫脹（炎症）にも用いられることがあります。

食品としては香味料として用いられます。

製造業では，ディルのオイルが化粧品，石鹸，香水の香料として用いられます。

安　全　性

ディルは，通常の食品に含まれる量を摂取する場合，ほとんどの人に安全のようです。「くすり」としての量を経口摂取する場合，ほとんどの人におそらく安全です。

皮膚へ塗布する場合，皮膚の過敏を引き起こす場合があります。ディルの果汁を塗布すると，皮膚が日光に過敏になり，日焼けや皮膚がんのリスクが高まるおそれがあります。日光を避けてください。特に色白の人は日焼け止めを塗布し，保護服を着用してください。

糖尿病：ディルのエキスが糖尿病患者の血糖値を低下させるおそれがあります。糖尿病患者が通常の食品に含まれる量を超える量のディルエキスを摂取する場合，低血糖の兆候に注意し，血糖値を注意深く監視してください。

手術：ディルエキスが血糖値を低下させるおそれがあります。ディルエキスの摂取が手術中・手術後の血糖コントロールを妨げるおそれがあります。少なくとも手術前２週間は，使用しないでください。

●アレルギー

ディルは，ニンジン属の植物に過敏な人ではアレルギー反応を起こすおそれがあります。ニンジン属の植物にはジャイアントフェンネル，キャラウェイ，セロリ，コリアンダー，フェンネルなどがあります。

●妊娠中および母乳授乳期

妊娠中に「くすり」としての量のディルを摂取する場合，おそらく安全ではありません。ディルの種子により月経が開始され流産を引き起こすおそれがあります。

母乳授乳期に「くすり」としてのディルを摂取する場合の安全性についてはデータが不十分です。通常の食品に含まれる量の範囲内で摂取してください。

有効性

◆科学的データが不十分です

・高コレステロール血症，食欲不振，感染，消化管疾患，泌尿器疾患，攣縮，腸内ガス（鼓腸），睡眠障害，発熱，感冒，咳，気管支炎，肝臓の異常，胆のうの異常，口内炎および咽喉痛など。

●体内での働き

ディルには筋肉の弛緩を補助する可能性のある化学物質が含まれます。また，細菌と闘ったり，利尿剤のように尿量を増加させたりする可能性のある化学物質も含まれます。

医薬品との相互作用

中 炭酸リチウム

ディルは利尿薬のように作用する可能性があります。ディルを摂取すると，炭酸リチウムの体内からの排泄が抑制される可能性があります。そのため，体内の炭酸リチウム量が増加し，重大な副作用が現れるおそれがあります。

中 糖尿病治療薬

ディルは血糖値を低下させる可能性があります。糖尿病治療薬もまた血糖値を低下させるために用いられます。ディルと糖尿病治療薬を併用すると，血糖値が過度に低下するおそれがあります。血糖値を注意深く監視してください。糖尿病治療薬の用量を変更する必要があるかもしれません。このような糖尿病治療薬にはグリメピリド，グリベンクラミド，インスリン，メトホルミン塩酸塩，ピオグリタゾン塩酸塩，マレイン酸ロシグリタゾン（販売中止），クロルプロパミド，Glipizide，トルブタミド（販売中止）などがあります。

ハーブおよび健康食品・サプリメントとの相互作用

血糖値を低下させるおそれのあるハーブおよび健康食品・サプリメント

ディルのエキスが血糖値を低下させるおそれがあります。血糖値を低下させるおそれのあるほかのハーブおよび健康食品・サプリメントと併用すると，血糖値が過度に低下するおそれがあります。このようなハーブおよび健康食品・サプリメントには，α-リポ酸，ニガウリ，クロム，デビルズクロー，フェヌグリーク，ニンニク，グアーガム，セイヨウトチノキ，朝鮮人参，サイリウム，エゾウコギなどがあります。

使用量の目安

通常の食品に含まれている量を超えて経口摂取した場合の安全性および副作用については，明らかになっていません。

デザート・パセリ

DESERT PARSLEY

別名ほか

Biscuitroot, Bradshaw's Desert Parsley, Carrotleaf Biscuitroot, Carrotleaf Indian Root, Chocolate Tips, Cough Root, Fernleaf Biscuitroot, Giant Desert Parsley, Giant Lomatium, Indian Parsley, Lomatium, Lomatium bradshawii, Lomatium californicum, Lomatium dissectum, Lomatium erythrocarpum, Lomatium grayi, Lomatium nudicaule, Lumatium nuttalii, Lomatium suksdorfii, Red-Fruit Desert Parsley

概要

デザート・パセリは，植物群です。最も一般的に用いられるデザート・パセリの種類は，Lomatium dissectumです。

デザート・パセリは，気管支喘息，感冒，咳，インフルエンザ，肺損傷，肺炎，結核，およびウイルス感染に対して経口摂取されます。

デザート・パセリは，傷，切開，せつ，打撲傷，捻挫および骨折の手当てに用いられます。デザート・パセリの根の粉末は，熱傷，せつなどの皮膚の創傷に対して塗布されます。デザート・パセリは，関節の異常，捻挫および肺炎の治療として蒸し風呂に加えられます。

デザート・パセリの中には，食材として食されるものもあります。

安全性

デザート・パセリの安全性については，データが不十分です。デザート・パセリを皮膚に塗布すると，皮疹や蕁麻疹を引き起こすおそれがあります。デザート・パセリを経口摂取すると，吐き気を引き起こすおそれがあります。

●妊娠中および母乳授乳期

妊娠中および母乳授乳期の使用の安全性についてはデータが不十分です。安全性を考慮し，摂取は避けてください。

有効性

◆科学的データが不十分です

・気管支喘息，感冒，咳，インフルエンザ，肺損傷，肺炎，結核，ウイルス感染，皮膚の創傷，あざ（打撲），捻挫，骨折，関節の異常，疼痛など。

●体内での働き

デザート・パセリが，感染を引き起こすおそれのある

テ

さまざまな種類の細菌，真菌，ウイルスを除去する可能性があります。

医薬品との相互作用

ほかの医薬品との相互作用については明らかではありません。

ハーブおよび健康食品・サプリメントとの相互作用

ほかのハーブ，健康食品・サプリメントとの相互作用についてはまだ明らかではありません。

使用量の目安

通常の食品に含まれている量を超えて経口摂取した場合の安全性および副作用については，明らかになっていません。

鉄

IRON

別名ほか

Atomic Number 26，原子番号26，Carbonate de Fer Anhydre，Citrate de Fer，Elemental Iron，Fe，Fer，Fer Élémentaire，Ferric Iron，第二鉄，Ferric Orthophosphate，リン酸第二鉄，Ferrous Carbonate Anhydrous，Ferrous Citrate，クエン酸第一鉄，Ferrous Fumarate，フマル酸第一鉄，Ferrous Gluconate，グルコン酸第一鉄，Ferrous Iron，第一鉄，Ferrous Pyrophosphate，ピロリン酸第二鉄，Ferrous Sulfate，硫酸鉄，Ferrum Phosphoricum，Fumarate de Fer，Gluconate de Fer，Glycérophosphate de Fer，Heme Iron Polypeptide，Hierro，Iron Glycerophosphate，Orthophosphate de Fer，Orthophosphate Ferrique，Numéro Atomique 26，Polypeptide de Fer de Heme，Pyrophosphate de Fer，Sulfate de Fer

概　　要

鉄はミネラルです。体内の鉄はほとんど，赤血球のヘモグロビンおよび筋肉細胞のミオグロビンに存在します。鉄は酸素および二酸化炭素の運搬に必要です。ほかにも体内で重要な役割を担っています。鉄は，肉，魚，豆腐，豆類，ほうれん草，穀物などの食品に含まれています。

鉄は，鉄欠乏による貧血の予防および治療にもっともよく用いられます。また，月経周期の異常な大量出血（過多月経），妊娠，腎疾患などに起因する貧血にも用いられます。

安　全　性

鉄を経口摂取した場合，適量であれば，ほとんどの人に安全のようです。ただし，胃のむかつきや疼痛，便秘，下痢，吐き気，嘔吐などの副作用を引き起こすおそれがあります。鉄サプリメントを，食品と一緒に摂取する場合には，これら副作用の一部が軽減するようです。ただし，食物もまた鉄の吸収を抑制する可能性があります。なるべく空腹時に摂取してください。副作用が多く現れた場合には，食品と一緒に摂取してください。また，乳製品を含む食品，コーヒー，お茶（紅茶，緑茶など），または穀類と一緒に摂取することは避けてください。

鉄製品には，硫酸鉄，グルコン酸第一鉄，フマル酸第一鉄などがあります。多糖類-鉄複合体を含む製品の中には，副作用が少ないことを誇示する製品もあります。しかし，このことを裏付ける信頼すべきエビデンスはありません。

腸溶性コーティングまたは徐放性の鉄製品は，人によっては，吐き気を軽減する可能性があります。ただし，体内への吸収率は低下します。

液状の鉄サプリメントは歯を黒くすることがあります。

鉄を静脈内投与した場合，適量であればほとんどの人に安全なようです。

小児：高用量の鉄を摂取する場合，とくに小児には安全ではないようです。鉄は，小児の中毒死の原因の中で，最も一般的です。60mg/kgの低用量でも致命的になるおそれがあります。鉄中毒が，胃腸障害，肝不全，致命的な低血圧などの深刻な症状を引きおこし，死に至るおそれもあります。小児が推奨量を超えて多量の鉄を摂取した疑いがある場合には，ただちに，医師などや最寄りの中毒事故管理センターに問い合わせてください。

糖尿病：２型糖尿病の女性の場合，鉄を多く含む食事によって心疾患のリスクが高まる懸念があります。ただし，科学的に証明されていません。糖尿病患者が鉄を摂取する場合には，医師などに相談してください。

ヘモグロビンの疾患：ヘモグロビンに疾患がある場合，鉄を摂取すると，鉄過剰症を引き起こすおそれがあります。ヘモグロビンの疾患の場合には，医師などの指導なしに，鉄を摂取しないでください。

血管の形成に影響する遺伝性疾患（遺伝性出血性末梢血管拡張症（HHT））：遺伝性出血性末梢血管拡張症の患者が鉄を摂取すると，鼻出血のリスクが高まるおそれがあります。注意して使用してください。

炎症性腸疾患（潰瘍性大腸炎またはクローン病）：鉄は腸を刺激するため，炎症性腸疾患が悪化するおそれがあります。注意して摂取してください。

未熟児：ビタミンE欠乏症の未熟児に鉄を投与すると，重大な問題を引き起こすおそれがあります。鉄を投与する前にビタミンE欠乏症を治療する必要があります。鉄の投与前に医師などに相談してください。

胃または腸の潰瘍：鉄は胃腸を刺激するため，胃腸潰瘍が悪化するおそれがあります。注意して摂取してください。

●妊娠中および母乳授乳期

妊娠中および母乳授乳期の鉄の摂取は，体内に十分な鉄が蓄積されている場合に，耐容上限量（UL）（元素換算で１日45mg）までであれば，ほとんどの人に安全のようです。耐容上限量（UL）とは，有害な副作用を引き起こすおそれがないとみなされている摂取量の最大値です。高用量の鉄の経口摂取は，安全ではないようです。鉄欠乏症ではなければ，元素換算で１日45mgを超える鉄を摂取してはいけません。高用量の鉄によって胃腸に副作用（吐き気および嘔吐など）が現れたり，人によっては早産のおそれもあります。また，高用量の鉄を摂取すると，血液のヘモグロビン値が上昇するおそれがあります。出産時にヘモグロビン値が高いことは，妊娠の転帰が悪くなることと関係します。

有効性

◆有効性レベル①

・慢性疾患による血球数の低下（慢性疾患に伴う貧血）。がん，腎臓病，HIV/エイズなど，多くの疾患により，貧血が引き起こされるおそれがあります。このような症状のある人が鉄と医薬品（エポエチンアルファなど）を併用すると，赤血球の産生が促進し，貧血の予防や治療に役立つ可能性があります。注射の方が経口摂取よりも早く作用します。

・鉄欠乏症による正常赤血球数の低下（貧血）。経口または注射による鉄の摂取は，体内の鉄欠乏による貧血の治療および予防に有効です。鉄欠乏による軽度の貧血の人は，副作用を減らす可能性があるため，鉄サプリメントを１日おきに経口摂取する場合があります。しかし，重度の貧血の人は，反応が速いために，毎日経口摂取する方がよい場合があります。

・妊婦の鉄欠乏。妊娠中に鉄を経口摂取すると，体内の鉄欠乏による貧血のリスクが低下する可能性があります。

◆有効性レベル③

・アンジオテンシン変換酵素（ACE）阻害薬に起因する咳。降圧薬（アンジオテンシン変換酵素（ACE）阻害薬）は，副作用として，咳を引き起こすおそれがあります。複数の研究により，鉄を経口摂取すると，この副作用を緩和または予防する可能性が示されています。このようなACE阻害薬には，カプトプリル，エナラプリルマレイン酸塩，リシノプリル水和物など数多くあります。

・記憶力と思考力の改善。６～18歳で鉄欠乏の小児が鉄を経口摂取すると，思考力，学習能力，記憶力の改善に役立つ可能性があります。初期の研究により，体内の鉄の状態が不明の13～18歳の女子が鉄を摂取すると，注意力が改善する可能性が示唆されています。

・心不全。心不全患者の最大20％に鉄欠乏があります。複数の研究により，鉄を注射すると，運動能力など，心不全の症状が改善する可能性が示されています。しかし，鉄を経口摂取しても心不全の症状が改善することはないようです。

・脚に不快感があって無性に動かしたくなる疾患（むずむず脚症候群（RLS））。研究により，鉄を経口摂取すると，脚の不快感や睡眠の異常など，むずむず脚症候群の症状が減少することが示されています。実際に，むずむず脚症候群や鉄欠乏の患者に向けて，症状改善のために鉄の摂取が推奨されています。また，むずむず脚症候群の患者の中には，鉄を静脈内投与した後に症状が改善した人もいます。ただし，どのような鉄でも静脈内投与で有効であるかどうかについては，データが不十分です。

◆有効性レベル④

・早産。妊娠中期に鉄を摂取し始めても，妊娠期間が延びたり，出生時の新生児の体重が増えることはないようです。また，妊娠前や，妊娠後に数週間だけ鉄を経口摂取しても，マラリアが日常的な地域では早産のリスクが高まる可能性があります。これは，マラリアが鉄の体内への吸収力を低下させることが原因かもしれません。吸収できない余分な鉄は体内で悪影響を引き起こし，マラリアに罹患している妊婦が早産に至る可能性があります。

◆科学的データが不十分です

・運動能力，注意欠陥多動障害（ADHD），一時的に呼吸ができなくなる発作，小児の発達，食道がん，疲労，産後うつ病，炎症性腸疾患の１つ（クローン病），口唇潰瘍，妊娠を望んでから１年以内に妊娠しないこと（不妊），月経期の異常な大量出血（過多月経）など。

●体内での働き

鉄は，赤血球が肺から体中の細胞に酸素を運搬する働きを補助します。鉄は，体内における多くの重要な機能にもかかわっています。

医薬品との相互作用

中キノロン系抗菌薬

鉄は，抗菌薬が胃から体内に吸収される量を減少させる可能性があります。鉄と特定の抗菌薬を併用すると，抗菌薬の効果が弱まるおそれがあります。この相互作用を避けるために，抗菌薬を服用する前後２時間は鉄を摂取しないでください。このような抗菌薬には，シプロフロキサシン，レボフロキサシン水和物，オフロキサシンなどがあります。

低クロラムフェニコール

鉄は新しい血球を産生するために重要です。クロラムフェニコールは新しい血球を減少させる可能性があります。クロラムフェニコールを長期間服用すると，新しい血球に対する鉄の作用が減弱するおそれがあります。しかし，通常，クロラムフェニコールは短期間服用するた

テ

有効性レベル：①効きます　②おそらく効きます　③効くと断言できませんが、効能の可能性が科学的に示唆されています
④効かないかもしれません　⑤おそらく効きません　⑥効きません

め，この相互作用は大きな問題ではありません。

中テトラサイクリン系抗菌薬

鉄は，テトラサイクリン抗菌薬が胃から体内に吸収される量を減少させる可能性があります。鉄とテトラサイクリン系抗菌薬を併用すると，抗菌薬の効果が弱まるおそれがあります。この相互作用を避けるために，テトラサイクリン系抗菌薬の服用前２時間または服用後４時間は鉄を摂取しないでください。このようなテトラサイクリン系抗菌薬には，ドキシサイクリン塩酸塩水和物，ミノサイクリン塩酸塩，テトラサイクリン塩酸塩などがあります。

中ドルテグラビルナトリウム

ドルテグラビルナトリウムは抗HIV薬です。鉄は，ドルテグラビルナトリウムが胃から体内へ吸収される量を減少させる可能性があります。この相互作用を避けるために，ドルテグラビルナトリウムの服用前６時間または服用後少なくとも２時間は鉄を摂取しないでください。

中ビスホスホネート製剤

鉄は，ビスホスホネート製剤が胃から体内に吸収される量を減少させる可能性があります。鉄とビスホスホネート製剤を併用すると，ビスホスホネート製剤の効果が弱まるおそれがあります。この相互作用を避けるために，ビスホスホネート製剤の服用前後少なくとも２時間は鉄を摂取しないでください。このようなビスホスホネート製剤には，アレンドロン酸，エチドロン酸二ナトリウム，リセドロン酸ナトリウム水和物などがあります。

中ペニシラミン

ペニシラミンはウィルソン病および関節リウマチの治療に用いられます。鉄は体内へのペニシラミンの吸収量を減少させ，ペニシラミンの効果を弱めるおそれがあります。この相互作用を避けるために，ペニシラミン服用の前後２時間は鉄を摂取しないでください。

中ミコフェノール酸モフェチル

鉄サプリメントがミコフェノール酸モフェチルの体内への吸収に影響を及ぼす機序については明らかではありません。鉄はミコフェノール酸モフェチルの体内への吸収量を減少させる可能性があります。鉄とミコフェノール酸モフェチルを併用すると，ミコフェノール酸モフェチルの効果が弱まるおそれがあります。しかし，鉄がミコフェノール酸モフェチルの体内吸収に影響することが，あらゆる研究で示唆されているわけではありません。そのため，この相互作用の可能性が重大な問題であるかについては明らかではありません。さらに明らかになるまでは，ミコフェノール酸モフェチルの服用前少なくとも４時間，または服用後２時間は鉄を摂取しないでください。

中メチルドパ水和物

鉄は，メチルドパ水和物の体内への吸収量を減少させる可能性があります。鉄とメチルドパ水和物を併用すると，メチルドパ水和物の効果が弱まるおそれがあります。この相互作用を避けるために，メチルドパ水和物の服用前後，少なくとも２時間は鉄を摂取しないでください。

中レボチロキシンナトリウム水和物

レボチロキシンナトリウム水和物は甲状腺機能低下症の治療に用いられます。鉄はレボチロキシンナトリウム水和物の体内への吸収量を減少させる可能性があります。鉄とレボチロキシンナトリウム水和物を併用すると，レボチロキシンナトリウム水和物の効果が弱まるおそれがあります。

中レボドパ

鉄はレボドパの体内への吸収量を減少させる可能性があります。鉄とレボドパを併用すると，レボドパの効果が弱まるおそれがあります。鉄とレボドパを同時に摂取しないでください。

中抗HIV薬（インテグラーゼ阻害薬）

鉄とインテグラーゼ阻害薬を併用すると，インテグラーゼ阻害薬の血中濃度が低下する可能性があります。そのため，インテグラーゼ阻害薬の効果が弱まるおそれがあります。インテグラーゼ阻害薬を服用中は医師や薬剤師に相談することなく鉄を摂取しないでください。このようなインテグラーゼ阻害薬には，ドルテグラビルナトリウム，エルビテグラビル，ラルテグラビルカリウムなどがあります。

ハーブおよび健康食品・サプリメントとの相互作用

アカシア

アカシアは，特定の鉄と反応して不溶性のゲルを形成します。鉄とアカシアを併用した場合，重大な相互作用につながるかどうかは明らかではありません。

β-カロテン

β-カロテンは，鉄強化された小麦，トウモロコシ粉，米に含まれる鉄の体内への取り込み（吸収）に役立つ可能性があります。ただし，β-カロテン値が過度に低い場合を除き，β-カロテンを余分に摂取しても，鉄の吸収には影響がないようです。

カルシウム

カルシウムは，食品やサプリメントに含まれる鉄の吸収を抑制します。ただし，体内に十分な鉄が貯蔵されている場合には，大きな問題にはなりません。鉄欠乏症の場合またはそのおそれがある場合には，カルシウムと鉄は別々に摂取し，この相互作用を最小限にしてください。また，食事の時や鉄サプリメントを摂取する時はカルシウムサプリメントを併用しないでください。

ラクトバチルス

ラクトバチルス・プランタルムというプロバイオティクスの一種は，鉄の体内への吸収量を増やす可能性があります。

リボフラボン

貧血の場合には，リボフラボンを摂取すると，鉄の働きが改善される可能性があります。ただし，この作用は，リボフラボン値が低い場合に限り，おそらく重要です。

大豆

大豆タンパクは，鉄の体内への吸収を抑制するようです。鉄の値が低い場合には，抑制作用のないと考えられる発酵大豆製品（テンペなど）を選んでください。ただし，大豆と鉄の相互作用の重要性については明らかではありません。

ビタミンA

ビタミンAは，鉄を体内の貯蔵場所から赤血球（骨髄で産生される）に運搬する働きに関与しているようです。鉄は，ヘモグロビン（赤血球の分子で，酸素を運搬する）の生成に用いられます。体内の鉄の値が著しく低い場合にビタミンAサプリメントを摂取すると，鉄の値が改善するようです。進行中の研究では，鉄強化された小麦，トウモロコシ粉，米に含まれる鉄の体内への吸収がビタミンAおよびβ-カロテンによって改善する可能性が示唆されています。もともとビタミンAが十分な場合には，ビタミンAサプリメントを摂取しても，鉄の吸収に著しい影響を与えることはなさそうです。

ビタミンC

ビタミンCと鉄を併用すると，鉄の体内への吸収に役立ちます。ビタミンCは，食事からでもサプリメントからでも問題ありません。ただし，特に食事から十分なビタミンCを摂取していれば，ほとんどの場合，鉄の吸収を改善するためにビタミンCサプリメントを摂取する必要はありません。

亜鉛

特定の条件下において，鉄には，亜鉛の吸収を抑制する可能性があり，また亜鉛にも，鉄の吸収を抑制する可能性があります。ただし，食品と一緒に摂取すると，この作用は現れません。亜鉛サプリメントまたは鉄サプリメントの効果を最大限得るためには，食事と一緒に摂取します。

通常の食品との相互作用

カルシウムを含む食品

牛乳やチーズなどの乳製品は，食品やサプリメントに含まれる鉄の吸収を抑制する可能性があります。鉄の値が低いために鉄を摂取している場合には，できるだけ乳製品が少ない食事と一緒に鉄サプリメントを摂取してください。空腹時に鉄の吸収率が最も上がるといわれますが，胃を刺激するリスクが高まります。このリスクを避けてください。低カルシウムの食事と一緒に鉄を摂取する方がよいでしょう。

食品

鉄と食品を併用すると，体内に吸収される鉄の量が40～50%減少する可能性があります。最大限吸収するには，空腹時に摂取してください。ただし，人によっては，胃のむかつきや吐き気などの副作用が原因で空腹時に摂取できない場合があります。このような副作用を避けるために食品と併用する場合でも，乳製品，コーヒー，お茶（紅茶，緑茶など），穀類は避けてください。

温かい飲み物

鉄サプリメントをコーヒーやお茶（紅茶，緑茶など）と併用すると，鉄の体内への吸収量が減少するおそれがあります。このような飲料には，食品に含まれる鉄の体内への吸収量も減少させる可能性があります。とくに貧血のリスクを有する人の場合には，この作用が一因で鉄

鉄の食事摂取基準（mg/日）

日本人の食事摂取基準 2020 年版

性別	男性				女性					
					月経なし		月経あり			
年齢等	推定平均必要量	推奨量	目安量	耐容上限量	推定平均必要量	推奨量	推定平均必要量	推奨量	目安量	耐容上限量
0～5（月）	—	—	0.5	—	—	—	—	—	0.5	—
6～11（月）	3.5	5.0	—	—	3.5	4.5	—	—	—	—
1～2（歳）	3.0	4.5	—	25	3.0	4.5	—	—	—	20
3～5（歳）	4.0	5.5	—	25	4.0	5.5	—	—	—	25
6～7（歳）	5.0	5.5	—	30	4.5	5.5	—	—	—	30
8～9（歳）	6.0	7.0	—	35	6.0	7.5	—	—	—	35
10～11（歳）	7.0	8.5	—	35	7.0	8.5	10.0	12.0	—	35
12～14（歳）	8.0	10.0	—	40	7.0	8.5	10.0	12.0	—	40
15～17（歳）	8.0	10.0	—	50	5.5	7.0	8.5	10.5	—	40
18～29（歳）	6.5	7.5	—	50	5.5	6.5	8.5	10.5	—	40
30～49（歳）	6.5	7.5	—	50	5.5	6.5	9.0	10.5	—	40
50～64（歳）	6.5	7.5	—	50	5.5	6.5	9.0	11.0	—	40
65～74（歳）	6.0	7.5	—	50	5.0	6.0	—	—	—	40
75 以上（歳）	6.0	7.0	—	50	5.0	6.0	—	—	—	40
妊婦（付加量）										
初期					+2.0	+2.5	—	—	—	—
中期・後期					+8.0	+9.5	—	—	—	—
授乳婦（付加量）					+2.0	+2.5	—	—	—	—

有効性レベル：①効きます　②おそらく効きます　③効くと断言できませんが、効能の可能性が科学的に示唆されています
④効かないかもしれません　⑤おそらく効きません　⑥効きません

欠乏による貧血を引き起こすおそれがあります。

使用量の目安

【成人】

●経口摂取

鉄欠乏症による正常赤血球数の低下（貧血）

元素換算で，50〜100mgの鉄を，１日３回，３カ月〜６カ月摂取します。成人女性の場合には，週に30〜120mgを摂取します。

妊婦の鉄欠乏

元素換算で，鉄１日20〜225mg を摂取します。推奨量は１日45mgです。

脚の不快感や脚を動かしたくなる抑えがたい衝動を引き起こす障害（むずむず脚症候群（RLS））

硫酸鉄325mgを１日２回，12週間摂取します。

アンジオテンシン変換酵素（ACE）阻害薬に起因する咳

硫酸鉄１日256mgを摂取します。

●静脈内投与

慢性疾患による血球数の低下（慢性疾患に伴う貧血）

合計で鉄を2,232mg（６カ月間）から1,020mg（１週間）を静脈内投与します。

心不全

カルボキシマルトース第二鉄を週に200mg，鉄の値が正常になるまで静脈内投与し，その後は毎月200mgを６カ月間静脈内投与します。

【小児】

●経口摂取

鉄欠乏症による正常赤血球数の低下（貧血）

１日４〜６mg/kgの鉄を３回に分けて，３〜６カ月間摂取します。

鉄欠乏の予防

米国小児科学会（The American Academy of Pediatrics）は，鉄欠乏のリスクのある小児に鉄サプリメントの摂取を推奨しています。推奨量は以下の通りです。

乳児（４〜６カ月で母乳で育てられている）：元素換算で１日１mg/kg。

乳児（６〜12カ月）：食品またはサプリメントから１日11mg

早産児（〜１歳）：調合乳に切り替えるまで，または食品から鉄を十分に摂取できるようになるまで，１日２mg/kg。

１〜３歳：食品から鉄を十分に摂取できない場合，１日７mg。

青少年における記憶力および思考力（認知機能

650mgの硫酸鉄を，１日２回，摂取します。

鉄の目安量（AI）（６カ月以下）は，以下の通りです。

６カ月以下：１日0.27mg

鉄の推奨量（RDA）（７カ月以上）は，以下の通りです。

７〜12カ月：１日11mg

１〜３歳：１日７mg

４〜８歳：１日10mg

９〜13歳：１日８mg

14〜18歳：男性は１日11mg，女性は１日15mg。

19歳以上の男性および51歳以上の女性：１日８mg

19〜50歳の女性：１日18mg

妊娠中の女性：１日27mg

14〜18歳の母乳授乳期の女性：１日10mg

19〜50歳の母乳授乳期の女性：１日９mg

耐容上限量（UL）（好ましくない副作用を引き起こさないとされる値）は，以下の通りです。

０〜13歳：１日40mg

14歳以上（妊娠中および母乳授乳期の女性を含む）：１日45mg

鉄欠乏症の治療を受けている場合には，耐容上限量（UL）は適用されません。

デヒドロエピアンドロステロン

DHEA

別名ほか

3b-Hydroxy-Androst-5-Ene-17-One, 3BetaHydroxy-Androst-5-Ene-17-One, Androstenolone，Dehydroepiandrosterone, Déhydroépiandrostérone，DHEA-S，デヒドロエピアンドロステロン硫酸塩，デヒドロエピアンドロステロンサルフェート，GL701，Prasterone，プラステロン，Prasterone

概　要

デヒドロエピアンドロステロン（DHEA）は体内で自然に産生されるホルモンです。DHEAは体内にあるほかの男性ホルモンおよび女性ホルモンを産生するために体内で作用します。

DHEAは，加齢の徴候を遅らせるためや身体能力の向上，多くの疾患に対して一般的に使用されます。ただし，これらの用途を十分に裏づけるエビデンスはありません。

安 全 性

デヒドロエピアンドロステロン（DHEA）は，適切に経口摂取，皮膚への塗布，膣内投与する場合におそらく安全です。DHEAの経口摂取は最大２年間まで安全です。DHEAのクリームの皮膚への塗布は最大１年間まで安全です。膣内投与は最大３カ月間まで安全です。

DHEAのもっとも一般的な副作用はほとんど軽度であり，ざ瘡（にきび）と胃のむかつきなどが生じる可能性があります。ざ瘡（にきび）は，DHEAを摂取している女性により多く起こります。女性の場合，DHEAを摂取した後に，月経周期の変化，異常な発毛，声の低音化が起こることがあります。DHEAを摂取している男性の場合，乳房痛または乳房の発達が起こる可能性があります。

高用量または長期間の経口摂取は，おそらく安全ではありません。1日50～100mgを超える用量で使用したり，長期にわたって使用したりしてはいけません。重大な副作用のリスクが上昇するおそれがあります。

前立腺肥大：デヒドロエピアンドロステロン（DHEA）は，良性前立腺肥大症（PBH）として知られる前立腺肥大の場合に排尿困難を引き起こすおそれがあります。

糖尿病：デヒドロエピアンドロステロン（DHEA）は体内のインスリンの作用に影響を及ぼす可能性があります。糖尿病の場合，DHEAの摂取中は血糖値を注意深く監視してください。

乳がん，子宮がん，卵巣がん，子宮内膜症，子宮線維腫などのホルモン感受性疾患：デヒドロエピアンドロステロン（DHEA）は，体内のエストロゲンの作用に影響を及ぼすホルモンです。エストロゲンにより悪化するおそれのある疾患の場合には，DHEAを使用してはいけません。

高コレステロール血症：デヒドロエピアンドロステロン（DHEA）は血清HDL-コレステロール値を低下させるおそれがあります。高コレステロール血症または心疾患の場合には，デヒドロエピアンドロステロンを摂取する前に医師などに相談してください。

肝障害：デヒドロエピアンドロステロン（DHEA）は肝障害を悪化させるおそれがあります。肝障害がある場合には，DHEAを使用してはいけません。

うつ病および気分障害：デヒドロエピアンドロステロン（DHEA）は気分障害がある場合に興奮性，衝動性，易刺激性を引き起こすおそれがあります。気分障害がある場合には，DHEAの摂取開始前に医師などに相談してください。また，気分の変化には十分注意してください。

多のう胞性卵巣症候群（PCOS）：デヒドロエピアンドロステロン（DHEA）の摂取により症状が悪化するおそれがあります。PCOSの場合には，DHEAを使用してはいけません。

●妊娠中および母乳授乳期

妊娠中および母乳授乳期のデヒドロエピアンドロステロン（DHEA）の経口摂取は，おそらく安全ではありません。アンドロゲンという男性ホルモンの値が正常値を上回る可能性があります。そのため，胎児や乳児に害を及ぼすおそれがあります。妊娠中および母乳授乳期には，DHEAを使用してはいけません。

有効性

◆有効性レベル②

・膣組織の菲薄化（膣萎縮）。膣壁は閉経後に菲薄化する可能性があります。そのため，性交疼痛が引き起こされる可能性があります。閉経後の女性がデヒドロエピアンドロステロン（DHEA）を含む膣坐剤を使用すると，性交疼痛が最大15％緩和する可能性があります。DHEA製品がこの疾患に対して処方されています。

◆有効性レベル③

・皮膚の加齢変化。デヒドロエピアンドロステロン（DHEA）を経口摂取または皮膚へ塗布すると，閉経後の女性および60歳を超えている場合に皮膚の外観が改善することが研究で示されています。

・うつ病。1日30～500mgのデヒドロエピアンドロステロン（DHEA）を経口摂取すると，うつ病の症状が改善することが研究で示されています。これよりも低用量の場合には役立たないようです。一般的な医薬品では効果がない場合に，うつ病に対してDHEAを推奨する専門家もいます。

・不妊。体外受精（IVF）の前に2～3カ月間，デヒロドエピアンドロステロン（DHEA）を摂取すると，妊娠率および出生率が改善することがほとんどの研究で示されています。ただし，DHEAを摂取しても体外受精を行った女性の流産は予防できないようであることがほかの研究で示されています。DHEAを摂取すると，体外受精せずに妊娠しやすくなるかどうかについては不明です。

◆有効性レベル④

・加齢。60歳を超えてデヒドロエピアンドロステロン（DHEA）値の低い場合に，デヒドロエピアンドロステロンを毎日，最大2年間摂取しても，体型，骨強度，筋力，生活の質は改善しないようです。

・身体能力。若年成人でも老年成人でも，デヒドロエピアンドロステロン（DHEA）により筋力は向上しないことがほとんどの研究で示されています。

・乾癬。デヒドロエピアンドロステロン（DHEA）を毎週注射しても，ほとんどの人で乾癬の症状は改善しないことが初期の研究で示唆されています。

・関節リウマチ。デヒドロエピアンドロステロン（DHEA）を摂取しても，高齢者の関節リウマチの症状は緩和しないことが初期の研究で示唆されています。

・コカインまたはヘロインからの離脱症状。デヒドロエピアンドロステロン（DHEA）を摂取しても，ヘロインまたはコカインの依存症患者の離脱症状は改善しないようであることが初期の研究で示されています。

◆有効性レベル⑤

・精神機能。健康な高齢者，HIV患者，健康な青少年がデヒドロエピアンドロステロン（DHEA）を経口摂取しても，精神機能の改善や精神機能低下の緩和はされなさそうであることがほとんどの研究で示されています。

・シェーグレン症候群。デヒロドエピアンドロステロン（DHEA）を摂取しても，ドライアイおよび口内乾燥を引き起こすシェーグレン症候群の症状は改善されないことが研究で示されています。

有効性レベル：①効きます　②おそらく効きます　③効くと断言できませんが、効能の可能性が科学的に示唆されています
④効かないかもしれません　⑤おそらく効きません　⑥効きません

テ

◆科学的データが不十分です

・アジソン病，副腎不全，ホルモン欠乏の少女（外陰無毛症）の陰毛発育ならびに成長と成熟の促進，心疾患，子宮頸部での異常細胞の増殖（子宮頸部異形成），慢性疲労症候群（CFS），慢性閉塞性肺疾患（COPD），運動による筋損傷，線維筋痛症，HIV/エイズ，炎症性腸疾患（クローン病や潰瘍性大腸炎など），更年期症状，メタボリックシンドローム（心疾患のリスクを高める一群の症候），筋萎縮などの多くの症状を伴う遺伝性疾患（筋強直性ジストロフィー），骨粗鬆症，男性ホルモン（アンドロゲン）の低下，分娩，統合失調症，性機能障害，ループス，体重減少，乳がん，糖尿病，パーキンソン病など。

●体内での働き

デヒドロエピアンドロステロン（DHEA）は，腎臓と肝臓の近くにある副腎によって体内で自然に産生されるホルモンです。DHEAは体内の男性ホルモンおよび女性ホルモンの産生に役立ちます。

DHEA値は加齢にともない低下するようです。うつ病患者，閉経後の女性をはじめ，さまざまな疾患の場合にさらに低下するようです。

医薬品との相互作用

低エストロゲン（卵胞ホルモン）製剤

デヒドロエピアンドロステロンは体内のエストロゲン量を増加させる可能性があります。デヒドロエピアンドロステロンと，更年期症状用のエストロゲン製剤または経口避妊薬を併用すると，体内のエストロゲン量が過剰に増加するおそれがあります。このようなエストロゲン製剤には，結合型エストロゲン，エチニルエストラジオール，エストラジオールなどがあります。経口避妊薬には，エチニルエストラジオール・レボノルゲストレル配合，エチニルエストラジオール・ノルエチステロン配合などがあります。

中タモキシフェンクエン酸塩

がんの種類によっては体内のホルモンの影響を受けます。ホルモン感受性がんは体内のエストロゲン量の影響を受けます。タモキシフェンクエン酸塩はこのようながんの治療および再発予防のために用いられます。デヒドロエピアンドロステロンは体内のエストロゲン量を増加させ，タモキシフェンクエン酸塩の効果を弱めるおそれがあります。タモキシフェンクエン酸塩を服用中にデヒドロエピアンドロステロンを服用しないでください。

低テストステロンエナント酸エステル

デヒドロエピアンドロステロンとテストステロンエナント酸エステルを併用すると，体内のテストステロン量が過剰になる可能性があります。そのため，テストステロンエナント酸エステルの副作用のリスクが高まるおそれがあります。

中トリアゾラム

トリアゾラムは体内で代謝されてから排泄されます。デヒドロエピアンドロステロンはトリアゾラムの代謝を抑制する可能性があります。デヒドロエピアンドロステロンとトリアゾラムを併用すると，トリアゾラムの作用および副作用が増強するおそれがあります。

中フルベストラント

がんの種類によっては体内のホルモンの影響を受けます。ホルモン感受性がんは体内のエストロゲン量の影響を受けます。フルベストラントはこのようながんの治療に用いられます。デヒドロエピアンドロステロンは体内のエストロゲン量を増加させ，がんに対するフルベストラントの効果を弱めるおそれがあります。フルベストラントを服用中にデヒドロエピアンドロステロンを服用しないでください。

中肝臓で代謝される医薬品（シトクロムP450 3A4（CYP3A4）の基質となる医薬品）

特定の医薬品は肝臓で代謝されます。デヒドロエピアンドロステロンはこのような医薬品の代謝を抑制する可能性があります。デヒドロエピアンドロステロンと肝臓で代謝される医薬品を併用すると，医薬品の作用および副作用が増強するおそれがあります。肝臓で代謝される医薬品を服用中に，医師や薬剤師に相談することなくデヒドロエピアンドロステロンを摂取しないでください。このような医薬品には，Lovastatin，シンバスタチン，ケトコナゾール，イトラコナゾール，アミオダロン塩酸塩，Citalopramなど数多くあります。

中結核ワクチン

デヒドロエピアンドロステロンを服用すると，結核ワクチンの効果が弱まるおそれがあります。結核ワクチンの接種を受ける人は，デヒドロエピアンドロステロンを摂取しないでください。

中血液凝固を抑制する医薬品（抗凝固薬/抗血小板薬）

デヒドロエピアンドロステロンは血液凝固を抑制する可能性があります。デヒドロエピアンドロステロンと血液凝固を抑制する医薬品を併用すると，紫斑および出血のリスクが高まるおそれがあります。このような医薬品には，アスピリン，クロピドグレル硫酸塩，非ステロイド性抗炎症薬（NSAIDs）（ジクロフェナクナトリウム，イブプロフェン，ナプロキセンなど），ダルテパリンナトリウム，エノキサパリンナトリウム，ヘパリン，ワルファリンカリウム，リバーロキサバン，アピキサバンなどがあります。

中抗うつ薬

デヒドロエピアンドロステロンは脳内物質のセロトニンを増加させます。特定の抗うつ薬もセロトニンを増加させます。デヒドロエピアンドロステロンと抗うつ薬を併用すると，セロトニンが過剰に増加し，重大な副作用（心臓の異常，悪寒戦慄，神経過敏など）が現れるおそれがあります。抗うつ薬を服用中にデヒドロエピアンドロステロンを摂取しないでください。このような抗うつ薬には，塩酸フルオキセチン（販売中止），パロキセチン塩酸塩水和物，塩酸セルトラリン，Citalopram，アミトリプチリン塩酸塩，イミプラミン塩酸塩，塩酸デュロキセチン，ベンラファキシン塩酸塩 などがあります。

中ホルモン感受性がんの治療薬（アロマターゼ阻害薬）

デヒドロエピアンドロステロンは体内でエストロゲンに変換されます。アロマターゼ阻害薬は体内のエスロトゲン量を減少させるために用いられます。デヒドロエピアンドロステロンの摂取により，アロマターゼ阻害薬の効果が弱まるおそれがあります。このようなホルモン感受性がんの治療薬（アロマターゼ阻害薬）には，アナストロゾール，エキセメスタン，レトロゾールなどがあります。

ハーブおよび健康食品・サプリメントとの相互作用

血液凝固を抑制するおそれのあるハーブおよび健康食品・サプリメント

血液凝固を抑制するおそれのあるハーブとデヒドロエピアンドロステロン（DHEA）を併用すると，人によっては出血のリスクが高まるおそれがあります。このようなハーブには，アンゼリカ，クローブ，タンジン，ニンニク，ショウガ，イチョウ，朝鮮人参などがあります。

甘草

甘草を摂取すると体内のデヒドロエピアンドロステロン（DHEA）値が上昇します。甘草とDHEAを併用すると，DHEAの副作用が増強するおそれがあります。

大豆

大豆は体内のデヒドロエピアンドロステロン（DHEA）値を低下させる可能性があります。大豆とDHEAを併用すると，DHEAの作用が減弱するおそれがあります。

通常の食品との相互作用

食物繊維

食物繊維を摂取すると体内のデヒドロエピアンドロステロン（DHEA）値が低下するようです。食物繊維とDHEAを併用すると，DHEAの作用が減弱するおそれがあります。

大豆

大豆は体内のデヒドロエピアンドロステロン（DHEA）値を低下させる可能性があります。大豆とDHEAを併用すると，DHEAの作用が減弱するおそれがあります。

菜食

菜食主義者（ベジタリアン）は，菜食主義者でない人より血中デヒドロエピアンドロステロン（DHEA）値が高くなります。ただし，この差は閉経後にはなくなるようです。こうした研究結果の重要性については研究者にもよくわかっていません。

使用量の目安

●経口摂取

皮膚の加齢変化

デヒドロエピアンドロステロン（DHEA）1日50mgを1年間摂取します。

うつ病

デヒドロエピアンドロステロン（DHEA）1日30～500mgを単体または抗うつ薬と併用して6～8週間摂取します。

不妊

体外受精の治療前・治療中に，デヒロドエピアンドロステロン（DHEA）1日75mgを2～3カ月摂取します。

●皮膚への塗布

皮膚の加齢変化

デヒドロエピアンドロステロン（DHEA）1％のクリームを1日2回，最大4カ月間，顔および手に塗布します。

膣壁の菲薄化

デヒドロエピアンドロステロン（DHEA）0.25％～1％を含む膣坐剤を1日1回，12週間使用します。デヒドロエピアンドロステロン0.5％を含む特定の膣坐剤がこの疾患に対して処方されています。

デビルズクラブ

DEVIL'S CLUB

別名ほか

アメリカハリブキ（Oplopanax horridus），Cukilanarpak，Devils Club，Devil's Root，Devils Root，Echinopanax horridus，Fatsia，Fatsia horrida，Panax horridum

概　　要

デビルズクラブは植物です。根の皮の部分を用いて「くすり」を作ることもあります。

●要説（ナチュラル・スタンダード）

デビルズクラブは，ウコギ科トチバニンジン属に分類されます。アラスカの先住民や太平洋沿岸北西部では，昔からさまざまな疾患に対して用いられています。従来の医療用途のうち，もっとも普及しているのは，体表と体内の感染症に対するものです。

昔から，気茎の内部樹皮が用いられましたが，最近ではほとんどの市販製剤に根が用いられています。西洋の漢方医は，呼吸促進薬や去痰薬として用いたり，自己免疫性疾患，湿疹，体表と体内の感染症，関節リウマチ，痛み，および2型糖尿病に対して用います。血糖値を下げる，全般的健康感を向上させる，あるいはすい臓を強くするためにも用います。現時点では，いずれの適応症に対しても，効果を支持するヒトにおける質の高い研究はありません。

多くの薬草がそうであるように，商業化には課題があります。課題とは，発案者の知的所有権の尊重，薬草の本来の利用者への補償，現状の使用法を倫理的かつ文化的に民族植物学の範疇でどのように調整するかなどですが，これらすべてを解決するためには，現代の法的仕組みが障害となっています。

安全性

安全性，あるいは副作用の可能性については十分なデータが得られていません。

●妊娠中および母乳授乳期

妊娠中，母乳授乳期は使用してはいけません。

有効性

◆科学的データが不十分です

・関節炎，腸の浄化，嘔吐の原因となるもの，創傷，発熱，結核，胃の障害，咳，感冒，肺炎，腫脹，触痛，皮膚感染症，糖尿病，低血糖症など。

●体内での働き

ある種の真菌，細菌，ウイルスに抵抗する化合物を含んでいます。

医薬品との相互作用

ほかの医薬品との相互作用については明らかではありません。

ハーブおよび健康食品・サプリメントとの相互作用

ほかのハーブ，健康食品・サプリメントとの相互作用についてはまだ明らかではありません。

使用量の目安

標準使用量に関するデータがありません。

デビルズクロー

DEVIL'S CLAW

別名ほか

デビルズクローの根（Devil's Claw Root），ライオンゴロシ（Harpagophytum），デビルズクロウ（Harpagophytum procumbens），Devils Claw, Grapple Plant, Griffe Du Diable, Harpagophyti radix, Wood Spider，Harpagophytum zeyheri

概要

デビルズクローはハーブです。学名のハルパゴフィツム（Harpagophytum）は，ギリシア語で「鉤状の植物」を意味します。動物に付着して種子を拡散できるよう，果実が鉤状の突起に覆われているため，この名前が付けられました。根と塊茎を用いて「くすり」を作ります。

デビルズクローは，動脈硬化，関節炎，痛風，筋肉痛，背部痛，線維筋痛症，腱炎，胸痛，胃腸のむかつき，むねやけ，発熱，片頭痛に用いられます。また，難産，月経不順，アレルギー反応，食欲不振，腎疾患，膀胱疾患に用いられます。

外傷などの皮膚症状に対し，皮膚に塗布することもあります。

・新型コロナウイルス感染症（COVID-19）。

COVID-19に対してデビルズクローの使用を裏付ける十分なエビデンス（科学的根拠）はありません。

安全性

デビルズクローは，適量を最長１年間まで経口摂取する場合には，ほとんどの成人におそらく安全です。もっともよくみられる副作用は下痢です。ある研究では，被験者の約８％が下痢を起こしています。ほかにも，吐き気，嘔吐，胃痛，頭痛，耳鳴，食欲不振，味覚低下などの副作用があります。まれにですが，アレルギー性皮膚反応，月経不順，血圧の変化を引き起こすおそれもあります。

長期間使用する場合や，皮膚へ塗布する場合の安全性については，データが不十分です。

心疾患，高血圧，低血圧：デビルズクローは，心拍数，心拍動および血圧に影響を与える可能性があるため，心臓や循環器系の疾患がある人には害となるおそれがあります。これらの疾患のいずれかの場合には，デビルズクローを摂取する前に，医師などに相談してください。

糖尿病：デビルズクローは血糖値を低下させる可能性があります。デビルズクローと，血糖値を低下させる医薬品を併用すると，血糖値が過度に低下するおそれがあります。血糖値を注意深く監視してください。医師などにより糖尿病治療薬の服薬量を調節する必要があるかもしれません。

胆石：デビルズクローは胆汁の産生を促進する可能性があります。このため，胆石のある患者には問題となるおそれがあります。使用は避けてください。

消化性潰瘍疾患（PUD）：デビルズクローは胃酸の産生を促進する可能性があります。このため，胃潰瘍患者には害となるおそれがあります。使用は避けてください。

●妊娠中および母乳授乳期

妊娠中の使用は，おそらく安全ではありません。発育中の胎児に害となるおそれがあります。妊娠中の使用は避けてください。母乳授乳期の使用も避けるのが最善です。母乳授乳期の使用の安全性についてはデータが不十分です。

有効性

◆有効性レベル③

・背部痛。デビルズクローの経口摂取により，腰痛が緩和するようです。デビルズクローには，非ステロイド抗炎症薬（NSAID）と同程度の効果があるようです。

・変形性関節症。デビルズクローを，単独または非ステロイド抗炎症薬（NSAID）と併用で摂取すると，変形性関節症に起因する疼痛の緩和に役立つようです。複数のエビデンスにより，デビルズクローを16週間使用すると，腰や膝の変形性関節症による疼痛の改善に，diacerhein（米国では市販されていない，変形性関節症の遅効性医薬品）と同程度の効果があることが示唆されています。デビルズクローを摂取した人では，疼痛緩和のために必要としていた非ステロイド抗炎症薬（NSAID）の服薬量を減らすことができる場合もあるようです。

◆科学的データが不十分です

・関節リウマチ（RA），痛風，高コレステロール血症，食欲不振，筋肉痛，片頭痛，皮膚損傷，皮膚症状，胃のむかつきなど。

●体内での働き

炎症や腫脹およびそれによる疼痛を緩和する可能性のある化学物質が含まれています。

医薬品との相互作用

中ワルファリンカリウム

ワルファリンカリウムは血液凝固を抑制するために用いられます。デビルズクローはワルファリンカリウムの作用を強め，紫斑および出血のリスクが高まるおそれがあります。定期的に血液検査をしてください。ワルファリンカリウムの用量を変更する必要があるかもしれません。

低胃酸分泌抑制薬（H２受容体拮抗薬）

デビルズクローは胃酸を増加させる可能性があります。そのため，H２受容体拮抗薬と呼ばれる胃酸分泌抑制薬の効果が弱まるおそれがあります。H２受容体拮抗薬にはシメチジン，ラニチジン塩酸塩，ニザチジン，ファモチジンがあります。

低胃酸分泌抑制薬（プロトンポンプ阻害薬）

デビルズクローは胃酸を増加させる可能性があります。そのため，プロトンポンプ阻害薬と呼ばれる胃酸分泌抑制薬の効果が弱まるおそれがあります。プロトンポンプ阻害薬にはオメプラゾール，ランソプラゾール，ラベプラゾールナトリウム，パントプラゾールナトリウム水和物（販売中止），エソメプラゾールマグネシウム水和物があります。

中肝臓で代謝される医薬品（シトクロムP450 2C19（CYP2C19）の基質となる医薬品）

特定の医薬品は肝臓で代謝されます。デビルズクローは医薬品の代謝を抑制する可能性があります。デビルズクローと肝臓で代謝される医薬品を併用すると，医薬品の作用および副作用が増強する可能性があります。このような医薬品にはオメプラゾール，ランソプラゾール，パントプラゾールナトリウム水和物（販売中止），ジアゼパム，カリソプロドール（販売中止），ネルフィナビルメシル酸塩などがあります。

中肝臓で代謝される医薬品（シトクロムP450 2C9（CYP2C9）の基質となる医薬品）

特定の医薬品は肝臓で代謝されます。デビルズクローは特定の医薬品の代謝を抑制する可能性があります。デビルズクローと肝臓で代謝される医薬品を併用すると，医薬品の作用および副作用が増強するおそれがあります。このような医薬品にはジクロフェナクナトリウム，イブプロフェン，メロキシカム，ピロキシカム，セレコキシブ，アミトリプチリン塩酸塩，ワルファリンカリウム，Glipizide，ロサルタンカリウムなどがあります。

中肝臓で代謝される医薬品（シトクロムP450 3A4（CYP3A4）の基質となる医薬品）

特定の医薬品は肝臓で代謝されます。デビルズクローはこのような医薬品の代謝を抑制する可能性があります。デビルズクローと肝臓で代謝される医薬品を併用すると，医薬品の作用および副作用を増強させるおそれがあります。このような医薬品にはLovastatin，ケトコナゾール，イトラコナゾール，フェキソフェナジン塩酸塩，トリアゾラムなど数多くあります。

低細胞内のポンプによって輸送される医薬品（P糖タンパク質の基質となる医薬品）

特定の医薬品は細胞内のポンプによって輸送されます。デビルズクローは，ポンプの働きを弱め，特定の医薬品の体内への吸収量を増加させる可能性があります。そのため，医薬品の副作用が増強するおそれがあります。このような医薬品にはエトポシド，パクリタキセル，ビンブラスチン硫酸塩，ビンクリスチン硫酸塩，ビンデシン硫酸塩，ケトコナゾール，イトラコナゾール，アンプレナビル（販売中止），インジナビル硫酸塩エタノール付加物（販売中止），ネルフィナビルメシル酸塩，サキナビルメシル酸塩，シメチジン，ラニチジン塩酸塩，ジルチアゼム塩酸塩，ベラパミル塩酸塩，副腎皮質ステロイド，エリスロマイシン，シサプリド（販売中止），フェキソフェナジン塩酸塩，シクロスポリン，ロペラミド塩酸塩，キニジン硫酸塩水和物などがあります。

ハーブおよび健康食品・サプリメントとの相互作用

ほかのハーブ，健康食品・サプリメントとの相互作用についてはまだ明らかではありません。

使用量の目安

●経口摂取

変形性関節症

デビルズクローエキス２～2.6gを１日最大３回に分けて，最長４カ月間摂取します。または，デビルズクロー600mg，ウコン400mg，ブロメライン300mgを含む特定の併用製品を１日２～３回，最長２カ月間摂取します。

背部痛

デビルズクローエキス１日0.6～2.4gを通常数回に分けて，最長１年間摂取します。

テ

有効性レベル：①効きます　②おそらく効きます　③効くと断言できませんが、効能の可能性が科学的に示唆されています　④効かないかもしれません　⑤おそらく効きません　⑥効きません

デルフィニウム

DELPHINIUM

●代表的な別名

千鳥草

別名ほか

チドリソウ，ヒエンソウ，ルリヒエンソウ（Delphinium consolida），ラークスパー（Larkspur），Delphinii Flos, Knight's Spur，Lark Heel，Lark's Claw，Lark's Toe，Ritterspornblü Ten，Staggerweed

概　要

デルフィニウムはハーブです。花を用いて「くすり」を作ることもあります。

安　全　性

「くすり」としての使用は安全ではありません。心拍数を遅くしたり，低血圧症，肺不全を起こすことがあります。

●妊娠中および母乳授乳期

妊娠中，母乳授乳期は使用してはいけません。

有　効　性

◆科学的データが不十分です

・寄生虫，水分貯留，不眠症，および食欲不振。

●体内での働き

現在のところ，どのように作用するかについては十分なデータが得られていません。

医薬品との相互作用

ほかの医薬品との相互作用については明らかではありません。

ハーブおよび健康食品・サプリメントとの相互作用

ほかのハーブ，健康食品・サプリメントとの相互作用についてはまだ明らかではありません。

使用量の目安

標準使用量に関するデータがありません。

テレピン油

TURPENTINE OIL

●代表的な別名

大王松油

別名ほか

大王松，海岸松（Pinus pinaster），ダイオウショウ，ダイオウマツ，オイマツ（Pinus palustris），フランスカイガンショウ，テルペンチン（Turpentine），Pinus australis，Purified turpentine oil，Spirits of turpentine，Terebinthinae aetheroleum

概　要

テレピン油はある種の松の樹脂から作られ，「くすり」として使用されることもあります。

安　全　性

成人で皮膚あるいは吸入によって適切に使用する場合は安全であると考えられます。

吸入の場合，とくに気管支喘息やゼーゼーいう咳をしている人で気道の痙攣が起こることがあります。

皮膚に使用する場合は，かぶれが生じることがあります。

経口で摂取したり，皮膚でも広い範囲で使用する場合は安全ではありません。経口で摂取する場合は，頭痛，眠気，咳，肺における出血，嘔吐，腎障害，脳障害，昏睡，死亡といった重篤な副作用が起こることがあります。

小児に用いてはいけません。毒性に対しとくに敏感なので，命にかかわることがあります。

気管支喘息やゼーゼーいう咳といった肺の疾患がある場合も使用してはいけません。

●妊娠中および母乳授乳期

妊娠中，母乳授乳期は使用してはいけません。

有　効　性

◆科学的データが不十分です

・筋肉痛，歯痛のほか，吸入法による肺疾患への使用，関節痛および神経痛への皮膚からの使用など。

●体内での働き

吸入することで，うっ血を減らします。また，皮膚に用いた場合は皮膚を温め赤みを帯びさせ，それによって皮膚の下の組織の痛みを和らげることができます。

医薬品との相互作用

低 肝臓で代謝される医薬品（シトクロムP450 1A2（CYP1A2）の基質となる医薬品）

特定の医薬品は肝臓で代謝されます。テレピン油は医薬品の代謝を抑制する可能性があります。テレピン油と肝臓で代謝される医薬品を併用すると，医薬品の作用および副作用が増強するおそれがあります。しかし，この相互作用は動物やヒトでは確かめられていません。このような医薬品には，クロザピン，Cyclobenzaprine，フルボキサミンマレイン酸塩，ハロペリドール，イミプラミン塩酸塩，メキシレチン塩酸塩，オランザピン，塩酸ペンタゾシン，プロプラノロール塩酸塩，Tacrine，テオ

相互作用レベル：高 この医薬品と併用してはいけません　中 この医薬品とは慎重に併用するか併用しないでください　低 この医薬品との併用には注意が必要です

フィリン，Zileuton，ゾルミトリプタンなどがあります。

中 皮膚，目，または耳に適用される医薬品（局所用薬）

テレピン油は，場合によって医薬品の吸収量を増加させる可能性があります。テレピン油と，皮膚や目鼻に塗布する医薬品を局所で併用すると，医薬品の吸収が促進する可能性があります。そのため，医薬品の作用および副作用が増強するおそれがあります。

ハーブおよび健康食品・サプリメントとの相互作用

ほかのハーブ，健康食品・サプリメントとの相互作用についてはまだ明らかではありません。

使用量の目安

●局所投与

テレピン油数滴を患部にすりこみます。液および半固形調薬の濃度は通常，10～15%です。使用は，1日3～4回を超えてはいけません。

●吸入摂取

テレピン油をお湯に数滴たらし，その蒸気を吸い込みます。

田七人参

PANAX NOTOGINSENG

別名ほか

サンシチニンジン，三七人参，Aralia quinquefolia var. notoginseng, Chai-Jen-Shen, Field Seven, Noto-Gin, Notoginseng, Panax notoginseng, Panax Notoginseng Radix, Panax pseudoginseng var. notoginseng Radix Notoginseng, Samch'il, Sanchitongtshu, San Qi, San Qui, San-Qi Ginseng, Sanchi, Sanchi Ginseng, Sanchitongtshu, Sanqi, Sanqi Powder, Sanshichi, Three Seven, Tian Qi, Tian San Qi, Tienchi, Tienchi Ginseng

概　　要

田七人参は植物です。葉，果実，花を用いて「くすり」と作ることもあります。ただし，通常，根が用いられます。田七人参と，朝鮮人参やアメリカジンセン（アメリカ人参）などのほかの種類のニンジンと混同しないよう注意してください。

田七人参は，出血を止めたり弱めたりするために使われます。鼻出血，吐血・喀血，血尿・血便などに使われることもあります。

また，田七人参は，疼痛緩和，腫脹軽減，血圧低下のためにも使われます。同様に，胸痛（狭心症），脳卒中，脳内出血，血管内の脂肪沈着，心臓発作，ある種の肝疾患にも使われます。ほかにも，運動活力や運動能力の改善，運動後の筋肉痛の緩和，変形性関節症や関節リウマチなどにも使われます。

田七人参を直接皮膚に塗布して，止血，紫斑や腫脹の治療，筋肉の血流改善に使われることもあります。

安　全　性

田七人参を経口摂取する場合，おそらく安全です。口内乾燥，皮膚潮紅，皮疹，神経過敏，睡眠障害，頭痛，吐き気，嘔吐などの副作用を引き起こすおそれがあります。

田七人参が医師により静脈内投与される場合，おそらく安全です。皮疹，神経過敏，頭痛，吐き気，嘔吐などの副作用を引き起こす可能性があります。

乳がん，子宮がん，卵巣がん，子宮内膜症，子宮筋腫などのホルモン感受性疾患：田七人参にはエストロゲン様作用があります。エストロゲン曝露によって悪化する疾患を有する場合は，田七人参を摂取しないでください。

●妊娠中および母乳授乳期

妊娠中および母乳授乳期に田七人参を摂取しないでください。安全ではないようです。田七人参に先天性異常の原因となる成分が含まれていることが動物実験で示されています。

有　効　性

◆有効性レベル③

- 胸痛（狭心症）。研究によると，従来の医薬品と併用して，田七人参を経口摂取または注射すると，胸痛の症状が緩和することが示唆されています。また，田七人参を摂取すると，胸痛発作の頻度が低くなったり，発作の持続時間が短縮したりする可能性が示唆されています。田七人参の製品は，中国などの各国で医師により処方されます。
- 頭蓋内出血。研究によると，田七人参を注射すると，脳卒中などによる脳内出血患者の回復が促進されたり，死亡リスクが低下したりする可能性が示唆されています。田七人参の製品は，中国などの各国で医師により処方されます。
- 脳卒中。研究によると，田七人参を注射すると，脳卒中の症状が改善したり，病気から回復したりする見込みが高まる可能性が示唆されています。田七人参の製品は，中国などの各国で医師により処方されます。

◆有効性レベル④

- 心臓発作。心疾患患者が従来の治療に併用して田七人参を摂取しても，心臓発作を予防することはないようです。

◆科学的データが不十分です

- 運動能力，運動による筋肉痛，変形性関節症，出血，高血圧，血流改善，肝疾患，疼痛，腫脹など。

●体内での働き

田七人参は血管を拡張させる可能性があります。そのため，血流が改善し，血圧が低下する可能性があります。田七人参に含まれる一部の化学物質によって，腫脹が軽減したり，心臓が保護されたりする可能性があります。田七人参がほかの症状に対してどのように作用するかについては，十分なデータが得られていません。

医薬品との相互作用

中アスピリン

田七人参とアスピリンを併用すると，アスピリンおよび田七人参の血中濃度が上昇する可能性があります。このことはヒトでは確認されていませんが，田七人参とアスピリンを併用すると，アスピリンおよび田七人参それぞれの副作用が増強するおそれがあります。

中カフェイン

カフェインは肝臓で代謝されてから排泄されます。田七人参は肝臓でのカフェインの代謝を促進する可能性があります。田七人参とカフェインを併用すると，カフェインの作用が減弱するおそれがあります。

中肝臓で代謝される医薬品（シトクロムP450 1A2（CYP1A2）の基質となる医薬品）

特定の医薬品は肝臓で代謝されます。田七人参はこのような医薬品の代謝を促進する可能性があります。田七人参と肝臓で代謝される医薬品を併用すると，医薬品の効果が弱まるおそれがあります。このような医薬品には，クロザピン，Cyclobenzaprine，フルボキサミンマレイン酸塩，ハロペリドール，イミプラミン塩酸塩，メキシレチン塩酸塩，オランザピン，塩酸ペンタゾシン，プロプラノロール塩酸塩，Tacrine，Zileuton，ゾルミトリプタンなどがあります。

ハーブおよび健康食品・サプリメントとの相互作用

ほかのハーブ，健康食品・サプリメントとの相互作用についてはまだ明らかではありません。

使用量の目安

【成人】

●経口摂取

胸痛（狭心症）

田七人参エキスの場合，200～400mgを１日２～３回，４～６週間，毎日摂取します。また，田七人参粉末の場合，１gを１日３回，毎日摂取します。

脳卒中

田七人参根の特定のエキスを１日３回，28日間摂取します。

●注射（点滴）

胸痛（狭心症）

400～500mgの田七人参エキスを２～４週間，毎日，静脈内投与または注射（点滴）します。

頭蓋内出血

140～800mgの田七人参エキスを通常２～４週間毎日静脈内投与します。

脳卒中

200～600mgの田七人参を２～４週間毎日注射します。

デンドロビウム

DENDROBIUM

●代表的な別名

石斛

別名ほか

Dendrobe Noble, Dendrobium Extract, Dendrobium nobile, Dendrobium officinale, Extrait de Dendrobium, Jin Chai Shi Hu （D. nobile）, Nobile Dendrobium （D. nobile）, Orchid Stem, Stem-Orchid, Tie Pi Shi （D. officinale）, Vinter dendrobium （D. nobile）

概　　要

デンドロビウムは，ラン科の植物です。中国，香港，台湾，インド，タイ，ベトナムなどのアジアの温暖な熱帯地域に原生しています。

安　全　性

安全性あるいはその作用がどんなものかについてのデータは十分ではありません。

痙攣：人によっては痙攣を誘発するおそれがあります。痙攣を起こすような化学物質が含まれているため，痙攣の既往症がある人は使用しないでください。

●妊娠中および母乳授乳期

妊娠中および母乳授乳期の使用の安全性についてはデータが不十分です。安全性を考慮し，摂取は避けてください。

有　効　性

◆科学的データが不十分です

- 運動能力，身体能力，口内乾燥（ドライマウス），咳，発熱，熱中症，のどの渇き，免疫力促進，嘔吐，腹痛，勃起不全，食欲不振，結核など。

●体内での働き

デンドロビウムには，数種の化学物質が含まれています。ヒトに作用する科学物質もあるとされます。それらは，血圧を下げたり，血糖値を上げたり，痛みを和らげたりします。また痙攣を誘発するおそれがあるとされます。しかし，これらの作用はヒトで研究はされていませんので，ヒトでの有効性は明らかではありません。

医薬品との相互作用

中抗てんかん薬

抗てんかん薬は，脳の化学物質に作用します。デンドロビウムも脳の化学物質に影響を及ぼしますので，併用すると抗てんかん薬の作用が弱まる可能性があります。抗てんかん薬には，フェノバルビタール，プリミドン，バルプロ酸ナトリウム，ガバペンチン，カルバマゼピン，フェニトインがあります。

低降圧薬

デンドロビウムには血圧を下げる作用があるため，降圧薬と併用すると血圧が過度に下がりすぎるおそれがあります。このような降圧薬にはカプトプリル，エナラプリルマレイン酸塩，ロサルタンカリウム，バルサルタン，ジルチアゼム塩酸塩，アムロジピンベシル酸塩，ヒドロクロロチアジド，フロセミドなど多くあります。

中発作を誘発する可能性のある医薬品（発作閾値を低下させる医薬品）

医薬品の中には，発作を誘発する可能性のあるものがあります。デンドロビウムを摂取して発作を起こす可能性のある人は，これらを併用すると発作を起こすリスクがさらに高まるため，併用しないでください。発作を誘発する可能性のある医薬品には，麻酔薬（プロポフォールほか），抗不整脈薬（メキシレチン塩酸塩），抗菌薬（Amphotericin，ペニシリン系薬，セファロスポリン系薬，イミペネム水和物（販売中止）），抗うつ薬（ブプロピオン塩酸塩（販売中止）ほか），抗ヒスタミン薬（シプロヘプタジン塩酸塩水和物ほか），免疫抑制薬（シクロスポリン），麻薬（フェンタニルクエン酸塩ほか），興奮薬（メチルフェニデート塩酸塩），テオフィリンなどがあります。

ハーブおよび健康食品・サプリメントとの相互作用

ほかのハーブ，健康食品・サプリメントとの相互作用についてはまだ明らかではありません。

使用量の目安

標準使用量に関するデータがありません。

ドイツスズラン

LILY-OF-THE-VALLEY

●代表的な別名

君影草

別名ほか

きみかげそう，君影草（Convallaria majalis），メイリリー（May Lily），ミュゲ（Muguet），Constancy，Convallaria，Convallaria herba，Convall-Lily，Jacob's Ladder，Ladder-to-Heaven，Lily，Lily of the Valley，May Bells，Our Lady's Tears

概　要

ドイツスズランはハーブです。根，地下茎，乾燥させた花の先端を用いて「くすり」を作ることもあります。

安 全 性

自己流で治療に用いるのは安全ではありません。誤って摂取した場合は直ちに医師にみせる必要性があります。

副作用としては，悪心，嘔吐，心拍の律動異常，頭痛，意識と反応の低下，色彩感覚の障害などが起こることがあります。

心臓病の人は，医師に相談なく使用してはいけません。

カリウム欠乏症の人は使用してはいけません。

●妊娠中および母乳授乳期

妊娠中，母乳授乳期は使用してはいけません。

有 効 性

◆科学的データが不十分です

・心臓不整脈，そのほかの心臓障害，尿路感染症，腎結石，微弱陣痛，てんかん，体液貯留，脳卒中，麻痺，眼の感染症（結膜炎），およびハンセン病。

●体内での働き

心筋に作用する物質を含んでいます。心筋の収縮，心拍数，興奮性に影響を与えます。

ト

医薬品との相互作用

高キニーネ塩酸塩水和物

ドイツスズランは心臓に影響を及ぼす可能性があります。キニーネ塩酸塩水和物は，ドイツスズランが体内に留まる量を増加させる可能性があります。ドイツスズランとキニーネ塩酸塩水和物を併用すると，ドイツスズランの作用および副作用が増強するおそれがあります。

高ジゴキシン

ジゴキシンには強心作用があります。ドイツスズランも心臓に影響を及ぼすようです。ドイツスズランとジゴキシンを併用すると，ジゴキシンの作用が増強し，副作用のリスクが高まるおそれがあります。ジゴキシンを服用中は医師や薬剤師に相談することなく，ドイツスズランを摂取しないでください。

中テトラサイクリン系抗菌薬

ドイツスズランは心臓に影響を及ぼす可能性があります。特定の抗菌薬はドイツスズランの体内への吸収量を増加させる可能性があります。ドイツスズランと特定の抗菌薬を併用すると，ドイツスズランの作用および副作用が増強するおそれがあります。このような抗菌薬には，デメチルクロルテトラサイクリン塩酸塩，ミノサイクリン塩酸塩，テトラサイクリン塩酸塩などがあります。

中マクロライド系抗菌薬

ドイツスズランは心臓に影響を及ぼす可能性があります。特定の抗菌薬はドイツスズランの体内への吸収量を増加させる可能性があります。ドイツスズランと特定の抗菌薬を併用すると，ドイツスズランの作用および副作用が増強するおそれがあります。このような抗菌薬には，エリスロマイシン，アジスロマイシン水和物，クラリスロマイシンなどがあります。

高抗炎症薬（副腎皮質ステロイド）

ドイツスズランは心臓に影響を及ぼす可能性がありま

す。副腎皮質ステロイドは体内のカリウム量を減少させる可能性があります。カリウム量の減少も心臓に影響を及ぼし，ドイツスズランの副作用のリスクが高まるおそれがあります。このような副腎皮質ステロイドには，デキサメタゾン，ヒドロコルチゾン，メチルプレドニゾロン，Prednisoneなどがあります。

中刺激性下剤

ドイツスズランは心臓に影響を及ぼす可能性があります。心臓はカリウムを必要とします。刺激性下剤は体内のカリウム量を減少させる可能性があります。カリウム量の減少によりドイツスズランの副作用のリスクが高まるおそれがあります。このような刺激性下剤には，ビサコジル，カスカラサグラダ，ヒマシ油，センナなどがあります。

中利尿薬

ドイツスズランは心臓に影響を及ぼす可能性があります。利尿薬は体内のカリウム量を減少させる可能性があります。カリウム量の減少も心臓に影響を及ぼす可能性があり，ドイツスズランの副作用のリスクが高まるおそれがあります。このような利尿薬には，クロロチアジド（販売中止），クロルタリドン（販売中止），フロセミド，ヒドロクロロチアジドなどがあります。

中炭酸リチウム

ドイツスズランは利尿薬のように作用する可能性があります。ドイツスズランを摂取すると，炭酸リチウムの体内からの排泄が抑制される可能性があります。そのため，体内の炭酸リチウム量が増加し，重大な副作用が現れるおそれがあります。炭酸リチウムを服用中は医師や薬剤師に相談することなく，ドイツスズランを摂取しないでください。炭酸リチウムの用量を変更する必要があるかもしれません。

高カルシウムサプリメント

ドイツスズランには心臓の拍動を刺激する作用があると考えられます。また，カルシウムも心臓に影響を及ぼすと考えられている物質です。カルシウムサプリメントとドイツスズランをともに摂取すると，心臓に過度の刺激を与えるおそれがあるので，これらを同時に使用してはいけません。

ハーブおよび健康食品・サプリメントとの相互作用

ほかのハーブ，健康食品・サプリメントとの相互作用についてはまだ明らかではありません。

使用量の目安

●経口摂取

平均的な１日の摂取量は，標準品のドイツスズラン・パウダー（0.2〜0.3％の強心性配糖体）または同等品600mgです。

銅

COPPER

別名ほか

酸化銅（Cupric Oxide），原子番号29（Atomic Number 29），Cu，Cuivre，Elemental Copper

概　　要

銅はミネラルです。多くの食品，とくに内臓肉，魚介類，ナッツ類，種子，ふすまシリアル，穀物製品，ココア製品に多く含まれます。銅は体内では主に骨および筋肉に存在します。血中の銅濃度は肝臓で調節されています。銅は「くすり」として用いられます。

銅は，銅欠乏症およびそれによる貧血の治療に用いられます。銅欠乏症はまれな疾患です。食事やサプリメントから亜鉛を過剰に摂取した人や，腸管バイパス手術を受けた人，経管栄養を受けている人などに起きることがあります。栄養不良の乳児も銅欠乏症になるおそれがあります。

銅はまた，創傷治癒の促進，アルツハイマー病，関節炎や骨粗鬆症の治療に用いられます。ある種の下痢，ループス，ざ瘡（にきび）に対して用いられることもあります。

通常の食事を摂っている人に銅サプリメントが必要であるというエビデンスはありません。運動選手でも適切に食事を摂っていれば，それ以上銅の補給は必要ありません。

安　全　性

銅の経口摂取は，１日10mg未満であれば，ほとんどの人に安全のようです。

高用量の銅を経口摂取する場合は，おそらく安全ではありません。成人は１日10mgを超える量を摂取しないでください。硫酸銅はわずか１gでも，腎不全を起こしたり，死に至ったりするおそれがあります。銅の過剰摂取による症状には，吐き気，嘔吐，血性下痢，発熱，胃痛，低血圧，貧血，心臓の異常などがあります。

小児：銅の経口摂取は，適量であれば，ほとんどの人に安全のようです。耐容上限量（UL）を超える量を摂取しないでください。耐容上限量（UL）は以下の通りです。

１〜３歳：１日１mg
４〜８歳：１日３mg
９〜13歳：１日５mg
14〜18歳：１日８mg

これより高用量を経口摂取するのは，おそらく安全ではありません。肝障害をはじめ，害を及ぼすおそれがあります。

血液透析：血液透析を受けている腎疾患患者には，銅欠乏症のリスクがあるようです。血液透析を受けている場合には，銅サプリメントが必要となることがあります。医師などに相談してください。

特発性銅中毒症，小児肝硬変などの遺伝性疾患：銅を過剰摂取すると，これらの疾患が悪化するおそれがあります。

ウィルソン病：銅サプリメントを摂取すると，この疾患が悪化し，治療が妨げられるおそれがあります。

●妊娠中および母乳授乳期

妊娠中および母乳授乳期の経口摂取は，適量であれば，ほとんどの人に安全のようです。妊娠中または母乳授乳期には以下を超える量を摂取しないでください。

14～18歳：１日８mg

19歳以上：１日10mg

これより高用量を経口摂取するのは，おそらく安全ではありません。危険をもたらすおそれがあります。

有効性

◆有効性レベル②

・銅欠乏症。推奨量の銅を経口摂取したり，医師などにより静脈内投与したりすると，銅欠乏症およびそれに起因する貧血の治療に有効です。

◆有効性レベル④

・アルツハイマー病。研究により，銅を12カ月間毎日経口摂取しても，アルツハイマー病の症状は改善しないことが示唆されています。一部のアルツハイマー病患者は，罹患していない人に比べて，血中の銅濃度が高くなります。銅がこの疾患を悪化させる可能性については情報が不十分です。

・下痢。腸感染による重度の下痢を認める幼児が銅を摂取しても，有効ではないようです。

・ループス。銅を単独または魚油と併用して毎日摂取しても，全身性エリテマトーデスというループスの症状は改善しないようです。

◆科学的データが不十分です

・ざ瘡（にきび），歯垢，骨粗鬆症，関節炎，創傷治癒など。

●体内での働き

銅は，生命活動に多く関与しています。

医薬品との相互作用

中ペニシラミン

ペニシラミンはウイルソン病および関節リウマチの治療に用いられます。銅はペニシラミンの体内への吸収量を減少させ，ペニシラミンの効果を弱めるおそれがあります。

低避妊薬

経口避妊薬を使用している女性の血中銅濃度は上昇します。 銅と経口避妊薬を併用すると，銅の体内量が過剰に増加するおそれがあります。

ハーブおよび健康食品・サプリメントとの相互作用

鉄

高濃度の鉄を含む調合乳を乳児が摂取すると，銅の吸収が弱まり，銅の体内量が減少するおそれがあります。鉄サプリメントを投与されている母乳で育てられている乳児では，銅の吸収が弱まることはないようです。成人では，銅の摂取は鉄の吸収を弱めるおそれがありますが，おそらく非常に高用量の銅を摂取する場合に限られます。

ビタミンC

高用量のビタミンCが，体内における銅の循環や作用を阻害するおそれがありますが，食事による銅の摂取量

銅の食事摂取基準（mg/ 日）

日本人の食事摂取基準 2020 年版

性　別	男　性				女　性			
年齢等	推定平均必要量	推奨量	目安量	耐容上限量	推定平均必要量	推奨量	目安量	耐容上限量
0～5（月）	—	—	0.3	—	—	—	0.3	—
6～11（月）	—	—	0.3	—	—	—	0.3	—
1～2（歳）	0.3	0.3	—	—	0.2	0.3	—	—
3～5（歳）	0.3	0.4	—	—	0.3	0.3	—	—
6～7（歳）	0.4	0.4	—	—	0.4	0.4	—	—
8～9（歳）	0.4	0.5	—	—	0.4	0.5	—	—
10～11（歳）	0.5	0.6	—	—	0.5	0.6	—	—
12～14（歳）	0.7	0.8	—	—	0.6	0.8	—	—
15～17（歳）	0.8	0.9	—	—	0.6	0.7	—	—
18～29（歳）	0.7	0.9	—	7	0.6	0.7	—	7
30～49（歳）	0.7	0.9	—	7	0.6	0.7	—	7
50～64（歳）	0.7	0.9	—	7	0.6	0.7	—	7
65～74（歳）	0.7	0.9	—	7	0.6	0.7	—	7
75 以上（歳）	0.7	0.8	—	7	0.6	0.7	—	7
妊　婦（付加量）					+0.1	+0.1	—	—
授乳婦（付加量）					+0.5	+0.6	—	—

有効性レベル：①効きます　②おそらく効きます　③効くと断言できませんが、効能の可能性が科学的に示唆されています　④効かないかもしれません　⑤おそらく効きません　⑥効きません

が少なくなければ，健康面の心配はないようです。

亜鉛

高用量の亜鉛が，銅の吸収量を減少させ，銅欠乏症やそれに起因する貧血を引き起こすおそれがあります。ただし，通常のサプリメントとしての亜鉛の用量であれば，銅濃度に影響はないようです。

使用量の目安

●経口摂取

銅欠乏症

1日最大0.1mg/kgの硫酸銅を摂取します。

骨粗鬆症

1日当たり，銅2.5mg，亜鉛15mg，マンガン5mg，カルシウム1,000mgを併用摂取します。

乳児の銅の目安量（AI）は，米国医学研究所（the National Institute of Medicine）により，以下の通り定められています。

0～6カ月：1日200μg（1日30μg/kg）

7～12カ月：1日220μg（1日24μg/kg）

乳児は，医師などによりサプリメントの摂取を推奨され，経過観察と監視が行われる場合を除き，すべての銅を食品または調合乳から摂取してください。

銅の推奨量（RDA）は以下の通りです。

1～3歳：1日340μg

4～8歳：1日440μg

9～13歳：1日700μg

14～18歳：1日890μg

19歳以上：1日900μg

妊娠中の女性：1日1,000μg

母乳授乳期の女性：1日1,300μg

有害作用を引き起こさない最大量とされる耐容上限量（UL）は，以下の通り定められています。

1～3歳：1日1mg

4～8歳：1日3mg

9～13歳：1日5mg

14～18歳（妊娠中および母乳授乳期の女性を含む）：1日8mg

19歳以上（母乳授乳期の女性を含む）：1日10mg

19歳以上の妊娠中の女性：1日8mg

●静脈内投与

銅欠乏症

医師などにより，銅を静脈内投与します。

トウアズキ

JEQUIRITY

別名ほか

Grain d'Église, Gunja, Haricot Paternoster, Herbe du Diable, Indian BeadLiane Réglisse, Pois Rouge, Regaliz Americano, Réglisse Marron, Rosary Pea, Xian Si Zi

概　要

トウアズキは，つる性植物です。根，葉，種子は「くすり」として使用されてきました。しかし，疾患の治療に有効であるとのデータはありません。

根は気管支喘息，気管支炎，発熱，肝炎，マラリア感染，痙攣，ヘビ咬傷，咽喉痛，胃痛，条虫症，分娩誘発等に経口投与されます。

葉は，発熱，咳，感冒，インフルエンザ，昆虫刺傷，マラリア感染，淋病に経口投与されます。

安全性に疑問がありますが，種子は分娩誘発，流産誘発，妊娠抑制に使用されます。また，鎮痛剤として，末期症状の患者にも使用されます。

植物全体としては眼の腫れに使用されます。

安 全 性

トウアズキの経口摂取は安全ではないようです。トウアズキに含まれるアブリンという化学物質は毒性があり，低用量でも死を引き起こすおそれがあります。毒性の症状には，胃痙攣と，それに続く重度の下痢と嘔吐があり，出血を伴うこともあります。その他の症状として，心拍数上昇，肝毒性または腎毒性などがあります。症状は数時間以内に出る場合もあれば，最大で数日後に出ることもあります。胃疾患などの症状が3～4日続いた後で，死に至るおそれもあります。

種子が皮膚に接触すると，炎症，過敏，重度の眼疾患を引き起こすおそれがあります。

トウアズキの摂取は，誰にとっても安全ではありませんが，以下に該当する人は，とくに使用を避けるべきです。

小児：小児に安全ではありません。小児はトウアズキの種子の毒性に敏感ですが，不運にも種子の明色は小児の目を惹きます。種子をたった1粒飲み込んでも，死亡することもあります。トウアズキの種を飲んだ疑いがある場合，救急措置を受けてください。

出血性疾患：血液凝固を抑制するおそれがあります。このため，トウアズキの摂取により，出血性疾患が悪化するおそれがあります。

糖尿病：血糖値を低下させるおそれがあります。糖尿病に罹患していてトウアズキを摂取する場合には，血糖値を注意深く監視し，低血糖の徴候がないか観察してください。

手術：血液凝固を抑制したり，血糖値を低下させたりするおそれがあります。そのため，トウアズキの摂取により，手術中および術後に，出血リスクが高まったり，血糖コントロールが妨げられたりするおそれがあります。少なくとも手術前2週間は，使用しないでください。

●妊娠中および母乳授乳期

妊娠中および母乳授乳期の経口摂取は安全ではないよ

うです。トウアズキには有毒化学物質のアブリンが含まれています。また，陣痛を引き起こすおそれがあります。使用は避けてください。

有　効　性

◆科学的データが不十分です

・分娩誘発，流産誘発，避妊，末期患者の疼痛，眼の炎症，気管支喘息，気管支炎，発熱，肝炎，マラリア，痙攣，ヘビ咬傷，咽喉痛，胃痛，条虫，咳，感冒，インフルエンザ，昆虫刺傷，淋病など。

●体内での働き

トウアズキの種子には，毒性があり細胞の正常な成長や機能を妨げるアブリンが含まれています。女性においては排卵抑制，男性においてはテストステロン濃度と精子数の減少を引き起こし，妊娠を抑制する可能性があります。ある種の細菌，条虫，マラリアを引き起こす寄生虫の除去にも役立つ可能性があります。また，血液凝固，腫脹およびアレルギーを抑制する化学物質が含まれます。

医薬品との相互作用

中 血液凝固を抑制する医薬品（抗凝固薬/抗血小板薬）

トウアズキは血液凝固を抑制する可能性があります。トウアズキと血液凝固を抑制する医薬品を併用すると，紫斑および出血のリスクが高まるおそれがあります。このような医薬品にはアスピリン，クロピドグレル硫酸塩，およびジクロフェナクナトリウムやイブプロフェンやナプロキセンなどの非ステロイド性抗炎症薬（NSAIDs），また，ダルテパリンナトリウム，エノキサパリンナトリウム，ヘパリン，ワルファリンカリウムなどがあります。

中 糖尿病治療薬

トウアズキは血糖値を低下させる可能性があります。糖尿病治療薬もまた血糖値を低下させるために用いられます。トウアズキと糖尿病治療薬を併用すると，血糖値が過度に低下するおそれがあります。血糖値を注意深く監視してください。糖尿病治療薬の用量を変更する必要があるかもしれません。このような糖尿病治療薬にはグリメピリド，グリベンクラミド，インスリン，メトホルミン塩酸塩，ピオグリタゾン塩酸塩，マレイン酸ロシグリタゾン（販売中止）などがあります。

ハーブおよび健康食品・サプリメントとの相互作用

血糖値を低下させるおそれのあるハーブおよび健康食品・サプリメント

トウアズキは血糖値を低下させるおそれがあります。トウアズキと，血糖値を低下させるおそれのあるほかのハーブおよび健康食品・サプリメントを併用すると，人によっては低血糖のリスクが高まるおそれがあります。このようなハーブおよび健康食品・サプリメントには，α-リポ酸，デビルズクロー，フェヌグリーク，ニンニク，グアーガム，セイヨウトチノキ，朝鮮人参，サイリウム，エゾウコギなどがあります。

血液凝固を抑制するおそれのあるハーブおよび健康食品・サプリメント

トウアズキは血液凝固を抑制するおそれがあります。トウアズキと，血液凝固を抑制するおそれのあるほかのハーブおよび健康食品・サプリメントを併用すると，人によっては出血のリスクが高まるおそれがあります。このようなハーブおよび健康食品・サプリメントには，アンゼリカ，クローブ，タンジン，ニンニク，ショウガ，イチョウ，朝鮮人参などがあります。

使用量の目安

通常の食品に含まれている量を超えて経口摂取した場合の安全性および副作用については，明らかになっていません。

トウガラシ

CAPSICUM

●代表的な別名

レッドペッパー

別名ほか

赤トウガラシ（Red Pepper），甘トウガラシ（Sweet Pepper），中南米産のトウガラシ（Capsicum chinense），カイエンヌ（Cayenne），チリペッパー（Chili Pepper），グリーンペッパー（Green Pepper），グリーンチリペッパー（Green Chili Pepper），ハンガリアンペッパー（Hungarian Pepper），メキシカンチリ（Mexican Chilies），オレオレジン・カプシカム（Oleoresin capsicum），パプリカ（Paprika），ピメント（Pimento），タバスコペッパー（Tabasco Pepper），キダチトウガラシ（Capsicum frutescens），トウガラシ（Capsicum annuum），アヒ（Capsicum baccatum），ロコトトウガラシ（Capsicum pubscens），Cis-カプサイシン（Cis-capsaicin），ピーマン，トランスカプサイシン（Trans-capsaicin），African Chillies，African Pepper，Bird Pepper，Capsaicin，Garden Pepper，Goat's Pod，Grains of Paradise，Hot Pepper，Ici Fructus，Katuvira，Louisiana Long Pepper，Louisiana Sport Pepper，Mirchi，Zanzibar Pepper，Zucapsaicin

概　　要

トウガラシは，赤トウガラシ，チリペッパーとしても知られるハーブです。果実を用いて「くすり」を作ることもあります。

トウガラシは通常，関節リウマチ（RA），変形性関節症など，疼痛を伴う疾患に対して使用されます。また，消化不良，心血管疾患など，多くの疾患に対して使用されます。ただし，これらの用途を十分に裏づけるエビデンスはありません。

ある特定の種類のトウガラシは，顔に触れると，激しい眼痛などの不快な作用を引き起こします。そのため，護身用の催涙スプレーに用いられています。

安　全　性

トウガラシは，通常の食品に含まれている量を経口摂取する場合には，ほとんどの人に安全のようです。トウガラシを「くすり」として，短期間に経口摂取する場合は，おそらく安全です。副作用として，胃の過敏，胃のむかつき，発汗，皮膚の紅潮，鼻水を引き起こすおそれがあります。トウガラシを高用量または長期間経口摂取する場合には，おそらく安全ではありません。まれに，肝障害，腎障害，血圧の急上昇など，さらに重大な副作用を引き起こすおそれがあります。

成人がトウガラシのエキスを含む医療用のローションやクリームを皮膚に塗布する場合も，ほとんどの人に安全のようです。トウガラシの有効成分であるカプサイシンは，米国食品医薬品局（FDA）により，市販薬として承認されています。副作用として，皮膚過敏，灼熱感，そう痒などを引き起こすおそれがあります。トウガラシは，眼，鼻，のどに強い刺激を与えるおそれもあります。肌の敏感な部位や，眼の周りには用いてはいけません。

トウガラシを鼻腔内に用いる場合には，おそらく安全です。重大な副作用は報告されていませんが，鼻腔内に塗布すると，強い疼痛を引き起こすおそれがあります。また，灼熱痛，くしゃみ，涙目，鼻水を引き起こすおそれがあります。これらの副作用は，５日間以上繰り返し用いるうちに，軽減したり消失したりする傾向にあります。

小児：２歳未満の幼児の皮膚にトウガラシを塗布する場合，おそらく安全ではありません。小児がトウガラシを経口摂取する場合の安全性についてはデータが不十分です。使用してはいけません。

出血性疾患：相反する研究結果もありますが，出血性疾患の場合には，トウガラシが出血のリスクを高めるおそれがあります。

肌荒れ：肌荒れや，皮膚に傷がある場合には，トウガラシを使用してはいけません。

糖尿病：理論上，トウガラシは糖尿病患者の血糖値に影響を与えるおそれがあります。十分なデータが得られるまで，糖尿病患者がトウガラシを摂取する場合は，血糖値を注意深く監視してください。糖尿病治療薬の服用量を変更する必要があるかもしれません。

高血圧：トウガラシを摂取したり，多量のチリペッパーを食べたりすると，血圧が急上昇するおそれがあります。そのため，理論上，高血圧の場合には，症状が悪化するおそれがあります。

手術：トウガラシは手術中・手術後の出血量を増加させるおそれがあります。少なくとも手術前２週間は，使用しないでください。

●妊娠中および母乳授乳期

トウガラシを妊娠中に皮膚へ塗布する場合には，ほとんどの人に安全のようです。トウガラシを妊娠中期の後半および妊娠後期に，「くすり」として短期間経口摂取する場合には，おそらく安全です。

トウガラシを母乳授乳期に皮膚へ塗布する場合には，ほとんどの人に安全のようです。ただし，母親が経口摂取すると，乳児にとっておそらく安全ではありません。母親がトウガラシを含んだスパイスの強い食事をし，母乳栄養児が皮膚炎を起こした例が報告されています。

有　効　性

◆有効性レベル②

・糖尿病性神経障害（糖尿病性ニューロパチー）。糖尿病に起因する神経障害のある患者がトウガラシの有効成分であるカプサイシンを含むクリームを塗布したり，パッチを用いたりすると疼痛が緩和することが，複数の研究で示されています。カプサイシンを0.075％含む特定のクリームは，この疾患の治療用に米国食品医薬品局（FDA）の認可を受けています。また，処方でのみ入手可能な，カプサイシンを８％含む特定のパッチもよく研究されています。ただし，このパッチは，この種の神経痛の治療用に特に認可を受けているわけではありません。カプサイシンの含有量が少ないクリームやゲルには効果がないようです。

・疼痛。トウガラシの有効成分であるカプサイシンを含むクリームやローションを塗布すると，関節リウマチ，変形性関節症，背部痛，顎痛，乾癬などによる慢性疼痛が，一時的に緩和する可能性があります。

・帯状疱疹による神経障害（帯状疱疹後神経痛）。帯状疱疹による神経障害のある患者が，トウガラシの有効成分であるカプサイシンを８％含むパッチを貼付すると，疼痛が24時間を通して27～37％軽減します。ただし，このカプサイシンのパッチは，処方でのみ入手可能で，貼付は医師などにより行われなければなりません。

◆有効性レベル③

・背部痛。トウガラシを含む湿布薬を背中に貼ると腰痛が緩和する可能性が複数の研究で示されています。

・群発頭痛。トウガラシの有効成分であるカプサイシンを鼻腔内に塗布すると，群発頭痛の頻度および重症度が低下することが，複数の研究で示されています。頭痛がある側の鼻孔に塗布すると，もっとも効果があります。

・アレルギーや感染に起因しない鼻水（通年性鼻炎）。アレルギーおよび感染症のない人が，トウガラシの有効成分であるカプサイシンを鼻腔内に塗布すると，鼻水の症状が緩和する可能性が研究で示されています。効果は６～９カ月間持続する可能性があります。

・手術後の吐き気および嘔吐。麻酔前に30分間，トウガラシを含む貼付薬を手および前腕の特定の箇所に貼り，手術後は１日６～８時間，最長３日間，同じ箇所に使用すると，手術後の吐き気や嘔吐が減少することが研究で示されています。

・手術後の疼痛。麻酔の30分前にトウガラシを含む貼付薬を手および前腕の特定の箇所に貼り，手術後は１日６～８時間，最長３日間，同じ箇所に使用すると，手術後24時間以内の鎮痛薬の必要性が低下することが研究で示されています。ほかの研究では，カプサイシンを８％含む特定のパッチを一度貼ると，最長12週間，疼痛を軽減する可能性が示されています。ただし，この結果はプラセボ効果によるものかどうかは明らかではありません。このパッチは処方でのみ入手可能です。

◆科学的データが不十分です

・運動能力，花粉症，口腔内の灼熱痛，糖尿病，消化不良，線維筋痛症，HIV/エイズ患者の手足の神経障害，腹痛を引き起こす大腸の慢性疾患（過敏性腸症候群（IBS）），関節痛，片頭痛，モートン神経腫，持続性の筋肉痛を引き起こす疾患（筋膜性疼痛症候群），肥満，胃潰瘍，手足の神経障害（末梢神経障害），皮膚に激しい痒みをともなう硬いしこりができる疾患（結節性痒疹），鼻腔と副鼻腔のポリープ（鼻茸），嚥下困難，アルコールに関連する障害，下痢，腸内ガス（鼓腸），心疾患，高コレステロール血症や高トリグリセリド血症（高脂血症），マラリア，乗物酔い，変形性関節症，関節リウマチ（RA），喉頭の腫脹（炎症）（喉頭炎），歯痛など。

●体内での働き

トウガラシの果実には，カプサイシンという化学物質が含まれます。カプサイシンを皮膚に塗布すると，痛覚が鈍化するようです。カプサイシンはまた，腫脹を緩和する可能性があります。

医薬品との相互作用

中アスピリン

トウガラシはアスピリンの体内への吸収量を減少させる可能性があります。トウガラシとアスピリンを併用すると，アスピリンの作用が減弱するおそれがあります。

中シプロフロキサシン

トウガラシはシプロフロキサシンの体内への吸収量を増加させる可能性があります。トウガラシとシプロフロキサシンを併用すると，シプロフロキサシンの作用および副作用が増強するおそれがあります。

中テオフィリン

トウガラシはテオフィリンの体内への吸収量を増加させる可能性があります。トウガラシとテオフィリンを併用すると，テオフィリンの作用および副作用が増強するおそれがあります。

中血液凝固を抑制する医薬品（抗凝固薬/抗血小板薬）

トウガラシは血液凝固を抑制する可能性があります。トウガラシと血液凝固を抑制する医薬品を併用すると，紫斑および出血のリスクが高まるおそれがあります。このような医薬品には，アスピリン，クロピドグレル硫酸塩，ジクロフェナクナトリウム，イブプロフェン，ナプロキセン，ダルテパリンナトリウム，エノキサパリンナトリウム，ヘパリン，ワルファリンカリウムなどがあります。

低降圧薬（アンジオテンシン変換酵素（ACE）阻害薬）

特定の降圧薬は咳を引き起こす可能性があります。トウガラシ入りのクリームと特定の降圧薬を併用したときに咳が悪化したという報告が１件あります。しかし，この相互作用が大きな問題であるかどうかについては明らかではありません。このような降圧薬には，カプトプリル，エナラプリルマレイン酸塩，リシノプリル水和物，Ramiprilなどがあります。

中糖尿病治療薬

トウガラシも血糖値を低下させる可能性があります。トウガラシと糖尿病治療薬を併用すると，血糖値が過度に低下するおそれがあります。血糖値を注意深く監視してください。このような糖尿病治療薬には，グリメピリド，グリベンクラミド，インスリン，ピオグリタゾン塩酸塩，マレイン酸ロシグリタゾン（販売中止）などがあります。

ハーブおよび健康食品・サプリメントとの相互作用

コカ

トウガラシ（護身用スプレーに含まれるトウガラシへの曝露を含む）とコカを併用すると，コカに含まれるコカインの作用および有害作用リスクが高まるおそれがあります。

血糖値を低下させるおそれのあるハーブおよび健康食品・サプリメント

トウガラシは血糖値に影響を与える可能性があります。血糖値に影響を与えるおそれのあるほかのハーブおよび健康食品・サプリメントと併用すると，人によっては，血糖値が過度に低下するおそれがあります。このようなハーブおよび健康食品・サプリメントには，ニガウリ，ショウガ，薬用ガレーガ，フェヌグリーク，クズ，ウィローバークなどがあります。

血液凝固を抑制するおそれのあるハーブおよび健康食品・サプリメント

トウガラシは血液凝固を抑制する可能性があります。血液凝固を抑制するおそれのあるほかのハーブおよび健康食品・サプリメントと併用すると，紫斑および出血のリスクが高まるおそれがあります。このようなハーブおよび健康食品・サプリメントには，アンゼリカ，クローブ，タンジン，ガーリック，ショウガ，イチョウ，朝鮮人参などがあります。

鉄

トウガラシの摂取により，体内における鉄吸収が抑制されるおそれがあります。

使用量の目安

●皮膚への塗布

手足の神経障害（末梢神経障害）

トウガラシの有効成分であるカプサイシンを0.075%含む特定のクリームを1日4回，8週間塗布します。または，カプサイシンを8%含む特定のパッチを1回，60～90分間貼付します。

帯状疱疹による神経障害（帯状疱疹後神経痛）

トウガラシの有効成分であるカプサイシンを8%含む特定のパッチを1回，60～90分間貼付します。

背部痛

1枚当たり11mgまたは1 cm^2当たり22μgのカプサイシンを含む貼付薬を貼付します。貼付薬は1日1回，朝に貼付し，4～8時間用います。

手術後の吐き気および嘔吐

麻酔前に30分間，トウガラシを含む貼付薬を手および前腕のつぼに貼り，手術後は1日6～8時間，最長3日間，同じ箇所に使用します。

手術後の疼痛

麻酔前に30分間，トウガラシを含む貼付薬を手および前腕のつぼに貼り，手術後は1日6～8時間，最長3日間，同じ箇所に使用します。トウガラシの有効成分であるカプサイシンを8%含む特定のパッチを1回，30～60分間貼付します。

カプサイシンのクリームを塗布した後は，手を洗うようにください。酢の希釈液を用いると効果的です。カプサイシンは，水だけでは洗い流すことができません。眼の周りや，皮膚の敏感な部位には，トウガラシの製品を用いてはいけません。灼熱感を引き起こすおそれがあります。

●鼻腔内投与

群発頭痛

10mMのカプサイシンの懸濁液0.1mL（1日300μgのカプサイシンに相当）を，頭痛がある側の鼻孔に塗布します。灼熱感がなくなるまで，1日1回，懸濁液を塗布します。急性の群発頭痛発作の治療には，カプサイシンを0.025%含むクリームを毎日，7日間塗布します。

通年性鼻炎（アレルギーや感染に起因しない鼻水）

トウガラシの有効成分であるカプサイシンを含む溶液を，1日3回3日間か，2日に1回2週間，または週1回5週間，鼻腔内に塗布します。

カプサイシンを鼻腔内に投与すると，強い痛みを引き起こすおそれがあるため，リドカインなどの局所鎮痛薬を最初に投与することもよくあります。

トウゲシバ

TOOTHED CLUBMOSS

別名ほか

Chinese Club Moss, Huperzia serrata, Huperazon, Licopodio Chino, Lycopode Chinois, Lycopodio Chinois, Lycopodium serrata, Qian Ceng Ta

概　　要

トウゲシバはハーブです。トウゲシバを用いて「くすり」を作ることもあります。

トウゲシバは，アルツハイマー病，記憶障害全般など，多くの症状に使用されますが，このような用途を裏付ける十分なエビデンスはありません。

トウゲシバをヒューペルジンAという化学物質と混同しないよう注意してください。トウゲシバには微量のヒューペルジンAが含まれます。なお，ヒューペルジンAもサプリメントとして販売されています。

安　全　性

トウゲシバを経口摂取した場合，安全性については情報が不十分です。めまい，悪心，発汗などの副作用が現れるおそれがあります。

気管支喘息，慢性閉塞性肺疾患，心血管疾患，腸閉塞，閉塞性尿路疾患，消化性潰瘍，痙攣：トウゲシバに含まれる化学物質は，このような疾患のある人では神経系に悪影響を及ぼすほど作用するおそれがあります。いずれかの疾患である場合には，さらに明らかになるまではトウゲシバを使用しないでください。

●妊娠中および母乳授乳期

トウゲシバを妊娠中・母乳授乳期に使用する安全性については情報が不十分です。安全性を考慮し，使用しないでください。

有　効　性

◆科学的データが不十分です

・アルツハイマー病，記憶障害，統合失調症，発熱，腫脹（炎症），出血，生理不順など。

●体内での働き

トウゲシバは，記憶障害の患者では低濃度になっている脳内物質の増加を助ける可能性があります。また，特定の毒物から脳細胞を守る可能性もあります。

医薬品との相互作用

中口渇作用などの乾燥作用のある医薬品（抗コリン薬）

トウゲシバには脳および心臓に影響を及ぼす可能性のある化学物質が含まれます。口渇などの乾燥作用のある医薬品（抗コリン薬）も脳および心臓に影響を及ぼす可能性があります。しかし，トウゲシバは抗コリン薬とは異なった働きをします。トウゲシバは抗コリン薬の作用を減弱させるおそれがあります。このような医薬品には，アトロピン硫酸塩水和物，スコポラミン臭化水素酸塩水和物，特定のアレルギー治療薬（抗ヒスタミン薬），特定の抗うつ薬などがあります。

中緑内障，アルツハイマー病などに使用される医薬品（コリン作動薬）

トウゲシバには身体に影響を及ぼす化学物質が含まれます。この化学物質は緑内障，アルツハイマー病などに使用される医薬品（コリン作動薬）に類似しています。トウゲシバとコリン作動薬を併用すると，副作用のリスクが高まるおそれがあります。このような医薬品には，ピロカルピン塩酸塩，ドネペジル塩酸塩，Tacrineなどがあります。

ハーブおよび健康食品・サプリメントとの相互作用

ほかのハーブ，健康食品・サプリメントとの相互作用についてはまだ明らかではありません。

使用量の目安

トウゲシバの適量は複数の要因（年齢，健康状態などさまざまな状況）により異なります。現時点ではトウゲシバの適量の範囲を決定する十分なエビデンスはありません。自然由来の製品は必ずしも常に安全ではなく，使用量が重要になりうることに留意してください。製品の表示にある注意事項に従い，また，医師・薬剤師などに相談することなく製品を使用しないでください。

トウゴマの種子

CASTOR BEAN

別名ほか

African Coffee Tree, Arandi, Bi Ma Zi, Bofareira, Castorbean, Castor Bean Plant, Castor Oil, Castor Oil Plant, Castor Seed, Erand, Eranda, Gandharva Hasta, Graine de Ricin, Huile de Ricin, Huile de Ricin Végétale, Mexico Weed, Palma Christi, Ricin, Ricin Commun, Ricin Sanguin, Ricine, Ricino, Ricinus communis, Ricinus sanguines, Tangantangan Oil Plant, Wonder Tree

概　　要

トウゴマは種子（豆）をつける植物です。熟した種子の外皮を除き，その種子を圧搾してヒマシ油を作ります。外皮にはリシンという猛毒が含まれています。ヒマシ油は何世紀にもわたり「くすり」として使用されてきました。

外皮を除いたトウゴマの種子は，産児制限，便秘，ハンセン病および梅毒に対し用いられます。

ヒマシ油は，便秘に対する緩下剤，妊娠中の分娩開始，母乳の分泌開始のために用いられます。

炎症性皮膚疾患，せつ，癰，膿瘍，中耳の炎症および片頭痛に対し，トウゴマの種子のペーストを湿布として皮膚に塗布する人もいます。

ヒマシ油は，皮膚，バニオンおよびうおのめの軟化や，のう胞，腫瘍および疣贅（いぼ）の溶解の目的で局所に使用されます。また，変形性関節症に対し皮膚に塗布されます。産児制限や流産誘発の目的で膣内に入れる女性もいます。ほこりなどによる粘膜の刺激を緩和するために，眼に使用されます。

製造業では，トウゴマの種子は塗料，ニスおよび潤滑油の製造に用いられます。

トウゴマの種子の外皮から得られるリシンは，化学兵器として分析されてきました。兵器レベルのリシンは精製され，吸入できるほど小さい粒子に加工されています。粒子が小さいほどリシンの毒性は強くなります。一部の連邦議会議員とホワイトハウスに送られた手紙や，テロリストや反政府団体とのつながりがある人物の所持品からリシンが検出されたことがあります。

安　全　性

ヒマシ油を単回経口摂取する場合は，ほとんどの人に安全のようです。人によっては胃の不快感，筋痙攣，吐き気および脱力を引き起こすおそれがあります。

外皮を除いたヒマシ油の種子を単回経口摂取する場合は，おそらく安全です。また，ヒマシ油の点眼液を眼に投与する場合は，最長30日間まではおそらく安全です。

ヒマシ油を長期間または大量に経口摂取する場合は，おそらく安全ではありません。1週間以上または1日15～60mL以上摂取すると，水分やカリウムが体内から失われるおそれがあります。

種子全体の経口摂取は安全ではありません。トウゴマの種子の外皮には猛毒が含まれています。この外皮は，吐き気，嘔吐，下痢，腹痛，脱水，ショック，血球破壊，水分や化学物質のバランスの重度の異常，肝障害，腎障害，膵障害を引き起こし，死を招くおそれもあります。種子全体をわずか1～6個噛むだけで成人が死亡するおそれがあります。種子全体を飲み込んだ場合は，これほど毒性は強くありませんが，ただちに病院で治療を受けることが絶対に必要です。

小児：ヒマシ油を適切な量で短期間（1週間未満）経口摂取する場合は，おそらく安全です。1週間以上または高用量を経口摂取するのは，おそらく安全ではありません。年齢によって異なりますが，典型的な小児用量の1日1～15mLを超えて摂取すると，体内の化学物質のバランスがくずれるおそれがあります。トウゴマの種子全体を経口摂取するのは安全ではありません。

腸疾患：腸閉塞，原因不明の胃痛，胆管または胆のうの疾患の場合には，ヒマシ油を使用してはいけません。

●妊娠中および母乳授乳期

正産期（出産の準備が整っている）妊婦にヒマシ油を用いるのは，おそらく安全です。出産準備が整った妊婦の分娩誘発のために，助産師がヒマシ油を用いることはよくあります。ただし，医師などの監視なしに，この目的でヒマシ油を使用してはいけません。また，正産期に入っていない妊婦にヒマシ油を用いるのは安全ではないようです。早産を引き起こすおそれがあります。妊娠中にトウゴマの種子全体を経口摂取するのは，深刻な毒性作用を引き起こしたり，死に至ったりするおそれがあるため，安全ではありません。

母乳授乳期にはヒマシ油を摂取してはいけません。母乳授乳期のヒマシ油の使用による乳児の安全性については，データが不十分です。

有　効　性

◆有効性レベル③

・大腸内視鏡検査前の腸管前処置。いくつかの研究では，ヒマシ油の単回摂取が，大腸内視鏡検査を受ける人の腸管前処置に有効であることが示唆されています。ただし，ヒマシ油は，リン酸ナトリウムや，ビサコジルとクエン酸マグネシウムの併用など，ほかの腸管前処置ほど有効ではないかもしれません。
・便秘。ヒマシ油を経口摂取すると，便秘を緩和する刺激性緩下剤として機能します。
・産児制限。外皮を除いたトウゴマの種子の単回摂取が，最長8～12カ月間，避妊薬として機能する可能性があるというエビデンスがいくつかあります。
・ドライアイ。いくつかの研究により，ヒマシ油を含む点眼液を用いるとドライアイの人に有効な可能性があることが示唆されています。
・妊婦の満期分娩の誘発。ヒマシ油60mLの単回投与により，正産期妊婦の半数以上で24時間以内に分娩が開始されるようです。また，正産期に破水した妊婦がヒマシ油を摂取した場合，分娩が開始される可能性が高くなり，帝王切開を要する可能性が低くなるというエビデンスもあります。

◆科学的データが不十分です

・梅毒，関節炎，皮膚疾患，せつ，水疱，中耳の腫脹（炎症），片頭痛，のう胞，癒着性腸閉塞，疣贅（いぼ），バニオンおよびうおのめ，母乳分泌の促進など。

●体内での働き

トウゴマの種子はヒマシ油を作るために用いられます。ヒマシ油は強力な緩下剤です。妊娠中には，子宮を刺激して分娩を開始させる可能性があります。

医薬品との相互作用

中利尿薬

ヒマシ油（トウゴマの種子から搾油）は下剤です。特定の下剤は体内のカリウム量を減少させる可能性があります。利尿薬もまた体内のカリウム量を減少させる可能性があります。ヒマシ油と利尿薬を併用すると，体内のカリウム量を過剰に減少させるおそれがあります。このような利尿薬にはクロロチアジド（販売中止），クロルタリドン（販売中止），フロセミド，ヒドロクロロチアジドなどがあります。

ハーブおよび健康食品・サプリメントとの相互作用

ほかのハーブ，健康食品・サプリメントとの相互作用についてはまだ明らかではありません。

使用量の目安

●経口摂取

便秘

ヒマシ油15mLを摂取します。

手術または大腸内視鏡検査前の腸の洗浄

処置の16時間前に，成人および12歳以上の小児では，ヒマシ油15～60mLを摂取します。２～11歳の小児ではヒマシ油５～15mL，２歳未満の小児ではヒマシ油１～５mLを摂取します。

出産の開始

さまざまな摂取スケジュールで用いられています。ヒマシ油の１回用量は５～120mLと幅があります。ヒマシ油60mLを入れたフルーツジュースの単回摂取がよく用いられています。そのほか，ヒマシ油５mLを入れたペパーミント茶を２時間おきに摂取，ヒマシ油15mLを１日３回摂取，ヒマシ油30mLを２時間おきに摂取，ヒマシ油30mLを６時間おきに摂取，ヒマシ油30mLを３時間おきに３回摂取，ヒマシ油１日60mL摂取，ヒマシ油１日60mLを２日間摂取などの摂取スケジュールが用いられています。

冬虫夏草

CORDYCEPS

別名ほか

虫キノコ（Cordyceps sinensis），コルディセプス・シネンシス，トウチュウカソウ（Dong Chong Zia Cao），Caterpillar fungus，Cs-4，Dong Chong Xia Cao，Hsia Ts'Ao Tung Ch'Ung，Tochukaso，Vegetable Caterpillar

概　　要

冬虫夏草は，ある種の中国高山地帯の毛虫の表面に生息する菌です。冬虫夏草は人工的に栽培することができるので，サプリメント製品として十分に販売できる量が得られます。

安　全　性

冬虫夏草は，適量を短期間経口摂取する場合，ほとんどの人におそらく安全です。

多発性硬化症（MS），全身性エリテマトーデス（SLE），関節リウマチ（RA）などの自己免疫疾患：冬虫夏草は免疫システムを活性化させ，自己免疫疾患の症状を悪化させるリスクがあります。これらの疾患のある人は使用を避けてください。

出血性疾患：冬虫夏草が血液凝固を抑制するおそれがあります。出血性疾患患者が摂取すると，出血のリスクが高まるおそれがあります。

手術：冬虫夏草が手術中の出血リスクを高めるおそれがあります。少なくとも手術前２週間は，使用しないでください。

●妊娠中および母乳授乳期

妊娠中および母乳授乳期の使用の安全性についてはデータが不十分です。安全性を考慮し，摂取は避けてください。

有　効　性

◆有効性レベル④

・運動能力。多くの研究からわかるように，冬虫夏草を単独で摂取またはイワベンケイと併用しても，訓練された男性の自転車競技選手の持久力の向上はみられないようです。

◆科学的データが不十分です

・医薬品「アミカシン硫酸塩」による腎障害，気管支喘息，化学療法，医薬品「シクロスポリン」による腎障害，B型肝炎，性的欲求，腎移植，寿命の延長，疲労の軽減，咳，気管支炎，呼吸障害，男性の性機能障害，貧血，不整脈，高コレステロール血症，肝疾患，めまい感，脱力感，耳鳴など。

●体内での働き

免疫システムの中の細胞および特定の化学物質を刺激することで，免疫性を改善する可能性があります。また，がん細胞に対し撃退作用があり，とくに肺がんまたは皮膚がんの腫瘍サイズを小さくするようです。

医薬品との相互作用

低テストステロンエナント酸エステル

冬虫夏草はテストステロンエナント酸エステルの量を増加させる可能性があります。しかし，このことが重大な問題であるかについては明らかではありません。テストステロンエナント酸エステルを服用中の場合には，この相互作用の可能性がさらに明らかになるまでは注意してください。

中血液凝固を抑制する医薬品（抗凝固薬/抗血小板薬）

冬虫夏草は血液凝固を抑制する可能性があります。冬虫夏草を摂取し，血液凝固を抑制する医薬品を併用すると，紫斑および出血のリスクが高まるおそれがあります。このような医薬品には，アスピリン，クロピドグレル硫酸塩，ダルテパリンナトリウム，エノキサパリンナトリウム，ヘパリン，チクロピジン塩酸塩，ワルファリンカリウムなどがあります。

中免疫抑制薬

冬虫夏草は免疫機能の活動を促進する可能性があります。特定の医薬品（移植後に使用する医薬品など）は免疫機能の活動を抑制します。冬虫夏草を摂取し，このような医薬品を併用すると，医薬品の作用が減弱するおそれがあります。このような医薬品（免疫抑制薬）には，アザチオプリン，バシリキシマブ，シクロスポリン，Daclizumab，ムロモナブ-CD３（販売中止），ミコフェノール酸モフェチル，タクロリムス水和物，シロリムス，Prednisone，副腎皮質ステロイドなどがあります。

ハーブおよび健康食品・サプリメントとの相互作用

血液凝固を抑制するハーブおよび健康食品・サプリメント

冬虫夏草を，血液凝固を抑制するほかのハーブと併用すると，出血のリスクが高まるおそれがあります。これが大きな問題となるかどうかは不明です。このようなハーブには，アンゼリカ，クローブ，タンジン，ニンニク，ショウガ，イチョウ，朝鮮人参などがあります。

使用量の目安

通常の食品に含まれている量を超えて経口摂取した場合の安全性および副作用については，明らかになっていません。

トウネズミモチ

GLOSSY PRIVET

別名ほか

唐鼠黐（Ligustrum lucidum），ジョテイシ，女貞子（Nu Zhen Zi），イボタノキ（Privet），Chinese Privet, Dongqingzi，Ligustro，Ligustrum，Ligustrum Fruit, Nu Zhen，Nuzhenzi，to-Nezumimochi，Troéne De Chine，Trueno，White Waxtree

概　　要

トウネズミモチは植物です。熟した果実を用いて「くすり」を作ることもあります。トウネズミモチ（Ligustrum lucidum）とネズミモチ，イボタノキ，トウネズミモチ（Chinese Privet），セイヨウイボタ，ゴールデンプリベットなど，そのほかの種類のイボタノキを混同しないよう注意してください。

安　全　性

適切に使用するならほとんどすべての成人にとっておそらく安全であると考えられますが，鼻水や気管支喘息といったアレルギー反応が起こることもあります。

●アレルギー

一般的なイボタノキ，オリーブ，セイヨウトネリコ，ライラックなどの植物関連の花粉にアレルギーがある人は使用してはいけません。

●妊娠中および母乳授乳期

妊娠中，母乳授乳期は使用してはいけません。

有　効　性

◆科学的データが不十分です

・毛髪の発育および黒色化の促進，顔のしみの減少，動悸，リウマチ，腫脹，腫瘍，めまい，感冒，うっ血，便秘，発熱，頭痛，慢性疲労症候群，肝障害，不眠症，免疫機能の改善，がん治療の副作用の軽減，およびそのほかさまざまな用途。

●体内での働き

どのように作用するかについてはよくわかっていません。免疫系を刺激し，がんを抑制するという証拠がいくつかあります。

医薬品との相互作用

ほかの医薬品との相互作用については明らかではありません。

ハーブおよび健康食品・サプリメントとの相互作用

ほかのハーブ，健康食品・サプリメントとの相互作用についてはまだ明らかではありません。

使用量の目安

標準使用量に関するデータがありません。

冬凌草

RABDOSIA RUBESCENS

別名ほか

冰凌草（Bing Ling Cao），Dong Ling Cao，六月令（Liu YueLing），破血草（Po Xue Cao），碎米亞（Sui Mi Ya），Blushred Rabdosia，Rubescens

概　　要

冬凌草はハーブです。全体を使って「くすり」を作ることもあります。

安　全　性

安全性についてはまだわかっていません。

●妊娠中および母乳授乳期

妊娠中，母乳授乳期は使用してはいけません。

有　効　性

◆科学的データが不十分です

・がん，前立腺がん，良性前立腺肥大など。

●体内での働き

予備的研究では，抗がん作用のある可能性を示しています。

医薬品との相互作用

低 肝臓で代謝される医薬品（シトクロムP450 2C9（CYP2C9）の基質となる医薬品）

特定の医薬品は肝臓で代謝されます。冬凌草はこのような医薬品の代謝を促進する可能性があります。冬凌草と肝臓で代謝される医薬品を併用すると，医薬品の作用が弱まるおそれがあります。このような医薬品には，ジクロフェナクナトリウム，イブプロフェン，メロキシカム，ピロキシカム，アミトリプチリン塩酸塩，ワルファリンカリウム，Glipizide，ロサルタンカリウムなどがあります。

中 肝臓で代謝される医薬品（シトクロムP450 3A4（CYP3A4）の基質となる医薬品）

特定の医薬品は肝臓で代謝されます。冬凌草はこのような医薬品の代謝を促進する可能性があります。冬凌草と肝臓で代謝される医薬品を併用すると，医薬品の作用が弱まるおそれがあります。肝臓で代謝される医薬品を服用している場合には，医師や薬剤師に相談することなく冬凌草を摂取しないでください。このような医薬品には，Lovastatin，ケトコナゾール，イトラコナゾール，フェキソフェナジン塩酸塩，トリアゾラムなど数多くあります。

中 細胞内のポンプによって輸送される医薬品（P糖タンパク質の基質となる医薬品）

特定の医薬品は細胞内のポンプによって輸送されます。冬凌草は，ポンプの働きを弱め，このような医薬品の体内への吸収量を増加させる可能性があります。そのため，医薬品の副作用が増強するおそれがあります。このような医薬品には，ドキソルビシン塩酸塩，エトポシド，パクリタキセル，ビンブラスチン硫酸塩，ビンクリスチン硫酸塩，ビンデシン硫酸塩，ケトコナゾール，イトラコナゾール，アンプレナビル（販売中止），インジナビル硫酸塩エタノール付加物（販売中止），ネルフィナビルメシル酸塩，サキナビルメシル酸塩，シメチジン，ラニチジン塩酸塩，ジルチアゼム塩酸塩，ベラパミル塩酸塩，ジゴキシン，副腎皮質ステロイド，エリスロマイシン，シサプリド，フェキソフェナジン塩酸塩，シクロスポリン，ロペラミド塩酸塩，キニジン硫酸塩水和物などがあります。

ハーブおよび健康食品・サプリメントとの相互作用

ほかのハーブ，健康食品・サプリメントとの相互作用についてはまだ明らかではありません。

使用量の目安

標準使用量に関するデータがありません。

トウワタ

CANADIAN HEMP

別名ほか

麻（Indian-Hemp），シレネ，ムシトリナデシコ（Catchfly），ドッグベイン（Dogbane），フライトラップ，ハエトリソウ（Fly-Trap），ミルクウィード（Milkweed），Apocynum cannabinum，Bitter Root，Honeybloom，Indian Physic，Milk Ipecac，Wallflower，Wild Cotton

概　要

トウワタはハーブです。根を用いて「くすり」を作ることもあります。

安 全 性

心臓に与える影響とそのほかの副作用から考えて，安全とはいえません。のど，胃，腸に刺激を与え，悪心や嘔吐が起こることがあります。心拍が遅くなるのを受けて，体から血圧を上昇させる物質が放出されます。

●妊娠中および母乳授乳期

妊娠中，母乳授乳期は使用してはいけません。

有 効 性

◆科学的データが不十分です

・疣贅（いぼ），心臓障害，尿量の増加，気管支喘息，咳，腫脹，および梅毒。

●体内での働き

心拍を遅くし，血圧を下げ，心拍の強さを高め，尿量を増やす化合物を含んでいます。処方薬のジゴキシンと似た作用をもっていますが，ジゴキシンほどの効果はなく，副作用が多く生じます。

医薬品との相互作用

中ジゴキシン

ジゴキシンは強い強心作用を示す医薬品ですが，トウワタも心臓に影響を及ぼすと考えられます。ジゴキシンを服用中にトウワタを摂取すると，ジゴキシンの作用が増強され，副作用が現れるリスクが高くなると考えられます。

中利尿薬

トウワタは心臓に影響を及ぼすと考えられます。利尿薬の中には体内のカリウム量を減少させるものがあり，カリウム量が減少すると，心臓に影響が及び，トウワタの副作用が現れるリスクが高くなると考えられます。体内のカリウム量を減少させる可能性のある利尿薬には，クロロチアジド（販売中止），クロルタリドン（販売中止），フロセミド，ヒドロクロロチアジドなどがあります。

ハーブおよび健康食品・サプリメントとの相互作用

ほかのハーブ，健康食品・サプリメントとの相互作用についてはまだ明らかではありません。

使用量の目安

●経口摂取

流エキス10〜30滴，あるいはチンキ剤（1：10）0.3〜0.6mLを1日3回摂取します。

●局所投与

標準使用量に関するデータがありません。

ドクゼリ

WATER HEMLOCK

別名ほか

毒芹（Cowbane），毒人参（Spotted Hemlock），オオゼリ（Cicuta virosa），マスクラットルート（Mockeel Root），Beaver Poison，Brook-tongue，Carotte A Moreau，Children's Bane，Cicuta bulbifera，Cicuta douglasii，Cicuta maculata，Cicuta occidentalis，Cicuta vagans，Cique vireuse，Death-of-man，European Water Hemlock，False Parsley，Fever Root, Muskrat Weed, Musquash Root, Poison Parsnip, Snake Weed，Snakeroot，Spotted Cowbane，Spotted Parsley，Wasser-schierling，Wild Carrot，Wild Dill，Wild Parsnip

概　要

ドクゼリは植物です。全体を用いて「くすり」を作ることもあります。ドクニンジン（hemlock）やヘムロック・ウォーター・ドロップワート（hemlock water dropwort）と混同しないように注意してください。

安 全 性

すべての人にとって安全ではありません。植物全体に毒があり，15分で死に至ります。摂取した場合はすぐに病院に行ってください。ドクゼリの毒の最初の徴候は，よだれ，悪心，嘔吐，喘鳴，発汗，めまい，胃痛，顔面紅潮（ほてり），衰弱/疲労（無気力），幻覚症状，抑制できない排便などで，その後，呼吸困難，痙攣，心臓障害，腎障害，昏睡，死といったさらに重篤な症状が起こります。

有 効 性

◆科学的データが不十分です

・片頭痛，月経痛，皮膚炎，および寄生虫。

●体内での働き

有毒で，体に多くの危険な作用をもたらす成分を含んでいます。

医薬品との相互作用

ほかの医薬品との相互作用については明らかではありません。

ハーブおよび健康食品・サプリメントとの相互作用

ほかのハーブ，健康食品・サプリメントとの相互作用についてはまだ明らかではありません。

使用量の目安

標準使用量に関するデータがありません。

ドクニンジン

HEMLOCK

別名ほか

セリ科ドクニンジン（Conium maculatum），California Fern，Carrot Weed，Conium，Conium maculata，Nebraska Fern，Poison Fool's Parsley，Poison-Hemlock，Spotted Hemlock，Wild Carrot

概　　要

ドクニンジンは有毒な植物です。葉，根，種子を用いて「くすり」を作ることもあります。

安 全 性

種子，花，実のすべての部分が安全ではなく，毒性があり，死をもたらすこともあります。摂取した場合には直ちに病院に行かなければなりません。

副作用および毒性として，唾液の増加，消化管の灼熱感，眠気，筋肉痛，筋肉の急速な腫脹と硬化，心拍数の増加があり，その後，心拍数の減少，言語喪失，運動麻痺，意識喪失，心不全，肺不全，死などが生じます。

有 効 性

◆科学的データが不十分です

・不安感，筋痙攣，小児の生歯困難，痙攣，躁病，気管支炎，百日咳，気管支喘息など。

●体内での働き

筋肉への神経インパルスの伝達に影響を与える毒を含んでいます。

医薬品との相互作用

ほかの医薬品との相互作用については明らかではありません。

ハーブおよび健康食品・サプリメントとの相互作用

ほかのハーブ，健康食品・サプリメントとの相互作用についてはまだ明らかではありません。

使用量の目安

標準使用量に関するデータがありません。

トコトリエノール

TOCOTRIENOLS

別名ほか

(2R)-2,5,7,8-tetramethyl-2-[(3E,7E)-4,8,12-trimethyltrideca-3,7,11-trienyl]-3,4-dihydrochromen-6-ol，(2R)-2,5,8-trimethyl-2-[(3E,7E)-4,8,12-trimethyltrideca-3,7,11-trienyl]-3,4-dihydrochromen-6-ol，(2R)-2,7,8-trimethyl-2-[(3E,7E)-4,8,12-trimethyltrideca-3,7,11-trienyl]-3,4-dihydrochromen-6-ol，(2R)-2,8-dimethyl-2-[(3E,7E)-4,8,12-trimethyltrideca-3,7,11-trienyl]-3,4-dihydrochromen-6-ol，8-Methyltocotrienol，Alpha-Tocotrienol，Beta-Tocotrienol，Delta-Tocotrienol，Epsilon-Tocopherol，Epsilon-Tokoferol，Gamma-Tocotrienol，Zeta1-Tocopherol

概　　要

ビタミンEはトコトリエノールとトコフェロールを含む必要不可欠な栄養分です。トコトリエノールとトコフェロールのどちらも似たような化学構成をしています。この２つの違いはトコトリエノールには二重結合があるということです。トコトリエノールはヤシや米油などの天然資源にもよくみられます。

トコトリエノールは加齢，アルツハイマー病，動脈血栓，がん，糖尿病，家族性自律神経異常症，高コレステロール血症，腎不全，脳卒中などに経口摂取されます。

トコトリエノールは熱傷，発毛，瘢痕の治療に皮膚に塗布されます。

安 全 性

トコトリエノールの安全性については，データが不十分です。人によっては，トコフェロールとトコトリエノールを含むビタミンEを塗布すると，接触皮膚炎を引き起こすおそれがあります。

糖尿病：トコトリエノールは血糖値を低下させるおそれがあります。糖尿病の場合は，血糖値を注意して監視してください。糖尿病の場合には，トコトリエノールを摂取する前に医師などに相談するのが最善です。

手術：トコトリエノールは血糖値に影響を及ぼすおそれがあるため，手術中と術後の血糖コントロールを妨げるおそれがあります。少なくとも手術２週間前は，使用しないでください。

●妊娠中および母乳授乳期

妊娠中および母乳授乳期の使用の安全性についてはデータが不十分です。安全性を考慮し，摂取は避けてください。

有　効　性

◆科学的データが不十分です

・家族性自律神経異常症（感覚の発達に影響を及ぼす遺伝性疾患），高コレステロール血症，加齢，アルツハイマー病，動脈血栓，がん，糖尿病，腎不全，脳卒中，熱傷，発毛，瘢痕など。

●体内での働き

トコトリエノールはα，β，γ，δの４つの形態で存在します。トコトリエノールは体内でさまざまな影響を及ぼすようです。トコトリエノールはコレステロール値を低下させ，心臓の状態に好影響をもたらす可能性があります。また，血液細胞の特定のタンパク質濃度を上昇させることにより，家族性自律神経異常症という遺伝性疾患患者に有益となるようです。

医薬品との相互作用

中糖尿病治療薬

トコトリエノールは２型糖尿病患者の血糖値を低下させる可能性があるとされる研究があります。しかし，矛盾するエビデンスがあります。さらに明らかになるまでは，慎重に糖尿病治療薬と併用してください。理論的には，トコトリエノールと糖尿病治療薬を併用すると，血糖値が過度に低下するおそれがあります。血糖値を注意深く監視してください。糖尿病治療薬の用量を変更する必要があるかもしれません。このような糖尿病治療薬にはグリメピリド，グリベンクラミド，インスリン，ピオグリタゾン塩酸塩，マレイン酸ロシグリタゾン（販売中止）などがあります。

ハーブおよび健康食品・サプリメントとの相互作用

血糖値を低下させるおそれのあるハーブおよび健康食品・サプリメント

トコトリエノールには血糖値を低下させる作用があると考えられますが，相反するエビデンスも存在します。十分なデータが得られるまでは，血糖値を低下させるおそれのあるほかのハーブおよび健康食品・サプリメントと併用する際は注意して使用してください。このようなハーブおよび健康食品・サプリメントとトコトリエノールを併用すると，人によっては，血糖値が過度に低下するおそれがあります。このようなハーブおよび健康食品・サプリメントには，デビルズクロー，フェヌグリーク，グアーガム，朝鮮人参，エゾウコギなどがあります。

使用量の目安

通常の食品に含まれている量を超えて経口摂取した場合の安全性および副作用については，明らかになっていません。

トコン

IPECAC

別名ほか

吐根（Cephaelis ipecacuanha），イペカ（Uragoga ipecacuanha），Brazilian Ipecac，Brazil Root，Cartagena Ipecac，Cephaelis acuminata，Ipecacuanha，Matto Grosso Ipecac，Nicaragua Ipecac，Panama Ipecac，Psychotria ipecacuanha，Rio Ipecac，Uragoga granatensis

概　　要

トコンは植物です。これから「くすり」を作ることもあります。

安　全　性

経口で短期に摂取する場合はほとんどすべての人にとって安全ですが，悪心，嘔吐，胃痛，めまい，低血圧症，息切れ，頻脈といった副作用が起こることがあります。

長期にわたって大量に使用する場合，１歳以下の小児の場合は安全ではありません。小児は成人より副作用に関する感受性が高いのです。誤った使用法は，重篤な中毒症状，心臓障害，死をもたらすことがあります。中毒の徴候としては，呼吸困難，消化器系障害，心拍異常，血尿，痙攣，ショック，昏睡，死などがあります。嘔吐を起こさせるために，処方薬として適切に使用される場合は小児にとって安全であると考えられます。しかし，１mL（約30g）入りのシロップの瓶を家庭に置いておくようにとの米国小児科学会の推奨は，最近変更になりました。新しい声明では,「トコンのシロップはもはや，家庭における中毒の処置として日常的に使用すべきものではない」となっています。

意識のない人，あるいは腐食剤，石油製品，ストリキニーネといった化合物で中毒症状を起こした人には使用しないでください。誤って使用すると，食道の障害，肺炎,痙攣といった重篤な合併症が起こることがあります。

吸入や皮膚への塗布は安全ではありません。呼吸器系障害や皮膚への刺激が生じることがあるからです。

心疾患の人，潰瘍，感染症，あるいはクローン病といった消化器系疾患の場合も使用してはいけません。

●妊娠中および母乳授乳期

妊娠中，母乳授乳期は使用してはいけません。

有　効　性

◆科学的データが不十分です

・粘液を薄めて咳を軽くする。クループをともなう気管支炎，肝炎，アメーバ赤痢，食欲不振，がんなど。

●**体内での働き**

消化管を刺激して，脳に指令を与え，嘔吐を起こす化合物を含んでいます。

医薬品との相互作用

高活性炭

活性炭は胃の中でトコンシロップ（販売中止）を吸着して，その効果を弱めることがあります。

ハーブおよび健康食品・サプリメントとの相互作用

ほかのハーブ，健康食品・サプリメントとの相互作用についてはまだ明らかではありません。

使用量の目安

●**経口摂取**

去痰薬（成人）としては，0.4～1.4mLのトコンシロップ（USP）を摂取します。催吐薬としては15mLのトコンシロップ（USP）摂取後，水１～２杯を飲みます。効果がない場合は20分後に再度繰り返します。トコンシロップは非処方箋薬と米国食品医薬品局（FDA）により認可された処方箋薬の両方があります。

トマト

TOMATO

別名ほか

Love Apple, Lycopersicon esculentum

概　　要

トマトは植物です。実，葉，つるを用いて「くすり」を作ることもあります。

安 全 性

食物として使用する場合は安全です。特定のトマト抽出製品も８週間までの使用なら安全なようです。

その葉は安全ではありません。大量にトマトの葉を摂ると，重度の口およびのどの炎症，嘔吐，下痢，めまい，頭痛，軽度の痙攣といった中毒症状を起こし，重症になると死亡することもあります。

●**妊娠中および母乳授乳期**

妊娠中や授乳中は，食物中に存在している量を超えて使用してはいけません。

有 効 性

◆**有効性レベル③**

・前立腺がんのリスクを減らす。
・白内障のリスクを減らす。
・女性での心疾患のリスクを減らす。

◆**有効性レベル④**

・膀胱がんの予防。
・乳がんの予防。
・糖尿病。トマトやトマトを原料とする製品の摂取を増やしても，２型糖尿病の発症リスクを低減しないようです。

◆**科学的データが不十分です**

・心疾患，白内障，関節炎，気管支喘息，子宮頸がん，結腸直腸がん，胃がん，肺がん，卵巣がん，膵臓がん，高血圧症，前立腺がん，感冒，悪寒，および消化器系疾患。

●**体内での働き**

ある種のがんを予防する補助となる栄養素の主要な供給食物です。また，免疫系にも刺激を与えます。

医薬品との相互作用

ほかの医薬品との相互作用については明らかではありません。

ハーブおよび健康食品・サプリメントとの相互作用

ほかのハーブ，健康食品・サプリメントとの相互作用についてはまだ明らかではありません。

使用量の目安

●**経口摂取**

前立腺がんの予防

トマト製品を１週間に４人前以上（食事から摂取するリコピン量１日６mg以上に相当）を摂取します。

トモシリソウ

SCURVY GRASS

別名ほか

Cochlearia officinalis, Scrubby Grass, Spoonwort

概　　要

トモシリソウはハーブです。葉と花の部分を用いて「くすり」を作ることもあります。

安 全 性

安全性については十分なデータが得られていません。

大量に経口で摂取した場合は，胃腸に炎症が生じることがあります。また皮膚に直接塗った場合に皮膚を刺激することもあります。

●**妊娠中および母乳授乳期**

妊娠中，母乳授乳期は使用してはいけません。

有 効 性

◆**科学的データが不十分です**

相互作用レベル：高この医薬品と併用してはいけません　中この医薬品とは慎重に併用するか併用しないでください
低この医薬品との併用には注意が必要です

・ビタミンC欠乏症，痛風，関節炎，胃痛，皮膚のかぶれ，歯周病など。

●体内での働き

ビタミンCを高濃度に含みます。また，抗菌作用と便通をよくする軽度の効果があります。

医薬品との相互作用

ほかの医薬品との相互作用については明らかではありません。

ハーブおよび健康食品・サプリメントとの相互作用

ほかのハーブ，健康食品・サプリメントとの相互作用についてはまだ明らかではありません。

使用量の目安

標準使用量に関するデータがありません。

トラガカント

TRAGACANTH

別名ほか

トラガントゴムノキ（Astragalus gummifera），トラガカンス（Gum tragacanth），トラガカントガム（Tragacanth Gum），Goat'S Thorn，Green Dragon，Gum Dragon，Gummi tragacanthae，Hog Gum，Syrian Tragacanth

概　　要

トラガカントは植物です。樹液のような物質（樹脂）を用いて「くすり」を作ることもあります。

安　全　性

医薬品として使用する場合は安全であると考えられます。

水分を十分に摂らないと腸で詰まります。

●アレルギー

キラヤの樹皮にアレルギーがある場合は呼吸器系障害が生じる可能性があるので，使用してはいけません。

●妊娠中および母乳授乳期

妊娠中，母乳授乳期は使用してはいけません。

有　効　性

◆科学的データが不十分です

・便秘および下痢。

●体内での働き

腸の動きに刺激を与える成分を含んでいます。

医薬品との相互作用

中経口薬

トラガカントは粘度の高いゲル状の物質で，胃や腸の中で薬を吸着します。経口薬を服用するときにトラガカントを摂取すると，医薬品の体内への吸収量が減少し，その効果が低下するおそれがあります。このような相互作用が起こるのを避けるために，経口薬を服用後１時間以上経ってからトラガカントを摂取するようにしてください。

ハーブおよび健康食品・サプリメントとの相互作用

ほかのハーブ，健康食品・サプリメントとの相互作用についてはまだ明らかではありません。

使用量の目安

標準使用量に関するデータがありません。

トラベラーズジョイ

TRAVELER'S JOY

別名ほか

クレマチス，センニンソウ（Clematis vitalba），Old Man's Beard

概　　要

トラベラーズジョイはハーブです。葉を用いて「くすり」を作ることもあります。

安　全　性

どのような使用法も危険です。皮膚および胃への重度刺激など，副作用を引き起こす可能性があります。

●妊娠中および母乳授乳期

妊娠中，母乳授乳期は使用してはいけません。

有　効　性

◆科学的データが不十分です

・片頭痛，男性生殖器疾患，および完全に治癒していない創傷。

●体内での働き

どのように作用するかについては十分なデータが得られていません。

医薬品との相互作用

ほかの医薬品との相互作用については明らかではありません。

ハーブおよび健康食品・サプリメントとの相互作用

ほかのハーブ，健康食品・サプリメントとの相互作用についてはまだ明らかではありません。

使用量の目安

標準使用量に関するデータがありません。

トランスファーファクター

TRANSFER FACTOR

別名ほか

牛のトランスファーファクター（Bovine transfer factor），ヒトのトランスファーファクター（Human transfer factor），Bovine dialyzable leukocyte extract，Bovine dialyzable transfer factor，Dialyzable leukocyte extract，Dialyzable transfer factor，DLE，Human dialyzable leukocyte extract，TF，TFD

概　　要

トランスファーファクターは，ある種の疾患に対しすでに免疫ができている人，あるいは動物から得られる化合物です。

安　全　性

ヒト由来のトランスファーファクターは，２年までの使用なら安全です。

牛由来の場合は３カ月など短期の使用なら安全です。しかし発熱が起こることがあります。

注射の場合は，注射部位に腫脹や痛みが生じることがあります。

牛海綿状脳症の可能性，あるいは動物由来の製品からくるそのほかの疾患についての懸念があります。牛海綿状脳症はトランスファーファクターによって伝播することはこれまでありませんでしたが，牛海綿状脳症が発見された国の動物から作られた製品は避ける方がよいでしょう。

●妊娠中および母乳授乳期

妊娠中，母乳授乳期は使用してはいけません。

有　効　性

◆有効性レベル③

・白血病の小児における帯状疱疹の予防。

◆有効性レベル④

・慢性疲労症候群。
・肺がん。
・メラノーマ（皮膚がんの一種）。
・筋萎縮性側索硬化症の治療。

◆科学的データが不十分です

・HIV/エイズに関連した感染症，アルツハイマー病，気管支喘息，自閉症，糖尿病，不妊症，筋力低下，遺伝病，感染症，B型肝炎など。

●体内での働き

ある種の疾患に対する免疫力を高めます。

医薬品との相互作用

ほかの医薬品との相互作用については明らかではありません。

ハーブおよび健康食品・サプリメントとの相互作用

ほかのハーブ，健康食品・サプリメントとの相互作用についてはまだ明らかではありません。

使用量の目安

●経口摂取

クリプトスポリジウム症

臨床試験では，１単位（リンパ節細胞５ X 108に相当）の牛のトランスファーファクターを１週間に１回，1.5～３カ月間摂取します。

●皮下投与

水痘帯状疱疹

非免疫性の白血病小児患者に使用する場合，水痘用ヒト由来リンパ球（体重７kg当たり１億個）のトランスファーファクターを単回投与します。

トランペット・サティナッシュ

TRUMPET SATINASH

別名ほか

Syzygium claviflorum

概　　要

トランペット・サティナッシュはベツリン酸が含まれている灌木です。ベツリン酸は人に対して有益である可能性があると信じられています。

がんおよびHIV/エイズに罹患している場合には，トランペット・サティナッシュを経口摂取します。

安　全　性

トランペット・サティナッシュの安全性および副作用については，データが不十分です。

●妊娠中および母乳授乳期

妊娠中および母乳授乳期の使用の安全性についてはデータが不十分です。安全性を考慮し，摂取は避けてください。

有　効　性

◆科学的データが不十分です

・がん，HIV/エイズなど。

●体内での働き

トランペット・サティナッシュにはベツリン酸が含まれています。ベツリン酸には，抗寄生虫，抗がん，抗炎症，抗肥満，抗ウイルス，妊孕性向上など，人に対する好ましい作用があるようです。

医薬品との相互作用

ほかの医薬品との相互作用については明らかではありません。

ハーブおよび健康食品・サプリメントとの相互作用

ほかのハーブ，健康食品・サプリメントとの相互作用についてはまだ明らかではありません。

使用量の目安

通常の食品に含まれている量を超えて経口摂取した場合の安全性および副作用については，明らかになっていません。

ドリアン

DURIAN

別名ほか

Ambetan, Civet-Cat Fruit, Civet Fruit, Common Durian, Doerian, Dulian, Duren, Durian Kampong, Durian Puteh, Durianbaum, Durião, Durio zibethinus, Durión, Du-Yin, Kadu, Liu Lian, Nirpanas, Rian, Sâu Riêng, Stinkfrucht, Stinkvrucht, Thourièn, Thu-Réén, Thurian, Zibetbaum

概　　要

ドリアンは，樹木になる果実です。ドリアンという名前は樹木の名称としても使用されています。果実，樹皮，葉を用いて「くすり」を作ることもあります。ドリアンは，発熱，腫脹，高血圧，黄疸，マラリア，寄生虫および性欲向上に対し，経口摂取されます。

ドリアンは，腫脹を軽減させるために，皮膚に塗布されます。

安　全　性

ドリアンの安全性についてはデータが不十分です。ドリアンの果実を摂取すると，人によっては，胃の不快感，腸内ガス，下痢，嘔吐またはアレルギー反応を引き起こすおそれがあります。ドリアンの種子の摂取により，息切れを引き起こすおそれがあります。

糖尿病：ドリアンが，糖尿病を悪化させるおそれがあります。ドリアンを摂取すると，バナナやマンゴーなどほかの果物を摂取する場合に比べ，血糖値が上昇するようです。

●妊娠中および母乳授乳期

妊娠中および母乳授乳期の使用の安全性についてはデータが不十分です。安全性を考慮し，摂取は避けてください。

有　効　性

◆科学的データが不十分です

・発熱，高血圧，黄疸，マラリア，性欲，皮膚の創傷など。

●体内での働き

ドリアンが，心臓や血液の循環に有益となる可能性があります。コレステロール値を低下させる可能性があります。血液を凝固させる血中タンパク濃度を低下させる可能性もあります。

医薬品との相互作用

中アルコール

アルコールは体内で代謝されてから排泄されます。ドリアンはアルコールの代謝を抑制する可能性があります。アルコールとドリアンを併用すると，副作用（激しい頭痛，嘔吐，紅潮など）が現れるおそれがあります。ドリアンを摂取する場合には，一切のアルコールを摂取しないでください。

ハーブおよび健康食品・サプリメントとの相互作用

ほかのハーブ，健康食品・サプリメントとの相互作用についてはまだ明らかではありません。

使用量の目安

通常の食品に含まれている量を超えて経口摂取した場合の安全性および副作用については，明らかになっていません。

トリカブト

ACONITE

別名ほか

ブシ，附子（Aconiti Tuber），モンクスフード（Monkshood），セイヨウトリカブト，ヨウシュトリカブト（Aconitum napellus），Aconitum Species, Atis, Ativisha, Autumn Monkshood, Bachnag, Bikhma, Blue Monkshood Root, Caowu, Chuanwu, Chuan-wu, Futzu, Helmet Flower, Monkshood Tuber, Prativisha, Radix Aconiti Kusnezoffii, Radix Aconiti Lateralis Preparata, Vachnag, Vatsnabh, Visha, Wild Aconitum, Wofsbane, Wutou

概　　要

トリカブトは植物です。根は「くすり」として使われることがあります。トリカブトには毒性の化学成分が含まれています。香港においてトリカブトは，もっとも一般的な重篤なハーブ中毒の原因となります。アジアでは伝統医学にトリカブトを使用したことと関連した中毒が一般的ですが，欧米の国々におけるトリカブト中毒は通常，植物の摂食に関連したものです。

安全性

経口で摂取する場合は安全ではありませんので使用しないでください。強力ですぐに作用する毒を含んでおり，悪心，嘔吐，衰弱，発汗，心臓障害，死亡といった副作用を起こします。

クリームやローションとして皮膚に塗る人もいますが，その場合の安全性については十分なデータが得られていません。

有効性

◆科学的データが不十分です

・神経痛，悪寒，顔面麻痺，関節痛，痛風，炎症，創傷，心臓障害など。

●体内での働き

根に血流を改善する可能性がある化合物と，心臓，筋肉，神経に有害な作用を及ぼす化合物が含まれています。

医薬品との相互作用

中血液凝固を抑制する医薬品（抗凝固薬/抗血小板薬）

トリカブトは血液凝固を抑制する可能性があります。トリカブトと血液凝固を抑制する医薬品を併用すると，紫斑および出血のリスクが高まるおそれがあります。

中興奮薬

興奮薬は神経系を亢進させます。神経系を亢進させることにより，興奮薬は神経を過敏にし，心拍数を上昇させる可能性があります。トリカブトも神経系を亢進させる可能性があります。トリカブトと興奮薬を併用すると，重大な問題（頻脈や高血圧など）を引き起こすおそれがあります。

ハーブおよび健康食品・サプリメントとの相互作用

ほかのハーブ，健康食品・サプリメントとの相互作用についてはまだ明らかではありません。

使用量の目安

●経口摂取

通常，加工したトリカブトの根0.5～３gを摂取します。また，作用強度６～30cの同種療法製品としても使用されています。作用強度６cとするにはトリカブトのチンキ薬１を水またはアルコール99の比率で希釈します。その結果得られた溶液１を再び水またはアルコール99で希釈します。この過程を６回繰り返して調製されたものを作用強度６cとします。

●局所投与

標準使用量に関するデータがありません。

トリコーパス・ゼイラニクス

TRICHOPUS ZEYLANICUS

別名ほか

Arogya Pacha，Arogyapacha，Ginseng of Kani Tribes，T. Zeylanicus

概　要

トリコーパス・ゼイラニクスは，インド原産の希少植物です。葉と実を用いて「くすり」を作ることがあります。

安全性

安全性に関する信頼できるデータが十分ありません。

多発性硬化症や狼瘡（全身性エリテマトーデス）などの免疫系疾患，関節性リウマチ，およびそのほかの自己免疫疾患と呼ばれる症状の人は使用してはいけません。

●妊娠中および母乳授乳期

妊娠中，母乳授乳期は使用してはいけません。

有効性

◆科学的データが不十分です

・スタミナの改善，肝疾患，消化性潰瘍，体重減少，疲労，性的機能不全，性的能力の改善。

●体内での働き

病状に対してどのように作用するか十分なデータがありません。ヒトではまだ研究が行われたことがありません。動物実験からは，免疫系を刺激し，炎症を抑え，性的活動を高め，その他の作用の可能性もあることが示されましたが，ヒトにもこれらの作用があるのかどうか判断するには，データが不十分です。

医薬品との相互作用

ほかの医薬品との相互作用については明らかではありません。

ハーブおよび健康食品・サプリメントとの相互作用

ほかのハーブ，健康食品・サプリメントとの相互作用についてはまだ明らかではありません。

使用量の目安

標準使用量に関するデータがありません。

トリプシン

TRYPSIN

別名ほか

タンパク質分解酵素（Proteolytic enzyme），プロテイナーゼ（Proteinase）

概　要

トリプシンは体内に存在するタンパク質です。動物からも「くすり」を作ることがあります。

安 全 性

医師･薬剤師が用いる場合は安全だと考えられますが，痛みや焼けるような感じといった副作用が起こることがあります。

●妊娠中および母乳授乳期

妊娠中，母乳授乳期は使用してはいけません。

有 効 性

◆有効性レベル③

・変形性関節症。

・創傷の清浄化と治癒。

◆科学的データが不十分です

・口内潰瘍の洗浄と治癒など。

●体内での働き

死んだ皮膚細胞（組織）を取り除き，健康な組織の成長を補助します。

医薬品との相互作用

ほかの医薬品との相互作用については明らかではありません。

ハーブおよび健康食品・サプリメントとの相互作用

ほかのハーブ，健康食品・サプリメントとの相互作用についてはまだ明らかではありません。

使用量の目安

●経口摂取

変形性関節症

ルチン100mg，トリプシン48mg，ブロメライン90mgを含有する酵素製品を１回２錠，１日３回摂取します。

●局所投与

創傷清拭に使用する場合，トリプシン，ペルーバルサム，ヒマシ油を含有する，米国食品医薬品局（FDA）認可製品を使用します。

トルーバルサム

TOLU BALSAM

別名ほか

トゥルーバルサム（Myroxylon Balsamum），バルサムトルー（Balsamum），Balsam，Balsam Tolu，Balsamum tolutanum，Myroxylon Balsamum Var，Opobalsam，Resina tolutana，Resin Tolu，Thomas Balsam，Toluifera balsamum，Tolu，Toluiferum Balsamum

概　要

トルーバルサムは樹木からとれます。樹液のような物質を用いて「くすり」を作ることもあります。

安 全 性

「くすり」として使用する場合は安全であると考えられますが，アレルギー反応や腎炎などの副作用が起こることもあります。

発熱，腎障害がある場合は使用してはいけません。

●妊娠中および母乳授乳期

妊娠中，母乳授乳期は使用してはいけません。

有 効 性

◆科学的データが不十分です

・褥瘡，気管支炎，がん，咳，乳首の亀裂，唇の亀裂，肺の炎症（腫脹）の軽減，および皮膚の小さな切り傷。

●体内での働き

うっ血を解消する成分を含みます。また，皮膚の保護薬として作用することもあります。

医薬品との相互作用

ほかの医薬品との相互作用については明らかではありません。

ハーブおよび健康食品・サプリメントとの相互作用

ほかのハーブ，健康食品・サプリメントとの相互作用についてはまだ明らかではありません。

使用量の目安

●経口摂取

通常，１日500～600mgを摂取します。

●局所投与

標準使用量に関するデータがありません。

ドルステニア

CONTRAYERVA

別名ほか

Contrayerba，アメリカドルステニヤ（Dorstenia contrajerva），Dorstenia contrayerva，Herbe-Chapeau

概　要

ドルステニアはハーブです。根を用いて「くすり」を作ることもあります。

安全性

使用は安全ではないと考えられます。心臓障害を起こすことがあり，また日光などの紫外線に対する感受性が高まることがあります。

●妊娠中および母乳授乳期

妊娠中，母乳授乳期は使用してはいけません。

有効性

◆科学的データが不十分です

・ヘビ咬傷の治療および気力の増進（持久力）。

●体内での働き

興奮薬として作用し，発汗を起こします。

医薬品との相互作用

ほかの医薬品との相互作用については明らかではありません。

ハーブおよび健康食品・サプリメントとの相互作用

ほかのハーブ，健康食品・サプリメントとの相互作用についてはまだ明らかではありません。

使用量の目安

標準使用量に関するデータがありません。

トレオニン

THREONINE

●代表的な別名

スレオニン

別名ほか

L-トレオニン（L-threonine）

概要

トレオニンはアミノ酸です。

安全性

経口で摂取する場合は安全ですが，胃の不調，頭痛，悪心，皮膚の発疹といった軽い副作用が起こることもあります。

●妊娠中および母乳授乳期

妊娠中，母乳授乳期は使用してはいけません。

有効性

◆有効性レベル③

・脊髄の痙縮。

◆有効性レベル④

・筋萎縮性側索硬化症。

◆科学的データが不十分です

・家族性痙性対麻痺，および多発性硬化症。

●体内での働き

体内でグリシンと呼ばれる化合物に変わります。グリシンは脳に作用して痙攣を抑えます。

医薬品との相互作用

高アルツハイマー病治療薬（グルタミン酸NMDA受容体拮抗薬）

トレオニンがメマンチン塩酸塩と呼ばれるアルツハイマー型認知症治療薬の効果を弱める懸念があります。

ハーブおよび健康食品・サプリメントとの相互作用

ほかのハーブ，健康食品・サプリメントとの相互作用についてはまだ明らかではありません。

使用量の目安

●経口摂取

脊髄痙攣

1日6g摂取します。

家族性痙性対麻痺

1日4.5～6gを摂取します。

ドロマイト

DOLOMITE

別名ほか

白雲岩質の石灰石（Dolomitic limestone），ドロマイト質石灰岩

概要

ドロマイトは，石灰石と呼ばれるミネラルのサプリメントの一種です。

安全性

経口摂取は，ほとんどの成人におそらく安全ではありません。一部のドロマイト製品は，アルミニウム，ヒ素，鉛，水銀，ニッケルなどの重金属で汚染されているおそれがあります。このため，より安全なカルシウムやマグネシウムのサプリメントを使用するほうが賢明かもしれません。ドロマイトはまた，胃の過敏，便秘，吐き気，嘔吐および下痢を引き起こすおそれがあります。

長期間にわたり大量に摂取したり，ほかのカルシウムやマグネシウムのサプリメントと併用したりしてはいけません。

小児：経口摂取はほとんどの小児におそらく安全ではありません。小児は成人よりも鉛などの汚染物質に対して敏感です。摂取を避けるのが最善です。

心ブロック：ドロマイトにはマグネシウムが含まれて

いるため，この疾患の場合には，使用してはいけません。マグネシウムが過剰になると，心ブロックの人にはよくありません。

副甲状腺の異常：頚部の甲状腺付近にある副甲状腺は，血中カルシウム量を調節するホルモンを放出します。副甲状腺の活性が過度に高まったり（副甲状腺機能亢進），低下したり（副甲状腺機能低下）すると，カルシウムのバランスが崩れます。カルシウムを豊富に含むドロマイトを摂取すると，このバランスがさらに悪化するおそれがあります。副甲状腺に異常がある場合には，ドロマイトを摂取してはいけません。

腎疾患：マグネシウムおよびカルシウムが過剰になると，腎疾患の人に害を及ぼすおそれがあります。ドロマイトにはこの2つのミネラルが含まれているため，深刻な腎疾患の場合には使用してはいけません。

サルコイドーシス：この疾患では，体内へのカルシウム吸収が過剰になるリスクが高まります。ドロマイトにはカルシウムが含まれているため，サルコイドーシスの場合には使用してはいけません。

●妊娠中および母乳授乳期

重金属汚染のおそれがあるため，妊娠中および母乳授乳期の使用はおそらく安全ではありません。摂取を避けるのが最善です。

有 効 性

◆科学的データが不十分です

・カルシウムとマグネシウムの摂取を目的とした使用など。

●体内での働き

炭酸カルシウムおよびマグネシウムが豊富に含まれる可能性があります。

医薬品との相互作用

中 エストロゲン（卵胞ホルモン）製剤

ドロマイトはカルシウムを含みます。エストロゲンはカルシウムの体内への吸収を促進します。多量のカルシウムとエストロゲン製剤を併用すると，体内のカルシウム量が過剰になるおそれがあります。

中 カリウム保持性利尿薬

ドロマイトにはマグネシウムが含まれます。特定の利尿薬は体内のマグネシウム量を増加させる可能性があります。ドロマイトと利尿薬を併用すると，体内のマグネシウム量が過剰に増加するおそれがあります。このような利尿薬にはAmiloride，スピロノラクトン，トリアムテレンがあります。

中 キノロン系抗菌薬

ドロマイトは特定の抗菌薬の作用を弱める可能性があります。ドロマイトはミネラルを含みます。ミネラルは腸内でキノロン系抗菌薬と結合します。そのため，キノロン系抗菌薬の体内への吸収量が減少する可能性があります。この相互作用を避けるために，キノロン系抗菌薬の服用前4～6時間，または服用後少なくとも2時間はドロマイトを摂取しないでください。このような抗菌薬にはシプロフロキサシン，Gemifloxacin，レボフロキサシン水和物，モキシフロキサシン塩酸塩などがあります。

高 サイアザイド系利尿薬

ドロマイトにはカルシウムが含まれます。特定の利尿薬は体内のカルシウム量を増加させます。大量のカルシウムとこのような利尿薬を併用すると，体内のカルシウム量が過剰になるおそれがあります。そのため，腎障害などの重篤な副作用が現れるおそれがあります。このような利尿薬にはクロロチアジド（販売中止），ヒドロクロロチアジド，インダパミド，メトラゾン（販売中止），クロルタリドン（販売中止）があります。

中 ソタロール塩酸塩

ドロマイトはカルシウムを含みます。カルシウムとソタロール塩酸塩を併用すると，ソタロール塩酸塩の体内への吸収量が減少する可能性があります。そのため，ソタロール塩酸塩の効果を弱めるおそれがあります。少なくともソタロール塩酸塩の服用前2時間，または服用後4時間はドロマイトを摂取しないでください。

中 テトラサイクリン系抗菌薬

ドロマイトにはカルシウムが含まれます。カルシウムは，胃の中でテトラサイクリン系抗菌薬と結合し，テトラサイクリン系抗菌薬の体内への吸収量が減少する可能性があります。ドロマイトとテトラサイクリン系抗菌薬を併用すると，テトラサイクリン系抗菌薬の効果を弱めるおそれがあります。この相互作用を避けるために，テトラサイクリン系抗菌薬の服用前2時間，または服用後4時間はドロマイトを摂取しないでください。このようなテトラサイクリン系抗菌薬にはデメチルクロルテトラサイクリン塩酸塩，ミノサイクリン塩酸塩，テトラサイクリン塩酸塩があります。

中 ビスホスホネート製剤

ドロマイトは，ビスホスホネート製剤の体内への吸収量を減少させる可能性があります。ドロマイトとビスホスホネート製剤を併用すると，ビスホスホネート製剤の効果が弱まるおそれがあります。この相互作用を避けるために，ビスホスホネート製剤服用前後少なくとも30分はドロマイトを摂取しないでください。このようなビスホスホネート製剤には，アレンドロン酸，エチドロン酸二ナトリウム，イバンドロン酸ナトリウム水和物，リセドロン酸ナトリウム水和物，Tiludronateなどがあります。

中 レボチロキシンナトリウム水和物

レボチロキシンナトリウム水和物は甲状腺機能低下症の治療に用いられます。ドロマイトはレボチロキシンナトリウム水和物の体内への吸収量を減少させる可能性があります。ドロマイトとレボチロキシンナトリウム水和物を併用すると，レボチロキシンナトリウム水和物の効果が弱まるおそれがあります。

ト

ハーブおよび健康食品・サプリメントとの相互作用

ホウ素

ホウ素とドロマイトを併用すると，血中マグネシウム濃度が上昇するおそれがあります。

カルシウム

ドロマイトにはカルシウムが含まれています。カルシウムとドロマイトを併用すると，カルシウムが過剰になり，便秘を引き起こすおそれがあります。

マグネシウム

ドロマイトにはマグネシウムが含まれています。マグネシウムとドロマイトを併用すると，マグネシウムが過剰になり，下痢を引き起こすおそれがあります。

ビタミンD

ドロマイトにはカルシウムが含まれています。ビタミンDは体内へのカルシウム吸収を促進します。ビタミンDとドロマイトを併用すると，体内のカルシウム濃度が上昇するおそれがあります。

通常の食品との相互作用

食物繊維

フスマなどの食物繊維は，カルシウムの摂取を阻害するおそれがあります。食物繊維と，カルシウムを豊富に含むドロマイトを併用すると，ドロマイトから体内に吸収されるカルシウム量が低下します。

ビタミンDが豊富な食品

ビタミンDは体内へのカルシウム吸収を促進します。ドロマイトにはカルシウムが含まれています。ビタミンDが豊富な食品とドロマイトを併用すると，ドロマイトから体内に吸収されるカルシウム量が上昇します。

鉄

ドロマイトにはカルシウムが含まれています。食後にカルシウムと鉄サプリメントを併用すると，サプリメントから体内に吸収される鉄量が低下するおそれがあります。ただし，空腹時にカルシウムと鉄サプリメントを併用しても，鉄の吸収量に影響を与えることはないようです。

使用量の目安

通常の食品に含まれている量を超えて経口摂取した場合の安全性および副作用については，明らかになっていません。

トンカ豆

TONKA BEAN

●代表的な別名

トンカビーン

別名ほか

クマル（Cumaru），トンカビーンズ（Dipteryx odorata），Coumarouna odorata，Dutch Tonka，English Tonka，Tonka，Tonka Seed，Tonquin Bean，Torquin Bean

概　要

トンカ豆は樹木からとれます。実と種子を用いて「くすり」を作ることもあります。

安 全 性

安全ではありません。悪心，嘔吐，下痢，めまい，眠気，肝臓障害といった副作用を起こすことがあります。

肝疾患にかかっている人も使用してはいけません。

●妊娠中および母乳授乳期

妊娠中，母乳授乳期は使用してはいけません。

有 効 性

◆科学的データが不十分です

・咳，痙攣，耳痛，口内のびらん，悪心，咽喉痛，結核など。

●体内での働き

炎症（腫脹）と水分保持を改善する成分を含んでいます。

医薬品との相互作用

ほかの医薬品との相互作用については明らかではありません。

ハーブおよび健康食品・サプリメントとの相互作用

ほかのハーブ，健康食品・サプリメントとの相互作用についてはまだ明らかではありません。

使用量の目安

●経口摂取

成分のクマリン量に基づいてトンカ豆の摂取量を決める場合があります。通常のクマリン摂取量は１日60mgです。

●局所投与

標準使用量に関するデータがありません。

ドンクアイ

DONG QUAI

●代表的な別名

カラトウキ

別名ほか

当帰（Tang Kuei），カラトウキ，唐当帰（Angelica sinensis），シラネセンキュウ，スズカゼリ（Sinensis），チャイニーズアンジェリカ（Chinese Angelica），ドンカイ（Danggui），Angelica polymorpha Var，Dang Gui，Ligustilides，Tan Kue Bai Zhi

概　要

ドンクアイは植物です。根を用いて「くすり」を作ることもあります。

ドンクアイは月経痛，月経前症候群（PMS）および更年期症状に対して用いられます。また，経口で，「血液浄化剤」として用いられたり，高血圧，不妊，関節痛，潰瘍，貧血および便秘の治療や，アレルギー性発作の予防および治療に用いられたりします。そのほか，色素脱失（皮膚退色）および乾癬の治療に経口で用いられます。

早漏治療の総合製剤の一部として，陰茎の皮膚に塗布する人もいます。

東南アジアでは，ドンクアイ（カラトウキ）の代わりにほかのアンゼリカ種を用いることがあります。よく用いられるものとして，主に日本でみられるトウキや主に韓国でみられるオニノダケなどがあります。この3種はよく似ていますが，含まれる化学物質は異なります。この3種を互いに代用できると考えてはいけません。

安 全 性

経口摂取する場合や，クリームの成分としてときどき皮膚に塗布する場合は，成人にはおそらく安全です。長期使用または反復使用の安全性については，データが不十分です。

皮膚の日光過敏を引き起こすおそれがあります。このため，皮膚がんのリスクを高めるおそれがあります。とくに色白の場合には，屋外では日焼け止めを使用してください。

長期間大量に摂取するのはおそらく安全ではありません。ドンクアイには，発がん物質とみられる化学物質が含まれています。

出血性疾患：ドンクアイは血液凝固を抑制するおそれがあります。このため，出血性疾患の場合には，ドンクアイにより紫斑や出血のリスクが高まるおそれがあります。

乳がん，子宮がん，卵巣がん，子宮内膜症，子宮筋腫などのホルモン感受性疾患：ドンクアイはエストロゲンのように作用するおそれがあります。エストロゲンにさらされると悪化するおそれのある疾患の場合には，ドンクアイを使用してはいけません。

プロテインS欠損症：プロテインS欠損症の人は血塊形成リスクが高くなっています。ドンクアイはエストロゲンの作用の一部をもつため，プロテインS欠損症の人では，ドンクアイにより血塊形成リスクが高まるおそれがあります。プロテインS欠損症の場合には，ドンクアイを使用してはいけません。

手術：ドンクアイは血液凝固を抑制するおそれがあるため，手術中および術後の出血リスクを高めるおそれがあります。少なくとも手術前2週間は，使用しないでください。

●妊娠中および母乳授乳期

妊娠中の経口摂取は胎児におそらく安全ではありません。ドンクアイは子宮の筋肉に影響を及ぼすようです。また，母親がドンクアイを含む混合ハーブを妊娠初期3カ月間に摂取し，新生児に先天異常がみられたとの報告が1件あります。妊娠中は使用してはいけません。

母乳授乳期の使用の安全性についてはデータが不十分です。安全性を考慮し，摂取は避けてください。

有 効 性

◆科学的データが不十分です

・心疾患，脳卒中，更年期症状，片頭痛，妊娠中の異常，肺高血圧，早漏，月経困難，月経前症候群（PMS），高血圧，関節痛，潰瘍，貧血，便秘，皮膚退色および乾癬，アレルギーなど。

●体内での働き

動物では，ドンクアイの根がエストロゲンなどのホルモンに影響を与えることがわかっています。ヒトで同様の作用があるかどうかについては，データが不十分です。

医薬品との相互作用

中エストロゲン（卵胞ホルモン）製剤

ドンクアイにはエストロゲン様作用のある可能性があります。ドンクアイとエストロゲン製剤を併用すると，副作用のリスクを高めるおそれがあります。

高ワルファリンカリウム

ワルファリンカリウムは血液凝固を抑制するために用いられます。ドンクアイもまた血液凝固を抑制する可能性があります。ドンクアイとワルファリンカリウムを併用すると，紫斑および出血のリスクが高まるおそれがあります。定期的に血液検査をしてください。ワルファリンカリウムの用量を変更する必要があるかもしれません。

中血液凝固を抑制する医薬品（抗凝固薬/抗血小板薬）

ドンクアイは血液凝固を抑制する可能性があります。ドンクアイと血液凝固を抑制する医薬品を併用すると，紫斑および出血のリスクが高まるおそれがあります。このような医薬品にはアスピリン，クロピドグレル硫酸塩，ジクロフェナクナトリウム，イブプロフェン，ナプロキセン，ダルテパリンナトリウム，エノキサパリンナトリウム，ヘパリン，ワルファリンカリウムなどがあります。

ハーブおよび健康食品・サプリメントとの相互作用

血液凝固を抑制するおそれのあるハーブおよび健康食品・サプリメント

ドンクアイは血液凝固を抑制するおそれがあります。ドンクアイと，血液凝固を抑制するおそれのあるほかのハーブを併用すると，人によっては出血や紫斑のリスクが高まるおそれがあります。このようなハーブには，ア

有効性レベル：①効きます　②おそらく効きます　③効くと断言できませんが、効能の可能性が科学的に示唆されています　④効かないかもしれません　⑤おそらく効きません　⑥効きません

ンゼリカ，クローブ，タンジン，ニンニク，ショウガ，イチョウ，朝鮮人参，ポプラ，レッドクローバー，ヤナギなどがあります。

黒コショウ

黒コショウとドンクアイを併用すると，フェルラ酸など，ドンクアイに含まれる化学物質の一部の吸収が高まるおそれがあります。

使用量の目安

●経口摂取

更年期症状

ドンクアイおよびカモミールを含む特定の複合製品5錠を，毎日，12週間摂取します。アメリカジンセン（アメリカ人参），ブラックコホシュ，ドンクアイ，ミルクシスル，レッドクローバー，セイヨウニンジンボクを含む特定の複合製品を1日2回，3カ月間摂取します。ゴボウ根，甘草根，マザーワート，ドンクアイ，ワイルドヤム根を含むハーブ複合製品500mgを1日3回，3カ月間摂取します。

●皮膚への塗布

早漏

朝鮮人参根，ドンクアイ，ニクジュヨウ，サンショウ種，Torlidis seed，クローブの花，細辛（サイシン），シナモン樹皮，蟾酥（センソ）を含むクリームを，性交1時間前に陰茎亀頭に塗布し，性交直前に洗い流します。

ナガバハッカ

ENGLISH HORSEMINT

別名ほか

長葉薄荷，メンサ・ロンギフォリア，ホースミント，ウマハッカ（Mentha longifolia），Biblical Mint，Wild Mint

概　　要

ナガバハッカはハーブです。地上部を用いて「くすり」を作ることもあります。

安 全 性

十分なデータが得られていないので，安全であるかどうか不明です。

●妊娠中および母乳授乳期

妊娠中および母乳授乳期の使用の安全性についてはデータが不十分です。安全性を考慮し，摂取は避けてください。

有 効 性

◆科学的データが不十分です

・腸内ガス（膨満）などの消化器系疾患，痛み，および頭痛。

●体内での働き

どのように作用するかについては十分なデータが得られていません。

医薬品との相互作用

ほかの医薬品との相互作用については明らかではありません。

ハーブおよび健康食品・サプリメントとの相互作用

ほかのハーブ，健康食品・サプリメントとの相互作用についてはまだ明らかではありません。

使用量の目安

標準使用量に関するデータがありません。

ナギイカダ

BUTCHER'S BROOM

別名ほか

椰筏（Ruscus aculeatus），Box Holly，Jew's Myrtle，Kneeholm，Knee Holly，Pettigree，Sweet Broom，Rusci aculeati，Rusci aculeati rhizoma

概　　要

ナギイカダは植物です。根を用いて「くすり」を作ることもあります。

●要説（ナチュラル・スタンダード）

ナギイカダは，欧州と北アフリカ全体で生育する小さな常緑低木です。歴史的には，欧州の肉屋がルスカス（ナギイカダ）の葉や小枝を使って，自分たちのまな板をきれいにしたり磨いたりしたことから，「肉屋のほうき（butcher's broom）」という名がつけられたとされています。ナギイカダの根・茎・芽は，多くの国々で食品として食べられているようです。根と茎の両方がハーブの一部として使用されています。

ナギイカダは，循環器系に対して有益な効果があるために，過去2,000年間使用されてきたようです。循環器系への有効性とは，静脈狭窄を促進して血管壁の緊張を改善するといったことのようです。ナギイカダに含まれる化学物質，とくにコラーゲンは血管に付着し，その部分を強化します。そして，全身の血液循環を改善し，血管壁をより柔軟にします。

今日，ナギイカダがもっとも頻繁に併用されているのは，ヘスペリジンメチルカルコン（150mg）とビタミンC（100mg）を含む製品です。この製品は特定の循環器疾患（とくに慢性静脈不全）の治療に使用されます。

ナギイカダはまた，他の疾患の治療のために研究されてきました。たとえば，静脈瘤，乳がん治療後の上腕における二次リンパ浮腫（過剰な体液による腫脹），月経前症候群の症状，捻挫や挫傷治療などがあります。しかしながら，これらの研究のほとんどは，ナギイカダをほかのハーブと併用しての評価なので，ナギイカダ単独での効果は依然として不明です。さらなる研究が必要です。

ナギイカダは，利尿薬や下剤として，古代ギリシャ人によって使用されていた可能性があります。歴史的には，欧州全土で月経周期を調節したり，黄疸や頭痛を取り除いたり，骨折の治療のために使用された可能性があります。

ナギイカダは，発汗を促進したり，痛風や腎結石を治療したり，血流改善を促進するためにも使用されています。

安 全 性

経口投与の場合，最大３カ月まではほとんどの人におそらく安全です。

胃の不調や吐き気を引き起こすおそれがあります。

●妊娠中および母乳授乳期

妊娠中および母乳授乳期の使用の安全性については，データが不十分です。安全性を考慮し，摂取は避けてください。

有 効 性

◆有効性レベル③

・慢性静脈不全症（循環の異常）。いくつかの研究により，ナギイカダを単独またはビタミンCおよびヘスペリジンと併用で経口摂取すると，疼痛，重感，疼痛性筋痙攣，そう痒，腫脹など，下腿の血行不良の症状を緩和するようであることが示されています。

◆科学的データが不十分です

・糖尿病網膜症（糖尿病による視覚の異常），リンパ浮腫（腕の腫脹），起立性低血圧（起立時の血圧低下），便秘，痔核，体液貯留，骨折，循環器疾患など。

●体内での働き

ナギイカダに含まれる化学物質は，血管を収縮させる可能性があります。血液が静脈に「溜まる」のを防ぐことで下腿の血液循環を改善する可能性があります。

医薬品との相互作用

中興奮薬（アドレナリンα受容体作動薬）

ナギイカダは神経系を亢進，血圧を上昇，心拍数を増加させる可能性があります。興奮薬もまた，神経系を亢進，血圧を上昇，心拍数を増加させる可能性があります。ナギイカダと興奮薬を併用すると，過度に興奮する可能性があります。そのため，血圧が過度に高くなる，または，心拍数が過度に増加するおそれがあります。このような興奮薬には塩酸プソイドエフェドリン，エフェドリン塩酸塩，塩酸フェニルプロパノールアミン（販売中止）などがあります。

中降圧薬（アドレナリンα受容体遮断薬）

ナギイカダは神経系を亢進，血圧を上昇，心拍数を速める可能性があります。血圧が上昇することにより，ナギイカダは特定の降圧薬の効果を弱めるおそれがあります。このような降圧薬にはドキサゾシンメシル酸塩，テラゾシン塩酸塩水和物，yohimbineなどがあります。

ハーブおよび健康食品・サプリメントとの相互作用

興奮作用をもつハーブおよび健康食品・サプリメント

ナギイカダは神経系の伝達速度を速め，血圧を上昇させ，心拍数を増加させるおそれがあります。興奮作用をもつハーブおよび健康食品・サプリメントにも，このような作用があります。ナギイカダと，このようなハーブおよび健康食品・サプリメントを併用すると，血圧が過度に上昇したり，心拍数が過度に増加したりするおそれがあります。このようなハーブおよび健康食品・サプリメントには，ダイダイ，ビターヤム，コカ，カントリーマロウ，マオウ（麻黄）などがあります。

使用量の目安

●経口摂取

慢性静脈不全症（血行不良）の症状の緩和

ナギイカダの根のエキス150mgを，ヘスペリジン150mgおよびアスコルビン酸100mgとともに，１日２回摂取します。

ナスタチウム

NASTURTIUM

●代表的な別名

インディアンクレス

別名ほか

ノウゼンハレン，凌霄葉蓮（Tropaeolum majus），キンレンカ，金蓮花，インディアンクレス（Indian Cress）

概　　要

ナスタチウムは植物です。地上部を用いて「くすり」を作ることもあります。

安　全　性

ほかの生薬と併用で，直接皮膚に塗布する場合は，成人で安全だと考えられますが，とくに長期に用いたときなど，炎症を起こすことがあります。

経口で摂取した場合の安全性については十分なデータが得られていません。胃の不調，腎障害，そのほかの副作用が考えられます。

小児：小児のナスタチウムの経口摂取は安全ではありません。小児の皮膚に塗布する場合の安全性についてはデータが不十分です。

胃潰瘍および十二指腸潰瘍：ナスタチウムの使用は安全ではありません。胃潰瘍および十二指腸潰瘍の場合には，使用してはいけません。

腎疾患：腎疾患の場合には，使用してはいけません。使用は安全ではありません。

●妊娠中および母乳授乳期

妊娠中および母乳授乳期のナスタチウムの使用の安全性についてはデータが不十分です。安全性を考慮し，摂取は避けてください。

有　効　性

◆科学的データが不十分です

・咳，気管支炎，尿路感染症，軽度の筋肉痛など。

●体内での働き

ビタミンCを含み，真菌，細菌，ウイルス，腫瘍に対抗すると考えられます。

医薬品との相互作用

ほかの医薬品との相互作用については明らかではありません。

ハーブおよび健康食品・サプリメントとの相互作用

ほかのハーブ，健康食品・サプリメントとの相互作用についてはまだ明らかではありません。

使用量の目安

●経口摂取

標準使用量に関するデータがありません。

●局所投与

ほかの植物性生薬との配合薬が用いられ，使用量は各製品によって異なっています。

ナズナ

SHEPHERD'S PURSE

別名ほか

セイ，薺（Pick-Pocket），ナズナ属（Capsella），ペンペングサ，シェパードパース（Shepherds Purse），Blind Weed，Bursae pastoris herba，Caseweed，Cocowort，Lady's Purse，Mother's-heart，Pepper-and-Salt，Poor Man's Parmacettie，Rattle Pouches，Sanguinary，Shepherd's Heart，Shepherd's Purse Herb，Shepherd's Scrip，Shepherd's Sprout，Shovelweed，St. James' Weed，Thlaspi bursa-pastoris，Toywort，Witches' Pouches

概　要

ナズナは植物です。地上部を用いて「くすり」を作ることもあります。

●要説（ナチュラル・スタンダード）

ナズナ（Capsella bursa-pastoris）は，アブラナ科に属していて，世界でもっとも一般的で広く分布している顕花植物の１つです。下痢および出血を含む，ヒトでの多数の疾患を治療し，子宮収縮を刺激するために民間療法薬として使用されています。

ヒトに対するナズナ使用を評価している質の高い研究は，現在不十分です。

安 全 性

少量の使用は安全ですが，眠気，血圧の変化，甲状腺機能の変化，心悸亢進といった副作用が起こることがあります。

大量に摂ると，運動麻痺，呼吸困難，死亡などの副作用が起こる可能性があります。

心疾患：心疾患の治療の妨げになるおそれがあります。心疾患の場合，使用は避けてください。

腎結石症：しゅう酸塩という腎結石を作る化合物を含んでいます。腎結石の既往がある場合，使用は避けてください。

手術：中枢神経に作用するため，手術中・術後に使用される麻酔薬やほかの医薬品と併用すると，中枢神経の活動が緩慢になりすぎる懸念があります。２週間以内に手術を受ける予定の人は使用しないでください。

甲状腺疾患：甲状腺疾患の治療を妨げるおそれがあります。甲状腺疾患の場合使用を避けてください。

●妊娠中および母乳授乳期

妊娠中の経口摂取あるいは皮膚への直接塗布は，安全ではありません。子宮を収縮させ月経を誘発し，その結果，流産を引き起こすおそれがあります。

母乳授乳期に使用の安全性についてはデータが不十分です。安全性を考慮して使用は控えてください。

有 効 性

◆科学的データが不十分です

・頭痛，心臓障害，月経前の愁訴，下痢など。

●体内での働き

出血を抑え，筋肉を刺激し，子宮収縮を強くすると考えられています。

医薬品との相互作用

中 鎮静薬（中枢神経抑制薬）

大量のナズナは眠気を引き起こす可能性がありますが，鎮静薬も眠気を引き起こす医薬品です。ナズナと鎮静薬を併用すると過度の眠気を引き起こすおそれがあります。このような鎮静薬には，クロナゼパム，ロラゼパム，フェノバルビタール，ゾルピデム酒石酸塩などがあります。

ハーブおよび健康食品・サプリメントとの相互作用

ほかのハーブ，健康食品・サプリメントとの相互作用についてはまだ明らかではありません。

使用量の目安

●経口摂取

乾燥した地上部１～４gを１日３回，またはお茶（乾燥した地上部１～４gを熱湯150mLに10～15分浸してからこしたもの）ティーカップ１杯を１日３回摂取します。流エキス（１：１，25％アルコール）は１回１～４mLを１日３回摂取します。量を摂り過ぎないようにしてください。

●局所投与

通常，お茶の形で使用します。お茶は，乾燥地上部３～５gを熱湯180mLに10～15分浸してからこします。

ナットウキナーゼ

NATTOKINASE

●代表的な別名

納豆菌

別名ほか

発酵大豆（Fermented Soybeans），納豆エキス（Natto Extract），ズブチリシン，サチライシン（Subtilisin

NAT), BSP, NK

概　要

ナットウキナーゼは，大豆を発酵させた食品である納豆に含まれる酵素です。ナットウキナーゼは納豆を作るときの特定の発酵過程で生じるため，納豆以外のほかの大豆製品でナットウキナーゼは存在しません。

●要説（ナチュラル・スタンダード）

納豆は日本の伝統的な食べ物で，納豆菌（Bacillus subtilis）で，ゆでた大豆を発酵させたものです。ナットウキナーゼは，タンパク質を分解する酵素で，チーズに似た納豆から精製されます。ナットウキナーゼは，常に血栓を溶解させる天然物質を特定しようとしていた研究者によって1980年に発見されました。

アジアの人々は，千年以上もの間，伝統的な食べ物として，大豆（納豆を含む）を消費してきています。アジア諸国における心疾患の発生率が少ないことが観察されており，納豆などの大豆製品が，最近欧米諸国で注目されています。 その結果，ナットウキナーゼは人気の健康食品・サプリメントとなっています。

ナットウキナーゼには，抗血液凝固作用のあることが報告されています。 最近，研究によりますと，ナットウキナーゼを既存の標準的な治療法と併用すると，静脈血栓症，深部静脈血栓症，および高血圧症の治療に対して，有効であることが示唆されています。

安　全　性

ほとんどすべての人にとって安全かどうかについては，十分なデータが得られていません。

ナットウキナーゼを含むある特定の製品（商品名：Flite Tabs）を２回分摂取することは安全であると考えられますが，それを超えた量で安全かどうかはわかっていません。

出血障害：ナットウキナーゼは抗凝固の働きをするため，出血障害を悪化させることがあります。

２週間以内に手術を受ける予定の人は使用してはいけません。出血のリスクが高まります。

●妊娠中および母乳授乳期

妊娠中および母乳授乳期の使用の安全性についてはデータが不十分です。安全性を考慮し，使用は控えてください。

有　効　性

◆科学的データが不十分です

・心血管疾患，脳卒中，狭心症，深部静脈血栓症，アテローム性動脈硬化症，痔核，静脈うっ滞，静脈瘤，末梢血管疾患，跛行，疼痛，線維筋痛，慢性疲労症候群，子宮内膜症，子宮筋腫，筋痙攣，高血圧症，不妊症，がん，および脚気。

●体内での働き

血液の凝固を低下させますが，これが血液をサラサラにし，脳梗塞，心臓発作など血栓により生じる疾患を予防します。

医薬品との相互作用

中血液凝固を抑制する医薬品（抗凝固薬/抗血小板薬）

ナットウキナーゼは血液凝固を抑制する可能性があります。ナットウキナーゼと血液凝固を抑制する医薬品を併用すると，紫斑および出血のリスクが高まるおそれがあります。このような医薬品には，アスピリン，クロピドグレル硫酸塩，ジクロフェナクナトリウム，イブプロフェン，ナプロキセン，ダルテパリンナトリウム，エノキサパリンナトリウム，ヘパリン，ワルファリンカリウムなどがあります。

中降圧薬

ナットウキナーゼは，人によっては血圧を低下させる可能性があります。ナットウキナーゼと降圧薬を併用すると，血圧が過度に低下するおそれがあります。ただし，このことが大きな問題であるかについては明らかではありません。降圧薬を服用中にナットウキナーゼを過剰に摂取しないでください。このような降圧薬には，カプトプリル，エナラプリルマレイン酸塩，ロサルタンカリウム，バルサルタン，ジルチアゼム塩酸塩，アムロジピンベシル酸塩，ヒドロクロロチアジド，フロセミドなど数多くあります。

ハーブおよび健康食品・サプリメントとの相互作用

ほかのハーブ，健康食品・サプリメントとの相互作用についてはまだ明らかではありません。

使用量の目安

●経口摂取

深部静脈血栓症

長距離飛行時の発症予防を目的として，ナットウキナーゼ150mgにピクノジェノールが加えられた配合薬が使用されます。搭乗の２時間前に２カプセルを摂取し，それから６時間後に２カプセルを摂取します。

ナツメ

ZIZYPHUS

別名ほか

Anèbe, Annab, Azufaifo, Badar, Ber, Black Date, Black Jujube, Chinese Date, Chinese Jujube, Da Zao, Date Seed, Datte Chinoise, Datte Noire, Fructus Jujubae, Fructus Ju Jubae, Hei Zao, Hong Zao, Jujube Chinois, Jujube Plum, Jujube Noir, Jujube Rouge, Jujubi, Jujubier, Red Date, Red Jujube Date, Rhamnus zizyphus, Semen Ziziphi Spinosae, Sour Chinese Date, Sour Date, Suan Zao Ren, Zao, Zefzouf,

Ziziphi Spinosae, Ziziphus jujuba, synonyms Ziziphus sativa, Ziziphus spinosa, Ziziphus vulgaris, Ziziphus zizyphus, Zizyphi Fructus, Zizyphus, Zizyphus jujuba, Zyzyphus jujube

概　　要

ナツメは低木です。果実は食品として利用するほか,「くすり」を作ることもあります。

筋力や体重を改善したり，肝疾患や膀胱疾患，ストレス潰瘍を予防したりする目的や，鎮静薬として用いられます。また便秘や一部の医薬品による症状を緩和する目的で用いられます。そのほか乾燥肌，皮膚そう痒，紫斑病，創傷，潰瘍などさまざまな皮膚症状，食欲不振や下痢などの消化管障害，高血圧，高コレステロール血症，貧血などの循環器障害に用いられます。さらに,糖尿病，疲労，ヒステリー，不安，不眠，痙攣，発熱，肥満，がん，炎症，気管支喘息などの肺疾患，眼疾患に用いられます。新生児には黄疸に用いられます。

食品としては,さまざまな調理法で用いられています。

製品としては，発赤や腫脹，皺，乾燥を緩和したり，日光皮膚炎を軽減したりする目的で，ナツメエキスがスキンケア製品に用いられます。

安 全 性

ナツメを治療の目的で摂取する場合の安全性については，データが不十分です。

糖尿病：ナツメは血糖値を低下させるおそれがあります。糖尿病患者が通常の食品に含まれる量を超えて摂取する場合には，低血糖の徴候がないかどうか観察してください。

手術：ナツメは血糖値を低下させ，手術中・手術後の血糖コントロールを妨げるおそれがあります。また中枢神経系を抑制するおそれがあります。手術中に使用する麻酔などの医薬品も中枢神経系に影響を及ぼすため，ナツメを併用するのは害となるおそれがあります。少なくとも手術前２週間は，使用しないでください。

●アレルギー

ラテックスアレルギー：ラテックスにアレルギーのある人は，ナツメにもアレルギーを起こすおそれがあります。ラテックスにアレルギーがある場合には，摂取は避けてください。

●妊娠中および母乳授乳期

妊娠中および母乳授乳期の使用の安全性についてはデータが不十分です。安全性を考慮し，摂取は避けてください。

有 効 性

◆科学的データが不十分です

・便秘，高コレステロール血症，新生児黄疸，不安，糖尿病，下痢，乾燥肌，疲労，肝疾患，筋疾患，潰瘍，創傷など。

●体内での働き

ナツメに含まれる化学物質は，抗酸化物質のように作用したり，腫脹（炎症）を緩和したりする可能性があります。このため，ある種の肝障害をはじめとする臓器障害の予防に役立つ可能性があります。

医薬品との相互作用

中 肝臓で代謝される医薬品（シトクロムP450 1A2（CYP1A2）の基質となる医薬品）

特定の医薬品は肝臓で代謝されます。ナツメは特定の医薬品の代謝を促進する可能性があります。ナツメと肝臓で代謝される医薬品を併用すると，医薬品の効果が弱まるおそれがあります。。肝臓で代謝される医薬品を服用する場合には，医師や薬剤師に相談することなくナツメを摂取しないでください。このような医薬品には，アミトリプチリン塩酸塩，カフェイン，クロルジアゼポキシド，クロミプラミン塩酸塩，クロピドグレル硫酸塩，クロザピン，Cyclobenzaprine，塩酸デシプラミン（販売中止），ジアゼパム，エストラジオール，フルタミド，フルボキサミンマレイン酸塩,塩酸グレパフロキサシン(販売中止)，ハロペリドール，イミプラミン塩酸塩，メキシレチン塩酸塩，ミルタザピン，ナプロキセン，ノルトリプチリン塩酸塩，オランザピン，オンダンセトロン塩酸塩水和物，プロパフェノン塩酸塩，プロプラノロール塩酸塩，リルゾール，ロピニロール塩酸塩，ロピバカイン塩酸塩水和物，Tacrine，テオフィリン，ベラパミル塩酸塩，ワルファリンカリウム，Zileutonなどがあります。

中 鎮静薬（中枢神経抑制薬）

ナツメは眠気および注意力低下を引き起こす可能性があります。鎮静薬は眠気を引き起こす医薬品です。ナツメと鎮静薬を併用すると，過度の眠気を引き起こすおそれがあります。また，手術中に併用すると，鎮静作用が長引くおそれがあります。このような鎮静薬には，ペントバルビタールカルシウム，フェノバルビタール，セコバルビタールナトリウム，チオペンタールナトリウム，フェンタニルクエン酸塩，モルヒネ塩酸塩水和物，プロポフォールなどがあります。

中 糖尿病治療薬

ナツメは血糖値を低下させる可能性があります。糖尿病治療薬も血糖値を低下させるために用いられます。ナツメと糖尿病治療薬を併用すると，血糖値が過度に低下するおそれがあります。血糖値を注意深く監視してください。糖尿病治療薬の用量を変更する必要があるかもしれません。このような糖尿病治療薬には,グリメピリド，グリベンクラミド，インスリン，メトホルミン塩酸塩，ピオグリタゾン塩酸塩，マレイン酸ロシグリタゾン（販売中止)，クロルプロパミド, Glipizide, トルブタミド（販売中止）などがあります。

中 フェナセチン【販売中止】

フェナセチンは体内で代謝されてから排泄されます。ナツメはフェナセチンの代謝を促進する可能性がありま

有効性レベル：①効きます　②おそらく効きます　③効くと断言できませんが、効能の可能性が科学的に示唆されています　④効かないかもしれません　⑤おそらく効きません　⑥効きません

す。ナツメとフェナセチンを併用すると，フェナセチンの効果が弱まるおそれがあります。

ハーブおよび健康食品・サプリメントとの相互作用

血糖値を低下させるおそれのあるハーブおよび健康食品・サプリメント

ナツメは血糖値を低下させるおそれがあります。血糖値を低下させるおそれのあるほかのハーブおよび健康食品・サプリメントと併用すると，人によっては血糖値が過度に低下することがあります。このようなハーブおよび健康食品・サプリメントには，α-リポ酸，ニガウリ，クロム，デビルズクロー，フェヌグリーク，ニンニク，グアーガム，セイヨウトチノキ，朝鮮人参，サイリウム，エゾウコギなどがあります。

睡眠を促す（鎮静）作用をもつハーブおよび健康食品・サプリメント

ナツメと，鎮静薬のように作用するほかのハーブおよび健康食品・サプリメントを併用すると，人によっては過度の眠気を引き起こすおそれがあります。また，ナツメの副作用を増強するおそれもあります。このようなハーブおよび健康食品・サプリメントには，ショウブ，ハナビシソウ，キャットニップ，ホップ，ジャマイカ・ドックウッド，カバ，L-トリプトファン，メラトニン，セージ，S-アデノシルメチオニン（SAMe），セント・ジョンズ・ワート，ササフラス，スカルキャップなどがあります。

使用量の目安

通常の食品に含まれている量を超えて経口摂取した場合の安全性および副作用については，明らかになっていません。

ナツメグ

NUTMEG

別名ほか

Jaatipatree, Jaiphal, Jatiphal, Jatiphala, Jatiphalam, Muscade, Muscade et Macis, Muscadier, Muskatbaum, Muskatnuss, Myristica, Myristica fragrans, Myristica officinalis, Myristicae Semen, Noix de Muscade, Noix de Muscade et Macis, Nuez Moscada, Nuez Moscada y Macis, Nutmeg, Nux Moschata, Ron Dau Kou

概　要

ナツメグとメースは，植物から作られる製品です。ナツメグは殻で覆われ，乾燥された植物の種子で，メースは種子の周りの乾いた網目状の皮です。ナツメグはインドネシアのバンダ諸島原産で，現在ではマレーシア，カリブ諸国など熱帯地方で栽培されています。また，グレナダが世界最大のナツメグ輸出国の１つです。

ナツメグは，下痢，吐き気，胃痙攣，胃痛，腸内ガスに対して経口摂取されます。また，がん，腎疾患，睡眠障害（不眠）の治療のため経口摂取されます。また，月経出血量の増大および流産の誘発のため，幻覚薬として，および一般的強壮薬として経口摂取されます。

ナツメグは，口内炎および歯痛による痛みを止めるために患部に塗布されます。

食品では，ナツメグはスパイスや調味料として使用されます。

製品としては，ナツメグオイルは石鹸や化粧品に入れる香料として使用されます。ナツメグオイルは，虫に食べられた後の種子から蒸留されます。虫は種子の豊富なオイルの部分を残して，でんぷんと脂肪の大部分を食べてしまいます。

安　全　性

適正量の経口摂取は，おそらく安全です。通常は料理の香辛料として使われます。

食品に含まれる量を超えての高用量を長期間摂取するのは，おそらく安全ではありません。１日に120mgあるいはそれ以上を長期間摂取すると，幻覚やほかの精神的な副作用に結びつくおそれがあります。高用量摂取する人の中には，吐き気，口内乾燥，めまい感，脈拍不整，激越，幻覚を起こす人もいます。重篤な副作用で死に至ることもあります。

皮膚に直接塗ることの安全性についてはデータが不十分です。

●妊娠中および母乳授乳期

食品に含まれる量を超えた高用量の摂取は，おそらく安全ではありません。妊娠中の場合，流産あるいは新生児の先天性異常を起こすおそれがあります。

妊娠中および母乳授乳期の使用の安全性についてはデータが不十分です。安全性を考慮し，使用を避けてください。

有　効　性

◆科学的データが不十分です

・がん，下痢，腸内ガス，腎疾患，吐き気，幻覚作用，胃疾患，疼痛など。

●体内での働き

中枢神経系に影響を与えるおそれのある化学物質を含んでいます。また，細菌類や真菌類を殺菌する作用もあると考えられています。

医薬品との相互作用

中 フェノバルビタール

フェノバルビタールは体内で代謝されてから排泄されます。ナツメグはこの代謝を促進する可能性があります。ナツメグとフェノバルビタールを併用すると，フェノバルビタールの効果が弱まるおそれがあります。

中肝臓で代謝される医薬品（シトクロムP450 1A1（CYP1A1）の基質となる医薬品）

特定の医薬品は肝臓で代謝されます。ナツメグは特定の医薬品の代謝を促進する可能性があります。ナツメグと肝臓で代謝される医薬品を併用すると，医薬品のさまざまな作用および副作用を誘発するおそれがあります。このような医薬品には，クロルゾキサゾン，テオフィリン，Bufuralolがあります。

中肝臓で代謝される医薬品（シトクロムP450 1A2（CYP1A2）の基質となる医薬品）

特定の医薬品は肝臓で代謝されます。ナツメグは特定の医薬品の代謝を促進する可能性があります。ナツメグと肝臓で代謝される医薬品を併用すると，医薬品のさまざまな作用および副作用を誘発するおそれがあります。このような医薬品には，クロザピン，Cyclobenzaprine，フルボキサミンマレイン酸塩，ハロペリドール，イミプラミン塩酸塩，メキシレチン塩酸塩，オランザピン，塩酸ペンタゾシン，プロプラノロール塩酸塩，Tacrine，テオフィリン，Zileuton，ゾルミトリプタンなどがあります。

中肝臓で代謝される医薬品（シトクロムP450 2B1（CYP2B1）の基質となる医薬品）

特定の医薬品は肝臓で代謝されます。ナツメグは特定の医薬品の代謝を促進する可能性があります。ナツメグと肝臓で代謝される医薬品を併用すると，さまざまな作用および副作用を誘発するおそれがあります。

中肝臓で代謝される医薬品（シトクロムP450 2B2（CYP2B2）の基質となる医薬品）

特定の医薬品は肝臓で代謝されます。ナツメグと肝臓で代謝される医薬品を併用すると，さまざまな作用および副作用を誘発するおそれがあります。

中口渇作用などの乾燥作用のある医薬品（抗コリン薬）

ナツメグは，脳および心臓などの体内で作用する特定の化学物質の体内量を増加させる可能性があります。抗コリン薬と呼ばれる口渇などの乾燥作用のある医薬品のなかにもこの同じ化学物質の体内量を異なった方法で増加させる可能性があるものがあります。口渇などの乾燥作用のある医薬品はナツメグの作用を弱め，ナツメグはこのような医薬品の作用を弱めるおそれがあります。このような医薬品には，アトロピン硫酸塩水和物，メシル酸ベンツトロピン（販売中止），ビペリデン塩酸塩，プロシクリジン，トリヘキシフェニジル塩酸塩などがあります。

中鎮静薬（中枢神経抑制薬）

ナツメグは眠気および注意力低下を引き起こす可能性があります。鎮静薬は眠気を引き起こす医薬品です。理論的には，ナツメグと鎮静薬を併用すると，過度の眠気を引き起こすおそれがあります。このような鎮静薬には，クロナゼパム，ロラゼパム，フェノバルビタール，ゾルピデム酒石酸塩などがあります。

中緑内障，アルツハイマー病などに使用される医薬品（コリン作動薬）

ナツメグは脳，心臓などの体内に存在する特定の化学物質を増加させる可能性があります。緑内障，アルツハイマー病などに使用される特定の医薬品も同じ化学物質に影響を及ぼします。ナツメグとこのような医薬品を併用すると，副作用のリスクが高まるおそれがあります。このような医薬品には，ベタネコール塩化物，ドネペジル塩酸塩，エコチオパートヨウ化物（販売中止），エドロホニウム塩化物，ネオスチグミン臭化物，サリチル酸フィゾスチグミン（販売中止），ピリドスチグミン臭化物，スキサメトニウム塩化物水和物，Tacrineがあります。

ハーブおよび健康食品・サプリメントとの相互作用

サフロールを含むハーブおよび健康食品・サプリメント

ナツメグオイルは，マウスの実験で肝臓がんを起こしたと考えられているサフロール（safrole）を含んでいます。サフロールを含むほかのハーブ，健康食品・サプリメントとの併用は，肝臓がんのリスクが高まるおそれがあります。これらのハーブには，バジル，樟脳やシナモンがあります。

鎮静作用をもつハーブおよび健康食品・サプリメント

ナツメグは，眠気または傾眠を引き起こすおそれがあります。同じ効果のあるほかのハーブ，健康食品・サプリメントとの併用は，過度に眠気を誘います。これらのハーブ，健康食品・サプリメントには，5-ヒドロキシトリプトファン（5-HTP），ショウブ，ハナビシソウ，キャットニップ，ホップ，ジャマイカ・ドッグウッド，カバ，セント・ジョンズ・ワート，スカルキャップ，カノコソウ，アネモプシス・カリフォルニカなどがあります。

使用量の目安

通常の食品に含まれている量を超えて経口摂取した場合の安全性および副作用については，明らかになっていません。

ナツメヤシ

DATE PALM

別名ほか

棗椰子（Phoenix dactylifera），Kharjura

概　　要

ナツメヤシは植物です。果実からのジュースを天日干しにして蜜にし，経口で「くすり」として使用することもあります。

●要説（ナチュラル・スタンダード）

ナツメヤシ（Phoenix dactylifera）の栽培には長い歴

史があります。ナツメヤシの果実は，栄養源として用いられてきました。原産地がどこであるか，はっきりしていません。おそらく北アフリカの砂漠のオアシス，または東南アジア原産の可能性があります。

現在，ナツメヤシの果実は，中東諸国および周辺の国々の日常的な食事の一部となっています。ナツメヤシの仁のエキスは，局所的に使用されると，抗皺作用因子として科学的研究により評価されています。米国食品医薬品局（FDA）のGRAS（一般的に安全と認められる食品）には指定されていません。

安 全 性

ナツメヤシは，通常の食品に含まれる量を摂取する場合，ほとんどの人に安全のようです。しかし，「くすり」として大量摂取する場合の安全性，またはどのような副作用があるかに関してのデータは不十分です。

●妊娠中および母乳授乳期

通常の食品に含まれる量の範囲で経口摂取するのは，安全なようです。しかし，「くすり」としての高用量摂取の安全性についてのデータが不十分です。妊娠中または母乳授乳期は，安全性を考慮し，食品としての量の範囲内で摂取してください。

有 効 性

◆科学的データが不十分です

・皮膚の皺，咳，呼吸器疾患など。

●体内での働き

どのように作用するかについては十分なデータが得られていません。

医薬品との相互作用

ほかの医薬品との相互作用については明らかではありません。

ハーブおよび健康食品・サプリメントとの相互作用

ほかのハーブ，健康食品・サプリメントとの相互作用についてはまだ明らかではありません。

使用量の目安

通常の食品に含まれている量を超えて経口摂取した場合の安全性および副作用については，明らかになっていません。

ナトリウム

SODIUM

別名ほか

Atomic number 11, Elemental Sodium, Na, Natrium, Saline, Sea Salt, Sodium Acetate, Sodium Benzoate, Sodium Chloride, Sodium Citrate, Sodium Lactate, Table Salt

概　　要

ナトリウムはきわめて反応性の高い金属の一種です。反応性が高いため，自然界では遊離型では存在せず，常に塩として存在します。食品としてもっともよくみられるものは，塩化ナトリウムです。塩化ナトリウムは，通常，食卓塩と呼ばれます。

ナトリウムは低ナトリウム血症に対して，またアムホテシリンBに起因する腎毒性を予防したり，画像診断検査に用いる造影剤に起因する腎毒性を予防したりする目的で，塩化ナトリウムの形態で経口摂取されます。

アムホテシリンBに起因する腎毒性の予防，脳腫脹の緩和および頭蓋内圧の低下，敗血症と呼ばれる感染症の合併症には，塩化ナトリウム溶液（生理食塩水）の形態で静脈内投与されます。

急性カタル性結膜炎，ドライアイ症候群，口内炎，鼻閉，咽喉痛，副鼻腔炎に対して，塩化ナトリウム溶液（生理食塩水）の形態で塗布されます。

のう胞性線維症に対して，塩化ナトリウム溶液（生理食塩水）の形態で吸入されます。

食品には塩化ナトリウムが，香味づけや食品の保存に用いられます。

安 全 性

適量のナトリウムを経口摂取する場合，または「くすり」として投与する場合には，ほとんどの人に安全のようです。人によっては，血圧が上昇するおそれがあります。

1日2.3g未満の投与であれば，ほとんどの成人に安全です。きわめて高用量を摂取する場合，おそらく安全ではありません。高用量では，ナトリウムが体内に過剰に蓄積され，高血圧，胃粘膜の腫脹，胃がんリスク上昇など，深刻な副作用を引き起こすおそれがあります。また，安静を要する患者が高用量のナトリウムを摂取すると，骨や筋肉の減少が促進するおそれがあります。

小児：ナトリウムの経口摂取は，適量であれば，ほとんどの小児に安全のようです。以下の投与量未満であれば安全です。

1～3歳：1日1.5g
4～8歳：1日1.9g
9～13歳：1日2.2g
14歳以上：1日2.3g

高用量の摂取は，おそらく安全ではありません。高用量のナトリウムにより，血圧が過度に上昇するリスクが高まります。

高ナトリウム血症：ナトリウムを摂取すると，体内のナトリウム値が上昇し，高ナトリウム血症が悪化するおそれがあります。

高血圧：高用量のナトリウムを摂取すると，血圧が上昇し，高血圧が悪化するおそれがあります。

●妊娠中および母乳授乳期

妊娠中および母乳授乳期の経口摂取は，1日2.3g未満であれば，ほとんどの人に安全のようです。これより高用量の摂取は，おそらく安全ではありません。高用量のナトリウムにより，血圧が過度に上昇するリスクが高まります。

有効性

◆有効性レベル①

・低ナトリウム血症（血中ナトリウム値が低い状態）。中等度から重度の低ナトリウム血症患者に，高張食塩水（塩化ナトリウム溶液）を静脈内投与すると，低ナトリウム血症による症状の緩和に役立ちます。

◆有効性レベル②

・のう胞性線維症。のう胞性線維症患者が，気管支拡張薬と併用して，3～7％の高張食塩水（塩化ナトリウム溶液）を吸入薬として用いると，気道閉塞が短期間緩和され，肺障害の頻度が低下し，長期的に生活の質が改善されます。

◆有効性レベル③

・医薬品「アムホテシリンB」に起因する腎障害。アムホテシリンBを服薬している患者が，塩化ナトリウム溶液を経口摂取または静脈内投与により用いると，アムホテシリンBに起因する腎機能低下が抑制されます。

・副鼻腔の腫脹。長期にわたり副鼻腔の腫脹がある患者が，塩化ナトリウム溶液で副鼻腔を洗浄すると，症状および生活の質が改善されるようです。ただし，ステロイド薬ほどの効果はないようです。

◆科学的データが不十分です

・ドライアイ症候群，ある種のレントゲン検査に用いられる造影剤に起因する腎障害，口内炎，急性カタル性結膜炎，敗血症，咽喉痛，脳腫脹の緩和および頭蓋内圧の低下など。

●体内での働き

塩化ナトリウムを吸入すると，唾や痰など粘液の生成が促進します。このため，のう胞性線維症患者は呼吸がしやすくなります。ナトリウムはまた，体内の液体と電解質の均衡に役立ちます。

医薬品との相互作用

中ジダノシン

ジダノシンにはナトリウムが含まれます。ナトリウムとジダノシンを併用すると，ナトリウム値が過度に上昇するおそれがあります。

中トルバプタン

トルバプタンはナトリウム値を上昇させるために用いられます。ナトリウムとトルバプタンを併用すると，ナトリウム値が過度に上昇するおそれがあります。

中降圧薬

多量のナトリウムは血圧を上昇させる可能性があります。血圧の上昇により，ナトリウムは降圧薬の効果を弱めるおそれがあります。このような降圧薬には，カプトプリル，エナラプリルマレイン酸塩，ロサルタンカリウム，バルサルタン，ジルチアゼム塩酸塩，アムロジピンベシル酸塩，ヒドロクロロチアジド，フロセミドなど数多くあります。

中炭酸リチウム

ナトリウムの摂取量の増減は炭酸リチウムの体内から

ナトリウムの食事摂取基準（mg/ 日，（ ）は食塩相当量［g/ 日］）[1]

日本人の食事摂取基準 2020 年版

性 別	男 性			女 性		
年齢等	推定平均必要量	目安量	目標量	推定平均必要量	目安量	目標量
0～5（月）	—	100 (0.3)	—	—	100 (0.3)	—
6～11（月）	—	600 (1.5)	—	—	600 (1.5)	—
1～2（歳）	—	—	(3.0 未満)	—	—	(3.0 未満)
3～5（歳）	—	—	(3.5 未満)	—	—	(3.5 未満)
6～7（歳）	—	—	(4.5 未満)	—	—	(4.5 未満)
8～9（歳）	—	—	(5.0 未満)	—	—	(5.0 未満)
10～11（歳）	—	—	(6.0 未満)	—	—	(6.0 未満)
12～14（歳）	—	—	(7.0 未満)	—	—	(6.5 未満)
15～17（歳）	—	—	(7.5 未満)	—	—	(6.5 未満)
18～29（歳）	600 (1.5)	—	(7.5 未満)	600 (1.5)	—	(6.5 未満)
30～49（歳）	600 (1.5)	—	(7.5 未満)	600 (1.5)	—	(6.5 未満)
50～64（歳）	600 (1.5)	—	(7.5 未満)	600 (1.5)	—	(6.5 未満)
65～74（歳）	600 (1.5)	—	(7.5 未満)	600 (1.5)	—	(6.5 未満)
75 以上（歳）	600 (1.5)	—	(7.5 未満)	600 (1.5)	—	(6.5 未満)
妊 婦				600 (1.5)	—	(6.5 未満)
授乳婦				600 (1.5)	—	(6.5 未満)

[1] 高血圧及び慢性腎臓病（CKD）の重症化予防のための食塩相当量の量は，男女とも 6.0 g/ 日未満とした。

有効性レベル：①効きます ②おそらく効きます ③効くと断言できませんが、効能の可能性が科学的に示唆されています ④効かないかもしれません ⑤おそらく効きません ⑥効きません

の排泄に影響します。ナトリウムの摂取量が増えると，炭酸リチウムの体内からの排泄が促進する可能性があります。そのため，炭酸リチウムの作用が減弱するおそれがあります。一方，ナトリウムの摂取量が減ると，炭酸リチウムの体内からの排泄が抑制される可能性があります。そのため，炭酸リチウムに起因する副作用が増強するおそれがあります。炭酸リチウムを服用中は医師や薬剤師に相談することなく，ナトリウムの摂取量を大幅に変更しないでください。

中腸管洗浄剤（リン酸ナトリウム）

手術前に使用される特定の腸管洗浄剤はナトリウム値を過度に上昇させる可能性があります。ナトリウムとこのような医薬品を併用すると，このリスクが高まるおそれがあります。腸管洗浄剤の服用前に多量のナトリウムを摂取しないでください。このような医薬品には，リン酸二水素ナトリウム一水和物，無水リン酸水素二ナトリウムなどがあります。

中抗炎症薬（副腎皮質ステロイド）

副腎皮質ステロイドは体内の塩分と水分のバランスに影響を及ぼします。副腎皮質ステロイドはナトリウム値を上昇させる可能性があります。ナトリウムと副腎皮質ステロイドを併用すると，ナトリウム値が過度に高くなるおそれがあります。このような副腎皮質ステロイドには，ヒドロコルチゾン，コルチゾン酢酸エステル，フルドロコルチゾン酢酸エステル，デキサメタゾン，Prednisone，プレドニゾロンなどがあります。

ハーブおよび健康食品・サプリメントとの相互作用

ほかのハーブ，健康食品・サプリメントとの相互作用についてはまだ明らかではありません。

使用量の目安

●経口摂取

ナトリウムの補給は，血清ナトリウム濃度が130mmol/Lに維持されるよう，個別に調節する必要があります。一般的な成人の場合，１日必要量および通常のナトリウムの食事摂取量は，１日2.3gです。

アムホテシリンBに起因する腎毒性の予防

アムホテシリンBによる治療時に，150mEqの塩化ナトリウムを毎日摂取します。

●静脈内投与

低ナトリウム血症の治療

最初に通常３％の塩化ナトリウム溶液100～150mLを20分かけて点滴し，これをナトリウム濃度が４～６mmol/L増加するまで繰り返します。その後，0.9％の塩化ナトリウム溶液を，最初の24時間でナトリウム濃度が10mmol/L増加するまで投与し，その後24時間ごとに８mmol/L増加し，最終的にナトリウム濃度が130mmol/Lになるまで投与を続けます。

アムホテシリンBに起因する腎毒性の予防

アムホテシリンBによる治療時に，150mEqの塩化ナトリウムを毎日投与します。

●吸入

のう胞性線維症の治療

３～７％の塩化ナトリウム溶液10mLを，噴霧器を用いて１日２回吸入します。

●鼻腔内投与

副鼻腔の腫脹の治療

0.9～３％の塩化ナトリウムを含む約150～500mLの鼻洗浄液または鼻噴霧液を１日２～４回用います。

7-α-ヒドロキシ-DHEA

7-ALPHA-HYDROXY-DHEA

●代表的な別名

7-α-ヒドロキシ-デヒドロエピアンドロステロン

別名ほか

7-α-ヒドロキシ-デヒドロエピアンドロステロン，7-ヒドロキシ-デヒドロエピアンドロステロン，7-α-ヒドロキシDHEA，7-ヒドロキシDHEA，7-αOH-DHEA，7-OH-DHEA

概　　要

7-α-ヒドロキシ-DHEA（dehydro-epiandrosterone）は体内で作られるデヒドロエピアンドステロン（DHEA）の副産物です。DHEAは副腎で産生される「親ホルモン」です。

安 全 性

十分なデータは得られていないので，安全であるかどうかは不明です。

●妊娠中および母乳授乳期

妊娠中および母乳授乳期の使用の安全性についてはデータが不十分です。安全性を考慮し，摂取は避けてください。

有 効 性

◆科学的データが不十分です

・体重減少，除脂肪体重の増加，筋肉増強，免疫系の活性向上，記憶力向上，および抗老化。

●体内での働き

7-α-ヒドロキシ-DHEAの値は加齢とともに低下するため，7-α-ヒドロキシ-DHEAの加齢予防効果に関心が寄せられています。7-α-ヒドロキシ-DHEAを補うことで，若々しさが保たれるのではないかと考える人もいます。また，7-α-ヒドロキシ-DHEAは免疫系を刺激し，抗酸化物質のような働きをする可能性もあります。

十分なデータが得られていないので，安全性および副作用については不明です。

医薬品との相互作用

ほかの医薬品との相互作用については明らかではありません。

ハーブおよび健康食品・サプリメントとの相互作用

ほかのハーブ，健康食品・サプリメントとの相互作用についてはまだ明らかではありません。

使用量の目安

標準使用量に関するデータがありません。

ナナカマド

MOUNTAIN ASH

別名ほか

ナナカマドの実（Ebereschenbeeren），セイヨウナナカマド，ヨーロッパナナカマド（European Mountain-Ash），オウシュウナナカマド（Sorbus aucuparia），Eberesche，Quickbeam，Rowan Tree，Sorb Apple，Sorbi acupariae fructus，Witchen

概　　要

ナナカマドは植物です。漿果（ベリー）を用いて「くすり」を作ることもあります。ベリーは生のまま，また乾燥させて，あるいは調理後乾燥させて使用されます。

製品としては，マーマレード，フルーツ煮，ジュース，リキュール，ビネガーやお茶の原料に使用されます。

安 全 性

生の球実は安全ではありません。大量に摂ると，胃障害，胃痛，軽い悪心，嘔吐，下痢，腎障害といった副作用が起きます。

乾燥させたり調理した球実の安全性については十分なデータが得られていません。

●妊娠中および母乳授乳期

生のナナカマドベリーを多量に摂取するのは，安全ではありません。乾燥させた，または調理したベリーを摂取する安全性についてのデータは不十分です。安全性を考慮して摂取は避けてください。

有 効 性

◆科学的データが不十分です

・腎疾患，糖尿病，関節炎，腫脹，ビタミンC欠乏症，血液浄化，月経障害，下痢，肺疾患など。

●体内での働き

ナナカマドの漿果は，ビタミンCなど多くの化合物を含んでいます。通常の疾患，症状に対して，どのように作用しているのか十分なデータが得られていません。

医薬品との相互作用

ほかの医薬品との相互作用については明らかではありません。

ハーブおよび健康食品・サプリメントとの相互作用

ほかのハーブ，健康食品・サプリメントとの相互作用についてはまだ明らかではありません。

使用量の目安

標準使用量に関するデータがありません。

7-ケトデヒドロエピアンドロステロン

7-KETO-DHEA

別名ほか

7-ケト（7-Keto），7-keto dehydroepiandrosterone，3-acetyl-7-oxo-dehydroepiandrosterone，3beta-acetoxy-androst-5-ene-7，17-dione，5-androsten-3-beta-17-one-DHEA，7-ketodehydroepiandrostenedione，7-ODA，7-oxo-dehydroepiandrosterone-3-acetate，7-oxo-DHEA，7-oxo-DHEA-acetate

概　　要

7-ケトデヒドロエピアンドロステロンは，体内で産生される化学物質，デヒドロエピアンドロステロン（DHEA）の副産物です。DHEAは副腎から産生される，「親ホルモン」です。DHEAと異なり，アンドロゲンおよびエストロゲンなどのステロイドホルモンに変換されません。7-ケトデヒドロエピアンドロステロンを経口摂取，および塗布しても血中ステロイドホルモンの濃度は上昇しません。

安 全 性

十分なデータは得られていないので，安全性については不明です。

●妊娠中および母乳授乳期

妊娠中および母乳授乳期の使用の安全性についてはデータが不十分です。安全性を考慮し，使用は控えてください。

有 効 性

◆科学的データが不十分です

・減量の促進，進行中の研究により，7-ケトデヒドロエピアンドロステロンは肥満女性の体重減少に大きく関与している可能性が示唆されました。
・細身体形への改善，筋肉づくり，甲状腺活性の亢進，免疫システムの活性化，記憶力の向上および老化防止。

●体内での働き

新陳代謝を増大させることで，減量を促す可能性があります。

医薬品との相互作用

ほかの医薬品との相互作用については明らかではありません。

ハーブおよび健康食品・サプリメントとの相互作用

ほかのハーブ，健康食品・サプリメントとの相互作用についてはまだ明らかではありません。

使用量の目安

●経口摂取

減量

1回100mgを1日2回摂取します。

7-メトキシフラボン

7-METHOXYFLAVONE

別名ほか

4H-1-benzopyran-4-one，7-methoxy-2-phenyl，7-methoxy-2-phenylchromen-4-one，7-MF

概　　要

7-メトキシフラボンはいくつかの植物に含まれる化学物質です。化学的に合成することもできます。テストステロン値の上昇，筋肉の増強，運動能力の向上などの作用について，運動選手やボディービルダーから関心が寄せられています。

安 全 性

7-メトキシフラボンの安全性や副作用については，データが不十分です。

前立腺肥大：7-メトキシフラボンにより，体内のテストステロン量が増加する可能性があります。テストステロンは前立腺肥大の症状を悪化させるおそれがあります。

●妊娠中および母乳授乳期

妊娠中および母乳授乳期の使用の安全性についてはデータが不十分です。安全性を考慮し，摂取は避けてください。

有 効 性

◆科学的データが不十分です

・運動能力，テストステロンの増加など。

●体内での働き

7-メトキシフラボンは，体内のホルモン分解作用を変化させる可能性があります。これにより，体内のテストステロン量が増加すると考える人もいます。テストステロンは筋肉の増強に役立ちますが，深刻な副作用を引き起こすおそれもあります。

医薬品との相互作用

中テストステロンエナント酸エステル

7-メトキシフラボンは体内にあるホルモン（テストステロン）の量を増加させる可能性があります。7-メトキシフラボンとテストステロンエナント酸エステルを併用すると，副作用のリスクが高まるおそれがあります。

中ホルモン感受性がんの治療薬（アロマターゼ阻害薬）

7-メトキシフラボンにはホルモン感受性がんの特定の治療薬に類似した作用がある可能性があります。7-メトキシフラボンとホルモン感受性がんの治療薬を併用すると，治療薬の副作用のリスクを高めるおそれがあります。ホルモン感受性がんの治療薬（アロマターゼ阻害薬）にはアナストロゾール，エキセメスタン，レトロゾールなどがあります。

ハーブおよび健康食品・サプリメントとの相互作用

クリシン

7-メトキシフラボンとクリシンは身体に同じような作用を示す可能性があります。併用すると，攻撃的行動，多汗，腎障害，肝障害などの副作用のリスクが高まるおそれがあります。

使用量の目安

通常の食品に含まれている量を超えて経口摂取した場合の安全性および副作用については，明らかになっていません。

ナンジャモンジャノキ

FRINGETREE

別名ほか

アメリカヒトツバタゴ（Chionanthus virginicus），Gray Beard Tree，Old Man's Beard，Poison Ash，Snowdrop Tree，Snowflower，White Fringe

概　　要

ナンジャモンジャノキは低木です。根と樹皮を乾燥させて「くすり」を作ることもあります。

安 全 性

安全性については十分なデータが得られていません。非常に苦い味がします。

●妊娠中および母乳授乳期

妊娠中および母乳授乳期の使用の安全性についてはデータが不十分です。安全性を考慮し，摂取は避けてく

ださい。

有　効　性

◆科学的データが不十分です

・肝障害，胆石，水分貯留，胆汁排泄促進，強壮剤として，など。

●体内での働き

どのように作用するかについては十分なデータが得られていません。

医薬品との相互作用

ほかの医薬品との相互作用については明らかではありません。

ハーブおよび健康食品・サプリメントとの相互作用

ほかのハーブ，健康食品・サプリメントとの相互作用についてはまだ明らかではありません。

使用量の目安

標準使用量に関するデータがありません。

ニアウリオイル

NIAULI OIL

別名ほか

ニアウリ（Melaleuca viridiflora），Caje Oil，Niauli aetheroleum

概　　要

ニアウリオイルは，ニアウリ（Melaleuca viridiflora）という植物の葉から採れるオイルです。このオイルが「くすり」として使用されることもあります。同じMelaleuca属の別の植物から作られているティーツリーオイル，カユプテオイルと混同しないでください。

安　全　性

経口で摂取する場合，ほとんどすべての成人に安全ですが，悪心，嘔吐，下痢といった副作用が起こることがあります。

また，皮膚に直接塗布する場合もほとんどすべての成人に安全です。

10gより多い量を使用する場合は安全ではありません。低血圧症，血液循環疾患，重篤な呼吸器系障害が生じることがあります。

小児：小児の顔の皮膚や鼻に直接塗布するのは安全ではありません。気管支喘息のような症状やほかの重篤な呼吸障害を起こす小児もいます。

胃腸疾患：胃腸疾患がある場合，使用しないでください。

肝疾患あるいは胆管疾患：これらの疾患の場合，使用しないでください。

●妊娠中および母乳授乳期

妊娠中および母乳授乳期の使用の安全性についてはデータが不十分です。安全性を考慮し，摂取は避けてください。

有　効　性

◆科学的データが不十分です

・咳，気管支炎および気道の炎症。

●体内での働き

血液循環を刺激し，細菌を殺す働きをもつと考えられる化合物を含んでいます。

医薬品との相互作用

ほかの医薬品との相互作用については明らかではありません。

ハーブおよび健康食品・サプリメントとの相互作用

ほかのハーブ，健康食品・サプリメントとの相互作用についてはまだ明らかではありません。

使用量の目安

●経口摂取

通常１回200mgで摂取し，最大摂取量は１日２gとします。

●局所投与

植物油にニアウリオイルを２～５％含む製剤を点鼻薬として使用します。油性の基剤にニアウリオイルを10～30％添加した製剤が局所に用いられます。

ニオイイリス

ORRIS

別名ほか

イリス根（Rhizoma iridis），ニオイアヤメ，シロバナイリス（Iris florentina），ジャーマンアイリス，ドイツアヤメ（Iris germanica），イリスパリダ（Iris pallida），ヒオウギアヤメ（Wild Iris），Blue Flag，Daggers，Flag，Flaggon，Flag Lily，Fliggers，Florentine Iris，Gladyne，Iris，Jacob's Sword，Liver Lily，Myrtle Flower，Poison Flag，Segg，Sheggs，Snake Lily，Water Flag，White Dragon Flower，Yellow Flag，Yellow Iris

概　　要

ニオイイリスは植物です。根を用いて「くすり」を作ることもあります。ニオイイリスの根は通常，他のハーブと一緒に使用し，ホメオパシーや煎れたてのお茶に入っている可能性があります。

歴史的にニオイイリスの根は，香水産業で重用されました。根が乾くと，心地よいスミレのような匂いを出します。この匂いは保存していくにつれて，ずっと良くなり，およそ3年でピークに達します。ニオイイリスの根は，アレルギー反応が起こると気がつかれるまで，おしろいや他の化粧品で広く使われていました。ニオイイリスの根の粉は，今もポプリ，匂い袋，匂い玉に広く使われています。その粉は，他の油の香りさえも長持ちさせます。

安全性

経口で摂取する場合，ほとんどすべての人に安全であると考えられます。根の皮を注意深くむき乾燥させるなら，とくに副作用があるという報告はありません。

しかし，生のままの植物の汁や根は，口腔内の激しい刺激，胃痛，嘔吐，出血性下痢を起こすことがあります。

皮膚に直接塗った場合の安全性については十分なデータが得られていません。

しかし，生のままの植物の汁や根は激しい皮膚刺激を起こすことがあります。

●妊娠中および母乳授乳期

妊娠中および母乳授乳期におけるニオイイリスの使用に関しては，十分知られていません。安全を考慮し，使用を避けてください。

有効性

◆科学的データが不十分です

・血液浄化，皮膚病，気管支炎，がん，食欲および消化の改善，脾臓炎，肝障害，腎障害，嘔吐，便秘，口臭，腺細胞刺激，歯生期のむずかりなど。

●体内での働き

多くの化合物を含み，中には肺うっ血を改善し，痰を出やすくするものもあります。

医薬品との相互作用

ほかの医薬品との相互作用については明らかではありません。

ハーブおよび健康食品・サプリメントとの相互作用

ほかのハーブ，健康食品・サプリメントとの相互作用についてはまだ明らかではありません。

使用量の目安

標準使用量に関するデータがありません。

ニオイエニシダ

SPANISH BROOM

●代表的な別名

レンダマ

別名ほか

レダマ，連玉（Genista juncea），スパルティウム・ユンケウム，スペインエニシダ，ブルームスパニッシュ（Spartium junceum），Genet，Weaver's Broom

概　要

ニオイエニシダはハーブです。花を用いて「くすり」を作ることもあります。

安全性

食品に含まれる量を使用する場合は安全ですが，大量に摂取した場合の安全性についてはわかっていません。

●妊娠中および母乳授乳期

妊娠中の使用はおそらく安全ではありません。ニオイエニシダは，月経を誘発するおそれのあるスパルテイン（sparteine）と呼ばれる化学物質を含んでおり，流産を引き起こすおそれがあります。自社製品からスパルテインを除去する試みをしている製造業者もありますが，安全性を考慮し，使用を避けるのが最善です。

有効性

◆科学的データが不十分です

・排便の促進，および排尿量の増加。

●体内での働き

スパルテインと呼ばれる化合物を含んでいますが，どのように作用するかについては十分なデータが得られていません。

医薬品との相互作用

ほかの医薬品との相互作用については明らかではありません。

ハーブおよび健康食品・サプリメントとの相互作用

ほかのハーブ，健康食品・サプリメントとの相互作用についてはまだ明らかではありません。

使用量の目安

標準使用量に関するデータがありません。

ニオイスミレ

SWEET VIOLET

●代表的な別名

スイートバイオレット

別名ほか

スイートバイオレットの根(Sweet Violet Root)，スイートバイオレット（Sweet Violet Herb），Banafshah，Garden Violet，Neelapushpa，Neelapuspha，Violae odoratae, Rhizoma herba, Violet

概　　要

ニオイスミレはハーブです。根と地上部を用いて「くすり」を作ることもあります。

安 全 性

ニオイスミレは，適切な量を経口で摂取する場合は，ほとんどの人にとって安全です。副作用は報告されていません。

ニオイスミレを，皮膚に塗布することが安全かどうかに関しては，十分なデータがありません。

●妊娠中および母乳授乳期

妊娠中および母乳授乳期におけるニオイスミレの摂取に関しては，十分知られていません。安全を考慮し，使用は避けてください。

有 効 性

◆科学的データが不十分です

・気管支喘息，気管支炎，感冒，うっ血，咳，うつ病，インフルエンザの症状，不眠，肺疾患，更年期症状，神経過敏，消化不良症，尿障害など。

●体内での働き

粘液の濃度を低く薄くして痰を出やすくする（去痰）ことで胸部うっ血を解消する化合物を含んでいます。

医薬品との相互作用

ほかの医薬品との相互作用については明らかではありません。

ハーブおよび健康食品・サプリメントとの相互作用

ほかのハーブ，健康食品・サプリメントとの相互作用についてはまだ明らかではありません。

使用量の目安

●経口摂取

ハーブとして使用する場合，お茶（茶さじ２杯のハーブを熱湯250mLに10～15分浸してからこしたもの）カップ１杯を１日２～３回が通常の摂取量です。根（５w/v%）を使用する場合は，20gを熱湯に10～15分浸してからこしたもの大さじ１杯を１日に５～６回摂取します。

●局所投与

標準使用量に関するデータがありません。

ニガウリ

BITTER MELON

●代表的な別名

ゴーヤ

別名ほか

苦瓜，ゴーヤ，ツルレイシ，クゥクア，African Cucumber，Ampalaya，Balsam Pear，Balsam-Apple，Balsambirne，Balsamo，Bitter Apple，Bitter Cucumber，Bitter Gourd，Bittergurke，Carilla Gourd，Cerasee，Chinli-chih，Cundeamor，Fructus Mormordicae Grosvenori，Karavella，Kathilla，Karela，Kareli，Kerala，Kuguazi，K' u-Kua，Lai Margose，Momordique，Pepino Montero，P'u-T'ao，Sorosi，Sushavi，Wild Cucumber

概　　要

ニガウリは植物です。果実および種子を用いて「くすり」を作ることもあります。

●要説（ナチュラル・スタンダード）

ニガウリ（Momordica charantia L.　Curcurbitaceae）は，伝統的に糖尿病患者の血糖値を低下させるために「くすり」として使用されています。HIVやがんに対してニガウリの使用が有効か否かの予備的データがあります。果実のエキスと粉末製剤は，もっとも頻繁に使用されています。茎や葉から作られる茶は時々推奨されているぐらいです。

ニガウリは食品としても消費され，一部の南アジアカレーのなかに含まれています。生の果実は，カレーラ（karela）として知られ，専門のアジア市場で提供されています。

安 全 性

ニガウリは，短期間（３カ月以内）経口摂取する場合は，ほとんどの人におそらく安全です。人によっては胃のむかつきを起こすおそれがあります。長期使用の安全性は不明です。皮膚へ直接塗布する際の安全性についてはデータが不十分です。

糖尿病：ニガウリは血糖値を低下させる可能性があります。血糖値を低下させる医薬品を服薬している糖尿病患者では，ニガウリの摂取により血糖値が過度に低下するおそれがあります。血糖値を注意深く監視してください。

グルコース-６-リン酸脱水素酵素（G6PD）欠損症：G6PD欠損症患者は，ニガウリの種子を摂取するとソラマメ中毒を発症することがあります。ソラマメ中毒という名前はソラマメに由来しており，貧血，頭痛，発熱，胃痛，および昏睡を引き起こすと考えられています。ニガウリの種子に含まれる化学物質はソラマメに含まれる成分と同類です。G6PD欠損症患者はニガウリの摂取は避けてください。

手術：ニガウリは手術中・手術後の血糖コントロールに干渉するおそれがあります。少なくとも手術前２週間は，使用しないでください。

●妊娠中および母乳授乳期

妊娠中の経口摂取はおそらく安全ではありません。ニガウリに含まれる一部の化学物質が月経出血を開始させるおそれがあり，動物実験では流産を引き起こしています。母乳授乳期の使用の安全性についてはデータが不十分です。安全性を考慮し，摂取は避けてください。

有効性

◆科学的データが不十分です

・糖尿病，HIV/エイズ，腎結石，肝疾患，乾癬，皮膚膿瘍，創傷，胃障害，腸障害など。

●体内での働き

インスリンのように作用して血糖値の低下を促す化学物質が含まれています。

医薬品との相互作用

中細胞内のポンプによって輸送される医薬品（P糖タンパク質の基質となる医薬品）

特定の医薬品は細胞内のポンプによって輸送されます。ニガウリは，ポンプの働きを弱め，特定の医薬品が体内に留まる時間を延長する可能性があります。そのため，医薬品の作用および副作用が増強するおそれがあります。このような医薬品には，リバーロキサバン，アピキサバン，リナグリプチン，エトポシド，パクリタキセル，ビンブラスチン硫酸塩，ビンクリスチン硫酸塩，イトラコナゾール，アンプレナビル（販売中止），インジナビル硫酸塩エタノール付加物（販売中止），ネルフィナビルメシル酸塩，サキナビルメシル酸塩，シメチジン，ラニチジン塩酸塩，ジルチアゼム塩酸塩，ベラパミル塩酸塩，副腎皮質ステロイド，エリスロマイシン，フェキソフェナジン塩酸塩，シクロスポリン，ロペラミド塩酸塩，キニジン硫酸塩水和物などがあります。

中糖尿病治療薬

ニガウリは血糖値を低下させる可能性があります。糖尿病治療薬も血糖値を低下させるために用いられます。ニガウリと糖尿病治療薬を併用すると，血糖値が過度に低下するおそれがあります。血糖値を注意深く監視してください。糖尿病治療薬の用量を変更する必要があるかもしれません。このような糖尿病治療薬には，グリメピリド，グリベンクラミド，インスリン，ピオグリタゾン塩酸塩，レパグリニド，マレイン酸ロシグリタゾン（販売中止），クロルプロパミド，Glipizideなどがあります。

ハーブおよび健康食品・サプリメントとの相互作用

血糖値を低下させるおそれのあるハーブおよび健康食品・サプリメント

ニガウリは，血糖値を低下させるおそれがあります。同様の作用をもつハーブおよび健康食品・サプリメントと併用すると，血糖値が過度に低下するおそれがあります。このようなハーブおよび健康食品・サプリメントには，α-リポ酸，クロム，デビルズクロー，フェヌグリーク，ニンニク，グアーガム，セイヨウトチノキ，朝鮮人参，サイリウム，エゾウコギなどがあります。

使用量の目安

通常の食品に含まれている量を超えて経口摂取した場合の安全性および副作用については，明らかになっていません。

Ⅱ型コラーゲン（天然）

COLLAGEN TYPE II (NATIVE)

別名ほか

Chicken Collagen Type II，Ⅱ型鶏コラーゲン，Chicken Type II Collagen，Colágeno de Pollo，Collagen II， Collagène de Poulet，Collagène de Type II，Collagène de Type II de Cartilage de Poulet，Collagène de Type II Hydrolysé，Hydrolyzed Chicken Collagen Type II，Hydrolyzed Collagen Type II，加水分解Ⅱ型コラーゲン，Type II Collagen，Ⅱ型コラーゲン

概要

天然のⅡ型コラーゲンは，軟骨，骨など，動物およびヒトの組織の一部を構成するタンパク質です。サプリメントに含まれるⅡ型コラーゲンのほとんどが鶏（トリ）由来です。一部のⅡ型コラーゲンは牛（ウシ）由来です。

Ⅱ型コラーゲンは変形性関節症に対して使われます。また，ほかの関節痛や筋肉痛に対しても使われますが，これらの用途を裏付ける十分な科学的根拠(エビデンス)はありません。

安全性

Ⅱ型コラーゲンを短期間，経口摂取した場合，おそらく安全です。研究では，1日最大40mg，最長24週間にわたって安全に使用されています。人によっては，Ⅱ型コラーゲンの摂取後に胃の不調が生じるおそれがあります。頭痛，睡眠障害，めまい感，腫脹，肝障害が現れるおそれもあります。しかし，これらはまれなことです。

●アレルギー

コラーゲンアレルギー：ほかの種類のコラーゲンにアレルギーがある場合にはⅡ型コラーゲンを使用しないでください。コラーゲン製品がアレルギー反応に関係しています。

●妊娠中および母乳授乳期

妊娠中および母乳授乳期の使用の安全性については情報が不十分です。安全性を考慮し，摂取は避けてください。

有効性

◆有効性レベル③

・変形性関節症。Ⅱ型コラーゲンを最長6カ月間経口摂取すると，自己申告による変形性関節症の症状（こわばりや疼痛など）が改善するようです。コンドロイチン硫酸およびグルコサミンの併用摂取よりも良い働きがある可能性があります。ほとんどの研究では，特定の商品（UC-II）が調べられています。しかし，Ⅱ型コラーゲンが変形性関節症における関節裂隙の狭小化を予防する可能性があるという科学的根拠（エビデンス）はありません。

◆有効性レベル④

・関節リウマチ（RA）。Ⅱ型コラーゲンを摂取しても関節リウマチ（RA）の症状が大幅に改善しないという信頼性の高いエビデンスがあります。抗リウマチ薬（メトトレキサート）の代わりに使用すると，むしろ症状が悪化するおそれがあります。

◆科学的データが不十分です

・関節痛，眼の腫脹（炎症）（ぶどう膜炎），疼痛（手術後の関節痛，外傷後の疼痛，背部痛，頚部痛）など。

●体内での働き

Ⅱ型コラーゲンは，体内で疼痛や腫脹を抑える物質が生成されることで作用すると考えられています。しかし，その根拠はありません。

医薬品との相互作用

ほかの医薬品との相互作用については明らかではありません。

ハーブおよび健康食品・サプリメントとの相互作用

ほかのハーブ，健康食品・サプリメントとの相互作用についてはまだ明らかではありません。

使用量の目安

【成人】

●経口摂取

●変形性関節症

1日40mgを1回または2回に分けて最長6カ月間摂取します。

ニガヨモギ

WORMWOOD

●代表的な別名

ワームウッド

別名ほか

苦艾，クガイ，苦蓬，Absinth，Absinthe，アブサン，Absinthe Suisse，Absinthii Herba，Absinthites，Absinthium，Afsantin，Ajenjo，Alvine，Armoise，Armoise Absinthe，Armoise Amère，Armoise Commune，Armoise Vulgaire，Artesian Absinthium，Artemisia absinthium，Common Wormwood，Grande Absinthe，Green Fairy，Green Ginger，Herba Artemisae，Herbe aux Vers，Herbe d'Absinthe，Herbe Sainte，Indhana，Lapsent，Madderwort，Menu Alvine，Qing Hao，Vilayati Afsanteen，Wermut，Wermutkraut，Western Wormwood，Wurmkraut

概　　要

ニガヨモギはハーブです。地上部や精油を用いて「くすり」を作ることもあります。

ニガヨモギはさまざまな消化不良（食欲不振，胃のむかつき，胆のう疾患，腸の収縮亢進など）に用いられます。また，発熱，肝臓病，うつ病，筋肉痛，記憶障害，寄生虫感染症の治療や，性欲向上，強壮効果，発汗促進のために用いられます。クローン病やIgA糸球体腎炎にも用いられます。

ニガヨモギ油は，消化管疾患，性欲亢進，想像力向上に用いられます。

変形性関節症（OA），創傷治癒，昆虫刺傷にはニガヨモギを皮膚に直接塗布する人もいます。ニガヨモギ油は反対刺激剤として疼痛緩和に用いられます。

工業用では，ニガヨモギ油は石鹸・化粧品・香水の香料として用いられます。また，殺虫剤としても用いられます。

ニガヨモギはアルコール飲料に用いられることもあります。例えば，ベルモットはニガヨモギ抽出物で香りづけされたワインです。また，アブサンはニガヨモギが原料のアルコール飲料として有名です。ニガヨモギ油から作られたエメラルドグリーン色のアルコール飲料で，よくドライハーブ（アニスやフェンネルなど）と一緒に仕込まれます。アブサンは著名な画家や作家（トゥールーズ・ロートレック，ドガ，マネ，ゴッホ，ピカソ，ヘミングウェイ，オスカー・ワイルドなど）に愛されていました。現在では，米国をはじめ，多くの国々で禁止されています。しかし，EU諸国ではツヨンの含有量が35 mg/kg未満であれば許可されています。ツヨンはニガヨモギに含まれ，毒性が疑われる化学物質です。ニガヨモギをアルコールで蒸留するとツヨンの濃度が高まります。

安　全　性

ニガヨモギは，食品や飲料（ツヨンを含まないビターズやベルモットなど）に通常含まれる量を経口摂取する場合，ほとんどの人に安全のようです。ニガヨモギを軟膏として皮膚に塗布する場合，おそらく安全です。ツヨンを含有するニガヨモギを経口摂取または皮膚に使用する場合，おそらく安全ではありません。ツヨンを経口摂取すると，痙攣，筋肉の崩壊（横紋筋融解症），腎不全，情動不安，睡眠障害，悪夢，嘔吐，胃痙攣，めまい感，振戦，心拍数の変化，尿閉，口渇，上下肢の知覚鈍麻，麻痺，致死を引き起こすおそれがあります。ニガヨモギを皮膚に使用すると，重篤な発赤や灼熱感が皮膚に生じる可能性が報告されています。

まれな遺伝性血液疾患（ポルフィリン症）：ニガヨモギ油に含まれるツヨンは，ポルフィリンと呼ばれる化学物の体内生成を促進する可能性があります。そのため，ポルフィリン症が悪化するおそれがあります。

腎障害：ニガヨモギ油を摂取すると腎不全を引き起こすおそれがあります。腎臓病の場合はニガヨモギを摂取する前に医師などに相談してください。

痙攣発作（てんかんなど）：ニガヨモギには痙攣発作を引き起こすツヨンが含まれます。ニガヨモギは，痙攣発作を起こしやすい人が痙攣発作を起こす可能性をさらに高めるおそれがあります。

●妊娠中および母乳授乳期

妊娠中に，食品に通常含まれる量を上回るニガヨモギを経口摂取する場合，安全ではないようです。ツヨンが含まれる疑いが懸念されるためです。ツヨンは子宮に影響を及ぼし，妊娠を危険にさらすおそれがあります。また，ニガヨモギを皮膚に直接塗布する安全性については情報が不十分なため，ニガヨモギの局所使用も避けてください。

母乳授乳期は，ニガヨモギの安全性がさらに明らかになるまでは使用しないでください。

●アレルギー

ブタクサや関連植物に対するアレルギー：ニガヨモギは，キク科植物に敏感な人にアレルギー反応を引き起こすおそれがあります。キク科には，ブタクサ，キク，マリーゴールド，デイジーなど多くの植物があります。アレルギーがある場合には，ニガヨモギを摂取する前に必ず医師などに相談してください。

有　効　性

◆科学的データが不十分です

・クローン病，IgA糸球体腎炎，変形性関節症（OA），胆のう疾患，発汗亢進，消化不良，昆虫刺傷，食欲不振，性欲低下，痙攣，寄生虫感染，創傷など。

●体内での働き

ニガヨモギ油には化学物質のツヨンが含まれ，ツヨンは中枢神経系を刺激します。ただし，痙攣などの副作用も現れる可能性があります。ニガヨモギに含まれる他の化学物質は炎症（腫脹）を抑制する可能性があります。

医薬品との相互作用

中抗てんかん薬

抗てんかん薬は脳内の化学物質に影響を及ぼします。ニガヨモギも脳内の化学物質に影響を及ぼす可能性があります。ニガヨモギが脳内の化学物質に影響を及ぼすことにより，抗てんかん薬の効果が弱まるおそれがあります。このような抗てんかん薬には，フェノバルビタール，プリミドン，バルプロ酸ナトリウム，ガバペンチン，カルバマゼピン，フェニトインなどがあります。

ハーブおよび健康食品・サプリメントとの相互作用

ほかのハーブ，健康食品・サプリメントとの相互作用についてはまだ明らかではありません。

使用量の目安

通常の食品に含まれている量を超えて経口摂取した場合の安全性および副作用については，明らかになっていません。

ニコチンアミド

NIACINAMIDE

●代表的な別名

ビタミンB_3

別名ほか

3-Pyridine Carboxamide，Amide de l'Acide Nicotinique，B Complex Vitamin，Complexe de Vitamines B，Niacinamida，Nicamid，Nicosedine，Nicotinamide，Nicotinic Acid Amide，Nicotylamidum，Vitamin B_3，Vitamina B_3，Vitamine B_3，ナイアシン

概　　要

ビタミンB_3には，ニコチン酸とニコチンアミドの２種類があります。ニコチンアミドは，酵母，肉，魚，牛乳，卵，青物野菜，豆類，穀物など多くの食品に含まれています。また，ほかのビタミンB群との複合体サプリメントの多くに含まれます。体内で，食事由来のニコチン酸からも生成されます。

ニコチンアミドを，ニコチン酸，ニコチンアミドアデニンジヌクレオチド（NADH），ニコチンアミドリボシド，ニコチン酸イノシトール，あるいはトリプトファンと混同してはいけません。これらについては該当する項目を参照してください。

ニコチンアミドは，ビタミンB_3欠乏症やペラグラなどの関連疾患を予防する目的で経口摂取されます。また，ざ瘡（にきび），糖尿病，口腔がん，変形性関節症などのために経口摂取されます。しかし，これらの用途を十分に裏づけるエビデンスはありません。

またニコチンアミドは，ざ瘡（にきび），湿疹，その他の皮膚疾患のために皮膚に塗布されます。これらの用途を十分に裏づけるエビデンスはありません。

安　全　性

ニコチンアミドの経口摂取は，ほとんどの成人に安全のようです。ニコチン酸とは異なり，ニコチンアミドが，皮膚の紅潮を引き起こすことはありません。ただし，胃のむかつき，腸内ガス，めまい感，皮疹，そう痒など，軽度の有害作用を引き起こすおそれがあります。

１日３g以上を摂取する場合には，肝障害や高血糖症など，より深刻な副作用を引き起こすおそれがあります。

ニコチンアミドを皮膚に塗布する場合には，おそらく安全です。ニコチンアミドクリームは，軽度の灼熱感，そう痒，発赤を引き起こすおそれがあります。

糖尿病：ニコチンアミドが血糖値を上昇させるおそれがあります。糖尿病患者が，ニコチンアミドを摂取する場合には，血糖値を注意深く監視してください。

小児：ニコチンアミドを小児が経口摂取する場合には，推奨量であれば，おそらく安全です。

胆のう疾患：ニコチンアミドが，胆のう疾患を悪化させるおそれがあります。

痛風：高用量のニコチンアミドが，痛風を引き起こすおそれがあります。

人工透析：ニコチンアミドを摂取すると，透析中の腎不全患者の血小板数を減少するリスクが高まるおそれがあります。

肝疾患：ニコチンアミドが，肝疾患を悪化させるおそれがあります。肝疾患の場合には，ニコチンアミドを使用してはいけません。

胃腸潰瘍：ニコチンアミドが，潰瘍を悪化させるおそれがあります。潰瘍がある場合には使用してはいけません。

手術：ニコチンアミドが，手術中・手術後の血糖コントロールを妨げるおそれがあります。少なくとも手術前２週間は，使用しないでください。

●アレルギー

ニコチンアミドによって，アレルギー症状の原因となる化学物質であるヒスタミンが放出されるため，アレルギーが悪化するおそれがあります。

●妊娠中および母乳授乳期

妊娠中および母乳授乳期の使用は，推奨量であれば，ほとんどの人に安全のようです。妊娠中および母乳授乳期のニコチンアミドの推奨量は，18歳未満で１日30mg，18歳以上で１日35mgです。

有　効　性

◆有効性レベル②

・ニコチン酸欠乏症（ビタミンB_3欠乏症）によって引き起こされる疾患（ペラグラ）。ニコチンアミドは，これらの用途ついて，米国食品医薬品局（FDA）より承認されています。ニコチンアミドは，ニコチン酸による治療の副作用である，皮膚の紅潮（発赤，そう痒，チクチク感など）を引き起こさないため，ニコチン酸より好まれることがあります。

◆有効性レベル③

・ざ瘡（にきび）。ざ瘡（にきび）のある人がニコチンアミドなどを含む錠剤を８週間摂取すると，皮膚外観が改善することが，初期の研究で示されています。そのほかにも，ざ瘡（にきび）のある人がニコチンアミドを含むクリーム剤を塗布すると皮膚外観が改善することを示す研究があります。

・糖尿病。１型糖尿病リスクのある小児および成人がニコチンアミドを摂取すると，インスリン産生不足を予防できる可能性が，複数の研究で示唆されています。ニコチンアミドは，１型糖尿病と診断されて間もない小児のインスリン産生不足を予防し，必要なインスリン投与量を減らす可能性もあります。ただし，ニコチンアミドが，１型糖尿病のリスクを有する小児に対して，疾患の発症を予防することはないようです。２型糖尿病患者では，ニコチンアミドがインスリン産生を維持し，血糖コントロールを改善するようです。

・高リン血症。腎機能が低下すると血中のリン酸塩濃度が高くなる可能性があります。血液透析を受けており，血中のリン酸塩濃度が高い腎不全患者がニコチンアミドを摂取すると，リン吸着剤使用の有無にかかわらず，リン酸塩濃度が低下するようです。

・頭頚部がん。喉頭がん患者が放射線治療とカルボゲン（carbogen）治療を受けながらニコチンアミドを摂取すると，一部の人で腫瘍の増殖が抑制され，生存率が上昇する可能性があることが，研究で示されています。喉頭がんと貧血を併発している患者にも効果があるようです。また，低酸素状態の腫瘍がある患者にも効果を示すようです。

・皮膚がん。皮膚がんまたは日光角化症（前がん状態の斑点）の既往歴のある人がニコチンアミドを摂取すると，新たな皮膚がんや日光角化症の形成を予防できるようです。

・変形性関節症。変形性関節症患者がニコチンアミドを摂取すると，関節の柔軟性が向上し，疼痛や腫脹が緩和するようです。人によっては，ニコチンアミドの摂取により，鎮痛薬の服用回数を減らすことができる可能性があります。

◆有効性レベル④

・脳腫瘍。外科的に脳腫瘍を摘出した患者を，ニコチンアミド，放射線治療およびカルボゲン（carbogen）により治療しても，放射線治療単独の場合や放射線治療とカルボゲンの併用とくらべて生存率は改善しないことが，初期の研究で示されています。

・膀胱がん。膀胱がん患者を，ニコチンアミド，放射線治療およびカルボゲン（carbogen）により治療しても，放射線治療単独の場合や放射線治療とカルボゲンの併用とくらべて腫瘍増殖の抑制や生存率の改善はみられません。

◆科学的データが不十分です

・高齢者の視力低下につながる眼疾患（加齢黄斑変性あるいはAMD），皮膚の加齢変化，湿疹（アトピー性皮膚炎），注意欠陥多動障害（ADHD），外傷または刺激による皮膚の発赤（紅斑），長期の腎疾患（慢性腎臓病（CKD）），顔の黒い斑点（肝斑），白血球のがん（非ホジキンリンパ腫），顔に赤みを生じる皮膚疾患（酒さ），頭皮と顔の粗い鱗状の乾燥肌（脂漏性湿疹），アルコー

ニ

有効性レベル：①効きます　②おそらく効きます　③効くと断言できませんが，効能の可能性が科学的に示唆されています
④効かないかもしれません　⑤おそらく効きません　⑥効きません

ル依存症，アルツハイマー病，関節炎，加齢にともなう記憶と思考能力の低下，うつ病，高血圧，乗物酔い，月経前症候群（PMS）など。

●体内での働き

ニコチンアミドは，体内において，ニコチン酸から生成されます。身体が必要とする以上のニコチン酸を摂取した場合には，ニコチン酸が，ニコチンアミドに変換されます。ニコチンアミドは水に溶けやすく，経口摂取により十分吸収されます。

ニコチンアミドは，体内における脂質および糖の機能を保ち，細胞を正常な状態に維持するために必要とされます。

ニコチン酸とは異なり，ニコチンアミドには，脂質に対する有益な作用はないため，血清コレステロール値および血清脂質値が高い場合の治療に用いるべきではありません。

医薬品との相互作用

中カルバマゼピン

カルバマゼピンは体内で代謝されます。ニコチンアミドはカルバマゼピンの体内での代謝を抑制する可能性があると懸念されています。しかし，この相互作用の重要性については明らかではありません。

中プリミドン

プリミドンは体内で代謝されます。ニコチンアミドは，プリミドンの体内での代謝を抑制する可能性があると懸念されています。しかし，この相互作用の重要性については明らかではありません。

中血液凝固を抑制する医薬品（抗凝固薬/抗血小板薬）

ニコチンアミドは血液凝固を抑制する可能性があります。ニコチンアミドと血液凝固を抑制する医薬品を併用すると，紫斑および出血のリスクが高まるおそれがあります。このような医薬品には，アスピリン，クロピドグレル硫酸塩，ダルテパリンナトリウム，エノキサパリンナトリウム，ヘパリン，インドメタシン，チクロピジン塩酸塩，ワルファリンカリウムなどがあります。

中肝臓を害する可能性のある医薬品

特に高用量の場合に，ニコチンアミドは肝臓を害する可能性があります。ニコチンアミドと肝臓を害する可能性のある医薬品を併用すると，肝障害のリスクが高まるおそれがあります。肝臓を害する可能性のある医薬品を服用中にニコチンアミドを摂取しないでください。このような医薬品には，アセトアミノフェン，アミオダロン塩酸塩，カルバマゼピン，イソニアジド，メトトレキサート，メチルドパ水和物，フルコナゾール，イトラコナゾール，エリスロマイシン，フェニトイン，Lovastatin，プラバスタチンナトリウム，シンバスタチンなど数多くあります。

ハーブおよび健康食品・サプリメントとの相互作用

肝臓を害するおそれのあるハーブおよび健康食品・サプリメント

高用量のニコチンアミドを摂取すると，肝障害を引き起こす可能性があります。ニコチンアミドと，肝臓を害するおそれのあるほかのハーブおよび健康食品・サプリメントを併用すると，肝臓を害するリスクが高まるおそれがあります。このようなハーブおよび健康食品・サプリメントには，アンドロステンジオン，ボラージの葉，チャパラル，コンフリー，デヒドロエピアンドロステロン，ジャーマンダー，カバ，ペニーロイヤルミントのオイル，紅麹などがあります。

血液凝固を抑制するおそれのあるハーブおよび健康食品・サプリメント

ニコチンアミドが，血液凝固を抑制するおそれがあります。ニコチンアミドと血液凝固を抑制するおそれのあるほかのハーブおよび健康食品・サプリメントを併用すると，人によっては，出血のリスクが高まるおそれがあります。このようなハーブおよび健康食品・サプリメントには，アンゼリカ，クローブ，タンジン，ニンニク，ショウガ，朝鮮人参などがあります。

使用量の目安

【成人】

●経口摂取

ざ瘡（にきび）

ニコチンアミド750mg，亜鉛25mg，銅1.5mg，葉酸500 μgを含む錠剤を１日１～２回摂取します。または，ニコチンアミド，アゼライン酸，亜鉛，ビタミンB_6，銅，葉酸を含む錠剤１～４錠を毎日摂取します。

ペラグラなどビタミンB_3欠乏症の症状

ニコチンアミド１日300～500mgを数回に分けて摂取します。

糖尿病

１型糖尿病の進行を抑制するには，ニコチンアミド１日1.2g/m^2（体表面積）または１日25～50mg/kgを毎日摂取します。２型糖尿病の進行を抑制するには，ニコチンアミド0.5gを１日３回摂取します。

高リン血症

ニコチンアミド１日500mgから最大1.75gまでを数回に分けて，８～12週間摂取します。

喉頭がん

放射線治療の実施前と実施中，カルボゲン（二酸化炭素２％および酸素98％）を吸入する１～1.5時間前に，ニコチンアミド60mg/kgを摂取します。

黒色腫以外の皮膚がん

ニコチンアミド500mgを１日１～２回，４～12カ月間摂取します。

変形性関節症の治療

ニコチンアミド１日３gを数回に分けて，12週間摂取します。

●皮膚への塗布

ざ瘡（にきび）

ニコチンアミド４％を含むゲルを１日２回摂取します。

【小児】

●経口摂取

ざ瘡（にきび）

12歳以上の小児で，ニコチンアミド，アゼライン酸，亜鉛，ビタミンB_6，銅，葉酸を含む錠剤１～４錠を毎日摂取します。

ペラグラ

ニコチンアミド１日100～300mgを，数回に分けて摂取します。

１型糖尿病

１型糖尿病の進行抑制または発症予防には，ニコチンアミド１日1.2g/m^2（体表面積）または１日25～50mg/kgを摂取します。

ニコチンアミドの１日の推奨量（RDA）は以下の通りです。

０～６カ月：２mg
７～12カ月：４mg
１～３歳：６mg
４～８歳：８mg
９～13歳：12mg
14歳以上の男性：16mg
14歳以上の女性：14mg
妊娠中の女性：18mg
母乳授乳期の女性：17mg

ニコチンアミドの耐容上限量（UL）は以下の通りです。

１～３歳：10mg
４～８歳：15mg
９～13歳：20mg
14～18歳（妊娠中および母乳授乳期の女性を含む）：30mg
18歳以上（妊娠中および母乳授乳期の女性を含む）：35mg

ニコチンアミドアデニンジヌクレオチド（NADH）

NADH

●代表的な別名

ニコチン酸アミドアデニンジヌクレオチド還元型 DPN

別名ほか

ニコチン酸アミドアデノシン二リン酸（Reduced nicotinamide adenine dinucleotide），B-DPNH，BNADH，Coenzyme I，Enada，NAD，Nicotinamide adenine dinucleotide hydrate，Reduced DPN

概　　要

ニコチンアミドアデニンジヌクレオチド（NADH）は，「ニコチンアミドアデニンジヌクレオチド（NAD）＋水素（H）」を表します。この化合物は体内で生成され，エネルギーを生産する化学合成に重要な役割を担います。ニコチンアミドアデニンジヌクレオチドサプリメントは「くすり」として使われることがあります。

安　全　性

用法を守って，12週間以内の短期間使用なら，ほとんどの人に安全であるようです。

１日の用量（10mg）を守って摂取する場合，ほとんどの人に副作用はありません。

●妊娠中および母乳授乳期

妊娠中および母乳授乳期の使用についてはデータが不十分です。安全性を考慮し，摂取は控えてください。

有　効　性

◆有効性レベル④

・アルツハイマー病などの疾患による認知症。

◆科学的データが不十分です

・慢性疲労症候群，うつ病，時差ぼけ，高血圧症，パーキンソン病，運動能力の改善，気力の増進，記憶と集中力の改善，免疫機能の向上，老化の減少，コレステロール値の低下，エイズ治療に使用されるジドブジン（AZT）の副作用予防など。

●体内での働き

体内で合成され，エネルギーの産生にかかわります。血圧やコレステロール値を低下，またエネルギーを提供して慢性疲労症候群を改善，パーキンソン病患者の神経信号を増大させるといったことが一部研究で指摘されていますが，十分なデータが得られていないため，その効き目または作用のメカニズムについては不明です。

医薬品との相互作用

ほかの医薬品との相互作用については明らかではありません。

ハーブおよび健康食品・サプリメントとの相互作用

ほかのハーブ，健康食品・サプリメントとの相互作用についてはまだ明らかではありません。

使用量の目安

●経口摂取

栄養補給およびエネルギー強化を目的とした使用

１日2.5～５mgを連日あるいは隔日摂取します。

アルツハイマー病，パーキンソン病，慢性疲労症候群

治療補助を目的として，１日10～15mgを連日あるいは隔日摂取します。ニコチンアミドアデニンジヌクレオチド二ナトリウム塩を，食事の30分前あるいは２時間後

ニ

に水とともに摂取します。

ニコチンアミドリボシド

NICOTINAMIDE RIBOSIDE

別名ほか

NR

概　要

ニコチンアミドリボシドはビタミンB_3の一種です。果物，野菜，肉，牛乳に少量含まれます。

ニコチンアミドリボシドは，加齢やアルツハイマー病，糖尿病，心疾患，肝疾患などの加齢に伴う疾患に対して経口摂取されます。しかし，これら以外の用途も含め，その用途を裏づける研究は十分ではありません。

安　全　性

ニコチンアミドリボシドの経口摂取は，短期間の使用であればおそらく安全です。ニコチンアミドリボシドの副作用は一般的に軽いものです。副作用には，吐き気や腹部膨満などの消化管の症状，そう痒や多汗などの皮膚の症状があります。

●妊娠中および母乳授乳期

妊娠中および母乳授乳期の使用の安全性についてはデータが不十分です。安全性を考慮し，摂取は避けてください。

有　効　性

◆科学的データが不十分です

・高コレステロール血症，高血圧，肥満，アルツハイマー病，糖尿病，心疾患，肝疾患，高齢者の視力低下を引き起こす眼疾患（加齢黄斑変性（AMD））など。

●体内での働き

ニコチンアミドリボシドは体内で化学物質ニコチンアミドアデニンジヌクレオチド（NAD^+）に変化します。NAD^+は身体を正常に機能させるために必要です。NAD^+値が低いと疾患が引き起こされる可能性があります。ニコチンアミドリボシドの摂取は，低いNAD^+値の上昇を促進させる可能性があります。

医薬品との相互作用

ほかの医薬品との相互作用については明らかではありません。

ハーブおよび健康食品・サプリメントとの相互作用

血圧を低下させるおそれのあるハーブおよび健康食品・サプリメント

ニコチンアミドリボシドは血圧を低下させる可能性があります。ニコチンアミドリボシドと血圧を低下させるおそれのあるハーブおよび健康食品・サプリメントを併用すると，血圧が過度に低下するおそれがあります。このようなハーブおよび健康食品・サプリメントには，アンドログラフィス，カゼイン・ペプチド，キャッツクロー，コエンザイムQ-10，L-アルギニン，クコ属，イラクサ，テアニンなどがあります。

使用量の目安

通常の食品に含まれている量を超えて経口摂取した場合の安全性および副作用については，明らかになっていません。

ニコチン酸

NIACIN

●代表的な別名

ビタミンB_3

別名ほか

3-Pyridinecarboxylic Acid, Acide Nicotinique, Acide Pyridine-Carboxylique-3, Anti-Blacktongue Factor, Antipellagra Factor, B Complex Vitamin, Complexe de Vitamines B, Facteur Anti-Pellagre, Niacina, Niacine, Nicotinic Acid, Pellagra Preventing Factor, Vitamin B_3, Vitamin PP, Vitamina B_3, Vitamine B_3, Vitamine PP，ナイアシン

概　要

ニコチン酸は，ビタミンB_3の一種です。イースト，肉，魚，牛乳，卵，緑色野菜，穀物などの食品に含まれています。また体内で，タンパク質を含む食品に含まれるトリプトファンからニコチン酸が生成されます。サプリメントとしては，ほかのビタミンB群と併用されることがよくあります。

ニコチン酸を，ニコチンアミドやニコチン酸イノシトール，フィチン酸，トリプトファンと混同してはいけません。これらについては該当する項目を参照してください。

ニコチン酸は，高コレステロール血症，高比重リポタンパク（HDL，善玉）コレステロール低値に対して経口摂取されます。

ニコチン酸は，ビタミンB_3欠乏症やペラグラなどの関連症状を予防する目的で経口摂取されます。また，メタボリックシンドロームやコレラ感染に起因する下痢に対しても経口摂取されます。

安　全　性

ニコチン酸の経口摂取は，ほとんどの人に安全のようです。よくみられる軽度の副作用は皮膚の紅潮反応で，顔，腕，胸の灼熱感，チクチク感，そう痒，発赤のほか，

頭痛を引き起こすおそれがあります。ニコチン酸の摂取はごく少量から開始し，毎回の摂取前にアスピリン325mgを摂取することにより，皮膚の紅潮反応を緩和することができます。通常，この反応は身体が医薬品に慣れてくると消失します。アルコールは皮膚の紅潮反応を悪化させるおそれがあります。ニコチン酸を摂取している間は，大量のアルコール摂取は避けてください。

そのほかの軽度な副作用としては，胃のむかつき，腸内ガス，めまい感，口内の疼痛などがあります。

1日3g以上のニコチン酸を摂取する場合には，肝障害，痛風，消化管の潰瘍，視力喪失，高血糖値，脈拍不整など，より深刻な副作用を引き起こすおそれがあります。

複数年にわたり毎日ニコチン酸を摂取する場合，糖尿病発症のリスクを高めるおそれがあります。

ニコチン酸を摂取する人の脳卒中リスクについて懸念が高まっています。ある大規模研究では，高用量のニコチン酸を摂取している人は摂取していない人とくらべ，脳卒中リスクが2倍になることが示唆されました。ただし，この結果はニコチン酸によるものではなかったようです。ほかの研究では，ニコチン酸は脳卒中リスクへの影響がないことを示唆しています。

心疾患，不安定狭心症：高用量のニコチン酸は，脈拍不整のリスクを高めるおそれがあります。使用には注意してください。

クローン病：クローン病患者は，ニコチン酸値が低く，再燃中にはニコチン酸の補給が必要となる可能性があります。

糖尿病：ニコチン酸が血糖値を上昇させるおそれがあります。糖尿病患者がニコチン酸を摂取する場合には，血糖値を注意深く監視してください。

胆のう疾患：ニコチン酸が，胆のう疾患を悪化させるおそれがあります。

痛風：高用量のニコチン酸が，痛風を引き起こすおそれがあります。

腎疾患：腎疾患の場合には，ニコチン酸が体内に蓄積され，悪影響を与えるおそれがあります。

肝疾患：ニコチン酸が，肝障害を悪化させるおそれがあります。肝疾患の場合には高用量を使用してはいけません。

胃腸潰瘍：ニコチン酸が，潰瘍を悪化させるおそれがあります。潰瘍がある場合には高用量を使用してはいけません。

過度の血圧低下：ニコチン酸が，血圧を低下させ，低血圧の症状を悪化させるおそれがあります。

手術：ニコチン酸が，手術中・手術後の血糖コントロールを妨げるおそれがあります。少なくとも手術前2週間は，使用しないでください。

腱黄色腫（腱周囲の脂肪沈着物）：ニコチン酸が，黄色腫内の感染リスクを高めるおそれがあります。

甲状腺疾患：チロキシンは甲状腺で産生されるホルモンです。ニコチン酸は血中チロキシン値を低下させ，ある種の甲状腺疾患の症状を悪化させるおそれがあります。

●アレルギー

ニコチン酸によって，アレルギー症状の原因となるヒスタミンが放出されるため，アレルギーが悪化するおそれがあります。

●妊娠中および母乳授乳期

妊娠中および母乳授乳期の使用は，推奨量であれば，ほとんどの人に安全のようです。妊娠中および母乳授乳期のニコチン酸の推奨量は，18歳未満で1日30mg，18歳以上で1日35mgです。

有　効　性

◆有効性レベル②

・血中脂質値異常。いくつかのニコチン酸製品が，血中脂質値異常の治療に対する処方薬として，米国食品医薬品局（FDA）に認可されています。このような処方薬には通常，500mg以上の高用量のニコチン酸が含まれていますが，健康食品・サプリメントのニコチン酸は通常，250mg以下しか含まれていません。コレステロール値を改善するには，非常に高用量のニコチン酸が必要となるため，健康食品・サプリメントは適していません。低比重リポタンパク（LDL，悪玉）コレステロールを低下させる必要のある人のほとんどに対し，スタチン系薬と呼ばれる分類の処方薬が用いられます。コレステロールとトリグリセリドという血中脂質の両方の値が高い患者には，ニコチン酸が用いられる場合があります。食事療法と単剤療法では十分でない場合に，ニコチン酸がほかのコレステロール低下薬と併用で用いられることがあります。ニコチン酸はコレステロール値を改善しますが，心臓発作や脳卒中などの心血管系疾患予後は改善しません。

・ニコチン酸欠乏症およびペラグラなどニコチン酸欠乏症に関連する特定の疾患の治療および予防。ニコチン酸は，ニコチン酸欠乏症およびペラグラなどニコチン酸欠乏症に関連する特定の疾患の治療および予防の用途で，米国食品医薬品局（FDA）に認可されています。ただし，ニコチン酸の代わりにニコチンアミドが用いられることもあります。ニコチンアミドが，ニコチン酸の副作用である，皮膚の紅潮（発赤，そう痒，チクチク感など）を引き起こさないためです。

◆有効性レベル③

・コレラによる下痢。ニコチン酸の経口摂取により，コレラによる体液喪失を抑制できるようです。

・HIV/エイズ患者の血中脂質値異常。抗レトロウイルス治療に起因する血中脂質値異常があるHIV/エイズ患者がニコチン酸を摂取すると，コレステロール値およびトリグリセリド値が改善するようです。

・メタボリックシンドローム。メタボリックシンドロームの人がニコチン酸を摂取すると，高比重リポタンパク（HDL，善玉）コレステロール値が上昇し，トリグリセリド値が低下するようです。ニコチン酸をn-3系脂肪酸の処方薬と併用すると，この効果がさらに高まるようです。

◆有効性レベル⑥

・心血管疾患。質の高い研究で，心血管疾患を予防または治療する目的でニコチン酸を摂取している人にとって，ニコチン酸は，心臓発作，脳卒中，または関連する心血管による死亡などの心血管系イベントの予防にはならないことが示唆されています。ニコチン酸が死亡リスクを低下させることを示唆する報告はありません。ニコチン酸はコレステロール値を改善しますが，心血管アウトカムを改善することはありません。ニコチン酸は，心血管疾患の治療や予防の目的で摂取すべきではありません。

◆科学的データが不十分です

・動脈硬化，アルツハイマー病，白内障，勃起障害，運動能力，高リン血症，眼底の静脈の閉塞（網膜静脈閉塞症），鎌状赤血球症，ざ瘡（にきび），アルコール依存症，注意欠陥多動障害（ADHD），うつ病，めまい感，薬物性幻覚，片頭痛または月経前の頭痛，乗物酔い，統合失調症など。

ニ

●体内での働き

ニコチン酸を水に溶かして経口摂取すると，体内に吸収されます。体内で必要とされる量よりも多くのニコチン酸を摂取すると，ニコチンアミドに変換されます。

ニコチン酸は，体内における脂質および糖分の機能を保ち，細胞を正常な状態に維持するために必要とされます。高用量のニコチン酸は，血液凝固に有効なため，心疾患患者に役立つ可能性があります。また血中トリグリセリド（脂質）値を改善する可能性があります。

ニコチン酸欠乏症は，皮膚の過敏，下痢，認知症などを起こすペラグラという疾患を引き起こすことがあります。ペラグラは，20世紀初頭には一般的な病気でしたが，現在は小麦粉を含む食品の一部にニコチン酸が強化されているため，それほど一般的ではなくなっており，欧米などでは実質的にみられなくなっています。

食事が十分に取れていない場合や，アルコール依存症，カルチノイド腫瘍という成長の遅い腫瘍などをもつ場合には，ニコチン酸欠乏症になるリスクがあります。

医薬品との相互作用

低アスピリン

アスピリンは，ニコチン酸に起因する皮膚の紅潮を抑制するために，よくニコチン酸と併用されます。高用量のアスピリンはニコチン酸の体内からの排泄を抑制する可能性があります。そのため，体内のニコチン酸量が過剰に増加し，副作用を引き起こすおそれがあります。しかし，ニコチン酸に起因する紅潮の治療に通常用いられる低用量のアスピリンでは問題がないようです。

中アルコール

ニコチン酸は紅潮およびそう痒を引き起こす可能性があります。アルコールとニコチン酸を併用すると，紅潮およびそう痒が悪化するおそれがあります。また，併用により肝障害になるリスクが高まるおそれがあります。

中アロプリノール

アロプリノールは痛風の治療に用いられます。多量のニコチン酸を摂取すると，痛風が悪化し，アプリノールの効果が弱まるおそれがあります。

中ゲムフィブロジル【販売中止】

ニコチン酸とゲムフィブロジルを併用すると，人によっては筋損傷を引き起こすおそれがあります。慎重に摂取してください。

中スルフィンピラゾン【販売中止】

スルフィンピラゾンは痛風の治療に用いられます。多量のニコチン酸を摂取すると，痛風が悪化し，スルフィンピラゾンの効果が弱まるおそれがあります。

中プロベネシド

プロベネシドは痛風の治療に用いられます。多量のニコチン酸を摂取すると，痛風が悪化し，プロベネシドの効果が弱まるおそれがあります。

中肝臓を害する可能性のある医薬品

ニコチン酸は肝臓を害する可能性があります。徐放性ニコチン酸製剤が最もリスクが高いようです。ニコチン酸と肝臓を害する可能性のある医薬品を併用すると，肝障害のリスクが高まるおそれがあります。肝臓を害する可能性のある医薬品を服用中にニコチン酸を摂取しないでください。このような医薬品には，アセトアミノフェン，アミオダロン塩酸塩，カルバマゼピン，イソニアジド，メトトレキサート，メチルドパ水和物，フルコナゾール，イトラコナゾール，エリスロマイシン，フェニトイン，Lovastatin，プラバスタチンナトリウム，シンバスタチンなど数多くあります。

中血液凝固を抑制する医薬品（抗凝固薬/抗血小板薬）

ニコチン酸は血液凝固を抑制する可能性があります。ニコチン酸と血液凝固を抑制する医薬品を併用すると，紫斑および出血のリスクが高まるおそれがあります。このような医薬品には，アスピリン，クロピドグレル硫酸塩，ダルテパリンナトリウム，エノキサパリンナトリウム，ヘパリン，インドメタシン，チクロピジン塩酸塩，ワルファリンカリウムなどがあります。

中血清コレステロール値を下げる医薬品（スタチン系薬）

ニコチン酸は筋肉に悪影響を及ぼす可能性があります。スタチン系薬と呼ばれる血清コレステロール値を下げる医薬品もまた筋肉に影響を及ぼす可能性があります。ニコチン酸とこのような医薬品を併用すると，筋肉障害のリスクが高まるおそれがあります。このような医薬品には，ロスバスタチンカルシウム，アトルバスタチンカルシウム水和物，Lovastatin，プラバスタチンナトリウム，フルバスタチンナトリウム，シンバスタチンなどがあります。

相互作用レベル：高この医薬品と併用してはいけません　中この医薬品とは慎重に併用するか併用しないでください
低この医薬品との併用には注意が必要です

中血清コレステロール値を下げる医薬品（胆汁酸捕捉薬）

胆汁酸捕捉薬と呼ばれる血清コレステロール値を下げる医薬品は，ニコチン酸の体内への吸収量を減少させる可能性があります。そのため，ニコチン酸の効果が弱まるおそれがあります。ニコチン酸とこのような医薬品を併用する場合には少なくとも4～6時間の間隔をあけてください。このような医薬品には，コレスチラミン，Colestipolなどがあります。

中甲状腺ホルモン製剤

甲状腺ホルモンは体内で自然に産生されます。ニコチン酸は甲状腺ホルモン量を減少させる可能性があります。ニコチン酸と甲状腺ホルモン製剤を併用すると，甲状腺ホルモン製剤の作用および副作用が減弱するおそれがあります。

中降圧薬

ニコチン酸と降圧薬を併用すると，降圧薬の作用が増強し，血圧が過度に低下するおそれがあります。このような降圧薬には，カプトプリル，エナラプリルマレイン酸塩，ロサルタンカリウム，バルサルタン，ジルチアゼム塩酸塩，アムロジピンベシル酸塩，ヒドロクロロチアジド，フロセミドなど数多くあります。

中糖尿病治療薬

高用量のニコチン酸（1日当たり約3～4g）は血糖値を上昇させる可能性があります。ニコチン酸により血糖値が上昇すると，糖尿病治療薬の効果が弱まるおそれがあります。血糖値を注意深く監視してください。糖尿病治療薬の用量を変更する必要があるかもしれません。このような糖尿病治療薬には，グリメピリド，グリベンクラミド，インスリン，ピオグリタゾン塩酸塩，マレイン酸ロシグリタゾン（販売中止），メトホルミン塩酸塩，ナテグリニド，レパグリニド，クロルプロパミド，Glipizide，トルブタミド（販売中止）などがあります。

ハーブおよび健康食品・サプリメントとの相互作用

β-カロテン

高比重リポタンパク（HDL，善玉）コレステロール値の低い冠動脈疾患患者が，ニコチン酸と処方薬「シンバスタチン」を併用することにより，HDL-コレステロールが増加します。ただし，ニコチン酸と，β-カロテンなどの抗酸化物質を併用して摂取すると，この作用が減弱するようです。冠動脈疾患ではない場合に，この作用が現れるかどうかは，明らかになっていません。

クロム

ニコチン酸とクロムを併用して摂取することにより，血糖値が低下するおそれがあります。糖尿病患者が，クロムとニコチン酸のサプリメントを併用する場合には，血糖値が過度に低下していないかどうかを確かめるために，血糖値を注意深く監視してください。

血圧を低下させるおそれのあるハーブおよび健康食品・サプリメント

ニコチン酸が，血圧を低下させるおそれがあります。ニコチン酸と，血圧を低下させるおそれのあるほかのハーブおよび健康食品・サプリメントを併用すると，血圧が過度に低下するおそれがあります。このようなハーブおよび健康食品･サプリメントには，アンドログラフィス，カゼイン・ペプチド，キャッツクロー，コエンザイムQ-10，L-アルギニン，クコ，イラクサ，テアニンなどがあります。

肝臓を害するおそれのあるハーブおよび健康食品・サプリメント

ニコチン酸が，とくに高用量を摂取する場合には，肝障害を引き起こすおそれがあります。ニコチン酸と，肝臓を損傷するおそれのあるほかのハーブおよび健康食品・サプリメントを併用すると，肝障害を引き起こすリスクが高まるおそれがあります。このようなハーブおよび健康食品･サプリメントには，アンドロステンジオン，ボラージの葉，チャパラル，コンフリー，デヒドロエピアンドロステロン（DHEA），ジャーマンダー，カバ，ペニーロイヤルミント，紅麹などがあります。

血液凝固を抑制するおそれのあるハーブおよび健康食品・サプリメント

ニコチン酸が，血液凝固を抑制するおそれがあります。ニコチン酸と血液凝固を抑制するおそれのあるほかのハーブおよび健康食品・サプリメントを併用すると，人によっては，出血のリスクが高まるおそれがあります。このようなハーブおよび健康食品・サプリメントには，アンゼリカ，クローブ，タンジン，ニンニク，ショウガ，朝鮮人参などがあります。

紅茶キノコ

紅茶キノコが，ニコチン酸の吸収を抑制するおそれがあります。ただし，情報が不十分です。

セレン

高比重リポタンパク（HDL，善玉）コレステロール値の低い冠動脈疾患患者が，ニコチン酸と処方薬「シンバスタチン」を併用することにより，HDL-コレステロールが増加します。ただし，ニコチン酸と，セレンなどの抗酸化物質を併用して摂取すると，この作用が減弱するようです。冠動脈疾患ではない場合に，この作用が現れるかどうかは，明らかになっていません。

トリプトファン

食事から摂取したトリプトファンが，体内でニコチン酸に変換されることがあります。ニコチン酸とトリプトファンを併用して摂取すると，ニコチン酸の値が増加し，副作用が増強するおそれがあります。

ビタミンC

高比重リポタンパク（HDL，善玉）コレステロール値の低い冠動脈疾患患者が，ニコチン酸と処方薬「シンバスタチン」を併用することにより，HDL-コレステロールが増加します。ただし，ニコチン酸と，ビタミンCなどの抗酸化物質を併用して摂取すると，この作用が減弱するようです。冠動脈疾患ではない場合に，この作用が現れるかどうかは，明らかになっていません。

ビタミンE

高比重リポタンパク（HDL，善玉）コレステロール値の低い冠動脈疾患患者が，ニコチン酸と処方薬「シンバスタチン」を併用することにより，HDL-コレステロールが増加します。ただし，ニコチン酸と，ビタミンEなどの抗酸化物質を併用して摂取すると，この作用が減弱するようです。冠動脈疾患ではない場合に，この作用が現れるかどうかは，明らかになっていません。

亜鉛

ニコチン酸は体内で合成されます。慢性アルコール依存症などで，栄養不良およびニコチン酸欠乏症の場合，亜鉛を摂取すると，ニコチン酸が過剰に合成されます。ニコチン酸と亜鉛を併用すると，皮膚の紅潮やそう痒など，ニコチン酸の副作用を引き起こすリスクが高まるおそれがあります。

通常の食品との相互作用

温かい飲み物

ニコチン酸が，皮膚の紅潮やそう痒を引き起こすおそれがあります。ニコチン酸を温かい飲み物で摂取すると，この作用が高まるおそれがあります。

使用量の目安

【成人】

●経口摂取

高コレステロール血症

ニコチン酸は用量依存的に効果を発揮します。1日50mg～12gの用量で用いられます。しかし，1日1,200～1,500mgの服用で，HDL-コレステロール値がもっとも上昇し，トリグリセリドの低下もみられました。1日2,000～3,000mgの服用では，LDL-コレステロール値にもっとも大きな影響がありました。ニコチン酸はコレステロール値を改善するほかの医薬品とよく併用されます。

ビタミンB_3欠乏症およびペラグラなど関連疾患の予防および治療

1日300～1,000mgを数回に分けて摂取します。

動脈硬化の治療

1日12gもの用量が用いられることもありますが，もっとも一般的には，ニコチン酸1日約1～4gを最長6.2年間，単独または血清コレステロール値を下げる医薬品「スタチン系薬」や「胆汁酸捕捉薬」と併用で摂取します。

コレラ毒素による体液喪失の抑制

1日2gを摂取します。

HIV/エイズ治療による血中脂質値異常

1日最大2gを摂取します。

メタボリックシンドローム

1日2gを16週間摂取します。処方薬「オメガ-3脂肪酸エチルエステル」4gと併用することもあります。

●静脈内投与

ビタミンB_3欠乏症およびペラグラなど関連疾患の予防および治療

ニコチン酸60mgを投与します。

●注射（点滴）

ナイアシンの食事摂取基準（mgNE/日）[1,2]

日本人の食事摂取基準2020年版

性　別	男　性				女　性			
年齢等	推定平均必要量	推奨量	目安量	耐容上限量[3]	推定平均必要量	推奨量	目安量	耐容上限量[3]
0～5（月）[4]	—	—	2	—	—	—	2	—
6～11（月）	—	—	3	—	—	—	3	—
1～2（歳）	5	6	—	60 (15)	4	5	—	60 (15)
3～5（歳）	6	8	—	80 (20)	6	7	—	80 (20)
6～7（歳）	7	9	—	100 (30)	7	8	—	100 (30)
8～9（歳）	9	11	—	150 (35)	8	10	—	150 (35)
10～11（歳）	11	13	—	200 (45)	10	10	—	150 (45)
12～14（歳）	12	15	—	250 (60)	12	14	—	250 (60)
15～17（歳）	14	17	—	300 (70)	11	13	—	250 (65)
18～29（歳）	13	15	—	300 (80)	9	11	—	250 (65)
30～49（歳）	13	15	—	350 (85)	10	12	—	250 (65)
50～64（歳）	12	14	—	350 (85)	9	11	—	250 (65)
65～74（歳）	12	14	—	300 (80)	9	11	—	250 (65)
75以上（歳）	11	13	—	300 (75)	9	10	—	250 (60)
妊　婦（付加量）					+0	+0	—	—
授乳婦（付加量）					+3	+3	—	—

[1]ナイアシン当量（NE）＝ナイアシン＋1/60トリプトファンで示した。
[2]身体活動レベルⅡの推定エネルギー必要量を用いて算定した。
[3]ニコチンアミドの重量（mg/日），（　）内はニコチン酸の重量（mg/日）。
[4]単位はmg/日。

ビタミンB_3欠乏症およびペラグラなど関連疾患の予防および治療

ニコチン酸60mgを投与します。

【小児】

●経口摂取

ビタミンB_3欠乏症およびペラグラなど関連疾患の予防および治療

ニコチン酸１日100～300mgを数回に分けて摂取します。

ニコチン酸の１日の推奨量（RDA）は以下の通りです。

０～６カ月：２mg
７～12カ月：４mg
１～３歳：６mg
４～８歳：８mg
９～13歳：12mg
14歳以上の男性：16mg
14歳以上の女性：14mg
妊娠中の女性：18mg
母乳授乳期の女性：17mg

ニコチン酸の耐容上限量（UL）は以下の通りです。

１～３歳：10mg
４～８歳：15mg
９～13歳：20mg
14～18歳（妊娠中および母乳授乳期の女性を含む）：30mg
19歳以上（妊娠中および母乳授乳期の女性を含む）：35mg

ニコチン酸イノシトール

INOSITOL NICOTINATE

別名ほか

イノシトール・ヘキサニコチネート（Inositol hexanicotinate），ノーフラッシュナイアシン（No-flush niacin），Hexanicotinyl Cis-1,2,3-5-trans-4,6-cyclohexane，Hexanicotinoyl inositol，Inositol hexaniacinate，Inositol niacnate，Meso-inositol hexanicotinate，Myoinositol Hexa-3-pyridine-carboxyalte

概　要

ニコチン酸イノシトールは，ナイアシン（ビタミンB_3）とイノシトールの化合物です。体内に存在しますが，人工的にも製造されます。

●要説（ナチュラル・スタンダード）

イノシトール・ヘキサナイアシネート（inositol hexaniacinate）としても知られているニコチン酸イノシトールは，イノシトール分子と結合した６個のニコチン酸（ナイアシン）分子で構成されています。ニコチン酸イノシトールは，ナイアシンと比較して，顔面紅潮（ほてり）を減らす可能性があるナイアシン（ビタミンB_3）の種類です。ニコチン酸イノシトールは，30年以上にわたり，顔面紅潮のないナイアシンの一種として30年以上にわたってヨーロッパで使用されています。

優れた科学的根拠は，末梢動脈疾患治療のためのニコチン酸イノシトール使用を支持しています。ニコチン酸イノシトールは，脳虚血，高コレステロール血症，高血圧症，レイノー症候群，リポイド類壊死症（糖尿病に関連する皮膚疾患）の治療薬としても研究されています。

安 全 性

一般的に安全だと考えられています。

胃のもたれ，頭痛，悪心，げっぷ，しゃっくりのような軽い副作用をもたらすかもしれません。

ほかのナイアシン製品の場合と類似の肝障害を生じる人もいます。

ニコチン酸イノシトール製品の中には「紅潮しない」ことをうたっているものがあります。通常のナイアシンを使ったときのように赤くはならないと考える人がいるためです。しかしこの利点が研究で証明されたことはありません。

アレルギーのある人，出血性疾患，冠動脈性心疾患，狭心症，糖尿病，胆のう炎，痛風，低血圧，腎疾患，ナイアシン・アレルギー，胃腸に潰瘍ができる病気（消化性潰瘍）の人は使用してはいけません。

●妊娠中および母乳授乳期

妊娠中および母乳授乳期の使用についてはデータが不十分です。安全性を考慮し，使用は控えてください。

有 効 性

◆有効性レベル③

・間欠性跛行（脚の引きつる痛みや脚力低下）の改善。効果が顕著になるまでには数週間の治療が必要である可能性があります。
・レイノー症候群（毛細血管の病的痙攣性チアノーゼ）の改善。

◆有効性レベル④

・高コレステロール血症の治療。ニコチン酸イノシトールの高コレステロール血症に対する有効性について議論を呼んでいます。試験によって意見が異なります。

◆科学的データが不十分です

・脳の血管疾患，片頭痛，線維性結合組織が皮膚および器官内に沈着する疾患（強皮症），不眠症，血圧降下，不隠下肢症候群，にきび，皮膚炎，舌の炎症（剥脱性舌炎），乾癬，統合失調症など。

●体内での働き

ニコチン酸イノシトールは体内で処理される際にナイアシンとして放出します。血管を広げ，コレステロールのような脂質濃度を下げます。また，凝血に必要なタンパク質を分解するようです。

医薬品との相互作用

中ニコチン貼付剤

ニコチン酸イノシトールは体内で分解されてニコチン酸になりますが，ニコチン酸は顔面紅潮（ほてり）やめまいを引き起こすことがあります。ニコチン貼付剤もまた，顔面紅潮（ほてり）やめまいを引き起こす場合があります。ニコチン貼付剤を使用中にニコチン酸イノシトールを摂取すると，顔面紅潮（ほてり）やめまいを起こすリスクが高まると考えられます。

中血液凝固を抑制する医薬品（抗凝固薬/抗血小板薬）

ニコチン酸イノシトールは血液凝固を抑制する作用があると考えられています。血液凝固を抑制する医薬品を服用しているときにニコチン酸イノシトールを摂取すると，紫斑および出血のリスクが高まるおそれがあります。このような医薬品には，アスピリン，クロピドグレル硫酸塩，ジクロフェナクナトリウム，イブプロフェン，ナプロキセン，ダルテパリンナトリウム，エノキサパリンナトリウム，ヘパリン，ワルファリンカリウムなどがあります。

中血清コレステロール値を下げる医薬品（スタチン系薬）

ニコチン酸イノシトールは体内でニコチン酸に変わりますが，ニコチン酸は筋肉に作用します。血清コレステロール値を下げる医薬品のなかにも筋肉に障害を与えるものがあります。ニコチン酸とこのような医薬品を併用すると，筋肉に障害が生じるリスクが増大すると考えられます。このような医薬品にはセリバスタチンナトリウム（販売中止），アトルバスタチンカルシウム水和物，Lovastatin，プラバスタチンナトリウム，シンバスタチンなどがあります。

中糖尿病治療薬

ニコチン酸イノシトールを常用すると，血糖値を上昇させる可能性があります。糖尿病治療薬は血糖値を低下させるために用いられます。ニコチン酸イノシトールが血糖値を上昇させることにより，糖尿病治療薬の効果を弱めるおそれがあります。血糖値を注意深く監視してください。糖尿病治療薬の用量を変更する必要があるかもしれません。このような糖尿病治療薬にはグリメピリド，グリベンクラミド，インスリン，ピオグリタゾン塩酸塩，マレイン酸ロシグリタゾン（販売中止），クロルプロパミド，Glipizide，トルブタミド（販売中止）などがあります。

ハーブおよび健康食品・サプリメントとの相互作用

血液凝固を抑制するハーブおよび健康食品・サプリメント

ニコチン酸イノシトールは血液凝固を遅らせます。同様の働きのあるハーブとニコチン酸イノシトールを併用すると紫斑および出血を引き起こす可能性が高くなることがあります。このようなハーブおよび健康食品・サプリメントにはアンゼリカ，クローブ，タンニン，ニンニク，ショウガ，イチョウ，朝鮮人参などがあります。

使用量の目安

●経口摂取

高リポタンパク血症

通常，１日1,500～4,000mgを２～４回に分けて摂取します。

末梢血管障害

通常，１日1,500～4,000mgを２～４回に分けて摂取します。

ニシキゼリ

WATER DROPWORT

●代表的な別名

ウォーター・ドロップワート

別名ほか

セリ，Damoe，Oenanthe javanica，Pak Chi Lawm，Shelum，Sui-Kan，Water Celery

概　　要

ニシキゼリはハーブの一種です。全体を用いて「くすり」を作ることもあります。

安 全 性

安全性または副作用の可能性についてはまだ明らかになっていません。

●妊娠中および母乳授乳期

妊娠中および母乳授乳期の使用の安全性についてはデータが不十分です。安全性を考慮し，摂取は避けてください。

有 効 性

◆科学的データが不十分です

・肝障害，高血圧症，糖尿病，腹痛，食中毒など。

●体内での働き

症状にどのように作用するかはまだわかっていません。肝障害予防作用を示した研究もあります。

医薬品との相互作用

ほかの医薬品との相互作用については明らかではありません。

ハーブおよび健康食品・サプリメントとの相互作用

ほかのハーブ，健康食品・サプリメントとの相互作用についてはまだ明らかではありません。

使用量の目安

標準使用量に関するデータがありません。

ニチニチソウ

MADAGASCAR PERIWINKLE

別名ほか

日々草，日々花（Catharanthus roseus），ビンカ（Vinca rosea），Ammocallis rosea，Cape Periwinkle，Catharanthus，Church-Flower，Lochnera rosea，Magdalena，Myrtle，Old Maid，Periwinkle，Ram-goat Rose，Red Periwinkle

概　　要

ニチニチソウは植物です。地上部を用いて「くすり」を作ることもあります。

安 全 性

ニチニチソウの経口摂取は，安全ではありません。ビンカ・アルカロイドとして知られる有毒性化学物質を含んでいます。悪心，嘔吐，脱毛，難聴，めまい，出血，神経異常，痙攣，肝障害，低血糖などの副作用を引き起こすおそれがあります。死に至ることもあります。

皮膚に塗布する場合の安全性についてはデータが不十分です。

糖尿病：ニチニチソウは血糖値を低下させるおそれがあります。糖尿病で，糖尿病薬を服薬している場合には，血糖値が低下しすぎるおそれがあります。医薬品の服薬量を調節する必要があるかもしれません。

手術：ニチニチソウは血糖値を低下させるおそれがあります。手術中および手術後の血糖値コントロールを妨げることを懸念する医師もいます。少なくとも手術前２週間は，使用しないでください。

●妊娠中および母乳授乳期

妊娠中の使用は安全ではありません。流産や先天異常を引き起こすおそれがあります。

母乳授乳期の使用も安全ではありません。ニチニチソウは有毒性化学物質を含んでいます。

有 効 性

◆科学的データが不十分です

・糖尿病，がん，体液貯留，咳，肺うっ血，咽頭痛など。
・眼に塗布した場合には，眼への刺激感。
・皮膚に塗布した場合には，皮膚感染症（膿皮症）および止血効果など。

●体内での働き

免疫系に作用し，尿量を増大（利尿）し，血糖値を下げる可能性があります。

ビンブラスチン（vinblastine）およびビンクリスチン（vincristine）など，ニチニチソウ（Madagascar periwinkle）から取り出される化学物質は，米国食品医薬品局（FDA）により化学療法に使用できることが認められています。ホジキン病，白血病，カポジがん肉腫，悪性リンパ腫，神経芽細胞腫，ウイルムス腫瘍などの抗悪性腫瘍薬として使用されます。

医薬品との相互作用

中 炭酸リチウム

ニチニチソウには利尿薬のような作用があります。ニチニチソウを摂取すると，体内の炭酸リチウムを排泄する作用を弱めるかもしれません。それにより血中の炭酸リチウム濃度が上昇し，深刻な副作用を生じる可能性があります。炭酸リチウムの用量を調節する必要があるかもしれません。

中 糖尿病治療薬

ニチニチソウは血糖値を下げる作用があると考えられています。糖尿病治療薬は血糖値を下げるために用いられる医薬品です。ニチニチソウと糖尿病治療薬を併用すると，血糖値が過度に低下するおそれがあります。このような糖尿病治療薬にはグリメピリド，グリベンクラミド，インスリン，ピオグリタゾン塩酸塩，マレイン酸ロシグリタゾン（販売中止），クロルプロパミド，Glipizide，トルブタミド（販売中止）などがあります。

ハーブおよび健康食品・サプリメントとの相互作用

ほかのハーブ，健康食品・サプリメントとの相互作用についてはまだ明らかではありません。

使用量の目安

標準使用量に関するデータがありません。

ニッケル

NICKEL

別名ほか

Atomic number 28，Chlorure de Nickel，Ni，Nickel Chloride，Nickel Sulfate，Nickelous Sulfate，Níquel，Numéro Atomique 28，Oligo-Élément，Sulfate de Nickel，Sulfate Nickeleux，Trace Element

概　　要

ニッケルはミネラルです。ナッツ，乾燥させた豆類，大豆，穀物やチョコレートなどの食物に含まれています。身体には必須ですがその量は微量です。総合ビタミン剤に含まれている微量元素のひとつです。

●要説（ナチュラル・スタンダード）

ニッケルは，細菌，植物，哺乳類が生きる上で欠かせない微量元素です。土壌，水，ココア，チョコレート，ナッツ，乾燥させた豆，エンドウ豆，大豆，ホウレンソウ，レタス，オートミール，穀物，フルーツ（缶詰も含む），そのほかの野菜（缶詰も含む），マメ類の種子，甲殻類，サケ，水素添加ショートニング，卵，および牛乳に含まれていて，硬く，明るい，白銀色の金属です。飲料水および食品が主なニッケル源です。アメリカ人の平均的な1日分の食事には，約300μgのニッケルが含まれています。

ニッケル合金とは，ニッケルとチタンなどの金属を合成することで作られる金属です。義歯，歯冠，ステント，人工股関節置換手術，骨再建手術用ネジなど，さまざまな医療用途，歯科用途があります。ステンレス鋼の製造にも用いられます。銀貨，ベルトのバックル，安価な宝飾類に一般的に含まれています。自動車業，電子工業，化学的工程，ニッケル・カドミウム電池，および多くの家庭用品にも用いられています。

ニッケルは，金属アレルギーのもっとも一般的な原因です。金属アレルギーは男性よりも女性の方がなりやすいです。年齢に関係なく発症し，発症すると一生続く傾向があります。ニッケルアレルギーの症状には，ニッケルが皮膚に接触した場所にできるかゆみをともなう発疹などがあります。メガネのフレーム，歯科用品，安価な宝飾品など，ニッケルを含んだ製品に長時間曝露することでアレルギー反応が起こるようです。ニッケル精錬，電気メッキ，溶接など，ニッケルに高濃度に汚染された環境に曝露されている場合には，皮膚アレルギーや，鼻腔がんや肺がんを引き起こすおそれがあります。

European Union Nickel Directiveでは，イヤリング，時計のバンド，ジッパーなど，長時間，直接皮膚に触れる消費製品中のニッケル含有量を制限しています。この規制により，欧州ではニッケルアレルギーの件数が減少する兆しがあります。規制のない北米では，ニッケルに起因する皮膚アレルギーの発生率は増加しています。米国およびほかの諸国でも，ニッケルアレルギーを防止するために，規制すべきであると主張する専門家もします。

理論上，ニッケル欠乏症は存在しますが，ヒトを対象とした，ニッケルサプリメントの有効性に関する科学的根拠は十分ではありません。

安全性

ニッケルは，1日最大1mgを経口摂取する場合，ほとんどの成人に安全のようです。1日1mgを超える摂取量は，おそらく安全ではありません。1日1mgを少し超えても，副作用の危険が増します。多量摂取は有毒です。

職場で長期間ニッケルに曝露されていた労働者が，アレルギー，肺疾患，がんを発症しています。

小児：耐容上限量（UL）未満を摂取する場合は，おそらく安全です。それ以上の量の摂取は，おそらく安全ではありません。耐容上限量（UL）は以下の通りです。

1～3歳：1日0.2mg
4～8歳：1日0.3mg
9～13歳：1日0.6mg

腎疾患：腎疾患の人はそうでない人よりもニッケルに対して耐容性がないかもしれません。腎疾患がある場合，使用は避けてください。

●アレルギー

ニッケルアレルギー：ニッケル含有のアクセサリー，硬貨，ステンレス製品，インプラント，歯科器具などで皮疹が起きたことのある人など，ニッケルに過敏な人は，ニッケルの経口摂取によりアレルギー反応を起こすおそれがあります。このような人はニッケルサプリメントを摂取しないでください。

●妊娠中および母乳授乳期

妊娠中および母乳授乳期の成人女性が，耐容上限量（UL）である1日1mg未満を経口摂取する場合，ほとんどの人に安全のようです。それ以上の量を摂取する場合の安全性についてはわかっていません。

有効性

◆有効性レベル②

・ニッケル欠乏症の予防。ヒトではニッケル欠乏症の例は報告されたことがありませんが，動物には観察されているのでヒトにも起きるかもしれません。サプリメントで微量のニッケルを摂取すると，ニッケル欠乏症の予防に効果があります。

◆科学的データが不十分です

・鉄吸収の改善，貧血の予防，骨粗鬆症および骨の健康の改善など。

●体内での働き

ニッケルは体内での化学反応過程に不可欠な栄養素です。その正確な働きはわかっていません。

医薬品との相互作用

中ジスルフィラム

ジスルフィラムは，ニッケルの体内吸収を減少させて，ニッケル・サプリメントの効果を下げます。

ハーブおよび健康食品・サプリメントとの相互作用

ビタミンC

ビタミンCは腸から吸収されるニッケルの量を減少させるおそれがありますが，これが健康にどの程度重要かはわかっていません。

通常の食品との相互作用

食品

体内でニッケルを吸収する能力は，牛乳，オレンジジュース，茶，コーヒーなどの食品により著しく低下します。

フィチン酸

フィチン酸は，リン酸塩の貯蔵分子で，穀物（トウモ

相互作用レベル：高この医薬品と併用してはいけません　中この医薬品とは慎重に併用するか併用しないでください
低この医薬品との併用には注意が必要です

ロコシ，モロコシなど）やマメ科植物，種子（ヒマワリ，カボチャなど）や大豆などに含まれています。フィチン酸はニッケルと結合してニッケルの体内吸収を困難にさせます。この相互作用が，健康にどのような影響を及ぼすかについてはわかっていません。

使用量の目安

●経口摂取

ニッケル欠乏症の予防

サプリメントで微量のニッケルを摂取します。1日のニッケルの推定平均必要量および目安量（AI）は，確立されていません。

ニッケルの耐容上限量（UL），すなわち副作用が起こらないと予想される摂取量の上限値は，以下の通りです。

1～3歳：1日0.2mg
4～8歳：1日0.3mg
9～13歳：1日0.6mg
成人：1日1mg

乳酸菌

LACTOBACILLUS

別名ほか

アシドフィルス菌（L. acidophilus），ブレビスブルガリア乳酸菌（L. bulgaricus），カゼイ乳酸菌（L. casei），ファーメンツム乳酸菌（L. fermentum），プランタラム菌（L. plantarum），サリバリウス菌（L. salivarius），ブレビス乳酸菌（Lactobacillus Brevis），ブルガリア乳酸菌（Lactobacillus bulgaricus），Lactobacillus casei Sp，Lactobacillus fermentum，プランタラム菌（Lactobacillus plantarum），サルバリウス菌（Lactobacillus salivarius），乳酸桿菌属スポロジェン（Lactobacillus sporogenes），ラクトバチルス・アミロヴォルス（L. amylovorus），ラクトバチルス・アシドフィルス（Lactobacillus acidophilus），ラクトバチルス・アミロヴォルス（Lactobacillus amylovorus），プロバイオティクス（Probiotics），L. brevis，acidophilus，L. crispatus，L. delbrueckii，L. gallinarum，L. johnsonii，L. johnsonii LC-1，L. reuteri，L. sporogenes，LC-1，Lacto bacillus，Lactobacilli，Rhamnosus，Lactobacillus crispatus，Lactobacillus delbrueckii，Lactobacillus gallinarum，Lactobacillus GG，Lactobacillus johnsonii，Lactobacillus reuteri，Lactobacillus rhamnosus，Lactobacillus rhamnosus GG，LC-1 L. Johnsonii

概　　要

乳酸菌は細菌の一種で，多くの種があります。善玉菌として病気を起こさずに，消化器官，泌尿器，生殖器に存在しています。また，ヨーグルトのような発酵食品や健康食品・サプリメントにも含まれています。

乳酸菌製品の中に，その品質に関して懸念があるものがあります。製品の中には，乳酸菌含有と表示しているのにもかかわらず，実際は乳酸菌が入ってなかったり，あるいは違う種類のLactobacillus bulgaricusなどが入っていたりするものもあります。また有害バクテリアに汚染されている製品もあります。

●要説（ナチュラル・スタンダード）

アシドフィラス菌とラクトバチルス乳酸菌について

アシドフィラス菌（Lactobacillus acidophilus）は，ラクトバチルス菌属です。口内，腸や膣に存在しており，ビタミンKやラクターゼを生成するため，健康に有益なものと考えられています。しかし，ほかの多くのビタミンやアミノ酸を生成できません。このため，そのほとんどが，これらの栄養素が多量に存在する上部消化管に存在します。

アシドフィラス菌はヨーグルト，その他の酪農製品，味噌やテンペなどの大豆の発酵食品に通常使われます。

アシドフィラス菌は，健康増進のために，もっとも広く使用されているプロバイオティック，微生物です。プロバイオティックは，腸管で“善玉”のバクテリアを育生するのを助ける複合糖質であるプレバイオティックとは異なるものです。“synbotic”という語は，製品がプロバイオティックでありプレバイオティックでもあることを意味しています。

アシドフィラス菌の使用は，膣の感染症治療に有効であるというしっかりしたエビデンスがあります。しかし，過敏性大腸症候群，脳障害，気管支喘息，高コレステロール血症，ラクトース消化あるいは下痢などの治療の有効性については，明確なエビデンスはありません。

ほとんど副作用もなく安全だと考えられていますが，アシドフィラス菌を経口摂取するのは，腸障害，免疫障害あるいは腸内のバクテリアが増殖している場合は避けてください。この場合，上部腸管からバクテリアを取り去ってしまう危険性が高く，多臓器不全を起こすおそれがあります。ラムノサス乳酸菌（Lactobacillus rhamnosus）やカゼイ乳酸菌（Lactobacillus casei）などのラクトバチルス属の中には，膿傷，髄膜炎や化膿性関節炎に関連するものもあります。

ラクトバチルス乳酸菌（Lactobacillus GG：乳酸菌GG）は，人間の腸管に常在しているバクテリアです。ラクトバチルス乳酸菌は，発見者であるGorbach氏とGoldin氏の名前に基づいて名付けられました。ラクトバチルス乳酸菌の科学的名称は，ラクトバチルス・ラムノサス（Lactobacillus rhamnosus）です。

乳酸菌GGは，プロバイオティックです。プロバイオティックは，“友好的な菌”といわれることがあります。これらのバクテリアやイーストは，自然に体内の腸管に存在し，そこで消化管の健康を維持し，消化を助けています。乳酸菌GGは，広く下痢の治療あるいは予防にその使用が推奨されています。抗生物質治療で，抗生物質が殺してしまう消化管に常在している良性の微生物を再生させるのにしばしば処方されます。

小児の下痢あるいは急性感染症の予防に乳酸菌GGは有効であるという信頼性の高いエビデンスがあります。抗生物質療法に関連している下痢の治療，あるいは予防に有効であるとしているエビデンスもあります。しかし，アトピー性皮膚炎の予防あるいはクローン病の緩和の維持には，効果的ではないようです。

乳酸菌GGの臨床試験で報告された効果は，生きたものや凍結乾燥させた乳酸菌GGを使用し，通常脱水症予防ドリンク，ミルクあるいは水などの液体に浮遊させた形で投与した研究に基づいています。

・新型コロナウイルス感染症（COVID-19）。

COVID-19に対して乳酸菌の使用を裏付ける十分なエビデンス（科学的根拠）はありません。

安全性

乳酸菌は，乳児や小児を含むほとんどの人にほぼ安全です。副作用は通常軽いもので，よくみられるのは，膨満感や腸内ガスです。

しかしながら，腟のヒリヒリ感や不快感が報告されています。

また女性が腟内に使用してもほぼ安全です。

製品によっては，特定の乳酸菌株を含んでいると表示していて，実は含んでいないものもあります。実際のところ，疾患を引き起こすおそれのあるバクテリアで汚染されている製品もあります。

ほかに副作用として考えられるものには，悪心，胃けいれん，腹の虫が鳴ったり，嘔吐，便秘，下痢，気管支炎，関節炎，皮膚反応，膿瘍，血中のバクテリア，肝臓の感染症，髄膜炎，肺動脈閉塞，インシュリン感受性の変化，小児の牛乳アレルギーリスク増加，疾患（食道疾患など）リスクの増加，炎症（心臓あるいは胃壁），重篤な脱水症状，ショックやう歯があります。

免疫系の低下：生きている細菌を配合した健康食品・サプリメントからの乳酸菌の摂取は，免疫系が低下した人の体内で乳酸菌が過剰に増殖するのではないかと懸念する声があります。とくにHIV/エイズを発症している場合，あるいは移植臓器の拒否反応予防のための治療を受けている場合です。乳酸菌は，まれではありますが，免疫機能が弱っている場合に，病気を起こすことがあります。安全のため，免疫機能が弱っている場合には，主治医による診断なしに生きている細菌を配合した健康食品・サプリメントは摂らないでください。

短腸症候群：短腸症候群の患者は，通常の人に比べて乳酸菌による感染症を起こしやすいようです。短腸症候群の場合には，乳酸菌を摂取しないでください。

●妊娠中および母乳授乳期

妊娠中および母乳授乳期の乳酸菌の使用は，ほぼ安全です。乳酸菌GGは妊娠中および母乳授乳期の女性が使用しても問題がありませんでした。ただし，妊娠中および母乳授乳期における研究が行われていない他の種類の乳酸菌もあり，これらの安全性は知られていません。

有効性

◆有効性レベル②

・ロタウイルスによる小児の下痢。ロタウイルスにより下痢を発症した小児を，乳酸菌を使って治療すると，乳酸菌を使用しなかった場合に比べ下痢が半日ほど早く治癒すると見られています。多量の乳酸菌を投与した方が，少量を投与した場合よりも効果があります。少なくとも発症から48時間以内に菌数100億個の乳酸菌を投与します。

◆有効性レベル③

・抗生物質による小児の下痢の予防。乳酸菌GG株を抗生物質と一緒に小児に投与することで，抗生物質のみを摂取した小児が時々発症する下痢の症状を緩和するようです。

・入院患者の下痢の予防。カゼイ乳酸菌（Lactobacillus casei），ブルガリア乳酸菌（Lactobacillus bulgaricus）およびサーモフィルス連鎖球菌（Streptococcus thermophilus）を配合した特定の乳酸菌飲料を１日２回，抗生物質による治療期間中に２週間摂取すると，下痢を発症するリスクを統計学的に有意に低減します。

・旅行中の下痢の予防。旅行者が発症する下痢は，それまでに感染したことのない細菌，ウイルス，寄生虫などが原因です。ラムノサス乳酸菌（Lactobacillus rhamnosus），乳酸菌GGなどの特定の菌株を摂取することで，旅行者の下痢を予防できるようです。地域によって細菌が異なるため，乳酸菌GGの効果は，旅行先によって大きく変わります。

・がん治療（がん化学療法）による下痢の予防。５-フルオロウラシルと呼ばれる化学療法薬は，重篤な下痢およびその他の胃腸に関連した副作用を発症することがあります。結腸がん，直腸がんの場合，ラムノサス乳酸菌および乳酸菌GGの特定の菌株を摂取することで，胃腸部における副作用が原因となる，重篤な下痢の発症の低減，胃の不快感の抑制，また入院治療の短期化，化学療法薬投与量の減少などが期待できるとするデータがあります。

・肺炎。１歳から６歳までのデイケアセンターに通院している小児に乳酸菌GG入りの牛乳あるいはアシドフィルス乳酸菌およびビフィズス菌を配合した特定の製品を与えた場合，重篤な肺炎を発症する危険性が低減すると見られます。

・潰瘍性大腸炎。乳酸菌，ビフィズス菌，サーモフィルス連鎖球菌を配合した，ある特定製品の摂取により，潰瘍性大腸炎の症状の改善を示唆するデータがあります。また乳酸菌の摂取により潰瘍性大腸炎の手術の合併症である慢性回腸嚢炎の治療に効果があるようです。乳酸菌，ビフィズス菌，サーモフィルス連鎖球菌を配合した特定の濃縮薬を1年間継続摂取するとほとんどの患者に効果があるようです。
・過敏性腸症候群。乳酸菌の特定の菌株が，腹部膨満，胃痛などの過敏性腸症候群の症状の改善に効果があるとのデータがあります。
・細菌性腟炎の治療。特定の乳酸菌の菌株を，腟内に投与することで，細菌性腟炎の治療に効果があるとする臨床データがあります。あるアシドフィルス乳酸菌坐薬（Vivag，Pharma Vinci A/S，Denmark）や，ある腟治療薬（Gynoflor，Medinova，Switzerland）が効果を及ぼしていると発表されています。また，ガセリ乳酸菌およびラムノサス乳酸菌の腟治療薬が，炎症発症までの期間を延長しているようだと発表されています。
・牛乳アレルギーの幼児および小児のアトピー性皮膚炎の治療ならびに予防。凍結乾燥したラムノサス乳酸菌およびレウテリ乳酸菌が，1歳から13歳までの小児のアトピー性皮膚炎の症状を緩和すると見られます。
・胃潰瘍の原因となるヘリコバクター・ピロリ菌の医療治療の補助。
・細菌性クロストリジウム・ディフィシレが原因の下痢の治療。

◆有効性レベル④

・クローン病。
・乳糖不耐症。
・腸内菌の過剰による症状を緩和。
・抗生物質服薬後の腟カンジダ症。乳酸菌を経口摂取，あるいは乳酸菌量の多いヨーグルトを摂取しても，抗生物質投与後の腟カンジダ症を予防しないとするデータがあります。しかしながら，10億個の乳酸菌GGの生菌を含む腟坐剤を1日2回，1週間，通常の治療と並行して使用した場合，症状が改善されたとする報告があります。

◆科学的データが不十分です

・一般的な消化器系障害，炎症性腸疾患，酵母菌感染症，細菌性腟感染症，高コレステロール血症，ライム病，蕁麻疹，熱性水疱，口内びらん，にきび，がん，免疫系への刺激など。

●体内での働き

多くの細菌など微生物が体内に自然に住んでいます。乳酸菌のような善玉菌は食べ物の分解，栄養素の吸収を補助し，下痢などの病気を引き起こす悪玉菌を撃退します。

医薬品との相互作用

中抗菌薬

乳酸菌は有益な細菌の一種です。抗菌薬は体内の有害な細菌を減少させるために用いられます。乳酸菌と抗菌薬を併用摂取すると，乳酸菌の作用が減弱する可能性があります。この相互作用を避けるため，抗菌薬を服用する少なくとも前後2時間は乳酸菌を摂取しないでください。

ハーブおよび健康食品・サプリメントとの相互作用

ほかのハーブ，健康食品・サプリメントとの相互作用についてはまだ明らかではありません。

使用量の目安

●経口摂取

乳酸菌製剤の力価は通常1カプセル中の生菌数により定量化されます。通常の摂取量は，10億～100億個の生菌を1日3～4回に分けて摂取します。

下痢の症状のある小児

補充溶液中50億～100億個の乳酸菌GGを摂取します。

下痢の症状のある乳児と小児

100億～1,000億個のロイテリ乳酸菌（Lactobacillus reuteri）を毎日，最長5日間摂取します。これより低い摂取量では効果がないと思われます。また，下痢の症状のある乳児と小児では，ラムノサス乳酸菌（Lactobacillus rhamnosus）とロイテリ乳酸菌併用を1日2回5日間用いることもあります。

小児における抗生物質関連の下痢の予防

毎日200億個の乳酸菌GGの生菌を通常の抗菌薬による治療中に投与します。

1～36カ月の入院中の乳児および小児における下痢の予防

60億個の乳酸菌GGの生菌を1日2回摂取します。

発展途上国の農村地域における新生児の生後1年間の下痢の予防と下痢の期間短縮

1億個の生きたスポロゲネス乳酸菌（Lactobacillus sporogenes）を1年間毎日摂取します。

デイケアセンターに通う小児における呼吸器感染症の予防

牛乳に，1mL当たり50万～100万個のコロニー形成単位の乳酸菌GGを加えて摂取します。牛乳の平均摂取量は260mL。

再発性クロストリジウム―ディフィシル

12.5億個の乳酸菌GGの生菌を2回に分けて2週間摂取します。

牛乳過敏性

1日26億個の乳酸菌GGを摂取します。

家族性アトピー歴のある乳児におけるアトピー性アレルギー

200億個の乳酸菌GG生菌を妊娠女性に出産前の2～4週間毎日投与し，出生後の最初の3～6カ月間母乳を与えている母親または人工栄養の乳児に投与します。

慢性嚢炎

乳酸菌，ビフィズス菌，レンサ球菌といったいくつかの菌株1g当たり3,000億個の生菌を含む特定の濃縮タイプ1回3gを1日2回摂取します。

旅行者下痢症の予防

1日に乳酸菌GG20億個を摂取します。

ニ

過敏性腸症候群

1回100億個の熱殺菌したアシドフィルス菌をカプセルで1日2回，4,500億個の生きている凍結乾燥乳酸菌パウダーをカプセルの形で1日2回に分けて，または200億個のコロニー形成単位のプランタラム乳酸菌（Lactobacillus plantarum）を毎日飲料として4～6週間摂取します。

●膣内投与

細菌性膣炎

10億個の乳酸菌GG生菌を含む膣坐薬を1日2回7日間使用します。

反復性尿路感染症のリスク減少

ラムノサス・カゼイ乳酸菌（Lactobacillus casei var rhamnosus）およびファーメンタム乳酸菌（Lactobacillus fermentum）0.5g（16億個の菌）を含む乳酸菌坐薬を1日2回，2週間使用し，その後月1回2カ月間使用します。1mLの投与量中1,000億個の生菌/mLを含む膣用液薬を1週間に2回使用します。

医薬品との相互作用

ほかの医薬品との相互作用については明らかではありません。

ハーブおよび健康食品・サプリメントとの相互作用

ほかのハーブ，健康食品・サプリメントとの相互作用についてはまだ明らかではありません。

使用量の目安

標準使用量に関するデータがありません。

ニレ樹皮

ELM BARK

●代表的な別名

エレム樹皮

別名ほか

スムースリーブドエルム（Smooth-leaved Elm），Ulmus minor

概　　要

ニレの樹皮です。樹皮を用いて「くすり」を作ることもあります。

安　全　性

十分なデータが得られていないので，安全性については不明です。

●妊娠中および母乳授乳期

妊娠中および母乳授乳期の使用の安全性についてはデータが不十分です。安全性を考慮し，摂取は避けてください。

有　効　性

◆科学的データが不十分です

・消化器系疾患，下痢，尿量の増加（利尿薬），および創傷（皮膚に塗布する場合）。

●体内での働き

どのように作用するかについては十分なデータが得られていません。

ニワウルシ

TREE OF HEAVEN

別名ほか

ニガキ，苦木（Ailanthus altissima），シンジュ，神樹（Heaven Tree），ウルシ（Varnish Tree），Ailanthus glandulosa，Ailanto，Alan-thus，Chinese Sumach，Copal Tree，Paradise Tree，Vernis de Japon

概　　要

ニワウルシは植物です。乾燥した樹幹および根の皮を用いて「くすり」を作ることもあります。

安　全　性

安全性については不明ですが，多量に摂取すると，むかつき，めまい，頭痛，四肢のうずき，下痢を引き起こすかもしれません。

●妊娠中および母乳授乳期

妊娠中，母乳授乳期は使用してはいけません。

有　効　性

◆科学的データが不十分です

・下痢，月経障害，気管支喘息，痙攣，てんかん，頻脈，淋病，マラリアのほか，強壮薬としての使用，または条虫への使用。

●体内での働き

樹皮に含まれる化合物が収れん作用をもち，そして解熱や痙攣抑制を補助すると考える研究者もいます。樹木に含まれる別の化合物は寄生虫や原虫を駆除し，がん細胞に対抗するということです。

医薬品との相互作用

中血液凝固を抑制する医薬品（抗凝固薬/抗血小板薬）

ニワウルシは血液凝固を抑制する可能性があります。ニワウルシと血液凝固を抑制する医薬品を併用すると，紫斑および出血のリスクが高まるおそれがあります。このような医薬品には，アスピリン，クロピドグレル硫酸塩，ダルテパリンナトリウム，エノキサパリンナトリウム，ヘパリン，チクロピジン塩酸塩などがあります。

ハーブおよび健康食品・サプリメントとの相互作用

ほかのハーブ，健康食品・サプリメントとの相互作用についてはまだ明らかではありません。

使用量の目安

●経口摂取

通常，6～9gを摂取します。

ニワトコの花

ELDERFLOWER

別名ほか

インカナハンノキ，インカナ榛の木（European Alder），ブラックエルダー（Black Elder），コモンエルダー（Common Elder），エルダーフラワー（European Elder Flower），セイヨウニワトコ，エルダーベリー（Sambucus nigra），Black-berried Alder，Boor Tree，Bountry，Ellanwood，Ellhorn，Sambucus，Sweet Elder

概　　要

ニワトコの花は樹木に咲く花です。花のエキスを用いて「くすり」を作ることもあります。

食品では，風味づけに使用します。

製品としては，抽出物が香水に使用され，ニワトコの花の水溶液が，点眼やスキンローションに使用されます。

●要説（ナチュラル・スタンダード）

数種類のニワトコ属がエルダーベリーの実をつけます。エビデンスのほとんどはSambucus nigraに関して言及しています。同様の部位や用途のあるアメリカエルダーやセイヨウニワトコと一緒に研究されることもしばしばあります。

欧州原産で米国にもたらされたセイヨウニワトコは，30フィート（約90cm）ほどに成長します。花および葉は，疼痛，腫脹，および炎症を軽減するために用いられてきました。粘液および尿の生成改善に対しても用いられます。葉は入浴に用いられます。樹皮は尿量，腸管運動の改善や，嘔吐を誘発する（催吐）ために用いられます。小さな果実（ベリー）は食用とされます。

花，青や黒のベリーが「くすり」としてもっとも多用されます。インフルエンザ，鼻炎，および気管支炎の治療に有効な働きをする可能性のある物質を含んでいます。ただし，さらなるエビデンスが必要です。エルダー単体の有効性についてのデータは十分ではありません。

樹皮，葉，種子，および生の果実は，有毒なおそれがあるsambunigrinという物質を含んでいます。

安　全　性

通常の食品に含まれる量を摂取する場合は，ほとんどの人に安全のようです。

ニワトコの花，スイバ，リンドウの根，バーベナおよびサクラソウの花を混合した特定の製品の一部として少量を使用する場合は，ほとんどの人におそらく安全です。この製品の一部としての利用以外で，「くすり」としての量を使用した場合の安全性については，データが不十分です。この混合製品により，消化器官のむかつきや，場合によってはアレルギー性の皮疹を引き起こすおそれがあります。

過剰な量を使用するのはおそらく安全ではありません。ニワトコの花をつける植物は一部の部位に，吐き気，嘔吐および下痢を引き起こすおそれがあるシアン化物生成物質が含まれています。この化学物質は加熱調理すると除去されます。

直接皮膚に塗布する場合の安全性については，データが不十分です。

糖尿病：ニワトコの花は血糖値を低下させるおそれがあります。糖尿病薬と併用すると，血糖値が過度に低下するおそれがあります。糖尿病に罹患していてニワトコの花を使用する場合，血糖値を注意深く監視してください。医師などに相談して，糖尿病薬の服薬量を減らす必要があるかどうかを確認してください。

手術：ニワトコの花は血糖値を低下させるおそれがあるため，手術中および術後の血糖コントロールを妨げるおそれがあります。少なくとも手術前2週間は，使用しないでください。

●妊娠中および母乳授乳期

妊娠中および母乳授乳期の使用の安全性についてはデータが不十分です。安全性を考慮し，摂取は避けてください。

有　効　性

◆有効性レベル③

・便秘。ニワトコの花，センナの花，フェンネルの果実，グリーンアニスの果実を含む茶を摂取すると，便秘の人の症状が改善し，排便の機会が増加するようです。
・副鼻腔炎（鼻の腫脹）。ニワトコの花，リンドウの根，バーベナ，サクラソウの花，スイバを混合した特定の製品を摂取すると，鼻腔炎の治療に役立つようです。

◆科学的データが不十分です

・気管支炎，感冒，インフルエンザ，咳，喉頭炎（嗄声），糖尿病，関節炎様の疼痛，炎症（腫脹）など。

●体内での働き

インスリンのように作用して，血糖値を低下させるおそれがあります。

医薬品との相互作用

中 糖尿病治療薬

有効性レベル：①効きます　②おそらく効きます　③効くと断言できませんが，効能の可能性が科学的に示唆されています
④効かないかもしれません　⑤おそらく効きません　⑥効きません

ニワトコの花は血糖値を低下させる可能性があります。糖尿病治療薬もまた血糖値を低下させるために用いられます。ニワトコの花と糖尿病治療薬を併用すると，血糖値が過度に低下するおそれがあります。血糖値を注意深く監視してください。糖尿病治療薬の用量を変更する必要があるかもしれません。このような糖尿病治療薬にはグリメピリド，グリベンクラミド，インスリン，メトホルミン塩酸塩，ピオグリタゾン塩酸塩，マレイン酸ロシグリタゾン（販売中止），クロルプロパミド，Glipizide，トルブタミド（販売中止）などがあります。

ハーブおよび健康食品・サプリメントとの相互作用

血糖値を低下させるおそれのあるハーブおよび健康食品・サプリメント

ニワトコの花は血糖値を低下させるおそれがあります。同様の作用をもつほかの天然物と併用すると，血糖値が過度に低下するおそれがあります。このようなハーブおよび健康食品・サプリメントには，α-リポ酸，ニガウリ，クロム，デビルズクロー，フェヌグリーク，ニンニク，グアーガム，セイヨウトチノキ，朝鮮人参，サイリウム，エゾウコギなどがあります。

ニ

使用量の目安

●経口摂取

急性/慢性副鼻腔炎

ニワトコの花36mg，リンドウの根12mg，スイバ36mg，バーベナ36mg，サクラソウの花36mgを混合した特定の製品を1日3回摂取します。

人参

CARROT

●代表的な別名

キャロット

別名ほか

Carota, Carotte, Cenoura, Danggeun, Daucus carota subsp. sativus, Gajar, Gelbe Rube, Hongdangmu, Hu Luo Bo, Karotte, Mohre, Mohrrube, Ninjin, Zanahoria

概　　要

人参は植物です。葉および地下茎（人参の根）は，食品として用いられます。地下茎を用いて「くすり」を作ることもあります。

人参の根は，がん，便秘，糖尿病，下痢，線維筋痛症，ビタミンA欠乏症，ビタミンC欠乏症および亜鉛欠乏症に対して，経口摂取されます。

食品として，人参の根を，生のままや，ゆでたり，揚げたり，蒸したりして食します。人参の根そのものを食べることも，ケーキ，プディング菓子，ジャム，貯蔵食品に加えることもあります。人参の根は，ジュースとして加工されることもあります。人参の葉は，生のまま，または調理して食されます。

安　全　性

人参を食品として摂取する場合には，ほとんどの人に安全のようです。「くすり」としての量の摂取の安全性については，データが不十分です。

人参を大量に摂取すると，皮膚が黄色くなるおそれがあります。ジュースとして大量に摂取すると，う歯になるおそれがあります。

小児：通常の食品に含まれている量の人参の摂取は，ほとんどの人に安全のようです。乳幼児に大量の人参ジュースを摂取させるのは，おそらく安全ではありません。大量の人参ジュースにより，皮膚が黄色くなったり，う歯になったりするおそれがあります。

糖尿病：人参が，血糖値を低下させるおそれがあります。このため，糖尿病治療薬に影響を与え，血糖値が過度に低下するおそれがあります。糖尿病患者が大量の人参を摂取する場合には，血糖値を注意深く監視してください。

●アレルギー

セロリおよび類似植物に対するアレルギー：カバノキ，マグワート，スパイス，セロリおよび類似植物にアレルギーがある場合には，人参によりアレルギー反応が起こるおそれがあります。これは「セロリ-人参-マグワート-スパイス症候群」と呼ばれています。

●妊娠中および母乳授乳期

妊娠中および母乳授乳期に，食品としての人参を摂取する場合には，ほとんどの人に安全のようです。ただし，妊娠中および母乳授乳期の「くすり」としての人参の摂取の安全性についてはデータが不十分です。

有　効　性

◆有効性レベル③

・ビタミンA欠乏症。初期の研究により，ビタミンA欠乏症の小児が，人参のジャムを10週間摂取することにより，成長率が改善することが示唆されています。ビタミンAが不足するリスクのある妊娠中の女性が，すりおろした人参を60日間摂取することにより，ビタミンAの値が改善することを示唆する初期の研究もあります。

◆科学的データが不十分です

・下痢，線維筋痛症，がん，便秘，糖尿病，ビタミンC欠乏症，亜鉛欠乏症など。

●体内での働き

人参にはβ-カロテンと呼ばれる化学物質が含まれています。β-カロテンは，アンチオキシダント（抗酸化物質）として作用する可能性があります。人参には食物繊維も含まれているため，下痢や便秘などの胃腸疾患を改善する可能性があります。

医薬品との相互作用

ほかの医薬品との相互作用については明らかではありません。

ハーブおよび健康食品・サプリメントとの相互作用

血糖値を低下させるおそれのあるハーブおよび健康食品・サプリメント

人参が血糖値を低下させるおそれがあります。人参と，血糖値を低下させるおそれのあるほかのハーブおよび健康食品・サプリメントを併用すると，血糖値が過度に低下するおそれがあります。このようなハーブおよび健康食品・サプリメントには，デビルズクロー，フェヌグリーク，グアーガム，朝鮮人参，サイリウム（オオバコ），エゾウコギなどがあります。

鉄

人参の摂取により，体内の鉄濃度が上昇するおそれがあります。人参と鉄サプリメントを併用すると，鉄の作用および副作用が増加するおそれがあります。

通常の食品との相互作用

鉄を含む食品

人参の摂取により，体内の鉄濃度が上昇するおそれがあります。人参と鉄を含む食品を併用すると，鉄濃度が過度に上昇するおそれがあります。

使用量の目安

【成人】

●経口摂取

ビタミンA欠乏症

人参をすりおろし，1日100g，60日間にわたり摂取します。

【小児】

●経口摂取

ビタミンA欠乏症

1日スプーン1杯の人参ジャムを，10週間にわたり摂取します。

ニンニク

GARLIC

別名ほか

熟成ニンニク抽出物（Aged Garlic Extract），ガーリック，タイサン，大蒜（Ail, Ajo, Allii Sativi Bulbus, Allium, Allium sativum），Camphor of the Poor, Clove Garlic, Garlic Clove, Lasuna, Nectar of the Gods, Poor Man's Treacle, Rust Treacle, Stinking Rose

概　　要

ニンニクはハーブです。食品の香料としての用途がもっとも知られています。しかし近年では，広範囲な病気および疾患の予防や治療のための「くすり」として用いられています。乾燥させてない小球根や，小球根から作ったサプリメントが「くすり」に用いられています。

さまざまな種類のニンニク製品が「くすり」として販売されています。ニンニクの有効成分であり，ニンニク独特の匂いの元であるアリシンの含有量は，調剤方法により異なります。アリシンは不安定で，すぐにほかの形態に変化します。この性質を活かし，熟成したニンニクを用いることで匂いを消している製造元もあります。ただ残念なことに，この方法によりアリシンの含有量が減少するため，製品の効果も失われます。無臭のニンニク製剤および製品は，アリシンをほとんど含まないか，含んでいたとしてもごくわずかです。生の小球根を砕くことでより多くのアリシンを採取できます。胃酸から保護するために，腸溶コーティングをほどこされた製品もあります。

食品の香料としても一般的ですが，食中毒防止のための食品添加物の働きもあることを示唆する科学者もいます。熟成していない生のニンニクが大腸菌，耐抗生剤の黄色ブドウ球菌，サルモネラ腸炎菌などの細菌を死滅させることを示唆する実験段階のエビデンスもあります。

●要説（ナチュラル・スタンダード）

ニンニクは，心疾患やがんの治療および予防に広く用いられます。研究により，乾燥させたニンニクの粉末錠剤を12週間摂取すると，総コレステロールが適度に軽減する可能性が示唆されています。ニンニクの長期使用による，コレステロールおよび心臓の健康への影響については，データが不十分です。

ニンニクを摂取することで，血圧がわずかに低下する効果および血液凝固効果を示唆する初期のエビデンスがあります。いくつかの研究により，市販の，とくに未加工のニンニクを摂取することで，胃がんおよび結腸がんなど，さまざまな種類のがんのリスクが低減する可能性も示唆されています。

ニンニクを摂取することで，出血を引き起こす例もあります。出血リスクがある場合，外科手術および歯科治療を受ける前には注意が必要です。

・新型コロナウイルス感染症（COVID-19）。

COVID-19に対してニンニクの使用を裏付ける十分なエビデンス（科学的根拠）はありません。

安　全　性

ニンニクは，適量を経口摂取する場合，ほとんどの人に安全のようです。研究で最長7年間まで安全に使用されています。経口摂取すると，口臭，口または胃の灼熱感，むねやけ，腸内ガス，吐き気，嘔吐，体臭および下痢を起こすことがあります。これらの副作用は生のニンニクの場合にしばしば悪化することがあります。出血リスクを高めるおそれもあります。ニンニクを摂取した患者が，手術後に出血した例が報告されています。ニンニクに接触する仕事をしている人に気管支喘息が報告されており，ほかにもアレルギー反応が起きるおそれがあります。

ニンニク製品を皮膚へ塗布する場合は，おそらく安全です。ニンニクを含むゲル，ペースト，洗口液は，最長3カ月間使用されています。ただし，ニンニクを皮膚へ塗布すると，熱傷に似た皮膚の損傷を引き起こすおそれがあります。

生のニンニクを皮膚へ塗布する場合は，おそらく安全ではありません。重度の皮膚過敏を引き起こすおそれがあります。

小児：適量を経口摂取する場合，短期間であれば，おそらく安全です。ただし，高用量の経口摂取は，おそらく安全ではありません。小児の高用量の摂取が危険で，死に至るおそれもあることを示唆する情報もありますが，その根拠は明らかではありません。小児によるニンニクの経口摂取に起因する重大な有害事象報告も死亡報告もありません。皮膚へ塗布する場合，熱傷に似た皮膚の損傷を引き起こすおそれがあります。

出血性疾患：ニンニク，とくに生のニンニクは出血リスクを上昇させるおそれがあります。

胃障害または消化不良：ニンニクが消化管を刺激するおそれがあります。胃障害または消化不良の場合には注意して使用してください。

低血圧：ニンニクは血圧を低下させる可能性があります。理論上，低血圧の場合には，血圧が過度に低下するおそれがあります。

手術：ニンニクは出血を長引かせたり，血圧コントロールを妨げたりするおそれがあります。少なくとも手術前2週間は，使用しないでください。

●妊娠中および母乳授乳期

妊娠中に，通常の食品に含まれている量を摂取する場合，ほとんどの人に安全のようです。妊娠中および母乳授乳期に「くすり」としての量を摂取するのは，おそらく安全ではありません。妊娠中および母乳授乳期に，皮膚へ塗布する場合の安全性についてはデータが不十分です。安全性を考慮し，皮膚への塗布は避けてください。

有効性

◆有効性レベル③

・動脈硬化。加齢にともない動脈は伸縮性や柔軟性を失いやすくなりますが，ニンニクはこの現象を抑制するようです。特定のニンニク粉末サプリメントを1日2回，24カ月間にわたり摂取すると，動脈硬化の進行が抑制されるようです。同製品をさらに高用量で4年間摂取する場合，男性よりも女性の方に高い効果がみられるようです。ニンニクとそのほかの成分を含有する別の製品を使った研究でも，効果がみられています。

・結腸がん・直腸がん。ニンニクを食べると結腸がんおよび直腸がんの発症リスクが低下することを示唆する研究があります。また，ある種の結腸腫瘍および直腸腫瘍と診断された人では，高用量の熟成ニンニクエキスを毎日，12カ月間にわたり摂取すると，新たな腫瘍の発生リスクが低下するようです。ただし，ほかのニンニクサプリメントでは同様の効果はみられないようです。

・高コレステロール血症。相反する研究結果があるものの，現時点でもっとも信頼性の高いエビデンスでは，高コレステロール血症患者がニンニクを摂取すると，総コレステロールが約15mg/dL，低比重リポタンパク（LDL，悪玉）コレステロールが約6mg/dL低下する可能性があることが示唆されています。ニンニクは，8週間以上にわたり毎日摂取する場合にもっとも効果があるようです。ただし，ニンニクを摂取しても，高比重リポタンパク（HDL，善玉）コレステロールの増加やトリグリセリド値の低下はみられません。

・高血圧。高血圧患者がニンニクを経口摂取すると血圧が7～8％も低下する可能性を示す研究があります。ほとんどの研究では特定のニンニク粉末製品が使用されています。

・前立腺がん。1日におよそ1鱗片のニンニクを食べる中国の男性は，前立腺がん発症リスクが50％低下するようです。また，ニンニクを食べると前立腺がん発症リスクが低下する可能性を示唆する集団研究があります。一方で，イランの男性がニンニクを食べても前立腺がんリスクには影響がないことを示唆する研究もあります。初期の臨床研究では，ニンニクエキスサプリメントを摂取すると，前立腺がんリスクまたは前立腺がんにともなう症状が減少する可能性が示唆されています。

・マダニ咬症。高用量のニンニクを約8週間摂取すると，マダニ咬症の回数が低下するようです。しかし，このニンニクの効果が市販のマダニ忌避剤の効果と比較してどれほどかは明らかになっていません。

・白癬。ニンニクに含まれる化学物質アホエンを0.6％含むゲルを，1日2回，1週間にわたり塗布すると，白癬治療用の抗真菌薬と同程度の効果があるようです。

・股部白癬。ニンニクに含まれる化学物質アホエンを0.6％含むゲルを，1日2回，1週間にわたり塗布すると，股部白癬治療用の抗真菌薬と同程度の効果があるようです。

・足部白癬。ニンニクに含まれる化学物質アホエンを1％含むゲルを塗布すると，足部白癬の治療に効果があるようです。また，アホエンを1％含むニンニクゲルを塗布すると，足部白癬治療薬と同程度の効果があるようです。

◆有効性レベル④

・乳がん。ニンニクを摂取しても乳がん発症リスクは低下しないようです。

・のう胞性線維症。のう胞性線維症および肺感染のある小児が，ニンニクのオイル漬を毎日，８週間にわたり摂取しても，肺機能や症状，抗生剤の必要性は改善しないことを示唆する研究があります。

・糖尿病。糖尿病患者が，特定のニンニク製品を４～24週間にわたり抗糖尿病薬と併用することで，血糖値，コレステロール値およびトリグリセリド値が低下する可能性を示唆する研究がいくつかあります。しかし，分析の結果，糖尿病の有無にかかわらず，ニンニクが血糖値やコレステロール値に何らかの栄養を及ぼすことはないようです。

・遺伝性高コレステロール血症。低比重リポタンパク（LDL，悪玉）コレステロール値が高い小児がニンニク粉末エキスを経口摂取しても，コレステロール値および血圧は改善しないようです。

・ヘリコバクター・ピロリ感染。実験により，ニンニクがヘリコバクター・ピロリに活性をもつ可能性を示すエビデンスが得られたことから，ニンニクの経口摂取はヘリコバクター・ピロリ感染に効果があると考えられていました。しかし，ニンニクの鱗片，粉末またはオイルをヒトが摂取しても，ヘリコバクター・ピロリ感染者の治療に役立つことはないようです。

・肺がん。ニンニクを経口摂取しても肺がん発症リスクは低下しないようです。

・防蚊剤。ニンニクを経口摂取しても防蚊効果はないようです。

・末梢動脈疾患（PAD）。ニンニクを12週間にわたり経口摂取しても，下肢循環不良による歩行時の下肢痛は緩和しないようです。

・妊娠高血圧（子癇前症）。高リスクの女性または初回妊娠の女性が，妊娠後期に，特定のニンニクエキスを毎日摂取しても，高血圧発症リスクは低下しないことを示唆する初期のエビデンスがあります。

◆科学的データが不十分です

・円形脱毛症，胸痛（狭心症），良性前立腺肥大（BPH），感冒，動脈血栓（冠動脈性心疾患），うおのめ，食道がん，運動後の筋肉痛，運動能力，線維のう胞性乳腺症，胃がん，胃炎，肝炎，肝肺症候群（肝疾患に関連する息切れおよび低酸素症），鉛中毒，多発性骨髄腫，口腔カンジダ症，口内炎，強皮症，膣酵母感染，疣贅（いぼ），体重減少など。

●体内での働き

ニンニクからはアリシンという化学物質が生成されます。この成分により，ニンニクが特定の疾患に効果を示すようです。アリシンはニンニクの匂いの原因となっている成分でもあります。ニンニクを熟成させて作った，「無臭の」ニンニク製品もありますが，熟成過程でニンニクの効果が弱まっている可能性があります。胃の中では溶けずに腸の中で溶けるようにコーティング（腸溶性コーティング）されたサプリメントを選ぶとよいでしょう。

医薬品との相互作用

中 アタザナビル硫酸塩

ニンニクはアタザナビル硫酸塩の体内への吸収量を減少させる可能性があります。そのため，アタザナビル硫酸塩の働きが抑制されるおそれがあります。

高 イソニアジド

ニンニクはイソニアジドの体内への吸収量を減少させる可能性があります。そのため，イソニアジドの作用が減弱するおそれがあります。イソニアジドを服用中にニンニクを摂取しないでください。

中 サキナビルメシル酸塩

サキナビルメシル酸塩はHIV感染症の治療に用いられます。ニンニクは，血液中に送られるサキナビルメシル酸塩の量を減少させる可能性があります。そのため，サキナビルメシル酸塩の効果が弱まるおそれがあります。

中 ワルファリンカリウム

ワルファリンカリウムは血液凝固を抑制するために用いられます。ニンニクはワルファリンカリウムの効果を強める可能性があります。ニンニクとワルファリンカリウムを併用すると，紫斑および出血のリスクが高まるおそれがあります。定期的に血液検査をしてください。ワルファリンカリウムの用量を変更する必要があるかもしれません。

中 肝臓で代謝される医薬品（シトクロムP450 2E1（CYP2E1）の基質となる医薬品）

特定の医薬品は肝臓で代謝されます。ニンニクオイルはこのような医薬品の代謝を抑制する可能性があります。ニンニクオイルと肝臓で代謝される医薬品を併用すると，医薬品の作用および副作用が増強するおそれがあります。このような医薬品には，アセトアミノフェン，クロルゾキサゾン，アルコール，テオフィリン，麻酔薬（エンフルラン（販売中止），ハロタン（販売中止），イソフルラン，Methoxyfluraneなど）などがあります。

中 肝臓で代謝される医薬品（シトクロムP450 3A4（CYP3A4）の基質となる医薬品）

特定の医薬品は肝臓および腸で代謝されます。ニンニクはこのような医薬品の腸での代謝を促進し，肝臓での代謝を抑制する可能性があります。ニンニクと肝臓や腸で代謝される医薬品を併用すると，医薬品の効果が強弱するおそれがあります。このような医薬品には，特定の心臓病薬のカルシウム拮抗薬（ジルチアゼム塩酸塩，ニカルジピン塩酸塩，ベラパミル塩酸塩），抗悪性腫瘍薬（エトポシド，パクリタキセル，ビンブラスチン硫酸塩，ビンクリスチン硫酸塩，ビンデシン硫酸塩），抗真菌薬（ケトコナゾール，イトラコナゾール），グルココルチコイド，Alfentanil，シサプリド，フェンタニルクエン酸塩，リドカイン塩酸塩，ロサルタンカリウム，ミダゾラムなどがあります。

中 血液凝固を抑制する医薬品（抗凝固薬/抗血小板薬）

ニ

ニンニクは血液凝固を抑制する可能性があります。ニンニクと血液凝固を抑制する医薬品を併用すると，紫斑および出血のリスクが高まるおそれがあります。このような医薬品には，アスピリン，クロピドグレル硫酸塩，ジクロフェナクナトリウム，イブプロフェン，ナプロキセン，ダルテパリンナトリウム，エノキサパリンナトリウム，ヘパリン，ワルファリンカリウムなどがあります。

中抗HIV薬（HIVプロテアーゼ阻害薬）

ニンニクを摂取すると，血液中に送られる抗HIV薬の量が減少する可能性があります。そのため，抗HIV薬の効果が弱まるおそれがあります。このような抗HIV薬には，アンプレナビル（販売中止），ネルフィナビルメシル酸塩，リトナビル，サキナビルメシル酸塩などがあります。

中降圧薬

ニンニクは，人によっては血圧を低下させる可能性があります。ニンニクと降圧薬を併用すると，血圧が過度に低下するおそれがあります。降圧薬を服用中にニンニクを過剰摂取しないでください。このような降圧薬には，ニフェジピン，ベラパミル塩酸塩，ジルチアゼム塩酸塩，Isradipine，フェロジピン，アムロジピンベシル酸塩などがあります。

中糖尿病治療薬

ニンニクは糖尿病患者の血糖値を低下させる可能性があります。糖尿病治療薬も血糖値を低下させるために用いられます。ニンニクと糖尿病治療薬を併用すると，血糖値が過度に低下するおそれがあります。血糖値を注意深く監視してください。糖尿病治療薬の用量を変更する必要があるかもしれません。このような糖尿病治療薬には，グリメピリド，グリベンクラミド，インスリン，ピオグリタゾン塩酸塩，マレイン酸ロシグリタゾン（販売中止），クロルプロパミド，Glipizide，トルブタミド（販売中止）などがあります。

中タクロリムス水和物

タクロリムス水和物は肝臓で代謝されます。ニンニクはタクロリムス水和物の代謝を抑制する可能性があります。ニンニクとタクロリムス水和物を併用すると，タクロリムス水和物の作用および副作用が増強するおそれがあります。

ハーブおよび健康食品・サプリメントとの相互作用

魚油（EPA（エイコサペンタエン酸）を含む）

魚油が血液凝固を抑制するおそれがあります。ニンニクもまた血液凝固を抑制するおそれがあります。併用すると，人によっては出血のリスクが高まるおそれがあります。

血圧を低下させるおそれのあるハーブおよび健康食品・サプリメント

ニンニクが血圧を低下させるおそれがあります。同様の作用をもつほかのハーブおよび健康食品・サプリメントと併用すると，人によっては血圧が過度に低下するリスクが高まるおそれがあります。このようなハーブおよび健康食品・サプリメントには，アンドログラフィス，カゼイン・ペプチド，キャッツクロー，コエンザイムQ-10，魚油，L-アルギニン，クコ，イラクサ，テアニンなどがあります。

血液凝固を抑制するおそれのあるハーブおよび健康食品・サプリメント

ニンニクと，血液凝固を抑制するおそれのあるほかのハーブおよび健康食品・サプリメントを併用すると，人によっては出血のリスクが高まるおそれがあります。このようなハーブおよび健康食品・サプリメントには，アンゼリカ，クローブ，タンジン，ショウガ，イチョウ，レッドクローバー，ウコン，ビタミンE，ヤナギなどがあります。

使用量の目安

●経口摂取

動脈硬化

ニンニク粉末錠剤300mgを１日１回または３回，最長４年間摂取します。または，特定のニンニクサプリメント150mgを１日２回，24カ月間にわたり摂取します。または，ニンニクを含む併用製品を摂取します。または，熟成ニンニクエキス250mgを含む特定の熟成ニンニクエキスサプリメントを毎日，12カ月間にわたり摂取します。または，熟成ニンニクエキス300mgを含む併用製品１日４錠を，１年間にわたり摂取します。

結腸がん・直腸がん

熟成ニンニクエキス2.4mLを含むカプセルを毎日，12カ月間にわたり摂取します。

高コレステロール血症

特定の熟成ニンニクエキス1,000～7,200mgを１日数回に分けて毎日，４～６カ月間にわたり摂取します。または，特定のニンニク粉末錠剤600～900mgを１日２回以上に分けて毎日，６～16週間にわたり摂取します。または，別の特定のニンニク粉末製品300mgを１日２回，12週間にわたり摂取します。または，ニンニク粉末1,200mgと魚油３gを毎日，４週間にわたり摂取します。または，ニンニクオイル500mgと魚油600mgを毎日，60日間にわたり摂取します。

高血圧

ニンニク錠剤300～1,500mgを１日数回に分けて毎日，24週間にわたり摂取します。または，特定のニンニク粉末錠剤を，2,400mgで単回摂取するか，１日600mgを12週間にわたり摂取します。または，熟成ニンニクエキス960mg～7.2gを含むカプセルを１日最大３回に分けて毎日，最長６カ月間摂取します。または，ニンニクオイル500mgと魚油600mgを毎日，60日間にわたり摂取します。

前立腺がん

水溶性ニンニクエキスを体重１kg当たり１mg，１カ月間にわたり毎日摂取します。

マダニ咬症

ニンニク1,200mgを含むカプセルを毎日，８週間にわたり摂取します。

●皮膚への塗布

皮膚の真菌感染症（白癬，股部白癬，足部白癬）

ニンニクの成分アホエンを0.4%含むクリーム，0.6%含むゲル，または１%含むゲルを，１日２回，１週間塗布します。

ネナシカズラ

DODDER

別名ほか

菟絲子，ハマネナシカズラ，Beggarweed，Cuscuta chinensis，Cuscuta epithymum，Cuscutae，Devil's Guts，Dodder of Thyme，Hellweed，Lesser Dodder，Scaldweed，Strangle Tare，Tu Si Zi，Tu Sizi

概　　要

ネナシカズラはハーブです。地上部を用いて「くすり」を作ることもあります。

安　全　性

十分なデータが得られていないため，安全性については不明です。人によっては，胃痛が起こるかもしれません。

●妊娠中および母乳授乳期

妊娠中および母乳授乳期の使用の安全性についてはデータが不十分です。安全性を考慮し，摂取は避けてください。

有　効　性

◆科学的データが不十分です

・膀胱，肝臓，および脾臓の障害。

●体内での働き

下剤効果があると考えられています。

医薬品との相互作用

ほかの医薬品との相互作用については明らかではありません。

ハーブおよび健康食品・サプリメントとの相互作用

ほかのハーブ，健康食品・サプリメントとの相互作用についてはまだ明らかではありません。

使用量の目安

標準使用量に関するデータがありません。

ネバリオグルマ

ROSINWEED

別名ほか

ツキヌキオグルマ（Silphium laciniatum），Compass Weed，Pilot Weed，Polar Plant

概　　要

ネバリオグルマは植物です。根が「くすり」として使用されることもあります。

安　全　性

安全性，または副作用については，まだわかっていません。

●妊娠中および母乳授乳期

妊娠中および母乳授乳期の使用の安全性についてはデータが不十分です。安全性を考慮し，摂取は避けてください。

有　効　性

◆科学的データが不十分です

・消化器系疾患。

●体内での働き

むくみ（浮腫）を緩和し，発汗を促し，痙攣を抑えます。こうした効能は科学的に確かめられたわけではありません。

医薬品との相互作用

中 炭酸リチウム

ネバリオグルマは，利尿薬のような作用があるため，摂取することで炭酸リチウムの体外排泄量が減少します。この結果体内炭酸リチウム濃度が上昇し深刻な副作用を起こすおそれがあります。

ハーブおよび健康食品・サプリメントとの相互作用

ほかのハーブ，健康食品・サプリメントとの相互作用についてはまだ明らかではありません。

使用量の目安

標準使用量に関するデータがありません。

ネムノキ

ALBIZIA JULIBRISSIN

●代表的な別名

ネム

別名ほか

Acacia julibrissin, Acacia mollis, Arbre de Sois, Federbaum, He Huan Hua, He Huan Pi, Jagwinamu, Mimosa, Mimosa arborea, Mimosa julibrissin, Nemu No Ki, 合歓木, 合歓の木, Pink Siris, Plenk Siris, Schlafbaum, Schmirmakazie, Silk Tree, Silkesträd, Siris, Syboom, Varay Cotton

概　要

ネムノキは南アジアおよび東アジア原産の樹木です。花と幹の皮を用いて「くすり」を作ることもあります。

ネムノキは，不安，がん，不眠，皮膚感染症などに対して使用されますが，このような用途を裏付ける十分な科学的根拠（エビデンス）はありません。

安全性

ネムノキを経口摂取した場合，その安全性および副作用については情報が不十分です。

ネムノキを皮膚に塗布した場合，その安全性および副作用については情報が不十分です。

手術：ネムノキは中枢神経系に影響を及ぼす可能性があります。ネムノキは手術中および手術後に脳に使用される麻酔などの医薬品の作用を強めるおそれがあります。少なくとも手術前２週間は，ネムノキを使用しないでください。

●妊娠中および母乳授乳期

妊娠中および母乳授乳期にネムノキを使用する安全性については情報が不十分です。安全性を考慮し，摂取しないでください。

有効性

◆科学的データが不十分です

・不安，がん，うつ病，不眠，咽喉痛，気分の改善，外傷，昆虫刺傷，皮膚感染症（せつ，および膿瘍），床ずれ（褥瘡性潰瘍），骨折，捻挫など。

●体内での働き

ネムノキの化学物質には，沈静，誘眠，抗がん，抗酸化の作用があります。

医薬品との相互作用

中 鎮静薬（中枢神経抑制薬）

ネムノキは眠気および注意力低下を引き起こす可能性があります。鎮静薬は眠気を引き起こす医薬品です。ネムノキを摂取し，鎮静薬を併用すると，過度の眠気を引き起こすおそれがあります。このような鎮静薬には，ペントバルビタールカルシウム，フェノバルビタール，セコバルビタールナトリウム，クロナゼパム，ロラゼパム，ゾルピデム酒石酸塩などがあります。

ハーブおよび健康食品・サプリメントとの相互作用

眠気および注意力低下を引き起こすおそれのあるハーブおよび健康食品・サプリメント

ネムノキは眠気および注意力低下を引き起こすおそれがあります。眠気および注意力低下を引き起こすおそれのあるほかのハーブおよび健康食品・サプリメントとネムノキを併用すると，過度の眠気および注意力低下を引き起こすおそれがあります。このようなハーブおよび健康食品・サプリメントには，5-ヒドロキシトリプトファン，ショウブ，ハナビシソウ，キャットニップ，ホップ，ジャマイカ・ドッグウッド，カバ，セント・ジョンズ・ワート，スカルキャップ，カノコソウ，アネモプシス・カリフォルニカなどがあります。

使用量の目安

ネムノキの適量は複数の要因（年齢，健康状態などさまざまな状況）により異なります。現時点ではネムノキの適量の範囲を決定する十分な科学的根拠（エビデンス）はありません。自然由来の製品は必ずしも常に安全ではなく，使用量が重要になりうることに留意してください。製品の表示にある注意事項に従い，また，医師・薬剤師などに相談することなく製品を使用しないでください。

粘土

CLAY

別名ほか

Beidellitic Montmorillonite, Calcium Montmorillonite, Dioctahedral Smectite

概　要

粘土は土の一種です。粘土の種類によっては，「くすり」を作るために用いられることもあります。

粘土は，下痢，胃障害，過敏性腸症候群，中毒症，吐き気などに対し，摂取されます。

安全性

カルシウム・モンモリロナイトとして知られる粘土の一種を経口摂取する場合には，短期間であれば，おそらく安全です。この種類の粘土は，１日３g，最大３カ月間までの摂取であれば，安全のようです。

粘土を長期間にわたり経口摂取する場合には，おそらく安全ではありません。粘土を長期間にわたり摂取すると，カリウム濃度や鉄濃度の低下を引き起こすおそれがあります。また，鉛中毒，筋力低下，腸の通過障害，皮膚のひりひり感，呼吸器疾患を引き起こすおそれもあります。

貧血：粘土が，鉄の吸収に影響を与え，貧血の症状を悪化させるおそれがあります。

低カリウム血症（血中カリウム濃度の低下）：粘土がカリウム濃度を低下させ，低カリウム血症を悪化させるおそれがあります。

●妊娠中および母乳授乳期

妊娠中に粘土を長期にわたり経口摂取する場合には，おそらく安全ではありません。妊娠中に粘土を経口摂取すると，高血圧や腫脹のリスクが高まるおそれがあります。妊娠中に粘土を短期間使用する場合の安全性については，データが不十分です。

母乳授乳期の使用の安全性については，データが不十分です。安全性を考慮し，摂取は避けてください。

有 効 性

◆科学的データが不十分です

・過敏性腸症候群（IBS），下痢，中毒，吐き気など。

●体内での働き

粘土は，特定の金属と結合し，その金属の胃腸における吸収を妨げるおそれがあります。このため，水銀などの有毒金属による中毒の治療や予防に有効な可能性があります。

医薬品との相互作用

中キニーネ塩酸塩水和物

粘土とキニーネ塩酸塩水和物を併用すると，キニーネ塩酸塩水和物の体内への吸収量が減少する可能性があります。そのため，キニーネ塩酸塩水和物の作用を弱めるおそれがあります。

中シメチジン

粘土はシメチジンの吸収量を低下させる可能性があります。そのため，シメチジンの作用を減弱させるおそれがあります。

ハーブおよび健康食品・サプリメントとの相互作用

鉄

粘土と，鉄のサプリメントを併用すると，体内へ吸収される鉄分の量が減少するおそれがあります。

カリウム

粘土と，カリウムのサプリメントを併用すると，体内へ吸収されるカリウムの量が減少するおそれがあります。

亜鉛

粘土と，亜鉛のサプリメントを併用すると，体内へ吸収される亜鉛の量が減少するおそれがあります。

使用量の目安

通常の食品に含まれている量を超えて経口摂取した場合の安全性および副作用については，明らかになっていません。

ノコギリソウ

YARROW

●代表的な別名

アキレア

別名ほか

アキレア（Achillea），アキレアミレフォリウム，セイヨウノコギリソウ（Achillea millefolium），Achillea borealis，Achillea lanulosa，Achillea magna，Band Man's Plaything，Bauchweh，Birangasifa，Birangasipha，Biranjasipha，ブラッドワート（Bloodwort），Carpenter's Weed，Civan percemi，コモンヤロウ，ヤロウ，ヤロー（Common Yarrow），Devil's Nettle，Devil's Plaything，Erba da Cartentieri，Erba da Falegname，Gandana，Gemeine Schafgarbe，グリーンアロー（Green Arrow），Herbe Aux Charpentiers，Katzenkrat，ミルフォイル（Milefolio），Millefeuille，Millefolii Flos，Millefolii Herba，Millegoglie，Noble Yarrow，ノーズブリード（Nosebleed），Old Man's Pepper，Roga Mari，Sanguinary，Soldier's Wound Wort，Staunchweed，Tausendaugbram，Thousand-leaf，Wound Wort

概 要

ノコギリソウはハーブです。地上部を用いて「くすり」を作ることもあります。

●要説（ナチュラル・スタンダード）

ノコギリソウは，ハーブとして長い歴史があり，創傷，切り傷，擦り傷治療のために皮膚に塗布されます。属名の「アキレア（Achillea）」は，伝えられるところによれば，ギリシャ神話のアキレスが，戦いでの剣傷を治療するために自分の軍隊に持参したことに由来しています。乾燥したノコギリソウの茎は，易経占いでの筮竹として使用されています。

現在，ノコギリソウの有効性に関する質の高い臨床試験はありません。実験室内の研究ではノコギリソウの抗菌効果を示したものの，ノコギリソウ，ジュニパー（Juniper），イラクサ（Nettle）のハーブを併用した質の低い研究ではありますが，歯垢や歯肉炎の抑制に関するいかなる効果も見出すことはできませんでした。

安 全 性

一般的に成人には安全だと考えられています。

人によっては，経口摂取でめまいを起こし，尿量が増えるようになるかもしれません。

皮膚に触れると，炎症が起こる可能性があります。

２週間以内に手術を受ける予定の人は使用してはいけません。出血のリスクが高まります。

●アレルギー

ブタクサやキク，マリーゴールド，デイジーなどにアレルギーのある人は使用してはいけません。

●妊娠中および母乳授乳期

妊娠中，母乳授乳期は使用してはいけません。

有　効　性

◆科学的データが不十分です

・発熱，感冒，花粉症，下痢，胃部不快感，腸内ガス，歯痛など。

●体内での働き

血圧に影響を与え，またおそらく，抗炎症作用をもつ化合物が多く含まれるようです。

医薬品との相互作用

低胃酸分泌抑制薬（プロトンポンプ阻害薬）

ノコギリソウは胃酸を増加させる可能性があります。ノコギリソウが胃酸を増加させることで，胃酸分泌抑制薬の効果が弱まるおそれがあります。このような胃酸分泌薬（プロトンポンプ阻害薬）には，オメプラゾール，ランソプラゾール，ラベプラゾールナトリウム，パントプラゾールナトリウム水和物（販売中止），エソメプラゾールマグネシウム水和物などがあります。

中バルビツール酸系鎮静薬

ノコギリソウは眠気および注意力低下を引き起こす可能性があります。鎮静薬も眠気を引き起こす医薬品です。ノコギリソウと鎮静薬を併用すると，過度の眠気が引き起こされるおそれがあります。このような鎮静薬には，ペントバルビタールカルシウム，フェノバルビタール，セコバルビタールナトリウムなどがあります。

低胃酸分泌抑制薬（H２受容体拮抗薬）

ノコギリソウは胃酸を増加させる可能性があります。ノコギリソウが胃酸を増加させることで，特定の胃酸分泌抑制薬（H２受容体拮抗薬）の効果が弱まるおそれがあります。このようなH２受容体拮抗薬には，シメチジン，ラニチジン塩酸塩，ニザチジン，ファモチジンなどがあります。

中血液凝固を抑制する医薬品（抗凝固薬/抗血小板薬）

多量のノコギリソウは血液凝固を抑制する可能性があります。ノコギリソウと血液凝固を抑制する医薬品を併用すると，紫斑および出血のリスクが高まるおそれがあります。このような医薬品には，アスピリン，クロピドグレル硫酸塩，チカグレロル，ジクロフェナクナトリウム，イブプロフェン，ナプロキセン，ダルテパリンナトリウム，エノキサパリンナトリウム，ヘパリン，ワルファリンカリウムなどがあります。

低制酸薬

制酸薬は胃酸を減少させるために用いられます。ノコギリソウは胃酸を増加させる可能性があります。ノコギリソウが胃酸を増加させることで，制酸薬の効果が弱まるおそれがあります。このような制酸薬には，沈降炭酸カルシウム，Dihydroxyaluminum sodium carbonate，Magaldrate，硫酸マグネシウム水和物，乾燥水酸化アルミニウムゲル，ラニチジン塩酸塩，シメチジン，ニザチジン，ファモチジン，オメプラゾール，ランソプラゾール，ラベプラゾールナトリウム，パントプラゾールナトリウム水和物（販売中止），エソメプラゾールマグネシウム水和物などがあります。

中炭酸リチウム

ノコギリソウは利尿薬のように作用する可能性があります。ノコギリソウを摂取すると，炭酸リチウムの体内からの排泄が抑制される可能性があります。そのため，体内の炭酸リチウム量が増加し，重大な副作用が現れるおそれがあります。

ハーブおよび健康食品・サプリメントとの相互作用

血液凝固を抑制するハーブおよび健康食品・サプリメント

ノコギリソウは血液凝固を減速させます。同様の働きをするハーブおよび健康食品・サプリメントと併用すると，挫傷および出血のリスクが増大する可能性があります。血液凝固を減速させるハーブおよび健康食品・サプリメントには，アンゼリカ，クローブ，タンジン，ニンニク，ショウガ，イチョウ，および朝鮮人参などがあります。

ツジョン（Thujone）を含有するハーブ

ノコギリソウは中枢神経を刺激するツジョン（Thujone）を少量含んでおり，大量の摂取は毒性があります。ツジョンの毒性を高める可能性があるため，ノコギリソウとほかのツジョンを含むハーブと併用しないでください。ツジョンを含むハーブは，オークモス，コノテガシワ，セージ，ヨモギギク，ヒバ，ツリーモス，およびヨモギなどです。

使用量の目安

●経口摂取

標準使用量に関するデータがありません。ただし，従来から２～４gの乾燥した花頭，またはお茶１杯を１日３回摂取します。お茶は，２～４gの乾燥した花頭，または２gの細かく刻んだ地上部を150mLの熱湯に10～15分浸してからこします。１日の上限量は，地上部4.5g，花頭部３g，生の植物から絞ったジュース茶さじ３杯か，それに相当する量。流エキス（１：１，25％アルコール）は１回２～４mLを１日３回摂取します。チンキ剤（１：５，45％アルコール）の場合，１回２～４mLを１日３回摂取します。

●局所投与

標準使用量に関するデータがありません。ただし，従来から腰湯座浴として，お湯20 Lごとに100gの地上部を加えます。

相互作用レベル：高この医薬品と併用してはいけません　中この医薬品とは慎重に併用するか併用しないでください　低この医薬品との併用には注意が必要です

ノコギリヤシ

SAW PALMETTO

●代表的な別名

ソーパルメット

別名ほか

矮性ヤシ（Palmier Nain），ノコギリパルメット（Saw Palmetto Berry），American Dwarf Palm Tree, Cabbage Palm, Ju-Zhong, Sabal, Sabal Fructus

概　要

ノコギリヤシは植物です。果実を用いて「くすり」を作ることもあります。

●要説（ナチュラル・スタンダード）

ヨーロッパでは，前立腺肥大症の治療にノコギリヤシ（Serenoa repens, Serenoa serrulata）が一般的に用いられています。米国では，標準的な治療方法としては用いられていませんが，ハーブとしてはもっとも人気があります。200万人以上のアメリカ人男性が前立腺肥大症の治療にノコギリヤシを用いており，代替療法として米国食品医薬品局（FDA）が一般に推奨しています。

多くの研究により，ノコギリヤシには，フィナステリド（finasteride）と呼ばれるホルモン薬と同様の効果があり，膀胱機能障害の治療に用いても副作用がほとんどないことが示唆されています。ほとんどの研究において，ノコギリヤシ製品であるPermixonが注目されていますが，結果は一致せず，さらなる研究が必要とされています。

ノコギリヤシは，精子減少症，性欲喪失，脱毛症，気管支炎，糖尿病，炎症，片頭痛，および前立腺がんにも用いられていますが，これらの疾患・症状に対する有効性を支持するエビデンスは限られています。

安 全 性

ほとんどの人に安全です。

めまい，悪心，嘔吐，便秘，下痢などの軽い副作用が引き起こされる可能性があります。

勃起不能の原因とはならないと考えられます。

ノコギリヤシには血液の粘度を下げる作用があると考えられています。手術の前にノコギリヤシを摂取した人に生じた過度の出血とノコギリヤシには関連があります。

ノコギリヤシの摂取で肝臓または膵障害を生じる人がいるという懸念もあります。

ノコギリヤシ製品が肝障害と関連しているとする報告が2件と，ノコギリヤシが膵障害と関連しているという例が1件報告されています。ノコギリヤシの摂取でこれらの問題が生じるのはまれですが，どれぐらいの頻度で生じているのかについては十分なデータがありません。

２週間以内に手術を受ける予定の人は使用してはいけません。出血のリスクが高まります。

●妊娠中および母乳授乳期

妊娠中，母乳授乳期は使用してはいけません。

有 効 性

◆有効性レベル③

・前立腺肥大。ノコギリヤシには，夜間の頻尿などの前立腺肥大の諸症状を緩やかに改善する働きがあると見られています。ノコギリヤシには，フィナステリド（5α-還元酵素Ⅱ型阻害薬）や，タムスロシン（α１遮断薬）などの医療用医薬品と同程度の効果があるとする研究データもあります。しかし，別の研究データでは，患者によっては，ノコギリヤシはほとんど効果がないとするものもあります。なお，ノコギリヤシによる治療で症状に改善が見られるようになるには，１～２カ月間摂取する必要があります。

◆科学的データが不十分です

・非細菌性前立腺炎/慢性骨盤痛症候群の治療，乳房のサイズアップ，発毛，感冒，咳，咽喉頭部痛，気管支喘息，慢性気管支炎，前立腺がん，および片頭痛。

●体内での働き

前立腺の全体的なサイズを減少させる作用はありませんが，尿道に圧力を加える内壁を収縮させる作用はあると考えられます。

医薬品との相互作用

中エストロゲン（卵胞ホルモン）製剤

ノコギリヤシは体内のエストロゲン量を減少させるようです。ノコギリヤシとエストロゲン製剤を併用すると，エストロゲン製剤の効果が弱まるおそれがあります。このようなエストロゲン製剤には，結合型エストロゲン，エチニルエストラジオール，エストラジオールなどがあります。

中血液凝固を抑制する医薬品（抗凝固薬/抗血小板薬）

ノコギリヤシは血液凝固を抑制する作用があると考えられています。血液凝固を抑制する医薬品を服用しているときにノコギリヤシを摂取すると，紫斑および出血のリスクが高まるおそれがあります。このような医薬品には，アスピリン，クロピドグレル硫酸塩，ジクロフェナクナトリウム，イブプロフェン，ナプロキセン，ダルテパリンナトリウム，エノキサパリンナトリウム，ヘパリン，ワルファリンカリウムなどがあります。

中避妊薬

特定の避妊薬はエストロゲンを含みます。ノコギリヤシは体内でのエストロゲンの作用を弱める可能性があります。ノコギリヤシと避妊薬を併用すると，避妊薬の効果が弱まるおそれがあります。避妊薬とノコギリヤシを併用する場合は，コンドームなど，ほかの避妊方法を併用してください。このような避妊薬にはエチニルエストラジオール・レボノルゲストレル配合，エチニルエストラジオール・ノルエチステロン配合などがあります。

ハーブおよび健康食品・サプリメントとの相互作用

ほかのハーブ，健康食品・サプリメントとの相互作用についてはまだ明らかではありません。

使用量の目安

●経口摂取

前立腺肥大症

臨床試験では，80～90％の脂肪酸を含有する脂溶性エキス1回160mgを1日2回，または320mgを1日1回摂取します。

野ダイコン

WILD RADISH

別名ほか

セイヨウノダイコン，キバナダイコン（Raphanus raphanistrum），Joint-podded Charlock

概　　要

野ダイコンはハーブです。花が咲く前の全体部分を用いて「くすり」を作ることもあります。

安 全 性

十分なデータが得られていないため，安全性については不明です。

多量に摂取すると，口や消化器官全体に炎症が起こる場合があります。

●妊娠中および母乳授乳期

妊娠中および母乳授乳期の使用の安全性についてはデータが不十分です。安全性を考慮し，摂取は避けてください。

有 効 性

◆科学的データが不十分です

・胃障害および皮膚障害。

●体内での働き

どのように作用するかについては十分なデータが得られていません。

医薬品との相互作用

ほかの医薬品との相互作用については明らかではありません。

ハーブおよび健康食品・サプリメントとの相互作用

ほかのハーブ，健康食品・サプリメントとの相互作用についてはまだ明らかではありません。

使用量の目安

標準使用量に関するデータがありません。

ノニ

NONI

別名ほか

Ba Ji Tian, Bois Douleur, Canarywood, Cheese Fruit, Hai Ba Ji, Hawaiian Noni, Hog Apple, Indian Mulberry, Jus de Noni, Luoling, Mengkudu, Menkoedoe, Mora de la India, Morinda, Morinda citrifolia, Mulberry, Mûre Indienne, Nhau, Noni Juice, Nono, Nonu, Pau-Azeitona, Rotten Cheese Fruit, Ruibarbo Caribe, Tahitian Noni Juice, Ura, Wild Pine, Wu Ning, Yor

概　　要

ノニは，太平洋諸島，東南アジア，オーストラリアおよびインドに生育する低木常緑樹で，しばしば溶岩流上に生育します。ノニは古来より赤または黄色の衣服の染料に使用されてきました。また，通常は皮膚に塗布する「くすり」として使用されてきました。

現代でもノニの果実，葉，花，茎，樹皮および根を使った「くすり」がさまざまな疾患に用いられています。ただし，これらの使用法に対するノニの効果はまだ証明されていません。米国食品医薬品局（FDA）はノニ製品メーカーに対し，事実に基づかない健康上の有効性の表示に関する警告を，複数回にわたり出しています。

ノニは，仙痛，痙攣，咳，糖尿病，排尿痛，月経誘発，発熱，肝疾患，便秘，妊娠中の膣分泌物，マラリアによる発熱および吐き気，痘瘡，脾腫，腫脹，気管支喘息，関節炎など骨と関節の異常，がん，白内障，感冒，うつ病，消化障害，胃潰瘍，高血圧，感染，腎障害，片頭痛，月経前症候群，脳卒中，疼痛，鎮静などに対して経口摂取されます。

ノニジュースは，関節炎，糖尿病，高血圧，筋肉痛，月経困難，頭痛，心疾患，エイズ，がん，胃潰瘍，捻挫，うつ病，老衰，消化不良，動脈硬化，循環障害，薬物嗜癖などに対して使用されます。

ノニの葉は「くすり」として，リウマチ痛および関節の腫脹，胃痛，赤痢，フィラリア症などに使用されます。ノニの樹皮は分娩を補助する「くすり」に使用されます。

ノニは皮膚に塗布されることもあります。皮膚を保湿し加齢変化を緩和する目的で塗布します。ノニの葉は，関節炎の関節まわりを包んだり，頭痛のときには額，また熱傷，疼痛および創傷には患部に直接当てて使用します。ノニの葉と果実を混ぜたものは，膿瘍の患部に，ノニの根の製剤は，創傷および痘瘡の軟膏に使用されます。

ノニの茎は，リーシュマニア症の人向けの軟膏に使用されます。

食品としては，ノニの果実，葉，根，種子および樹皮が食用とされます。

ノニの種類によっては，果実や果汁の匂いおよび味が不快なものがあります。

安全性

ノニを経口摂取する場合，またはノニを含む軟膏を皮膚へ塗布する場合，おそらく安全です。ただし，ノニ茶またはノニジュースを数週間摂取した後に肝障害を起こした例が報告されています。この副作用の原因が本当にノニであるかどうかは不明です。

乾燥させたノニの果実を摂取する場合，胃の不快感を引き起こすおそれがあります。

腎障害：ノニには大量のカリウムが含まれており，とくに腎疾患患者では問題となることがあります。ノニジュースを飲んだ後で腎疾患による高カリウム血症を引き起こした例が報告されています。腎疾患のある場合は，ノニを摂取しないでください。

高カリウム血症：ノニジュースを飲むとカリウム値が高まり，高カリウム血症患者ではカリウム値が過度に高まるおそれがあります。

肝疾患：ノニは複数の肝障害の症例に関連づけられています。肝疾患のある場合，摂取は避けてください。

●妊娠中および母乳授乳期

妊娠中はノニを摂取してはいけません。ノニは昔から中絶に使用されてきました。母乳授乳期の使用の安全性についてはデータが不十分です。安全性を考慮し，摂取は避けてください。

有効性

◆科学的データが不十分です

・がん，加齢による頚部脊椎症，運動能力，聴力障害，高血圧，リーシュマニア症，変形性関節症，手術後の吐き気および嘔吐，気管支喘息，感冒，仙痛，便秘，咳，うつ病，糖尿病，消化不良，脾腫，白内障，発熱，心疾患，感染，腎障害，肝障害，月経不順，片頭痛，疼痛，加齢徴候の緩和，痙攣，痘瘡，胃潰瘍，脳卒中，尿路障害，膣分泌物など。

●体内での働き

ノニにはカリウムなど多くの物質が含まれています。その中には損傷した身体の細胞の修復を補助したり，免疫システムを活性化させる物質があります。

医薬品との相互作用

中カリウム保持性利尿薬

ノニには多量のカリウムが含まれます。特定の利尿薬は体内のカリウム量を増加させる可能性があります。ノニと特定の利尿薬を併用すると，体内のカリウム量が過度に増加するおそれがあります。このような利尿薬には，Amiloride，スピロノラクトン，トリアムテレンがあります。

低ラニチジン塩酸塩

ノニジュースはラニチジン塩酸塩の体内への吸収量を増加させる可能性があります。そのため，ラニチジン塩酸塩の作用および副作用が増強するおそれがあります。

中ワルファリンカリウム

ワルファリンカリウムは血液凝固を抑制するために用いられます。ノニジュースはワルファリンカリウムの血液凝固抑制作用を減弱させる可能性があります。そのため，血液凝固のリスクが高まるおそれがあります。

中肝臓を害する可能性のある医薬品

ノニは肝臓を害する可能性があります。ノニと肝臓を害する可能性のある医薬品を併用すると，肝障害のリスクが高まるおそれがあります。肝臓を害する医薬品を服用中にノニを摂取しないでください。このような医薬品には，アセトアミノフェン，アミオダロン塩酸塩，カルバマゼピン，イソニアジド，メトトレキサート，メチルドパ水和物，フルコナゾール，イトラコナゾール，エリスロマイシン，フェニトイン，Lovastatin，プラバスタチンナトリウム，シンバスタチンなど数多くあります。

中降圧薬

ノニジュースは，人によっては血圧を低下させる可能性があります。ノニと降圧薬を併用すると，血圧が過度に低下するおそれがあります。ただし，このことが大きな問題であるかについては明らかではありません。降圧薬を服用中にノニを過剰に摂取しないでください。このような降圧薬には，カプトプリル，エナラプリルマレイン酸塩，ロサルタンカリウム，バルサルタン，ジルチアゼム塩酸塩，アムロジピンベシル酸塩，ヒドロクロロチアジド，フロセミドなど数多くあります。

中降圧薬（アンジオテンシンⅡ受容体拮抗薬（ARBs））

特定の降圧薬は血中のカリウム濃度を上昇させる可能性があります。ノニジュースと特定の降圧薬を併用すると，血中のカリウム濃度が過度に上昇するおそれがあります。このような降圧薬には，ロサルタンカリウム，バルサルタン，イルベサルタン，カンデサルタンシレキセチル，テルミサルタン，Eprosartanなどがあります。

中降圧薬（アンジオテンシン変換酵素（ACE）阻害薬）

特定の降圧薬は血中のカリウム濃度を上昇させる可能性があります。ノニジュースと特定の降圧薬を併用すると，血中のカリウム濃度が過度に上昇するおそれがあります。このような降圧薬には，カプトプリル，エナラプリルマレイン酸塩，リシノプリル水和物，Ramiprilなどがあります。

ハーブおよび健康食品・サプリメントとの相互作用

肝臓を害するおそれのある（肝毒性のある）ハーブおよび健康食品・サプリメント

人によってはノニが肝障害を起こすおそれがあります。ノニと，肝臓を害するおそれのあるほかのハーブおよび健康食品・サプリメントを併用すると，肝障害のリスクが高まるおそれがあります。このようなハーブおよび健康食品・サプリメントには，アンドロステンジオン，チャパラル，コンフリー，デヒドロエピアンドロステロン，フォーチ，ジャーマンダー，カバ，ニコチン酸，ペニーロイヤルミント，紅麹などがあります。

血圧を低下させるおそれのあるハーブおよび健康食品・サプリメント

ノニジュースを飲むと血圧が低下するおそれがあります。同様の作用をもつほかのハーブおよび健康食品・サプリメントと併用すると，人によっては血圧が過度に低下するリスクが高まるおそれがあります。このようなハーブおよび健康食品・サプリメントには，アンドログラフィス，カゼイン・ペプチド，キャッツクロー，コエンザイムQ-10，魚油，L-アルギニン，クコ，イラクサ，テアニンなどがあります。

カリウム

ノニジュースには多量のカリウムが含まれます。ノニジュースとカリウムサプリメントを併用すると，カリウム値が過度に高まるおそれがあります。

使用量の目安

通常の食品に含まれている量を超えて経口摂取した場合の安全性および副作用については，明らかになっていません。

ノボロギク

GROUNDSEL

別名ほか

野襤褄菊（Senecio vulgaris），Common Groundsel，Ground Glutton，Grundy Swallow，Simson

概　　要

ノボロギクは植物です。花全体を用いて「くすり」を作ることもあります。

安 全 性

誰が使用しても安全ではありません。「くすり」としての量を摂取する場合には，多くの懸念があります。肝毒性をもつピロリジジンアルカロイド（pyrrolizidine alkaloids）と呼ばれる化学物質を含んでおり，静脈内の血流を妨げ，肝障害を引き起こすおそれがあります。肝毒性のあるピロリジジンアルカロイドは，がんや先天異常を引き起こすおそれもあります。ノボロギクの未認可製品は，「肝毒性をもつピロリジジンアルカロイドなし」と表示されていても，安全ではないようです。

損傷した皮膚への塗布も，安全ではありません。ノボロギクに含まれる危険な物質が，損傷した皮膚を通じて急速に吸収され，全身に毒性が回るおそれがあります。未認可製品は，「肝毒性をもつピロリジジンアルカロイドなし」と表示されていても使用を避けてください。正常な皮膚に塗布する場合の安全性についてはデータが不十分です。使用を避けるのが最善です。

肝疾患：ノボロギクに含まれる肝毒性をもつピロリジジンアルカロイドが肝疾患を悪化させるおそれがあります。

●アレルギー

キク科の植物にアレルギーがある場合には，ノボロギクに対してもアレルギーを引き起こすおそれがあります。このような植物には，ブタクサ，キク，マリーゴールド，デイジーなど，ほかにも多くの植物があります。

●妊娠中および母乳授乳期

妊娠中のノボロギク製剤の使用は安全ではありません。肝毒性のあるピロリジジンアルカロイドを含んでいるおそれがあり，先天異常および肝障害を引き起こすおそれがあります。

母乳授乳期のノボロギク製剤の使用も安全ではありません。肝毒性のあるピロリジジンアルカロイドを含んでいるおそれがあり，母乳を通じて乳児に悪影響を与えるおそれがあります。

妊娠中および母乳授乳期の認可済みで「肝毒性をもつピロリジジンアルカロイドなし」製品であっても，使用の安全性についてはデータが不十分です。安全性を考慮し，使用は避けてください。

有 効 性

◆科学的データが不十分です

- 疝痛，蟯虫，てんかん，不規則なまたは痛みをともなう月経周期（月経困難症），歯の止血など。

●体内での働き

どのように作用するかについては十分なデータが得られていません。

医薬品との相互作用

中 肝臓でほかの医薬品の代謝を促進する医薬品（シトクロムP450 3A4（CYP3A4）を誘導する医薬品）

ノボロギクは肝臓で代謝されますが，そのときに生成される化学物質の中に有害なものがあります。肝臓でノボロギクの代謝を促進させる医薬品は，代謝時に生成される化学物質の毒性作用を増強するおそれがあります。このような医薬品には，カルバマゼピン，フェノバルビタール，フェニトイン，リファンピシン，リファブチンなどがあります。

ハーブおよび健康食品・サプリメントとの相互作用

肝毒性をもつピロリジジンアルカロイド（PAs）を含むハーブおよび健康食品・サプリメント

ノボロギクは肝毒性をもつピロリジジンアルカロイドを含んでいます。ノボロギクと肝毒性をもつピロリジジンアルカロイドを含むほかのハーブおよび健康食品・サプリメントを併用すると，肝障害やがんなど深刻な副作用をもたらす可能性が高まるおそれがあります。これらのハーブおよび健康食品・サプリメントには，アルカナ，ヒヨドリバナ，ボラージ，セイヨウフキ，フキタンポポ，コンフリー，ワスレナグサ，シモツケソウ，ヘンプ・アグリモニー，オオルリソウ，ダスティーミラー，サワギク，ヤコブボロギクなどがあります。

肝臓でノボロギクの代謝（分解）を促進する医薬品（シトクロムP450 3A4（CYP3A4）誘導因子）

ノボロギクは肝臓で代謝されますが，そのときに生成される化学物質の中に有害なものがあります。肝臓でノボロギクの代謝を促進させるほかのハーブおよび健康食品・サプリメントは，代謝時に生成される化学物質の毒性作用を増強するおそれがあります。これらのハーブおよび健康食品・サプリメントには，エキナセア，ガーリック，甘草，セント・ジョンズ・ワート，チョウセンゴミシなどがあります。

使用量の目安

標準使用量に関するデータがありません。

パースニップ

PARSNIP

別名ほか

Chirivía, Grand Chervis, Panais, Parsnip Herb, Parsnip Root, Pastenade, Pastinaca sativa, Pastinacae Herba, Pastinacae Radix, Racine-Blanche

概　　要

パースニップは植物です。地上部と根を用いて「くすり」を作ることもあります。

消化不良，腎障害，発熱，疼痛，体液貯留に対して用いる人もいます。

安　全　性

経口摂取する場合の安全性についてはデータが不十分です。

皮膚に用いる場合，皮膚が日光に極度に敏感なるおそれがあります。とくに色白の人は，屋外では日焼け止めを塗ったり，保護できる服を着用しましょう。

●妊娠中および母乳授乳期

妊娠中および母乳授乳期の使用の安全性についてはデータが不十分です。安全性を考慮し，使用を避けてください。

ハ

有　効　性

◆科学的データが不十分です

・消化不良，腎障害，発熱，疼痛，体液貯留など。

●体内での働き

どのように作用するかについては，十分なデータが得られていません。

医薬品との相互作用

ほかの医薬品との相互作用については明らかではありません。

ハーブおよび健康食品・サプリメントとの相互作用

ほかのハーブ，健康食品・サプリメントとの相互作用についてはまだ明らかではありません。

使用量の目安

通常の食品に含まれている量を超えて経口摂取した場合の安全性および副作用については，明らかになっていません。

パースリピアート

PARSLEY PIERT

別名ほか

イワムシロ，パースリ（Aphanes arvensis），Field Lady's Mantle, Parsley Breakstone, Parsley Piercestone

概　　要

パースリピアートは植物です。地上部を用いて「くすり」を作ることもあります。

安　全　性

十分なデータは得られていないので，安全であるかどうか，また副作用については不明です。

●妊娠中および母乳授乳期

妊娠中，母乳授乳期は使用してはいけません。

有　効　性

◆科学的データが不十分です

・発熱のほか，腎結石，膀胱結石などの尿路疾患，体液貯留など。

●体内での働き

どのように作用するかについては十分なデータが得られていません。

医薬品との相互作用

ほかの医薬品との相互作用については明らかではありません。

ハーブおよび健康食品・サプリメントとの相互作用

ほかのハーブ，健康食品・サプリメントとの相互作用についてはまだ明らかではありません。

使用量の目安

標準使用量に関するデータがありません。

ハーブロバート

HERB ROBERT

●代表的な別名

ヒメフウロ

別名ほか

シオヤキソウ，塩焼草（Geranium robertianum），ゲラニウム ロバーティアナム，ヒメフウロ，Dragon's Blood, Mountain Geranium, Stinky Bob, Storkbill, Wild

Crane's-bill

概　　要

ハーブロバートは植物です。葉，茎，および花を用いて「くすり」を作ることもあります。

安　全　性

十分なデータは得られていないので，安全かどうかは不明です。

●妊娠中および母乳授乳期

妊娠中，母乳授乳期は使用してはいけません。

有　効　性

◆科学的データが不十分です

・下痢，肝疾患，腎疾患，膀胱疾患，胆のう炎のほか，腎，膀胱，または胆のうでの結石形成の予防。

●体内での働き

エキスが細菌やウイルスの増殖を妨げるようです。

医薬品との相互作用

ほかの医薬品との相互作用については明らかではありません。

ハーブおよび健康食品・サプリメントとの相互作用

ほかのハーブ，健康食品・サプリメントとの相互作用についてはまだ明らかではありません。

使用量の目安

●経口摂取

お茶として食間に１日２～３回摂取します。お茶を作るにはハーブ小さじ１杯を500mLの冷水に加え，沸騰させてハーブを引き上げ，ろ過します。

●局所投与

作ったお茶を口腔洗浄またはうがい薬として用います。新鮮な葉を噛んで，口またはのどの炎症を緩和します。

バーベナ

VERBENA

別名ほか

バーベナハスタータ，ブルーバーベイン（Blue Vervain），クマツヅラ（Verbena officinalis），バーベイン（Vervain），Common Verbena，Common Vervain，Eisenkraut，Enchanter's Plant，European Vervain，Herb of Grace，Herb of the Cross，Holywort，Juno's Tears，Pigeon's Grass，Pigeonweed，Simpler's Joy，Turkey Grass，Verbenae herba，Yerba de Santa Ana

概　　要

バーベナは植物です。地上部を用いて「くすり」を作ることもあります。

安　全　性

リンドウの根，エルダーフラワーおよびサクラソウの花と混合した製品として少量を使う場合は，ほとんどの人に安全なようです。

製品の一部としての利用以外で薬効量を使用した場合の安全性については，十分なデータがありません。

●アレルギー

混合製品は消化器系のむかつきや，場合によってはアレルギー性の皮疹を生じる可能性があります。

●妊娠中および母乳授乳期

妊娠中，母乳授乳期は使用してはいけません。

有　効　性

◆有効性レベル③

・副鼻腔炎の治療。この場合リンドウの根，ヨーロッパ産ニワトコの花，キバナノクリンザクラの花，ギシギシなどほかのハーブと併用してください。

◆科学的データが不十分です

・咽喉頭部痛，気管支喘息，百日咳，胸部痛，膿瘍，熱傷，感冒，関節炎，そう痒など。

●体内での働き

炎症を抑える化合物を含んでいます。

医薬品との相互作用

中 肝臓で代謝される医薬品（シトクロムP450 2B1（CYP2B1）の基質となる医薬品）

特定の医薬品は肝臓で代謝されます。バーベナはこのような医薬品の代謝を抑制する可能性があります。バーベナと肝臓で代謝される医薬品を併用すると，医薬品の作用および副作用が増強するおそれがあります。肝臓で代謝される医薬品を服用中に，医師や薬剤師に相談することなくバーベナを摂取しないでください。このような医薬品には，シクロホスファミド水和物，イホスファミド，バルビツール酸系薬，Bromobenzeneなどがあります。

ハーブおよび健康食品・サプリメントとの相互作用

ほかのハーブ，健康食品・サプリメントとの相互作用についてはまだ明らかではありません。

使用量の目安

●経口摂取

通常，お茶ティーカップ１杯を１日３回摂取します。お茶は，乾燥地上部２～４gを熱湯150mLに５～10分浸してからこします。流エキス（１：１，25%エタノール）２～４mLを１日３回摂取します。チンキ剤（１：１，40%

ハ

エタノール）の場合，1回5～10mLを1日3回摂取します。急性，慢性副鼻腔炎。

臨床研究では，錠剤1回2錠を1日3回，最大2週間使用しています。これは，リンドウ根12mg，エルダーフラワー36mg，バーベナ36mg，サクラソウの花36mg，スイバ36mgを1日3回摂取する量に相当します。

●局所投与

標準使用量に関するデータがありません。

パーム油

PALM OIL

別名ほか

Aceite de Palma, African Palm Oil, Crude Palm Oil, Elaeis guineensis, Elaeis melanococca, Elaeis oleifera, Huile de Palme, Huile de Palme Brute, Huile de Palme Rouge, Huile de Palmiste, Oil Palm Tree, Palm, Palm Fruit Oil, Palm Kernel Oil, Palm Oil Carotene, Palmier à Huile, Red Palm Oil, Virgin Palm Oil

概　　要

パーム油はヤシの木から採れる油です。

安 全 性

パーム油は，通常の食品に含まれる量を摂取する場合，ほとんどの人に安全のようです。「くすり」としての量を摂取する場合，最大6カ月までなら，小児，成人を問わず，おそらく安全です。

●妊娠中および母乳授乳期

妊娠中「くすり」としての量を摂取するのは，最大6カ月間までであればおそらく安全です。

有 効 性

◆有効性レベル③

・ビタミンA欠乏症の予防。発展途上国の妊娠中の女性および小児がパーム油を食事に追加して摂取することで，ビタミンA欠乏症のリスクが低下する可能性があるというエビデンスがあります。

◆有効性レベル④

・高コレステロール血症。パーム油を食事の一部として摂取しても，高コレステロール血症患者のコレステロール値は低下しないようです。実際，パーム油は，大豆油，キャノーラ油，ヒマワリ油など，ほかの油に比べてコレステロール値を上昇させるおそれがあることを示唆する研究もあります。
・マラリア。発展途上国の5歳未満の小児が食事の一部としてパーム油を摂取しても，マラリアの症状は軽減しないことを示唆する研究があります。

◆科学的データが不十分です

・高血圧，シアン化物中毒，体重減少，がん，加齢予防，脳疾患など。

●体内での働き

パーム油は飽和脂肪酸，不飽和脂肪酸，ビタミンEおよびβ-カロテンを含んでいます。抗酸化作用をもつ可能性があります。

医薬品との相互作用

中 血液凝固を抑制する医薬品（抗凝固薬/抗血小板薬）

パーム油は血液の凝固を促進させることがあります。血液凝固を抑制する医薬品を服用しているときにパーム油を摂取すると，その医薬品の効果を相殺するおそれがあります。このような医薬品には，クロピドグレル硫酸塩，ジクロフェナクナトリウム，イブプロフェン，ナプロキセン，ダルテパリンナトリウム，エノキサパリンナトリウム，ヘパリン，ワルファリンカリウムなどがあります。

ハーブおよび健康食品・サプリメントとの相互作用

β-カロテン

パーム油にはβ-カロテンが含まれます。β-カロテンサプリメントをパーム油と併用すると，β-カロテンの過剰摂取により副作用のリスクが高まるおそれがあります。

ビタミンA

パーム油にはビタミンAの成分であるβ-カロテンが含まれます。パーム油とビタミンAまたはβ-カロテンのサプリメントを併用すると，ビタミンAの過剰摂取により副作用のリスクが高まるおそれがあります。

使用量の目安

●経口摂取

ビタミンA欠乏症の予防

成人および5歳以上の小児は，1日大さじ約3杯（9g）のパーム油を摂取します。妊娠中の女性は，1日大さじ約4杯（12g）を摂取します。5歳未満の小児は，1日大さじ約2杯（6g）を摂取します。

バイカルスカルキャップ

BAIKAL SKULLCAP

別名ほか

オウゴン，黄芩（Ogon），コガネヤナギ（Huang Qin），スカルキャップ（Scullcap），Baikal Skullcap Root, Chinese Skullcap, Huangquin, Hwanggum, Ou-gon, Scute, Skullcap, Wogon

概　要

バイカルスカルキャップは植物です。根を用いて「くすり」を作ることもあります。

漢方薬でバイカルスカルキャップの一般的な代用となる類似植物の学名は，Scutellaria viscidula，Scutellaria amonea，Scutellaria ikoninikoviiです。

・新型コロナウイルス感染症（COVID-19）。
COVID-19に対してバイカルスカルキャップの使用を裏付ける十分なエビデンス（科学的根拠）はありません。

安 全 性

バイカルスカルキャップの経口摂取は，ほとんどの成人におそらく安全です。

傾眠を引き起こすおそれがあります。発熱や肺の炎症が報告されていますが，バイカルスカルキャップがこれらの副作用の原因であるかどうかについてはデータが不十分です。

研究では，バイカルスカルキャップを含む特定の併用製品が，最長12週間まで安全に使用されています。しかし，人によっては，この併用製品により肝障害を起こすおそれがあります。この副作用はよくあるものではなく，この製品にアレルギー反応を起こす人にのみ起きるようです。

小児：医師などが小児に静脈内投与する場合，短期間であればおそらく安全です。バイカルスカルキャップ，レンギョウ，およびハニーサックルを含む静脈内製剤が，医師などの監視のもと，最長７日間まで安全に使用されています。小児がバイカルスカルキャップを長期間使用する場合の安全性については，データが不十分です。

出血性疾患：バイカルスカルキャップは血液凝固を抑制する可能性があります。理論上，出血性疾患の場合には，バイカルスカルキャップにより紫斑や出血のリスクが高まるおそれがあります。

糖尿病：糖尿病患者の血糖値に影響を及ぼす可能性があります。糖尿病に罹患していてバイカルスカルキャップを使用する場合には，低血糖の徴候に注意して，血糖値を注意深く監視してください。

乳がん，子宮がん，卵巣がん，子宮内膜症，子宮線維腫などのホルモン感受性疾患：バイカルスカルキャップは，女性ホルモンのエストロゲンと同様の作用をもつ可能性があります。エストロゲンにさらされると悪化するおそれのある疾患の場合には，使用してはいけません。

低血圧：血圧を低下させる可能性があります。理論上，低血圧になりやすい人は，バイカルスカルキャップにより血圧が過度に低下するおそれがあります。

手術：バイカルスカルキャップは血液凝固を抑制する可能性があります。手術中・手術後に過剰出血を引き起こすおそれがあります。少なくとも手術前２週間は，使用しないでください。

●妊娠中および母乳授乳期

妊娠中および母乳授乳期の使用の安全性についてはデータが不十分です。安全性を考慮し，摂取は避けてください。

有 効 性

◆科学的データが不十分です

・細気管支炎をはじめとする肺感染症，関節炎，乾癬，口中の苦味，発熱，顔面紅潮（ほてり），花粉症，頭痛，痔核，肝炎，HIV/エイズ，腎臓・胃・骨盤内の感染，精神的緊張，前立腺がん，目の充血，痙攣，痛みまたは腫脹など。

●体内での働き

有効成分が炎症を抑え，腫瘍の増殖や腫瘍細胞の再生を防ぐ可能性があると考えられています。

医薬品との相互作用

中アルコール

アルコールは眠気および注意力低下を引き起こす可能性があります。バイカルスカルキャップも眠気および注意力低下を引き起こす可能性があります。多量のバイカルスカルキャップとアルコールを併用すると，過度な眠気が引き起こされるおそれがあります。

中ベンゾジアゼピン系鎮静薬

バイカルスカルキャップは眠気および注意力低下を引き起こす可能性があります。鎮静薬は眠気および注意力低下を引き起こす医薬品です。バイカルスカルキャップと鎮静薬を併用すると，過度の眠気が引き起こされるおそれがあります。このような鎮静薬には，クロナゼパム，ジアゼパム，ロラゼパムなどがあります。

中メトホルミン塩酸塩

メトホルミン塩酸塩は血糖値を低下させるために用いられます。バイカルスカルキャップも血糖値を低下させる可能性があります。バイカルスカルキャップとメトホルミン塩酸塩を併用すると，血糖値を下げるメトホルミン塩酸塩の効果が強まるおそれがあります。血糖値を注意深く監視してください。メトホルミン塩酸塩の用量を変更する必要があるかもしれません。

中肝臓で代謝される医薬品（シトクロムP450 1A2（CYP1A2）の基質となる医薬品）

特定の医薬品は肝臓で代謝されます。バイカルスカルキャップはこのような医薬品の代謝を抑制する可能性があります。バイカルスカルキャップと肝臓で代謝される医薬品を併用すると，医薬品の作用および副作用が増強するおそれがあります。肝臓で代謝される医薬品を服用する場合には，医師や薬剤師に相談することなくバイカルスカルキャップを摂取しないでください。このような医薬品には，クロザピン，Cyclobenzaprine，フルボキサミンマレイン酸塩，ハロペリドール，イミプラミン塩酸塩，メキシレチン塩酸塩，オランザピン，塩酸ペンタゾシン，プロプラノロール塩酸塩，Tacrine，テオフィリン，Zileuton，ゾルミトリプタンなどがあります。

中肝臓で代謝される医薬品（シトクロムP450 2C19（CYP2C19）の基質となる医薬品）

特定の医薬品は肝臓で代謝されます。バイカルスカルキャップはこのような医薬品の代謝を促進する可能性があります。バイカルスカルキャップと肝臓で代謝される医薬品を併用すると，医薬品の働きが弱まるおそれがあります。肝臓で代謝される医薬品を服用する場合には，医師や薬剤師に相談することなくバイカルスカルキャップを摂取しないでください。このような医薬品には，アミトリプチリン塩酸塩，カリソプロドール（販売中止），Citalopram，ジアゼパム，ランソプラゾール，オメプラゾール，フェニトイン，ワルファリンカリウムなど数多くあります。

中血液凝固を抑制する医薬品（抗凝固薬/抗血小板薬）

バイカルスカルキャップは血液凝固を抑制する可能性があります。バイカルスカルキャップと血液凝固を抑制する医薬品を併用すると，紫斑および出血のリスクが高まるおそれがあります。このような医薬品には，アスピリン，クロピドグレル硫酸塩，ダルテパリンナトリウム，エノキサパリンナトリウム，ヘパリン，インドメタシン，チクロピジン塩酸塩，ワルファリンカリウムなどがあります。

低血清コレステロール値を下げる医薬品（スタチン系薬）

バイカルスカルキャップは血中のスタチン値を変化させる可能性があります。しかし，この相互作用が重大であるかについては十分に明らかではありません。血清コレステロール値を下げる医薬品を服用中に，医師や薬剤師に相談することなくバイカルスカルキャップを摂取しないでください。このような医薬品には，アトルバスタチンカルシウム水和物，セリバスタチンナトリウム（販売中止），フルバスタチンナトリウム，Lovastatin，プラバスタチンナトリウム，シンバスタチンなどがあります。

中降圧薬

バイカルスカルキャップは血圧を低下させる可能性があります。バイカルスカルキャップと降圧薬を併用すると，血圧が過度に低下するおそれがあります。このような降圧薬には，カプトプリル，エナラプリルマレイン酸塩，ロサルタンカリウム，バルサルタン，ジルチアゼム塩酸塩，アムロジピンベシル酸塩，ヒドロクロロチアジド，フロセミドなど数多くあります。

低細胞内のポンプによって輸送される医薬品（P糖タンパク質の基質となる医薬品）

特定の医薬品は細胞内のポンプによって輸送されます。バイカルスカルキャップは，ポンプの働きを弱め，特定の医薬品の体内への吸収量を増加させる可能性があります。そのため，医薬品の副作用が増強するおそれがあります。このような医薬品には，エトポシド，パクリタキセル，ビンブラスチン硫酸塩，ビンクリスチン硫酸塩，ビンデシン硫酸塩，ケトコナゾール，イトラコナゾール，アンプレナビル（販売中止），インジナビル硫酸塩エタノール付加物（販売中止），ネルフィナビルメシル酸塩，サキナビルメシル酸塩，シメチジン，ラニチジン塩酸塩，ジルチアゼム塩酸塩，ベラパミル塩酸塩，副腎皮質ステロイド，エリスロマイシン，シサプリド（販売中止），フェキソフェナジン塩酸塩，シクロスポリン，ロペラミド塩酸塩，キニジン硫酸塩水和物などがあります。

中炭酸リチウム

バイカルスカルキャップは利尿薬のように作用する可能性があります。バイカルスカルキャップを摂取すると，炭酸リチウムの体内からの排泄が抑制される可能性があります。そのため，体内の炭酸リチウム量が増加し，重大な副作用が現れるおそれがあります。炭酸リチウムを服用中は医師や薬剤師に相談することなく，バイカルスカルキャップを摂取しないでください。炭酸リチウムの用量を変更する必要があるかもしれません。

中鎮静薬（中枢神経抑制薬）

バイカルスカルキャップは眠気および注意力低下を引き起こす可能性があります。鎮静薬は眠気を引き起こす医薬品です。バイカルスカルキャップと鎮静薬を併用すると，過度の眠気を引き起こすおそれがあります。このような鎮静薬には，クロナゼパム，ロラゼパム，フェノバルビタール，ゾルピデム酒石酸塩などがあります。

中糖尿病治療薬

バイカルスカルキャップは血糖値を低下させる可能性があります。糖尿病治療薬も血糖値を低下させるために用いられます。バイカルスカルキャップと糖尿病治療薬を併用すると，血糖値が過度に低下するおそれがあります。血糖値を注意深く監視してください。糖尿病治療薬の用量を変更する必要があるかもしれません。このような糖尿病治療薬には，グリメピリド，グリベンクラミド，インスリン，ピオグリタゾン塩酸塩，マレイン酸ロシグリタゾン（販売中止），クロルプロパミド，Glipizide，トルブタミド（販売中止）などがあります。

中エストロゲン（卵胞ホルモン）製剤

バイカルスカルキャップにはエストロゲン様作用のある可能性があります。ただし，バイカルスカルキャップにはエストロゲン製剤と同等の強さはありません。バイカルスカルキャップとエストロゲン製剤を併用すると，エストロゲン製剤の作用が減弱するおそれがあります。このようなエストロゲン製剤には，結合型エストロゲン，エチニルエストラジオール，エストラジオールなどがあります。

中甲状腺機能亢進症治療薬（抗甲状腺薬）

バイカルスカルキャップは甲状腺に影響を及ぼし，抗甲状腺薬の働きに影響を及ぼすおそれがあります。甲状腺機能亢進症治療薬を服用中にバイカルスカルキャップを摂取しないでください。このような医薬品には，チアマゾール，ヨウ化カリウムなどがあります。

ハーブおよび健康食品・サプリメントとの相互作用

ニンニク

バイカルスカルキャップにはバイカリンという化学物質が含まれています。ニンニクと同時に摂取すると，バイカリンの吸収が抑制されるおそれがあります。理論上，バイカルスカルキャップとニンニクを併用すると，バイカルスカルキャップの作用が減弱するおそれがあります。

眠気を引き起こすハーブおよび健康食品・サプリメント

バイカルスカルキャップは眠気を引き起こすおそれがあります。同様の作用をもつほかのハーブおよび健康食品・サプリメントと併用すると，過度の眠気を引き起こすおそれがあります。このようなハーブおよび健康食品・サプリメントには，5-ヒドロキシトリプトファン，ショウブ，ハナビシソウ，キャットニップ，ホップ，ジャマイカ・ドッグウッド，カバ，セント・ジョンズ・ワート，スカルキャップ，カノコソウ，アネモプシス・カリフォルニカなどがあります。

血圧を低下させるおそれのあるハーブおよび健康食品・サプリメント

バイカルスカルキャップは血圧を低下させるおそれがあります。バイカルスカルキャップと，血圧を低下させるおそれのあるほかのハーブおよび健康食品・サプリメントを併用すると，血圧が過度に低下するおそれがあります。このようなハーブおよび健康食品・サプリメントには，アンドログラフィス，カゼイン・ペプチド，キャッツクロー，コエンザイムQ-10，魚油，L-アルギニン，クコ，イラクサ，テアニンなどがあります。

血糖値を低下させるおそれのあるハーブおよび健康食品・サプリメント

バイカルスカルキャップは血糖値を低下させるおそれがあります。バイカルスカルキャップと，血糖値を低下させるおそれのあるほかのハーブおよび健康食品・サプリメントを併用すると，血糖値が過度に低下するおそれがあります。このようなハーブおよび健康食品・サプリメントには，デビルズクロー，フェヌグリーク，グアーガム，朝鮮人参，エゾウコギなどがあります。

血液凝固を抑制するおそれのあるハーブおよび健康食品・サプリメント

バイカルスカルキャップは血液凝固を抑制するおそれがあります。バイカルスカルキャップと，血液凝固を抑制するおそれのあるほかのハーブおよび健康食品・サプリメントを併用すると，人によっては出血のリスクが高まるおそれがあります。このようなハーブおよび健康食品・サプリメントには，アンゼリカ，クローブ，タンジン，ニンニク，ショウガ，朝鮮人参などがあります。

使用量の目安

通常の食品に含まれている量を超えて経口摂取した場合の安全性および副作用については，明らかになっていません。

ハイハナシノブ

ABSCESS ROOT

別名ほか

ブルーベルズ（Blue Bells），ポレモニゥムレプタンス（Polemonium reptans），American Greek Valerian，False Jacob's Ladder，Sweatroot

概　　要

ハイハナシノブはハーブです。根を用いてお茶を作ることもあります。

安 全 性

十分なデータが得られていないため，安全性については不明です。胃腸の不快，くしゃみなどの副作用を引き起こす場合があります。

●妊娠中および母乳授乳期

妊娠中，母乳授乳期は使用してはいけません。

有 効 性

◆科学的データが不十分です

・発熱，炎症，咳，発汗促進，および収れん薬としての使用。

●体内での働き

医薬品としてどのように作用するかは十分なデータが得られていません。

医薬品との相互作用

ほかの医薬品との相互作用については明らかではありません。

ハーブおよび健康食品・サプリメントとの相互作用

ほかのハーブ，健康食品・サプリメントとの相互作用についてはまだ明らかではありません。

使用量の目安

標準使用量に関するデータがありません。

ハイビスカス

HIBISCUS

別名ほか

タイケナフ（Hibiscus sabdariffa），ジャマイカソレル（Jamaica sorrel），カルカーデ（Karkade），レッドティー

(Red Tea), ローゼル (Roselle), Guinea Sorrel, Sudanese Tea

概　　要

ハイビスカスは低木の一年生植物です。エジプトでは花の一部を使って「Karukade」と呼ばれる飲料を作ります。ほかのさまざまな部位でジャム, スパイス, スープ, およびソースを作ります。花は「くすり」に使用されます。

安 全 性

通常の食品に含まれる量のハイビスカスを摂取する場合, ほとんどの人に安全のようです。「くすり」としての量を経口摂取する場合, おそらく安全です。副作用はまれですが, 一時的な胃のむかつきや胃痛, 腸内ガス, 便秘, 吐き気, 排尿痛, 頭痛, 耳鳴, ふるえを引き起こすおそれがあります。

糖尿病：ハイビスカスが血糖値を低下させるおそれがあります。医師などにより糖尿病薬の服薬量を調節する必要があるかもしれません。

低血圧：ハイビスカスが血圧を低下させる可能性があります。理論上, 低血圧者がハイビスカスを摂取する場合, 血圧が過度に低下するおそれがあります。

手術：ハイビスカスが血糖値に影響を及ぼし, 手術中・手術後の血糖コントロールを困難にするおそれがあります。少なくとも手術前２週間は, 使用しないでください。

●妊娠中および母乳授乳期

妊娠中に「くすり」としての量のハイビスカスを経口摂取するのは, おそらく安全ではありません。ハイビスカスが月経を開始させ, これにより流産を引き起こすおそれがあるというエビデンスがあります。母乳授乳期の使用の安全性についてはデータが不十分です。安全性を考慮し, 摂取は避けてください。

有 効 性

◆有効性レベル③

・高血圧。ほとんどの初期の研究では, 血圧が正常またはわずかに高い人がハイビスカス茶を２～６週間摂取すると, 血圧がわずかに低下することが示されています。一部の初期の研究では, 血圧がわずかに高い人がハイビスカス茶を摂取すると, 処方薬「カプトプリル」と同程度で「ヒドロクロロチアジド」以上の血圧低下効果があることが示されています。

◆科学的データが不十分です

・コレステロール値異常, 尿路感染, 感冒, 便秘, 体液貯留, 心疾患, 胃炎, 食欲不振, 神経疾患など。

●体内での働き

ハイビスカスのフルーツ酸は緩下剤のような働きをする可能性があります。そのほかの成分には, 血圧の低下, 血糖や血中脂肪濃度の低下, 胃や腸, 子宮の痙攣の緩和, 腫脹の緩和, 抗生剤のような殺菌や寄生虫駆除などの作用があると考える研究者もいます。

医薬品との相互作用

高Chloroquine

ハイビスカス茶はChloroquineの体内への吸収量および体内での作用量を減少させる可能性があります。ハイビスカス茶とChloroquineを併用すると, Chloroquineの効果が弱まるおそれがあります。マラリアの治療や予防にChloroquineを使用している人はハイビスカス製品を摂取しないでください。

低アセトアミノフェン

アセトアミノフェンの服用前にハイビスカス飲料を摂取すると, アセトアミノフェンの体内からの排泄を促進する可能性があります。しかし, これが重大な問題であるかどうかについては, 情報が十分ではありません。

低肝臓で代謝される医薬品（シトクロムP450 1A2（CYP1A2）の基質となる医薬品）

特定の医薬品は肝臓で代謝されます。ハイビスカスはこのような医薬品の代謝を抑制するおそれがあります。ハイビスカスと肝臓で代謝される医薬品を併用すると, 医薬品の作用および副作用が増強するおそれがあります。このような医薬品には, アミトリプチリン塩酸塩, ハロペリドール, オンダンセトロン塩酸塩水和物, プロプラノロール塩酸塩, テオフィリン, ベラパミル塩酸塩などがあります。

低肝臓で代謝される医薬品（シトクロムP450 2A6（CYP2A6）の基質となる医薬品）

特定の医薬品は肝臓で代謝されます。ハイビスカスはこのような医薬品の代謝を抑制する可能性があります。ハイビスカスと肝臓で代謝される医薬品を併用すると, 医薬品の作用および副作用が増強する可能性があります。このような医薬品には, ニコチン, Chlormethiazole, Coumarin, Methoxyflurane, ハロタン（販売中止), バルプロ酸ナトリウム, ジスルフィラムなどがあります。

低肝臓で代謝される医薬品（シトクロムP450 2B6（CYP2B6）の基質となる医薬品）

特定の医薬品は肝臓で代謝されます。ハイビスカスはこのような医薬品の代謝を抑制する可能性があります。ハイビスカスと肝臓で代謝される医薬品を併用すると, 医薬品の作用および副作用が増強するおそれがあります。このような医薬品には, ケタミン塩酸塩, フェノバルビタール, Orphenadrine, セコバルビタールナトリウム, デキサメタゾンなどがあります。

低肝臓で代謝される医薬品（シトクロムP450 2C19（CYP2C19）の基質となる医薬品）

特定の医薬品は肝臓で代謝されます。ハイビスカスはこのような医薬品の代謝を抑制するおそれがあります。ハイビスカスと肝臓で代謝される医薬品を併用すると, 医薬品の作用および副作用が増強するおそれがあります。このような医薬品には, プロトンポンプ阻害薬（オメプラゾール, ランソプラゾール, パントプラゾールナトリウム水和物（販売中止）など），ジアゼパム，カリソプロドール（販売中止），ネルフィナビルメシル酸塩などがあります。

低 肝臓で代謝される医薬品（シトクロムP450 2C8（CYP2C8）の基質となる医薬品）

特定の医薬品は肝臓で代謝されます。ハイビスカスはこのような医薬品の代謝を抑制するおそれがあります。ハイビスカスと肝臓で代謝される医薬品を併用すると，医薬品の作用および副作用が増強するおそれがあります。このような医薬品には，アミオダロン塩酸塩，パクリタキセル，非ステロイド性抗炎症薬（ジクロフェナクナトリウムやイブプロフェンなど），マレイン酸ロシグリタゾン（販売中止）などがあります。

低 肝臓で代謝される医薬品（シトクロムP450 2C9（CYP2C9）の基質となる医薬品）

特定の医薬品は肝臓で代謝されます。ハイビスカスは特定の医薬品の代謝を抑制するおそれがあります。ハイビスカスと肝臓で代謝される医薬品を併用すると，医薬品の作用および副作用が増強するおそれがあります。このような医薬品には，非ステロイド性抗炎症薬（NSAIDs）（ジクロフェナクナトリウム，イブプロフェン，メロキシカム，ピロキシカム，セレコキシブなど），アミトリプチリン塩酸塩，ワルファリンカリウム，Glipizide，ロサルタンカリウムなどがあります。

低 肝臓で代謝される医薬品（シトクロムP450 2D6（CYP2D6）の基質となる医薬品）

特定の医薬品は肝臓で代謝されます。ハイビスカスはこのような医薬品の代謝を抑制する可能性があります。ハイビスカスと肝臓で代謝される医薬品を併用すると，医薬品の作用および副作用が増強するおそれがあります。このような医薬品には，アミトリプチリン塩酸塩，コデインリン酸塩水和物，塩酸デシプラミン（販売中止），フレカイニド酢酸塩，ハロペリドール，イミプラミン塩酸塩，メトプロロール酒石酸塩，オンダンセトロン塩酸塩水和物，パロキセチン塩酸塩水和物，リスペリドン，トラマドール塩酸塩，ベンラファキシン塩酸塩などがあります。

低 肝臓で代謝される医薬品（シトクロムP450 2E1（CYP2E1）の基質となる医薬品）

特定の医薬品は肝臓で代謝されます。ハイビスカスはこのような医薬品の代謝を抑制するおそれがあります。ハイビスカスと肝臓で代謝される医薬品を併用すると，医薬品の作用および副作用が増強するおそれがあります。このような医薬品には，アセトアミノフェン，クロルゾキサゾン，アルコール，テオフィリン，麻酔薬（エンフルラン（販売中止），ハロタン（販売中止），イソフルラン，Methoxyfluraneなど）があります。

低 肝臓で代謝される医薬品（シトクロムP450 3A4（CYP3A4）の基質となる医薬品）

特定の医薬品は肝臓で代謝されます。ハイビスカスはこのような医薬品の代謝を抑制するおそれがあります。ハイビスカスと肝臓で代謝される医薬品を併用すると，医薬品の作用および副作用が増強するおそれがあります。このような医薬品には，アルプラゾラム，アムロジピンベシル酸塩，クラリスロマイシン，シクロスポリン，エリスロマイシン，Lovastatin，ケトコナゾール，イトラコナゾール，フェキソフェナジン塩酸塩，トリアゾラム，ベラパミル塩酸塩など数多くあります。

中 降圧薬

ハイビスカスは血圧を低下させる可能性があります。ハイビスカスと降圧薬を併用すると，血圧が過度に低下するおそれがあります。降圧薬を服用中にハイビスカスを過剰に摂取しないでください。このような降圧薬には，ニフェジピン，ベラパミル塩酸塩，ジルチアゼム塩酸塩，Isradipine，フェロジピン，アムロジピンベシル酸塩などがあります。

中 糖尿病治療薬

ハイビスカスは血糖値を低下させる可能性があります。糖尿病治療薬も血糖値を低下させるために用いられます。ハイビスカスと糖尿病治療薬を併用すると，血糖値が過度に低下するおそれがあります。血糖値を注意深く監視してください。糖尿病治療薬の用量を変更する必要があるかもしれません。このような糖尿病治療薬には，グリメピリド，グリベンクラミド，インスリン，メトホルミン塩酸塩，ピオグリタゾン塩酸塩，マレイン酸ロシグリタゾン（販売中止），クロルプロパミド，Glipizide，トルブタミド（販売中止）などがあります。

中 ジクロフェナクナトリウム

ハイビスカスは，ジクロフェナクナトリウムの尿中への排泄量を減少させる可能性があります。原因は明らかではありません。理論的には，ハイビスカスとジクロフェナクナトリウムを併用すると，血中のジクロフェナクナトリウムの濃度が変化し，ジクロフェナクナトリウムの作用および副作用が変化するおそれがあります。さらに明らかになるまではハイビスカスとジクロフェナクナトリウムは慎重に併用してください。

中 シンバスタチン

シンバスタチンは体内で代謝されてから排泄されます。ハイビスカスはシンバスタチンの排泄を促進する可能性があります。しかし，このことが大きな問題であるかについては明らかではありません。

ハーブおよび健康食品・サプリメントとの相互作用

血圧を低下させるおそれのあるハーブおよび健康食品・サプリメント

ハイビスカスが血圧を低下させるおそれがあります。同様の作用をもつほかのハーブおよび健康食品・サプリメントと併用すると，血圧が過度に低下するリスクが高まるおそれがあります。このようなハーブおよび健康食品・サプリメントには，アンドログラフィス，カゼイン・ペプチド，キャッツクロー，コエンザイムQ-10，魚油，L-アルギニン，クコ，イラクサ，テアニンなどがありま

ハ

有効性レベル：①効きます　②おそらく効きます　③効くと断言できませんが、効能の可能性が科学的に示唆されています　④効かないかもしれません　⑤おそらく効きません　⑥効きません

す。

血糖値を低下させるおそれのあるハーブおよび健康食品・サプリメント

ハイビスカスが血糖値を低下させるおそれがあります。血糖値を低下させるおそれのあるほかのハーブおよび健康食品・サプリメントと併用すると，血糖値が過度に低下するリスクが高まるおそれがあります。このようなハーブおよび健康食品･サプリメントには，α-リポ酸，ニガウリ，クロム，デビルズクロー，フェヌグリーク，ニンニク，グアーガム，セイヨウトチノキ，朝鮮人参，サイリウム，エゾウコギなどがあります。

使用量の目安

【成人】

●経口摂取

高血圧

熱湯150～500mLにハイビスカス1.25～10gまたは150mg/kgを加え，10～30分間浸して作ったハイビスカス茶を1日1～3回，2～6週間摂取します。

ハウスリーク

HOUSELEEK

別名ほか

綾絹，ヤネバンダイソウ，センペルブブム，テクトラム，ロイヤナム，アヤザクラ（Sempervivum tectorum），Aaron's Rod，Ayegreen，Ayron，Bullock's Eye，Hens and Chickens，Jupiter's Beard，Jupiter's Eye，Liveforever，Sengreen，Thor's Beard，Thunder Plant

概　要

ハウスリークは植物です。花を咲かせない植物の葉を用いて「くすり」を作ることもあります。

安　全　性

十分なデータは得られていないので，経口摂取または皮膚に塗布した場合の安全性や副作用については不明です。

●妊娠中および母乳授乳期

妊娠中，母乳授乳期は使用してはいけません。

有　効　性

◆科学的データが不十分です

・重度の下痢，口内潰瘍，熱傷，皮膚潰瘍，疣贅（いぼ），そう痒感，皮膚の灼熱痛および昆虫刺傷による腫脹。

●体内での働き

どのように作用するかについては十分なデータが得られていません。

医薬品との相互作用

ほかの医薬品との相互作用については明らかではありません。

ハーブおよび健康食品・サプリメントとの相互作用

ほかのハーブ，健康食品・サプリメントとの相互作用についてはまだ明らかではありません。

使用量の目安

標準使用量に関するデータがありません。

パウダルコ

PAU D'ARCO

別名ほか

紫イペ（Purple Lapacho），イペ（Ipe），イペロッショ（Ipe Roxo），Ipes，Lapacho，Lapacho Colorado，Lapacho Morado，Red Lapacho，タベブイア・アベラネダエ（Tabebuia avellanedae），パタゴニアワルナット（Tabebuia heptaphylla），Tabebuia impetiginosa，タヒボ（Taheebo），タアベ茶，タヒボ茶（Taheebo Tea），Trumpet Bush

概　要

パウダルコはきわめて堅い樹木です。スペイン語で“弓の棹”(bow stick)を指す名前で，南米の先住民によって狩猟用の弓作りに使われていました。樹皮および木部は「くすり」を作るのに用いられます。

安　全　性

パウダルコの経口摂取は，通常用量であっても，おそらく安全ではありません。パウダルコを摂取する前に，医師などに相談してください。高用量のパウダルコを摂取する場合には，安全ではないようです。高用量のパウダルコを摂取する場合には，深刻な吐き気，嘔吐，下痢，めまい感，および内出血を引き起こすおそれがあります。

出血性疾患：パウダルコが，血液凝固を抑制し，出血性疾患の治療を妨げるおそれがあります。

手術：パウダルコが，血液凝固を抑制し，手術中および術後の出血リスクが高まるおそれがあります。少なくとも手術前2週間は，使用しないでください。

●妊娠中および母乳授乳期

妊娠中のパウダルコの経口摂取は，通常用量を摂取する場合には，おそらく安全ではありません。高用量を摂取する場合には，安全ではないようです。パウダルコを皮膚に塗布する場合の安全性については，データが不十分です。安全性を考慮し，妊娠中の使用は避けてください。

母乳授乳期の使用の安全性についてはデータが不十分です。安全性を考慮し，摂取は避けてください。

有効性

◆科学的データが不十分です

・酵母菌感染，感冒，インフルエンザ，下痢，膀胱および前立腺の感染症，腸管寄生虫症，がん，糖尿病，潰瘍，胃腸疾患，肝疾患，気管支喘息，気管支炎，関節炎のような疼痛，淋病，梅毒（性感染症），せつなど。

●体内での働き

初期の研究により，パウダルコが，がん細胞の増殖を抑制する可能性が示唆されています。パウダルコは，腫瘍の増殖に必要となる血管の成長を抑制することにより，腫脹の増殖を抑制する可能性があります。ただし，ヒトに対して，抗がん作用を発揮するのに必要な量を摂取する場合，深刻な副作用がともなうようです。

医薬品との相互作用

中血液凝固を抑制する医薬品（抗凝固薬/抗血小板薬）

パウダルコは血液凝固を抑制する可能性があります。パウダルコと血液凝固を抑制する医薬品を併用すると，紫斑および出血のリスクが高まるおそれがあります。このような医薬品にはアスピリン，クロピドグレル硫酸塩，ジクロフェナクナトリウム，イブプロフェン，ナプロキセン，ダルテパリンナトリウム，エノキサパリンナトリウム，ヘパリン，ワルファリンカリウムなどがあります。

ハーブおよび健康食品・サプリメントとの相互作用

血液凝固を抑制するおそれのあるハーブおよび健康食品・サプリメント

パウダルコが，血液凝固を抑制するおそれがあります。パウダルコと血液凝固を抑制するおそれのあるほかのハーブおよび健康食品・サプリメントを併用すると，人によっては，紫斑および出血のリスクが高まるおそれがあります。このようなハーブおよび健康食品・サプリメントには，アルファルファ，アンゼリカ，クローブ，タンジン，セイヨウトチノキ，レッドクローバー，ウコンなどがあります。

使用量の目安

通常の食品に含まれている量を超えて経口摂取した場合の安全性および副作用については，明らかになっていません。

パオ・ペレイラ

PAO PEREIRA

別名ほか

Bergibita，Geissospermum laeve，Geissospermum vellosii

概要

パオ・ペレイラは樹木です。樹皮は「くすり」を作るのに使用されます。

がん，便秘，発熱，肝疾患，マラリア，性的興奮，胃疾患の場合にパオ・ペレイラを摂取します。

安全性

パオ・ペレイラの安全性および副作用については，データが不十分です。

●妊娠中および母乳授乳期

妊娠中および母乳授乳期の使用の安全性についてはデータが不十分です。安全性を考慮し，摂取は避けてください。

有効性

◆科学的データが不十分です

・がん，便秘，発熱，肝疾患，マラリア，性的興奮，胃疾患など。

●体内での働き

パオ・ペレイラは，がんの進行を予防する可能性があります。また，マラリアを引き起こす寄生虫の除去を補助する可能性があります。

医薬品との相互作用

ほかの医薬品との相互作用については明らかではありません。

ハーブおよび健康食品・サプリメントとの相互作用

ほかのハーブ，健康食品・サプリメントとの相互作用についてはまだ明らかではありません。

使用量の目安

通常の食品に含まれている量を超えて経口摂取した場合の安全性および副作用については，明らかになっていません。

バオバブ

BAOBAB

●代表的な別名

モンキーブレッドツリー

別名ほか

Abebrødstræ，Adansonia，Adansonia bahoba，Adansonia baobab，Adansonia digitata，Adansonia situla，Adansonia somalensis，Adansonsia sphaerocarpa，Adansonia sulcata，Adansonie d'Afrique，Affenbrotbaum，African Baobab，

ハ

Afrikaanse Kremetart, Afrikanischer Baobab, Albero Bottiglia, Albero di Mille Anni, Apebroodboom, Apenbroodboom, Bao Báp Châu Phi, Baob, Baoba, Baobaba, Baobabu, Baobab Afrykanski, Baobab Agaci, Baobab del África, Baobab Africain, Baobab Africano, Baobab de Mahajanga, Baobab de Mozambique, Baobab Fruit, Baobab Milk, Baobab of Mahajanga, Baobab Prstnatý, Baobab Seed, Baobab Seed Oil, Baobab Tree, Baobab Wlasciwy, Baobab Yemisi, Baovola, Boab, Boaboa, Boringy, Bottle Tree, Bawbab, Boy, Bozobe, Calebassier Du Sénégal, Cream-Tartar Tree, Dead Rat Tree, Dton Baobab, Ethiopian Sour Bread, Gros Mapou, Harilik Ahvileivapuu, Hou Mian Bao Shu, Imbondeiro, Kremetart, Kremetartboom, Maymun Ekmegi Agaci, Mboio, Mboy, Monkey Bread Tree, Noce d'Egitto, Pain de Singe, Rainiala, Reniala, Ringy, Sefo, Shagar El Bawbab, Shagar Khubz El Qurud, Sour Gourd, Upside-Down Tree, Vanoa, Vontana

概　要

バオバブは，アフリカ，マダガスカル，オーストラリア，およびアラビア原産の木です。先住民の水分補給や食料源として用いられます。

果実および葉を用いて気管支喘息およびアレルギー性皮膚疾患の「くすり」を作ることもあります。

バオバブの果実は見た目が風変わりで栄養が豊富なことから，次世代の“スーパーフード”と呼ぶ人もいます。

安　全　性

通常の食品として摂取する場合は，安全のようです。ただし，「くすり」としての高用量摂取した場合の安全性については，信頼性の高いデータが不十分です。

●妊娠中および母乳授乳期

妊娠中および母乳授乳期の使用の安全性についてはデータが不十分です。安全性を考慮し，摂取は避けてください。

有　効　性

◆科学的データが不十分です

・気管支喘息，アレルギー性皮膚疾患など。

●体内での働き

疾病，症状に対してどのように作用するかについての十分な科学的データがありません。果実および葉は複数の栄養素を含み，抗酸化作用も有します。

医薬品との相互作用

ほかの医薬品との相互作用については明らかではありません。

ハーブおよび健康食品・サプリメントとの相互作用

ほかのハーブ，健康食品・サプリメントとの相互作用についてはまだ明らかではありません。

使用量の目安

標準使用量に関するデータがありません。

巴戟天

BA JI TIAN

●代表的な別名

インディアン・マルベリー

別名ほか

ヤエヤマアオキ，アカダマノキ（Indian Mulberry），ノニ，ノヌ，ノノ（Noni），Bi Ji, Morinda, Morinda Root, Morindae officinalis, Morindae radix

概　要

巴戟天は植物です。根を用いて「くすり」を作ることもあります。

安　全　性

ほとんどの人に安全です。

排尿痛（排尿障害）：腎臓を刺激すると考えられているので，痛みをともなう排尿が悪化するおそれがあります。排尿痛のある場合には使用に注意が必要です。

●妊娠中および母乳授乳期

妊娠中および母乳授乳期の使用の安全性についてはデータが不十分です。安全性を考慮し，使用は控えてください。

有　効　性

◆科学的データが不十分です

・がん，胆のう炎，夜尿症，勃起不能および早期射精，背部痛，うつ病，腎障害など。

●体内での働き

脳内物質セロトニンの作用を高めることで，うつ病の治療に役立つことがあります。

医薬品との相互作用

ほかの医薬品との相互作用については明らかではありません。

ハーブおよび健康食品・サプリメントとの相互作用

ほかのハーブ，健康食品・サプリメントとの相互作用についてはまだ明らかではありません。

使用量の目安

標準使用量に関するデータがありません。

バコパ

BACOPA

別名ほか

Andri, Bacopa monniera, Bacopa monnieri, Herb of Grace, Herpestis Herb, Herpestis monniera, Hysope d'Eau, Indian Pennywort, Jalanimba, Jal-Brahmi, Jalnaveri, Nira-Brahmi, Moniera cuneifolia, Sambrani Chettu, Thyme-Leave Gratiola, Water Hyssop

概　　要

バコパ（ブラミ，brahmi）は，伝統的なインド医学（アーユルヴェーダ）で使用される植物です。バコパを，同じくブラミと呼ばれることのあるツボクサ（gotu kola）やほかのナチュラルメディシンと混同してはいけません。

バコパは，アルツハイマー病，記憶力の改善，不安，注意欠陥多動障害（ADHD），アレルギー症状，過敏性腸症候群（IBS）に対し，またストレスに対する強壮剤として，使用されます。

また，腰痛，嗄声，精神疾患，てんかん，関節痛，男性および女性の性機能障害に対して使用されます。利尿剤として使用されることもあります。

安　全　性

バコパのエキスの経口摂取は，成人が短期間（最大12週間），適切に摂取する場合には，おそらく安全です。一般的な副作用としては，排便回数の増加，胃痙攣，吐き気，口内乾燥，疲労があります。

徐脈：バコパにより心拍動が遅くなるおそれがあります。心拍数が少ない場合には問題となることがあります。

消化管の通過障害：腸内にうっ血を起こすおそれがあります。腸に通過障害がある場合には問題となることがあります。

潰瘍：バコパにより胃腸内の分泌物が増加するおそれがあります。これにより潰瘍が悪化する懸念があります。

肺疾患：バコパにより肺内の分泌物が増加するおそれがあります。これにより気管支喘息や肺気腫などの肺疾患が悪化する懸念があります。

甲状腺疾患：バコパにより甲状腺ホルモンレベルが上昇するおそれがあります。甲状腺疾患がある，もしくは甲状腺ホルモン薬を服薬している場合には，注意して使用するか，使用を避けてください。

尿路閉塞：バコパにより尿路内の分泌物が増加するおそれがあります。これにより尿路閉塞が悪化する懸念があります。

●妊娠中および母乳授乳期

妊娠中および母乳授乳期の使用の安全性についてはデータが不十分です。安全性を考慮し，摂取は避けてください。

有　効　性

◆有効性レベル③

・記憶力の改善。特定のバコパのエキスを摂取することで，健康な高齢者で，記憶力がある程度改善することを示す研究があります。また，バコパのエキスを摂取することで，6～8歳の小児で，記憶力，および視覚と手の協調がある程度向上するようです。

◆有効性レベル④

・過敏性腸症候群（IBS）。寛解後のIBS症状の再発防止において，バコパには，プラセーボを上回る効果はないようです。

◆科学的データが不十分です

・不安，てんかん（痙攣発作），気管支喘息，腰痛，嗄声，精神疾患，関節リウマチ，性機能障害，体液貯留など。

●体内での働き

バコパは，思考，学習，記憶にかかわる特定の脳内化学物質を増加させる可能性があります。また，アルツハイマー病にかかわる化学物質から脳細胞を保護する可能性があることを示唆する研究があります。

ハ

医薬品との相互作用

中 口渇作用などの乾燥作用のある医薬品（抗コリン薬）

バコパは，脳および心臓などで作用する特定の化学物質の体内量を増加させる可能性があります。口渇などの乾燥作用のある医薬品（抗コリン薬）も異なった方法でこの化学物質を増加させる可能性があります。口渇などの乾燥作用のある医薬品はバコパの作用を弱め，バコパはこのような医薬品の作用を弱めるおそれがあります。このような医薬品には，アトロピン硫酸塩水和物，スコポラミン臭化水素酸塩水和物，特定の抗アレルギー薬（抗ヒスタミン薬），特定の抗うつ薬などがあります。

低 甲状腺ホルモン製剤

甲状腺ホルモンは体内で産生されます。バコパは甲状腺ホルモンの産生量を増加させる可能性があります。バコパと甲状腺ホルモン製剤を併用すると，体内の甲状腺ホルモン量が過剰になり，甲状腺ホルモン製剤の作用および副作用が増強するおそれがあります。

中 緑内障，アルツハイマー病などに使用される医薬品（コリン作動薬）

バコパは，脳，心臓など，体内で特定の化学物質を増加させる可能性があります。緑内障，アルツハイマー病などに使用される医薬品のなかにもこの化学物質に影響を及ぼすものがあります。バコパとこのような医薬品を併用すると，副作用のリスクが高まるおそれがあります。

有効性レベル：①効きます　②おそらく効きます　③効くと断言できませんが、効能の可能性が科学的に示唆されています
④効かないかもしれません　⑤おそらく効きません　⑥効きません

このような医薬品には，ピロカルピン塩酸塩，ドネペジル塩酸塩，Tacrineなどがあります。

中肝臓で代謝される医薬品（シトクロムP450 1A2（CYP1A2）の基質となる医薬品）

特定の医薬品は肝臓で代謝されます。バコパはこのような医薬品の代謝を抑制する可能性があります。バコパと肝臓で代謝される医薬品を併用すると，医薬品の作用および副作用が増強するおそれがあります。このような医薬品には，クロザピン，Cyclobenzaprine，フルボキサミンマレイン酸塩，ハロペリドール，イミプラミン塩酸塩，メキシレチン塩酸塩，オランザピン，塩酸ペンタゾシン，プロプラノロール塩酸塩，Tacrine，Zileuton，ゾルミトリプタンなどがあります。

中肝臓で代謝される医薬品（シトクロムP450 2C19（CYP2C19）の基質となる医薬品）

特定の医薬品は肝臓で代謝されます。バコパはこのような医薬品の代謝を抑制する可能性があります。バコパと肝臓で代謝される医薬品を併用すると，医薬品の作用および副作用が増強するおそれがあります。このような医薬品には，アミトリプチリン塩酸塩，カリソプロドール（販売中止），Citalopram，ジアゼパム，ランソプラゾール，オメプラゾール，フェニトイン，ワルファリンカリウムなど数多くあります。

中肝臓で代謝される医薬品（シトクロムP450 2C9（CYP2C9）の基質となる医薬品）

特定の医薬品は肝臓で代謝されます。バコパはこのような医薬品の代謝を抑制する可能性があります。バコパと肝臓で代謝される医薬品を併用すると，医薬品の作用および副作用が増強するおそれがあります。このような医薬品には，セレコキシブ，ジクロフェナクナトリウム，フルバスタチンナトリウム，Glipizide，イブプロフェン，イルベサルタン，ロサルタンカリウム，フェニトイン，ピロキシカム，タモキシフェンクエン酸塩，トルブタミド（販売中止），トラセミド，ワルファリンカリウムなどがあります。

中肝臓で代謝される医薬品（シトクロムP450 3A4（CYP3A4）の基質となる医薬品）

特定の医薬品は肝臓で代謝されます。バコパはこのような医薬品の代謝を抑制する可能性があります。バコパと肝臓で代謝される医薬品を併用すると，医薬品の作用および副作用が増強するおそれがあります。このような医薬品には，Lovastatin，ケトコナゾール，イトラコナゾール，トリアゾラムなど数多くあります。

ハーブおよび健康食品・サプリメントとの相互作用

ほかのハーブ，健康食品・サプリメントとの相互作用についてはまだ明らかではありません。

使用量の目安

●経口摂取

記憶力，思考力の改善

バコパのエキスを，1日300mg，12週間にわたり摂取します。研究では特定のバコパエキスが用いられています。

ハコベ

CHICKWEED

別名ほか

コハコベ（Stellaria media），Alsine Media，Star Chickweed，Starweed

概　要

ハコベは植物です。葉を用いて「くすり」を作ることもあります。

安 全 性

ハコベの経口摂取は，ほとんどの成人に安全のようです。ただし，副作用についてはデータが不十分です。皮膚へ塗布する場合の安全性および副作用については，データが不十分です。

●妊娠中および母乳授乳期

妊娠中および母乳授乳期の使用の安全性についてはデータが不十分です。安全性を考慮し，摂取は避けてください。

有 効 性

◆科学的データが不十分です

・便秘，気管支喘息，胃腸疾患，肥満，乾癬，筋肉痛，関節痛など。

・皮膚へ塗布する場合には，せつ，膿瘍，潰瘍などの皮膚症状など。

●体内での働き

どのように作用するかについては，十分なデータが得られていません。壊血病と呼ばれるビタミンC欠乏症に対してハコベを試す人もいますが，この疾患に有効であるほど大量のビタミンCは含まれていません。

医薬品との相互作用

ほかの医薬品との相互作用については明らかではありません。

ハーブおよび健康食品・サプリメントとの相互作用

ほかのハーブ，健康食品・サプリメントとの相互作用についてはまだ明らかではありません。

使用量の目安

通常の食品に含まれている量を超えて経口摂取した場合の安全性および副作用については，明らかになっていません。

バジル

BASIL

●代表的な別名

メボウキ

別名ほか

メボウキ，バジリコ，Albahaca，Basilic，Basilic Commun，Basilic Grand，Basilic Grand Vert，Basilic Romain，Basilic aux Sauces，Basilici Herba，Basilici Herba，Common Basil，Garden Basil，Munjariki，Ocimum basilicum，オキムム・バジリクム，St. Josephwort，St. Joseph's Wort，Surasa，Sweet Basil，スイートバジル，Vanatulasi，Varvara

概　要

バジルはハーブです。地上部を用いて「くすり」を作ることもあります。

バジルは，胃の不調（痙攣，食欲不振，腸内ガス，下痢，便秘など）に対して，通常，経口摂取します。しかし，このような医薬品的効果効能を裏づけるエビデンスは限られています。

食品では，香料に使用されます。

安 全 性

バジルの経口摂取は，食品に含まれる量であれば，ほとんどの人に安全のようです。

成人が「くすり」としての量のバジルを経口摂取する場合，短期間であれば，おそらく安全です。人によっては，低血糖を起こすおそれもあります。

バジルの地上部およびバジル油（精油）を，「くすり」として長期間経口摂取する場合，おそらく安全ではありません。肝がんのリスクを高めるおそれのある化学物質エストラゴールが含まれています。

小児：食品に含まれる量の摂取なら，バジルはほとんどの小児に安全のようです。しかし，「くすり」として多量に摂取する場合，おそらく安全ではありません。バジルに含まれる化学物質エストラゴールは，マウス実験で肝がんを引き起こしています。

出血性疾患：バジル油（精油）およびバジルエキスは，血液凝固を抑制し，出血を促進する可能性があります。理論上，バジル油（精油）およびバジルエキスは，出血性疾患を悪化させるおそれがあります。

低血圧：バジルエキスは血圧を低下させる可能性があります。理論上，バジルエキスの摂取により，低血圧の人の血圧が過度に低下するおそれがあります。

手術：バジル油（精油）およびバジルエキスは，血液凝固を抑制する可能性があります。理論上，バジル油またはバジルエキスの摂取により，手術中の出血のリスクが高まるおそれがあります。少なくとも手術前２週間は，使用しないでください。

●妊娠中および母乳授乳期

食品に含まれる量の摂取なら，妊娠中および母乳授乳期の使用は，ほとんどの人に安全のようです。しかし，「くすり」として多量に摂取する場合，おそらく安全ではありません。バジルに含まれる化学物質エストラゴールは，マウス実験で肝がんを引き起こしています。

有　効　性

◆科学的データが不十分です

・ざ瘡（にきび），精神的覚醒，鼻風邪，食欲不振，腸内ガス，胃痙攣，下痢，便秘，腎障害，蠕虫，疣贅（いぼ），ヘビ咬傷・昆虫刺傷など。

●体内での働き

バジルには多くの化学物質が含まれます。この化学物質が細菌と真菌を死滅させる可能性があります。バジルに含まれる化学物質は消化管の症状を軽減する可能性があります。

医薬品との相互作用

中 血液凝固を抑制する医薬品（抗凝固薬/抗血小板薬）

バジルオイルおよびバジルエキスは血液凝固を抑制する可能性があります。バジルオイルまたはバジルエキスと，血液凝固を抑制する医薬品を併用すると，紫斑および出血のリスクが高まるおそれがあります。このような医薬品には，アスピリン，クロピドグレル硫酸塩，ダルテパリンナトリウム，エノキサパリンナトリウム，ヘパリン，チクロピジン塩酸塩，ワルファリンカリウムなどがあります。

中 降圧薬

バジルエキスは，人によっては血圧を低下させる可能性があります。バジルエキスと降圧薬を併用すると，血圧が過度に低下するおそれがあります。降圧薬を服用中にバジルを過剰に摂取しないでください。このような降圧薬には，カプトプリル，エナラプリルマレイン酸塩，ロサルタンカリウム，バルサルタン，ジルチアゼム塩酸塩，アムロジピンベシル酸塩，ヒドロクロロチアジド，フロセミドなど数多くあります。

ハーブおよび健康食品・サプリメントとの相互作用

血圧を低下させるおそれのあるハーブおよび健康食品・サプリメント

バジルエキスは血圧を低下させる可能性があります。同様の作用をもつほかのハーブおよび健康食品・サプリメントとバジルエキスを併用すると，人によっては血圧が過度に低下するリスクが高まるおそれがあります。このようなハーブおよび健康食品・サプリメントには，アンドログラフィス，カゼイン・ペプチド，キャッツクロー，コエンザイムQ-10，魚油，L-アルギニン，クコ属，イラクサ，テアニンなどがあります。

ハ

血液凝固を抑制するおそれのあるハーブおよび健康食品・サプリメント

バジル油（精油）またはバジルエキスと，血液凝固を抑制するおそれのあるほかのハーブおよび健康食品・サプリメントを併用すると，人によっては出血のリスクが高まるおそれがあります。このようなハーブおよび健康食品・サプリメントには，アンゼリカ，クローブ，タンジン，フィーバーフュー，魚油，ニンニク，ショウガ，イチョウ，朝鮮人参，セイヨウトチノキ，レッドクローバー，ウコン，ビタミンEなどがあります。

使用量の目安

通常の食品に含まれている量を超えて経口摂取した場合の安全性および副作用については，明らかになっていません。

ハス

LOTUS

別名ほか

Blue Lotus, He Ye, Kamal, Lian Fang, Lian Xu, Lian Zi, Lian Zi Xin, Lotier, Loto, Lotus Bleu, Lotus d'Égypte, Lotus des Indes, Lotus d'Orient, Lotus Sacré, Nelumbo caspica, Nelumbo komarovii, Nelumbo nelumbo, Nelumbo nucifera, Nelumbo speciosum, Nymphaea nelumbo, Padma, Padmoj, Sacred Lotus, Semen Nelumbinis

概　要

ハスは植物です。花，種子，葉，地下茎の一部を用いて「くすり」を作ることもあります。

ハスは，止血や，不妊，咳，発熱，痢，肝疾患，肝疾患，胃疾患の治療に，経口摂取されることがあります。しかし，これらの用途を十分に裏付けるエビデンスはありません。

アジアでは，料理，パン作り，また，飲料への風味付けのために，ハスの様々な部分が一般的に使用されます。

安 全 性

食品として食べる場合には，ハスはほとんどの人に安全のようです。ただし，「くすり」として摂取する場合の安全性については，データが不十分です。

糖尿病：人によっては，ハスが血糖値を低下させるおそれがあります。糖尿病患者がハスを「くすり」として使用する場合は，低血糖の徴候に注意し，血糖値を注意深く監視してください。

手術：ハスは，血糖値を低下させるおそれがあります。ハスを「くすり」として摂取する場合，手術中・手術後の血糖コントロールを妨げるおそれがあります。少なくとも手術前２週間は，使用しないでください。

●妊娠中および母乳授乳期

妊娠中および母乳授乳期に「くすり」としての量を摂取する場合の安全性についてはデータが不十分です。安全性を考慮し，摂取は避けてください。

有 効 性

◆科学的データが不十分です

・不安，口臭，出血，下痢，消化不良，発熱，肝臓の健康，皮膚疾患，咽喉痛と咳など。

●体内での働き

ハスには，腫脹を緩和し，がん細胞と細菌を死滅させ，血糖値を低下させ，脂肪の分解を助け，心血管を保護する化学物質が含まれます。ハスに含まれる化学物質は，皮膚，肝臓，脳も保護するようです。

医薬品との相互作用

中 ペントバルビタールカルシウム

ペントバルビタールカルシウムは眠気および注意力低下を引き起こします。ハスとペントバルビタールカルシウムを併用すると，注意力が過度に低下するおそれがあると懸念されています。しかし，このことが重大な問題であるかについては十分に明らかではありません。

中 血液凝固を抑制する医薬品（抗凝固薬/抗血小板薬）

ハスは血液凝固を抑制する可能性があります。ハスと血液凝固を抑制する医薬品を併用すると，紫斑および出血のリスクが高まるおそれがあります。このような医薬品には，アスピリン，クロピドグレル硫酸塩，プラスグレル塩酸塩，ジピリダモール，チクロピジン塩酸塩などがあります。

中 糖尿病治療薬

ハスは，人によっては血糖値を低下させる可能性があります。糖尿病治療薬も血糖値を低下させるために用いられます。ハスと糖尿病治療薬を併用すると，血糖値が過度に低下するおそれがあります。血糖値を注意深く監視してください。糖尿病治療薬の用量を変更する必要があるかもしれません。このような糖尿病治療薬には，グリメピリド，グリベンクラミド，インスリン，ピオグリタゾン塩酸塩，マレイン酸ロシグリタゾン（販売中止）などがあります。

ハーブおよび健康食品・サプリメントとの相互作用

血糖値を低下させるおそれのあるハーブおよび健康食品・サプリメント

ハスは血糖値を低下させるおそれがあります。同様の作用をもつほかのハーブおよび健康食品・サプリメントと併用すると，人によっては低血糖のリスクが高まるおそれがあります。このようなハーブおよび健康食品・サプリメントには，デビルズクロー，フェヌグリーク，グアーガム，朝鮮人参，エゾウコギなどがあります。

血液凝固を抑制するおそれのあるハーブおよび健康食品・サプリメント

ハスは血液凝固を抑制するおそれがあります。血液凝固を抑制するほかのハーブと併用すると，人によっては紫斑および出血のリスクが高まるおそれがあります。このようなハーブには，アンゼリカ，クローブ，タンジン，フェヌグリーク，フィーバーフュー，ニンニク，ショウガ，イチョウ，朝鮮人参，ポプラ，レッドクローバー，ウコンなどがあります。

使用量の目安

通常の食品に含まれている量を超えて経口摂取した場合の安全性および副作用については，明らかになっていません。

パセリ

PARSLEY

●代表的な別名

オランダゼリ

別名ほか

ハンブルクパセリ（Hamburg Parsley），オランダゼリ（Petroselinum crispum），イタリアンパセリ（Petroselinum hortense），パセリシード（Petroselinum sativum），Common Parsley, Garden Parsley, Persely, Persil, Petersylinge, Petroselini herba, Petrosilini radix, Rock Parsley, Apium petroselinum, Carum petroselinum

概　　要

パセリはハーブです。葉，種子，および根は「くすり」として使われることがあります。

一部の人々は，膀胱炎（UTIs），腎結石（腎石症），胃腸疾患，便秘，糖尿病，咳，気管支喘息および高血圧のためにパセリを経口摂取します。

一部の女性では，月経や流産を誘発するために，経口摂取します。

一部の人々は，顔の黒い斑点，皮膚のひびおよびあかぎれ，あざ（打撲），腫瘍，昆虫刺傷，発毛の刺激のために，パセリを直接肌に塗って使用します。

パセリは，食品や飲料として，料理の付け合わせ，調味料，食品，香料として広く使用されています。

工業品では，パセリシードオイルは，石鹸，化粧品，香水の香料として使用されています。

安　全　性

パセリは，通常の食べ物の量の範囲で摂取した場合，ほとんどの人に安全のようです。

パセリは，短期間，「くすり」として経口摂取した場合，ほとんどの成人におそらく安全です。人によっては，皮膚にアレルギー反応を起こす場合があります。

非常に大量のパセリを摂取した場合は，安全ではないようです。貧血や肝疾患，腎疾患などの副作用を起こすおそれがあります。

また，パセリシードオイルを直接皮膚に塗布すると，皮膚が日光に非常に敏感になり，皮疹を引き起こすおそれがあるため，安全ではないようです。パセリの根と葉を皮膚に塗布した場合の安全性については明らかではありません。

出血性疾患：パセリは血液凝固を抑制する可能性があります。理論上，パセリを摂取すると，出血性疾患患者の出血のリスクが高まるおそれがあります。

糖尿病:パセリは血糖値を低下させる可能性があります。糖尿病患者がパセリを摂取する場合には，低血糖の兆候に注意し，血糖値を注意深く監視してください。

体液貯留（浮腫）：パセリは体にナトリウム（塩分）を保持し，水分貯留を増加させるおそれがあります。

高血圧：パセリは体にナトリウム（塩分）を保持する可能性があります。そのため，高血圧が悪化するおそれがあります。

腎疾患：腎疾患の場合はパセリを摂取しないでください。パセリには腎疾患を悪化させる化学物質が含まれています。

手術：パセリは血糖値を低下させ，手術中・手術後の血糖コントロールを妨げるおそれがあります。少なくとも手術前２週間は，パセリを摂取しないでください

●妊娠中および母乳授乳期

通常の食べ物の量の範囲で摂取した場合は問題ありません。妊娠中に，「くすり」として使用される量を経口摂取した場合は，安全ではないようです。パセリは流産や月経を誘発するために使用されます。さらに，ドンクアイとパセリとを含むハーブ配合製品であるAn-Tai-Yinを妊娠初期３カ月に摂取すると，重篤な先天性異常のリスクが増加することが示唆されています。妊娠中は通常の食べ物の量の範囲でパセリを摂取してください。

母乳授乳期に「くすり」として使用される量を使用した場合の安全性については明らかではありません。通常の食べ物の量の範囲でパセリを摂取してください。

有　効　性

◆科学的データが不十分です

・顔の黒い斑点（肝斑），気管支喘息，膀胱炎（UTIs），あざ（打撲），咳，皮膚のひびまたはあかぎれ，消化管障害，体液貯留と腫脹（浮腫），昆虫刺傷，腎結石，肝疾患，月経異常，腫瘍など。

●体内での働き

パセリは食欲を刺激し，消化を助け，尿量を増やし，痙攣を軽減し，月経出血を増やすのに関与しています。

ハ

医薬品との相互作用

低アスピリン

パセリにアレルギーがある人もいます。アスピリンは，このような人のパセリへの感受性を高めるおそれがあります。これは1例しか報告されていませんが，パセリにアレルギーのある人は，安全のためにアスピリンとパセリを併用しないでください。

中ペントバルビタールカルシウム

パセリジュースは，ペントバルビタールカルシウムが体内に留まる時間を延長する可能性があります。パセリとペントバルビタールカルシウムを併用すると，ペントバルビタールカルシウムの作用および副作用が増強するおそれがあります。

中ワルファリンカリウム

ワルファリンカリウムは血液凝固を抑制するために用いられます。多量のパセリの葉は血液凝固を促進する可能性があります。パセリとワルファリンカリウムを併用すると，ワルファリンカリウムの血液凝固抑制作用が低下するおそれがあります。

中肝臓で代謝される医薬品（シトクロムP450 1A2（CYP1A2）の基質となる医薬品）

特定の医薬品は肝臓で代謝されます。パセリはこのような医薬品の代謝を抑制する可能性があります。パセリと肝臓で代謝される医薬品を併用すると，医薬品の作用および副作用が増強するおそれがあります。このような医薬品には，アミトリプチリン塩酸塩，ハロペリドール，オンダンセトロン塩酸塩水和物，プロプラノロール塩酸塩，テオフィリン，ベラパミル塩酸塩などがあります。

中血液凝固を抑制する医薬品（抗凝固薬/抗血小板薬）

パセリは血液凝固を抑制する可能性があります。パセリと血液凝固を抑制する医薬品を併用すると，紫斑および出血のリスクが高まるおそれがあります。このような医薬品には，アスピリン，クロピドグレル硫酸塩，チカグレロル，ジクロフェナクナトリウム，イブプロフェン，ナプロキセン，ダルテパリンナトリウム，エノキサパリンナトリウム，ヘパリン，ワルファリンカリウムなどがあります。

中糖尿病治療薬

パセリは血糖値を低下させる可能性があります。糖尿病治療薬もまた血糖値を低下させるために用いられます。「くすり」の用量のパセリと糖尿病治療薬を併用すると，血糖値が過度に低下するおそれがあります。血糖値を注意深く監視してください。糖尿病治療薬の用量を変更する必要があるかもしれません。このような糖尿病治療薬には，グリメピリド，グリベンクラミド，インスリン，ピオグリタゾン塩酸塩，マレイン酸ロシグリタゾン（販売中止）などがあります。

中利尿薬

パセリは体内の水分を排出させ，利尿薬のように作用するようです。パセリと利尿薬を併用すると，体内の水分が過剰に排出される可能性があります。水分が過剰に排出されると，めまいが起きたり，血圧が過度に低下したりするおそれがあります。このような利尿薬には，クロロチアジド（販売中止），クロルタリドン（販売中止），フロセミド，ヒドロクロロチアジド，スピロノラクトン，トリアムテレンなどがあります。

ハーブおよび健康食品・サプリメントとの相互作用

血糖値を低下させるおそれのあるハーブおよび健康食品・サプリメント

パセリは血糖値を低下させるおそれがあります。同様の作用をもつハーブおよび健康食品・サプリメントと併用すると，人によっては，低血糖のリスクが高まるおそれがあります。これらの製品には，デビルズクロー，フェヌグリーク，グアーガム，朝鮮人参，エゾウコギなどがあります。

血液凝固を抑制するおそれのあるハーブおよび健康食品・サプリメント

パセリは血液凝固を抑制するおそれがあります。同様の作用をもつハーブおよび健康食品・サプリメントと併用すると，人によっては紫斑や出血のリスクが高まるおそれがあります。これらの製品には，アンゼリカ，クローブ，タンジン，フェヌグリーク，フィーバーフュー，ニンニク，ショウガ，イチョウ，朝鮮人参，ポプラ，レッドクローバー，ウコンなどがあります。

使用量の目安

通常の食品に含まれている量を超えて経口摂取した場合の安全性および副作用については，明らかになっていません。

パタ・デ・バカ

PATA DE VACA

別名ほか

Bauhinia forficata，Cow's Foot

概　要

パタ・デ・バカは樹木です。葉を用いて「くすり」を作ります。

抗酸化剤として，糖尿病の場合に経口摂取します。

安 全 性

パタ・デ・バカの安全性および副作用については，データが不十分です。

糖尿病：パタ・デ・バカが，血糖値を低下させるおそれがあります。糖尿病の場合には，血糖値を注意深く監視してください。糖尿病の場合には，パタ・デ・バカを摂取する前に，医師などに相談するのが最善です。

手術：パタ・デ・バカが，血糖値に影響を及ぼすおそれがあります。手術中および術後の血糖値コントロールを妨げるおそれがあります。少なくとも手術前２週間は，使用しないでください。

●妊娠中および母乳授乳期

妊娠中および母乳授乳期の使用の安全性についてはデータが不十分です。安全性を考慮し，摂取は避けてください。

有　効　性

◆科学的データが不十分です

・糖尿病など。

●体内での働き

パタ・デ・バカは，血糖値を低下させる可能性があります。また，がんの進行を抑制し，コレステロール値を低下させ，アンチオキシダント（抗酸化物質）として働く可能性があります。

医薬品との相互作用

中糖尿病治療薬

パタ・デ・バカは血糖値を低下させる可能性があります。糖尿病治療薬もまた血糖値を低下させるために用いられます。パタ・デ・バカと糖尿病治療薬を併用すると，血糖値が過度に低下するおそれがあります。血糖値を注意深く監視してください。糖尿病治療薬の用量を変更する必要があるかもしれません。このような糖尿病治療薬にはグリメピリド，グリベンクラミド，インスリン，ピオグリタゾン塩酸塩，マレイン酸ロシグリタゾン（販売中止），クロルプロパミド，Glipizide，トルブタミド（販売中止）などがあります。

ハーブおよび健康食品・サプリメントとの相互作用

血糖値を低下させるおそれのあるハーブおよび健康食品・サプリメント

パタ・デ・バカと，血糖値を低下させるおそれのあるほかのハーブおよび健康食品・サプリメントを併用すると，血糖値が過度に低下するおそれがあります。このようなハーブおよび健康食品・サプリメントには，α-リポ酸，デビルズクロー，フェヌグリーク，ニンニク，グアーガム，セイヨウトチノキ，朝鮮人参，サイリウム，エゾウコギなどがあります。

使用量の目安

通常の食品に含まれている量を超えて経口摂取した場合の安全性および副作用については，明らかになっていません。

バターナット

BUTTERNUT

別名ほか

バターナッツ（Juglans cinerea），ホワイトウォルナット（White Walnut），Butternussbaum，Lemon Walnut，Oil Nut，Nogal ceniciento，Noyer cerdr

概　　要

バターナットは植物です。樹皮が「くすり」になることもあります。

安　全　性

一般的に安全と考えられていますが，下痢や胃腸の痛みを生じるおそれがあります。

●妊娠中および母乳授乳期

妊娠中，母乳授乳期は使用してはいけません。

有　効　性

◆科学的データが不十分です

・胆のう炎，痔核，皮膚病，便秘，がん，感染症，身体機能の回復など。

●体内での働き

下剤として作用し，排便を促すと考えられます。

医薬品との相互作用

中ジゴキシン

バターナットは刺激性緩下剤の一種ですが，刺激性緩下剤は体内のカリウム量を減少させることがあります。カリウム量が減少するとジゴキシンの副作用の現れるリスクが高まると考えられます。

中抗炎症薬（副腎皮質ステロイド）

副腎皮質ステロイドには体内のカリウム量を減少させるものがあります。バターナットも体内のカリウム量を下げる可能性のある下剤の一種です。併用するとカリウム量が下がりすぎるおそれがあります。このような副腎皮質ステロイドとしては，デキサメタゾン，ヒドロコルチゾン，メチルプレドニゾロン，Prednisoneなどがあります。

中刺激性下剤

バターナットは刺激性下剤の一種ですが，刺激性下剤は腸の蠕動運動を活発化させます。バターナットとほかの刺激性下剤を併用すると，腸の運動が過度に亢進して，脱水や体内のミネラル量の低下を引き起こすおそれがあります。このような刺激性下剤にはビサコジル，カスカラサグラダ，ヒマシ油，センナなどがあります。

中利尿薬

バターナットは下剤ですが，下剤は体内のカリウム量を減少させることがあります。利尿薬の中にも体内のカリウム量を減少させるものがありますから，バターナットを利尿薬とともに摂取すると，カリウム量が下がりすぎてしまうおそれがあります。このような利尿薬にはクロロチアジド（販売中止），クロルタリドン（販売中止），フロセミド，ヒドロクロロチアジドなどがあります。

ハーブおよび健康食品・サプリメントとの相互作用

ほかのハーブ，健康食品・サプリメントとの相互作用についてはまだ明らかではありません。

使用量の目安

標準使用量に関するデータがありません。

蜂花粉

BEE POLLEN

別名ほか

花粉（Pollen），ソバ花粉（Buckwheat Pollen），ミツバチ花粉（Honeybee Pollen），トウモロコシ花粉（Maize Pollen），マツ花粉（Pine Pollen），Bee Pollen Extract，Pollen D'Abeille

概　　要

蜂花粉には蜂蜜およびミツバチの唾液も含まれます。花粉はさまざまな植物から集まるため，蜂花粉の内容は著しく多様です。蜂花粉をビーベノム，ハチミツまたはローヤルゼリーと混同しないでください。

・新型コロナウイルス感染症（COVID-19）。
COVID-19に対して蜂花粉の使用を裏付ける十分なエビデンス（科学的根拠）はありません。

安 全 性

蜂花粉の30日間までの経口摂取は，ほとんどの人におそらく安全です。1錠中に，ローヤルゼリー6 mg，蜂花粉エキス36mg，蜂花粉，雌しべエキス120mgを含む特定の錠剤2錠を，1日2回，最大2カ月まで，安全に使用されるようであるというエビデンスもあります。

もっとも重大な安全性の懸念材料はアレルギー反応です。花粉アレルギーのある人には重篤なアレルギー反応を引き起こすおそれがあります。

このほかに肝障害や腎障害などの重篤な副作用も報告されていますが，本当に蜂花粉が原因なのか，それとも何か別の要因によるのかは不明です。

●アレルギー

花粉アレルギー：花粉アレルギーのある人では，蜂花粉のサプリメントの摂取により重篤なアレルギー反応を引き起こすおそれがあります。そう痒，腫脹，息切れ，めまい感，アナキフィラキシー（重篤な全身反応）といった症状を起こすおそれがあります。

●妊娠中および母乳授乳期

妊娠中の使用は，おそらく安全ではありません。蜂花粉が子宮を刺激し，妊娠を脅かすおそれがあります。使用してはいけません。母乳授乳期の使用も避けるのが最善です。乳児への影響についてはデータが不十分です。

有 効 性

◆有効性レベル④

・運動能力。研究では，蜂花粉のサプリメントの経口摂取により，スポーツ選手の運動能力が上がることはないようであることが示唆されています。

◆科学的データが不十分です

・月経前症候群（PMS），食欲増進，早期加齢，花粉症，口内炎，関節痛，排尿痛，前立腺疾患，鼻出血，月経不順，便秘，下痢，大腸炎，体重減少など。

●体内での働き

蜂花粉に含まれる酵素は，医薬品のように作用すると考えられています。ただ，こうした酵素は胃で分解されるので，作用が発揮される可能性は低いようです。

医薬品との相互作用

中ワルファリンカリウム

蜂花粉はワルファリンカリウムの作用を増強させる可能性があります。蜂花粉とワルファリンカリウムを併用すると，紫斑または出血のリスクが高まるおそれがあります。

ハーブおよび健康食品・サプリメントとの相互作用

ほかのハーブ，健康食品・サプリメントとの相互作用についてはまだ明らかではありません。

使用量の目安

通常の食品に含まれている量を超えて経口摂取した場合の安全性および副作用については，明らかになっていません。

ハチミツ

HONEY

別名ほか

ヨーロッパミツバチ，セイヨウミツバチ（Apis mellifera），マヌカハニー（Manuka Honey），Chestnut Honey，Clarified honey，Honig，Madhu，Mel，Miel blanc，Purified honey，Strained honey

概　　要

ハチミツはハチ類が植物の花蜜から生成する物質です。一般に食品の甘味料として用いられます。「くすり」を作ることもあります。

ハチミツは，生成，収集，処理などの過程で，植物，ハチ類，ちりなどの中の細菌によって汚染されることがあります。ハチミツには幸い，このような細菌が生存したり繁殖したりするのを防ぐ性質があります。しかし，ボツリヌス中毒を引き起こす細菌など，胞子によって繁殖する細菌には死滅しないものもあります。そのため，ハチミツを経口摂取した乳児にボツリヌス中毒が報告されています。この問題を解決するため，医療用ハチミツには,放射線を照射して細菌胞子を不活性化しています。また，医療用ハチミツは抗菌活性作用をもつよう標準化されています。一部の専門家は，医療用ハチミツは，無菌で抗生剤処理されていないハチの巣から採取し，農薬を散布されていない植物の花蜜に限定するべきだと提唱しています。

ハチミツは，咳，糖尿病，高コレステロール血症，気管支喘息，花粉症に対して用いられます。また，下痢，がん治療による口内炎，ヘリコバクター・ピロリ感染による胃潰瘍に対して用いられます。活発な運動時や栄養不良時の炭水化物供給源として用いられることもあります。そのほか，扁桃摘出後の創傷治癒の目的で経口摂取されます。

創傷治癒，熱傷，糖尿病性足部潰瘍，壊疽，白内障の治療，ヘルペスウイルス感染患者の角膜混濁の治療の目的で，ハチミツを皮膚に直接塗布することもあります。また，日光皮膚炎に対して塗布したり，カテーテル使用による感染を予防する目的や，腫瘍摘除時にがん細胞の拡散を予防する目的で塗布したりします。がん治療による口内炎の予防や治療，歯肉炎予防の目的で，口腔内に塗布してから飲み込むこともあります。そう痒を緩和したり，リーシュマニア感染による皮膚病変を治療したりする目的のほか，痔核やヘルペス感染に対して皮膚に塗布することもあります。

ハチミツの局所使用には長い歴史があります。実際，もっとも古い創傷用包帯剤に用いられていたと考えられています。西暦50年には古代ギリシャの医師ディオスコリデスが日光皮膚炎や感染性創傷にハチミツを用いていました。ハチミツの治癒特性は聖書，コーラン，ユダヤ教のトーラーにも記載されています。

ハチミツは花粉症に対して鼻腔内スプレーとして用いられます。

不妊を改善する目的で膣内に投与されます。

食品としては，甘味料として用いられます。

製造業では，石鹸や化粧品の香料や保湿剤として用いられます。

ハチミツと蜂花粉，ビーベノム，ローヤルゼリーを混同しないでください。

・新型コロナウイルス感染症（COVID-19）。
COVID-19に対してハチミツの使用を裏付ける十分なエビデンス（科学的根拠）はありません。

安全性

ハチミツは，成人および1歳を超える小児が経口摂取する場合や，成人が適量を皮膚へ塗布する場合には，ほとんどの人に安全のようです。

乳児が経口摂取する場合，おそらく安全ではありません。12カ月未満の乳児に生のハチミツを与えてはいけません。ボツリヌス中毒を起こす危険があります。1歳を超える小児や成人にはこの危険はありません。

ツツジ属の花蜜由来のハチミツを経口摂取する場合，安全ではないようです。この種のハチミツには心臓障害，低血圧，胸痛などの重篤な心臓障害を引き起こすおそれのある毒が含まれています。

糖尿病：2型糖尿病患者がハチミツを大量に摂取すると，血糖値が上昇するおそれがあります。また，糖尿病患者が透析出口部にハチミツを塗布すると，感染リスクが上昇するおそれがあります。

●アレルギー

花粉アレルギー：花粉アレルギーの人はアレルギー反応が出るおそれがあるため，使用しないでください。

●妊娠中および母乳授乳期

妊娠中および授乳期間中に通常の食品に含まれる量を摂取する場合，ほとんどの人に安全のようです。乳幼児にはボツリヌス症の懸念がありますが，成人や妊娠中の女性には懸念はありません。ただし，妊娠中および授乳期間中に「くすり」としての量のハチミツを摂取する場合の安全性についてはデータが不十分です。安全性を考慮し，摂取は避けてください。

有効性

◆有効性レベル③

・熱傷。熱傷の皮膚に直接塗布すると，治癒の促進に役立つようです。
・咳。2歳以上の小児が就寝前にハチミツを少量摂取すると,咳発作の回数が減少するようです。ハチミツは，鎮咳薬「デキストロメトルファン」を市販の通常用量で用いた場合と少なくとも同程度に効果があるようです。また，疾患に罹患した後に咳が長く続く成人が少量のハチミツとコーヒーのペーストを入れた水を飲むと，咳の頻度が低くなるようです。
・放射線治療または化学療法による口内炎。放射線治療の前後にハチミツで口腔内をゆすいでからゆっくり飲み込むと，口内炎の発症リスクが低下するようです。また,ハチミツを口内炎に塗布するか,ハチミツとコーヒーのペーストを摂取すると，化学療法による口内炎の治癒に役立つようです。
・創傷治癒。ハチミツを創傷に直接塗布するか，ハチミツを浸み込ませた包帯剤を使うことで，治癒が改善するようです。ハチミツまたはハチミツを浸み込ませた包帯剤を，手術後の創傷，慢性足部潰瘍，膿瘍，熱傷，擦過傷，切り傷，移植用に皮膚を切除した箇所など，さまざまな種類の創傷に使用した研究があります。ハチミツは，臭気や膿を低減し，創傷を清浄化し，感染を改善し，疼痛を緩和し，治癒期間を短縮するようです。ほかの療法が奏効しない創傷がハチミツで治癒したとの報告もあります。

◆科学的データが不十分です

・花粉症，運動能力，腎臓透析用カテーテルによる感染，糖尿病，糖尿病性足部潰瘍，フルニエ壊疽，歯肉炎，痔核，単純疱疹（口唇ヘルペス），高コレステロール血症，ウイルス性胃腸炎，不妊，リーシュマニア病変，栄養不良，そう痒，放射線による皮膚障害，真菌アレルギーによる副鼻腔炎，気管支喘息，濃い粘液を分解，白内障，消化管潰瘍，日光皮膚炎など。

●体内での働き

ハチミツに含まれる化学物質の一部は，細菌や真菌類を死滅させる可能性があります。ハチミツを皮膚に塗布すると，保湿膜として働き，皮膚が包帯剤に固着するのを防ぎます。ハチミツはまた，栄養分などの化学物質を供給し，創傷の治癒を早める可能性があります。一部の研究者は，ハチミツの甘味が唾液分泌を促して咳を鎮めるのに役立つと考えています。唾液が増加すると粘液分泌が促され，粘液が気道を湿潤させて咳を鎮めます。

医薬品との相互作用

中 フェニトイン

ハチミツはフェニトインの体内への吸収量を増加させる可能性があります。ハチミツとフェニトインを併用すると，フェニトインの作用および副作用を増強するおそれがあります。

中 血液凝固を抑制する医薬品（抗凝固薬/抗血小板薬）

ハチミツは血液凝固を抑制する可能性があります。理論的には，ハチミツと血液凝固を抑制する医薬品を併用すると，紫斑および出血のリスクが高まるおそれがあります。このような医薬品には，アスピリン，クロピドグレル硫酸塩，非ステロイド性抗炎症薬（ジクロフェナクナトリウム，イブプロフェン，ナプロキセンなど），ダルテパリンナトリウム，エノキサパリンナトリウム，ヘパリン，ワルファリンカリウムなどがあります。

低 肝臓で代謝される医薬品（シトクロムP450 3A4（CYP3A4）の基質となる医薬品）

特定の医薬品は肝臓で代謝されます。ハチミツはこのような医薬品の代謝を抑制する可能性があります。ハチミツと肝臓で代謝される医薬品を併用すると，医薬品の作用および副作用が増強するおそれがあります。このような医薬品には，カルシウム拮抗薬（ジルチアゼム塩酸塩，ニカルジピン塩酸塩，ベラパミル塩酸塩），化学療法薬（エトポシド，パクリタキセル，ビンブラスチン硫酸塩，ビンクリスチン硫酸塩，ビンデシン硫酸塩），抗真菌薬（ケトコナゾール，イトラコナゾール），グルココルチコイド，シサプリド（販売中止），Alfentanil，フェンタニルクエン酸塩，ロサルタンカリウム，塩酸フルオキセチン（販売中止），ミダゾラム，オメプラゾール，オンダンセトロン塩酸塩水和物，プロプラノロール塩酸塩，フェキソフェナジン塩酸塩など数多くあります。

ハーブおよび健康食品・サプリメントとの相互作用

血液凝固を抑制するおそれのあるハーブおよび健康食品・サプリメント

ハチミツは血液凝固を抑制するおそれがあるため，血液凝固を抑制するほかのハーブおよび健康食品・サプリメントと併用すると，人によっては出血のリスクが高まるおそれがあります。このようなハーブおよび健康食品・サプリメントには，アンゼリカ，クローブ，タンジン，ニンニク，ショウガ，イチョウ，朝鮮人参などがあります。

使用量の目安

【成人】

●経口摂取

咳

ハチミツ20.8gとコーヒー2.9gを含むペースト25gを温水200mLに溶かし，8時間ごとに摂取します。

●皮膚への塗布または口腔内への塗布

熱傷および創傷

治療のために，ハチミツを直接塗布するか，包帯剤またはガーゼ剤を用いて塗布します。包帯剤は通常24～48時間ごとに取り替えます。場合により，最大25日間そのままにして，2日ごとに創傷の様子を確認します。直接塗布する場合はハチミツ15～30mLを12～48時間ごとに塗布し，滅菌ガーゼと包帯，もしくはポリウレタン製包帯剤で覆います。

放射線治療または化学療法による口内炎

放射線治療の15分前，放射線治療から15分後および6時間後または就寝時に，ハチミツ20mLで口腔内をゆすぎ，ゆっくり飲み込むか吐き出します。またはガーゼ剤を用いて口腔内に貼り，毎日取り替えます。またはハチミツとコーヒーのペースト10mLまたはハチミツのみのペースト10mL（いずれもハチミツ50%を含む）で3時間ごとに口腔内をゆすぎ，飲み込みます。

【小児】

●経口摂取

咳

ハチミツ2.5～10mL（小さじ0.5～2杯）を就寝時に摂取します。

扁桃摘出による創傷

治療のため，抗生剤およびアセトアミノフェンと併用して，起きている時間にハチミツ5mLを1時間ごとに14日間摂取します。

●皮膚への塗布または口腔内への塗布

放射線治療または化学療法による口内炎

ハチミツ最大15gを1日3回，口腔内に塗布します。

膿瘍の創傷

治療のために，ハチミツを浸したガーゼ剤を1日2回，治癒するまで創傷に塗布します。

相互作用レベル：高 この医薬品と併用してはいけません　中 この医薬品とは慎重に併用するか併用しないでください　低 この医薬品との併用には注意が必要です

パチョリオイル

PATCHOULI OIL

別名ほか

Agastach Pogostemi, Guang-Huo-Xiang, Huile de Patchouli, Huo Xiang, Patchouli, パチュリ, Patchouly, パチュリー, Mentha cablin, Pogostemon cablin, カッコウ, 藿香, ポゴステモンカブリン, Pogostemon heyneanus, Pogostemon patchouly, Putcha-Pat, パチョリ油

概　　要

パチョリオイルはパチョリ（パチュリ;Pogostemon cablin）という植物の乾燥した葉，若葉，新芽からとれるオイルです。パチョリオイルを用いて「くすり」を作ることもあります。

パチョリオイルは，蚊よけ，感冒，がん，頭痛などに使用されますが，このような用途を裏付ける十分な科学的根拠（エビデンス）はありません。

食品や飲料では，パチョリオイルは香料に使用されます。工業用では，香水や化粧品の香料に使用されます。

注：わが国では，「専ら医薬品として使用される成分本質」（いわゆる「46通知」）によると，カッコウ（別名はパチョリ）の地上部は「医薬品」とされています。

安 全 性

パチョリオイルを経口摂取した場合，通常の食品の量であれば安全なようです。しかし，「くすり」として量を多く用いた場合の安全性や副作用については情報が不十分です。

パチョリオイルを皮膚に塗布した場合，安全性や副作用については情報が不十分です。

●妊娠中および母乳授乳期

妊娠中および母乳授乳期にパチョリオイルを使用する安全性については情報が不十分です。安全性を考慮し，使用しないでください。

有 効 性

◆科学的データが不十分です

・蚊よけ，感冒，頭痛，吐き気，嘔吐，下痢，胃痛，口臭，がんなど。

●体内での働き

パチョリオイルは特定の細菌や真菌の感染を防ぐ助けになる可能性があります。また，炎症を軽減する可能性もあります。

医薬品との相互作用

ほかの医薬品との相互作用については明らかではありません。

ハーブおよび健康食品・サプリメントとの相互作用

ほかのハーブ，健康食品・サプリメントとの相互作用についてはまだ明らかではありません。

使用量の目安

パチョリオイルを使用する目安量は複数の要因（年齢，健康状態，その他の状況）により異なります。現時点ではパチョリオイルの適量の幅を判断する情報が不十分です。自然由来の製品は必ずしも安全ではなく，使用量が重要になりうることを留意してください。製品に表示されている使用方法に従い，医師や薬剤師に相談することなく使用しないようにしてください。

バチラス・コアグランス

BACILLUS COAGULANS

別名ほか

B. Coagulans, Bacillus Bacteria, Bacillus Probiotics, Bactéries Bacilles, Bactéries à Gram Positif Sporogènes, Bactérie Gram Positive en Forme de Bâtonnet, Gram Positive Spore-Forming Rod, L. Sporogenes, Lactobacillus Sporogenes, Lactobacillus Sporogènes, Probiotic, Probiotique, Spore-Forming Lactobacillus

概　　要

バチラス・コアグランスは細菌の一種です。乳酸菌や他のプロバイオティクスなどのように，有益バクテリアとして使用されます。

バチラス・コアグランスは子供に起こりやすいロタウイルス性の下痢などの感染性の下痢，旅行者下痢，抗生物質により引き起こされる下痢などに使用されます。また，バチラス・コアグランスは過敏性腸症候群，炎症性腸疾患（クローン病，潰瘍性大腸炎），クロストリジウム・ディフィシル腸炎，腸内での有害な細菌の増殖，潰瘍を引き起こしやすい細菌ヘリコバクター・ピロリ菌による感染症などの一般的な消化器障害にも使用されます。

バチラス・コアグランスは呼吸器感染症の予防や免疫システムを整えるのにも使用されます。また，発がん性因子の形成の予防にも使用されます。ワクチンの効力を改善するための付加剤としての使用にも関心がもたれています。

バチラス・コアグランスは乳酸を作り，そのためによく乳酸菌などの乳酸性細菌と誤って分類されることがあります。実際，バチラス・コアグランスを含む製品の中には有胞子性乳酸菌，または「胞子形成乳酸菌」として市場に出されているものがあります。乳酸菌やビフィズス菌などの乳酸性細菌と異なり，バチラス・コアグラン

ハ

スは胞子と呼ばれる繁殖組織を形成します。胞子こそ，バチラス・コアグランスと乳酸性細菌とを分ける重要な因子なのです。

安 全 性

バチラス・コアグランスは経口摂取する場合，おそらく安全です。バチラス・コアグランスを成人が最大6カ月間使用したところ，安全性に問題がなかったことが複数の臨床研究で示されています。

●妊娠中および母乳授乳期

妊娠中および母乳授乳期の使用の安全性についてはデータが不十分です。安全性を考慮し，摂取は避けてください。

有 効 性

◆科学的データが不十分です

・下痢，腸内での細菌増殖，ヘリコバクター・ピロリ感染，炎症性腸疾患（IBD，クローン病，潰瘍性大腸炎），ワクチン効力改善の付加剤としての使用，がん予防，クロストリジウム・ディフィシル大腸炎，消化不良，免疫システムの強化，過敏性腸症候群（IBS），呼吸器感染など。

●体内での働き

バチラス・コアグランスの医療目的での有効性についてはデータが不十分です。バチラス・コアグランスが免疫システムの機能を高め，有害な細菌を減少させる可能性があることが動物実験の研究で示されていますが，臨床試験ではまだ示されていません。

医薬品との相互作用

中抗菌薬

抗菌薬は体内の有害な細菌を減少させるために用いられます。また，抗菌薬は体内の他の細菌も減少させる可能性があります。バチラス・コアグランスと抗菌薬を併用すると，バチラス・コアグランスの効果の見込みが低下する可能性があります。この相互作用を避けるために，抗菌薬を服用する少なくとも前後2時間はバチラス・コアグランス製品を摂取しないでください。

中免疫抑制薬

バチラス・コアグランスは免疫機能を高める可能性があります。バチラス・コアグランスと免疫抑制薬を併用すると，免疫抑制薬の効果が弱まるおそれがあります。このような免疫抑制薬には，アザチオプリン，バシリキシマブ，シクロスポリン，Daclizumab，ムロモナブ-CD3（販売中止），ミコフェノール酸モフェチル，タクロリムス水和物，シロリムス，Prednisone，副腎皮質ステロイド（グルココルチコイド）などがあります。

ハーブおよび健康食品・サプリメントとの相互作用

ほかのハーブ，健康食品・サプリメントとの相互作用についてはまだ明らかではありません。

使用量の目安

通常の食品に含まれている量を超えて経口摂取した場合の安全性および副作用については，明らかになっていません。

ハッカ

JAPANESE MINT

●代表的な別名

ミント

別名ほか

ニホンハッカ，日本薄荷（Mentha arvensis Piperascens），カナディアンミント（Canadian Mint），コーンミント（Corn Mint），ミントオイル（Mint Oil），ポレオ（Poleo），プディナ（Pudina），Mentha pulegium, Aloysia gretissim, American Corn Mint, Brook Mint, Chinese Mint, Chinese Mint Oil, Cornmint Oil, Field Mint Oil, Mentha arvensis Aetheroleum, Mentha canadensis, Minzol, Putiha

概 要

ハッカは植物です。地上部から抽出されたオイルを用いて「くすり」を作ることもあります。

安 全 性

一般的に安全でしょう。

経口摂取すると，胃のもたれのような副作用を引き起こす場合があります。

顔に直接塗ったり，吸い込んだりすると，気管支喘息の悪化や声帯痙攣，深刻な呼吸器系障害を起こすおそれがあります。また，ほてりや頭痛が出るかもしれません。

赤ちゃんや小児が使用するのは安全ではなく，深刻な呼吸器系障害を誘うため，とくに鼻の周囲には塗布してはいけません。

肝疾患の人，炎症や胆石，胆管閉塞のような胆のう系疾患，気管支喘息の人は使用してはいけません。

●アレルギー

皮膚に直接塗布したり，顔に直接塗ったり，吸い込んだりすると，アレルギー反応が出るかもしれません。

●妊娠中および母乳授乳期

妊娠中，母乳授乳期は使用してはいけません。

有 効 性

◆科学的データが不十分です

・過敏性腸症候群，そう痒，蕁麻疹，口内炎，リウマチ性疾患，感冒，咳，発熱，感染しやすい傾向，悪心，咽喉頭部痛，下痢，頭痛，歯痛，痙攣，耳痛，腫瘍，触痛，がん，心臓に関する不快感，天候変化に対する

相互作用レベル：高この医薬品と併用してはいけません　中この医薬品とは慎重に併用するか併用しないでください　低この医薬品との併用には注意が必要です

感受性，腸内ガス（膨満），気管支炎など気道の炎症，筋肉痛（筋痛），神経痛に関連のある軽い疾患など。

●体内での働き

オイルは，腸内ガスを防ぎ，胆汁量を増大，感染を撃退すると考えられています。

医薬品との相互作用

ほかの医薬品との相互作用については明らかではありません。

ハーブおよび健康食品・サプリメントとの相互作用

ほかのハーブ，健康食品・サプリメントとの相互作用についてはまだ明らかではありません。

使用量の目安

●経口摂取

通常の摂取量は，１日当たりオイル３～６滴です。

●局所投与

オイルまたは同等製剤数滴を患部の皮膚に塗布します。ハッカオイルも，５～20％のオイルおよび希釈アルコールで５～10％に調製された半固形製剤として，また鼻用軟膏中１～５％のエッセンシャルオイルとして利用されています。

●吸入摂取

通常用量は，温水中にオイル３～４滴です。

麦角

ERGOT

別名ほか

Cockspur Rye，Hornseed，Mother of Rye，Secale cornutum，Smut Rye，Spurred Rye

概　　要

麦角はライムギに発生する菌です。誘導体は，標準化された「くすり」で利用できます。

安 全 性

安全ではありません。高い割合で，中毒を起こす危険があり，その場合，命にかかわるかもしれません。すぐに出てくる症状としては，悪心，嘔吐，筋肉の痛みや弱まり，しびれ，かゆみがあり，心臓の鼓動が早くなったり，弱まったりもします。さらに進んで，壊疽，視覚の問題，錯乱，ひきつり，痙攣，意識不明が起こり，命にかかわることになるかもしれません。

●妊娠中および母乳授乳期

妊娠中，母乳授乳期は使用してはいけません。

有 効 性

◆科学的データが不十分です

・出産時の出血の軽減，出産の補助，月経痛など。

●体内での働き

血管を狭くすることで，出血を抑える補助をする化合物を含んでいます。

医薬品との相互作用

中肝臓でほかの医薬品の代謝を抑制する医薬品（シトクロムP450 3A4（CYP3A4）を阻害する医薬品）

特定の医薬品は肝臓で代謝されてます。このような医薬品は麦角の代謝を抑制する可能性があります。麦角と肝臓でほかの医薬品を代謝する医薬品を併用すると，麦角の作用および副作用が増強するおそれがあります。このような医薬品には，アミオダロン塩酸塩，クラリスロマイシン，ジルチアゼム塩酸塩，エリスロマイシン，インジナビル硫酸塩エタノール付加物（販売中止），リトナビル，サキナビルメシル酸塩など数多くあります。

中興奮薬

興奮薬は神経系を亢進させます。神経系が亢進すると，神経が過敏になり，心拍数が上昇する可能性があります。麦角も神経系を亢進させる可能性があります。麦角と興奮薬を併用すると，頻脈や高血圧などの深刻な問題を引き起こすおそれがあります。麦角と興奮薬を併用しないでください。このような興奮薬には，Diethylpropion，エピネフリン，Phentermine，塩酸プソイドエフェドリンなど数多くあります。

中麦角誘導体

麦角には処方薬の麦角誘導体と同じ化学物質が含まれます。麦角サプリメントと麦角誘導体を併用すると，麦角の作用および副作用が増強するおそれがあります。このような麦角誘導体には，ブロモクリプチンメシル酸塩，ジヒドロエルゴタミンメシル酸塩（販売中止），エルゴタミン酒石酸塩（販売中止），ペルゴリドメシル酸塩などがあります。

中セロトニン作用薬

麦角は脳内物質のセロトニンを増加させる可能性があります。特定の医薬品もセロトニンを増加させます。麦角とこのような医薬品を併用すると，セロトニンが過剰に増加するおそれがあります。そのため，重大な副作用（重症の頭痛，心臓の異常，悪寒戦慄，錯乱，不安など）が現れるおそれがあります。このような医薬品には，塩酸フルオキセチン（販売中止），パロキセチン塩酸塩水和物，塩酸セルトラリン，アミトリプチリン塩酸塩，クロミプラミン塩酸塩，イミプラミン塩酸塩，スマトリプタン，ゾルミトリプタン，リザトリプタン安息香酸塩，メサドン塩酸塩，トラマドール塩酸塩など数多くあります。

ハーブおよび健康食品・サプリメントとの相互作用

ほかのハーブ，健康食品・サプリメントとの相互作用

についてはまだ明らかではありません。

使用量の目安

標準使用量に関するデータがありません。

八角（ダイウイキョウ）

STAR ANISE

別名ほか

Chinese Anise，ダイウイキョウの実，Illicium verum，シキミ，トウシキミ，Aniseed Stars，Anisi stellati Fructus，Badiana，Bajiao，Chinese Star Anise，Eight-horned Anise，Eight Horns，Illicium

概　　要

八角（ダイウイキョウ）はハーブです。種子とオイルを用いて「くすり」を作ることもあります。

安 全 性

食品の風味づけとして使う場合は安全です。

「くすり」として使う場合の安全性については，十分なデータがありません。

成分によっては，腫脹，歯石，皮膚に塗布したときの水疱といった問題を生じるかもしれません。

赤ちゃんに使用してはいけません。ひきつけなど，重い神経系の異常を起こすおそれがあります。

薬用の八角は中国産のものです。日本産八角は毒性があるので，摂取してはいけません。中国八角のお茶製品には，日本の八角が混じっているものもあります。見ただけでは，２つの違いを見分けられないでしょう。化学分析で安全が確認されないならば，八角のお茶は飲んではいけません。

乳がん，子宮がん，卵巣がん，子宮に異常のある人は使用してはいけません。

●妊娠中および母乳授乳期

妊娠中，母乳授乳期は使用してはいけません。

有 効 性

◆科学的データが不十分です

・咳，腸内ガス（膨満感），食欲不振，月経障害，肺の炎症（腫脹），胃のむかつきなど。

●体内での働き

八角には，細菌，イースト，真菌に対する活性のある成分が含まれています。感冒の予防および治療に処方される医薬品に使われているシキミ酸という化合物も含んでいます。しかし，八角にインフルエンザウイルスなどのウイルスに対する活性のあることを示した研究はありません。

医薬品との相互作用

ほかの医薬品との相互作用については明らかではありません。

ハーブおよび健康食品・サプリメントとの相互作用

ほかのハーブ，健康食品・サプリメントとの相互作用についてはまだ明らかではありません。

使用量の目安

標準使用量に関するデータがありません。

発酵小麦胚芽抽出物

FERMENTED WHEAT GERM EXTRACT

別名ほか

Fermented Extract Of Wheat Germ，FWGE，MSC，Triticum Aestivum Germ Extract，Triticum Vulgare Germ Extract

概　　要

発酵小麦胚芽抽出物は，小麦穀粒のエキスを酵母で処理することにより作られます。

発酵小麦胚芽抽出物は，結腸および直腸がん，関節炎，皮膚がん，全身性エリテマトーデス（SLE）という自己免疫疾患の治療や，化学療法の副作用を軽減する目的で，経口摂取されます。

発酵小麦胚芽抽出物は，日焼け防止を目的として，皮膚に塗布されます。

安 全 性

発酵小麦胚芽抽出物は，「くすり」としての量を経口摂取する場合，おそらく安全です。8.5～9 gを１日１～２回摂取する場合には，最大12カ月まで安全に用いられています。発酵小麦胚芽抽出物の経口摂取により，膨満感，下痢，吐き気，腸内ガス，便秘，軟便を引き起こすおそれがあります。

皮膚へ塗布する場合の安全性についてはデータが不十分です。

小児：発酵小麦胚芽抽出物は，「くすり」としての量を経口摂取する場合，おそらく安全です。6 g/m^{2}を１日２回投与する場合には，29カ月間は安全に用いられています。

臓器移植を受けた患者：発酵小麦胚芽抽出物が，免疫システムを活性化させるおそれがあります。このため，臓器移植の拒絶反応のリスクが高まるおそれがあります。臓器移植を受けた場合には，十分なデータが得られるまでは，発酵小麦胚芽抽出物を使用してはいけません。

●妊娠中および母乳授乳期

相互作用レベル：高この医薬品と併用してはいけません　中この医薬品とは慎重に併用するか併用しないでください
低この医薬品との併用には注意が必要です

妊娠中および母乳授乳期の「くすり」としての使用の安全性についてはデータが不十分です。安全性を考慮し，摂取は避けてください。

有　効　性

◆科学的データが不十分です

・化学療法に起因する副作用，結腸および直腸がん，皮膚がん，関節炎，全身性エリテマトーデス（SLE）という自己免疫疾患，日焼け防止など。

●体内での働き

発酵小麦胚芽抽出物が，がんの増殖を遅らせることにより，がんの悪化を防止する可能性があります。また，免疫システムを刺激する可能性や，抗酸化作用を有する可能性もあります。

医薬品との相互作用

中免疫抑制薬

発酵小麦胚芽抽出物は免疫機能を高める可能性があります。発酵小麦胚芽抽出物が免疫機能を高めることにより，免疫抑制薬の効果を弱めるおそれがあります。このような免疫抑制薬には，アザチオプリン，バシリキシマブ，シクロスポリン，Daclizumab，ムロモナブ-CD 3（販売中止），ミコフェノール酸モフェチル，タクロリムス水和物，シロリムス，Prednisone，副腎皮質ステロイドなどがあります。

ハーブおよび健康食品・サプリメントとの相互作用

ほかのハーブ，健康食品・サプリメントとの相互作用についてはまだ明らかではありません。

使用量の目安

通常の食品に含まれている量を超えて経口摂取した場合の安全性および副作用については，明らかになっていません。

発酵乳

FERMENTED MILK

別名ほか

Arerra, Augat, Bifidobacteria-Fermented Milk (BFM), Buttermilk, Cultured Dairy Foods, Cultured Dairy Products, Cultured Milk Products, Dadhi, Dahi, Ergo, Fermented Dairy Product, Ititu, Matzoon, Mazoni, Ropy Milk, Traditional Fermented Curd

概　　要

発酵乳は，牛乳が，乳酸桿菌やビフィズス菌属などの乳酸菌により発酵する際に生成されます。発酵乳製品は，とくに牛乳アレルギーや乳糖不耐症の場合には，発酵工程において消化されやすくなります。発酵することにより乳製品の保存可能期間も長くなります。

発酵乳は，ロタウイルスに起因する下痢，ブタクサに起因する花粉症，抗生剤に起因する下痢，関節炎，気管支喘息，胆道疾患，膀胱がん予防，乳がん，小児の発育，大腸炎，結腸がん予防，便秘，クローン病，歯腔，糖尿病，下痢，消化不良，腸内ガス，胆嚢疾患，胃がん，ウイルス性胃腸炎，胃食道逆流症（GERD），ヘリコバクター・ピロリ感染症，高コレステロール血症，高血圧，炎症性腸疾患，過敏性腸症候群，鉄欠乏性貧血，心疾患，スギ花粉症，乳糖不耐症，肥満，骨粗鬆症，膵臓の感染症，胃潰瘍，回腸のう炎（潰瘍性大腸炎の手術後に人工直腸内に発生する炎症），放射線に起因する胃腸に対する副作用，気道感染，結核，潰瘍性大腸炎，尿路感染症に対し，経口摂取されます。

発酵乳は，口唇潰瘍，日焼け，皮膚潰瘍，膣炎，皮膚の皺に対し，皮膚に塗布されます。

安　全　性

発酵乳の経口摂取は，通常の食品に含まれる量の範囲内であれば，ほとんどの人に安全のようです。

発酵乳の「くすり」としての量の経口摂取は，最大1年までは，おそらく安全です。

発酵乳を皮膚へ塗布する場合の安全性については，データが不十分です。

小児：発酵乳の経口摂取は，通常の食品に含まれる量の範囲内であれば，ほとんどの小児に安全のようです。発酵乳の「くすり」としての量の経口摂取は，最大5日間までは，おそらく安全です。

低血圧：発酵乳が，血圧を低下させるおそれがあります。このため，低血圧の場合には，発酵乳の摂取により血圧が過度に低下するおそれがあります。

免疫システム低下：発酵乳製品の中には，生きた細菌を含むものがあります。免疫システムが低下している場合には，発酵乳に含まれる細菌が体内で過度に増殖するおそれがあります。HIV/エイズ患者，臓器移植の拒絶反応を予防するための医薬品を服薬している患者などが当てはまります。免疫システムが低下している場合には，まれに，発酵乳製品に含まれる細菌の一種である乳酸桿菌属による疾患が引き起こされています。免疫システムが低下している場合には，安全性を考慮し，発酵乳製品を摂取する前に医師などに相談してください。

●妊娠中および母乳授乳期

妊娠中および母乳授乳期の使用の安全性についてはデータが不十分です。安全性を考慮し，通常の食品の量の範囲内で摂取してください。

有　効　性

◆有効性レベル③

・ロタウイルスに起因する下痢。複数のエビデンスにより，乳酸桿菌GG（Lactobacillus GG）を含む発酵乳製品を約５日間摂取することにより，小児のロタウイルスに起因する下痢の期間が短縮することが示唆されています。

・ブタクサに起因する花粉症。複数の研究により，花粉症の成人が，好酸性乳酸桿菌（Lactobacillus acidophilus）を含む発酵乳を摂取することにより，鼻の症状が軽減される可能性があることが示唆されていますが，目の症状が軽減する可能性は示唆されていません。ほかの研究では，そのほかの乳酸桿菌属とサーモフィルス連鎖球菌（Streptococcus thermophiles）を含む発酵乳を摂取することにより，小児と青年の花粉症の発生率が低下する可能性が示唆されています。ただし，相反するエビデンスもいくつかあります。

・抗生剤に起因する下痢。複数のエビデンスにより，乳酸桿菌属およびビフィズス菌属を含む発酵乳を毎日，経口摂取することにより，抗生剤服薬中に発症する下痢のリスクが低下することが示唆されています。ほかの研究により，２種類の乳酸桿菌属を含む発酵乳を毎日，２日間と，その後抗生剤治療が終了するまで続けることにより，入院患者の下痢の発症リスクが低下することが示唆されています。

・下痢。初期の研究により，カゼイ乳酸桿菌（Lactobacillus casei）を含む発酵乳を，１カ月間摂取することにより，乳児および小児の下痢の重症度が軽減することが示唆されています。この発酵乳を摂取することにより，乳児および小児の下痢の頻度が低下するかどうかについては，複数のエビデンスが一貫していません。そのほかの初期の研究により，カゼイ乳酸桿菌，ブルガリア乳酸桿菌（Lactobacillus bulgaricus），サーモフィルス連鎖球菌を含む特定の発酵乳製品を６カ月～５歳の乳幼児が摂取することにより，下痢が解消するまでに要する期間が短縮することが示唆されています。

・ヘリコバクター・ピロリに起因する潰瘍。研究により，サーモフィルス連鎖球菌，Bifidobacterium bifidumまたはLactobacillus johnsoniiを含む発酵乳飲料を毎日，12～16週間摂取することにより，ヘリコバクター・ピロリ感染症による胃症状が改善することが示唆されています。ほかの研究では，ヘリコバクター・ピロリ菌に対する標準的な抗生剤療法に，特定の発酵乳製品を追加することにより，抗生剤療法単独よりも早期に改善がみられることが示唆されています。

・乳糖不耐症。複数の研究により，カゼイ乳酸桿菌と好酸性乳酸桿菌を含む発酵乳を摂取することにより，乳糖不耐症患者の鼓腸，下痢および疼痛が軽減することが示唆されています。そのほかの研究により，ラクターゼ欠乏症の場合に，乳糖を含む食事とともに発酵乳製品を摂取すると，同様の効果が現れることが示唆されています。

・高血圧。複数のエビデンスにより，粉末状の発酵乳を含む錠剤を４週間経口摂取することにより，高血圧患者の収縮期血圧が低下することが示唆されていますが，拡張期血圧の低下については示唆されていません。そのほかの研究により，γ-アミノ酪酸（GABA）を含む発酵乳製品を12週間経口摂取することにより，血圧がやや高めの女性の血圧が低下することが示唆されています。

・過敏性腸症候群（IBS）。複数の初期の研究により，特定のプロバイオティクス発酵乳を１日２回，４週間摂取することにより，疼痛や腸内ガスなど過敏性腸症候群の症状が軽減することが示唆されています。ほかの研究では，Bifidobacterium animalisを含むほかの発酵乳製品にも，同様の結果が示されています。

・放射線に起因する胃腸に対する副作用。研究により，好酸性乳酸桿菌を含む発酵乳を毎日，放射線治療の５日前から治療後10日にわたり摂取することにより，放射線に起因する下痢やそのほか胃に対する副作用が軽減することが示唆されています。ほかの研究により，乳酸球菌属を含む発酵乳を摂取することにより，骨盤への放射線治療後の胃の不快感が改善する可能性があることが示唆されています。

・潰瘍性大腸炎（炎症性腸疾患）。複数の研究により，Bifidobacterium breve，Bifidobacterium bifidum，好酸性乳酸桿菌を含む発酵乳を毎日，最大１年間摂取することにより，潰瘍性大腸炎の症状が軽減することが示唆されています。

◆有効性レベル④

・気管支喘息。研究により，カゼイ乳酸桿菌，ブルガリア乳酸桿菌，サーモフィルス連鎖球菌を含む発酵乳を１日１回，12カ月間経口摂取しても，未就学児童の喘息発作は軽減されないことが示唆されています。

・スギ花粉症。カゼイ乳酸桿菌を含む発酵乳を毎日，８週間摂取しても，スギ花粉症患者の鼻アレルギー症状は軽減しないことが示唆されています。

◆科学的データが不十分です

・乳がん，便秘，小児の発育，高コレステロール血症，胃潰瘍，回腸のう炎（潰瘍性大腸炎の手術後に人工直腸内に発生する炎症），関節炎，胆道疾患，膀胱がん予防，大腸炎，結腸がん予防，クローン病，歯腔，糖尿病，消化不良，胃ガス，胆嚢疾患，胃がん，ウイルス性胃腸炎，胃食道逆流症（GERD），鉄欠乏性貧血，心疾患，肥満，骨粗鬆症，膵臓の感染症，気道感染症，結核，尿路感染症（UTI），口唇潰瘍，日焼け，皮膚の損傷，膣炎，皮膚の皺など。

●体内での働き

牛乳の発酵は，乳製品に乳酸菌を加えることで起こります。乳酸菌が乳タンパク質を分解するため，乳タンパク質アレルギーの場合にも，牛乳を消化しやすくなります。乳酸菌は乳糖も分解するため，乳糖不耐症の場合にも，牛乳を消化しやすくなります。また，発酵乳は，血圧およびコレステロールの値を低下させ，がんの増殖を抑制するようです。この効果は，発酵乳製品の抗酸化作用または免疫刺激作用によるものである可能性があります。

医薬品との相互作用

中抗菌薬

抗菌薬は多くの異なる種類の細菌を死滅させます。発酵乳製品には数種類の細菌が含まれます。発酵乳と抗菌薬を併用すると，発酵乳中の細菌が死滅する可能性があります。そのため，発酵乳製品の作用が弱まる可能性があります。この相互作用を避けるためには，抗菌薬と発酵乳は少なくとも2時間以上あけて摂取してください。

中降圧薬

人によっては，発酵乳を摂取すると，血圧が低下する可能性があります。理論的には，発酵乳と降圧薬を併用すると，血圧が過度に低下するリスクが高まるおそれがあります。このような降圧薬にはカプトプリル，エナラプリルマレイン酸塩，ロサルタンカリウム，バルサルタン，ジルチアゼム塩酸塩，アムロジピンベシル酸塩，ヒドロクロロチアジド，フロセミドなど多くあります。

中免疫抑制薬

発酵乳は免疫機能を刺激する可能性があります。理論的には，発酵乳と免疫抑制薬を併用すると，免疫抑制薬の効果を弱めるおそれがあります。このような免疫抑制薬には，アザチオプリン，バシリキシマブ，シクロスポリン，Daclizumab，ムロモナブ-CD３（販売中止），ミコフェノール酸モフェチル，タクロリムス水和物，シロリムス，Prednisone，副腎皮質ステロイドなどがあります。

ハーブおよび健康食品・サプリメントとの相互作用

血圧を低下させるおそれのあるハーブおよび健康食品・サプリメント

人によっては，発酵乳が血圧を低下させるおそれがあります。このため，発酵乳と，血圧を低下させるおそれのあるほかのハーブおよび健康食品・サプリメントを併用すると，血圧が過度に低下するおそれがあります。このようなハーブおよび健康食品・サプリメントには，アンドログラフィス，カゼイン・ペプチド，キャッツクロー，コエンザイムQ-10，魚油，L-アルギニン，クコ，イラクサ，テアニンなどがあります。

鉄

発酵乳が，体内に吸収される鉄の量を増加させるおそれがあります。このため，発酵乳を摂取することにより，人によっては，鉄が過度に吸収されるリスクが高まるおそれがあります。

使用量の目安

【成人】

●経口摂取

花粉症

好酸性乳酸桿菌を含む加熱処理された発酵乳を，１日100mL，８週間摂取します。

抗生剤に起因する下痢

Lactobacillus rhamnosus，好酸性乳酸桿菌およびビフィズス菌属を含む発酵乳１日250mLを，14日間摂取します。好酸性乳酸桿菌とカゼイ乳酸桿菌を含む発酵乳を，１日49g，２日間摂取し，その後は１日98gを抗生剤治療が終わるまで摂取します。

ヘリコバクター・ピロリ菌による潰瘍

Bifidobacterium bifidumとサーモフィルス連鎖球菌を含む発酵乳飲料を１日100mL，12週間摂取します。サーモフィルス連鎖球菌とLactobacillus johnsoniiを含む発酵乳を16週間毎日摂取します。

高血圧

Lactobacillus helyeticusを用いた粉末状の発酵乳を含む錠剤を１日６錠，４週間摂取します。また，発酵乳１日500mLを，８週間摂取します。γ-アミノ酪酸（GABA）を含む発酵乳を12週間毎日摂取します。

過敏性腸症候群（IBS）

サーモフィルス連鎖球菌，ブルガリア乳酸桿菌，好酸性乳酸桿菌，Bifidobacterium longumを含む特定のプロバイオティクス発酵乳200gを，１日２回，４週間摂取します。また，Bifidobacterium animalisやヨーグルト菌を含む特定の発酵乳製品125gを，１日２回，６週間摂取します。

乳糖不耐症

カゼイ乳酸桿菌と好酸性乳酸桿菌を含む発酵乳１回当たり480mLを摂取します。特定の発酵乳製品の１回当たり用量を摂取します。

放射線に起因する胃腸に対する副作用

好酸性乳酸桿菌を含む発酵乳を１日150mL，放射線治療の５日前から治療後10日にわたり摂取します。

潰瘍性大腸炎（炎症性腸疾患）

Bifidobacterium breve，Bifidobacterium bifidum，好酸性乳酸桿菌を含む発酵乳を１日100mL，最大１年間摂取します。

【小児】

●経口摂取

ロタウイルスに起因する下痢

乳酸菌GGを含む発酵乳製品125gを１日２回，５日間摂取します。

花粉症

カゼイ乳酸桿菌，ブルガリア乳酸桿菌，サーモフィルス連鎖球菌を含む発酵乳100mLを１日１回，12カ月間摂取します。また，サーモフィルス連鎖球菌，ブルガリア乳酸桿菌，Lactobacillus paracaseiを含む発酵乳を１日200～400mL，30日間摂取します。

下痢

ヨーグルト培養物とカゼイ乳酸桿菌による発酵乳１日125～250gを，１カ月間，乳児および小児に与えます。カゼイ乳酸桿菌による発酵乳100gを，６～24カ月の乳幼児に与えます。

ヘリコバクター・ピロリ菌による潰瘍

標準的な抗生剤治療に併用して，カゼイ乳酸桿菌を含

ハ

む特定の発酵乳製品を14日間毎日摂取します。

ハッショウマメ

COWHAGE

別名ほか

アメリカカノウゼンカズラ（Cowitch），マクナ（Macuna），ムクナ，ハッショウマメ（Mucuna pruriens），ベルベットビーン（Velvet Bean），Atmagupta，Couhage，Feijao Macaco，HP 200，HP-200，Kapikachchhu，Kaunch，Kawanch，Kiwach，Pica-Pica，Stizolobium pruriens

概　要

ハッショウマメは植物です。豆，種子，種子のサヤのヒゲを用いて「くすり」を作ることもあります。古くからアーユルヴェーダ医学に使われています。

●要説（ナチュラル・スタンダード）

ハッショウマメ（Mucuna pruriens.）の種子は，アーユルヴェーダでパーキンソン病の治療に用いられます。この伝統的な治療法は，ハッショウマメがドーパミンの前駆体であるレボドパを3.6～4.2%含んでいることを示唆する実験室分析により裏づけられています。レボドパは，数種類のパーキンソン病の医薬品に用いられている化学物質です。パーキンソン病の患者を対象とした臨床試験では，3件のハッショウマメによる治療が良い結果をもたらしました。ただし，もっとも効果的な治療法を解明するには，さらなる研究が必要です。さらに，ハッショウマメの種子には大豆およびほかのマメ科植物に匹敵する栄養価がありますが，栄養阻害作用や抗生理作用があるため，食料源としては用いられません。

安　全　性

ハッショウマメの豆から作られるHP-200と呼ばれる粉末製剤を，最大20週間にわたり経口摂取する場合，ほとんどの人におそらく安全です。頻度のもっとも高い副作用は吐き気と腹部膨満感です。頻度がそれほど高くない副作用として嘔吐，異常運動および不眠があります。

HP-200以外のハッショウマメ製剤の副作用として，頭痛，動悸，および錯乱，激越，幻覚，妄想などの精神症状を引き起こすことがあります。

ハッショウマメのサヤのヒゲを経口摂取または皮膚へ塗布する場合，おそらく安全ではありません。強力な刺激作用があり，重度のそう痒，熱傷，腫脹を生じるおそれがあります。

心血管疾患：ハッショウマメにはレボドパが含まれるため，心血管疾患患者は使用を控えたり，使用に注意を払う必要があります。レボドパは起立性低血圧，めまい感，および失神を頻繁に引き起こします。非常に頻度は少ないですが，レボドパは動悸，脈拍不整を引き起こすこともあります。

糖尿病：ハッショウマメは血糖値を低下させるため，血糖値が過度に低下する原因となるおそれがあります。ハッショウマメの使用に際しては，糖尿病患者は血糖値を注意深く監視してください。糖尿病薬の服薬量を調節する必要があるかもしれません。

低血糖：ハッショウマメは血糖値を低下させることがあるため，低血糖を悪化させる可能性があります。

肝障害：ハッショウマメはレボドパを含んでいます。レボドパは，肝機能検査値を上昇させるようです。つまり，ハッショウマメは肝障害を悪化させることを意味しています。肝障害の場合には，ハッショウマメを使用してはいけません。

悪性黒色腫：ハッショウマメに含まれるレボドパにより，体内でメラニン色素が生成される可能性があります。メラニン色素が余分に生成されることによる，悪性黒色腫の悪化が懸念されています。悪性黒色腫の既往がある場合や，皮膚の異変がある場合は，ハッショウマメを使用してはいけません。

消化性潰瘍：ハッショウマメに含まれるレボドパは，消化性潰瘍患者の消化管における出血を引き起こすとの報告があり，懸念されています。ただし，ハッショウマメに関する問題は報告されていません。

精神疾患：レボドパが含まれているため，精神疾患の症状が悪化するおそれがあります。

手術：ハッショウマメは血糖値に作用するため，手術中・手術後の血糖値コントロールを妨げるおそれがあります。少なくとも手術前２週間は，使用しないでください。

●妊娠中および母乳授乳期

妊娠中および母乳授乳期におけるハッショウマメの使用の安全性についてはデータが不十分です。安全性を考慮し，摂取は避けてください。

有　効　性

◆科学的データが不十分です

・高プロラクチン血症，パーキンソン病，寄生虫感染，骨と関節の疾患，筋肉痛，麻痺などの疾患における血流の促進など。

●体内での働き

パーキンソン病の治療に使われるレボドパが含まれています。レボドパは脳内でドーパミンに変化します。パーキンソン病の症状は脳内ドーパミン値が低いために起きます。特別な化学物質と併用しない限り，ほとんどのレボドパは脳に達する前に体内で分解されてしまいます。それらの化学物質はハッショウマメに含まれていません。

医薬品との相互作用

中グアネチジン硫酸塩【販売中止】

相互作用レベル：高この医薬品と併用してはいけません　中この医薬品とは慎重に併用するか併用しないでください　低この医薬品との併用には注意が必要です

ハッショウマメは血圧を低下させる可能性があります。グアネチジン硫酸塩もまた血圧を低下させる可能性があります。ハッショウマメとグアネチジン硫酸塩を併用すると，血圧が過度に低下するおそれがあります。

高メチルドパ水和物

ハッショウマメは血圧を下げる可能性があります。メチルドパ水和物もまた血圧を下げる可能性があります。ハッショウマメとメチルドパ水和物を併用すると，血圧が過度に低下するおそれがあります。

高モノアミン酸化酵素阻害薬（MAO阻害薬）

ハッショウマメには身体を刺激する化学物質が含まれます。モノアミン酸化酵素阻害薬（MAO阻害薬）はそれらの化学物質を増加させる可能性があります。ハッショウマメとMAO阻害薬を併用すると，動悸，高血圧，発作，神経過敏などの重大な副作用が現れるおそれがあります。このようなMAO阻害薬には，Phenelzine，Tranylcypromineなどがあります。

中抗精神病薬

ハッショウマメはドーパミンと呼ばれる脳内物質を増加させる可能性があります。特定の抗精神病薬はドーパミンを減少させます。ハッショウマメと抗精神病薬を併用すると，抗精神病薬の有効性を低下させるおそれがあります。このような抗精神病薬にはクロルプロマジン塩酸塩，クロザピン，フルフェナジン，ハロペリドール，オランザピン，ペルフェナジン，プロクロルペラジンマレイン酸塩，クエチアピンフマル酸塩，リスペリドン，チオリダジン塩酸塩（販売中止），チオチキセン（販売中止）などがあります。

中手術中に用いられる医薬品（麻酔薬）

ハッショウマメにはL-ドーパ（レボドパ）と呼ばれる化学物質が含まれます。手術中に用いられる医薬品とL-ドーパを併用すると，心臓の障害を引き起こす可能性があります。手術の少なくとも2週間前からハッショウマメを摂取しないでください。

中糖尿病治療薬

ハッショウマメは血糖値を低下させる可能性があります。糖尿病治療薬もまた血糖値を低下させるために用いられます。ハッショウマメと糖尿病治療薬を併用すると，血糖値が過度に低下するおそれがあります。血糖値を注意深く監視してください。糖尿病治療薬の用量を変更する必要があるかもしれません。このような糖尿病治療薬にはグリメピリド，グリベンクラミド，インスリン，ピオグリタゾン塩酸塩，マレイン酸ロシグリタゾン（販売中止），クロルプロパミド，Glipizide，トルブタミド（販売中止）などがあります。

ハーブおよび健康食品・サプリメントとの相互作用

血糖値を低下させるおそれのあるハーブおよび健康食品・サプリメント

ハッショウマメは血糖値を低下させるおそれがあります。同様の作用をもつほかのハーブおよび健康食品・サプリメントと併用すると，血糖値が過度に低下するおそれがあります。このようなハーブおよび健康食品・サプリメントには，ニガウリ，ショウガ，薬用ガレーガ，フェヌグリーク，クズ，ウィローバークなどがあります。

カバ

カバに含まれる物質は，ハッショウマメに含まれるレボドパに影響を及ぼし，ハッショウマメの効果を減弱させるおそれがあります。

ビタミンB_6

ビタミンB_6は，ハッショウマメに含まれるレボドパのパーキンソン病治療効果を減弱させるおそれがあります。パーキンソン病治療のためハッショウマメを使用している場合は，ビタミンB_6サプリメントの摂取を避けてください。

使用量の目安

通常の食品に含まれている量を超えて経口摂取した場合の安全性および副作用については，明らかになっていません。

パッションフラワー

PASSIONFLOWER

別名ほか

Apricot Vine, Burucuya, Corona de Cristo, Fleischfarbige, Fleur de la Passion, Fleur de Passiflore, Flor de Passion, Granadilla, Grandilla, Grenadille, Madre Selva, Maracuja, Maracuya, Maypop, Maypop Passion Flower, Pasiflora, Pasionari, Pasionaria, Passiflora, Passiflora incarnata, Passiflorae Herba, Passiflore, Passiflore Aubépine, Passiflore Officinale, Passiflore Purpurine, Passiflore Rouge, Passiflorina, Passion Vine, Passionaria, Passionblume, Passionflower, Passionflower Herb, Passionsblomma, Passionsblumenkraut, Purple Passion Flower, Water Lemon, Wild Passion Flower

概　要

パッションフラワーは米国南東部および中南米原産のつる植物です。食用に用いられたり，鎮静薬として伝統医学に用いられたりしていました。地上部を用いて「くすり」を作ることもあります。

パッションフラワーは，不眠，不安，適応障害，消化不良，疼痛，線維筋痛症，筋痙攣，下痢，麻薬離脱症状の緩和，手術前の不安や神経過敏の軽減の目的で経口摂取されます。

また，痙攣，気管支喘息，更年期症状，月経前症状，月経痛，注意欠陥多動障害（ADHD），動悸，脈拍不整，心不全に対して経口摂取されます。

有効性レベル：①効きます　②おそらく効きます　③効くと断言できませんが、効能の可能性が科学的に示唆されています　④効かないかもしれません　⑤おそらく効きません　⑥効きません

痔核，熱傷，腫脹（炎症）に対して皮膚へ塗布することもあります。

食品および飲料には，パッションフラワーエキスが香味料として用いられます。

1569年，スペイン人探検隊がペルーでパッションフラワーを発見し，その花をキリストの情熱の象徴と考えました。かつては米国で鎮静および睡眠補助用の一般用医薬品として認可されていましたが，米国食品医薬品局（FDA）が分類を再検討したところ，製造業者が安全性と有効性のエビデンスを提示できなかったため，この認可は1978年に撤回されました。

安全性

パッションフラワーは，食品の香味料としての量を用いる場合は，ほとんどの人に安全のようです。茶として毎晩摂取する場合は７日間，「くすり」としての量を用いる場合は最大８週間までは，おそらく安全です。特定のエキス3.5gを２日間など，大量に経口摂取する場合は，おそらく安全ではありません。

傾眠，めまい感，錯乱などの副作用を引き起こすおそれがあります。

皮膚へ塗布する場合の安全性についてはデータが不十分です。

手術：パッションフラワーは中枢神経系に影響を及ぼす可能性があります。手術中・手術後に使用する麻酔をはじめ，脳に作用する医薬品の作用を高めるおそれがあります。少なくとも手術前２週間は，使用しないでください。

●妊娠中および母乳授乳期

妊娠中はパッションフラワーを摂取してはいけません。おそらく安全ではありません。パッションフラワーには子宮の収縮を引き起こすおそれのある化学物質が含まれています。

母乳授乳期の使用の安全性についてはデータが不十分です。安全性を考慮し，摂取は避けてください。

有効性

◆有効性レベル③

・不安。一部の研究では，パッションフラワーを経口摂取すると不安症状が軽減する可能性があることが示されています。実際に，一部の処方薬と同程度の効果を示す可能性があります。

・手術前の不安。一部の研究では，パッションフラワーを手術の30〜90分前に経口摂取すると，手術前の不安が軽減する可能性があることが示されています。

◆科学的データが不十分です

・不安気分をともなう適応障害，注意欠陥多動障害（ADHD），心不全，睡眠障害（不眠），麻薬離脱，心疾患など。

●体内での働き

パッションフラワーに含まれる化学物質には，鎮静や睡眠を促す作用があります。

医薬品との相互作用

中 鎮静薬（中枢神経抑制薬）

パッションフラワーは眠気および呼吸抑制を引き起こす可能性があります。鎮静薬も眠気および呼吸抑制を引き起こす可能性があります。パッションフラワーを摂取し，鎮静薬を併用すると，呼吸困難や過度の眠気のいずれかまたは両方を引き起こすおそれがあります。このような鎮静薬には，ペントバルビタールカルシウム，フェノバルビタール，セコバルビタールナトリウム，クロナゼパム，ロラゼパム，ゾルピデム酒石酸塩などがあります。

低 細胞内のポンプによって輸送される医薬品（有機アニオン輸送ポリペプチドの基質となる医薬品）

特定の医薬品は細胞内のポンプによって細胞内に輸送，細胞外に排出されます。パッションフラワーはポンプの働きを変化させ，医薬品が体内に留まる量を変化させる可能性があります。そのため，場合によっては医薬品の作用および副作用が変化するおそれがあります。このような医薬品には，ボセンタン水和物，セリプロロール塩酸塩，エトポシド，フェキソフェナジン塩酸塩，ニューキノロン系抗菌薬，グリベンクラミド，イリノテカン塩酸塩水和物，メトトレキサート，パクリタキセル，サキナビルメシル酸塩，リファンピシン，スタチン系薬，Talinolol，トラセミド，トログリタゾン（販売中止），バルサルタンなどがあります。

ハーブおよび健康食品・サプリメントとの相互作用

眠気および注意力低下を引き起こすおそれのあるハーブおよび健康食品・サプリメント

パッションフラワーは眠気および注意力低下を引き起こすおそれがあります。同様の作用をもつほかのハーブおよび健康食品・サプリメントと併用すると，過度の眠気および注意力低下を引き起こすおそれがあります。このようなハーブおよび健康食品・サプリメントには，５-ヒドロキシトリプトファン，ショウブ，ハナビシソウ，キャットニップ，ホップ，ジャマイカ・ドッグウッド，カバ，セント・ジョンズ・ワート，スカルキャップ，カノコソウ，アネモプシス・カリフォルニカなどがあります。

使用量の目安

●経口摂取

不安

パッションフラワーエキス400mgを含むカプセルを１日２回，２〜８週間摂取します。または，パッションフラワーの流エキス剤45滴を毎日，４週間摂取します。

手術前の不安の軽減

特定のパッションフラワーエキス20滴を手術前の晩と手術開始90分前に摂取します。またはこの製品の錠剤

500mgを手術開始90分前に摂取します。または，パッションフラワーエキス700mgを含むシロップ剤５mLを手術30分前に摂取します。

バナジウム

VANADIUM

別名ほか

メタバナジン酸（Metavanadate），オルトバナジン酸（Orthovanadate），バナジウム酸塩（Vanadate），五酸化バナジウム（Vanadium Pentoxide），Vanadyl，硫酸バナジル（Vanadyl Sulfate）

概　　要

バナジウムはミネラルです。その美しい色から，スカンジナビアの美の女神バナジスに名前が由来します。バナジウムのサプリメントは「くすり」として使われることがあります。

安 全 性

１日当たり1.8mg以下の摂取なら，一般的に安全だと考えられています。

糖尿病治療で使用する患者のように多量に摂取する場合，腹部の不快感，下痢，悪心，腸内ガスといった副作用をともなうことが多くあります。また，舌が緑色に変化する，エネルギーが低下する，神経系に問題が出るといった副作用も起きるかもしれません。

多量に，また長期にわたる使用は安全ではありません。腎臓の障害といった深刻な副作用のリスクを高めます。

血糖値を低下させる可能性があります。糖尿病の患者は，血糖値をこまめに測定してもらい，低血糖の徴候がないか注意してください。

腎疾患：バナジウムは腎臓への障害があるとの報告があります。腎疾患の人はバナジウム・サプリメントを摂取してはいけません。

●妊娠中および母乳授乳期

妊娠中，母乳授乳期は使用してはいけません。

有 効 性

◆有効性レベル②

・バナジウム欠乏症の予防。

◆科学的データが不十分です

・糖尿病。バナジル硫酸（vanadyl sulfate）を高用量（１日100mgで31mgの元素バナジウムを含む）で摂取すると，２型糖尿病患者において，インスリンの働きが改善するとの報告があります。バナジウムを高用量で摂取すると，２型糖尿病患者の血糖値が降下する可能性があるとの研究があります。この研究には２つの大きな問題点があります。１つめはこの研究の対象が40人であることです。結論を出すにはさらに多くの対象者が必要です。２つめは，糖尿病患者に高用量のバナジウム摂取が奏功しても，この用量を長期間摂取するのは安全ではない可能性があります。用量が低い場合と同様の効果があるかは不明です。現時点では２型糖尿病の治療にバナジウムを使用するのは避けてください。症例数の多い試験で安全性と有効性を確かめられるまで待ってください。

・心疾患，高コレステロール血症，水分貯留（浮腫），がんの予防など。

●体内での働き

インスリンのように作用するか，インスリンの効果を増大させるという科学的データがいくつかあります。

医薬品との相互作用

中血液凝固を抑制する医薬品（抗凝固薬/抗血小板薬）

バナジウムは血液凝固を抑制する可能性があります。バナジウムと血液凝固を抑制する医薬品を併用すると，紫斑および出血のリスクが高まるおそれがあります。このような医薬品にはアスピリン，クロピドグレル硫酸塩，ジクロフェナクナトリウム，イブプロフェン，ナプロキセン，ダルテパリンナトリウム，エノキサパリンナトリウム，ヘパリン，ワルファリンカリウムなどがあります。

中糖尿病治療薬

バナジウムは２型糖尿病患者の血糖値を低下させるようです。糖尿病治療薬もまた血糖値を低下させるために用いられます。バナジウムと糖尿病治療薬を併用すると，血糖値が過度に低下するおそれがあります。血糖値を注意深く監視してください。糖尿病治療薬の用量を変更する必要があるかもしれません。このような糖尿病治療薬にはグリメピリド，グリベンクラあります。ミド，インスリン，ピオグリタゾン塩酸塩，マレイン酸ロシグリタゾン（販売中止），クロルプロパミド，Glipizide，トルブタミド（販売中止）などがあります。

ハーブおよび健康食品・サプリメントとの相互作用

ほかのハーブ，健康食品・サプリメントとの相互作用についてはまだ明らかではありません。

使用量の目安

●経口摂取

２型糖尿病

バナジウムの硫酸バナジル50mgを１日２回摂取します。米国国立衛生研究所（NIH）は，成人の耐容上限量（UL）を，バナジウム元素１日1.8mgに設定しています。乳幼児，小児，妊婦，授乳期の女性に対するULは設定されていません。これらの対象者は，バナジウムを食品，または乳児用調合粉乳から摂るようにしてください。食事から摂取する量は，平均１日６～18μgです。硫酸バナジルには，バナジウム元素31%が含まれています。また，メタバナジン酸ナトリウムは42%，オルトバナジウム酸ナトリウムは28%を含有しています。

ハナシノブ

JACOB'S LADDER

別名ほか

セイヨウハナシノブ，ポレモニウム・カエルレウム，Polemonium caeruleum，Charity，English Green Valerian

概　　要

ハナシノブは植物です。地上部を用いて「くすり」を作ることもあります。

安　全　性

安全性，または副作用については，まだわかっていません。

●妊娠中および母乳授乳期

妊娠中，母乳授乳期は使用してはいけません。

有　効　性

◆科学的データが不十分です

・発熱，炎症，発汗促進など。

●体内での働き

どのように作用するかについては十分なデータが得られていません。

医薬品との相互作用

ほかの医薬品との相互作用については明らかではありません。

ハーブおよび健康食品・サプリメントとの相互作用

ほかのハーブ，健康食品・サプリメントとの相互作用についてはまだ明らかではありません。

使用量の目安

標準使用量に関するデータがありません。

バナナ

BANANA

別名ほか

Anamalu，Banana Leaves，バナナの葉，Banana Stem，バナナの茎，Cavendish Banana，キャベンディッシュバナナ，Chinese Banana，Dessert Banana，デザートバナナ，Dwarf Banana，サンジャクバナナ，Dwarf Cavendish，キャベンディッシュ，Edible Banana，食用バナナ，Embul，Gros Michel AAA，グロスミッチェルバナナ，Kolikuttu，Musa Acuminata，マレーヤマバショウ，Musa Aluminata，Musa Angustigemma，Musa Balbisiana，Musa Basjoo，Musa Cavendish AAA，Musa Cavendishii，Musa Ensete-Maurelii，Musa Ornata，Musa Paradisiaca，Musa Paradisiaca Sapientum，Musa Sapientum，Musa Schizocarpa，Musa Seminifera，Musa Textilis，Musa Velutina，Mysore AAB，Pisang Awak ABB，Plantain，Seeni Kesel，Silk AAB，実芭蕉

概　　要

バナナは熱帯雨林の近くで育つ果物です。果実，葉，偽茎，茎，花，根など，植物のすべての部分は，「くすり」として使用されることもあります。北米では，入手可能なバナナのほとんどは特定の品種のものです。ただし，世界中には，入手可能な多くの品種があります。バナナは何千年もの間，農作物として栽培されてきました。

バナナの各部位は，糖尿病，高コレステロール血症，高血圧，肥満など，多くの疾患に対して血中のカリウム増加のために使用されますが，これらの用途を十分に裏づけるエビデンスはありません。

安　全　性

経口摂取する場合，バナナは，通常の食品の量であれば，ほとんどの人に安全のようです。バナナの副作用はまれですが，腹部膨満，腸内ガス，筋痙攣，軟便，吐き気，嘔吐などが生じる可能性があります。大量に摂取した場合，バナナは高カリウム血症を引き起こす可能性があります。人によっては，バナナにアレルギーがあります。「くすり」としての量のバナナを摂取する場合の安全性および副作用については，データは不十分です。

バナナの葉は，短期間に適切に皮膚に塗布すれば，おそらく安全です。人によっては，バナナにアレルギーがあります。バナナの他の部位の安全性および副作用については，データが不十分です。

●アレルギー

ラテックスアレルギー：ラテックスに敏感な人は，バナナに対してアレルギー反応を起こす可能性があります。

●妊娠中および母乳授乳期

妊娠中および母乳授乳期の「くすり」としての量を摂取する場合の安全性については，データが不十分です。安全性を考慮し，食品としての量を超える摂取は避けてください。

有　効　性

◆有効性レベル③

・下痢。幼児の場合，調理済みのグリーンバナナは，さまざまな原因による下痢の症状を緩和します。成人の

場合，液状栄養剤にバナナフレークを加えて経管栄養チューブで摂取すると，下痢の症状が緩和されます。
・腎結石。バナナの茎とクラテバ・ナーバラを含む特定の製品を摂取すると，腎結石が小さくなり，疼痛が緩和されるようです。

◆科学的データが不十分です

・運動能力，熱傷，糖尿病，高コレステロール血症，肥満，赤痢菌による感染症（細菌性赤痢），血中カリウム濃度の低下（低カリウム血症），高血圧，脳卒中，潰瘍，うつ病，貧血，便秘，むねやけ，過多月経，二日酔い，禁煙，長期の消化管の腫脹（炎症）（炎症性腸疾患（IBD）），ビタミンA欠乏症，アレルギー，感染症，肺疾患，発熱，咳，結核，関節痛，血流改善，避妊，分娩促進，性感染症，性器の痛み，腟炎，帯下，疣贅（いぼ），昆虫刺傷，腫脹，皮膚潰瘍，創傷，がん，喘息と喘鳴，眼疾患，痘瘡（天然痘）など。

●体内での働き

バナナには，化学物質と糖が含まれています。バナナの糖の一部は，繊維のように作用し，胃腸管系の調節に役立ちます。化学物質は抗酸化物質のように作用し，腫脹を軽減する可能性があります。バナナには，カリウムやその他のビタミン・ミネラルも含まれています。

医薬品との相互作用

ほかの医薬品との相互作用については明らかではありません。

ハーブおよび健康食品・サプリメントとの相互作用

ほかのハーブ，健康食品・サプリメントとの相互作用についてはまだ明らかではありません。

使用量の目安

【成人】

●経口摂取

下痢

特定のバナナフレーク製品大さじ１～３杯を経管栄養チューブで８時間おきに７日間摂取します。

腎結石（腎石症）

バナナの茎250mgとクラテバ・ナーバラ250mgを含む特定の製品を毎日３カ月間摂取します。

【小児】

下痢

６～60カ月の小児の場合，最長14日間，毎日50～300gの調理済みのグリーンバナナを摂取します。これらの小児は標準的な治療を受けており，必要に応じて抗菌薬を服用しています。

バナバ

BANABA

●代表的な別名

オオバナサルスベリ

別名ほか

大花百日紅，コロソリン酸（Corosolic Acid），バナバエキス（Banaba Extract），サルスベリ（Crape Myrtle），オオバナサルスベリ（Lagerstroemia speciosa），ジャワザクラ（Pride-of-india），Crepe Myrtle，Lagerstroemia flos-reginae，Munchausia speciosa，Pyinma，Queen's Crape Myrtle

概　要

バナバはサルスベリの種でフィリピンおよび東南アジアを原産とします。

安　全　性

バナバの経口摂取は，短期間であれば，ほとんどの人におそらく安全です。長期にわたる使用の安全性については，データが不十分です。

糖尿病：血糖値に影響を及ぼすおそれがあるため，糖尿病の場合には，血糖値を注意深く監視してください。バナバを摂取する前に，医師などに相談するのが最善です。

低血圧：血圧を低下させるおそれがあります。理論上，低血圧の場合には，バナバの摂取により血圧が過度に低下するおそれがあります。

手術：血糖値に影響を及ぼし，手術中および手術後の血糖値コントロールを困難にするおそれがあります。少なくとも手術前２週間は，使用しないでください。

●妊娠中および母乳授乳期

妊娠中および母乳授乳期の使用の安全性についてはデータが不十分です。安全性を考慮し，摂取は避けてください。

有　効　性

◆科学的データが不十分です

・糖尿病，体重減少など。

●体内での働き

予備的な研究によると，２型糖尿病患者の血糖値を低下させるようです。身体のインスリン利用の効率化を補助する可能性があります。

医薬品との相互作用

中 降圧薬

バナバは血圧を低下させる可能性があります。バナバと降圧薬を併用すると，血圧が過度に低下するおそれがあります。降圧薬を服用中にバナバを過剰に摂取しないでください。このような降圧薬にはニフェジピン，ベラパミル塩酸塩，ジルチアゼム塩酸塩，Isradipine，フェロジピン，アムロジピンベシル酸塩などがあります。

中細胞内のポンプによって輸送される医薬品（有機アニオン輸送ポリペプチドの基質となる医薬品）

特定の医薬品は細胞内のポンプによって輸送されます。バナバはポンプの輸送方法を変化させ，医薬品の体内吸収量を減少させる可能性があります。そのため，医薬品の作用が減弱するおそれがあります。このような医薬品にはボセンタン水和物，セリプロロール塩酸塩，エトポシド，フェキソフェナジン塩酸塩，ニューキノロン系抗菌薬，グリベンクラミド，イリノテカン塩酸塩水和物，メトトレキサート，ナドロール，パクリタキセル，サキナビルメシル酸塩，リファンピシン，スタチン系薬，Talinolol，トラセミド，トログリタゾン（販売中止），バルサルタンなどがあります。

中糖尿病治療薬

バナバは血糖値を低下させる可能性があります。糖尿病治療薬もまた血糖値を低下させるために用いられます。バナバと糖尿病治療薬を併用すると，血糖値が過度に低下するおそれがあります。血糖値を注意深く監視してください。糖尿病治療薬の用量を変更する必要があるかもしれません。このような糖尿病治療薬にはグリメピリド，グリベンクラミド，インスリン，ピオグリタゾン塩酸塩，マレイン酸ロシグリタゾン（販売中止），クロルプロパミド，Glipizide，トルブタミド（販売中止）などがあります。

ハーブおよび健康食品・サプリメントとの相互作用

血圧を低下させるおそれのあるハーブおよび健康食品・サプリメント

バナバは血圧を低下させるおそれがあります。バナバと，血圧を低下させるおそれのあるほかのハーブおよび健康食品・サプリメントを併用すると，人によっては，血圧が過度に低下するリスクが高まるおそれがあります。このようなハーブおよび健康食品・サプリメントには，アンドログラフィス，カゼイン・ペプチド，キャッツクロー，コエンザイムQ-10，魚油，L-アルギニン，クコ，イラクサ，テアニンなどがあります。

血糖値を低下させるおそれのあるハーブおよび健康食品・サプリメント

バナバと，血糖値を低下させるおそれのあるほかのハーブおよび健康食品・サプリメントを併用すると，血糖値が過度に低下するおそれがあります。このようなハーブおよび健康食品・サプリメントには，α-リポ酸，デビルズクロー，フェヌグリーク，ニンニク，グアーガム，セイヨウトチノキ，朝鮮人参，サイリウム，エゾウコギなどがあります。

使用量の目安

通常の食品に含まれている量を超えて経口摂取した場合の安全性および副作用については，明らかになっていません。

ハナビシソウ

CALIFORNIA POPPY

別名ほか

カリフォルニアポピー（Poppy California），Eschscholzia californica，Eschscholtzia californica，Yellow Poppy

概　要

ハナビシソウは植物です。乾燥させた地上部が「くすり」として使用されることもあります。

安 全 性

経口により用量を守って，3カ月以下の短期に使用するなら，一般的に安全です。

十分なデータは得られていないので，長期使用が安全かどうかは不明です。

術中や術後に使われる医薬品と併用すると過度の鎮静状態になることがあります。2週間以内に手術を受ける予定の人は使用してはいけません。

●妊娠中および母乳授乳期

妊娠中，母乳授乳期は使用してはいけません。

有　効　性

◆科学的データが不十分です

・不安，睡眠障害（不眠症），疼痛，夜尿症，膀胱および肝臓の疾患など。

●体内での働き

鎮静効果があると考えられている化合物を含んでいます。

医薬品との相互作用

中ベンゾジアゼピン系鎮静薬

ハナビシソウは眠気を引き起こす可能性がありますが，鎮静薬も眠気をもたらす医薬品です。ハナビシソウと鎮静薬を併用すると，過度の眠気を引き起こすおそれがあります。ベンゾジアゼピン系鎮静薬としては，クロナゼパム，ジアゼパム，ロラゼパムなどがあります。

中鎮静薬（中枢神経抑制薬）

ハナビシソウは眠気を引き起こす可能性がありますが，鎮静薬も眠気を引き起こす医薬品です。ハナビシソウと鎮静薬を併用すると，過度の眠気を引き起こすおそれがあります。このような鎮静薬には，フェノバルビタール，ゾルピデム酒石酸塩などがあります。

ハーブおよび健康食品・サプリメントとの相互作用

ほかのハーブ，健康食品・サプリメントとの相互作用についてはまだ明らかではありません。

使用量の目安

●経口摂取

標準使用量に関するデータがありません。しかし従来から，お茶（2gを150mLの熱湯に10～15分間浸して，その後ろ過する）として1日4回まで摂取します。

ハナミズキ

AMERICAN DOGWOOD

●代表的な別名

アメリカハナミズキ

別名ほか

ツゲの木（Boxwood），ドッグウッド，Dogwood，Box Tree，Bitter Redberry，Budwood，Cornel，Cornelian tree，Cornus Florida Dog-Tree，False Box，Green Ozier，Osier，Rose Willow，Silky Cornel，Swamp Dogwood

概　　要

ハナミズキは植物です。樹皮を用いて「くすり」を作ることもあります。

●要説（ナチュラル・スタンダード）

ハナミズキ（Cornus spp.）は落葉樹で，春先に4枚の花弁をもつ花を咲かせます。カナダの北方林の先住民は，Cornus stoloniferaを糖尿病や合併症に対して昔から用いていました。バンクーバー島南部のサッチーニやCowichan Coast Salishの年長者は，Cornus nuttalliiの樹皮を呼吸器疾患の治療に用いました。

ヒトを対象としたハナミズキのがんに対する効果や抗酸化作用に関するエビデンスは限られています。ただし，これらの分野についてさらなる研究が進む可能性があります。ハナミズキをほかのハーブと併用することで，閉経後や不妊の女性のホルモン値に影響を与える可能性についての研究がなされていますが，これらの疾患に対する確かなエビデンスは十分ではありません。

安　全　性

ハナミズキの安全性については，データが不十分です。

●妊娠中および母乳授乳期

妊娠中および母乳授乳期の使用の安全性についてはデータが不十分です。安全性を考慮し，摂取は避けてください。

有　効　性

◆科学的データが不十分です

・頭痛，疲労，脱力，発熱，継続中の下痢，食欲不振，マラリア，せつおよび創傷（皮膚への塗布）など。

●体内での働き

マラリアに対し何らかの作用がある可能性があります。

医薬品との相互作用

ほかの医薬品との相互作用については明らかではありません。

ハーブおよび健康食品・サプリメントとの相互作用

ほかのハーブ，健康食品・サプリメントとの相互作用についてはまだ明らかではありません。

使用量の目安

通常の食品に含まれている量を超えて経口摂取した場合の安全性および副作用については，明らかになっていません。

ハニーサックル

HONEYSUCKLE

●代表的な別名

キンギンカ

別名ほか

キンギンカ，金銀花（Jin Yin Hua），スイカズラ，吸葛，ニンドウカズラ，ニンドウ，忍冬（Lonicera japonica），Goat's Leaf，Honey Suckle，Jinyinhua，Lonicera，Lonicera aureoreticulata，Lonicera bournei，Lonicera Caprifolia，Woodbine

概　　要

ハニーサックルは植物です。花，種子，および葉を用いて「くすり」を作ることもあります。アメリカンアイビーまたはゲルセミウムのような，ツタ属として知られるほかの植物と混同しないよう注意してください。

安　全　性

ハニーサックルの安全性については不明です。

ただし，ハニーサックルと他の2種のハーブを併せた調剤を小児へ静注投与するのは7日間まで安全です。

2週間以内に手術を受ける予定の人は使用してはいけません。出血のリスクが高まります。

●アレルギー

皮膚に触れると，アレルギーのある人は湿疹が出るかもしれません。

●妊娠中および母乳授乳期

妊娠中および母乳授乳期のハニーサックルの使用の安全性についてはデータが不十分です。安全性を考慮し，使用を控えてください。

ハ

有　効　性

◆科学的データが不十分です

・肺の細気管支炎，消化器系疾患，悪性腫瘍，便秘，皮膚炎，そう痒，感冒，発熱，腫脹，接触痛，細菌性感染またはウイルス性感染，発汗促進など。

●体内での働き

ハニーサックルは，炎症を抑える可能性があります。ただし，ハニーサックルの効能を評価するには，さらなる科学的データが必要です。

医薬品との相互作用

中血液凝固を抑制する医薬品（抗凝固薬/抗血小板薬）

ハニーサックルは血液凝固を抑制する作用があると考えられています。血液凝固を抑制する医薬品を服用中にハニーサックルを摂取すると，紫斑および出血のリスクが高まるおそれがあります。このような医薬品には，アスピリン，クロピドグレル硫酸塩，ジクロフェナクナトリウム，イブプロフェン，ナプロキセン，ダルテパリンナトリウム，エノキサパリンナトリウム，ヘパリン，ワルファリンカリウムなどがあります。

ハーブおよび健康食品・サプリメントとの相互作用

ほかのハーブ，健康食品・サプリメントとの相互作用についてはまだ明らかではありません。

使用量の目安

標準使用量に関するデータがありません。

バニラ

VANILLA

別名ほか

バーボンバニラ（Bourbon Vanilla），Common Vanilla，マダガスカルバニラ（Madagascar Vanilla），メキシカンバニラ（Mexican Vanilla），Réunion Vanilla，Tahitian Vanilla，タヒチバニラ（Tahiti Vanilla），Vanilla planifolia，Vanilla tahitensis

概　　要

バニラ植物です。果実を用いて「くすり」を作ることもあります。

安　全　性

安全ですが，何らかの副作用があります。

皮膚に触れると，痛みや炎症が起こるかもしれません。頭痛や不眠症を生じるおそれがあります。これは，とくにバニラ生産者に見られます。

●妊娠中および母乳授乳期

食べ物に含まれる量を摂取するなら，妊娠中や授乳中でも安全です。ただ，十分なデータが得られていないため，薬用での安全性については不明です。

妊娠中，母乳授乳期は，食べ物から摂取するより多くの量を使用してはいけません。

有　効　性

◆科学的データが不十分です

・発熱，腸内ガスなど。

●体内での働き

香りの強い化合物を含んでいますが，それが医薬品としてどのように作用するかは不明です。

医薬品との相互作用

ほかの医薬品との相互作用については明らかではありません。

ハーブおよび健康食品・サプリメントとの相互作用

ほかのハーブ，健康食品・サプリメントとの相互作用についてはまだ明らかではありません。

使用量の目安

標準使用量に関するデータがありません。

バニラグラス

SWEET VERNAL GRASS

別名ほか

ハルガヤ，春茅（Anthoxanthum odoratum），Grass，Spring Grass

概　　要

バニラグラスは植物です。全体部分を用いて「くすり」を作ることもあります。

安　全　性

安全ではありません。下痢，悪心，嘔吐，めまい，頭痛，睡眠障害，肝障害など副作用を起こす可能性があります。

肝疾患の患者は使用してはいけません。

２週間以内に手術を受ける予定の人は使用してはいけません。出血のリスクが高まります。

●妊娠中および母乳授乳期

妊娠中，母乳授乳期は使用してはいけません。

有　効　性

◆科学的データが不十分です

・頭痛，悪心，不眠，および排尿障害。

●体内での働き

血液をサラサラにする可能性がある成分を含んでいます。

医薬品との相互作用

中血液凝固を抑制する医薬品（抗凝固薬/抗血小板薬）

バニラグラスは血液凝固を抑制する作用があると考えられています。血液凝固を抑制する医薬品を服用しているときにバニラグラスを摂取すると，紫斑および出血のリスクが高まるおそれがあります。このような医薬品には，アスピリン，クロピドグレル硫酸塩，ジクロフェナクナトリウム，イブプロフェン，ナプロキセン，ダルテパリンナトリウム，エノキサパリンナトリウム，ヘパリン，ワルファリンカリウムなどがあります。

ハーブおよび健康食品・サプリメントとの相互作用

ほかのハーブ，健康食品・サプリメントとの相互作用についてはまだ明らかではありません。

使用量の目安

●経口摂取

標準使用量に関するデータがありません。

●局所投与

エキスとして使用される場合があります。

パパイヤ

PAPAYA

別名ほか

チチウリ，乳瓜，モクカ，木瓜（Carica papaya），Caricae papayae Folium，Chirbhita，Erandachirbhita，Mamaerie，Melonenbaumblaetter，Melon Tree，Papaw，Papayas

概　　要

パパイヤは植物です。葉を用いて「くすり」を作ることもあります。

安　全　性

少量を摂取するなら，一般的に安全だと考えられています。

のどに痛みや裂傷を起こす可能性があります。

皮膚に塗布すると，人によってはひどい痛みが出るかもしれません。

●アレルギー

皮膚に塗布すると，アレルギー反応が出るかもしれません。化合物のパパインやラテックスにアレルギーのある人は使用してはいけません。

●妊娠中および母乳授乳期

妊娠時は医薬品の用量でパパイヤを経口摂取してはいけません。パパイヤに含まれる成分であるパパインは未加工だと胎児に有害であり，先天性異常の原因になることがあります。

母乳授乳時のパパイヤの安全性についてはデータが十分ではありません。食品としての量を超えて摂取することは避けた方がいいでしょう。

有　効　性

◆科学的データが不十分です

・胃腸障害，寄生虫感染など。

●体内での働き

パパイヤはパパイン（papain）という成分を含んでいます。パパインはタンパク質，炭水化物，脂肪を分解します。このため肉類の柔軟剤として活用されるのです。しかし，パパインは消化液により変化を起こすため，経口摂取した場合の医薬的効果には疑問が残ります。

パパイヤにはカルパイン（carpaln）という成分も含まれています。カルパインは特定の寄生虫を死滅させたり，中枢神経に影響を及ぼすことがあるようです。

医薬品との相互作用

中ワルファリンカリウム

ワルファリンカリウムは血液凝固を抑制する医薬品です。パパイヤはワルファリンカリウムの効果を強め，紫斑および出血が生じるリスクを高める可能性があります。定期的に血液検査をしてください。ワルファリンカリウムの用量を変更する必要があるかもしれません。

中糖尿病治療薬

発酵したパパイヤは2型糖尿病患者の血糖値を低下させる可能性があります。糖尿病治療薬も血糖値を低下させるために用いられます。発酵したパパイヤと糖尿病治療薬を併用すると，血糖値が過度に低下するおそれがあります。血糖値を注意深く監視してください。糖尿病治療薬の用量を変更する必要があるかもしれません。このような糖尿病治療薬には，グリメピリド，グリベンクラミド，インスリン，ピオグリタゾン塩酸塩，マレイン酸ロシグリタゾン（販売中止），クロルプロパミド，Glipizide，トルブタミド（販売中止）などがあります。

中アミオダロン塩酸塩

アミオダロン塩酸塩と一緒にパパイヤ抽出物を経口で複数回摂取すると，アミオダロン塩酸塩の全身曝露量が増加する可能性があります。そのため，アミオダロン塩酸塩の作用および副作用が増強するおそれがあります。ただし，単回摂取した場合には影響はないようです。

中レボチロキシンナトリウム水和物

レボチロキシンナトリウム水和物は甲状腺機能低下症の治療に用いられます。多量のパパイヤを摂取すると，甲状腺の機能が弱まるようです。過量のパパイヤとレボチロキシンナトリウム水和物を併用すると，レボチロキシンナトリウム水和物の効果が弱まるおそれがあります。

ハーブおよび健康食品・サプリメントとの相互作用

ほかのハーブ，健康食品・サプリメントとの相互作用についてはまだ明らかではありません。

使用量の目安

●経口摂取

パパイヤ粉末250mgとともに，パイナップル果汁を原料とした乾燥粉末150mgおよびパパイン10mgを含むチュアブル錠を，１回１錠で１日最大３回，望ましくは食後に摂取します。

●局所投与

標準使用量に関するデータがありません。

パパイン

PAPAIN

別名ほか

Concentré de Protéase Végétale, Papaina, Papaïne, Papainum Crudum, Pepsine Végétale, Plant Protease Concentrate, Protease, Protéase, Vegetable Pepsin

概　　要

パパインはパパイヤの果実から抽出されます。「くすり」の原料に使用されます。

安　全　性

パパインは，通常の食品に含まれる量を経口摂取する場合，ほとんどの人に安全のようです。「くすり」としての量を経口摂取する場合や，適量を溶液として皮膚へ塗布する場合は，おそらく安全です。

大量のパパインを経口摂取するのは，おそらく安全ではありません。過剰に摂取すると，人によっては，咽喉や胃に深刻な障害を起こすおそれがあります。また，生のパパインやパパイヤ果実を皮膚に塗布するのは，おそらく安全ではありません。生のパパインが皮膚に触れると，人によっては過敏症や水疱を起こすおそれがあります。

また，人によってはパパインにアレルギーを起こすおそれがあります。

出血性疾患：パパインは血液凝固障害がある人の出血リスクを高めるおそれがあります。血液凝固障害がある場合には，パパインを使用してはいけません。

手術：パパインが手術中の出血リスクを高めるおそれがあります。少なくとも手術前２週間は，使用しないでください。

●アレルギー

イチジクまたはキウイの果実に対するアレルギー：イチジクやキウイにアレルギーのある人は，パパインにもアレルギーを起こすおそれがあります。

パパインに対するアレルギー：一部の人にパパインに対するアレルギー反応が報告されています。症状には鼻みず，涙目，発汗，下痢などがあります。

●妊娠中および母乳授乳期

妊娠中のパパインの経口摂取は，おそらく安全ではありません。先天異常または流産を引き起こすおそれがあります。母乳授乳期の使用の安全性についてはデータが不十分です。安全性を考慮し，妊娠中および母乳授乳期にはパパインを摂取してはいけません。

有　効　性

◆有効性レベル③

・帯状疱疹。パパインを経口摂取すると，帯状疱疹の症状の一部が改善する可能性があります。
・咽頭炎。ほかの治療法と併用してパパインを経口摂取すると，咽喉痛および腫脹が緩和する可能性があります。

◆有効性レベル④

・昆虫刺傷。ヒアリに刺された後に，特定のパパイン製品を浸したガーゼを20分間皮膚に当てても，疼痛およびそう痒は緩和しないことを示す研究があります。

◆科学的データが不十分です

・運動後の筋肉痛，クラゲ刺傷，放射線治療による疾患，創傷治癒，がん，下痢，消化不良，花粉症，腸内寄生虫，乾癬，鼻みず，痛み，感染創の治療，潰瘍など。

●体内での働き

パパインには，感染を抑えるのに役立つ可能性のある物質が含まれています。

医薬品との相互作用

中ワルファリンカリウム

ワルファリンカリウムは血液凝固を抑制する医薬品です。パパインはワルファリンカリウムの効果を高めて，紫斑および出血が生じるリスクを高めます。定期的に血液検査をしてください。ワルファリンカリウムの用量を変更する必要があるかもしれません。

ハーブおよび健康食品・サプリメントとの相互作用

パパイヤ

パパインとパパイヤを併用すると，パパインの作用および副作用が高まるおそれがあります。

通常の食品との相互作用

イチジク

イチジクに過敏な場合，パパインにもアレルギーがあるおそれがあります。

キウイ

キウイに過敏な場合，パパインにもアレルギーがあるおそれがあります。

ジャガイモ特有のタンパク質（ポテトプロテイン）

ジャガイモがパパインのもつタンパク質分解力に干渉するおそれがあります。このことの実用上の重要性についてはわかっていません。

使用量の目安

【成人】

●経口摂取

帯状疱疹

パパインを含む酵素の併用製品を14日間摂取します。

咽頭炎

パパイン2mg，リゾチーム5mg，バシトラシン200 I. U. を含むトローチ剤を4日間摂取します。

ハハコグサ

CUDWEED

別名ほか

千島姫チチコグサ（Gnaphalium uliginosum），チチコグサモドキ，ヒメチチコグサ，エゾノハハコグサ，Cotton Dawes，Cotton Weed，Dysentery Weed，Everlasting，Filaginella uliginosa，Mouse Ear，Wartwort

概　　要

ハハコグサはハーブです。地上部を用いて「くすり」を作ることもあります。ハハコグサとして知られるエゾノチチコグサ（Antennaria dioica）や，マウスイヤー（ミヤマコウゾリナ属）として知られるヤナギタンポポ（Pilosella officinarum）と混同しないようにしてください。

安　全　性

安全性，または副作用については，まだわかっていません。

●アレルギー

キク科のほかの植物やハーブにアレルギーのある人でアレルギー反応が起きることがあります。この植物の仲間には，デイジー，ブタクサ，キク，マリーゴールドほか，多くのハーブがあります。

デイジー，キク，ブタクサのようなキク科植物にアレルギーのある人は使用してはいけません。

●妊娠中および母乳授乳期

妊娠中，母乳授乳期は使用してはいけません。

有　効　性

◆科学的データが不十分です

・口内または咽喉頭の疾患用にうがい薬または洗浄剤としての使用。

●体内での働き

どのように作用するかについては十分なデータが得られていません。

医薬品との相互作用

中糖尿病治療薬

ハハコグサは血糖値を低下させ可能性があります。糖尿病治療薬もまた血糖値を低下させるために用いられます。ハハコグサと糖尿病治療薬を併用すると，血糖値が過度に低下するおそれがあります。血糖値を注意深く監視してください。糖尿病治療薬の用量を変更する必要があるかもしれません。このような糖尿病治療薬にはグリメピリド，グリベンクラミド，インスリン，ピオグリタゾン塩酸塩，マレイン酸ロシグリタゾン（販売中止），クロルプロパミド，Glipizide，トルブタミド（販売中止）などがあります。

ハーブおよび健康食品・サプリメントとの相互作用

ほかのハーブ，健康食品・サプリメントとの相互作用についてはまだ明らかではありません。

使用量の目安

●経口摂取

流エキスを通常，2～4mL摂取します。

ババス

BABASSU

別名ほか

Attalea speciosa, Babaçu, Babassou, Babassu Coconut, Babassu Palm Tree, Babussupalme, Cusí, Cusi Palm, Orbignya barbosiana, Orbignya heubneri, Orbignya martiana, Orbignya oleifera, Orbignya phalerata, Orbignya speciosa

概　　要

ババスは，樹木の一種です。果実やオイルなどの部分を用いて「くすり」を作ることもあります。

ババスは，さまざまな疾患に対して用いられます。現時点では，いずれの疾患に対する効果についても，科学的なエビデンスは不十分です。

ババスは，関節炎，がん，便秘，胃腸の腫脹，女性生殖系の腫脹または感染症，肥満，疼痛，静脈疾患に対して，経口摂取されます。

潰瘍（びらん），女性生殖系の腫脹または感染症，創傷の治癒に対し，皮膚に塗布する人もいます。

安　全　性

ババスの使用の安全性についてはデータが不十分です。

出血性疾患：ババスが，血液凝固を抑制するおそれがあります。このため，出血性疾患がある場合，人によっては，紫斑や出血のリスクが高まるおそれがあります。

手術：ババスが，血液凝固を抑制するおそれがあります。手術中および術後に，過度の出血を引き起こすおそれがあります。少なくとも手術前２週間は，使用しないでください。

甲状腺機能低下症（甲状腺ホルモンが低下している状態），甲状腺腫などの甲状腺疾患：ババスが，甲状腺機能を低下させるおそれがあります。このため，甲状腺機能低下症，甲状腺腫などの症状が悪化するおそれがあります。使用してはいけません。

●妊娠中および母乳授乳期

妊娠中および母乳授乳期の使用の安全性についてはデータが不十分です。安全性を考慮し，摂取は避けてください。

有　効　性

◆科学的データが不十分です

・関節炎，がん，便秘，胃腸の腫脹，女性生殖系の腫脹または感染症，肥満，疼痛，静脈疾患，潰瘍（痛み），創傷の治癒など。

●体内での働き

ババスの果実には，MP１グルカンという化学物質が含まれています。MP１グルカンは，炎症の初期状態（腫脹）を緩和します。ババスには，血液凝固の抑制，甲状腺機能の低下，免疫システムの活性化，虫よけ，創傷治癒の促進などの作用を持つ化学物質も含まれています。

医薬品との相互作用

中血液凝固を抑制する医薬品（抗凝固薬/抗血小板薬）

ババスは血液凝固を抑制する可能性があります。ババスと血液凝固を抑制する医薬品を併用すると，紫斑および出血のリスクが高まるおそれがあります。このような医薬品にはアスピリン，クロピドグレル硫酸塩，ジクロフェナクナトリウム，イブプロフェン，ナプロキセン，ダルテパリンナトリウム，エノキサパリンナトリウム，ヘパリン，ワルファリンカリウムなどがあります。

中甲状腺機能亢進症治療薬（抗甲状腺薬）

ババスは甲状腺の機能を低下させる可能性があります。ババスと甲状腺機能亢進症治療薬を併用すると，甲状腺の機能を過度に低下させるおそれがあります。甲状腺機能亢進症治療薬を服用中に，ババスを摂取しないでください。このような医薬品には，チアマゾール，ヨウ化カリウムなどがあります。

ハーブおよび健康食品・サプリメントとの相互作用

血液凝固を抑制するおそれのあるハーブおよび健康食品・サプリメント

ババスは血液凝固を抑制するおそれがあります。血液凝固を抑制するおそれのあるほかのハーブおよび健康食品・サプリメントと併用すると，紫斑や出血のリスクが高まるおそれがあります。このようなハーブおよび健康食品・サプリメントには，アンゼリカ，クローブ，タンジン，フェヌグリーク，フィーバーフュー，ニンニク，ショウガ，イチョウ，朝鮮人参，ポプラ，レッドクローバー，ウコンなどがあります。

使用量の目安

通常の食品に含まれている量を超えて経口摂取した場合の安全性および副作用については，明らかになっていません。

ハマスゲ

PURPLE NUT SEDGE

別名ほか

Alho Bravo, Brown Nut Sedge, Capim Alho, Capim Dandá, Castañuela, Cipero, Coco Grass, Coquito, Cyperus, Cyperus rotundus, Galingale, Ground Almond, Hyangbuja, Java Grass, Juncia Real, Knolliges Zypergras, Musta, Nötag, Nut Grass, Nut Sedge, Purple Nut Grass, Purple Nutsedge, Red Nut Sedge, Rundes Zypergras, Sa'ed, Souchet Rond, Suo Cao, Xiang Fu Zi, Zigolo Infestante

概　　要

ハマスゲは草本植物です。塊茎はでんぷんの供給源として食用します。また，塊茎や地上部は「くすり」を作るのに使用されます。糖尿病，下痢，消化不良に対してハマスゲを経口摂取し，ざ瘡（にきび），ふけなどに対してハマスゲを皮膚に塗布しますが，これらの用途を裏づける質の高いエビデンスはありません。

安　全　性

ハマスゲの塊茎を「くすり」として経口摂取する場合，８週間以内であればおそらく安全です。

ハマスゲのエッセンシャルオイルを皮膚に塗布する場合，おそらく安全です。

出血性疾患：ハマスゲは血液凝固を抑制する可能性があります。そのため，出血性疾患の場合にはハマスゲが紫斑および出血のリスクを高めるおそれがあります。

心拍数低下（徐脈）：ハマスゲは心拍数を低下させる可能性があります。そのため，すでに心拍数が低下している場合には問題が生じるおそれがあります。

糖尿病：ハマスゲは血糖値を低下させる可能性があります。糖尿病の場合には血糖値を注意深く監視してください。この場合，ハマスゲを摂取する前に，医師などに相談するのが最善です。

消化管の通過障害：ハマスゲは腸内に「滞留」を引き起こすおそれがあります。そのため，腸の通過障害の場合には問題が生じるおそれがあります。

胃潰瘍：ハマスゲは胃腸内の分泌を促進する可能性があります。胃潰瘍が悪化するおそれがあります。

肺疾患：ハマスゲは肺内の分泌液を増加させる可能性があります。そのため，気管支喘息や肺気腫などの肺疾患を悪化させるおそれがあります。

痙攣：ハマスゲは痙攣のリスクを高めるおそれがあります。

手術：ハマスゲは血糖値を低下させたり，血液凝固を抑制したりする可能性があります。そのため，手術中に出血および血糖のコントロールを妨げるおそれがあります。少なくとも手術前2週間は，使用しないでください。

尿路閉塞：ハマスゲは尿路内の分泌を促進する可能性があります。そのため，尿路閉塞を悪化させるおそれがあります。

●妊娠中および母乳授乳期

妊娠中および母乳授乳期の使用の安全性についてはデータが不十分です。安全性を考慮し，摂取は避けてください。

有　効　性

◆科学的データが不十分です

・過敏性腸症候群（IBS），ざ瘡（にきび），う歯，うつ病，糖尿病，下痢，発熱，消化不良，マラリア，吐き気・嘔吐，疼痛，皮膚潰瘍，創傷治癒など。

●体内での働き

ハマスゲには抗酸化作用があります。また，ハマスゲは血糖値を低下させたり，う歯の原因となる特定の細菌の増殖を予防したりする可能性があります。ほかにも，ハマスゲは脂肪の分解を補助し，体重減少を促進する可能性があります。

医薬品との相互作用

中血液凝固を抑制する医薬品（抗凝固薬/抗血小板薬）

ハマスゲは血液凝固を抑制する可能性があります。ハマスゲと血液凝固を抑制する医薬品を併用すると，紫斑および出血のリスクが高まるおそれがあります。このような医薬品には，アスピリン，クロピドグレル硫酸塩，ジクロフェナクナトリウム，イブプロフェン，ナプロキセン，ダルテパリンナトリウム，エノキサパリンナトリウム，ヘパリン，ワルファリンカリウムなどがあります。

中口渇作用などの乾燥作用のある医薬品（抗コリン薬）

ハマスゲには脳および心臓に影響を及ぼす可能性のある化学物質が含まれます。口渇などの乾燥作用のある医薬品のなかには，脳および心臓に作用するものもあります。しかし，ハマスゲはこのような医薬品とは異なった働きをします。また，ハマスゲはこのような医薬品の作用を減弱させるおそれがあります。このような医薬品には，アトロピン硫酸塩水和物，スコポラミン臭化水素酸塩水和物，特定の抗アレルギー薬（抗ヒスタミン薬），特定の抗うつ薬などがあります。

中糖尿病治療薬

ハマスゲは血糖値を低下させる可能性があります。糖尿病治療薬も血糖値を低下させるために用いられます。ハマスゲと糖尿病治療薬を併用すると，血糖値が過度に低下するおそれがあります。血糖値を注意深く監視してください。糖尿病治療薬の用量を変更する必要があるかもしれません。このような糖尿病治療薬には，グリメピリド，グリベンクラミド，インスリン，ピオグリタゾン塩酸塩，マレイン酸ロシグリタゾン（販売中止）などがあります。

中緑内障，アルツハイマー病などに使用される医薬品（コリン作動薬）

ハマスゲには身体に影響を及ぼす化学物質が含まれます。この化学物質は，緑内障，アルツハイマー病などに使用される医薬品に類似しています。ハマスゲとこのような医薬品を併用すると，医薬品の副作用のリスクが高まるおそれがあります。このような医薬品には，ピロカルピン塩酸塩，ドネペジル塩酸塩，Tacrineなどがあります。

ハーブおよび健康食品・サプリメントとの相互作用

血糖値を低下させるおそれのあるハーブおよび健康食品・サプリメント

ハマスゲは血糖値を低下させる可能性があります。ハマスゲと，血糖値を低下させる可能性のあるほかのハーブおよび健康食品・サプリメントを併用すると，血糖値が過度に低下するおそれがあります。このようなハーブおよび健康食品・サプリメントには，デビルズクロー，フェヌグリーク，グアーガム，朝鮮人参，エゾウコギなどがあります。

血液凝固を抑制するおそれのあるハーブおよび健康食品・サプリメント

ハマスゲは血液凝固を抑制する可能性があります。ハマスゲと，血液凝固を抑制する可能性のあるほかのハーブおよび健康食品･サプリメントを併用すると，人によっては紫斑および出血のリスクが高まるおそれがあります。このようなハーブおよび健康食品・サプリメントには，アンゼリカ，クローブ，タンジン，ニンニク，ショウガ，イチョウ，朝鮮人参，セイヨウトチノキ，レッドクローバー，ウコンなどがあります。

使用量の目安

通常の食品に含まれている量を超えて経口摂取した場合の安全性および副作用については，明らかになっていません。

ハマビシ

TRIBULUS

別名ほか

Abrojo, Abrojos, Al-Gutub, Baijili, Bindii, Bulgarian Tribulus Terrestris, Caltrop, Cat's-Head, Ci Ji Li, Common Dubbletjie, Croix-de-Malte, Devil's-Thorn, Devil's-Weed, Épine du Diable, Escarbot, Espigón, German Tribulus Terrestris, Goathead, Gokantaka, Gokhru, Gokshur, Gokshura, Nature's Viagra, Puncture Vine, Puncture Weed, Qutiba, Small Caltrops, Tribule, Tribule Terrestre, Tribulis, Tribulis Terrestris, Tribulus, Tribulus terrestris

概　　要

ハマビシは棘のある実をもつ植物です。自転車のタイヤがパンクするほど実の棘が非常に鋭いことから，Puncture Vineの名前がついたといわれています。実，葉，および根を用いて「くすり」を作ることもあります。

胸痛，湿疹，前立腺肥大，性機能障害，不妊などに対して用いられますが，これらの用途を十分に裏づける科学的エビデンスはありません。

安 全 性

健康食品・サプリメントの場合，経口摂取で短期間の使用なら，ほとんどの人におそらく安全です。研究により，90日までなら安全であることが示唆されています。副作用は，通常軽く，あまり起きることはありませんが，胃痛，痙攣，下痢，吐き気，嘔吐，便秘，勃起，睡眠障害，過多月経が起こることがあります。まれに，腎疾患が起きた例が報告されています。長期間の使用については，データが不十分です。

棘のある実を食べるのは，安全ではないようです。深刻な肺疾患が報告されています。

糖尿病：血糖値を低下する可能性があります。糖尿病治療薬の服薬量を，医師により調節する必要があるかもしれません。

手術：血糖値と血圧に影響を与える可能性があるので，手術中，手術後に数値管理が阻害されるおそれがあります。手術前少なくとも２週間は摂取を止めてください。

●妊娠中および母乳授乳期

妊娠中の摂取はおそらく安全ではありません。動物実験により，胎児発育に害を及ぼすことが示唆されています。妊娠中および母乳授乳期の使用の安全性についてはデータが不十分です。安全性を考慮し，使用を避けてください。

有 効 性

◆有効性レベル④

・運動能力の向上。ハマビシを単独，あるいはほかのハーブ，健康食品・サプリメントと経口摂取しても，肉体の増強，あるいは運動選手の運動能力向上に効果はないようです。

◆科学的データが不十分です

・胸痛（狭心症），アトピー性皮膚炎（湿疹），良性前立腺肥大（BPH），勃起障害（ED），不妊，女性の性機能障害，貧血，がん，咳，腸内ガスなど。

●体内での働き

ホルモンを増加する可能性のある化学物質を含んでいます。ただし，ヒトの男性ホルモン（テストステロン）を増加することはないようです。

医薬品との相互作用

中降圧薬

ハマビシは血圧を低下させる可能性があります。ハマビシを摂取し，降圧薬を併用すると，血圧が過度に低下するおそれがあります。血圧を注意深く監視してください。このような降圧薬には，カプトプリル，エナラプリルマレイン酸塩，ロサルタンカリウム，バルサルタン，ジルチアゼム塩酸塩，アムロジピンベシル酸塩，ヒドロクロロチアジド，フロセミドなど数多くあります。

中炭酸リチウム

ハマビシは利尿薬のように作用する可能性があります。ハマビシを摂取すると，炭酸リチウムの体内からの排泄が抑制される可能性があります。そのため，体内の炭酸リチウム量が増加し，重大な副作用が現れるおそれがあります。炭酸リチウムを服用中の場合には，医師や薬剤師に相談することなくハマビシを摂取しないでください。炭酸リチウムの量を変更する必要があるかもしれません。

中糖尿病治療薬

ハマビシは血糖値を低下させる可能性があります。ハマビシと糖尿病治療薬を併用すると，血糖値が過度に低下するおそれがあります。血糖値を注意深く監視してください。このような糖尿病治療薬には，グリメピリド，グリベンクラミド，インスリン，ピオグリタゾン塩酸塩，マレイン酸ロシグリタゾン（販売中止），クロルプロパミド，Glipizide，トルブタミド（販売中止）などがあります。

ハーブおよび健康食品・サプリメントとの相互作用

血圧を低下させるおそれのあるハーブおよび健康食品・サプリメント

ハマビシは血圧を低下させるおそれがあります。ハマビシと血圧を低下させる可能性のあるほかのハーブ，健康食品・サプリメントを併用すると，血圧が過度に低下してしまうおそれがあります。これらのハーブ，健康食品・サプリメントには，タンジン，ショウガ，朝鮮人参，ウコン，カノコソウなどがあります。

血糖値を低下させるおそれのあるハーブおよび健康食品・サプリメント

ハマビシは血糖値を低下させるおそれがあります。ハマビシと血糖値を低下させる可能性のあるほかのハーブ，健康食品・サプリメントと併用すると，血糖値が過度に低下してしまうおそれがあります。これらのハーブ，健康食品・サプリメントには，デビルズクロー，フェヌグリーク，ニンニク，グアーガム，セイヨウトチノキ，朝鮮人参，サイリウム，エゾウコギなどがあります。

使用量の目安

通常の食品に含まれている量を超えて経口摂取した場合の安全性および副作用については，明らかになっていません。

パラアミノ安息香酸（PABA）

PARA-AMINOBENZOIC ACID（PABA）

●代表的な別名

P-アミノ安息香酸

別名ほか

アミノ安息香酸（Aminobenzoic acid），P-アミノ安息香酸（P-aminobenzoic acid），4-アミノ安息香酸（4-Aminobenzoic Acid），ジメチルPABAオクチル（Octyl diemthyl PABA），ビタミンB_{10}（Vitamin B_{10}），ビタミンH（Vitamin H），ABA，Aminobenzoate potassium，Ethyl dihydroxypropyl Aminobenzoate，glyceryl paraaminobenzoate，Padamate O

概　　要

パラアミノ安息香酸（PABA）は，ビタミンの葉酸や，穀類，卵，ミルク，肉など一部の食品に含まれる化合物です。

安　全　性

皮膚への直接塗布は，一般的に安全です。

経口摂取の場合，用法・用量を守っていれば，安全でしょう。

皮膚に痛みを生じたり，洋服に黄色のシミがつくかもしれません。

悪心，嘔吐，胃のもたれ，下痢，食欲不振を引き起こすこともあります。

１日12gという推奨摂取量以上摂取すると，肝臓や腎臓，血管への障害など深刻な副作用が起きるおそれがあります。

皮膚への直接塗布は，小児でも安全です。

経口摂取も小児に安全だと考えられていますが，深刻な副作用が起こることもあります。

腎臓に異常がある人は経口摂取してはいけません。

●妊娠中および母乳授乳期

皮膚への直接塗布は，妊娠中母乳授乳期でも安全です。

妊娠中，母乳授乳期は，経口摂取してはいけません。

有　効　性

◆有効性レベル①

・日焼け止め。日焼け止めとして使用します。ただこの場合，皮膚に直接塗ります。

◆有効性レベル④

・皮膚が硬く，厚くなる（強皮症症状の治療）。

◆科学的データが不十分です

・女性不妊症，関節炎，貧血，便秘，頭痛，脱毛予防，白髪の黒色化のほか，白斑，天疱瘡，皮膚筋炎，斑状強皮症，ペロニー病など，さまざまな皮膚疾患。

●体内での働き

皮膚への紫外線を防ぐため，日焼け止めとして使用されます。

医薬品との相互作用

高ジアフェニルスルホン

ジアフェニルスルホンは抗菌薬として用いられます。パラアミノ安息香酸（PABA）はジアフェニルスルホンの感染症治療効果を弱めるおそれがあります。

高スルホンアミド系抗菌薬

パラアミノ安息香酸（PABA）はスルホンアミド系抗菌薬の効果を弱める可能性があります。このようなスルホンアミド系抗菌薬には，スルファメトキサゾール（販売中止），スルファサラジン，スルフイソキサゾール（販売中止），スルファメトキサゾール・トリメトプリム配合などがあります。

中コルチゾン酢酸エステル

コルチゾン酢酸エステルは体内で代謝されてから排泄されます。パラアミノ安息香酸（PABA）はコルチゾン酢酸エステルの代謝を抑制する可能性があります。PABAを経口摂取してコルチゾン酢酸エステルを注射すると，コルチゾン酢酸エステルの作用および副作用が増強するおそれがあります。

ハーブおよび健康食品・サプリメントとの相互作用

ほかのハーブ，健康食品・サプリメントとの相互作用についてはまだ明らかではありません。

使用量の目安

●経口摂取

白斑・天疱瘡・皮膚筋炎・限局性強皮症・強皮症・ペロニー病

米国食品医薬品局（FDA）承認のパラアミノ安息香酸（PABA）摂取量では，カリウム塩として，成人で１日12gを４～６回に分けて摂取することとしています。小児では１日220mg/kgを４～６回に分けて摂取します。胃障害を避けるため，食事や軽食の後に摂取します。

パラアミノ安息香酸（PABA）は腎排出される物質なので，腎機能に障害がある場合には摂取量の調節が必要です。

●局所投与

パラアミノ安息香酸（PABA）を1～15%含有する日焼け止め剤が使用されています。

パレイラ

PAREIRA

別名ほか

Chondrodendron tomentosum, Ice Vine, Pereira brava, Velvet Leaf

概　要

パレイラは植物です。根を用いて「くすり」を作ることもあります。

安 全 性

十分なデータが得られていないため，安全性または副作用については不明です。

ツボクラリンを含んでいますが，これは，現代の麻酔薬の成分で，神経信号を遮断し筋肉に麻痺を起こすために使用されます。

経口で摂取すると，パレイラに含まれるツボクラリンは，ほんの少しでも体内に吸収されます。

●妊娠中および母乳授乳期

妊娠中，母乳授乳期は使用してはいけません。

有 効 性

◆科学的データが不十分です

・体液貯留，月経周期の促進など。

●体内での働き

どのように作用するかについては十分なデータが得られていません。

医薬品との相互作用

ほかの医薬品との相互作用については明らかではありません。

ハーブおよび健康食品・サプリメントとの相互作用

ほかのハーブ，健康食品・サプリメントとの相互作用についてはまだ明らかではありません。

使用量の目安

標準使用量に関するデータがありません。

ハロンガ

HARONGA

●代表的な別名

ルル

別名ほか

ハルンガナ・セネガレンシスの樹皮（Harunganae madagascariensis Cortex Bark），ハルンガナ・セネガレンシスの葉（Harunganae madagascariensis folium Leaf），ハルンガナ・セネガレンシス，ルル（Harungana madagascariensis），Harongabladder Leaf, Haronga madagascariensis, Harongarinde Bark

概　要

ハロンガは植物です。皮と葉を用いて「くすり」を作ることもあります。

安 全 性

短期間の使用はほとんどの人におそらく安全です。安全であるとして推奨できる最長使用期間は２カ月です。とくに肌の白い人では，日光に対する感受性（光感受性）が高まる可能性があります。

膵臓の炎症（膵炎），肝障害，胆石など胆のうの疾患，胆管の詰まり（胆管閉塞），腸の詰まり（腸閉塞）がある人は使用してはいけません。

●妊娠中および母乳授乳期

妊娠中，母乳授乳期は使用してはいけません。

有 効 性

◆科学的データが不十分です

・肝臓および胆のうに関する症状，食欲不振，胃のむかつき（消化不良），膵臓外分泌不全など。

●体内での働き

胆のう，膵臓および胃を刺激して消化液の産生を促進することがあります。

医薬品との相互作用

ほかの医薬品との相互作用については明らかではありません。

ハーブおよび健康食品・サプリメントとの相互作用

ほかのハーブ，健康食品・サプリメントとの相互作用についてはまだ明らかではありません。

使用量の目安

●経口摂取

乾燥エキスの通常の摂取量は１日7.5～15mgで，これはハーブ25～50mgに相当します。推奨される安全な最長摂取期間は２カ月です。

ハワイベビーウッドローズ

HAWAIIAN BABY WOODROSE

別名ほか

アルギレイア・ネルボサ，オオバアサガオ，ギンヨウアサガオ（Argyreia nervosa），ベビーウッドローズ（Baby Woodrose），エレファントクライマー（Elephant-climber），エレファントクリーパー（Elephant Creeper），ウーリーモーニンググローリー（Woolly-morning-glory），Argyreia speciosa，Baby Hawaiian Woodrose，Convolvulus nervosus，Convolvulus speciosus，Lettsomia nervosa，Silver-morning-glory，Vidhara，Vriddadaru，Wood-rose，Woolly Morning Glory

概　　要

ハワイベビーウッドローズは植物です。種子を用いて「くすり」を作ることもあります。

ヒルガオ科の鑑賞用の植物で，フロリダ，カリフォルニア，ハワイに自生します。

しかしそれより，幻覚薬として知られています。インターネット販売では，「天然LSD（lysergic acid diethylamide）」として宣伝されています。ハワイベビーウッドローズの幻覚作用は，アルコール中毒の，色が鮮やかに見えたりする視覚幻覚症状と良く似ています。その作用は6～8時間続きます。

安　全　性

安全ではありません。

悪心，嘔吐，めまい，幻覚，霧視（視覚のぼやけ），瞳孔の散大，急速な眼球運動，発汗，頻脈，血圧の上昇など副作用を起こす可能性があります。

ハワイベビーウッドローズは，すべての人に安全ではありません。しかし次の場合，とくにその副作用のおそれのため安全ではありません。

精神疾患：LSDを服用したときの幻覚症状と似た作用があるため，精神疾患の傾向のある人が使用すると，より深刻な反応のでる懸念があります。

手術：ハワイベビーウッドローズはセロトニンと呼ばれる脳内物質の分泌に作用します。セロトニンは中枢神経や血管に強い影響を及ぼしますので，手術に影響する懸念があります。2週間以内に手術予定の場合使用しないでください。

●妊娠中および母乳授乳期

妊娠中および母乳授乳期においての使用は安全ではありません。使用しないでください。

有　効　性

◆科学的データが不十分です

・鎮痛および発汗促進。

●体内での働き

「くすり」としてどのように作用するかについては十分なデータが得られていません。

医薬品との相互作用

中セロトニン作用薬

ハワイベビーウッドローズは脳内物質のセロトニンを増加させます。特定の医薬品もセロトニンを増加させます。ハワイベビーウッドローズとこのような医薬品を併用すると，セロトニンが過剰に増加するおそれがあります。そのため，重大な副作用（重症の頭痛，心臓の異常，悪寒戦慄，錯乱，不安など）が現れるおそれがあります。このような医薬品には，塩酸フルオキセチン（販売中止），パロキセチン塩酸塩水和物，塩酸セルトラリン，アミトリプチリン塩酸塩，クロミプラミン塩酸塩，イミプラミン塩酸塩，スマトリプタン，ゾルミトリプタン，リザトリプタン安息香酸塩，メサドン塩酸塩，トラマドール塩酸塩など数多くあります。

ハーブおよび健康食品・サプリメントとの相互作用

セント・ジョンズ・ワート

ハワイベビーウッドローズは，セロトニンと呼ばれる脳内物質の分泌を増加させると考えられています。セント・ジョンズ・ワートも同様の作用があります。この併用は，セロトニンのレベルを過剰に上げることが懸念されます。これは深刻な副作用を起こすおそれがあります。

使用量の目安

標準使用量に関するデータがありません。

パンガミン酸

PANGAMIC ACID

●代表的な別名

ビタミンB_{15}

別名ほか

ジクロロ酢酸ジイソプロピルアミン（Di-Isopropylamine Dichloroacetate），ビタミンB_{15}（Vitamin B_{15}），Calcium pangamate，Calgam

概　　要

パンガミン酸はさまざまな化合物に使用される名前です。標準的な調剤はありません。パンガミン酸を含む食品に含まれる化合物の天然供給源には，アプリコットカーネル，米ぬか，ビール酵母，玄米，ゴマ種，カボチャの種子があります。

安　全　性

安全ではないと考えられています。パンガミン酸の化合物の中には，がんを発症するおそれのあるものもあります。

腎結石またはほかの腎疾患の患者は使用してはいけません。

●妊娠中および母乳授乳期

妊娠中，母乳授乳期は使用してはいけません。

有　効　性

◆有効性レベル④

・運動の持久力を改善。

◆科学的データが不十分です

・気管支喘息，皮膚疾患，肺疾患，神経障害，関節障害，湿疹，アルコール依存症，疲労感，高コレステロール血症など。

●体内での働き

その作用についてはまだわかっていません。ビタミンB_{15}としても知られていますが，科学的データが十分得られていないので，体に必要なものかどうかは不明です。

医薬品との相互作用

中サイアザイド系利尿薬

パンガミン酸にはカルシウムを含むものがありますが，利尿薬の中にも体内のカルシウム量を増加させるものがあります。大量のカルシウムをこのような利尿薬とともに摂取すると，体内のカルシウム量が過剰になり，腎障害などの重大な副作用を起こすおそれがあります。このような利尿薬には，クロロチアジド（販売中止），ヒドロクロロチアジド，インダパミド，メトラゾン（販売中止），クロルタリドン（販売中止）などがあります。

中ジゴキシン

ジゴキシンは強い強心作用を示す医薬品です。パンガミン酸の中にはカルシウムを含むものがありますが，カルシウムも心臓に影響を及ぼすと考えられます。ジゴキシンを服用中にパンガミン酸を用いると，ジゴキシンの作用が増強され，副作用が現れるリスクが高くなると考えられます。

中降圧薬（カルシウム拮抗薬）

カルシウム拮抗薬と呼ばれる降圧薬は体内のカルシウムに影響を与えます。カルシウムを含むパンガミン酸を摂取すると，このような降圧薬の効果を弱めるおそれがあります。このような降圧薬には，ニフェジピン，ベラパミル塩酸塩，ジルチアゼム塩酸塩，Isradipine，フェロジピン，アムロジピンベシル酸塩などがあります。

ハーブおよび健康食品・サプリメントとの相互作用

ほかのハーブ，健康食品・サプリメントとの相互作用についてはまだ明らかではありません。

使用量の目安

標準使用量に関するデータがありません。

パンテチン

PANTETHINE

別名ほか

パントシン（Pantosin），D-パンテチン（D-Pantethine），Bis-pantothenamidoethyl Disulfide，Pantetina，Pantomin

概　　要

パンテチンはビタミンB_5（パントテン酸）に関連するサプリメントです。

安　全　性

一般的に安全です。悪心，下痢，胃の不快を引き起こす場合があります。

出血障害：パンテチンは血液凝固を抑制することが示されているため，パンテチンが出血障害患者において，重篤な出血を引き起こすリスクの上昇を懸念する医師・薬剤師がいます。

２週間以内に手術を受ける予定の人は使用してはいけません。出血のリスクが高まります。

●妊娠中および母乳授乳期

妊娠中および母乳授乳期の使用の安全性についてはデータが不十分です。安全性を考慮し，使用は控えてください。

有　効　性

◆有効性レベル③

・コレステロールやトリグリセリドなどの血中脂肪をわずかに低下。すべての結果が一致していませんが，研究によるとパンテチンの摂取は，血清トリグリセリド値，総コレステロール値，およびLDL-コレステロール値を低下させ，HDL-コレステロール値を上昇させる可能性が若干あるようです。パンテチンは，腎不全による血液透析患者にしばしば見られる血中脂肪の異常を改善するようです。

◆科学的データが不十分です

・遺伝病のシスチン症の治療。初期の研究は，パンテチンはシスチン症に効果的であることを示唆しています。

・運動能力の向上。一部の研究は，パンテチンをパントテン酸とチアミン（アリチアミンで摂取）の併用は，トレーニングを重ねている運動選手の筋力や持久力を強化しないことを示しています。

・心疾患および循環器疾患のリスクの低下。

・副腎の働きを改善。
・ホルムアルデヒドのアレルギー症状を予防など。

●体内での働き

血清コレステロールやトリグリセリド値を低下させる化合物の濃度を上げるようです。

医薬品との相互作用

中 血液凝固を抑制する医薬品（抗凝固薬/抗血小板薬）

パンテチンは血液凝固を抑制する作用があると考えられています。血液凝固を抑制する医薬品を服用しているときにパンテチンを摂取すると，紫斑および出血のリスクが高まるおそれがあります。このような医薬品には，アスピリン，クロピドグレル硫酸塩，ジクロフェナクナトリウム，イブプロフェン，ナプロキセン，ダルテパリンナトリウム，エノキサパリンナトリウム，ヘパリン，ワルファリンカリウムなどがあります。

ハーブおよび健康食品・サプリメントとの相互作用

ほかのハーブ，健康食品・サプリメントとの相互作用についてはまだ明らかではありません。

使用量の目安

●経口摂取

高リポタンパク血症

1回300mgで1日3～4回摂取します。

リポタンパク異常

血液透析を受けている腎不全患者の場合，1日600～1,200mgを摂取します。

斑点ゼラニウム

SPOTTED GERANIUM

●代表的な別名

斑点ゲラニウム

別名ほか

Cranesbill, G. maculatum, Geranium, Geranium maculatum, Geranium Tacheté, Spotted Cranesbill, Wild Geranium, Wood Geranium

概　要

斑点ゼラニウムは，北アメリカ大陸で生育している植物です。カナダ東部に最も多く分布し，アメリカ北部，中部，東部にも分布します。植物全体および根を用いて「くすり」を作ることもあります。

●要説（ナチュラル・スタンダード）

ゼラニウム属には，熱帯地方の温帯や山岳地帯で見られ，422種の草花が含まれています。種子が鶴のくちばしと同じ形状なので，植物は「クレインズビル（Cranesbill）」として知られています。

花を見ると，ゼラニウムには対称形の花があり，ペラルゴニウム（Pelargonium）には不規則な並びの花弁があるので，両者は別のものであることがわかります。ゼラニウムやペラルゴニウムは，その花を見て区別することが可能です。

歴史的にゼラニウムの植物部分はすべて，アメリカ先住民によって，下痢，出血，腫脹の治療に使用されていました。また，香水や石けんにも使用されてきています。

ゼラニウムは，抗菌の特性と蚊よけとして研究されてきました。しかし，研究結果が矛盾する場合もあります。

安　全　性

斑点ゼラニウムの使用の安全性および副作用については，信頼性の高いデータが不十分です。

●妊娠中および母乳授乳期

妊娠中および母乳授乳期の使用の安全性についてはデータが不十分です。安全性を考慮し，使用は避けてください。

有　効　性

◆科学的データが不十分です

・下痢，コレラ，消化不良症，過敏性腸症候群，口唇潰瘍，歯肉疾患など。
・皮膚に塗布する場合には，皮膚の創傷，出血をともなうただれ，痔核，帯下，鵞口瘡など。

●体内での働き

タンニンと呼ばれる化学物質を含んでいます。タンニンには乾燥効果があり，下痢などの症状に有効な可能性があります。

医薬品との相互作用

ほかの医薬品との相互作用については明らかではありません。

ハーブおよび健康食品・サプリメントとの相互作用

ほかのハーブ，健康食品・サプリメントとの相互作用についてはまだ明らかではありません。

使用量の目安

標準使用量に関するデータがありません。

パントテン酸

PANTOTHENIC ACID

●代表的な別名

ビタミンB_5

別名ほか

ビタミンB群（B Complex Vitamin），パントテン酸カルシウム（Calcium Pantothenate），D-パントテン酸

(D-pantothenic Acid)，デクスパンテノール（Dexpanthenol)，D-パンテノール（D−Panthenol)，D-パントテニルアルコール（D-pantothenyl Alcohol)，ビタミンB_5（Vitamin B_5)，Calcii Pantothenas, Dexpanthenolum, Pantothenic Acid, Pantothenol, Pantothenylol

概　　要

パントテン酸はビタミンB_5とも呼ばれるビタミンです。肉，野菜，穀類，豆類，卵，牛乳など，動植物に広く含まれています。

市販されているパントテン酸としては，D-パントテン酸，およびD-パントテン酸から化学合成されたパンテノールやパントテン酸カルシウムがあります。

パントテン酸は，ほかのビタミンB類とともに，ビタミンB複合体製品に用いられることがよくあります。一般に，ビタミンB複合体には，ビタミンB_1（チアミン)，ビタミンB_2（リボフラビン)，ビタミンB_3（ニコチン酸/ニコチンアミド)，ビタミンB_5（パントテン酸)，ビタミンB_6（ピリドキシン)，ビタミンB_{12}（シアノコバラミン)，葉酸が含まれます。ただし，これらの成分の一部が含まれていない製品もあれば，ビオチン，パラアミノ安息香酸（PABA)，重酒石酸コリン，イノシトールなど，ほかの成分を含む製品もあります。

ハ

パントテン酸はさまざまな用途で用いられていますが，そうした用途のほとんどについて，有効性を十分に裏づける科学的エビデンスはありません。食事性欠乏症，ざ瘡（にきび)，アルコール依存症，アレルギー，脱毛症，気管支喘息，注意欠陥多動障害（ADHD)，自閉症，灼熱足症候群，酵母菌感染，心不全，手根管症候群，呼吸器疾患，セリアック病，大腸炎，結膜炎，痙攣，膀胱炎の治療のために摂取されます。また，ふけ，うつ病，糖尿病神経障害に伴う疼痛，免疫機能の強化，運動能力の向上，舌感染，白髪，頭痛，活動亢進，低血糖，睡眠障害（不眠)，易刺激性，低血圧，多発性硬化症，筋ジストロフィー，妊娠やアルコール依存症にともなう下腿痙攣，全般的な神経痛，肥満に対して経口摂取されます。

そのほか，変形性関節症，関節リウマチ，パーキンソン病，月経前症候群（PMS)，前立腺肥大，精神的・肉体的ストレスおよび不安からの保護，甲状腺機能が低下した人の甲状腺治療の副作用の緩和，加齢徴候の軽減，感冒など感染症のリスク低減，発育遅延，帯状疱疹，皮膚疾患，副腎の刺激，口内炎，慢性疲労症候群，サリチル酸塩やストレプトマイシンなどの医薬品による毒性，めまい感，便秘，創傷治癒のために経口摂取されます。手術後に腸蠕動を改善したり，咽喉痛を緩和したりする目的でも用いられます。

パントテン酸から作られるパンテノールは，そう痒，昆虫刺傷，ツタウルシ，おむつかぶれ，ざ瘡（にきび）のほか，軽度の湿疹をはじめとする皮膚症状の治癒を促進する目的で，皮膚に塗布されます。さらに，放射線治療に対する皮膚反応の予防，治療および緩和のためや，ドライアイ，眼外傷，捻挫に塗布されます。

パンテノールはまた，腸手術の後などの腸蠕動を改善するため，また腸機能低下による腹部膨満，手術や妊娠による腸内ガスに対して，静脈内や筋肉内に投与されます。

パンテノールを含む鼻腔内スプレーは，鼻閉感や鼻漏の緩和に用いられます。

安　全　性

パントテン酸の経口摂取は，適量であれば，ほとんどの人に安全のようです。成人に対する推奨量は，1日5mgです。5mg以上（10g以下）を摂取する場合でも，人によっては，安全のようです。ただし，高用量を摂取する場合には，下痢などの副作用を起こすリスクが高まります。

パンテノール（パントテン酸誘導体）を，皮膚に塗布する場合や，点鼻薬として使用する場合，適量を筋肉内投与する場合には，短期間であれば，おそらく安全です。

小児：小児がパンテノール（パントテン酸誘導体）を皮膚へ塗布する場合は，おそらく安全です。

血友病：血友病の場合には，パンテノール（パントテン酸誘導体）を摂取してはいけません。出血のリスクが高まるおそれがあります。

胃の通過障害：胃の通過障害がある場合には，パンテノール（パントテン酸誘導体）の注射（点滴）を受けてはいけません。

潰瘍性大腸炎：潰瘍性大腸炎の場合には，パンテノール（パントテン酸誘導体）を含む浣腸は慎重に使用してください。

●妊娠中および母乳授乳期

妊娠中および母乳授乳期は，推奨量（妊娠中は1日6mg，母乳授乳期は1日7mg）を経口摂取する場合には，ほとんどの人に安全のようです。ただし，推奨量を超える量を摂取する場合の安全性については，データが不十分です。高用量の摂取は避けてください。

有　効　性

◆有効性レベル①

・パントテン酸欠乏症。パントテン酸の経口摂取により，パントテン酸欠乏症を予防したり治療したりすることができます。

◆有効性レベル④

・放射線治療による皮膚反応。パンテノール（パントテン酸によく似た化学物質）を，皮膚過敏を起こした部分に塗布しても，放射線治療に起因する皮膚反応は緩和しないようです。

◆科学的データが不十分です

・運動能力，注意欠陥多動障害（ADHD)，便秘，眼外傷，変形性関節症，手術後の腸の回復，手術後の咽喉痛，関節リウマチ，鼻の乾燥，副鼻腔炎，皮膚の過敏，アルコール依存症，アレルギー，気管支喘息，手根管症候群，大腸炎，痙攣，ふけ，糖尿病性障害，免疫機能の活性化，結膜炎（眼の感染症），脱毛症，頭痛，心疾患，活動亢進，睡眠障害，易刺激性，腎障害，低血圧，肺疾患，多発性硬化症，筋痙攣，筋ジストロフィーなど。

●体内での働き

パントテン酸は，炭水化物，タンパク質および脂質が体内で正常に代謝され，健康な皮膚を維持するために重要です。

医薬品との相互作用

ほかの医薬品との相互作用については明らかではありません。

ハーブおよび健康食品・サプリメントとの相互作用

ローヤルゼリー

ローヤルゼリーは，きわめて多量のパントテン酸を含んでいます。ローヤルゼリーとパントテン酸サプリメントを併用したときの影響については，明らかではありません。

使用量の目安

●経口摂取

欠乏症を予防するための栄養補助

パントテン酸（ビタミンB_5）5～10mgを摂取します。

パントテン酸（ビタミンB_5）の食事摂取基準（DRI）は，目安量（AI）に基づいて以下の通り定められています。

パントテン酸の食事摂取基準（mg/ 日）

日本人の食事摂取基準 2020 年版

性　別	男　性	女　性
年齢等	目安量	目安量
0～5（月）	4	4
6～11（月）	5	5
1～2（歳）	3	4
3～5（歳）	4	4
6～7（歳）	5	5
8～9（歳）	6	5
10～11（歳）	6	6
12～14（歳）	7	6
15～17（歳）	7	6
18～29（歳）	5	5
30～49（歳）	5	5
50～64（歳）	6	5
65～74（歳）	6	5
75 以上（歳）	6	5
妊　婦		5
授乳婦		6

0～6カ月：1.7mg
7～12カ月：1.8mg
1～3歳：2mg
4～8歳：3mg
9～13歳：4mg
14歳以上：5mg
妊娠中の女性：6mg
母乳授乳期の女性：7mg

ハンノキ

BLACK ALDER

●代表的な別名

セイヨウヤマハンノキ

別名ほか

セイヨウヤマハンノキ（Alnus glutinosa），コモンアルダー（Common Alder），Owler，Tag Alder

概　　要

ハンノキは植物です。樹皮を用いて「くすり」を作ることもあります。

安 全 性

十分なデータが得られていないので，安全かどうかは不明です。

●妊娠中および母乳授乳期

妊娠中，母乳授乳期は使用してはいけません。

有 効 性

◆科学的データが不十分です

・咽喉頭部痛，咽頭炎，および腸内出血。

●体内での働き

どのように作用するかについては十分なデータが得られていません。

医薬品との相互作用

中シスプラチン

ハンノキはシスプラチン（抗悪性腫瘍薬）の作用を阻害する可能性があります。そのため，シスプラチンのがん治療効果が弱まるおそれがあります。

中ドキソルビシン塩酸塩

ハンノキはドキソルビシン塩酸塩（抗悪性腫瘍薬）の作用を阻害する可能性があります。そのため，ドキソルビシン塩酸塩のがん治療効果が弱まるおそれがあります。

ハーブおよび健康食品・サプリメントとの相互作用

ほかのハーブ，健康食品・サプリメントとの相互作用についてはまだ明らかではありません。

使用量の目安

標準使用量に関するデータがありません。

パンノキ

BREADFRUIT

別名ほか

Albero del Pane, Árbol del Pan, Arbre à Pain, Artocarpo, Artocarpus altilis, Artocarpus communis, Artocarpusincisus, Breadnut, Brødfrugt, Brödfrukt, Broodboom, Broodvrucht, Brotfruchtbaum, Castaña de Malabar, Châtaignier de Malabar, Dugdug, Fruta de Pan, Fruta Pão, Kathal, Kelur, Khanun, Kulor, Marure, Mazapán, Pana de Pepitas, Pan de Año, Pan de Ñame, Pan de Pobre, Pan de Todo el Año, Pão de Massa, Rimas, Sukun, Timbul, 'Ulu

概　要

パンノキは樹木です。パンノキの根，葉および乳液を用いて「くすり」を作ることもあります。

パンノキの根および葉は，関節症，気管支喘息，背部痛，糖尿病，発熱，痛風，高血圧，肝疾患および歯痛に対して経口摂取されます。パンノキの乳液は，下痢および胃痛に対して経口摂取されます。

パンノキの根および葉は，せつ，熱傷，耳感染，ヘルペス，真菌性皮膚感染症，目の痛みや疲れ，および口腔カンジダ症に対して皮膚に塗布されます。パンノキの乳液は，骨折，捻挫および坐骨神経痛に対して皮膚に塗布されます。

パンノキの種子および果実は，食品として用いられます。

安　全　性

パンノキの「くすり」としての安全性および副作用については，データが不十分です。

出血性疾患：パンノキが出血のリスクを高めるおそれがあります。出血性疾患の場合には，パンノキを「くすり」として使用してはいけません。

低血圧：パンノキが，血圧を低下させるおそれがあります。このため，既に低血圧の場合には，血圧が過度に低下するおそれがあります。

●アレルギー

バナナやベンジャミンに敏感な場合には，パンノキによりアレルギー反応を起こすおそれがあります。

●妊娠中および母乳授乳期

妊娠中および母乳授乳期の「くすり」としての使用の安全性についてはデータが不十分です。安全性を考慮し，摂取は避けてください。

有　効　性

◆科学的データが不十分です

・関節症，気管支喘息，背部痛，糖尿病，下痢，発熱，痛風，高血圧，座骨神経痛（下腿の脱力と疼痛），肝疾患，捻挫，胃痛，歯痛，創傷治癒など。

●体内での働き

パンノキが，心拍数を低下させ，心筋収縮力を弱めることにより，血圧が低下するおそれがあります。

医薬品との相互作用

中 肝臓で代謝される医薬品（グルクロン酸抱合を受けて代謝される医薬品）

特定の医薬品は肝臓で代謝されます。パンノキは特定の医薬品の代謝を抑制する可能性があります。パンノキと肝臓で代謝される医薬品を併用すると，医薬品の作用および副作用が増強するおそれがあります。このような医薬品には，アセトアミノフェン，オキサゼパム（販売中止），ハロペリドール，ラモトリギン，モルヒネ塩酸塩水和物，ジドブジンなどがあります。

中 肝臓で代謝される医薬品（シトクロムP450 2C8（CYP2C8）の基質となる医薬品）

特定の医薬品は肝臓で代謝されます。パンノキは特定の医薬品の代謝を抑制する可能性があります。パンノキと肝臓で代謝される医薬品を併用すると，医薬品の作用および副作用が増強するおそれがあります。このような医薬品には，アミオダロン塩酸塩，パクリタキセル，非ステロイド性抗炎症薬（ジクロフェナクナトリウム，イブプロフェンなど），マレイン酸ロシグリタゾン（販売中止）などがあります。

低 肝臓で代謝される医薬品（シトクロムP450 3A4（CYP3A4）の基質となる医薬品）

特定の医薬品は肝臓で代謝されます。パンノキは特定の医薬品の代謝を抑制する可能性があります。パンノキと肝臓で代謝される医薬品を併用すると，医薬品の作用および副作用が増強するおそれがあります。このような医薬品には，アミトリプチリン塩酸塩，アミオダロン塩酸塩，Citalopram，フェロジピン，ランソプラゾール，オンダンセトロン塩酸塩水和物，Prednisone，塩酸セルトラリン，シブトラミン塩酸塩水和物（販売中止）など数多くあります。

中 血液凝固を抑制する医薬品（抗凝固薬/抗血小板薬）

パンノキは血液凝固を抑制する可能性があります。パンノキと血液凝固を抑制する医薬品を併用すると，紫斑および出血のリスクが高まるおそれがあります。このような医薬品には，アスピリン，クロピドグレル硫酸塩，ジクロフェナクナトリウム，イブプロフェン，ナプロキセン，ダルテパリンナトリウム，エノキサパリンナトリウム，ヘパリン，ワルファリンカリウムなどがあります。

中 降圧薬

パンノキは血圧を低下させる可能性があります。パンノキと降圧薬を併用すると，血圧が過度に低下するおそれがあります。このような降圧薬には，カプトプリル，エナラプリルマレイン酸塩，ロサルタンカリウム，バルサルタン，ジルチアゼム塩酸塩，アムロジピンベシル酸塩，ヒドロクロロチアジド，フロセミドなど数多くあります。

ハーブおよび健康食品・サプリメントとの相互作用

血圧を低下させるおそれのあるハーブおよび健康食品・サプリメント

パンノキは血圧を低下させるおそれがあります。パンノキと血圧を低下させるおそれのあるほかのハーブおよび健康食品・サプリメントを併用すると，血圧が過度に低下するおそれがあります。このようなハーブおよび健康食品・サプリメントには，アンドログラフィス，カゼイン・ペプチド，キャッツクロー，コエンザイムQ-10，魚油，L-アルギニン，クコ，イラクサ，テアニンなどがあります。

血液凝固を抑制するおそれのあるハーブおよび健康食品・サプリメント

パンノキは血液凝固を抑制するおそれがあります。パンノキと，血液凝固を抑制するおそれのあるほかのハーブおよび健康食品・サプリメントを併用すると，紫斑や出血のリスクが高まるおそれがあります。このようなハーブおよび健康食品・サプリメントには，アンゼリカ，クローブ，タンジン，ニンニク，ショウガ，イチョウ，朝鮮人参などがあります。

使用量の目安

通常の食品に含まれている量を超えて経口摂取した場合の安全性および副作用については，明らかになっていません。

ヒアルロン酸

HYALURONIC ACID

別名ほか

ヒアルロン酸ナトリウム（Hyaluronate Sodium），ヒアルロナン（Hyaluronan），Hyaluran，Sodium Hyaluronate

概　　要

ヒアルロン酸は，人体内に存在する物質です。とくに，眼の硝子体および関節腔の滑液に高濃度で存在しています。「くすり」に使われるヒアルロン酸は，鶏冠から抽出するか乳酸菌や連鎖球菌により人工的に作ることができます。

安　全　性

ヒアルロン酸の経口摂取，皮膚への塗布，注射による投与は，適量であれば，ほとんどの人に安全のようです。まれに，ヒアルロン酸により，アレルギー反応を起こすおそれがあります。

●妊娠中および母乳授乳期

妊娠中の注射による投与は，おそらく安全です。ただし，妊娠中の経口摂取や，皮膚へ塗布する場合の安全性についてはデータが不十分です。安全性を考慮し，摂取は避けてください。

母乳授乳期の注射による投与は，おそらく安全ではありません。母乳および幼児への影響については，明らかではありません。母乳授乳期の経口摂取や，皮膚へ塗布する場合の安全性についてはデータが不十分です。安全性を考慮し，摂取は避けてください。

有　効　性

◆有効性レベル②

・白内障。白内障手術時に，眼科外科医がヒアルロン酸を点眼する場合には，有効です。
・口内炎。ヒアルロン酸をゲルとして皮膚に塗布する場合には，口内炎の治療に有効です。

◆有効性レベル③

・皮膚の加齢変化。複数の研究により，特定のヒアルロン酸製品を笑線に注射すると，最長1年間，しわが薄くなることが示唆されています。
・変形性関節症。医師などによるヒアルロン酸の関節への注射が，こわばりや関節痛に有効である可能性があります。変形性関節症の治療として，米国食品医薬品局（FDA）に承認されていますが，効果には個人差があります。ヒアルロン酸による治療により，関節のこわばりのわずかな改善や，疼痛の緩和が一部報告されていますが，常に同じ効果が出るとは限りません。ヒアルロン酸の長期にわたる使用が，関節障害の進行を遅らせる可能性や，症状が緩和する可能性については，明らかではありません。

◆科学的データが不十分です

・ドライアイ，眼外傷，創傷および熱傷の治癒など。

●体内での働き

ヒアルロン酸は，関節などの組織で，クッションや潤滑剤として作用します。また，外傷に対する身体反応に影響を及ぼす可能性があります。

医薬品との相互作用

ほかの医薬品との相互作用については明らかではありません。

ハーブおよび健康食品・サプリメントとの相互作用

ほかのハーブ，健康食品・サプリメントとの相互作用についてはまだ明らかではありません。

使用量の目安

●注射（点滴）

変形性関節症

変形性関節症の治療として，医師などにより，ヒアルロン酸を膝関節へ注射します。

ヒース

HEATHER

別名ほか

カルーナ・ウルガリス，ギョリュウモドキ，ヘザーヒース，ハイデソウ，ナツザキエリカ（Calluna vulgaris），ヘザー，エリカ（Erica vulgaris），Callunae vulgaris Herba，Calluna vulgaris Flos，Ling，Scotch Heather

概　　要

ヒースは植物です。花，葉，先端部を用いて「くすり」を作ることもあります。

安　全　性

一般的に安全だと考えられていますが，副作用については不明です。

●妊娠中および母乳授乳期

妊娠中，母乳授乳期は使用してはいけません。

有　効　性

◆科学的データが不十分です

・腎臓および下部尿路の軽い疾患，前立腺肥大，体液貯留，下痢および痙攣などの消化器系疾患，疝痛（胃痛），肝疾患，胆のう炎，痛風，関節炎，創傷，炎症を起こした眼など。

●体内での働き

どのように作用するかについては十分なデータが得られていません。

医薬品との相互作用

ほかの医薬品との相互作用については明らかではありません。

ハーブおよび健康食品・サプリメントとの相互作用

ほかのハーブ，健康食品・サプリメントとの相互作用についてはまだ明らかではありません。

使用量の目安

●経口摂取

通常の摂取量はお茶（花/葉/植物の先端部1.5gを250mLの沸騰した湯に入れて3分間煮立たせ，ろ過したもの）1カップを食間に1日3回摂取します。

●局所投与

入浴に用いる場合，花/葉/植物の先端部500gを数Lの水に入れ，ろ過してから浴槽の湯に加えます。

ビート

BEET

●代表的な別名

テンサイ

別名ほか

甜菜（Garden Beet），飼料用ビート（Fodder Beet），サトウダイコン，フダンソウ（Beta vulgaris），テンサイ，レッドビート（Red Beet），Beets，Mangel，Mangold，Sugarbeet，Yellow Beet

概　　要

ビートは植物です。根を用いて「くすり」を作ることもあります。

安　全　性

通常の食品としての量を摂取する場合，ほとんどの人に安全のようです。「くすり」としての量を経口摂取する場合，ほとんどの人におそらく安全です。

カルシウム値を低下させ，腎障害を起こすおそれがあります。

腎疾患：過度に摂取すると腎疾患が悪化するおそれがあります。

●妊娠中および母乳授乳期

「くすり」としての高用量摂取の安全性についてはデータが不十分です。通常の食品としての量の範囲内で摂取してください。

有　効　性

◆科学的データが不十分です

・血中トリグリセリド値の低下，脂肪肝やほかの肝疾患の支持療法，血圧低下，運動能力の向上など。

●体内での働き

含有成分が肝臓に蓄積した脂質の除去を補助するというエビデンスがあります。抗酸化作用をもつ可能性のある成分も含んでいます。また，体内の一酸化窒素を増やす可能性があります。この成分が血管に作用する可能性があります。

医薬品との相互作用

ほかの医薬品との相互作用については明らかではありません。

ハーブおよび健康食品・サプリメントとの相互作用

ほかのハーブ，健康食品・サプリメントとの相互作用

についてはまだ明らかではありません。

使用量の目安

通常の食品に含まれている量を超えて経口摂取した場合の安全性および副作用については，明らかになっていません。

ピーナッツオイル

PEANUT OIL

●代表的な別名

落花生油

別名ほか

落花生（Monkey Nuts），ラッカセイ，ナンキンマメ（Arachis hypogaea），ジマメ（Earth-Nut），ピーナッツ，Groundnuts

概　　要

ピーナッツオイルは，植物のピーナッツの種子，いわゆるナッツから抽出したオイルです。「くすり」の原料に使用されます。

安　全　性

一般的には安全です。

●アレルギー

ピーナッツ，大豆や近縁植物にアレルギーのある人は深刻なアレルギー反応を起こすかもしれません。ピーナッツ，大豆や近縁植物にアレルギーのある人は通常食べ物に含まれている量以上に使用してはいけません。

●妊娠中および母乳授乳期

食べ物に含まれる量を摂取するなら，妊娠中，母乳授乳期にも安全です。

妊娠中，母乳授乳期は，通常食べ物に含まれている量以上に使用してはいけません。

有　効　性

◆科学的データが不十分です

・血清コレステロール値の低下，心疾患予防，減量のための食欲減退，がんの予防，関節炎および関節痛，頭皮の痂皮化と落屑，乾燥皮膚，そのほかの皮膚障害，便秘など。

●体内での働き

一価不飽和脂肪酸が多く含まれ，飽和脂肪酸が少ないため，血清コレステロール値を低下させ，心疾患を予防すると考えられていますが，動物を使った研究では，動脈に血栓を起こすので，心疾患のリスクを高めると指摘しています。

医薬品との相互作用

ほかの医薬品との相互作用については明らかではありません。

ハーブおよび健康食品・サプリメントとの相互作用

ほかのハーブ，健康食品・サプリメントとの相互作用についてはまだ明らかではありません。

使用量の目安

●経口摂取

標準使用量に関するデータがありません。

●局所投与

入浴剤として，４mLを10Lの水に加えて使用しますが，成人は１回当たり15～20分間で１日に２～３回，小児は数分間で１週間に２～３回の入浴を行います。

●直腸投与

浣腸薬として，１回130mLのピーナッツオイルを室温で投与します。

ビーベノム

BEE VENOM

別名ほか

雀蜂（Yellow Hornet），マルハナバチ毒，クマバチ毒（Bumblebee Venom），スズメバチ毒（Wasp Venom），ヨーロッパミツバチ（Apis mellifera），セイヨウオオマルハナバチ，ツチマルハナバチ（Bombus Ter restis），Apis venenum Purum，Bald-Faced Hornet，Bee Sting Venom，Honeybee Benum，Mixed Vespids，Pure Bee Venom，Vespula Maculata，White-Faced Hornet，Yellow-Jacket Venom

概　　要

ビーベノムは蜂が作ったものです。蜂が刺した痛みの素となる毒です。「くすり」の原料に使用されます。

安　全　性

熟練した医師に皮下注射をしてもらう場合は一般的には安全ですが，人によっては，注射した箇所が赤くなったり，腫脹するかもしれません。

副作用には，かゆみ，不安感，呼吸困難，胸の締め付け，動悸，めまい，悪心，嘔吐，下痢，眠気，錯乱，失神，血圧低下などがあります。

ビーベノムの治療を受けている患者，女性に副作用がよく見られます。

多発性硬化症，狼瘡（全身性エリテマトーデス），関節リウマチなどの免疫系疾患，そのほか自己免疫疾患と呼ばれる症状の人も使用してはいけません。

●アレルギー

蜂の毒にひどいアレルギーのある人に副作用がよく見られます。

●妊娠中および母乳授乳期

妊娠中，母乳授乳期は，訓練を受けた医師が直接監督できない場合，使用してはいけません。

有　効　性

◆有効性レベル②

・蜂の刺し傷に対するアレルギー反応を和らげる。

◆有効性レベル④

・関節炎。
・多発性硬化症。

◆科学的データが不十分です

・神経障害，腱鞘炎，および筋肉の炎症（腫脹）。

●体内での働き

繰り返し，また管理の下に皮下注入を行った場合，免疫システムがビーベノムに慣れてきて，アレルギー反応の度合いが軽減されるようになります。

医薬品との相互作用

中免疫抑制薬

ビーベノムは免疫機能を促進するため，免疫抑制薬と併用すると免疫抑制薬の効果を弱めるおそれがあります。このような免疫抑制薬には，アザチオプリン，バシリキシマブ，シクロスポリン，Daclizumab，ムロモナブ-CD３（販売中止），ミコフェノール酸モフェチル，タクロリムス水和物，シロリムス，Prednisone，副腎皮質ステロイドなどがあります。

ハーブおよび健康食品・サプリメントとの相互作用

ほかのハーブ，健康食品・サプリメントとの相互作用についてはまだ明らかではありません。

使用量の目安

●非経口投与

皮下，皮内，動脈内投与で用います。

関節炎

精製した無菌のハチ毒（apitoxin 2 mg/mL）を使い，0.05～0.1mLの用量から始めます。通常５～７日の投与間隔で，投与量を0.25mL，0.5mL，１mLと段階的に増量します。

ハチ刺されに敏感な人の免疫療法

投与量を増量し選択した間隔で（通常は週ごとに）投与します。

免疫療法には多くのプロトコールが考えられています。あるプロトコールでは0.0001μgまたは0.001μgのビーベノムエキス薬から開始し，維持用量（ビーベノム100μgまで）に達するまで継続します。維持用量に達すると，この療法を数年間にわたり継続することができます。患者によってビーベノムに対する感受性と免疫療法に対する耐用性が異なるので，すべての患者に対して一般的な投与スケジュールを設定することはできません。ビーベノムを用いる免疫療法は，アナフィラキシーやそのほかの副作用（有害反応）に対する処置など，これらの製品の使用に精通している医師によってのみ行われなければなりません。また，アナフィラキシー反応が起こった場合に備えて，注射用エピネフリンと近くに緊急用施設があることが望まれます。アルコールとヨードのチンキ剤はビーベノムの作用を急激に破壊するため注射部位に塗布してはいけません。中国では通常，電気泳動，超音波泳動，鍼療法でも投与されます。

ビール

BEER

別名ほか

アルコール（Alcohol），エタノール（Ethanol）

概　　要

ビールはアルコール飲料です。

安　全　性

ビールは適量の摂取であれば，ほとんどの人に安全のようです。つまり，１日約710mLを超さない程度ということです。一度に飲む量がこれより多くなると，おそらく安全ではありません。皮膚の紅潮，錯乱，気分の抑制困難，失神，協調運動障害，痙攣，傾眠，呼吸困難，低体温，低血糖，嘔吐，下痢，出血，脈拍不整など多くの副作用が起きるおそれがあります。

長い間飲み続けていると，アルコール依存症となり，栄養不良，記憶喪失，精神の異常，心臓の異常，肝不全，膵臓の炎症（腫脹），消化器系がんなど多くの深刻な副作用が起きるおそれがあります。

気管支喘息：ビールの飲酒は気管支喘息を誘発するとの報告があります。

痛風：飲酒は痛風を悪化させるおそれがあります。

心疾患：適量のビール摂取はうっ血性心不全を予防する可能性があることがわかっていますが，すでに罹患している人には有害となります。飲酒により胸痛およびうっ血性心不全の症状を悪化させるおそれがあります。

高血圧：１日３ドリンク以上のアルコールを摂取すると，血圧が上昇し，高血圧が悪化するおそれがあります。

高トリグリセリド血症（トリグリセリドという血中脂肪の高値），不眠（睡眠障害），肝疾患，膵炎，胃潰瘍，むねやけ（胃食道逆流症，GERD），ポルフィリン症（血液疾患）：アルコールの摂取により悪化するおそれがあります。

神経疾患：アルコールの摂取は神経系の疾患を悪化させるおそれがあります。

精神疾患：1日3ドリンク以上のアルコールを摂取すると，精神疾患が悪化し，思考能力が低下するおそれがあります。

手術：ビールは中枢神経系を抑制するおそれがあります。ビールと，手術中および手術後に投与する麻酔薬などの医薬品を併用すると，中枢神経系を過度に抑制するおそれがあります。少なくとも手術前2週間は，摂取しないでください。

●妊娠中および母乳授乳期

妊娠中のアルコール摂取は安全ではないようです。胎児に，先天異常をはじめとする深刻な害を引き起こすおそれがあります。妊娠中，とくに妊娠初期2カ月間の摂取は，流産の大きなリスク，胎児性アルコール症候群，出生後の発達困難および行動障害と関連があります。妊娠中は摂取してはいけません。

母乳授乳期のアルコール摂取もまた安全ではないようです。アルコールが母乳に移行し，寝返りを打つ能力など，精神と筋肉の協調にかかわる能力の発達異常を引き起こすおそれがあります。乳児の睡眠パターンを乱すおそれもあります。母乳産生が増えるという噂とは反対に，母乳産生量は減少するようです。

有 効 性

◆有効性レベル②

・心臓発作，脳卒中，動脈硬化，狭心症（胸痛）などの心臓および循環系の疾患の予防。アルコール摂取は心臓に有益である可能性を示すエビデンスがあります。1日に1ドリンクのアルコール摂取，または1週間に最低3～4日のアルコール摂取は，アルコール愛飲家には経験則から適切といえます。ただし，1日2ドリンクを超えて飲んではいけません。1日2ドリンク超の摂取は心疾患による死亡リスクとともに，全死亡リスクを高めるおそれがあります。健康な人がビールなどのアルコール飲料を摂取することは，心疾患リスクを低下させるようです。アルコールの適量摂取（1日1～2ドリンク）は，冠動脈性心疾患，動脈硬化，および心臓発作のリスクを，まったく飲まない人と比較して約30～50％低下させます。少量から適量のアルコール摂取（1日1～2ドリンク）は，血管内の血塊により起こるタイプの脳卒中（虚血性脳卒中）のリスクを低下させますが，一方で，血管破裂により起こるタイプの脳卒中（出血性脳卒中）のリスクを高めます。最初の心臓発作が起こるまでの1年間に，少量から適量のアルコール（1日1～2ドリンク）を摂取していると，まったく飲まない人と比較して，心血管疾患による死亡リスクおよび全死亡リスクが低下することが示されています。冠動脈性心疾患と診断された人では，ビールなどのアルコール飲料を週に1～14ドリンクを摂取しても，週に1ドリンク未満を摂取する人と比較して，心疾患による死亡率および全死亡率に何ら影響を与えないようです。1日3ドリンク以上を摂取する場合は，心臓発作の既往歴のある人では，死亡リスクの上昇と関連づけられます。しかし，初期の研究では，心疾患の人が特定のビール飲料を1日約330mL，30日間毎日摂取しても，血圧の低下やコレステロール値の改善はみられないようであることが示唆されています。

・心疾患・脳卒中などの原因による死亡リスク低下。中年期以降の人では，少量から適量のアルコール摂取は，あらゆる原因の死亡リスクを低下させる可能性があるというエビデンスがあります。

◆有効性レベル③

・加齢にともなう思考能力の維持。高齢の男性で，1日1ドリンクの飲酒を以前より習慣にしている人は，まったく飲まない人よりも，70歳代後半から80歳代のときに全般的に優れた思考能力を保持するようです。しかし，中年期に1日4ドリンク以上の飲酒をしていた人は，のちのち，統計学的に有意に低い思考能力を呈するようです。

・うっ血性心不全（CHF）の予防。1日1～4ドリンクのアルコール摂取は65歳以上の心不全のリスクを軽減させるというエビデンスがあります。

・糖尿病患者の心疾患の予防。適量の飲酒は2型糖尿病を発症するリスクを低減させるようです。糖尿病患者による適量の飲酒は，2型糖尿病患者で飲酒をしない場合よりも冠動脈心疾患のリスクを低減するようです。リスク低減の程度は少量から適量飲酒する健康な人と同等です。

・ヘリコバクター・ピロリによる潰瘍リスクの低減。ワインおよびビールなどの飲料から中～高用量のアルコール（週に75g超）を摂取する人は，ヘリコバクター・ピロリ感染症を発症するリスクが低減する可能性があるというエビデンスがあります。

◆有効性レベル④

・がんの死亡リスクの低減。ワインの飲酒はがんの死亡率低下との関連づけがされてきましたが，ビールにはこの作用はないようです。実際，ビールの飲酒によりがん関連の死亡がわずかに増加するおそれがあるというエビデンスがあります。1ドリンク以上の摂取で，乳がんの死亡リスクが上昇するおそれがあるというエビデンスもあります。

◆科学的データが不十分です

・アルツハイマー病の予防，不安，骨粗鬆症，前立腺がんの予防，乳がんの予防，胆石の予防，腎結石の予防，食欲増進・消化促進など。

●体内での働き

高比重リポタンパク（HDL，善玉）コレステロール値を上昇させて，心疾患の予防に役立つと考えられています。また，含有成分のビタミンB_6（ピリドキシン）が，心疾患の危険因子と考えられる化学物質，ホモシステイン値の低下に役立つ可能性があります。

ヒ

医薬品との相互作用

中アスピリン

アスピリンは胃を傷つけることがあり，潰瘍および出血を引き起こす可能性があります。ビールに含まれるアルコールもまた胃を傷つける可能性があります。アスピリンとビールを併用すると，胃潰瘍および出血のリスクが高まるおそれがあります。ビールはまたアスピリンの体内吸収量を減少させる可能性があります。そのため，アスピリンの効果を弱めるおそれがあります。ビールとアスピリンを併用しないでください。

高エリスロマイシン

ビールに含まれるアルコールは体内で代謝されてから排泄されます。エリスロマイシンはアルコールの代謝を抑制する可能性があります。ビールを飲んでエリスロマイシンを服用すると，アルコールの作用および副作用を増強させるおそれがあります。

中グリセオフルビン【販売中止】

ビールに含まれるアルコールは体内で代謝されてから排泄されます。グリセオフルビンはアルコールの代謝を抑制します。ビールとグリセオフルビンを併用すると，激しい頭痛，嘔吐，紅潮などの副作用が現れるおそれがあります。グリセオフルビンを服用中に一切のアルコールを摂取しないでください。

中クロルプロパミド

ビールに含まれるアルコールは，体内で代謝されてから排泄されます。クロルプロパミドはアルコールの代謝を抑制する可能性があります。ビールとクロルプロパミドを併用すると，激しい頭痛，嘔吐，紅潮などの副作用が現れるおそれがあります。クロルプロパミドを服用中にビールを摂取しないでください。

中シサプリド【販売中止】

シサプリドは，ビールに含まれるアルコールの体内での代謝を抑制する可能性があります。ビールとシサプリドを併用すると，ビールに含まれるアルコールの作用および副作用が増強するおそれがあります。

高ジスルフィラム

ビールに含まれるアルコールは，体内で代謝されてから排泄されます。ジスルフィラムはアルコールの代謝を抑制します。ビールとジスルフィラムを併用すると，激しい頭痛，嘔吐，紅潮などの副作用が現れるおそれがあります。ジスルフィラムを服用中に一切のアルコールを摂取しないでください。

中スルホンアミド系抗菌薬

ビールに含まれるアルコールは，特定の抗菌薬と相互作用が発生する可能性があります。そのため，胃のむかつき，嘔吐，発汗，頭痛，頻脈を引き起こすおそれがあります。抗菌薬を服用中にビールを摂取しないでください。ビールと相互作用がある抗菌薬にはスルファメトキサゾール（販売中止），スルファサラジン，スルフイソキサゾール（販売中止），スルファメトキサゾール・トリメトプリム配合などがあります。

中セファマンドールナトリウム【販売中止】

ビールに含まれるアルコールは，セファマンドールナトリウムと相互作用があります。そのため，胃のむかつき，嘔吐，発汗，頭痛，頻脈を引き起こす可能性があります。セファマンドールナトリウムを服用中にビールを摂取しないでください。

中セフォペラゾンナトリウム

ビールに含まれるアルコールはセフォペラゾンナトリウムと相互作用があります。そのため，胃のむかつき，嘔吐，発汗，頭痛，頻脈を引き起こす可能性があります。セフォペラゾンナトリウムを服用中にビールを摂取しないでください。

中トルブタミド【販売中止】

ビールに含まれるアルコールは，体内で代謝されてから排泄されます。トルブタミドはアルコールの代謝を抑制する可能性があります。ビールとトルブタミドを併用すると，激しい頭痛，嘔吐，紅潮などの副作用が現れるおそれがあります。トルブタミドを服用中にビールを摂取しないでください。

中バルビツール酸系鎮静薬

バルビツール酸系薬は眠気および注意力低下を引き起こす医薬品です。バルビツール酸系薬は体内で代謝されてから排泄されます。ビールに含まれるアルコールは，バルビツール酸系薬の代謝を抑制する可能性があります。そのため，バルビツール酸系薬の作用が増強し，過度の眠気を引き起こすおそれがあります。バルビツール酸系薬の服用中にビールを飲まないでください。このような医薬品にはペントバルビタールカルシウム，フェノバルビタール，セコバルビタールナトリウムなどがあります。

中フェニトイン

フェニトインは体内で代謝されてから排泄されます。ビールに含まれているアルコールは，この代謝を促進する可能性があります。フェニトインの服用中にビールを飲用すると，医薬品の効果が弱まり，痙攣発作を起こすリスクが高まるおそれがあります。

中ベンゾジアゼピン系鎮静薬

ベンゾジアゼピン系薬は眠気および注意力低下を引き起こす医薬品です。ベンゾジアゼピン系薬は体内で代謝されてから排泄されます。ビールに含まれるアルコールは，ベンゾジアゼピン系薬の代謝を抑制する可能性があります。そのため，ベンゾジアゼピン系薬の作用が増強し，過度の眠気を引き起こすおそれがあります。ベンゾジアゼピン系薬の服用中にビールを飲まないでください。このような医薬品にはクロナゼパム，ジアゼパム，ロラゼパムなどがあります。

中メトホルミン塩酸塩

メトホルミン塩酸塩は肝臓で代謝されます。ビールに含まれているアルコールもまた肝臓で代謝されます。ビールとメトホルミン塩酸塩を併用すると，重大な副作用を引き起こすおそれがあります。

中メトロニダゾール

ビールに含まれるアルコールは，メトロニダゾールと相互作用がある可能性があります。そのため，胃のむかつき，嘔吐，発汗，頭痛，頻脈を引き起こす可能性があります。メトロニダゾールを服用中にビールを摂取しないでください。

高ワルファリンカリウム

ワルファリンカリウムは血液凝固を抑制するために用いられます。ビールに含まれるアルコールにはワルファリンカリウムとの相互作用があります。多量のアルコール摂取によりワルファリンカリウムの効果が変化する可能性があります。定期的に血液検査をしてください。ワルファリンカリウムの用量を変更する必要があるかもしれません。

中胃酸分泌抑制薬（H2受容体拮抗薬）

胃酸を減少させる医薬品には，ビールに含まれているアルコールと相互作用が発生するものがあります。ビールと胃酸を減少させる医薬品を併用すると，アルコールの体内への吸収量が増加し，アルコールの副作用のリスクが高まる可能性があります。胃酸を減少させ，アルコールと相互作用が発生する可能性のある医薬品には，シメチジン，ラニチジン塩酸塩，ニザチジン，ファモチジンがあります。

高肝臓を害する可能性のある医薬品

ビールに含まれるアルコールは肝臓を害する可能性があります。ビールと肝臓を害する可能性のある医薬品を併用すると，肝障害のリスクが高まる可能性があります。肝臓を害する可能性のある医薬品を服用中にビールを飲まないでください。このような医薬品にはアセトアミノフェン，アミオダロン塩酸塩，カルバマゼピン，イソニアジド，メトトレキサート，メチルドパ水和物，フルコナゾール，イトラコナゾール，エリスロマイシン，フェニトイン，Lovastatin，プラバスタチンナトリウム，シンバスタチンなどがあります。

中降圧薬

ビールに含まれるアルコールは血圧を上昇させる可能性があります。ビールと降圧薬を併用すると，薬の効果を弱めるおそれがあります。降圧薬の服用中にビールを過剰に飲用しないでください。このような降圧薬にはカプトプリル，エナラプリルマレイン酸塩，ロサルタンカリウム，バルサルタン，ジルチアゼム塩酸塩，アムロジピンベシル酸塩，ヒドロクロロチアジド，フロセミドなど多くあります。

高鎮静薬（中枢神経抑制薬）

ビールに含まれるアルコールは眠気および注意力低下を引き起こす可能性があります。鎮静薬は眠気を引き起こす医薬品です。ビールと鎮静薬を併用すると，過度の眠気を引き起こすおそれがあります。このような鎮静薬にはクロナゼパム，ロラゼパム，フェノバルビタール，ゾルピデム酒石酸塩などがあります。

中鎮痛薬（麻薬性鎮痛薬）

特定の鎮痛薬は眠気および注意力低下を引き起こす可能性があります。γ-ブチロラクトンもまた，眠気および注意力低下を引き起こす可能性があります。γ-ブチロラクトンと鎮痛薬を併用すると，重大な副作用を引き起こすおそれがあります。鎮痛薬の服用中はγ-ブチロラクトンを摂取しないでください。このような鎮痛薬にはメペリジン，Hydrocodone，モルヒネ塩酸塩水和物，オキシコドン塩酸塩水和物などがあります。

中非ステロイド性抗炎症薬（NSAIDs）

非ステロイド性抗炎症薬（NSAIDs）は痛みと腫脹を軽減するために用いられる抗炎症薬です。NSAIDsは胃や腸に損傷を与え，潰瘍や出血を引き起こす可能性があります。ビールに含まれるアルコールもまた，胃や腸に損傷を与える可能性があります。ビールとNSAIDsを併用すると，胃や腸の潰瘍や出血のリスクが高まるおそれがあります。ビールとNSAIDsを一緒に摂取しないでください。このようなNSAIDsにはイブプロフェン，インドメタシン，ナプロキセン，ピロキシカム，アスピリンなどがあります。

ハーブおよび健康食品・サプリメントとの相互作用

眠気または注意力低下を引き起こすハーブおよび健康食品・サプリメント

ビールに含まれるアルコールは，鎮静薬のように作用し，眠気または注意力低下を引き起こすおそれがあります。ビールと，同様に鎮静作用のあるハーブおよび健康食品・サプリメントを併用すると，過度の眠気または注意力低下を引き起こすおそれがあります。このようなハーブおよび健康食品・サプリメントには，5-ヒドロキシトリプトファン，ショウブ，ハナビシソウ，キャットニップ，ホップ，ジャマイカ・ドッグウッド，カバ，セント・ジョンズ・ワート，スカルキャップ，カノコソウ，アネモプシス・カリフォルニカなどがあります。

使用量の目安

ビールは，アルコールとノンアルコールの両方を入手できます。摂取量は，しばしば「何ドリンク」という数え方をします。1ドリンクは，4オンス（約120mL）のワイン，12オンス（約355mL）のビール，1オンス（約30mL）の蒸留酒に相当します。

●経口摂取

心疾患や脳卒中のリスクの低減

1日1～2ドリンク（1ドリンク355mL）を摂取します。

心不全のリスクの低減

1日4ドリンク以内を摂取します。

高齢者における思考能力の衰退の軽減

1日1ドリンク以内を摂取します。

健康な人における2型糖尿病のリスクの低減

1日3ドリンク～1週間に2ドリンクを摂取します。

２型糖尿病患者における冠動脈性心疾患のリスクの低減

１週間に７ドリンク以内を摂取します。

ヘリコバクター・ピロリ感染症のリスクの低減

ビールなどの飲料からアルコール75gを摂取します。ヘリコバクター・ピロリ菌は胃潰瘍の原因となる細菌です。

ビール酵母

BREWER'S YEAST

●代表的な別名

サッカロミセス・セレビシエ

別名ほか

酵母（Saccharomyces cerevisiae），Baker's Yeast, Brewers Yeast, Faex Medicinalis, Levure de Biere, Medicinal Yeast

概　要

ビール酵母は酵母の一種で，ビール醸造の副産物です。ビール酵母を含有するサプリメントには，不活性の乾燥酵母が含まれていることがよくあります。ビール酵母から「くすり」を作ることもあります。

ビール酵母は，感冒をはじめとする上気道感染症，インフルエンザ，季節性アレルギー，ブタインフルエンザなどの呼吸器疾患に対して経口摂取されます。また，下痢，クロストリジウム・ディフィシレに起因する大腸炎，高コレステロール血症，食欲不振，ざ瘡（にきび），月経前症候群（PMS），せつ腫症，２型糖尿病に対して経口摂取されます。そのほかビタミンB，クロム，タンパク質の補給源として用いられています。

安 全 性

ビール酵母の経口摂取は，短期間であれば，ほとんどの人におそらく安全です。特定のビール酵母製品が，１日500mgの用量で12週間，安全に用いられています。人によっては，ビール酵母が，頭痛，胃の不快感および腸内ガス（放屁）を引き起こすおそれがあります。

長期使用の安全性については，データが不十分です。使用は短期間にしてください。

クローン病：ビール酵母はクローン病を悪化させるおそれがあります。クローン病の場合には，ビール酵母を摂取しないでください。

糖尿病：クロムを含むビール酵母を摂取すると，血糖値が低下する可能性があります。糖尿病患者が血糖値を低下させる医薬品を服薬している場合に，ビール酵母も摂取すると，血糖値が過度に低下するおそれがあります。血糖値を注意深く監視してください。

●アレルギー

酵母アレルギー：酵母にアレルギーがある場合や過敏な場合には，ビール酵母により，そう痒や腫脹を起こすおそれがあります。

●妊娠中および母乳授乳期

妊娠中および母乳授乳期の経口摂取の安全性についてはデータが不十分です。安全性を考慮し，摂取は避けてください。

有　効　性

◆科学的データが不十分です

・花粉症（アレルギー性鼻炎），クロストリジウム・ディフィシレに起因する大腸炎（結腸の腫脹），糖尿病，高コレステロール血症，感冒（インフルエンザ），月経前症候群（PMS），ざ瘡（にきび），せつ，下痢，食欲不振など。

●体内での働き

ビール酵母にはクロムが含まれているため，糖尿病患者の血糖値を低下させる目的でビール酵母を活用することに関心が寄せられています。クロムは，体内のインスリン利用効率を高め，血糖値を低下させる可能性があります。

ビール酵母はまた，下痢の緩和に役立つ腸内酵素を活性化させるようです。

さらに，腸内感染を引き起こす細菌に対抗したり，インフルエンザや感冒などのウイルス性肺感染に対する防御力を改善したりする可能性があります。

ビール酵母には，ビタミンBおよびタンパク質が豊富に含まれています。

医薬品との相互作用

高モノアミン酸化酵素阻害薬（MAO阻害薬）

ビール酵母にはチラミンと呼ばれる化学物質が含まれます。多量のチラミンは高血圧を引き起こす可能性があります。特定の抗うつ薬は体内でチラミンの代謝を停止する可能性があります。そのため，体内のチラミンが過剰になり，危険なレベルの高血圧を引き起こすおそれがあります。このようなMAO阻害薬には，Phenelzine，セレギリン塩酸塩，Tranylcypromineなどがあります。

中炭酸リチウム

ビール酵母のなかには，リチウムが含まれるものがあります。ビール酵母と炭酸リチウムを併用すると，体内のリチウム量が増加し，重大な副作用が現れるおそれがあります。

中糖尿病治療薬

ビール酵母は血糖値を低下させる可能性があります。ビール酵母と糖尿病治療薬を併用すると，血糖値が過度に低下するおそれがあります。血糖値を注意深く監視してください。このような糖尿病治療薬には，グリメピリド，グリベンクラミド，インスリン，ピオグリタゾン塩酸塩，マレイン酸ロシグリタゾン（販売中止），クロルプロパミド，Glipizide，トルブタミド（販売中止）などがあります。

相互作用レベル：高この医薬品と併用してはいけません　中この医薬品とは慎重に併用するか併用しないでください　低この医薬品との併用には注意が必要です

ハーブおよび健康食品・サプリメントとの相互作用

クロムを含有するハーブおよび健康食品・サプリメント

ビール酵母にはクロムが含まれているため，クロムを含有するハーブおよび健康食品・サプリメントと併用すると，クロム中毒のリスクが高まるおそれがあります。このようなハーブおよび健康食品・サプリメントには，ビルベリー，カスカラサグラダ，ツクシなどがあります。

血糖値を低下させるおそれのあるハーブおよび健康食品・サプリメント

ビール酵母は血糖値を低下させるおそれがあります。ビール酵母と，血糖値を低下させるおそれのあるハーブおよび健康食品・サプリメントを併用すると，人によっては，血糖値が過度に低下するおそれがあります。このようなハーブおよび健康食品・サプリメントには，α-リポ酸，ニガウリ，クロム，デビルズクロー，フェヌグリーク，ニンニク，グアーガム，セイヨウトチノキ，朝鮮人参，サイリウム，エゾウコギなどがあります。

使用量の目安

通常の食品に含まれている量を超えて経口摂取した場合の安全性および副作用については，明らかになっていません。

ビオチン

BIOTIN

●代表的な別名

ビタミンH

別名ほか

Biotina, Biotine, Biotine-D, Coenzyme R, 補酵素R, D-Biotin, D-ビオチン, d-ビオチン, Vitamin B7, ビタミンB_7, Vitamin H, ビタミンH, Vitamine B7, Vitamine H, W Factor, Cis-hexahydro-2-oxo-1H-thieno[3,4-d]-imidazole-4-valeric Acid

概　　要

ビオチンはビタミンです。卵，牛乳，バナナなど，多くの食品に微量に含まれます。

ビオチンは，抜け毛，爪の脆弱化，神経障害など，多くの疾患に対して，一般的に使用されます。

安　全　性

ビオチンを適切に経口摂取する場合や，ビオチンを0.0001～0.6%含有する化粧品を皮膚へ塗布する場合には，ほとんどの人に安全のようです。推奨量を使用する場合の忍容性は良好です。注射（点滴）で投与する場合は，おそらく安全です。

小児：ビオチンを適切に経口摂取する場合は，おそらく安全です。

ビオチニダーゼ欠損症（体内でビオチンを処理できない遺伝性疾患）：ビオチニダーゼ欠損症の場合には，ビオチンを通常より多く摂取する必要があるかもしれません。

人工透析：人工透析を受けている場合には，ビオチンを通常より多く摂取する必要があるかもしれません。医師などに相談してください。

喫煙：喫煙者はビオチン濃度が低下するおそれがあるため，ビオチンのサプリメントが必要になる可能性があります。

臨床検査：ビオチンのサプリメントを摂取すると，さまざまな血液検査の結果に干渉するおそれがあります。ビオチンにより，検査結果の値が誤って高くなったり低くなったりする可能性があります。そのため，疾患の見逃しや誤診につながるおそれがあります。ビオチンのサプリメントを摂取している場合，とくに血液検査を受けるときには，その旨を医師などに伝えてください。血液検査の前にビオチンの摂取を中止する必要があるかもしれません。ほとんどのマルチビタミンに含まれるビオチンは低用量であるため，血液検査に干渉する可能性は高くありませんが，念のため医師などに相談してください。

●妊娠中および母乳授乳期

妊娠中および母乳授乳期の使用は，推奨量であれば，おそらく安全です。

ヒ

有　効　性

◆有効性レベル②

・ビオチン欠乏症。ビオチンを摂取すると，低値の血清ビオチン値の治療に役立つ可能性があります。血清ビオチン値が過度に低下するのを予防する可能性もあります。血清ビオチン値が低いと，薄毛になったり，目・鼻・口のあたりの皮疹が生じたりするおそれがあります。ほかにも，うつ病，無関心，幻覚，上下肢のチクチク感などの症状がみられます。血清ビオチン値の低下は，妊娠中の人，経管栄養を長期間受けている人，栄養不良の人，急に体重が減少した人，特定の遺伝性疾患のある人に起こるおそれがあります。喫煙によって血清ビオチン値の低下が引き起こされる可能性もあります。

◆有効性レベル④

・乳児の皮疹（脂漏性湿疹）。ビオチンを摂取しても，乳児の皮疹の改善には役立たないようです。

◆科学的データが不十分です

・抜け毛，ビオチン・チアミン反応性基底核疾患（遺伝性疾患），爪の脆弱化（手足），糖尿病，糖尿病神経障害に伴う疼痛，透析に関連する筋痙攣，多発性硬化症（MS）など。

●体内での働き

ビオチンは，脂質や炭水化物などの物質を分解する体内酵素の重要な成分です。

ビオチン値の低下を判断する有効な検査がないため，通常は薄毛（一般的に白髪をともなう），目・鼻・口のあたりの鱗状の赤い皮疹などの症状から診断します。ほかにも，うつ病，疲労，幻覚，上下肢のチクチク感などの症状があります。糖尿病がビオチン値を低下させる可能性があるというエビデンスがあります。

医薬品との相互作用

ほかの医薬品との相互作用については明らかではありません。

ハーブおよび健康食品・サプリメントとの相互作用

α-リポ酸

α-リポ酸とビオチンを併用すると，それぞれが互いに体内への吸収を抑制しあうおそれがあります。

パントテン酸（ビタミンB_5）

ビタミンB_5とビオチンを併用すると，それぞれが互いに体内への吸収を抑制しあうおそれがあります。

通常の食品との相互作用

卵白

生の卵白は腸内でビオチンに結合し，ビオチンの吸収を妨げます。生の卵白を１日２個以上，数カ月間摂取して，ビオチン欠乏症の症状が現れています。

使用量の目安

【成人】

●経口摂取

全般

ビオチンの推奨量（RDA）は定められていません。目安量（AI）は以下のとおりです。

18歳以上の成人および妊娠中の女性：30μg

母乳授乳期の女性：35μg

ビオチン欠乏症

１日最大10mgを摂取します。

【小児】

●経口摂取

全般

ビオチンの推奨量（RDA）は，定められていません。目安量（AI）は，以下のとおりです。

０～12カ月：７μg

１～３歳：８μg

４～８歳：12μg

９～13歳：20μg

14～18歳：25μg

ビオチン欠乏症

乳児は１日最大10mgを摂取します。

ビオチンの食事摂取基準（μg／日）

日本人の食事摂取基準 2020 年版

性　別	男　性	女　性
年齢等	目安量	目安量
0～5（月）	4	4
6～11（月）	5	5
1～2（歳）	20	20
3～5（歳）	20	20
6～7（歳）	30	30
8～9（歳）	30	30
10～11（歳）	40	40
12～14（歳）	50	50
15～17（歳）	50	50
18～29（歳）	50	50
30～49（歳）	50	50
50～64（歳）	50	50
65～74（歳）	50	50
75 以上（歳）	50	50
妊　婦		50
授乳婦		50

ヒカゲノカズラ

CLUBMOSS

別名ほか

クラブモス，Licopodio，Lycopode，Lycopode en Massue，Lycopodium，Lycopodium clavatum，日陰蔓，Shen Jin Cao，伸筋草，シンキンソウ，Stags Horn，Vegetable Sulfur，Witch Meal，Wolfs Claw

概　要

ヒカゲノカズラはハーブです。全草を用いて「くすり」を作ることもあります。

ヒカゲノカズラは，膀胱機能障害や腎障害に対して，「利尿薬」のように使用されますが，このような用途を裏付ける十分なエビデンスはありません。また，ヒカゲノカズラの使用は安全でないおそれがあります。

ヒカゲノカズラをトウゲシバやコスギランと混同しないでください。トウゲシバやコスギランにはヒューペルジンAという化学物質が含まれますが，ヒカゲノカズラには含まれません。

安　全　性

ヒカゲノカズラを経口摂取した場合，複数の有毒な化学物質が含まれるためおそらく安全ではありません。ただし，中毒症例はこれまで報告されていません。

心拍数低下（徐脈）：ヒカゲノカズラは心拍数を低下さ

せる可能性があります。そのため，心拍数が低い人では問題となるおそれがあります。

消化管の通過障害：ヒカゲノカズラは腸の通過障害を引き起こす可能性があります。腸閉塞患者では問題となるおそれがあります。

潰瘍：ヒカゲノカズラは胃腸内の分泌を促進する可能性があります。そのため，潰瘍が悪化するおそれが懸念されます。

肺疾患：ヒカゲノカズラは肺の分泌液を増やす可能性があります。気管支喘息や肺気腫などの肺疾患が悪化するおそれが懸念されます。

痙攣：ヒカゲノカズラが痙攣のリスクを高めるおそれが懸念されています。

尿路閉塞：ヒカゲノカズラは尿路内の分泌を促進する可能性があります。尿路閉塞が悪化するおそれが懸念されています。

●妊娠中および母乳授乳期

ヒカゲノカズラは妊婦授乳婦も含め，誰にもおそらく安全ではありません。使用しないでください。

有　効　性

◆科学的データが不十分です

・膀胱機能障害，腎障害など。

●体内での働き

ヒカゲノカズラがどのように作用するかについては十分な情報がありません。

医薬品との相互作用

中アルツハイマー病治療薬（コリンエステラーゼ（AChE）阻害薬）

ヒカゲノカズラは脳や心臓などで特定の化学物質を増加させる可能性があります。アルツハイマー病治療薬のなかにもこの化学物質に影響を及ぼすものがあります。ヒカゲノカズラとアルツハイマー病治療薬を併用すると，アルツハイマー病治療薬の作用および副作用が増強されるおそれがあります。

中口渇作用などの乾燥作用のある医薬品（抗コリン薬）

ヒカゲノカズラは脳や心臓などで働く特定の化学物質の体内量を増加させる可能性があります。口渇などの乾燥作用のある医薬品（抗コリン薬）はこの同じ化学物質の体内量を減少させる可能性があります。抗コリン薬はヒカゲノカズラの作用を減弱し，ヒカゲノカズラは抗コリン薬の作用を減弱するおそれがあります。このような医薬品には，アトロピン硫酸塩水和物，スコポラミン臭化水素酸塩水和物，特定の抗アレルギー薬（抗ヒスタミン薬），特定の抗うつ薬などがあります。

中緑内障，アルツハイマー病などに使用される医薬品（コリン作動薬）

ヒカゲノカズラは脳や心臓などで特定の化学物質を増加させる可能性があります。緑内障，アルツハイマー病などに使用される特定の医薬品（コリン作動薬）もこの化学物質に影響を及ぼすものがあります。ヒカゲノカズラとコリン作動薬を併用すると，副作用のリスクが高まるおそれがあります。このような医薬品には，ピロカルピン塩酸塩，ドネペジル塩酸塩，Tacrineなどがあります。

ハーブおよび健康食品・サプリメントとの相互作用

ほかのハーブ，健康食品・サプリメントとの相互作用についてはまだ明らかではありません。

使用量の目安

ヒカゲノカズラの適量は複数の要因（年齢，健康状態などさまざまな状況）により異なります。現時点ではヒカゲノカズラの適量の範囲を決定する十分なエビデンスはありません。自然由来の製品は必ずしも常に安全ではなく，使用量が重要になりうることに留意してください。製品の表示にある注意事項に従い，また，医師・薬剤師などに相談することなく製品を使用しないでください。

ピクノジェノール

PYCNOGENOL

●代表的な別名

松樹皮抽出物

別名ほか

松樹皮抽出物（Pine Bark Extract），フランス海岸松樹皮抽出物（French Marine Pine Bark Extract），ロイコアントシアニジン（Leucoanthocyanidins），オリゴメリック・プロアントシアニジン（Oligomeric Proanthocyanidins），フランスカイガンショウ（Pinus pinaster），ヨーロッパコスタルパイン（Pinus maritima, Pinus maritime），プロシアニジンオリゴマー（Procyanidin Oligomers），Condensed Tannins, French Maritime Pine Bark Extract，Procyanodolic Oligomers，Pygenol

概　　要

ピクノジェノールは，フランス海岸松の樹皮から生まれた，アメリカの商標登録製品の名前です。ピクノジェノールの活性成分は，ピーナッツの皮，グレープシード，およびウィッチヘーゼル樹皮からも抽出されます。

安　全　性

１日120〜450mgを，最長３カ月までの摂取なら，安全だと考えられています。

多量摂取は安全とはいえないでしょう。

めまい，胃の障害，頭痛，口内潰瘍を生じることがあります。

多発性硬化症や紅斑性狼瘡，そのほか自己免疫疾患のような免疫組織系疾患の患者は使用してはいけません。

●妊娠中および母乳授乳期

妊娠中，母乳授乳期は使用してはいけません。

予備的臨床研究によれば，妊娠後期でのピクノジェノールの使用は安全なようです。しかし，さらに詳しいことが判明するまで，妊娠中の女性はピクノジェノールの使用を避けるべきです。

有　効　性

◆有効性レベル③

・静脈血流不全症。ピクノジェノールを経口摂取すると，静脈血流不全症の患者の足の痛みやだるさを統計学的に有意に軽減し体液貯留を改善します。

・網膜症。ピクノジェノールを２カ月間毎日摂取すると，糖尿病，アテローム性動脈硬化などの疾患が原因の網膜症を予防または発症を遅らせることがあります。

・運動選手の持続性改善。若年者（20～35歳）はピクノジェノールを１カ月毎日使用すると，ランニングマシンで長時間走れるようになるようです。

・高血圧症。ピクノジェノールは収縮期血圧を下げますが，拡張期血圧はあまり下げないようです。

・小児の気管支喘息。

・下肢静脈瘤など。

・アレルギー。樺（カバ）アレルギーの患者が，“アレルギーの季節”の前にピクノジェノールを摂取することにより，症状が緩和される可能性が示唆されています。

◆有効性レベル④

・注意欠陥多動性障害。

◆科学的データが不十分です

・高コレステロール血症，女性の骨盤痛，妊娠中の痛み，勃起不全，老化，心疾患，脳卒中予防，筋痛，糖尿病，関節炎など。

●体内での働き

血流を改善すると考えられている物質を含んでいます。また，免疫システムを刺激し，抗酸化作用ももつようです。

医薬品との相互作用

中糖尿病治療薬

ピクノジェノールは血糖値を低下させる可能性があります。糖尿病治療薬もまた血糖値を低下させるために用いられます。ピクノジェノールと糖尿病治療薬を併用すると，血糖値が過度に低下するおそれがあります。血糖値を注意深く監視してください。糖尿病治療薬の用量を変更する必要があるかもしれません。このような糖尿病治療薬にはグリメピリド，グリベンクラミド，インスリン，ピオグリタゾン塩酸塩，マレイン酸ロシグリタゾン（販売中止）などがあります。作用機序は明らかではありません。

中免疫抑制薬

ピクノジェノールには免疫機能を高める作用があるため，免疫抑制薬と併用すると免疫抑制薬の効果を低下させるおそれがあります。このような免疫抑制薬には，アザチオプリン，バシリキシマブ，シクロスポリン，Daclizumab，ムロモナブ-CD３（販売中止），ミコフェノール酸モフェチル，タクロリムス水和物，シロリムス，Prednisone，副腎皮質ステロイドなどがあります。

ハーブおよび健康食品・サプリメントとの相互作用

ほかのハーブ，健康食品・サプリメントとの相互作用についてはまだ明らかではありません。

使用量の目安

●経口摂取

アレルギー

１日50mgを１日２回摂取します。

慢性静脈血流不全症

１日45～360mg，または１回100mgを１日３回摂取します。

糖尿病などに関連する網膜症

１回50mgを１日３回摂取します。

２型糖尿病

１日50～300mgを摂取します。しかし，１日300mg摂取しても，200mgを超える効果があるとは思われません。

糖尿病性細小血管症

１回50mgを１日３回摂取します。

冠動脈性心疾患

１回150mgを１日３回摂取します。

勃起障害

１日120mgを摂取します。

高コレステロール血症

１回120mgを１日３回摂取します。

軽度の高血圧症

１日200mgを摂取します。

気管支喘息（小児）

１日１mg/体重450gを２回に分けて摂取します。

運動選手の成績向上

１日200mgを摂取します。

痙攣

１日200mgを摂取します。

慢性骨盤痛，月経困難症，子宮内膜症

１日30～120mgを摂取します。

妊娠関連の疼痛

１日30mgを摂取します。

精子形態の改善（低受精率の男性）

１日200mgを摂取します。

日焼け予防

１日1.10～1.66mg/kgを摂取します。

●局所投与

標準使用量に関するデータがありません。

ヒ

相互作用レベル：高この医薬品と併用してはいけません　中この医薬品とは慎重に併用するか併用しないでください　低この医薬品との併用には注意が必要です

ピクロリザ

PICRORHIZA

●代表的な別名

コオウレン

別名ほか

胡黄連，コオウレン（Hu Huang Lian），Katki，Katuka，Katuko，Katurohini，Katvi，Kuru，Kutki，Neopicrorhiza Scrophulariiflora，Picrorhiza kurroia，Picrorhiza scrophulariiflora，Xi Zang Hu Huang Lian

概　　要

ピクロリザは植物です。根および根茎（地下茎）を用いて「くすり」を作ることもあります。

安 全 性

短期間の使用なら，一般的に安全だと考えられています。

ただ，嘔吐，湿疹，食欲減退，下痢，かゆみを起こす可能性があります。

多発性硬化症や全身性エリテマトーデス，そのほか自己免疫疾患のような免疫組織系疾患の患者は使用してはいけません。

●妊娠中および母乳授乳期

妊娠中，母乳授乳期は使用してはいけません。

有 効 性

◆有効性レベル③

・白斑。

◆有効性レベル④

・気管支喘息。

◆科学的データが不十分です

・急性ウイルス性肝炎，関節リウマチなど。

●体内での働き

作用に関するデータはまだ十分ではありません。免疫系を刺激し，がん細胞を死滅，炎症を緩和する可能性がある化合物を含んでいます。

医薬品との相互作用

中糖尿病治療薬

ピクロリザは，人によっては血糖値を低下させる可能性があります。糖尿病治療薬もまた血糖値を低下させるために用いられます。ピクロリザと糖尿病治療薬を併用すると，血糖値が過度に低下するおそれがあります。血糖値を注意深く監視してください。糖尿病治療薬の用量を変更する必要があるかもしれません。このような糖尿病治療薬にはグリメピリド，グリベンクラミド，インスリン，ピオグリタゾン塩酸塩，マレイン酸ロシグリタゾン（販売中止）などがあります。

中免疫抑制薬

ピクロリザには免疫機能を高める作用があるため，免疫抑制薬と併用すると免疫抑制薬の効果を低下させるおそれがあります。このような免疫抑制薬には，アザチオプリン，バシリキシマブ，シクロスポリン，Daclizumab，ムロモナブ-CD 3（販売中止），ミコフェノール酸モフェチル，タクロリムス水和物，シロリムス，Prednisone，副腎皮質ステロイドなどがあります。

ハーブおよび健康食品・サプリメントとの相互作用

ほかのハーブ，健康食品・サプリメントとの相互作用についてはまだ明らかではありません。

使用量の目安

●経口摂取

白斑

メトキサレン投与（経口・局所）とともに，地下茎の粉末を１回200mgで１日２回摂取します。

急性ウイルス性肝炎

根部の粉末を１回375mgで１日３回摂取します。

ヒゲナミン

HIGENAMINE

別名ほか

1-[(4-Hydroxyphenyl)methyl]-1,2,3,4-tetrahydroisoquinoline-6,7-diol，1-(p-hydroxybenzyl)-6,7-Dihydroxy-1,2,3,4-Tetrahydroisoquinolin，1(S)-Norcoclaurine，dl-Demethylcoclaurine，DMC，Higénamine，Higenamine Hydrobromide，Higenamine Hydrochloride，Higenamine Oxalate，Higenamine Tartrate，Norcoclaurine，O-Demethylcoclaurine

概　　要

ヒゲナミンは，トリカブト，アサルム，ハス，Lamarck's bedstraw，ナンテンなど，数種類の植物に含まれる化学物質です。

ヒゲナミンのサプリメントとしては，運動能力を高める目的で運動前に摂取するものが出てきています。しかし，ヒゲナミンはスポーツ時の使用は禁止されています。世界アンチ・ドーピング機構（WADA）2017年禁止表国際基準に明記されています。

安 全 性

ヒゲナミンの経口摂取は，おそらく安全ではありません。ヒゲナミンは，トリカブトと呼ばれる植物に含まれる主な化学物質の１つです。トリカブトが，不整脈などの心臓に関連する深刻な副作用を引き起こすことや，死

ヒ

有効性レベル：①効きます　②おそらく効きます　③効くと断言できませんが、効能の可能性が科学的に示唆されています
④効かないかもしれません　⑤おそらく効きません　⑥効きません

に至ることも示唆されています。トリカブトの摂取によるこれらの副作用の一部が，ヒゲナミンに起因するおそれがあります。

脈拍不整（不整脈）：ヒゲナミンは頻脈を引き起こす可能性があります。そのため，ヒゲナミンによって脈拍不整が悪化するおそれがあります。脈拍不整の場合にはヒゲナミンを摂取しないでください。

手術：ヒゲナミンには，興奮薬のような働きがあるため，心拍数が上昇し，手術を妨げるおそれがあります。少なくとも手術前２週間は，使用しないでください。

●妊娠中および母乳授乳期

妊娠中および母乳授乳期の使用の安全性についてはデータが不十分です。使用は避けてください。

有　効　性

◆科学的データが不十分です

・体重減少，運動能力，咳，気管支喘息，呼吸障害，心不全，心拍数低下，心疾患，勃起障害など。

●体内での働き

ヒゲナミンには，興奮薬のような働きがあります。体内の一部では，組織を緩める働きをします。心臓など，ほかの部位では，組織を収縮させる働きをします。このため，心臓の収縮が促進し，心拍数が上昇するようです。

医薬品との相互作用

低プロプラノロール塩酸塩

ヒゲナミンは心臓を刺激し，心拍を速めたり強くしたりする可能性があります。プロプラノロール塩酸塩を服用すると，ヒゲナミンの作用が減弱するようです。

中肝臓で代謝される医薬品（シトクロムP450 2D6（CYP2D6）の基質となる医薬品）

特定の医薬品は肝臓で代謝されます。ヒゲナミンはこのような医薬品の代謝を抑制する可能性があります。ヒゲナミンと肝臓で代謝される医薬品を併用すると，医薬品の作用および副作用が増強するおそれがあります。このような医薬品には，アミトリプチリン塩酸塩，クロザピン，コデインリン酸塩水和物，塩酸デシプラミン（販売中止），ドネペジル塩酸塩，フェンタニルクエン酸塩，フレカイニド酢酸塩，塩酸フルオキセチン（販売中止），ペチジン塩酸塩，メサドン塩酸塩，メトプロロール酒石酸塩，オランザピン，オンダンセトロン塩酸塩水和物，トラマドール塩酸塩，トラゾドン塩酸塩などがあります。

中肝臓で代謝される医薬品（シトクロムP450 3A4（CYP3A4）の基質となる医薬品）

特定の医薬品は肝臓で代謝されます。ヒゲナミンはこのような医薬品の代謝を抑制する可能性があります。ヒゲナミンと肝臓で代謝される医薬品を併用すると，医薬品の作用および副作用が増強するおそれがあります。このような医薬品には，Lovastatin，ケトコナゾール，イトラコナゾール，フェキソフェナジン塩酸塩，トリアゾラムなど数多くあります。

中興奮薬

興奮薬は神経系を亢進させ，また，心拍数を上昇させます。神経系を亢進させることにより，興奮薬は神経を過敏にして心拍数を上昇させる可能性があります。ヒゲナミンも神経系を亢進させ，また，心拍数を上昇させる可能性があります。ヒゲナミンと興奮薬を併用すると，頻脈や高血圧などの重大な問題を引き起こすおそれがあります。このような興奮薬には，Diethylpropion，エピネフリン，Phentermine，塩酸プソイドエフェドリンなど数多くあります。

中血液凝固を抑制する医薬品（抗凝固薬/抗血小板薬）

ヒゲナミンは血液凝固を抑制する可能性があります。ヒゲナミンと血液凝固を抑制する医薬品を併用すると，紫斑および出血のリスクが高まるおそれがあります。このような医薬品には，アスピリン，クロピドグレル硫酸塩，ジクロフェナクナトリウム，イブプロフェン，ナプロキセン，ダルテパリンナトリウム，エノキサパリンナトリウム，ヘパリン，ワルファリンカリウムなどがあります。

ハーブおよび健康食品・サプリメントとの相互作用

興奮作用のあるハーブおよび健康食品・サプリメント

ヒゲナミンには，心臓を興奮させる作用があります。ヒゲナミンと，心臓を興奮させる作用のあるほかのハーブおよび健康食品・サプリメントを併用すると，心臓が過度に興奮し，危険な動悸を引き起こすおそれがあります。

通常の食品との相互作用

カフェイン

ヒゲナミンには，心臓を興奮させる作用があります。ヒゲナミンとカフェインを併用すると，心臓が過度に興奮し，危険な動悸を引き起こすおそれがあります。

使用量の目安

通常の食品に含まれている量を超えて経口摂取した場合の安全性および副作用については，明らかになっていません。

ピジウム

PYGEUM

●代表的な別名

アフリカンプラム

別名ほか

アフリカンプラムバーク（African Plum Tree），パイゲウム，アフリカプルーン（Pygeum africanum），Prunus africana

概　　要

ピジウムは樹木です。樹皮が「くすり」になることもあります。

安 全 性

一般的に安全です。

ただ，悪心や腹痛を起こす可能性があります。

●妊娠中および母乳授乳期

妊娠中および母乳授乳期の使用の安全性については，データが不十分です。安全性を考慮し，使用は控えてください。

有 効 性

◆有効性レベル②

・肥大した前立腺（良性前立腺肥大）による尿量減少や夜間頻尿などの症状。

◆科学的データが不十分です

・炎症，腎疾患，マラリア，胃痛，発熱，精神異常，性機能障害など。

●体内での働き

前立腺を縮小し，前立腺肥大を起こした男性の頻尿，夜間の排尿といった尿に関する症状を緩和する化合物を含んでいます。

医薬品との相互作用

ほかの医薬品との相互作用については明らかではありません。

ハーブおよび健康食品・サプリメントとの相互作用

ほかのハーブ，健康食品・サプリメントとの相互作用についてはまだ明らかではありません。

使用量の目安

●経口摂取

良性前立腺肥大の機能的症状

標準脂溶性エキス75～200mg/日（14％トリテルペン，0.5％ドコサノール）を摂取します。研究によっては，1日1～2回の摂取で一様の効果が得られると指摘しています。

ヒスチジン

HISTIDINE

別名ほか

L-ヒスチジン（L-histidine），Alpha-amino-4-imidazole Propanoic acid，L-2-Amino-3-(1H-imidazol-4-yl) proprionic acid，Levo-Histidine

概　　要

ヒスチジンはアミノ酸で，タンパク質を構成する成分です。「くすり」として使用されることもあります。

安 全 性

一般的に安全だと考えられていますが，副作用については不明です。

葉酸値が低い人（葉酸欠乏症）は使用してはいけません。

●妊娠中および母乳授乳期

妊娠中，母乳授乳期は使用してはいけません。

有 効 性

◆有効性レベル④

・関節リウマチ。

・腎不全または腎透析に関連する貧血。

◆科学的データが不十分です

・アレルギー疾患，潰瘍など。

●体内での働き

体内で起こる幅広い代謝過程にかかわっています。

医薬品との相互作用

ほかの医薬品との相互作用については明らかではありません。

ハーブおよび健康食品・サプリメントとの相互作用

ほかのハーブ，健康食品・サプリメントとの相互作用についてはまだ明らかではありません。

使用量の目安

●経口摂取

関節リウマチ

通常の摂取量は1日3.7～4.5gです。

尿毒症の貧血または持続的透析と関連する貧血

通常の摂取量は1日1～4gです。

ビスマス

BISMUTH

別名ほか

Atomic number 83，Basic Bismuth Carbonate，Basic Bismuth Gallate (BSG)，Basic Bismuth Nitrate (BSN)，Bi，Bismuth，Bismuth Aluminate，Bismuth Biskalcitrate，Bismuth Carbomer，Bismuth Citrate，Bismuth Gallate，Bismuth Oxynitrate，Bismuth Phosphate，Bismuth Salts，Bismuth Sodium Triglycollamate，Bismuth Subcarbonate，Bismuth Subcitrate，Bismuth Subgallate，Bismuth Subnitrate，

Bismuth Subsalicylate, Bismuth-Peptide Complex (BPC, bicitropeptide), Colloidal Bismuth Subcitrate, Ranitidine Bismuth Citrate, Tripotassium Dicitrato Bismuthate

概　要

ビスマス（Bi）は，原子番号83の化学元素です。ビスマスを含むサプリメントは，通常，塩としてビスマスを含有しています。

ビスマス塩は，大腸炎（結腸の粘膜における炎症），便秘，下痢，消化不良，ヘリコバクター・ピロリ感染症，開腹手術の際の臭気（回腸に造設した人工肛門の臭気），非ステロイド抗炎症薬（NSAID）に起因する胃腸疾患，胃潰瘍，ウイルス性胃腸炎および旅行者下痢に対して，経口摂取されます。

ビスマス塩は，痔核に対して，皮膚に塗布されます。

ビスマス塩は，回腸のう炎のかん腸剤として用いられます。回腸のう炎は，潰瘍性大腸炎の手術後の人口直腸に炎症を引き起こします。

ビスマス塩は，化粧品，バッテリー，塗料およびプラスチック顔料などの工業製品にも添加されています。

安　全　性

手術による腹壁の開口により発生する臭気の治療として，次没食子酸ビスマスと呼ばれる特定のビスマス塩を経口摂取する場合には，指定量の短期間の摂取であれば，ほとんどの人に安全のようです。そのほか下痢の治療として，次サリチル酸ビスマスと呼ばれるビスマス塩を経口摂取する場合にも，指定量の短期間の摂取であれば，ほとんどの人に安全のようです。これら２種類のビスマス塩は，これらの疾患に対する治療法として，米国食品医薬品局（FDA）により認められています。そのほかの形態のビスマス塩の経口摂取は，適量を短期間摂取する場合には，おそらく安全です。ラニチジンクエン酸ビスマス，コロイド次クエン酸ビスマス，次硝酸ビスマスなどのビスマス塩は，１日当たり400～2,100mg，56日間までの摂取であれば，安全のようです。ビスマスの経口摂取が高用量の場合には腎不全のリスク，長期間にわたる場合には神経障害のリスクがあるため，おそらく安全ではありません。

小児：次没食子酸ビスマスおよび次サリチル酸ビスマスの経口摂取は，指定量を短期間摂取する場合には，ほとんどの人に安全のようです。12才以上の小児に対し防臭剤として次没食子酸ビスマスを用いる場合，200～400mgを１日当たり４回までの経口摂取が，米国食品医薬品局（FDA）により認められています。12才以上の小児に対し下痢の対策として次サリチル酸ビスマスを用いる場合には，1.05gを必要に応じて１時間当たり１回（１日4.2g未満），最大２日間までの経口摂取が，米国食品医薬品局（FDA）により認められています。小児がほかのビスマス塩を経口摂取する場合の安全性についてはデータが不十分です。ビスマスの高用量または長期間にわたる経口摂取は，おそらく安全ではありません。

●アレルギー

サリチル酸塩に対するアレルギー：ビスマスのサプリメントの多くに，次サリチル酸ビスマスと呼ばれるビスマス塩が含まれています。次サリチル酸ビスマスを経口摂取すると，胃でビスマスとサリチル酸塩に分解されるため，サリチル酸塩に敏感な場合には，これらのサプリメントにより深刻な副作用が引き起こされるおそれがあります。

●妊娠中および母乳授乳期

妊娠中および母乳授乳期の使用の安全性についてはデータが不十分です。安全性を考慮し，摂取は避けてください。

有　効　性

◆有効性レベル②

・旅行者下痢。研究により，旅行前日から帰宅後２日間にわたり，次サリチル酸ビスマスを摂取することにより，旅行者下痢のリスクが最大41%低下することが示唆されています。

◆有効性レベル③

・ヘリコバクター・ピロリ感染症（ヘリコバクター・ピロリと呼ばれる細菌に起因する潰瘍）の予防。研究により，ビスマス単独の経口摂取を，１日当たり３回，４週間にわたり継続しても，ヘリコバクター・ピロリ感染症は治癒しないことが示唆されていますが，ビスマス塩と抗生剤の併用により，治癒が促進する可能性を示唆する研究も複数あります。ただし，ビスマスと抗生剤を併用すると，副作用のリスクが高まるおそれがあります。ビスマス塩はまた，抗生剤とプロトンポンプ阻害薬（胃酸を低減する医薬品）との組み合わせで用いられています。研究により，この組み合わせによる治療は，ヘリコバクター・ピロリ感染症に対し，ほかの複合抗生剤を用いた治療法と同様の効果がある可能性が示唆されています。また，この組み合わせによる治療は，一部の抗生剤に対する抵抗力を持つ患者に対しては，複合抗生剤を用いた治療法よりも有効である可能性があります。

・胃潰瘍。初期の研究により，特定のビスマス塩を１日３回，４週間にわたり摂取することによる胃潰瘍の再発防止効果は，医薬品「シメチジン」を４週間毎日服薬するのと同様であることが示唆されています。ヘリコバクター・ピロリ感染症に起因する胃潰瘍の治療に用いる場合には，このビスマス塩の摂取により，抗生剤の作用も高まる可能性があります。

◆科学的データが不十分です

・出血，大腸炎（結腸粘膜の炎症），開腹手術の際の臭気（回腸に造設した人工肛門の臭気），回腸のう炎（潰瘍性大腸炎の手術後の人口直腸における炎症），便秘，下痢，消化不良，非ステロイド性抗炎症薬（NSAID）に起因する胃腸疾患，ウイルス性胃腸炎，痔核など。

●体内での働き

ビスマス塩は，下痢や胃潰瘍などの胃腸疾患を引き起こす細菌の除去に役立つようです。ビスマス塩には，消化不良などの疾患の治療に用いる制酸薬に類似した作用もあります。また，血液凝固を促進する可能性もあります。

医薬品との相互作用

中アスピリン

多くのサプリメントは次サリチル酸ビスマス（販売中止）という形でビスマスを含みます。次サリチル酸ビスマス（販売中止）を経口摂取すると，ビスマスおよびサリチル酸に分解されます。アスピリンはサリチル酸塩を含むため，ビスマスとアスピリンを併用すると，アスピリンの作用および副作用を増強させる可能性があります。

中オメプラゾール

オメプラゾールはビスマスの体内への吸収量を増加させる可能性があります。オメプラゾールとビスマスを併用すると，ビスマスの作用および副作用を増強させるおそれがあります。

中ワルファリンカリウム

次サリチル酸ビスマス（販売中止）と呼ばれる特定のビスマス塩は，ワルファリンカリウムの作用を減弱させるおそれがあります。ワルファリンカリウムの服用中に次サリチル酸ビスマス（販売中止）は摂取しないでください。しかし，この相互作用は他のビスマス塩にはありません。

中血液凝固を抑制する医薬品（抗凝固薬/抗血小板薬）

特定の医薬品は血液凝固を抑制します。ビスマス塩は血液凝固を促進する可能性があります。ビスマス塩と血液凝固を抑制する医薬品を併用すると，医薬品の作用を減弱させ，血液凝固のリスクを高めるおそれがあります。このような医薬品にはアスピリン，クロピドグレル硫酸塩，ジクロフェナクナトリウム，イブプロフェン，ナプロキセン，ダルテパリンナトリウム，エノキサパリンナトリウム，ヘパリン，ワルファリンカリウムなどがあります。

ハーブおよび健康食品・サプリメントとの相互作用

アスピリンに類似した化学物質（サリチル酸塩）を含むハーブおよび健康食品・サプリメント

多くの健康食品・サプリメントに，次サリチル酸ビスマスの形態でビスマスが含まれています。次サリチル酸ビスマスを経口摂取すると，胃でビスマスとサリチル酸塩に分解されます。このため，サリチル酸塩を含むハーブおよび健康食品・サプリメントと次サリチル酸ビスマスを併用すると，双方の作用および副作用が高まるおそれがあります。このようなハーブおよび健康食品・サプリメントには，ブラックホウ，ポプラ，メドウスイート，ウィローバークなどがあります。

使用量の目安

●経口摂取

ヘリコバクター・ピロリと呼ばれる細菌に起因する潰瘍の予防

３剤併用の場合には，次クエン酸ビスマス120mg，アモキシシリン水和物500mgおよびメトロニダゾール250mgを１日４回，14日間にわたり摂取します。ビスマス４剤併用（BQT）の場合には，１日当たりビスマス塩240～1680mg，メトロニダゾール400～1500mg，テトラサイクリン塩酸塩1500～2000mgおよびプロトンポンプ阻害薬（胃酸を抑制する医薬品）を計７～14日間にわたり摂取します。

胃潰瘍

次硝酸ビスマス700mgを１日３回，４週間にわたり摂取します。または，次硝酸ビスマス300mgを１日４回，オメプラゾール20mgを１日２回，アモキシシリン水和物500mgを１日４回，２週間にわたり摂取します。

旅行者下痢の予防

次サリチル酸ビスマス1.05～2.1gを，１日２回に分けて，旅行前日から帰宅後２日間にわたり摂取します。

ヒ素

ARSENIC

別名ほか

亜ヒ酸塩，五酸化ヒ素，三酸化ヒ素，ヒ酸ソーダ，ヒ酸塩，ファウラー液，Arsenite，Arsenate，Sodium Arsenite Arsenic Trichloride，Arsenic Trioxide，Arsenic Pentoxide，Fowler's Solution

概　　要

ヒ素は微量元素です。海産物，鶏肉，穀類（とくに米），パン，シリアル製品，マッシュルーム，乳製品などにみられます。ヒ素の中には「くすり」として使われる形のものもあります。

安　全　性

ヒ素は，通常の食品に含まれる量を摂取する場合，ほとんどの人に安全のようです。食品にもともとふくまれている形態のヒ素（有機ヒ素）はなんら害をもたらさないようです。50μg/Lの濃度での摂取と，小児の知能検査のスコア低下との関連が認められています。

また，三酸化ヒ素を医師などが成人に静脈内投与する場合は，ほとんどの人に安全のようです。三酸化ヒ素は米国食品医薬品局（FDA）に承認された処方箋医薬品です。

そのほかの形態のヒ素（無機ヒ素）の経口摂取は安全

ではないようです。無機ヒ素は低用量でもきわめて強い毒性を示すおそれがあります。ヒ素のサプリメントを摂取してはいけません。1日10μg/kgを一定期間を超えて摂取すると，ヒ素中毒の症状が発現するおそれがあります。5mgか，ときにはそれより低用量であっても，消化管症状を引き起こすおそれがあります。高用量では重度の中毒を引き起こし，死に至るおそれもあります。無機ヒ素は，ヒト発がん性物質に分類されています。

水道水に許可されるヒ素の量を規制する法律が策定されています。飲料水に含まれるヒ素の最大許容量は10μg/Lです。飲料水に50μg/Lの濃度で含まれるヒ素に長期間曝露すると，小児の知能検査のスコアが低下することが示されています。

小児：ヒ素は，通常の食品に含まれる量を摂取する場合，ほとんどの小児に安全のようです。食品にもともとふくまれている形態のヒ素（有機ヒ素）はなんら害をもたらさないようです。そのほかの形態のヒ素(無機ヒ素)の経口摂取は小児に安全ではないようです。飲料水に50μg/Lの濃度で含まれるヒ素に長期間暴露すると，小児の知能検査のスコアが低下することが示されています。

葉酸欠乏症(葉酸濃度の低下)：葉酸欠乏症の場合には，体内のヒ素の処理や除去の方法が変わるため，ヒ素濃度が上昇するおそれがあることを示すエビデンスがいくつかあります。

心臓の異常：処方箋医薬品に用いられている形態のヒ素（三酸化ヒ素）は，人によっては，心律動に影響を及ぼすおそれがあります。

●妊娠中および母乳授乳期

妊娠中および母乳授乳期に，通常の食品に含まれる量を摂取する場合，ほとんどの人に安全のようです。ただし，そのほかの形態のヒ素（無機ヒ素）の経口摂取は安全ではないようです。動物実験では，先天異常などの深刻な害との関連が認められています。妊娠中および母乳授乳期には，ヒ素のサプリメントを摂取してはいけません。

有　効　性

◆有効性レベル①

・一部の白血病（急性前骨髄球性白血病）の治療。この目的には，特定の静脈内投与用処方箋医薬品が用いられます。

◆科学的データが不十分です

・食中毒，不眠，アレルギー，不安，うつ病，強迫性障害（OCD），乾癬，梅毒，気管支喘息，関節リウマチ，痔核，咳，皮膚のそう痒，がんなど。

●体内での働き

ヒ素は食事に通常きわめて少量含まれている微量元素です。正確な作用はよくわかっていません。通常の食事による成人のヒ素の1日摂取量は，12～50μgと推定されています。必要栄養量として1日12～25μgが推奨されています。

白血病では，三酸化ヒ素ががんの細胞死を促進します。

医薬品との相互作用

高 不整脈を誘発する可能性がある医薬品（QT間隔を延長させる医薬品）

ある種のヒ素は不整脈を引き起こす可能性があります。ヒ素と不整脈を誘発する可能性がある医薬品を併用すると，心室性不整脈などの重大な副作用を引き起こすおそれがあります。このような医薬品にはアミオダロン塩酸塩，ジソピラミド，ドフェチリド（販売中止），Ibutilide，プロカインアミド塩酸塩，キニジン硫酸塩水和物，ソタロール塩酸塩，チオリダジン塩酸塩（販売中止）など多くあります。

ハーブおよび健康食品・サプリメントとの相互作用

ほかのハーブ，健康食品・サプリメントとの相互作用についてはまだ明らかではありません。

使用量の目安

●静脈内投与

一部の白血病（急性前骨髄球性白血病）の治療

処方箋医薬品のヒ素を医師などが静脈内投与します。

脾臓抽出物

SPLEEN EXTRACT

別名ほか

脾臓（Spleen），牛脾臓（Bovine Spleen），Hydrolyzed Spleen Extract，Predigested Spleen Extract，Raw Spleen，Spleen Concentrate，Spleen Factors，Spleen Peptides，Spleen Polypeptides，Splenopentin，Tuftsin

概　　要

脾臓抽出物は動物の脾臓で分泌されます。

安　全　性

安全性についてはまだわかっていません。ただ，病気に罹った動物による汚染について懸念されています。はっきりするまで，脾臓抽出物配合の製品を使用してはいけません。

有　効　性

◆科学的データが不十分です

・感染症，免疫機能の強化，皮膚疾患，腎疾患，および関節リウマチ。

●体内での働き

免疫系を刺激すると考えられる成分を含んでいます。

相互作用レベル：高 この医薬品と併用してはいけません　中 この医薬品とは慎重に併用するか併用しないでください
低 この医薬品との併用には注意が必要です

医薬品との相互作用

ほかの医薬品との相互作用については明らかではありません。

ハーブおよび健康食品・サプリメントとの相互作用

ほかのハーブ，健康食品・サプリメントとの相互作用についてはまだ明らかではありません。

使用量の目安

●経口摂取

通常，脾臓ペプチドの合計が1日約1.5g（タフトシンおよびスプレノペンチン50mgに相当）になる量を摂取します。

ヒソップ

HYSSOP

●代表的な別名

ヤナギハッカ

別名ほか

ヤナギハッカ（Hyssopus officinalis），Hissopo，Hysope officinale，Jufa，Rabo de Gato，Ysop

概　　要

ヒソップは植物です。地上部を用いて「くすり」を作ることもあります。

安 全 性

一般的には安全ですが，オイル製品は使用してはいけません。

副作用についてはまだわかっていませんが，人によってはひきつけを起こすおそれがあります。

ひきつけを起こす人は使用してはいけません。

●妊娠中および母乳授乳期

妊娠中，母乳授乳期は使用してはいけません。

有 効 性

◆科学的データが不十分です

・肝障害，胆のう障害，腸障害，感冒，咽喉頭部痛，気管支喘息，尿路障害，腸内ガス，疝痛，食欲減退，血行不良，皮膚疾患（打撲傷，発疹，熱傷，凍傷），HIV/エイズ，および月経痛。

●体内での働き

含有成分が心臓に影響し，また肺の分泌量を増大するようです。

医薬品との相互作用

ほかの医薬品との相互作用については明らかではありません。

ハーブおよび健康食品・サプリメントとの相互作用

ほかのハーブ，健康食品・サプリメントとの相互作用についてはまだ明らかではありません。

使用量の目安

●経口摂取

通常，ヒソップハーブを含む445mgカプセル2錠を1日3回摂取します。ヒソップエキス（体積比12～14%）10～15滴を水に溶かして1日2～3回摂取することもあります。また，ヒソップのお茶を1日3回飲むか，うがい薬として用いる人もいます。お茶は小さじ1～2杯の乾燥したヒソップの花の先端を150mLの沸騰した湯に10～15分間浸し，ろ過して作ります。神経毒性の可能性があるため，ヒソップオイルを内服するのは避けてください。

●局所投与

標準使用量に関するデータがありません。

ビターアーモンド

BITTER ALMOND

別名ほか

ビターアーモンドオイル（Bitter Almond Oil），クヘントウ（Prunus amygdalus Amara），Amygdala amara，Badama，Prunus dulcis Amara，Vatadha，Vathada，Volatile Almond Oil

概　　要

ビターアーモンドは植物です。中心部である仁を用いて「くすり」を作ることもあります。

安 全 性

経口摂取は安全ではないようです。シアン化水素（HCN）という有毒物質を含んでいます。神経系の鈍化や呼吸器疾患など重篤な副作用を引き起こすことがあり，死に至ることもあります。ビターアーモンドを使用してはいけません。

手術：神経系を鈍化させるおそれがあります。手術中に使われる麻酔やほかの医薬品にも同様の作用があるため，これらの医薬品と併用すると，神経系が過度に鈍化するおそれがあります。少なくとも手術前2週間は，使用しないでください。

●妊娠中および母乳授乳期

経口摂取は安全ではないようです。

有 効 性

◆科学的データが不十分です

・攣縮，疼痛，咳，そう痒など。

●体内での働き

疾患や障害に対してどのように作用するかについては，科学的データが不十分です。シアン化水素（HCN）という重篤な副作用を生じる有毒物質が含まれています。

医薬品との相互作用

中鎮静薬（中枢神経抑制薬）

ビターアーモンドは有毒であり，眠気および注意力低下を引き起こす可能性があります。鎮静薬は眠気を引き起こす医薬品です。ビターアーモンドと鎮静薬を併用すると，過度の眠気を引き起こすおそれがあります。このような鎮静薬にはクロナゼパム，ロラゼパム，フェノバルビタール，ゾルピデム酒石酸塩などがあります。

ハーブおよび健康食品・サプリメントとの相互作用

ほかのハーブ，健康食品・サプリメントとの相互作用についてはまだ明らかではありません。

使用量の目安

通常の食品に含まれている量を超えて経口摂取した場合の安全性および副作用については，明らかになっていません。

ビターヤム

BITTER YAM

●代表的な別名

クラスターヤム

別名ほか

African Bitter Yam, Cluster Yam, Dioscorea dumetorum, Esuri Yam, Esuru, Helmia dumetorum, Igname Sauvage, Igname Trifoliolée, Ikamba, Inhame-bravo, Name Amargo, Name de Tres Hojas, Ono, Three-leaved Yam, Trifoliate Yam

概　　要

ビターヤムは，アフリカ産の植物です。飢饉のときの食物として，また薬を作る際に使われ，多肉質で，ジャガイモのような根（塊茎）を持っています。野生のビターヤムは有毒ですので，水に浸し，煮沸しなければなりません。専用の畑でとれたビターヤムは，安全なものを選択して栽培されたものですので，毒素を含んでいません。

安　全　性

野生で未調理のビターヤムを，食事や「くすり」として経口摂取するのは安全ではありません。有毒で痙攣を引き起こす可能性がある化学物質が含まれています。ビターヤムには，処方薬のジゴキシンと同様の化学物質も含まれています。これらの化学物質は，危険な不整脈を引き起こす可能性があります。

農家で育てられたビターヤムが，有毒な化学物質を含まない可能性が高いにもかかわらず，「くすり」として安全かどうか知るためのデータは十分ではありません。

●妊娠中および母乳授乳期

妊娠中および母乳授乳期の使用の安全性についてはデータが不十分です。安全性を考慮し，摂取は避けてください。

有　効　性

◆科学的データが不十分です

・糖尿病，関節リウマチ，胃痛（疝痛），月経障害，住血吸虫症など。

●体内での働き

ビターヤムは，血糖値を下げる可能性がある化学物質が含まれています。しかし，ビターヤムは，ヒトを対象としての研究がされたことがありません。

医薬品との相互作用

中ジゴキシン

ビターヤムには，ジゴキシンと同様の化学物質が含まれています。ジゴキシンとビターヤムを併用すると，ジゴキシンの効果が高まり，副作用のリスクが高まる可能性があります。

ハーブおよび健康食品・サプリメントとの相互作用

強心配糖体を含むハーブ

ビターヤムには，処方薬のジゴキシンと類似した強心配糖体と呼ばれる化学物質が含まれています。強心配糖体によって体から大量のカリウムが失われる可能性があり，このことで心臓に障害を与えるおそれがあります。また，強心配糖体が含まれている他のハーブとビターヤムを併用すると，心臓障害のリスクが高まる可能性があります。強心配糖体が含まれているハーブには，クリスマスローズ，トウワタ，ジギタリスの葉，ゴシポール，カキネガラシ，セイヨウゴマノハグサ，ドイツスズランの根，マザーワート，オレアンダー，ゲウム，ヤナギトウワタ，海葱，スターオブベツレヘム，ストロファンツス，ダイオウなどがあります。これらのいずれとも，ビターヤムを併用しないでください。

ツクシ

ビターヤムには，強心配糖体と呼ばれる化学物質が含まれています。強心配糖体によって，かなり大量のカリウムが失われる可能性があり，このことで心臓に障害を与えるおそれがあります。ツクシは，尿の産生を増加し（利尿薬として機能），このことで体からカリウムが失われる可能性があります。このようなビターヤムなどのハーブと強心配糖体を含むツクシとを併用すると，かなり大量のカリウムが失われるリスクが増加し，心臓障害のリスクを増大させることが懸念されます。ツクシとビターヤムとを併用しないでください。

甘草

ビターヤムには，強心配糖体と呼ばれる化学物質が含まれています。強心配糖体によって，体からかなり大量のカリウムが失われる可能性があり，このことで心臓障害となるおそれがあります。甘草も，体から大量のカリウムが失われる原因となります。

甘草と強心配糖体を含むビターヤムなどのハーブとを一緒に使用すると，大量のカリウムが失われるリスクが増加し，心臓障害のリスクが高まる懸念があります。甘草とビターヤムとを併用しないでください。

刺激性緩下作用をもつハーブおよび健康食品・サプリメント

刺激性緩下作用をもつハーブおよび健康食品・サプリメントは，腸管運動を活発にします。その結果，カリウムなどのミネラルを吸収するのに十分な時間，食物が腸内に残らない可能性があります。このことによって，体内のカリウム濃度が理想的なカリウム濃度よりもかなり低くなる可能性があります。また，ビターヤムに含まれる強心配糖体の影響により，体からカリウムが失われる可能性があります。刺激性緩下作用をもつハーブおよび健康食品・サプリメントとビターヤムとを併用すると，カリウム濃度が低くなりすぎ，このことで心臓に障害を与える可能性が懸念されます。刺激性緩下作用をもつハーブおよび健康食品・サプリメントには，アロエ，セイヨウイソノキ，ブラックルート，ブルーフラッグ，バターナットバーク，コロシント，ヨーロピアンバックソーン，フォーチ，ガンボジ，ゴシポール，ヒロハヒルガオ，ヤラッパ，マンナ，メキシカン・スキャモニイ・ルート，ルバーブ，センナ，イエロードックがあります。これらとビターヤムを併用しないでください。

使用量の目安

標準使用量に関するデータがありません。

ビタミンA

VITAMIN A

●代表的な別名

レチノール

別名ほか

抗眼球乾燥のビタミン（Antixerophthalmic vitamin），酢酸レチノール（Retinol acetate），パルミチン酸レチノール（Retinol palmitate），3-デヒドロレチノール（3-dehydroretinol），ビタミンA_1（Vitamin A_1），ビタミンA_2（Vitamin A_2），Axerophtholum，Dehydroretinol，Oleovitamin A，Vitaminum A

概　　要

ビタミンAはビタミンです。多くの果物や野菜，卵，牛乳，バター，栄養強化マーガリン，肉，脂の多い海水魚に含まれています。化学的に合成することもできます。カロテノイドは植物に含まれる黄色やオレンジ色の化学物質群で，一部は体内でビタミンAに変換されます。

ビタミンAは，経口摂取や筋肉内投与により，ビタミンA欠乏症の治療に用いられることがあります。また，マラリア，HIV，麻疹，下痢などの疾患の合併症を軽減する目的や，ビタミンA欠乏症の小児の発育を改善する目的で経口摂取されます。

女性には，過多月経，月経前症候群（PMS），膣感染症，酵母菌感染，線維のう胞性乳腺症に対し，また乳がん予防の目的で経口摂取されることがあります。HIVに感染した女性が，妊娠中，出産時，母乳授乳期にHIVの母子感染リスクを低下させる目的で経口摂取することがあります。また出産時や出産後のさまざまな合併症を予防したり，乳児の発育を改善したりするために用いることもあります。

男性には，精子数を増加させる目的で経口摂取されることがあります。

視力を改善したり，加齢黄斑変性（AMD），緑内障，網膜色素変性症，白内障などの眼疾患を治療したりする目的で経口摂取されることがあります。また，眼手術後の治癒を促進するために用いられます。

そのほか，ざ瘡（にきび），湿疹，乾癬，口唇ヘルペス，創傷，熱傷，日光皮膚炎，毛包性角化症（ダリエ病），魚鱗癬（非炎症性の鱗屑），色素性扁平苔癬，毛孔性紅色粃糠疹などの皮膚症状に対して経口摂取されます。

また，胃腸潰瘍，クローン病，腸内寄生虫，歯周病，糖尿病，ハーラー症候群（ムコ多糖症），副鼻腔感染，花粉症，呼吸器感染，変形性関節症，結核，尿路感染（UTI）に対して経口摂取されることがあります。また，アルコール性肝炎や多発性硬化症，パーキンソン病の症状を緩和する目的で用いられます。

細菌性赤痢，神経系疾患，鼻感染，嗅覚障害，気管支喘息，アレルギー予防，持続性頭痛，腎結石，甲状腺機能亢進，貧血，難聴，耳鳴，口腔白板症（前がん状態の口内炎）に対して経口摂取されます。

非ホジキンリンパ腫などのがんの予防および治療，がん治療時の副作用の緩和，心臓や心血管系の保護，加齢速度の抑制，免疫システムの活性化に用いられます。

創傷治癒の改善，皺の軽減，紫外線照射からの皮膚保護の目的で，皮膚へ直接塗布されることがあります。

安　全　性

ビタミンAの経口摂取や筋肉への注射は，1日10,000IU未満であれば，ほとんどの人に安全のようです。

高用量のビタミンAを経口摂取する場合には，おそらく安全ではありません。高用量のビタミンAを摂取する場合，とくに高齢者が摂取する場合には，骨粗鬆症および股関節部を骨折するリスクが高まるおそれがあることを示唆する複数の研究があります。ビタミンAが強化された低脂肪の乳製品や，果物，野菜をたくさん摂取している成人であれば，通常，ビタミンAのサプリメントやビタミンAを含む総合ビタミン剤を摂取する必要はありません。

多量のビタミンAを長期にわたり摂取すると，疲労，過敏性，精神的変化，食欲不振，胃の不快感，吐き気，嘔吐，微熱および過度の発汗など，深刻な副作用を起こすおそれがあります。閉経後の女性がビタミンAを過剰に摂取すると，骨粗鬆症および股関節部を骨折するリスクが高まるおそれがあります。

ビタミンAなどの抗酸化作用のあるサプリメントを高用量摂取する場合には，効果よりも，むしろ悪影響が高まるおそれがあります。高用量のビタミンAのサプリメントを摂取することにより，あらゆる原因による死亡や，深刻な副作用を引き起こすおそれが高まることが，複数の研究により示唆されています。

ビタミンAを皮膚や舌下へ塗布する場合の安全性については，データが不十分です。

小児が推奨量のビタミンAを摂取する場合には，ほとんどの小児に安全のようです。小児にとって安全なビタミンAの最大摂取量は，年齢に応じて以下の通り定められています。

３歳まで：１日2,000IU未満
４～８歳：１日3,000IU未満
９～13歳：１日5,700IU未満
14～18歳：１日9,300IU未満

小児が，高用量のビタミンAを経口摂取する場合には，おそらく安全ではありません。推奨量を超える量のビタミンAを摂取する場合には，過敏性，眠気，嘔吐，下痢，意識消失，頭痛，視力障害および皮膚剥離などの副作用を引き起こすおそれや，肺炎および下痢のリスクが高まるおそれがあります。

アルコール飲料の過剰摂取：アルコール飲料の摂取により，肝臓に対するビタミンAの潜在的な悪影響が高まるおそれがあります。

貧血：貧血があり，ビタミンA値の低い人は，貧血を治療するために鉄とともにビタミンAサプリメントを摂取する必要があります。

体内における適切な脂肪吸収を妨げる疾患：セリアック病，短腸症候群，黄疸，のう胞性線維症，膵疾患および肝硬変など，脂肪吸収に影響を与える疾患の場合には，ビタミンAを適切に吸収することができません。これらの疾患の患者が，ビタミンAの吸収を改善するためには，水溶性のビタミンA製剤を摂取するのがよいでしょう。

高リポタンパク血症V型（高コレステロール血症の一種）：高リポタンパク血症V型の場合には，ビタミンA中毒のリスクが高まります。ビタミンAを摂取してはいけません。

腸の感染症：鉤虫など，腸の感染症の場合には，体内に吸収されるビタミンAの量が減少するおそれがあります。

鉄欠乏症：鉄欠乏症があると，身体がビタミンAを分解したり使用したりする能力に影響を及ぼすおそれがあります。

肝疾患：ビタミンAが過剰になると，肝疾患が悪化するおそれがあります。肝疾患の場合にはビタミンAを摂取してはいけません。

栄養不良：深刻なタンパク栄養不良の場合には，ビタミンAの摂取により，体内のビタミンAが過剰になるおそれがあります。

亜鉛欠乏症：亜鉛欠乏症があると，ビタミンA欠乏症の症状を引き起こすおそれがあります。症状を改善するためには，ビタミンAと亜鉛のサプリメントの併用が必要な場合があります。

●妊娠中および母乳授乳期

妊娠中および母乳授乳期の使用は，１日10,000IU未満の推奨量であれば，ほとんどの人に安全のようです。推奨量を超える場合には，おそらく安全ではありません。先天異常を引き起こすおそれがあります。妊娠中，とくに妊娠初期の３カ月間は，あらゆる摂取源からのビタミンA総摂取量を監視することが重要です。ビタミンAは，動物性食品，レバー，栄養強化シリアルおよび健康食品・サプリメントなどさまざまな食品に含まれています。

有　効　性

◆有効性レベル①

・ビタミンA欠乏症。ビタミンAを経口摂取することにより，ビタミンA欠乏症の症状を予防したり治療したりする効果があります。タンパク欠乏，糖尿病，甲状腺機能亢進，発熱，肝疾患，のう胞性線維症，および，無βリポタンパク血症（遺伝性疾患）がある場合，ビタミンA欠乏症を起こすおそれがあります。

◆有効性レベル③

・乳がん。乳がんの家族歴を有する閉経前の女性が食事から高用量のビタミンAを摂取すると，乳がん発症リスクが低下するようです。ビタミンAのサプリメントにも同様の効果があるかどうかは，明らかになっていません。
・白内障。食事から高用量のビタミンAを摂取している人は，白内障の発症リスクが低下するようです。
・麻疹。麻疹およびビタミンA欠乏症の小児が，ビタミンAを経口摂取することにより，麻疹の合併症や死亡のリスクが低下するようです。
・口腔白板症（口内の前がん状態の病変）。研究により，ビタミンAの摂取は，口内の前がん状態の病変の治療に効果があることが示されています。
・出産後の下痢。栄養不良の女性が妊娠中および出産後にビタミンAを摂取すると，出産後の下痢が減少します。

・妊娠に関する死亡。栄養不良の女性が妊娠前および妊娠中にビタミンAを摂取すると，死亡リスクが40％低下するようです。

・妊娠に関する夜盲。栄養不良の女性が妊娠中にビタミンAを摂取すると，夜盲が37％減少するようです。亜鉛と併用するとビタミンAの効果が高まる可能性があります。

・網膜色素変性症（網膜に影響を与える眼疾患）。ビタミンAの摂取により，網膜に損傷を引き起こす眼疾患の進行が抑制される可能性があります。

◆有効性レベル④

・アトピー性疾患。乳児に単回投与でビタミンAを与えても，アトピーは予防できないようです。

・気管支肺異形成症（新生児に影響を与える呼吸器疾患）。研究により，ビタミンAを注射（点滴）で投与しても，ほとんどの低体重出産児の呼吸器疾患のリスクは低下しないことが示唆されています。

・化学療法による胃腸の副作用。小児がビタミンAを経口摂取しても，化学療法による下痢や口腔痛は予防できないようです。

・胎児および産後の乳児の死亡。妊娠前，妊娠中および出産後にビタミンAサプリメントを摂取しても，乳児の生後1年間の死亡は予防できないようです。また，乳児にビタミンAサプリメントを与えても，死亡は予防できないようです。

・腸管寄生虫。腸管寄生虫の治療薬を服薬している小児に単回投与でビタミンAを与えても，治療薬単独の場合よりも再感染を予防できないようです。

・皮膚がん（黒色腫）。研究により，黒色腫の患者が高用量のビタミンAを経口摂取しても，無再発生存率は上昇しないことが示されています。

・流産。女性が妊娠前や妊娠初期に，ビタミンAを単独またはほかのビタミン類と併用で経口摂取しても，流産や死産のリスクは低下しません。

・変形性関節症。体内のビタミンA値が十分な変形性脊椎関節症患者がビタミンAを摂取しても，疼痛は緩和しないようです。また，セレン，ビタミンA，ビタミンCおよびビタミンEを含む特定の製品を摂取しても，変形性関節症の症状は改善しないようです。

・結核。結核患者はビタミンA値が低いことがよくあります。ただし，結核患者がビタミンAを摂取しても，症状が改善することや，死亡リスクが低下することはないようです。

◆有効性レベル⑤

・頭頸部がん。頭頸部がん患者がビタミンAを経口摂取しても，新たな腫瘍の発症リスクが低下することや，生存率が改善することはありません。

・HIV感染。母親がビタミンAを経口摂取しても，妊娠中の胎児，分娩時の新生児，母乳授乳期の乳児がHIVに感染するリスクが低下することはありません。むしろ，妊娠中にビタミンAサプリメントを摂取しているHIV陽性女性では，母乳を通じて乳児がHIVに感染するリスクが高まるおそれが初期の研究で示されています。

・下気道感染症。小児がビタミンAを経口摂取しても，下気道感染症が予防されることや，症状が緩和されることはありません。実際には，ビタミンAにより，小児の気道感染症のリスクがわずかに高まっています。

・肺炎。発展途上国の小児がビタミンAを経口摂取しても，肺炎の治療や予防の効果はありません。

◆科学的データが不十分です

・アルコール性肝疾患，貧血，子宮頸がん，小児の発育，慢性骨髄性白血病（CML）（骨髄に発症するがん），放射線治療に起因する直腸の損傷，大腸腺腫，大腸がん，冠動脈バイパス手術，食道がん，胃がん，HIV，HIVに関連する下痢，乳児の発育，多発性硬化症に関連する疲労，肺がん，マラリア，非ホジキンリンパ腫，卵巣がん，全死亡率，膵がん，パーキンソン病，レーザー角膜切除術後の回復，前立腺がん，加齢黄斑変性（AMD），緑内障，免疫機能の改善，感染の予防および感染からの回復促進，視力改善の促進，花粉症症状の緩和，創傷治癒など。

●体内での働き

ビタミンAは，眼や皮膚，免疫システムなど多くの器官の適切な発達，機能に必要です。

医薬品との相互作用

中テトラサイクリン系抗菌薬

ビタミンAはテトラサイクリン系抗菌薬と相互作用がある可能性があります。著しく多量のビタミンAとテトラサイクリン系抗菌薬を併用すると，頭蓋内圧亢進と呼ばれる重大な副作用のリスクが高まるおそれがあります。ただし，通常の用量のビタミンAと併用した場合にはこの問題は生じないようです。テトラサイクリン系抗菌薬の服用中に多量のビタミンAを摂取しないでください。このようなテトラサイクリン系抗菌薬には，デメチルクロルテトラサイクリン塩酸塩，ミノサイクリン塩酸塩，テトラサイクリン塩酸塩があります。

中ワルファリンカリウム

ワルファリンカリウムは血液凝固を抑制するために用いられます。多量のビタミンAも血液凝固を抑制する可能性があります。ビタミンAとワルファリンカリウムを併用すると，紫斑および出血のリスクが高まるおそれがあります。定期的に血液検査を実施してください。ワルファリンカリウムの用量を変更する必要があるかもしれません。

中肝臓を害する可能性のある医薬品

多量のビタミンAを摂取すると，肝臓を害する可能性があります。多量のビタミンAと肝臓を害する可能性のある医薬品を併用すると，肝障害のリスクが高まるおそれがあります。肝臓を害する可能性のある医薬品を服用中に多量のビタミンAを摂取しないでください。このような医薬品には，アセトアミノフェン，アミオダロン塩酸塩，カルバマゼピン，イソニアジド，メトトレキサート，メチルドパ水和物，フルコナゾール，イトラコナゾール，エリスロマイシン，フェニトイン，Lovastatin，プラバスタチンナトリウム，シンバスタチンなど数多くあります。

高皮膚科用薬（レチノイド）

特定の皮膚科用薬はビタミンAの作用があります。ビタミンAサプリメントと特定の皮膚科用薬を併用すると，ビタミンAの作用および副作用が増強するおそれがあります。

ハーブおよび健康食品・サプリメントとの相互作用

鉄

赤血球は，体内へ酸素を運ぶ成分であるヘモグロビンを生成するために鉄を必要とします。鉄およびビタミンAの値が低い場合には，ビタミンAを摂取することにより，ヘモグロビンの値が改善するようです。

通常の食品との相互作用

脂肪の多い食品

脂肪の多い食品を摂取することにより，体内へのビタミンAの吸収が促進されます。

使用量の目安

【成人】

●経口摂取

全般

成人に対する推奨量（RDA）は，以下の通り定められています。

14歳以上の男性：1日900μg（3,000IU）

14歳以上の女性：1日700μg（2,300IU）

14～18歳の妊娠中の女性：1日750μg（2,500IU）

19歳以上の妊娠中の女性：1日770μg（2,600IU）

14～18歳の母乳授乳期の女性：1日1,200μg（4,000IU）

19歳以上の母乳授乳期の女性：1日1,300μg（4,300IU）

ビタミンAには，耐容上限量（UL）も以下の通り定められています。耐容上限量（UL）とは，副作用が出ないと考えられる最大摂取量のことです。ビタミンAの耐容上限量（UL）は前駆体（レチノール）に対するもので，プロビタミンAであるカロテノイドは含まれません。

14～18歳（妊娠中および母乳授乳期を含む）：1日2,800μg（9,000IU）

19歳以上（妊娠中および母乳授乳期を含む）：1日3,000μg（10,000IU）

ビタミンAの食事摂取基準（μgRAE/日）[1]

日本人の食事摂取基準2020年版

性別	男性				女性			
年齢等	推定平均必要量[2]	推奨量[2]	目安量[3]	耐容上限量[3]	推定平均必要量[2]	推奨量[2]	目安量[3]	耐容上限量[3]
0～5（月）	—	—	300	600	—	—	300	600
6～11（月）	—	—	400	600	—	—	400	600
1～2（歳）	300	400	—	600	250	350	—	600
3～5（歳）	350	450	—	700	350	500	—	850
6～7（歳）	300	400	—	950	300	400	—	1,200
8～9（歳）	350	500	—	1,200	350	500	—	1,500
10～11（歳）	450	600	—	1,500	400	600	—	1,900
12～14（歳）	550	800	—	2,100	500	700	—	2,500
15～17（歳）	650	900	—	2,500	500	650	—	2,800
18～29（歳）	600	850	—	2,700	450	650	—	2,700
30～49（歳）	650	900	—	2,700	500	700	—	2,700
50～64（歳）	650	900	—	2,700	500	700	—	2,700
65～74（歳）	600	850	—	2,700	500	700	—	2,700
75以上（歳）	550	800	—	2,700	450	650	—	2,700
妊婦（付加量）								
初期					+0	+0	—	—
中期					+0	+0	—	—
後期					+60	+80	—	—
授乳婦（付加量）					+300	+450	—	—

[1]レチノール活性当量（μgRAE）
＝レチノール（μg）＋β-カロテン（μg）×1/12＋α-カロテン（μg）×1/24
＋β-クリプトキサンチン（μg）×1/24＋その他のプロビタミンAカロテノイド（μg）×1/24

[2]プロビタミンAカロテノイドを含む。

[3]プロビタミンAカロテノイドを含まない。

ビタミンAの用量は一般にIUで表記されますが，マイクログラム（μg）表示されることもあります。

１日に５皿分の果物や野菜を摂取することで，成人のビタミンA推奨量（RDA）の約50〜65％を摂取することができます。

口腔白板症（口内の前がん状態の病変）

ビタミンAを週に200,000〜300,000IU，６〜12カ月間摂取します。

出産後の下痢

妊娠前，妊娠中および出産後にビタミンAを週に23,000IU摂取します。

妊娠中の死亡の減少

妊娠前および妊娠中にビタミンAを週に23,000IU摂取します。

妊娠中の夜盲の減少

妊娠前，妊娠中および出産後にビタミンAを週に23,000IU摂取します。亜鉛の値が低い女性は亜鉛１日35mgを併用すると，もっとも効果があるようです。

網膜色素変性症（網膜に影響を与える眼疾患）

ビタミンA　１日15,000IUを，場合によりビタミンE１日400IUと併用で摂取します。

【小児】

●経口摂取

全般

乳児に対する目安量（AI）は，以下の通り定められています。

０〜６カ月：１日400μg（1,300IU）
７〜12カ月：１日500μg（1,700IU）

小児に対する推奨量（RDA）は，以下の通り定められています。

１〜３歳：１日300μg（1,000IU）
４〜８歳：１日400μg（1,300IU）
９〜13歳：１日600μg（2,000IU）

ビタミンAには，耐容上限量（UL）も以下の通り定められています。耐容上限量（UL）とは，副作用が出ないと考えられる最大摂取量のことです。ビタミンAの耐容上限量（UL）は前駆体（レチノール）に対するもので，プロビタミンAであるカロテノイドは含まれません。

０〜３歳：１日600μg（2,000IU）
４〜８歳：１日900μg（3,000IU）
９〜13歳：１日1,700μg（6,000IU）
14〜18歳（妊娠中および母乳授乳期を含む）：１日2,800μg（9,000IU）

麻疹

２歳未満の乳幼児で，ビタミンA 100,000〜200,000IUを少なくとも２回摂取します。

ビタミンB_6

VITAMIN B_6

●代表的な別名

ピリドキシン

別名ほか

ビタミンB群（B complex vitamin），塩酸ピリドキシン（Pyridoxine hydrochloride），ピリドキサール（Pyridoxal），ピリドキサミン（Pyridoxamine），Adermine hydrochloride，B_6

概　　要

ビタミンB_6はビタミンBの一種です。ある種の食品，たとえば，穀物，豆類，野菜，レバー，肉，卵などに含まれます。人工的に作ることもできます。

ビタミンB_6は，ピリドキシン欠乏症とその結果生じる貧血の予防および治療に用いられます。また，心疾患および月経前症候群（PMS），うつ病など多くの疾患に用いられます。

ビタミンB_6は，ほかのビタミンB群と併用してビタミンB複合製品に使用されることがよくあります。

安　全　性

ビタミンB_6の経口摂取は，適量であれば，ほとんどの人に安全のようです。

推奨量（RDA）以上のビタミンB_6の経口摂取は，おそらく安全です。人によっては，ビタミンB_6により，吐き気，嘔吐，下痢，胃痛，食欲不振，頭痛，チクチク感および眠気などを引き起こすおそれがあります。

高用量のビタミンB_6を長期にわたり使用する場合は，おそらく安全ではありません。高用量の経口摂取は，脳および神経系に障害を引き起こすおそれがあります。

ビタミンB_6は，医師などの指導下，米国食品医薬品局（FDA）に認可された用途で静脈内投与した場合，ほとんどの人に安全のようです。

ビタミンB_6を，医師などの指導下，米国食品医薬品局（FDA）に認可された用量で，注射（点滴）として筋肉内投与する場合，ほとんどの人に安全のようです。ただし，高用量のビタミンB_6を筋肉内投与するのは，おそらく安全ではありません。このような使用は筋肉の障害を引き起こすおそれがあります。

血管形成術（収縮した動脈を拡張する施術）：ビタミンB_6を，葉酸およびビタミンB_{12}と併用して，静脈内投与，または経口摂取する場合には，動脈の収縮が悪化するおそれがあります。血管形成術後の回復期にある患者は，ビタミンB_6を摂取するべきではありません。

減量手術：ビタミンB_6サプリメントの摂取は，減量手術を受けた患者には必要ありません。過剰な摂取は，吐き気，嘔吐，肌の褐色化などの副作用を引き起こすおそれがあります。

糖尿病：ビタミンB_6，葉酸，ビタミンB_{12}を併用すると，糖尿病患者および最近脳卒中を起こした患者のがんのリスクが高まるおそれがあります。

最近脳卒中を起こした糖尿病患者は，ビタミンB_6を摂取するべきではありません。

●妊娠中および母乳授乳期

医師などの管理のもとでビタミンB_6を摂取する場合には，ほとんどの人に安全のようです。妊娠中のつわり（胃のむかつきや嘔吐）を抑制するために用いられることもあります。高用量の摂取は，安全ではありません。高用量を摂取することにより，新生児の痙攣を引き起こすおそれがあります。母乳授乳期の使用は，1日2mg（推奨量（RDA））以下であれば，ほとんどの人に安全のようです。推奨量（RDA）を超える量の摂取は，避けてください。高用量を摂取する場合の安全性についてはデータが不十分です。

有 効 性

◆有効性レベル①

・痙攣。ビタミンB_6を静脈内投与すると，小児のビタミンB_6依存性による痙攣をコントロールすることができます。

・異常な赤血球が生成され，体内に鉄が過剰に蓄積する障害（鉄芽球性貧血）。ビタミンB_6の経口摂取は，鉄芽球性貧血と呼ばれる遺伝性の貧血に有効です。

・ビタミンB_6欠乏症。ビタミンB_6の経口摂取は，ビタミンB_6欠乏症の予防および治療に有効です。

◆有効性レベル②

・高ホモシステイン血症。ビタミンB_6を，通常は葉酸と併用して経口摂取すると，高ホモシステイン血症の治療に効果があります。

◆有効性レベル③

・加齢黄斑変性（加齢にともなう視力低下）。複数の研究により，ビタミンB_6を葉酸およびビタミンB_{12}などのビタミン類と併用する場合には，加齢黄斑変性（眼疾患）に起因する視力低下の予防に有効である可能性が示唆されています。

・動脈硬化。加齢にともない，動脈は，拡張性や柔軟性を失っていく傾向があります。ニンニクなどの素材・成分が，この現象を抑制するようです。ニンニク，アミノ酸（タンパク質の一部），および葉酸，ビタミンB_{12}，ビタミンB_6などのビタミン類を含む特定のサプリメントを摂取することにより，動脈が硬化する症状が緩和するようです。

・腎結石。1型原発性高シュウ酸尿症（遺伝性疾患）の患者が，腎結石を形成するリスクは高いです。ビタミンB_6を単体，または，マグネシウムと併用して経口摂取する場合や，ビタミンB_6を静脈内投与する場合には，1型原発性高シュウ酸尿症の患者が，腎結石を形成するリスクが低下する可能性を示唆する複数のエビデンスがあります。ただし，ほかの種類の腎結石に対しては，この効果は現れないようです。

・妊娠中のつわり（胃のむかつきや嘔吐）。複数の研究により，ビタミンB_6を通常ピリドキシンとして摂取することにより，妊娠中の，軽度から中程度の吐き気や嘔吐の症状が改善することが示唆されています。米国産科婦人科学会では，ビタミンB_6が，妊娠による吐き気と嘔吐に対する最初に行う治療であるとみなしています。ビタミンB_6単体の治療により改善しない場合には，ビタミンB_6と医薬品「ドキシラミン」を併用することが推奨されています。ただし，この2つを併用しても，医薬品「オンダンセトロン塩酸塩水和物」による治療ほどの効果はありません。

・月経前症候群（PMS）。ビタミンB_6をピリドキシンとして経口摂取すると，乳房痛などの月経前症候群の症状が改善する可能性を示唆するエビデンスがあります。摂取量は，最低限にするべきです。高用量を摂取しても，有効性が高まることはなく，副作用のリスクが高まるおそれがあります。

・抗精神病薬によって引き起こされる運動異常症（遅発性ジスキネジア）。統合失調症に対する特定の医薬品を摂取している患者が，ビタミンB_6を摂取する場合には，運動疾患が改善するようです。

◆有効性レベル④

・加齢にともなう記憶と思考能力の低下。1件の研究により，高齢者が，ビタミンB_6，葉酸およびビタミンB_{12}を併用すると，脳の部分的な機能悪化に対して，有効であることが示唆されています。ただし，大部分の研究では，ビタミンB_6を，葉酸およびビタミンB_{12}と併用して摂取しても，高齢者の精神機能は改善しないことが示唆されています。

・アルツハイマー病。初期の研究により，高用量のビタミンB_6をサプリメントまたは食事により摂取しても，高齢者のアルツハイマー病のリスクは低下しないことが示唆されています。

・自閉症。ビタミンB_6をマグネシウムと併用しても，小児の自閉症的行動が改善されることはないようです。

・手根管症候群。ビタミンB_6を摂取することにより，手根管症候群の症状の一部が緩和する可能性を示唆する初期の研究も複数ありますが，ほとんどの研究では，この効果はないことが示唆されています。

・白内障。研究により，女性がビタミンB_6と葉酸およびビタミンB_{12}を併用しても白内障の予防にならないことが示唆されています。むしろ，白内障を手術しなければならなくなるリスクが高まるおそれがあります。

・抗悪性腫瘍薬治療による皮膚への副作用（手足症候群）。手足症候群は，抗悪性腫瘍薬による皮膚への副作用です。ビタミンB_6の摂取は抗悪性腫瘍薬を使用して治療を行っている患者の皮膚症状を予防することはないようです。また，ビタミンB_6が抗悪性腫瘍薬の作用を抑制するおそれもあります。

・大腸腺腫（大腸ポリープ）。研究により，心疾患のリスクが高い女性が，葉酸，ビタミンB_6およびビタミンB_{12}を併用して摂取しても，大腸ポリープのリスクは低下しないことが示唆されています。

・骨粗鬆症。研究により，骨粗鬆症患者が，葉酸，ビタミンB_6およびビタミンB_{12}を併用して摂取しても，骨折の予防につながることはないことが示唆されています。

◆科学的データが不十分です

・ざ瘡（にきび），血管形成術，気管支喘息，アトピー性皮膚炎（湿疹），注意欠陥多動障害（ADHD），がん，心疾患，う歯，うつ病，糖尿病，糖尿病性神経障害（糖尿病性ニューロパチー），月経困難（月経痛），妊娠高血圧腎症にともなう痙攣（子癇），高血圧，高トリグリセリド血症（血中の脂質濃度が高い状態），不眠，結核治療による神経障害（イソニアジドによる神経障害），母乳生産の停止，肺がん，吐き気および嘔吐，妊娠中の合併症，早産，高熱に起因する痙攣，脳卒中，ビンクリスチン硫酸塩による化学療法に起因する神経障害，アレルギー，ダウン症候群，腎疾患，炎症性腸疾患，ライム病，筋痙攣，こむらがえり，関節リウマチなど。

●体内での働き

ビタミンB_6は，体内において糖分，脂肪およびタンパク質が正常に機能するために必要です。脳や神経，皮膚など多くの器官の正常な成長，発達にも必要とされます。

医薬品との相互作用

中アミオダロン塩酸塩

アミオダロン塩酸塩は光への過敏性を高める可能性があります。ビタミンB_6とアミオダロン塩酸塩を併用すると，肌の露出した部分に日光皮膚炎，水疱，発疹が生じるリスクが高まるおそれがあります。日なたでは日焼け止めクリームを使用し，日よけの衣服を着用してください。

高フェニトイン

フェニトインは体内で代謝されてから排泄されます。ビタミンB_6はフェニトインの代謝を促進する可能性があります。ビタミンB_6とフェニトインを併用すると，医薬品の効果が弱まり，痙攣発作を起こすリスクが高まるおそれがあります。フェニトインの服用中に多量のビタミンB_6を摂取しないでください。

中フェノバルビタール

フェノバルビタールは体内で代謝されてから排泄されます。ビタミンB_6はフェノバルビタールの代謝を促進する可能性があります。そのため，フェノバルビタールの効果が弱まるおそれがあります。

低レボドパ

レボドパは体内で代謝されてから排泄されます。ビタミンB_6はレボドパの代謝および排泄を促進する可能性があります。ただし，このことはレボドパ単体で服用する場合に限った問題です。通常，レボドパはカルビドパと併用します。カルビドパはこの相互作用の発現を予防します。カルビドパと併用せずにレボドパを服用中の場合にはビタミンB_6を摂取しないでください。

中降圧薬

ビタミンB_6は血圧を低下させる可能性があります。そのため，降圧薬と相加作用が生じ，血圧が過度に低下するリスクが高まるおそれがあります。このような降圧薬には，カプトプリル，エナラプリルマレイン酸塩，ロサルタンカリウム，バルサルタン，ジルチアゼム塩酸塩，アムロジピンベシル酸塩，ヒドロクロロチアジド，フロ

ヒ

ビタミンB_6の食事摂取基準（mg/ 日）[1]

日本人の食事摂取基準 2020 年版

性　別	男　性				女　性			
年齢等	推定平均必要量	推奨量	目安量	耐容上限量[2]	推定平均必要量	推奨量	目安量	耐容上限量[2]
0～5（月）	—	—	0.2	—	—	—	0.2	—
6～11（月）	—	—	0.3	—	—	—	0.3	—
1～2（歳）	0.4	0.5	—	10	0.4	0.5	—	10
3～5（歳）	0.5	0.6	—	15	0.5	0.6	—	15
6～7（歳）	0.7	0.8	—	20	0.6	0.7	—	20
8～9（歳）	0.8	0.9	—	25	0.8	0.9	—	25
10～11（歳）	1.0	1.1	—	30	1.0	1.1	—	30
12～14（歳）	1.2	1.4	—	40	1.0	1.3	—	40
15～17（歳）	1.2	1.5	—	50	1.0	1.3	—	45
18～29（歳）	1.1	1.4	—	55	1.0	1.1	—	45
30～49（歳）	1.1	1.4	—	60	1.0	1.1	—	45
50～64（歳）	1.1	1.4	—	55	1.0	1.1	—	45
65～74（歳）	1.1	1.4	—	50	1.0	1.1	—	40
75 以上（歳）	1.1	1.4	—	50	1.0	1.1	—	40
妊　婦（付加量）					+0.2	+0.2	—	—
授乳婦（付加量）					+0.3	+0.3	—	—

[1] たんぱく質の推奨量を用いて算定した（妊婦・授乳婦の付加量は除く）。
[2] ピリドキシン（分子量 =169.2）の重量として示した。

有効性レベル：①効きます　②おそらく効きます　③効くと断言できませんが、効能の可能性が科学的に示唆されています　④効かないかもしれません　⑤おそらく効きません　⑥効きません

セミドなどがあります。

ハーブおよび健康食品・サプリメントとの相互作用

血圧を低下させるおそれのあるハーブおよび健康食品・サプリメント

ビタミンB_6が，血圧を低下させるおそれがあります。ビタミンB_6と，血圧を低下させるおそれのあるほかのハーブおよび健康食品・サプリメントを併用すると，血圧が過度に低下するおそれがあります。このようなハーブおよび健康食品･サプリメントには，アンドログラフィス，カゼイン・ペプチド，キャッツクロー，コエンザイムQ-10，魚油，L-アルギニン，クコ，イラクサ，テアニンなどがあります。

使用量の目安

【成人】

●経口摂取

異常な赤血球が生成され，体内に鉄が過剰に蓄積する障害（鉄芽球性貧血）

病初では，200～600mgのビタミンB_6を摂取します。十分な効果が現れてきた後は，１日30～50mgまで減らします。

ビタミンB_6欠乏症

一般的な成人の場合には，１日2.5～25mgを３週にわたり摂取します。その後は，１日1.5～2.5mgを摂取します。経口避妊薬を摂取している女性の場合には，１日25～30mgを摂取します。

高ホモシステイン血症

食後，血中ホモシステイン値が高い場合に値を下げるためには，50～200mgのビタミンB_6を単体で摂取します。または，100mgのビタミンB_6を0.5mgの葉酸と併用して摂取します。

加齢黄斑変性の予防

１日50mgのビタミンB_6をピリドキシンの形態で，1,000μgのビタミンB_{12}（シアノコバラミン），2,500μgの葉酸と併用して，およそ７年にわたり摂取します。

動脈硬化

250mgの熟成したニンニクエキス，100μgのビタミンB_{12}，300μgの葉酸，12.5mgのビタミンB_6，100mgのL-アルギニンを含む，特定のサプリメントを毎日，12カ月にわたり摂取します。

腎結石

１日25～500mgのビタミンB_6を摂取します。

妊娠中のつわり（胃のむかつきや嘔吐）

10～25mgのビタミンB_6を１日３～４回摂取します。ビタミンB_6単体では，効果が現れない場合には，ビタミンB_6と医薬品「ドキシラミン」を併用して，１日３～４回摂取します。または，75mgのビタミンB_6，12μgのビタミンB_{12}，１mgの葉酸および200mgのカルシウムを含む製品を毎日，摂取します。

月経前症候群（PMS）の症状

１日50～100mgのビタミンB_6を単体，または，200mgのマグネシウムと併用して摂取します。

抗精神病薬によって引き起こされる運動異常症（遅発性ジスキネジア）

１日100mgのビタミンB_6を一週間ごとに１日400mgまでに増やし，２回に分けて摂取します。

●筋肉内投与

異常な赤血球が生成され，体内に鉄が過剰に蓄積する障害（鉄芽球性貧血）

１日250mgのビタミンB_6を投与します。十分な効果が現れてきた後は，１週間で250mgまで減らします。

【小児】

●経口摂取

腎結石

５歳以上の小児は，１日最大20mg/kgを摂取します。

●静脈内または筋肉内投与

痙攣

ビタミンB_6依存症の新生児の痙攣には，10～100mgが推奨されています。

ビタミンB_6の推奨量（RDA）は，以下の通りです。

０～６カ月：１日0.1mg
７～12カ月：１日0.3mg
１～３歳：１日0.5mg
４～８歳：１日0.6mg
９～13歳：１日１mg
14～50歳の男性：１日1.3mg
50歳以上の男性：１日1.7mg
14～18歳の女性：１日1.2mg
19～50歳の女性：１日1.3mg
50歳以上の女性：１日1.5mg
妊娠中の女性：１日1.9mg
母乳授乳期の女性：１日２mg

19～50歳の女性に対する推奨量（RDA）を，１日1.5～1.7mgに増加すべきであると考える研究者も複数います。

推奨する最大摂取量は，以下の通りです。

１～３歳：１日30mg
４～８歳：１日40mg
９～13歳：１日60mg
14～18歳（妊娠中および母乳授乳期の女性を含む）：１日80mg
19歳以上（妊娠中および母乳授乳期の女性を含む）：１日100mg

ビタミンB_{12}

VITAMIN B_{12}

●代表的な別名

コバラミン

別名ほか

ビタミンB群（B Complex Vitamin），コバラミン（Cobalamin），シアノコバラミン（Cyanocobalamin），ヒドロキソコバラミン（Hydroxocobalamin），メチルコバラミン（Methylcobalamin），B_{12}，Bedumil，Cobamin，Cyanocobalaminum，Cycobemin，Hydroxocobalaminum，Hydroxocobemine，Idrossocobalamina，Vitadurin

概　　要

ビタミンB_{12}は必須ビタミンです。身体が正常に機能するために必要です。肉，魚，乳製品などの食品に含まれています。また，人工的に作ることもできます。ほかのビタミンB群とよく併用されます。

ビタミンB_{12}は，血中ビタミンB_{12}濃度が過度に低下した状態の欠乏症の治療，予防に経口摂取されます。

記憶喪失，アルツハイマー病，老化の抑制，気分・活力・集中力・精神機能・免疫システムの向上に，経口摂取されます。心疾患，動脈血栓にも用いられ，手術後の動脈の再閉塞のリスク軽減，高トリグリセリド値の低下，（心疾患の一因となる可能性がある）高ホモシステイン値の低下，男性の不妊，糖尿病，糖尿病に起因する神経障害，手足の神経障害，睡眠障害，うつ病，精神障害，統合失調症，骨粗鬆症，腱炎，エイズ，炎症性腸疾患，下痢，気管支喘息，アレルギー，白斑，皮膚感染にも用いられます。

筋萎縮性側索硬化症（ALS，ルー・ゲーリッグ病），多発性硬化症に対して，加齢黄斑変性（AMD），甲状腺ホルモンの過剰な産生，ライム病および歯周病の予防に，ビタミンB_{12}を経口摂取する人もいます。気道感染症，妊孕性の維持，耳鳴，出血，肝疾患，腎疾患，口唇潰瘍に対して，骨折，脳卒中および血栓の予防のため，タバコの煙に含まれる毒性やアレルゲンに対する保護のために用いられることもあります。乳がん，子宮頸がん，結腸直腸がん，膵がん，肺がんの予防に経口摂取されます。骨折，転倒，白内障の予防にも用いられます。慢性閉塞性肺疾患（COPD）患者の運動機能の維持にも用いられています。

ビタミンB_{12}は，単独でまたはアボカド油と併用して，乾癬，湿疹に対して肌に塗布されます。また，鼻用ジェルは悪性貧血に使用され，ビタミンB_{12}欠乏症の予防，治療に用いられます。

ビタミンB_{12}欠乏症の予防，治療には，注射での投与も行われます。振戦にも用いられ，イマースルンド・グレスベック症候群，シアン化物中毒，帯状疱疹による神経損傷，糖尿病に起因する神経障害，耳鳴，疲労，慢性疲労症候群（CFS），C型肝炎，甲状腺ホルモンの過剰な産生，出血，がん，乾癬，肝疾患，腎疾患の治療に用いられます。手術後に動脈が再閉塞しないように注射で投与されます。また，口唇潰瘍には吸入されます。

安　全　性

ビタミンB_{12}の経口摂取，皮膚への塗布，鼻腔内投与，注射（点滴）による投与，静脈内投与は，ほとんどの人に安全のようです。高用量のビタミンB_{12}を摂取する場合にも，安全だと考えられています。

アボカド油にビタミンB_{12}を混ぜたクリームを乾癬に対して用いて，軽度のそう痒を引き起こした例が1件報告されています。

手術後のステント留置：冠状動脈ステントの実施後は，ビタミンB_{12}と，葉酸，ビタミンB_6を併用しないでください。この組み合わせにより，血管が収縮するリスクが高まるおそれがあります。

レーベル病（遺伝性眼疾患）：レーベル病の場合には，ビタミンB_{12}を摂取しないでください。ビタミンB_{12}が，視神経に対して極めて悪い影響を与え，失明につながるおそれがあります。

巨赤芽球性貧血（赤血球の異常）：ビタミンB_{12}により，巨赤芽球性貧血が治癒することもあります。ただし，非常に深刻な副作用を伴うおそれがあります。医師などによる十分な監視なしに，ビタミンB_{12}による治療を実施してはいけません。

真性多血症（赤血球の数が多い状態）：ビタミンB_{12}欠乏症を治療することにより，真性多血症の症状が明らかになる可能性があります。

●アレルギー

コバルトおよびコバラミンに対するアレルギーまたは過敏症：コバルトおよびコバラミンに対するアレルギーや過敏症を有する場合には，ビタミンB_{12}を使用してはいけません。

●妊娠中および母乳授乳期

妊娠中および母乳授乳期のビタミンB_{12}の経口摂取は，推奨量であれば，ほとんどの人に安全のようです。1日当たりの推奨量は，妊娠中の女性の場合には，1日2.6μgです。母乳授乳期の女性は，1日2.8μg以上，摂取するべきではありません。高用量を摂取してはいけません。高用量を摂取する場合の安全性については，データが不十分です。

有　効　性

◆有効性レベル①

・イマースルンド・グレスベック症候群（遺伝性ビタミンB_{12}欠乏症）。ビタミンB_{12}の吸収が困難になる遺伝性疾患の治療として，ビタミンB_{12}の注射を10日にわたり実施し，その後，月1回の注射を生涯，継続することが有効です。

・ビタミンB_{12}欠乏症。ビタミンB_{12}は，ビタミンB_{12}欠乏症の治療と予防に有効です。経口摂取，注射，鼻腔内投与のいずれも可能です。ビタミンB_{12}欠乏症が深刻である場合や，神経障害をともなう場合には，注射

ヒ

がもっとも効果的です。

◆有効性レベル②

・シアン化物中毒。総量最大10gのヒドロキソコバラミン（天然のビタミンB_{12}）を注射により投与する場合には，シアン化物中毒に対して有効のようです。ヒドロキソコバラミンは，シアン化物の毒作用に対する治療薬として，米国食品医薬品局（FDA）により承認されています。

・高ホモシステイン血症（血中ホモシステイン濃度が高い状態）。ビタミンB_{12}を，葉酸と併用する場合，ときには，葉酸とピリドキシン（ビタミンB_6）と併用する場合には，血中ホモシステイン濃度が低下する可能性があります。

◆有効性レベル③

・加齢黄斑変性（AMD）。複数の研究により，ビタミンB_{12}と，葉酸およびビタミンB_6などのビタミン類と併用する場合には，加齢黄斑変性の予防に有効である可能性があることが示唆されています。ただし，ビタミンB_{12}単体を摂取する場合の，加齢黄斑変性に対する作用については，明らかになっていません。

・口唇潰瘍。ビタミンB_{12}を含む軟膏を使用する場合，口唇潰瘍による疼痛が軽減されます。また初期の研究により，ビタミンB_{12}を1,000 μgを舌下で摂取すると，口唇潰瘍の発症回数が減少し，期間が短縮され，疼痛が軽減されることが示唆されています。

・帯状疱疹に起因する神経障害。複数の研究により，帯状疱疹に起因する神経障害を持つ患者が，１週間に６回，最長４週にわたり，メチルコバラミン（ビタミンB_{12}）の皮下注射をすることにより，ビタミンB_{12}の経口摂取またはリドカイン塩酸塩の皮下注射をする場合にくらべ，疼痛が緩和することが示唆されています。ほかの研究では，同様の場合に，疼痛が緩和し，鎮痛剤の必要性も低減することが示唆されています。さらに，チアミンまたはリドカイン塩酸塩を併用することにより，そう痒が緩和するようです。

◆有効性レベル④

・がん。研究により，心疾患をともなう高齢者が，シアノコバラミンと，葉酸およびビタミンB_6を併用する場合，または，シアノコバラミン（ビタミンB_{12}）と，葉酸，ビタミンB_6，エイコサペンタエン酸（EPA）およびDHA（ドコサヘキサエン酸）を併用する場合とも，がんを発症するリスクは低下しないことが示唆されています。実際には，複数の研究により，高齢者が，ビタミンB_{12}と葉酸を，毎日，２年にわたり摂取することにより，がんのリスクが高まるおそれが示唆されています。

・白内障。女性がビタミンB_{12}とビタミンB_6および葉酸を併用しても，白内障を予防することはないようです。むしろ，一部の女性では白内障を手術しなければならなくなるリスクが高まる可能性があります。

・睡眠障害。ビタミンB_{12}を経口摂取しても，睡眠障害に対する有効性はないようです。

・精神機能。ビタミンB_{12}を単体，または，葉酸およびビタミンB_6と併用して摂取しても，高齢者の記憶，言語，整理整頓および計画などの能力が改善することはないようです。

・転倒予防。ビタミンDを摂取している高齢者が，ビタミンB_{12}を葉酸と併用しても，転倒を予防できないようです。

・骨折。骨粗鬆症の高齢者が，ビタミンB_{12}を，葉酸と併用して，または，葉酸およびビタミンB_6と併用して，毎日，２～３年にわたり摂取しても，骨折のリスクは低下することはないようです。

・高齢者の身体能力。すでにビタミンDを摂取している高齢者が葉酸とビタミンB_{12}を併用しても，歩行が改善されたり，手が強化されることはないようです。

・脳卒中。研究により，食事およびサプリメントからビタミンB_{12}をより多く摂取している場合でも，脳卒中を引き起こすリスクおよび，脳卒中を再発するリスクは低下しないことが示唆されています。

◆科学的データが不十分です

・アルツハイマー病，冠動脈拡張術後の再閉塞予防（バルーン血管形成術），動脈血栓，アトピー性皮膚炎（湿疹），乳がん，子宮頸がん，抗悪性腫瘍薬による神経痛，慢性閉塞性肺疾患（COPD），結腸直腸がん，直腸がん，うつ病，糖尿病に起因する神経障害，下痢，疲労，C型肝炎，高トリグリセリド血症，乳児の発育，下気道感染症，肺がん，膵がん，末梢神経障害（手足の神経障害），乾癬，統合失調症，Shaky-leg症候群，耳鳴，静脈内の血液凝固，加齢，アレルギー，慢性疲労症候群（CFS），糖尿病，心疾患，免疫系障害，ライム病，記憶障害，多発性硬化症など。

●体内での働き

ビタミンB_{12}は，脳，神経および血液細胞ほか，多数の体内組織の機能や発達を正常に維持するために必要です。

医薬品との相互作用

高クロラムフェニコール

ビタミンB_{12}は新しい血球を産生するために重要です。クロラムフェニコールは新しい血球を減少させる可能性があります。クロラムフェニコールを長期間服用すると，新しい血球でのビタミンB_{12}の作用が減弱するおそれがあります。しかし，通常，クロラムフェニコールは短期間服用するため，このような相互作用は大きな問題ではありません。

ハーブおよび健康食品・サプリメントとの相互作用

葉酸

葉酸，とくに高用量の葉酸を摂取する場合には，ビタミンB_{12}欠乏症の診断が困難になり，健康に深刻な悪影響を与えるおそれがあります。葉酸を摂取する前には必ず，医師などによるビタミンB_{12}値の測定を実施してください。

カリウム

カリウムサプリメントが，ビタミンB_{12}の吸収を阻害するおそれがあり，人によっては，ビタミンB_{12}欠乏症を引き起こすおそれがあります。

ビタミンC

初期の研究により，ビタミンCサプリメントが，食事に含まれるビタミンB_{12}を分解するおそれがあることが示唆されています。この相互作用が重要であるかどうかは，明らかではありませんが，安全を考慮し，少なくとも食事の後，２時間は，ビタミンCサプリメントを摂取しないでください。

通常の食品との相互作用

アルコール

２週以上にわたりアルコールを多量に摂取する場合には，消化管からのビタミンB_{12}の吸収が減少するおそれがあります。

使用量の目安

【成人】

●経口摂取

ビタミンB_{12}のサプリメントとしての一般的な摂取量は，１日１～25μgです。

ビタミンB_{12}の推奨量（RDA）は，以下の通りです。

14歳以上の成人：2.4μg

妊娠中の女性：2.6μg

母乳授乳期の女性：2.8μg

高齢者の10～30%は，食事からビタミンB_{12}を効率的に吸収する力が衰えているため，50歳以上の成人は，ビタミンB_{12}が強化された食品やサプリメントを摂取することにより，推奨量（RDA）を満たす必要があります。高齢者に定められたビタミンB_{12}値を維持するには，１日25～100μgを摂取します。

ビタミンB_{12}欠乏症

１日300～10,000μgを摂取します。しかし，１日647～1,032μgの経口摂取がもっとも有効であると示唆するエビデンスもあります。

高ホモシステイン血症

400～500μgのビタミンB_{12}を，0.54～５mgの葉酸，16.5mgのピリドキシンと併用します。

加齢黄斑変性の予防

１日１mgのビタミンB_{12}と，2.5mgの葉酸，50mgのピリドキシンを併用して，7.3年にわたり摂取します。

●皮膚への塗布

アトピー性皮膚炎（湿疹）

ビタミンB_{12}を0.07%含む特定のクリームを，１日２回塗布します。

口唇潰瘍

ビタミンB_{12}を500μg含む局所軟膏を１日４回，２日にわたり塗布します。

乾癬

アボカドのオイルと，１g当たり0.7mgのビタミンB_{12}を含む特定のクリームを，１日２回，12週にわたり塗布します。

●注射（点滴）

ビタミンB_{12}欠乏症

通常，１日30μgを，５～10日にわたり，筋肉内投与または皮下投与します。維持療法の場合には，通常，

ヒ

ビタミンB12の食事摂取基準（μg／日）[1]

日本人の食事摂取基準 2020 年版

性　別	男　性			女　性		
年齢等	推定平均必要量	推奨量	目安量	推定平均必要量	推奨量	目安量
0～5（月）	—	—	0.4	—	—	0.4
6～11（月）	—	—	0.5	—	—	0.5
1～2（歳）	0.8	0.9	—	0.8	0.9	—
3～5（歳）	0.9	1.1	—	0.9	1.1	—
6～7（歳）	1.1	1.3	—	1.1	1.3	—
8～9（歳）	1.3	1.6	—	1.3	1.6	—
10～11（歳）	1.6	1.9	—	1.6	1.9	—
12～14（歳）	2.0	2.4	—	2.0	2.4	—
15～17（歳）	2.0	2.4	—	2.0	2.4	—
18～29（歳）	2.0	2.4	—	2.0	2.4	—
30～49（歳）	2.0	2.4	—	2.0	2.4	—
50～64（歳）	2.0	2.4	—	2.0	2.4	—
65～74（歳）	2.0	2.4	—	2.0	2.4	—
75 以上（歳）	2.0	2.4	—	2.0	2.4	—
妊　婦（付加量）				+0.3	+0.4	—
授乳婦（付加量）				+0.7	+0.8	—

[1] シアノコバラミン（分子量 =1,355.37）の重量として示した。

有効性レベル：①効きます　②おそらく効きます　③効くと断言できませんが、効能の可能性が科学的に示唆されています　④効かないかもしれません　⑤おそらく効きません　⑥効きません

100〜200μgを，1カ月に1回投与します。シアノコバラミンおよびヒドロキソコバラミンのいずれも用いられます。

ビタミンB_{12}欠乏症に起因する悪性貧血には，通常，1日1回100μgを，6〜7日にわたり，筋肉内投与または皮下投与します。その後，1日おきに7回の投与をし，さらにその後，3〜4日おきに，およそ3週にわたり投与します。最終的には，生涯にわたり，1カ月に1回，100μgの筋肉内投与または皮下投与を続けます。別の方法としては，1日1,000μgを7〜10日にわたり，筋肉投与または皮下投与し，その後1週間に1,000μgを1カ月にわたり投与し，さらに生涯にわたり，1カ月1,000μgを投与するという方法も推奨されています。

イマースルンド・グレスベック症候群（ビタミンB_{12}の吸収不良を引き起こす遺伝性疾患）

1日1mgのヒドロキソコバラミンを10日にわたり，筋肉内投与します。その後は，生涯にわたり，1カ月に1回の投与を続けます。

シアン化物中毒

総量最大10gのヒドロキソコバラミンを静脈内投与します。

●鼻腔内投与

ビタミンB_{12}欠乏症

鼻腔に対し，週に1回，500μgのビタミンB_{12}を投与します。

●皮下投与

帯状疱疹に起因する神経障害

1週間に6回，最長4週にわたり，1,000μgのビタミンB_{12}を，単体で，または，1,000μgのビタミンB_{12}と100mgのチアミンまたは20mgのリドカイン塩酸塩を併用して，皮下投与します。

●舌下投与

口唇潰瘍

1日1,000μgのビタミンB_{12}を6カ月にわたり舌下投与します。

【小児】

●経口摂取

ビタミンB_{12}の推奨量（RDA）は，以下の通りです。

0〜6カ月：0.4μg
7〜12カ月：0.5μg
1〜3歳：0.9μg
4〜8歳：1.2μg
9〜13歳：1.8μg

●注射（点滴）

ビタミンB_{12}欠乏症

1日0.2μg/kgのビタミンB_{12}を1日1回，2日にわたり筋肉内投与または皮下投与します。その後，1日1,000μgを2〜7日にわたり，さらに1週間に100μgを4週にわたり筋肉投与または皮下投与します。ビタミンB_{12}欠乏症の症状の改善具合や原因によっては，さらに1カ月に100μgの投与が必要になることもあります。

ビタミンC

VITAMIN C

●代表的な別名

アスコルビン酸

別名ほか

Acide Ascorbique，Acide Cévitamique，Acide Iso-Ascorbique，Acide L-Ascorbique，Acido Ascorbico，Antiscorbutic Vitamin，Ascorbate，Ascorbate de Calcium，Ascorbate de Sodium，Ascorbic Acid，Ascorbic acid，アスコルビン酸，Ascorbyl Palmitate，L-アスコルビン酸パルミチン酸エステル，ビタミンCパルミテート，Calcium Ascorbate，アスコルビン酸カルシウム，Cevitamic Acid，Iso-Ascorbic Acid，L-Ascorbic Acid，L-アスコルビン酸，Magnesium Ascorbate，Palmitate d'Ascorbyl，Selenium Ascorbate，Sodium Ascorbate，L-アスコルビン酸ナトリウム，Vitamina C，Vitamine Antiscorbutique，Vitamine C

概　　要

ビタミンCはビタミンです。ビタミンCを自ら合成することができる動物もいますが，ヒトは食物などの供給源からビタミンCを得る必要があります。生（なま）の果物，野菜，とくに柑橘類に多く含まれます。人工的に作ることもできます。

ほとんどの専門家は，サプリメントを摂取するよりも，果物や野菜が豊富な食事からビタミンCを得るよう推奨しています。生の果実を絞ったオレンジジュースや生（なま）のまま冷凍した濃縮液を選ぶと良いです。

歴史的に，ビタミンCは壊血病の予防および治療に用いられていました。現在では，感冒の予防および治療に最もよく用いられます。

・新型コロナウイルス感染症（COVID-19）。
COVID-19に対してビタミンCの使用を裏付ける十分なエビデンス（科学的根拠）はありません。

安　全　性

ビタミンCを経口摂取する場合，推奨量であれば，ほとんどの人に安全のようです。人によっては，吐き気，嘔吐，胸やけ，胃痙攣，頭痛などの副作用が現れるおそれがあります。これらの副作用のリスクは，ビタミンCの摂取量が多いほど高まります。摂取量が1日2,000mgを超えると，おそらく安全ではなく，多くの副作用が現れるおそれがあります。副作用には腎結石や重度の下痢などの可能性があります。腎結石の既往がある場合には，摂取量が1日1,000mgを超えると，腎結石が再発するリスクが高まります。

ビタミンCを皮膚へ塗布する場合，ほとんどの人に安全なようです。

ビタミンCを静脈内投与する場合，ほとんどの人に安全なようです。

ビタミンCを筋肉内投与する場合，ほとんどの人に安全なようです。

乳児・小児：ビタミンCを経口摂取する場合，適量であれば，安全のようです。1日に1～3歳が400mg，4～8歳が650mg，9～13歳が1,200mg，14～18歳が1,800mgを超えて摂取する場合，おそらく安全ではありません。

アルコール依存症：アルコールを摂取すると，体内のビタミンCが尿中に排泄される可能性があります。定期的にアルコールを摂取する人で，とくにほかの疾病にかかっている場合には，ビタミンC欠乏症であることがよくあります。こうした人はビタミンCの値が元に戻るまで，治療期間が通常よりも長くなる可能性があります。

アルツハイマー病：アルツハイマー病の人がビタミンCをビタミンEおよびα-リポ酸と併用すると，精神機能が低下する可能性があります。

血管形成術（心臓など）：ビタミンCを含むサプリメントや抗酸化作用のあるほかのビタミン（β-カロテン，ビタミンE）を血管形成術の直前または直後に，医師などの指導なしに摂取しないでください。こうしたビタミンは，適切な治癒を阻害するようです。

減量手術：減量手術を受けると，食品由来のシュウ酸の体内への吸収が促進する可能性があります。そのため，尿中のシュウ酸値が上昇する可能性があります。尿中のシュウ酸値が過度に上昇すると，腎結石のような問題を起こすおそれがあります。また，ビタミンCも尿中のシュウ酸値を上昇させる可能性があります。減量手術後に高用量のビタミンCを摂取すると，尿中のシュウ酸値が過度に上昇するリスクが高まるおそれがあります。

がん：がん細胞には高濃度のビタミンCが集積します。さらに明らかになるまでは，必ず専門医の管理の下で高用量のビタミンCを摂取してください。

腎臓病：ビタミンCは尿中のシュウ酸値を上昇させる可能性があります。尿中のシュウ酸値が過度に上昇すると，腎臓病のリスクが高まるおそれがあります。

糖尿病：ビタミンCは血糖値を上昇させる可能性があります。糖尿病の高齢女性がビタミンCを1日300mgより多く摂取すると，心疾患で死亡するリスクが高まります。基本のマルチビタミンに含まれる量より多くのビタミンCを摂取しないでください。

グルコース-6-リン酸脱水素酵素（G6PD）欠損症（代謝異常症）：この疾患の患者が高用量のビタミンCを摂取すると，赤血球が破壊するおそれがあります。ビタミンCを過剰摂取しないでください。

血清鉄異常（サラセミア，ヘモクロマトーシスなど）：ビタミンCは鉄の吸収を促進する可能性があるため，患者の状態が悪化するおそれがあります。高用量のビタミンCは摂取しないでください。

腎結石（既往歴を含む）：高用量のビタミンCは，腎結石が発症するリスクを高めるおそれがあります。基本のマルチビタミンに含まれる量より多くのビタミンCを摂取しないでください。

心臓発作：心臓発作時はビタミンCの値が低下します。ただし，ビタミンCの低値と心臓発作の高リスクに関連はありません。

腎移植の拒絶反応：腎移植の前に長期間にわたり高用量のビタミンCを使用すると，移植の拒絶反応のリスクが高まったり，移植した腎臓が機能するまでの時間が長引くおそれがあります。

統合失調症：抗精神病薬を服用している統合失調症の患者がビタミンCとビタミンEを併用すると，人によっては症状が悪化するおそれがあります。

喫煙および噛みタバコ：喫煙および噛みタバコはビタミンCレベルを低下させます。喫煙や噛みタバコをする人は，食事でビタミンCの摂取量を増やしてください。

●妊娠中および母乳授乳期

妊娠中または母乳授乳期に，19歳以上が1日2,000mg，14～18歳が1日1,800mgを超えない用量を経口摂取する場合，また，適切に静脈内あるいは筋肉内に投与する場合は安全のようです。妊娠中に過量のビタミンCを摂取すると，新生児に問題が発生するおそれがあります。過量のビタミンCを経口摂取する場合，おそらく安全ではありません。

ヒ

有効性

◆有効性レベル①

・ビタミンC欠乏症。ビタミンCを経口摂取または注射し，壊血病などのビタミンC欠乏症を予防および治療します。また，ビタミンCを摂取すると，壊血病に関連する問題が解消する可能性があります。

◆有効性レベル②

・チロシン（アミノ酸）を体内で適切に分解できないことが特徴の遺伝性疾患（チロシン血症）。新生児にビタミンCを経口または注射により投与すると，チロシン（アミノ酸）の血中濃度が過度に高くなる遺伝性疾患が改善します。

◆有効性レベル③

・高齢者の視力低下を引き起こす眼疾患（加齢黄斑変性（AMD））。加齢黄斑変性が進行するリスクが高い人が，ビタミンC，ビタミンE，β-カロテンおよび亜鉛を摂取すると，加齢黄斑変性の悪化の予防の助けになります。この組み合わせが加齢黄斑変性が進行するリスクが低い人に対して効果があるかどうかについては情報が不十分です。また，ビタミンCが加齢黄斑変性の予防に役立つかどうかについてもデータが不十分です。

・心房細動（脈拍不整）。心臓手術前と，手術後数日間ビタミンCを摂取すると，心臓手術後の脈拍不整の予防に役立ちます。

・大腸内視鏡検査前の腸管洗浄。大腸内視鏡検査を受ける前には，必ず腸内を洗浄しなければなりません。腸内を洗浄することを腸管前処置といいます。腸管前処置として，薬液を４L飲む必要があるものもあります。薬液にビタミンCが含まれている場合は，２Lを飲むだけで十分です。そのため，腸管前処置を受けやすくなります。また，副作用の発現も減少します。ビタミンCを含む特定の薬液は腸管前処置用に米国食品医薬品局（FDA）に承認されています。
・感冒。感冒治療に対するビタミンCの効果については，見解が一致していません。ただし，ビタミンCを１～３g摂取すると感冒の期間が１～1.5日短縮する可能性がほとんどの研究で示されています。ビタミンCを摂取しても，感冒の予防にはならないようです。
・一般的に外傷後に生じる四肢の疼痛（複合性局所疼痛症候群）。手術後または腕や脚の外傷後にビタミンCを摂取すると，複合性局所疼痛症候群の発症を予防するようです。
・外傷または刺激による皮膚の発赤（紅斑）。ビタミンCを含むスキンクリームを用いると，瘢痕および皺を除去するためのレーザー治療後の皮膚の発赤が減少する可能性があります。
・運動による気道感染。激しい運動（マラソン，軍事訓練など）の前にビタミンCを摂取すると，激しい運動後に生じるおそれのある上気道感染を予防する可能性があります。
・胃粘膜の炎症（胃炎）。ヘリコバクター・ピロリ感染症の治療薬の中には，胃炎を悪化させるおそれがあるものがあります。このような医薬品の１つである「オメプラゾール」とビタミンCを併用すると，この副作用が弱まる可能性があります。
・痛風。男性の場合，食事からビタミンCを多く摂取すると，痛風のリスクの低下に関係があります。しかし，ビタミンCは痛風の治療には役立ちません。
・赤血球の破壊が産生を上回る疾患（溶血性貧血）。透析を受けている人がビタミンCサプリメントを摂取すると，貧血の管理に役立つ可能性があります。
・高コレステロール血症。高コレステロールの人がビタミンCを摂取すると，低比重リポタンパク（LDL，悪玉）コレステロールが減少する可能性があります。
・高血圧。ビタミンCを降圧薬と併用すると，収縮期血圧（血圧の最高値）のわずかな低下に役立つ可能性があります。しかし，拡張期血圧（血圧の最低値）が低下することはないようです。
・鉛中毒。食事に含まれるビタミンCを摂取すると，血中の鉛濃度が低下するようです。
・硝酸薬の持続使用により生じる医薬品の効果減弱（硝酸薬の耐性）。胸痛に対する医薬品を服用している場合，人によっては，耐性が生じて医薬品が従来のようには作用しなくなります。ビタミンCを摂取すると，このような医薬品（ニトログリセリンなど）の作用を長持ちさせるために役立つようです。
・変形性関節症。変形性関節症患者が食品やアスコルビン酸カルシウムサプリメントからビタミンCを摂取すると，軟骨の減少と症状の悪化を予防するようです。
・手術後の疼痛。手術の１時間前にビタミンC ２gを経口摂取すると，手術後の疼痛が緩和し，オピオイド系鎮痛薬が必要なくなる可能性があります。手術開始から30分以内にビタミンC ３gを静脈投与しても，疼痛緩和に役立つ可能性があります。また，低用量のビタミンCを手術後に６週間摂取しても，疼痛が緩和し，OTC医薬品の鎮痛薬が必要なくなるようです。
・日焼け。ビタミンCとビタミンEを併用（経口摂取または皮膚へ塗布）すると，日焼けが予防される可能性があります。しかし，ビタミンCを単独で摂取しても，日焼けは予防されません。
・皮膚の皺。ビタミンCを含むスキンクリームにより，皺のある皮膚の外観が改善するようです。ビタミンCのパッチでも皺の減少に役立つようです。

◆有効性レベル④

・気管支の短期的な腫脹（炎症）（急性気管支炎）。ビタミンCを経口摂取しても，気管支炎に効果がないようです。
・気管支喘息。気管支喘息の人の中には血中のビタミンC濃度が低いです。しかし，ビタミンCを摂取しても，気管支喘息の発症リスクが低下したり，既に気管支喘息の人の症状が改善したりすることはないようです。
・動脈硬化。食事の一部として高用量のビタミンCを摂取しても，動脈硬化のリスクの低下に関係はありません。また，ビタミンCサプリメントを摂取しても，動脈硬化のある人のほとんどは動脈硬化の悪化を予防することはないようです。
・膀胱がん。男性がビタミンCサプリメントを摂取しても，膀胱がんを予防したり，膀胱がんに関連する死亡を減少させたりすることはないようです。
・心疾患。心疾患に対するビタミンCの使用に関する研究では見解が一致していません。ただし，有力なエビデンス（科学的根拠）では，ビタミンCによって心疾患が予防されたり，心疾患が原因の死亡が減少しないことが示唆されています。
・結腸直腸がん。食品またはサプリメントから高用量のビタミンCを摂取しても，結腸直腸がんのリスクの低下に関係はありません。
・胎児または未熟児の死亡。ビタミンCを単独摂取またはほかのサプリメントと併用しても，胎児または未熟児の死亡を防ぐことはありません。
・骨折。手首を骨折した人がビタミンCを摂取しても，機能，症状，治癒率が改善することはないようです。
・潰瘍に至るおそれがある消化管感染（ヘリコバクター・ピロリ）。ビタミンCとヘリコバクター・ピロリ感染症の治療薬を併用しても，医薬品単体の摂取と比べて効果的に除菌することはないようです。

・上下肢の筋力低下および麻痺に至る遺伝性疾患の一群。下肢の筋力低下および麻痺に至る遺伝性疾患の人がビタミンCを1～2年間摂取しても，神経障害を予防することはないようです。
・インターフェロン（医薬品）を服用する人の眼の障害（インターフェロン網膜症）。ビタミンCを経口摂取しても，肝疾患に対してインターフェロン療法を受けている人の眼の障害は予防されないようです。
・白血球のがん（白血病）。男性がビタミンCを摂取しても，白血病や白血病による死亡を防ぐことはないようです。
・2,500g（5ポンド，8オンス）未満の体重で生まれた乳児。ビタミンCを単体または他のサプリメントと一緒に摂取しても低出生体重児が生まれる可能性は低下しません。
・肺がん。ビタミンCを単体またはビタミンEと一緒に摂取しても，肺がんや肺がんによる死亡を防ぐことはないようです。
・非常に悪性の皮膚がん（黒色腫（メラノーマ））。ビタミンCを単体またはビタミンEと一緒に摂取しても，黒色腫および黒色腫による死亡を防ぐことはないようです。
・流産。ビタミンCを単体または他のサプリメントと一緒に摂取しても，流産を予防することはないようです。
・あらゆる原因による死亡。ビタミンCの血中濃度の高さはあらゆる原因による死亡リスクの低下に関連しています。しかし，ビタミンCサプリメントとそのほかの抗酸化物質を併用しても，死亡を防ぐことはないようです。
・膵がん。ビタミンCをβ-カロテンおよびビタミンEと併用摂取しても，膵がんを予防することはないようです。
・高血圧とタンパク尿を認める妊娠合併症（妊娠高血圧腎症）。ビタミンCとビタミンEを併用しても，妊娠中の高血圧とタンパク尿は予防されないことがほとんどの研究で示されています。
・早産。ビタミンCを単体または他のサプリメントと一緒に摂取しても，早産を予防することはないようです。
・前立腺がん。ビタミンCサプリメントを摂取しても，前立腺がんを予防することはないようです。
・放射線治療による皮膚障害（放射線皮膚炎）。ビタミンC溶液を皮膚に塗布しても，放射線治療による皮膚疾患を予防しません。
・血液感染（敗血症）。敗血症の人がビタミンCを単体またはチアミンと一緒に静脈投与しても，死亡のリスクが低下したり支持療法の必要性が減ったりすることはないと，質の高い研究で示されています。ただし，この中の論文では有益な結果が出るほど早期にはビタミンCが投与されていなかったことが一部で懸念されています。
・10パーセンタイル未満の出生体重児。ビタミンCを単体または他のサプリメントと一緒に摂取しても，10パーセンタイル未満の出生体重児が生まれる可能性は低下しません。
・死産。ビタミンCを単体または他のサプリメントと一緒に摂取しても，妊娠中の死産の可能性は低下しません。
・新型コロナウイルス感染症（COVID-19）。
COVID-19で入院していない患者が高用量のビタミンCを経口摂取しても，回復が早まることはないようです。重症で入院中の患者に高用量のビタミンCを静脈内投与しても，症状は改善しません。静脈注射用製剤は医療者のみが投与可能です。

◆科学的データが不十分です

・タンパク尿（アルブミン尿），花粉症，アルツハイマー病，ルー・ゲーリッグ病（筋萎縮性側索硬化症（ALS）），アスピリンによる胃腸障害，運動能力，アレルギー体質やアレルギー反応体質（アトピー性疾患），注意欠陥多動障害（ADHD），自閉症，脳腫瘍，乳がん，熱傷，がん，白内障，子宮頸がん，コリスチンメタンスルホン酸ナトリウム（医薬品）による腎障害，造影剤腎症，心臓への血流を改善する手術（冠動脈バイパス（CABG）手術），歯垢，うつ病，糖尿病，ドキソルビシン塩酸塩（医薬品）による心臓障害，口腔乾燥（ドライマウス），子宮体がん（子宮内膜がん），食道がん，運動誘発喘息，運動による筋損傷，胆のう疾患，胃がん，聴力損失，心臓移植後の合併症，HIV/エイズ，HIVの母子感染，高リン血症，妊娠を望んでから1年以内に妊娠しないこと（不妊），アルコール摂取を原因としない肝臓の腫脹（炎症）と脂肪の蓄積（非アルコール性脂肪性肝炎（NASH）），白血球のがん（非ホジキンリンパ腫），口腔がん，一般に喫煙に起因する口内の白斑（口腔白板症），骨粗鬆症，卵巣がん，パーキンソン病，血管の狭窄による下肢への血流不足（末梢動脈疾患），身体能力，肺炎，手術後の感染，手術後の回復，早期破水（PROM），床ずれ（褥瘡性潰瘍），放射線治療による直腸の炎症および障害，腎がん，脚に不快感があって無性に動かしたくなる疾患（むずむず脚症候群（RLS）），ストレス，脳卒中，クロストリジウム属細菌による深刻な感染（破傷風），腎臓・膀胱・尿道の感染（尿路感染症（UTIs）），脳への血流低下による認知症（脳血管性認知症），ざ瘡（にきび），う歯，慢性疲労症候群（CFS），便秘，のう胞性線維症，せん妄，腎臓病，ライム病，結核，創傷治癒など。

●体内での働き

ビタミンCは，多くの器官の正常な発達や機能に必要とされています。また，免疫機能を正常な状態に維持するために重要な役割を果たします。

医薬品との相互作用

低Choline magnesium trisalicylate

ビタミンCはCholine magnesium trisalicylateの体内

からの排泄を抑制する可能性があります。この相互作用が大きな問題であるかどうかについては明らかはありません。

低アスピリン

アスピリンは，腎臓を経由して尿中に排泄されます。一部の科学者は，ビタミンCがアスピリンの体内からの排泄を抑制し，体内のアスピリン量を増加させる可能性があると指摘しています。そのため，アスピリンに関連した副作用のリスクが高まる可能性が懸念されています。ただし，一部の研究によれば，このことは重要な問題ではなく，有意義な意味でビタミンCとアスピリンには相互作用がないことを示唆してます。実際に，ビタミンCと緩衝されたアスピリンを併用すると，アスピリンに起因する胃の炎症が減少する可能性が示唆されている研究もあります。この利点の可能性についてはさらなるエビデンス（科学的根拠）が必要です。

低アセトアミノフェン

アセトアミノフェンは体内で代謝されてから排泄されます。多量のビタミンCはアセトアミノフェンの代謝を抑制する可能性があります。この相互作用が大きな問題であるかどうかについてはまだ明らかではありません。

中アルミニウム

アルミニウムはほとんどの制酸薬に含まれます。ビタミンCはアルミニウムの体内への吸収量を増加させる可能性があります。ただし，このような相互作用が大きな問題であるかどうかについては明らかではありません。制酸薬の服用前２時間または服用後４時間はビタミンCを摂取しないでください。

中インジナビル硫酸塩エタノール付加物【販売中止】

インジナビル硫酸塩エタノール付加物は抗HIV薬です。多量のビタミンCとインジナビル硫酸塩エタノール付加物を併用すると，体内のインジナビル硫酸塩エタノール付加物の量が減少するおそれがあります。この相互作用が重大な問題であるかどうかについては明らかではありません。

中エストロゲン（卵胞ホルモン）製剤

エストロゲン（卵胞ホルモン）製剤は体内で代謝されてから排泄されます。ビタミンCはエストロゲン製剤の排泄を抑制する可能性があります。ビタミンCとエストロゲン製剤を併用すると，エストロゲン製剤の作用および副作用が増強するおそれがあります。

低サザピリン

ビタミンCはサザピリンの体内からの排泄を抑制する可能性があります。ビタミンCとサザピリンを併用すると，体内のサザピリン量が過剰になり，サザピリンの作用および副作用が増強するおそれがあります。

中ニコチン酸

ニコチン酸とシンバスタチン（医薬品）を併用すると，HDL-コレステロール量が上昇します。ニコチン酸とシンバスタチンに加え，ビタミンCとほかの抗酸化物質を併用すると，ニコチン酸およびシンバスタチンのHDL-コレステロールに対する作用が減弱するおそれがあります。ビタミンCのみの場合にニコチン酸とシンバスタチンの併用によるHDL-コレステロールへの作用が弱まるかどうかについては明らかではありません。

中フルフェナジン

多量のビタミンCは体内のフルフェナジン量を減少させる可能性があります。ビタミンCとフルフェナジンを併用すると，フルフェナジンの効果が弱まるおそれがあります。

中ワルファリンカリウム

ワルファリンカリウムは血液凝固を抑制するために用いられます。多量のビタミンCはワルファリンカリウムの効果を弱めるおそれがあります。ワルファリンカリウムの効果が弱まることで，血液凝固のリスクが高まるおそれがあります。定期的に血液検査を実施してください。ワルファリンカリウムの用量を変更する必要があるかもしれません。

中抗悪性腫瘍薬（アルキル化薬）

ビタミンCは抗酸化物質です。抗酸化物質は特定の抗悪性腫瘍薬の効果を弱めるおそれがあると懸念されています。しかし，この相互作用が起こるかどうかについては現時点で明らかではありません。

中抗悪性腫瘍薬（抗生物質）

ビタミンCは抗酸化物質です。抗酸化物質は特定の抗悪性腫瘍薬の効果を弱めるおそれが一部で懸念されています。しかし，この相互作用が起こるかどうかについては現時点で明らかではありません。このような抗悪性腫瘍薬には，ドキソルビシン塩酸塩，ダウノルビシン塩酸塩，エピルビシン塩酸塩，マイトマイシンC，ブレオマイシン塩酸塩などがあります。

中レボチロキシンナトリウム水和物

レボチロキシンナトリウム水和物は甲状腺機能低下症の治療に用いられます。ビタミンCとレボチロキシンナトリウム水和物を併用すると，レボチロキシンナトリウム水和物の体内への吸収量が増加する可能性があります。そのため，体内のレボチロキシンナトリウム水和物の量が増加し，レボチロキシンナトリウム水和物の作用および副作用が増強するおそれがあります。

ハーブおよび健康食品・サプリメントとの相互作用

アセロラ

アセロラには高用量のビタミンCが含まれます。高用量のアセロラをビタミンCと併用しないでください。ビタミンCが過剰になるおそれがあります。成人は，１日2,000mgを超える量のビタミンCを摂取してはいけません。

チェロキーローズヒップ

チェロキーローズヒップには高用量のビタミンCが含まれます。高用量のチェロキーローズヒップをビタミンCと併用しないでください。ビタミンCが過剰になるおそれがあります。成人は，１日2,000mgを超える量のビタミンCを摂取してはいけません。

クロム

ビタミンCがクロムの吸収量を増加させることを示唆する情報が一部にあります。高用量のクロムをビタミンCと一緒に摂取しないでください。数時間おいてそれぞれを摂取することでこの相互作用を避けることができるかどうかについては，明らかではありません。

銅

若い男性では高用量のビタミンC（1日1,500mg）により血中の銅濃度が低下するおそれがあります。研究ではこの相互作用が起こる原因が明らかではありませんが，ビタミンCに含まれる酸が，腸にある食物中の銅を血流に吸収されにくい形態に変換させることが原因である可能性があります。あるいは，ビタミンCの何らかの作用により，血中の銅が枯渇することが原因である可能性もあります。この相互作用は，食事による銅の摂取量が不足している人以外には深刻なものではないでしょう。

ブドウ

高血圧の人が1日あたり500mgのビタミンCと1,000mgのブドウ種子ポリフェノールを併用すると，血圧が著しく上昇するという初期のエビデンスがあります。研究ではその原因は明らかではありません。

鉄

ビタミンCと鉄を同時に併用すると，鉄の吸収が促進されます。ほとんどの人にとって，とくに，食事によるビタミンCの摂取が十分である場合には，食事またはサプリメントからの鉄の吸収を改善するために，ビタミンCサプリメントを摂取する必要はおそらくありません。

ニコチン酸

ニコチン酸は高比重リポタンパク（HDL，善玉）コレステロール値を上昇させる可能性があります。ビタミンCをセレン，β-カロテンおよびビタミンEと併用すると，高比重リポタンパク（HDL，善玉）コレステロールに対するニコチン酸の作用が弱まるおそれがあります。ビタミンC単独の場合にこの作用が弱まるかどうかは明らかではありません。

ローズヒップ

ローズヒップには高用量のビタミンCが含まれます。高用量のローズヒップをビタミンCと併用しないでください。ビタミンCが過剰になるおそれがあります。成人は，1日2,000mgを超える量のビタミンCを摂取してはいけません。

ビタミンB_{12}

初期の研究では，ビタミンCサプリメントが，食事から摂取したビタミンB_{12}を分解するおそれが示唆されています。ただし，鉄や硝酸エステルなど，食品に含まれるほかの原料がこの作用を打ち消す可能性があります。この相互作用の重要性は明らかではありませんが，ビタミンCサプリメントを食後2時間後以降に摂取すれば，この相互作用はおそらく回避できます。

使用量の目安

【成人】

●経口摂取

全般

1日の推奨量（RDA）は，以下の通りです。

男性：90mg

女性：75mg

妊娠中および母乳授乳期（18歳以下）：115mg

妊娠中および母乳授乳期（19～50歳）：120mg

タバコを嗜む人（喫煙や嚙みたばなど）は1日35mgを上乗せしてください。

1日の最大摂取量は，以下の通りです。

青年および妊娠中および母乳授乳期の女性（14～18歳）：1,800mg

成人および妊娠中および母乳授乳期の女性：2,000mg

ビタミンC欠乏症

壊血病に対し，100～250mgを1日1～2回，数日間摂取します。

高齢者の視力低下を引き起こす眼疾患（加齢黄斑変性（AMD））

1日ビタミンC 500mg，ビタミンE 400IU，β-カロテン15mg，（亜鉛80mg）を最長10年間摂取します。

心房細動（不整脈）

心臓手術前の1～3日間にビタミンC 1日1～2gを，心臓手術後にも4～5日間，1日1～2g（2回に分ける）を摂取します。

心臓手術の前日にビタミンC1日2gを1回または2回に分けて投与し，手術後にも4～5日間，1日1～2gを投与します。

大腸内視鏡検査前の腸管洗浄

ポリエチレングリコールおよびビタミンCを含む溶液2Lを大腸内視鏡検査の前の晩に摂取するか，あるいは大腸内視鏡検査の前の晩と当日の朝の2回に分けて摂取します。

感冒の治療

ビタミンC 1日1～3gを摂取します。

一般的に外傷後に生じる四肢の疼痛（複合性局所疼痛症候群）の予防

手術直後の50日間，ビタミンC 1日500mgを摂取します。

運動による気道感染

激しい運動の前に，ビタミンC 1日600mg～1gを3～8週間摂取します。

胃粘膜の炎症（胃炎）

ビタミンC 1日1,200mgをオメプラゾールと併用します。

赤血球の破壊が産生を上回る疾患（溶血性貧血）

ビタミンC 200～300mgを週3回，3～6カ月間摂取します。

高コレステロール血症

ビタミンC 1日500mgを少なくとも4週間摂取します。

高血圧

ビタミンC 1日500mgを降圧薬と併用します。

硝酸薬の持続使用により生じる医薬品の効果減弱（硝酸薬の耐性）に対する治療

ビタミンC 1日3～6gを摂取します。

変形性関節症

アスコルビン酸カルシウムの形態でビタミンC 1日1gを2週間摂取します。

手術後の疼痛緩和

麻酔薬を使用する1時間前にビタミンC 2gを摂取します。

日焼けの予防

日光曝露の前に，ビタミンC 2gをビタミンE 1,000IUと併用します。

●皮膚への塗布

外傷または刺激による皮膚の発赤（紅斑）

ビタミンC 10%，硫酸亜鉛2%，チロシン0.5%を含む製剤を毎日，8週間塗布します。

日焼けのダメージによる皮膚の皺

局所用のビタミンC製品のほとんどは毎日塗布します。研究では，3～30%のビタミンCを含むクリームが用いられています。ビタミンC製剤を眼やまぶたに使用しないでください。また，髪や衣類に付着しないようにしてください。変色を引き起こすおそれがあります。

●静脈内投与

不整脈（心房細動）

心臓手術の前日にビタミンC 1日2gを1回または2回投与し，手術後にも4～5日間，1日1～2gを投与します。

手術後の疼痛緩和

手術開始から30分間以内に3gのビタミンCを投与します。

【小児】

●経口摂取

全般

1日の推奨量（RDA）は，以下の通りです。

0～12カ月：母乳に含まれる量（以前の推奨量（RDA）は，30～35mg）

1～3歳：15mg

4～8歳：25mg

9～13歳：45mg

14～18歳：男性は75mg。女性は65mg。

妊娠中および母乳授乳期の女性（18歳以下）：115mg

1日最大摂取量は，以下の通りです。

1～3歳：400mg

4～8歳：650mg

9～13歳：1,200mg

14～18歳（妊娠中および母乳授乳期の女性を含む）：1,800mg

チロシン（アミノ酸）を体内で適切に分解できないことが特徴の遺伝性疾患（チロシン血症）

未熟児に高タンパクの食事を与える際にビタミンC 100mgを使用します。

●静脈内投与

チロシン（アミノ酸）を体内で適切に分解できないことが特徴の遺伝性疾患（チロシン血症）

ビタミンCの食事摂取基準（mg/日）[1]

日本人の食事摂取基準 2020 年版

性別	男性			女性		
年齢等	推定平均必要量	推奨量	目安量	推定平均必要量	推奨量	目安量
0～5（月）	—	—	40	—	—	40
6～11（月）	—	—	40	—	—	40
1～2（歳）	35	40	—	35	40	—
3～5（歳）	40	50	—	40	50	—
6～7（歳）	50	60	—	50	60	—
8～9（歳）	60	70	—	60	70	—
10～11（歳）	70	85	—	70	85	—
12～14（歳）	85	100	—	85	100	—
15～17（歳）	85	100	—	85	100	—
18～29（歳）	85	100	—	85	100	—
30～49（歳）	85	100	—	85	100	—
50～64（歳）	85	100	—	85	100	—
65～74（歳）	80	100	—	80	100	—
75以上（歳）	80	100	—	80	100	—
妊婦（付加量）				+10	+10	—
授乳婦（付加量）				+40	+45	—

[1] L-アスコルビン酸（分子量=176.12）の重量として示した。

特記事項：推定平均必要量は，ビタミンCの欠乏症である壊血病を予防するに足る最小量からではなく，心臓血管系の疾病予防効果及び抗酸化作用の観点から算定。

相互作用レベル：高 この医薬品と併用してはいけません　中 この医薬品とは慎重に併用するか併用しないでください　低 この医薬品との併用には注意が必要です

未熟児に高タンパクの食事を与える際にビタミンC 100mgを投与します。

●注射（点滴）

チロシン（アミノ酸）を体内で適切に分解できないことが特徴の遺伝性疾患（チロシン血症）

未熟児に高タンパクの食事を与える際にビタミンC 100mgを投与します。

ビタミンD

VITAMIN D

●代表的な別名

カルシフェロール

別名ほか

アルファカルシドール（Alfacalcidol），カルシフェジオール（Calcifediol），カルシフェロール（Calciferol），カルシポトリエン，カルシポトリオール（Calcipotriol），カルシトリオール（Calcitriol），コレカルシフェロール（Cholecalciferol），ジヒドロタキステロール（Dihydrotachysterol），エルゴカルシフェロール（Ergocalciferol），ビオステロール（Viosterol），ビタミンD_2（VitaminD_2），ビタミンD_3（VitaminD_3），Activated Ergosterol，Ergocalciferolum，Irradiated ergosterol，Paracalcin，Paricalcitol，1-alpha-hydroxycholecalciferol，1 alpha（OH）D_3，25-HCC，25-hydroxycholecalciferol，25-hydroxyvitamin D_3，25-OHCC，25-OHD_3，1，25-DHCC，1,25-dihydroxycholecalciferol，1，25-dihydroxyvitamin D_3，1,25-diOHC，1,25(OH)$_2D_3$，Activated 7-dehydrocholesterol，colecalci-ferol，DHT，dihydrotachysterol 2，19-nor-1,25-dihydroxyvitamin D_2

概　　要

ビタミンDは体内の無機質であるカルシウムおよびリンの調節に必要なビタミンです。また，正常な骨構造の維持にも重要な役割を果たしています。

日光に当たることが，ほとんどの人にとって，ビタミンDを得るための簡単で確実な方法です。週２～３回，軽度の日焼けが起きるのに要する時間の約１/４の時間，手，顔，腕および脚を日光に当てると，皮膚で十分なビタミンDが産生されます。必要な曝露時間は年齢，肌タイプ，季節，時刻などによって異なります。６日間日焼け止めを使用しないで日光に当たるだけで，49日間日光に当たらない場合に相当するビタミンDが産生されます。体脂肪がビタミンDの蓄電池のような役割を果たします。ビタミンDは，日光の出ている間に脂肪に貯蔵され，日光が当たらないときに放出されます。

ビタミンD欠乏症は，大方の予想よりもはるかに頻繁にみられます。カナダや米国の北半分に住む人をはじめ，日光を十分に浴びていない人はとくにリスクが高くなります。ただし，陽気な気候のもとに暮らす人でも，皮膚がんのリスクを低下させるために室内で過ごすことが増え，外出時には衣服で皮膚を覆ったり日焼け止めを使用したりするため，ビタミンD欠乏症のリスクが高くなるおそれがあります。

高齢者もビタミンD欠乏症のリスクがあります。高齢者は，日光のもとで過ごす時間が少なく，日光をビタミンDに変換する皮膚の「受容体」が少ない傾向があります。また，食事からビタミンDを摂取しておらず，摂取していてもビタミンDの吸収に問題があり，腎疾患のために食事のビタミンDを有用な形態に変換するのがさらに難しくなっているおそれがあります。実際に，一部の科学者は65歳超の人のビタミンD欠乏症のリスクがきわめて高いことを示唆しています。南フロリダなど陽気な気候のもとに住んでいる高齢者の実に40%は，体内に適量のビタミンDが備わっていないおそれがあります。

高齢者，高緯度の地域に暮らす人，日光に長時間当たる必要がある色黒の人には，ビタミンDのサプリメントが必要である可能性があります。どのサプリメントが最適か，自己判断せずに医師などに相談してください。

・新型コロナウイルス感染症（COVID-19）。
COVID-19に対してビタミンDサプリメントの使用を裏付ける十分なエビデンス（科学的根拠）はありません。

ヒ

安　全　性

ビタミンDを経口摂取した場合，推奨量であれば，ほとんどの人に安全のようです。過剰に摂取しない限り，ほとんどの場合には，通常，副作用は起きません。過剰に摂取した場合には，脱力，疲労，眠気，頭痛，食欲不振，口内乾燥，金属味，吐き気，嘔吐などの副作用が起こるおそれがあります。

１日4,000IU以上のビタミンDを長期にわたり摂取した場合，おそらく安全ではありません。血中カルシウム濃度が過度に高まるおそれがあります。ただし，ビタミンD欠乏症の短期治療では，はるかに高用量の摂取が必要となることも少なくありません。この種の治療は，医師などの指導のもとに実施してください。

注射による投与：ビタミンDを注射により筋肉内投与した場合，推奨量であればほとんどの人に安全のようです。過剰に摂取しない限り，通常ほとんどの人に副作用はありません。ビタミンDを過剰摂取した場合の副作用としては，脱力，疲労，眠気，頭痛，食欲不振，口内乾燥，金属味，吐き気，嘔吐などがあります。

小児：小児によるビタミンDの経口摂取は，推奨量であればほとんどの人に安全のようです。ただし，長期にわたる高用量の摂取は，おそらく安全ではありません。年齢に応じて以下の用量を超えて摂取すべきではありません。

0～6カ月：1日1,000IU
6～12カ月：1日1,500IU
1～3歳：1日2,500IU
4～8歳：1日3,000IU
9歳以上：1日4,000IU

動脈硬化：ビタミンDの摂取により，とくに腎疾患の場合には，動脈硬化が悪化するおそれがあります。

ヒストプラスマ症（真菌感染の一種）：ビタミンDが，ヒストプラスマ症患者の血中カルシウム濃度を高めるおそれがあります。このため，腎結石などの問題を引き起こすおそれがあります。注意して使用してください。

高カルシウム血症：ビタミンDの摂取により，高カルシウム血症が悪化するおそれがあります。

副甲状腺機能亢進症（副甲状腺の過活動）：ビタミンDが，副甲状腺機能亢進症患者の血中カルシウム濃度を高めるおそれがあります。注意して使用してください。

リンパ腫：ビタミンDが，リンパ腫患者の血中カルシウム濃度を高めるおそれがあります。このため，腎結石などの問題を引き起こすおそれがあります。注意して使用してください。

腎疾患：ビタミンDが，血中カルシウム濃度を高め，重度の腎疾患患者の動脈硬化のリスクを高めるおそれがあります。腎臓が血中のカルシウムおよびリンの濃度を適性に維持できなくなる際に生じる，腎性骨異栄養症という骨疾患を予防するための処置とバランスをとる必要があります。腎疾患の場合には，カルシウム濃度を注意深く監視してください。

サルコイドーシス（肺やリンパ節などの器官に腫脹（炎症）を生じさせる病気）：ビタミンDが，サルコイドーシス患者の血中カルシウム濃度を高めるおそれがあります。このため，腎結石などの問題を引き起こすおそれがあります。注意して使用してください。

結核：ビタミンDが，結核患者の血中カルシウム濃度を高めるおそれがあります。このため，腎結石などの合併症を引き起こすおそれがあります。

●妊娠中および母乳授乳期

妊娠中および母乳授乳期の使用は，1日4,000IU未満であれば，ほとんどの人に安全のようです。医師などの指示がないかぎり，これより高用量の摂取はしないでください。妊娠中および母乳授乳期における高用量の摂取は，おそらく安全ではありません。乳児に深刻な害を及ぼすおそれがあります。

有効性

◆有効性レベル①

・家族性低リン血症（血中リン酸塩濃度が低下する稀な遺伝性骨疾患）。カルシトリオールまたはジヒドロタキステロールという形態のビタミンDを，リン酸塩のサプリメントと併用で経口摂取すると，家族性低リン血症患者の骨障害の治療に効果があります。
・ファンコニー症候群（骨と腎臓に障害を起こす稀な疾患）。ビタミンD_2を経口摂取すると，ファンコニー症候群に起因する血中リン酸塩濃度低下の治療に効果があります。
・副甲状腺機能低下症。副甲状腺ホルモン値が低いと，血中カルシウム濃度が過度に低下するおそれがあります。副甲状腺ホルモン値が低い患者が，ジヒドロタキステロール，カルシトリオール，またはエルゴカルシフェロールという形態のビタミンDを経口摂取すると，血中カルシウム濃度の上昇に効果があります。
・骨軟化症（骨の軟化）。ビタミンD_3の摂取は，骨軟化症の治療に有効です。また，カルシフェジオールという形態のビタミンDの摂取は，肝疾患に起因する骨軟化の治療に有効です。さらに，ビタミンD_2の摂取は，医薬品や吸収不良症候群に起因する骨軟化の治療に有効です。
・腎性骨異栄養症（腎不全患者に起こる骨障害）。腎不全患者がカルシトリオールという形態のビタミンDを経口摂取すると，低カルシウム血症が改善され，骨密度の低下が予防されます。
・くる病。ビタミンDは，くる病の予防および治療に有効です。腎不全の場合には，カルシトリオールという形態のビタミンDを摂取すべきです。
・ビタミンD欠乏症。ビタミンDは，ビタミンD欠乏症の予防および治療に有効です。ビタミンD欠乏症に起因する症状を改善します。ビタミンD_2を経口摂取するか筋肉内注射で投与すると，ビタミンD欠乏症に起因する筋疾患の治療に役立つようです。

◆有効性レベル②

・副腎皮質ステロイドの医薬品を摂取している患者の骨密度の減少。ビタミンDを経口摂取することにより，副腎皮質ステロイドを摂取している患者の骨密度の低下が予防されます。また，副腎皮質ステロイドの摂取が原因で骨密度が低下している患者が，ビタミンDを単独またはカルシウムと併用で摂取することにより，骨密度が上昇するようです。
・骨粗鬆症。ビタミンD_3をカルシウムと併用摂取することにより，骨密度の低下や骨折が予防されるようです。
・尋常性乾癬（乾癬の一種）。カルシトリオール，カルシポトリオール，マキサカルシトール，またはパリカルシトールという形態のビタミンDを塗布すると，尋常性乾癬の治療に役立つようです。ビタミンDまたは副腎皮質ステロイドを単独で塗布する場合よりも，併用で塗布する方が効果は高いようです。ただし，ビタミンDを経口摂取しても尋常性乾癬は改善しないようです。

◆有効性レベル③

・う歯。臨床研究の分析により，ビタミンD_2かビタミンD_3を摂取すると，幼児，小児および青少年のう歯のリスクが36～49％低下することが示唆されています。
・心不全。複数の初期の研究により，血中ビタミンD濃度が低いと，高い人よりも心不全発症リスクが高いことが示唆されています。いくつかの研究では，一部の女性で，ビタミンDサプリメントの摂取により心不全を発症するリスクが低下する可能性があると示唆しています。また，ほとんどの研究により，ビタミンDのサプリメントを心不全患者が摂取すると，死亡リスクが低下する可能性が示唆されています。

・副甲状腺機能亢進症に起因する骨密度の減少。副甲状腺機能亢進症の女性が，ビタミンD_3を経口摂取すると，副甲状腺ホルモン値が低下し，骨密度の減少も緩和するようです。

・気道感染症。ほとんどの研究により，小児および成人がビタミンDを摂取すると，気道感染症の予防に役立つことが示されています。気道感染症には，インフルエンザ，感冒，感冒などの感染症から起きる喘息発作などがあります。また，妊娠中にビタミンDを摂取すると，出産後に子がこのような感染症を発症するリスクが低下することが研究で示されています。ただし相反する研究結果もあります。

・歯牙欠損（歯牙埋伏）。高齢者がカルシウムとビタミンD_3を経口摂取すると，歯牙欠損が予防されるようです。

◆有効性レベル④

・がん。ビタミンDを摂取してもがんの予防にはならないようです。すでにがんと診断されている人がビタミンDを摂取することが有益かどうかわかっていません。一部の研究では，ビタミンDを摂取するがん患者はより長生きする可能性があると示唆されています。ただし，相反する研究結果もあります。ビタミンDがどのようなタイプのがんに有効性があるのか判断するには，データが不十分です。

・心疾患。初期の研究で，ビタミンDの血中濃度が低い場合には，高い場合よりも心不全などの心疾患を発症する可能性が高いことが示唆されています。ただし，ビタミンDを摂取しても，心疾患患者の生存期間が延びることはないようです。

・骨折。高齢者がビタミンDを単独で摂取しても低用量をカルシウムと併用摂取しても，骨折は予防できないようです。地域社会で暮らす高齢者が高用量のビタミンDをカルシウムと併用摂取しても，骨折は予防できないようですが，ナーシングホームで暮らす高齢者の骨折予防には役立つ可能性があります。

・高血圧。初期の研究で，ビタミンDの血中濃度が低い場合には，正常な場合よりも，高血圧発症リスクが高まることが示唆されています。ただし，ほとんどの研究では，高血圧患者がビタミンDを摂取しても，血圧は低下しないことが示されています。

・腎臓移植患者の骨密度の低下。カルシトリオールという形態のビタミンDとカルシウムを経口摂取しても，腎臓移植患者の骨密度の低下が緩和することはありません。

◆科学的データが不十分です

・アルツハイマー病，気管支喘息，運動能力，アトピー性皮膚炎（湿疹），心房細動（不整脈），注意欠陥多動障害（ADHD），自閉症，細菌性腟症，乳がん，長期の腎疾患（慢性腎臓病（CKD）），呼吸困難を引き起こす肺疾患（慢性閉塞性肺疾患（COPD）），記憶と思考能力（認知機能），結腸直腸がん，重症外傷，アルツハイマー病などの認知障害を引き起こす疾患（認知症），うつ病，糖尿病，月経痛（月経困難），転倒予防，線維筋痛症，C型肝炎ウイルスによる肝臓の腫脹（炎症）（C型肝炎），高コレステロール血症や高トリグリセリド血症（高脂血症），乳児の発達，長期の消化官の腫脹（炎症）（炎症性腸疾患（IBD）），2,500g（5ポンド，8オンス）未満の体重で生まれた乳児，糖尿病・心疾患・脳卒中のリスクを高める一群の症候（メタボリックシンドローム），多発性硬化症（MS），筋肉増強，体が正常な赤血球を産生できなくなる一連のがん（骨髄異形成症候群），肥満，変形性関節症，耳の感染（中耳炎），あらゆる死亡リスク，疼痛，パーキンソン病，重度の歯肉感染（歯周炎），のう胞を伴う卵巣腫大が生じるホルモンの病気（多のう胞性卵巣症候群（PCOS）），高血圧とタンパク尿を認める妊娠合併症（妊娠高血圧腎症），妊娠高血圧症候群，月経前症候群（PMS），早産，関節リウマチ（RA），季節性うつ病（季節性感情障害（SAD）），非がん性の疣贅（いぼ）様皮膚腫瘍（脂漏性角化症），鎌状赤血球症，スタチン系薬に起因する筋肉痛，脳卒中，広範囲に腫脹を生じさせる自己免疫病（全身性エリテマトーデス），結核，膣組織の菲薄化（膣萎縮），疣贅（いぼ），肺の主気道の腫脹（炎症）（気管支炎）など。

●体内での働き

ビタミンDは体内のミネラルであるカルシウムおよびリンの調節に必要です。また，正常な骨構造の維持にも重要な役割を果たしています。

医薬品との相互作用

中アトルバスタチンカルシウム水和物

ビタミンDは，アトルバスタチンカルシウム水和物の体内への吸収量を減少させる可能性があります。そのため，アトルバスタチンカルシウム水和物の働きが弱まるおそれがあります。

中アルミニウム

アルミニウムはほとんどの制酸薬に含まれます。ビタミンDはアルミニウムの体内への吸収量を増加させる可能性があります。この相互作用は腎疾患がある場合に問題になるおそれがあります。制酸薬の服用前2時間または服用後4時間はビタミンDを摂取しないでください。

中カルシポトリオール

カルシポトリオールはビタミンDに類似した医薬品です。ビタミンDとカルシポトリオールを併用すると，カルシポトリオールの作用および副作用が増強するおそれ

ヒ

があります。カルシポトリオールの服用中にビタミンDを摂取しないでください。

中サイアザイド系利尿薬

ビタミンDはカルシウムの体内への吸収を促進します。特定の利尿薬は体内のカルシウム量を増加させます。多量のビタミンDとこのような利尿薬と併用すると，体内のカルシウム量が過剰になる可能性があります。そのため，腎障害などの重大な副作用が現れるおそれがあります。このような利尿薬には，クロロチアジド（販売中止），ヒドロクロロチアジド，インダパミド，メトラゾン（販売中止），クロルタリドン（販売中止）などがあります。

中ジゴキシン

ビタミンDはカルシウムの体内への吸収を促進します。カルシウムは心臓に影響を及ぼす可能性があります。ジゴキシンには強心作用があります。ビタミンDとジゴキシンを併用すると，ジゴキシンの作用が増強し，不整脈を誘発するおそれがあります。ジゴキシンを服用している場合は医師や薬剤師に相談することなくビタミンDサプリメントを摂取しないでください。

中ジルチアゼム塩酸塩

ビタミンDは，カルシウムの体内への吸収を促進させます。カルシウムは心臓に影響を及ぼす可能性があります。ジルチアゼム塩酸塩もまた心臓に影響を及ぼします。多量のビタミンDとジルチアゼム塩酸塩を併用すると，ジルチアゼム塩酸塩の効果が弱まるおそれがあります。

中ベラパミル塩酸塩

ビタミンDはカルシウムの体内への吸収を促進します。カルシウムは心臓に影響を及ぼす可能性があります。ベラパミル塩酸塩もまた心臓に影響を及ぼします。ベラパミル塩酸塩を服用中に多量のビタミンDを摂取しないでください。

中肝臓で代謝される医薬品（シトクロムP450 3A4（CYP3A4）の基質となる医薬品）

特定の医薬品は肝臓で代謝されます。ビタミンDはこのような医薬品の代謝を促進する可能性があります。ビタミンDと肝臓で代謝される医薬品を併用すると，医薬品の効果が弱まるおそれがあります。肝臓で代謝される医薬品を服用している場合には，医師や薬剤師に相談することなくビタミンDを摂取しないでください。このような医薬品には，Lovastatin，クラリスロマイシン，シクロスポリン，ジルチアゼム塩酸塩，エストロゲン（卵胞ホルモン）製剤，トリアゾラムなどがあります。

ハーブおよび健康食品・サプリメントとの相互作用

カルシウム

ビタミンDとカルシウムを併用すると，カルシウムの吸収が高まります。このため，人によってはカルシウム濃度が過度に上昇するリスクが高まるおそれがあります。

マグネシウム

マグネシウム濃度およびビタミンD濃度が低い人は，ビタミンDを摂取すると，マグネシウム濃度が高まるおそれがあります。マグネシウム濃度が正常な場合，この現象は起きないようです。

通常の食品との相互作用

食品

ビタミンDを食品と一緒に摂取すると，吸収が促進されます。ですが，ビタミンDを食品と一緒に摂取すべきか単独で摂取すべきかは，あまり心配する必要はありません。

使用量の目安

【成人】

●経口摂取

ビタミンD欠乏症

1週間で50,000IUを6～12週間にわたり摂取します。ただし，適正な血中ビタミンD濃度を維持するためには，より高用量をより長期にわたり摂取することが必要な患者もいます。

骨粗鬆症の予防

高齢者は，コレカルシフェロールという形態のビタミンDを1日400～1,000IU摂取します。通常，カルシウム1日500～1,200mgと併用します。より高用量となる1日1,000～2,000IUの摂取を推奨する専門家もいます。またはカルシトリオール1日0.43～1.0μgを最長36カ月間にわたり摂取します。

副腎皮質ステロイドの使用に起因する骨密度の低下の予防

カルシトリオールまたはアルファカルシドールという形態のビタミンD 1日0.25～1.0μgを，6～36カ月間にわたり摂取します。多くの場合，カルシウムと併用摂取します。または，カルシフェジオールという形態のビタミンD 1日50～32,000μgを，12カ月間にわたり摂取します。または，ビタミンD 1,750～50,000IUを6～12カ月間にわたり，毎日または週1回摂取します。

心不全

コレカルシフェロールという形態のビタミンD 1日800IUを単独で，またはカルシウム1日1,000mgと併用で，3年間にわたり摂取します。閉経後の女性はコレカルシフェロールという形態のビタミンD 1日400IUをカルシウム1日1,000mgと併用で摂取します。

副甲状腺機能亢進症による骨密度の低下

コレカルシフェロールという形態のビタミンD 1日800IUを，3カ月間にわたり摂取します。

多発性硬化症（MS）

予防のために，ビタミンD 1日400IUを摂取します。

気道感染症の予防

コレカルシフェロールという形態のビタミンD 300～4,000IUを，7週間～13カ月間にわたり摂取します。

高齢者の歯牙欠損予防

コレカルシフェロールという形態のビタミンD 1日700IUを，カルシウム1日500mgと併用して，3年間にわたり摂取します。

●皮膚への塗布

尋常性乾癬（乾癬の一種）

カルシポトリオールという形態のビタミンDを単独で，または副腎皮質ステロイドと併用して，最長52週間にわたり，皮膚に塗布します。通常，カルシポトリオールは，1g中に50μg含まれます。臨床研究に用いられた製品には，1g中にカルシポトリオール50μgとベタメタゾンジプロピオン酸エステル0.5mgが含まれています。

●注射（点滴）

ビタミンD欠乏症

ビタミンD 600,000IUを単回筋肉内投与します。

【小児】

●経口摂取

気道感染症の予防

学童年齢の小児のインフルエンザを予防するには，冬季に，コレカルシフェロールという形態のビタミンDを1日1,200IU摂取します。また，気道感染症に起因する気管支喘息症状の悪化を予防するには，コレカルシフェロール1日500IUを摂取します。

ほとんどのビタミンのサプリメントには，ビタミンDが400IU（10μg）しか含まれていません。

米国医学研究所では，一般的な人が必要とするビタミンD摂取量の推定値として，1日当たりの推奨量（RDA）を発表しています。現在の推奨量（RDA）は，2010年に定められました。推奨量（RDA）は，年齢に応じて，以下の通り定められています。

1～70歳：1日600IU

71歳以上：1日800IU

妊娠中および母乳授乳期の女性：1日600IU

0～12カ月の乳児には，目安量（AI）として400IUが推奨されています。

訳注：2016年に組織改編により現在は「全米科学アカデミー医学研究所の健康・医療部門」です。

より高用量を推奨している機関もあります。2008年，米国小児科学会では，全ての乳児，小児および青少年について，1日の最低推奨摂取量を400IUに引き上げました。1滴分が400IUとなっているビタミンDの液体は使用するべきではありません。誤って余分に投与してしまった場合に，1日10,000IUを容易に超えてしまうおそれがあります。米国食品医薬品局（FDA）は将来的に，企業に対し，1滴分が400IU以上の製品を提供しないように規制する方針です。

The National Osteoporosis Foundationでは，50歳未満の成人には1日400～800IU，50歳以上の成人には1日800～1,000IUの摂取を推奨しています。

North American Menopause Societyでは，すべての人に1日800～1,000IUの摂取を推奨しています。

Osteoporosis Society of Canadaのガイドラインでは，コレカルシフェロールという形態のビタミンDを，50歳以下には1日400～1,000IU，50歳超には1日800～2,000IUの摂取を推奨しています。

Canadian Cancer Societyでは，カナダに住む成人に，秋季および冬季の間は1日1,000IUの摂取を推奨してい

ヒ

ビタミンDの食事摂取基準（μg/日）[1]

日本人の食事摂取基準 2020 年版

性　別	男　性		女　性	
年齢等	目安量	耐容上限量	目安量	耐容上限量
0～5（月）	5.0	25	5.0	25
6～11（月）	5.0	25	5.0	25
1～2（歳）	3.0	20	3.5	20
3～5（歳）	3.5	30	4.0	30
6～7（歳）	4.5	30	5.0	30
8～9（歳）	5.0	40	6.0	40
10～11（歳）	6.5	60	8.0	60
12～14（歳）	8.0	80	9.5	80
15～17（歳）	9.0	90	8.5	90
18～29（歳）	8.5	100	8.5	100
30～49（歳）	8.5	100	8.5	100
50～64（歳）	8.5	100	8.5	100
65～74（歳）	8.5	100	8.5	100
75 以上（歳）	8.5	100	8.5	100
妊　婦			8.5	—
授乳婦			8.5	—

[1] 日照により皮膚でビタミンDが産生されることを踏まえ，フレイル予防を図る者はもとより，全年齢区分を通じて，日常生活において可能な範囲内での適度な日光浴を心掛けるとともに，ビタミンDの摂取については，日照時間を考慮に入れることが重要である。

有効性レベル：①効きます　②おそらく効きます　③効くと断言できませんが、効能の可能性が科学的に示唆されています　④効かないかもしれません　⑤おそらく効きません　⑥効きません

ます。色黒の人や，肌の大部分を覆う服装を通常している人，高齢者，あまり外出しない人など，ビタミンD濃度が低下するリスクが高い場合は，この摂取量を年間を通じて摂取するべきです。

現在では多くの専門家が，このようなビタミンD摂取量を補うために，コレカルシフェロールを含むビタミンDサプリメントの使用を推奨しています。コレカルシフェロールは，エルゴカルシフェロールという形態のビタミンDよりも効果が高いようです。

ビタミンE

VITAMIN E

●代表的な別名

トコフェロール

別名ほか

α-トコフェロール（Alpha-tocopherol），アルファトコフェロールアセテート（Alpha Tocopheryl Acetate），d-α-トコフェロール（d-Alpha-tocopherol），dl-α-トコフェロール（dl-Alpha-tocopherol），Dβ-トコフェロール（d-Beta-tocopherol），d-δ-トコフェロール（d-Delta-tocopherol），dγ-トコフェロール（d-Gamma-tocopherol），ミックストコフェロール（Mixed Tocopherols），RRR-α-トコフェロール（RRR-Alpha-tocopherol），トコフェロール（Tocopherol），トコトリエノール（Tocotrienol），β-トコトリエノール（Beta-Tocopherol），δ-トコトリエノール（Delta-Tocopherol），γトコトリエノール（Gamma-Tocopherol），α-トコトリエノール（Alpha Tocotrienol），All Rac-alpha-tocopherol，Alpha Tocopherol Acetate，Beta Tocotrienol，Delta Tocotrienol，Gamma Tocotrienol

概　要

ビタミンEは脂溶性のビタミンです。植物油，穀物，肉，鶏肉，卵，果物，野菜，小麦胚芽油など，多くの食品に含まれています。サプリメントとしても利用できます。

ビタミンEはビタミンE欠乏症の治療に用いられます。これはまれな疾患ですが，ある種の遺伝性障害をもつ人や低体重未熟児などに発症することがあります。

動脈硬化，心臓発作，胸痛，脳卒中，脈拍不整（心房細動），心不全，血流障害による下肢痛，高血圧など，心血管疾患の治療および予防のためにビタミンEを用いることもあります。

また，糖尿病やその合併症，肝疾患，腎疾患，ペロニー病（陰茎硬化症）および良性前立腺肥大（BPH）の治療に用いられます。そのほか，がん，とくに喫煙者の肺がんおよび口腔がん，結腸直腸がんおよびポリープ，胃がん，皮膚がん，膀胱がん，乳がん，頭頸部がん，前立腺がん，膵がんの予防の目的で用いられます。さらに化学療法の副作用を軽減する目的で用いられます。

アルツハイマー病をはじめとする認知症，パーキンソン病，こむらがえり，むずむず脚症候群，てんかんなどの脳神経系疾患に対して，ほかの医薬品と併用でビタミンEを用いる人もいます。また，ハンチントン病など神経と筋にかかわる疾患に対して用いられることもあります。

女性では，妊娠後期の高血圧による合併症（子癇前症），早産，月経前症候群（PMS），良性乳腺疾患，骨粗鬆症，月経痛，更年期症状，乳がんによる顔面紅潮（ほてり），乳房のう胞の予防に用いられます。

透析や放射線などの医学的治療の有害作用を軽減する目的で用いられることもあります。また，ドキソルビシン塩酸塩服薬時の抜け毛やアミオダロン塩酸塩服薬時の肺障害など，医薬品の望ましくない副作用を軽減する目的で用いられます。

身体的持久性の向上，エネルギーの増進，運動後の筋損傷の軽減，筋力の向上のために用いることもあります。

白内障，加齢黄斑変性，気管支喘息，呼吸器感染，皮膚疾患，皮膚の加齢変化，日光皮膚炎，のう胞性線維症，不妊，性交不能症，慢性疲労症候群（CFS），ルー・ゲーリッグ病（ALS），下肢痙攣，消化性潰瘍，ヘリコバクター・ピロリ感染，ぶどう膜炎，口内粘膜病変，統合運動障害，糸球体硬化（小児の腎疾患），ビタミンE単独欠乏性運動失調症（AVED），関節リウマチ，ある種の遺伝性疾患などに対して，そのほかアレルギーの予防に用いられます。死亡を予防する目的で用いられることもあります。

皮膚の加齢変化，日光皮膚炎，瘢痕化，シラミ，妊娠線を予防する目的や，がん化学療法による作用から皮膚を保護する目的で，ビタミンEを皮膚に塗布することもあります。

米国心臓協会は，サプリメント摂取のリスクと利益について十分なデータが得られるまでは，ビタミンEなどのアンチオキシダント（抗酸化物質）を，サプリメントよりも果物，野菜，全粒粉が豊富なバランスのよい食事から摂取するよう推奨しています。

安　全　性

ビタミンEは，健康な人が経口摂取する場合や，皮膚へ塗布する場合には，ほとんどの人に安全のようです。1日当たりの推奨量（22.4IU）の摂取では，ほとんどの人に副作用は起こりません。

高用量のビタミンEを経口摂取する場合には，おそらく安全ではありません。心疾患や糖尿病などの疾患がある場合には，1日400IU以上を摂取してはいけません。いくつかの研究により，高用量の摂取は死亡リスクを上昇させ，そのほか深刻な副作用を引き起こすおそれがあることが示唆されています。用量が増えれば増えるほど，深刻な副作用のリスクは高まります。

ビタミンEが，出血性脳卒中という脳内出血をともなう深刻な脳卒中の発症リスクを高める懸念があります。一部の研究から，１日300～800IUのビタミンEを摂取すると，この種の脳卒中のリスクが22％上昇することが示唆されています。ただし，反対に，ビタミンEが虚血性脳卒中という比較的軽度の脳卒中のリスクを低下させる可能性があります。

前立腺がん発症リスクに対するビタミンEの影響については，研究結果が一致していません。いくつかの研究では，大量のマルチビタミンとビタミンEサプリメントを併用摂取すると，一部の男性で前立腺がん発症リスクが上昇するおそれがあることが示唆されています。

また高用量の摂取により，吐き気，下痢，胃痙攣，疲労，脱力，頭痛，霧視，皮疹，紫斑および出血を引き起こすおそれもあります。

乳児および小児：ビタミンEの経口摂取は，適量であれば，ほとんどの人に安全のようです。小児に対して，安全と考えられるビタミンEの摂取量上限は，年齢に応じて以下のように定められています。

１～３歳：１日298IU未満

４～８歳：１日447IU未満

９～13歳：１日894IU未満

14～18歳：１日1,192IU未満

未熟児に高用量のビタミンE（α-トコフェロール）を静脈内投与するのは，おそらく安全ではありません。

血管形成術（心臓の処置）：血管形成術の直前および術後に，医師などの指導なしに，ビタミンEやほかの抗酸化ビタミン（β-カロテン，ビタミンC）を含有するサプリメントを摂取するのは避けてください。これらのビタミンが正常な治癒の妨げになるようです。

出血性疾患：ビタミンEが，出血性疾患を悪化させるおそれがあります。出血性疾患の場合には，ビタミンEサプリメントの摂取を避けてください。

糖尿病：ビタミンEが，糖尿病患者の心不全リスクを高めるおそれがあります。糖尿病の場合には，高用量のビタミンEの摂取を避けてください。

頭頚部がん：１日400IU以上のビタミンEサプリメントを摂取してはいけません。ビタミンEが，がん再発リスクを高めるおそれがあります。

肝疾患：非アルコール性脂肪性肝疾患（NAFLD）のある人が２年以上持続してビタミンEを摂取するとインスリン抵抗性を悪化させるおそれがあります。

心臓発作：心臓発作の既往症がある場合には，ビタミンEにより死亡リスクが高まるおそれがあります。心臓発作の既往症がある場合は，高用量のビタミンEの摂取は避けてください。

骨粗鬆症：骨粗鬆症の人は骨強度を改善するために運動が推奨されます。ただし，運動と高用量のビタミンEおよびビタミンCの摂取を併用すると，骨強化作用を減弱し，骨強度に対する運動の効果を減少させるおそれがあります。

前立腺がん：ビタミンEの摂取により，前立腺がん発症リスクが高まるおそれがあります。前立腺がん患者に対するビタミンEの作用については，明らかにされていません。ただし理論上は，ビタミンEサプリメントを摂取すると，前立腺がん患者の病態が悪化するおそれがあるとされています。

網膜色素変性症（眼疾患）：網膜色素変性症の場合には，All-rac-α-トコフェロール（合成ビタミンE）400IUの摂取により，視力喪失が加速されるようです。ただし少量（３IU）であれば，この作用はみられないようです。網膜色素変性症の場合には，ビタミンEの摂取を避けるのが最善です。

脳卒中：脳卒中の既往症を有する場合には，ビタミンEにより死亡リスクが高まるおそれがあります。脳卒中の既往症を有する場合には，高用量のビタミンEの摂取は避けてください。

手術：ビタミンEが，手術中・手術後の出血リスクを高めるおそれがあります。少なくとも手術前２週間は，使用しないでください。

ビタミンK欠乏症：ビタミンK濃度が過度に低い場合には，ビタミンEにより血液凝固異常が悪化するおそれがあります。

●妊娠中および母乳授乳期

妊娠中：妊娠中に推奨量を摂取する場合は，おそらく安全です。妊娠初期にビタミンEサプリメントを摂取すると，胎児に害となるという懸念が一部にあります。ただし，この懸念が重大なものであるかどうかについては，情報が不十分です。十分なデータが得られるまでは，妊娠初期に医師などの指導なしにビタミンEサプリメントを摂取してはいけません。

母乳授乳期：母乳授乳期に推奨量を経口摂取する場合は，ほとんどの人に安全のようです。

有効性

◆有効性レベル①

・ビタミンE単独欠乏性運動異常症。運動失調という遺伝性運動異常症は，重度のビタミンE欠乏症を引き起こします。運動失調の治療の一部として，ビタミンEサプリメントが用いられています。

・ビタミンE欠乏症。ビタミンEの経口摂取は，ビタミンE欠乏症の予防および治療に有効です。

◆有効性レベル③

・アルツハイマー病。初期の研究では，食事からのビタミンE摂取とアルツハイマー病発症リスク低下との関連が示唆されていますが，相反する研究結果もあります。ビタミンEサプリメントを摂取しても，アルツハイマー病の発症を予防できることはないようです。既にアルツハイマー病に罹患している患者が抗アルツハイマー薬と併用でビタミンEを摂取すると，記憶喪失の悪化速度を緩める可能性があります。ビタミンEは

ヒ

また，軽度ないし中等度のアルツハイマー病患者の自立性が喪失し，介護が必要になるまでの時期を延ばせる可能性があります。

・貧血。一部の研究により，血液透析を受けている成人および小児がビタミンEを摂取すると，赤血球産生に影響を及ぼす医薬品「エリスロポエチン」による効果が改善することが示唆されています。

・βサラセミア（血液疾患）。ビタミンEの経口摂取は，ビタミンE欠乏症をともなうβサラセミアの小児に対して有効であるようです。

・化学療法薬の周囲組織への漏出。ビタミンEをジメチルスルホキシド（DMSO）と併用して皮膚に塗布すると，化学療法薬の周囲組織への漏出の治療に有効であるようです。

・化学療法に起因する神経損傷。ビタミンE（α-トコフェロール）を，シスプラチン化学療法の前後に摂取すると，神経損傷のリスクが低下する可能性があります。ビタミンEは，シスプラチンによる聴力損失も軽減するようです。

・生理痛（月経困難）。月経開始の２日前から月経開始の３日後までビタミンEを摂取すると，疼痛の重症度と継続期間が減少し，経血量が低下するようです。

・統合運動障害（協調運動障害）。ビタミンEを月見草油，タイム油および魚油と併用で経口摂取すると，統合運動障害の小児の運動障害が改善するようです。

・糸球体硬化（小児の腎疾患）。糸球体硬化の小児がビタミンEを経口摂取すると腎機能が改善する可能性を示唆する複数のエビデンスがあります。

・グルコース-6-リン酸脱水素酵素（G6PD）欠損症（遺伝性疾患）。いくつかの研究により，ビタミンEを単独またはセレンと併用で経口摂取すると，G6PD欠損症患者に有益となる可能性が示唆されています。

・環状肉芽腫（皮膚の炎症に伴う潰瘍の一種）の治癒。ビタミンEを皮膚に塗布すると，環状肉芽腫の治癒に役立つようです。

・ハンチントン病。天然のビタミンE（RRR-α-トコフェロール）が，初期のハンチントン病患者の症状を改善する可能性があります。ただし，病状が進行している場合には効果はないようです。

・男性不妊。男性不妊患者がビタミンEを経口摂取すると，妊娠率が向上します。ただし，ビタミンCと併用して高用量のビタミンEを摂取しても，同様の効果は得られないようです。

・頭蓋内出血。ビタミンEの経口摂取は，未熟児の頭蓋内出血の治療に有効のようです。

・脳室内出血。ビタミンEの経口摂取は，未熟児の脳室内出血の治療に有効のようです。

・硝酸塩耐性。ビタミンEを毎日摂取すると，硝酸塩耐性が予防できるという複数のエビデンスがあります。

・非アルコール性脂肪性肝炎（NASH）。ビタミンEを毎日摂取すると，成人および小児の非アルコール性脂肪性肝炎の炎症マーカーおよび肝マーカーが改善するようです。

・パーキンソン病。食事によるビタミンEの摂取が，パーキンソン病のリスク低下につながる可能性が示唆されています。ただし，パーキンソン病患者がビタミンEを含有するサプリメントを摂取しても利益はみられないようです。

・レーザー角膜切除術。高用量のビタミンAをビタミンE（α-トコフェロールニコチン酸エステル）と併用で毎日摂取すると，眼のレーザー手術後の治癒を促進し，視力が改善されるようです。

・月経前症候群（PMS）。月経前症候群の女性の中には，ビタミンEの経口摂取により，不安，依存症，およびうつ病が軽減する人もいるようです。

・身体能力。研究により，食事によるビタミンE摂取量を増やすと，高齢者の体力および筋力が改善することが示唆されています。

・放射線療法に起因する線維症。ビタミンEを医薬品「ペントキシフィリン」と併用で経口摂取すると，放射線療法に起因する線維症が治療されるようです。ただし，ビタミンEを単独で摂取してもこの効果は得られないようです。

・未熟児網膜症（新生児の眼疾患）。ビタミンEの経口摂取は，新生児の未熟児網膜症という眼疾患の治療に有効であるようです。

・関節リウマチ（RA）。関節リウマチ患者の疼痛緩和には，標準治療単独よりも標準治療とビタミンEの併用の方が有効です。ただし，この併用治療により腫脹が軽減することはありません。

・日光皮膚炎。高用量のビタミンE（RRR-α-トコフェロール）をビタミンCと併用で経口摂取すると，紫外線への露出による皮膚炎を予防できます。ただし，ビタミンE単独では同様の効果は得られません。紫外線を浴びる前に，ビタミンEをビタミンCおよびメラトニンと併用で皮膚に塗布すると，何らかの保護作用が得られます。

・遅発性ジスキネジア（運動異常症）。ビタミンEの経口摂取が，遅発性ジスキネジアの症状を改善するようです。しかし一部には，症状は改善されない一方，症状の悪化を予防する可能性はあると示唆している研究もあります。

・ぶどう膜炎（眼の中間層の腫脹）。ビタミンEをビタミンCと併用で経口摂取すると，ぶどう膜炎患者の視力が改善するようです。ただし，腫脹が軽減することはありません。

◆有効性レベル④

・加齢黄斑変性（加齢にともなう視力喪失）。大半の研究により，ビタミンEを単独またはほかのアンチオキシダント（抗酸化物質）と併用で摂取しても，加齢にともなう視力喪失を予防もしくは治療する効果はないことが示唆されています。

・筋萎縮性側索硬化症またはルー・ゲーリッグ病（神経変性疾患）。研究により，ルー・ゲーリッグ病患者がビタミンE（α-トコフェロール）を従来の医薬品と併用で摂取しても，従来の医薬品単独での治療にくらべて機能が改善されたり生存率が上昇するといった効果はないことが示唆されています。
・胸痛（狭心症）。ビタミンEの経口摂取が，血管機能へ何らかの影響を及ぼす可能性はあるものの，胸痛を緩和することはないようです。
・動脈硬化。ビタミンE（RRR-α-トコフェロール）の経口摂取が，動脈硬化の進行を予防することはないようです。ただし，ビタミンEとビタミンCを併用摂取すると，男性の動脈硬化の進行の予防につながる可能性を示唆する初期のエビデンスがあります。
・湿疹（皮膚の発赤やそう痒）。研究により，ビタミンEを単独またはセレンと併用で摂取しても，湿疹の症状が改善しないことが示唆されています。
・乳がんに起因する顔面紅潮（ほてり）。ビタミンEを経口摂取しても，乳がんの女性の顔面紅潮（ほてり）が緩和することはないようです。
・気管支肺異形成症（乳児の肺疾患）。研究により，気管支肺異形成症の新生児がビタミンEを経口摂取しても，有益性はないことが示唆されています。
・がん。ビタミンEと，ビタミンC，β-カロテン，セレン，亜鉛を併用して摂取しても，全体的ながんリスクが低下することはないようです。男性のがんリスクを低下させる可能性があるものの，エビデンスは一致していません。
・白内障。ほとんどのエビデンスから，ビタミンEを摂取しても白内障を予防できないことが示されています。
・結腸直腸がん。ほとんどのエビデンスにより，ビタミンEを摂取しても，結腸直腸がんや，非がん性の結腸直腸腫瘍の発症を予防できないことが示唆されています。非がん性の結腸直腸腫瘍は，結腸がんの前駆体と考えられています。
・心不全。ビタミンEを12週間経口摂取しても，心不全患者の心機能が改善することはないようです。また心不全発症リスクが低下することもありません。
・デュシェンヌ型筋ジストロフィー（筋疾患）。研究により，ビタミンEを医薬品「ペニシラミン」と併用で摂取しても，デュシェンヌ型筋ジストロフィーの進行が抑制されることはないことが示唆されています。
・頭頸部がん。放射線治療期間および治療後３年間，ビタミンE（All-rac-α-トコフェロール）を毎日摂取しても，頭頸部がんの再発リスクが低下することはないようです。それどころか，ビタミンEの摂取により腫瘍再発リスクが高まる懸念があります。頭頸部がんの場合には，１日ビタミンEサプリメント400IU以上を摂取するのは避けてください。
・溶血性貧血（赤血球の異常破壊）。未熟児にビタミンEを投与しても，赤血球の異常破壊に対する効果はありません。
・高血圧。降圧薬を服用している患者がビタミンEを経口摂取しても，血圧が低下することはないようです。
・肝疾患。ビタミンEを摂取しても，肝疾患患者の死亡リスクが低下することはありません。
・筋強直性ジストロフィー（遺伝性の筋疾患）。ビタミンEとセレンを経口摂取しても，筋強直性ジストロフィーの進行が抑制されることはありません。
・口内炎（口腔の粘膜病変）。ほとんどの研究により，ビタミンEを最大７年間摂取しても，喫煙男性の口内炎のリスクが低下することはありません。
・オキサリプラチンという抗悪性腫瘍薬による神経障害。ビタミンEの摂取は，オキサリプラチンという抗悪性腫瘍薬による神経障害の予防にはならないようです。
・変形性関節症。ビタミンEを摂取しても，変形性関節症患者の疼痛やこわばりが緩和することはないようです。また，病状の悪化を予防することもないようです。
・膵がん。ビタミンEを単独またはβ-カロテンやビタミンCなど，ほかのアンチオキシダント（抗酸化物質）と併用摂取しても，膵がんの発症リスクは低下しないようです。
・咽頭がん。研究では，糖尿病患者がビタミンEを経口摂取しても，口腔がんや咽頭がんの発症リスクは低下しないことが示されています。
・妊娠中の高血圧および臓器障害（妊娠高血圧腎症）。ほとんどのエビデンスにより，ビタミンEとビタミンCを併用摂取しても，妊娠中の高血圧のリスクは低下しないことが示唆されています。
・前立腺がん。ほとんどの研究では，ビタミンEサプリメントを摂取しても前立腺がん発症リスクが低下することはなく，むしろリスクが上昇するおそれがあることが示唆されています。
・気道感染症。ビタミンEを単独またはマルチビタミンとして経口摂取しても，気道感染症を予防したり，感染後の症状を緩和することはないようです。
・網膜色素変性症（眼疾患）。網膜色素変性症患者がビタミンEを経口摂取しても，視力喪失が抑制されることはなく，実際には，視力喪失が亢進するおそれがあります。
・統合失調症。ビタミンEを他の成分とともに摂取しても統合失調症の症状を改善することはないようです。
・瘢痕化。ビタミンEを皮膚に塗布しても，手術後の瘢痕化は減少しないことが示唆されています。

◆有効性レベル⑤

・良性乳腺疾患。ビタミンEサプリメントの摂取は，良性乳腺疾患の治療に有効ではないようです。
・乳がん。血中ビタミンE濃度が高いと，乳がんリスクが低下する可能性がありますが，食事やサプリメントによるビタミンE摂取量を増やしても，乳がん発症リ

ヒ

スクが低下することはありません。
・心疾患。健康な人や心疾患のリスクを抱えた人がビタミンEを摂取しても，心疾患の予防にはなりません。また，心疾患をもつ患者の脳卒中や心臓発作の予防にもならないようです。
・乳児の早期死亡。早産児にビタミンEを投与しても，早期死亡リスクが低下することはないようです。
・肺がん。合成ビタミンEを最長8年間摂取しても，男性喫煙者の肺がん発症リスクは低下しません。また，天然ビタミンEを最長10年間摂取しても，肺がんを予防できたり，肺がんによる死亡リスクが低下したりすることもありません。
・あらゆる原因による死亡。研究により，ビタミンEを1年間以上摂取しても，あらゆる原因による死亡のリスクが低下することはないことが示唆されています。

◆科学的データが不十分です

・アレルギー，気管支喘息，膀胱がん，化学療法に起因する感染，造影剤静脈注入による腎障害の予防，認知症，糖尿病，糖尿病患者の腎障害，糖尿病神経障害に伴う疼痛，ダウン症候群，胃がん，ヘリコバクター・ピロリ菌による胃感染，IgA糸球体腎炎，間欠跛行（脚の血行不良に起因する歩行困難），虚血再灌流傷害（血液凝固後の組織損傷），虚血性脳卒中（凝血塊に起因する脳卒中），シラミ，肝移植，黒色腫（皮膚がん），こむらがえり，非アルコール性脂肪性肝疾患(NAFLD)，口腔粘膜炎（化学療法による口内炎），骨粗鬆症，ペロニー病（陰茎硬化症），妊娠の問題，早産，むずむず脚症候群，鎌状赤血球症，妊娠線，アレルギー，慢性疲労症候群（CFS），感冒，てんかんなど。

●体内での働き

ビタミンEは，体内の多くの臓器が適切な機能を果たすのに必要とされる重要なビタミンです。ビタミンEはアンチオキシダント（抗酸化物質）で，細胞の損傷を抑制します。

医薬品との相互作用

中シクロスポリン

多量のビタミンEを摂取し，シクロスポリンを併用すると，シクロスポリンの体内への吸収量が増加する可能性があります。そのため，シクロスポリンの作用および副作用が増強するおそれがあります。

中ニコチン酸

ニコチン酸を摂取し，シンバスタチン（医薬品）を併用すると，HDL-コレステロール値を上昇させます。ニコチン酸とシンバスタチンを摂取し，ビタミンEと他の抗酸化物質を併用すると，ニコチン酸とシンバスタチンの併用に伴うHDL-コレステロールに対する作用が減弱するおそれがあります。ビタミンE単体ではニコチン酸とシンバスタチンの併用によるHDL-コレステロールに対する作用が減弱するかについては明らかではありません。

中ワルファリンカリウム

ワルファリンカリウムは血液凝固を抑制するために用いられます。ビタミンEも血液凝固を抑制する可能性があります。ビタミンEを摂取し，ワルファリンカリウムを併用すると，紫斑および出血のリスクが高まるおそれがあります。定期的に血液検査をしてください。ワルファリンカリウムの用量を変更する必要があるかもしれません。

中肝臓で代謝される医薬品（シトクロムP450 3A4（CYP3A4）の基質となる医薬品）

特定の医薬品は肝臓で代謝されます。ビタミンEはこのような医薬品の代謝を変化させる可能性があります。そのため，医薬品の作用および副作用が変化するおそれがあります。このような医薬品には，Lovastatin，ケトコナゾール，イトラコナゾール，フェキソフェナジン塩酸塩，トリアゾラムなど数多くあります。

中血液凝固を抑制する医薬品（抗凝固薬/抗血小板薬）

ビタミンEは血液凝固を抑制する可能性があります。ビタミンEを摂取し，血液凝固を抑制する医薬品を併用すると，紫斑および出血のリスクが高まるおそれがあります。このような医薬品には，アスピリン，クロピドグレル硫酸塩，ジクロフェナクナトリウム，イブプロフェン，ナプロキセン，ダルテパリンナトリウム，エノキサパリンナトリウム，ヘパリン，ワルファリンカリウムなどがあります。

中抗悪性腫瘍薬（アルキル化薬）

ビタミンEは抗酸化物質です。抗酸化物質は特定の抗悪性腫瘍薬の作用を減弱させる可能性があると一部で懸念されています。抗悪性腫瘍薬を服用中の場合には，医師や薬剤師に相談することなくビタミンEを摂取しないでください。

中抗悪性腫瘍薬（抗生物質）

ビタミンEは抗酸化物質です。抗酸化物質は抗悪性腫瘍薬（抗生物質）の作用を減弱させる可能性があると一部で懸念されています。抗悪性腫瘍薬を服用中の場合には，医師や薬剤師に相談することなくビタミンEを摂取しないでください。このような抗悪性腫瘍薬には，ドキソルビシン塩酸塩，ダウノルビシン塩酸塩，エピルビシン塩酸塩，マイトマイシンC，ブレオマイシン塩酸塩などがあります。

中Selumetinib

Selumetinib（抗悪性腫瘍薬）にはビタミンEが含まれます。Selumetinibを服用し，ビタミンE含有サプリメントを併用すると，ビタミンEの用量が安全ではない量になる可能性があります。そのため，出血のリスクが高まるおそれがあります。

ハーブおよび健康食品・サプリメントとの相互作用

β-カロテン

ビタミンEが，β-カロテンの吸収を抑制する可能性を示唆するエビデンスがいくつかあります。β-カロテンは体内でのビタミンA生成に必要です。ビタミンE 800IUを毎日摂取すると，血中β-カロテン濃度が20%低下するようです。より高用量のビタミンEを摂取すると，β-カロテンがさらに減少するおそれがあります。

血液凝固を抑制するおそれのあるハーブおよび健康食品・サプリメント

ビタミンEは血液凝固を抑制します。ビタミンEと血液凝固を抑制するほかのハーブおよび健康食品・サプリメントを併用すると，人によっては，出血のリスクが高まるおそれがあります。このようなハーブおよび健康食品・サプリメントには，アンゼリカ，ジャイアントフェンネル，クローブ，タンジン，ニンニク，ショウガ，イチョウ，朝鮮人参，セイヨウトチノキ，メドウスイート，ポプラ，カッシア，レッドクローバー，ヤナギなどがあります。

鉄

重度の貧血がある乳児が高用量のビタミンE（体重1kg当たり1日10IU超）を摂取すると，鉄サプリメントの吸収量が抑制されるおそれがあります。低用量の摂取ではこの様な影響はありません。乳児への高用量のビタミンEの投与は避けてください。このような相互作用が成人にも起きるかどうかはわかっていません。

ニコチン酸

ニコチン酸は血中の高比重リポタンパク（HDL，善玉）コレステロール値を上昇させる可能性があります。ただし，ビタミンEをセレン，β-カロテン，ビタミンCと併用して摂取すると，この効果を減弱させるおそれがあります。ただし，ビタミンEを単独で摂取した場合，この効果が減弱するかどうかはわかっていません。

n-6系脂肪酸

n-6系脂肪酸を，とくに高用量で摂取すると，体内で必要とされるビタミンEの量が増加するおそれがあります。

ビタミンA

ビタミンEが，体内におけるビタミンAの働きに影響を与えるおそれがあります。

ビタミンK

1日800IU以上のビタミンEを摂取すると，ビタミンKの作用が減弱するおそれがあります。このため，血液凝固を抑制するワルファリンなどの医薬品を服薬している場合には，出血リスクが高まるおそれがあります。血中ビタミンK濃度が低い人は，とくにこのリスクが高くなるおそれがあります。

通常の食品との相互作用

脂肪の多い食品

体内でビタミンEを使用できるようにするには，脂肪が必要です。ただし，そのために食事脂肪を増やす必要はありません。

使用量の目安

●経口摂取

ビタミンE欠乏症

成人であれば一般に，天然ビタミンE（RRR-α-トコフェロール）を，1日60～75IU摂取します。

貧血

ビタミンE 1日447～745IUとエリスロポエチン93～74U/kg/週を併用摂取します。

遅発性ジスキネジア（運動異常症）

天然ビタミンE（RRR-α-トコフェロール）を1日

ビタミンEの食事摂取基準（mg/日）[1]

日本人の食事摂取基準2020年版

性別	男性		女性	
年齢等	目安量	耐容上限量	目安量	耐容上限量
0～5（月）	3.0	—	3.0	—
6～11（月）	4.0	—	4.0	—
1～2（歳）	3.0	150	3.0	150
3～5（歳）	4.0	200	4.0	200
6～7（歳）	5.0	300	5.0	300
8～9（歳）	5.0	350	5.0	350
10～11（歳）	5.5	450	5.5	450
12～14（歳）	6.5	650	6.0	600
15～17（歳）	7.0	750	5.5	650
18～29（歳）	6.0	850	5.0	650
30～49（歳）	6.0	900	5.5	700
50～64（歳）	7.0	850	6.0	700
65～74（歳）	7.0	850	6.5	650
75以上（歳）	6.5	750	6.5	650
妊婦			6.5	—
授乳婦			7.0	—

[1] α-トコフェロールについて算定した。α-トコフェロール以外のビタミンEは含んでいない。

1,600IU摂取します。

小児の統合運動障害

ビタミンE（dl-α-トコフェロール酢酸エステル），魚油，月見草油，タイム油の併用製品を毎日摂取します。

男性不妊

ビタミンEを1日298～894IU摂取します。

アルツハイマー病

1日2,000IUを上限とします。アルツハイマー病患者の記憶低下を抑制するために，ドネペジル塩酸塩1日5mgとビタミンE 1日1,000IUによる併用療法を実施します。

非アルコール性脂肪性肝炎

成人では1日800IU，小児では1日400～1,200IUを摂取します。

初期のハンチントン病

天然ビタミンE（RRR-α-トコフェロール）を3,000IU摂取します。

関節リウマチの疼痛

ビタミンE 600IUを1日2回摂取します。

シスプラチンに起因する神経損傷の予防

ビタミンE（α-トコフェロール）1日447IUを化学療法各回実施時と，シスプラチン治療の終了から最大3カ月後まで摂取します。

心疾患に対する硝酸塩の効果促進

ビタミンE 298IUを1日3回摂取します。

巣状分節性糸球体硬化症（腎疾患）の小児のタンパク尿の低減

ビタミンE 200IUを摂取します。

G6PD欠乏症

ビタミンEを1日800IU摂取します。

月経前症候群（PMS）

天然ビタミンE（RRR-α-トコフェロール）を，1日400IU摂取します。

月経痛

ビタミンE 200IUを1日2回，または1日500IUを，月経2日前から出血開始後3日目まで継続して摂取します。

レーザー角膜切除術後の治癒

ビタミンE（α-トコフェロールニコチン酸エステル）343IUと，ビタミンA（レチノールパルミチン酸エステル）25,000IUを30日間1日3回摂取し，その後2カ月間，1日2回摂取します。

放射線療法に起因する線維症

ビタミンE 1日1,000IUとペントキシフィリン800mgを併用摂取します。

βサラセミア

ビタミンE 1日750IUを摂取します。

ぶどう膜炎

ビタミンE（形態不明）149IUとビタミンC 500mgを併用で1日2回摂取します。

日光皮膚炎の予防

天然ビタミンE（RRR-α-トコフェロール）1,000IUとアスコルビン酸2gを併用摂取します。

もっとも有効なのは，合成ビタミンE（All-rac-α-トコフェロール）を食品とともに摂取することです。

ビタミンE用量の単位は，紛らわしくなっています。現行のガイドラインでは，ビタミンEの推奨量（RDA）および耐容上限量（UL）がmg単位で示されていますが，ほとんどの製品には，依然として国際単位（IU）で表示されています。

ビタミンK

VITAMIN K

●代表的な別名

メナキノン

別名ほか

メナジオン（Menadione），メナキノン（Menaquinone），メナテトレノン（Menatetrenone），フィトナジオン（Phytonadione），フィロキノン（Phylloquinone），4-Amino-2-methyl-1-naphthol，Menadiol Acetate，Menadiol Sodium Phosphate，Menadione Sodium Bisulfite，Methylphytyl Naphthoquinone，Phytomenadione

概　　要

ビタミンKは，葉物野菜，ブロッコリー，芽キャベツなどに含まれるビタミンです。ビタミンKの名前はドイツ語の「Koagulationsvitamin」に由来します。

いくつかの形態のビタミンKが，世界中で「くすり」として用いられています。北米では，ビタミンK_1（フィトナジオン）とビタミンK_2（メナキノン）が利用されています。ビタミンK_1の方が，毒性が低く，効き目が速く，効能が高く，特定の疾患により有効であることから，通常よく利用されています。

ビタミンKは，通常，血液凝固異常に対して使用されます。たとえば，血液凝固抑制薬を過剰摂取したときに，その作用を抑制するために用いられます。また，ビタミンKが不足している新生児の血液凝固異常の予防に用いられます。また，ビタミンK欠乏症（体内のビタミンKが不足する疾患）の治療や予防にも用いられます。

血液凝固作用以外にも，体内でのビタミンKの役割に関する理解が深まるにつれ，研究者はビタミンKの食事摂取基準の推奨量を増加させることを提言するようになりました。2001年，米国医学研究所食品栄養委員会は，ビタミンKの推奨量をわずかに増加しましたが，それを超える増加についてはエビデンスが不十分であるとして認めませんでした。

安　全　性

２種のビタミンK（ビタミンK_1とビタミンK_2）の経口摂取や静脈内投与する場合は，適切であれば，ほとんどの人に安全のようです。１日当たりの推奨量を摂取する場合には，ほとんどの人に副作用は起こりません。ただし，人によっては胃のむかつきや下痢を起こすおそれがあります。

ビタミンK_1を0.1％含むクリームを塗布する場合は，ほとんどの人におそらく安全です。

小児：小児がビタミンK（ビタミンK_1）を経口摂取または注射（点滴）する場合は，適切であれば，ほとんどの小児に安全のようです。

糖尿病：ビタミンK（ビタミンK_1）が血糖値を低下させる可能性があります。糖尿病患者がビタミンK_1を摂取する場合には，血糖値を注意深く監視してください。

腎疾患：腎疾患の透析治療を受けている場合は，ビタミンKを過剰に摂取すると害になるおそれがあります。

肝疾患：ビタミンKは，重度の肝疾患に起因する血液凝固異常の治療に有効ではありません。むしろ，高用量のビタミンKは肝疾患患者の血液凝固異常を悪化させるおそれがあります。

胆汁分泌の低下：胆汁の分泌量が少ない患者がビタミンKを摂取する場合は，ビタミンKの吸収を確実にするために，胆汁酸塩のサプリメントを併用する必要があるかもしれません。

●妊娠中および母乳授乳期

妊娠中および母乳授乳期の使用は，１日当たりの推奨量であれば，安全と考えられています。推奨量を上回る用量は，医師などの指導を受けずに使用してはいけません。

有　効　性

◆有効性レベル①

・ビタミンK値の低い新生児の出血障害の予防（出血性疾患）。ビタミンK_1の経口摂取または筋肉内投与は，新生児の出血障害の予防に役立ちます。筋肉内投与がもっとも効果があるようです。

・プロトロンビン（血液凝固タンパク質）の値が低い患者の出血障害の治療および予防。ビタミンK_1を経口摂取または静脈内投与して，特定の医薬品の使用によってプロトロンビン値が低下した患者の出血障害を予防したり治療したりします。

・ビタミンK依存性血液凝固因子欠乏症（VKCFD）（遺伝性出血性疾患）。ビタミンKの経口摂取または静脈内投与は，ビタミンK依存性血液凝固因子欠乏症患者の出血予防に役立ちます。

・血液凝固抑制薬ワルファリンカリウムの過剰摂取による出血障害の抑制。ビタミンK_1を経口摂取または静脈内注射して，ワルファリンカリウムによる過度の血液凝固抑制を改善させます。ただし，ビタミンK_1を皮下投与しても，効果はないようです。また，ワルファリンカリウムを服用中の人がビタミンKを併用すると，血液凝固時間の安定に役立つようです。これはビタミンK値の低い人にもっとも効果があります。

◆有効性レベル③

・骨粗鬆症。骨粗鬆症の高齢女性が特定の形態のビタミンK_2を摂取すると，ほとんどの人で骨強度が改善し，骨折リスクが低下するようです。しかし，骨粗鬆症でない高齢女性には効果がないようです。高齢女性がビタミンK_1を摂取すると，骨強度が増し，骨折が予防されるようです。しかし，高齢男性には同様の効果はないようです。閉経前の女性やクローン病患者がビタミンK_1を摂取しても，骨強度は改善しないようです。

◆有効性レベル④

・脳室内出血（液体で満たされている脳室（脳内の腔）への出血）。早産（28週以降32週未満）のリスクのある女性にビタミンKを投与しても，早産児の脳内出血は予防しないようです。また，脳内出血による神経損傷リスクが低下することもないようです。

◆科学的データが不十分です

・運動能力，βサラセミア（血液疾患），乳がん，がん，白内障，結腸直腸がん，心疾患，のう胞性線維症，糖尿病，特定の抗悪性腫瘍薬による皮疹，高コレステロール血症，肝がん，肺がん，多発性硬化症（MS），前立腺がん，関節リウマチ，脳卒中，あざ（打撲），熱傷，瘢痕，くも状静脈，妊娠線，腫脹など。

●体内での働き

ビタミンKは必須ビタミンで，血液凝固，骨形成などの重要な働きに必要とされます。

医薬品との相互作用

高 ワルファリンカリウム

ビタミンKは体内で血液凝固を助ける働きがあります。ワルファリンカリウムは血液凝固を抑制するために用いられます。ビタミンKが血液凝固を助けることで，ワルファリンカリウムの効果が弱まるおそれがあります。定期的に血液検査を実施してください。ワルファリンカリウムの用量を変更する必要があるかもしれません。

ハーブおよび健康食品・サプリメントとの相互作用

コエンザイムQ-10

コエンザイムQ-10は，化学的にビタミンK様作用があり，ビタミンKのように，血液凝固を促進する可能性があります。ビタミンKとコエンザイムQ-10を併用すると，それぞれを単独で摂取する場合よりも，血液凝固がさらに促進するおそれがあります。血液凝固を抑制するためにワルファリンカリウムを服用中の場合には，コエンザイムQ-10とビタミンKの併用摂取が問題となる可能性があります。コエンザイムQ-10とビタミンKの併用摂取によって，ワルファリンカリウムの作用が抑制され，血液が凝固するおそれがあります。

血糖値を低下させるおそれのあるハーブおよび健康食品・サプリメント

ビタミンK_1は血糖値を低下させる可能性があります。ビタミンK_1と，血糖値を低下させるおそれのあるほかのハーブおよび健康食品・サプリメントを併用すると，血糖値が過度に低下するおそれがあります。このようなハーブおよび健康食品・サプリメントには，デビルズクロー，フェヌグリーク，グアーガム，朝鮮人参，エゾウコギなどがあります。

チラトリコール

チラトリコールはビタミンKの血液凝固作用を妨げるおそれがあります。

ビタミンA

動物の場合，高用量のビタミンAはビタミンKの血液凝固作用を妨げます。しかし，ヒトにもこの現象が起きるかについては明らかではありません。

ビタミンE

高用量のビタミンE（1日800IU超程度）は，ビタミンKの血液凝固作用を抑制する可能性があります。血液凝固を抑制するためにワルファリンカリウムを服用している場合やビタミンKの摂取量が少ない場合に高用量のビタミンEを摂取すると，出血のリスクが高まるおそれがあります。

ヒ

通常の食品との相互作用

バター，食事脂肪

バターなどの食事脂肪を含む食品と，ホウレンソウなどのビタミンKを含む食品を一緒に摂取すると，ビタミンKの吸収が促進されるようです。

使用量の目安

【成人】

●経口摂取

骨粗鬆症

MK-4（メナキノン-4）という形態のビタミンK_2を1日45mg摂取します。あるいはビタミンK_1を1日1～10mg摂取します。

ビタミンK依存性血液凝固因子欠乏症（遺伝性出血性疾患）

10mgのビタミンKを週2～3回摂取します。

ワルファリンカリウムの血液凝固抑制作用に対する反作用

ワルファリンカリウムの過剰摂取による作用を抑制するために，通常 1～5mgのビタミンK_1を単回摂取します。ただし，正確な用量は，臨床検査（INR）により決定されます。血液凝固が不安定でワルファリンカリウムを長期間服用している場合は，1日100～200μgを摂取します。

●注射（点滴）

ビタミンK依存性血液凝固因子欠乏症（遺伝性出血性疾患）

10mgのビタミンKを静脈内投与します。投与頻度は臨床検査（INR）により決定されます。

ワルファリンカリウムの血液凝固抑制作用に対する反作用

通常0.5～3mgのビタミンK_1を単回摂取します。ただし，正確な用量は，臨床検査（INR）により決定されます。

【小児】

●経口摂取

ビタミンK値の低い新生児の出血障害の予防（出血性疾患）

1～2mgのビタミンK_1を8週間に3回投与します。あるいは，1mgのビタミンK_1，5mgのビタミンK_2，または1～2mgのビタミンK_3をそれぞれ単回投与します。

●注射（点滴）

ビタミンK値の低い新生児の出血障害（出血性疾患）の予防

1mgのビタミンK_1 を筋肉内投与します。

ビタミンKの推奨量（RDA）を決定するには科学的データが不十分です。そのため，代わりに1日の目安量（AI）が以下の通り設定されています。

0～6カ月：2μg
7～12カ月：2.5μg
1～3歳：30μg
4～8歳：55μg
9～13歳：60μg

ビタミンKの食事摂取基準（μg/日）

日本人の食事摂取基準 2020 年版

性 別	男 性	女 性
年齢等	目安量	目安量
0～5（月）	4	4
6～11（月）	7	7
1～2（歳）	50	60
3～5（歳）	60	70
6～7（歳）	80	90
8～9（歳）	90	110
10～11（歳）	110	140
12～14（歳）	140	170
15～17（歳）	160	150
18～29（歳）	150	150
30～49（歳）	150	150
50～64（歳）	150	150
65～74（歳）	150	150
75 以上（歳）	150	150
妊 婦		150
授乳婦		150

14～18歳（妊娠中および母乳授乳期の女性も含む）：75μg
19歳以上の男性：120μg
19歳以上の女性（妊娠中および母乳授乳期も含む）：90μg

ビタミンO

VITAMIN O

別名ほか

液体酸素（Liquid Oxygen），安定型濃縮酸素（Stabilized Oxygen），Stabilized Liquid Oxygen

概　要

ビタミンOは化合物を含む液体です。「くすり」として使用されることもあります。ビタミンではありません。

安全性

安全または副作用については不明です。

●妊娠中および母乳授乳期

妊娠中，母乳授乳期は使用してはいけません。

有効性

◆科学的データが不十分です

・関節炎，気管支喘息，便秘，うつ病，糖尿病，めまい，頭痛，気力の増進のほか，敏捷性，集中力，免疫機能，および記憶の改善，イライラ感，肺疾患，閉経後の不調，口内のびらん，筋肉の疼きと痛み，肥満症，月経前症候群，性的問題など。

●体内での働き

酸素を供給する成分が含まれると考えられていますが，この効能に関する科学的データはまだ十分ではありません。

医薬品との相互作用

ほかの医薬品との相互作用については明らかではありません。

ハーブおよび健康食品・サプリメントとの相互作用

ほかのハーブ，健康食品・サプリメントとの相互作用についてはまだ明らかではありません。

使用量の目安

●経口摂取

効力が不特定のカプセルでは，通常1回2個を1日3回，水と一緒に摂取します。溶液の摂取量は，通常，滴数で表記されます（水，ジュース，ミルク240mLに6滴，コップ1杯の水に20滴を1日3回，約4Lの水に20滴など）。

ヒッチョウカ（蓽澄茄）

CUBEBS

別名ほか

クベバ（Cubeba），クベバペッパー（Cubeba officinalis），テイルドペパー（Tailed Pepper），Cubeb Berries，Java Pepper，Piper Cubeba，Tailed Chubebs

概　要

ヒッチョウカはハーブです。十分に成長した熟れる前の果実を乾燥させて「くすり」に使用されることもあります。

食品では，ヒッチョウカのオイルは風味付けの材料として使われます。

安全性

経口で使用した場合はほとんどの人に安全なようですが，副作用のリスクについては不明です。

●妊娠中および母乳授乳期

妊娠中および母乳授乳期の使用の安全性についてはデータが不十分です。安全性を考慮し，摂取は避けてください。

有効性

◆科学的データが不十分です

・排尿量の増加，アメーバ赤痢，腸内ガス，淋病，粘液の消失，およびがん。

●体内での働き

尿路および呼吸器への作用があるクベブ酸を含んでいます。

医薬品との相互作用

低 胃酸分泌抑制薬（H2受容体拮抗薬）

ヒッチョウカは胃酸を増加させる可能性があります。ヒッチョウカによって胃酸が増加すると，胃酸分泌抑制薬（H2受容体拮抗薬）の効果が弱まるおそれがあります。このような胃酸分泌抑制薬には，シメチジン，ラニチジン塩酸塩，ニザチジン，ファモチジンなどがあります。

低 胃酸分泌抑制薬（プロトンポンプ阻害薬）

ヒッチョウカは胃酸を増加させる可能性があります。ヒッチョウカによって胃酸が増加すると，胃酸分泌抑制薬（プロトンポンプ阻害薬）の効果が弱まるおそれがあります。このような胃酸分泌抑制薬には，オメプラゾール，ランソプラゾール，ラベプラゾールナトリウム，パントプラゾールナトリウム水和物（販売中止），エソメプラゾールマグネシウム水和物などがあります。

ヒ

中肝臓で代謝される医薬品（シトクロムP450 3A4（CYP3A4）の基質となる医薬品）

特定の医薬品は肝臓で代謝されます。ヒッチョウカは特定の医薬品の代謝を抑制する可能性があります。ヒッチョウカと肝臓で代謝される医薬品を併用すると，医薬品の作用および副作用が増強するおそれがあります。このような医薬品には，Lovastatin，クラリスロマイシン，シクロスポリン，ジルチアゼム塩酸塩，エストロゲン（卵胞ホルモン）製剤，インジナビル硫酸塩エタノール付加物（販売中止），トリアゾラムなど数多くあります。

低制酸薬

制酸薬は胃酸を中和するために用いられます。ヒッチョウカは胃酸の分泌を促進する可能性があります。胃酸の分泌が促進すると，制酸薬の効果が弱まるおそれがあります。このような制酸薬には，沈降炭酸カルシウム，Dihydroxyaluminum sodium carbonate，Magaldrate，硫酸マグネシウム水和物，乾燥水酸化アルミニウムゲルなどがあります。

ハーブおよび健康食品・サプリメントとの相互作用

ほかのハーブ，健康食品・サプリメントとの相互作用についてはまだ明らかではありません。

使用量の目安

●経口摂取

通常，果実の粉末２～４g，または流エキス薬２～４mLを摂取します。

ヒトツバエニシダ

DYER'S BROOM

別名ほか

エニシダ・ブルーム，Broom Flower，Dyer's Broom，Dyer's Greenwood，Dyer's Weed，Dyer's Whin，Furze，Genista tinctoria，Green Broom，Greenweed，Wood Waxen

概　　要

ヒトツバエニシダはハーブです。全体部分を用いて「くすり」を作ることもあります。

安　全　性

経口摂取は安全とはいえないでしょう。悪心，嘔吐，下痢が起こるかもしれません。

●妊娠中および母乳授乳期

妊娠中，母乳授乳期は使用してはいけません。

有　効　性

◆科学的データが不十分です

・消化器系疾患，痛風，背部痛，膀胱結石，頻脈，腎疾患，および肺疾患。

●体内での働き

どのように作用するかについては十分なデータが得られていません。

医薬品との相互作用

ほかの医薬品との相互作用については明らかではありません。

ハーブおよび健康食品・サプリメントとの相互作用

ほかのハーブ，健康食品・サプリメントとの相互作用についてはまだ明らかではありません。

使用量の目安

標準使用量に関するデータがありません。

ヒトツバハギ

SECURINEGA SUFFRUTICOSA

別名ほか

Flueggea suffruticosa，Hitotsuba-hagi，Pharnaceum suffruticosum，Securinega，Securinega ramiflora，Securinega suffruticosa

概　　要

ヒトツバハギはハーブです。伝統中国医学に用いられ，ほかのハーブと併用されることもよくあります。果実および葉は食品に用いられます。

ヒトツバハギは韓国，日本，中国，ロシア，ウクライナなどのアジア諸国に生育します。西欧や北米ではあまりみられません。

むねやけ，挫傷，麻痺，多発性硬化症，筋萎縮性側索硬化症，筋肉痛，しびれ感，腰痛に対して経口摂取されます。

ほかのハーブと併用で，ポリオ，めまい感，聴覚障害，性交不能症，脳血管疾患，関節炎に対して経口摂取されるほか，身体から余分な水分を除去する目的で経口摂取されます。

安　全　性

ヒトツバハギの安全性および副作用については，データが不十分です。

有　効　性

◆科学的データが不十分です

・麻痺，多発性硬化症，筋萎縮性側索硬化症，筋肉痛，腰痛など。

●体内での働き

ヒトツバハギには，神経系を刺激する可能性のある化学物質が含まれています。

医薬品との相互作用

中興奮薬

興奮薬は神経系を亢進させます。神経系を亢進させることにより，興奮薬は神経を過敏にして心拍数を上昇させる可能性があります。ヒトツバハギもまた神経系を亢進させる可能性があります。ヒトツバハギと興奮薬を併用すると，頻脈や高血圧などの深刻な問題を引き起こすおそれがあります。このような興奮薬には，アンフェタミン（販売中止），カフェイン，Diethylpropion，メチルフェニデート塩酸塩，Phentermine，塩酸プソイドエフェドリンなど数多くあります。

ハーブおよび健康食品・サプリメントとの相互作用

興奮作用をもつハーブおよび健康食品・サプリメント

ヒトツバハギと，興奮作用をもつほかのハーブおよび健康食品・サプリメントを併用すると，高血圧をはじめ心臓に影響を及ぼす深刻な副作用のリスクが高まるおそれがあります。このようなハーブおよび健康食品・サプリメントには，マオウ（麻黄），カフェインのほか，コーヒー，コーラノキの種，ガラナ豆，マテなどカフェインを含むものなどがあります。

使用量の目安

通常の食品に含まれている量を超えて経口摂取した場合の安全性および副作用については，明らかになっていません。

ヒドラスチス

GOLDENSEAL

別名ほか

ヒドラチス（Hydrastis canadensis），Eye Balm，Eye Root，Goldenroot，Goldsiegel，Ground Raspberry，Indian Dye，Indian Plant，Indian Tumeric，Jaundice Root，Orange Root，Sceau D'Or，Turmeric Root，Warnera，Wild Curcuma，Yellow Indian Paint，Yellow Puccoon，Yellow Root

概　要

ヒドラスチスはハーブです。乾燥した根を用いて「くすり」を作ることもあります。

安 全 性

ヒドラスチスの経口摂取は，単回投与であればほとんどの成人におそらく安全です。長期使用の安全性については，信頼できるデータが不十分です。

小児：新生児には安全ではないようです。使用してはいけません。核黄疸という脳障害を引き起こすおそれがあります。

出血性疾患：ヒドラスチスは注意して使用してください。出血性疾患がある場合には，ヒドラスチスを摂取すると出血リスクが高まるおそれがあります。

糖尿病：ヒドラスチスにはベルベリンが含まれており，ベルベリンは血糖値を低下させるおそれがあります。理論上はヒドラスチスも血糖値を低下させるおそれがあるため，インスリンや医薬品により血糖値を管理している糖尿病患者がヒドラスチスを摂取すると，血糖値が過度に低下するおそれがあります。糖尿病患者は注意して使用してください。

乳児の高ビリルビン血症：ビリルビンは古い赤血球の分解時に産生される化学物質で，通常は肝臓で除去されます。ヒドラスチスに含まれる化学物質ベルベリンが，肝臓でのビリルビン除去を妨げるおそれがあります。これにより，とくに血中ビリルビン濃度の高い乳児に脳障害が起きるおそれがあります。使用は避けてください。

手術：ヒドラスチスは出血リスクを高めるおそれがあります。少なくとも手術前２週間は，使用しないでください。

●妊娠中および母乳授乳期

妊娠中および母乳授乳期の摂取は，赤ちゃんにとって安全ではないようです。ヒドラスチスに含まれる有害な化学物質が胎盤や母乳を通り，子の体内に移行するおそれがあります。ヒドラスチスに曝露した新生児は，核黄疸という脳障害を発症するおそれがあります。妊娠中および母乳授乳期にはヒドラスチスを摂取してはいけません。

有 効 性

◆有効性レベル④

・尿検査での違法薬物反応の隠蔽。ヒドラスチスは尿中の違法薬物を打ち消すとよくうたわれています。しかし，ヒドラスチスを約3.78Lの水と一緒に飲んだり，尿検体にヒドラスチス茶を混ぜたりしても，アンフェタミン（販売中止），バルビツール酸系薬，ベンゾジアゼピン系薬，コカイン，アヘン製剤，フェンシクリジンおよびテトラヒドロカンナビノール（THC）の薬物試験では，偽陰性結果は出ないようです。

◆科学的データが不十分です

・慢性疲労症候群（CFS），大腸炎，結膜炎，花粉症，痔核，食欲不振，月経不順，鼻閉，胃潰瘍，胃のむかつき，尿路感染（UTI）など。

●体内での働き

抗細菌および抗真菌作用をもつと考えられている化学物質ベルベリンを含んでいます。たとえば，大腸菌が尿路壁に付着するのを防ぐ可能性があります。ベルベリンはまた，血圧を低下させ脈拍不整を改善する可能性があります。さらに，血糖値および低比重リポタンパク

有効性レベル：①効きます　②おそらく効きます　③効くと断言できませんが、効能の可能性が科学的に示唆されています
④効かないかもしれません　⑤おそらく効きません　⑥効きません

(LDL，悪玉) コレステロールを低下させることを示唆する初期の研究があります。

ただし，ヒドラスチスに含まれる重要な化学物質の多くは，経口摂取する際の吸収率が悪く，ヒトに対し大きな作用をもちうる濃度に達しない可能性があります。このため，ヒドラスチスがベルベリンと同様の作用をもつかどうかは不明です。

医薬品との相互作用

中アムロジピンベシル酸塩

アムロジピンベシル酸塩は血圧を低下させます。ヒドラスチスの化合物であるベルベリンも血圧を低下させる可能性があります。理論的には，ヒドラスチスとアムロジピンベシル酸塩を併用すると，血圧が過度に低下するおそれがあります。ヒドラスチスとアムロジピンベシル酸塩を併用する時は血圧を監視してください。

低オセルタミビルリン酸塩

オセルタミビルリン酸塩は体内に取り込まれた後に活性化されるプロドラッグです。ヒドラスチスとオセルタミビルリン酸塩を併用すると，医薬品の活性体への変化を妨げます。しかし，この相互作用がオセルタミビルリン酸塩の作用を抑制するほど重大なものかは明らかではありません。

中シクロスポリン

シクロスポリンは体内で代謝されてから排泄されます。ヒドラスチスはシクロスポリンの代謝を抑制する可能性があります。そのため，体内のシクロスポリンの量が過剰になり，副作用が現れるおそれがあります。

中ジゴキシン

ヒドラスチスとジゴキシンを併用すると，体内のジゴキシンの量が若干増加するおそれがあります。

中タクロリムス水和物

タクロリムス水和物は免疫抑制薬です。肝臓で代謝されます。ヒドラスチスはベルベリンを含み，ベルベリンはタクロリムス水和物の代謝を抑制する可能性があります。ヒドラスチスとタクロリムス水和物を併用すると，タクロリムス水和物の効果および副作用が増強されるおそれがあります。

中デキストロメトルファン臭化水素酸塩水和物

デキストロメトルファン臭化水素酸塩水和物は体内で代謝されてから排泄されます。ヒドラスチスはベルベリンを含みますので，デキストロメトルファン臭化水素酸塩水和物の体内での代謝を抑制するおそれがあります。ヒドラスチスとデキストロメトルファン臭化水素酸塩水和物を併用すると，デキストロメトルファン臭化水素酸塩水和物の作用および副作用が増強するおそれがあります。

中ペントバルビタールカルシウム

ペントバルビタールカルシウムは眠気を引き起こす可能性のある医薬品です。ヒドラスチスはベルベリンを含み，ベルベリンもまた眠気および注意力低下を引き起こす可能性があります。ヒドラスチスとペントバルビタールカルシウムを併用すると，過度の眠気を引き起こすおそれがあります。

中ミダゾラム

ヒドラスチスはベルベリンを含み，ベルベリンはミダゾラムの体内での代謝を抑制する可能性があります。ヒドラスチスとミダゾラムを併用すると，ミダゾラムの作用および副作用が増強されるおそれがあります。

中ロサルタンカリウム

ロサルタンカリウムは肝臓で活性化します。ヒドラスチスはベルベリンを含み，ベルベリンはロサルタンカリウムの代謝を抑制します。ヒドラスチスとロサルタンカリウムを併用すると，ロサルタンカリウムの作用が弱まるおそれがあります。

中肝臓で代謝される医薬品（シトクロムP450 2C9（CYP2C9）の基質となる医薬品）

特定の医薬品は肝臓で代謝されます。ヒドラスチスは特定の医薬品の代謝を抑制するおそれがあります。ヒドラスチスと肝臓で代謝される医薬品を併用すると，医薬品の作用および副作用が増強するおそれがあります。このような医薬品にはセレコキシブ，ジクロフェナクナトリウム，フルバスタチンナトリウム，Glipizide，イブプロフェン，イルベサルタン，ロサルタンカリウム，フェニトイン，ピロキシカム，タモキシフェンクエン酸塩，トルブタミド（販売中止），トラセミド，ワルファリンカリウムがあります。

中肝臓で代謝される医薬品（シトクロムP450 2D6（CYP2D6）の基質となる医薬品）

特定の医薬品は肝臓で代謝されます。ヒドラスチスはこのような医薬品の代謝を抑制するおそれがあります。ヒドラスチスと肝臓で代謝される医薬品を併用すると，医薬品の作用および副作用が増強されるおそれがあります。このような医薬品にはアミトリプチリン塩酸塩，クロザピン，コデインリン酸塩水和物，塩酸デシプラミン（販売中止），ドネペジル塩酸塩，フェンタニルクエン酸塩，フレカイニド酢酸塩，塩酸フルオキセチン（販売中止），ペチジン塩酸塩，メサドン塩酸塩，メトプロロール酒石酸塩，オランザピン，オンダンセトロン塩酸塩水和物，トラマドール塩酸塩，トラゾドン塩酸塩などがあります。

中肝臓で代謝される医薬品（シトクロムP450 2E1（CYP2E1）の基質となる医薬品）

特定の医薬品は肝臓で代謝されます。ヒドラスチスはこのような医薬品の代謝を抑制するおそれがあります。ヒドラスチスと肝臓で代謝される医薬品を併用すると，医薬品の作用および副作用が増強されるおそれがあります。このような医薬品にはアセトアミノフェン，クロルゾキサゾン，アルコール，テオフィリンと，エンフルラン（販売中止），ハロタン（販売中止），イソフルラン，Methoxyfluraneなどの麻酔薬があります。

中 肝臓で代謝される医薬品（シトクロムP450 3A4（CYP3A4）の基質となる医薬品）

特定の医薬品は肝臓で代謝されます。ヒドラスチスがこのような医薬品の代謝を抑制するおそれがあります。ヒドラスチスと肝臓で代謝される医薬品を併用すると，医薬品の作用および副作用が増強されるおそれがあります。このような医薬品には，Lovastatin，クラリスロマイシン，インジナビル硫酸塩エタノール付加物（販売中止），シルデナフィルクエン酸塩，ケトコナゾール，イトラコナゾール，フェキソフェナジン塩酸塩，トリアゾラム，ミダゾラムなど数多くあります。

中 血液凝固を抑制する医薬品（抗凝固薬/抗血小板薬）

ヒドラスチスはベルベリンを含みます。ベルベリンは血液凝固を抑制する可能性があります。理論的には，ヒドラスチスと血液凝固を抑制する医薬品を併用すると，紫斑および出血のリスクが高まるおそれがあります。このような医薬品にはアスピリン，クロピドグレル硫酸塩，ダルテパリンナトリウム，エノキサパリンナトリウム，ヘパリン，チクロピジン塩酸塩，ワルファリンカリウムなどがあります。

中 降圧薬

ヒドラスチスはベルベリンを含み，ベルベリンは血圧を下げる可能性があります。理論的には，ヒドラスチスと降圧薬を併用すると，血圧が過度に下がるおそれがあります。このような医薬品には，カプトプリル，エナラプリルマレイン酸塩，ロサルタンカリウム，バルサルタン，ジルチアゼム塩酸塩，アムロジピンベシル酸塩，ヒドロクロロチアジド，フロセミドなど数多くあります。

中 細胞内のポンプによって輸送される医薬品（P糖タンパク質の基質となる医薬品）

医薬品の中には細胞内のポンプによって輸送される（P糖タンパク質の基質となる）ものがあります。ヒドラスチスはこのポンプの働きを弱め，体内に吸収される医薬品の濃度を高める可能性があります。その結果，副作用が起こりやすくなるおそれがあります。ただし，このことが大きな問題かどうかを判断する十分なデータがありません。このような医薬品には，エトポシド，パクリタキセル，ビンブラスチン硫酸塩，ビンクリスチン硫酸塩，ビンデシン硫酸塩，ケトコナゾール，イトラコナゾール，アンプレナビル（販売中止），インジナビル硫酸塩エタノール付加物（販売中止），ネルフィナビルメシル酸塩，サキナビルメシル酸塩，シメチジン，ラニチジン塩酸塩，ジルチアゼム塩酸塩，ベラパミル塩酸塩，副腎皮質ステロイド，エリスロマイシン，シサプリド（販売中止），フェキソフェナジン塩酸塩，シクロスポリン，ロペラミド塩酸塩，キニジン硫酸塩水和物などがあります。

中 鎮静薬（中枢神経抑制薬）

ヒドラスチスはベルベリンを含み，ベルベリンは眠気および注意力低下を引き起こす可能性があります。鎮静薬も眠気を引き起こす医薬品です。理論的には，ヒドラスチスと鎮静薬を併用すると，過度の眠気を引き起こすおそれがあります。このような鎮静薬には，ベンゾジアゼピン系薬，ペントバルビタールカルシウム，フェノバルビタール，セコバルビタールナトリウム，チオペンタールナトリウム，フェンタニルクエン酸塩，モルヒネ塩酸塩水和物，プロポフォールなどがあります。

中 糖尿病治療薬

ヒドラスチスは血糖値を低下させる可能性のあるベルベリンを含みます。糖尿病治療薬もまた血糖値を低下させるために用いられます。理論的には，ヒドラスチスと糖尿病治療薬を併用すると，血糖値が過度に低下するおそれがあります。血糖値を注意深く監視してください。糖尿病治療薬の用量を変更する必要があるかもしれません。このような糖尿病治療薬にはグリメピリド，グリベンクラミド，インスリン，ピオグリタゾン塩酸塩，マレイン酸ロシグリタゾン（販売中止）などがあります。

ハーブおよび健康食品・サプリメントとの相互作用

血圧を低下させるおそれのあるハーブおよび健康食品・サプリメント

ヒドラスチスは血圧を低下させるおそれがあります。同様の作用をもつほかのハーブおよび健康食品・サプリメントと併用すると，人によっては血圧が過度に低下するリスクが高まるおそれがあります。このようなハーブおよび健康食品・サプリメントには，アンドログラフィス，カゼイン・ペプチド，キャッツクロー，コエンザイムQ-10，魚油，L-アルギニン，クコ，イラクサ，テアニンなどがあります。

血糖値を低下させるおそれのあるハーブおよび健康食品・サプリメント

ヒドラスチスには血糖値を低下させるおそれのあるベルベリンが含まれています。同様の作用をもつほかのハーブおよび健康食品・サプリメントと併用すると，人によっては血糖値が過度に低下するおそれがあります。このようなハーブおよび健康食品・サプリメントには，α-リポ酸，ニガウリ，クロム，デビルズクロー，フェヌグリーク，ニンニク，グアーガム，セイヨウトチノキ種子，朝鮮人参，サイリウム，エゾウコギなどがあります。

血液凝固を抑制するおそれのあるハーブおよび健康食品・サプリメント

ヒドラスチスと，血液凝固を抑制するおそれのあるほかのハーブおよび健康食品・サプリメントを併用すると，人によっては出血のリスクが高まるおそれがあります。このようなハーブおよび健康食品・サプリメントには，アンゼリカ，クローブ，タンジン，ニンニク，ショウガ，イチョウ，朝鮮人参などがあります。

睡眠を促す（鎮静）作用のあるハーブおよび健康食品・サプリメント

ヒドラスチスには眠気または注意力低下を引き起こすおそれがあるベルベリンが含まれています。同様の作用をもつほかのハーブおよび健康食品・サプリメントと併用すると，過度の眠気を引き起こすおそれがあります。

ヒ

このようなハーブおよび健康食品・サプリメントには，ショウブ，ハナビシソウ，キャットニップ，ホップ，ジャマイカ・ドックウッド，カバ，L-トリプトファン，メラトニン，セージ，S-アデノシルメチオニン（SAMe），セント・ジョンズ・ワート，ササフラス，スカルキャップなどがあります。

使用量の目安

通常の食品に含まれている量を超えて経口摂取した場合の安全性および副作用については，明らかになっていません。

ヒドロキシクエン酸

HYDROXYCITRIC ACID

別名ほか

1,2-Dihydroxypropane-1,2,3-tricarboxylic acid, HCA，Hydroxycitrate

概　　要

ヒドロキシクエン酸は，ガルシニアカンボジア，Garnicia indica，Garnicia atroviridisの果実の皮に含まれる成分です。ヒドロキシクエン酸は，Hibiscus sabdariffaやブッソウゲの花の一部にも含まれています。クエン酸と同様の性質を持っています。

ヒドロキシクエン酸は，運動能力向上や体重減少の目的で用いられています。

安　全　性

ヒドロキシクエン酸の経口摂取は，12週間までであれば，ほとんどの人におそらく安全です。ヒドロキシクエン酸を短期間摂取すると，吐き気，消化管不快感，頭痛を引き起こすおそれがあります。長期間にわたる使用の安全性についてはデータが不十分です。

出血性疾患：ヒドロキシクエン酸が，血液凝固を抑制するおそれがあります。このため，出血性疾患の場合には，出血または紫斑のリスクが高まるおそれがあります。

糖尿病：ヒドロキシクエン酸が，血糖値を低下させるおそれがあります。血糖値を注意深く監視してください。糖尿病治療薬の服薬量を調節する必要があるかもしれません。

手術：ヒドロキシクエン酸が，血糖値に影響を与え，血液凝固を抑制するおそれがあります。このため，手術中および術後の血糖値および出血のコントロールを困難にするおそれがあります。少なくとも手術前２週間は，使用しないでください。

●妊娠中および母乳授乳期

妊娠中および母乳授乳期の使用の安全性についてはデータが不十分です。安全性を考慮し，摂取は避けてください。

有　効　性

◆科学的データが不十分です

・運動能力，体重減少など。

●体内での働き

ヒドロキシクエン酸は，脂肪の蓄積を抑制し食欲を制限することにより，体重減少に有効である可能性があります。筋肉に蓄えられているエネルギーの使用を制限することにより，運動能力が向上し，その結果疲労を予防するようです。

医薬品との相互作用

中 血液凝固を抑制する医薬品（抗凝固薬/抗血小板薬）

ヒドロキシクエン酸は血液凝固を抑制する可能性があります。ヒドロキシクエン酸と血液凝固を抑制する医薬品を併用すると，紫斑および出血のリスクが高まるおそれがあります。このような医薬品にはアスピリン，クロピドグレル硫酸塩，ダルテパリンナトリウム，エノキサパリンナトリウム，ヘパリン，チクロピジン塩酸塩，ワルファリンカリウムなどがあります。

中 糖尿病治療薬

ヒドロキシクエン酸は血糖値を低下させる可能性があります。糖尿病治療薬もまた血糖値を低下させるために用いられます。ヒドロキシクエン酸と糖尿病治療薬を併用すると，血糖値が過度に低下するおそれがあります。血糖値を注意深く監視してください。糖尿病治療薬の用量を変更する必要があるかもしれません。このような糖尿病治療薬にはグリメピリド，グリベンクラミド，インスリン，ピオグリタゾン塩酸塩，マレイン酸ロシグリタゾン（販売中止），クロルプロパミド，Glipizide，トルブタミド（販売中止）などがあります。

ハーブおよび健康食品・サプリメントとの相互作用

血糖値を低下させるおそれのあるハーブおよび健康食品・サプリメント

ヒドロキシクエン酸が，血糖値を低下させるおそれがあります。ヒドロキシクエン酸と，血糖値を低下させるおそれのあるほかのハーブおよび健康食品・サプリメントを併用すると，血糖値が過度に低下するおそれがあります。このようなハーブおよび健康食品・サプリメントには，デビルズクロー，フェヌグリーク，グアーガム，朝鮮人参，エゾウコギなどがあります。

血液凝固を抑制するおそれのあるハーブおよび健康食品・サプリメント

ヒドロキシクエン酸と，血液凝固を抑制するおそれのあるほかのハーブおよび健康食品・サプリメントを併用すると，人によっては，出血のリスクが高まるおそれがあります。このようなハーブおよび健康食品・サプリメントには，アンゼリカ，クローブ，タンジン，ニンニク，ショウガ，イチョウ，朝鮮人参などがあります。

使用量の目安

通常の食品に含まれている量を超えて経口摂取した場合の安全性および副作用については，明らかになっていません。

ヒナゲシ

CORN POPPY

●代表的な別名

レッドポピー

別名ほか

Copperose，Corn Rose，Cup-Puppy，Headache，Headwark，Rakta posta，Rakta khakasa，Red Poppy，Rhoeados Flos

概　要

ヒナゲシはハーブです。花を用いて「くすり」を作ることもあります。

安 全 性

成人が「くすり」としての量の乾燥させたヒナゲシの花を経口摂取する場合，ほとんどの人におそらく安全です。

小児：小児が生の葉や花を摂取する場合，おそらく安全ではありません。嘔吐や胃痛のような副作用を引き起こすおそれがあります。

小児が乾燥させたヒナゲシの花を摂取する場合の安全性についてはデータが不十分です。摂取は避けてください。

●妊娠中および母乳授乳期

妊娠中および母乳授乳期の摂取の安全性についてはデータが不十分です。安全性を考慮し，摂取は避けてください。

有 効 性

◆科学的データが不十分です

・呼吸器疾患，睡眠障害，疼痛など。

●体内での働き

どのように作用するかについては十分なデータが得られていません。

医薬品との相互作用

中 鎮静薬（中枢神経抑制薬）

ヒナゲシ葉エキスは眠気および注意力低下を引き起こす可能性があります。鎮静薬は眠気を引き起こす医薬品です。ヒナゲシ葉エキスと鎮静薬を併用すると過度の眠気を引き起こすおそれがあります。このような鎮静薬にはクロナゼパム，ロラゼパム，フェノバルビタール，ゾルピデム酒石酸塩などがあります。

ハーブおよび健康食品・サプリメントとの相互作用

鎮静作用のあるハーブおよび健康食品・サプリメント

ヒナゲシの葉のエキスが眠気または注意力低下を引き起こすおそれがあります。同様の作用のあるハーブおよび健康食品・サプリメントと併用すると，過度の眠気を引き起こすおそれがあります。このようなハーブおよび健康食品・サプリメントには，5-ヒドロキシトリプトファン，ショウブ，ハナビシソウ，キャットニップ，ホップ，ジャマイカ・ドッグウッド，カバ，セント・ジョンズ・ワート，バイカルスカルキャップ，カノコソウ，アネモプシス・カリフォルニカなどがあります。

使用量の目安

通常の食品に含まれている量を超えて経口摂取した場合の安全性および副作用については，明らかになっていません。

ヒバ

THUJA

別名ほか

クロベ属，ノーザンホワイトシーダー，ホワイトシーダー，ニオイヒバ，American Arborvitae，Arborvitae，Cedar Leaf Oil，Eastern Arborvitae，Eastern White Cedar，Hackmatack，Swamp Cedar，Thuga，Thuja，Thuja occidentalis，Tree of Life

概　要

ヒバは樹木です。葉および葉からとれたオイルが「くすり」として使われることもあります。

安 全 性

「くすり」として使用する場合の安全性についての十分なデータが得られていません。大量に使用すると，胃のむかつき，悪心，痛みのある下痢，気管支喘息，痙攣を引き起こし，死に至ることがあります。

ヒバ製品にはツヨン（Thujone）と呼ばれる化合物が含まれることがあります。ツヨンは低血圧症，気管支喘息，痙攣を引き起こし，死に至ることがあります。

多発性硬化症，狼瘡（全身性エリテマトーデス），慢性関節リウマチなどの免疫系障害，およびそのほかの「自己免疫疾患」と呼ばれる免疫系の疾患の人は使用してはいけません。

●妊娠中および母乳授乳期

妊娠中，母乳授乳期は使用してはいけません。

有効性

◆科学的データが不十分です

・免疫機能の促進，気管支炎，肺炎，皮膚感染症，ヘルペス感染症，神経痛，連鎖球菌性咽頭炎（扁桃炎），中絶，関節炎，関節痛，筋肉痛，皮膚疾患，がん，疣贅（いぼ），虫除け剤としての使用。

●体内での働き

ウイルスに抵抗する化合物を含んでいます。脳疾患を生じることのあるツヨンと呼ばれる化合物も含んでいます。

医薬品との相互作用

中 抗てんかん薬

抗てんかん薬は脳内物質に作用しますが，ヒバも脳内物質に影響すると考えられています。脳内物質に影響することで，併用すると抗てんかん薬の効果を低下させるおそれがあります。抗てんかん薬には，フェノバルビタール，プリミドン，バルプロ酸ナトリウム，ガバペンチン，カルバマゼピン，フェニトインなどがあります。

中 発作を誘発する可能性のある医薬品（発作閾値を低下させる医薬品）

医薬品の中には，発作を誘発する可能性のあるものがありますが，ヒバを摂取して発作を起こす人もいますので，これらを併用すると発作を起こすリスクがさらに高まります。このような医薬品と併用しないでください。発作を誘発する可能性を高める医薬品には，麻酔薬（プロポフォールほか），抗不整脈薬（メキシレチン塩酸塩），抗菌薬（Amphotericin，ペニシリン系薬，セファロスポリン系薬，イミペネム水和物（販売中止）），抗うつ薬（ブプロピオン塩酸塩（販売中止）ほか），抗ヒスタミン薬（シプロヘプタジン塩酸塩水和物ほか），麻薬（フェンタニルクエン酸塩ほか），興奮薬（メチルフェニデート塩酸塩），テオフィリンなどがあります。

ハーブおよび健康食品・サプリメントとの相互作用

ほかのハーブ，健康食品・サプリメントとの相互作用についてはまだ明らかではありません。

使用量の目安

標準使用量に関するデータがありません。

ビフィズス菌

BIFIDOBACTERIA

●代表的な別名

ラクトバチルス・ビフィズス

別名ほか

ビフィドバクテリウム属（Bifidobac terium），プロバイオティクス（Probiotics），B. bifidum，Bifido，Bifidobacterium adolescentis，Bifidobacterium animalis，Bifidobacterium bifidum，Bifidobacterium breve，Bifidobacterium infantis，Bifidobacterium lactis，Bifidobacterium longum，Bifidum，Bifi dobacteria Bifidus

概要

ビフィズス菌は細菌の仲間で，通常人の腸内に住んでいます。「くすり」として使用されることもあります。

●要説（ナチュラル・スタンダード）

ビフィズス菌BB536（Bifidobacterium longum BB536）はグラム陽性の細菌で，乳酸や酢酸を生成します。BB536はプロバイオティック・バクテリアの一種です。プロバイオティックスは健康によいバクテリアです。「友好的な菌」（friendly bacteria）とも呼ばれます。

健康上の利点として，プロバイオティクスやBB536は，腸管や免疫系の健康を維持し，感染から守ってくれると考えられています。

現在のところ，アレルギー疾患に対してBB536を使用した予備研究は主に日本スギ花粉（JCP）に限られています。研究によれば，BB536および他のプロバイオティクスは，大腸の機能や便の質を改善するかも知れないと示唆しています。乳児の粉ミルクに含まれるBB536にもわずかに利点があるかもしれません。

BB536の潜在的な有益性を評価するには，さらに研究が必要です。

・新型コロナウイルス感染症（COVID-19）。

COVID-19に対してビフィズス菌の使用を裏付ける十分なエビデンス（科学的根拠）はありません。

安全性

ビフィズス菌は，適量を経口摂取する場合，成人・小児ともほとんどの人に安全のようです。人によっては，下痢，腹部膨満，腸内ガスなど胃腸に不快症状が起こるおそれがあります。

免疫機能の低下：免疫機能が低下している人には，プロバイオティクスが過剰に繁殖して感染を引き起こすおそれがあります。ビフィズス菌により感染が起きた例はありませんが，まれに乳酸菌などほかのプロバイオティクス種が関与した症例があります。免疫システムが低下している場合（HIV/エイズやがん治療中など），使用する前に医師などに相談してください。

腸の通過障害：ビフィズス菌のプロバイオティクスを与えられた乳児に２例の血液感染が報告されています。いずれの症例でも乳児は胃の手術を受けていました。胃の手術による腸の通過障害から血液感染が起こり，ビフィズス菌が血流に移行したものと考えられます。うち１例で腸の通過障害を治療したのちにビフィズス菌を与えたところ，新たに血液感染は起きませんでした。したがって，ビフィズス菌を摂取する乳児のほとんどには血液感染のリスクを懸念する必要はありませんが，胃や腸の通過障害がある乳児には，ビフィズス菌の使用は慎重に行うか，避けてください。

●妊娠中および母乳授乳期

妊娠中および母乳授乳期の使用の安全性についてはデータが不十分です。安全性を考慮し，摂取は避けてください。

有 効 性

◆有効性レベル③

・便秘。便秘の人がビフィズス菌を摂取すると，排便回数が週に約2～4回増加する可能性が，研究で示されています。

・ヘリコバクター・ピロリ感染。ヘリコバクター・ピロリに対する標準治療と併用して，ビフィズス菌と乳酸菌を摂取すると，標準治療単独の約2倍の除菌効果があります。またヘリコバクター・ピロリ治療による副作用も軽減する可能性があります。

・過敏性腸症候群（IBS）。ビフィズス菌を4～8週間摂取すると，胃痛，腹部膨満，排便困難など過敏性腸症候群の症状が軽減する可能性があることが，ほとんどの研究で示されています。また，患者の不安やうつ病などの症状も緩和する可能性があります。ただし，相反する研究結果も存在します。

・回腸のう炎（潰瘍性大腸炎手術後の合併症）。ビフィズス菌，乳酸菌および連鎖球菌を併用で経口摂取すると，潰瘍性大腸炎手術後の回腸のう炎の予防に役立つようです。

・気道感染。学童期の小児や大学生などの健康な人がビフィズス菌を含むプロバイオティクスを摂取すると，感冒などの気道感染の予防に役立つことが，ほとんどの研究で示されています。ただし，入院中の小児や十代の青少年がビフィズス菌を摂取しても，気道感染リスクは低下しないようです。

・乳児の下痢（ロタウイルスによる下痢）。ロタウイルスによる下痢の乳児にビフィズス菌を与えると，下痢の継続期間が約1日短縮する可能性があります。

・旅行者下痢。ビフィズス菌を，乳酸菌や連鎖球菌などほかのプロバイオティクスと併用摂取すると，旅行者下痢の予防に役立ちます。

・潰瘍性大腸炎。活動期の潰瘍性大腸炎患者がビフィズス菌を含むプロバイオティクスを乳酸菌や連鎖球菌と併用摂取すると，寛解率がほぼ2倍に上昇する可能性が，研究で示されています。ただし，ほとんどの研究によれば，ビフィズス菌は再燃予防には役立ちません。

◆有効性レベル④

・クロストリジウム・ディフィシル感染による下痢。ビフィズス菌をほかのプロバイオティクスと併用摂取しても，クロストリジウム・ディフィシル感染による下痢を予防できないことが，ほとんどの研究で示されています。

・未熟児の死亡。乳児用調合乳にビフィズス菌を追加しても，未熟児の死亡リスクは低下しません。

・乳児の発達。ビフィズス菌と乳酸菌を含む調合乳を与えても，乳児の成長は改善しません。

・壊死性腸炎（NEC）（早産児の腸管障害）。早産児にビフィズス菌を与えても，壊死性腸炎およびあらゆる原因による死亡は予防できません。

・敗血症（血液感染）。乳児用調合乳にビフィズス菌を追加しても，未熟児の敗血症は予防できません。

・体重減少。過体重または肥満の人がビフィズス菌を6カ月間摂取しても，体重減少に改善はみられません。

◆科学的データが不十分です

・抗生剤による下痢，湿疹，セリアック病，化学療法にかかわる感染，糖尿病，運動による筋肉痛，高コレステロール血症，スギ花粉症，放射線曝露後の感染症予防，関節炎，加齢，乳腺炎，がん，乳糖不耐症，肝障害，ライム病，流行性耳下腺炎，下痢によって除去された有益な細菌の回復，胃障害など。

●体内での働き

ビフィズス菌は乳酸菌の仲間です。乳酸菌は，ヨーグルトやチーズのような発酵食品に含まれています。ビフィズス菌は，抗生剤と対比される「プロバイオティクス」と呼ばれる治療に用いられます。これらの菌は「善玉」菌と考えられ，体内で通常生存するべき場所まで運ばれ，発育し，増殖します。人間の身体は，食品の分解，栄養素の吸収，「悪玉」菌の抑制など，正常菌のさまざまな働きに頼っています。ビフィズス菌などのプロバイオティクスは，正常菌が全滅することによって起こる，または起こりうる病気に対して使用します。たとえば，抗生剤による治療では病原菌が殺菌されると同時に，消化管および尿路の正常菌も死滅します。抗生剤治療中にビフィズス菌のプロバイオティクスを摂取することにより，善玉菌の死滅や悪玉菌の優勢を予防することができるというのが理論です。

医薬品との相互作用

中 抗菌薬

抗菌薬は体内の有害な細菌を減少させるために用いられます。抗菌薬はまた，体内の有益な細菌を減少させる可能性もあります。ビフィズス菌は有益な細菌の一種です。ビフィズス菌と抗菌薬を併用すると，ビフィズス菌の効果が低下する可能性があります。この相互作用を避けるために，抗菌薬の服用後または服用前，少なくとも2時間はビフィズス菌製品を摂取しないでください。

ハーブおよび健康食品・サプリメントとの相互作用

ほかのハーブ，健康食品・サプリメントとの相互作用についてはまだ明らかではありません。

使用量の目安

【成人】

ヒ

有効性レベル：①効きます　②おそらく効きます　③効くと断言できませんが、効能の可能性が科学的に示唆されています
④効かないかもしれません　⑤おそらく効きません　⑥効きません

●経口摂取

便秘

ビフィズス菌１日１～200億CFUを通常，１～４週間毎日摂取します。またはビフィズス菌と乳酸菌50～600億CFUを１週間から１カ月間毎日摂取します。

過敏性腸症候群（IBS）

胃腸症状の改善には，ビフィズス菌１～10億CFUを，４～８週間毎日摂取します。またはビフィズス菌，乳酸菌および連鎖球菌50億CFUを１日２回，４週間摂取します。過敏性腸症候群患者のうつ病および不安の改善には，ビフィズス菌100億CFUを１日１回，６週間摂取します。

気道感染

ビフィズス菌30億CFUを毎日，６週間摂取します。

回腸のう炎（潰瘍性大腸炎手術後の合併症）

ビフィズス菌，乳酸菌および連鎖球菌を１回３兆CFU以内で１日１回，最長12カ月間摂取します。

ヘリコバクター・ピロリ菌の治療

ヘリコバクター・ピロリ菌の治療中の１週間およびその後１週間，ビフィズス菌および乳酸菌１日50億CFUを摂取します。

潰瘍性大腸炎

寛解率の上昇には，乳酸菌，ビフィズス菌および連鎖球菌を9,000億CFUに相当する３gの用量で１日１～２回摂取します。

【小児】

●経口摂取

便秘

３～16歳では，ビフィズス菌１日10～1,000億CFUを４週間摂取します。

過敏性腸症候群（IBS）

ビフィズス菌１日100億CFUを４週間摂取します。

気道感染

３～13歳では，ビフィズス菌と乳酸菌20～100億CFUを１日２回摂取します。

乳児の下痢（ロタウイルスによる下痢）

３歳以下では，ビフィズス菌を単独または連鎖球菌と併用で摂取します。またはビフィズス菌と乳酸菌を１日２回，３日間摂取します。

潰瘍性大腸炎

１～16歳では，ビフィズス菌，乳酸菌および連鎖球菌を最大１兆8,000億CFUまでの用量で毎日，最長１年間摂取します。

ヒマワリ油

SUNFLOWER OIL

●代表的な別名

サンフラワーオイル

別名ほか

ヒマワリ種子油，ヒマワリ，ヘリアンサス・アンヌス（Helianthus annuus），サンフラワー（Sunflower），Sunflower Seed Oil，Corona Solis，Helianthi annui Oleum，Marigold of Peru

概　　要

ヒマワリ油はヒマワリの種子から圧搾されます。食品では，ヒマワリ油は調理用オイルとして使用されます。ヒマワリ油は，「くすり」としても使用されます。

安 全 性

適量のヒマワリ油を摂取する場合，ほとんどの人に安全のようです。

適量のヒマワリ油を皮膚へ塗布する場合，ほとんどの人に安全のようです。

小児：ヒマワリ油を最長２カ月間皮膚に塗布した場合，おそらく安全です。

糖尿病：ヒマワリ油を多量に含む食品は，空腹時インスリン値および空腹時血糖値を上昇させるようです。食後の血中脂質も上昇させるようです。そのため，２型糖尿病患者に動脈硬化が発症するリスクが高まるおそれがあります。

●アレルギー

ブタクサや関連する植物に対するアレルギー：ヒマワリ油は，キク科植物に対して過敏な人にアレルギー反応を引き起こすおそれがあります。キク科には，ブタクサ，キク，マリーゴールド，デイジーなど多くの植物があります。アレルギーの場合には，ヒマワリ油を摂取する前に必ず医師などに相談してください。

●妊娠中および母乳授乳期

妊娠中または母乳授乳期における食品としての量を超える使用の安全性については，データが不十分です。安全性を考慮し，食品としての量を超える摂取は避けてください。

有 効 性

◆有効性レベル③

・心疾患。より多量の飽和脂肪酸を含む食事脂肪に代えて，高オレイン酸ヒマワリ油を摂取することによって，心疾患のリスクが低下する可能性があるというエビデンスが複数あります。高オレイン酸ヒマワリ油の推奨量は，ほかの脂肪およびオイルの代用で１日約20g（大さじ1.5杯）です。オレイン酸の含有量がこれより少ないヒマワリ油は，有益ではないようです。
・高コレステロール血症。ほとんどの研究が，食事にヒマワリ油を取り入れると，高コレステロール血症患者の総コレステロールおよび低比重リポタンパク（LDL，悪玉）コレステロールが低下することを示しています。ただし，ヒマワリ油の摂取は，パーム油および亜麻仁油に比べて，コレステロールを低下させる有効性が低い可能性があります。さらに，ヒマワリ油は，末梢血管疾患または動脈硬化リスクを有する人のコレステロールを低下させる有効性はない可能性があります。

・水虫（足部白癬）。ヒマワリ油の特定の製品を足に6週間塗布すると，水虫の治療薬「ケトコナゾール」と同等の有効性があることを示唆する研究が複数あります。

◆有効性レベル④

・高血圧。ヒマワリ油を最長1年間摂取することは，高血圧患者の血圧を低下させる有効性がオリーブオイルより低いようです。

◆科学的データが不十分です

・動脈硬化，乾燥肌，未熟児の成長と発育，感染に起因する関節痛と腫脹（炎症）（反応性関節炎），関節リウマチ（RA），便秘，皮膚へ塗布した場合の皮膚症状，皮膚へ塗布した場合の創傷治癒など。

●体内での働き

ヒマワリ油は，食生活では不飽和脂肪酸の供給源となり，飽和脂肪酸の代わりに使われます。

医薬品との相互作用

中糖尿病治療薬

ヒマワリ油は血糖値を上昇させる可能性があります。糖尿病治療薬は血糖値を低下させるために用いられます。ヒマワリ油と糖尿病治療薬を併用すると，糖尿病治療薬の効果を妨げるおそれがあります。血糖値を注意深く監視してください。糖尿病治療薬の用量を変更する必要があるかもしれません。このような糖尿病治療薬には，グリメピリド，グリベンクラミド，インスリン，ピオグリタゾン塩酸塩，マレイン酸ロシグリタゾン（販売中止），クロルプロパミド，Glipizide，トルブタミド（販売中止）などがあります。

ハーブおよび健康食品・サプリメントとの相互作用

ほかのハーブ，健康食品・サプリメントとの相互作用についてはまだ明らかではありません。

使用量の目安

【成人】

●経口摂取

心疾患

心疾患のリスクを低下させるために，より多量の飽和脂肪酸を含むほかの脂肪およびオイルに代えて，1日約20g（大さじ1.5杯）の高オレイン酸ヒマワリ油を摂取すると，有用である可能性があります。

高コレステロール血症

ヒマワリ油を1日約45～50g，最長12週間摂取します。食事摂取カロリーの約15%～20%を占める特定の中オレイン酸または高オレイン酸の製品を取り入れた食事を，最長5週間摂取します。

●皮膚への塗布

水虫（足部白癬）

ヒマワリ油の特定の製品を，1日2回，6週間塗布します。

ヒメコウジ

SQUAWVINE

別名ほか

チェッカーベリー，Gaultheria procumbens (Checkerberry)，ツルアリドオシ，ツルアリドウシ (Mitchella repens)，ツインベリー（Twinberry)，Deerberry，Hive Vine，Noon Kie Oo Nah Yeah，One-Berry，Partridgeberry，Running Box，Squaw Berry，Two-eyed Berry，Winter Clover

概　　要

ヒメコウジはハーブです。茎と葉を用いて「くすり」を作ることもあります。

安　全　性

ヒメコウジは，適量を経口摂取する場合は，ほとんどの人に安全なようです。

皮膚に直接塗って使用する場合の安全性についてのデータは，不十分です。

●妊娠中および母乳授乳期

妊娠中の使用は安全ではありません。流産を引き起こす可能性があるとしているエビデンスがあります。

母乳授乳期の使用も避けてください。授乳中の乳児への影響の安全性についてのデータは不十分です。

有　効　性

◆科学的データが不十分です

・不安，出産後のうつ，下痢，月経不順，心臓障害または腎障害，乳頭（乳首）の疼痛　（直接塗布)，体液貯留など。

●体内での働き

どのように作用するかについては十分なデータが得られていません。

医薬品との相互作用

ほかの医薬品との相互作用については明らかではありません。

ハーブおよび健康食品・サプリメントとの相互作用

ほかのハーブ，健康食品・サプリメントとの相互作用についてはまだ明らかではありません。

使用量の目安

●経口摂取

通常，20～50mgを摂取します。

ヒメリュウキンカ

LESSER CELANDINE

別名ほか

姫立金花，欧州キンポウゲ，パイルワート（Pilewort），バイカルキンポウゲ，キクザキリュウキンカ（Ranunculus ficaria），Ficaria，Figwort，Ranunculus，Smallwort

概　　要

ヒメリュウキンカは植物です。地上部を用いて「くすり」を作ることもあります。グレーターセランダイン（Chelidonium majus）と混同してはいけません。また，フィグワートまたはAaranthと呼ばれるゴマノハグサ（Scrophularia nodosa），そしてまたの名をパイルワートというセイヨウキンポウゲ（Bulbous Buttercup）とも混同しないでください。

安 全 性

皮膚に塗布したり，経口で摂取するのは安全ではありません。胃腸のひどい痛み，下痢，尿路や粘膜，皮膚の炎症，皮膚の水疱といった副作用が起こる可能性があります。

使用による肝臓の損傷が報告されています。

感染性または炎症性の胃腸障害の患者は使用してはいけません。

●妊娠中および母乳授乳期

妊娠中，母乳授乳期は使用してはいけません。

有 効 性

◆科学的データが不十分です

・外傷および歯肉からの出血，関節の腫脹，疣贅（いぼ），ひっかき傷，壊血病，および痔核。

●体内での働き

ビタミンCを含んでいます。また，収れん作用，刺激軽減作用があり，皮膚の痛みを起こす物質も含みます。細菌や真菌を死滅，または繁殖を防ぎ，痔核を治癒すると考えている研究者もいます。

医薬品との相互作用

ほかの医薬品との相互作用については明らかではありません。

ハーブおよび健康食品・サプリメントとの相互作用

ほかのハーブ，健康食品・サプリメントとの相互作用についてはまだ明らかではありません。

使用量の目安

●経口摂取

標準使用量に関するデータがありません。

●局所投与

流エキス剤（1：1，25%アルコール）2～5mLを1日3回使用します。軟膏（3%）またはパイルワート軟膏（安息香豚脂中新鮮なハーブ30%）。流エキス剤は痔核，疣贅（いぼ），引っ掻き傷のために，入浴時湯に加えることもできます。

白檀

WHITE SANDALWOOD

●代表的な別名

サンダルウッド

別名ほか

イーストインディアン・サンダルウッド（East Indian Sandalwood），サンダルウッドオイル（Oil of Sandalwood），サンタル（Santal），サンダルウッド（Santalum album），Chandana，Sanderswood，Santali Lignum Albi，Santal Oil，Tan Xiang，White Sandalwood Oil, White Saunders, Yellow Sandalwood, Yellow Saunders

概　　要

白檀は常緑樹です。木部から抽出したオイルおよび木部を用いて「くすり」を作ることもあります。

安 全 性

食べ物に含まれる量を摂取するなら，安全です。

経口で摂取する場合，かゆみや悪心，胃のもたれ，血尿が発生するかもしれません。

6週間以上は使用しないでください。6週間より長く使用すると，腎臓に問題を生じるおそれがあります。

腎疾患の人は，薬用量を使用してはいけません。

●アレルギー

皮膚に触れると，人によってはアレルギー反応が出るでしょう。

●妊娠中および母乳授乳期

妊娠中，母乳授乳期は使用してはいけません。

有 効 性

◆科学的データが不十分です

・尿路感染症，感冒，咳，気管支炎，発熱，口内の腫脹，

胃痛，嘔吐，痛み，熱射病，肝障害，胆のう障害など。

●体内での働き

真菌や細菌の増殖を抑える補助をするようです。痙攣を緩和します。ただ，データはまだ十分ではありません。

医薬品との相互作用

中炭酸リチウム

白檀は利尿薬のように作用する可能性があります。白檀を摂取すると，炭酸リチウムの体内からの排泄が抑制される可能性があります。そのため，体内の炭酸リチウム量が増加し，重大な副作用が現れるおそれがあります。

ハーブおよび健康食品・サプリメントとの相互作用

ほかのハーブ，健康食品・サプリメントとの相互作用についてはまだ明らかではありません。

使用量の目安

●経口摂取

標準使用量に関するデータがありません。ただし，従来から1日1～1.5gのオイルを腸溶性薬として使用しています。木部は1日10～20gをお茶などにして入れます。6週間以上続けて摂取しないでください。

ヒューペルジンA

HUPERZINE A

別名ほか

ヒューペルジン（Huperzine），HupA，Huperzine A，Selagine，ヒューペリジンA

概　要

ヒューペルジンAは中国のトウゲシバ（Club Moss）という植物を精製した物質です。ヒューペルジンAの製造は植物から始まりましたが，多くの工程を経て合成製品になっています。通常多くの成分が含まれているハーブと異なり，ヒューペルジンAは非常に純度の高い物質です。そのためアメリカでは，ヒューペルジンAは薬剤であり，健康食品・サプリメント健康教育法（DSHEA：Dietary Supplement Health and Education Act）の指針の拡大解釈であるという主張も一部あります。

安 全 性

短期間の使用，例えば，1カ月以内なら，一般的に安全でしょう。

ただ，悪心や発汗，視覚のぼやけ，発語不明瞭，落ち着きのなさ，食欲不振（食欲減退），筋肉繊維の収縮およびひきつり（線維束性収縮），嘔吐，下痢，痙攣，唾液や尿量の増大，排尿の自制困難（失禁），高血圧症，心拍の低下（徐脈）などの副作用が起こるかもしれません。

心臓病やてんかんのある患者，消化器官に詰まり（いわゆる閉塞），胃腸の潰瘍，気管支喘息や慢性閉塞性肺疾患のような肺疾患，泌尿器や生殖器に閉塞のある人は使用してはいけません。

●妊娠中および母乳授乳期

妊娠中および母乳授乳期の使用の安全性についてはデータが不十分です。安全性を考慮し，使用は控えてください。

有 効 性

◆有効性レベル③

・アルツハイマー病，多発脳梗塞性認知症や老人性認知症による記憶力，精神機能，行動障害の改善。ある研究では，8週間のヒューペルジンA治療でアルツハイマー病患者の記憶力と思考力が改善されたことが示されました。別の研究では，多発脳梗塞性認知症および老人性認知症にも2～4週間の治療後に効果があったことが示されています。このような結果，およびヒューペルジンAの認知症における効果を裏付けるには，さらに長期的で大規模な調査研究が必要です。
・健康な成人の記憶力を向上。適切にデザインされた研究が行われ，記憶力に問題がある中国の中学生は，ヒューペルジンAにより統計学的に有意に記憶力が改善しました。
・重症筋無力症による筋力の低下。重症筋無力症による筋力の低下の抑制には注射で投与します。

◆科学的データが不十分です

・加齢による記憶力低下，敏捷性と気力の向上，神経に有毒な医薬品からの保護など。

●体内での働き

アセチルコリン値の上昇をもたらすことで，記憶，精神機能の低下（認知症），筋無力症などの障害に有効だと考えられています。アセチルコリンは，脳や筋肉などの部分で神経の伝達に使用される化合物の1つです。

医薬品との相互作用

中口渇作用などの乾燥作用のある医薬品（抗コリン薬）

ヒューペルジンAには脳や心臓に影響を及ぼす可能性のある化学物質が含まれます。口渇作用などの乾燥作用のある医薬品（抗コリン薬）にも脳や心臓に影響を及ぼす可能性があります。しかし，ヒューペルジンAはこのような医薬品とは異なった働きをします。ヒューペルジンAは医薬品の作用を弱める可能性があります。このような医薬品には，アトロピン硫酸塩水和物，メシル酸ベンツトロピン（販売中止），ビペリデン塩酸塩，Procyclidine，スコポラミン臭化水素酸塩水和物，トリヘキシフェニジル塩酸塩，特定のアレルギー治療薬（抗ヒスタミン薬），特定の抗うつ薬などがあります。

中緑内障，アルツハイマー病などに使用される医薬品（コリン作動薬）

ヒューペルジンAには身体の神経に影響を及ぼす化学

有効性レベル：①効きます　②おそらく効きます　③効くと断言できませんが、効能の可能性が科学的に示唆されています
④効かないかもしれません　⑤おそらく効きません　⑥効きません

物質が含まれます。この化学物質は，緑内障，アルツハイマー病など使用される医薬品（コリン作動薬）に類似しています。ヒューペルジンAとコリン作動薬を併用すると，副作用のリスクが高まるおそれがあります。このような医薬品には，ベタネコール塩化物，ドネペジル塩酸塩，エコチオパートヨウ化物（販売中止），エドロホニウム塩化物，ネオスチグミン臭化物，サリチル酸フィゾスチグミン（販売中止），ピリドスチグミン臭化物，スキサメトニウム塩化物水和物，Tacrineなどがあります。

ハーブおよび健康食品・サプリメントとの相互作用

ほかのハーブ，健康食品・サプリメントとの相互作用についてはまだ明らかではありません。

使用量の目安

●経口摂取

アルツハイマー病および脳血管性認知症

1回50～200μgを1日2回摂取します。

老年認知症または初老期認知症

1回30μgを1日2回摂取します。

未成年者の記憶力改善

1回100μgを1日2回摂取します。

●筋肉内注射

重症筋無力症における筋力低下の予防

1日400μgを使用します。

ヒ

ヒヨス

HENBANE

別名ほか

非沃斯（Stinking nightshade），ヒヨスヨウ（Hyoscyami folium），Devil's Eye，Fetid Nightshade，Hen Bell，Hog Bean，Hyoscyamus niger，Jupiter's Bean，Khurasani-Ajavayan，Parasigaya，Poison Tobacco

概　　要

ヒヨスは植物です。葉を用いて「くすり」を作ることもあります。

注：わが国では，ヒヨス（種子，葉）は「46通知」によると「医薬品」です。

安 全 性

医師の指示のもとで短期間に使用するなら，一般的に安全でしょう。

副作用には，口渇，皮膚の赤み，便秘，過食，発汗の減少，視覚障害，心拍数の上昇，排尿困難，眠気，落ち着きのなさ，幻覚，意識の混濁，躁病エピソードのような症状が起こり，また命にかかわることもあります。

自分で勝手に使用するのは安全ではありません。毒性が非常に高いので，摂取量は慎重に選んでください。量が多すぎると，中毒を引き起こし，命にかかわる場合もあります。

心不全または鼓動の異常など心臓に問題がある人は使用してはいけません。心拍数が増加し，心不全を悪化させるおそれがあります。

また，ダウン症候群の患者も，ヒヨスの作用に極度に敏感になる可能性があるので，使用しないでください。そのほか，発熱，狭隅角緑内障，排尿困難（尿閉），胸やけ，胃食道逆流症，食道裂孔ヘルニア，感染，便秘，腸閉塞，潰瘍性大腸炎，中毒性巨大結腸症などのような消化器系疾患の患者も使用してはいけません。

●妊娠中および母乳授乳期

妊娠中，母乳授乳期は使用してはいけません。

有 効 性

◆科学的データが不十分です

・リーフオイルを皮膚につける場合は，瘢痕組織の治療。胃や腸などの消化管の痙攣への使用。

●体内での働き

消化器官の筋肉壁の緊張を取り除く化合物，ヒヨスチアミンおよびスコポラミンを含んでいます。筋肉の振戦を抑え，鎮静作用ももつようです。

医薬品との相互作用

高 口渇作用などの乾燥作用のある医薬品（抗コリン薬）

ヒヨスには，収れん作用があり，また脳や心臓に影響を及ぼす可能性のある成分が含まれています。口渇作用などの乾燥作用のある医薬品（抗コリン薬）にもこのような作用があります。ヒヨスと抗コリン薬を併用すると，皮膚の乾燥，めまい，低血圧症，頻脈などの重大な副作用が現れるおそれがあります。このような医薬品にはアトロピン硫酸塩水和物，スコポラミン臭化水素酸塩水和物に加え特定のアレルギー治療薬（抗ヒスタミン薬），特定の抗うつ薬などがあります。

ハーブおよび健康食品・サプリメントとの相互作用

ほかのハーブ，健康食品・サプリメントとの相互作用についてはまだ明らかではありません。

使用量の目安

●経口摂取

規格品のヒヨス粉末の1回摂取量は500mgで，総アルカロイド250～350mgに相当します。最大1回摂取量は1gで，総アルカロイド500～700mgに相当します。最大1日摂取量は3gで，これはヒヨスチアミンで算出した総アルカロイド1.5～2.1gに相当します。

●局所投与

標準使用量に関するデータがありません。

ヒヨドリバナ

BONESET

別名ほか

ユーパトリウム，フジバカマ（Eupatorium perfoliatum），Agueweed，Crosswort，Feverwort，Indian Sage，Sweating Plant，Teasel，Thoroughwort，Vegetable Antimony

概　要

ヒヨドリバナは植物です。乾燥した葉，花を用いて「くすり」を作ることもあります。

安全性

多量に経口摂取する場合，おそらく安全ではありません。同じ種属の植物の中には，肝障害をもたらすおそれのあるピロリジジンアルカロイドという化学物質を含んでいるものがあります。

ヒヨドリバナがこうした化学物質を含んでいるかどうかは不明です。

肝疾患：肝障害をもたらし，肝疾患を悪化させるおそれのあるピロリジジンアルカロイドという化学物質を含んでいるおそれがあります。

●アレルギー

ブタクサ，キク，マリーゴールド，デイジーなどキク科の植物に過敏な人で，アレルギー反応が出るおそれがあります。これらの植物にアレルギーのある人は，使用する前に医師などに相談してください。

●妊娠中および母乳授乳期

ヒヨドリバナは肝障害をもたらすピロリジジンアルカロイドと呼ばれる化学物質を含むおそれがあるため，おそらく安全ではありません。妊娠中および母乳授乳期は使用しないでください。

有効性

◆科学的データが不十分です

- 感冒，便秘，嘔吐の誘発，体液貯留，筋肉の疼痛，炎症の軽減，免疫システムへの刺激など。

●体内での働き

抗悪性腫瘍薬と同じような働きをする化学物質を含んでいます。また，細菌に対し，軽い作用を及ぼす可能性もあります。

医薬品との相互作用

中 肝臓でほかの医薬品の代謝を促進する医薬品（シトクロムP450 3A4（CYP3A4）を誘導する医薬品）

ヒヨドリバナは肝臓で代謝されます。肝臓でヒヨドリバナが代謝されるときに生成する特定の化学物質は有害である可能性があります。肝臓でヒヨドリバナの代謝を促進する医薬品は，ヒヨドリバナに含まれる化学物質の毒性を強めるおそれがあります。このような医薬品にはカルバマゼピン，フェノバルビタール，フェニトイン，リファンピシン，リファブチンなどがあります。

ハーブおよび健康食品・サプリメントとの相互作用

肝毒性をもつピロリジジンアルカロイド（PA）を含むハーブおよび健康食品・サプリメント

ヒヨドリバナをほかの肝毒性をもつピロリジジンアルカロイドを含むハーブおよび健康食品・サプリメントと併用すると，肝障害をもたらすリスクが高まるおそれがあります。肝毒性をもつピロリジジンアルカロイドを含むハーブおよび健康食品・サプリメントには，ボラージ，セイヨウフキ，フキタンポポ，コンフリー，シモツケソウ，ヘンプ・アグリモニー，オオルリソウ，およびキオン属の植物であるダスティーミラー，キオン，ノボロギク，サワギク，ヤコブボロギクなどがあります。

肝臓でのヒヨドリバナの分解を促進するハーブおよび健康食品・サプリメント

ヒヨドリバナは肝臓で分解されます。このとき，有害となりうる化学物質が形成されます。肝臓でのヒヨドリバナの分解を促進するほかのハーブおよび健康食品・サプリメントと併用すると，ヒヨドリバナに含まれる化学物質の毒性が高まるおそれがあります。このようなハーブおよび健康食品・サプリメントには，エキナセア，ニンニク，甘草，セント・ジョンズ・ワート，チョウセンゴミシなどがあります。

使用量の目安

通常の食品に含まれている量を超えて経口摂取した場合の安全性および副作用については，明らかになっていません。

ピルビン酸塩

PYRUVATE

別名ほか

アセチル蟻酸（Acetylformic acid），ピルビン酸カリウム（Potassium pyruvate），Alpha-keto acid，Alpha-Ketopro pionic Acid，カルシウム・ピルベート，カルシウム・パイリュベート（Calcium pyruvate），Creatine pyruvate，Magne sium pyruvate，2-Oxopropanoate，2 Oxypropanoic Acid，Proacemic acid，Pyruvic Acid，Sodium pyruvate

概　要

ピルビン酸塩は体内で糖（グルコース）を分解する際に生成されます。サプリメントして市販されています。

ピルビン酸塩は体重減少および肥満，高コレステロー

ヒ

ル血症，白内障，がん，運動能力改善の用途で用いられます。

また，鱗状になった皮膚に対して局所的に用いられます。ピルビン酸塩を液状にしたピルビン酸を，皺などの加齢徴候を軽減する目的で皮膚に塗布したり，顔のピーリング剤として皮膚に塗布したりすることもあります。

安　全　性

ピルビン酸塩の経口摂取や噴霧器による吸入は，最長６週間まではおそらく安全です。大量に摂取すると，胃のむかつき，腸内ガス，腹部膨満，下痢などの副作用が起きるおそれがあります。

ピルビン酸の顔のピーリング剤は，医師などが塗布する場合はおそらく安全です。重度の皮膚灼熱を引き起こすおそれがあるため，一度に広い範囲に塗布しないでください。

下痢：ピルビン酸塩を大量に経口摂取すると，下痢が悪化するおそれがあります。

過敏性腸症候群（IBS）：ピルビン酸塩を大量に経口摂取すると，過敏性腸症候群の症状が悪化するおそれがあります。

●妊娠中および母乳授乳期

妊娠中および母乳授乳期の使用の安全性についてはデータが不十分です。安全性を考慮し，摂取は避けてください。

有　効　性

◆有効性レベル③

・皮膚の加齢変化。ピルビン酸50％の表皮ピーリング剤を週１回，４週間塗布すると，皮膚がなめらかになり，皺が減少し，日光曝露による加齢にともなうしみが減少するようです。

・体重減少および肥満。臨床研究の中には相反する結果もみられるものの，全体としては，ピルビン酸塩により，６週間を超えると平均約700g体重が減少するようです。

◆有効性レベル④

・運動能力。一部の初期の研究では，食事から摂取するピルビン酸塩およびジヒドロキシアセトンの量を１週間増加させると，運動持久性が増大することが示唆されています。ただし，ほとんどの研究では，ピルビン酸塩を単独またはクレアチンと併用で最長５週間経口摂取しても，運動能力が改善しないことが示されています。

◆科学的データが不十分です

・アルコール性肝疾患，運動能力，慢性閉塞性肺疾患（COPD），うっ血性心不全（CHF），冠動脈バイパス手術（CABG），魚鱗癬，がん，白内障など。

●体内での働き

ピルビン酸塩は脂肪分解を促進することにより，体重減少をもたらす可能性があります。

また，皮膚細胞の外層を剥離させる働きがあるようです。このため日光曝露による加齢変化の回復に用いられています。

医薬品との相互作用

ほかの医薬品との相互作用については明らかではありません。

ハーブおよび健康食品・サプリメントとの相互作用

ほかのハーブ，健康食品・サプリメントとの相互作用についてはまだ明らかではありません。

使用量の目安

【成人】

●経口摂取

体重減少

食事療法および運動療法と併用して，ピルビン酸塩１日５～44gを摂取します。

●皮膚への塗布

皮膚の加齢変化

ピルビン酸50％のピーリング剤を週１回，４週間塗布します。

ビルベリー

BILBERRY

別名ほか

ビルベリーの実（Bilberry Fruit），ビルベリーの葉（Bilberry Leaf），ヨーロッパブルーベリー（Blueberry），ヒメウスノキ（Vaccinium myrtillus），ホワートルベリー（Whortleberry），Airelle，Black Whortles，Bleaberry，Burren Myrtle，Dwarf Bilberry，Dyeberry，Huckleberry，Hurtleberry，Myrtilli fructus，Trackleberry，Wineberry

概　　要

ビルベリーは植物です。乾燥させた完熟果実と葉は「くすり」として使用されることもあります。

ビルベリーは，足の腫脹を引き起こすおそれがある血行不良を治療するために経口摂取されます。人によっては，糖尿病，高血圧，痛風，尿路感染症（UTI）など多くの疾患に対して，ビルベリーを摂取します。ただし，これらの用途を十分に裏づけるエビデンスはありません。

ビルベリーは，網膜疾患，白内障，近視，緑内障などの眼疾患を治療するために経口摂取されることもあります。ビルベリーが網膜疾患に有用である可能性があるというエビデンスが複数ありますが，その他の眼疾患の治療にビルベリーが有効であるという十分なエビデンスはありません。

実際，ビルベリーは，かつて，夜間視力を向上させるために一般的に使用されていました。第二次世界大戦中，イギリス空軍のパイロットは，夜間視力を向上させるためにビルベリージャムを食べていましたが，その後の研究によって，おそらく有用でないことが示されました。

ビルベリーは，軽度の口内炎および咽頭痛に対して，口内に直接塗布されることがあります。

安 全 性

ビルベリーの乾燥させた完熟果実を乾燥させて摂取する場合には，通常の食品に含まれている量であれば，ほとんどの人に安全のようです。

ビルベリーの果実のエキスを「くすり」として経口摂取する場合には，最長1年までであれば，おそらく安全です。ビルベリーとフランスカイガンショウ樹皮（ピクノジェノール）を含む特定の配合品は，最長6カ月まで安全に用いられています。

ビルベリーの葉を高用量または長期間摂取する場合には，ほとんどの人におそらく安全ではありません。

糖尿病：ビルベリーの葉は血糖値を低下させるおそれがあります。ビルベリーの葉と糖尿病治療薬を併用すると，血糖値が過度に低下するおそれがあります。血糖値を注意深く監視してください。

手術：ビルベリーは血糖値に影響を与えるおそれがあります。そのため，手術中・手術後の血糖コントロールを妨げるおそれがあります。少なくとも手術前2週間は，使用しないでください。

●妊娠中および母乳授乳期

妊娠中および母乳授乳期の使用の安全性についてはデータが不十分です。安全性を考慮し，摂取は避けてください。

有 効 性

◆有効性レベル③

・循環障害（慢性静脈不全）。複数の研究では，ビルベリーエキスを経口摂取することにより，慢性静脈不全（CVI）と呼ばれる循環障害の患者の腫脹，疼痛，紫斑，やけどの症状を改善する可能性が示唆されています。

・糖尿病患者または高血圧患者の網膜疾患（網膜症）。アントシアノサイドと呼ばれる特定の化学物質を高用量に含むビルベリーの果実を摂取することにより，糖尿病または高血圧に起因する網膜疾患が改善するようです。

◆有効性レベル④

・夜間視力の向上。ほとんどのエビデンスにより，ビルベリーは夜間視力の向上に有効ではないことが示唆されています。

◆科学的データが不十分です

・糖尿病，生理痛（月経困難），緑内障，メタボリックシンドローム，近視，潰瘍性大腸炎，体重減少，関節炎（変形性関節症），白内障，胸痛（狭心症），慢性疲労症候群，眼精疲労，痛風，動脈硬化，高血圧，眼圧上昇，過敏性腸症候群（IBS），前糖尿病，皮膚疾患，尿路疾患，静脈瘤など。

●体内での働き

ビルベリーには，腫脹（炎症）を抑制することにより，口腔および咽頭の不快感や下痢を改善する可能性のある，タンニンという化学物質が含まれます。ビルベリーの葉に含まれるこの化学物質は，血糖値や血清コレステロール値の低下を促進する可能性を示唆するエビデンスも複数あります。また，研究者の中には，ビルベリーの葉に含まれるフラボノイドと呼ばれる化学物質が糖尿病患者の血液循環を改善すると考える人もいます。循環障害は目の網膜に悪影響を与えるおそれがあります。

医薬品との相互作用

中 エルロチニブ塩酸塩

ビルベリーはエルロチニブ塩酸塩の作用を低下させる可能性があるという懸念があります。ビルベリーとエルロチニブ塩酸塩を併用すると，エルロチニブ塩酸塩の効果が弱まるおそれがあります。

中 血液凝固を抑制する医薬品（抗凝固薬/抗血小板薬）

ビルベリーは血液凝固を抑制する可能性があるという懸念があります。ビルベリーと血液凝固を抑制する医薬品を併用すると，紫斑および出血のリスクが高まるおそれがあります。ただし，このことが大きな問題であるかについては十分な情報がありません。このような医薬品には，アスピリン，クロピドグレル硫酸塩，ジクロフェナクナトリウム，イブプロフェン，ナプロキセン，ダルテパリンナトリウム，エノキサパリンナトリウム，ヘパリン，ワルファリンカリウムなどがあります。

中 糖尿病治療薬

ビルベリーの葉は血糖値を低下させる可能性があります。糖尿病治療薬もまた血糖値を低下させるために用いられます。ビルベリーの葉と糖尿病治療薬を併用すると，血糖値が過度に低下するおそれがあります。血糖値を注意深く監視してください。糖尿病治療薬の用量を変更する必要があるかもしれません。このような糖尿病治療薬には，グリメピリド，グリベンクラミド，インスリン，ピオグリタゾン塩酸塩，マレイン酸ロシグリタゾン（販売中止），クロルプロパミド，Glipizide，トルブタミド（販売中止）などがあります。

中 肝臓で代謝される医薬品（シトクロムP450 2E1（CYP2E1）の基質となる医薬品）

特定の医薬品は肝臓で代謝されます。ビルベリーはこのような医薬品の代謝を促進する可能性があります。ビルベリーと肝臓で代謝される医薬品を併用すると，医薬品の作用が減弱するおそれがあります。このような医薬品には，アセトアミノフェン，クロルゾキサゾン，アルコール，テオフィリン，麻酔薬（エンフルラン（販売中止），ハロタン（販売中止），イソフルラン，

Methoxyfluraneなど）などがあります。

ハーブおよび健康食品・サプリメントとの相互作用

クロムを含有するハーブおよび健康食品・サプリメント

ビルベリーは，クロムを含んでおり，クロムを含有するハーブおよび健康食品・サプリメントと併用すると，クロム中毒のリスクが高まるおそれがあります。このようなハーブおよび健康食品・サプリメントには，ビール酵母，カスカラサグラダ，ツクシなどがあります。

血糖値を低下させるおそれのあるハーブおよび健康食品・サプリメント

ビルベリーの葉が，血糖値を低下させるおそれがあります。ビルベリーの葉と，血糖値を低下させるおそれのあるハーブおよび健康食品・サプリメントを併用すると，血糖値が過度に低下するおそれがあります。このようなハーブおよび健康食品・サプリメントには，デビルズクロー，フェヌグリーク，ニンニク，グアーガム，セイヨウトチノキ，朝鮮人参，サイリウム，エゾウコギなどがあります。

血液凝固を抑制するおそれのあるハーブおよび健康食品・サプリメント

ビルベリーが，血液凝固を抑制するおそれがあります。ビルベリーと血液凝固を抑制するおそれのあるハーブおよび健康食品・サプリメントを併用すると，人によっては，紫斑および出血のリスクが高まるおそれがあります。このようなハーブおよび健康食品・サプリメントには，アンゼリカ，クローブ，タンジン，ニンニク，ショウガ，イチョウ，グルコサミン，朝鮮人参などがあります。

使用量の目安

●経口摂取

ビルベリーの乾燥させた完熟果実の通常の摂取量は，1日当たり，20～60gです。ビルベリー5～10g（小さじ1～2杯）をつぶし，茶のように煎じて摂取することもあります。

網膜疾患

160mgのビルベリーエキスを，1日2回，摂取します。

遠距離視力の低下

200mgのビルベリーエキスを，1日2回，4週間，摂取します。

ビルベリーの葉は，一般的に，茶として用いられます。乾燥させた葉を細かく刻んだもの1g（小さじ1～2杯）を，150mLの沸騰した湯に5～10分間浸してから濾すとお茶ができます。ビルベリーの葉を長期にわたり摂取してはいけません。

ビロードモウズイカ

MULLEIN

別名ほか

ビロード毛蕋花（Verbascum thapsus），バーバスクム・デンシフロルム，Verbascum densiflorum，ラージマレイン（Verbascum thapsiforme），Aaron's Rod，Adam's Flannel，American Mullein，Beggar's Blanket，Blanket Herb，Blanket Leaf，Bouuillon Blanc，Candleflower，Candlewick，Clot-bur，Clown's Lungwort，Cuddy's Lungs，Duffle，European Mullein，Feltwort，Flannelflower，Fluffweed，Hag's Taper，Hare's Beard，Hedge Taper，Higtaper，Jacob's Staff，Longwort，オレンジマレイン（Orange Mullein），Our Lady's Flannel，Rag Paper，Shepherd's Club，Shepherd's Staff，Torches，Torch Weed，Velvet Plant，Verbasci Flos，Wild Ice Leaf，Verbascum phlomides，Woolen，Wooly Mullein

概　要

ビロードモウズイカは植物です。花を用いて「くすり」を作ることもあります。

安 全 性

十分なデータが得られていないので，安全性または副作用については不明です。

●妊娠中および母乳授乳期

妊娠中および母乳授乳期の使用についてはデータが不十分です。安全性を考慮し，使用は控えてください。

有 効 性

◆科学的データが不十分です

・創傷，熱傷，痔核，打撲傷，凍傷などの症状には皮膚に使用。耳痛，感冒，インフルエンザ，気管支喘息，下痢，片頭痛，痛風，結核，クループ，咳，咽喉頭部痛，気管支炎など気道の炎症などの症状には経口摂取します。

●体内での働き

含有成分がインフルエンザや疱疹ウイルス，また呼吸器感染の原因となる細菌を撃退する作用をもつようです。

医薬品との相互作用

ほかの医薬品との相互作用については明らかではありません。

ハーブおよび健康食品・サプリメントとの相互作用

ほかのハーブ，健康食品・サプリメントとの相互作用についてはまだ明らかではありません。

使用量の目安

標準使用量に関するデータがありません。

ヒロハヒルガオ

GREATER BINDWEED

別名ほか

シロバナヒルガオ（Hedge Bindweed），Bearbind，Bear's-Bind，Calystegia sepium，Devil's Vine，Hedge convolvulus，Hedge Lily，Lady's Nightcap，Old Man's Night Cap，Rutland Beauty

概　　要

ヒロハヒルガオは植物です。粉末状にした根および草花全体を用いて「くすり」を作ることもあります。

安　全　性

下剤効果が強いため，安全とはいえません。多量に摂取すると，胃の痛みが起こる可能性があります。

胃痛または，閉塞，虫垂炎，大腸炎，クローン病，過敏性腸症候群のような腸疾患の患者は使用してはいけません。

●妊娠中および母乳授乳期

妊娠中，母乳授乳期は使用してはいけません。

有　効　性

◆科学的データが不十分です

・発熱，尿路疾患，便秘，胆汁産生量の増加など。

●体内での働き

便を柔らかくし，腸の筋肉収縮を増大する物質を含むため，便通を改善し，下剤効果を生み出します。

医薬品との相互作用

中ジゴキシン

ヒロハヒルガオは刺激性緩下剤の一種です。刺激性緩下剤は体内のカリウム量を減少させることがあります。カリウム量が減少するとジゴキシンの副作用が現れるリスクが高まると考えられます。

中利尿薬

ヒロハヒルガオは下剤ですが，ある種の下剤は体内のカリウム量を減少させることがあります。利尿薬の中にも体内のカリウム量を減少させるものがありますから，併用するとカリウム量が下がりすぎてしまうおそれがあります。このような利尿薬にはクロロチアジド（販売中止），クロルタリドン（販売中止），フロセミド，ヒドロクロロチアジドなどがあります。

ハーブおよび健康食品・サプリメントとの相互作用

ほかのハーブ，健康食品・サプリメントとの相互作用についてはまだ明らかではありません。

使用量の目安

●経口摂取

通常，粉末状にした根，小さじ1杯を1日1～2回摂取します。液剤は顕花植物小さじ1杯を水1カップに入れて沸騰させて作ります。これを必要に応じて一度に大さじ1杯摂取します。

ピンクルート

PINK ROOT

別名ほか

American Wormgrass，Carolina Pink，Indian Pink，Maryland Pink，Pinkroot，Spigelia marilandica，Starbloom，Wormgrass

概　　要

ピンクルートはハーブです。乾燥させた根と球根を用いて「くすり」を作ることもあります。

安　全　性

乾燥させた根は有毒な化合物を含んでいるので，強力な下剤と併用しないで使うことは危険です。

●妊娠中および母乳授乳期

妊娠中，母乳授乳期は使用してはいけません。

有　効　性

◆科学的データが不十分です

・腸内寄生虫の駆除。

●体内での働き

腸内寄生虫に対抗する働きがあります。強力な下剤とともに服用して寄生虫とピンクルートの両方を腸内から除去します。

医薬品との相互作用

ほかの医薬品との相互作用については明らかではありません。

ハーブおよび健康食品・サプリメントとの相互作用

ほかのハーブ，健康食品・サプリメントとの相互作用についてはまだ明らかではありません。

使用量の目安

●経口摂取

成人の場合，2～5gを1日2回摂取，また，小児（4歳以上）の場合，0.5～4gを1日2回摂取します。作用の強い下剤（センナなど）を必ず併用しなければなりません。

ピンピネルラ

PIMPINELLA

別名ほか

Bibernellkraut, Boucage, Boucage Saxifrage, Burnet Saxifrage, Fausse Saxifrage, Grand Boucage, Greater Burnet-Saxifrage, Persil de Bouc, Pied-de-Chèvre, Pimpernell, Pimpinella magna, Pimpinella major, Pimpinella saxifraga, Pimpinellae Herba, Pimpinellae Radix, Pimpinelle, Saxifrage

概　要

ピンピネルラはハーブです。根と地上部を用いて「くすり」を作ることもあります。

上気道感染症，尿路感染症（UTIs），膀胱結石，腎結石，体液貯留（浮腫）に対して用いられます。また，消化を促す作用もあります。

口内炎，咽喉痛の患部に直接当てたり，風呂の湯に加えて，治りにくい創傷や静脈瘤の治療に使用する人もいます。

一部のメーカーでは，ピンピネルラの根を使用した製品にアストランティア，バイカルハナウド，パースニップなどほかのハーブをひそかに加えて販売しているとの報告があります。

安　全　性

ピンピネルラの安全性や副作用についてはデータが不十分です。

●妊娠中および母乳授乳期

妊娠中および母乳授乳期の使用の安全性についてはデータが不十分です。安全性を考慮し，使用を避けてください。

有　効　性

◆科学的データが不十分です

・気道感染症，尿路感染症（UTIs），膀胱結石・腎結石，体液貯留（浮腫），胃腸疾患，静脈瘤（風呂の湯に加える），創傷（風呂の湯に加える）など。

●体内での働き

ピンピネルラの根は，気道感染症に用いられ，気道粘膜の動きをスムーズにするようですが，十分なデータが得られていません。

医薬品との相互作用

ほかの医薬品との相互作用については明らかではありません。

ハーブおよび健康食品・サプリメントとの相互作用

ほかのハーブ，健康食品・サプリメントとの相互作用についてはまだ明らかではありません。

使用量の目安

通常の食品に含まれている量を超えて経口摂取した場合の安全性および副作用については，明らかになっていません。

ビンポセチン

VINPOCETINE

別名ほか

カビントン（Cavinton），エチルエステル（Ethyl Ester），AY-27255，Eburnamenine-14-carboxylic acid，Ethyl apovincaminate，Ethylapovincaminoate，RGH-4405，TCV-3b

概　要

ビンポセチンは人工的に合成した化合物で，植物のペリウィンクルに含まれる物質と似ています。「くすり」として使用されることもあります。

安　全　性

一般的に安全です。ただ，胃痛や悪心，睡眠障害，頭痛，めまい，神経症，顔面紅潮（ほてり）といった副作用をもたらすおそれがあります。

血栓疾患のある患者は使用してはいけません。

２週間以内に手術を受ける予定の人は使用してはいけません。出血のリスクが高まります。

●妊娠中および母乳授乳期

妊娠中および母乳授乳期の使用の安全性についてはデータが不十分です。安全性を考慮し，使用は控えてください。

有　効　性

◆有効性レベル③

・アルツハイマー病などの思考を阻害する疾患。ビンポセチンは，さまざまな原因による思考機能の低下に少しの効果があることがありますが，多くの研究は期間がすべて6カ月間以下でした。その上，多くの研究は1990年以前に発表されており，認知力の減退および認知症を評価するために使用されている言葉や基準がさまざまなため，結果を分析するのは困難です。

◆科学的データが不十分です

・脳梗塞。ビンポセチンは急性脳梗塞による脳損傷をやや減少させるとの報告があります。

・アルツハイマー病の予防をはじめ，乗り物酔い，更年期症状，痙攣発作，慢性疲労症候群など。

●体内での働き

どのように作用するかについては不明ですが，血流の改善など脳にさまざまな影響を及ぼすようです。

医薬品との相互作用

中ワルファリンカリウム

ワルファリンカリウムは血液凝固を抑制するために使用される医薬品です。ビンポセチンはワルファリンカリウムが体内にとどまる時間を長くし，紫斑および出血が生じるリスクを高めます。

中血液凝固を抑制する医薬品（抗凝固薬/抗血小板薬）

ビンポセチンには血液凝固を抑制する作用があると考えられています。血液凝固を抑制する医薬品を服用しているときにビンポセチンを摂取すると，紫斑および出血のリスクが高まるおそれがあります。このような医薬品には，アスピリン，クロピドグレル硫酸塩，ジクロフェナクナトリウム，イブプロフェン，ナプロキセン，ダルテパリンナトリウム，エノキサパリンナトリウム，ヘパリン，ワルファリンカリウムなどがあります。

ハーブおよび健康食品・サプリメントとの相互作用

ほかのハーブ，健康食品・サプリメントとの相互作用についてはまだ明らかではありません。

使用量の目安

●経口摂取

脳血管疾患による認識機能障害の治療

脳血管性認知症，アルツハイマー病などの認知症に使用する場合，１回５～10mgを１日３回摂取します。

ビンロウジ

BETEL NUT

別名ほか

Arec, Aréca, Areca catechu, Areca Nut, Areca Palm, Arecanut Palm, Aréquier, Betel Quid, Betelnut Palm, Bing Lang, Chique de Bétel, Gubak, Noix de Bétel, Nuez de Areca, Nuez de Betel, Palmier d'Arec, Palmier à Bétel, Palmier à Canne Jaune, Palmier Doré, Pinag, Pinang Palm, Pinlag, Poogiphalam, Puga, Supari, Tantusara

概　要

ビンロウジは植物です。ナッツは「くすり」に用いられます。ナッツをそのまま噛んだり，ナッツを粉末状または薄切りにしてタバコおよび消石灰と混ぜたものをビンロウジの葉で包んで噛みタバコとして使用します。

ビンロウジは，統合失調症や緑内障の治療に，また軽度の興奮薬や消化促進薬として用いられます。

中枢神経系を刺激するため，麻薬として用いる人もいます。

獣医師は，ビンロウジのエキスを，牛・犬・馬の条虫駆除や，腸管内排泄物除去，馬の腸仙痛の治療に用います。

安　全　性

ビンロウジを，短期間，経口摂取する場合の安全性については，データが不十分です。しかし，長期にわたり，または高用量を経口摂取する場合，安全ではないようです。ビンロウジに含まれる化学物質のうちいくつかは，がんと関連づけられています。有毒な化学物質も含んでいます。

８～30g経口摂取すると死亡するおそれがあります。ナッツを噛むと，口唇や大便が赤く着色することがあります。カフェインやタバコに似た興奮を起こすおそれがあります。また，嘔吐，下痢，歯茎の障害，唾液分泌亢進，胸痛，心拍異常，低血圧，息切れ・呼吸促迫，心臓発作，昏睡，死亡など，より深刻な副作用を引き起こすおそれもあります。

気管支喘息：気管支喘息を悪化させるおそれがあります。

徐脈：心拍動を遅くするおそれがあります。徐脈患者では問題となるおそれがあります。

消化管の通過障害：腸内の滞留を引き起こすおそれがあります。腸に通過障害のある場合には問題となるおそれがあります。

潰瘍：胃腸の分泌を増やすおそれがあります。これにより潰瘍が悪化するおそれがあります。

肺疾患：肺内の液の分泌を増やすおそれがあります。これにより気管支喘息や肺気腫などの肺疾患が悪化するおそれがあります。

痙攣：痙攣のリスクが高まるおそれがあります。

尿路閉塞：尿路内の分泌を増やすおそれがあります。これにより尿路閉塞が悪化するおそれがあります。

●妊娠中および母乳授乳期

がんや毒性のおそれがあるため，経口摂取は誰にとっても安全ではないようですが，妊娠中および母乳授乳期の女性にはさらなるリスクがあります。中枢神経系に影響を及ぼし，これにより妊娠を危険にさらすおそれがあります。ビンロウジに含まれる化学物質が母乳に入り，乳児に害を及ぼすおそれがあります。安全性を考慮し，摂取は避けてください。

有　効　性

◆科学的データが不十分です

・統合失調症，脳卒中，緑内障，消化の促進など。

●体内での働き

脳や中枢神経系のほかの部位の化学物質に影響を与えると考えられています。

医薬品との相互作用

中モノアミン酸化酵素阻害薬（MAO阻害薬）

有効性レベル：①効きます　②おそらく効きます　③効くと断言できませんが、効能の可能性が科学的に示唆されています　④効かないかもしれません　⑤おそらく効きません　⑥効きません

ヒ

ビンロウジは脳内物質を増加させる可能性があります。この化学物質はセロトニンと呼ばれます。モノアミン酸化酵素阻害薬（MAO阻害薬）もセロトニンを増加させます。ビンロウジとMAO阻害薬を併用すると，体内のセロトニンが過剰になる可能性があります。そのため，重大な副作用（心臓の異常，悪寒戦慄，不安など）が現れるおそれがあります。このようなMAO阻害薬には，Phenelzine，Tranylcypromineなどがあります。

中口渇作用などの乾燥作用のある医薬品（抗コリン薬）

ビンロウジには脳および心臓に影響を及ぼす可能性のある化学物質が含まれます。口渇などの乾燥作用のある医薬品（抗コリン薬）も脳および心臓に影響を及ぼす可能性があります。しかし，ビンロウジはこのような医薬品とは異なった働きをします。ビンロウジは医薬品の作用を弱めるおそれがあります。このような医薬品には，アトロピン硫酸塩水和物，スコポラミン臭化水素酸塩水和物，特定の抗アレルギー薬（抗ヒスタミン薬），特定の抗うつ薬などがあります。

中緑内障，アルツハイマー病などに使用される医薬品（コリン作動薬）

ビンロウジには体に影響を及ぼす化学物質が含まれます。この化学物質は，緑内障，アルツハイマー病などに使用される医薬品（コリン作動薬）に類似しています。ビンロウジとコリン作動薬を併用すると，副作用のリスクが高まるおそれがあります。このような医薬品には，ピロカルピン塩酸塩，ドネペジル塩酸塩，Tacrineなどがあります。

中ドキソルビシン塩酸塩

ビンロウジは，ドキソルビシン塩酸塩でがん治療を行っている人に口内炎を引き起こすおそれがあります。さらに明らかになるまでは，ドキソルビシン塩酸塩で治療中にビンロウジを使用しないでください。

ハーブおよび健康食品・サプリメントとの相互作用

セロトニン作動性をもつハーブおよび健康食品・サプリメント

ビンロウジは，セロトニンと呼ばれる脳内化学物質を増やすおそれがあります。ビンロウジと，セロトニンを増やすおそれのあるほかのハーブおよび健康食品・サプリメントを併用すると，セロトニン過多となり，心臓の異常，悪寒戦慄，不安などの副作用を引き起こすおそれがあります。このようなハーブおよび健康食品・サプリメントには，5-ヒドロキシトリプトファン，ハワイベビーウッドローズ，L-トリプトファン，S-アデノシルメチオニン（SAMe），セント・ジョンズ・ワートなどがあります。

使用量の目安

通常の食品に含まれている量を超えて経口摂取した場合の安全性および副作用については，明らかになっていません。

ファドジア・アグレスティス

FADOGIA AGRESTIS

別名ほか

F. agrestis，Fadogia

概　　要

ファドジア・アグレスティスは，ナイジェリア原産の植物です。ファドジア･アグレスティスの茎を用いて「くすり」を作ることがあります。

安 全 性

十分なデータが得られていないので，安全性および副作用については不明です。

●妊娠中および母乳授乳期

妊娠中および母乳授乳期の使用の安全性についてはデータが不十分です。安全性を考慮し，使用は避けてください。

有 効 性

◆科学的データが不十分です

・勃起不全および性交不能症，マラリア，性欲促進，運動能力改善，ボディビルディングなど。

●体内での働き

アスリートやボディビルダーの間では，タンパク同化ステロイドの代替品として人気を集めています。摂取推奨者は，ファドジア・アグレスティスが性行動を活性化し，男性ホルモンのテストステロンの値を高める可能性を示唆する動物実験に注目しています。いずれの疾患であれ，ファドジア・アグレスティスの有効性については，十分なデータはありません。

医薬品との相互作用

ほかの医薬品との相互作用については明らかではありません。

ハーブおよび健康食品・サプリメントとの相互作用

ほかのハーブ，健康食品・サプリメントとの相互作用についてはまだ明らかではありません。

使用量の目安

標準使用量に関するデータがありません。

フィーバーバーク

FEVER BARK

別名ほか

オーストラリアキニーネ（Australian Quinine），Alstonia bark，Alstonia constricta，Australian Febrifuge，Australian Fever Bush，Bitterbark，Devil's Bit，Devil Tree，Dita Bark，Pale Mara，Pali-mara

概　要

フィーバーバークは樹皮です。樹皮から作った茶が「くすり」に使用されることもあります。

安 全 性

危険なようです。鼻づまり，刺激，アレルギー反応，眼疾患，腎臓疾患，うつ病，および精神病性反応などの副作用を引き起こす可能性がある化合物を含んでいます。

大量の使用は心疾患を引き起こす可能性があり，死に至ることがあります。

統合失調症，うつ病，胃潰瘍，２週間以内に手術を受ける予定の人は使用してはいけません。

●妊娠中および母乳授乳期

妊娠中，母乳授乳期は使用してはいけません。

有 効 性

◆科学的データが不十分です

・発熱，高血圧症，下痢，マラリア，および関節リウマチの痛み。

●体内での働き

血圧を下げる化合物（レゼルピン）を含んでいます。

医薬品との相互作用

高ナロキソン塩酸塩

フィーバーバークにはヨヒンビンと呼ばれる脳に作用する可能性のある物質が含まれていますが，ナロキソン塩酸塩も脳に作用します。ナロキソン塩酸塩とともにヨヒンビンを摂取すると，不安感，神経過敏，振戦，のぼせなどの副作用が現れる危険が高まると考えられます。

中フェノチアジン系薬

フィーバーバークにはヨヒンビンという物質が含まれていますが，フェノチアジン系薬の中にはヨヒンビンと類似した作用をもつものがあります。フェノチアジン系薬の服用中にフィーバーバークを摂取すると，ヨヒンビンの作用が増強され，副作用も強く現れるおそれがあります。フェノチアジン系薬には，クロルプロマジン塩酸塩，フルフェナジン，トリフロペラジン（販売中止），チオリダジン塩酸塩（販売中止）などがあります。

中興奮薬

興奮薬は神経機能を亢進させる作用があり，この作用によってイライラ感や頻脈が引き起こされることがあります。フィーバーバークにも神経系への活性化作用があると考えられています。フィーバーバークと興奮薬を併用すると，頻脈や高血圧などの深刻な副作用を引き起こすおそれがありますから，併用は避けてください。興奮薬には，Diethylpropion，エピネフリン，Phentermine，塩酸プソイドエフェドリンなど数多くの医薬品があります。

ハーブおよび健康食品・サプリメントとの相互作用

ほかのハーブ，健康食品・サプリメントとの相互作用についてはまだ明らかではありません。

使用量の目安

●経口摂取

お茶にして１日15～20mLを摂取します。お茶の入れ方は，挽いた樹皮を20倍の量の熱湯に10～15分浸してからこします。このほか，チンキ剤（１：８または１：10）の場合，１日２～４mL，または流エキス（１：１）なら４～８mLを摂取します。

フィーバーフュー

FEVERFEW

別名ほか

ナツシロギク，夏白菊（Matricaria parthenium），アルタミス（Altamisa），マトリカリア，Bachelor's Buttons，Featerfoiul，Featherfew，Featherfoil，Flirtwort Midsummer Daisy，Matricaria eximia，Santa Maria，Tanaceti parthenii，Tanacetum parthenium，Chrysanthemum parthenium，Leucanthemum parthenium，Pyrethrum parthenium

概　要

フィーバーフューはハーブです。葉を用いて「くすり」を作ることもあります。

●要説（ナチュラル・スタンダード）

フィーバーフューは，質の高い研究は不足していますが，その名前が表すように，発熱対策として伝統的に使用されてきたハーブです。

フィーバーフューは，片頭痛を防ぐために，もっともよく経口摂取されています。いくつかのヒトを対象とした試験は，結果がまちまちでした。全体として，これらの研究では，乾燥した葉カプセルでフィーバーフューを毎日摂取すれば，慢性片頭痛を患っている人々の頭痛発作発生率を減少させる可能性があることを示しています。しかし，この研究は実験計画も報告も適切に行われなかったようです。

フィーバーフューを，片頭痛，関節リウマチ，そう痒，皮膚の炎症の治療に使用することに関して決定的なエビデンスはありません。

フィーバーフューは，軽度の副作用があると思われます。もっとも一般的な副作用は，フィーバーフューの葉への曝露に起因する口腔潰瘍および炎症であると思われます。理論上は，出血のリスクが増加するおそれがあります。

安全性

フィーバーフューは，適量を経口摂取する場合，短期間（最長４カ月間まで）であれば，ほとんどの人に安全のようです。副作用として，胃のむかつき，むねやけ，下痢，便秘，腹部膨満，鼓腸，吐き気および嘔吐を引き起こすおそれがあります。このほかにも，神経過敏，めまい感，頭痛，睡眠障害，関節のこわばり，疲労，月経の変化，皮疹，動悸，および体重増加が報告されています。

４カ月間以上使用する場合の安全性については，研究されていません。

フィーバーフューの生の葉を噛むのは，おそらく安全ではありません。加工していない葉を噛むと，口内炎，口，舌，唇の腫脹，および味覚消失を起こすおそれがあります。

出血性疾患：フィーバーフューは血液凝固を抑制する可能性があります。理論上は，人によっては，フィーバーフューを摂取すると出血のリスクが高まるおそれがあります。出血性疾患の場合には，十分なデータが得られるまでは，慎重に使用してください。

手術：フィーバーフューは，血液凝固を抑制する可能性があります。このため，手術中・手術後に出血を引き起こすおそれがあります。少なくとも手術前２週間は，使用しないでください。

●アレルギー

ブタクサや関連植物に対するアレルギー：フィーバーフューは，キク科植物に敏感な人にアレルギー反応を引き起こすおそれがあります。キク科には，ブタクサ，キク，マリーゴールド，デイジーなど多くの植物があります。アレルギーの場合には，フィーバーフューを摂取する前に必ず医師などに相談してください。

●妊娠中および母乳授乳期

妊娠中の経口摂取はおそらく安全ではありません。早期子宮収縮や流産を引き起こすおそれがあります。妊娠中は使用してはいけません。母乳授乳期の使用の安全性については，データが不十分です。安全性を考慮し，摂取は避けてください。

有効性

◆有効性レベル③

・片頭痛の予防。さまざまなフィーバーフュー製品を用いた研究では，フィーバーフューを経口摂取すると，片頭痛の発症頻度が減少し，発症時の疼痛，吐き気，嘔吐，光や騒音への感受性が緩和することが示されています。片頭痛の発症頻度が高い方が，フィーバーフューの効果が高くなる可能性があります。その一方で，片頭痛には効果がないとする研究もあります。研究結果の差は，試験に用いた製品の違いによるものと考えられます。カナダ政府は，特定のフィーバーフュー製剤（パルテノライドという化学物質を0.2%含む）を製造する業者に，片頭痛予防に効果がある旨を機能表示することを許可しています。

◆有効性レベル④

・関節リウマチ（RA）。フィーバーフューを経口摂取しても，関節リウマチの症状は緩和しないようです。

◆科学的データが不十分です

・そう痒，アレルギー，気管支喘息，骨障害，がん，感冒，めまい感，耳痛，発熱，腸内寄生虫，肝疾患，月経不順，流産予防，筋緊張，吐き気，乾癬，耳鳴，脚の腫脹，歯痛，胃のむかつき，嘔吐など。

●体内での働き

フィーバーフューの葉にはさまざまな化学物質が多数含まれています。その１つがパルテノライドです。パルテノライドをはじめとする化学物質が，片頭痛を引き起こすおそれがある体内の因子を減少させます。

医薬品との相互作用

中肝臓で代謝される医薬品（シトクロムP450 1A2（CYP1A2）の基質となる医薬品）

特定の医薬品は肝臓で代謝されます。フィーバーフューはこのような医薬品の代謝を抑制する可能性があります。フィーバーフューと肝臓で代謝される医薬品を併用すると，医薬品の作用および副作用を増強させる可能性があります。このような医薬品にはアミトリプチリン塩酸塩，ハロペリドール，オンダンセトロン塩酸塩水和物，プロプラノロール塩酸塩，テオフィリン，ベラパミル塩酸塩などがあります。

中肝臓で代謝される医薬品（シトクロムP450 2C19（CYP2C19）の基質となる医薬品）

特定の医薬品は肝臓で代謝されます。フィーバーフューは医薬品の代謝を抑制する可能性があります。フィーバーフューと肝臓で代謝される医薬品を併用すると，医薬品の作用および副作用が増強する可能性があります。このような医薬品にはオメプラゾール，ランソプラゾール，パントプラゾールナトリウム水和物（販売中止），ジアゼパム，カリソプロドール（販売中止），ネルフィナビルメシル酸塩などがあります。

中肝臓で代謝される医薬品（シトクロムP450 2C8（CYP2C8）の基質となる医薬品）

特定の医薬品は肝臓で代謝されます。フィーバーフューは特定の医薬品の代謝を抑制する可能性があります。フィーバーフューと肝臓で代謝される医薬品を併用すると，医薬品の作用および副作用が増強する可能性があります。このような医薬品には，アミオダロン塩酸塩，パクリタキセル，ジクロフェナクナトリウムやイブプロフェンなどの非ステロイド性抗炎症薬，マレイン酸ロシ

相互作用レベル：高この医薬品と併用してはいけません　中この医薬品とは慎重に併用するか併用しないでください
低この医薬品との併用には注意が必要です

グリタゾン（販売中止）などがあります。

中 肝臓で代謝される医薬品（シトクロムP450 2C9（CYP2C9）の基質となる医薬品）

特定の医薬品は肝臓で代謝されます。フィーバーフューは特定の医薬品の代謝を抑制する可能性があります。フィーバーフューと肝臓で代謝される医薬品を併用すると，医薬品の作用および副作用を増強する可能性があります。このような医薬品にはジクロフェナクナトリウム，イブプロフェン，メロキシカム，ピロキシカム，セレコキシブ，アミトリプチリン塩酸塩，ワルファリンカリウム，Glipizide，ロサルタンカリウムなどがあります。

中 肝臓で代謝される医薬品（シトクロムP450 2D6（CYP2D6）の基質となる医薬品）

特定の医薬品は肝臓で代謝されます。フィーバーフューは医薬品の代謝を抑制する可能性があります。フィーバーフューと肝臓で代謝される医薬品を併用すると，医薬品の作用および副作用を増強させる可能性があります。このような医薬品にはイミプラミン塩酸塩やアミトリプチリン塩酸塩などの三環系抗うつ薬，ハロペリドールやリスペリドンやクロルプロマジン塩酸塩などの抗精神病薬，プロプラノロール塩酸塩やメトプロロール酒石酸塩やカルベジロールなどのアドレナリンβ受容体遮断薬，タモキシフェンクエン酸塩などがあります。

中 肝臓で代謝される医薬品（シトクロムP450 3A4（CYP3A4）の基質となる医薬品）

特定の医薬品は肝臓で代謝されます。フィーバーフューは医薬品の代謝を抑制する可能性があります。フィーバーフューと肝臓で代謝される医薬品を併用すると，医薬品の作用および副作用を増強させる可能性があります。このような医薬品にはLovastatin，ケトコナゾール，イトラコナゾール，フェキソフェナジン塩酸塩，トリアゾラムなど多くあります。

中 血液凝固を抑制する医薬品（抗凝固薬/抗血小板薬）

フィーバーフューは血液凝固を抑制する可能性があります。フィーバーフューと血液凝固を抑制する医薬品を併用すると，紫斑および出血のリスクが高まるおそれがあります。このような医薬品にはアスピリン，クロピドグレル硫酸塩，ジクロフェナクナトリウム，イブプロフェン，ナプロキセン，ダルテパリンナトリウム，エノキサパリンナトリウム，ヘパリン，ワルファリンカリウムなどがあります。

ハーブおよび健康食品・サプリメントとの相互作用

血液凝固を抑制するおそれのあるハーブおよび健康食品・サプリメント

フィーバーフューは血液凝固を抑制するおそれがあります。フィーバーフューと，血液凝固を抑制するほかのハーブおよび健康食品・サプリメントを併用すると，人によっては紫斑および出血のリスクが高まるおそれがあります。このようなハーブおよび健康食品・サプリメントには，アンゼリカ，クローブ，タンジン，ニンニク，ショウガ，イチョウ，セイヨウトチノキ，朝鮮人参，レッドクローバー，ウコンなどがあります。

使用量の目安

●経口摂取

片頭痛

フィーバーフュー粉末50～150mgを１日１回，最長４カ月間まで摂取します。または二酸化炭素抽出によるフィーバーフューエキス2.08～18.75mgを１日３回，３～４カ月間摂取します。またはフィーバーフュー300mgとホワイトウィロー300mgの併用製品を１日２回，３カ月間摂取します。またはフィーバーフューとショウガを含む併用製品２mLを，５分間あけて２回舌下に投与します。２回とも，舌下に投与してから60秒後に飲み込みます。片頭痛がおさまらない場合には，１時間後および24時間後に再度投与します。

フィシン

FICIN

別名ほか

ビボシ（Ficus insipida），オヘ（Oje），Doctor Oje，Ficus anthelmintica，Ficus glabrata，Ficus laurfolia，Leche de Higueron，Leche de Oje

概　要

フィシンは乳液状物質で，樹木の幹から抽出されます。

安 全 性

十分なデータが得られていないため，経口摂取の安全性については不明です。

ただ，多量に摂取すると，ひどい下痢が起こるおそれがあります。

皮膚に使用してはいけません。出血やアレルギー反応が出る場合があります。

●妊娠中および母乳授乳期

妊娠中，母乳授乳期は使用してはいけません。

有 効 性

◆科学的データが不十分です

・蟯虫および腸障害の治療。

●体内での働き

タンパク質を分解，また腸内の寄生虫を駆除すると考えられている化合物を含んでいます。

医薬品との相互作用

ほかの医薬品との相互作用については明らかではありません。

ハーブおよび健康食品・サプリメントとの相互作用

ほかのハーブ，健康食品・サプリメントとの相互作用についてはまだ明らかではありません。

使用量の目安

●経口摂取

虫下しとして使用する場合，乳液1日1.0mL/kgの3日間摂取を3カ月ごとに繰り返します。

フィチン酸

IP-6

●代表的な別名

イノシトール六リン酸

別名ほか

イノシトール六リン酸（Inositol hexaphosphate），Fytic acid，Phytic acid

概　　要

フィチン酸は動植物の多くに含まれる，ビタミンのような物質です。化学的に合成することもできます。

安 全 性

食事に含まれる量なら安全です。

十分なデータは得られていないので，医薬品の用量で使用する場合に安全であるかどうか不明です。

鉄分が少ない，いわゆる鉄欠乏性貧血症，骨粗鬆症または骨減少症に罹っている人は使用してはいけません。

2週間以内に手術を受ける予定の人は使用してはいけません。出血のリスクが高まります。

●妊娠中および母乳授乳期

妊娠中，母乳授乳期は使用してはいけません。

有 効 性

◆有効性レベル③

・食事でフィチン酸を摂取して腎結石を予防。

◆科学的データが不十分です

・がんの治療と予防，心臓発作の予防，腎結石の予防と治療など。

●体内での働き

がん細胞の増殖を抑えることにより，がんの治療と予防を補助する可能性があります。また，特定のミネラルと結合して，結腸がんのリスクを低減することもあります。

医薬品との相互作用

中 血液凝固を抑制する医薬品（抗凝固薬/抗血小板薬）

フィチン酸は血液凝固を抑制することがありますから，血液凝固を抑制する医薬品と併用すると，紫斑および出血のリスクが高まるおそれがあります。このような医薬品には，アスピリン，クロピドグレル硫酸塩，ジクロフェナクナトリウム，イブプロフェン，ナプロキセン，ダルテパリンナトリウム，エノキサパリンナトリウム，ヘパリン，ワルファリンカリウムなどがあります。

ハーブおよび健康食品・サプリメントとの相互作用

カルシウム，鉄，亜鉛

フィチン酸はカルシウム，鉄，および亜鉛と消化管で結合します。これにより，食事に含まれるこれらのミネラルの体内での吸収量が低下します。

血液凝固を抑制するハーブおよび健康食品・サプリメント

研究によると，フィチン酸は血液凝固を抑制する可能性があることが示唆されています。他の血液凝固を抑制するハーブおよび健康食品・サプリメントと併用すると紫斑や出血を引き起こすリスクが増加します。これらの食品には，アンゼリカ，クローブ，タンジン，ニンニク，ショウガ，イチョウ，朝鮮人参，レッドクローバー，ターメリックなどがあります。

使用量の目安

標準使用量に関するデータがありません。

プーアール茶

PU-ERH TEA

別名ほか

Puer，Puer tea，Pu-erh，Puerh tea，Sheng pu-erh，Shou pu-erh，Tea

概　　要

プーアール茶は，チャノキ（Camellia sinensis）の葉および茎から製造されます。緑茶，ウーロン茶，紅茶もチャノキから作りますが，製造工程が異なります。収穫後，プーアール茶の加工は2つの工程を踏みます。最初の工程で，茶葉は緑茶と同様に準備されます。2番目の工程で，葉は発酵を経て，高湿度の状態で長期貯蔵，つまり熟成させます。熟成期間が長いプーアール茶ほど味が良くなるとされています。ただし，熟成過程を長くすることで，カビや細菌のお茶に対する作用で，かび臭さや腐った風味が残ることもあります。プーアール茶は主に中国南西部の雲南地方で生産されます。台湾でも人気を集めています。「くすり」としても使用されます。

プーアール茶は，精神的覚醒と頭の回転をよくすることの改善に使用されます。また，高コレステロール血症を改善するために使用されます。

安 全 性

適量のプーアール茶（１日に約４杯）の摂取は，ほとんどの健康な成人におそらく安全です。

長期間または高用量（１日に５杯以上）のプーアール茶の摂取は，おそらく安全ではありません。多量のプーアール茶を摂取すると，含まれるカフェインのため，副作用を生じるおそれがあります。

そのような副作用には，頭痛，神経過敏，睡眠障害，嘔吐，下痢，易刺激性，脈拍不整，振戦，むねやけ，めまい感，耳鳴り，痙攣や錯乱があります。

また，毎日，プーアール茶をたくさん飲む人は，同じ効果を得るために，より多くのお茶を飲む必要があるかもしれません。プーアール茶を飲むことを急に止めた場合，離脱症状が現れるため，お茶に「依存」するおそれがあります。

小児：小児の通常の食品および飲料に含まれている量の摂取はおそらく安全です。

不安障害：プーアール茶に含まれているカフェインが症状を悪化させるおそれがあります。

出血性疾患：プーアール茶に含まれているカフェインが症状を悪化させるおそれがあります。出血性疾患の場合には，プーアール茶の摂取に注意が必要です。

心疾患：プーアール茶に含まれているカフェインにより脈拍不整を引き起こす人もいます。心疾患の場合には，プーアール茶の摂取に注意が必要です。

糖尿病：カフェインが，体内の糖代謝に影響を与え，糖尿病を悪化させるおそれを示唆する研究もあります。ただし，プーアール茶など，カフェインを含むハーブおよび飲料の作用についての研究はなされていません。糖尿病の場合には注意が必要です。

下痢：プーアール茶に含まれるカフェインを多量に摂取すると，下痢が悪化するおそれがあります。

過敏性腸症候群（IBS）：プーアール茶に含まれるカフェインを多量に摂取すると，過敏性腸症候群に伴う下痢が悪化するおそれがあります。

緑内障：プーアール茶に含まれるカフェインが眼圧を高めるおそれがあります。

高血圧：高血圧の場合，プーアール茶に含まれるカフェインが血圧を上昇させるおそれがあります。ただし，日常的にカフェインを摂取している場合にはこの影響は少ないかもしれません。

骨粗鬆症：プーアール茶に含まれるカフェインが，尿から排出されるカルシウムの量を増加させるおそれがあります。骨粗鬆症や，骨密度が低い場合には，１日４杯以上プーアール茶を摂取しないでください。尿により排出されるカルシウムを補うため，カルシウムを余分に摂取することが推奨されます。一般的に健康で，食事とサプリメントから十分なカルシウムを摂取している場合には，毎日最大400mgのカフェイン（プーアール茶カップ約４杯）を摂取しても骨粗鬆症になるリスクは増加しないようです。ビタミンDの作用に影響を与える遺伝性疾患の閉経後女性は，注意してカフェインを摂取してください。

●妊娠中および母乳授乳期

妊娠中および母乳授乳期のプーアール茶の摂取は，１日３杯以下であればおそらく安全です。この量のお茶には約300mgのカフェインが含まれています。妊娠中にこれ以上の量を摂取することはおそらく安全ではありません。流産，その他の問題のリスクが増加するおそれがあります。

カフェインは母乳に移行するため，母乳授乳期はカフェインの摂取量を注意深く監視し，少量（１日１～２杯以下）であることを確認する必要があります。母乳授乳期の多量のカフェインの摂取は，乳児の睡眠障害，易刺激性，および腸運動を活発にするおそれがあります。

有 効 性

◆有効性レベル③

・精神的覚醒。プーアール茶はカフェインを含んでいます。終日カフェインを摂取することで，注意力散漫が予防され，思考力が研ぎ澄まされるようです。

◆科学的データが不十分です

・高コレステロール血症。

●体内での働き

ほかの茶類と比べると少量ではありますが，プーアール茶にはカフェインが含まれています。カフェインには，中枢神経系，心臓，および筋肉を刺激する作用があります。プーアール茶には，抗酸化物質や，心臓や血管を保護する作用を持つ物質も含まれています。

ほかの茶類と違い，ロバスタチンと呼ばれる化学物質を少量含むため，血清コレステロール値を低くするためにプーアール茶を用いることに関心が高まっています。ロバスタチンは血清コレステロール値を低くするために用いられる処方薬です。研究者の間では，まれにプーアール茶に混入している細菌が通常のライフサイクルをたどる過程で，何らかの形でロバスタチンを形成するのではないかと考えられています。動物実験によれば，プーアール茶が血清トリグリセリドと呼ばれる血中脂質だけでなく，総コレステロール値および悪玉コレステロールつまり，LDL-コレステロール値を低くする可能性が示唆されています。善玉コレステロールつまり，HDL-コレステロール値を高める可能性もあります。

医薬品との相互作用

中アデノシン

プーアール茶にはカフェインが含まれます。カフェインはアデノシンの作用を弱めるおそれがあります。アデノシンは心臓の検査に頻用されます。この検査は薬剤負荷心筋シンチグラフィと呼ばれます。この検査を受ける前の少なくとも24時間は，プーアール茶などのカフェインを含む製品を摂取しないでください。

フ

有効性レベル：①効きます　②おそらく効きます　③効くと断言できませんが、効能の可能性が科学的に示唆されています
④効かないかもしれません　⑤おそらく効きません　⑥効きません

低アルコール

プーアール茶に含まれるカフェインは体内で代謝されてから排泄されます。アルコールはカフェインの代謝を抑制する可能性があります。プーアール茶とアルコールを併用すると，血中のカフェインが過剰になり，神経過敏，頭痛，動悸など，カフェインの副作用が現れるおそれがあります。

高アンフェタミン類【販売中止】

アンフェタミン類のような興奮薬は神経系を亢進させます。興奮薬により神経系が亢進すると，神経過敏や心拍数上昇などが生じる可能性があります。プーアール茶に含まれるカフェインも神経系を亢進させる可能性があります。プーアール茶と興奮薬を併用すると，頻脈や高血圧などの重大な問題が生じる可能性があります。興奮薬とプーアール茶の併用は避けてください。

中エストロゲン（卵胞ホルモン）製剤

プーアール茶に含まれるカフェインは体内で代謝されてから排泄されます。エストロゲン（卵胞ホルモン）製剤はカフェインの代謝を抑制する可能性があります。プーアール茶とエストロゲン製剤を併用すると，神経過敏，頭痛，頻脈などの副作用が現れるおそれがあります。エストロゲン製剤の服用中はカフェインの摂取を制限してください。エストロゲン製剤には，結合型エストロゲン，エチニルエストラジオール，エストラジオールなどがあります。

高エフェドリン塩酸塩

興奮薬は神経系を亢進させます。カフェインはプーアール茶に含まれますが，カフェインおよびエフェドリン塩酸塩は興奮薬です。カフェインとエフェドリン塩酸塩を併用すると，過度に興奮し，場合によっては重大な副作用および心臓の異常が引き起こされるおそれがあります。カフェインを含む製品とエフェドリン塩酸塩を同時に併用しないでください。

低キノロン系抗菌薬

プーアール茶に含まれるカフェインは体内で代謝されてから排泄されます。特定の抗菌薬はカフェインの代謝を抑制する可能性があります。プーアール茶と特定の抗菌薬を併用すると，神経過敏，頭痛，頻脈など，カフェインの副作用のリスクが高まるおそれがあります。このような抗菌薬には，シプロフロキサシン，Gemifloxacin，レボフロキサシン水和物，モキシフロキサシン塩酸塩，オフロキサシンなどがあります。

中クロザピン

クロザピンは体内で代謝されてから排泄されます。プーアール茶に含まれるカフェインはクロザピンの代謝を抑制するようです。プーアール茶とクロザピンを併用すると，クロザピンの作用および副作用が増強するおそれがあります。

高コカイン塩酸塩

コカイン塩酸塩のような興奮薬は神経系を亢進させます。神経系の亢進により，興奮薬は神経過敏や頻脈を引き起こす可能性があります。プーアール茶に含まれるカフェインも神経系を亢進させる可能性があります。プーアール茶と興奮薬を併用すると，頻脈や高血圧などの重大な問題が生じるおそれがあります。興奮薬とプーアール茶の併用は避けてください。

中ジスルフィラム

カフェインは体内で代謝されてから排泄されます。ジスルフィラムはカフェインの排泄を抑制する可能性があります。プーアール茶（カフェイン含有）とジスルフィラムを併用すると，神経過敏，活動亢進，易刺激性など，カフェインの作用および副作用が増強するおそれがあります。

中ジピリダモール

プーアール茶にはカフェインが含まれます。プーアール茶に含まれるカフェインはジピリダモールの作用を妨げるおそれがあります。ジピリダモールは心臓の検査に頻用されます。この検査は薬剤負荷心筋シンチグラフィと呼ばれます。この検査を受ける前の少なくとも24時間は，プーアール茶などのカフェインを含む製品をを摂取しないでください。

高シメチジン

プーアール茶にはカフェインが含まれます。カフェインは体内で代謝されてから排泄されます。シメチジンはカフェインの代謝を抑制する可能性があります。プーアール茶とシメチジンを併用すると，神経過敏，頭痛，頻脈など，カフェインの副作用が現れるリスクが高まるおそれがあります。

中テオフィリン

プーアール茶にはカフェインが含まれます。カフェインにはテオフィリンと類似した作用があります。また，カフェインはテオフィリンの体内からの排泄を抑制する可能性があります。プーアール茶とテオフィリンを併用すると，テオフィリンの作用および副作用が増強するおそれがあります。

低テルビナフィン塩酸塩

カフェイン（プーアール茶に含有）は体内で代謝されてから排泄されます。テルビナフィン塩酸塩はカフェインの排泄を抑制し，神経過敏，頭痛，頻脈などの副作用のリスクを高めるおそれがあります。

中ニコチン

ニコチンのような興奮薬は神経系を亢進させます。興奮薬によって神経系が亢進すると，神経過敏や頻脈が引き起こされる可能性があります。プーアール茶に含まれるカフェインも神経系を亢進させる可能性があります。プーアール茶と興奮薬を併用すると，頻脈や高血圧などの重大な問題が生じるおそれがあります。カフェインと興奮薬の併用は避けてください。

低フルコナゾール

プーアール茶にはカフェインが含まれます。カフェインは体内で代謝されてから排泄されます。フルコナゾールはカフェインの排泄を抑制する可能性があります。

プーアール茶とフルコナゾールを併用すると，神経過敏，不安，不眠など，カフェインの副作用のリスクが高めるおそれがあります。

中フルボキサミンマレイン酸塩

プーアール茶に含まれるカフェインは体内で代謝されてから排泄されます。フルボキサミンマレイン酸塩はカフェインの排泄を抑制する可能性があります。プーアール茶とフルボキサミンマレイン酸塩を併用すると，体内のカフェイン量が過剰になり，カフェインの作用および副作用が増強するおそれがあります。

中ベラパミル塩酸塩

プーアール茶に含まれるカフェインは体内で代謝されてから排泄されます。ベラパミル塩酸塩はカフェインの排泄を抑制する可能性があります。プーアール茶とベラパミル塩酸塩を併用すると，神経過敏，頭痛，頻脈など，カフェインの副作用のリスクが高まるおそれがあります。

中ペントバルビタールカルシウム

プーアール茶に含まれるカフェインの興奮作用は，ペントバルビタールカルシウムの催眠作用を妨げるおそれがあります。

低メキシレチン塩酸塩

プーアール茶にはカフェインが含まれます。カフェインは体内で代謝されてから排泄されます。メキシレチン塩酸塩はカフェインの代謝を抑制する可能性があります。プーアール茶とメキシレチン塩酸塩を併用すると，プーアール茶に含まれるカフェインの作用および副作用が増強するおそれがあります。

中モノアミン酸化酵素阻害薬（MAO阻害薬）

プーアール茶にはカフェインが含まれます。カフェインは身体を刺激する可能性があります。モノアミン酸化酵素阻害薬（MAO阻害薬）も身体を刺激する可能性があります。プーアール茶とMAO阻害薬を併用すると，動悸，高血圧，神経過敏などの重大な副作用が現れるおそれがあります。このようなMAO阻害薬には，Phenelzine，Tranylcypromineなどがあります。

中リルゾール

リルゾールは体内で代謝されてから排泄されます。プーアール茶を摂取すると，リルゾールの代謝が抑制され，リルゾールの作用および副作用が増強するおそれがあります。

中塩酸フェニルプロパノールアミン【販売中止】

プーアール茶に含まれるカフェインは身体を刺激する可能性があります。塩酸フェニルプロパノールアミンも身体を刺激する可能性があります。プーアール茶と塩酸フェニルプロパノールアミンを併用すると，過度に刺激され，頻脈，高血圧，神経過敏などが引き起こされるおそれがあります。

中気管支喘息治療薬（アドレナリンβ受容体作動薬）

プーアール茶にはカフェインが含まれます。カフェインは心臓を刺激する可能性があります。気管支喘息治療薬のなかにも心臓を刺激するものがあります。カフェインと気管支喘息治療薬を併用すると，過度に刺激され，心臓の異常が引き起こされるおそれがあります。このような気管支喘息治療薬には，サルブタモール硫酸塩，オルシプレナリン硫酸塩(販売中止)，テルブタリン硫酸塩，イソプレナリン塩酸塩などがあります。

中血液凝固を抑制する医薬品（抗凝固薬/抗血小板薬）

プーアール茶にはカフェインが含まれます。カフェインは血液凝固を抑制する可能性があります。プーアール茶と血液凝固を抑制する医薬品を併用すると，紫斑および出血のリスクが高まるおそれがあります。このような医薬品には，アスピリン，クロピドグレル硫酸塩，ジクロフェナクナトリウム，イブプロフェン，ナプロキセン，ダルテパリンナトリウム，エノキサパリンナトリウム，ヘパリン，ワルファリンカリウムなどがあります。

中炭酸リチウム

リチウムは身体から自然に排泄されます。プーアール茶に含まれるカフェインはリチウムの排泄を促進する可能性があります。カフェイン含有製品と炭酸リチウムを併用している場合には，その製品の摂取を徐々にやめてください。すぐにやめると，リチウムの副作用が増強するおそれがあります。

低糖尿病治療薬

プーアール茶は血糖値を上昇させる可能性があります。糖尿病治療薬は血糖値を低下させるために用いられます。プーアール茶が血糖値を上昇させることにより，糖尿病治療薬の効果が弱まるおそれがあります。血糖値を注意深く監視してください。糖尿病治療薬の用量を変更する必要があるかもしれません。このような糖尿病治療薬には，グリメピリド，グリベンクラミド，インスリン，ピオグリタゾン塩酸塩，マレイン酸ロシグリタゾン（販売中止），クロルプロパミド，Glipizide，トルブタミド（販売中止）などがあります。

低避妊薬

プーアール茶に含まれるカフェインは体内で代謝されてから排泄されます。避妊薬はカフェインの代謝を抑制する可能性があります。プーアール茶と避妊薬を併用すると，神経過敏，頭痛，頻脈などの副作用が現れるおそれがあります。避妊薬には，エチニルエストラジオール・レボノルゲストレル配合，エチニルエストラジオール・ノルエチステロン配合などがあります。

ハーブおよび健康食品・サプリメントとの相互作用

ダイダイ

プーアール茶にはカフェインが含まれています。血圧が平常値の人が，ダイダイと，プーアール茶などカフェインを含むハーブおよび健康食品・サプリメントを併用すると，血圧が上昇し，心拍数が増加し心血管疾患を発症する可能性が高まるおそれがあります。

カフェインを含むハーブおよび健康食品・サプリメント

プーアール茶にはカフェインが含まれています。プー

フ

アール茶とカフェインを含むハーブおよび健康食品・サプリメントを併用すると，カフェインの有害な作用と有効な作用の双方が増強する可能性があります。カフェインを含む天然製品には，コーヒー，紅茶，緑茶，ウーロン茶，ガラナ豆，マテ，およびコーラなどがあります。

クレアチン

プーアール茶にはカフェインが含まれています。カフェイン，マオウ（麻黄），およびクレアチンを併用すると，深刻な副作用のリスクが高まるおそれがあります。クレアチンモノハイドレイト（creatine monohydrate）6 g，カフェイン400～600mg，マオウ40～60mgほか，さまざまなサプリメントを毎日，継続して6週間摂取していたアスリートが虚血性脳卒中を起こした例が報告されています。カフェインはクレアチンの運動能力に対する有効作用を軽減するおそれもあります。

マオウ（麻黄）

マオウは興奮薬です。カフェインを含むプーアール茶も興奮薬です。マオウとプーアール茶を併用すると，体内が過剰に刺激され，高血圧，心臓発作，脳卒中，発作，痙攣のリスクが高まるおそれがあり，死に至ることさえあります。プーアール茶とマオウおよびほかの興奮薬は併用しないでください。

血液凝固を抑制するおそれのあるハーブおよび健康食品・サプリメント

プーアール茶にはカフェインが含まれています。カフェインは血液凝固を抑制するおそれがあります。プーアール茶と血液凝固を抑制するおそれのあるほかのハーブおよび健康食品･サプリメントを併用すると，人によっては，紫斑および出血が生じる可能性が高まるおそれがあります。これらのハーブには，アンゼリカ，クローブ，タンジン，ニンニク，ショウガ，イチョウ，朝鮮人参などがあります。

通常の食品との相互作用

鉄

プーアール茶は，食品に含まれている鉄が体内へ吸収される量を減少させるおそれがあります。

ミルク

お茶にミルクを加えると，心臓に対するお茶の有効作用の一部が軽減するおそれがあります。ミルクはお茶に含まれる有効な抗酸化物質と結合し，体内への吸収を抑制するおそれがあることを示唆する研究もあります。ただし，このような作用はないことを示唆するほかの研究もあります。この相互作用が実際におこるかどうか，どの程度重要性があるかどうかを判断するには，さらなるデータが必要です。

使用量の目安

通常の食品に含まれている量を超えて経口摂取した場合の安全性および副作用については，明らかになっていません。

ブークー

BUCHU

別名ほか

ラウンドブック（Agathosma betulina），ブッコノキ（Barosma betulina），Barosma crenulata，Barosmae folium，Barosma serratifolia，ブッコ（Bucco），ブクー（Bucku），Diosma，ブチュー（Round Buchu and Short Buch），Bookoo

概　　要

ブークーは植物です。葉を用いて「くすり」を作ることもあります。

安 全 性

食品としての量のブークーを摂取する場合，ほとんどの人に安全のようです。「くすり」として適量を摂取する場合，おそらく安全です。しかし，大量摂取およびオイルの摂取はおそらく安全ではありません。

胃や腎臓を刺激したり，月経出血量の増大を引き起こすおそれもあります。また，肝障害を引き起こすおそれがあるため，ブークーを摂取する場合は医師などにより肝機能を監視してください。

出血性疾患：血液凝固を抑制し出血量を増やすおそれがあります。理論上，血液性疾患が悪化するおそれがあります。

腎感染：腎感染に使用する人がいますが，医師などにより推奨されていません。

尿路炎症：尿路に疼痛や腫脹がある場合，使用してはいけません。

手術：ブークーが血液凝固を抑制するおそれがあります。手術中・手術後の出血リスクが高まるおそれがあります。少なくとも手術前2週間は，使用しないでください。

●妊娠中および母乳授乳期

妊娠中の摂取は安全ではないようです。流産との関連が報告されています。母乳授乳期の摂取は，通常の食品に含まれる量であればおそらく安全ですが，それを超える量を摂取してはいけません。母乳授乳期の使用の安全性についてはデータが不十分です。

有 効 性

◆科学的データが不十分です

・尿路感染，腎感染，性感染症など。

●体内での働き

ブークーの活性成分が殺菌薬として働き，また尿量を増やすと考えられています。

医薬品との相互作用

中血液凝固を抑制する医薬品（抗凝固薬/抗血小板薬）

ブークーは血液凝固を抑制する可能性があります。ブークーと血液凝固を抑制する医薬品を併用すると，紫斑および出血のリスクが高まるおそれがあります。このような医薬品にはアスピリン，クロピドグレル硫酸塩，ジクロフェナクナトリウム，イブプロフェン，ナプロキセン，ダルテパリンナトリウム，エノキサパリンナトリウム，ヘパリン，ワルファリンカリウムなどがあります。

中炭酸リチウム

ブークーは利尿薬のように作用する可能性があります。ブークーを摂取すると，炭酸リチウムの体内からの排泄が抑制される可能性があります。そのため，体内の炭酸リチウム量が増加し，重大な副作用が現れるおそれがあります。

ハーブおよび健康食品・サプリメントとの相互作用

血液凝固を抑制するハーブおよび健康食品・サプリメント

ブークーが血液凝固を抑制するおそれがあります。同様の作用をもつほかのハーブおよび健康食品・サプリメントと併用すると，紫斑および出血のリスクが高まるおそれがあります。このようなハーブおよび健康食品・サプリメントには，アンゼリカ，クローブ，タンジン，ニンニク，ショウガ，イチョウ，朝鮮人参などがあります。

使用量の目安

通常の食品に含まれている量を超えて経口摂取した場合の安全性および副作用については，明らかになっていません。

風鈴ダイコンソウ

WATER AVENS

別名ほか

ゲウムリバレ（Geum rivale），Chocolate Root，Cure All，Indian Chocolate，Throat Root，Water Chisch，Water Flower

概　　要

風鈴ダイコンソウは植物です。全体を用いて「くすり」を作ることもあります。

安 全 性

安全性または副作用については不明です。

●妊娠中および母乳授乳期

妊娠中，母乳授乳期は使用してはいけません。

有 効 性

◆科学的データが不十分です

・下痢，発熱，腸障害など。

●体内での働き

収れん作用をするタンニンを含んでいます。この作用が下痢の抑制を補助するようです。

医薬品との相互作用

ほかの医薬品との相互作用については明らかではありません。

ハーブおよび健康食品・サプリメントとの相互作用

ほかのハーブ，健康食品・サプリメントとの相互作用についてはまだ明らかではありません。

使用量の目安

標準使用量に関するデータがありません。

フールズ・パセリ

FOOL'S PARSLEY

別名ほか

Aethusa cynapium，Dog Parsley，Dog Poison，Fool's-Cicely，Lesser Hemlock，Small Hemlock

概　　要

フールズ・パセリはハーブです。地上部を用いて「くすり」を作ることもあります。

安 全 性

安全ではありません。使用を避けるようにしてください。命にかかわる中毒を起こすおそれがあります。

若いパセリの姿に似ているところから，その名がつきましたが，フールズ・パセリは有毒のため，この2つを混同しないよう注意してください。

●妊娠中および母乳授乳期

妊娠中，母乳授乳期は使用してはいけません。

有 効 性

◆科学的データが不十分です

・胃および腸の障害，下痢，および痙攣。

●体内での働き

どのように作用するかについては十分なデータが得られていません。

医薬品との相互作用

ほかの医薬品との相互作用については明らかではありません。

ハーブおよび健康食品・サプリメントとの相互作用

ほかのハーブ，健康食品・サプリメントとの相互作用についてはまだ明らかではありません。

使用量の目安

標準使用量に関するデータがありません。

フェニバット

PHENIBUT

別名ほか

4-Amino-3-Phenylbutyric Acid，Beta-Phenyl-GABA，Beta-phenyl-gamma-aminobutyric acid，Fenibut，Phenyl-GABA

概　要

フェニバットは，γ-アミノ酪酸（GABA）と呼ばれる脳内化学物質に似た物質です。「くすり」として用いられます。

安全性

安全性についてはデータが不十分です。ヒトを対象とする研究は行われていません。

●妊娠中および母乳授乳期

妊娠中および母乳授乳期の使用の安全性についてはデータが不十分です。安全性を考慮し，摂取は避けてください。

有効性

◆科学的データが不十分です

・不安感，アルコール依存症，不整脈，恐怖症，不眠症，緊張，ストレス，疲労，心的外傷後ストレス障害，うつ病。記憶，学習，および，思考の改善など。

●体内での働き

フェニバットは，γ-アミノ酪酸（GABA）と呼ばれる脳内化学物質に似た物質です。動物を対象とした研究では，不安感を軽減する可能性などが示唆されています。ただし，ヒトを対象とした研究は行われていないため，「くすり」としての効果があるかどうかはまったく不明です。

医薬品との相互作用

中プレガバリン

フェニバットはプレガバリンに類似した方法で脳に作用します。2つの化学物質（フェニバットとプレガバリン）を併用すると，意識消失につながるような重度の傾眠のリスクが高まるおそれがあります。

ハーブおよび健康食品・サプリメントとの相互作用

ほかのハーブ，健康食品・サプリメントとの相互作用についてはまだ明らかではありません。

使用量の目安

標準使用量に関するデータがありません。

フェニルアラニン

PHENYLALANINE

別名ほか

D-フェニルアラニン（D-Phenylalanine），DL-フェニルアラニン（DL-Phenylalanine），L-フェニルアラニン（L-Phenylalanine），Alpha-aminohydrocinnamic Acid，Beta-phenyl-alanine，DLPA

概　要

フェニルアラニンはタンパク質の構成単位，アミノ酸です。フェニルアラニンには3つの構造があります。D-フェニルアラニン，L-フェニルアラニン，そして2つを合成したDL-フェニルアラニンと呼ばれるものです。D-フェニルアラニンは必須アミノ酸ではなく，人体での役割も現在はわかっていません。L-フェニルアラニンは必須アミノ酸であり，タンパク質中にある唯一のフェニルアラニン構造です。食事由来のL-フェニルアラニンは主に肉，魚，卵，チーズ，牛乳などから摂取されます。

安全性

L-フェニルアラニンは，一般的に安全です。D-フェニルアラニンは，信頼できる十分なデータがありません。

フェニルケトン尿症またはアルカプトン尿症，フェニルアラニン代謝に異常がある遺伝病の人は使用してはいけません。

統合失調症：使用には注意が必要です。フェニルアラニンは統合失調症患者の運動障害（遅発性ジスキネジア）を悪化させるおそれがあります。

●妊娠中および母乳授乳期

フェニルアラニンの妊娠時の母胎への過剰摂取は，出生異常の生じる可能性を高めます。

有効性

◆有効性レベル③

・白斑と呼ばれる皮膚疾患。L-フェニルアラニンの経口摂取と紫外線の照射，もしくはL-フェニルアラニンの塗布と紫外線の照射は，成人および小児の白斑治療に効果があると見られます。

◆有効性レベル④

・注意欠陥多動性障害。いくつかの研究では注意欠陥多動性障害患者はフェニルアラニンなどのアミノ酸量が少ないことが示唆されていたので，フェニルアラニンを与えることで注意欠陥多動性障害の治療になるのではないかという望みがありました。しかし現在のところ，フェニルアラニンは注意欠陥多動性障害に対する有効性が認められていません。フェニルアラニンの経口摂取は注意欠陥多動性障害の症状に効果はないようです。
・痛み。

◆科学的データが不十分です

・うつ病。1980年代の臨床研究ではフェニルアラニンはうつ病に有効なのではないかと示唆されていましたが，この研究は最新の研究手法により再度実行され確認される必要があります。
・パーキンソン病。限定的な研究では，フェニルアラニンの一構造（D-フェニルアラニン）はパーキンソン病の症状を軽減するかもしれないことが示唆されていました。しかしほかの構造（DL-フェニルアラニン）では効果がないようです。
・関節炎，アルコール離脱症状，フェニルアラニン欠乏症など。

●体内での働き

化学伝達物質の生成に必要ですが，どのように作用するかについては不明です。

医薬品との相互作用

中バクロフェン

フェニルアラニンはバクロフェンの体内への吸収量を減少させる可能性があります。併用する場合は慎重にしてください。

中モノアミン酸化酵素阻害薬（MAO阻害薬）

フェニルアラニンはチラミンと呼ばれる体内の化学物質を増加させる可能性があります。多量のチラミンは高血圧を引き起こす可能性があります。しかし，チラミンは体内で自然に代謝されてから排泄されます。そのため，通常はチラミンが原因で高血圧になることはありません。モノアミン酸化酵素阻害薬（MAO阻害薬）はチラミンの分解を阻害します。そのため，体内のチラミンが過剰になり，危険なレベルの高血圧に至るおそれがあります。このようなMAO阻害薬には，Phenelzine，Tranylcypromineなどがあります。

高レボドパ

レボドパはパーキンソン病治療のために用いられます。フェニルアラニンとレボドパを併用すると，パーキンソン病が悪化するおそれがあります。レボドパを服用中にフェニルアラニンを摂取しないでください。

中抗精神病薬

特定の抗精神病薬は，筋肉の動きを不自然にさせる可能性があります。フェニルアラニンと抗精神病薬を併用すると，筋肉の動きが不自然になるリスクが高まるおそれがあります。このような抗精神病薬には，クロルプロマジン塩酸塩，クロザピン，フルフェナジン，ハロペリドール，オランザピン，ペルフェナジン，プロクロルペラジンマレイン酸塩，クエチアピンフマル酸塩，リスペリドン，チオリダジン塩酸塩（販売中止），チオチキセン（販売中止）などがあります。

ハーブおよび健康食品・サプリメントとの相互作用

ほかのハーブ，健康食品・サプリメントとの相互作用についてはまだ明らかではありません。

使用量の目安

●経口摂取

パーキンソン病

D-フェニルアラニンを１日200～500mg摂取します。

抜歯時の疼痛

鍼麻酔あるいは鍼無痛法の補助として，その30分前にD-フェニルアラニンを４g摂取します。

単極性うつ病

１日250mgのL-フェニルアラニンを，５～10mg のL-デプレニルとともに摂取します。DL-フェニルアラニンの１日摂取量は150～200mgです。

白斑

成人の場合，UVA療法を受けるとともに，１日50～100mg/kgのL-フェニルアラニンを摂取します。

チロシン血症

フェニルアラニン欠乏が認められる小児の場合，１日30～40mg/kgのフェニルアラニンを摂取します。

●局所投与

白斑

UVA療法を受けるとともに，L-フェニルアラニンを10％含有するクリーム薬を使用します。

フェニルエチルアミン

PHENETHYLAMINE

別名ほか

1-Amino-2-phenylethane，2-Phenethylamine，2-Phenylethanamine，2-Phenylethylamine，Benzeneethanamine，Beta-phenethylamine，Beta-phenylethylamine，PEA，Phenylethylamine

概　要

フェニルエチルアミンは体内に自然に存在する化学物質です。人工的に作ることができます。

フェニルエチルアミンは運動機能，うつ病，体重減少，気分，注意の改善のために経口摂取します。

安全性

フェニルエチルアミンの経口摂取は，適量であっても，ほとんどの人におそらく安全ではありません。フェニルエチルアミンの働きは医薬品「アンフェタミン（販売中止）」に類似しているため，似たような副作用を引き起こすおそれがあります。また，頻脈，不安，激越を引き起こすおそれもあります。

双極性障害：双極性障害の場合には，フェニルエチルアミンを摂取すると，うつ状態から躁状態に変わるおそれがあります。

統合失調症：統合失調症の場合には，フェニルエチルアミンを摂取すると，幻覚や妄想など統合失調症の症状が悪化するおそれがあります。

手術：フェニルエチルアミンは中枢神経系に影響を及ぼす可能性があり，手術を妨げるおそれがあります。少なくとも手術前２週間は，使用しないでください。

●妊娠中および母乳授乳期

妊娠中および母乳授乳期の使用の安全性についてはデータが不十分です。安全性を考慮し，摂取は避けてください。

有効性

◆科学的データが不十分です

・うつ病，注意，気分，体重減少など。

●体内での働き

フェニルエチルアミンは，うつ病をはじめとする精神疾患に何らかの役割を担う特定の化学物質の体内産生を刺激します。十分なフェニルエチルアミンを自然に産生できない場合には，フェニルエチルアミンのサプリメントを摂取することで補える可能性があります。ただし，フェニルエチルアミンが過剰になると，医薬品「アンフェタミン（販売中止）」に似た副作用を引き起こすおそれがあります。

医薬品との相互作用

中 モノアミン酸化酵素阻害薬（MAO阻害薬）

フェニルエチルアミンは脳内の化学物質（セロトニン）を増加させます。モノアミン酸化酵素阻害薬（MAO阻害薬）もセロトニンを増加させます。フェニルエチルアミンとMAO阻害薬を併用すると，体内のセロトニンが過剰になります。そのため，重大な副作用（心臓の異常，悪寒戦慄，不安など）が現れるおそれがあります。このようなMAO阻害薬には，Phenelzine，Tranylcypromineなどがあります。

中 セロトニン作用薬

フェニルエチルアミンは脳内物質のセロトニンを増加させます。特定の医薬品もセロトニンを増加させます。フェニルエチルアミンとこのような医薬品を併用すると，セロトニンが過剰に増加するおそれがあります。そのため，重大な副作用（激しい頭痛，心臓の異常，悪寒戦慄，錯乱，不安など）が現れるおそれがあります。このような医薬品には，塩酸フルオキセチン（販売中止），パロキセチン塩酸塩水和物，塩酸セルトラリン，アミトリプチリン塩酸塩，クロミプラミン塩酸塩，イミプラミン塩酸塩，スマトリプタン，ゾルミトリプタン，リザトリプタン安息香酸塩，メサドン塩酸塩，トラマドール塩酸塩など数多くあります。

ハーブおよび健康食品・サプリメントとの相互作用

セロトニン作動性をもつハーブおよび健康食品・サプリメント

フェニルエチルアミンは，セロトニンという脳内化学物質を増加させます。フェニルエチルアミンと，セロトニン作動性のあるほかのハーブおよび健康食品・サプリメントを併用すると，セロトニンが過剰になり，心臓の異常，悪寒戦慄，不安などの重篤な副作用を引き起こすおそれがあります。このようなハーブおよび健康食品・サプリメントには，5-ヒドロキシトリプトファン，ハワイベビーウッドローズ，L-トリプトファン，S-アデノシルメチオニン（SAMe），セント・ジョンズ・ワートなどがあります。

使用量の目安

通常の食品に含まれている量を超えて経口摂取した場合の安全性および副作用については，明らかになっていません。

フェヌグリーク

FENUGREEK

別名ほか

胡芦巴（Hu Lu Ba），コロハ，胡蘆巴，フェニュグリーク（Trigonella foenum-graecum），Alholva，Bird's Foot，Bockshornklee，Bockshorn same，Chandrika，Foenugraeci semen，Foenugreek，Greek Clover，Greek Hay，Greek Hay Seed，Medhika，Methi，Trigonella

概要

フェヌグリークは植物です。種子を使って「くすり」を作ります。

安全性

フェヌグリークは，通常の食品に含まれる量を経口摂取する場合，ほとんどの人に安全のようです。「くすり」としての量（通常の食品に含まれる量よりも高用量）を経口摂取する場合は，最長６カ月間まで，おそらく安全です。フェヌグリークの副作用には，下痢，胃のむかつき，腫脹，腸内ガス，めまい感，頭痛およびメープルシ

相互作用レベル：高 この医薬品と併用してはいけません　中 この医薬品とは慎重に併用するか併用しないでください　低 この医薬品との併用には注意が必要です

ロップ臭の尿があります。このほか，過敏症の人には，鼻閉，咳，喘鳴，顔面腫脹，および重度のアレルギー反応を引き起こすおそれがあります。また，フェヌグリークは血糖値を低下させるおそれがあります。

小児：小児による経口摂取はおそらく安全です。フェヌグリーク茶と小児の意識消失との因果関係を指摘する報告がいくつかあります。また，フェヌグリーク茶を摂取した小児から，メープルシロップに似た特異な体臭がすることがあります。

糖尿病：フェヌグリークは，糖尿病の人の血糖値に影響を及ぼすおそれがあります。糖尿病患者がフェヌグリークを摂取する場合には，低血糖の徴候に注意し，血糖値を注意深く監視してください。

●アレルギー

マメ科植物に対するアレルギー：大豆，ピーナッツ，グリーンピースなどのマメ科植物にアレルギーがある場合には，フェヌグリークにもアレルギーがあるおそれがあります。

●妊娠中および母乳授乳期

妊娠中：妊娠中に，通常の食物に含まれる量を超えてフェヌグリークを摂取する場合は，ほとんどの人に安全のようです。早期の子宮収縮を引き起こすおそれがあります。また分娩直前に摂取すると，新生児に特異な体臭がみられることがあり，「メープルシロップ尿症」と混同されるおそれがあります。ただし，長期間に及ぶ影響はないようです。

母乳授乳期：母乳授乳期に，母乳量を増加させる目的で経口摂取する場合，短期間であればおそらく安全です。フェヌグリーク1,725mgを１日３回，21日間摂取しても，乳児になんら副作用を引き起こさないことを示す研究があります。

有効性

◆有効性レベル③

・糖尿病。フェヌグリーク種子を食品に混ぜて食事中に摂取すると，２型糖尿病の人の食後血糖値が低下することを示す研究があります。ただし，フェヌグリーク種子５～50gを１日１～２回摂取すると効果があるようですが，2.5g未満では効果がないようです。１型糖尿病の人では，フェヌグリーク種子の粉末50gを１日２回摂取すると，尿中の糖の量が減少するようです。
・月経困難。フェヌグリーク種子の粉末を，月経開始から３日間，1,800～2,700mgを１日３回，その後，月経終了時まで900mgを１日３回摂取し，これを月経周期２期にわたり継続したところ，月経困難の女性の疼痛が緩和しています。鎮痛薬の必要性も低下しました。
・性欲の増大。性欲の弱い健康な若年女性が特定のフェヌグリーク種子エキス600mgを毎日摂取すると，性欲が増大するようです。
・性機能の改善。性欲を失い始めた高齢者および健康な若年男性が特定のフェヌグリーク種子エキス600mgを毎日摂取すると，性機能および性欲が改善するようです。

◆科学的データが不十分です

・運動能力，むねやけ，高コレステロール血症，母乳産生，男性不妊，体重減少，パーキンソン病，卵巣のう胞（多のう胞性卵巣症候群），脱毛，がん，唇のひび割れ，慢性咳，便秘，湿疹，発熱，痛風，動脈硬化，ヘルニア，腎疾患，口内炎，性機能障害（勃起障害，ED），胃のむかつきなど。

●体内での働き

フェヌグリークが胃での糖吸収を遅らせ，インスリン分泌を刺激するようです。これらの作用はいずれも，糖尿病の人の血糖値を低下させます。またテストステロンおよびエストロゲンの濃度を改善し，それによって性欲を改善する可能性があります。

医薬品との相互作用

中テオフィリン

フェヌグリークはテオフィリンの体内への吸収量を減少させる可能性があります。理論的には，フェヌグリークとテオフィリンを併用すると，テオフィリンの作用が減弱するおそれがあります。

中ワルファリンカリウム

ワルファリンカリウムは血液凝固を抑制するために用いられます。フェヌグリークもまた血液凝固を抑制する可能性があります。フェヌグリークとワルファリンカリウムを併用すると，紫斑および出血のリスクが高まるおそれがあります。定期的に血液検査をしてください。ワルファリンカリウムの用量を変更する必要があるかもしれません。

中血液凝固を抑制する医薬品（抗凝固薬/抗血小板薬）

フェヌグリークは血液凝固を抑制する可能性があります。フェヌグリークと血液凝固を抑制する医薬品を併用すると，紫斑および出血のリスクが高まるおそれがあります。このような医薬品には，アスピリン，クロピドグレル硫酸塩，ジクロフェナクナトリウム，イブプロフェン，ナプロキセン，ダルテパリンナトリウム，エノキサパリンナトリウム，ヘパリン，ワルファリンカリウムなどがあります。

中糖尿病治療薬

フェヌグリークは血糖値を低下させる可能性があります。糖尿病治療薬も血糖値を低下させるために用いられます。フェヌグリークと糖尿病治療薬を併用すると，血糖値が過度に低下するおそれがあります。血糖値を注意深く監視してください。糖尿病治療薬の用量を変更する必要があるかもしれません。このような糖尿病治療薬には，グリメピリド，グリベンクラミド，インスリン，ピオグリタゾン塩酸塩，マレイン酸ロシグリタゾン（販売中止），クロルプロパミド，Glipizide，トルブタミド（販売中止）などがあります。

中降圧薬

フェヌグリークは，人によっては血圧を低下させる可能性があります。フェヌグリークと降圧薬を併用すると，血圧が過度に低下するおそれがあります。降圧薬を服用中にフェヌグリークを過剰摂取しないでください。このような降圧薬には，ニフェジピン，ベラパミル塩酸塩，ジルチアゼム塩酸塩，Isradipine，フェロジピン，アムロジピンベシル酸塩などがあります。

ハーブおよび健康食品・サプリメントとの相互作用

血糖値を低下させるおそれのあるハーブおよび健康食品・サプリメント

フェヌグリークは血糖値を低下させるおそれがあります。フェヌグリークと，血糖値を低下させるおそれのあるほかのハーブおよび健康食品・サプリメントを併用すると，血糖値が過度に低下するおそれがあります。このようなハーブおよび健康食品・サプリメントには，デビルズクロー，グアーガム，朝鮮人参，エゾウコギなどがあります。

血液凝固を抑制するおそれのあるハーブおよび健康食品・サプリメント

フェヌグリークは血液凝固を抑制するおそれがあります。フェヌグリークと，血液凝固を抑制するおそれのあるほかのハーブおよび健康食品・サプリメントを併用すると，紫斑および出血のリスクが高まるおそれがあります。このようなハーブおよび健康食品・サプリメントには，アンゼリカ，クローブ，タンジン，ニンニク，ショウガ，イチョウ，レッドクローバー，ウコンなどがあります。

使用量の目安

●経口摂取

糖尿病

フェヌグリーク種子の粉末5～50gを1日1～2回，食事と一緒に，4日間～24週間摂取します。フェヌグリーク種子エキスの場合は，1日1gを摂取します。

月経困難

フェヌグリーク種子の粉末を，月経開始から3日間，1,800～2,700mgを1日3回，その後，月経終了時まで900mgを1日3回摂取し，これを月経周期2期にわたり継続します。

性欲の増大

特定のフェヌグリーク種子エキス600mgを毎日，月経周期2期にわたり摂取します。

性機能の改善

特定のフェヌグリーク種子エキス600mgを毎日単独で，またはマグネシウム34mg，亜鉛30mg，ビタミンB_6 10mgと併用で，6～12週間摂取します。

フェンネル

FENNEL

別名ほか

ウイキョウ，茴香(Foeniculum officinale)，スイートフェンネル，Foeniculum vulgare，Anethum foeniculum，Foeniculi antheroleum，Foeniculum capillaceum

概　要

フェンネルは多年生で香りのよいハーブで，黄色の花をつけます。地中海地方原産ですが，現在は世界中に生育しています。乾燥させた種子は，アニスの香りがするスパイスとして料理によく用いられます。ただし，フェンネルとアニスは見た目も味もよく似ていますが，別のものなので，混同してはいけません。熟した種子を乾燥させたものやオイルを用いて「くすり」を作ることもあります。

フェンネルは，むねやけ，腸内ガス，腹部膨満，食欲不振，乳児仙痛など，さまざまな消化器障害に対して用いられます。このほか，上気道感染症，咳，気管支炎，コレラ，背痛，夜尿，視覚障害に対して用いられます。

母乳量の増加，月経の誘発，安産，性欲増進の目的でフェンネルを用いる女性もいます。

フェンネル粉末は，ヘビ咬傷に対する湿布として用いられます。

フェンネルオイルは，食品や飲料に香味料として用いられます。

そのほかの製造業で，フェンネルオイルは，緩下薬の香味料や，石鹸および化粧品の香料として用いられます。

安　全　性

フェンネルは，通常の食品に含まれる量を経口摂取する場合，ほとんどの人に安全のようです。成人が「くすり」としての量を使用する場合の安全性については，データが不十分です。

フェンネルに対しアレルギー性皮膚反応を起こすおそれのある人もいます。セロリ，人参，マグワートなどの植物にアレルギーのある人は，フェンネルにもアレルギーを起こす傾向があります。また，フェンネルにより，皮膚の日光過敏を起こしたり，日光皮膚炎が起きやすくなったりするおそれがあります。色白の場合には日焼け止めを使用してください。

小児：小児が「くすり」としての量を使用する場合の安全性については，データが不十分です。ただし，フェンネル，レモンバーム，ジャーマン・カモミールを含む仙痛用の特定の併用製品の研究によれば，この製品は最長1週間までの使用であれば，乳児に安全のようです。

出血性疾患：フェンネルは血液凝固を抑制する可能性があります。出血性疾患の場合には，フェンネルを摂取すると出血や紫斑のリスクが高まるおそれがあります。

乳がん，子宮がん，卵巣がん，子宮内膜症，子宮線維腫などのホルモン感受性疾患：フェンネルはエストロゲンのように作用するおそれがあります。エストロゲンにさらされると悪化するおそれのある疾患の場合には，フェンネルを使用してはいけません。

●アレルギー

セロリ，人参，マグワートに対するアレルギー：これらの植物に過敏な人は，フェンネルにもアレルギー反応を起こすおそれがあります。

●妊娠中および母乳授乳期

妊娠中の使用の安全性についてはデータが不十分です。摂取は避けるのが最善です。

母乳授乳期の使用は，おそらく安全ではありません。母乳授乳期の母親がフェンネルを含むハーブティーを飲んだ後，乳児に神経系の障害が現れたという報告が2件あります。

有　効　性

◆有効性レベル③

・母乳哺育児の仙痛。研究により，フェンネルの種子のオイルを生後2～12週の乳児に与えると仙痛が緩和される可能性があることが示唆されています。また，フェンネル，レモンバーム，ジャーマン・カモミールを含む特定の併用製品を与えられた仙痛のある母乳哺育児では，この製品を与えられていない乳児よりも，泣く時間が短縮しています。さらに，フェンネル，カモミール，クマツヅラ，甘草，バームミントを含む特定の茶を乳児に与えると，仙痛の重症度が緩和する可能性があります。

◆科学的データが不十分です

・大腸炎，便秘，月経痛，男性型多毛症，日光皮膚炎，胃のむかつき，消化不良，気道の腫脹，気管支炎，咳，軽度の胃腸痙攣，腸内ガス（鼓腸），腹部膨満，上気道感染症など。

●体内での働き

フェンネルが結腸を弛緩させたり，気道分泌物を減少させたりする可能性があります。

医薬品との相互作用

中エストロゲン（卵胞ホルモン）製剤

多量のフェンネルにはエストロゲン様作用のある可能性があります。しかし，フェンネルにはエストロゲン製剤と同等の強さはありません。フェンネルとエストロゲン製剤を併用すると，エストロゲン製剤の作用が減弱するおそれがあります。このようなエストロゲン製剤には，結合型エストロゲン，エチニルエストラジオール，エストラジオールなどがあります。

中シプロフロキサシン

シプロフロキサシンは抗菌薬です。フェンネルはシプロフロキサシンの体内への吸収量を減少させる可能性があります。フェンネルとシプロフロキサシンを併用すると，シプロフロキサシンの効果が弱まるおそれがあります。この相互作用を避けるために，シプロキサンチンの服用後，少なくとも1時間はフェンネルを摂取しないでください。

中タモキシフェンクエン酸塩

がんの種類によっては，体内のホルモンの影響を受けます。ホルモン感受性がんは，体内のエストロゲン量の影響を受けます。タモキシフェンクエン酸塩は，このようながんの治療および再発予防のために用いられます。フェンネルも体内のエストロゲン量に影響を及ぼすようです。フェンネルとタモキシフェンクエン酸塩を併用すると，タモキシフェンクエン酸塩の効果が弱まるおそれがあります。タモキシフェンクエン酸塩を服用中にフェンネルを摂取しないでください。

中血液凝固を抑制する医薬品（抗凝固薬/抗血小板薬）

フェンネルは血液凝固を抑制する可能性があります。フェンネルと血液凝固を抑制する医薬品を併用すると，紫斑および出血のリスクが高まるおそれがあります。このような医薬品には，アスピリン，クロピドグレル硫酸塩，ダルテパリンナトリウム，エノキサパリンナトリウム，ヘパリン，チクロピジン塩酸塩，ワルファリンカリウムなどがあります。

中避妊薬

特定の避妊薬にはエストロゲンが含まれます。フェンネルにはエストロゲン様作用のある可能性があります。しかし，フェンネルは避妊薬のエストロゲンほど強くありません。フェンネルと避妊薬を併用すると，避妊薬の効果が弱まるおそれがあります。併用中の場合には，コンドームなど，ほかの避妊方法も使用してください。このような避妊薬には，エチニルエストラジオール・レボノルゲストレル配合，エチニルエストラジオール・ノルエチステロン配合などがあります。

中肝臓で代謝される医薬品（シトクロムP450 3A4（CYP3A4）の基質となる医薬品）

特定の医薬品は肝臓で代謝されます。フェンネルはこのような医薬品の代謝を抑制する可能性があります。フェンネルと肝臓で代謝される医薬品を併用すると，医薬品の効果が強まるおそれがあります。肝臓で代謝される医薬品を服用中に，医師や薬剤師に相談することなくフェンネルを摂取しないでください。このような医薬品には，カルシウム拮抗薬（ジルチアゼム塩酸塩，ニカルジピン塩酸塩，ベラパミル塩酸塩），化学療法薬（エトポシド，パクリタキセル，ビンブラスチン硫酸塩，ビンクリスチン硫酸塩，ビンデシン硫酸塩），抗真菌薬（ケトコナゾール，イトラコナゾール），グルココルチコイド，Alfentanil，シサプリド（販売中止），フェンタニルクエン酸塩，リドカイン塩酸塩，ロサルタンカリウム，フェキソフェナジン塩酸塩，ミダゾラムなどがあります。

フ

ハーブおよび健康食品・サプリメントとの相互作用

血液凝固を抑制するおそれのあるハーブおよび健康食品・サプリメント

フェンネルと，血液凝固を抑制するおそれのあるほかのハーブおよび健康食品・サプリメントを併用すると，人によっては出血のリスクが高まるおそれがあります。このようなハーブおよび健康食品・サプリメントには，アンゼリカ，クローブ，タンジン，ニンニク，ショウガ，イチョウ，朝鮮人参などがあります。

使用量の目安

●経口摂取

母乳哺育児の仙痛

フェンネル164mg，レモンバーム97mg，ジャーマン・カモミール178mgを含む特定の併用製品を１日２回，１週間与えます。

フォーチ

FO-TI

フ

別名ほか

何首烏，ツルドクダミ，カシュウ（Polygonum multiflorum），ヘ・ショウ・ウ（Zhihe Shou Wu），タデ（Poligonum，Polygonum），Fo Ti，Fo-Ti-Tient，Multiflora preparata，Radix Polygoni Shen Min，Zhihe-Sho-Wu，Zhiheshouwu，Zi Shou Wu，Zi-Shou-Wu，Zishouwu，Radix Polygoni Multiflori，Shen Min，Shou Wu，Shou Wu Pian

概　要

フォーチはハーブです。加工した（保存処理をした）根を用いて「くすり」を作ることもあります。

安 全 性

フォーチの経口摂取は，成人にも小児にも肝障害を引き起こすおそれがあるため，おそらく安全ではありません。いくつかの報告でフォーチと肝障害との関連が示されており，そのうち１例は５歳の小児に関するものでした。

皮膚へ直接塗布する場合の安全性については，データが不十分です。

小児：肝障害を引き起こすおそれがあるため，小児の経口摂取はおそらく安全ではありません。５歳の小児によるフォーチ使用と肝障害との関連を示す症例が，少なくとも１件報告されています。

糖尿病：糖尿病患者の血糖値に影響を及ぼすおそれがあります。糖尿病に罹患していてフォーチを摂取する場合には，低血糖の徴候がないかどうか観察し，血糖値を注意深く監視してください。

乳がん，子宮がん，卵巣がん，子宮内膜症，子宮線維腫などのホルモン感受性疾患：フォーチのエキスはエストロゲンのように作用する可能性があります。エストロゲンにさらされると悪化するおそれのある疾患の場合には，フォーチを使用してはいけません。

肝疾患：肝炎などの肝疾患の複数の症例との関連が認められています。既に罹患している肝疾患をフォーチが悪化させるおそれがあります。

手術：フォーチは血糖値に影響を及ぼす可能性があるため，手術中・手術後の血糖コントロールを妨げるおそれがあります。少なくとも手術前２週間は，使用しないでください。

●妊娠中および母乳授乳期

妊娠中の経口摂取はおそらく安全ではありません。フォーチには強力な緩下剤のように作用する可能性のある化学物質が含まれています。この化学物質は，腸を刺激することにより作用します。妊娠中は膨張性緩下剤を使用するほうが安全です。

母乳授乳期の使用はおそらく安全ではありません。緩下作用をもつ化学物質が母乳に移行し，乳児に下痢を引き起こすおそれがあります。

妊娠中および母乳授乳期に皮膚へ塗布する場合の安全性については，データが不十分です。使用を避けるのが最善です。

有　効　性

◆科学的データが不十分です

・加齢にともなう記憶障害，肝疾患，腎疾患，高コレステロール血症，不眠，腰痛，膝痛，若白髪，めまい感など。

●体内での働き

加工したフォーチの根は，抗老化作用をもつことが示唆されている，体内のさまざまな化学物質の濃度に影響を及ぼす可能性があります。

医薬品との相互作用

中エストロゲン（卵胞ホルモン）製剤

多量のフォーチにはエストロゲン様作用のある可能性があります。しかし，フォーチにはエストロゲン製剤と同等の強さはありません。フォーチとエストロゲン製剤を併用すると，エストロゲン製剤の作用が減弱するおそれがあります。このようなエストロゲン製剤には，結合型エストロゲン，エチニルエストラジオール，エストラジオールなどがあります。

中ジゴキシン

フォーチは刺激性下剤と呼ばれる下剤の一種です。刺激性下剤は体内のカリウム量を減少させる可能性があります。カリウム量が減少するとジゴキシンの副作用のリスクが高まるおそれがあります。

中ワルファリンカリウム

フォーチは下剤のように作用する可能性があります。人によっては，フォーチが下痢を引き起こす可能性があります。下痢はワルファリンカリウムの作用を増強し，出血のリスクを高めるおそれがあります。フォーチには肝臓を損傷させる可能性があり，そのためにワルファリンカリウムの作用が増強し，出血のリスクが高まるおそれもあります。ワルファリンカリウムの服用中にフォーチを摂取しないでください。

中 肝臓で代謝される医薬品（シトクロムP450 1A2（CYP1A2）の基質となる医薬品）

特定の医薬品は肝臓で代謝されます。フォーチはこのような医薬品の代謝を抑制する可能性があります。フォーチと肝臓で代謝される医薬品を併用すると，医薬品の作用および副作用が増強するおそれがあります。このような医薬品には，アミトリプチリン塩酸塩，ハロペリドール，オンダンセトロン塩酸塩水和物，プロプラノロール塩酸塩，テオフィリン，ベラパミル塩酸塩などがあります。

中 肝臓で代謝される医薬品（シトクロムP450 2C19（CYP2C19）の基質となる医薬品）

特定の医薬品は肝臓で代謝されます。フォーチはこのような医薬品の代謝を抑制する可能性があります。フォーチと肝臓で代謝される医薬品を併用すると，医薬品の作用および副作用が増強する可能性があります。このような医薬品には，オメプラゾール，ランソプラゾール，パントプラゾールナトリウム水和物（販売中止），ジアゼパム，カリソプロドール（販売中止），ネルフィナビルメシル酸塩などがあります。

中 肝臓で代謝される医薬品（シトクロムP450 2C9（CYP2C9）の基質となる医薬品）

特定の医薬品は肝臓で代謝されます。フォーチはこのような医薬品の代謝を抑制する可能性があります。フォーチと肝臓で代謝される医薬品を併用すると，医薬品の作用および副作用が増強する可能性があります。このような医薬品には，ジクロフェナクナトリウム，イブプロフェン，メロキシカム，ピロキシカム，セレコキシブ，アミトリプチリン塩酸塩，ワルファリンカリウム，Glipizide，ロサルタンカリウム，トルブタミド（販売中止）などがあります。

中 肝臓で代謝される医薬品（シトクロムP450 3A4（CYP3A4）の基質となる医薬品）

特定の医薬品は肝臓で代謝されます。フォーチはこのような医薬品の代謝を抑制する可能性があります。フォーチと肝臓で代謝される医薬品を併用すると，医薬品の作用および副作用が増強するおそれがあります。このような医薬品には，Lovastatin，ケトコナゾール，イトラコナゾール，フェキソフェナジン塩酸塩，トリアゾラムなど数多くあります。

中 肝臓を害する可能性のある医薬品

フォーチは肝臓を害する可能性があります。フォーチと肝臓を害する可能性のある医薬品を併用すると，肝障害のリスクが高まるおそれがあります。肝臓を害する可能性のある医薬品を服用中にフォーチを摂取しないでください。このような医薬品には，アセトアミノフェン，アミオダロン塩酸塩，カルバマゼピン，イソニアジド，メトトレキサート，メチルドパ水和物，フルコナゾール，イトラコナゾール，エリスロマイシン，フェニトイン，Lovastatin，プラバスタチンナトリウム，シンバスタチンなど数多くあります。

中 刺激性下剤

フォーチは刺激性下剤と呼ばれる下剤の一種です。刺激性下剤は腸の運動を促進します。フォーチと他の刺激性下剤を併用すると，腸の運動が過度に促進され，体内の脱水およびミネラル欠乏を引き起こすおそれがあります。このような刺激性下剤には，ビサコジル，カスカラサグラダ，ヒマシ油，センナなどがあります。

中 糖尿病治療薬

フォーチは血糖値を低下させる可能性があります。糖尿病治療薬も血糖値を低下させるために用いられます。フォーチと糖尿病治療薬を併用すると，血糖値が過度に低下するおそれがあります。血糖値を注意深く監視してください。糖尿病治療薬の用量を変更する必要があるかもしれません。このような糖尿病治療薬には，グリメピリド，グリベンクラミド，ピオグリタゾン塩酸塩，マレイン酸ロシグリタゾン（販売中止），クロルプロパミド，Glipizide，トルブタミド（販売中止）などがあります。糖尿病治療薬のインスリンには，インスリンリスプロ，インスリンアスパルト，インスリングルリジン，インスリンヒト，インスリングラルギン，インスリンデテミル，NPHなどがあります。

中 避妊薬

特定の避妊薬にはエストロゲンが含まれます。フォーチにはエストロゲン様作用のある可能性があります。ただし，フォーチは避妊薬のエストロゲン製剤ほど強くありません。フォーチと避妊薬を併用すると，避妊薬の効果が弱まるおそれがあります。併用する場合には，コンドームなど，ほかの避妊方法も使用してください。このような避妊薬には，エチニルエストラジオール・レボノルゲストレル配合，エチニルエストラジオール・ノルエチステロン配合などがあります。

中 利尿薬

フォーチはある種の下剤です。特定の下剤は体内のカリウム量を減少させる可能性があります。利尿薬も体内のカリウム量を減少させる可能性があります。フォーチと利尿薬を併用すると，体内のカリウム量が過剰に減少するおそれがあります。このような利尿薬には，クロロチアジド（販売中止），クロルタリドン（販売中止），フロセミド，ヒドロクロロチアジドなどがあります。

中 肝臓で代謝される医薬品（シトクロムP450 2B6（CYP2B6）の基質となる医薬品）

特定の医薬品は肝臓で代謝されます。フォーチはこのような医薬品の代謝を抑制する可能性があります。

フ

フォーチと肝臓で代謝される医薬品を併用すると，医薬品の作用および副作用が増強するおそれがあります。このような医薬品には，ブプロピオン塩酸塩（販売中止），シクロホスファミド水和物，エファビレンツ，メサドン塩酸塩，塩酸セルトラリン，ネビラピン，タモキシフェンクエン酸塩，バルプロ酸ナトリウムなどがあります。

中肝臓で代謝される医薬品（シトクロムP450 2D6（CYP2D6）の基質となる医薬品）

特定の医薬品は肝臓で代謝されます。フォーチはこのような医薬品の代謝を抑制する可能性があります。フォーチと肝臓で代謝される医薬品を併用すると，医薬品の作用および副作用が増強するおそれがあります。このような医薬品には，メトプロロール酒石酸塩，カルベジロール，オンダンセトロン塩酸塩水和物，三環系抗うつ薬全般（イミプラミン塩酸塩，アミトリプチリン塩酸塩など），選択的セロトニン再取り込み阻害薬（SSRIs）の多く（塩酸フルオキセチン（販売中止），パロキセチン塩酸塩水和物など），ベンラファキシン塩酸塩，塩酸デュロキセチン，トラマドール塩酸塩，リスペリドンなどがあります。

中血液凝固を抑制する医薬品（抗凝固薬/抗血小板薬）

フォーチと血液凝固を抑制する医薬品を併用すると，紫斑および出血のリスクが高まるおそれがあります。さらに明らかになるまでは，血液凝固を抑制する医薬品と併用する場合はフォーチを慎重に使用してください。このような医薬品には，アスピリン，クロピドグレル硫酸塩，ダルテパリンナトリウム，ジピリダモール，エノキサパリンナトリウム，ヘパリン，チクロピジン塩酸塩，ワルファリンカリウムなどがあります。

ハーブおよび健康食品・サプリメントとの相互作用

肝臓を害するおそれのあるハーブおよび健康食品・サプリメント

いくつかの症例報告で，フォーチと肝障害との関連が示されています。フォーチと，肝臓を害するおそれのあるほかのハーブおよび健康食品・サプリメントを併用すると，肝障害のリスクが高まるおそれがあります。このようなハーブおよび健康食品・サプリメントには，アンドロステンジオン，チャパラル，コンフリー，デヒドロエピアンドロステロン，ジャーマンダー，カバ，ニコチン酸，ペニーロイヤルミント油，紅麹などがあります。

血糖値を低下させるおそれのあるハーブおよび健康食品・サプリメント

フォーチは血糖値を低下させるおそれがあります。同様の作用をもつほかのハーブおよび健康食品・サプリメントと併用すると，血糖値が過度に低下するリスクが高まるおそれがあります。このようなハーブおよび健康食品・サプリメントには，デビルズクロー，フェヌグリーク，グアーガム，ギムネマ，朝鮮人参，エゾウコギなどがあります。

エストロゲン活性をもつハーブおよび健康食品・サプリメント

大量のフォーチはエストロゲンと同じ作用の一部をもつおそれがあります。フォーチと，エストロゲン作用の一部をもつほかのハーブおよび健康食品・サプリメントを併用すると，それらのエストロゲン様活性が高まったり低下したりするおそれがあります。このようなハーブおよび健康食品・サプリメントには，アルファルファ，ブラックコホシュ，セイヨウニンジンボク，亜麻の種子，ホップ，イプリフラボン，クズ，甘草，レッドクローバー，大豆などがあります。

使用量の目安

通常の食品に含まれている量を超えて経口摂取した場合の安全性および副作用については，明らかになっていません。

フォールスユニコーン

FALSE UNICORN

別名ほか

ヘロニアス属（Helonias），スターワート（Starwort），Blazing Star，Chamaelirium Luteum，Chamaelirium Carolianum，Fairywand，Helonias dioica，Helonias lutea，Veratrum luteum

概　　要

フォールスユニコーンはハーブです。根茎および根を用いて「くすり」を作ることもあります。

安 全 性

一般的に成人には安全だと考えられています。

ただ，多量に摂取すると，悪心や嘔吐が起こる可能性があります。

胃腸障害を起こしている患者は使用してはいけません。

●妊娠中および母乳授乳期

妊娠中，母乳授乳期は使用してはいけません。

有 効 性

◆科学的データが不十分です

・卵巣嚢胞，月経不順，閉経後の不調，嘔吐，消化器系障害，水分貯留，腸内寄生虫など。

●体内での働き

子宮を刺激，また寄生虫を駆除する化合物を含んでいるようです。さらに，尿量を増やす（利尿）働きも持っています。

医薬品との相互作用

中肝臓で代謝される医薬品（シトクロムP450 2D6（CYP2D6）の基質となる医薬品）

特定の医薬品は肝臓で代謝されます。フォールスユニコーンは医薬品の代謝を抑制する可能性があります。フォールスユニコーンと肝臓で代謝される医薬品を併用すると，医薬品の作用および副作用が増強するおそれがあります。このような医薬品には，アミトリプチリン塩酸塩，クロザピン，コデインリン酸塩水和物，塩酸デシプラミン（販売中止），ドネペジル塩酸塩，フェンタニルクエン酸塩，フレカイニド酢酸塩，塩酸フルオキセチン（販売中止），ペチジン塩酸塩，メサドン塩酸塩，メトプロロール酒石酸塩，オランザピン，オンダンセトロン塩酸塩水和物，トラマドール塩酸塩，トラゾドン塩酸塩などがあります。

中肝臓で代謝される医薬品（シトクロムP450 3A4（CYP3A4）の基質となる医薬品）

特定の医薬品は肝臓で代謝されます。フォールスユニコーンは医薬品の代謝を抑制する可能性があります。フォールスユニコーンと肝臓で代謝される医薬品を併用すると，医薬品の作用および副作用を増強させる可能性があります。このような医薬品には，Lovastatin，ケトコナゾール，イトラコナゾール，フェキソフェナジン塩酸塩，トリアゾラムなど数多くあります。

中炭酸リチウム

フォールスユニコーンは利尿薬のように作用する可能性があります。フォールスユニコーンと炭酸リチウムを併用すると，炭酸リチウムの体内からの排泄が抑制される可能性があります。そのため，体内の炭酸リチウム量が増加し，重大な副作用が現れるおそれがあります。

ハーブおよび健康食品・サプリメントとの相互作用

ほかのハーブ，健康食品・サプリメントとの相互作用についてはまだ明らかではありません。

使用量の目安

●経口摂取

乾燥した根1回1～2gを1日3回，またはお茶（乾燥の根1～2gを熱湯150mLに5～10分浸してからこしたもの）で1回1杯を1日3回摂取します。流エキス（1：1，45%アルコール）の場合，1回1～2mLを1日3回摂取します。チンキ剤（1：5，45%アルコール）なら，1回2～5mLを1日3回摂取します。

フキタンポポ

COLTSFOOT

別名ほか

カントウ，款冬，カントウカ，款冬花（Tussilago farfara），ツシラージ，カントウ（Pferdefut，Tussilage），ツッシラゴ，Ass' Foot，Brandlattich，British Tobacco，Bullsfoot，Coughwort，Farfarae folium leaf，Fieldhove，Filuis ante Patrem，Flower Velure，Foal's Foot，Foalswort，Guflatich，Hallfoot，Horsefoot，Horsehoof，Kuandong Hua，Kwandong Hwa，Pas Diane，Pas d'Ane

概　　要

フキタンポポは植物です。葉を用いて「くすり」を作ることもあります。

安 全 性

安全ではないと考えられています。とくに多量に，または長期にわたって使用する場合に見られます。

高血圧症，心疾患，肝疾患の人は使用してはいけません。

●アレルギー

ブタクサやキク，マリーゴールド，デイジーにアレルギーのある人は使用してはいけません。

●妊娠中および母乳授乳期

妊娠中，母乳授乳期は使用してはいけません。

フ

有 効 性

◆科学的データが不十分です

・気管支喘息，咽喉頭部痛，咳，気管支炎，嗄声，喘鳴音，および咽頭炎。

●体内での働き

含有成分が，炎症（腫脹）の抑制を補助しているようです。

医薬品との相互作用

中肝臓でほかの医薬品の代謝を促進する医薬品（シトクロムP450 3A4（CYP3A4）を誘導する医薬品）

フキタンポポは代謝で分解されますが，そのときに生成する物質の中に有害なものがあります。フキタンポポが肝臓で代謝されるのを促進する医薬品は，フキタンポポに含まれる物質の有害な作用を増強するおそれがあります。このような医薬品には，カルバマゼピン，フェノバルビタール，フェニトイン，リファンピシン，リファブチンなどがあります。

中血液凝固を抑制する医薬品（抗凝固薬/抗血小板薬）

フキタンポポは血液凝固を抑制する作用があると考えられています。血液凝固を抑制する医薬品を服用しているときにフキタンポポを摂取すると，紫斑および出血のリスクが高まるおそれがあります。このような医薬品には，アスピリン，クロピドグレル硫酸塩，ジクロフェナクナトリウム，イブプロフェン，ナプロキセン，ダルテパリンナトリウム，エノキサパリンナトリウム，ヘパリン，ワルファリンカリウムなどがあります。

中降圧薬

フキタンポポを過度に摂取すると，血圧を上げて，降圧薬の効果を弱めるおそれがあります。このような降圧薬にはカプトプリル，エナラプリルマレイン酸塩，ロサルタンカリウム，バルサルタン，ジルチアゼム塩酸塩，アムロジピンベシル酸塩，ヒドロクロロチアジド，フロセミドなど多くあります。

ハーブおよび健康食品・サプリメントとの相互作用

ほかのハーブ，健康食品・サプリメントとの相互作用についてはまだ明らかではありません。

使用量の目安

標準使用量に関するデータがありません。

副腎抽出物

ADRENAL EXTRACT

別名ほか

副腎（Adrenal），副腎皮質抽出物（Adrenal Cortex Extract），分泌腺（Glandular），ACE, Adrenal Complex, Adrenal Concentrate, Adrenal Factors, Adrenal Substance, Whole Adrenal Extract

概　　要

副腎抽出物は食肉処理された牛，豚，および羊の副腎から作られます。副腎は特定のホルモンを分泌します。エキスは「くすり」として使われることがあり，経口，舌下，あるいは静脈内で投与されます。

安　全　性

注射による副腎エキス投与は安全ではありません。注射した局所での重篤な感染症が，少なくとも50例報告されています。

副腎エキスを経口摂取した場合の安全性については十分なデータがなく，強い懸念があります。副腎エキスの原料となる食肉処理場の副腎は，病気や疾患のある動物の副腎である可能性があるからです。牛海綿状脳症（通常，狂牛病と呼ばれる疾患）の感染報告のある国の副腎エキスは使用しないでください。

免疫系に異常のある患者は使用してはいけません。

●妊娠中および母乳授乳期

妊娠中および母乳授乳期の使用の安全性についてはデータが不十分です。安全性を考慮し，使用は控えてください。

有　効　性

◆科学的データが不十分です

・副腎機能の低下，疲労感，ストレス，疾患への抵抗性，アレルギー，気管支喘息のほか，湿疹などの皮膚疾患，および乾癬，関節リウマチ，うつ病，低血圧症，低血糖，薬物依存症，アルコール依存症など。

●体内での働き

副腎は腎臓の上部に位置します。副腎はアドレナリンおよびコルチゾールなどのホルモンを分泌して体のストレスへの反応を調整します。人体における副腎と同様の役目を動物の副腎エキスに期待するものの，副腎エキスが人体に吸収されるか，どのように作用するかは明らかではありません。

医薬品との相互作用

ほかの医薬品との相互作用については明らかではありません。

ハーブおよび健康食品・サプリメントとの相互作用

ほかのハーブ，健康食品・サプリメントとの相互作用についてはまだ明らかではありません。

使用量の目安

標準使用量に関するデータがありません。

フジマメ

HYACINTH BEAN

別名ほか

Adavichikkudu, Ägyptische Fasel, Avarai, Bátau, Bian Dou, Bonavist Bean, Bonavista Bean, Carmelita, Dambala, Dâu Ván, Dolichos bengalensis, Dolichos lablab, Dolichos purpureus, Dolico Do Egipto, Dolico Egiziano, Dolique, Dolique d'Egypte, Dolique Lablab, Egyptian Kidney Bean, Fagiolo d'Egitto, Fagiolo del Cairo, Fagiolo Egiziano, Faselbohne, Frijol Caballero, Fuji Mame, Gemeine Lablab, Hemlbohne, Hjälmböna, Hjelmbønne, Hjelmboenne, Hodhambala, Hyasinttipapu, Ingen, Kacang Kara, Kara Kara, Kekara, Kerara, Kkachikong, Komak, Lablab Bean, Lablab Bohne, Lablab leucocarpos, Lablab niger, Lablab purpureus, Lablab vulgaris, Motchai, Papaya bean, Pe-gyi, Peng Pi Dou, Pois Nourrice, Poor Man's Bean, Que Dou, Raaj Simii, Rajashimbi, Rou Dou, Sem, Simii, Tellachikkudu, Thua Nang, Thua Paep, Urahi, Urchi, Uri, Urshi

相互作用レベル：高この医薬品と併用してはいけません　中この医薬品とは慎重に併用するか併用しないでください　低この医薬品との併用には注意が必要です

概　　要

フジマメは，種子（豆）をつける，つる性植物です。種子，鞘，葉，花および根は食されます。種子を用いて「くすり」を作ることもあります。

フジマメは，妊娠予防，下痢，胃疾患に対し，経口摂取されます。

安 全 性

フジマメを，生の状態で多量に摂取する場合には，おそらく安全ではありません。生のフジマメには，毒性を有する可能性のある青酸グリコシドという化学物質が含まれています。

●妊娠中および母乳授乳期

妊娠中および母乳授乳期の使用の安全性についてはデータが不十分です。安全性を考慮し，摂取は避けてください。

有 効 性

◆科学的データが不十分です

・避妊，下痢，胃疾患など。

●体内での働き

フジマメが，子宮内膜の働きに影響を及ぼすことにより，妊娠を予防する可能性があります。また，抗真菌作用や殺虫作用がある可能性があります。

医薬品との相互作用

ほかの医薬品との相互作用については明らかではありません。

ハーブおよび健康食品・サプリメントとの相互作用

ほかのハーブ，健康食品・サプリメントとの相互作用についてはまだ明らかではありません。

使用量の目安

通常の食品に含まれている量を超えて経口摂取した場合の安全性および副作用については，明らかになっていません。

フスマ

WHEAT BRAN

別名ほか

ダイエットファイバー（Dietary Fiber），Bran，Triticum aestrivum

概　　要

フスマは植物です。穀粒の外皮（ぬか）を用いて「くすり」を作ることもあります。

安 全 性

一般的には使用しても安全です。

ただ，腸内ガスおよび胃の不調を起こすおそれがありますが，これはとくに，初めて使う場合にみられます。

有 効 性

◆有効性レベル③

・便秘。フスマの摂取は軽度の便秘の治療および正常な便通の回復に効果的ですが，便は軟化しないようです。

・過敏性腸症候群。軽度から中程度の過敏性腸症候群患者におけるフスマ摂取は，腹痛を軽減し，便通を改善する可能性があります。ただし，グアーガムほど効果的ではないようです。

・血圧を低下。フスマの摂取はわずかながら，効果的に血圧を降下するようです。

・胃がんの予防。

◆有効性レベル④

・結腸・直腸のがん予防。以前食物繊維の効果が示されたにもかかわらず，デザインの優れた大規模の試験においては，フスマを含む食物繊維は前がん性腫瘍の再発を予防しないことが示されました。

・２型糖尿病。フスマの摂取は血糖コントロールに一貫した効果を示さないようです。２型糖尿病患者における，心臓病に関連する危険因子である血圧，血中脂質，凝固因子，ホモシステイン，C反応性タンパクなどの数値もフスマの摂取で改善されないようです。

◆科学的データが不十分です

・乳がん，胆のう炎，食道裂孔ヘルニアなど。

●体内での働き

結腸内の通過速度を上げて便の量を増大，排便回数を増やすことで，便秘の緩和に役立ちます。

医薬品との相互作用

中ジゴキシン

フスマは食物繊維が豊富です。食物繊維はジゴキシンの吸収量を減少させ，効果を弱めるおそれがあります。原則，経口薬を服用する４時間前，あるいは１時間後にフスマを摂取してください。

ハーブおよび健康食品・サプリメントとの相互作用

ほかのハーブ，健康食品・サプリメントとの相互作用についてはまだ明らかではありません。

使用量の目安

●経口摂取

下剤として１日20～25gを摂取します。１日40g摂取しても20g摂取した場合と効能に差はないようです。

過敏性腸症候群治療

フスマ１日30gを最大12週間摂取します。

高血圧症

全粒小麦粉，小麦フレーク，玄米３～６gを摂取します。

ブタンジオール（BD）

BUTANEDIOL（BD）

●代表的な別名

ブチレングリコール

別名ほか

ブチレン・グリコール，ブチレングリコール（Butylene Glycol），テトラメチレン・グリコール，テトラメチレン・グリコール（Tetramethylene Glycol）

概　　要

ブタンジオール（BD）は床の剥離剤，ペンキ用シンナーなど溶剤の合成に使用される化合物です。薬用として販売するのは違法ですが，ほかの違法物質，たとえばγ-ブチロラクトン（GBL）やγ-ヒドロキシ酪酸塩（GHB）の代わりに使われることがあります。

ブダンジオールは，γ-ヒドロキシ酪酸塩（GHB）およびγ-ブチロラクトン（GBL）同様に危険な薬物です。

●要説（ナチュラル・スタンダード）

1,4-ブタンジオールは，摂取後，γ-ヒドロキシ酪酸塩（GHB）に変換される無色で濃厚な液体です。γ-ヒドロキシ酪酸塩（GHB）は強力な鎮静剤で，無色無臭で水に簡単に溶けるために，デートレイプ薬としてよく使用されます。

γ-ヒドロキシ酪酸塩（GHB）は，抑制性の神経伝達物質であるγ-アミノ酪酸（GABA）の代謝産物で，依存症，昏睡，死亡の症例と関連があります。一般的に塗料剥離剤として使用される溶剤であるγ-ブチロラクトン（GBL）は，γ-ヒドロキシ酪酸塩（GHB）の別の前駆体です。1,4-ブタンジオール自体は，ある種のプラスチックや繊維を製造するための工業薬品として使用されます。

γ-ヒドロキシ酪酸塩（GHB）とγ-ブチロラクトン（GBL）と1,4-ブタンジオールは，米国で流行している乱用薬物です。他の国では睡眠障害のための処方薬として使用されていますが，使用が危険だという理由でγ-ヒドロキシ酪酸塩（GHB）は，1990年に米国食品医薬品局（FDA）が禁止しました。それ以来，唯一，ナルコレプシー（日中の過剰な眠気を引き起こす睡眠障害）という，まれな形態の治療薬としてのみ承認されました。欧州では，γ-ヒドロキシ酪酸塩（GHB）は麻酔薬として使用されており，アルコール禁断症状を治療するために実験的に使用されています。

安　全　性

経口摂取は安全ではありません。深刻な疾患を引き起こすおそれがあり，100件以上の死亡例が報告されています。

副作用には，深刻な呼吸器疾患，昏睡，健忘，闘争的，錯乱，激越，嘔吐，痙攣，心拍数の極端な低下などがあります。定期的な使用を中止した人には，睡眠障害（不眠），振戦，不安などの離脱症状が現れるおそれがあります。

ブタンジオール（BD）は誰にとっても安全ではありませんが，人によっては深刻な副作用の危険がとくに大きくなります。次の疾患のいずれかに罹患している場合には，とくに注意して使用を避ける必要があります。

徐脈（心拍数の極端な低下）：体内でブタンジオール（BD）を分解するときにγ-ヒドロキシ酪酸塩（GHB）という化学物質が生成されます。この化学物質が心拍数を低下させ，すでに徐脈のある場合にはその症状を悪化させるおそれがあります。

てんかん：体内でブタンジオール（BD）を分解するときにγ-ヒドロキシ酪酸塩（GHB）という化学物質が生成されます。この化学物質が痙攣を引き起こし，てんかんを悪化させるおそれがあります。

高血圧：体内でブタンジオール（BD）を分解するときにγ-ヒドロキシ酪酸塩（GHB）という化学物質が生成されます。この化学物質が血圧を上昇させ，高血圧を悪化させるおそれがあります。

手術：ブタンジオール（BD）は，中枢神経系の働きを鈍化させます。手術中に使用される麻酔などの医薬品にも同じ作用があります。このような医薬品とブタンジオール（BD）を併用すると，中枢神経系の働きを過度に鈍化させ，過度な眠気を引き起こすおそれがあります。少なくとも手術前２週間は，使用しないでください。

●妊娠中および母乳授乳期

妊娠中および母乳授乳期の使用は母子いずれにとっても安全ではありません。使用してはいけません。

有　効　性

◆科学的データが不十分です

・成長ホルモン産生の促進，筋発育の促進，ボディービル，体重減少，睡眠障害（不眠）など。

●体内での働き

体内でγ-ヒドロキシ酪酸塩（GHB）に転換されます。この化学物質は脳の活動を抑制しますが，これにより呼吸など重要な生体機能が危機的に弱まるとともに，意識喪失が起こるおそれがあります。また，成長ホルモンの分泌も促進します。

医薬品との相互作用

高アルコール

アルコールは眠気および注意力低下を引き起こす可能性があります。ブタンジオールとアルコールを併用すると，アルコールに起因する眠気および注意力低下を著しく促進するおそれがあります。アルコールの摂取中にブタンジオールを摂取しないでください。

中アンフェタミン類【販売中止】

アンフェタミン類は神経系を亢進させる医薬品です。ブタンジオールは体内でγ-ヒドロキシ酪酸塩（GHB）に変化します。GHBは神経系を抑制する可能性があります。ブタンジオールとアンフェタミン類を併用すると，重大な副作用につながるおそれがあります。

中サキナビルメシル酸塩

サキナビルメシル酸塩およびリトナビルは通常，HIV感染症の治療で併用して用いられます。この双方の医薬品とブタンジオール併用すると，ブタンジオールの体内からの排泄を抑制する可能性があります。そのため，重大な副作用が現れるおそれがあります。

中ナロキソン塩酸塩

ブタンジオールは体内でほかの化学物質（γ-ヒドロキシ酪酸塩（GHB））に変化します。GHBは脳に影響を及ぼす可能性があります。ブタンジオールとナロキソン塩酸塩を併用すると，脳に対するブタンジオールの作用が減弱する可能性があります。

高ベンゾジアゼピン系鎮静薬

ブタンジオールは眠気および注意力低下を引き起こす可能性があります。鎮静薬は眠気を引き起こす医薬品です。ブタンジオールと鎮静薬を併用すると，重大な副作用が現れるおそれがあります。鎮静薬の服用中にブタンジオールを摂取しないでください。このような鎮静薬には，クロナゼパム，ジアゼパム，ロラゼパムなどがあります。

中リトナビル

リトナビルおよびサキナビルメシル酸塩は，通常，HIV感染症の治療に併用して用いられます。この2種類の医薬品とブタンジオールを併用すると，ブタンジオールの体内からの排泄を抑制する可能性があります。そのため，重大な副作用が現れるおそれがあります。

中筋弛緩薬

筋弛緩薬は傾眠を引き起こす可能性があります。ブタンジオールも傾眠を引き起こす可能性があります。ブタンジオールと筋弛緩薬を併用すると，過度な傾眠および重大な副作用を引き起こすおそれがあります。筋弛緩薬を服用中にブタンジオールを摂取しないでください。このような筋弛緩薬には，カリソプロドール（販売中止），Pipecuronium，Prednisone，Cyclobenzaprine，Gallamine，Atracurium，パンクロニウム臭化物（販売中止），スキサメトニウム塩化物水和物などがあります。

中抗てんかん薬

特定の抗てんかん薬は眠気および注意力低下を引き起こす可能性があります。ブタンジオールも眠気および注意力低下を引き起こす可能性があります。ブタンジオールと抗てんかん薬を併用すると，重大な副作用が現れるおそれがあります。また，ブタンジオールは体内でγ-ヒドロキシ酪酸塩（GHB）に変化しますが，GHBは痙攣発作を引き起こしたり，抗てんかん薬の効果を弱めたりするおそれがあります。このような抗てんかん薬には，フェノバルビタール，プリミドン，バルプロ酸ナトリウム，ガバペンチン，カルバマゼピン，フェニトインなどがあります。

高抗精神病薬

ブタンジオールは脳に影響を及ぼす可能性があります。抗精神病薬も脳に影響を及ぼします。ブタンジオールと抗精神病薬を併用すると，ブタンジオールの作用および深刻な副作用が増強するおそれがあります。抗精神病薬を服用中にブタンジオールを摂取しないでください。このような抗精神病薬には，フルフェナジン，ハロペリドール，クロルプロマジン塩酸塩，プロクロルペラジンマレイン酸塩，チオリダジン塩酸塩（販売中止），トリフロペラジンなどがあります。

高鎮静薬（中枢神経抑制薬）

ブタンジオールは眠気および注意力低下を引き起こす可能性があります。鎮静薬は眠気を引き起こす医薬品です。ブタンジオールと鎮静薬を併用すると，重大な副作用が現れるおそれがあります。鎮静薬の服用中にブタンジオールを摂取しないでください。このような鎮静薬には，クロナゼパム，ロラゼパム，フェノバルビタール，ゾルピデム酒石酸塩などがあります。

高鎮痛薬（麻薬性鎮痛薬）

特定の鎮痛薬は眠気および注意力低下を引き起こす可能性があります。ブタンジオールも眠気および注意力低下を引き起こす可能性があります。ブタンジオールと鎮痛薬を併用すると，重大な副作用が現れるおそれがあります。鎮痛薬の服用中にブタンジオールを摂取しないでください。このような鎮痛薬には，メペリジン，Hydrocodone，モルヒネ塩酸塩水和物，オキシコドン塩酸塩水和物など数多くあります。

中Divalproex sodium

ブタンジオールは体内でγ-ヒドロキシ酪酸塩（GHB）に変化します。ブタンジオールとDivalproex sodiumを同時に併用すると，GHBの体内からの排泄を抑制する可能性があります。そのため，重大な副作用が現れるおそれがあります。

高手術中に用いられる医薬品（麻酔薬）

手術中に用いられる医薬品は眠気および注意力低下を引き起こします。ブタンジオールと同時に併用すると，この作用が著しく増強するおそれがあります。手術を受ける前にブタンジオールを摂取しないでください。

中ハロペリドール

ブタンジオールは脳に影響を及ぼす可能性があります。ハロペリドールもまた脳に影響を及ぼす可能性があります。ブタンジオールとハロペリドールを併用すると，重大な副作用が現れるおそれがあります。

ハーブおよび健康食品・サプリメントとの相互作用

ほかのハーブ，健康食品・サプリメントとの相互作用についてはまだ明らかではありません。

有効性レベル：①効きます　②おそらく効きます　③効くと断言できませんが、効能の可能性が科学的に示唆されています　④効かないかもしれません　⑤おそらく効きません　⑥効きません

通常の食品との相互作用

アルコール

ブタンジオール（BD）に含まれる化学物質は，中枢神経系によりコントロールされている呼吸などの生体機能を鈍化させるおそれがあります。アルコールもまた，中枢神経系の働きを鈍化します。ブタンジオール（BD）とアルコールを併用すると，深刻な呼吸器疾患をはじめ，危険な副作用を引き起こすおそれがあります。併用してはいけません。

使用量の目安

通常の食品に含まれている量を超えて経口摂取した場合の安全性および副作用については，明らかになっていません。

ブチルヒドロキシトルエン（BHT）

BUTYLATED HYDROXYTOLUENE

●代表的な別名

ジブチルヒドロキシトルエン

別名ほか

Butylated Hydroxytoluene，Butylhydroxytoluene，Dibutylated Hydroxytoluene

概　要

ブチルヒドロキシトルエン（BHT）は酸化防止剤として食品に添加される合成化合物です。

安 全 性

食べ物に含まれる量を摂取するなら安全です。

十分なデータが得られていないので，多量摂取の安全性については不明です。

●妊娠中および母乳授乳期

妊娠中，母乳授乳期は，健康食品・サプリメントとして使用してはいけません。

有 効 性

◆科学的データが不十分です

・単純ヘルペス，陰部ヘルペス，HIV/エイズ。

●体内での働き

抗酸化剤です。ウイルス細胞を保護する外膜に損傷を起こすと考えられています。

医薬品との相互作用

ほかの医薬品との相互作用については明らかではありません。

ハーブおよび健康食品・サプリメントとの相互作用

ほかのハーブ，健康食品・サプリメントとの相互作用についてはまだ明らかではありません。

使用量の目安

●経口摂取

標準使用量に関するデータがありません。しかし，通常の食事からの摂取は１日0.1mg/kg未満です。

●局所投与

口唇単純ヘルペス

鉱油中15%のブチルヒドロキシトルエンを１日４回，５日間塗布します。

フッ化物

FLUORIDE

別名ほか

フッ化ナトリウム水溶液（Acidulated Phosphate Fluoridex），フルオロリン酸塩（Fluorophosphate），フッ化水素（Hydrogen Fluoride），モノフルオロリン酸（Monofluorophosphate），MFP，フッ化ナトリウム（Sodium Fluoride），モノフルオロリン酸ナトリウム（Sodium Monofluorophosphate），フッ化スズ（Stannous Fluoride）

概　要

元素の一種，フッ素です。「くすり」として使用されることもあります。

安 全 性

公共用水や歯磨き，マウスウォッシュなどの歯の衛生用品に含有される量を摂取するなら，ほとんどの人に安全です。

経口により少量（基本的なフッ素量の最大20mg/日）を補給する場合，ほとんどの人に安全です。

多量の摂取は安全ではなく，骨や靭帯を弱め，筋力低下や神経組織の異常を引き起こすおそれがあります。

永久歯への生え変わりが始まっていない小児が多量に摂取すると，歯にシミ（斑状歯）ができるかもしれません。

有 効 性

◆有効性レベル①

・う歯の予防。

◆有効性レベル③

・骨粗鬆症を治療。

◆科学的データが不十分です

・関節リウマチ患者の骨量減少の予防，およびクローン病（腸疾患の一種）の予防。

●**体内での働き**

歯垢に細菌が発生するのを防ぎます。また，新しい骨の形成も促進します。

医薬品との相互作用

ほかの医薬品との相互作用については明らかではありません。

ハーブおよび健康食品・サプリメントとの相互作用

ほかのハーブ，健康食品・サプリメントとの相互作用についてはまだ明らかではありません。

使用量の目安

●**経口摂取**

う歯予防

飲料水のフッ化物イオン値が0.3ppmを下回る（井戸水など）地域で使用される場合，小児には次のように，フッ化物サプリメントを与えます。6カ月～3歳児：0.25mg/日，3～6歳：0.5mg，6～16歳：1mg。フッ化物値が0.3～0.6ppmの地域では，3～6歳：0.25mg/日，6～16歳：0.5mg。水道水のフッ化物濃度が0.6ppmを超す地域では，サプリメントの必要はありません。

骨粗鬆症

フッ化物元素を1日15～20mg摂取します。

「アメリカ/カナダの食事摂取基準」によると，飲料水など食料，飲料すべてから摂取するフッ化物の目安量（AI）は，新生児～6カ月は0.01mg，7～12カ月は0.5mg，1～3歳は0.7mg，4～8歳は1mg，9～13歳は2mg，14～18歳は3mg，19歳以上の男性は4mg，14歳以上の女性（妊婦または母乳授乳期も含む）は3mgです。耐容上限量（UL）は，新生児～6カ月は0.7mg，7～12カ月は0.9mg，1～3歳は1.3mg，4～8歳は2.2mg，8歳以上の小児，成人，妊婦および母乳授乳期の女性は10mgです。フッ化ナトリウム，モノフルオリン酸にはフッ化物がそれぞれ45%，19%含まれています。

ブテアスペルバソフォン

BUTEA SUPERBA

別名ほか

Buteae, Kwao Krua Dang, Red Kwao Krua Daeng, Red Kwao Krua

概　　要

ブテアスペルバソフォンはインド，中国，ベトナム，タイ原産のつる性植物です。根を「くすり」として使うことがあります。

安 全 性

十分なデータは得られていないので，安全であるかどうか不明です。

●**妊娠中および母乳授乳期**

妊娠中，母乳授乳期は使用してはいけません。

有 効 性

◆**科学的データが不十分です**

・性的障害，性的なフィーリングの刺激，下痢，排尿障害，発熱など。

●**体内での働き**

どのように作用するかについては不明です。ブテアスペルバソフォンに含まれる化学物質が性的機能を調節するホルモンに似た働きをする証拠が得られています。

医薬品との相互作用

中 勃起不全改善薬（ホスホジエステラーゼ-5阻害薬）

ブテアスペルバソフォンは血圧を低下させる可能性があります。特定の勃起不全改善薬も血圧を低下させる可能性があります。ブテアスペルバソフォンと勃起不全改善薬を併用すると，血圧が過度に低下するおそれがあります。このような勃起不全改善薬には，シルデナフィルクエン酸塩，タダラフィル，バルデナフィル塩酸塩水和物などがあります。

ハーブおよび健康食品・サプリメントとの相互作用

ほかのハーブ，健康食品・サプリメントとの相互作用についてはまだ明らかではありません。

使用量の目安

標準使用量に関するデータがありません。

フトイガヤツリ

ADRUE

別名ほか

Chintul, Cyperus articulatus, Cyperus corymbosus, Guinea Rush, Jointed Flat Sedge, Piripir

概　　要

フトイガヤツリはトルコ，ジャマイカ，ナイル川流域を原産とする植物です。根を用いて「くすり」を作ることもあります。

安 全 性

フトイガヤツリの安全性については，データが不十分です。

手術：フトイガヤツリは中枢神経系の働きを抑制する

おそれがあります。手術中や術後に使用される麻酔などの医薬品とフトイガヤツリを併用すると，中枢神経系の働きが過度に抑制されるおそれがあります。少なくとも手術前２週間は，使用しないでください。

●妊娠中および母乳授乳期

妊娠中および母乳授乳期の使用の安全性についてはデータが不十分です。安全性を考慮し，摂取は避けてください。

有　効　性

◆科学的データが不十分です

・嘔吐，吐き気，仙痛，腸内ガス，鎮静（鎮静薬としての使用）など。

●体内での働き

どのように作用するかについては，データが不十分です。

医薬品との相互作用

中バルビツール酸系鎮静薬

フトイガヤツリは眠気および注意力低下を引き起こすことがあります。鎮静薬は眠気を引き起こす医薬品です。フトイガヤツリと鎮静薬を併用すると，過度の眠気を引き起こすおそれがあります。このような鎮静薬にはアモバルビタール，Butabarbital，メホバルビタール（販売中止），ペントバルビタールカルシウム，フェノバルビタール，セコバルビタールナトリウムなどがあります。

中ベンゾジアゼピン系鎮静薬

フトイガヤツリは眠気および注意力低下を引き起こす可能性があります。鎮静薬は眠気を引き起こす医薬品です。フトイガヤツリと鎮静薬を併用すると，過度の眠気を引き起こすおそれがあります。このような鎮静薬にはクロナゼパム，ジアゼパム，ロラゼパムなどがあります。

中鎮静薬（中枢神経抑制薬）

フトイガヤツリは眠気および注意力低下を引き起こす可能性があります。鎮静薬は眠気を引き起こす医薬品です。フトイガヤツリと鎮静薬を併用すると，過度の眠気を引き起こすおそれがあります。このような鎮静薬にはクロナゼパム，ロラゼパム，フェノバルビタール，ゾルピデム酒石酸塩などがあります。

ハーブおよび健康食品・サプリメントとの相互作用

眠気を引き起こすおそれのあるハーブおよび健康食品・サプリメント

フトイガヤツリが，眠気および注意力低下を引き起こすおそれがあります。フトイガヤツリと，眠気および注意力低下を引き起こすおそれのあるほかのハーブおよび健康食品・サプリメントを併用すると，過度の眠気を引き起こすおそれがあります。このようなハーブおよび健康食品・サプリメントには，5-ヒドロキシトリプトファン，ショウブ，ハナビシソウ，キャットニップ，ホップ，ジャマイカ・ドッグウッド，カバ，セント・ジョンズ・ワート，スカルキャップ，カノコソウ，アネモプシス・カリフォルニカなどがあります。

使用量の目安

通常の食品に含まれている量を超えて経口摂取した場合の安全性および副作用については，明らかになっていません。

ブドウ

GRAPE

別名ほか

アクチビン，フレームシードレス，グレープスキン，グレープジュース，グレープリーフ，グレープリーフエキス，グレープシードエキス，グレープシード抽出物，グレープスキンエキス，グレープシードオイル，グレープシード，マスカット，オリゴ糖プロアントシアニジン，オリゴメリック（低重合），プロアントシアニジン，オリゴメリックプロアントシアニジン，OPC，プティ・シラー，グレープ種子エキス，レーズン，レッドグローブ，レッドワインリーフ，サルタナレーズン，トンプソンシードレス，ワインブドウ，ヨーロッパブドウ

概　　要

ブドウはつる性の果実（ヨーロッパブドウ）です。果実全体，葉および種子が「くすり」として使われることがあります。グレープフルーツなどの響きの似た「くすり」と混同しないよう注意してください。

●要説（ナチュラル・スタンダード）

ブドウの葉，樹液，種子，果実は古代ギリシャの時代から「くすり」として使用され続けています。様々な部位が伝統的に，皮膚や眼の不快症状，出血，静脈瘤，下痢，がんや天然痘などに使用されています。

脂肪が多い食生活にもかかわらずフランスの男性がワインを飲んでいるから心臓病を予防している可能性があるということで，ブドウのその効果に対して関心が高まりました。ブドウは抗酸化作用，血液凝固抑制作用，血清コレステロール低下作用を持っていることが示されてきています。

ブドウの種子のオリゴマープロアントシアニジン（oligomeric proanthocyanidins）の抗酸化作用が，多くの疾患に対してブドウエキス療法の可能性をもたらしています。ブドウの種子オリゴマープロアントシアニジンが血管弁損傷または弱い血管，糖尿病性網膜症，腕や脚の浮腫，高コレステロール血症に対して有効であることを示す研究があります。オリゴマープロアントシアニジンは，現在行われている研究では，ほとんど副作用のないもののようです。しかし長期にわたっての使用の安全性を評価している研究はありません。

安 全 性

ブドウは，通常の食品に含まれる量を摂取する場合，ほとんどの人に安全のようです。

「くすり」としての量を経口摂取する場合，おそらく安全です。種子のエキスは，研究では最大14週にわたり安全に使用されています。ブドウ，干しブドウ，レーズンまたはサルタナを大量にとると下痢を引き起こすことがあります。副作用として，胃のむかつき，消化不良，吐き気，嘔吐，咳，口内乾燥，咽喉痛，感染，頭痛および筋肉の症状などがあります。

出血性疾患：ブドウが血液凝固を抑制するおそれがあります。出血性疾患のある場合にブドウを摂取すると，紫斑および出血のリスクが高まるおそれがあります。ただし，ヒトにこのようなことが起きたという報告はありません。

手術：ブドウが血液凝固を抑制し，手術中・手術後に過度の出血を引き起こすおそれがあります。少なくとも手術前２週間は，使用しないでください。

●アレルギー

ブドウおよびブドウ製品にアレルギー反応を起こす人もいます。

●妊娠中および母乳授乳期

妊娠中および母乳授乳期におけるブドウの「くすり」としての量（サプリメントまたは通常の食品から摂取する以上の量）の摂取の安全性については，データが不十分です。安全性を考慮し，摂取は避けてください。

有 効 性

◆有効性レベル③

・慢性静脈血流不全症。ブドウの種子のエキスを経口摂取することで，下肢の疲労感・重い感じ，こわばり，刺痛，疼痛などの症状を緩和するようです。特定のブドウの葉エキスを６週にわたり摂取すると下肢の腫脹が緩和することを示唆する研究があります。
・眼のストレス。ブドウの種子のエキスを経口摂取することで，まぶしさによる眼のストレスを緩和する可能性があります。

◆有効性レベル④

・花粉症。ブタクサ花粉シーズン前の８週間にわたりブドウの種子のエキスを摂取しても，アレルギー症状は緩和せず，アレルギー薬の必要性も低下しないようです。
・放射線による組織の硬化および疼痛。ブドウの種子のエキスに含まれるプロアントシアニジンを１日３回，６カ月にわたり摂取しても，乳がんの放射線治療を受けている患者の胸部組織の硬化，疼痛または圧痛は緩和しないことを示す研究があります。
・化学療法による吐き気および嘔吐。冷たいブドウジュース113mLを，各食事の30分前に，化学療法の各サイクル後１週間にわたり摂取しても，化学療法による吐き気および嘔吐は緩和しないことを示すエビデンスがあります。

◆科学的データが不十分です

・運動能力，心疾患，糖尿病網膜症，高コレステロール血症，高血圧，肝斑，加齢にともなう精神機能低下，メタボリックシンドローム，夜間視力，非アルコール性脂肪肝疾患，月経前症候群（PMS），静脈瘤，痔核，便秘，咳，注意欠陥多動障害（ADHD），慢性疲労症候群（CFS），下痢，月経過多，加齢黄斑変性（AMD），口唇潰瘍，肝障害など。

●体内での働き

ブドウにはフラボノイドが含まれています。フラボノイドには抗酸化作用，低比重リポタンパク（LDL，悪玉）コレステロール値の低下，血管弛緩，冠動脈性心疾患のリスク低減などの働きがあります。ブドウに含まれるアンチオキシダント（抗酸化物質）は，心臓病を予防するほか，ほかにも身体に良い作用を及ぼす可能性があります。赤ブドウ（Red grape）の品種は，白ブドウまたは青紫色のブドウ（Blush grape）の品種に比べ，より抗酸化作用があります。

ブドウの葉は炎症を抑えたり，収れん作用を持っている可能性があります。つまり，ブドウの葉は組織と組織とを引きつけあい，その結果，出血や下痢を止めことができる可能性があります。こうした特性は赤色の葉に顕著にみられます。

医薬品との相互作用

中シクロスポリン

ブドウジュースとシクロスポリンを併用すると，シクロスポリンの体内への吸収量が減少する可能性があります。そのため，シクロスポリンの効果が弱まるおそれがあります。この相互作用を避けるために，シクロスポリンの服用前後，少なくとも２時間はブドウジュースを摂取しないでください。

中フェナセチン【販売中止】

フェナセチンは体内で代謝されてから排泄されます。ブドウジュースはフェナセチンの代謝を促進する可能性があります。ブドウジュースとフェナセチンを併用すると，フェナセチンの効果が弱まるおそれがあります。

中ミダゾラム

グレープシードエキスを少なくとも１週間摂取すると，静脈投与（点滴）されたミダゾラムの排泄が促進する可能性があります。そのため，ミダゾラムの作用が減弱するおそれがあります。グレープシードエキスを１回摂取した場合は，ミダゾラムの排泄に影響を及ぼさないようです。

中肝臓で代謝される医薬品（シトクロムP450 1A2（CYP1A2）の基質となる医薬品）

特定の医薬品は肝臓で代謝されます。ブドウジュースはこのような医薬品の代謝を促進する可能性があります。ブドウと肝臓で代謝される医薬品を併用すると，医

フ

有効性レベル：①効きます　②おそらく効きます　③効くと断言できませんが、効能の可能性が科学的に示唆されています　④効かないかもしれません　⑤おそらく効きません　⑥効きません

薬品の効果が弱まるおそれがあります。このような医薬品には，アミトリプチリン塩酸塩，カフェイン，クロルジアゼポキシド，クロミプラミン塩酸塩，クロピドグレル硫酸塩，クロザピン，Cyclobenzaprine，塩酸デシプラミン（販売中止），ジアゼパム，エストラジオール，フルタミド，フルボキサミンマレイン酸塩，塩酸グレパフロキサシン（販売中止），ハロペリドール，イミプラミン塩酸塩，メキシレチン塩酸塩，ミルタザピン，ナプロキセン，ノルトリプチリン塩酸塩，オランザピン，オンダンセトロン塩酸塩水和物，プロパフェノン塩酸塩，プロプラノロール塩酸塩，リルゾール，ロピニロール塩酸塩，ロピバカイン塩酸塩水和物，Tacrine，テオフィリン，ベラパミル塩酸塩，ワルファリンカリウム，Zileutonなどがあります。

低肝臓で代謝される医薬品（シトクロムP450 2C9（CYP2C9）の基質となる医薬品）

特定の医薬品は肝臓で代謝されます。グレープシードはこのような医薬品の代謝を抑制する可能性があります。ブドウと肝臓で代謝される医薬品を併用すると，医薬品の作用および副作用が増強するおそれがあります。このような医薬品には，アミトリプチリン塩酸塩，ジアゼパム，Zileuton，セレコキシブ，ジクロフェナクナトリウム，フルバスタチンナトリウム，Glipizide，イブプロフェン，イルベサルタン，ロサルタンカリウム，フェニトイン，ピロキシカム，タモキシフェンクエン酸塩，トルブタミド（販売中止），トラセミド，ワルファリンカリウムなどがあります。

中肝臓で代謝される医薬品（シトクロムP450 2D6（CYP2D6）の基質となる医薬品）

特定の医薬品は肝臓で代謝されます。グレープシードは医薬品の代謝を抑制する可能性があります。ブドウと肝臓で代謝される医薬品を併用すると，医薬品の作用および副作用が増強するおそれがあります。このような医薬品には，アミトリプチリン塩酸塩，クロザピン，コデインリン酸塩水和物，塩酸デシプラミン（販売中止），ドネペジル塩酸塩，フェンタニルクエン酸塩，フレカイニド酢酸塩，塩酸フルオキセチン（販売中止），ペチジン塩酸塩，メサドン塩酸塩，メトプロロール酒石酸塩，オランザピン，オンダンセトロン塩酸塩水和物，トラマドール塩酸塩，トラゾドン塩酸塩などがあります。

中肝臓で代謝される医薬品（シトクロムP450 2E1（CYP2E1）の基質となる医薬品）

特定の医薬品は肝臓で代謝されます。グレープシードは医薬品の代謝を抑制する可能性があります。ブドウと肝臓で代謝される医薬品を併用すると，医薬品の作用および副作用が増強するおそれがあります。このような医薬品には，エンフルラン（販売中止），ハロタン（販売中止），イソフルラン，Methoxyfluraneなどがあります。

中肝臓で代謝される医薬品（シトクロムP450 3A4（CYP3A4）の基質となる医薬品）

特定の医薬品は肝臓で代謝されます。グレープシードはこのような医薬品の代謝を抑制する可能性があります。ブドウと肝臓で代謝される医薬品を併用すると，医薬品の作用および副作用が増強するおそれがあります。このような医薬品には，Lovastatin，ケトコナゾール，イトラコナゾール，フェキソフェナジン塩酸塩，トリアゾラムなど数多くあります。

中血液凝固を抑制する医薬品（抗凝固薬/抗血小板薬）

ブドウは血液凝固を抑制する可能性があります。ブドウと血液凝固を抑制する医薬品を併用すると，紫斑および出血のリスクが高まるおそれがあります。このような医薬品には，アスピリン，クロピドグレル硫酸塩，ダルテパリンナトリウム，エノキサパリンナトリウム，ヘパリン，インドメタシン，チクロピジン塩酸塩，ワルファリンカリウムなどがあります。

中ワルファリンカリウム

ワルファリンカリウムは血液凝固を抑制するために用いられます。グレープシードもまた，血液凝固を抑制する可能性があります。グレープシードとワルファリンカリウムを併用すると，紫斑および出血のリスクが高まるおそれがあります。定期的に血液検査をしてください。ワルファリンカリウムの用量を変更する必要があるかもしれません。

ハーブおよび健康食品・サプリメントとの相互作用

ラクトバチルス・アシドフィルス

ブドウは，ラクトバチルス・アシドフィルスの腸管内での増殖を遅らせたり，止めたり，その効果をなくしてしまうおそれがあります。ブドウと乳酸菌を一緒に摂取しないでください。

ビタミンC

高血圧の場合，ビタミンCを１日500mgとブドウの種子のポリフェノールを１日1,000mg摂取すると，血圧が統計学的に有意に上昇するという初期の研究があります。血圧の上昇は収縮期血圧，拡張期血圧の両方に見られますが，なぜこうした現象が起きるのかはわかっていません。

使用量の目安

●経口摂取

慢性静脈血流不全症

標準化された赤ブドウエキスAS195 360mgまたは720mgを１日１回摂取します。または，ブドウ種子エキスの錠剤またはカプセル１日75〜300mgを３週間摂取し，その後40〜80mgの維持用量を毎日摂取します。または，ブドウ種子エキスのプロアントシアニジン１日150〜300mgを摂取します。プロアントシアニジンはブドウに含まれる有効成分の１つです。

まぶしさによる眼のストレスの減少

ブドウ種子エキスのプロアントシアニジン１日200〜300mgを摂取します。

ブプレウルム

BUPLEURUM

別名ほか

Bupleurum chinense，小柴胡湯（Sho-saiko-to），ツキヌキサイコ，突き抜き柴胡（Bupleurum fruticosum），ミシマサイコ，三島柴胡（Bupleurum scorzonerifolium），マンシュウミシマサイコ，Bei Chai Hu，Bupleurum exaltatum，Bupleurum falcatum，Bupleurum longifolium，Bupleurum multinerve，Bupleurum octoradiatum，Bupleurum rotundifolium，Chi Hu，Chinese Thoroughwax，Hare's Ear Root，Shrubby Hare's-ear，Sickle-leaf Hare's-ear，Thoroughwax

概　　要

ブプレウルムは植物です。根が「くすり」として使用されることもあります。

安　全　性

ブプレウルムの安全性についてはデータが不十分です。ただし，排便回数の増加，腸内ガス，傾眠など，いくつかの副作用が報告されています。小柴胡湯という日本の漢方製剤に含まれているハーブなど，ほかのハーブおよび健康食品・サプリメントとの併用により，深刻な肺疾患や呼吸器疾患を引き起こしています。

多発性硬化症（MS），ループス（全身性エリテマトーデス，SLE），関節リウマチ（RA）などの「自己免疫疾患」：ブプレウルムにより免疫システムが活性化することがあり，そのために自己免疫疾患の症状が悪化するおそれがあります。これらの疾患の場合には，使用を避けるのが最善です。

出血性疾患：ブプレウルムに含まれるサイコサポニンという化学物質が，血液凝固を抑制するおそれがあります。理論上は，ブプレウルムを摂取すると出血性疾患が悪化するおそれがあります。

糖尿病：ブプレウルムに含まれるサイコサポニンという化学物質が，血液凝固を抑制するおそれがあります。糖尿病に罹患していてブプレウルムを使用する場合には，血糖値を注意深く監視してください。糖尿病治療薬の服薬量を変更する必要があるかもしれません。

手術：ブプレウルムに含まれるサイコサポニンという化学物質が，出血を長引かせるおそれがあります。少なくとも手術前２週間は，使用しないでください。

●妊娠中および母乳授乳期

妊娠中および母乳授乳期の使用についてはデータが不十分です。安全性を考慮し，摂取は避けてください。

有　効　性

◆科学的データが不十分です

・発熱，インフルエンザ，感冒，咳，疲労，頭痛，耳鳴，肝疾患，血液疾患，免疫システム刺激など。

●体内での働き

免疫システムの細胞を刺激し，活性化する可能性があります。ほかにも作用をもつ可能性がありますが，いずれもヒトに対しては証明されていません。

医薬品との相互作用

中 血液凝固を抑制する医薬品（抗凝固薬/抗血小板薬）

ブプレウルムに含まれているサイコサポニンと呼ばれている化学物質は，血液凝固を抑制する可能性があります。ブプレウルムと血液凝固を抑制する医薬品を併用すると，紫斑および出血のリスクが高まるおそれがあります。このような医薬品にはアスピリン，クロピドグレル硫酸塩，およびジクロフェナクナトリウムやイブプロフェンやナプロキセンなどの非ステロイド性抗炎症薬（NSAIDs），また，ダルテパリンナトリウム，エノキサパリンナトリウム，ヘパリン，ワルファリンカリウムなどがあります。

中 糖尿病治療薬

ブプレウルムに含まれるサイコサポニンと呼ばれる化学物質は，血糖値を上昇させる可能性があります。糖尿病治療薬は血糖値を低下させるために用いられます。ブプレウルムと糖尿病治療薬を併用すると，血糖コントロールが妨げられるおそれがあります。血糖値を注意深く監視してください。糖尿病治療薬の用量を変更する必要があるかもしれません。このような糖尿病治療薬にはグリメピリド，グリベンクラミド，インスリン，ピオグリタゾン塩酸塩，マレイン酸ロシグリタゾン（販売中止），クロルプロパミド，Glipizide，トルブタミド（販売中止）などがあります。

中 免疫抑制薬

ブプレウルムは免疫機能を高める可能性があります。ブプレウルムが免疫機能を高めることにより，免疫抑制薬の効果を弱めるおそれがあります。このような免疫抑制薬には，アザチオプリン，バシリキシマブ，シクロスポリン，Daclizumab，ムロモナブ-CD３（販売中止），ミコフェノール酸モフェチル，タクロリムス水和物，シロリムス，Prednisone，副腎皮質ステロイドなどがあります。

ハーブおよび健康食品・サプリメントとの相互作用

血糖値を低下させるおそれのあるハーブおよび健康食品・サプリメント

ブプレウルムに含まれるサイコサポニンという化学物質が，血糖値を上昇させるおそれがあります。ブプレウルムと，血糖値を低下させるおそれのあるほかのハーブおよび健康食品・サプリメントを併用すると，糖尿病の人の血糖コントロールを妨げるおそれがあります。このようなハーブおよび健康食品・サプリメントには，α-リポ酸，ニガウリ，クロム，デビルズクロー，フェヌグリー

フ

ク，ニンニク，グアーガム，セイヨウトチノキ，朝鮮人参，サイリウム，エゾウコギなどがあります。

血液凝固を抑制するおそれのあるハーブおよび健康食品・サプリメント

ブプレウルムに含まれるサイコサポニンという化学物質が，血液凝固を抑制するおそれがあります。ブプレウルムと，血液凝固を抑制するおそれのあるほかのハーブおよび健康食品・サプリメントを併用すると，人によっては出血のリスクが高まるおそれがあります。このようなハーブおよび健康食品・サプリメントには，アンゼリカ，クローブ，タンジン，フェヌグリーク，フィーバーフュー，ニンニク，ショウガ，イチョウ，朝鮮人参，ポプラ，レッドクローバー，ウコンなどがあります。

使用量の目安

通常の食品に含まれている量を超えて経口摂取した場合の安全性および副作用については，明らかになっていません。

フミン酸

HUMIC ACID

●代表的な別名

腐植酸

別名ほか

Acide Humique，Ácidos Húmicos，Extracto de Húmicos，Extrait d'Humique，フミン酸塩，フミン抽出物

概　　要

フミン酸は植物を腐らせる化合物です。フミン酸を用いて「くすり」を作ることもあります。

安 全 性

ヒトへの影響については，信頼できる十分なデータがありません。

実験室での研究および疫学調査では，フミン酸が関節疾患，循環器疾患および甲状腺疾患に関連することが示されています。

●妊娠中および母乳授乳期

妊娠中，母乳授乳期は使用してはいけません。

有 効 性

◆科学的データが不十分です

・感冒の予防，免疫系の活性化，ウイルス性疾患の治療など。

●体内での働き

どのように作用するかについては十分なデータが得られていません。

医薬品との相互作用

ほかの医薬品との相互作用については明らかではありません。

ハーブおよび健康食品・サプリメントとの相互作用

ほかのハーブ，健康食品・サプリメントとの相互作用についてはまだ明らかではありません。

使用量の目安

標準使用量に関するデータがありません。

フユアオイ（冬葵）

CHINESE MALLOW

別名ほか

クラスター・マルヴァ，マルヴァ，Malva verticillata

概　　要

フユアオイ（冬葵）はハーブです。種子を「くすり」に用いることがあります。

安 全 性

安全性についての十分なデータがありません。

糖尿病の人，２週間以内に手術を受ける予定の人は使用してはいけません。

●妊娠中および母乳授乳期

妊娠中，母乳授乳期は使用してはいけません。

有 効 性

◆科学的データが不十分です

・腎疾患，母乳の分泌を促進，便秘など。

●体内での働き

予備的研究では血糖値を下げることが示されていますが，免疫系に影響を与えるおそれがあります。

医薬品との相互作用

中 糖尿病治療薬

フユアオイ抽出物は血糖値を下げる可能性があります。糖尿病治療薬も血糖値を下げるために用いる医薬品ですから，フユアオイ抽出物と糖尿病治療薬を併用すると，血糖値が過度に低下するおそれがあります。このような糖尿病治療薬にはグリメピリド，グリベンクラミド，インスリン，ピオグリタゾン塩酸塩，マレイン酸ロシグリタゾン（販売中止），クロルプロパミド，Glipizide，トルブタミド（販売中止）などがあります。

ハーブおよび健康食品・サプリメントとの相互作用

ほかのハーブ，健康食品・サプリメントとの相互作用

についてはまだ明らかではありません。

使用量の目安

標準使用量に関するデータがありません。

フユナラ

SESSILE OAK

別名ほか

Durmast Oak, European Oak, French Oak, Quercus Cortex, Quercus Petraea, Quercus Sessiliflora, Tanner's Bark, Tanner's Oak

概　　要

フユナラはオークの木の一種です。欧州でよくみられます。

下痢のほか，口腔，咽喉，肛門，性器の腫脹に対して用いられます。また腫脹や炎症に対して皮膚に塗布されます。

そのほか，ワインを保存する樽を作るのに用いられています。

安　全　性

フユナラの安全性および副作用については，データが不十分です。

●妊娠中および母乳授乳期

妊娠中および母乳授乳期の使用の安全性についてはデータが不十分です。安全性を考慮し，摂取は避けてください。

有　効　性

◆科学的データが不十分です

・皮膚症状，下痢，口腔・性器・肛門の炎症など。

●体内での働き

フユナラには，抗酸化物質として作用する化学物質が含まれています。

医薬品との相互作用

ほかの医薬品との相互作用については明らかではありません。

ハーブおよび健康食品・サプリメントとの相互作用

ほかのハーブ，健康食品・サプリメントとの相互作用についてはまだ明らかではありません。

使用量の目安

通常の食品に含まれている量を超えて経口摂取した場合の安全性および副作用については，明らかになっていません。

ブライオニア

BRYONIA

別名ほか

セイヨウスズメウリ（Bryonia cretica），ニオイニンドウ（Wood Vine），ヤマモガシ科（Tamus），ホワイト・ブリオニー，ブリオニア（White Bryony），ワイルドホップス（Wild Hops），Bryonia alba, Wild Nep, Wild Vine, Bryoniae radix, Devil's Turnip, English Mandrake, Ladies' Seal, Tetterberry

概　　要

ブライオニアは植物です。根が「くすり」として使用されることもあります。

安　全　性

ブライオニアは，誰が使用しても安全ではないようです。めまい感，嘔吐，痙攣，疝痛，血便，流産，神経的な興奮，腎障害を起こすおそれがあります。多量に摂取すると，命にかかわる中毒を引き起こすおそれがあります。生のブライオニアに触っただけでも，皮膚過敏を起こすおそれがあります。果実を食べると死に至るおそれもあります。

小児：小児の経口摂取は安全ではないようです。果実を食べると死に至るおそれもあります。

胃腸の疾患：ブライオニアを摂取してはいけない理由はたくさんあります。深刻な副作用を引き起こし，死に至るおそれもあります。また，胃腸を刺激し，胃腸の疾患が悪化するおそれがあります。

●妊娠中および母乳授乳期

妊娠中の女性の経口摂取は安全ではありません。また，母乳授乳期の女性の経口摂取は安全ではないようです。流産や深刻な健康被害のおそれがあります。

有　効　性

◆科学的データが不十分です

・胃または腸の疾患，肺疾患，関節炎，肝疾患，代謝障害，体液貯留，感染予防，嘔吐の誘発など。

●体内での働き

根には強い下剤作用をもつ樹脂が含まれています。

医薬品との相互作用

ほかの医薬品との相互作用については明らかではありません。

ハーブおよび健康食品・サプリメントとの相互作用

ほかのハーブ，健康食品・サプリメントとの相互作用についてはまだ明らかではありません。

使用量の目安

通常の食品に含まれている量を超えて経口摂取した場合の安全性および副作用については，明らかになっていません。

ブライデリア

BRIDELIA

別名ほか

Asas, Assas, Bridelia cathartica, Bridelia ferruginea, Bridelia grandis, Bridelia micrantha, Bridelia monoica, Bridelia retusa, Bridelia stipularis, Mist Bredina

概　要

ブライデリアは，植物の属名です。ブライデリアの葉，幹の皮および根を用いて「くすり」を作ることもあります。

ブライデリアの葉，幹の皮および根は，妊娠の防止，分娩の誘発，マラリア，エイズ/HIV，貧血，気管支喘息，がん，仙痛，咳，糖尿病，下痢，脾腫，淋病，ヘルニア，関節痛，不定期または痛みをともなう月経，胃痛などの胃腸疾患，梅毒，鵞口瘡，寄生虫の駆除，尿路感染症，黄熱症，黄疸（皮膚の黄染）に対してや，殺虫剤および強い緩下剤として使用されます。

ブライデリアは，創傷に対して皮膚に塗布したり，頭痛に対して頭皮に塗布したり，目の痛みに対して点眼します。

安 全 性

ブライデリアの安全性についてはデータが不十分です。ブライデリアは血圧および心拍数を低下させるおそれがあります。

出血性疾患：ブライデリアは血液凝固を抑制するおそれがあります。このため，出血性疾患の場合には出血や紫斑のリスクが高まるおそれがあります。

乳がん，子宮がん，卵巣がん，子宮内膜症，子宮線維腫など，ホルモン感受性の疾患：ブライデリアが，女性ホルモンのエストロゲンと同様に作用するおそれがあります。エストロゲンにより悪化するおそれのある疾患の場合には，ブライデリアを使用してはいけません。

低血圧：ブライデリアが血圧を低下させるおそれがあります。低血圧の場合には，ブライデリアを使用してはいけません。

手術：ブライデリアは血液凝固を抑制するおそれがあります。このため，手術中および術後に過度な出血を引き起こしたり，血圧コントロールに影響を与えたりするおそれがあります。少なくとも手術前２週間は，使用しないでください。

●妊娠中および母乳授乳期

妊娠中のブライデリアの使用は，安全ではないようです。ブライデリアが子宮を刺激し，陣痛を引き起こすおそれがあります。使用は避けてください。

母乳授乳期のブライデリアの使用の安全性についてはデータが不十分です。安全性を考慮し，摂取は避けてください。

有 効 性

◆科学的データが不十分です

・妊娠の防止，分娩の誘発，マラリア，エイズ/HIV，貧血，気管支喘息，がん，仙痛，咳，糖尿病，下痢，脾腫，淋病，頭痛，ヘルニア，関節痛，不定期または痛みをともなう月経，皮膚の創傷，胃痛などの胃腸疾患，梅毒，鵞口瘡，寄生虫の駆除，尿路感染，黄熱症，黄疸（皮膚の黄染）など。

●体内での働き

ブライデリアが，腫脹や疼痛を軽減したり，熱を下げたりする可能性があります。また，感染症を引き起こす微生物の増殖を抑制する可能性もあります。ブライデリアには，女性ホルモンのエストロゲンと同様の作用や，抗酸化作用がある可能性もあります。

医薬品との相互作用

中エストロゲン（卵胞ホルモン）製剤

ブライデリアにはエストロゲン様作用のある可能性があります。しかし，ブライデリアにはエストロゲン製剤と同等の作用はありません。ブライデリアとエストロゲン製剤を併用すると，エストロゲン製剤の作用が減弱するおそれがあります。このようなエストロゲン製剤には，結合型エストロゲン，エチニルエストラジオール，エストラジオールなどがあります。

中血液凝固を抑制する医薬品（抗凝固薬/抗血小板薬）

ブライデリアは血液凝固を抑制する可能性があります。ブライデリアと血液凝固を抑制する医薬品を併用すると，紫斑および出血のリスクが高まるおそれがあります。このような医薬品にはアスピリン，クロピドグレル硫酸塩，ジクロフェナクナトリウム，イブプロフェン，ナプロキセン，ダルテパリンナトリウム，エノキサパリンナトリウム，ヘパリン，ワルファリンカリウムなどがあります。

中降圧薬

ブライデリアは血圧を低下させる可能性があります。ブライデリアと降圧薬を併用すると，血圧が過度に低下するおそれがあります。このような降圧薬にはカプトプリル，エナラプリルマレイン酸塩，ロサルタンカリウム，バルサルタン，ジルチアゼム塩酸塩，アムロジピンベシル酸塩，ヒドロクロロチアジド，フロセミドなど多くあります。

相互作用レベル：高この医薬品と併用してはいけません　中この医薬品とは慎重に併用するか併用しないでください
低この医薬品との併用には注意が必要です

ハーブおよび健康食品・サプリメントとの相互作用

血圧を低下させるおそれのあるハーブおよび健康食品・サプリメント

ブライデリアは血圧を低下させるおそれがあります。ブライデリアと血圧を低下させるおそれのあるほかのハーブおよび健康食品・サプリメントを併用すると，血圧が過度に低下するおそれがあります。このようなハーブおよび健康食品・サプリメントには，アンドログラフィス，カゼイン・ペプチド，キャッツクロー，コエンザイムQ-10，魚油，L-アルギニン，クコ，イラクサ，テアニンなどがあります。

血液凝固を抑制するおそれのあるハーブおよび健康食品・サプリメント

ブライデリアは血液凝固を抑制するおそれがあります。ブライデリアと血液凝固を抑制するおそれのあるほかのハーブおよび健康食品・サプリメントを併用すると，人によっては，紫斑や出血のリスクが高まるおそれがあります。このようなハーブおよび健康食品・サプリメントには，アンゼリカ，クローブ，タンジン，ニンニク，ショウガ，イチョウ，朝鮮人参，セイヨウトチノキ，レッドクローバー，ウコンなどがあります。

使用量の目安

通常の食品に含まれている量を超えて経口摂取した場合の安全性および副作用については，明らかになっていません。

ブラウンライス

BROWN RICE

●代表的な別名

玄米

別名ほか

玄米，Oryza sativa

概　　要

ブラウンライスは精米していないコメのことです。食品として摂取したり，「くすり」として服用します。

安　全　性

食品に一般的に含まれる量を摂取する場合は，ほとんどの人に安全です。

「くすり」として使う場合の安全性についてはまだ明らかではありません。

●妊娠中および母乳授乳期

妊娠中，母乳授乳期は，「くすり」として服用してはいけません。

有　効　性

◆科学的データが不十分です

・下痢，消化不良，黄疸，悪心，胃腸障害による炎症，麻痺，痔核，乾癬，皮膚障害など。

●体内での働き

病状にどのように作用するかは不明です。予備的研究によれば，ブラウンライスには抗がん作用と抗糖尿病作用があるようです。しかし，ヒトが摂取する場合にこれらの作用があるかどうかは十分なデータがありません。

医薬品との相互作用

ほかの医薬品との相互作用については明らかではありません。

ハーブおよび健康食品・サプリメントとの相互作用

ほかのハーブ，健康食品・サプリメントとの相互作用についてはまだ明らかではありません。

使用量の目安

標準使用量に関するデータがありません。

フラクトオリゴ糖

FRUCTO-OLIGOSACCHARIDES

別名ほか

オリゴ糖（Oligosaccharides），プレバイオティック，プリバイオティック（Prebiotic），Fructooligosaccharides，Beta-D-fructofuranosidase，Chicory Inulin Hydrolysate，FOS，Fructo Oligo Saccharides，Inulin Hydrolysate，Oligofructose，SC-FOS，Short Chain Fructo-Oligosaccharides

概　　要

フラクトオリゴ糖は，鎖状に連結する糖でできています。アスパラガス，キクイモ（Jerusalem artichokes），および大豆に含まれています。人工的に合成もされます。この糖分は「くすり」に使われます。

安　全　性

腸内ガス，大きい腸音，お腹の張り，胃痙攣，下痢を起こす可能性がありますが，これらの副作用は，30g/日未満の摂取なら，通常軽くてすみます。

●妊娠中および母乳授乳期

妊娠中および母乳授乳期の使用の安全性についてはデータが不十分です。安全性を考慮し，使用は控えてください。

有　効　性

◆有効性レベル④

・旅行者下痢症を予防。

◆科学的データが不十分です

・便秘。一部のデータによると，フラクトオリゴ糖は体内の固形排泄物の量を増やし，便秘を緩和します。

・消化管内の細菌の増殖促進，高コレステロール血症。

●体内での働き

未消化のまま結腸に到達し，そこで大腸内容物の容積を増やして，有用と考えられるある種細菌の増殖を促進します。

医薬品との相互作用

ほかの医薬品との相互作用については明らかではありません。

ハーブおよび健康食品・サプリメントとの相互作用

ほかのハーブ，健康食品・サプリメントとの相互作用についてはまだ明らかではありません。

使用量の目安

●経口摂取

便秘

1日10gを摂取します。腸内の健康維持（大腸のビフィズス菌を増やす）を目的に使用する場合，通常1日に4～10gを摂取します。

フ

ブラダーラック

BLADDERWRACK

別名ほか

アスコフィルム・ノドスム（Ascophyllum nodosum），ノルウェー産ケルプ，ヒバマタ属の海草（Bladder wrack），フーカス（Fucus），ヒバマタ（Fucus vesiculosis），ケルプ（Kelp），Black Tang，Bladder fucus，Blasentang，Cutweed，Kelpware，Kelp-ware，Knotted Wrack，Marine Oak，Meereiche，Quercus Marina，Rockweed，Rockwrack，Schweintang，Seawrack，Tang，Varech

概　　要

ブラダーラックは海藻の一種です。全体部分を用いて「くすり」を作ることもあります。

安　全　性

安全でない可能性があります。高濃度のヨウ素が含まれており，甲状腺異常を引き起こしたり悪化させるおそれがあります。

食事から多く，また長期に摂取すると，甲状腺腫に関連したり，甲状腺がんのリスクが高まります。医師の診断なしに，甲状腺疾患の治療を試みてはいけません。ほかの海藻のように，生育している海によってヒ素のような金属を，危険な濃度含んでいるおそれがあります。

甲状腺機能亢進症（甲状腺ホルモン過剰）または甲状腺機能低下症（甲状腺ホルモン不足）：ブラダーラックはヨウ素を多量に含んでおり，甲状腺機能亢進症や甲状腺機能低下症を悪化させることがあります。

不妊：ブラダーラックは女性の妊娠を困難にすることがあるとの研究があります。

手術：ブラダーラックは血液凝固を抑制することがあります。手術中および術後に出血を促進する可能性があります。手術の最低2週間前にはブラダーラックの使用を停止してください。

●アレルギー

ブラダーラックは多量のヨウ素を含んでいるため，ヨウ素アレルギーの人，および感受性の高い人はアレルギー反応を起こすことがあります。使用しないでください。

●妊娠中および母乳授乳期

妊娠中および母乳授乳期にブラダーラックを使用するのは安全ではないようです。使用してはいけません。

有　効　性

◆科学的データが不十分です

・甲状腺腫をはじめとする甲状腺障害，ヨウ素欠乏症，肥満，関節炎，痛みをともなう関節リウマチ，アテローム性動脈硬化症，消化器系障害，血液の浄化（透析），便秘など。

●体内での働き

多くの海藻のように，ヨウ素をさまざまな量含み，甲状腺異常の予防または治療に使われています。ブラダーラック製品に含まれるヨウ素の量はさまざまなので，ヨウ素の供給源として推奨できるものではありません。また，アルギンも含まれ，下剤として働いて腸内の便の通りをよくします。

医薬品との相互作用

低 肝臓で代謝される医薬品（シトクロムP450 2C8（CYP2C8）の基質となる医薬品）

特定の医薬品は肝臓で代謝されます。ブラダーラックは特定の医薬品の代謝を抑制する可能性があります。ブラダーラックと肝臓で代謝される医薬品を併用すると，医薬品の作用および副作用が増強するおそれがあります。このような医薬品には，アミオダロン塩酸塩，パクリタキセル，非ステロイド性抗炎症薬（ジクロフェナクナトリウム，イブプロフェンなど），マレイン酸ロシグリタゾン（販売中止）などがあります。

低 肝臓で代謝される医薬品（シトクロムP450 2C9（CYP2C9）の基質となる医薬品）

相互作用レベル：高 この医薬品と併用してはいけません　中 この医薬品とは慎重に併用するか併用しないでください
低 この医薬品との併用には注意が必要です

特定の医薬品は肝臓で代謝されます。ブラダーラックは医薬品の代謝を抑制する可能性があります。ブラダーラックと肝臓で代謝される医薬品を併用すると，医薬品の作用および副作用が増強するおそれがあります。このような医薬品には，非ステロイド性抗炎症薬（NSAIDs）（ジクロフェナクナトリウム，イブプロフェン，メロキシカム，ピロキシカム，セレコキシブなど），アミトリプチリン塩酸塩，ワルファリンカリウム，Glipizide，ロサルタンカリウムなどがあります。

低肝臓で代謝される医薬品（シトクロムP450 2D6（CYP2D6）の基質となる医薬品）

特定の医薬品は肝臓で代謝されます。ブラダーラックは特定の医薬品の代謝を抑制または促進する可能性があります。理論的には，ブラダーラックと肝臓で代謝される医薬品を併用すると，医薬品の作用および副作用が増強または減弱するおそれがあります。このような医薬品には，アミトリプチリン塩酸塩，コデインリン酸塩水和物，塩酸デシプラミン（販売中止），フレカイニド酢酸塩，ハロペリドール，イミプラミン塩酸塩，メトプロロール酒石酸塩，オンダンセトロン塩酸塩水和物，パロキセチン塩酸塩水和物，リスペリドン，トラマドール塩酸塩，ベンラファキシン塩酸塩などがあります。

低肝臓で代謝される医薬品（シトクロムP450 3A4（CYP3A4）の基質となる医薬品）

特定の医薬品は肝臓で代謝されます。ブラダーラックは特定の医薬品の代謝を抑制する可能性があります。ブラダーラックと肝臓で代謝される医薬品を併用すると，医薬品の作用および副作用が増強するおそれがあります。このような医薬品には，アルプラゾラム，アムロジピンベシル酸塩，クラリスロマイシン，シクロスポリン，エリスロマイシン，Lovastatin，ケトコナゾール，イトラコナゾール，フェキソフェナジン塩酸塩，トリアゾラム，ベラパミル塩酸塩など数多くあります。

中血液凝固を抑制する医薬品（抗凝固薬/抗血小板薬）

ブラダーラックは血液凝固を抑制する可能性があります。ブラダーラックと血液凝固を抑制する医薬品を併用すると，紫斑および出血のリスクが高まるおそれがあります。このような医薬品には，アスピリン，クロピドグレル硫酸塩，ジクロフェナクナトリウム，イブプロフェン，ナプロキセン，ダルテパリンナトリウム，エノキサパリンナトリウム，ヘパリン，ワルファリンカリウムなどがあります。

中甲状腺機能亢進症治療薬（抗甲状腺薬）

ブラダーラックにはかなりのヨウ素が含まれる可能性があります。ヨウ素は甲状腺に影響を及ぼす可能性があります。ヨウ素と甲状腺機能亢進症治療薬を併用すると，甲状腺の機能が過度に弱まる，または医薬品の作用に影響を及ぼすおそれがあります。甲状腺機能亢進症治療薬を服用中はブラダーラックを摂取しないでください。このような医薬品には，チアマゾール，ヨウ化カリウムなどがあります。

中炭酸リチウム

ブラダーラックにはかなりのヨウ素が含まれる可能性があります。ヨウ素は甲状腺に影響を及ぼす可能性があります。炭酸リチウムも甲状腺に影響を及ぼす可能性があります。ヨウ素と炭酸リチウムを併用すると，甲状腺の機能が過剰に亢進するおそれがあります。

ハーブおよび健康食品・サプリメントとの相互作用

血液凝固を抑制するハーブおよび健康食品・サプリメント

ブラダーラックは血液凝固を抑制することがあります。同様の作用をする他のハーブおよび健康食品・サプリメントと併用すると紫斑や出血が生じる可能性が高まると考えられます。血液凝固抑制作用のあるハーブおよび健康食品・サプリメントには，アンゼリカ，ボラージシードオイル，クローブ，ニンニク，ショウガ，イチョウ，レッドクローバー，ウコン，ウィローバークなどがあります。

使用量の目安

標準使用量に関するデータがありません。

ブラックコホシュ

BLACK COHOSH

●代表的な別名

アメリカショウマ

別名ほか

植物エストロゲン，植物由来エストロゲン様物質，エストロゲン様作用物質，ホルモン様物質（Phytoestrogen），サラシナショウマ，晒菜升麻（Bug, bane），アメリカショウマ（Actaea racemosa），Black Snakeroot，シミシフーガ（Cimicifuga），フィトエストロゲン，Actaea macrotys, Baneberry, Bug-wort, Cimicifuga racemosa, Rattle Root，Rattle Snakeroot，Rattlesnake Root，Rattleweed，Squawroot

概　　要

ブラックコホシュはハーブです。根を用いて「くすり」を作ることもあります。ブラックコホシュは，最初は米国先住民によって「くすり」として使用され，ヨーロッパの植民者に紹介されました。ブラックコホシュは，1950年代半ばに欧州で，女性の健康問題を解決する人気の治療方法となりました。それ以来ブラックコホシュは，更年期症状，月経前症候群（PMS），月経困難，および骨粗鬆症の治療や，妊婦の分娩誘発の目的でよく用いられてきました。また，睡眠の促進，乳がん，心疾患，精神機能の改善，不妊，関節炎，消化不良などに用いられます。そのほか，不安，発熱，咽喉痛，咳など多くの

フ

用途に試されてきましたが，現在はこのような用途ではあまり使用されていません。ブラックコホシュを皮膚に直接塗布する人もいます。これはブラックコホシュが皮膚の外観を改善する可能性があると考えられていたためです。同様に，ざ瘡（にきび）などの皮膚症状のほか，疣贅（いぼ）の除去や，色素性母斑の除去にまでブラックコホシュが用いられていましたが，現在ではこのような用途ではほとんど用いられません。かつて昆虫忌避剤として使用されたことから，ブラックコホシュは「サラシナショウマ(Bugbane)」という名称で流通しています。現在では昆虫忌避剤としては使用されていません。開拓者らはガラガラヘビによる咬傷に有用としていましたが，その効果は現代の研究者により検討されていません。ブラックコホシュをブルーコホシュやホワイトコホシュと混同しないでください。これらは無関係の植物です。ブルーコホシュとホワイトコホシュの植物には，ブラックコホシュと同様の効果はありませんし，安全でないおそれがあります。

安　全　性

成人が，最大１年間，経口摂取する場合，おそらく安全です。ただ，胃のむかつき，筋痙攣，頭痛，皮疹，倦怠感，膣からの出血，体重増加などの軽度の副作用を引き起こす場合があります。また，ブラックコホシュを肝障害と関連づける研究もあります。それらの症例の肝障害の原因が本当にブラックコホシュなのかは不明です。解明が進むまで，ブラックコホシュを摂取する人は，肝障害の症状に注意する必要があります。肝障害を示す可能性がある症状には，黄疸，異常な疲労，暗色尿があります。これらの症状が出る場合は，ブラックコホシュの使用を止め，医師などに相談し，肝機能に問題がないか診察を受けてください。

乳がん：ブラックコホシュはすでに罹患している人の乳がんを悪化させる可能性が懸念されています。乳がん患者，乳がんの既往歴のある人，または乳がんのリスクが高い人はブラックコホシュの使用を避けてください。

子宮内膜症，子宮筋腫，卵巣がん，子宮がん，およびほかのホルモン感受性疾患：ブラックコホシュは体内で，女性ホルモンであるエストロゲン様作用を呈することから，女性ホルモンに対する感受性の高い疾患を悪化させることがあるおそれがあります。女性ホルモン感受性疾患の患者はブラックコホシュを使用してはいけません。このような疾患には，卵巣がん，子宮がん，子宮内膜症，子宮筋腫などがあります。

腎移植：ブラックコホシュとアルファルファとを含有する製剤の使用は，腎移植の拒絶反応の症例と関連しているという報告があります。しかし，ブラックコホシュが拒絶反応の原因であるかどうかは不明です。解明が進むまで，腎移植患者は使用を避けてください。

肝疾患：ブラックコホシュは肝障害を引き起こすという報告があります。この肝障害の原因がブラックコホシュである確証はありません。解明が進むまで，肝疾患の患者はブラックコホシュの使用を避けてください。

プロテインS欠損症：血液凝固が促進されるリスクがあります。ブラックコホシュはホルモン様作用を呈するため，血液凝固を促進するリスクが懸念されます。ブラックコホシュとほかのハーブ製剤とを摂取したプロテインS欠損症患者の血液凝固の症例が報告されています。解明が進むまで，プロテインS欠損症患者はブラックコホシュの使用を避けてください。

●妊娠中および母乳授乳期

妊娠中や授乳期にブラックコホシュを使用する場合，おそらく安全ではありません。ブラックコホシュが女性ホルモンに似た作用をするので，流産のリスクを高めるおそれがあります。

有　効　性

◆有効性レベル③

・更年期症状。ブラックコホシュエキスは更年期症状を軽減する可能性があることが，研究により示唆されています。ほとんどの研究で特定のブラックコホシュ製品が用いられており，この製品の作用は，ホルモン療法と同様であることが示されています。この効果がブラックコホシュを含むすべての製品で現れるかは不明です。ほかのブラックコホシュ製品を用いた研究は，更年期症状に対する効果を示すものばかりではありません。顔面紅潮（ほてり）や更年期症状に対する効果は，プラセーボと差がなかったとする研究もあります。ブラックコホシュとほかの成分を含む製品を用いた研究もあります。ブラックコホシュとセント・ジョンズ・ワートを含む製品では，更年期症状が緩和するようです。ブラックコホシュと朝鮮人参，大豆および緑茶エキスを含む製品，また，ブラックコホシュとカバ，ホップおよびカノコソウエキスを含む製品でも，同様の結果が出ています。しかしながら，ブラックコホシュを含むホメオパシー製品では，顔面紅潮（ほてり）を抑える可能性はあっても，更年期症状全般の緩和に効果はみられないようです。乳がん治療にかかわる顔面紅潮（ほてり）にブラックコホシュを摂取する人もいます。乳がん患者は，医師などに相談することなくブラックコホシュを使用してはいけません。ブラックコホシュにより乳がん患者の顔面紅潮（ほてり）が緩和する可能性があることを示す初期の研究があるものの，より最近の質の高い研究では，その可能性はないことが示されています。乳がん患者に対するブラックコホシュの安全性については，疑問があります。乳がんの女性は，ブラックコホシュを使用する前に医師などに相談することが重要です。

◆科学的データが不十分です

・乳がん，心疾患，精神機能，不妊，分娩誘発，片頭痛，変形性関節症，骨粗鬆症，関節リウマチ，ざ瘡（にきび），不安，昆虫刺傷，咳，発熱，色素性母斑の除去，月経困難，月経前症候群（PMS），関節リウマチ，ヘビ咬傷，咽喉痛，疣贅（いぼ）の除去など。

●体内での働き

ブラックコホシュの根は「くすり」に使用されています。ブラックコホシュの根には体内で作用するいくつかの化学物質が含まれています。その中には免疫システムに働き，病気に対する体の防御作用に関与する物質もあります。また炎症の抑制に役立つものもあります。ブラックコホシュの根に含まれる化学物質は神経および脳で働くものもあり，セロトニン（脳内化学物質）様の作用をする可能性があります。このような物質は脳が送る信号を体内に伝達するため，神経伝達物質と呼ばれています。

ブラックコホシュの根はエストロゲン様作用を呈するようです。ブラックコホシュは体内の一部ではエストロゲンの作用を増強させることがあり，別の場所ではエストロゲンの働きを減弱させることがあります。エストロゲン自体もまた，体内の異なる場所でさまざまな作用をすると同時に，女性の年齢により異なる作用をします。ブラックコホシュは「ハーブのエストロゲン」すなわちエストロゲンの代替品ではなく，正確にはエストロゲン様作用を呈するハーブと考えられます。

医薬品との相互作用

中アトルバスタチンカルシウム水和物

ブラックコホシュは肝臓を害するおそれがあります。ブラックコホシュとアトルバスタチンカルシウム水和物を併用すると，肝障害のリスクが高まるおそれがあります。しかし，このことが重要な問題であるかについては科学的なデータが不十分です。

中シスプラチン

シスプラチンはがん治療に用いられます。ブラックコホシュはシスプラチンのがんに対する作用を減弱させるおそれがあります。シスプラチンの服用中にブラックコホシュを摂取しないでください。

中肝臓で代謝される医薬品（シトクロムP450 2D6（CYP2D6）の基質となる医薬品）

特定の医薬品は肝臓で代謝されます。ブラックコホシュは医薬品の代謝を抑制する可能性があります。ブラックコホシュと肝臓で代謝される医薬品を併用すると，医薬品の作用および副作用を増強させる可能性があります。このような医薬品にはアミトリプチリン塩酸塩，クロザピン，コデインリン酸塩水和物，塩酸デシプラミン（販売中止），ドネペジル塩酸塩，フェンタニルクエン酸塩，フレカイニド酢酸塩，塩酸フルオキセチン（販売中止），ペチジン塩酸塩，メサドン塩酸塩，メトプロロール酒石酸塩，オランザピン，オンダンセトロン塩酸塩水和物，トラマドール塩酸塩，トラゾドン塩酸塩などがあります。

中肝臓を害する可能性のある医薬品

ブラックコホシュは肝臓を害するおそれがあります。ブラックコホシュと肝臓を害する可能性のある医薬品を併用すると，肝障害のリスクが高まる可能性があります。肝臓を害する可能性のある医薬品を服用中にブラックコホシュを摂取しないでください。このような医薬品にはアセトアミノフェン，アミオダロン塩酸塩，カルバマゼピン，イソニアジド，メトトレキサート，メチルドパ水和物，フルコナゾール，イトラコナゾール，エリスロマイシン，フェニトイン，Lovastatin，プラバスタチンナトリウム，シンバスタチンなど数多くあります。

低細胞内のポンプによって輸送される医薬品（有機アニオン輸送ポリペプチドの基質となる医薬品）

特定の医薬品は細胞内のポンプによって輸送されます。ブラックコホシュはポンプの働きを変化させ，医薬品の体内への吸収量を減少させる可能性があります。そのため，医薬品の効果が低下するおそれがあります。このような医薬品にはアリスキレンフマル酸塩，アミオダロン塩酸塩，アトルバスタチンカルシウム水和物，フェキソフェナジン塩酸塩，フルバスタチンナトリウム，グリベンクラミド，ロスバスタチンカルシウムがあります。

ハーブおよび健康食品・サプリメントとの相互作用

肝臓を害するおそれのあるハーブおよび健康食品・サプリメント

ブラックコホシュは肝障害を起こすおそれがあります。ブラックコホシュと，肝障害をもたらすおそれのあるほかのハーブおよび健康食品・サプリメントとを併用すると，肝障害のリスクが高くなります。肝障害をもたらすおそれのあるハーブおよび健康食品・サプリメントを摂取している人はブラックコホシュを摂取してはいけません。このようなハーブおよび健康食品・サプリメントには，アンドロステンジオン，チャパラル，コンフリー，デヒドロエピアンドロステロン（DHEA），ジャーマンダー，カバ，ニコチン酸，ペニーロイヤル，紅麹などがあります。

使用量の目安

●経口摂取

更年期症状

ブラックコホシュエキス20～80mgを，1日1～2回，最大6カ月間用います。または，ブラックコホシュの根茎40～127mgに等しい量のブラックコホシュエキスを，1日1～2回に分けて，最大12カ月間用います。

ブラックシード

BLACK SEED

別名ほか

ブラッククミン（Black Cumin），ブラックキャラウェイ，クロヒメウイキョウ（Black Caraway），ニゲラ，セイヨウクロタネソウ，ニオイクロタネソウ（Nutmeg-Flower），Ajenuz，Aranuel，Baraka，Charnuska，Cominho Negro，Cominho-Negro，Fennel Flower，Fennel-Flower，Fitch，Kalajaji，Kalajira，Kalonji，Love in a Mist，Mugrela，Nigelle de Crete Nutmeg Flower，Roman-coriander，Schwarzkummel，Toute Epice

概　要

ブラックシードは植物です。種子を用いて「くすり」を作ることもあります。

・新型コロナウイルス感染症（COVID-19）。
COVID-19に対してブラックシードの使用を裏付ける十分なエビデンス（科学的根拠）はありません。

安全性

香辛料のように少量のブラックシードを経口摂取する場合，ほとんどの人に安全のようです。「くすり」としての量のオイルやエキスを摂取する場合，短期間であればおそらく安全です。より多量に摂取する場合の安全性についてはデータが不十分です。

小児：推奨量を短期間，経口摂取する場合，おそらく安全です。

出血性疾患：血液凝固を抑制し，出血のリスクを高めるおそれがあります。理論上，出血性疾患を悪化させるおそれがあります。

糖尿病：血糖値を低下させるおそれがあります。糖尿病患者がブラックシードを摂取する場合は，低血糖の兆候に注意し，血糖値を注意深く監視してください。

低血圧：血圧を低下させるおそれがあります。理論上，低血圧患者がブラックシードを摂取する場合，血圧が過度に低下するおそれがあります。

手術：血液凝固を抑制し，血糖値を低下させ，眠気を増すおそれがあります。理論上，手術中・手術後の出血のリスクを高め，血糖値コントロールおよび麻酔を妨げるおそれがあります。少なくとも手術前2週間は，使用しないでください。

●アレルギー

皮膚に塗布する場合，アレルギー性皮疹が出るおそれがあります。

●妊娠中および母乳授乳期

妊娠中に通常の食品に含まれる量を摂取する場合は安全のようですが，「くすり」としての量を使用する場合，安全ではないようです。子宮の収縮を抑制したり停止させたりするおそれがあります。

母乳授乳期の使用の安全性についてはデータが不十分です。安全性を考慮し，摂取は避けてください。

有効性

◆有効性レベル③

・気管支喘息。ブラックシードエキスの経口摂取により，気管支喘息患者の咳，喘鳴，肺機能が改善する可能性があることを示す研究があります。しかし，医薬品「テオフィリン」や「サルブタモール硫酸塩」ほど効果はない可能性があります。

◆科学的データが不十分です

・花粉症（アレルギー性鼻炎），湿疹，痙攣発作（てんかん），高コレステロール血症，高血圧，メタボリックシンドローム，アヘン製剤の離脱症状，扁桃咽頭炎，腸内ガスや下痢などの消化器系障害，咳，気管支炎，インフルエンザ，うっ血，免疫システムの向上，がん予防，産児制限，月経障害，母乳分泌量の増加，関節リウマチ，頭痛など。

●体内での働き

免疫システムを増強し，がんを予防，避妊，また抗ヒスタミン作用でアレルギー反応を軽減すると指摘する科学的データもありますが，ヒトに対するデータはまだ十分ではありません。

医薬品との相互作用

中シクロスポリン

ブラックシードは血中のシクロスポリン濃度を低下させる可能性があります。これはヒト試験においては示されていません。理論的には，ブラックシードはシクロスポリンの作用を減弱させるおそれがあります。

中血液凝固を抑制する医薬品（抗凝固薬/抗血小板薬）

ブラックシードは血液凝固を抑制する可能性があります。ブラックシードと血液凝固を抑制する医薬品を併用すると，紫斑および出血のリスクが高まるおそれがあります。このような医薬品にはアスピリン，クロピドグレル硫酸塩，非ステロイド性抗炎症薬（NSAIDs）（ジクロフェナクナトリウム，イブプロフェン，ナプロキセンなど），ダルテパリンナトリウム，エノキサパリンナトリウム，ヘパリン，ワルファリンカリウムなどがあります。

中降圧薬

ブラックシードは，人によっては血圧を低下させる可能性があります。ブラックシードと降圧薬を併用すると，血圧が過度に低下するおそれがあります。降圧薬を服用中にブラックシードを過剰に摂取しないでください。このような降圧薬には，ニフェジピン，ベラパミル塩酸塩，ジルチアゼム塩酸塩，Isradipine，フェロジピン，アムロジピンベシル酸塩などがあります。

中鎮静薬（中枢神経抑制薬）

ブラックシードは眠気および注意力低下を引き起こす可能性があります。鎮静薬は眠気を引き起こす医薬品です。ブラックシードと鎮静薬を併用すると，過度の眠気を引き起こすおそれがあります。このような鎮静薬には，クロナゼパム，ロラゼパム，フェノバルビタール，ゾルピデム酒石酸塩などがあります。

中糖尿病治療薬

ブラックシードは，人によっては血糖値を低下させる可能性があります。糖尿病治療薬も血糖値を低下させるために用いられます。ブラックシードと糖尿病治療薬を併用すると，血糖値が過度に低下するおそれがあります。血糖値を注意深く監視してください。糖尿病治療薬の用量を変更する必要があるかもしれません。このような糖尿病治療薬には，グリメピリド，グリベンクラミド，インスリン，メトホルミン塩酸塩，ピオグリタゾン塩酸塩，マレイン酸ロシグリタゾン（販売中止）などがあります。

中免疫抑制薬

ブラックシードは免疫機能を高める可能性があります。ブラックシードが免疫機能を高めると，免疫抑制薬の効果が弱まるおそれがあります。このような免疫抑制薬には，アザチオプリン，バシリキシマブ，シクロスポリン，Daclizumab，ムロモナブ-CD 3（販売中止），ミコフェノール酸モフェチル，タクロリムス水和物，シロリムス，Prednisone，副腎皮質ステロイドなどがあります。

中利尿薬

ブラックシードは体内で生成される尿量を増加させします。そのため，カリウムおよび他のミネラルの体内からの排泄量を増加させる可能性があります。利尿薬も体内のカリウム量を減少させる可能性があります。ブラックシードと利尿薬を併用すると，体内のカリウム量が過度に減少するおそれがあります。このような利尿薬には，クロロチアジド（販売中止），クロルタリドン（販売中止），フロセミド，ヒドロクロロチアジドなどがあります。

中アムロジピンベシル酸塩

アムロジピンベシル酸塩は血圧を低下させます。ブラックシードも血圧を低下させる可能性があります。ブラックシードとアムロジピンベシル酸塩を併用すると，血圧が過度に低下するおそれがあります。ヒドラスチスとアムロジピンベシル酸塩を併用する時は血圧を監視してください。

中セロトニン作用薬

ブラックシードは脳内物質のセロトニンを増加させる可能性があります。特定の医薬品もセロトニンを増加させます。ブラックシードとこのような医薬品を併用すると，セロトニンが過剰に増加するおそれがあります。そのため，重大な副作用（激しい頭痛，心臓の異常，悪寒戦慄，錯乱，不安など）が現れるおそれがあります。このような医薬品には，塩酸フルオキセチン（販売中止），パロキセチン塩酸塩水和物，塩酸セルトラリン，アミトリプチリン塩酸塩，クロミプラミン塩酸塩，イミプラミン塩酸塩，スマトリプタン，ゾルミトリプタン，リザトリプタン安息香酸塩，メサドン塩酸塩，トラマドール塩酸塩など数多くあります。

ハーブおよび健康食品・サプリメントとの相互作用

血圧を低下させるおそれのあるハーブおよび健康食品・サプリメント

ブラックシードは血圧を低下させるおそれがあります。同様の作用をもつほかのハーブおよび健康食品・サプリメントと併用すると，血圧が過度に低下するおそれがあります。このようなハーブおよび健康食品・サプリメントには，アンドログラフィス，カゼイン・ペプチド，キャッツクロー，コエンザイムQ-10，魚油，L-アルギニン，クコ，イラクサ，テアニンなどがあります。

血糖値を低下させるおそれのあるハーブおよび健康食品・サプリメント

ブラックシードは血糖値を低下させるおそれがあります。同様の作用をもつほかのハーブおよび健康食品・サプリメントと併用すると，血糖値が過度に低下するおそれがあります。このようなハーブおよび健康食品・サプリメントには，α-リポ酸，デビルズクロー，フェヌグリーク，ニンニク，グアーガム，セイヨウトチノキ，朝鮮人参，サイリウム，エゾウコギなどがあります。

血液凝固を抑制するおそれのあるハーブおよび健康食品・サプリメント

ブラックシードは血液凝固を抑制するおそれがあります。同様の作用をもつほかのハーブおよび健康食品・サプリメントと併用すると，出血のリスクが高まるおそれがあります。このようなハーブおよび健康食品・サプリメントには，アンゼリカ，クローブ，タンジン，ニンニク，ショウガ，イチョウ，朝鮮人参などがあります。

鎮静作用のあるハーブおよび健康食品・サプリメント

ブラックシードは眠気を引き起こすおそれがあります。同様の作用をもつほかのハーブおよび健康食品・サプリメントと併用すると，過度の眠気または注意力低下を引き起こすおそれがあります。このようなハーブおよび健康食品・サプリメントには，5-ヒドロキシトリプトファン，ショウブ，ハナビシソウ，キャットニップ，ホップ，ジャマイカ・ドッグウッド，カバ，セント・ジョンズ・ワート，バイカルスカルキャップ，カノコソウ，アネモプシス・カリフォルニカなどがあります。

鉄

血中の鉄量を増やす可能性があります。ブラックシードと鉄サプリメントを併用すると，鉄の作用および副作用が高まるおそれがあります。

使用量の目安

通常の食品に含まれている量を超えて経口摂取した場合の安全性および副作用については，明らかになっていません。

ブラックブリオニア

BLACK BRYONY

別名ほか

ブラックブリオニー（Dioscorea communis），Black Bindweed，Blackeye Root，Lady's-Seal，Tamus communis，Tamus edulis

概　要

ブラックブリオニアは植物です。根を用いて「くすり」を作ることもあります。

安全性

皮膚に塗布するのは，おそらく安全ではありません。重度の皮膚過敏，皮疹，腫脹，みみず腫れが起こるおそれがあります。

根を経口で摂取するのは，誰にとっても安全ではありません。重度の胃腸過敏，痙攣，腎不全，危険な呼吸抑制など，深刻な副作用を起こすおそれがあります。

●妊娠中および母乳授乳期

妊娠中および母乳授乳期の使用の安全性についてはデータが不十分です。深刻な副作用のリスクがあるため，安全性を考慮し，摂取は避けてください。

有効性

◆科学的データが不十分です

・経口摂取する場合には，嘔吐の誘発など。
・皮膚へ塗布する場合には，あざ（打撲），挫傷，筋断裂，痛風，関節炎様の疼痛，脱毛，頭皮への血流の改善など。

●体内での働き

水晶のように小さくて針のような根で皮膚を突き刺し，神経終末を刺激するおそれがあります。

医薬品との相互作用

ほかの医薬品との相互作用については明らかではありません。

ハーブおよび健康食品・サプリメントとの相互作用

ほかのハーブ，健康食品・サプリメントとの相互作用についてはまだ明らかではありません。

使用量の目安

通常の食品に含まれている量を超えて経口摂取した場合の安全性および副作用については，明らかになっていません。

ブラックベリー

BLACKBERRY

別名ほか

イバラ（Bramble），デューベリー（Dewberry），スィムブルベリー，シンブルベリー（Thimbleberry），Black Berry，Goutberry，Rubi fruticosi Folium，Rubi fruticosi Radix，Rubus affinis，Rubus canadensis，Rubus fruticosus，Rubus laciniatus，Rubus plicatus

概　要

ブラックベリーは植物です。葉，根，および実（ベリー）を用いて「くすり」を作ることもあります。

安全性

食品として使用される量なら安全です。

治療用として安全かどうかについては，十分なデータがありません。

●妊娠中および母乳授乳期

妊娠中，母乳授乳期は，食品に含まれている以上の量を摂取してはいけません。

有効性

◆科学的データが不十分です

・体液貯留（浮腫），下痢など。

●体内での働き

抗酸化作用のある化合物を含んでいます。抗がん作用をもつ可能性がある化合物も含んでいます。

医薬品との相互作用

ほかの医薬品との相互作用については明らかではありません。

ハーブおよび健康食品・サプリメントとの相互作用

ほかのハーブ，健康食品・サプリメントとの相互作用についてはまだ明らかではありません。

使用量の目安

標準使用量に関するデータがありません。

ブラックホアハウンド

BLACK HOREHOUND

別名ほか

Ballota, Ballota nigra, バロータ・ニグラ, Ballote Fétide, Ballote Noire, Ballote Puante, Ballote Vulgaire, Black Stinking Horehound，黒ニガハッカ，黒苦薄荷，Marrube Fétide，Marrube Noir，Marrubio Negro

概　要

ブラックホアハウンドは植物です。地上部を用いて「くすり」を作ることもあります。

ブラックホアハウンドは，吐き気，嘔吐，痙攣，咳，腸内寄生虫感染などに対して使用されますが，これらの用途を十分に裏づけるエビデンスはありません。

ブラックホアハウンドとホワイトホアハウンドを混同しないでください。

相互作用レベル：高この医薬品と併用してはいけません　中この医薬品とは慎重に併用するか併用しないでください　低この医薬品との併用には注意が必要です

安 全 性

ブラックホアハウンドを経口摂取する場合，ほとんどの人におそらく安全ですが，副作用についてはデータが不十分です。

ブラックホアハウンドを皮膚に直接塗布する場合，安全性および副作用についてはデータが不十分です。

ブラックホアハウンドを直腸内に投与する場合，安全性および副作用についてはデータが不十分です。

パーキンソン病：ブラックホアハウンドは脳に影響を及ぼす化学物質を含みます。パーキンソン病の治療に影響を及ぼすおそれがあります。

統合失調症などの精神性疾患：ブラックホアハウンドは脳に影響を及ぼす化学物質を含みます。統合失調症などの精神性疾患の場合に害を及ぼすおそれがあります。

●妊娠中および母乳授乳期

妊娠中：ブラックホアハウンドの経口摂取は，安全ではないようです。月経周期に影響を及ぼすため，妊娠を脅かすおそれがあります。妊娠中の皮膚への塗布や直腸内投与の安全性についてはデータが不十分です。安全性を考慮し，使用は避けてください。

母乳授乳期：ブラックホアハウンドの使用についてはデータが不十分です。安全性を考慮し，使用は避けてください。

有 効 性

◆科学的データが不十分です

・吐き気，嘔吐，神経疾患，咳，痙攣，肝内の胆汁うっ滞，痛風，腸内寄生虫感染など。

●体内での働き

ブラックホアハウンドには，吐き気，嘔吐，痙攣などの抑制に役立つなど，幅広い作用の可能性がある化学物質が含まれます。

医薬品との相互作用

中パーキンソン病治療薬（ドパミン受容体作動薬）

ブラックホアハウンドは脳に影響を及ぼす化学物質を含みます。これらの化学物質は特定のパーキンソン病治療薬と同じように脳に影響を及ぼします。ブラックホアハウンドとパーキンソン病治療薬を併用すると，パーキンソン病治療薬の作用および副作用が増強するおそれがあります。このようなパーキンソン病治療薬には，ブロモクリプチンメシル酸塩，レボドパ，プラミペキソール塩酸塩水和物，ロピニロール塩酸塩などがあります。

ハーブおよび健康食品・サプリメントとの相互作用

ほかのハーブ，健康食品・サプリメントとの相互作用についてはまだ明らかではありません。

使用量の目安

通常の食品に含まれている量を超えて経口摂取した場合の安全性および副作用については，明らかになっていません。

ブラックホウ

BLACK HAW

別名ほか

ガマズミ（Viburnum），シープベリー（Viburnum lentago），サクラバカンボク，アメリカカンボク（Viburnum prunifolium），Southern Black Haw，Stag Bush，Viburnum rufidulum

概 要

ブラックホウは植物です。根の皮およびそのエキスを用いて「くすり」を作ることもあります。

安 全 性

通常の食品に含まれる量のブラックホウの幹の皮を経口摂取する場合，ほとんどの人に安全のようです。「くすり」としての量のブラックホウの根皮を経口摂取する場合，おそらく安全です。これまでのところ副作用については不明です。

腎結石：シュウ酸を含むため，腎結石の既往症のある人では結石の形成リスクが高まるおそれがあります。

●アレルギー

サリチル酸塩と呼ばれる化学物質を含んでいます。気管支喘息やアスピリンアレルギーのある人では，アレルギー反応を引き起こすおそれがあります。

●妊娠中および母乳授乳期

妊娠中の使用はおそらく安全ではありません。子宮に影響を及ぼすおそれがあります。母乳授乳期の使用の安全性についてはデータが不十分です。安全性を考慮し，摂取は避けてください。

有 効 性

◆科学的データが不十分です

・下痢，気管支喘息，月経痛，出産後の子宮の攣縮，尿量の増加，流産の回避など。

●体内での働き

子宮を弛緩させる可能性のある化学物質が含まれます。

医薬品との相互作用

ほかの医薬品との相互作用については明らかではありません。

ハーブおよび健康食品・サプリメントとの相互作用

カルシウム

ブラックホウに含まれるシュウ酸により，身体がハーブおよび健康食品・サプリメントから吸収するカルシウム量が減るおそれがあります。

鉄

ブラックホウに含まれるシュウ酸により，身体がハーブおよび健康食品・サプリメントから吸収する鉄分量が減るおそれがあります。

亜鉛

ブラックホウに含まれるシュウ酸により，身体がハーブおよび健康食品・サプリメントから吸収する亜鉛量が減るおそれがあります。

通常の食品との相互作用

カルシウム

ブラックホウに含まれるシュウ酸により，身体が腸内で食物から吸収するカルシウム量が減るおそれがあります。

鉄

ブラックホウに含まれるシュウ酸により，身体が腸内で食物から吸収する鉄分量が減るおそれがあります。

亜鉛

ブラックホウに含まれるシュウ酸により，身体が腸内で食物から吸収する亜鉛量が減るおそれがあります。

使用量の目安

通常の食品に含まれている量を超えて経口摂取した場合の安全性および副作用については，明らかになっていません。

ブラックマスタード

BLACK MUSTARD

別名ほか

黒芥子，クロガラシ，ブラウンマスタード（Brassica nigra），Black Moutarde，Black Mustard Greens，Black Mustard Oil，Black Mustard Paste，Black Mustard Plaster，Black Mustard Powder，Black Mustard Seed，Mustard，Sarshap，Sinapis nigra

概　　要

ブラックマスタードは植物です。種子と油を「くすり」として使用します。

安 全 性

マスタードなど食事の一部として摂取する場合，ほとんどの人に安全のようです。しかし，「くすり」としての量を経口摂取または皮膚へ塗布する場合の安全性については，十分なデータがありません。

種子を過度に経口摂取すると，のどを痛めることがあり，また心不全，下痢，傾眠，呼吸困難，昏睡などの重篤な副作用を引き起こして死に至ることもあります。特に長期間皮膚に塗ると，水泡や皮膚損傷を生ずることがあります。

糖尿病：「くすり」として使用する場合，血糖値を低下させる可能性があります。血糖値を低下させる医薬品を服薬している糖尿病患者がブラックマスタードを併用すると，血糖値が過度に低下するおそれがあります。血糖値を注意深く監視してください。

手術：「くすり」として使用する場合，手術中・手術後の血糖コントロールを妨げるおそれがあります。少なくとも手術前２週間は，使用しないでください。

●妊娠中および母乳授乳期

妊娠中に「くすり」としての量のブラックマスタードを摂取する場合，安全ではないようです。月経を誘発し流産を引き起こすおそれのある化学物質が含まれています。

母乳授乳期に「くすり」として摂取する場合の，母親または乳児に対する影響については，データが不十分です。安全性を考慮し，使用は避けてください。

有 効 性

◆科学的データが不十分です

- 感冒，関節リウマチ，リウマチ性の筋痛，関節炎，体液貯留（浮腫），食欲不振，嘔吐など。
- 「からし軟膏」として患部に塗布する場合には，肺炎，足の疼痛，腰痛など。

●体内での働き

疾患や障害に対してどのように作用するかについては，十分なデータがありません。皮膚に塗布すると，最初はブラックマスタードの実に含まれる化学物質が皮膚の疼痛を和らげる可能性がありますが，長期間使用すると皮膚過敏や灼熱を生じるおそれがあります。

医薬品との相互作用

中 糖尿病治療薬

ブラックマスタードは，「くすり」として使用すると血糖値を低下させる可能性があります。糖尿病治療薬もまた血糖値を低下させるために用いられます。ブラックマスタードと糖尿病治療薬を併用すると，血糖値が過度に低下するおそれがあります。血糖値を注意深く監視してください。糖尿病治療薬の用量を変更する必要があるかもしれません。このような糖尿病治療薬にはグリメピリド，グリベンクラミド，インスリン，ピオグリタゾン塩酸塩，マレイン酸ロシグリタゾン（販売中止），クロルプロパミド，Glipizide，トルブタミド（販売中止）などがあります。

ハーブおよび健康食品・サプリメントとの相互作用

血糖値を低下させるおそれのあるハーブおよび健康食品・サプリメント

ブラックマスタードが血糖値を低下させるおそれがあ

ります。同様の作用をもつほかのハーブおよび健康食品・サプリメントと併用すると，血糖値が過度に低下するおそれがあります。このようなハーブおよび健康食品・サプリメントには，α-リポ酸，クロム，デビルズクロー，フェヌグリーク，ニンニク，グアーガム，セイヨウトチノキ，朝鮮人参，サイリウム，エゾウコギなどがあります。

使用量の目安

通常の食品に含まれている量を超えて経口摂取した場合の安全性および副作用については，明らかになっていません。

ブラックマルベリー

BLACK MULBERRY

別名ほか

桑（Mulberry），クロミグワ（Morus nigra），マルベリー，Purple Mulberry

概　　要

ブラックマルベリーは植物です。熟した果実および根の皮を用いて「くすり」を作ることもあります。

安 全 性

安全性についてはデータが不十分です。

糖尿病：血糖値を低下させるおそれがあります。糖尿病患者は，血糖値を注意深く監視してください。糖尿病薬の服薬量を変える必要がある場合があります。

手術：血糖値を低下させるようです。手術中・手術後の血糖コントロールを妨げるおそれがあります。少なくとも手術前２週間は，使用しないでください。

●アレルギー

ブラックマルベリーに過敏な人は，イチジクにも過敏である可能性があります。

●妊娠中および母乳授乳期

妊娠中および母乳授乳期の使用の安全性についてはデータが不十分です。安全性を考慮し，摂取は避けてください。

有 効 性

◆科学的データが不十分です

・便秘，鼻炎（鼻水）など。

●体内での働き

果実にはペクチンが含まれ，下剤として働いて腸内の便の通りをよくする可能性があります。

医薬品との相互作用

中 肝臓で代謝される医薬品（シトクロムP450 3A4（CYP3A4）の基質となる医薬品）

特定の医薬品は肝臓で代謝されます。ブラックマルベリーは医薬品の代謝を抑制するおそれがあります。ブラックマルベリーと肝臓で代謝される医薬品を併用すると，医薬品の作用および副作用を増強させる可能性があります。このような医薬品にはLovastatin，ケトコナゾール，イトラコナゾール，フェキソフェナジン塩酸塩，トリアゾラムなど多くあります。

ハーブおよび健康食品・サプリメントとの相互作用

血糖値を低下させるおそれのあるハーブおよび健康食品・サプリメント

ブラックマルベリーが血糖値を低下させるおそれがあります。同様の作用をもつほかのハーブおよび健康食品・サプリメントと併用すると，血糖値が過度に低下するリスクが高まるおそれがあります。このようなハーブおよび健康食品・サプリメントには，デビルズクロー，フェヌグリーク，グアーガム，朝鮮人参，エゾウコギなどがあります。

通常の食品との相互作用

イチジク

ブラックマルベリーに過敏な人は，イチジクにも過敏である可能性があります。

使用量の目安

通常の食品に含まれている量を超えて経口摂取した場合の安全性および副作用については，明らかになっていません。

ブラックラズベリー

BLACK RASPBERRY

別名ほか

ブラックキャップ，シンブルベリー

概　　要

ブラックラズベリーは植物です。果実（ベリー）と葉を用いて「くすり」を作ることもあります。

安 全 性

食品として使用する場合は安全です。「くすり」として使用する場合の安全性については十分なデータがありません。

●妊娠中および母乳授乳期

妊娠中，母乳授乳期は使用してはいけません。

有 効 性

◆科学的データが不十分です

・胃痛，出血，がん予防。

●体内での働き

DNAの変異を防ぎ，腫瘍への血液供給を遮断してがんを予防することのある化合物を含んでいます。

医薬品との相互作用

ほかの医薬品との相互作用については明らかではありません。

ハーブおよび健康食品・サプリメントとの相互作用

ほかのハーブ，健康食品・サプリメントとの相互作用についてはまだ明らかではありません。

使用量の目安

標準使用量に関するデータがありません。

ブラックルート

BLACK ROOT

別名ほか

カルヴァーズルート（Culver's Root），Beaumont Root，Bowman's Root，Culveris Root，Culvers，Culver's Physic，Hini，Oxadoddy，Physic Root，Purple Leptandra，Leptandra virginica，Tall Speedwell，Tall Veronica，Veronicastrum virginicum，Veronica virginica Root，Whorlywort

概 要

ブラックルートは植物です。地下茎（根茎）および根を用いて「くすり」を作ることもあります。

安 全 性

ほとんどの人に安全のようですが，生の根を摂取するのは，より活性が強く副作用を多く生じるおそれがあるため，安全とはいえません。腹痛や痙攣，便の色や匂いの変化，眠気，頭痛，悪心，嘔吐などを起こす可能性があります。多量に摂取すると，肝臓を損傷するかもしれません。

また，胆石があったり，胆のうに異常のある人，大腸炎やクローン病のように，胃腸に炎症が起きている人，痔核の患者，生理中も使用しないでください。

●妊娠中および母乳授乳期

妊娠中，母乳授乳期は使用してはいけません。胎児に異常が出たり，流産するかもしれません。

有 効 性

◆科学的データが不十分です

・便秘，肝障害，胆のう障害，嘔吐の原因など。

●体内での働き

胆のうから腸への胆汁の流れを増進するようです。

医薬品との相互作用

中ジゴキシン

ブラックルートには大量の繊維が含まれていますが，繊維はジゴキシンの吸収を抑制してその効果を弱めることがあります。このような相互作用を避けるために，一般的に薬の経口摂取の1時間以上前または4時間以上後に，ブラックルートを摂取してください。

中利尿薬

ブラックルートは下剤ですが，ある種の下剤は体内のカリウム量を減少させることがあります。利尿薬の中にも体内のカリウム量を減少させるものがあります。ブラックルートをこのような利尿薬とともに摂取すると，カリウム量が下がりすぎてしまうおそれがあります。このような利尿薬にはクロロチアジド（販売中止），クロルタリドン（販売中止），フロセミド，ヒドロクロロチアジドなどがあります。

ハーブおよび健康食品・サプリメントとの相互作用

ほかのハーブ，健康食品・サプリメントとの相互作用についてはまだ明らかではありません。

使用量の目安

●経口摂取

通常，小さじ1杯の乾燥ブラックルートを1カップの沸騰した湯に入れ，30分間浸してお茶として用います。毎食時前に3分の1カップの摂取が勧められます。チンキ剤は水に2～4滴入れて摂取します。粉末状の根の皮は1～4g摂取します。

フランキンセンス

FRANKINCENSE

別名ほか

乳香（Boswellia carteri），Boswellia sacra，オリバナム（Olibanum），Bible frankincense

概 要

フランキンセンスは硬いゴムのような素材（樹脂）で，カンラン科（Boswellia carteri）樹木の幹に入れた切れ込みからにじみ出てきます。「くすり」の原料になります。

・新型コロナウイルス感染症（COVID-19）。

COVID-19に対してフランキンセンスの使用を裏付ける十分なエビデンス（科学的根拠）はありません。

安 全 性

ほとんどの成人には安全のようですが，皮膚に塗布すると，痛みが出るかもしれません。

●妊娠中および母乳授乳期

妊娠中，母乳授乳期は使用してはいけません。

有 効 性

◆科学的データが不十分です

・疝痛，腸内ガス（膨満）など。

●体内での働き

どのように作用するかについては十分なデータが得られていません。

医薬品との相互作用

中 肝臓で代謝される医薬品（シトクロムP450 1A2（CYP1A2）の基質となる医薬品）

特定の医薬品は肝臓で代謝されます。フランキンセンスはこのような医薬品の代謝を抑制する可能性があります。フランキンセンスと肝臓で代謝される医薬品を併用すると，医薬品の作用および副作用が増強するおそれがあります。肝臓で代謝される医薬品を服用する場合には，医師や薬剤師に相談することなくフランキンセンスを摂取しないでください。このような医薬品には，クロザピン，Cyclobenzaprine，フルボキサミンマレイン酸塩，ハロペリドール，イミプラミン塩酸塩，メキシレチン塩酸塩，オランザピン，塩酸ペンタゾシン，プロプラノロール塩酸塩，Tacrine，Zileuton，ゾルミトリプタンなどがあります。

中 肝臓で代謝される医薬品（シトクロムP450 2C19（CYP2C19）の基質となる医薬品）

特定の医薬品は肝臓で代謝されます。フランキンセンスはこのような医薬品の代謝を抑制する可能性があります。フランキンセンスと肝臓で代謝される医薬品を併用すると，医薬品の作用および副作用が増強するおそれがあります。肝臓で代謝される医薬品を服用する場合には，医師や薬剤師に相談することなくフランキンセンスを摂取しないでください。このような医薬品には，アミトリプチリン塩酸塩，カリソプロドール（販売中止），Citalopram，ジアゼパム，ランソプラゾール，オメプラゾール，フェニトイン，ワルファリンカリウムなど数多くあります。

中 肝臓で代謝される医薬品（シトクロムP450 2C9（CYP2C9）の基質となる医薬品）

特定の医薬品は肝臓で代謝されます。フランキンセンスはこのような医薬品の代謝を抑制する可能性があります。フランキンセンスと肝臓で代謝される医薬品を併用すると，医薬品の作用および副作用が増強するおそれがあります。肝臓で代謝される医薬品を服用する場合には，医師や薬剤師に相談することなくフランキンセンスを摂取しないでください。このような医薬品には，セレコキシブ，ジクロフェナクナトリウム，フルバスタチンナトリウム，Glipizide，イブプロフェン，イルベサルタン，ロサルタンカリウム，フェニトイン，ピロキシカム，タモキシフェンクエン酸塩，トルブタミド（販売中止），トラセミド，ワルファリンカリウムなどがあります。

中 肝臓で代謝される医薬品（シトクロムP450 2D6（CYP2D6）の基質となる医薬品）

特定の医薬品は肝臓で代謝されます。フランキンセンスはこのような医薬品の代謝を抑制する可能性があります。フランキンセンスと肝臓で代謝される医薬品を併用すると，医薬品の作用および副作用が増強するおそれがあります。肝臓で代謝される医薬品を服用する場合には，医師や薬剤師に相談することなくフランキンセンスを摂取しないでください。このような医薬品には，アミトリプチリン塩酸塩，コデインリン酸塩水和物，塩酸デシプラミン（販売中止），フレカイニド酢酸塩，ハロペリドール，イミプラミン塩酸塩，メトプロロール酒石酸塩，オンダンセトロン塩酸塩水和物，パロキセチン塩酸塩水和物，リスペリドン，トラマドール塩酸塩，ベンラファキシン塩酸塩などがあります。

中 肝臓で代謝される医薬品（シトクロムP450 3A4（CYP3A4）の基質となる医薬品）

特定の医薬品は肝臓で代謝されます。フランキンセンスはこのような医薬品の代謝を抑制する可能性があります。フランキンセンスと肝臓で代謝される医薬品を併用すると，医薬品の作用および副作用が増強するおそれがあります。肝臓で代謝される医薬品を服用している場合には，医師や薬剤師に相談することなくフランキンセンスを摂取しないでください。このような医薬品には，アミトリプチリン塩酸塩，アミオダロン塩酸塩，Citalopram，フェロジピン，ランソプラゾール，オンダンセトロン塩酸塩水和物，Prednisone，塩酸セルトラリンなど数多くあります。

ハーブおよび健康食品・サプリメントとの相互作用

ほかのハーブ，健康食品・サプリメントとの相互作用についてはまだ明らかではありません。

使用量の目安

標準使用量に関するデータがありません。

フランスギク

OX-EYE DAISY

別名ほか

ゴールデンシール（Goldenseal），マーガレット（Marguerite），オックスアイ・デイジー（Great

フ

Ox-eye), Butter Daisy, Chrysanthemum leucanthemum, Dun Daisy, Golden Daisy, Herb Margaret, Horse Daisy, Horse Gowan, Maudlin Daisy, Maudlinwort, Moon Daisy, Moon Flower, Moon Penny, Poverty Weed, White Daisy, White Weed

概　要

フランスギクは植物です。地上部の花の部分を用いて「くすり」を作ることもあります。ゴールデンシールと呼ばれることもありますが，普通ゴールデンシール(Hydrastis Canadensis)と呼んでいる植物とは関係ありません。

安全性

安全性については十分なデータが得られていません。

●アレルギー

アレルギー反応が出る可能性があります。ブタクサ，キク，マリーゴールド，デイジーなどのようなキク科植物にアレルギーのある人にアレルギー反応が出るかもしれません。ブタクサ，マリーゴールド，デイジー，またそれに関連のあるハーブにアレルギーのある人は使用してはいけません。

●妊娠中および母乳授乳期

妊娠中，母乳授乳期は使用してはいけません。

フ

有効性

◆科学的データが不十分です

・感冒，咳，気管支炎，発熱，口内および声帯の炎症（腫脹），肝障害，胆のう障害，食欲不振，痙攣の軽減，尿生成量の増加（利尿作用），皮膚の炎症（腫脹），創傷，および熱傷。

●体内での働き

どのように作用するかについて，信頼できるデータが十分ではありません。

医薬品との相互作用

ほかの医薬品との相互作用については明らかではありません。

ハーブおよび健康食品・サプリメントとの相互作用

ほかのハーブ，健康食品・サプリメントとの相互作用についてはまだ明らかではありません。

使用量の目安

●経口摂取

1日10～15gの乾燥品をお茶（乾燥した葉部3gを150mLの熱湯に10～15分間浸し，その後，ろ過する）として摂取します。

●局所投与

お茶（ティースプーンに2杯の乾燥した葉部をカップ1杯の熱湯に15分間浸し，その後ろ過する）を塗布。入浴剤として，50gの乾燥品を1Lの水に入れた液を使用します。

プリックリーアッシュ

SOUTHERN PRICKLY ASH

別名ほか

トゥースエイクツリー（Toothache Tree），ザントキシルム（Xanthoxylum），Prickly Ash，Prickly Yellow Wood，Sea Ash，Zanthoxylum，Zanthoxylum clava-herculis

概　要

プリックリーアッシュは植物です。樹皮とベリー類を用いて「くすり」を作ることもあります。

安全性

医薬品としての使用は安全と考えられています。

ベリーの安全性は不明です。副作用については，明らかになっていません。

肝臓に障害のある場合は使用してはいけません。

●妊娠中および母乳授乳期

妊娠中，母乳授乳期は使用してはいけません。

有効性

◆科学的データが不十分です

・痙攣，脚の血行不良，レイノー症候群（血行障害と指の血管の痙攣），関節痛，歯痛，発熱，ただれ，潰瘍，およびがん。

●体内での働き

鎮痛作用を起こし，腫脹を引かせ，細菌を殺し，肝酵素を抑制し，唾液を増やす化合物が含まれていると考えられています。

医薬品との相互作用

低胃酸分泌抑制薬（H2受容体拮抗薬）

プリックリーアッシュは胃酸を増加させる可能性があります。H2受容体拮抗薬は胃酸を減少させるために用いられる医薬品ですが，プリックリーアッシュと併用すると効果が減弱する可能性があります。H2受容体拮抗薬には，シメチジン，ラニチジン塩酸塩，ニザチジン，ファモチジンがあります。

低胃酸分泌抑制薬（プロトンポンプ阻害薬）

プリックリーアッシュは胃酸を増加させる可能性があります。プロトンポンプ阻害薬は胃酸を減少させるために用いられる医薬品ですが，プリックリーアッシュと併用すると効果が減弱する可能性があります。プロトンポンプ阻害薬には，オメプラゾール，ランソプラゾール，ラベプラゾールナトリウム，パントプラゾールナトリウム水和物（販売中止），エソメプラゾールマグネシウム水和物があります。

低制酸薬

制酸薬は胃酸を減少させるために使いますが，プリックリーアッシュは胃酸を増加させて制酸薬の効果を弱めるおそれがあります。制酸薬には，沈降炭酸カルシウム，Dihydroxyaluminum sodium carbonate，Magaldrate，硫酸マグネシウム水和物，乾燥水酸化アルミニウムゲルなどがあります。

ハーブおよび健康食品・サプリメントとの相互作用

ほかのハーブ，健康食品・サプリメントとの相互作用についてはまだ明らかではありません。

使用量の目安

●経口摂取

通常，1～3gの乾燥樹皮，または煎じたもの（乾燥樹皮1～3gを10～15分煮出してこす）を1日3回摂取します。樹皮流エキス（1：1，45％アルコール）は，1回1～3mLを1日3回摂取します。または樹皮のチンキ剤（1：5，45％アルコール）の場合，1回2～5mLを1日3回摂取します。0.5～1.5gの乾燥果実，あるいは果実の流エキス（1：1，45％アルコール）なら0.5～1.5mLを摂取します。

ブリッケリア

BRICKELLIA

別名ほか

Brickellia arguta，Brickellia glutinosa，Brickellia veronicaefolia，Hierba Dorada

概　要

ブリッケリアは低木です。葉を用いて「くすり」を作ることもあります。

安 全 性

安全性および副作用については不明です。

２週間以内に手術を受ける予定の人は使用してはいけません。

●妊娠中および母乳授乳期

妊娠中，母乳授乳期は使用してはいけません。

有 効 性

◆科学的データが不十分です

・糖尿病，下痢，胃痛，胆のう炎など。

●体内での働き

予備的研究では，抗酸化作用および抗糖尿病作用を示しました。

医薬品との相互作用

ほかの医薬品との相互作用については明らかではありません。

ハーブおよび健康食品・サプリメントとの相互作用

ほかのハーブ，健康食品・サプリメントとの相互作用についてはまだ明らかではありません。

使用量の目安

標準使用量に関するデータがありません。

ブルーコホシュ

BLUE COHOSH

別名ほか

Blue Ginseng，Caulophyllum，ブルーコホッシュ，ルイヨウボタン（Caulophyllum thalictroides），Papoose Root，Squaw Root，Yellow Ginseng

概　要

ブルーコホシュは植物です。「コホシュ」はカナダ先住民（Algonquin Indian）の言語で「荒れた」（rough）と意味し，この植物の根の外見を表しています。根は「くすり」に使われます。

安 全 性

ブルーコホシュは，成人が経口摂取する場合，安全ではないようです。下痢，胃痙攣，胸痛，血圧の上昇，血糖値の上昇など重度の副作用を引き起こすおそれがあります。

心疾患：ブルーコホシュは狭心症や高血圧など一部の心疾患を悪化させる懸念があります。心臓の血管を狭窄させ，心臓への酸素流量を減少させるおそれがあります。また血圧を上昇させ，頻拍を引き起こすおそれもあります。心疾患がある場合には使用してはいけません。

糖尿病：糖尿病を悪化させる懸念があります。糖尿病患者の血糖値を上昇させるおそれがあります。

下痢：症状が悪化するおそれがあります。

乳がん，子宮がん，卵巣がん，子宮内膜症，子宮線維腫などのホルモン感受性疾患：ブルーコホシュはエストロゲンのように作用する可能性があります。エストロゲンにさらされると悪化するおそれのある疾患の場合には，ブルーコホシュを使用してはいけません。

●妊娠中および母乳授乳期

妊娠中の経口摂取は，安全ではないようです。先天異常を引き起こすおそれのある化学物質が含まれています。妊娠後期の女性が摂取すると，新生児に重度の心臓障害を引き起こすおそれがあります。母親にも有毒となることがあります。

現在でも多くの助産師が，分娩をスムーズにする目的でブルーコホシュを使用しています。ブルーコホシュが子宮の収縮を引き起こすためです。しかし，この慣習は危険なため避けてください。

有 効 性

◆科学的データが不十分です

・便秘，しゃっくり，痙攣，咽喉痛，分娩および月経の誘発，胃痙攣など。

●体内での働き

エストロゲンによく似た作用があると考えられています。また，心臓へ血液を送る血管を狭窄させ，心臓への酸素供給を減少させるおそれがあります。

医薬品との相互作用

中ニコチン

ブルーコホシュは，ニコチンと類似した作用のある化学物質を含みます。ブルーコホシュとニコチンを併用すると，ニコチンの作用および副作用が増強するおそれがあります。

中降圧薬

ブルーコホシュは血圧を上昇させるようです。血圧を上昇させることにより，ブルーコホシュは降圧薬の効果を弱めるおそれがあります。このような降圧薬にはカプトプリル，エナラプリルマレイン酸塩，ロサルタンカリウム，バルサルタン，ジルチアゼム塩酸塩，アムロジピンベシル酸塩，ヒドロクロロチアジド，フロセミドなど多くあります。

中糖尿病治療薬

ブルーコホシュは血糖値を上昇させる可能性があります。糖尿病治療薬は血糖値を低下させるために用いられます。ブルーコホシュが血糖値を上昇させることにより，糖尿病治療薬の効果を弱めるおそれがあります。血糖値を注意深く監視してください。糖尿病治療薬の用量を変更する必要があるかもしれません。このような糖尿病治療薬にはグリメピリド，グリベンクラミド，インスリン，ピオグリタゾン塩酸塩，マレイン酸ロシグリタゾン（販売中止），クロルプロパミド，Glipizide，トルブタミド（販売中止）などがあります。

ハーブおよび健康食品・サプリメントとの相互作用

ほかのハーブ，健康食品・サプリメントとの相互作用についてはまだ明らかではありません。

使用量の目安

通常の食品に含まれている量を超えて経口摂取した場合の安全性および副作用については，明らかになっていません。

フ

ブルーフラッグ

BLUE FLAG

●代表的な別名

アヤメ

別名ほか

アヤメ（Iris versicolor），Iris，Iris caroliniana，Iris virginica，Sweet Flag

概 要

ブルーフラッグは植物です。根に似た茎（根茎）を用いて「くすり」を作ることもあります。

安 全 性

安全ではありません。悪心や嘔吐を引き起こすおそれがあります。

また，生の根は口，のど，消化器，皮膚に痛みを生じるかもしれません。さらに，頭痛や腫脹，涙目を起こすおそれもあります。

また感染症や潰瘍性大腸炎，クローン病のような胃腸障害を起こしている患者は使用してはいけません。

●妊娠中および母乳授乳期

妊娠中，母乳授乳期は使用してはいけません。

有 効 性

◆科学的データが不十分です

・便秘，体液貯留（浮腫），胆汁流出量の増加，肝障害，嘔吐，皮疹など。

●体内での働き

どのように作用するかについては十分なデータが得られていません。

医薬品との相互作用

高ジゴキシン

ブルーフラッグは刺激性下剤の一種ですが，刺激性下剤は体内のカリウム量を減少させることがあります。カリウム量が減少するとジゴキシンの副作用が現れるリスクが高まると考えられます。

中利尿薬

ブルーフラッグは下剤ですが，ある種の下剤は体内のカリウム量を減少させることがあります。利尿薬の中にも体内のカリウム量を減少させるものがあります。ブルーフラッグをこのような利尿薬とともに摂取すると，体内のカリウム量が減りすぎるおそれがあります。このような利尿薬にはクロロチアジド（販売中止），クロルタリドン（販売中止），フロセミド，ヒドロクロロチアジドなどがあります。

ハーブおよび健康食品・サプリメントとの相互作用

ほかのハーブ，健康食品・サプリメントとの相互作用についてはまだ明らかではありません。

使用量の目安

標準使用量に関するデータがありません。

ブルーベリー

BLUEBERRY

別名ほか

ハイブッシュ・ブルーベリー（High bush Blueberry），ローブッシュブルーベリー（Lowbush Blueberry），ラビットアイブルーベリー（Rabbiteye Blue berry），ワイルドブルーベリー（Vaccinium angustifolium），Blueberries，Hillside Blueberry，Vaccinium altomontanum，Vaccinium amoenum，Vaccinium ashei，Vaccinium brittonii，Vaccinium constablaei，Vaccinium corymbosum，Vaccinium lamarckii，Vaccinium pallidum，Vaccinium pen sylvanicum，Vaccinium vacillans，Vaccinium virgatum

概　　要

ブルーベリーは植物です。果実および葉を用いて「くすり」を作ることもあります。ビルベリーと混同しないよう，注意してください。米国外では，米国でビルベリーと呼んでいるものにブルーベリーという名をつけていることもあります。

安 全 性

食品に含まれる量の果実を摂取する場合，ほとんどの人に安全のようです。ブルーベリーの葉を経口摂取する場合の安全性についてはデータが不十分です。葉の摂取は避けるのが最善です。

糖尿病：血糖値を低下させる可能性があります。糖尿病の患者がブルーベリー製品を使用する際は，低血糖の兆候に注意し，血糖値を注意深く監視してください。医師などにより糖尿病薬の服薬量を調整する必要がある場合があります。

手術：血糖値に影響を及ぼし，手術中・手術後の血糖コントロールを妨げるおそれがあります。少なくとも手術前２週間は，使用しないでください。

●妊娠中および母乳授乳期

通常の食品に含まれる量の果実を摂取する場合，おそらく安全です。「くすり」として大量に摂取する場合の安全性についてはデータが不十分です。妊娠中および母乳授乳期の人は，通常の食品に含まれる量の範囲内で使用してください。

有 効 性

◆科学的データが不十分です

・糖尿病，白内障および緑内障の予防，潰瘍，尿路感染（UTI），多発性硬化症（MS），慢性疲労症候群（CFS），発熱，咽喉痛，静脈瘤，痔核，血行不良，下痢，便秘，分娩陣痛など。

●体内での働き

クランベリーの親戚筋のようなブルーベリーは，膀胱壁への細菌付着を防止することで，膀胱炎の予防を補助するようです。果実には，消化器の正常な機能を補助する食物繊維がたくさん含まれています。また，ビタミンCなどの抗酸化物質も含んでいます。

医薬品との相互作用

低Buspirone

Buspironeは体内で代謝されてから排泄されます。ブルーベリーはBuspironeの体内からの排泄を抑制する可能性があります。ただし，このことはヒトにおいては問題はないようです。

低フルルビプロフェン

フルルビプロフェンは体内で代謝されてから排泄されます。ブルーベリーはフルルビプロフェンの体内からの排泄を抑制する可能性があります。ただし，このことはヒトにおいては問題はないようです。

低糖尿病治療薬

ブルーベリーの葉および果実は血糖値を低下させる可能性があります。糖尿病治療薬も血糖値を低下させるために用いられます。ブルーベリーの葉あるいは果実と糖尿病治療薬を併用すると，血糖値が過度に低下するおそれがあります。血糖値を注意深く監視してください。糖尿病治療薬の用量を変更する必要があるかもしれません。このような糖尿病治療薬には，グリメピリド，グリベンクラミド，インスリン，ピオグリタゾン塩酸塩，マレイン酸ロシグリタゾン（販売中止），クロルプロパミド，Glipizide，トルブタミド（販売中止）などがあります。

ハーブおよび健康食品・サプリメントとの相互作用

血糖値を低下させるおそれのあるハーブおよび健康食品・サプリメント

ブルーベリーが血糖値を低下させるおそれがあります。同様の作用をもつほかのハーブおよび健康食品・サプリメントと併用すると，血糖値が過度に低下するおそれがあります。このようなハーブおよび健康食品・サプリメントには，デビルズクロー，フェヌグリーク，グアーガム，朝鮮人参，エゾウコギなどがあります。

通常の食品との相互作用

牛乳

ブルーベリーを牛乳と一緒に摂取すると，ブルーベリーの健康効果が損なわれるおそれがあります。ブルーベリーと牛乳それぞれの摂取時間を１～２時間空けると，この相互作用を防ぐことができる可能性があります。

使用量の目安

通常の食品に含まれている量を超えて経口摂取した場合の安全性および副作用については，明らかになっていません。

ブルックライム（クワガタソウ属）

BROOKLIME

別名ほか

ベロニカ・ベッカブンガ（Veronica beccabunga），マルバカワジシャ，マルバカカズシサ，スピードウェル，Beccabunga，Mouth-Smart，Neckweed，Speedwell，Water Pimpernel，Water Purslane

概　要

ブルックライム（クワガタソウ属）は植物です。汁が「くすり」として使用されることもあります。

安 全 性

安全性または副作用については不明です。

●妊娠中および母乳授乳期

妊娠中，母乳授乳期は使用してはいけません。

有 効 性

◆科学的データが不十分です

・尿量の減少，便秘，肝臓に関する不調，赤痢，肺感染症，歯肉出血など。

●体内での働き

どのように作用するかについては十分なデータが得られていません。

医薬品との相互作用

ほかの医薬品との相互作用については明らかではありません。

ハーブおよび健康食品・サプリメントとの相互作用

ほかのハーブ，健康食品・サプリメントとの相互作用についてはまだ明らかではありません。

使用量の目安

標準使用量に関するデータがありません。

フルボ酸

FULVIC ACID

別名ほか

Acide Fulvique，Ácido Fúlvico，Fulvosäure

概　要

フルボ酸は，shilajit，土，ピート，炭および小川や湖の水など自然界の物質に含まれる黄色がかった茶色の成分です。フルボ酸は，植物や動物が分解される際に形成されます。

フルボ酸は，アルツハイマー病などの脳障害，気道感染，がん，疲労，重金属中毒，および低酸素症（体の細胞が十分な酸素を受け取れない状態）の予防に対し，経口摂取されます。

安 全 性

フルボ酸を経口摂取する場合，または，数日にわたり皮膚に使用する場合には，おそらく安全です。

フルボ酸の経口摂取により，頭痛や咽喉痛を引き起こした例が複数あります。

自己免疫疾患：フルボ酸が，免疫システムを活性化するおそれがあります。理論上，フルボ酸により，多発性硬化症，全身性エリテマトーデス（SLE）および関節リウマチ（RA）などの自己免疫疾患が悪化するおそれがあります。これらの疾患の場合には，フルボ酸の使用に注意するか，使用を避けるべきです。

カシン・ベック病：飲料水に含まれているフルボ酸が，カシン・ベック病の発症リスクを高めるおそれがあります。セレンを十分に摂取することのない地域に住んでいる場合には，リスクが深刻であるといえます。

●妊娠中および母乳授乳期

妊娠中および母乳授乳期の使用の安全性についてはデータが不十分です。安全性を考慮し，摂取は避けてください。

有 効 性

◆科学的データが不十分です

・アレルギー，湿疹，アルツハイマー病，がん，疲労，重金属中毒，低酸素症（体内組織に酸素が十分に供給されない疾患）の予防，気道感染など。

●体内での働き

フルボ酸は，体内において，様々な働きをする可能性があります。フルボ酸には，アレルギー反応を予防する可能性もあります。フルボ酸が，認知症などの脳障害の悪化を抑制する可能性もあります。フルボ酸には，炎症を軽減する可能性や，がんの増殖を予防する可能性や，抑制する可能性もあります。フルボ酸には，免疫刺激効果および抗酸化作用があるようです。

医薬品との相互作用

中血液凝固を抑制する医薬品（抗凝固薬/抗血小板薬）

特定の医薬品は血液凝固を抑制します。フルボ酸も血液凝固を抑制する可能性があります。フルボ酸と血液凝固を抑制する医薬品を併用すると，紫斑および出血のリスクが高まるおそれがあります。このような医薬品にはアスピリン，クロピドグレル硫酸塩，ジクロフェナクナトリウム，イブプロフェン，ナプロキセン，ダルテパリンナトリウム，エノキサパリンナトリウム，ヘパリン，ワルファリンカリウムなどがあります。

中甲状腺ホルモン製剤

フルボ酸は甲状腺ホルモン量に影響を及ぼします。理論的には，フルボ酸と甲状腺ホルモン製剤を併用すると，甲状腺機能を正常化するための治療を妨げるおそれがあります。甲状腺ホルモンの服用中はフルボ酸を慎重に使用してください。

中免疫抑制薬

フルボ酸は免疫機能を刺激する可能性があります。理論的には，フルボ酸と免疫抑制薬を併用すると，免疫抑制薬の効果を弱めるおそれがあります。このような免疫抑制薬には，アザチオプリン，バシリキシマブ，シクロスポリン，Daclizumab，ムロモナブ-CD 3（販売中止），ミコフェノール酸モフェチル，タクロリムス水和物，シロリムス，Prednisone，副腎皮質ステロイドなどがあります。

ハーブおよび健康食品・サプリメントとの相互作用

ほかのハーブ，健康食品・サプリメントとの相互作用についてはまだ明らかではありません。

使用量の目安

通常の食品に含まれている量を超えて経口摂取した場合の安全性および副作用については，明らかになっていません。

プレグネノロン

PREGNENOLONE

別名ほか

Pregnenolona，Pregnénolone

概　要

プレグネノロンはヒトの体内にある化合物です。化学的に合成することもできます。「くすり」として使用されることもあります。

安 全 性

十分なデータが得られていないため，経口摂取の安全性については不明です。ただ，過剰な刺激や不眠症，かんしゃく，激怒，不安感，にきび，頭痛，気分の悪い変化，顔面の産毛の伸び，脱毛，不規律な脈拍といったステロイドに似た副作用をもたらすおそれがあります。

乳がん，子宮がん，卵巣がん，子宮内膜症，または子宮筋腫などホルモンに過敏な疾患：プレグネノロンは，体内でエストロゲンなどのホルモンに変換されます。エストロゲンにより症状が悪化する可能性がある疾患のある人はプレグネノロンの摂取は避けてください。

●妊娠中および母乳授乳期

妊娠中および母乳授乳期の使用についてはデータが不十分です。安全性を考慮し，使用は控えてください。

有 効 性

◆科学的データが不十分です

・老化速度の低下と回復，関節炎，うつ病，子宮内膜症，疲労感など。

●体内での働き

体内で，あらゆるステロイドホルモンを合成するために使われます。どのように作用するかについては十分なデータが得られていません。

医薬品との相互作用

中エストロゲン（卵胞ホルモン）製剤

プレグネノロンは体内でエストロゲンなどのホルモンを生成するために用いられます。プレグネノロンとエストロゲン製剤を併用すると，体内のエストロゲン量が過剰になるおそれがあります。このようなエストロゲン製剤には，結合型エストロゲン，エチニルエストラジオール，エストラジオールなどがあります。

中テストステロンエナント酸エステル

プレグネノロンは体内でテストステロンに変わります。プレグネノロンとテストステロンエナント酸エステルを併用すると，体内のテストステロン量が過剰になるおそれがあります。そのため，テストステロンの副作用のリスクが高まるおそれがあります。

中プロゲスチン製剤

プレグネノロンは体内でホルモンを生成するために用いられます。プロゲスチン製剤はホルモン製剤です。プレグネノロンとホルモン製剤（プロゲスチン製剤など）を併用すると，体内のホルモン量が過剰になるおそれがあります。そのため，プロゲスチン製剤の作用および副作用が増強するおそれがあります。このようなプロゲスチン製剤には，ノルエチステロン，レボノルゲストレルなどがあります。

中ベンゾジアゼピン系鎮静薬

プレグネノロンはジアゼパムの鎮静作用を減弱させるおそれがあります。また，ほかのベンゾジアゼピン系鎮静薬（ロラゼパム，アルプラゾラム，クロナゼパムなど）の作用も低下させるおそれがあります。

中プロゲステロン

フ

プレグネノロンは体内でプロゲステロンなどのホルモンを体内で生成するために用いられます。プレグネノロンとプロゲステロンを併用すると，体内のプロゲステロンが過剰になるおそれがあります。

ハーブおよび健康食品・サプリメントとの相互作用

ほかのハーブ，健康食品・サプリメントとの相互作用についてはまだ明らかではありません。

使用量の目安

標準使用量に関するデータがありません。

プロカイン

PROCAINE

別名ほか

塩酸プロカイン（Procaine hydrochloride），ジェロヴィタール（Gerovital），ジェロヴィタールH3（Gerovital-H3），Gero-Vita，GH-3，KH-3

概　要

プロカインは化学物質です。「くすり」として使用されることもあります。経口で摂取するプロカインを，医師，または医師の指示を受けた医療従事者が注射できる処方薬のプロカインと混同しないよう注意してください。

プロカインは，認知症，加齢にともなう記憶力および思考能力の低下，生活の質など，多くの状況に対して，アンチエイジング効果があるものとしてもっとも使用されますが，これらの用途を十分に裏づけるエビデンスはありません。

処方箋が必要な注射薬のプロカインは局所麻酔のために使用されます。

安　全　性

プロカインを経口摂取する場合，その安全性についてはまだわかっていません。プロカインは，胸やけ，片頭痛，深刻な疾患（全身性エリテマトーデス）などの副作用を引き起こすおそれがあります。全身性エリテマトーデスは，関節痛，皮疹，肺疾患など，さまざまな症状をもたらします。

処方薬のプロカインを局所麻酔薬として医師などが注射する場合は安全です。

重症筋無力症（筋力が徐々に低下する進行性疾患）：重症筋無力症の場合にプロカインを静脈内投与してはいけません。

偽性コリンエステラーゼ欠乏症（遺伝性疾患）：この疾患の場合は特定の麻酔薬に対して過敏です。プロカインを注射してはいけません。

全身性エリテマトーデス（SLE）：プロカインはこの疾患を悪化させるおそれがあります。SLEの場合にはプロカインを使用してはいけません。

●妊娠中および母乳授乳期

妊娠中にセルフメディケーションでプロカインを使用することは，安全ではないようです。母乳授乳期にもプロカインを使用しないでください。プロカインが乳児にどのような影響を及ぼすかについては，データが不十分です。

有　効　性

◆有効性レベル①

・手術中の疼痛緩和。プロカインの注射薬は，局所麻酔薬として米国食品医薬品局（FDA）に承認されている処方薬です。

◆科学的データが不十分です

・加齢にともなう記憶と思考能力の低下，アルツハイマー病などの認知障害を引き起こす疾患（認知症），関節炎，脳の動脈硬化（脳動脈硬化症），うつ病，抜け毛，高血圧，性機能障害など。

●体内での働き

プロカインは，注射の場合には麻酔薬として作用します。しかし，経口の場合には十分には吸収されないようです。経口の場合に「くすり」としてどのように作用する可能性があるのかについては不明です。

医薬品との相互作用

中 Aminosalicylic Acid

プロカインは体内で代謝されてから排泄されます。プロカインはアミノ安息香酸と呼ばれる化学物質に分解されます。アミノ安息香酸はAminosalicylic Acidの効果を弱める可能性があります。プロカインとAminosalicylic Acidを併用すると，Aminosalicylic Acidの効果が弱まるおそれがあります。

高 ジゴキシン

ジゴキシンには強心作用があります。ジゴキシンはまた，心拍数を抑制する可能性があります。プロカイン注射は心拍数を減少させる可能性があります。ジゴキシンとプロカインを併用すると，心拍数が過度に減少するおそれがあります。

高 スキサメトニウム塩化物水和物

プロカインは痛みを麻痺させるために注射します。プロカインとスキサメトニウム塩化物水和物を併用すると，麻痺が長引くおそれがあります。

中 スルホンアミド系抗菌薬

プロカインは体内でパラアミノ安息香酸（PABA）に変化します。PABAはスルホンアミド系抗菌薬の効果を弱めるおそれがあります。スルホンアミド系抗菌薬には，スルファメトキサゾール（販売中止），スルファサラジン，スルフイソキサゾール（販売中止），スルファメトキサゾール・トリメトプリム配合などがあります。

高筋弛緩薬

プロカインは痛みを麻痺させるために注射します。プロカインと特定の筋弛緩薬を併用すると，麻痺が長引くおそれがあります。このような筋弛緩薬には，Atracurium，パンクロニウム臭化物（販売中止），スキサメトニウム塩化物水和物などがあります。

ハーブおよび健康食品・サプリメントとの相互作用

強心配糖体を含むハーブ

特定のハーブには，心臓に影響を及ぼす化学物質（強心配糖体）が含まれます。このようなハーブには，クリスマスローズ，トウワタの根，ジギタリスの葉，カキネガラシ，セイヨウゴマノハグサ，ドイツスズランの根，マザーワート，オレアンダー，ゲウム，ヤナギトウワタ，海葱（カイソウ）の球根の鱗片葉，ストロファンツスの種子，ダイオウなどがあります。これらのハーブのいずれか（特にジギタリス）を摂取している場合には，プロカインを注射してはいけません。併用すると心拍が過度に遅くなる可能性があります。

使用量の目安

●注射（点滴）

局所麻酔

プロカインの処方薬は，医師などによって注射されます。

プロゲステロン

PROGESTERONE

●代表的な別名

黄体ホルモン

別名ほか

黄体ホルモン（Corpus Luteum Hormone），妊娠ホルモン（Pregnancy Hormone），Luteal Hormone，Luteohormone，Lutine，NSC-9704，Pregnanedione，Progestational Hormone，Progesteronum，4-Pregnene-3，20-Dione

概　　要

プロゲステロンは体内で分泌されるホルモンです。化学的に合成することもできます。「くすり」として使用されることもあります。

安全性

プロゲステロン腟内投与薬は不妊治療の一環として使用された場合は安全でしょう。不妊治療以外の目的で，プロゲステロンをほかの用途に使用しないでください。

ただ，胃のもたれ，食欲の変化，体重の増加，体液貯留（浮腫），浮腫（むくみ），疲労感，にきび，眠気または不眠症，アレルギー性皮疹，じんましん，発熱，頭痛，うつ病，乳房の不快または肥大，月経前症候群に似た症状，月経周期の変化，不正出血など多くの副作用をともなう場合があります。

動脈系疾患，乳がん，うつ病にかかっている人，またはかかったことのある人，肝疾患，生理とは関係のない出血が腟からある人は，医師の指示がない場合使用してはいけません。

●妊娠中および母乳授乳期

妊娠中の経口，筋肉内，経皮，腟内投与は安全ではないでしょう。

母乳授乳期の人はプロゲステロンは使用しない方がいいでしょう。乳児にどのような影響があるかについては，データが十分ではありません。

有効性

◆有効性レベル②

- エストロゲンと併用するホルモン代替療法（HRT）。微粉化プロゲステロン（プロメトリウム）とエストロゲンを投与するHRT療法は米国食品医薬品局（FDA）によって認可されています。
- 無月経。プロゲステロンの経口投与とプロゲステロンのゲル剤の腟内投与は閉経前の無月経の治療に効果的です。
- 不妊（腟クリームとして使用した場合）。

◆有効性レベル③

- 乳房の痛み。
- 子宮壁の異常な肥大。
- 更年期の不定愁訴。
- 不妊。これは注射として使用した場合です。

◆有効性レベル④

- 月経前症候群。
- ジアゼパム，アルプラゾラム，テマゼパムなど多くの医薬品による禁断症状。
- 閉経後の骨量減少を予防。
- 腟内の痛み（陰門硬化性苔癬）。

◆科学的データが不十分です

- ホルモン媒介によるアレルギーの治療または予防，腸内ガス（膨満），性欲減退，うつ病，疲労感，頭痛，低血糖，血液凝固亢進，イライラ感，記憶喪失，流産，甲状腺機能不全，思考不明瞭，子宮がん，子宮筋腫，水分貯留，体重増加など。

●体内での働き

卵巣で分泌されるホルモンです。血中濃度を変えると，生理不順や更年期のような，プロゲステロンが使われる多くの作用に影響を及ぼすことになります。また，子宮内の受精卵着床や妊娠の安定に必要であるため，不妊症に有効のようです。

医薬品との相互作用

中エストロゲン（卵胞ホルモン）製剤

フ

プロゲステロンおよびエストロゲンはいずれもホルモンです。これらはよく併用されます。プロゲステロンはエストロゲン製剤の特定の副作用を減弱させる可能性があります。しかし，プロゲステロンはエストロゲン製剤の主作用も減弱させる可能性があります。プロゲステロンとエストロゲン製剤を併用すると，乳房の圧痛を引き起こすおそれがあります。このようなエストロゲン製剤には，結合型エストロゲン，エチニルエストラジオール，エストラジオールなどがあります。

中パクリタキセル

パクリタキセルと併用して高容量のプロゲステロンを静脈投与（点滴）すると，血中のパクリタキセル濃度が上昇する可能性があります。しかし，この併用はパクリタキセルの副作用を増強させないようです。さらに明らかになるまでは，パクリタキセルでの治療中は，プロゲステロンを慎重に使用するか，使用は避けてください。

ハーブおよび健康食品・サプリメントとの相互作用

ほかのハーブ，健康食品・サプリメントとの相互作用についてはまだ明らかではありません。

使用量の目安

●経口摂取

ホルモン補充療法を行う場合，１日0.625mgのエストロゲンの投与とともに，１日200mgのプロゲステロン粉末薬を25日周期で12日間摂取します。

●局所投与

閉経にともなう血管運動症状

クリーム薬として１日20mg（特定のプロゲステロン含有製剤の場合，ティースプーン４分の１に相当）を塗布しますが，塗布部位を毎日変えて（上腕部，大腿部，乳房など）投与します。

●筋肉内注射

体外受精を行う場合，50mgが筋肉内投与されます。

●腟内投与

良性乳腺疾患にともなう乳房痛

2.5％の天然プロゲステロンを含む腟用のクリーム薬を，28日間の女性周期の19日目から25日目にかけて，１日４g腟内に挿入します。

体外受精を実施する場合の使用

プロゲステロンを８％含有するゲル剤を用いて，１回90mgのプロゲステロンを１日１～２回腟内挿入します。

続発性無月経

１カ月に６日の頻度で，１日おきに，プロゲステロンを４％または８％含有するゲル剤を用いて，１回90mgのプロゲステロンを腟内挿入します。

ホルモン補充療法を実施する場合の使用

１日0.625mgの結合型エストロゲンを投与するとともに，プロゲステロンを４％または８％含有するゲル剤を用いて，１回90mgのプロゲステロンを，28日間の女性周期の17，19，21，23，25，および27日目に腟内挿入します。

子宮内膜増殖症（良性，閉経前）

腟出血の抑制および増殖の回復を目的として，腟用のクリーム薬を用いて，１日100mgのプロゲステロンを，28日間の女性周期の10日目から25日目にかけて腟内挿入します。

フロストウォート

FROSTWORT

別名ほか

Frost Plant，Frostweed，Helianthemum canadense，Rock-Rose，Sun Rose

概　要

フロストウォートはハーブです。地上部を用いて「くすり」を作ることもあります。

安 全 性

十分なデータが得られていないので，安全であるかどうか不明です。

●妊娠中および母乳授乳期

妊娠中，母乳授乳期は使用してはいけません。

有 効 性

◆科学的データが不十分です

・消化器系障害および潰瘍。

●体内での働き

皮膚の炎症の抑制や組織の収れん作用に役立つことがあるようです。

医薬品との相互作用

ほかの医薬品との相互作用については明らかではありません。

ハーブおよび健康食品・サプリメントとの相互作用

ほかのハーブ，健康食品・サプリメントとの相互作用についてはまだ明らかではありません。

使用量の目安

標準使用量に関するデータがありません。

ブロッコリー

BROCCOLI

●代表的な別名

ヤセイカンラン

別名ほか

カラブレーゼ，パープル・スプラウティング・ブロッコリー，Brassica oleracea，Italica Group，Brassica oleracea var. italica

概　　要

ブロッコリーはハーブです。地上部を使って「くすり」を作ることがあります。

安 全 性

ブロッコリーの摂取は，通常の食品に含まれる少量を摂取する場合には，ほとんどの人に安全のようです。「くすり」として高用量を摂取する場合の安全性および副作用については，明らかではありません。

●アレルギー

過敏症の場合には，ブロッコリーを皮膚に塗布することにより，アレルギー性皮疹を引き起こすおそれがあります。

●妊娠中および母乳授乳期

妊娠中および母乳授乳期の使用は，食品に含まれる量であれば，安全です。ただし，十分なデータが得られるまでは，「くすり」としての量の摂取は，避けるべきです。

有 効 性

◆有効性レベル③

・高コレステロール血症。高コレステロール血症の患者が，ブロッコリー，キャベツおよび果物を含んだ飲料を，1日2回，12週にわたり摂取することにより，低比重リポタンパク（LDL，悪玉）コレステロールが低下するようです。

◆科学的データが不十分です

・膀胱がん，乳がん，結腸がん，直腸がん，線維筋痛症，前立腺がん，胃がんなど。

●体内での働き

ブロッコリーに含まれている成分には，がん予防効果や抗酸化作用がある可能性があります。

医薬品との相互作用

中 肝臓で代謝される医薬品（シトクロムP450 1A2（CYP1A2）の基質となる医薬品）

特定の医薬品は肝臓で代謝されます。ブロッコリーはこのような医薬品の代謝を促進する可能性があります。ブロッコリーと肝臓で代謝される医薬品を併用すると，医薬品の作用および副作用が減弱する可能性があります。このような医薬品には，クロザピン，Cyclobenzaprine，フルボキサミンマレイン酸塩，ハロペリドール，イミプラミン塩酸塩，メキシレチン塩酸塩，オランザピン，塩酸ペンタゾシン，プロプラノロール塩酸塩，Tacrine，テオフィリン，Zileuton，ゾルミトリプタンなどがあります。

中 肝臓で代謝される医薬品（シトクロムP450 2A6（CYP2A6）の基質となる医薬品）

特定の医薬品は肝臓で代謝されます。ブロッコリーはこのような医薬品の代謝を促進する可能性があります。ブロッコリーと肝臓で代謝される医薬品を併用すると，医薬品の作用および副作用が減弱する可能性があります。このような医薬品には，ニコチン，Chlormethiazole，Coumarin，Methoxyflurane，ハロタン（販売中止），バルプロ酸ナトリウム，ジスルフィラムなどがあります。

ハーブおよび健康食品・サプリメントとの相互作用

ほかのハーブ，健康食品・サプリメントとの相互作用についてはまだ明らかではありません。

使用量の目安

通常の食品に含まれている量を超えて経口摂取した場合の安全性および副作用については，明らかになっていません。

ブロッコリー・スプラウト

BROCCOLI SPROUT

●代表的な別名

ブロッコリー新芽

別名ほか

Asparkapsas，Brassica Oleracea Italica Group，Brassica oleracea var. italic，Brecol，Brocoli，Brócoli，Brocolos，Broculos，Brokkoli，Cavolo Broccoli，Chou Broccoli，Parsakaali，Sprouting Broccoli

概　　要

ブロッコリー・スプラウトは，ブロッコリーの若芽です。成長したブロッコリーと比べ，ブロッコリー・スプラウトには多くのスルフォラファンが含まれています。スルフォラファンは健康に良いと考えられている成分です。ブロッコリー・スプラウトを丸ごと，またはブロッコリー・スプラウトのエキスを用いて「くすり」を作ることもあります。

ブロッコリー・スプラウトは，アレルギー，気管支喘息，がんおよびヘリコバクター・ピロリ菌による胃潰瘍に対して，経口摂取されます。

ブロッコリー・スプラウトのエキスは，日焼け予防として，皮膚に塗布されます。

安 全 性

米国食品医薬品局（FDA）のガイドラインに従って栽培されたブロッコリー・スプラウトについては，通常の食品に含まれる量を摂取する場合には，ほとんどの人に安全のようです。適切な方法で栽培されたブロッコ

フ

リー・スプラウトの摂取による副作用の報告はこれまでありません。

ブロッコリー・スプラウトのエキスの経口摂取は，最大７日間までであれば，おそらく安全です。ブロッコリー・スプラウトのエキスを長期間にわたり使用する場合の安全性については，データが不十分です。

適切な方法で栽培されていないブロッコリー・スプラウトの摂取は，おそらく安全ではありません。適切な方法で栽培されていない場合，細菌に汚染されているおそれがあります。汚染されたブロッコリー・スプラウトを摂取すると，食中毒を起こすおそれがあります。

免疫機能の低下：生のブロッコリー・スプラウトは，細菌に汚染されているおそれがあります。免疫機能が低下している場合には，免疫機能が正常な人に比べて，汚染された生のブロッコリー・スプラウトの摂取による食中毒を起こしやすいおそれがあります。免疫機能が低下している場合には，生のブロッコリー・スプラウトを摂取しないことを推奨します。

●妊娠中および母乳授乳期

妊娠中にブロッコリー・スプラウトを加熱調理して摂取する場合には，ほとんどの人に安全のようです。ただし，妊娠中に生のブロッコリー・スプラウトを摂取するのは，安全ではないようです。生のブロッコリー・スプラウトは，細菌に汚染されているおそれがあるため，食中毒を引き起こすおそれがあります。妊娠中の食中毒は，流産，早産または死産を引き起こすおそれがあります。安全性を考慮し，妊娠中は加熱調理したブロッコリー・スプラウト以外は摂取しないでください。

母乳授乳期にブロッコリー・スプラウトを加熱調理して摂取する場合には，ほとんどの人に安全のようです。ただし，生のブロッコリー・スプラウトの摂取は，食中毒のおそれがあるため，おそらく安全ではありません。安全性を考慮し，母乳授乳期は加熱調理したブロッコリー・スプラウト以外は摂取しないでください。

妊娠中および母乳授乳期のブロッコリー・スプラウトのエキスの使用の安全性については，データが不十分です。

有　効　性

◆科学的データが不十分です

・ヘリコバクター・ピロリ感染，日焼け，アレルギー，気管支喘息，がんなど。

●体内での働き

ブロッコリー・スプラウトを経口摂取することにより，胃がヘリコバクター・ピロリ菌に感染しにくくなります。胃の腫脹を引き起こすタンパク質の放出も抑制されるようです。

ブロッコリー・スプラウトを皮膚に塗布することにより，皮膚の防御タンパク質の量が増加します。

医薬品との相互作用

低 肝臓で代謝される医薬品（シトクロムP450 1A2（CYP1A2）の基質となる医薬品）

特定の医薬品は肝臓で代謝されます。ブロッコリー・スプラウトはこのような医薬品の代謝を促進する可能性があります。ブロッコリー・スプラウトと肝臓で代謝される医薬品を併用すると，医薬品の作用が減弱するおそれがあります。肝臓で代謝される医薬品を服用する場合には，医師や薬剤師に相談することなくブロッコリー・スプラウトを摂取しないでください。このような医薬品には，クロザピン，Cyclobenzaprine，フルボキサミンマレイン酸塩，ハロペリドール，イミプラミン塩酸塩，メキシレチン塩酸塩，オランザピン，塩酸ペンタゾシン，プロプラノロール塩酸塩，Tacrine，テオフィリン，Zileuton，ゾルミトリプタンなどがあります。

低 肝臓で代謝される医薬品（シトクロムP450 2A6（CYP2A6）の基質となる医薬品）

特定の医薬品は肝臓で代謝されます。ブロッコリー・スプラウトはこのような医薬品の代謝を促進する可能性があります。ブロッコリー・スプラウトと肝臓で代謝される医薬品を併用すると，医薬品の作用が減弱する可能性があります。肝臓で代謝される医薬品を服用する場合には，医師や薬剤師に相談することなく「くすり」としてブロッコリー・スプラウトを摂取しないでください。このような医薬品には，ニコチン，Chlormethiazole，Coumarin，Methoxyflurane，ハロタン（販売中止），バルプロ酸ナトリウム，ジスルフィラムなどがあります。

ハーブおよび健康食品・サプリメントとの相互作用

ほかのハーブ，健康食品・サプリメントとの相互作用についてはまだ明らかではありません。

使用量の目安

通常の食品に含まれている量を超えて経口摂取した場合の安全性および副作用については，明らかになっていません。

プロピオニル-L-カルニチン

PROPIONYL-L-CARNITINE

別名ほか

プロピオニルカルニチン（Propionylcarnitine），L-carnitine Propionyl，LPC，PLC

概　　要

プロピオニル-L-カルニチンは体内で作られる化学物質です。プロピオニル-L-カルニチンはL-カルニチンとアセチル-L-カルニチンと呼ばれる２つの他の化合物に関連しています。

プロピオニル-L-カルニチンは通常，末梢循環不全(PVD)による下肢痛（間欠跛行）の治療に使用されます。末梢循環不全はしばしば，糖尿病あるいは動脈硬化によって引き起こされます。プロピオニル-L-カルニチンはまた，うっ血性心不全（CHF），胸痛（狭心症）および潰瘍性大腸炎などの特定の腸の障害の治療にも使用されます。グリシンプロピオニル-L-カルニチンと呼ばれる特殊な種類のプロピオニル-L-カルニチンは，運動能力を改善するためにしばしば使用されます。他の用途のためにプロピオニル-L-カルニチンを経口摂取することを裏付ける研究は限られています。

医療提供者は，末梢循環不全および間欠跛行を治療するため，末梢循環不全患者の創傷治癒を改善するため，うっ血性心不全や胸痛（狭心症）を含む心疾患の治療のためにプロピオニル-L-カルニチンを静脈内投与します。

安　全　性

プロピオニル-L-カルニチンを経口摂取した場合，あるいは静脈内投与した場合，ほとんどの人に安全なようです。胃のむかつき，嘔吐，胃痛，下痢，脱力感，背部痛，胸部感染症，および胸痛（狭心症）を引き起こすおそれがあります。また，尿，息および汗が「魚臭く」なる可能性があります。

甲状腺機能低下症：プロピオニル-L-カルニチンは甲状腺機能低下症を悪化させたり，甲状腺ホルモン療法の効果を減弱させる懸念があります。これは関連する化学物質のL-カルニチンが甲状腺ホルモンを阻害するためだと思われます。甲状腺機能低下症患者はプロピオニル-L-カルニチンを摂取してはいけません。

痙攣：痙攣の既往歴のある患者の一部で，L-カルニチンの経口または静脈内投与後に発作の頻度と重症度が増加したとの報告があります。プロピオニル-L-カルニチンも類似した化学物質であるため，同様の作用を引き起こすことが懸念されています。

●妊娠中および母乳授乳期

妊娠中および母乳授乳期のプロピオニル-L-カルニチンの使用の安全性についてはデータが不十分です。安全性を考慮し，摂取は避けてください。

有　効　性

◆有効性レベル③

・加齢によるテストステロンの減少などの男性更年期の症状の治療。プロピオニル-L-カルニチンとアセチル-L-カルニチンを6カ月間，経口摂取すると，高齢男性の性機能，うつ病，および疲労を改善するようです。この併用は化学物質テストステロンを摂取した場合と同様の効果があるようです。

・胸痛（狭心症）。プロピオニル-L-カルニチンを経口摂取すると，狭心症患者の歩行距離が通常より延長するようです。人によっては，胸痛の頻度が減少する可能性があります。

・慢性虚血性心疾患と呼ばれる一種の心疾患。プロピオニル-L-カルニチンを静脈内投与すると，虚血性心疾患患者の心臓のポンプ機能が改善します。

・うっ血性心不全（CHF）。プロピオニル-L-カルニチンの摂取は軽度から中程度のうっ血性心不全患者の心機能を改善するようです。また，歩行距離が通常より延長するようです。

・男性の性機能障害（勃起障害（ED））。プロピオニル-L-カルニチンとシルデナフィル（バイアグラ）の併用は，糖尿病および勃起障害の男性で，シルデナフィル単独摂取より効果的である可能性があります。また，プロピオニル-L-カルニチンと他の成分を含む特殊な製品を摂取すると，勃起障害の男性の性機能が改善するようです。

・血行不良（末梢血管疾患）による歩行時の下肢痛（間欠跛行）。プロピオニル-L-カルニチンを経口摂取または静脈内投与すると，下肢痛のある患者の歩行距離が通常より延長できるようです。プロピオニル-L-カルニチンは，より重度の疾患にもっとも効果的のようです。

・陰茎硬化症（ペロニー病）。ベラパミル塩酸塩と呼ばれる医薬品の静脈内投与とプロピオニル-L-カルニチンを併用すると，性機能が改善し，ペロニー病の悪化を遅らせ，手術の必要性を減少させるようです。

・潰瘍性大腸炎と呼ばれる腸疾患。プロピオニル-L-カルニチンは他の医薬品を使用している潰瘍性大腸炎患者の症状を軽減する可能性があります。そのため，寛解の状態に至る可能性があります。それは症状がなくなることを意味しています。

◆科学的データが不十分です

・クローン病と呼ばれる腸疾患，慢性疲労症候群（CFS），運動能力，糖尿病による血行障害など。

●体内での働き

プロピオニル-L-カルニチンはエネルギーの産生に役立ちます。心機能，筋肉運動など身体の多くのプロセスに重要です。血行をよくするようです。

医薬品との相互作用

中Acenocoumarol

Acenocoumarolは血液凝固を抑制するために用いられます。プロピオニル-L-カルニチンはAcenocoumarolの作用を増強させます。Acenocoumarolの作用が増強すると，血液凝固が過度に抑制され，紫斑および出血が生じるリスクが高まるおそれがあります。Acenocoumarolの用量を変更する必要があるかもしれません。

中ワルファリンカリウム

ワルファリンカリウムは血液凝固を抑制するために用いられます。プロピオニル-L-カルニチンはワルファリンカリウムの作用を増強し，紫斑および出血のリスクを

有効性レベル：①効きます　②おそらく効きます　③効くと断言できませんが，効能の可能性が科学的に示唆されています　④効かないかもしれません　⑤おそらく効きません　⑥効きません

フ

高めるおそれがあります。定期的に血液検査をしてください。ワルファリンカリウムの用量を変更する必要があるかもしれません。

ハーブおよび健康食品・サプリメントとの相互作用

D-カルニチン

D-カルニチンは，プロピオニル-L-カルニチンの"親"化学物質であるL-カルニチンの代謝を妨げる可能性があります。D-カルニチンを補足すると，プロピオニル-L-カルニチン値が過度に低下する可能性があるという懸念があります。

使用量の目安

●経口摂取

血管障害

プロピオニル-L-カルニチン500～2,000㎎を１日２回摂取します。

血行障害によるうっ血性心不全および胸痛(安定狭心症)

プロピオニル-L-カルニチン500mgを１日３回摂取します。

加齢にともなうテストステロン量の低下によって引き起こされる諸症状

１日に２gのアセチル-L-カルニチンと２gのプロピオニル-L-カルニチンを摂取します。

勃起障害（ED）

１日２gのプロピオニル-L-カルニチンを摂取し，週２回，シルデナフィル（バイアグラ）50mgを投与します。プロピオニル-L-カルニチン250mg，ナイアシン20mg，アルギニン2500mgの特定の組み合わせで，毎日摂取します。

ペロニー病

ベラパミル塩酸塩と呼ばれる医薬品の注射を行うとともに，１日２gのプロピオニル-L-カルニチンを摂取します。

潰瘍性大腸炎

0.5～１gのプロピオニル-L-カルニチンを１日２回摂取します。

●静脈内投与

血管障害および心疾患

プロピオニル-L-カルニチンを静脈内投与します。

プロポリス

PROPOLIS

●代表的な別名

蜂脂

別名ほか

合成ミツロウ(Synthetic beeswax)，蜂脂，はちやに(Bee Glue)，ビープロポリス（Bee Propolis），プロポリス樹脂（Propolis Resin），プロポリスワックス（Propolis Wax），ミツロウ酸（Beeswax acid），Hive Dross, Propolis Balsam, Russion Penicillin, Propolis cera

概　要

プロポリスとは樹脂に似た素材で，ポプラや毬果樹木の芽から抽出されます。純正のものはめったに手に入りません。通常，蜂の巣から採取したものや蜂製品を含んでいます。「くすり」として使用されることもあります。

・新型コロナウイルス感染症（COVID-19）。
COVID-19に対してプロポリスの使用を裏付ける十分なエビデンス（科学的根拠）はありません。

安全性

十分なデータが得られていないので，安全性については不明ですが，とくに蜂や蜂製品にアレルギーがある人にアレルギー反応が出るおそれがあります。

プロポリスを配合したのど飴は，痛みや口の潰瘍をもたらすかもしれません。

●アレルギー

蜂または蜂製品やポプラ，毬果樹木，ペルビアンバルサムまたはアスピリンにアレルギーのある人，気管支喘息の患者は使用してはいけません。

●妊娠中および母乳授乳期

妊娠中および母乳授乳期の使用の安全性についてはデータが不十分です。安全性を考慮し，使用は控えてください。

有効性

◆有効性レベル③

・口の手術後の痛み，炎症の治癒，軽減を促進。
・性器ヘルペス。プロポリス３％軟膏を，単純ヘルペスウイルスII型（HSV-２）が原因の周期的に再活性化する性器の感染部位に塗布することにより，統計学的に有意に症状が改善されるようです。アシクロビル５％軟膏による標準的治療法よりも発疹が早期に治癒する可能性があります。

◆科学的データが不十分です

・結核，感染症，鼻がんおよび咽頭がん，免疫応答の改善，潰瘍，胃障害，腸障害，感冒，創傷，炎症，軽症の熱傷など。

●体内での働き

細菌やウイルス，真菌を撃退する働きを行うようです。また，抗炎症作用をもち，皮膚の治りを補助する可能性があります。

医薬品との相互作用

中ワルファリンカリウム

ワルファリンカリウムは血液凝固を抑制するために用いられます。プロポリスはワルファリンカリウムの効果を弱める可能性があります。ワルファリンカリウムの効

フ

果が弱まると，血液凝固のリスクが高まるおそれがあります。ワルファリンカリウムを服用中は慎重にプロポリスを摂取してください。

中 肝臓で代謝される医薬品（シトクロムP450 1A2（CYP1A2）の基質となる医薬品）

特定の医薬品は肝臓で代謝されます。プロポリスは医薬品の代謝を抑制する可能性があります。プロポリスと肝臓で代謝される医薬品を併用すると，医薬品の作用および副作用が増強するおそれがあります。このような医薬品には，クロザピン，Cyclobenzaprine，フルボキサミンマレイン酸塩，ハロペリドール，イミプラミン塩酸塩，メキシレチン塩酸塩，オランザピン，塩酸ペンタゾシン，プロプラノロール塩酸塩，Tacrine，テオフィリン，Zileuton，ゾルミトリプタンなどがあります。

中 肝臓で代謝される医薬品（シトクロムP450 2C19（CYP2C19）の基質となる医薬品）

特定の医薬品は肝臓で代謝されます。プロポリスは医薬品の代謝を抑制する可能性があります。プロポリスと肝臓で代謝される医薬品を併用すると，医薬品の作用および副作用が増強するおそれがあります。このような医薬品には，オメプラゾールやランソプラゾールやパントプラゾールナトリウム水和物（販売中止）などのプロトンポンプ阻害薬，ジアゼパム，カリソプロドール（販売中止），ネルフィナビルメシル酸塩などがあります。

中 肝臓で代謝される医薬品（シトクロムP450 2C9（CYP2C9）の基質となる医薬品）

特定の医薬品は肝臓で代謝されます。プロポリスは医薬品の代謝を抑制する可能性があります。プロポリスと肝臓で代謝される医薬品を併用すると，医薬品の作用および副作用が増強する可能性があります。このような医薬品には，ジクロフェナクナトリウムやイブプロフェンやメロキシカムやピロキシカムやセレコキシブなどの非ステロイド性抗炎症薬（NSAIDs），セレコキシブ，アミトリプチリン塩酸塩，ワルファリンカリウム，Glipizide，ロサルタンカリウムなどがあります。

中 肝臓で代謝される医薬品（シトクロムP450 2D6（CYP2D6）の基質となる医薬品）

特定の医薬品は肝臓で代謝されます。プロポリスは医薬品の代謝を抑制する可能性があります。プロポリスと肝臓で代謝される医薬品を併用すると，医薬品の作用および副作用が増強するおそれがあります。このような医薬品には，アミトリプチリン塩酸塩，クロザピン，コデインリン酸塩水和物，塩酸デシプラミン（販売中止），ドネペジル塩酸塩，フェンタニルクエン酸塩，フレカイニド酢酸塩，塩酸フルオキセチン（販売中止），ペチジン塩酸塩，メサドン塩酸塩，メトプロロール酒石酸塩，オランザピン，オンダンセトロン塩酸塩水和物，トラマドール塩酸塩，トラゾドン塩酸塩などがあります。

中 肝臓で代謝される医薬品（シトクロムP450 2E1（CYP2E1）の基質となる医薬品）

特定の医薬品は肝臓で代謝されます。プロポリスは医薬品の代謝を抑制する可能性があります。プロポリスと肝臓で代謝される医薬品を併用すると，医薬品の作用および副作用が増強するおそれがあります。このような医薬品には，アセトアミノフェン，クロルゾキサゾン，アルコール，テオフィリンと，エンフルラン（販売中止），ハロタン（販売中止），イソフルラン，Methoxyfluraneなどの麻酔薬などがあります。

中 肝臓で代謝される医薬品（シトクロムP450 3A4（CYP3A4）の基質となる医薬品）

特定の医薬品は肝臓で代謝されます。プロポリスは医薬品の代謝を抑制する可能性があります。プロポリスと肝臓で代謝される医薬品を併用すると，医薬品の作用および副作用が増強するおそれがあります。このような医薬品には，Lovastatin，クラリスロマイシン，シクロスポリン，ジルチアゼム塩酸塩，エストロゲン（卵胞ホルモン）製剤，インジナビル硫酸塩エタノール付加物（販売中止），トリアゾラムなどがあります。

中 血液凝固を抑制する医薬品（抗凝固薬/抗血小板薬）

プロポリスは血液凝固を抑制し，出血時間を延長させる可能性があります。プロポリスと血液凝固を抑制する医薬品を併用すると，紫斑および出血のリスクが高まるおそれがあります。このような医薬品には，アスピリン，クロピドグレル硫酸塩，ダルテパリンナトリウム，エノキサパリンナトリウム，ヘパリン，チクロピジン塩酸塩，ワルファリンカリウムなどがあります。

ハーブおよび健康食品・サプリメントとの相互作用

ほかのハーブ，健康食品・サプリメントとの相互作用についてはまだ明らかではありません。

使用量の目安

●経口摂取

標準使用量に関するデータがありません。

●局所投与

Sulcoplasty後の洗口薬として，プロポリスが５％含まれたアルコール・水溶液が用いられます。

疱疹

皮膚患部にプロポリスが３％含まれた軟膏を１日４回塗布します。

ブロメライン

BROMELAIN

●代表的な別名

パイナップル酵素

別名ほか

パイナップル酵素（Pineapple Enzyme），植物プロテアーゼ濃縮物（Plant Protease Concentrate），パイナップル（Ananas comosus），ブロメリン（Bromelin），

Ananus ananus, Ananus duckei, Ananas sativus, Bromelains, Bromelainum, Bromelia ananus, Bromelia comosa, Pineapple

概　　要

ブロメラインはパイナップルジュースやパイナップルの茎に含まれる酵素です。「くすり」として使用されることもあります。

安 全 性

用量を守って摂取するなら，ほとんどの人に安全のようです。

ただ，下痢や胃腸障害などの副作用を引き起こす場合があります。

手術：手術中，手術後の出血のリスクが高まる可能性があります。少なくとも手術２週間前には，ブロメラインの摂取はやめてください。

●アレルギー

パイナップル，小麦，セロリ，パパイン，ニンジン，フェンネル，スギ花粉，芝花粉にアレルギーがある場合には，ブロメラインに対してもアレルギー反応を起こす場合があります。

●妊娠中および母乳授乳期

妊娠中，母乳授乳期の摂取の安全性については十分わかっていません。安全性を考慮して，使用を避けてください。

フ

有 効 性

◆有効性レベル③

・変形性関節症。これはトリプシンおよびルチンを併用した場合です。この併用は，医療用鎮痛薬と同様の効果があると見られます。

◆有効性レベル④

・運動後の筋肉痛を予防。激しい運動の直後にブロメラインを経口摂取しても，筋肉痛の発症を抑制することはないようです。また痛み，柔軟性，骨の脆弱化に対する効果はまったくありません。

◆科学的データが不十分です

・膝の痛み。ブロメラインの経口摂取により，健康な人（膝の痛み以外は健康である人）の場合に，３カ月を超えない軽度の膝の痛みを軽減するとするデータがあります。
・手術後あるいは外傷後の腫脹の軽減。ブロメライン摂取により，手術後および外傷後の腫脹と痛みを軽減するとのデータがあります。興味深いことには，口腔手術後の腫脹を軽減する効果はないようです。
・重度の熱傷，炎症，抗生物質の吸収の改善，花粉症，がんの予防，分娩時間の短縮化，脂肪を除去しやすくするための使用，潰瘍性大腸炎など。

●体内での働き

ブロメラインは，体に痛みや腫脹と戦う物質を産出すると見られています。

またブロメラインは，腫瘍の成長を妨げ，血液凝固を遅延させる成分が含まれています。

医薬品との相互作用

低テトラサイクリン系抗菌薬

ブロメラインは，抗菌薬が体内に吸収される量を増加させる可能性があります。ブロメラインとテトラサイクリン系抗菌薬を併用すると，テトラサイクリン系抗菌薬の作用および副作用が増強するおそれがあります。このようなテトラサイクリン系抗菌薬にはデメチルクロルテトラサイクリン塩酸塩，ミノサイクリン塩酸塩，テトラサイクリン塩酸塩などがあります。

中血液凝固を抑制する医薬品（抗凝固薬/抗血小板薬）

ブロメラインは血液凝固を抑制する可能性があります。ブロメラインと血液凝固を抑制する医薬品を併用すると，紫斑および出血のリスクが高まるおそれがあります。このような医薬品にはアスピリン，クロピドグレル硫酸塩，ジクロフェナクナトリウム，イブプロフェン，ナプロキセン，ダルテパリンナトリウム，エノキサパリンナトリウム，ヘパリン， インドメタシン，チクロピジン塩酸塩，ワルファリンカリウムなどがあります。

中アモキシシリン水和物

ブロメラインとアモキシシリン水和物を併用すると，体内のアモキシシリン水和物の量が増加する可能性があります。このため，アモキシシリン水和物の作用および副作用が増強するおそれがあります。

ハーブおよび健康食品・サプリメントとの相互作用

血液凝固を抑制するハーブおよび健康食品・サプリメント

ブロメラインには血液凝固を抑制する効果があります。同様に血液凝固を抑制する効果のあるハーブおよび健康食品・サプリメントと併用すると，紫斑や出血が起きる可能性が高くなります。血液凝固を抑制するハーブおよび健康食品・サプリメントには，アルファルファ，アンゼリカ，アニス，アルニカ，ジャイアントフェンネル，ブラダーラック，セロリ，ジャーマン・カモミール，クローブ，フェヌグリーク，フィーバーフュー，ニンニク，ショウガ，セイヨウトチノキ，甘草，メドウスイート，ポプラ，アメリカサンショウ，プリックリーアッシュ，カッシア， レッドクローバー，ウィローバークなどがあります。

亜鉛

亜鉛などの金属が，体内でのブロメラインの活性を抑制することがありますが，人体への影響についての報告はありません。

使用量の目安

●経口摂取

変形性関節症

相互作用レベル：高この医薬品と併用してはいけません　中この医薬品とは慎重に併用するか併用しないでください
低この医薬品との併用には注意が必要です

酵素含有複合薬（Phlogenzym；ルチン100mg，トリプシン48mg，およびブロメレイン90mgを含有する錠剤）を１回２錠，１日３回摂取します。

遅発性筋肉痛

強度の高い運動療法を実施した直後に，１回300mgで１日３回摂取します。

急性の膝痛

１日200～400mgを30日間摂取します。

フロリジン

PHLORIZIN

別名ほか

1-[2,4-Dihydroxy-6-[(2S,3R,4S,5S,6R)-3,4,5-trihydroxy-6-(hydroxymethyl)oxan-2-yl]oxyphenyl]-3-(4-hydroxyphenyl)propan-1-one，1-[2-(Beta-D-glucopyranosyloxy)-4,6-dihydroxyphenyl]-3-(4-hydroxyphenyl)-1-propanone，Floridzin，Phloretin-2'-O-glucoside，Phloridzin，Phlorizoside，Phlorrhizin

概　　要

フロリジンはリンゴの木の樹皮など一部の果実の木に含まれている物質です。「くすり」を作るのに使用されます。

発熱，マラリア，糖尿病の場合および抗酸化薬としてフロリジンを経口摂取します。

安 全 性

フロリジンの安全性については，データが不十分です。血糖値を過度に低下させるおそれがあります。空腹感が過度に増すおそれもあります。

糖尿病：フロリジンが血糖値を低下させる可能性があります。糖尿病に罹患していてフロリジンを摂取する場合には，低血糖の徴候に注意し，血糖値を注意深く監視してください。

手術：フロリジンが血糖値を低下させる可能性があります。このため，手術中および術後の血糖値コントロールを妨げるおそれがあります。少なくとも手術前２週間は，使用しないでください。

●妊娠中および母乳授乳期

妊娠中および母乳授乳期の使用の安全性についてはデータが不十分です。安全性を考慮し，摂取は避けてください。

有 効 性

◆科学的データが不十分です

・糖尿病，発熱，マラリアなど。

●体内での働き

フロリジンは，腎臓が糖を再吸収するのを防ぎ，これにより血糖値が低下します。また，腫瘍の成長を抑制し，骨量の減少を軽減する可能性があります。

医薬品との相互作用

中 糖尿病治療薬

フロリジンは血糖値を低下させる可能性があります。糖尿病治療薬もまた血糖値を低下させるために用いられます。フロリジンと糖尿病治療薬を併用すると，血糖値が過度に低下するおそれがあります。血糖値を注意深く監視してください。糖尿病治療薬の用量を変更する必要があるかもしれません。このような糖尿病治療薬にはグリメピリド，グリベンクラミド，インスリン，ピオグリタゾン塩酸塩，マレイン酸ロシグリタゾン（販売中止），クロルプロパミド，Glipizide，トルブタミド（販売中止）などがあります。

ハーブおよび健康食品・サプリメントとの相互作用

血糖値を低下させるおそれのあるハーブおよび健康食品・サプリメント

フロリジンが血糖値を低下させるおそれがあります。フロリジンと血糖値を低下させるおそれのあるほかのハーブおよび健康食品・サプリメントを併用すると，血糖値が過度に低下するおそれがあります。このようなハーブおよび健康食品・サプリメントには，バナバ，ニガウリ，ハッショウマメ，ショウガ，コンニャクマンナン，薬用ガレーガ，フェヌグリーク，クズ，ウィローバークなどがあります。

使用量の目安

通常の食品に含まれている量を超えて経口摂取した場合の安全性および副作用については，明らかになっていません。

分岐鎖アミノ酸

BRANCHED-CHAIN AMINO ACIDS

●代表的な別名

BCAA

別名ほか

イソロイシン，ロイシン（Leucine），バリン（Valine），L-イソロイシン（L-Isoleucine），L-ロイシン（L-Leucine），L-バリン（L-Valine），BCAA，BCAAs

概　　要

分岐鎖アミノ酸は，肉，乳製品，豆類などの食物のタンパク質から体内に取り入れられる必須栄養素です。分岐鎖アミノ酸は，ロイシン，イソロイシン，およびバリンのことです。分岐鎖とはこれらアミノ酸の化学的な構造を表しています。分岐鎖アミノ酸は「くすり」として使われることがあります。

分岐鎖アミノ酸（BCAA）は，ロイシン，イソロイシン，バリンの3つのアミノ酸から構成されています。

分岐鎖アミノ酸はブドウ糖に変換され，それゆえに，運動時のエネルギー源として使用することが可能です。また，分岐鎖アミノ酸は運動後の筋肉の回復中に，タンパク質の生成に使用することが可能であることを示すエビデンスもあります。

分岐鎖アミノ酸は，ほとんどの場合，運動能力や耐久性増加のためのサプリメントとして使用されています。

研究によると，分岐鎖アミノ酸は次のことに役立つ可能性があることを示しています。すなわち，就床安静に伴う筋萎縮，神経疾患，脊髄小脳変性症，および遅発性運動障害です。しかし，このことを確認するためには，より多くの研究が必要です。

安全性

分岐鎖アミノ酸の，医師などによる静脈内投与は，ほとんどの人に安全のようです。

分岐鎖アミノ酸の経口摂取は，適量であれば，おそらく安全です。疲労や協調運動障害などの副作用が報告されています。運転など，運動協調性に依存する活動の前および活動中は，分岐鎖アミノ酸の使用に注意すべきです。

小児：小児の分岐鎖アミノ酸の経口摂取は，短期間であれば，おそらく安全です。分岐鎖アミノ酸は，小児に対し，最長6カ月にわたり，安全に用いられています。

筋萎縮性側索硬化症（ALS，ルー・ゲーリッグ病）：筋萎縮性側索硬化症患者では，分岐鎖アミノ酸の使用と，肺不全や死亡リスク上昇との関連が認められています。筋萎縮性側索硬化症の場合には，十分なデータが得られるまで，分岐鎖アミノ酸を使用してはいけません。

分岐鎖ケト酸尿症：分岐鎖アミノ酸の摂取量が増加することにより，痙攣や，深刻な精神遅滞および身体発育遅滞を引き起こすおそれがあります。分岐鎖ケト酸尿症の場合には，分岐鎖アミノ酸を使用してはいけません。

慢性アルコール依存症：アルコール嗜癖者が食事として分岐鎖アミノ酸を摂取することにより，肝性脳症（脳損傷につながる肝疾患）が引き起こされています。

乳児の低血糖：特発性低血糖という疾患を有する乳児が，分岐鎖アミノ酸の一種であるロイシンを摂取することにより，血糖値が低下することが報告されています。血糖値は低下しますが，原因は不明です。複数の研究により，ロイシンが膵臓におけるインスリン分泌を促進するため，血糖値が低下することが示唆されています。

手術：分岐鎖アミノ酸が，血糖値に影響を与え，手術中および術後の血糖値コントロールを妨げるおそれがあります。少なくとも手術前2週間は，使用しないでください。

●妊娠中および母乳授乳期

妊娠中および母乳授乳期の使用の安全性についてはデータが不十分です。安全性を考慮し，摂取は避けてください。

有効性

◆有効性レベル③

- 食欲不振。栄養不足の高齢者が，分岐鎖アミノ酸を経口摂取すると，食欲不振が緩和し，栄養状態が全般的に改善されるようです。がんや肝疾患に起因する食欲不振の場合にも，分岐鎖アミノ酸の経口摂取が有効であることを示唆する初期のエビデンスもあります。
- 肝疾患に起因する脳の機能低下。異議を唱える研究も複数ありますが，大部分の研究により，肝疾患にともない脳の機能が低下している場合に，分岐鎖アミノ酸を経口摂取すると，肝臓および脳の機能が改善することが示唆されています。
- 躁病。分岐鎖アミノ酸であるロイシン，イソロイシンおよびバリンを含む飲料を摂取することにより，躁病の症状が緩和するようです。
- 筋破壊。分岐鎖アミノ酸の経口摂取により，運動中の筋破壊が抑制されるようです。
- 遅発性ジスキネジア（運動疾患）。分岐鎖アミノ酸の経口摂取により，遅発性ジスキネジアの症状が緩和するようです。

◆有効性レベル⑤

- 筋萎縮性側索硬化症（ALS，ルー・ゲーリッグ病）。初期の研究では有望な結果が示されましたが，近年の研究によれば，筋萎縮性側索硬化症に対する分岐鎖アミノ酸の有益性はないことが示唆されています。実際には，筋萎縮性側索硬化症患者では分岐鎖アミノ酸の摂取により，肺機能が悪化し，死に至るリスクが高まるおそれがあります。

◆科学的データが不十分です

- アルコールに起因する肝疾患，運動能力，糖尿病，肝臓がん，肝硬変，フェニルケトン尿症（血中フェニルアラニン濃度が上昇する遺伝性疾患），脊髄小脳変性症（SCD）と呼ばれる脊椎疾患，疲労の予防，集中力の向上，寝たきり状態の患者の筋萎縮の予防など。

●体内での働き

筋肉を構成するタンパク質の合成を促進することにより，筋肉の分解を抑制するようです。また，進行した肝疾患，躁病，遅発性ジスキネジアおよび食欲不振の人の脳細胞内において，メッセージが誤って伝達されるのを防ぐようです。

医薬品との相互作用

高 レボドパ

分岐鎖アミノ酸はレボドパの腸や脳への吸収量を減少させる可能性があります。分岐鎖アミノ酸がレボドパの吸収量を減少させることでレボドパの作用が減弱するおそれがあります。

相互作用レベル：高 この医薬品と併用してはいけません　中 この医薬品とは慎重に併用するか併用しないでください
低 この医薬品との併用には注意が必要です

中糖尿病治療薬

分岐鎖アミノ酸のサプリメントは血糖値を低下させる可能性があります。分岐鎖アミノ酸を摂取し，糖尿病治療薬を併用すると，血糖値が過度に低下するおそれがあります。血糖値を注意深く監視してください。このような糖尿病治療薬には，グリメピリド，グリベンクラミド，インスリン，ピオグリタゾン塩酸塩，マレイン酸ロシグリタゾン（販売中止），クロルプロパミド，Glipizide，トルブタミド（販売中止）などがあります。

ハーブおよび健康食品・サプリメントとの相互作用

ほかのハーブ，健康食品・サプリメントとの相互作用についてはまだ明らかではありません。

使用量の目安

●経口摂取

肝性脳症（肝疾患に起因する脳疾患）

１日当たり240mg/kg（最大25g）の分岐鎖アミノ酸を摂取します。

躁病

バリン，イソロイシンおよびロイシン（配合率＝３：３：４）からなる分岐鎖アミノ酸の飲料60gを毎朝，７日間にわたり摂取します。

遅発性ジスキネジア

バリン，イソロイシンおよびロイシンからなる分岐鎖アミノ酸の飲料１回当たり222mg/kgを，１日３回，３週間にわたり摂取します。

栄養失調で，血液透析を受けている高齢者

食欲不振および全般的な栄養状態の改善のために，バリン，イソロイシンおよびロイシンからなる分岐鎖アミノ酸の顆粒１回当たり４gを，１日３回摂取します。

成人では，分岐鎖アミノ酸の推定平均必要量（EAR）は，１日当たり68mg/kg（ロイシン34mg，イソロイシン15mg，バリン19mg）と定められています。ただし，以前の試験方法では，EARが過小に評価されており，EARを１日当たり約114mg/kgに設定すべきと考える研究者も複数います。小児のEARについても，低いと考えている研究者もいます。

小児の分岐鎖アミノ酸の推定平均必要量（EAR）は，以下の通りです。

７～12カ月の乳児：１日当たり134mg/kg
１～３歳の幼児：１日当たり98mg/kg
４～８歳の小児：１日当たり81mg/kg
９～13歳の男児：１日当たり81mg/kg
９～13歳の女児：１日当たり77mg/kg
14～18歳の男児：１日当たり77mg/kg
14～18歳の女児：１日当たり71mg/kg

●静脈内投与

肝性脳症（肝疾患に起因する脳の肥大）

医師などにより，分岐鎖アミノ酸を静脈内投与します。

ベイベリー

BAYBERRY

●代表的な別名

シロコヤマモモ

別名ほか

シロコヤマモモ（Myrica cerifera），ワックスベリー（Waxberry），Candleberry，Myrica，Myrica pensylvanica，Southern Bayberry，Southern Wax Myrtle，Tallow Shrub，Vegetable Tallow

概　要

ベイベリーとは植物です。根の皮および小さな果実を用いて「くすり」を作ることもあります。

安 全 性

経口摂取は，安全と考えられていません。

悪心，嘔吐，肝臓の損傷を引き起こす場合があります。

高血圧症または低血圧症の人，水分貯留の問題がある人は使用してはいけません。

●妊娠中および母乳授乳期

妊娠中，母乳授乳期は使用してはいけません。

有 効 性

◆科学的データが不十分です

・感冒，下痢，発熱，および悪心。

●体内での働き

含有成分には，皮膚の乾燥効果があります。

医薬品との相互作用

ほかの医薬品との相互作用については明らかではありません。

ハーブおよび健康食品・サプリメントとの相互作用

ほかのハーブ，健康食品・サプリメントとの相互作用についてはまだ明らかではありません。

使用量の目安

●経口摂取

通常の摂取量は，0.6～２gの粉末状の樹皮を沸騰したお湯に浸してろ過したものを１日３回。流エキス薬（１：１，45％アルコール）は通常0.6～２mLを１日３回摂取します。

●局所投与

標準使用量に関するデータがありません。

へ

ベイリーフ

BAY LEAF

●代表的な別名

ローリエ

別名ほか

Bay, Bay Laurel, Bay Tree, Daphne, Grecian Laurel, Laurel, Laurel Común, Laurier d'Apollon, Laurier Noble, Laurier-Sauce, Laurier Vrai, Laurus nobilis, Mediterranean Bay, Noble Laurel, Roman Laurel, True Bay

概　要

ベイリーフはハーブです。ギリシア人が英雄にベイリーフで作った冠をかぶせたことで有名です。装飾的な使用に加えて，葉とオイルは「くすり」を作るのに使用されます。

ベイリーフは，がんおよび腸内ガスの治療，胆汁の分泌促進，発汗促進に使用されています。

ふけに対し，頭皮に塗布したり，疼痛，とくにリウマチ性の筋痛および関節リウマチに対し，皮膚に塗布したりすることもあります。

果実および油脂は，毛包感染症によるせつ（フルンケル）の治療に，皮膚に塗布されます。

獣医は牛や山羊などの乳房用軟膏として使用します。

食物としては，料理の風味づけや加工食品に使用されます。

製造業では，オイルが化粧品，石鹸，洗剤に使用されます。

安 全 性

ベイリーフおよびベイリーフ油の摂取は，食品に含まれる量であれば，ほとんどの人に安全のようです。ベイリーフ粉末の「くすり」としての量の経口摂取は，短期間であれば，おそらく安全です。しかし，ベイリーフの葉をそのまま料理に使う場合，食べる前に必ず取り除いてください。葉全体をそのまま経口摂取するのは安全ではないようです。葉は消化されず，消化器系を通るあいだもそのまま残り，のどに引っかかったり腸内膜に刺さったりするおそれがあります。

糖尿病：血糖コントロールを妨げるおそれがあります。糖尿病患者がベイリーフを「くすり」として使用する場合は，血糖値を注意深く監視してください。

手術：中枢神経系を鈍化するおそれがあります。手術中および手術後に，麻酔薬やほかの医薬品と併用すると，中枢神経系が過度に鈍化するおそれがあります。少なくとも手術前２週間は，使用しないでください。

●妊娠中および母乳授乳期

妊娠中および母乳授乳期の使用の安全性についてはデータが不十分です。安全性を考慮し，摂取は避けてください。

有 効 性

◆科学的データが不十分です

・糖尿病，がん，腸内ガス，胆汁の分泌促進，発汗促進など。

・皮膚へ塗布する場合には，ふけ，関節リウマチおよびリウマチ性の筋痛，せつなど。

●体内での働き

ベイリーフには，眠気を引き起こしたり，ある種の細菌や真菌に抵抗したりする可能性のある成分が含まれます。

医薬品との相互作用

中 鎮静薬（中枢神経抑制薬）

ベイリーフは眠気および注意力低下を引き起こす可能性があります。鎮静薬は眠気を引き起こす医薬品です。ベイリーフと鎮静薬を併用すると，過度の眠気を引き起こすおそれがあります。このような鎮静薬にはクロナゼパム，ロラゼパム，フェノバルビタール，ゾルピデム酒石酸塩などがあります。

中 鎮痛薬（麻薬性鎮痛薬）

特定の鎮痛薬は眠気および注意力低下を引き起こす可能性があります。γ-ブチロラクトンもまた，眠気および注意力低下を引き起こす可能性があります。γ-ブチロラクトンと鎮痛薬を併用すると，重大な副作用を引き起こすおそれがあります。鎮痛薬の服用中はγ-ブチロラクトンを摂取しないでください。このような鎮痛薬にはメペリジン，Hydrocodone，モルヒネ塩酸塩水和物，オキシコドン塩酸塩水和物などがあります。

中 糖尿病治療薬

ベイリーフは２型糖尿病患者の血糖値を低下させる可能性があります。糖尿病治療薬もまた血糖値を低下させるために用いられます。ベイリーフと糖尿病治療薬を併用すると，血糖値が過度に低下するおそれがあります。血糖値を注意深く監視してください。糖尿病治療薬の用量を変更する必要があるかもしれません。このような糖尿病治療薬にはグリメピリド，グリベンクラミド，インスリン，ピオグリタゾン塩酸塩，マレイン酸ロシグリタゾン（販売中止），クロルプロパミド，Glipizide，トルブタミド（販売中止）などがあります。

ハーブおよび健康食品・サプリメントとの相互作用

血糖値を低下させるおそれのあるハーブおよび健康食品・サプリメント

ベイリーフが血糖値を低下させるおそれがあります。ベイリーフと，血糖値を低下させるおそれのあるほかのハーブおよび健康食品・サプリメントを併用すると，血糖値が過度に低下するおそれがあります。このようなハーブおよび健康食品・サプリメントには，ニガウリ，

相互作用レベル：高 この医薬品と併用してはいけません　中 この医薬品とは慎重に併用するか併用しないでください
低 この医薬品との併用には注意が必要です

ハッショウマメ，ショウガ，薬用ガレーガ，フェヌグリーク，クズ，ウィローバークなどがあります。

使用量の目安

通常の食品に含まれている量を超えて経口摂取した場合の安全性および副作用については，明らかになっていません。

ヘーゼルナッツ

HAZELNUT

別名ほか

セイヨウハシバミ，西洋榛（Corylus avellana），ハシバミ，オオハシバ，オヒョウハシバミ（Corylus heterophylla），Aveleira，Avelinier，Avellano，Cobnut，Coudrier，European Filbert，European Hazel，Haselnuss，Haselstrauch，Hazel，Hazel Nut，Noisetier

概　　要

ヘーゼルナッツはハシバミの樹木から取れるナッツです。「くすり」として使用されることもあります。

安　全　性

食べ物に含まれる量を摂取するなら，ほとんどの人に安全のようです。

●アレルギー

人によってはヘーゼルナッツにアレルギーがあり，命にかかわるような呼吸の異常（アナフィラキシー）など深刻なアレルギー反応があります。

有　効　性

◆科学的データが不十分です

・高コレステロール血症，抗酸化薬としての使用など。

●体内での働き

オイルやタンパク質，食物繊維が含まれます。薬用として，どのように作用するかについては十分なデータが得られていません。

医薬品との相互作用

ほかの医薬品との相互作用については明らかではありません。

ハーブおよび健康食品・サプリメントとの相互作用

ほかのハーブ，健康食品・サプリメントとの相互作用についてはまだ明らかではありません。

使用量の目安

標準使用量に関するデータがありません。

β-アラニン

BETA-ALANINE

●代表的な別名

β-アミノプロピオン酸

別名ほか

3-aminopropanoic acid，3-aminopropionic acid，β-Ala，β-alanine，β-aminopropionic acid，Beta-alanine ethyl ester，Beta-amino acid，Non-essential amino acid

概　　要

β-アラニンは，非必須アミノ酸です。非必須アミノ酸は，体内で合成されるため，食品から摂取する必要はありません。アミノ酸はタンパク質を構成する成分です。

●要説（ナチュラル・スタンダード）

β-アラニンは，食事に含まれるほとんどのアミノ酸とは構造的に異なるβ-アミノ酸です。体内では，β-アラニンは，ビタミンB_5，カルノシン，ジヒドロウラシルの構造体の一部を形成しています。食事では，β-アラニンは，鶏肉，牛肉，豚肉，魚など，ほとんどの食肉に含まれています。

β-アラニンは主に，短距離走や重量挙げのような体力を要求する活動のために，運動能力を向上させると考えられています。ヒトでの研究では，β-アラニンは疲労するまでの時間延長，走っている最中のピークのパワー（peak power）の増加，ベンチプレスの重量と繰り返す回数を増やす可能性のあることが示唆されています。しかし，さらに研究をしていく必要があります。

体重1kg当たり10mg以上のβ-アラニンを摂取すると，「しびれてチクチクする感じ（pins and needles）」を引き起こす可能性があります。この感覚は，継続使用の数週間後に消える可能性があります。

安　全　性

短期間，適量を経口摂取する場合には，おそらく安全です。中程度の量を使用する場合の副作用の報告はありません。高用量を使用する場合には，皮膚の紅潮およびチクチク感を引き起こすおそれがあります。

●妊娠中および母乳授乳期

妊娠中および母乳授乳期の使用の安全性についてはデータが不十分です。安全性を考慮し，摂取は避けてください。

有　効　性

◆有効性レベル③

・運動能力。研究により，β-アラニンを適度に使用することで運動能力がある程度向上する可能性が示されています。とくに負荷の高い運動や筋肉トレーニングにおける使用は有効とされています。β-アラニンのサプリメントを使用することで，高齢者の運動能力改善および筋疲労抑制効果があることも示唆されています。研究者の間では転倒リスク低下が期待されていますが，データが不十分です。β-アラニン，クレアチン・モノハイドレート，アルギニン，α-ケトイソカプロン酸，およびロイシンを含む特定の製品が，筋力トレーニング中の人の除脂肪量および筋力を増大させることを示す研究もあります。しかしながら，β-アラニンが運動能力に有益な作用を及ぼすことを示す研究ばかりではありません。相反する研究結果の理由としては，被験者数の少なさ，服用量のばらつき，服用期間，運動プロトコルの種類，対象集団などが考えられます。

◆科学的データが不十分です

・顔面紅潮（ほてり）など。

●体内での働き

β-アラニンはアミノ酸です。体内で筋肉に作用するほかの化学物質に転換されます。

医薬品との相互作用

ほかの医薬品との相互作用については明らかではありません。

ハーブおよび健康食品・サプリメントとの相互作用

ほかのハーブ，健康食品・サプリメントとの相互作用についてはまだ明らかではありません。

使用量の目安

●経口摂取

運動能力の改善

β-アラニン製品を1日3.2〜6.4g摂取します。

β-カロテン

BETA-CAROTENE

●代表的な別名

β-カロチン

別名ほか

カロテン（Carotenes），カロテノイド（Carotenoids），プロビタミンA（Provitamin A），A-Beta-Carotene，Beta Carotene

概　　要

β-カロテンはカロテノイドと呼ばれる，赤，橙および，黄の色素グループのひとつです。アメリカ人の食事に必要とされるビタミンAの約50％が，β-カロテンなどのカロテノイドにより摂取されています。β-カロテンは果物，野菜，全粒粉などに含まれています。化学的に合成することもできます。

β-カロテンは，特定のがん，心疾患，白内障，変形性関節症，および加齢黄斑変性（AMD）の予防に用いられます。また，慢性疲労症候群，皮膚の加齢変化，エイズ，アルコール依存，アルツハイマー病，うつ病，糖尿病，てんかん，頭痛，むねやけ，潰瘍の原因となる細菌感染（ヘリコバクター・ピロリ感染），高血圧，不妊，パーキンソン病，関節リウマチ，統合失調症，脳卒中，乾癬などの皮膚疾患，および白斑の治療に用いられます。そのほか，気管支喘息，運動により誘発される気管支喘息，のう胞性線維症，慢性閉塞性肺疾患（COPD）などの呼吸器疾患の症状を緩和する目的で用いられます。記憶力や筋力の改善にも用いられます。口内に発生する白斑や腫脹，潰瘍など，化学療法の毒性を軽減する目的で用いる人もいます。色素性母斑の発症，長期の肝疾患による死亡，筋萎縮性側索硬化症（ALS），腹部大動脈瘤の予防の目的で経口摂取されます。

栄養不良の女性の妊娠中の死亡や夜盲，出産後の下痢や発熱などのリスクを低下させる目的で使用されます。

日焼けの予防のために経口摂取する人もいます。また，赤血球産生性プロトポルフィリン症（EPP）や多型光線疹などの疾患に起因する日光過敏症の予防のために経口摂取する人もいます。

米国心臓協会，米国対がん協会，米国がん研究協会と提携する世界がん研究基金，世界保健機関の国際がん研究機関など多くの機関が，少なくともサプリメントの有益性が研究により明らかになるまでは，β-カロテンなどのアンチオキシダント（抗酸化物質）をサプリメントではなく食品から摂取するよう推奨しています。果物や野菜を1日5皿食べると，6〜8mgのβ-カロテンを摂取することができます。

安　全　性

成人および小児が，特定の疾患に対して適切な量を経口摂取する場合，ほとんどの人に安全のようです。ただし，β-カロテン・サプリメントの医療目的以外の一般使用は推奨しません。

高用量の経口摂取は，とくに長期間にわたる場合，おそらく安全ではありません。多量に摂取すると，皮膚が黄色またはオレンジ色になるおそれがあります。

β-カロテンのような抗酸化作用のあるサプリメントを多量に摂取すると，むしろ身体への害の方が大きいという懸念が高まっています。β-カロテン・サプリメントの多量摂取で，あらゆる原因での死亡リスクや，特定のがんのリスクをはじめとする深刻な副作用のリスクが高まるおそれがあることを示す研究があります。また，多量のマルチビタミンにβ-カロテン単独のサプリメントを併用摂取すると，進行前立腺がんの発症リスクが高まるという懸念があります。

血管形成術：β-カロテンなどの抗酸化ビタミンは，血管形成術と同時期に摂取すると血管形成術後に有害な影響が出るおそれがあります。治癒を阻害するおそれがあります。医師などの勧めがないかぎり，β-カロテン・サプリメントおよび抗酸化ビタミンを血管形成術の前後に摂取してはいけません。

アスベスト曝露歴：アスベストに曝露したことがある人は，β-カロテン・サプリメントにより，がんのリスクが高まるおそれがあります。アスベストに曝露したことがある人は，β-カロテン・サプリメントを摂取してはいけません。

喫煙：β-カロテン・サプリメントは喫煙者の結腸がん，肺がんおよび前立腺がんのリスクを高めるおそれがあります。喫煙者はβ-カロテン・サプリメントを摂取してはいけません。

●妊娠中および母乳授乳期

妊娠中および母乳授乳期の使用は，適量を経口摂取する場合，ほとんどの人に安全のようです。しかしながら，高用量の一般使用は推奨されていません。

有　効　性

◆有効性レベル①

・「赤血球産生性プロトポルフィリン症」と呼ばれる遺伝性の血液疾患患者における日光過敏症の治療。β-カロテンの経口摂取により日光過敏症が緩和する可能性があります。

◆有効性レベル③

・加齢黄斑変性（AMD）。β-カロテンとビタミンC，ビタミンE，および亜鉛を併用して経口摂取した場合，加齢黄斑変性が進行した患者の視力喪失および加齢黄斑変性症状の悪化を予防するようです。この組み合わせで併用摂取すると，低リスクの人の加齢黄斑変性の進行が抑制される可能性がありますが，相反するデータが得られています。亜鉛以外のアンチオキシダント（抗酸化物質）をβ-カロテンと併用摂取しても，進行した加齢黄斑変性が改善することはないようです。食事からβ-カロテンを摂取すると加齢黄斑変性の発症リスクが低下する可能性については，エビデンスが錯綜しています。

・乳がん。乳がんリスクの高い閉経前の女性が，β-カロテンを含む果物や野菜をより多く摂取すると，乳がんリスクが低下するようです。乳がんリスクの高い女性には，家族歴のある女性やアルコール摂取量が多い女性が含まれます。

・出産後の合併症の予防。妊娠前・中・後のβ-カロテンの経口摂取により，出産後の下痢や発熱などの発症率が低下するようです。

・妊娠にかかわる合併症。β-カロテンの経口摂取により，栄養不良の女性の妊娠にかかわる死亡，夜盲，出産後の下痢や発熱などのリスクが低下するようです。

・日焼け。β-カロテンの経口摂取により，日光過敏の人の日焼けが減少する可能性があります。ただし，β-カロテンを摂取しても，ほとんどの人の日焼けのリスクにそれほど影響はみられないようです。また，日光曝露にかかわる皮膚がんやほかの皮膚疾患のリスクが低減することはないようです。

◆有効性レベル④

・腹部大動脈瘤の予防。研究により，男性の喫煙者がβ-カロテンを約5.8年間にわたり経口摂取しても，腹部大動脈瘤の発症を予防できることはないことが示唆されています。

・アルツハイマー病。β-カロテンを多量に含む食事を摂取しても，アルツハイマー病のリスクは低下しないようです。

・白内障。β-カロテンを単独で，またはビタミンC，ビタミンE，および亜鉛と併用して，最大８年間にわたり摂取しても，白内障の発症率および進行が減少することはないようです。

・のう胞性線維症。β-カロテンを最大14カ月間にわたり経口摂取しても，のう胞性線維症患者の肺機能が向上することはありません。

・糖尿病。多量のβ-カロテンを含む食事の摂取と，２型糖尿病の発症リスク低下とに関連があることを示唆する初期の研究があります。しかし，β-カロテン・サプリメントを摂取しても，糖尿病の発症リスクおよび糖尿病にかかわる合併症のリスクが低下することはありません。

・色素性母斑。β-カロテンを３年間にわたり経口摂取しても，新たな色素性母斑の発症が減少しないことが，研究により示されています。

・肝がん。男性喫煙者がβ-カロテンを単独またはビタミンEと併用で５～８年間摂取しても，肝がんが予防されることはありません。

・肝疾患。男性喫煙者がβ-カロテンを単独またはビタミンEと併用で５～８年間摂取しても，肝疾患による死亡が予防されることはありません。

・全死亡リスク。β-カロテン，ビタミンC，ビタミンE，セレン，および亜鉛を含むサプリメントを約７年間摂取することで，男性では死亡リスクが低下する可能性があることが，一部の研究により示唆されています。ただし女性にはこの効果がみられないようです。また，別の研究では，高用量のβ-カロテンを，最大12年間にわたり摂取すると，男女ともに死亡リスクが高まるおそれがあることが示されています。

・脳卒中。男性喫煙者がβ-カロテンを約６年間にわたり経口摂取しても，脳卒中のリスクが低下することはありません。また，飲酒者がβ-カロテン・サプリメントを摂取すると，脳出血のリスクが高まるというエビデンスがいくつかあります。

◆有効性レベル⑤

・がん。β-カロテンの摂取は，子宮がん，子宮頸がん，甲状腺がん，膀胱がん，皮膚がん，脳腫瘍，および白血病による死亡の予防および減少には効果がないことが，ほとんどの研究で示されています。ただし，一部の研究では，β-カロテンとビタミンC，ビタミンE，セレン，および亜鉛の併用摂取は，男性のがんの発症率を低下させますが，女性の発症率は低下させない可能性があることが示唆されています。研究者らは，男性は女性よりも食事によるアンチオキシダント（抗酸化物質）の摂取量が少ないためサプリメントの効果が出やすいのかもしれないと推測しています。

・心疾患。米国心臓協会のサイエンスアドバイザリーは，β-カロテンなどのアンチオキシダント（抗酸化物質）を心疾患リスク低下のために使用することを証明するエビデンスはないと述べています。また，β-カロテンをビタミンCやビタミンEと併用して摂取しても，心疾患のリスクは低下しないことを示すエビデンスがあります。

・結腸がん。ほとんどの研究では，β-カロテンを単独で，またはビタミンC，ビタミンE，セレン，炭酸カルシウムと併用して経口摂取しても，結腸腫瘍の増殖リスクが低下しないことが示されています。また，結腸腫瘍を切除した人の再発リスクが低下することもないようです。ただし，飲酒や喫煙をしない人では，結腸腫瘍再発のリスクが低下する可能性があります。しかし，喫煙者や飲酒者の場合は，β-カロテン・サプリメントの摂取により，新たな腫瘍のリスクが上昇します。食物中のβ-カロテンによって結腸がんのリスクが低下するかどうかは明らかにされていません。

・肺がん。喫煙者，喫煙歴のある人，アスベストに曝露歴のある人，喫煙に加えて飲酒する人では，β-カロテンの摂取により，肺がんのリスクが高まるようです。しかしながら，食事で摂取するβ-カロテンには，この有害作用はないようです。また，β-カロテン，ビタミンE，セレンを含むサプリメントを約5年間にわたり摂取しても，以前肺がんと診断されたことのある人の死亡リスクが低下することはありません。

・前立腺がん。β-カロテン・サプリメントの摂取によって前立腺がんが予防されることはほとんどありません。それどころか，人によっては，β-カロテン・サプリメントにより前立腺がんのリスクが高まるおそれが懸念されています。毎日のマルチビタミンサプリメントと併用して，β-カロテン単独のサプリメントを摂取している場合に，進行前立腺がんのリスクが高まるというエビデンスがあります。また，男性喫煙者がβ-カロテン・サプリメントを摂取すると，前立腺がんリスクが高くなります。

◆科学的データが不十分です

・皮膚の加齢変化，筋萎縮性側索硬化症（ALS，ルー・ゲーリッグ病），気管支喘息，化学療法の副作用，肺疾患の合併症（慢性閉塞性肺疾患，COPD）の予防，精神活動，食道がん，運動により誘発される気管支喘息，胃がん，胃潰瘍の原因となるヘリコバクター・ピロリ感染，HIV/エイズ，口腔白板症，口腔粘膜炎，変形性関節症，卵巣がん，膵がん，体力，多型光線疹，アルコール依存，慢性疲労症候群（CFS），うつ病，てんかん，頭痛，むねやけ，高血圧，不妊，パーキンソン病，乾癬，関節リウマチ，統合失調症など。

●体内での働き

β-カロテンは，必須栄養素であるビタミンAに変換されます。抗酸化作用および抗炎症作用をもち，細胞の損傷を防ぐ補助をします。

医薬品との相互作用

中ニコチン酸

ニコチン酸はHDL-コレステロール値を上昇させます。β-カロテンをビタミンE，ビタミンC，セレンと併用すると，ニコチン酸のHDL-コレステロールに対する作用が減弱するおそれがあります。β-カロテン単独でニコチン酸のHDL-コレステロールに対する作用を減弱するかについては明らかではありません。

ハーブおよび健康食品・サプリメントとの相互作用

ほかのハーブ，健康食品・サプリメントとの相互作用についてはまだ明らかではありません。

通常の食品との相互作用

アルコール

過度の飲酒は体内のβ-カロテン値を減少させ，レチノールという化学物質を増加させます。これによりがんのリスクが高まることが懸念されています。しかし，この懸念の正当性についてはさらに検証が必要です。

オレストラ（代替油脂）

オレストラはβ-カロテンの体内での作用を阻害するおそれがあります。オレストラは健康な人の血清β-カロテン濃度を27%減少させます。

使用量の目安

【成人】

●経口摂取

赤血球産生性プロトポルフィリン症（EPP）

β-カロテン1日180mgを摂取します。この用量で効果がみられない場合は，1日300mgまで増量することができます。

日光過敏の人の日焼け予防

β-カロテン24～25mgとそのほかのカロテノイドを含む特定の製品を，12週間摂取します。

加齢黄斑変性（AMD）の治療

β-カロテン15mgを，ビタミンC 500mg，ビタミンE 400IUとともに毎日摂取します。酸化亜鉛80mgを追加してもしなくてもかまいません。

出産後の合併症の予防

β-カロテンを週に42mg摂取します。

妊娠にかかわる合併症

β-カロテンを週に42mg摂取します。

【小児】

●経口摂取

赤血球産生性プロトポルフィリン症（EPP）

摂取量は年齢により異なります。1～4歳の1日摂取量は60～90mg，5～8歳で90～120mg，9～12歳で120～150mg，13～16歳で150～180mg，16歳以上で180mgです。これらの摂取量で十分な光防護が得られない場合は，16歳未満の小児では1日当たり30～60mgの摂取量を増やすことができ，16歳以上では1日の合計摂取量を300mgにまで増やすことができます。

1日の推奨摂取量については，十分な研究が行われていないため設定されていません。

β-カロテン・サプリメントには，水ベースとオイルベースの2つの形態があります。研究によれば，水ベースの形態の方が，吸収がよいようです。

β-グルカン

BETA-GLUCANS

別名ほか

パン酵母から抽出したベータグルカン（Yeast-Derived Beta Glucan），ベータグリカン（Beta Glycans），グリフォラン（Grifolan，GRN），レンチナン（Lentinan），シゾフィラン（Schizophyllan，SPG），1-3,1-6-ベータグルカン（1-3,1-6-beta-glucan），ベータ-1,3-D-グルカン（beta-1,3-D-glucan），beta-1-6,1,3-beta-glucan, Beta Glucan，PGGグルカン（PGG Glucan），Poly-[1-6]-Beta-D-Glucopyranosyl-[1-3]-Beta-D-Glucopyranose，SSG

概　　要

β-グルカンは，細菌や真菌，酵母，藻，地衣類，またオーツ，オオムギのような植物の細胞壁に含まれる糖です。「くすり」として使われることもあります。

●要説（ナチュラル・スタンダード）

β-グルカンは食用植物ですが，腸で消化吸収されない成分です。

酵母由来のβ-グルカンが高濃度の場合，オーツやオオムギ由来のβ-グルカンと比べ，食品の原料にしやすいです。酵母由来のβ-グルカンは，水に溶けません。精製することで，天然のβ-グルカンと比べ吸収されやすくなります。

健康的な食生活は，心疾患のリスク軽減につながる可能性があります。脂質やコレステロールの摂取量を軽減するだけでなく，β-グルカンのような繊維を摂取することで，血清コレステロール値が低下する可能性があります。米国食品医薬品局（FDA）の「心疾患のリスクを減らす」という機能表示をするためには，日常の食生活において1日数回，これらの食品を摂取することが必要です。

β-グルカンの血清コレステロール値を下げる効果を支持する堅固なエビデンスがあります。

オーツ麦フスマ，オオムギ，およびβ-グルカンを豊富に含むオオムギ製品には，2型糖尿病患者の血糖値およびインスリン濃度を改善する可能性があることが，多くの研究により示唆されています。

安　全　性

通常の食品に含まれる量を経口摂取する場合，ほとんどの成人に安全のようです。

「くすり」としての量を，経口摂取，静脈内投与，筋肉内投与，または皮膚に塗布する場合，短期間であればおそらく安全です。経口で摂取する場合，1日15g超，8週間を超えて使用しないでください。微粒子が入っている静脈内注射用の溶液は安全ではありません。脾臓疾患，血液凝固などの深刻な異常を引き起こすおそれがあります。

経口摂取する場合の副作用については不明です。注射を受けた場合，悪寒，発熱，注射部位の疼痛，頭痛，腰痛および関節痛，吐き気，嘔吐，下痢，めまい感，血圧上昇または低下，皮膚の紅潮，皮疹，白血球数の減少，尿量増加といった症状が起こるおそれがあります。

エイズ患者がβ-グルカンを摂取すると，手足の皮膚が厚くなるおそれがあります。

HIV/エイズまたはエイズ関連症候群（ARC）：HIV/エイズまたはエイズ関連症候群患者が酵母由来のβ-グルカンを摂取する場合，手のひらと足の裏の皮膚が硬化する掌蹠角化症を発症するおそれがあります。症状は，使用開始から2週間以内に始まり，使用停止から2～4週間後に消失する可能性があります。

●妊娠中および母乳授乳期

妊娠中および母乳授乳期の使用の安全性についてはデータが不十分です。安全性を考慮し，摂取は避けてください。

有　効　性

◆有効性レベル②

・高コレステロール血症。高コレステロール血症患者が，酵母またはオオムギ由来のβ-グルカンを摂取すると，総コレステロール値および低比重リポタンパク（LDL，悪玉）コレステロール値が数週間で低下するようです。しかし，β-グルカンはコレステロール値に影響を及ぼさないことを示す研究もあります。エビデンスが錯綜している原因は，β-グルカンを含む製品の加工方法の違いにあるようです。

◆有効性レベル③

・ブタクサによる花粉症。酵母由来のβ-グルカンを含む特定の製品を，4週間，毎日摂取することで，ブタクサアレルギーが緩和することを示唆する研究があります。

・がん。特定の種類のβ-グルカンを，静脈内投与または筋肉内投与することで，進行がん患者の生存期間を延長させる可能性があるというエビデンスがあります。しかしながら，最低1年間は摂取する必要があります。
・手術後の感染予防。特定のβ-グルカン調合剤の静脈内投与により，手術後の感染症リスクが低下します。また，外傷患者の，敗血症と呼ばれる深刻な感染のリスクを低下させるようです。

◆科学的データが不十分です

・口唇潰瘍，糖尿病，HIV/エイズ，ヒトパピローマウイルス（HPV），高血圧，過敏性腸症候群（IBS），手術後の回復，肺感染，膣カンジダ症，体重減少，慢性疲労症候群（CFS），身体的および情緒的ストレス，感冒，インフルエンザ，肝障害，ライム病，気管支喘息，耳感染症，加齢，潰瘍性大腸炎およびクローン病，線維筋痛症，関節リウマチ，多発性硬化症，皮膚障害，皺，床ずれ，創傷，熱傷，糖尿病性潰瘍，放射線熱傷など。

●体内での働き

経口で摂取する場合，胃腸内での食物からのコレステロール吸収を抑制して，血中コレステロール値を低下させる可能性があります。注射で投与すると，感染を予防する化学物質を増加させ，免疫システムを刺激する可能性があります。

医薬品との相互作用

中降圧薬

β-グルカンは血圧を低下させる可能性があります。β-グルカンを摂取し，降圧薬を併用すると，血圧が過度に低下するおそれがあります。血圧を注意深く監視してください。このような降圧薬には，カプトプリル，エナラプリルマレイン酸塩，ロサルタンカリウム，バルサルタン，ジルチアゼム塩酸塩，アムロジピンベシル酸塩，ヒドロクロロチアジド，フロセミドなど数多くあります。

中免疫抑制薬

β-グルカンは免疫機能の活動を促進する可能性があります。特定の医薬品（移植後に使用する医薬品など）は免疫機能の活動を抑制します。β-グルカンを摂取し，このような医薬品を併用すると，医薬品の作用が減弱するおそれがあります。このような医薬品（免疫抑制薬）には，アザチオプリン，バシリキシマブ，シクロスポリン，Daclizumab，ムロモナブ-CD３（販売中止），ミコフェノール酸モフェチル，タクロリムス水和物，シロリムス，Prednisone，副腎皮質ステロイドなどがあります。

ハーブおよび健康食品・サプリメントとの相互作用

血圧を低下させるおそれのあるハーブおよび健康食品・サプリメント

β-グルカンは血圧を低下させるおそれがあります。同様の作用をもつほかのハーブおよび健康食品・サプリメントと併用すると，人によっては血圧が過度に低下するリスクが高まるおそれがあります。このようなハーブおよび健康食品・サプリメントには，アンドログラフィス，カゼイン・ペプチド，キャッツクロー，コエンザイムQ-10，魚油，L-アルギニン，クコ，イラクサ，テアニンなどがあります。

使用量の目安

●経口摂取

高コレステロール血症

酵母由来のβ-グルカン繊維7.5gを，１日２回，ジュースに加えて摂取します。または，オオムギ由来のβ-グルカンを，１日当たり３～10g摂取します。

●静脈内投与

HIV感染，がん患者における生存期間の延長，手術を受ける患者の感染予防

医師などにより静脈内投与します。

β-シトステロール

BETA-SITOSTEROL

別名ほか

B-Sitosterol 3-B-D-glucoside，B-Sitosterolin，Beta Sitosterin，Bêta-sitostérine，Beta Sitosterol，Bêta-Sitostérol，Beta-Sitosterol Glucoside，Beta-Sitosterol Glycoside，Cinchol，Cupreol，Glucoside de Bêta-Sitostérol，Quebrachol，Rhamnol，Sitosterin，Sitosterol，3-beta-stigmast-5-en-3-ol，22-23-dihydrostigmasterol，24-beta-ethyl-delta-5-cholesten-3beta-ol，24-ethyl-cholesterol

概　　要

β-シトステロールは植物から抽出される物質です。果物，野菜，ナッツ，種子に含まれます。「くすり」の原料になることもあります。

食品分野では，β-シトステロールを，コレステロール低下食への使用，および心臓病の予防を目的に一部のマーガリンに添加しています。米国食品医薬品局（FDA）は，β-シトステロールなどの植物由来のステロールエステルを含有した食品が，冠動脈心疾患の発症リスクを減らす効果があるとする機能性についての健康強調表示（ヘルスクレーム）を，メーカーが商品に掲載することを許可しています。これは，米国食品医薬品局が，植物由来ステロールエステルには，血清コレステロール値を下げることで冠動脈心疾患のリスクを低減する効果があると結論づけたことによるものです。β-シトステロールが血清コレステロール値を下げるとする多くのデータがありますが，長期の摂取が実際に冠動脈心疾患の発症のリスクを低減するとする証拠はありません。

相互作用レベル：高この医薬品と併用してはいけません　中この医薬品とは慎重に併用するか併用しないでください　低この医薬品との併用には注意が必要です

安全性

β-シトステロールは経口摂取する場合，ほとんどの人に安全のようです。吐き気，消化不良，腸内ガス，下痢，便秘などの副作用を引き起こすおそれがあります。勃起障害（ED），性欲減退，ざ瘡（にきび）の悪化の報告との関連が認められています。

皮膚に塗布する場合はおそらく安全です。

シトステロール血症（まれな遺伝性の脂肪蓄積疾患）：シトステロール血症患者は，血中および組織中にβ-シトステロールや関連する脂肪が過剰に蓄積するため，早期の心疾患に罹患しやすい傾向があります。β-シトステロールの摂取はこの症状を悪化させるおそれがあります。シトステロール血症の場合はβ-シトステロールを摂取してはいけません。

●妊娠中および母乳授乳期

妊娠中および母乳授乳期の使用の安全性についてはデータが不十分です。安全性を考慮し，摂取は避けてください。

有効性

◆有効性レベル②

- 良性前立腺肥大（BPH）による排尿困難。β-シトステロール１日60～130mgを経口摂取すると，良性前立腺肥大の症状改善に役立ちますが，肥大した前立腺が実際に縮小することはありません。これより大幅に低い用量を摂取しても，症状は改善しません。
- 高コレステロール血症。β-シトステロールを単独で，または大豆かコレスチラミンと併用で経口摂取すると，総コレステロール値および低比重リポタンパク（LDL，悪玉）コレステロール値が低下する可能性がありますが，高比重リポタンパク（HDL，善玉）コレステロール値は上昇しません。

◆有効性レベル③

- 遺伝的に高コレステロール傾向のある人（家族性高コレステロール血症）のコレステロール値の低下。低脂肪食またはコレステロール低下食を摂っている家族性高コレステロール血症の小児および成人がβ-シトステロールを経口摂取すると，総コレステロール値および低比重リポタンパク（LDL，悪玉）コレステロール値の低下に効果があるようです。ただしβ-シトステロールは，シトスタノールやコレステロール低下薬「ベザフィブラート」ほどの効果はないようです。

◆有効性レベル④

- 結核。結核の従来の治療と併用でβ-シトステロールを経口摂取しても，治癒にかかる期間は短縮しません。

◆有効性レベル⑤

- 胆石。β-シトステロールを経口摂取しても，胆石の治療には役立ちません。

◆科学的データが不十分です

- 脱毛症，熱傷，関節リウマチ，アレルギー，気管支喘息，子宮頸がん，慢性疲労症候群，線維筋痛症，更年期，片頭痛，結腸がんの予防，前立腺感染，乾癬，性機能障害，全身性エリテマトーデス（SLE）など。

●体内での働き

β-シトステロールはコレステロールに似た植物性物質です。体内に取り込まれるコレステロールの量を制限することにより，コレステロール値の低下を促す可能性があります。また，前立腺をはじめとする組織の腫脹（炎症）の緩和を促す可能性があります。

医薬品との相互作用

中 エゼチミブ

エゼチミブを摂取すると，体内に吸収されるβ-シトステロールの量を減少させて，その効果を弱めるおそれがあります。

低 プラバスタチンナトリウム

プラバスタチンナトリウムを摂取すると，体内のβ-シトステロール量を減少させて，その効果を弱めるおそれがあります。

ハーブおよび健康食品・サプリメントとの相互作用

カロテン

β-シトステロールは体内に取り込まれるカロテンの量を減少させるおそれがあります。

ビタミンE

β-シトステロールは体内に取り込まれるビタミンEの量を減少させるおそれがあります。

通常の食品との相互作用

カロテン

β-シトステロールは体内に取り込まれるカロテンの量を減少させるおそれがあります。

ビタミンE

β-シトステロールは体内に取り込まれるビタミンEの量を減少させるおそれがあります。

使用量の目安

【成人】

●経口摂取

良性前立腺肥大（BPH）

β-シトステロール60～130mgを１日２～３回に分けて摂取します。

高コレステロール血症

β-シトステロール0.65～1.5gを１日２回摂取します。通常，β-シトステロールは低脂肪食と併用します。または，β-シトステロール2.5gとコレスチラミン８gを含む併用製品を毎日，12週間摂取します。または，大豆タンパク質８gとβ-シトステロール２gを含む併用製品を毎日，40日間摂取します。

遺伝的に高コレステロール傾向のある成人（家族性高コレステロール血症）のコレステロール値の低下

β-シトステロール2.5～21.1gを１日数回に分けて，通常食前に摂取します。一部の研究で，１日６gの用量がもっとも効果が高いことが示されています。これ以上用量を高くしても効果は増大しないようです。

【小児】

●経口摂取

遺伝的に高コレステロール傾向のある小児（家族性高コレステロール血症）のコレステロール値の低下

小児および青少年で，β-シトステロール２～４gを１日３回，３カ月間摂取します。または，医薬品「ベザフィブラート」と併用で，β-シトステロール１gを１日３回，24カ月間摂取します。通常，β-シトステロールは低脂肪食と併用します。

β-ヒドロキシ-β-メチル酪酸

HYDROXYMETHYLBUTYRATE

別名ほか

Beta-hydroxy-beta-methylbutyrate, B-Hydroxy B-Methylbutyrate Monohydreate, Beta-Hydroxy-Beta-Methylbutyric Acid, Calcium B-Hydroxy B-Methylbutyrate Monohydrate, Calcium HMB, Hidroximetilbutirato, HMB de Calcium, Hydroxyméthylbutyrate, Hydroxymethyl Butyrate, Hydroxyméthyl Butyrate

概　要

β-ヒドロキシ-β-メチル酪酸は，ロイシンの代謝産物です。ロイシンはアミノ酸で，タンパク質を作る構成要素の一つです。β-ヒドロキシ-β-メチル酪酸を用いて，「くすり」を作ることもあります。

β-ヒドロキシ-β-メチル酪酸は，筋肉を増強するため，または筋肉の減少を抑えるために，最も一般的に使われています。

安 全 性

β-ヒドロキシ-β-メチル酪酸を経口摂取した場合，ほとんどの人におそらく安全です。１日３g以下を最大１年まで摂取するなら安全のようです。

●妊娠中および母乳授乳期

妊娠中および母乳授乳期の使用の安全性についてはデータが不十分です。安全性を考慮し，摂取は避けてください。

有 効 性

◆有効性レベル③

・HIV/エイズ患者における意図的でない体重減少。β-ヒドロキシ-β-メチル酪酸を，アミノ酸であるアルギニンおよびグルタミンと併用して８週間にわたり経口摂取すると，エイズ患者の体重および除脂肪体重が増加するようです。また，これらの併用により，エイズ患者の免疫システムが改善する可能性もあります。

・加齢による筋肉の減少（サルコペニア）。ほとんどの研究により，β-ヒドロキシ-β-メチル酪酸を摂取することで，加齢による筋肉の減少がわずかに抑制される可能性があることが示唆されています。

◆科学的データが不十分です

・運動能力，重症疾患を有する患者における意図的でない体重減少（悪液質または消耗症候群），糖尿病による足部潰瘍，運動による筋損傷，高コレステロール血症，高血圧，筋肉増強，肥満，口内の腫脹（炎症）および痛み（口腔粘膜炎），高齢者の身体能力，手術後の回復，放射線治療による皮膚障害（放射線皮膚炎），腎不全，心血管疾患など。

●体内での働き

β-ヒドロキシ-β-メチル酪酸が筋肉量の増加を促進する可能性があります。エイズ患者の筋肉の消耗を抑えるようです。

医薬品との相互作用

ほかの医薬品との相互作用については明らかではありません。

ハーブおよび健康食品・サプリメントとの相互作用

ほかのハーブ，健康食品・サプリメントとの相互作用についてはまだ明らかではありません。

使用量の目安

●経口摂取

HIV/エイズ患者における意図的でない体重減少

β-ヒドロキシ-β-メチル酪酸３gを，アルギニンとグルタミン各14gと併用し，１日２回に分けて摂取します。

加齢による筋肉の減少（サルコペニア）

特定の栄養補給液220mLを，１日２回摂取します。

β-ヒドロキシ酪酸

BETA-HYDROXYBUTYRATE

別名ほか

Beta-Hydroxybutyric Acid, BHB, Calcium-D, L-3-Hydroxybutyrate, D-3-Hydroxybutyrate, D-Beta-Hydroxybutyrate, D-Beta-Hydroxybutyric Acid, Glyceryl-Tris-3-Hydroxybutyrate, L-Beta-Hydroxybutyrate, L-Beta-Hydroxybutyric Acid, Sodium-D, L-3-Hydroxybutyrate, 1, 3-Butanediol Acetoacetate Diester, 3-Hydroxybutanoic Acid, 3-Hydroxybutyl-3-Hydroxybutyrate Monoester,

3-Hydroxybutyrate, 3-Hydroxybutyric Acid, 3-ヒドロキシ酪酸

概　　要

β-ヒドロキシ酪酸は，炭水化物や糖質が十分に摂取されていないときに，エネルギーを供給するために体内で産生される化学物質です。また，β-ヒドロキシ酪酸は人工的に作られ，サプリメントとして摂取することもできます。

β-ヒドロキシ酪酸は，ドライアイの場合に点眼したり，運動能力，片頭痛，アルツハイマー病，加齢による記憶喪失，パーキンソン病などの多くの疾患に対して経口摂取したりしますが，これらの用途を十分に裏づけるエビデンスはありません。

安　全　性

体内でβ-ヒドロキシ酪酸に変換される3-hydroxybutyl-3-hydoxybutyrateという化学物質は，5日間以内であれば毎日の経口摂取の場合はおそらく安全です。人によっては，胃のむかつき，下痢，便秘，胃痛が起こる可能性があります。この副作用は高用量の場合に起こる可能性が高くなります。

β-ヒドロキシ酪酸の点眼はおそらく安全です。1％のβ-ヒドロキシ酪酸を含有する点眼薬は最長4週間，副作用なく使用されています。

●妊娠中および母乳授乳期

妊娠中および母乳授乳期の使用の安全性についてはデータが不十分です。安全性を考慮し，摂取は避けてください。

有　効　性

◆科学的データが不十分です

・運動能力，ドライアイ，肥満，アルツハイマー病，加齢にともなう記憶と思考能力の低下，片頭痛，パーキンソン病など。

●体内での働き

β-ヒドロキシ酪酸は，低血糖のときにエネルギーとして体細胞で使用される化学物質です。β-ヒドロキシ酪酸は神経や脳の働きを良くするために役立つようです。また，運動能力の向上のために筋肉のエネルギーとして使用される可能性があります。

医薬品との相互作用

ほかの医薬品との相互作用については明らかではありません。

ハーブおよび健康食品・サプリメントとの相互作用

ほかのハーブ，健康食品・サプリメントとの相互作用についてはまだ明らかではありません。

使用量の目安

通常の食品に含まれている量を超えて経口摂取した場合の安全性および副作用については，明らかになっていません。

β-メチルフェネチルアミン

BETA-METHYLPHENETHYLAMINE

別名ほか

ß-Me-PEA, ß-methylphenethylamine, 1-amino-2-phenylpropane, 1-phenyl-1-methyl-2-aminoethane, 2-aminoisopropylbenzene, 2-phenyl-1-propanamin, 2-phenyl-1-propanamine, 2-phenylpropan-1-amine, 2-phenylpropylamine, beta-Me-PEA, beta-methylphenylethylamine, beta-methylphenylethylamine HCl, beta-methylphenyl-ethylamine, BMPEA

概　　要

β-メチルフェネチルアミンは化学物質です。健康食品およびサプリメントに含まれ，通常ラベルに「アカシア・リギディラ」と原料表示されます。しかし，実際これらの製品の多くには，アカシア・リギディラは含まれていません。もし含まれているとしても，β-メチルフェネチルアミンも添加されています。

β-メチルフェネチルアミンは一般的に体重減少のために使用され，記憶や運能動能力の改善に用いられます。しかし，その使用を科学的に裏づける研究はごくわずかしかありません。

米国食品医薬品局（FDA）によれば，β-メチルフェネチルアミンは健康食品およびサプリメントの定義に適合していません。また，世界アンチ・ドーピング機関の決定により，競技スポーツにおける使用は禁止されています。

安　全　性

経口摂取する場合，おそらく安全ではありません。刺激作用をもつため，心臓に関係する副作用を引き起こすおそれがあります。摂取後に脳卒中，心臓発作，不整脈を起こした人がいます。β-メチルフェネチルアミンまたはアカシア・リギディラと原料表示された製品を摂取しないでください。

高血圧：刺激作用があります。血圧上昇，頻脈を引き起こすことがあります。理論上，摂取すると高血圧を悪化させるおそれがあります。

手術：刺激作用があります。血圧上昇，頻脈を引き起こすおそれがあります。理論上，摂取することで，血圧

上昇，頻脈により手術が妨げられることがあります。手術の少なくとも２週間前には摂取しないでください。

●妊娠中および母乳授乳期

妊娠中および母乳授乳期の使用の安全性についてはデータが不十分です。安全性を考慮し，摂取は避けてください。

有効性

◆科学的データが不十分です

・運動能力，記憶，体重減少など。

●体内での働き

β-メチルフェネチルアミンは刺激作用のある化学物質です。血圧上昇，頻脈を引き起こすおそれがあります。また，脳を刺激することがあります。そのため，体重減少や運動能力向上のための製品によく添加されます。

医薬品との相互作用

中肝臓で代謝される医薬品（シトクロムP450 2D6（CYP2D6）の基質となる医薬品）

特定の医薬品は肝臓で代謝されます。β-メチルフェネチルアミン（BMPEA ）は特定の医薬品の代謝を抑制する可能性があります。BMPEA と肝臓で代謝される医薬品を併用すると，医薬品の作用および副作用が増強するおそれがあります。このような医薬品には，アミトリプチリン塩酸塩，クロザピン，コデインリン酸塩水和物，塩酸デシプラミン（販売中止），ドネペジル塩酸塩，フェンタニルクエン酸塩，フレカイニド酢酸塩，塩酸フルオキセチン（販売中止），ペチジン塩酸塩，メサドン塩酸塩，メトプロロール酒石酸塩，オランザピン，オンダンセトロン塩酸塩水和物，トラマドール塩酸塩，トラゾドン塩酸塩などがあります。

中肝臓で代謝される医薬品（シトクロムP450 3A4（CYP3A4）の基質となる医薬品）

特定の医薬品は肝臓で代謝されます。β-メチルフェネチルアミン（BMPEA）はこのような医薬品の代謝を抑制する可能性があります。BMPEAと肝臓で代謝される医薬品を併用すると，医薬品の作用および副作用が増強するおそれがあります。このような医薬品には，Lovastatin，ケトコナゾール，イトラコナゾール，フェキソフェナジン塩酸塩，トリアゾラムなど数多くあります。

中興奮薬

興奮薬は神経系を亢進させます。神経系を亢進させることにより，興奮薬は神経を過敏にして心拍数を上昇させる可能性があります。β-メチルフェネチルアミン（BMPEA）にも興奮作用があります。理論的には，BMPEAと興奮薬を併用すると，心拍数や血圧が過度に上昇するなど，深刻な問題を引き起こすおそれがあります。このような興奮薬には，アンフェタミン（販売中止），カフェイン，Diethylpropion，メチルフェニデート塩酸塩，Phentermine，塩酸プソイドエフェドリンなど数多くあります。

ハーブおよび健康食品・サプリメントとの相互作用

刺激作用のあるハーブおよび健康食品・サプリメント

β-メチルフェネチルアミンは刺激作用があります。血圧上昇，頻脈を引き起こすおそれがあります。β-メチルフェネチルアミンを刺激作用のあるハーブ，健康食品・サプリメントと併用すると，心拍数や血圧が極端に上がるような深刻な症状が生じることがあります。これらのハーブ，健康食品・サプリメントには，マオウ，ダイダイ，カフェインに加え，コーヒー，コーラの木の実，ガラナ豆，マテといったカフェインを含む健康食品・サプリメントがあります。

使用量の目安

通常の食品に含まれている量を超えて経口摂取した場合の安全性および副作用については，明らかになっていません。

ペクチン

PECTIN

別名ほか

Acide Pectinique，Acide Pectique，Apple Pectin，Citrus Pectin，Fractionated Pectin，Fruit Pectin，Grapefruit Pectin，Lemon Pectin，MCP，Modified Citrus Pectin，Pectina，Pectine，Pectine d'Agrume，Pectine d'Agrume Modifiée，Pectine de Citron，Pectine de Fruit，Pectine de Pamplemousse，Pectine de Pomme，Pectinic Acid

概要

ペクチンは果物に含まれる食物繊維です。「くすり」の原料に使用されます。

安全性

ペクチンは，成人，小児，妊娠中および母乳授乳期の女性など，ほとんどの人で，通常の食品としての量を摂取する場合は安全のようです。また「くすり」としての量を摂取する場合は，おそらく安全です。

ペクチンを単独またはグアーガムや不溶性繊維と併用（コレステロールなどの血中脂質を低下させるために用いる組み合わせ）で経口摂取すると，胃痙攣，下痢，腸内ガス，軟便を起こすおそれがあります。

製造業など，仕事でペクチンの粉塵にさらされている人は，気管支喘息を発症するおそれがあります。

有効性

◆有効性レベル③

・高コレステロール血症。ペクチンの経口摂取は，コレ

相互作用レベル：高この医薬品と併用してはいけません　中この医薬品とは慎重に併用するか併用しないでください
低この医薬品との併用には注意が必要です

ステロールを低下させるようです。ペクチンをグアーガムおよび少量の不溶性繊維と併用摂取すると，総コレステロールおよび低比重リポタンパク（LDL，悪玉）コレステロールが低下します。ただし，この併用摂取は，高比重リポタンパク（HDL，善玉）コレステロールやトリグリセリドには影響を及ぼさないようです。

◆有効性レベル④

・前糖尿病。前糖尿病の人がテンサイペクチンを含む飲料を摂取しても，血糖値は低下しないようです。

・胃潰瘍。リンゴペクチンを6カ月間摂取しても，小腸潰瘍の再発は減少しないようです。

◆科学的データが不十分です

・乳児の下痢，脳性麻痺の小児の胃食道逆流症（GERD），水銀中毒，ニコチン酸による皮膚の紅潮，前立腺がん，結腸がん，放射線による障害，むねやけ，感染，口内炎，咽喉痛など。

●体内での働き

ペクチンは腸内物質と結合し，便の量を増やします。

医薬品との相互作用

中Lovastatin

ペクチンは食物繊維が豊富です。食物繊維は，Lovastatinが体内に取りこまれて使用される量を減少させる可能性があります。そのため，Lovastatinの作用が減弱するおそれがあります。この相互作用を避けるために，Lovastatinの服用後，少なくとも1時間はペクチンを摂取しないでください。

中ジゴキシン

ペクチンは食物線維が豊富です。食物繊維は，ジゴキシンが体内に取りこまれて使用される量を減少させる可能性があります。このため，ジゴキシンの作用が減弱するおそれがあります。この相互作用を避けるために，ジゴキシンの服用前4時間，または服用後1時間はペクチンを摂取しないでください。

中テトラサイクリン系抗菌薬

ペクチンは，テトラサイクリン系抗菌薬が体内に取りこまれて使用される量を減少させる可能性があります。ペクチンとテトラサイクリン系抗菌薬を併用すると，テトラサイクリン系抗菌薬の効果が弱まるおそれがあります。この相互作用を避けるために，テトラサイクリン系抗菌薬の服用前2時間，または服用後4時間はペクチンを摂取しないでください。このようなテトラサイクリン系抗菌薬には，デメチルクロルテトラサイクリン塩酸塩，ミノサイクリン塩酸塩，テトラサイクリン塩酸塩などがあります。

ハーブおよび健康食品・サプリメントとの相互作用

β-カロテン

ペクチンとβ-カロテンを併用すると，身体に取り込まれて使用されるβ-カロテンの量が減少するおそれがあります。

使用量の目安

●経口摂取

高コレステロール血症

ペクチン1日最大15gを摂取します。

ヘスペリジン

HESPERIDIN

別名ほか

シトラスバイオフラボノイド（Citrus bioflavonoid），Citrus bioflavonoids

概　要

ヘスペリジンは生体フラボン類に分類される植物由来の化学物質です。主に，柑橘類に含まれています。「くすり」として使用されることもあります。

ヘスペリジンは単独またはほかの柑橘系生体フラボン類（ジオスミンなど）と併用で，主に痔核，静脈瘤，血行不良（静脈うっ血）など血管の疾患に用いられます。

安 全 性

ヘスペリジンの経口摂取は，最長6カ月間までであれば，ほとんどの人におそらく安全です。長期間使用する場合の安全性については，データが不十分です。副作用には胃痛，胃のむかつき，下痢，頭痛などがあります。

出血性疾患：ヘスペリジンは，血液凝固を抑制し，出血のリスクを高めるおそれがあります。理論上，ヘスペリジンが出血性疾患を悪化させるおそれがあります。

低血圧：ヘスペリジンは血圧を低下させる可能性があります。理論上，低血圧の場合には，ヘスペリジンの摂取により，血圧が過度に低下するおそれがあります。

手術：ヘスペリジンは出血を長引かせるおそれがあります。ヘスペリジンにより，手術中・手術後の出血リスクが高まるおそれがあります。少なくとも手術前2週間は，使用しないでください。

●妊娠中および母乳授乳期

妊娠中および母乳授乳期に，ジオスミンと併用して経口摂取する場合は，おそらく安全です。

有 効 性

◆有効性レベル③

・慢性静脈不全（CVI，下肢の血行不良）。ヘスペリジンメチルカルコン，ナギイカダ，ビタミンCを含む特定の製品を経口摂取すると，下肢の血行不良の症状が緩和するようです。また，ヘスペリジンとジオスミンを含む別の製品を2～6カ月間経口摂取すると，慢性静脈不全の症状が改善するようです。ただし，慢性静脈不全の治療には，医薬品「Venoruton」の方が高い効果を示す可能性があります。
・痔核。ヘスペリジンとジオスミンを摂取すると，痔核の症状が改善することが研究で示唆されています。治癒後の痔核の再発を予防したり，痔核の急な悪化に効果を示したりする可能性もあります。
・静脈うっ血性潰瘍（血行不良に起因する下肢潰瘍）。圧縮包帯と併用して，ヘスペリジンとジオスミンを含む特定の製品を2カ月間経口摂取すると，軽度の静脈うっ血性潰瘍の治癒が促進するようです。

◆有効性レベル④

・高コレステロール血症。ヘスペリジンを摂取してもコレステロールには影響がないことが研究で示されています。
・体重減少。やや過体重の人がグルコシルヘスペリジンを12週間摂取しても，体重は減少しないことが研究で示されています。

◆科学的データが不十分です

・糖尿病，高血圧，リンパ浮腫（腕の腫脹），関節リウマチ（RA），静脈瘤など。

●体内での働き

血管機能を向上させる働きがある可能性があります。炎症を緩和する可能性もあります。

医薬品との相互作用

中ジルチアゼム塩酸塩

ヘスペリジンはジルチアゼム塩酸塩の体内への吸収量を減少させる可能性があります。そのため，ジルチアゼム塩酸塩の作用が減弱するおそれがあります。

中セリプロロール塩酸塩

ヘスペリジンはセリプロロール塩酸塩の体内への吸収量を減少させる可能性があります。そのため，セリプロロール塩酸塩の作用が弱まるおそれがあります。

中ベラパミル塩酸塩

ヘスペリジンはベラパミル塩酸塩の体内への吸収量を増加させる可能性があります。そのため，ベラパミル塩酸塩の作用および副作用が増強するおそれがあります。

中血液凝固を抑制する医薬品（抗凝固薬/抗血小板薬）

ヘスペリジンは血液凝固を抑制する可能性があります。ヘスペリジンを摂取し，血液凝固を抑制する医薬品を併用すると，紫斑および出血のリスクが高まるおそれがあります。このような医薬品には，アスピリン，クロピドグレル硫酸塩，ジクロフェナクナトリウム，イブプロフェン，ナプロキセン，ダルテパリンナトリウム，エノキサパリンナトリウム，ヘパリン，ワルファリンカリウムなどがあります。

中降圧薬

ヘスペリジンは血圧を低下させる可能性があります。ヘスペリジンを摂取し，降圧薬を併用すると，血圧が過度に低下するおそれがあります。血圧を注意深く監視してください。このような降圧薬には，ニフェジピン，ベラパミル塩酸塩，ジルチアゼム塩酸塩，Isradipine，フェロジピン，アムロジピンベシル酸塩などがあります。

中細胞内のポンプによって輸送される医薬品（P糖タンパク質の基質となる医薬品）

特定の医薬品は細胞内のポンプによって細胞内に輸送，細胞外に排出されます。ヘスペリジンはポンプの働きを変化させ，医薬品が体内に留まる量を変化させる可能性があります。そのため，場合によっては医薬品の効果および副作用が変化するおそれがあります。このような医薬品には，エトポシド，パクリタキセル，ビンブラスチン硫酸塩，ビンクリスチン硫酸塩，ビンデシン硫酸塩，ケトコナゾール，イトラコナゾール，アンプレナビル（販売中止），インジナビル硫酸塩エタノール付加物（販売中止），ネルフィナビルメシル酸塩，サキナビルメシル酸塩，シメチジン，ラニチジン塩酸塩，ジルチアゼム塩酸塩，ベラパミル塩酸塩，副腎皮質ステロイド，エリスロマイシン，シサプリド（販売中止），フェキソフェナジン塩酸塩，シクロスポリン，ロペラミド塩酸塩，キニジン硫酸塩水和物などがあります。

中鎮静薬（中枢神経抑制薬）

ヘスペリジンは眠気および呼吸抑制を引き起こす可能性があります。鎮静薬は眠気および呼吸抑制を引き起こす可能性があります。ヘスペリジンを摂取し，鎮静薬を併用すると，呼吸困難や過度の眠気のいずれかまたは両方を引き起こすおそれがあります。このような鎮静薬には，ペントバルビタールカルシウム，フェノバルビタール，セコバルビタールナトリウム，チオペンタールナトリウム，フェンタニルクエン酸塩，モルヒネ塩酸塩水和物，プロポフォールなどがあります。

ハーブおよび健康食品・サプリメントとの相互作用

眠気を引き起こすおそれのあるハーブおよび健康食品・サプリメント

ヘスペリジンと，鎮静作用をもつほかのハーブおよび健康食品・サプリメントを併用すると，ヘスペリジンの作用および副作用が増強するおそれがあります。このようなハーブおよび健康食品・サプリメントには，5-ヒドロキシトリプトファン，ショウブ，ハナビシソウ，キャットニップ，ホップ，ジャマイカ・ドッグウッド，カバ，セント・ジョンズ・ワート，スカルキャップ，カノコソウ，アネモプシス・カリフォルニカなどがあります。

血圧を低下させるおそれのあるハーブおよび健康食品・サプリメント

ヘスペリジンは血圧を低下させるおそれがあります。同様の作用をもつほかのハーブおよび健康食品・サプリメントと併用すると，人によっては，血圧が過度に低下するリスクが高まるおそれがあります。このようなハーブおよび健康食品・サプリメントには，アンドログラフィス，カゼイン・ペプチド，キャッツクロー，コエンザイムQ-10，魚油，L-アルギニン，クコ，イラクサ，テアニンなどがあります。

血液凝固を抑制するおそれのあるハーブおよび健康食品・サプリメント

ヘスペリジンは血液凝固を抑制するおそれがあります。ヘスペリジンと，血液凝固を抑制するおそれのあるほかのハーブおよび健康食品・サプリメントを併用すると，人によっては，出血のリスクが高まるおそれがあります。このようなハーブおよび健康食品・サプリメントには，アンゼリカ，クローブ，タンジン，ショウガ，イチョウ，レッドクローバー，ウコン，ビタミンE，ヤナギなどがあります。

使用量の目安

【成人】

●経口摂取

慢性静脈不全（下肢の血行不良）

ヘスペリジンメチルカルコン150mg，ナギイカダ根エキス150mg，アスコルビン酸100mgを含む特定の併用製品を摂取します。または，ヘスペリジン100～150mgとジオスミン900～1,350mgを毎日，2～6カ月間摂取します。

痔核

ヘスペリジン150mgとジオスミン1,350mgを1日2回，4日間摂取し，その後，ヘスペリジン100mgとジオスミン900mgを1日2回，3日間摂取します。痔核の再発予防には，ヘスペリジン50mgとジオスミン450mgを1日2回，3カ月間摂取します。

静脈うっ血性潰瘍（血行不良に起因する下肢潰瘍）

ヘスペリジン100mgとジオスミン900mgを毎日，最長2カ月間摂取します。

ベスルート

BETH ROOT

●代表的な別名

エンレイソウ

別名ほか

延齢草（Wake Robin），ラムズクォーターズ，シロザ（Lamb's Quarters），エンレイソウ（Trillium erectum），Birthroot，Coughroot，Ground Lily，Harp Plant，Indian Shamrock，Jew's Indian Balm，Milk Ipecac，Pariswort，Rattlesnake Root，Snakebite，Stinking Benjamin，Three-leafed Nightshade

概　　要

ベスルートは植物です。根，根茎，および葉を用いて「くすり」を作ることもあります。

安 全 性

安全だとはいえません。胃腸の痛みや嘔吐を生じる可能性があります。

また，皮膚に痛みが起こるかもしれません。

心疾患の患者は使用してはいけません。心臓に有毒であるおそれがあります。

●妊娠中および母乳授乳期

妊娠中，母乳授乳期は使用してはいけません。

有 効 性

◆科学的データが不十分です

・重い月経と月経痛，腫脹の軽減（収れん），胸部うっ血の解消，静脈瘤，潰瘍，血餅，および出血性の痔核。

●体内での働き

どのように作用するかについては十分なデータが得られていません。

医薬品との相互作用

ほかの医薬品との相互作用については明らかではありません。

ハーブおよび健康食品・サプリメントとの相互作用

ほかのハーブ，健康食品・サプリメントとの相互作用についてはまだ明らかではありません。

使用量の目安

●経口摂取

標準使用量に関するデータがありません。

●局所投与

地上部分を湿布に用います。

ベタイン

BETAINE ANHYDROUS

●代表的な別名

トリメチルグリシン

別名ほか

トリメチルグリシン（Trimethyl glycine），Betaine，Cystadane，Trimethylglycine anhydrous，TMG

概　　要

ベタインは体内に本来存在するもので，ビーツ，ほうれん草，穀物，魚介類，果実酒にも含まれています。

安 全 性

ベタインは，適量を経口摂取する場合，小児・成人ともほとんどの人に安全のようです。吐き気，胃のむかつき，下痢，体臭など軽度の副作用を引き起こすおそれがあります。コレステロール値が上昇することもあります。

米国では処方薬としても利用されています。処方薬のベタインは，一定用量の有効成分を含むように標準化されています。

高コレステロール血症：ベタインは，健康な人，肥満の人および腎不全患者の総コレステロール値および低比重リポタンパク（LDL，悪玉）コレステロール値を上昇させるおそれがあります。高コレステロール血症患者がベタインを使用すると，さらにコレステロール値が上昇するおそれがあります。高コレステロール血症患者は，注意して使用してください。

●妊娠中および母乳授乳期

妊娠中および母乳授乳期の使用の安全性についてはデータが不十分です。安全性を考慮し，摂取は避けてください。

有　効　性

◆有効性レベル①

・ホモシスチン尿症（尿中ホモシステイン濃度高値）。ベタインを摂取すると尿中ホモシステイン濃度が低下します。ベタインは小児および成人に対してこの効能で米国食品医薬品局（FDA）の認可を受けています。

◆有効性レベル③

・口内乾燥。ベタインを練り歯磨きに加えて使用すると，口内乾燥の症状が緩和するようです。また，ベタイン，キシリトールおよびフッ化ナトリウムを含む洗口液を使用すると，口内乾燥の症状が改善するようです。

・高ホモシステイン血症（血中ホモシステイン濃度高値）。ベタインを摂取すると一部の人で血中ホモシステイン濃度が低下することが，研究で示されています。しかし，心疾患リスクも低下するかどうかについては明らかになっていません。ベタインと葉酸を併用摂取しても，葉酸の単独摂取より血中ホモシステイン濃度低下作用が高まることはありません。

◆有効性レベル④

・アンジェルマン症候群（知的障害を引き起こす遺伝性疾患）。アンジェルマン症候群の小児がベタインを摂取しても，痙攣が予防されたり，精神機能が改善したりすることはないようです。

◆科学的データが不十分です

・大腸腺腫，うつ病，運動能力，酸逆流，C型肝炎，非アルコール性脂肪性肝炎（NASH），日光皮膚炎，レット症候群，体重減少など。

●体内での働き

ベタインはホモシステインという化学物質の代謝に役立ちます。ホモシステインは血液，骨，眼，心臓，筋肉，神経，脳など，身体のさまざまな部位の正常な機能に関与します。ベタインは，ホモシステインが血中に蓄積するのを防ぎます。ホモシステインの代謝に異常がある人には，きわめて高濃度のホモシステインが認められます。

医薬品との相互作用

ほかの医薬品との相互作用については明らかではありません。

ハーブおよび健康食品・サプリメントとの相互作用

ほかのハーブ，健康食品・サプリメントとの相互作用についてはまだ明らかではありません。

使用量の目安

●経口摂取

ホモシスチン尿症

通常，成人・小児ともに，1回3gの維持量を1日2回摂取します。小児の場合，低用量から始め，徐々に維持量まで増量します。3歳未満の幼児の場合，1日100mg/kgで開始し，維持量に達するまで1週間ごとに1日摂取量を100mg/kgずつ増量します。全患者で，血中ホモシステイン濃度が検出できなくなるか，きわめて低くなるまで摂取量を増やしますが，それには1日最大20gまで必要となることがあります。粉末は摂取する直前に水に溶かします。

高ホモシステイン血症（血中ホモシステイン濃度高値）

1日3～6gを最長12週間摂取します。

●皮膚への塗布

口内乾燥

ベタインを練り歯磨きに加えて1日2回，2週間使用します。またはベタイン，キシリトールおよびフッ化ナトリウムを含む洗口液を毎晩，4週間使用します。

ベチベルソウ

VETIVER

別名ほか

クスクス（Cuscus），ベチバー（Vetiveria zizanioides），Chiendent Odorant，Cuscus Grass，Khas-khas，Khus Khus，Khus-khus Grass，Reshira，Sugandhimula，Ushira，Vetivergras，Zacate violeta

概　　要

ベチベルソウは植物です。根を用いて「くすり」を作ることもあります。

安　全　性

薬用としてもおそらく安全でしょうが，副作用については不明です。

●妊娠中および母乳授乳期

妊娠中，母乳授乳期は使用してはいけません。

有　効　性

◆科学的データが不十分です

・流産の原因となるもの，神経性障害，血行障害，不眠症，シラミ，筋肉弛緩，虫除け，リウマチ，ストレスの軽減など。

●体内での働き

虫が忌避するオイルを含んでいます。薬用として，どのように作用するかについては不明です。

医薬品との相互作用

ほかの医薬品との相互作用については明らかではありません。

ハーブおよび健康食品・サプリメントとの相互作用

ほかのハーブ，健康食品・サプリメントとの相互作用についてはまだ明らかではありません。

使用量の目安

標準使用量に関するデータがありません。

ヘチマ

LUFFA

別名ほか

トカドヘチマ（Luffa acutangula），ショクヨウヘチマ（Luffa aegyptiaca），ベジタブルスポンジ（Vegetable Sponge），Angled Loofah，Dishcloth Sponge，Loofa，Loofah，Luffa cylindrical，Luffaschwamm，Sigualuo，Sponge Cucumber，Water Gourd

概　　要

ヘチマは植物です。熟した果実を乾燥させると，繊維状のスポンジのような構造が残ります。繊維をゆでてから「くすり」として用いることがあります。ヘチマは，感冒の治療および予防のために経口摂取されます。鼻の腫脹および副鼻腔疾患にも使用されます。関節炎の疼痛，筋肉痛，胸痛に対して使用されることもあります。女性は，無月経を治すためにヘチマを使用します。授乳期の母親は，母乳の出をよくするためにヘチマを使用します。

垢をとったり，皮膚を刺激したりするために，ヘチマ「スポンジ」を丸ごと皮膚にこすりつけることがあります。ヘチマ繊維を密閉容器内で熱して作られるヘチマ炭は，顔面および眼部の帯状疱疹に対して，皮膚に直接塗布されます。

食品では，熟していないヘチマの果実は野菜として食べます。

化粧品では，ヘチマ粉末は，腫脹を軽減し，皮膚を「解毒する」ためのスキンケア製品に用いられます。

安　全　性

ヘチマはスポンジとして皮膚に直接使用しても，ほとんどの人に安全のようです。ただし，帯状疱疹にヘチマ炭を使用することの安全性は不明です。食品に含まれる量を経口摂取する場合，おそらく安全です。「くすり」として摂取する場合の安全性については情報が不十分です。副作用の可能性は不明です。

●妊娠中および母乳授乳期

食品として使用される量であれば，おそらく安全です。ただし，さらに明らかになるまでは，「くすり」として多くの量を摂取しないでください。

有　効　性

◆科学的データが不十分です

・季節性アレルギー（アレルギー性鼻炎），鼻の腫脹（副鼻腔炎），感冒の治療と予防，副鼻腔疾患，疼痛，月経異常，母乳分泌促進，垢とり（ヘチマ「スポンジ」をそのまま皮膚に擦りつける場合），皮膚の刺激（ヘチマ「スポンジ」をそのまま皮膚に擦りつける場合），顔面および眼部の帯状疱疹（ヘチマ炭を直接患部に使用する場合）など。

●体内での働き

どのように作用するかについては十分なデータが得られていません。

医薬品との相互作用

ほかの医薬品との相互作用については明らかではありません。

ハーブおよび健康食品・サプリメントとの相互作用

ほかのハーブ，健康食品・サプリメントとの相互作用についてはまだ明らかではありません。

使用量の目安

通常の食品に含まれている量を超えて経口摂取した場合の安全性および副作用については，明らかになっていません。

ベトナムコリアンダー

VIETNAMESE CORIANDER

別名ほか

Asian Mint，Coriandre du Vietnam，Daun Kesom，Daun Kesum，Daun Laksa，Dawn Kesum，Dawn Laksa，Hot Mint，Korianderpilört，Laksa Plant，Perennial Coriander，Persicaire du Vietnam，Persicaria odorata，Polygonum odoratum，Rau Răm，

へ

Renouée Odorante, Vietnamese Mint

概　要

ベトナムコリアンダーは，ハーブの一種です。葉を「くすり」として使用します。糖尿病，胃痛に対して，また性的欲求を低下させる目的で，ベトナムコリアンダーを経口摂取します。

ふけには，ベトナムコリアンダーのエキスを塗布します。

食物としては，スープの風味付けや，シチュー，サラダに用いられます。

安 全 性

ベトナムコリアンダーの使用の安全性および副作用については，明らかではありません。

●妊娠中および母乳授乳期

妊娠中および母乳授乳期の使用の安全性についてはデータが不十分です。安全性を考慮し，摂取は避けてください。

有 効 性

◆科学的データが不十分です

・糖尿病，胃痛，性的欲求の低下，ふけなど。

●体内での働き

ベトナムコリアンダーは，フラボノイドと呼ばれる化学物質を含んでいます。フラボノイドには，抗酸化物質の働きがあります。ベトナムコリアンダーには，がん細胞の成長を抑制する可能性のある成分も含まれています。

医薬品との相互作用

ほかの医薬品との相互作用については明らかではありません。

ハーブおよび健康食品・サプリメントとの相互作用

ほかのハーブ，健康食品・サプリメントとの相互作用についてはまだ明らかではありません。

使用量の目安

通常の食品に含まれている量を超えて経口摂取した場合の安全性および副作用については，明らかになっていません。

ベトニー

BETONY

●代表的な別名

カッコウソウ

別名ほか

タイリンベトニー，大輪ベトニー（Stachys officinalis），カッコウソウ（Betonica officinalis），カッコウチョロギ，ウッドベトニー（Wood Betony），Bishopswort，Hedge Nettles

概　要

ベトニーは植物です。乾燥させた地上部を用いて「くすり」を作ることもあります。

安 全 性

使用の安全性については，データが不十分です。胃のむかつきを起こす人もいます。

低血圧：ベトニーは血圧を低下させるおそれがあります。低血圧の場合には血圧が過度に低下するおそれがあります。

手術：ベトニーは血圧に影響を及ぼすおそれがあります。このため，手術中および手術後の血圧コントロールを妨げる恐れがあります。少なくとも手術前２週間は，使用しないでください。

●妊娠中および母乳授乳期

妊娠中および母乳授乳期の使用の安全性についてはデータが不十分です。安全性を考慮し，摂取は避けてください。

有 効 性

◆科学的データが不十分です

・気管支炎，気管支喘息，不安，てんかん，むねやけ，神経痛，痛風，膀胱結石または腎結石，膀胱炎，頭痛，緊張，顔面痛，下痢など。

●体内での働き

ベトニーに含まれる化学物質が血圧を下げる可能性があり，これにより頭痛や不安の緩和に役立つ可能性があります。

医薬品との相互作用

中降圧薬

ベトニーは血圧を低下させる可能性があります。ベトニーと降圧薬を併用すると，血圧が過度に低下するおそれがあります。このような降圧薬にはカプトプリル，エナラプリルマレイン酸塩，ロサルタンカリウム，バルサルタン，ジルチアゼム塩酸塩，アムロジピンベシル酸塩，ヒドロクロロチアジド，フロセミドなど多くあります。

ハーブおよび健康食品・サプリメントとの相互作用

血圧を低下させるおそれのあるハーブおよび健康食品・サプリメント

ビトニーは血圧を低下させるおそれがあります。同様の作用をもつほかのハーブおよび健康食品・サプリメントと併用すると，血圧が過度に低下するおそれがありま

相互作用レベル：高この医薬品と併用してはいけません　中この医薬品とは慎重に併用するか併用しないでください　低この医薬品との併用には注意が必要です

す。このようなハーブおよび健康食品・サプリメントには，アンドログラフィス，カゼイン・ペプチド，キャッツクロー，コエンザイムQ-10，魚油，L-アルギニン，クコ，イラクサ，テアニンなどがあります。

使用量の目安

通常の食品に含まれている量を超えて経口摂取した場合の安全性および副作用については，明らかになっていません。

ペニーロイヤルミント

PENNYROYAL

別名ほか

American Pennyroyal，Dictame de Virginie，European Pennyroyal，Feuille de Menthe Pouliot，Frétillet，Hedeoma pulegioides，Herbe aux Puces，Herbe de Saint-Laurent，Huile de Menthe Pouliot，Lurk-In-The-Ditch，Melissa pulegioides，Mentha pulegium，Menthe Pouliot，Menthe Pouliote，Mosquito Plant，Penny Royal，Pennyroyal Leaf，Pennyroyal Oil，Piliolerial，Poleo，Pouliot，Pouliot Royal，Pudding Grass，Pulegium，Pulegium vulgare，Run-By-The-Ground，Squaw Balm，Squawmint，Stinking Balm，Tickweed

概　　要

ペニーロイヤルミントは植物です。オイルや葉を用いて「くすり」を作ることもあります。古来，アメリカでも欧州でも同じように，オイルを抽出する原料として使われてきました。

安全性に関する深刻な懸念はあるものの，感冒，肺炎など呼吸器疾患に用いられています。また，胃痛，腸内ガス，腸疾患，肝疾患，胆のう疾患にも使用されています。

女性は月経の誘発または調整，流産の誘発に用います。

筋痙攣の調節，発汗の誘発，尿の生成量増加にも使われます。

刺激薬として使用して，脱力感の改善に使用する人もいます。

肌に塗布して，殺菌，虫除け，皮膚疾患の治療を行います。痛風，有毒動物による咬傷，口内炎に局所的に用いられたり，動物のノミ駆除のための風呂に使用されます。

食品では調味料として使用されます。

製品では，オイルは，犬および猫のノミ忌避剤，また洗剤・香水・石けんの香料としても使用されています。

安 全 性

経口摂取または皮膚への塗布は，安全ではないようです。深刻な肝臓や腎臓の障害，神経系疾患を引き起こすおそれがあります。副作用には，胃痛，吐き気，嘔吐，のどの灼熱感，発熱，錯乱，情動不安，痙攣，めまい感，視力および聴力障害，高血圧，流産，肺疾患，脳障害などがあります。

アルコール抽出した葉のエキスを２週間以上繰り返し使用すると，死に至ることがあります。

ペニーロイヤルミントの葉をお茶として飲用することの安全性については，データが不十分です。

小児：経口摂取する場合，安全ではないようです。乳児２人が摂取後に肝臓と神経系に深刻な損傷を受け，１人は死亡しました。

腎疾患：オイルは腎臓に刺激を与え，腎疾患を悪化させるおそれがあります。

肝疾患：オイルは肝障害を引き起こし，肝疾患を悪化させるおそれがあります。

●妊娠中および母乳授乳期

すべての人におそらく安全ではないようです。とくに，小児や以下の症状の人には安全ではありません。

妊娠中または母乳授乳期の場合，経口摂取または肌への塗布はおそらく安全ではないようです。オイルは子宮の収縮を引き起こし，流産につながることがあるといういくつかのエビデンスがあります。しかし，こうした影響が出る程の用量は，母親を死亡させるか，または生涯にわたる腎障害および肝障害を引き起こすおそれがあります。

葉は月経を促進する作用があり，妊娠に悪影響を与えるおそれがあります。

有 効 性

◆科学的データが不十分です

・中絶，痙攣の軽減，腸内ガス，肺炎，胃痛，脱力感，体液貯留，殺菌，皮膚病など。

●体内での働き

どのように作用するかについて，十分なデータが得られていません。

医薬品との相互作用

ほかの医薬品との相互作用については明らかではありません。

ハーブおよび健康食品・サプリメントとの相互作用

鉄

鉄サプリメントの吸収を抑制するおそれがあります。

通常の食品との相互作用

鉄

食品に含まれる鉄の吸収を抑制するようです。

使用量の目安

通常の食品に含まれている量を超えて経口摂取した場合の安全性および副作用については，明らかになっていません。

紅麹

RED YEAST RICE

●代表的な別名

レッドイーストライス

別名ほか

Arroz de Levadura Roja，Cholestin，コレスティン，Hong Qu，Hongqu，Koji Rouge，Levure de Riz Rouge，Mevinolin，メビノリン，Monacolin K，モナコリンK，Monascus，モナスカス，Monascus purpureus，紅麹菌，ベニコウジカビ，Monascus Purpureus Went，子のう菌類ベニコウジカビ，Red Koji，Red Rice，Red Rice Yeast，Red Yeast，Red Yeast Rice Extract，紅麹エキス，Riz Rouge，Rotschimmelreis，Xue Zhi Kang，XueZhiKang，XZK，Zhibituo，Zhitai，Zhi Tai

概　要

紅麹は菌の一種で，コメなどを用いて繁殖させた麹です。「くすり」として使用されます。

紅麹は，健康な人が適切なコレステロール値を保つためや，高コレステロール血症の人がコレステロール値を下げるために経口摂取されます。

食品では，紅麹は北京ダックに食用色素として使われます。

紅麹の有効成分は，処方薬の一種であるスタチン系薬の有効成分の一つと同じです。スタチン系薬は高コレステロール血症に対して使用されます。このため，紅麹には，スタチン系薬と全く同じ副作用，薬物相互作用，および使用上の注意が当てはまります。紅麹を摂取しようとする人は，医師などに相談するようにしてください。

コレスティンという紅麹製品が売られていますが，これはもっとも広く研究された紅麹製品の一つです。当初，コレスティンは一部のスタチン系薬と同じ有効成分を含有していました。このことで，米国食品医薬品局（FDA）は，コレスティンを未承認薬と指定しました。コレスティンの成分は再構成され，現在の有効成分はスタチン系薬とは異なるものになっています。

安　全　性

紅麹は，経口摂取した場合，4.5年間までならおそらく安全です。

紅麹はスタチン系薬と呼ばれる処方薬に似た化学物質を含んでいます。したがって，肝障害，重度の筋肉痛，筋損傷など，スタチンの副作用に似た副作用を引き起こすことがあります。

また，製品の品質に関しての問題があります。多くの紅麹製品に，さまざまな量のスタチン系薬に似た化学物質が含まれています。まったく含まれていない製品もありますが，高用量で含まれているものもあり，高用量のものは重篤な副作用を起こしかねません。

適切に発酵されていない紅麹には，シトリニンという，腎障害を引き起こす可能性があるカビ毒が含まれることがあります。

肝疾患：紅麹には，スタチン系薬のLovastatinなどと同じ化学成分が含まれています。Lovastatinは，肝障害を引き起こすおそれがあります。一部の研究では，紅麹はLovastatinと同程度の肝障害を引き起こすおそれがあることを示唆しています。ただし，ほかの研究では，紅麹が肝障害を起こさない可能性があるだけでなく，特定の肝疾患を持つ人の肝機能を改善させる可能性があるとも示唆しています。異なる見解が混在することを考慮し，紅麹の使用は慎重に行ってください。肝障害のある場合には，紅麹の摂取は避けてください。

●アレルギー

紅麹粉末を吸い込んだ後，重篤なアレルギー反応を生じるおそれがあります。

●妊娠中および母乳授乳期

妊娠中の紅麹摂取は安全ではないようです。動物実験では胎児の先天異常が認められています。母乳授乳期の紅麹摂取の安全性については十分にわかっていません。妊娠中および母乳授乳期は，摂取しないでください。

有　効　性

◆有効性レベル②

・高コレステロール血症。研究では，紅麹を最長6カ月間摂取することにより総コレステロール値，低比重リポタンパク（LDL，悪玉）コレステロール，トリグリセリド値が低下する可能性があることを示唆しています。しかし，これらの紅麹製品は，スタチン系薬のLovastatinという化学物質を含んでいます。スタチン系薬は，米国食品医薬品局（FDA）から血清コレステロール値を下げる医薬品として承認されています。FDAはスタチン系薬の成分を含む紅麹製品を違法な未承認薬とみなしています。しかし，米国外では，スタチン系薬の成分を含む紅麹製品を入手することは可能です。米国内で入手可能な紅麹製品は，スタチン系薬の成分をほとんど，もしくはまったく含んでいません。高コレステロール血症の人がこれらの紅麹製品を使用しても，血清コレステロール値を下げる効果が得られるかは不明です。

◆有効性レベル③

・心疾患。紅麹エキス1.2gを毎日，平均4.5年間摂取した場合，心臓発作の既往症がある患者の心臓発作や死亡リスクが低下します。

・HIV感染患者の高コレステロール血症や高トリグリセリド血症。紅麹を経口摂取すると，HIV感染がある患者の血清コレステロール値とトリグリセリド値が低下する可能性があるようです。

◆有効性レベル④

・高血圧。血圧を下げる効果のある処方薬と併用して紅麹を摂取しても，血圧を下げる効果のある処方薬を単独で摂取した場合にくらべて，血圧を下げる効果が高まることはないようです。

◆科学的データが不十分です

・がん，糖尿病，非アルコール性脂肪性肝疾患（NAFLD），メタボリックシンドローム，下痢，血流改善，消化不良，脾臓と胃の障害など。

●体内での働き

紅麹サプリメントは，特定の種類のカビを，高濃度の有効成分が生成されるよう，コメの上で成育条件を慎重に管理して培養することで製造されます。これらの有効成分は，スタチン系薬と呼ばれる処方薬に含まれる有効成分と同じです。

医薬品との相互作用

中ゲムフィブロジル【販売中止】

ゲムフィブロジルは筋肉に影響を及ぼす可能性があります。紅麹も筋肉に影響を及ぼす可能性があります。ゲムフィブロジルを服用し，紅麹と併用すると，筋肉障害のリスクが高まるおそれがあります。

中シクロスポリン

紅麹は筋肉に影響を及ぼす可能性があります。シクロスポリンも筋肉に影響を及ぼす可能性があります。紅麹を摂取し，シクロスポリンを併用すると，重大な副作用が現れるおそれがあります。

中ニコチン酸

ニコチン酸は筋肉に影響を及ぼす可能性があります。紅麹も筋肉に影響を及ぼす可能性があります。ニコチン酸を服用し，紅麹と併用すると，筋肉障害のリスクが高まるおそれがあります。

中肝臓でほかの医薬品の代謝を抑制する医薬品（シトクロムP450 3A4（CYP3A4）を阻害する医薬品）

特定の医薬品は肝臓で代謝されます。このような医薬品は紅麹の肝臓での代謝を抑制する可能性があります。紅麹を摂取し，肝臓で代謝される医薬品を併用すると，紅麹の作用および副作用が増強するおそれがあります。肝臓で代謝される医薬品を服用中に，医師や薬剤師に相談することなく紅麹を摂取しないでください。このような医薬品には，アミオダロン塩酸塩，クラリスロマイシン，ジルチアゼム塩酸塩，エリスロマイシン，インジナビル硫酸塩エタノール付加物（販売中止），リトナビル，サキナビルメシル酸塩（販売中止）など数多くあります。

中肝臓を害する可能性のある医薬品

紅麹にはスタチン系薬のLovastatinが含まれます。Lovastatinは，人によっては肝臓を害する可能性があります。紅麹を摂取し，肝臓を害する可能性のある医薬品を併用すると，肝障害のリスクが高まるおそれがあります。このような医薬品には，アセトアミノフェン，アミオダロン塩酸塩，カルバマゼピン，イソニアジド，メトトレキサート，メチルドパ水和物，フルコナゾール，イトラコナゾール，エリスロマイシン，フェニトイン，Lovastatin，プラバスタチンナトリウム，シンバスタチンなど数多くあります。

中血清コレステロール値を下げる医薬品（スタチン系薬）

紅麹にはスタチン系薬のLovastatinが含まれます。紅麹を摂取し，他のスタチン系薬（血清コレステロール値を下げる医薬品の一種）を併用すると，副作用のリスクが高まるおそれがあります。スタチン系薬を既に服用している場合には紅麹を摂取しないでください。このような医薬品には，アトルバスタチンカルシウム水和物，Lovastatin，プラバスタチンナトリウム，シンバスタチンなどがあります。

ハーブおよび健康食品・サプリメントとの相互作用

コエンザイムQ-10

紅麹がコエンザイムQ-10値を下げる可能性があります。

グレープフルーツ

グレープフルーツは，紅麹の代謝速度を遅らせる可能性があります。その結果，紅麹の体内での蓄積量が増え，有効性および副作用を増強する可能性があります。

肝臓を害するおそれのあるハーブおよび健康食品・サプリメント

紅麹はスタチン系薬に似た成分を含んでいます。スタチンは肝障害をもたらすおそれがあります。そのため紅麹を，肝臓を害するおそれのあるその他のハーブおよび健康食品・サプリメントと併用すると，肝障害のリスクが高まります。肝臓を害するおそれがあると考えられる製品には，アンドロステンジオン，チャパラル，コンフリー，デヒドロエピアンドロステロン，ジャーマンダー，カバ，ニコチン酸，ペニーロイヤルミントなどがあります。

ニコチン酸

ニコチン酸も紅麹も，筋肉に作用します。ニコチン酸と紅麹を併用すると，筋肉障害のリスクを高めるおそれがあります。

セント・ジョンズ・ワート

セント・ジョンズ・ワートには，体内からの紅麹の排泄を促進する働きがあります。そのため，セント・ジョンズ・ワートを摂取すると，紅麹の効果を減弱させるおそれがあります。

通常の食品との相互作用

アルコール

紅麹にはスタチン系薬のLovastatinが含まれていま

す。人によってはLovastatinを摂取すると肝障害を起こす場合があります。そのため，理論上，アルコールとともに紅麹を摂取すると，肝障害のリスクが高まる可能性があります。

食物

食物と一緒に紅麹を摂取すると，紅麹の吸収が速くなります。

グレープフルーツ

紅麹にはスタチン系薬のLovastatinが含まれている場合があります。グレープフルーツは，Lovastatinの排泄速度を遅らせる働きがあります。その結果，体内のLovastatinの蓄積量が増え，有効性および副作用を増強する可能性があります。

使用量の目安

【成人】

●経口摂取

高コレステロール血症

紅麹1,200mg～2,400mgを１日１回～２回，最長24週間摂取します。処方薬のスタチン系コレステロール低下薬と同じ化学物質を含む製品のみが，血清コレステロール値を下げる効果を現しています。このような製品は約５～10mgのLovastatin（スタチン系薬）を含有し，ほかの成分を含むこともあります。ただし，スタチン系薬を含有する紅麹製品は，米国内では違法な薬とみなされています。

HIV感染による高コレステロール血症

特定の紅麹製品1,200mgを１日２回，８週間摂取します。

心疾患

1,200mgの紅麹エキスを含む特定の製品を，毎日，約4.5年間摂取します。

ベニテングタケ

AGA

別名ほか

フライアガリック（Fly Agaric），Amanita muscaria，Soma

概　　要

ベニテングタケはキノコです。地上部を用いて「くすり」を作ることもあります。

安 全 性

ベニテングタケの経口摂取は安全ではありません。眠気，錯乱，めまい感，せん妄などの副作用を引き起こすおそれや，死に至るおそれもあります。

●妊娠中および母乳授乳期

ベニテングタケの使用は誰にとっても安全ではありませんが，妊娠中および母乳授乳期はとくに，胎児や乳児のために摂取を避けてください。

有 効 性

◆科学的データが不十分です

・神経痛，関節痛，発熱，不安，アルコール中毒など。

●体内での働き

視覚，聴覚，味覚，触覚をつかさどる脳の働きが不具合をきたす原因となる化学物質を含んでいます。

医薬品との相互作用

ほかの医薬品との相互作用については明らかではありません。

ハーブおよび健康食品・サプリメントとの相互作用

セレン

ベニテングタケには，大量のセレンが含まれています。ベニテングタケを摂取すると，体内のセレン濃度が上昇する可能性があります。ただし，これにより深刻な問題が生じるかどうかについてはデータが不十分です。

使用量の目安

通常の食品に含まれている量を超えて経口摂取した場合の安全性および副作用については，明らかになっていません。

紅ハコベ

SCARLET PIMPERNEL

別名ほか

スカーレットピンパネル（Red Pimpernel），Adder's Eyes，Anagallis arvensis，Poor Man's Weatherglass，Red Chickweed，Shepherd's Barometer

概　　要

紅ハコベは植物です。地上の花の部分が「くすり」として使用されることもあります。

安 全 性

経口または皮膚に塗布して長期に使用する場合，安全ではありません。長期間，または多量の摂取は，胃や腸，腎臓に炎症を起こすおそれがあります。

十分なデータは得られていないので，短期間に使用する場合でも安全かどうかは不明です。

男女とも出産を計画している人，子宮内膜症，子宮筋腫，または乳がん，子宮がん，卵巣がんのようなホルモン感受性疾患あるいは，がんの患者は使用してはいけません。

●妊娠中および母乳授乳期

妊娠中，母乳授乳期は使用してはいけません。

有　効　性

◆科学的データが不十分です

・うつ病，肝疾患，ヘルペス，がん，腎障害，創傷，そう痒，有痛性の関節など。

●体内での働き

一部の細菌や真菌，ウイルスに対抗する作用をもつと考えられる化合物を含んでいます。また，エストロゲンに似た作用があり，ヒトの精子に対してマイナス影響を与えるようです。

医薬品との相互作用

ほかの医薬品との相互作用については明らかではありません。

ハーブおよび健康食品・サプリメントとの相互作用

ほかのハーブ，健康食品・サプリメントとの相互作用についてはまだ明らかではありません。

使用量の目安

●経口摂取

通常，お茶にして1日ティーカップ1杯を摂取します。お茶の入れ方としては，乾燥したものを熱湯150mLに10分浸してからこします。1回1.8gを1日4回まで摂取できます。

●局所投与

標準使用量に関するデータがありません。

紅花

SAFFLOWER

●代表的な別名

サフラワー

別名ほか

Alazor, American Saffron, Bastard Saffron, Benibana, Benibana Oil, Benibana Flower, Cártamo, Carthame, Carthame des Teinturiers, Carthamus tinctorius, Chardon Panaché, Dyer's Saffron, Fake Saffron, False Saffron, High Oleic Acid Safflower Oil, Hing Hua, Honghua, Huile de Carthame, Kusumbha, Kusum Phool, Safflower Nut Oil, Safflower Oil, サフラワー油，サフラワーオイル，サフラワー・オイル，Safflower Seed Oil, 紅花種子油，ベニバナ種子油，Safran Bâtard, Safranon, Zaffer, Zafran

概　　要

紅花は植物です。紅花の花と紅花油(ベニバナ種子油)が「くすり」として使用されることもあります。

紅花油は，動脈硬化および脳卒中などの心疾患を予防するために経口摂取されます。また，発毛促進，解熱，体重減少，糖尿病，腫瘍，咳，呼吸器疾患，血液凝固障害，疼痛，冠動脈性心疾患，胸痛などを治療するためにも使用されています。

女性の場合，紅花油は無月経や月経痛のために，紅花の花は月経を誘発したり，中絶のために経口摂取することがあります。

瘢痕および皮膚線条を目立たなくするために，紅花油を皮膚へ塗布します。

胸痛（狭心症）および脳卒中に対して，紅花黄（紅花の花の成分）は静脈内注射されます。

食品では，紅花油は調理用オイルとして使用されています。

工業品では，紅花の花は化粧品の着色剤および織物の染色剤に使用されています。紅花油は塗料用溶剤として使用されています。

安　全　性

紅花油を経口摂取した場合，ほとんどの人に安全のようです。紅花の花を経口摂取する場合，おそらく安全です。

皮膚に塗布した場合，紅花油はおそらく安全です。

紅花油を使用した特定のエマルジョンを医師などによって静脈内投与した場合，紅花油はおそらく安全です。

小児：紅花油を使用した特定のエマルジョンを医師などによって静脈内投与した場合，紅花油はおそらく安全です。小児に対する紅花の花の安全性または副作用については，データが不十分です。

出血障害（出血性疾患，胃腸潰瘍，血液凝固障害）：紅花は血液凝固を抑制する可能性があり，出血性疾患の場合に出血のリスクを高めるおそれがあります。

糖尿病：紅花油は血糖値を上昇させる可能性があります。糖尿病の場合に紅花油は血糖コントロールを妨げるおそれがあります。

手術：紅花は血液凝固を抑制する可能性があり，手術中・手術後の出血のリスクを高めるおそれがあります。少なくとも手術前2週間は，使用しないでください。

●アレルギー

ブタクサや関連する植物に対するアレルギー：紅花は，キク科植物に敏感な人にアレルギー反応を引き起こすおそれがあります。キク科には，ブタクサ，キク，マリーゴールド，デイジーなど多くの植物があります。

●妊娠中および母乳授乳期

妊娠中：妊娠中に紅花の花を摂取してはいけません。紅花の花は，安全ではないようです。月経を誘発させて子宮が収縮し，流産を引き起こすおそれがあります。

母乳授乳時：母乳授乳時の紅花油や花の使用の安全性についてはデータが不十分です。安全性を考慮し，使用は避けてください。

有効性

◆有効性レベル③

・高コレステロール血症。紅花油を健康食品・サプリメントとして摂取したり，食事のほかの油の代わりにしたりすると，総コレステロール値および低比重リポタンパク（LDL，悪玉）コレステロールを低下させるのに役立つことを示す研究が複数あります。ただし，トリグリセリドと呼ばれる血中脂肪を低下させたり，高比重リポタンパク（HDL，善玉）コレステロールを上昇させたりする効果はないようです。

◆有効性レベル④

・2,500g（5ポンド，8オンス）未満の体重で生まれた乳児。紅花油製品を乳児用調整乳や母乳に加えても，低出生体重児の体重増加または皮膚の厚さは改善しないことを示唆する研究が複数あります。

◆科学的データが不十分です

・胸痛（狭心症），のう胞性線維症，糖尿病，遺伝的な高コレステロール血症（家族性高コレステロール血症），C型肝炎ウイルスによる肝臓の腫脹（炎症）（C型肝炎），高血圧，蟾蜍皮膚（phrynoderma），瘢痕，脳卒中，流産，血行障害，呼吸器疾患（気管支と呼ばれる呼吸管を侵す症状），便秘，咳，発熱，月経障害，疼痛，外傷，腫瘍など。

●体内での働き

紅花油に含まれるリノレン酸およびリノール酸は，動脈硬化の予防，血清コレステロール値の低下，心疾患のリスク軽減に役立つ可能性があります。紅花には，血液凝固を抑制して血栓を防いだり，血管を拡張したり，血圧を低下させたり，心臓を刺激したりする可能性のある化学物質を含みます。

医薬品との相互作用

中血液凝固を抑制する医薬品（抗凝固薬/抗血小板薬）

大量の紅花は血液凝固を抑制する可能性があります。紅花と血液凝固を抑制する医薬品を併用すると，紫斑および出血のリスクが高まるおそれがあります。このような医薬品には，アスピリン，クロピドグレル硫酸塩，およびジクロフェナクナトリウム，イブプロフェン，ナプロキセンなどの非ステロイド性抗炎症薬（NSAIDs），また，ダルテパリンナトリウム，エノキサパリンナトリウム，ヘパリン，ワルファリンカリウムなどがあります。

中糖尿病治療薬

紅花油は血糖値を上昇させる可能性があります。糖尿病治療薬は血糖値を低下させるために用いられます。紅花油が血糖値を上昇させることにより，糖尿病治療薬の効果が弱まるおそれがあります。血糖値を注意深く監視してください。糖尿病治療薬の用量を変更する必要があるかもしれません。このような糖尿病治療薬には，グリメピリド，グリベンクラミド，インスリン，ピオグリタゾン塩酸塩，マレイン酸ロシグリタゾン（販売中止），クロルプロパミド，Glipizide，トルブタミド（販売中止）などがあります。

ハーブおよび健康食品・サプリメントとの相互作用

ほかのハーブ，健康食品・サプリメントとの相互作用についてはまだ明らかではありません。

使用量の目安

【成人】

●経口摂取

高コレステロール血症

飽和脂肪酸の代わりに紅花油を含む食事を最長6週間摂取します。

ペパーミント

PEPPERMINT

●代表的な別名

セイヨウハッカ

別名ほか

セイヨウハッカの葉（Menthae piperitae Folium），セイヨウハッカ（Mentha piperita），Brandy Mint，Extract of Mentha piperita，Extract of Peppermint，Extract of Peppermint Leaves，Lamb Mint，Mentha lavanduliodora，Menthae piperitae Aetheroleum，Menta Piperita，Mentha Oil，Mentha piperita Extract，Mentha piperita Oil，Menthe poivree，Paparaminta，Peppermint Extract，Peppermint Leaf，Peppermint Leaf Extract，Peppermint Oil

概要

ペパーミントは植物です。葉とオイルがクスリとして使われています。

安全性

薬用としても8週間未満であれば，ほとんどの大人には安全のようです。長期間服用の安全性はわかっていません。

お茶を多量に摂取すると，男性の性欲を減退させるかもしれません。

胃の無酸症：この疾患の場合には腸溶コーティングしてあるペパーミントオイルを摂取してはいけません。消化過程で，腸溶コーティングが早く溶けてしまうことがあります。

下痢：下痢の場合，腸溶コーティングのペパーミントオイルが，肛門部にヒリヒリ感を起こすことがあります。

●妊娠中および母乳授乳期

妊娠中および母乳授乳期に，食べ物に通常含まれている量を摂取するのであれば，安全でしょう。

ただし，多量のペパーミントをクスリとして使用する場合の安全性についてはわかっていません。

妊娠中あるいは母乳授乳時には，多量の摂取はやめた方がよいでしょう。

有効性

◆有効性レベル③

・胸焼け。キャラウェイ油とペパーミント油とを一緒に経口摂取すると，膨満感や軽度の胃痙攣を軽減すると見られています。ペパーミントの葉を配合した製品（商品名：Iberogast，Medical Futures社）もまた，胸焼けの症状緩和に効くと見られています。この配合製品には，ペパーミントの葉のほかに，マガリバナ，ジャーマン・カモミール，キャラウェイ，リコリス，ミルクシスル，アンゼリカ，グレーターセランダイン，レモンバームなどが含まれています。酸逆流，胃痛，痙攣，悪心，嘔吐などを統計学的に有意に改善すると見られています。

・緊張性頭痛。患部に塗布した場合。

・バリウム注腸検査やX線検査などで，結腸の弛緩。

◆有効性レベル④

・術後の悪心。

◆科学的データが不十分です

・過敏性腸症候群，歯痛，皮膚のかゆみ，感染症，つわり，悪心および嘔吐，月経痛，細菌の腸内での過度増殖，肺感染症，胃や胆のうの痙攣，咳や感冒の症状，口腔および呼吸器官内膜の感染症，筋肉痛や神経痛など。

●体内での働き

抗ヒスタミン薬と似た効能をもつ化合物を含んでいます。

ペパーミントオイルには，消化管の痙攣を軽減する作用があると見られています。皮膚に塗布した場合には，表面に暖気を起こし，皮膚の下の痛みを軽減します。

医薬品との相互作用

中シクロスポリン

シクロスポリンは体内で代謝されてから排泄されます。ペパーミントオイルはシクロスポリンの代謝を抑制する可能性があります。ペパーミントオイル製品とシクロスポリンを併用すると，シクロスポリンの副作用のリスクが高まるおそれがあります。

低肝臓で代謝される医薬品（シトクロムP450 1A2（CYP1A2）の基質となる医薬品）

特定の医薬品は肝臓で代謝されます。ペパーミントオイルはこのような医薬品の代謝を抑制するおそれがあります。ペパーミントオイルと肝臓で代謝される医薬品を併用すると，医薬品の作用および副作用が増強されるおそれがあります。このような医薬品には，アミトリプチリン塩酸塩，ハロペリドール，オンダンセトロン塩酸塩水和物，プロプラノロール塩酸塩，テオフィリン，ベラパミル塩酸塩などがあります。

中肝臓で代謝される医薬品（シトクロムP450 2C19（CYP2C19）の基質となる医薬品）

特定の医薬品は肝臓で代謝されます。ペパーミントオイルはこのような医薬品の代謝を抑制する可能性があります。ペパーミントオイルと肝臓で代謝される医薬品を併用すると，医薬品の作用および副作用が増強するおそれがあります。このような医薬品には，オメプラゾール，ランソプラゾール，パントプラゾールナトリウム水和物（販売中止），ジアゼパム，カリソプロドール（販売中止），ネルフィナビルメシル酸塩などがあります。

中肝臓で代謝される医薬品（シトクロムP450 2C9（CYP2C9）の基質となる医薬品）

特定の医薬品は肝臓で代謝されます。ペパーミントオイルはこのような医薬品の代謝を抑制する可能性があります。ペパーミントオイルと肝臓で代謝される医薬品を併用すると，医薬品の作用および副作用が増強するおそれがあります。このような医薬品には，ジクロフェナクナトリウム，イブプロフェン，メロキシカム，ピロキシカム，セレコキシブ，アミトリプチリン塩酸塩，ワルファリンカリウム，Glipizide，ロサルタンカリウムなどがあります。

中肝臓で代謝される医薬品（シトクロムP450 3A4（CYP3A4）の基質となる医薬品）

特定の医薬品は肝臓で代謝されます。ペパーミントオイルはこのような医薬品の代謝を抑制する可能性があります。ペパーミントオイルと肝臓で代謝される医薬品を併用すると，医薬品の作用および副作用が増強するおそれがあります。このような医薬品には，Lovastatin，ケトコナゾール，イトラコナゾール，フェキソフェナジン塩酸塩，トリアゾラムなど数多くあります。

ハーブおよび健康食品・サプリメントとの相互作用

食物

ペパーミントオイル製品によっては特別なコーティング（腸溶コーティング）を施しているものがあります。こうした製品は食間に摂取してください。

使用量の目安

●経口摂取

過敏性腸症候群

腸溶性カプセルによって，１回0.2～0.4mLを１日３回摂取します。小児（８歳以上）の場合は，腸溶性カプセルによって，１回0.1～0.2mLを１日３回摂取します。

消化不良

１日90mgのペパーミントオイルを，キャラウェイオイルとともに摂取します。ペパーミントの葉とそのほかのハーブが数種含まれている配合薬を１回１mLで１日３回摂取します。

バリウム注腸二重造影法時に発生する大腸の痙攣

1.6％のペパーミントオイル溶液10mLを検査開始時に

摂取します。

胃の不快感

ペパーミントオイル90mg/日をキャラウェイオイルと一緒に摂取します。ペパーミントの葉と複数のハーブとを調合した特別配合製品は，1日3回1mLの量を摂取します。

●局所投与

緊張性頭痛

ペパーミントオイルの10%エタノール溶液を，15分および30分ごとに額からこめかみにかけて塗布します。

バリウム注腸実施時に発生する大腸の痙攣

界面活性剤Tween 80とともにペパーミントオイル8mLに水100mLを加え，その水溶液の不溶性の部分を除去した残り30mLをバリウム注腸薬300mLに添加します。

●吸入摂取

術後の悪心

0.2mLを等張食塩水2mLに入れて吸入します。

ヘムロック・ウォーター・ドロップワート

HEMLOCK WATER DROPWORT

別名ほか

Dead Tongue, Five-fingered Root, Horsebane, Oenanthe crocata, Yellow Water Dropwort

概　要

ヘムロック・ウォーター・ドロップワートは植物です。根を用いて「くすり」を作ることもあります。ドクゼリ(Water Hemlock)やドクニンジン(Hemlock)など，響きの似たほかの植物と混同しないよう注意してください。オランダボウフウ，ショウブ，ヒッコリーなど，見た目が似ている植物と，非常に有毒なヘムロック・ウォーター・ドロップワートを間違えないよう注意してください。

安 全 性

危険で有毒です。根を微量飲み込むだけで致死的な状態になることがあります。口に入れた場合は直ちに医師の診察を受けてください。

中毒の徴候には，悪心，めまい，胃痛，嘔吐，発汗，よだれ，血尿，体力低下，意識混濁，言語不明瞭，筋痙攣，呼吸数の増加，顔面蒼白，疲弊感，発作，痙攣，意識喪失などがあり，死に至ることもあります。

皮膚に使用する場合の安全性や副作用の程度についてはまだ十分わかっていません。しかし，毒性があることはわかっているので使用は避けるべきです。

間違って飲み込んだ場合，とくに小児の処置には危険がともなう物質です。一般に使用は安全ではありません。毒性作用にとくに過敏な人がいるので，使用は慎重に控えてください。

●妊娠中および母乳授乳期

妊娠中，母乳授乳期は使用してはいけません。

有 効 性

◆科学的データが不十分です

・アレルギー性皮膚反応用のパップ薬としての使用。

●体内での働き

脳内の神経信号を低下させる可能性がある毒素を含んでいます。

医薬品との相互作用

ほかの医薬品との相互作用については明らかではありません。

ハーブおよび健康食品・サプリメントとの相互作用

ほかのハーブ，健康食品・サプリメントとの相互作用についてはまだ明らかではありません。

使用量の目安

標準使用量に関するデータがありません。

ヘムロック・スプルース

HEMLOCK SPRUCE

別名ほか

モミの木(Fir Tree)，バルサムファー(Balsam Fir)，カナダバルサム(Canada balsam)，ノルウェーパイン(Norway Pine)，ヨーロッパトウヒ，欧州トウヒ，ドイツトウヒ，ノルウェートウヒ(Norway Spruce)，トウヒ(Spruce)，Abies excelsa, Balm of Gilead Fir, Picea abies, Picea aetheroleum, Picea excelsa, Picea turiones Recentes, Spruce Fir

概　要

ヘムロック・スプルースは植物です。針葉や枝の先端，あるいはモミの若い枝から抽出されるオイルを用いて「くすり」を作ることもあります。

安 全 性

安全性または副作用については不明です。

気管支喘息，百日咳，皮膚にケガや皮膚病のあるときや，心疾患の患者は使用してはいけません。

●妊娠中および母乳授乳期

妊娠中，母乳授乳期は使用してはいけません。

有 効 性

◆科学的データが不十分です

・咳，感冒，気管支炎，発熱，口内炎，咽頭炎，筋肉痛，神経痛，関節炎，細菌性感染，結核など。

●体内での働き

どのように作用するかについては十分なデータが得られていません。

医薬品との相互作用

ほかの医薬品との相互作用については明らかではありません。

ハーブおよび健康食品・サプリメントとの相互作用

ほかのハーブ，健康食品・サプリメントとの相互作用についてはまだ明らかではありません。

使用量の目安

●経口摂取

１日の通常摂取量は，角砂糖１個の上にオイル４滴をたらし１日３回摂取します。または，２gのオイルをお湯に加え１日数回吸入することもできます。

●局所投与

ヘムロック・スプルースは10～50%の半固形製剤として使用されます。このオイル数滴を患部に塗ります。

ペヨーテ

PEYOTE

●代表的な別名

ウバダマ

別名ほか

烏羽玉（Lophophora williamsii），サボテン科ウバタマ，メスカルボタン（Mescal Buttons），メスカリン（Mescaline），Devil's Root，Dumpling Cactus，Pellote，Sacred Mushroom

概　　要

ペヨーテはサボテンです。地上部を用いて「くすり」を作ることもあります。

安　全　性

使用は安全ではありません。悪心，嘔吐，不安感，パラノイア，おそれ，情緒不安定を引き起こす場合があります。また，血圧，心拍数や呼吸数の上昇も起こるかもしれません。

視力の変化，よだれ，頭痛，めまい，眠気が生じることもあります。まれに，命にかかわる場合もありますが，殺人衝動，神経症，または幻覚に関連する自殺的行為をとることもあります。

米国内で所持するのは違法です。

２週間以内に手術を受ける予定の人は使用してはいけません。

●妊娠中および母乳授乳期

妊娠中，母乳授乳期は使用してはいけません。

有　効　性

◆科学的データが不十分です

・発熱，関節炎様の痛み，骨折，創傷など。

●体内での働き

医薬品としてどのように作用するかについては十分なデータが得られていません。

医薬品との相互作用

高 興奮薬

興奮薬は神経機能を亢進させる作用があり，この作用によってイライラ感や頻脈が引き起こされることがあります。ペヨーテにも神経系への活性化作用があると考えられています。ペヨーテと興奮薬を併用すると，頻脈や高血圧などの深刻な副作用を引き起こすおそれがありますから，併用は避けてください。興奮薬には，Diethylpropion，エピネフリン，Phentermine，塩酸プソイドエフェドリンなど数多くの医薬品があります。

ハーブおよび健康食品・サプリメントとの相互作用

ほかのハーブ，健康食品・サプリメントとの相互作用についてはまだ明らかではありません。

使用量の目安

標準使用量に関するデータがありません。

ヘラオオバコ

BUCKHORN PLANTAIN

●代表的な別名

バックホーン

別名ほか

箆大葉子（Plantago lanceolata），リブワート（Ribwort），リブワートプランテーン（Ribwort Plantain），Buckhorn，Chimney-sweeps，English Plantain，Headsman，Hoary Plantain，Plantaginis lanceolatae Herba，Plantain，Ribgrass，Ripplegrass，Soldier's Herb，Spitzwegerichkraut

概　　要

ヘラオオバコは植物です。地上部が「くすり」として使用されることもあります。

安　全　性

「くすり」としての量を経口摂取する場合や皮膚に塗布する場合，ほとんどの人に安全のようです。

●アレルギー

過敏な人には，アレルギーを引き起こすおそれがあります。

●妊娠中および母乳授乳期

妊娠中の摂取や皮膚への塗布は安全ではありません。子宮の筋緊張に影響を及ぼすおそれがあるというエビデンスがあります。

母乳授乳期はヘラオオバコの摂取を避けるのが最善です。使用の安全性については，データが不十分です。

有効性

◆科学的データが不十分です

・感冒，咳，発熱，出血，気管支炎，口内炎，咽喉痛など。
・患部へ塗布する場合には，創傷，出血，腫脹など。

●体内での働き

患部の疼痛や腫脹（炎症）を緩和する可能性のあるタンニンや粘液様物質を含んでいます。

医薬品との相互作用

ほかの医薬品との相互作用については明らかではありません。

ハーブおよび健康食品・サプリメントとの相互作用

ほかのハーブ，健康食品・サプリメントとの相互作用についてはまだ明らかではありません。

使用量の目安

通常の食品に含まれている量を超えて経口摂取した場合の安全性および副作用については，明らかになっていません。

ベラドンナ

BELLADONNA

●代表的な別名

オオカミナスビ

別名ほか

オオカミナスビ（Atropa belladonna），atropa Belladonna acuminata，Deadly Nightshade，Devil's Cherries，Devil's Herb，Divale，Dwale，Dwayberry，Great Morel，Naughty Man's Cherries，Poison Black Cherries

概要

ベラドンナは植物です。葉および根を用いて「くすり」を作ることもあります。

安全性

ベラドンナの経口摂取は成人にも小児にも安全ではないようです。毒性をもつおそれのある化学物質が含まれています。

ベラドンナの副作用は，神経系に及ぼす作用から生じるものです。副作用の症状には口内乾燥，瞳孔の拡大，霧視，皮膚の紅潮および乾燥，発熱，心拍動の加速，排尿困難や発汗困難，幻覚，攣縮，精神性の障害，痙攣，昏睡などがあります。

うっ血性心不全（CHF）：ベラドンナは頻拍を引き起こし，うっ血性心不全を悪化させるおそれがあります。

便秘：ベラドンナは便秘を悪化させるおそれがあります。

ダウン症候群：ダウン症候群の人は，ベラドンナに含まれるおそれのある毒性物質とその有害作用にとくに過敏であるおそれがあります。

食道逆流：ベラドンナは食道逆流を悪化させるおそれがあります。

発熱：発熱がある場合に，ベラドンナが体温をさらに上昇させるリスクを高めるおそれがあります。

胃潰瘍：ベラドンナは胃潰瘍を悪化させるおそれがあります。

消化管の感染：ベラドンナは腸内容排出を遅らせ，感染を引き起こす細菌やウイルスを滞留させるおそれがあります。

消化管の通過障害：ベラドンナは消化管の通過障害による疾患（無緊張弛緩，麻痺性イレウス，狭窄など）を悪化させるおそれがあります。

裂孔ヘルニア：ベラドンナは裂孔ヘルニアを悪化させるおそれがあります。

高血圧：ベラドンナを大量に摂取すると血圧が上昇することがあります。このため，高血圧がある場合には，血圧が過度に高くなるおそれがあります。

狭隅角緑内障：ベラドンナは狭隅角緑内障を悪化させるおそれがあります。

精神疾患：ベラドンナを大量に摂取すると精神疾患が悪化するおそれがあります。

頻拍：ベラドンナは頻拍を悪化させるおそれがあります。

潰瘍性大腸炎：ベラドンナは中毒性巨大結腸など，潰瘍性大腸炎の合併症を悪化させるおそれがあります。

排尿困難：ベラドンナは排尿困難を悪化させるおそれがあります。

●妊娠中および母乳授乳期

妊娠中の経口摂取は，安全ではないようです。毒性をもつおそれのある化学物質を含んでおり，深刻な副作用の報告との関連が認められています。母乳授乳期の摂取もまた，安全ではないようです。母乳産生量が減少したり，毒性をもつおそれのある化学物質が母乳に移行したりするおそれがあります。

有効性

◆科学的データが不十分です

・過敏性腸症候群（IBS），関節炎様の疼痛，気管支喘息，感冒，花粉症，痔核，乗物酔い，神経障害，パーキンソン病，胃と胆管の攣縮および仙痛様の疼痛，百日咳など。

●体内での働き

神経系の機能を阻害する可能性のある化学物質が含まれています。神経系が制御する生体機能には，唾液分泌，発汗，瞳孔の開閉，排尿，消化器系機能などがあります。ベラドンナはまた，心拍数および血圧の上昇を引き起こすおそれがあります。

医薬品との相互作用

中シサプリド【販売中止】

ベラドンナはヒヨスチアミン（アトロピン）を含みます。ヒヨスチアミン（アトロピン）はシサプリドの作用を減弱させる可能性があります。ベラドンナとシサプリドを併用すると，シサプリドの効果を弱めるおそれがあります。

中口渇作用などの乾燥作用のある医薬品（抗コリン薬）

ベラドンナには，乾燥作用を引き起こす化学物質が含まれます。また，脳および心臓にも影響を及ぼします。抗コリン薬と呼ばれる口渇などの乾燥作用のある医薬品も，これらの作用を引き起こす可能性があります。ベラドンナとこのような医薬品を併用すると，乾燥肌，めまい，低血圧などの副作用や他の重大な副作用を発現させるおそれがあります。このような医薬品にはアトロピン硫酸塩水和物，スコポラミン臭化水素酸塩水和物，特定の抗アレルギー薬（抗ヒスタミン薬），特定の抗うつ薬などがあります。

ハーブおよび健康食品・サプリメントとの相互作用

ほかのハーブ，健康食品・サプリメントとの相互作用についてはまだ明らかではありません。

使用量の目安

通常の食品に含まれている量を超えて経口摂取した場合の安全性および副作用については，明らかになっていません。

ペリトリーオブザウォール

PELLITORY-OF-THE-WALL

別名ほか

ヒカゲミズ（Parietaria officinalis），Lichwort

概　　要

ペリトリーオブザウォールは植物です。「くすり」の原料に使用されます。まったく別の植物，ペリトリー（キク科）と混同しないよう注意してください。

安 全 性

ほとんどの人に安全のようですが，副作用については不明です。

●妊娠中および母乳授乳期

妊娠中，母乳授乳期は使用してはいけません。

有 効 性

◆科学的データが不十分です

・泌尿器疾患，体液貯留（浮腫）など。

●体内での働き

どのように作用するかについては十分なデータが得られていません。

医薬品との相互作用

ほかの医薬品との相互作用については明らかではありません。

ハーブおよび健康食品・サプリメントとの相互作用

ほかのハーブ，健康食品・サプリメントとの相互作用についてはまだ明らかではありません。

使用量の目安

標準使用量に関するデータがありません。

へ

ペリリルアルコール

PERILLYL ALCOHOL

●代表的な別名

ペリロール

別名ほか

Dihydroperillic Acid，Monoterpene Perillyl Alcohol，Perillic Acid，Perillyl，Perilyl，Perrillyl，POH

概　　要

ペリリルアルコールは，ラベンダーや柑橘系フルーツなどの植物に含まれている化学物質です。

肺がん，乳がん，大腸がん，前立腺がん，脳の悪性腫瘍などのがんに対して摂取されています。また，化学療法などの治療に反応が出ないがんの場合も使用されています。

ペリリルアルコールは，蚊の防虫剤として直接皮膚に塗ることもあります。

●要説（ナチュラル・スタンダード）

ペリリルアルコールは，サクラ，ラベンダー，ペパーミント，スペアミント，セロリ種，セージ，クランベリー，レモングラス，Ginger Grass，Savin Juniper，Conyza Newii，キャラウェイ，Perilla Frutescens，Wild Bergamotなど数種類の植物のオイルから分離したものです。

ペリリルアルコールは，動物実験により，膵臓，乳房，および肝臓腫瘍の成長を抑制する可能性があることが示唆されています。結腸，肺，および皮膚のがんにも有効な可能性があります。米国立がん研究所（NCI）の研究費を受け，第２相の臨床試験段階を迎えています。

安　全　性

医療的に管理されたもとでの使用は安全なようです。個人の判断での使用はしないでください。

胃のむかつき，胃液逆流，悪心，下痢あるいは便秘，疲労や頭痛などの深刻な副作用をおこすおそれがあります。高用量摂取になるほど副作用の頻度が増します。通常の用量の摂取でも，上記の副作用に耐えられず服用を止めなければならない人が多くいます。

使用した人の中で，膵炎，ビリルビン値上昇，白血球数増加，低カリウム血症などを発症したとの報告が１件あります。

●妊娠中および母乳授乳期

妊娠中および母乳授乳期の使用の安全性についてはデータが不十分です。安全性を考慮し，摂取は避けてください。

有　効　性

◆科学的データが不十分です

・脳の悪性腫瘍。溶液を鼻腔内に塗って乏突起神経膠腫を縮小させるという報告もあります。

・前立腺がん。前立腺がんの進行を阻止しないというエビデンスもあります。しかし，この研究は，研究の初期の段階で多くの被験者が途中で参加を止めてしまったので，信頼できるものではありません。被験者たちは，ペリリルアルコールの副作用に耐えられませんでした。

・肺がん，乳がん，大腸がん，蚊の防虫剤として直接皮膚に塗布して使用など。

●体内での働き

がんに対して，どのように作用するかの十分なデータがありません。試験管内実験や動物実験では，がん細胞が大きくなるのを防ぐと示唆しています。しかし，ヒトに対して同様な作用があるかについてのデータは不十分です。

蚊の防虫剤として作用するようですが，どのように作用するかについては，十分なデータはありません。

医薬品との相互作用

ほかの医薬品との相互作用については明らかではありません。

ハーブおよび健康食品・サプリメントとの相互作用

ほかのハーブ，健康食品・サプリメントとの相互作用についてはまだ明らかではありません。

使用量の目安

標準使用量に関するデータがありません。

ペルーバルサム

PERU BALSAM

別名ほか

インディアンバルサム（Indian Balsam），バルサム･ペルー，トゥルーバルサム（Myroxylon balsamum pereirae），Balsamum Peruvianum，Black Balsam，Myroxylon pereirae，Peruvian Balsam

概　　要

ペルーバルサムはハーブです。樹皮に含まれる油状の樹液を用いて「くすり」を作ることもあります。

安　全　性

皮膚に塗布する場合，１週間以内の短期使用なら，ほとんどの人に安全のようです。

腎臓を障害するおそれがあるので，経口の摂取は安全ではありません。

腎疾患の患者は使用してはいけません。

●アレルギー

皮膚に塗布して，アレルギー反応が出る場合があります。皮膚が日光に対してより過敏になるかもしれません。とくに色白の人は，屋外では日焼け止めを使用してください。

●妊娠中および母乳授乳期

妊娠中，母乳授乳期は使用してはいけません。

有　効　性

◆科学的データが不十分です

・がん，腸内寄生虫，創傷，熱傷，下腿潰瘍，床ずれ，凍傷など。

●体内での働き

細菌の増殖を抑え，疥癬（寄生ダニ）を死滅させる補助をするようです。また，皮膚細胞の増殖を促進するとも考えられます。

医薬品との相互作用

ほかの医薬品との相互作用については明らかではありません。

ハーブおよび健康食品・サプリメントとの相互作用

ほかのハーブ，健康食品・サプリメントとの相互作用についてはまだ明らかではありません。

使用量の目安

●局所投与

局所用の製剤には，通常，ペルーバルサムが5～20%含まれています。広範囲に塗布する場合，含有率が10%以下の製剤を使用します。

ベルガモット

BERGAMOT

別名ほか

Aceite de Bergamota, Bergamot Orange, Bergamota, Bergamotier, Bergamoto, Bergamotte, Bergamotto Bigarade Orange, Citrus Bergamia, Citrus aurantium var. bergamia, Huile de Bergamote, Oleum Bergamotte

概　　要

ベルガモットは，柑橘系の植物の一種です。果実の皮からとったオイルおよび果汁のエキスを「くすり」として用います。

ベルガモット油は，不安，吐き気および嘔吐，疼痛などに対するアロマテラピーでもっとも一般的に使用されています。ベルガモットエキスは，統合失調症，抗精神病薬やアロマターゼ阻害薬などの特定の処方薬の副作用の軽減およびその他の疾患に対して使用されています。ベルガモット油またはエキスの用途を十分に裏づけるエビデンスはありません。

食品では，ベルガモット油は柑橘香味剤として，とくにゼラチンやプリンに，広く使用されています。

工業品では，ベルガモット油は，香水，クリーム，化粧水，石鹸，日焼けオイルに使用されています。

安　全　性

食品に含まれる少量を摂取する場合，ベルガモット油はほとんどの人に安全のようです。「くすり」として，短期間経口摂取する場合，ベルガモットエキスはおそらく安全です。ベルガモットエキスの副作用は一般に軽度であり，めまい感，筋痙攣またはむねやけなどを起こすおそれがあります。

皮膚に塗布する場合，ベルガモット油はおそらく安全ではありません。皮膚が日光に過敏になるおそれがあります。

吸入する場合，ベルガモットの安全性または副作用について，データが不十分です。

小児：ベルガモット油を多量に経口摂取する場合，おそらく安全ではありません。多量に摂取した小児で，痙攣や死亡などの重大な副作用が報告されています。

糖尿病：ベルガモットが，血糖値を低下させるおそれがあります。糖尿病患者の血糖値コントロールに影響を及ぼし，血糖値が過度に低下するおそれがあります。血糖値を注意深く監視してください。

手術：血糖値を低下させるおそれがあります。手術中の血糖値コントロールを妨げるおそれがあります。少なくとも手術前2週間は，使用しないでください。

●妊娠中および母乳授乳期

妊娠中および母乳授乳期は皮膚に塗布してはいけません。おそらく安全ではありません。

有　効　性

◆有効性レベル④

- 不安。ベルガモット油をアロマテラピーに使用しても，放射線治療または骨髄移植を受けている患者の不安が低下することはないようです。
- 精神的覚醒。ベルガモット油をアロマテラピーに使用しても，精神的覚醒は改善しないようです。実際，健康な成人では，リラクゼーション作用によって精神的覚醒が低下するおそれがあります。

◆科学的データが不十分です

- 抗精神病薬による代謝に対する副作用，アロマターゼ阻害薬と呼ばれる医薬品による関節痛（アロマターゼ阻害薬誘発性関節痛），うつ病，異常なレベルの血清コレステロールまたは血清脂肪（脂質異常症），吐き気および嘔吐，うろこ状で痒い皮膚（乾癬），統合失調症，皮膚の色素消失（白斑），シラミなどの寄生虫からの保護，白血球系の悪性疾患で皮膚を侵す疾患（菌状息肉症）の治療（紫外線（UV）と併用する場合）など。

●体内での働き

ベルガモット油には数種類の有効成分が含まれます。これらの成分により，皮膚が日光に過敏になるおそれがあります。

医薬品との相互作用

中光への過敏性を高める医薬品（光感作性薬）

特定の医薬品は光への過敏性を高めます。ベルガモット精油の局所的使用もまた，光への過敏性を高める可能性があります。ベルガモット精油と光への過敏性を高める医薬品を併用すると，肌の露出した部分に日光皮膚炎，水疱，発疹を生じるリスクが高まるおそれがあります。日なたでは日焼け止めクリームを使用し，日よけの衣服を着用してください。このような医薬品には，アミトリプチリン塩酸塩，シプロフロキサシン，ノルフロキサシン，ロメフロキサシン塩酸塩，オフロキサシン，レボフロキサシン水和物，スパルフロキサシン（販売中止），ガチフロキサシン水和物，モキシフロキサシン塩酸塩，スルファメトキサゾール・トリメトプリム配合，テトラサイクリン塩酸塩，メトキサレン，トリオキシサレン（販売中止）があります。

中糖尿病治療薬

ベルガモットは血糖値を低下させる可能性がありま

す。糖尿病治療薬もまた血糖値を低下させるために用いられます。ベルガモットと糖尿病治療薬を併用すると，血糖値が過度に低下するおそれがあります。血糖値を注意深く監視してください。糖尿病治療薬の用量を変更する必要があるかもしれません。このような糖尿病治療薬には，グリメピリド，グリベンクラミド，インスリン，ピオグリタゾン塩酸塩，マレイン酸ロシグリタゾン（販売中止），クロルプロパミド，Glipizide，トルブタミド（販売中止）などがあります。

ハーブおよび健康食品・サプリメントとの相互作用

血糖値を低下させるおそれのあるハーブおよび健康食品・サプリメント

ベルガモットは血糖値を低下させるおそれがあります。ベルガモットと同様の作用をもつほかのハーブおよび健康食品・サプリメントと併用すると，血糖値が過度に低下するおそれがあります。このようなハーブおよび健康食品・サプリメントには，デビルズクロー，フェヌグリーク，グアーガム，朝鮮人参，エゾウコギなどがあります。

使用量の目安

通常の食品に含まれている量を超えて経口摂取した場合の安全性および副作用については，明らかになっていません。

へ

ベルノキ

BAEL

●代表的な別名

ベルカップ

別名ほか

ベルカップ（Aegle marmelos），Bel，ベンガルマルメロ（Bengal quince），ビルヴァ（Bilva），Bilwa，Indian Bael，Shivaphala

概　要

ベルノキは植物です。熟す前の果実，根，葉，枝を用いて「くすり」を作ることもあります。

安　全　性

ベルノキの安全性については，データが不十分です。多量に摂取すると，胃のもたれや便秘が起こるおそれがあります。

糖尿病：血糖値を低下させるおそれがあります。糖尿病に罹患していて血糖値を低下させる医薬品を服薬している場合，ベルノキを併用すると血糖値が過度に低下するおそれがあります。血糖値を注意深く監視してください。

手術：手術中および術後の血糖値コントロールを妨げるおそれがあります。少なくとも手術前2週間は，使用しないでください。

●妊娠中および母乳授乳期

妊娠中，母乳授乳期の使用の安全性についてはデータが不十分です。安全性を考慮し，摂取は避けてください。

有　効　性

◆科学的データが不十分です

・下痢，便秘など。

●体内での働き

タンニンという化学物質を含んでいますが，これは炎症（腫脹）を抑えて，下痢の治療を補助すると考えられます。

医薬品との相互作用

低 肝臓で代謝される医薬品（シトクロムP450 1A2（CYP1A2）の基質となる医薬品）

特定の医薬品は肝臓で代謝されます。ベルノキは特定の医薬品の代謝を抑制する可能性があります。ベルノキと肝臓で代謝される医薬品を併用すると，医薬品の作用および副作用が増強するおそれがあります。このような医薬品には，アミトリプチリン塩酸塩，ハロペリドール，オンダンセトロン塩酸塩水和物，プロプラノロール塩酸塩，テオフィリン，ベラパミル塩酸塩などがあります。

低 肝臓で代謝される医薬品（シトクロムP450 3A4（CYP3A4）の基質となる医薬品）

特定の医薬品は肝臓で代謝されます。ベルノキは特定の医薬品の代謝を抑制する可能性があります。ベルノキと肝臓で代謝される医薬品を併用すると，医薬品の作用および副作用が増強するおそれがあります。このような医薬品には，Lovastatin，ケトコナゾール，イトラコナゾール，フェキソフェナジン塩酸塩，トリアゾラムなど数多くあります。

中 糖尿病治療薬

ベルノキは血糖値を低下させる可能性があります。糖尿病治療薬も血糖値を低下させるために用いられます。ベルノキと糖尿病治療薬を併用すると，血糖値が過度に低下するおそれがあります。血糖値を注意深く監視してください。糖尿病治療薬の用量を変更する必要があるかもしれません。このような糖尿病治療薬には，グリメピリド，グリベンクラミド，インスリン，ピオグリタゾン塩酸塩，マレイン酸ロシグリタゾン（販売中止），クロルプロパミド，Glipizide，トルブタミド（販売中止）などがあります。

ハーブおよび健康食品・サプリメントとの相互作用

血糖値を低下させるおそれのあるハーブおよび健康食品・サプリメント

ベルノキは血糖値を低下させるおそれがあります。ベルノキと，血糖値を低下させるおそれのあるほかのハー

相互作用レベル：高 この医薬品と併用してはいけません　中 この医薬品とは慎重に併用するか併用しないでください
低 この医薬品との併用には注意が必要です

ブおよび健康食品・サプリメントを併用すると，血糖値が過度に低下するおそれがあります。このようなハーブおよび健康食品・サプリメントには，α-リポ酸，クロム，デビルズクロー，フェヌグリーク，ニンニク，グアーガム，セイヨウトチノキ，朝鮮人参，サイリウム，エゾウコギなどがあります。

使用量の目安

通常の食品に含まれている量を超えて経口摂取した場合の安全性および副作用については，明らかになっていません。

ベルベリン

BERBERINE

別名ほか

Alcaloïde de Berbérine，Berberina，Berbérine，Berberine Alkaloid，Berberine Complex，Berberine Sulfate，Sulfate de Berbérine

概　　要

ベルベリンは数種の植物に認められる化合物です。

安 全 性

経口摂取または皮膚に塗布する場合，短期間であればほとんどの成人におそらく安全です。

小児：新生児に与えるのは安全ではありません。深刻な黄疸のある新生児で起こるおそれのある珍しい脳障害の一種である核黄疸を引き起こすおそれがあります。黄疸は，血中ビリルビンの過剰により，皮膚が黄色味を帯びる症状です。ビリルビンは，古い赤血球が破壊されるときに生成される化学物質で，通常は肝臓によって除去されます。ベルベリンは，肝臓がビリルビンを素早く除去する妨げとなるおそれがあります。

乳児における血中高ビリルビン値：ビリルビンは，古い赤血球が破壊されるときに生成される化学物質で，通常は肝臓によって除去されます。ベルベリンは，肝臓がビリルビンを素早く除去する妨げとなります。これにより，特に血中ビリルビン値の高い乳児で，脳障害を引き起こすおそれがあります。使用は避けてください。

糖尿病：血糖値を低下させるおそれがあります。理論上は，インスリンや医薬品により血糖値をコントロール中の糖尿病患者が摂取する場合，血糖値が過度に低下するおそれがあります。糖尿病の場合は，注意して使用してください。

低血圧：血圧を低下させるおそれがあります。低血圧の場合は，注意して使用してください。

●妊娠中および母乳授乳期

妊娠中の経口摂取は安全ではありません。研究者によれば，ベルベリンは胎盤をとおして胎児に害を及ぼすおそれがあります。ベルベリンに曝された新生児で，脳障害の一種である核黄疸が発症しています。

母乳授乳期の摂取もまた安全ではありません。ベルベリンが母乳をとおして乳児の体内に入り，害を及ぼすおそれがあります。

有 効 性

◆有効性レベル③

・糖尿病。ベルベリンは糖尿病の人の血糖値をわずかに下げるようです。また，初期の研究により，500mgのベルベリンを，１日２～３回，３カ月まで摂取することで，メトホルミン塩酸塩やマレイン酸ロシグリタゾン（販売中止）と同様に，血糖値を効果的にコントロールできる可能性が示唆されています。

・高コレステロール血症。高コレステロール血症の人のコレステロール値を下げる助けをする可能性があるという初期のエビデンスがあります。500mgのベルベリンを１日２回，３カ月間摂取すると，高コレステロール血症の人の総コレステロール値，低比重リポタンパク（LDL，悪玉）コレステロール値，およびトリグリセリド値が低下するようです。

◆科学的データが不十分です

・熱傷，うっ血性心不全（CHF），下痢，緑内障，ヘリコバクター・ピロリ感染症による胃潰瘍，肝炎，肝疾患，更年期症状，メタボリックシンドローム，肥満，骨粗鬆症，多のう胞性卵巣症候群（PCOS），放射線外傷，血小板減少症，トラコーマなど。

●体内での働き

心拍動を速めることがあります。また，抗菌作用があるようです。

医薬品との相互作用

高シクロスポリン

シクロスポリンは体内で代謝されてから排泄されます。ベルベリンは，シクロスポリンの代謝を抑制する可能性があり，そのためにシクロスポリンが体内に蓄積し，副作用を引き起こすおそれがあります。

中タクロリムス水和物

タクロリムス水和物は免疫抑制薬です。タクロリムス水和物は体内で代謝されてから排泄されます。ベルベリンはタクロリムス水和物の代謝を抑制するため，タクロリムス水和物の作用および副作用が増強するおそれがあります。

中デキストロメトルファン臭化水素酸塩水和物

デキストロメトルファン臭化水素酸塩水和物は体内で代謝されてから排泄されます。ベルベリンはデキストロメトルファン臭化水素酸塩水和物の代謝を抑制し，デキストロメトルファン臭化水素酸塩水和物の作用および副作用を増強させるおそれがあります。

中ペントバルビタールカルシウム

ペントバルビタールカルシウムは眠気を引き起こす医薬品です。ベルベリンも眠気および注意力低下を引き起こす可能性があります。ベルベリンとペントバルビタールカルシウムを併用すると，過度の眠気が引き起こされるおそれがあります。

中ミダゾラム

ミダゾラムは体内で代謝されてから排泄されます。ベルベリンはミダゾラムの代謝を抑制する可能性があり，ミダゾラムの効果および副作用が増強するおそれがあります。

中ロサルタンカリウム

ロサルタンカリウムは肝臓で作用が活性化します。ベルベリンはロサルタンカリウムの体内での代謝を抑制する可能性があり，ロサルタンカリウムの作用が減弱するおそれがあります。

中肝臓で代謝される医薬品（シトクロムP450 2C9（CYP2C9）の基質となる医薬品）

特定の医薬品は肝臓で代謝されます。ベルベリンはこのような医薬品の代謝を抑制する可能性があります。ベルベリンと肝臓で代謝される医薬品を併用すると，医薬品の作用および副作用が増強するおそれがあります。このような医薬品には，セレコキシブ，ジクロフェナクナトリウム，フルバスタチンナトリウム，Glipizide，イブプロフェン，イルベサルタン，ロサルタンカリウム，フェニトイン，ピロキシカム，タモキシフェンクエン酸塩，トルブタミド（販売中止），トラセミド，ワルファリンカリウムなどがあります。

中肝臓で代謝される医薬品（シトクロムP450 2D6（CYP2D6）の基質となる医薬品）

特定の医薬品は肝臓で代謝されます。ベルベリンはこのような医薬品の代謝を抑制する可能性があり，医薬品の作用および副作用が増強するおそれがあります。このような医薬品には，アミトリプチリン塩酸塩，コデインリン酸塩水和物，塩酸デシプラミン（販売中止），フレカイニド酢酸塩，ハロペリドール，イミプラミン塩酸塩，メトプロロール酒石酸塩，オンダンセトロン塩酸塩水和物，パロキセチン塩酸塩水和物，リスペリドン，トラマドール塩酸塩，ベンラファキシン塩酸塩などがあります。

中肝臓で代謝される医薬品（シトクロムP450 3A4（CYP3A4）の基質となる医薬品）

特定の医薬品は肝臓で代謝されます。ベルベリンはこのような医薬品の代謝を抑制する可能性があり，医薬品の作用および副作用が増強するおそれがあります。このような医薬品には，シクロスポリン，Lovastatin，クラリスロマイシン，インジナビル硫酸塩エタノール付加物（販売中止），シルデナフィルクエン酸塩，トリアゾラムなど数多くあります。

中血液凝固を抑制する医薬品（抗凝固薬/抗血小板薬）

ベルベリンは血液凝固を抑制する可能性があります。ベルベリンと血液凝固を抑制する医薬品を併用すると，紫斑および出血のリスクが高まるおそれがあります。このような医薬品には，アスピリン，シロスタゾール，クロピドグレル硫酸塩，ダルテパリンナトリウム，エノキサパリンナトリウム，ヘパリン，チクロピジン塩酸塩などがあります。

中降圧薬

ベルベリンは，人によっては血圧を低下させる可能性があります。ベルベリンと降圧薬を併用すると，血圧が過度に低下するおそれがあります。このような降圧薬には，カプトプリル，エナラプリルマレイン酸塩，ロサルタンカリウム，バルサルタン，ジルチアゼム塩酸塩，アムロジピンベシル酸塩，ヒドロクロロチアジド，フロセミドなど数多くあります。

中鎮静薬（中枢神経抑制薬）

ベルベリンは眠気および注意力低下を引き起こす可能性があります。鎮静薬は眠気を引き起こす医薬品です。ベルベリンと鎮静薬を併用すると，過度の眠気を引き起こすおそれがあります。このような鎮静薬には，ベンゾジアゼピン系薬，ペントバルビタールカルシウム，フェノバルビタール，セコバルビタールナトリウム，チオペンタールナトリウム，フェンタニルクエン酸塩，モルヒネ塩酸塩水和物，プロポフォールなどがあります。

中糖尿病治療薬

ベルベリンは血糖値を低下させる可能性があります。糖尿病治療薬も血糖値を低下させるために用いられます。ベルベリンと糖尿病治療薬を併用すると，血糖値が過度に低下するおそれがあります。血糖値を注意深く監視してください。糖尿病治療薬の用量を変更する必要があるかもしれません。このような糖尿病治療薬には，グリメピリド，グリベンクラミド，インスリン，ピオグリタゾン塩酸塩，マレイン酸ロシグリタゾン（販売中止）などがあります。

中メトホルミン塩酸塩

ベルベリンは体内のメトホルミン塩酸塩の量を増加させる可能性があります。そのため，メトホルミン塩酸塩の作用および副作用が増強するおそれがあります。この相互作用は，ベルベリンを摂取してから約2時間後にメトホルミン塩酸塩を服用した場合に生じるようです。ベルベリンとメトホルミン塩酸塩を同時に摂取すると，体内のメトホルミン塩酸塩の量は増加しないようです。

中アムロジピンベシル酸塩

アムロジピンベシル酸塩は血圧を低下させます。ベルベリンも血圧を低下させる可能性があります。ベルベリンとアムロジピンベシル酸塩を併用すると，血圧が過度に低下するおそれがあります。ヒドラスチスとアムロジピンベシル酸塩を併用する時は血圧を監視してください。

ハーブおよび健康食品・サプリメントとの相互作用

血圧を低下させるおそれのあるハーブおよび健康食品・サプリメント

ベルベリンが血圧を低下させるおそれがあります。同様の作用をもつほかのハーブおよび健康食品・サプリメントと併用すると，一部の人では血圧が過度に低下するリスクが高まるおそれがあります。このようなハーブおよび健康食品・サプリメントには，アンドログラフィス，カゼイン・ペプチド，キャッツクロー，コエンザイムQ-10，魚油，L-アルギニン，クコ，イラクサ，テアニンなどがあります。

血糖値を低下させるおそれのあるハーブおよび健康食品・サプリメント

ベルベリンが血糖値を低下させるおそれがあります。同様の作用をもつほかのハーブおよび健康食品・サプリメントと併用すると，一部の人では血糖値が過度に低下するおそれがあります。このようなハーブおよび健康食品・サプリメントには，α-リポ酸，ニガウリ，クロム，デビルズクロー，フェヌグリーク，ニンニク，グアーガム，セイヨウトチノキの種子，朝鮮人参，サイリウム，エゾウコギなどがあります。

血液凝固を抑制するおそれのあるハーブおよび健康食品・サプリメント

ベルベリンが血液凝固を抑制するおそれがあります。血液凝固を抑制するおそれのあるほかのハーブおよび健康食品・サプリメントと併用すると，紫斑や出血のリスクが高まるおそれがあります。このようなハーブおよび健康食品・サプリメントには，アンゼリカ，クローブ，タンジン，ニンニク，ショウガ，イチョウ，朝鮮人参などがあります。

鎮静作用のあるハーブおよび健康食品・サプリメント

ベルベリンが眠気または注意力低下を引き起こすおそれがあります。同様の作用をもつほかのハーブおよび健康食品・サプリメントと併用すると，過度の眠気を引き起こすおそれがあります。このようなハーブおよび健康食品・サプリメントには，ショウブ，ハナビシソウ，キャットニップ，ホップ，ジャマイカ・ドッグウッド，カバ，L-トリプトファン，メラトニン，セージ，S-アデノシルメチオニン（SAMe），セント・ジョンズ・ワート，ササフラス，スカルキャップなどがあります。

使用量の目安

通常の食品に含まれている量を超えて経口摂取した場合の安全性および副作用については，明らかになっていません。

ベロニカ（クワガタソウ属）

VERONICA

別名ほか

スピードウェル（Speedwell），ヴェロニカ（Veronicae herba），コモンスピードウェル，カワヂサ（Veronica officinalis），Ehrenpreiskraut，Gypsy Weed，Veronica Herb

概　　要

ベロニカ（クワガタソウ属）は植物です。地上部を用いて「くすり」を作ることもあります。Veronica allioniiやVeronica chamaedrysのような別のクワガタソウ属と混同しないよう注意してください。

安 全 性

「くすり」としておそらく安全ですが，副作用については不明です。

●妊娠中および母乳授乳期

妊娠中，母乳授乳期は使用してはいけません。

有 効 性

◆科学的データが不十分です

- 食欲不振，関節炎，痛風，そう痒，腎臓・肝臓・肺・皮膚・脾臓・胃の疾患あるいは障害，尿障害，創傷など。

●体内での働き

胃壁の自然治癒を補助します。

医薬品との相互作用

ほかの医薬品との相互作用については明らかではありません。

ハーブおよび健康食品・サプリメントとの相互作用

ほかのハーブ，健康食品・サプリメントとの相互作用についてはまだ明らかではありません。

使用量の目安

標準使用量に関するデータがありません。

ベンゾイン

BENZOIN

別名ほか

ベンゾインガム（Gum Benzoin），アンソクコウノキ，アンソクコウジュ（Styrax Benzoin），スマトラベンゾイン（Sumatra Benzoin），Benzoe，Gum Benjamin，Styrax paralleloneurus

概　　要

ベンゾインは植物です。ゴム樹脂を用いて「くすり」を作ることもあります。

安 全 性

医薬品として安全に使用できるというデータもあります。

チンキ剤にアレルギーのある人に湿疹が出るかもしれません。

●妊娠中および母乳授乳期

妊娠中，母乳授乳期は使用してはいけません。

有効性

◆科学的データが不十分です

・肺うっ血，咽喉および気道の炎症（腫脹），喉頭炎，クループ，皮膚の切創および潰瘍，床ずれ，乳首の亀裂など。

●体内での働き

皮膚を保護する働きがあり，また粘液をサラサラにし咳を出やすく（去痰作用）して肺のうっ血を解消するという科学的データもあります。

医薬品との相互作用

ほかの医薬品との相互作用については明らかではありません。

ハーブおよび健康食品・サプリメントとの相互作用

ほかのハーブ，健康食品・サプリメントとの相互作用についてはまだ明らかではありません。

使用量の目安

●経口摂取

標準使用量に関するデータがありません。

●局所投与

通常の投与量は複合ベンゾインチンキ（USP）を２時間ごとに数滴。複合ベンゾインチンキは，チンキ剤1,000mL中にベンゾイン粉末100g，アロエ粉末20g，エゴノキ80g，トルーバルサム40gを含みます。

●吸入

通常，複合ベンゾインチンキ（USP）５mLを熱湯473mLに加えるか，チンキ剤を直接ハンカチに含ませて用います。

ヘンナ

HENNA

●代表的な別名

アルカンナ，シコウカ

別名ほか

シコウカ，指甲花，アルカンナ（Alcanna），ヘナ，マツクレナイノキ，ミソハギ（Egyptian Privet），ヘナブラック（Jamaica Mignonette），メヘンディ（Mehndi），Hennae folium，Henne，Lawsonia alba，Lawsonia inermis，Mendee，Mignonette Tree，Reseda，Smooth Lawsonia

概要

ヘンナは植物です。葉を用いて「くすり」を作ることもあります。

安全性

皮膚や髪の毛に使用する場合，ほとんどの人に安全のようです。

ただ，発赤，かゆみ，灼熱感，腫脹，鱗屑，皮膚の剥離，水疱，傷など皮膚の炎症（皮膚炎）のような副作用が起こる可能性があります。

経口摂取は，安全ではないと考えられています。誤って飲み込んでしまった場合，救急措置を受ける必要性があります。

胃のもたれなどの症状が起きるかもしれません。

小児，とくに乳児の使用は安全ではないと考えられています。

乳児の皮膚に塗布すると，血液疾患などの深刻な副作用をもたらします。

グルコース-6-リン酸欠損症という疾患のある患者は使用してはいけません。グルコース-6-リン酸欠損症のある乳児が使用して，赤血球が溶血したという報告があります。

●アレルギー

まれにですが，じんましん，鼻水，喘鳴や気管支喘息のようなアレルギー反応が起こるかもしれません。

●妊娠中および母乳授乳期

妊娠中，母乳授乳期は使用してはいけません。

有効性

◆科学的データが不十分です

・胃潰瘍または腸潰瘍，ふけ，皮膚疾患，アメーバ赤痢による重度の下痢，がん，脾腫，頭痛，黄疸など。

●体内での働き

ある種の感染と戦う補助をする物質を含んでいます。腫瘍の増殖を減少させ，痙攣を予防または緩和，炎症を抑制して痛みを鎮める働きをするというデータもあります。

医薬品との相互作用

ほかの医薬品との相互作用については明らかではありません。

ハーブおよび健康食品・サプリメントとの相互作用

ほかのハーブ，健康食品・サプリメントとの相互作用についてはまだ明らかではありません。

使用量の目安

標準使用量に関するデータがありません。

ヘンプ・アグリモニー

HEMP AGRIMONY

別名ほか

Alpenkraut, Chanvrin, Donnerkraut, Dostenkraut, Drachenkraut, Dutch Agrimony, Dutch Eupatoire Commune, Eupatorium Cannabinum, Gemeiner Wasswedost, Herbe de Sainte Cunegonde, Hirshklee, Holy Rope, Kunigundendraut, Leberkraut, Origan de Marais, St. John's Herb, Sweet Mandulin, Sweet-smelling Trefoil, Thoroughwort, Wasshanf, Waterhemp, Water Maudlin

概　　要

ヘンプ・アグリモニーはハーブです。花の部分を用いて「くすり」を作ることもあります。

安 全 性

使用は安全ではありません。胃痛，肝障害，血液循環疾患，がんのような副作用を起こす可能性があります。

●アレルギー

ブタクサ，マリーゴールド，デイジー，またそれらに関連するハーブにアレルギーのある人は使用してはいけません。

●妊娠中および母乳授乳期

妊娠中，母乳授乳期は使用してはいけません。

有 効 性

◆科学的データが不十分です

・肝臓疾患，胆のう疾患，感冒，および発熱。

●体内での働き

どのように作用するかについては十分なデータが得られていません。

医薬品との相互作用

ほかの医薬品との相互作用については明らかではありません。

ハーブおよび健康食品・サプリメントとの相互作用

ほかのハーブ，健康食品・サプリメントとの相互作用についてはまだ明らかではありません。

使用量の目安

標準使用量に関するデータがありません。

ヘンルーダ

RUE

●代表的な別名

ウンコウソウ

別名ほか

ウンコウソウ，芸香草（Ruta Graveolens），ルー，ルウ（Common Rue），Garden Rue，German Rue，Herb-of-grace，Herbygrass，Raute，Ruda，Rue Officinale，Rutae folium，Rutae herba，Ruta graveolens

概　　要

ヘンルーダは植物です。地上部を用いて「くすり」を作ることもあります。

安 全 性

食べ物に含まれる量を摂取する場合，安全だと考えられています。

医薬品としての量は，安全ではありません。胃痛，気分の変化，睡眠障害，めまい，痙攣，皮膚病，日光への過敏，腎臓および肝臓障害のような副作用が生じるおそれがあります。

腎疾患，肝疾患の患者，胃腸障害のある人，泌尿器に問題のある人は使用してはいけません。

●妊娠中および母乳授乳期

妊娠中，母乳授乳期は使用してはいけません。

有 効 性

◆科学的データが不十分です

・月経障害，消化器系障害，動悸，神経質，発熱，下痢，呼吸器系障害，多発性硬化症，ベル麻痺，関節炎，捻挫，耳痛，歯痛，疣贅（いぼ），頭痛など。

●体内での働き

含有成分が筋肉の収縮を抑え，炎症（腫脹）の緩和を補助します。

医薬品との相互作用

中光への過敏性を高める医薬品（光感作性薬）

光への過敏性を高める医薬品がありますが，ヘンルーダも光への過敏性を高めることがあります。光への過敏性を高める医薬品と併用すると，肌の露出した部分に日光皮膚炎，水疱，発疹を生じるリスクが高まるおそれがあります。太陽の下で過ごすときには，必ず日焼け止めクリームを使用し，肌を隠す衣服を着用してください。このような医薬品には，アミトリプチリン塩酸塩，シプロフロキサシン，ノルフロキサシン，ロメフロキサシン塩酸塩，オフロキサシン，レボフロキサシン水和物，スパルフロキサシン(販売中止)，ガチフロキサシン水和物，モキシフロキサシン塩酸塩，スルファメトキサゾール・トリメトプリム配合，テトラサイクリン塩酸塩，メトキサレン，トリオキシサレン（販売中止）があります。

ハーブおよび健康食品・サプリメントとの相互作用

ほかのハーブ，健康食品・サプリメントとの相互作用についてはまだ明らかではありません。

使用量の目安

●経口摂取

通常，砕いたヘンルーダ500mgを摂取します。お勧めできる最大摂取量は１日１gです。お茶の入れ方としては，茶さじ１杯のハーブに熱湯１カップを注ぎます。冷ましたものを１日１杯摂取します。

●局所投与

標準使用量に関するデータがありません。

ボアドローズオイル

BOIS DE ROSE OIL

●代表的な別名

ローズウッドオイル

別名ほか

ローズウッド（Aniba rosaeodora），ローズウッドオイル（Rosewood Oil），Cayenne Rosewood Oil，Distilled Oil from Aniba Rosaeodora Wood

概　　要

ボアドローズオイルは植物性製品です。ローズウッド（Aniba rosaeodora）の木部を用いて作ることもあります。香水や香辛料に使われることもあります。

安 全 性

食べ物に含まれている少量を摂取する，または皮膚に直接塗布する場合，安全ですが，副作用については不明です。

●妊娠中および母乳授乳期

妊娠中，母乳授乳期は使用してはいけません。

有 効 性

◆科学的データが不十分です

・筋肉痛およびストレス。

●体内での働き

マウスに対しては，抗痙攣および抗生物質の働きを行うようですが，ヒトに対してはどのように作用するかについては十分なデータが得られていません。

医薬品との相互作用

ほかの医薬品との相互作用については明らかではありません。

ハーブおよび健康食品・サプリメントとの相互作用

ほかのハーブ，健康食品・サプリメントとの相互作用についてはまだ明らかではありません。

使用量の目安

標準使用量に関するデータがありません。

ホアハウンド

WHITE HOREHOUND

別名ほか

マルビウム（Marrubium），マルルビウム・ウルガレ，ホワイトホアハウンド，ニガハッカ（Marrubium vulgare），Common Hoarhound，Houndsbane，Marrubii herba，Mastranzo

概　　要

ホアハウンドは植物です。地上部を用いて「くすり」を作ることもあります。

安 全 性

ほとんどの人に安全だと考えられています。

多量に摂取すると，嘔吐を起こすかもしれません。

皮膚に直接塗布する場合，皮膚に反応が出ることがあります。

心疾患の患者は使用してはいけません。

●妊娠中および母乳授乳期

妊娠中，母乳授乳期は使用してはいけません。

有 効 性

◆科学的データが不十分です

・肝障害，胆のう障害，皮膚損傷，潰瘍，創傷，便秘，体液貯留（浮腫），食欲の刺激，消化器系障害，鼓脹，腸内ガス（膨満），咳，感冒など。

●体内での働き

含有成分が粘液分泌物をサラサラにし，胃腸の痙攣を抑制，炎症（腫脹）を緩和する可能性があります。

医薬品との相互作用

中糖尿病治療薬

ホアハウンドは血糖値を低下させる可能性があります。糖尿病治療薬もまた血糖値を低下させるために用いられます。ホアハウンドと糖尿病治療薬を併用すると，血糖値が過度に低下するおそれがあります。血糖値を注意深く監視してください。糖尿病治療薬の用量を変更する必要があるかもしれません。このような糖尿病治療薬にはグリメピリド，グリベンクラミド，インスリン，ピオグリタゾン塩酸塩，マレイン酸ロシグリタゾン（販売中止），クロルプロパミド，Glipizide，トルブタミド（販売中止）などがあります。

ハーブおよび健康食品・サプリメントとの相互作用

ほかのハーブ，健康食品・サプリメントとの相互作用についてはまだ明らかではありません。

使用量の目安

●経口摂取

1～2gの乾燥地上部か，またはお茶ティーカップ1杯を，1日3回食前に摂取し胆汁分泌を促進します。または去痰薬として日中に摂取します。お茶は，1～2gの乾燥した地上部を150mLの熱湯に5～10分浸してからこします。1日最大4.5gの乾燥地上部，または大さじ2～6杯の搾りジュース（調剤相当）を摂取します。搾りジュースは通常，1日30～60mLを摂取します。流エキス（1：1，25%エタノール）1～3mLを1日3回摂取します。チンキ剤（1：10，45%アルコール）の場合，1～2mLを1日3回摂取します。

●局所投与

標準使用量に関するデータがありません。

ポインセチア

POINSETTIA

●代表的な別名

ショウジョウボク

別名ほか

ショウジョウボク，猩々木（Euphorbia pulcherrima），Christmas Flower，Easter Flower，Euphorbia poinsettia，Lobster Flower Plant，Lobsterplant，Mexican Flame Leaf, Mexican Flameleaf, Paintedleaf, Papagallo Poinsettia pulcherrima

概　　要

ポインセチアはハーブです。草花全体および樹液を用いて「くすり」を作ることもあります。

安 全 性

安全ではないようです。皮膚の湿疹，眼のひどい痛み，口やのど，胃腸が痛んだり，灼熱感をともなうおそれがあります。

胃潰瘍，過敏性腸症候群，クローン病の患者は使用してはいけません。

●妊娠中および母乳授乳期

妊娠中，母乳授乳期は使用してはいけません。

有 効 性

◆科学的データが不十分です

・発熱，痛み，感染症，疣贅（いぼ），皮膚疾患，歯痛など。

●体内での働き

どのように作用するかについては十分なデータが得られていません。

医薬品との相互作用

ほかの医薬品との相互作用については明らかではありません。

ハーブおよび健康食品・サプリメントとの相互作用

ほかのハーブ，健康食品・サプリメントとの相互作用についてはまだ明らかではありません。

使用量の目安

標準使用量に関するデータがありません。

ホウキグサ

BURNING BUSH

別名ほか

ヨウシュハクセン（Dictamnus albus），ディクタムナス（Dictamnus fraxinellus），ガスプラント（Gas Plant），Adiptam，Burnet Saxifrage，Dictamnus Caucasicus，Dictamo Blanco，Dittany，Fraxinella，Herba dictamni Herba

概　　要

ホウキグサは植物です。葉および根が「くすり」として使用されることもあります。

安 全 性

十分なデータが得られていないため，安全性については不明です。

ただ，皮膚に触れると，日焼けの危険が増大するなどの副作用が知られています。

●妊娠中および母乳授乳期

妊娠中，母乳授乳期は使用してはいけません。

有 効 性

◆科学的データが不十分です

・消化器系障害，尿路および生殖器の疾患，痙攣，関節炎，発熱，肝炎，発毛促進，湿疹や炎症などの皮膚疾患，細菌性皮膚感染症（膿痂疹），疥癬，蠕虫など。

●体内での働き

どのように作用するかについては十分なデータが得ら

れていません。

医薬品との相互作用

ほかの医薬品との相互作用については明らかではありません。

ハーブおよび健康食品・サプリメントとの相互作用

ほかのハーブ，健康食品・サプリメントとの相互作用についてはまだ明らかではありません。

使用量の目安

標準使用量に関するデータがありません。

ホウセンカ

JEWELWEED

●代表的な別名

ツリフネソウ

別名ほか

ツリフネソウ，釣舟草，ツマベニ，爪紅（Impatiens balsamina），ツマクレナイ，タッチミーノット（Touch-me-not），Balsam-weed，Garden Balsam，Impatiens biflora，Impatiens capensis，Impatiens pallida，Jewel Balsam Weed，Jewel Weed，Quick-in-the-hand，Silverweed，Slipper Weed，Speckled Jewels，Spotted Touch-me-not，Wild Balsam，Wild Celandine，Wild Lady's Slipper

概　　要

ホウセンカは植物です。地上部を用いて「くすり」を作ることもあります。ギジムシロ（Potentilla）と混同しないよう注意してください。どちらもシルバーウィードと呼ばれます。

安　全　性

経口または皮膚に塗布して摂取する場合，ほとんどの人におそらく安全でしょう。

副作用については不明です。

●妊娠中および母乳授乳期

妊娠中，母乳授乳期は使用してはいけません。

有　効　性

◆科学的データが不十分です

・軽度の消化器系疾患，ツタウルシによる発疹など。

●体内での働き

消化を補助し，利尿を通して体から水分の排泄を増大しますが，こうした効能を裏付ける科学的データは得られていません。「くすり」として，どのように作用するかについては不明です。

医薬品との相互作用

ほかの医薬品との相互作用については明らかではありません。

ハーブおよび健康食品・サプリメントとの相互作用

ほかのハーブ，健康食品・サプリメントとの相互作用についてはまだ明らかではありません。

使用量の目安

標準使用量に関するデータがありません。

ホウ素

BORON

別名ほか

原子番号5，ホウ酸（Boric Acid），無水ホウ酸（Boric Anhydride），ホウ酸ナトリウム（Sodium Borate），化学記号B，Borate，Borates，Boric Tartrate

概　　要

ホウ素はミネラルです。食品や環境の中にあります。「くすり」として使用されることもあります。

安　全　性

耐容上限量（UL，下記「使用量の目安」参照）未満を使用する場合，成人・小児ともほとんどの人に安全のようです。また，成人が耐容上限量（UL）の1日20mg超を摂取する場合，男性の生殖能力に害を及ぼすおそれがあります。

ホウ素の一般型であるホウ酸を，膣内投与する場合，最長6カ月間まで，ほとんどの人に安全のようです。膣内に灼熱感が出ることがあります。

高用量を経口摂取する場合，成人・小児ともおそらく安全ではありません。大量に摂取すると中毒を引き起こすおそれがあります。中毒の兆候としては，皮膚の炎症や剥離，過敏性，振戦，痙攣，体力減退，頭痛，うつ病，下痢，嘔吐などがあります。

また，ホウ素の一般型であるホウ酸粉末を，おむつかぶれ予防に大量に使用する場合，おそらく安全ではありません。

乳がん，子宮がん，卵巣がん，子宮内膜症，子宮筋腫のようなホルモン感受性疾患：ホウ素がエストロゲンのように作用するおそれがあります。エストロゲン曝露により悪化するおそれのある疾患のある場合，ホウ素サプリメントや食品からの高用量のホウ素の摂取は避けてください。

腎疾患または腎機能障害：腎臓に問題がある場合，ホウ素サプリメントを摂取してはいけません。ホウ素を排出するために腎臓に負担がかかります。

●妊娠中および母乳授乳期

19～50歳の妊娠中または母乳授乳期の女性が，1日20mg未満を摂取する場合，ほとんどの人に安全のようです。14歳～18歳の妊娠中または母乳授乳期の女性は，1日17mg超を摂取してはいけません。妊娠中または母乳授乳期の女性が高用量を経口摂取する場合，おそらく安全ではありません。高用量を摂取する場合，先天異常に関連づけられています。妊娠初期の4カ月間にホウ酸を膣内投与すると，先天異常のリスクが2.7～2.8倍に高まるようです。

有　効　性

◆有効性レベル②

・ホウ素欠乏。ホウ素の経口摂取により防ぐことができます。

◆有効性レベル③

・膣感染。ホウ酸の膣内投与は，ほかの療法で治癒しない感染を含む，カンジダ症（酵母菌感染）において有効であることを示す研究があります。ただし，この研究の質には疑問点も残ります。

◆有効性レベル④

・運動能力。ホウ素を経口摂取しても，ボディビルダーの男性において，体重，筋肉量，テストステロン値に向上はみられないようです。

◆科学的データが不十分です

・高齢者の認知機能と筋肉運動の協調の改善，変形性関節症，骨粗鬆症，テストステロンの増加など。

●体内での働き

マグネシウムやリンのようなほかのミネラルを体が処理する方法に影響を与えるようです。また，閉経後の女性や健康な男性の血中エストロゲン値を上昇する可能性もあります。エストロゲンは，骨や精神機能の健康維持を補助すると考えられています。ホウ素の一般型であるホウ酸は，膣感染を引き起こす菌（酵母菌）を死滅させる可能性があります。

医薬品との相互作用

中エストロゲン（卵胞ホルモン）製剤

ホウ素は体内のエストロゲン量を増加させる可能性があります。 ホウ素とエストロゲン製剤を併用すると，体内のエストロゲン量が過剰になるおそれがあります。

ハーブおよび健康食品・サプリメントとの相互作用

マグネシウム

ホウ素サプリメントは尿中のマグネシウム排泄を減少させることがあります。これにより，血中マグネシウム濃度が上昇するおそれがあります。高齢者で，食事で摂取するマグネシウムが十分でない女性に，この現象が多くみられるようです。若い女性では，運動量が少ない人に，より影響が大きいようです。このことがどのように健康に関係するか，および男性において同様の影響があるかは不明です。

リン

ホウ素と併用すると，血中リン値が低下するおそれがあります。

使用量の目安

●経口摂取

ホウ素の本質的な生物学的活性はまだ明らかにされていないため，その推奨量（RDA）は設定されていません。摂取量は食事内容によって大きく異なります。ホウ素含有率が高いと考えられる食品を摂取した場合，1日当たり2,000kcalの食事で3.25mgのホウ素が摂取できます。反対に，含有率が低いと考えられる食品を摂取した場合，1日当たり2,000kcalの食事で摂取できるホウ素はわずか0.25mgとなります。

ホウ素の1日当たりの耐容上限量（UL，有害作用を起こすことはないと考えられる最大量）は，以下の通りです。

19歳以上（妊娠中および母乳授乳期の女性を含む）：20mg

14～18歳（妊娠中および母乳授乳期の女性を含む）：17mg

9～13歳：11mg

4～8歳：6mg

1～3歳：3mg

乳児に対する耐容上限量（UL）の設定はありません。

●膣内投与

膣感染

ホウ酸粉末600mgを，1日1～2回，膣内投与します。

カンジダ菌（酵母菌）感染再発の予防

600mgを，週2回，膣内投与します。

ホウレンソウ

SPINACH

別名ほか

ほうれん草の葉，スピナッチリーフ（Spinatblatter），Spinaciae folium，Spinacia oleracea

概　　要

ホウレンソウは野菜です。葉を食べ物として使用することもあります。また,「くすり」を作ることもあります。

安　全　性

食品として摂取するなら，ほとんどの人に安全です。

4カ月未満の乳児に使用してはいけません。年少乳児の場合，血液性疾患が発症することもあります。

腎結石のある人，2週間以内に手術を受ける予定の人

有効性レベル：①効きます　②おそらく効きます　③効くと断言できませんが、効能の可能性が科学的に示唆されています　④効かないかもしれません　⑤おそらく効きません　⑥効きません

は使用してはいけません。

●妊娠中および母乳授乳期

食べ物に含まれている量を摂取するなら，妊娠中，母乳授乳期でも安全ですが，健康食品・サプリメント剤を飲む安全性については不明です。

有効性

◆科学的データが不十分です

・胃腸障害，疲労感，または小児の発育への刺激。

●体内での働き

ビタミンなどの栄養素が含まれています。

医薬品との相互作用

中ワルファリンカリウム

ホウレンソウには大量のビタミンKが含まれていますが，ビタミンKには血液を凝固させる働きがあります。ワルファリンカリウムは血液凝固を抑制するために使用されています。併用するとワルファリンカリウムの効果が減弱する可能性があります。

中糖尿病治療薬

ホウレンソウは血糖値を低下させる可能性があります。糖尿病治療薬もまた血糖値を低下させるために用いられます。ホウレンソウと糖尿病治療薬を併用すると，血糖値が過度に低下するおそれがあります。血糖値を注意深く監視してください。糖尿病治療薬の用量を変更する必要があるかもしれません。このような糖尿病治療薬にはグリメピリド，グリベンクラミド，インスリン，ピオグリタゾン塩酸塩，マレイン酸ロシグリタゾン（販売中止），クロルプロパミド，Glipizide，トルブタミド（販売中止）などがあります。

ハーブおよび健康食品・サプリメントとの相互作用

ほかのハーブ，健康食品・サプリメントとの相互作用についてはまだ明らかではありません。

使用量の目安

標準使用量に関するデータがありません。

ホエイプロテイン

WHEY PROTEIN

●代表的な別名

乳清タンパク質

別名ほか

乳清タンパク濃縮物（Bovine Whey Protein Concentrate）

概　要

ホエイプロテインはタンパク質で，チーズを合成する際，カードから分離するミルクの水性部分である乳清に含まれています。

安全性

適切に摂取すれば，ほとんどの成人に安全です。

多量に摂取すると，排便が増えたり，悪心，のどの渇き，お腹の張り，痙攣，食欲減退，疲労（過労），頭痛が起こるかもしれません。

●アレルギー

牛乳にアレルギーのある人は使用してはいけません。

有効性

◆有効性レベル③

・運動能力の改善。ホエイプロテインの摂取と併せて体力トレーニングを行うと，除脂肪体重，体力および筋肉を増強することが示されました。

・HIV/エイズ患者の体重減少。

◆科学的データが不十分です

・乳糖不耐症者の牛乳の代替品としての使用のほか，乳児のアレルギー予防，気管支喘息，高コレステロール血症，がん，肥満など。

●体内での働き

タンパク質の供給源で，食生活の栄養価を改善する可能性があります。また，免疫組織に影響を与えることもあるようです。

医薬品との相互作用

中キノロン系抗菌薬

ホエイプロテインはキノロン系抗菌薬の働きを抑制する可能性があります。この相互作用を避けるために，抗菌薬の服用前の少なくとも4～6時間または服用後少なくとも2時間はホエイプロテインを摂取しないでください。このようなキノロン系抗菌薬には，シプロフロキサシン，エノキサシン水和物（販売中止），ノルフロキサシン，スパルフロキサシン（販売中止），Trovafloxacin，塩酸グレパフロキサシン（販売中止）などがあります。

中テトラサイクリン系抗菌薬

ホエイプロテインはテトラサイクリン系抗菌薬の働きを抑制する可能性があります。この相互作用を避けるために，抗菌薬の服用前の4～6時間または服用後の少なくとも2時間はホエイプロテインを摂取しないでください。このようなテトラサイクリン系抗菌薬には，デメチルクロルテトラサイクリン塩酸塩，ミノサイクリン塩酸塩，テトラサイクリン塩酸塩などがあります。

高レボドパ

ホエイプロテインはレボドパの体内への吸収量を減少させる可能性があります。そのため，レボドパの作用が減弱するおそれがあります。ホエイプロテインとレボドパを同時に摂取しないでください。

中ビスホスホネート製剤

ホエイプロテインはビスホスホネート製剤の作用を減

弱させる可能性があります。この相互作用を避けるために，ビスホスホネート製剤の服用後に少なくとも30分間あけてからホエイプロテインを摂取する，あるいは可能であれば，その日の別の時間帯にホエイプロテインを摂取してください。

ハーブおよび健康食品・サプリメントとの相互作用

ほかのハーブ，健康食品・サプリメントとの相互作用についてはまだ明らかではありません。

使用量の目安

●経口摂取

HIV/エイズ患者がサプリメントとして使用する場合，1日8.4〜84g摂取します。または高カロリー調剤として1日2.4g/kg，もしくは高グルタミン調剤で1日42〜84g摂取します。

転移性がんの治療

1日30gを摂取します。

ポークウィード

POKEWEED

●代表的な別名

アメリカイヌホオズキ

別名ほか

岩高蘭（Crowberry），ガンコウラン科，アメリカイヌホオズキ（American Nightshade），クローベリー，インクベリー，ヨウシュヤマゴボウ（Inkberry），ヤラッパ（Jalap），アメリカヤマゴボウ（Phytolacca americana），ポークルート（Poke Root），American Spinach，Bear's Grape, Branching Phytolacca, Cancer Jalap, Chongras, Coakum, Coakum-chorngras, Cokan, Fitolaca, Garget, Hierba Carmín，Kermesbeere，Phytolacca Berry，Phytolacca decandra，Pigeonberry，Pocan，Poke，Pokeberry，Red-ink Plant，Red Plant，Red Weed，Scoke，Skoke，Virginian Poke

概　　要

ポークウィードはハーブです。根やベリーを用いて「くすり」を作ることもあります。

安　全　性

使用は安全ではありません。すべての部分（とくに根）が有毒です。悪心，嘔吐，痙攣，胃痛，下痢，血圧低下，失禁，のどの渇きなど深刻な副作用を起こすおそれがあります。

小児には安全ではありません。果実1つでも，小児は中毒症状を起こすこともあります。

●妊娠中および母乳授乳期

妊娠中，母乳授乳期は使用してはいけません。

有　効　性

◆科学的データが不十分です

・関節炎様の痛み，扁桃炎，喉頭炎，流行性耳下腺炎，リンパ腺の腫脹，疥癬，にきび，皮膚がん，月経痛など。

●体内での働き

どのように作用するかについては十分なデータが得られていません。

医薬品との相互作用

ほかの医薬品との相互作用については明らかではありません。

ハーブおよび健康食品・サプリメントとの相互作用

ほかのハーブ，健康食品・サプリメントとの相互作用についてはまだ明らかではありません。

使用量の目安

標準使用量に関するデータがありません。

ホースウィード

CANADIAN FLEABANE

●代表的な別名

ヒメムカシヨモギ

別名ほか

姫昔蓬，明治草，鉄道草（Erigeron canadensis），ヒメムカシヨモギ（Canadian Horseweed），Butterweed，Canadian-fleabane，Canadian Trailing Arbutus，Coltstail，Conyza canadensis，Flea Wort，Hogweed，Horsewood，Prideweed

概　　要

ホースウィードは植物です。地上部を「くすり」に使用することもあります。

安　全　性

安全かどうかは不明です。

●アレルギー

ブタクサ，キク，マリーゴールド，デイジーなど，キク科植物にアレルギーのある人にアレルギー反応が出るかもしれません。

ブタクサなどキク科の植物にアレルギーのある人は使用してはいけません。

●妊娠中および母乳授乳期

妊娠中，母乳授乳期は使用してはいけません。

有 効 性

◆科学的データが不十分です

・気管支炎，下痢，赤痢，蟯虫，発熱，炎症，腫脹，子宮からの出血，咽喉痛，尿路感染症，および腫瘍。

●体内での働き

どのように作用するかについては十分なデータが得られていません。

医薬品との相互作用

中血液凝固を抑制する医薬品（抗凝固薬/抗血小板薬）

ホースウィードは血液凝固を抑制する可能性があります。ホースウィードと血液凝固を抑制する医薬品を併用すると，紫斑および出血のリスクが高まるおそれがあります。このような医薬品には，アスピリン，クロピドグレル硫酸塩，ダルテパリンナトリウム，エノキサパリンナトリウム，ヘパリン，チクロピジン塩酸塩，ワルファリンカリウムなどがあります。

ハーブおよび健康食品・サプリメントとの相互作用

ほかのハーブ，健康食品・サプリメントとの相互作用についてはまだ明らかではありません。

使用量の目安

標準使用量に関するデータがありません。

ホオズキ

WINTER CHERRY

別名ほか

ケープグーズベリー，ショクヨウホオズキ，シマホオズキ（Cape Gooseberry），Chinese Lantern，Coqueret，Japanese Lantern，Physalis alkekengi，Strawberry Tomato

概 要

ホオズキはハーブです。完熟した果実を用いて「くすり」を作ることもあります。

安 全 性

十分なデータは得られていないので，安全であるかどうかは不明です。

●妊娠中および母乳授乳期

妊娠中，母乳授乳期は使用してはいけません。

有 効 性

◆科学的データが不十分です

・関節炎，痛風など。

●体内での働き

どのように作用するかについては十分なデータが得られていません。

医薬品との相互作用

中糖尿病治療薬

ホオズキは血糖値を低下させる可能性があります。糖尿病治療薬も血糖値を低下させるために用いられます。ホオズキと糖尿病治療薬を併用すると，血糖値が過度に低下するおそれがあります。血糖値を注意深く監視してください。糖尿病治療薬の用量を変更する必要があるかもしれません。このような糖尿病治療薬には，グリメピリド，グリベンクラミド，インスリン，ピオグリタゾン塩酸塩，マレイン酸ロシグリタゾン（販売中止）などがあります。

中肝臓で代謝される医薬品（シトクロムP450 2E1（CYP2E1）の基質となる医薬品）

特定の医薬品は肝臓で代謝されます。ホオズキはこのような医薬品の代謝を抑制する可能性があります。ホオズキと肝臓で代謝される医薬品を併用すると，医薬品の作用および副作用が増強するおそれがあります。肝臓で代謝される医薬品を服用する場合には，医師や薬剤師に相談することなくホオズキを摂取しないでください。このような医薬品には，アセトアミノフェン，クロルゾキサゾン，アルコール，テオフィリン，手術中に使用される麻酔薬（エンフルラン（販売中止），ハロタン（販売中止），イソフルラン，Methoxyfluraneなど）があります。

ハーブおよび健康食品・サプリメントとの相互作用

ほかのハーブ，健康食品・サプリメントとの相互作用についてはまだ明らかではありません。

使用量の目安

標準使用量に関するデータがありません。

ホースラディッシュ

HORSERADISH

●代表的な別名

セイヨウワサビ

別名ほか

セイヨウワサビ，ウマワサビ（Armoracia rusticana），レッドコール（Red Cole），Amoraciae rusticanae Radix，Armoracia lopathifolia，Cochlearia armoracia，Great Raifort，Meerrettich，Mountain Radish，Nasturtium armoracia，Pepperrot，Roripa armoracia

概 要

ホースラディッシュは植物です。根を用いて「くすり」を作ることもあります。

安 全 性

経口摂取なら，薬用量でもほとんどの人におそらく安全ですが，口やのど，鼻，消化器官，泌尿器の壁をひどく刺激する物質を含んでいます。胃もたれ，吐血，下痢，甲状腺の機能低下などの副作用を引き起こす場合があります。

４歳未満の幼児の使用は安全ではありません。

腎臓に異常がある，甲状腺機能が低下している（甲状腺機能低下症），胃や腸に潰瘍がある，炎症性大腸炎，感染など消化器系疾患の患者は使用してはいけません。

●アレルギー

皮膚に使用する場合，濃度が２％未満の配合薬ならおそらく安全ですが，皮膚の痛みやアレルギー反応が出る場合もあります。

●妊娠中および母乳授乳期

妊娠中，母乳授乳期は使用してはいけません。

有 効 性

◆科学的データが不十分です

・尿路障害，体液貯留（浮腫），咳，気管支炎，関節痛，筋肉痛，痛風，胆のう疾患，坐骨神経痛，疝痛，小児の腸内寄生虫など。

●体内での働き

細菌の撃退や痙攣の阻止を補助するようです。

医薬品との相互作用

中レボチロキシンナトリウム水和物

レボチロキシンナトリウム水和物は甲状腺機能低下症の治療に用いられます。ホースラディッシュは甲状腺機能を低下させる可能性があります。ホースラディッシュとレボチロキシンナトリウム水和物を併用すると，レボチロキシンナトリウム水和物の作用が減弱するおそれがあります。

ハーブおよび健康食品・サプリメントとの相互作用

ほかのハーブ，健康食品・サプリメントとの相互作用についてはまだ明らかではありません。

使用量の目安

●経口摂取

通常の摂取量は根または同等の製剤１日６～20gです。

●局所投与

通常，最大２％のからし油を含有する軟膏を用います。

ホーディア

HOODIA

別名ほか

ホーディア・エキス（Hoodia Extract ），ホーディアゴルドニー（Hoodia gordonii Cactus），Hoodia cactus, Hoodia gordonii，Hoodia P57，Kalahari Cactus, Kalahari Diet，P57，Xhoba

概 要

ホーディアはカラハリ砂漠で取れる多肉植物です。

安 全 性

十分なデータは得られていないので，安全かどうかは不明です。

●妊娠中および母乳授乳期

妊娠中および母乳授乳期のホーディアの摂取の安全性については十分知られていません。安全面を考慮し，摂取は控えてください。

有 効 性

◆科学的データが不十分です

・食欲抑制または減量。

●体内での働き

含有成分のP57が，空腹感を抑えると考えられています。ただ，ヒトが使用する場合のこの有効性については不明です。

医薬品との相互作用

中インスリン

ホーディアは，インスリンの生成を促進することで血糖値を低下させる可能性があります。ホーディアとインスリンを併用すると，血糖値が過度に低下するおそれがあります。血糖値を注意深く監視してください。インスリンの用量を変更する必要があるかもしれません。

中糖尿病治療薬

ホーディアはインスリンの生成を促進することで血糖値を低下させる可能性があります。糖尿病治療薬も血糖値を低下させるために用いられます。ホーディアと糖尿病治療薬を併用すると，血糖値が過度に低下するおそれがあります。血糖値を注意深く監視してください。糖尿病治療薬の用量を変更する必要があるかもしれません。このような糖尿病治療薬には，グリメピリド，グリベンクラミド，インスリン，ピオグリタゾン塩酸塩，マレイン酸ロシグリタゾン（販売中止），クロルプロパミド，Glipizide，トルブタミド（販売中止）などがあります。

中降圧薬

ホーディアは，人によっては血圧を上昇させる可能性があります。ホーディアと降圧薬を併用すると，降圧薬の作用が減弱し，血圧が過度に上昇するおそれがあります。このような降圧薬には，カプトプリル，エナラプリルマレイン酸塩，ロサルタンカリウム，バルサルタン，ジルチアゼム塩酸塩，アムロジピンベシル酸塩，ヒドロ

ホ

クロロチアジド，フロセミドなど数多くあります。

中降圧薬（アドレナリンβ受容体遮断薬）

ホーディアは血圧を上昇させる可能性があります。アドレナリンβ受容体遮断薬は降圧薬の一種です。ホーディアとアドレナリンβ受容体遮断薬を併用すると，アドレナリンβ受容体遮断薬の作用が減弱し，血圧が過度に上昇するおそれがあります。このような医薬品には，アテノロール，メトプロロール酒石酸塩，ナドロール，プロプラノロール塩酸塩などがあります。

ハーブおよび健康食品・サプリメントとの相互作用

ほかのハーブ，健康食品・サプリメントとの相互作用についてはまだ明らかではありません。

使用量の目安

標準使用量に関するデータがありません。

ホーニーゴートウィード

HORNY GOAT WEED

別名ほか

Barrenwort, Épimède, Épimède à Grandes Fleurs, Épimède du Japon, Epimedium, Epimedium acuminatum, Epimedium brevicornum, Epimedium grandiflorum, Epimedium Grandiflorum Radix, Epimedium koreanum, Epimedium macranthum, Epimedium pubescens, Epimedium sagittatum, Epimedium violaceum, Epimedium wushanese, Herba Epimedii, Herbe Cornée de Chèvre, Hierba de Cabra en Celo, Japanese Epimedium, Xian Ling Pi, Yin Yang Huo

概　要

ホーニーゴートウィードは，ハーブです。葉を用いて「くすり」を作ることもあります。伝統中国医学（漢方）では，15種類ものホーニーゴートウィードが「淫羊藿：インヨウカク（yin yang huo）」という名で知られています。

●要説（ナチュラル・スタンダード）

15種類ものイカリソウの葉は，淫羊藿：インヨウカク（伝統的な漢方薬）を作るのに使用されます。その名前は「豆類植物の猥褻なヤギの葉」を文字通り意味します。英語では，「欲情したヤギの草（Horny Goat Weed）」と翻訳されます。ホーニーゴートウィードを作るためのイカリソウは，中国と韓国に生育しています。他の部分が使われることもありますが，この植物の葉が「くすり」として，もっとも一般的に使用されます。

ホーニーゴートウィードは，単一の成分として使用されることはめったにありません。伝統的には，健康増進を補助するために，強壮剤の中の一成分として使用されます。

ホーニーゴートウィードの使用を裏づけるきちんと計画された研究はありません。このハーブは，動脈血栓，閉経，性機能障害などへの効果の可能性が研究されてきました。ホーニーゴートウィードの安全性と有効性を明らかにするためには，さらなる研究が必要です。

安　全　性

ホーニーゴートウィードのエキスは，適量を経口摂取する場合，おそらく安全です。植物エストロゲンを含むホーニーゴートウィードの特定のエキスは，最大２年まで，安全に経口摂取されています。また，イカリイン（icariin）を含む別のホーニーゴートウィードエキスは，最大６カ月まで安全に経口摂取されています。

しかし，ある種のホーニーゴートウィードを，長期間使用したり高用量で使用したりする場合は，おそらく安全ではありません。この種のホーニーゴートウィードの長期使用は，めまい感，嘔吐，口内乾燥，口渇，鼻出血を引き起こすおそれがあります。また，高用量の使用は，攣縮や重篤な呼吸器疾患を引き起こすおそれがあります。

性機能強化の目的で市販の製品を使用して不整脈が起きたとの症例報告もあります。ホーニーゴートウィードを含む特定の併用製品により，心電図上，整脈異常がみられるおそれがあることを示す研究もあります。このような変化は不整脈のリスクを高めるおそれがあります。しかし，これらの製品は多くの成分を含んでいるため，その副作用がホーニーゴートウィードによって引き起こされたものか，ほかの成分によって引き起こされたのかは明らかではありません。

出血性疾患：ホーニーゴートウィードが血液凝固を抑制し，出血リスクを高めるおそれがあります。ただし，このリスクがどれほど重大なものかはわかっていません。理論上，ホーニーゴートウィードの摂取により出血性疾患が悪化するおそれがあります。

ホルモン感受性がんおよび疾患：ホーニーゴートウィードがエストロゲン様に作用し，女性のエストロゲン値を高めるおそれがあります。乳がんや子宮がんなど，ホルモン感受性疾患を悪化させるおそれがあります。

低血圧：ホーニーゴートウィードが血圧を低下させるおそれがあります。すでに低血圧の人が使用すると血圧が過度に低下し，失神するおそれがあります

手術：ホーニーゴートウィードが血液凝固を抑制し，手術中の出血リスクを高めるおそれがあります。

●妊娠中および母乳授乳期

妊娠中の経口摂取はおそらく安全ではありません。胎児の発育に悪影響を及ぼすおそれがあります。母乳授乳期の使用の安全性についてはデータが不十分です。安全性を考慮し，摂取は避けてください。

有 効 性

◆科学的データが不十分です

・骨粗鬆症，閉経後の症状，勃起障害（ED），射精障害，性機能障害，疲労，記憶喪失，高血圧，心疾患，肝疾患，気管支炎，関節痛，HIV/エイズなど。

●体内での働き

ホーニーゴートウィードには血流や性機能を促進するような化学物質が含まれています。また，植物エストロゲンが含まれています。植物エストロゲンは，女性ホルモンのエストロゲンのような働きをし，閉経後の女性の骨量減少を緩和する可能性のある化学物質です。

医薬品との相互作用

中エストロゲン（卵胞ホルモン）製剤

ホーニーゴートウィードにはエストロゲン様作用のある可能性があり，人によっては血中のエストロゲン値が上昇する可能性があります。ホーニーゴートウィードを摂取し，エストロゲン製剤を併用すると，エストロゲン製剤の作用および副作用が増強するおそれがあります。このようなエストロゲン製剤には，結合型エストロゲン，エチニルエストラジオール，エストラジオールなどがあります。

中肝臓で代謝される医薬品（シトクロムP450 1A2（CYP1A2）の基質となる医薬品）

特定の医薬品は肝臓で代謝されます。ホーニーゴートウィードはこのような医薬品の代謝を変化させる可能性があります。そのため，医薬品の作用および副作用が変化するおそれがあります。このような医薬品には，カフェイン，クロザピン，Cyclobenzaprine，フルボキサミンマレイン酸塩，ハロペリドール，イミプラミン塩酸塩，メキシレチン塩酸塩，オランザピン，塩酸ペンタゾシン，プロプラノロール塩酸塩，Tacrine，テオフィリン，Zileuton，ゾルミトリプタンなどがあります。

中肝臓で代謝される医薬品（シトクロムP450 2B6（CYP2B6）の基質となる医薬品）

特定の医薬品は肝臓で代謝されます。ホーニーゴートウィードはこのような医薬品の代謝を変化させる可能性があります。そのため，医薬品の作用および副作用が変化するおそれがあります。このような医薬品には，ブプロピオン塩酸塩（販売中止），シクロホスファミド水和物，デキサメタゾン，エファビレンツ，ケタミン塩酸塩，メサドン塩酸塩，ネビラピン，Orphenadrine，フェノバルビタール，塩酸セルトラリン，タモキシフェンクエン酸塩，バルプロ酸ナトリウムなど数多くあります。

中血液凝固を抑制する医薬品（抗凝固薬/抗血小板薬）

ホーニーゴートウィードは血液凝固を抑制する可能性があります。ホーニーゴートウィードを摂取し，血液凝固を抑制する医薬品を併用すると，紫斑および出血のリスクが高まるおそれがあります。このような医薬品には，アスピリン，クロピドグレル硫酸塩，ジクロフェナクナトリウム，イブプロフェン，ナプロキセン，ダルテパリンナトリウム，エノキサパリンナトリウム，ヘパリン，ワルファリンカリウムなどがあります。

中降圧薬

ホーニーゴートウィードは血圧を低下させる可能性があります。ホーニーゴートウィードを摂取し，降圧薬を併用すると，血圧が過度に低下するおそれがあります。血圧を注意深く監視してください。このような降圧薬には，カプトプリル，エナラプリルマレイン酸塩，ロサルタンカリウム，バルサルタン，ジルチアゼム塩酸塩，アムロジピンベシル酸塩，ヒドロクロロチアジド，フロセミドなど数多くあります。

ハーブおよび健康食品・サプリメントとの相互作用

血圧を低下させるおそれのあるハーブおよび健康食品・サプリメント

ホーニーゴートウィードは血圧を低下させるおそれがあります。血圧を低下させるおそれのあるほかのハーブおよび健康食品・サプリメントと併用すると，血圧が過度に低下するおそれがあります。このようなハーブおよび健康食品・サプリメントには，アンドログラフィス，カゼイン・ペプチド，キャッツクロー，コエンザイムQ-10，魚油，L-アルギニン，クコ，イラクサ，テアニンなどがあります。

血液凝固を抑制するおそれのあるハーブおよび健康食品・サプリメント

ホーニーゴートウィードは血液凝固を抑制するおそれがあります。血液凝固を抑制するおそれのあるほかのハーブおよび健康食品・サプリメントと併用すると，紫斑や出血のリスクが高まるおそれがあります。このようなハーブおよび健康食品・サプリメントには，アンゼリカ，クローブ，タンジン，ニンニク，ショウガ，イチョウ，カッシア，レッドクローバー，ウコン，ヤナギなどがあります。

使用量の目安

通常の食品に含まれている量を超えて経口摂取した場合の安全性および副作用については，明らかになっていません。

ホーリーバジル

HOLY BASIL

●代表的な別名

カミメボウキ

別名ほか

神目箒（Ocimum sanctum），トゥルシー，トゥラシー（Krishna tulsi），カミメボウキ（Ocimum tenuiflorum），Bai Gkaprow，Green Holy Basil，Hot Basil，Indian

Basil, Kemangen, Rama Tulsi, Red Holy Basil, Sacred Basil, Sacred Purple Basil, Shyama Tulsi, Tulsi, Tulasi

概　　要

ホーリーバジルは植物です。原産はインドで，アーユルヴェーダ医学ではストレスに抵抗する「適応促進薬」(adaptogen) として使用されています。ヒンズー教では聖なる植物とされ，ヒンズー寺院の周囲によく植えられています。ホーリーバジルはヒンズー語でトゥルシ (Tulsi) といい，「比類なきもの」を意味しています。葉，茎，種子は「くすり」として使われることがあります。

安 全 性

長くても４週間ほどの短期で使用するなら，安全のようです。長期の使用が安全かどうかは，わかっていません。

２週間以内に手術を受ける予定の人は使用してはいけません。出血のリスクが高まります。

●妊娠中および母乳授乳期

妊娠中および母乳授乳期の使用についてはデータが不十分です。安全性を考慮し，使用は控えてください。

有 効 性

◆科学的データが不十分です

・糖尿病。以前の研究ではホーリーバジルの葉の抽出液が，２型糖尿病患者の血糖値を低下させる可能性があることが示唆されています。

・感冒，インフルエンザ，気管支喘息，気管支炎，耳痛，頭痛，胃の不快感，心疾患，発熱，ウイルス肝炎，マラリア，結核，水銀中毒，ヘビおよびサソリによる咬傷の解毒，または白癬。

●体内での働き

含有成分が炎症を抑えると考えられています。ほかの化合物によって，糖尿病患者の血糖値が低下するようです。

医薬品との相互作用

中ペントバルビタールカルシウム

ペントバルビタールカルシウムは眠気を引き起こします。ホーリーバジルシードオイルとペントバルビタールカルシウムを併用すると，過度の眠気が引き起こされる可能性があります。しかし，このことが大きな問題であるかについては情報が不十分です。

中血液凝固を抑制する医薬品（抗凝固薬/抗血小板薬）

ホーリーバジルは血液凝固を抑制する可能性があります。ホーリーバジルと血液凝固を抑制する医薬品を併用すると，紫斑および出血のリスクが高まるおそれがあります。しかし，これが大きな問題であるかについては十分な情報がありません。このような医薬品には，アスピリン，クロピドグレル硫酸塩，ダルテパリンナトリウム，エノキサパリンナトリウム，ヘパリン，チクロピジン塩酸塩，ワルファリンカリウムなどがあります。

中糖尿病治療薬

ホーリーバジルは，人によっては血糖値を低下させる可能性があります。糖尿病治療薬も血糖値を低下させるために用いられます。ホーリーバジルと糖尿病治療薬を併用すると，血糖値が過度に低下するおそれがあります。血糖値を注意深く監視してください。糖尿病治療薬の用量を変更する必要があるかもしれません。

ハーブおよび健康食品・サプリメントとの相互作用

ほかのハーブ，健康食品・サプリメントとの相互作用についてはまだ明らかではありません。

使用量の目安

標準使用量に関するデータがありません。

ホコリタケ

PUFF BALL

別名ほか

ダンゴタケ属 (Bovista), Deer Balls, Hart's Truffle, Lycoperdon Species

概　　要

ホコリタケはキノコです。キノコのかさと胞子が「くすり」として使用されることもあります。

安 全 性

十分なデータが得られていないため，薬用での安全性については不明です。

胞子を吸い込むと，呼吸器系障害，肺炎に似た症状，胸のレントゲン撮影での変化といった副作用をもたらすかもしれません。

●妊娠中および母乳授乳期

妊娠中，母乳授乳期は使用してはいけません。

有 効 性

◆科学的データが不十分です

・鼻血および皮膚疾患。

●体内での働き

どのように作用するかについては十分なデータが得られていません。

医薬品との相互作用

ほかの医薬品との相互作用については明らかではありません。

ハーブおよび健康食品・サプリメントとの相互作用

ほかのハーブ，健康食品・サプリメントとの相互作用についてはまだ明らかではありません。

使用量の目安

●経口摂取

粉末あるいはエキス（アルコール）が用いられています。

ボスウェリア

BOSWELLIA

別名ほか

Arbre à Encens, Arbre à Oliban Indien, Boswella, Boswellia serrata, Boswellie, Boswellin, Boswellin Serrata Resin, Encens Indien, Franquincienso, Gajabhakshya, Indian Frankincense, Indian Olibanum, Oliban Indien, Resina Boswelliae, Ru Xiang, Salai Guggal, Salai Guggul, Sallaki Guggul, Shallaki

概　　要

ボスウェリアはインド，アフリカ，アラブを原産とする木です。インドの伝統医学アーユルヴェーダでよく用いられます。

オリバナムはボスウェリアの別名で，ボスウェリア・セラータ，ボスウェリア・カーテリ，ボスウェリア・フレレアナなどボスウェリア属の樹皮の切り口から染み出した樹脂や樹液を指します。なかでもボスウェリア・セラータは「くすり」としてもっともよく用いられています。

ボスウェリアは，脳損傷，変形性関節症，関節リウマチ，関節痛，滑液包炎，腱炎に対して経口摂取されます。また，潰瘍性大腸炎，膠原性大腸炎，クローン病，腹痛に対して経口摂取されます。そのほか気管支喘息，花粉症，咽喉痛，梅毒，月経痛，面疱，あざ（打撲），頭痛，糖尿病，がんに対して用いられます。興奮薬として用いたり，尿量増加や月経誘発のために用いたりすることもあります。

肌の調子を整えたり，皺を減らしたりするために皮膚に塗布されます。また，がん放射線治療による皮膚損傷を軽減するために用いられます。

製造業では，ボスウェリア樹脂のオイルやエキスが石鹸や化粧品，食品，飲料に用いられます。

・新型コロナウイルス感染症（COVID-19）。
COVID-19に対してボスウェリアの使用を裏付ける十分なエビデンス（科学的根拠）はありません。

安　全　性

ボスウェリアは経口摂取の場合，最長6カ月間まではほとんどの成人に安全のようです。

皮膚へ塗布する場合は，最長5週間まではおそらく安全です。通常は重大な副作用を引き起こすことはありませんが，摂取した人の一部に胃痛，吐き気，下痢，むねやけ，そう痒，頭痛，腫脹，全般的な脱力が報告されています。皮膚へ塗布するとアレルギー性の皮疹を引き起こすおそれがあります。

多発性硬化症（MS），ループス（全身性エリテマトーデス，SLE），関節リウマチ（RA）などの自己免疫疾患：ボスウェリアは免疫システムの活性を高める可能性があります。これにより，自己免疫疾患の症状が悪化するおそれがあります。これらの疾患のいずれかの場合には，使用を避けてください。

●妊娠中および母乳授乳期

通常の食品に含まれる量を使用する場合は，ほとんどの人に安全のようです。ただし，「くすり」として作用させるために大量に使用してはいけません。妊娠中および母乳授乳期に「くすり」としての量を使用した場合の安全性についてはデータが不十分です。

有　効　性

◆有効性レベル③

・変形性関節症。一部の研究では，変形性関節症の患者が特定のボスウェリアエキスを摂取すると，疼痛が最大65％軽減し，可動性が改善する可能性があることが示されています。そのほかの研究では，変形性関節症の患者がボスウェリアとほかのハーブ成分を含む併用製品を摂取すると，疼痛が軽減し機能が改善する可能性があることが示されています。
・放射線治療による皮膚損傷。一部の研究では，放射線治療中にボスウェリア2％を含むスキンクリームを塗布すると，重度の皮膚の発赤の発症を予防できることが示されています。
・潰瘍性大腸炎。人によっては，ボスウェリアを摂取すると，潰瘍性大腸炎の症状が改善するようです。一部の人には処方薬「サラゾスルファピリジン」と同程度の効果を示すようです。一部の研究では，患者の70～82％を寛解に導入する可能性が示されています。

◆科学的データが不十分です

・皮膚の加齢変化，気管支喘息，脳腫瘍，群発頭痛，膠原性大腸炎，クローン病，糖尿病，関節痛，神経外傷，関節リウマチ（RA），あざ（打撲）など。

●体内での働き

ボスウェリアの樹脂には，炎症を軽減し，免疫反応を高める可能性のある物質が含まれています。

医薬品との相互作用

中肝臓で代謝される医薬品（シトクロムP450 1A2（CYP1A2）の基質となる医薬品）

特定の医薬品は肝臓で代謝されます。ボスウェリアはこのような医薬品の代謝を抑制する可能性があります。ボスウェリアと肝臓で代謝される医薬品を併用すると，医薬品の作用および副作用が増強するおそれがあります。肝臓で代謝される医薬品を服用する場合には，医師や薬剤師に相談することなくボスウェリアを摂取しないでください。このような医薬品には，クロザピン，Cyclobenzaprine，フルボキサミンマレイン酸塩，ハロペリドール，イミプラミン塩酸塩，メキシレチン塩酸塩，オランザピン，塩酸ペンタゾシン，プロプラノロール塩酸塩，Tacrine，Zileuton，ゾルミトリプタンなどがあります。

中肝臓で代謝される医薬品（シトクロムP450 2C19（CYP2C19）の基質となる医薬品）

特定の医薬品は肝臓で代謝されます。ボスウェリアはこのような医薬品の代謝を抑制する可能性があります。ボスウェリアと肝臓で代謝される医薬品を併用すると，医薬品の作用および副作用が増強するおそれがあります。肝臓で代謝される医薬品を服用する場合には，医師や薬剤師に相談することなくボスウェリアを摂取しないでください。このような医薬品には，アミトリプチリン塩酸塩，カリソプロドール（販売中止），Citalopram，ジアゼパム，ランソプラゾール，オメプラゾール，フェニトイン，ワルファリンカリウムなど数多くあります。

中肝臓で代謝される医薬品（シトクロムP450 2C9（CYP2C9）の基質となる医薬品）

特定の医薬品は肝臓で代謝されます。ボスウェリアはこのような医薬品の代謝を抑制する可能性があります。ボスウェリアと肝臓で代謝される医薬品を併用すると，医薬品の作用および副作用が増強するおそれがあります。肝臓で代謝される医薬品を服用する場合には，医師や薬剤師に相談することなくボスウェリアを摂取しないでください。このような医薬品には，セレコキシブ，ジクロフェナクナトリウム，フルバスタチンナトリウム，Glipizide，イブプロフェン，イルベサルタン，ロサルタンカリウム，フェニトイン，ピロキシカム，タモキシフェンクエン酸塩，トルブタミド（販売中止），トラセミド，ワルファリンカリウムなどがあります。

中肝臓で代謝される医薬品（シトクロムP450 2D6（CYP2D6）の基質となる医薬品）

特定の医薬品は肝臓で代謝されます。ボスウェリアはこのような医薬品の代謝を抑制する可能性があります。ボスウェリアと肝臓で代謝される医薬品を併用すると，医薬品の作用および副作用が増強するおそれがあります。肝臓で代謝される医薬品を服用する場合には，医師や薬剤師に相談することなくボスウェリアを摂取しないでください。このような医薬品には，アミトリプチリン塩酸塩，コデインリン酸塩水和物，塩酸デシプラミン（販売中止），フレカイニド酢酸塩，ハロペリドール，イミプラミン塩酸塩，メトプロロール酒石酸塩，オンダンセトロン塩酸塩水和物，パロキセチン塩酸塩水和物，リスペリドン，トラマドール塩酸塩，ベンラファキシン塩酸塩などがあります。

中肝臓で代謝される医薬品（シトクロムP450 3A4（CYP3A4）の基質となる医薬品）

特定の医薬品は肝臓で代謝されます。ボスウェリアはこのような医薬品の代謝を抑制する可能性があります。ボスウェリアと肝臓で代謝される医薬品を併用すると，医薬品の作用および副作用が増強するおそれがあります。肝臓で代謝される医薬品を服用中に，医師や薬剤師に相談することなくボスウェリアを摂取しないでください。このような医薬品には，アミトリプチリン塩酸塩，アミオダロン塩酸塩，Citalopram，フェロジピン，ランソプラゾール，オンダンセトロン塩酸塩水和物，Prednisone，塩酸セルトラリンなど数多くあります。

中免疫抑制薬

ボスウェリアは免疫機能を活性化させる可能性があります。ボスウェリアと免疫抑制薬を併用すると，医薬品の効果が弱まるおそれがあります。このような免疫抑制薬には，アザチオプリン，バシリキシマブ，シクロスポリン，Daclizumab，ムロモナブ-CD３（販売中止），ミコフェノール酸モフェチル，タクロリムス水和物，シロリムス，Prednisone，副腎皮質ステロイド（グルココルチコイド）などがあります。

ハーブおよび健康食品・サプリメントとの相互作用

ほかのハーブ，健康食品・サプリメントとの相互作用についてはまだ明らかではありません。

使用量の目安

●経口摂取

変形性関節症

ボスウェリアエキス100～1,000mg，またはほかのハーブと併用でボスウェリアエキス300～600mgを毎日摂取します。

潰瘍性大腸炎

350mgを１日３回，６週間摂取します。

●皮膚への塗布

放射線治療による皮膚損傷

放射線治療中，ボスウェリア２％を含むクリームを１日２回塗布します。

ホスファチジルコリン

PHOSPHATIDYLCHOLINE

別名ほか

ホスファチジル・コリン（Phosphatidyl Choline，Ptd Cho），リポライト（Lipolight），リン脂質（Phospholipid），

1,2-diacyl-:ussn:ueglycero-3-phosphocholine, Lipolyse, Lipotherapy, Phosphatidyl Choline

概　　要

ホスファチジルコリンは卵や大豆などの食べ物に含まれる化合物です。ときにレシチンの別名として使われますが，この2つは異なるものです。コリンは，レシチンの構成成分であるホスファチジルコリンの構成成分です。これらは深い関連性がありますが，同一ではありません。

安 全 性

2～3週間程度の短期間，適切に使用するなら安全なようです。長期使用の安全性については不明です（ひどい汗をかいたり，胃のもたれや下痢が生じる場合があります)。

●妊娠中および母乳授乳期

妊娠中，母乳授乳期は使用してはいけません。

有 効 性

◆有効性レベル③

・C型肝炎。ただし，通常の治療と併用する場合です。

◆有効性レベル④

・A型肝炎。
・遅発性ジスキネジア（運動障害の一種)。
・腹膜透析と呼ばれる処置を改善。

◆科学的データが不十分です

・皮下脂肪を減らす。研究によると，ホスファチジルコリンを皮下注射した人で，あご，大腿部，臀部，腹部，背中，首などの局所的な皮下脂肪が減少したことが示唆されています。
・不安，B型肝炎，湿疹，胆のう疾患，躁うつ病，腕と脚の血行障害，体重減少，高コレステロール血症，月経前症候群，記憶喪失，アルツハイマー病，免疫低下，老化など。

●体内での働き

アセチルコリンという脳内物質の前駆体です。記憶をはじめとする生体機能に重要です。

医薬品との相互作用

ほかの医薬品との相互作用については明らかではありません。

ハーブおよび健康食品・サプリメントとの相互作用

ほかのハーブ，健康食品・サプリメントとの相互作用についてはまだ明らかではありません。

使用量の目安

●経口摂取

C型肝炎

インターフェロンの投与とともに，レシチンを1日1.8g摂取します。

限局性脂肪性沈着物

5％ホスファチジルコリン（250mg/5mL）溶液0.2mLをそれぞれの脂肪沈着物に直接皮下投与します。皮下投与の総使用量は0.2～5mLの範囲です。患者は2～4週間間隔をあけて1～5回の治療を受けます。

脂肪腫

ホスファチジルコリン溶液0.5mLを3通りの異なる角度で直接腫瘍内に注入します。これを3週間間隔で3回繰り返します。

眼窩周囲脂肪体ヘルニア

5％ホスファチジルコリン（250mg/5mL）溶液0.4mLをそれぞれの脂肪体に直接皮下投与します。これを15日間隔で2～4回繰り返します。

ホスファチジルセリン

PHOSPHATIDYLSERINE

別名ほか

BC-PS, Bovine Cortex Phosphatidylserine, Bovine Phosphatidylserine, Fosfatidilserina, LECI-PS, Lecithin Phosphatidylserine, Phosphatidylsérine, Phosphatidylsérine Bovine, Phosphatidylsérine de Soya, Phosphatidyl Serine, PS, PtdSer, Soy-PS, Soy Phosphatidylserine

概　　要

ホスファチジルセリンは化合物です。体内で合成されますが，大半は食べ物から摂取します。以前は牛の脳から抽出したものが使われていましたが，現在は通常，キャベツや大豆から取り出しています。「くすり」として使用されることもあります。

安 全 性

ホスファチジルセリンは，適量を経口摂取する場合，ほとんどの成人および小児におそらく安全です。臨床研究で，成人には最長6カ月間まで，小児には最長4カ月間まで安全に使用されています。

とくに200mgを超える用量では，不眠や胃のむかつきなどの副作用を引き起こすおそれがあります。

動物由来原料から作られた製品が狂牛病などの疾患を伝染させるという懸念が一部にあります。現時点では，ホスファチジルセリンサプリメントから動物疾患に感染したヒトの症例は報告されていませんが，念のため，植物由来原料から作られたサプリメントを選んでください。

●妊娠中および母乳授乳期

妊娠中および母乳授乳期の使用の安全性についてはデータが不十分です。安全性を考慮し，摂取は避けてく

ホ

有効性レベル：①効きます　②おそらく効きます　③効くと断言できませんが、効能の可能性が科学的に示唆されています
④効かないかもしれません　⑤おそらく効きません　⑥効きません

ださい。

有　効　性

◆有効性レベル③

・加齢にともなう精神機能低下。ホスファチジルセリンは，思考力が低下した高齢者の注意力，言語技能，記憶力を改善するようです。ほとんどの研究では，牛の脳由来のホスファチジルセリンが使用されていますが，現在ではホスファチジルセリンサプリメントのほとんどが，大豆やキャベツから作られたものです。植物由来のこのような製品にも同様の効果があるかどうかはよくわかっていませんが，植物由来のホスファチジルセリンでも，加齢にともない記憶を喪失した人の記憶力が改善されるという初期のエビデンスがあります。また，記憶の喪失を訴える高齢女性がDHA（ドコサヘキサエン酸）を強化した植物由来ホスファチジルセリンを含む製品を摂取すると，記憶力と注意力の改善に役立つことが，いくつかの研究で示されています。この製品は，症状の重症度が低い人にもっとも効果があるようです。

・アルツハイマー病。ホスファチジルセリンを６～12週間摂取すると，アルツハイマー病の症状の一部が改善する可能性があります。症状の重症度が低い人にもっとも効果があるようです。ただし，時間の経過とともに効果は弱まる可能性があります。16週間摂取すると，アルツハイマー病の進行が，ホスファチジルセリンによる便益を上回るようです。ほとんどの研究では，牛の脳由来のホスファチジルセリンが使用されていますが，現在ではホスファチジルセリンサプリメントのほとんどが，大豆やキャベツから作られたものです。このような植物由来のホスファチジルセリンが，牛の脳由来のものと比較して，どの程度アルツハイマー病に効果があるかはまだわかっていません。

◆科学的データが不十分です

・運動能力の向上，注意欠陥多動障害（ADHD），運動によるストレス，うつ病，運動による筋肉痛，思考能力の改善など。

●体内での働き

ホスファチジルセリンは，体内で広範な機能をもつ重要な化学物質です。細胞構造の一部であり，とくに脳の細胞機能を維持するための鍵となります。

医薬品との相互作用

中口渇作用などの乾燥作用のある医薬品（抗コリン薬）

口渇などの乾燥作用を持つ特定の医薬品は抗コリン薬と呼ばれます。ホスファチジルセリンはこのような医薬品の作用を減弱させる化学物質を増加させる可能性があります。このような医薬品にはアトロピン硫酸塩水和物，スコポラミン臭化水素酸塩水和物に加え特定のアレルギー治療薬（抗ヒスタミン薬），特定の抗うつ薬などがあります。

中緑内障，アルツハイマー病などに使用される医薬品（コリン作動薬）

ホスファチジルセリンは，体内にあるアセチルコリンと呼ばれる化学物質を増加させる可能性があります。この化学物質は，緑内障やアルツハイマー病などに使用される医薬品（コリン作動薬）と類似しています。ホスファチジルセリンとこのような医薬品を併用すると，副作用のリスクが高まるおそれがあります。このような医薬品には，ピロカルピン塩酸塩などがあります。

ハーブおよび健康食品・サプリメントとの相互作用

ほかのハーブ，健康食品・サプリメントとの相互作用についてはまだ明らかではありません。

使用量の目安

●経口摂取

加齢にともなう精神機能低下

牛の脳または植物由来のホスファチジルセリン100mgを１日３回，最長６カ月間摂取します。または，DHA（ドコサヘキサエン酸）を強化したホスファチジルセリンを含む特定の製品１日１～３カプセルを，15週間摂取します。

アルツハイマー病

ホスファチジルセリン300～400mgを１日数回に分けて摂取します。

ホソバウンラン

YELLOW TOADFLAX

別名ほか

細葉海蘭，バターアンドエッグズ，エッグアンドバター，トードフラックス（Butter and Eggs），リナリア・ブルガリス，イエロー・トードフラックス，キバナヒメキンギョソウ（Linaria vulgaris），ペニーワート（Pennywort），Brideweed，Buttered Hayhocks，Calves' Snout，Churnstaff，Devil's Head，Devil's Ribbon，Doggies，Dragon-bushes，Eggs and Bacon，Eggs and Collops，Flaxweed，Fluelli，Gallwort，Larkspur Lion's Mouth，Monkey Flower，Pattens and Clogs，Pedlar's Basket，Rabbits，Ramsted，Toadpipe，Wild Snapdragon，Yellow Rod

概　　要

ホソバウンランはハーブです。全体部分を用いて「くすり」を作ることもあります。

安　全　性

十分なデータが得られていないので，安全性または副作用については不明です。

●妊娠中および母乳授乳期

妊娠中，母乳授乳期は使用してはいけません。

有　効　性

◆科学的データが不十分です

・消化器系障害，尿障害，腫脹の軽減，利尿薬としての使用のほか，痔核，創傷，皮膚発疹など。

●体内での働き

どのように作用するかについては十分なデータが得られていません。

医薬品との相互作用

ほかの医薬品との相互作用については明らかではありません。

ハーブおよび健康食品・サプリメントとの相互作用

ほかのハーブ，健康食品・サプリメントとの相互作用についてはまだ明らかではありません。

使用量の目安

標準使用量に関するデータがありません。

ホソムギ

RYE GRASS

別名ほか

芝花粉（Grass Pollen），ライ麦（Rye），ライグラス花粉（Rye Grass Pollen），ライムギ（Secale cereale），Grass Pollen Extract，Rye Grass Pollen Extract

概　　要

ホソムギは植物です。花粉を用いて「くすり」を作ることもあります。

安　全　性

ほとんどの人には安全のようです。

ただ，胃の膨張，胸やけ，悪心などの副作用を引き起こす場合があります。

●妊娠中および母乳授乳期

妊娠中および母乳授乳期におけるホソムギ使用の安全性のデータは不十分です。安全性を考慮し，使用を控えてください。

有　効　性

◆有効性レベル③

・前立腺肥大症。ホソムギ抽出物の摂取は，前立腺肥大の症状を改善しますが，前立腺肥大を縮小するかについての研究結果はさまざまです。ホソムギの花粉抽出物は，一般名フィナステリドやα遮断薬などの処方薬と同様に効果的であるかは不明です。ただし，ビジウムおよびL-グルタミン酸，L-アラニン，およびアミノ酢酸を含む日本製の前立腺治療薬であるパラプロストと同様の効果はあるようです。

◆科学的データが不十分です

・前立腺肥大の縮小，前立腺の腫脹および痛み。

●体内での働き

ある種の化合物を阻害して，炎症（腫脹）を抑制します。また，前立腺がん細胞の増殖を抑制することもあるようです。

医薬品との相互作用

ほかの医薬品との相互作用については明らかではありません。

ハーブおよび健康食品・サプリメントとの相互作用

ほかのハーブ，健康食品・サプリメントとの相互作用についてはまだ明らかではありません。

使用量の目安

●経口摂取

良性前立腺肥大

特定のホソムギ花粉エキス製品126mgを1日3回摂取します。

ホップ

HOPS

別名ほか

セイヨウカラハナソウ（Humulus lupulus），Common Hops，European Hops，Hopfenzapfen，Hop Strobile，Houblon，Lupuli strobulus

概　　要

ホップは植物です。乾燥した花の部分を用いて「くすり」を作ることもあります。

安　全　性

通常の食品に含まれる量のホップを摂取する場合，ほとんどの人に安全のようです。「くすり」としての量のホップを経口摂取する場合，おそらく安全です。

うつ病：ホップがうつ病を悪化させるおそれがあります。使用は避けてください。

ホルモン感受性がんおよび疾患：ホップに含まれる化学物質にはエストロゲン様の作用をもつものがあります。乳がんや子宮内膜症など，ホルモン感受性疾患のある人はホップの使用を避けてください。

手術：麻酔をはじめ，手術中・手術後に使われる医薬品と併用すると，過度の鎮静状態になるおそれがあります。少なくとも手術前２週間は，使用しないでください。

●妊娠中および母乳授乳期

妊娠中および母乳授乳期の使用の安全性についてはデータが不十分です。安全性を考慮し，摂取は避けてください。

有　効　性

◆科学的データが不十分です

・体臭，不眠，更年期症状，閉経後の症状，下腿潰瘍，緊張，注意欠陥多動障害（ADHD），食欲の改善，消化器系障害，前立腺がん，乳がん，卵巣がん，高コレステロール血症，腸痙攣，結核，膀胱炎，神経痛，母乳開始など。

●体内での働き

ホップに含まれる化学物質には，エストロゲンの作用を弱める働きがあるようです。

医薬品との相互作用

中アルコール

アルコールは眠気および注意力低下を引き起こす可能性があります。ホップも眠気および注意力低下を引き起こす可能性があります。多量のホップとアルコールを併用すると，過度の眠気が引き起こされるおそれがあります。

中エストロゲン（卵胞ホルモン）製剤

ホップにはエストロゲン様作用のある可能性があります。ホップとエストロゲン製剤を併用すると，エストロゲン製剤の作用が減弱するおそれがあります。このようなエストロゲン製剤には，結合型エストロゲン，エチニルエストラジオール，エストラジオールなどがあります。

中鎮静薬（中枢神経抑制薬）

ホップは眠気および注意力低下を引き起こす可能性があります。鎮静薬は眠気を引き起こす医薬品です。ホップと鎮静薬を併用すると，過度の眠気を引き起こすおそれがあります。このような鎮静薬には，クロナゼパム，ロラゼパム，フェノバルビタール，ゾルピデム酒石酸塩などがあります。

中肝臓で代謝される医薬品（シトクロムP450 1A1（CYP1A1）の基質となる医薬品）

特定の医薬品は肝臓で代謝されます。ホップはこのような医薬品の代謝を変化させる可能性があります。ホップと肝臓で代謝される医薬品を併用すると，医薬品の作用および副作用が強弱するおそれがあります。肝臓で代謝される医薬品を服用する場合には，医師や薬剤師に相談することなくホップを摂取しないでください。このような医薬品には，クロルゾキサゾン，テオフィリン，Bufuralolなどがあります。

中肝臓で代謝される医薬品（シトクロムP450 1A2（CYP1A2）の基質となる医薬品）

特定の医薬品は肝臓で代謝されます。ホップはこのような医薬品の代謝を抑制する可能性があります。ホップと肝臓で代謝される医薬品を併用すると，医薬品の作用および副作用が増強するおそれがあります。肝臓で代謝される医薬品を服用する場合には，医師や薬剤師に相談することなくホップを摂取しないでください。このような医薬品には，クロザピン，Cyclobenzaprine，フルボキサミンマレイン酸塩，ハロペリドール，イミプラミン塩酸塩，メキシレチン塩酸塩，オランザピン，塩酸ペンタゾシン，プロプラノロール塩酸塩，Tacrine，Zileuton，ゾルミトリプタンなどがあります。

中肝臓で代謝される医薬品（シトクロムP450 1B1（CYP1B1）の基質となる医薬品）

特定の医薬品は肝臓で代謝されます。ホップはこのような医薬品の代謝を変化させる可能性があります。ホップと肝臓で代謝される医薬品を併用すると，医薬品の作用および副作用が強弱するおそれがあります。肝臓で代謝される医薬品を服用する場合には，医師や薬剤師に相談することなくホップを摂取しないでください。このような医薬品には，テオフィリン，オメプラゾール，クロザピン，プロゲステロン，ランソプラゾール，フルタミド，オキサリプラチン，エルロチニブ塩酸塩，カフェインなどがあります。

中肝臓で代謝される医薬品（シトクロムP450 3A4（CYP3A4）の基質となる医薬品）

特定の医薬品は肝臓で代謝されます。ホップはこのような医薬品の代謝を抑制する可能性があります。ホップと肝臓で代謝される医薬品を併用すると，医薬品の作用および副作用が増強するおそれがあります。肝臓で代謝される医薬品を服用中に，医師や薬剤師に相談することなくホップを摂取しないでください。このような医薬品には，特定のカルシウム拮抗薬（ジルチアゼム塩酸塩，ニカルジピン塩酸塩，ベラパミル塩酸塩），化学療法薬（エトポシド，パクリタキセル，ビンブラスチン硫酸塩，ビンクリスチン硫酸塩，ビンデシン硫酸塩），抗真菌薬（ケトコナゾール，イトラコナゾール），グルココルチコイド，Alfentanil，シサプリド（販売中止），フェンタニルクエン酸塩，リドカイン塩酸塩，ロサルタンカリウム，フェキソフェナジン塩酸塩，ミダゾラムなどがあります。

ハーブおよび健康食品・サプリメントとの相互作用

眠気を引き起こすおそれのあるハーブおよび健康食品・サプリメント

ホップは眠気および注意力低下を引き起こすおそれがあります。同様の作用をもつほかのハーブおよび健康食品・サプリメントと併用すると，過度の眠気を引き起こすおそれがあります。このようなハーブおよび健康食品・サプリメントには，5-ヒドロキシトリプトファン，ショウブ，ハナビシソウ，キャットニップ，ジャマイカ・ドッグウッド，カバ，セント・ジョンズ・ワート，スカルキャップ，カノコソウ，アネモプシス・カリフォルニカなどがあります。

相互作用レベル：高この医薬品と併用してはいけません　中この医薬品とは慎重に併用するか併用しないでください　低この医薬品との併用には注意が必要です

通常の食品との相互作用

アルコール

アルコールは眠気および注意力低下を引き起こすおそれがあります。ホップもまた眠気および注意力低下を引き起こすおそれがあります。大量のホップをアルコールと併用すると，過度の眠気を引き起こすおそれがあります。

使用量の目安

通常の食品に含まれている量を超えて経口摂取した場合の安全性および副作用については，明らかになっていません。

ホップノキ

WAFER ASH

別名ほか

Pickaway Anise，Prairie Grub，Ptelea trifoliata，Scubby Trefoil，Stinking Prairie Bush，Swamp Dogwood，Three-leaved Hop Tree，Wingseed

概　要

ホップノキは植物です。根の皮を用いて「くすり」を作ることもあります。

安全性

安全性についてはまだわかっていません。

皮膚に触れると，皮膚が日光に極度に敏感になる可能性があります。このため，日焼けや皮膚がんのリスクが高まるでしょう。直射日光に当たらないようにしてください。とくに色白の人は，戸外では日焼け止めを塗ったり，保護できる服を着用しましょう。

●妊娠中および母乳授乳期

妊娠中，母乳授乳期は使用してはいけません。

有効性

◆科学的データが不十分です

・食欲不振，関節リウマチ，胃障害，創傷（包帯としての使用）など。

●体内での働き

酵母のような，ある種微生物に対して作用を起こす成分を含んでいます。

医薬品との相互作用

ほかの医薬品との相互作用については明らかではありません。

ハーブおよび健康食品・サプリメントとの相互作用

ほかのハーブ，健康食品・サプリメントとの相互作用についてはまだ明らかではありません。

使用量の目安

標準使用量に関するデータがありません。

ポドフィルム

PODOPHYLLUM

●代表的な別名

マンダラケ

別名ほか

曼陀羅華（Mandrake），ヒマラヤハッカクレン，ヒマラヤ八角蓮（Podophyllum hexandrum），マンドラゴラ，マンドレーク，メイアップル，アメリカミヤオソウ（Mayapple），アメリカハッカクレン（Peltatum），American Mandrake，Devil's Apple，Duck's Foot，Ground Lemon，Himalayan Mayapple，Hog Apple，Indian Apple，Indian Podophyllum，Podophyll Pelati Rhizoma/Resina，Podophyllum emodi，Raccoon Berry，Vegetable Mercury，Wild Lemon，Wild Mandrake

概　要

ポドフィルムは植物です。根および根茎を用いて「くすり」を作ることもあります。

安全性

むき出しの部分以外に塗布し，また医師の指示を受けているなら，ほとんどの人に安全のようです。

経口摂取は全く安全ではありません。皮膚の痛み，悪心，嘔吐，めまい，頭痛，痙攣，発熱，視覚の変化，血圧低下，腎臓障害などを引き起こすおそれがあります。

胆石，過敏性腸症候群やクローン病の患者は使用してはいけません。

●妊娠中および母乳授乳期

妊娠中，母乳授乳期は使用してはいけません。

有効性

◆有効性レベル②

・疣贅（いぼ）など，非がん性の皮膚肥大の摘出。

・便秘。ただ，経口摂取は安全ではありません。

◆科学的データが不十分です

・肝障害，がんなど。

●体内での働き

細胞の分裂や新生を阻止する可能性があります。また，下剤作用をもつとも考えられています。

医薬品との相互作用

ほかの医薬品との相互作用については明らかではありません。

ハーブおよび健康食品・サプリメントとの相互作用

ほかのハーブ，健康食品・サプリメントとの相互作用についてはまだ明らかではありません。

使用量の目安

●局所投与

樹脂をベンゾインチンキ剤中に10～25％含む懸濁液を患部に塗布しますが，塗布する範囲は10cm^{2}以内とし，周囲の皮膚を保護して有害作用の発現を最小限に抑えるようにします。また，塗布後４～６時間で洗い流さなくてはなりません。ポドフィルムの局所投与は専門家の指示の下で行うべきです。ポドフィロトキシンを0.5％含有するゲル薬を１日２回塗布し，それを３日間続けることを１サイクルとして，２～４サイクル繰り返し行う投与方法があります。この方法は患者にとって安全と考えられています。

ポプラ

POPLAR

別名ほか

ポプラの芽（Populus balsamifera），バーム・オブ・ギリアド，ギリアドバルサムノキ，バームギリード（Balm of Gilead），バルサムポプラ，Balsam Poplar Buds, Pappelknospen, Populi gemma, Populus candicans, Populus tacamahacca

概　要

ポプラはハーブです。乾燥した，まだ開く前の葉芽を用いて「くすり」を作ることもあります。

・新型コロナウイルス感染症（COVID-19）。
COVID-19に対してポプラの使用を裏付ける十分なデータはありません。

安全性

皮膚への塗布は，ほとんどの人に安全のようです。

●アレルギー

人によっては，皮膚にアレルギー反応が出るかもしれません。

アスピリンまたは類似の医薬品やプロポリス（蜂製品），ペルーバルサムにアレルギーのある人は使用してはいけません。

●妊娠中および母乳授乳期

妊娠中，母乳授乳期は使用してはいけません。

有　効　性

◆科学的データが不十分です

・咳，皮膚の小さい外傷，痔核，凍傷，および日焼け。

●体内での働き

どのように作用するかについては十分なデータが得られていません。

医薬品との相互作用

ほかの医薬品との相互作用については明らかではありません。

ハーブおよび健康食品・サプリメントとの相互作用

ほかのハーブ，健康食品・サプリメントとの相互作用についてはまだ明らかではありません。

使用量の目安

●経口摂取

標準使用量に関するデータがありません。

●局所投与

乾燥した芽の１日当たりの使用量は通常５gであり，これに相当する量を，20～30％の乾燥した芽を含む半固形の製剤によって使用することもできます。

ホホバ

JOJOBA

別名ほか

ホホバオイル（Simmondsia chinensis），Buxus chinensis, Deernut, Goatnut, Pignut, Simmondsia californica

概　要

ホホバは植物です。種子およびオイルを用いて「くすり」を作ることもあります。

安　全　性

皮膚への塗布は，ほとんどの人に安全だと考えられています。ただ，湿疹やアレルギー反応のような一部の副作用を起こすかもしれません。

経口摂取は，ほとんどの人に安全ではありません。心臓障害のような深刻な副作用を起こすおそれがあります。経口摂取は，ほとんどの人に安全ではありませんが，人によってはとくに，使用を避ける注意が必要です。

●妊娠中および母乳授乳期

妊娠中，母乳授乳期は使用してはいけません。

有　効　性

◆科学的データが不十分です

・にきび，乾癬，日焼け，あかぎれ，脱毛など。

●体内での働き

皮膚に塗布すると，軟化薬として皮膚を滑らかにし，髪の毛胞の詰まりを取り除きます。

医薬品との相互作用

ほかの医薬品との相互作用については明らかではありません。

ハーブおよび健康食品・サプリメントとの相互作用

ほかのハーブ，健康食品・サプリメントとの相互作用についてはまだ明らかではありません。

使用量の目安

ホホバオイルにおける成分含有量はさまざまです。スキンケア製品では５～10%，シャンプーおよびコンディショナーでは１～２%，固形石けんでは0.5～３%です。

ホメオパシー

HOMEOPATHY

●代表的な別名

同種療法

別名ほか

ホメオパシー療法，ホメオパシックメディシン，ホメオパシックレメディ，同種療法（Similar Disease）

概　　要

ホメオパシーは200年以上前にドイツ人医師サミュエル・ハーネマンが創始しました。「ホメオパシー」という言葉はギリシャ語の派生語で「同種療法」を意味します。ホメオパシー製品には，通常，ハーブ，ミネラルなどの物質をごく薄く希釈したものが含まれます。ホメオパシー成分は，トリカブト，アンチモン，アルニカ，ベラドンナ，カモミール，鉄，水銀，マグネシウム，マチン，ツタウルシなど，さまざまですが，元の実効成分を含まないほどまでに希釈されている製品が多くあります。

安　全　性

安全面で知られている懸念はありません。たいていのホメオパシー製品は実効成分をほとんど，あるいはまったく含んでいないので，それらの製品にはいかなる効用も有害作用もないと考えられています。

有　効　性

◆科学的データが不十分です

・感冒およびインフルエンザ，アレルギー性鼻炎，気管支喘息，結膜炎，下痢，がん，皮膚炎，線維筋痛，慢性疲労症候群，不安，うつ病，疲労とストレス，片頭痛，緊張性頭痛，骨関節炎，筋肉痛，乗物酔い，耳の感染症など。

●体内での働き

ホメオパシーには数種類の基本的理論と原則があります。

「同種の法則」:ホメオパシーの創始者サミュエル・ハーネマンは「似たものが似たものを癒す」と信じていました。ある物質を多量に摂取することによって特定の疾患が生じるなら，同じ物質を少量摂取すればその疾患を癒す可能性があり，希釈した形で毒性物質を投与することによって身体自らが治癒を開始するのに必要な刺激を与えることができると提唱しました。

「極微量の法則」:ホメオパシーの始まりには少量の物質が使われました。これは最終的に，元の物質の極微量使用へと発展します。ハーネマンは，物質を希釈すればするほど，特定の疾患への効力が増すと主張しました。

「希釈震盪」:希釈震盪は極微量の法則と関連した概念です。ホメオパシー製品の調製には段階的な希釈と震盪が関係します。希釈するたびに震盪するか，強く振るかします。この手順により，ホメオパシーの実践者は，水中に元の物質の像，エッセンスまたは気が残ると信じています。この手順を繰り返せば繰り返すほど，または最終製品を希釈すればするほど，そのホメオパシー製品がより効力をもつと考えられています。

ホメオパシーが創られたのは，科学，物理学，薬理学の今日的な理解ができあがる前です。したがって，その理論と原則には現在の科学的理解と矛盾するところがあり，医療界や科学界からはおおむね除外されています。

医薬品との相互作用

ほかの医薬品との相互作用については明らかではありません。

ハーブおよび健康食品・サプリメントとの相互作用

ほかのハーブ，健康食品・サプリメントとの相互作用についてはまだ明らかではありません。

使用量の目安

標準使用量に関するデータがありません。使用量は使用される個別のホメオパシー製品によって異なります。ホメオパシー製剤は希釈の度合い，すなわち効力の程度を示すのに，特別な用語を用います。１/10の希釈物はXで表します。したがって，１X ＝ １/10，２X ＝ １/100，３X ＝ １/1,000，６X ＝ １/1,000,000等となります。１/100の希釈物はCで表します。したがって，１C ＝ １/100，２C ＝ １/10,000，３C ＝ １/1,000,000などとなります。

ホモタウリン

HOMOTAURINE

●代表的な別名

3-アミノ-1-プロパンスルホン酸

別名ほか

3-APS, 3-Amino-1-propanesulfonic Acid, 3-aminopropane-1-sulfonic Acid, 3-Aminopropanesulfonic Acid, 3-Aminopropylsulfonic Acid, Homotaurin, Homotaurina, Tramiprosate

概　　要

ホモタウリンは，ある種の海藻にみられるアミノ酸です。しかし，サプリメントとして市販されている製品は，実験室内で合成されたものです。

安全性

ホモタウリンは経口摂取の場合，ほとんどの人でおそらく安全です。悪心，嘔吐，下痢，めまい，頭痛などの軽い副作用を起こすかもしれません。

●妊娠中および母乳授乳期

妊娠中および母乳授乳期に使用の安全性については，信頼のおける科学的データがありません。より多くのデータが得られるまで，使用しないでください。

有効性

◆科学的データが不十分です

・アルツハイマー型認知症。ホモタウリンがアルツハイマー病患者の脳内プラーク形成を遅らせるかもしれないという科学的研究もあります。しかし，ほかの研究では，アルツハイマー病の症状を改善しないというものもあります。

・脳アミロイド血管障害。脳アミロイド血管障害は脳出血のリスクを高くしますので，この疾患の治療法として，ホモタウリンが研究されています。しかし，まだこの働きがあることを示した研究はありません。

・脱毛症など。

●体内での働き

ホモタウリンは脳内で，アルツハイマー病の原因となるプラーク形成を阻害するように作用します。また，脳アミロイド血管障害に関連する，脳内血管のプラーク形成を阻害します。

医薬品との相互作用

ほかの医薬品との相互作用については明らかではありません。

ハーブおよび健康食品・サプリメントとの相互作用

ほかのハーブ，健康食品・サプリメントとの相互作用についてはまだ明らかではありません。

使用量の目安

●経口摂取

アルツハイマー病

1日2回50～150mg使用。

脳アミロイド血管障害

1日2回50～150mg使用。

ボラージ

BORAGE

●代表的な別名

ルリジサ

別名ほか

ボラージ草，ボリジオイル（Borage Oil），ボリジ，るりぢしゃ，ルリヂサ（Borago officinalis），スターフラワー（Starflower），Bugloss，Huile de Bourrache

概　　要

ボラージはルリジサ（Borago officinalis）という植物の種子から抽出した脂っこいオイルです。

安全性

適量のボラージシードオイルを経口摂取または皮膚へ塗布する場合，おそらく安全です。

ピロリジジンアルカロイド（PA）と呼ばれる危険な化学物質を含む製品を経口摂取する場合，安全ではないようです。ボラージの葉，花，種子などにピロリジジンアルカロイドを含むおそれがあります。特に多量にまたは長期にわたってこれを使用する場合，肝障害やがんを発症するおそれがあります。認可を得ており，「ピロリジジンアルカロイドは含まれていません」というラベル表示のある製品だけを選んで使用してください。

小児：適量を経口摂取する場合，おそらく安全です。ピロリジジンアルカロイドを含む製品を経口摂取する場合，安全ではないようです。

出血性疾患：ボラージシードオイルは出血を長引かせ，紫斑や出血のリスクを高めるおそれがあります。出血性疾患患者が使用する場合は，注意してください。

肝疾患：肝毒性をもつピロリジジンアルカロイドを含むボラージ製品は，肝疾患を悪化させるおそれがあります。

手術：ボラージは，手術中および手術後に出血を増進させるおそれがあります。少なくとも手術前2週間は，使用しないでください。

●妊娠中および母乳授乳期

妊娠中および母乳授乳期のボラージシードオイルの摂取は，安全ではないようです。ピロリジジンアルカロイド（PA）を含むおそれのあるボラージ製品を避けることが重要です。ピロリジジンアルカロイドは深刻な肝疾患やがんを引き起こすおそれがあります。乳児にとっても，先天異常のおそれや，ピロリジジンアルカロイドが母乳に入り込むおそれがあります。妊娠中および母乳授乳期の，ピロリジジンアルカロイドを含まないボラージ製品の使用の安全性については，不明です。安全性を考慮し，摂取は避けてください。

有効性

◆有効性レベル③

・危篤状態の患者の肺機能改善。ボラージシードオイルをエイコサペンタエン酸（EPA）と併用して経口摂取すると，集中治療室内で過ごす日数，および急性呼吸促迫症候群（ARDS）により人工呼吸器が必要な時間を短縮できる可能性があるというエビデンスがあります。

・未熟児の発育および発達。ボラージオイルおよび魚油由来の脂肪酸を加えた乳児用調整乳により，未熟児，特に男児の未熟児で，神経系の発育および発達が改善するようです。

・関節リウマチ（RA）の症状改善。通常の鎮痛薬または抗炎症医薬品と併用して6週間摂取すると，関節リウマチ症状の改善を補助する可能性があるというエビデンスがあります。症状の改善は最大24週間にわたって続くようです。症状の改善は，疼痛および腫脹のみられる関節の数および程度によって測定します。

◆有効性レベル④

・湿疹。ボラージシードオイルを経口摂取しても，成人においても小児においても改善はみられないようです。

◆科学的データが不十分です

・気管支喘息，歯周炎，幼児の皮膚症状，月経前症候群（PMS），糖尿病，注意欠陥多動障害（ADHD），アルコール依存，心疾患，脳卒中，発熱，咳，うつ病，乾燥皮膚，関節炎，疼痛緩和，静脈炎，更年期障害，体液貯留など。

●体内での働き

γ-リノレン酸（GLA）という脂肪酸を含んでいます。γ-リノレン酸には，抗炎症作用があるようです。ボラージは抗酸化作用をもつ可能性があります。

医薬品との相互作用

中フェノチアジン系薬

γ-リノレン酸を含むサプリメント（ボラージシードオイルなど）を摂取し，フェノチアジン系薬を併用すると，人によっては発作のリスクが高まるおそれがあります。このようなフェノチアジン系薬には，クロルプロマジン塩酸塩，フルフェナジン，トリフロペラジン（販売中止），チオリダジン塩酸塩（販売中止）などがあります。

中肝臓でほかの医薬品の代謝を促進する医薬品（シトクロムP450 3A4（CYP3A4）を誘導する医薬品）

ボラージは肝臓で代謝されます。特定の医薬品はボラージの代謝を促進する可能性があります。そのため，ボラージの作用および副作用が変化するおそれがあります。このような医薬品には，カルバマゼピン，フェノバルビタール，フェニトイン，リファンピシン，リファブチンなどがあります。

中血液凝固を抑制する医薬品（抗凝固薬/抗血小板薬）

ボラージシードオイルは血液凝固を抑制する可能性があります。ボラージシードオイルを摂取し，血液凝固を抑制する医薬品を併用すると，紫斑および出血のリスクが高まるおそれがあります。このような医薬品には，アスピリン，クロピドグレル硫酸塩，ジクロフェナクナトリウム，イブプロフェン，ナプロキセン，ダルテパリンナトリウム，エノキサパリンナトリウム，ヘパリン，ワルファリンカリウムなどがあります。

ハーブおよび健康食品・サプリメントとの相互作用

血液凝固を抑制するおそれのあるハーブおよび健康食品・サプリメント

ボラージが血液凝固を抑制するおそれがあります。同様の作用をもつほかのハーブおよび健康食品・サプリメントと併用すると，出血のリスクが高まるおそれがあります。このようなハーブおよび健康食品・サプリメントには，アンゼリカ，クローブ，タンジン，ニンニク，ショウガ，イチョウ，朝鮮人参，レッドクローバー，ウコンなどがあります。

ピロリジジンアルカロイド（PA）を含むハーブおよび健康食品・サプリメント

ピロリジジンアルカロイド（PA）を含むおそれのあるほかのハーブおよび健康食品・サプリメントと併用してはいけません。深刻な肝疾患のリスクが非常に高まるおそれがあります。ピロリジジンアルカロイドを含むハーブおよび健康食品・サプリメントには，ボラージ，セイヨウフキ，フキタンポポ，コンフリー，ワスレナグサ，シモツケソウ，ヘンプ・アグリモニー，オオルリソウ，およびキオン属の植物であるダスティーミラー，ノボロギク，サワギク，ヤコブボロギクなどがあります。

肝臓での分解を促進するハーブおよび健康食品・サプリメント

ボラージは肝臓で分解されます。このとき，有害となりうる化学物質が形成されます。肝臓でのボラージの分解を促進するハーブおよび健康食品・サプリメントと併用すると，ボラージシードオイルに含まれる化学物質の毒性が高まるおそれがあります。このようなハーブおよび健康食品・サプリメントには，エキナセア，ニンニク，甘草，セント・ジョンズ・ワート，チョウセンゴミシなどがあります。

使用量の目安

●経口摂取

関節リウマチ（RA）

ボラージシードオイルを，1日1.1～1.4g，最大24週間，摂取します。

ポリア

PORIA MUSHROOM

別名ほか

松塊（Matsuhodo），サルノコシカケ科マツホドの菌核（Fu Ling），ブクリョウ（Hoelen），マツホド，Polyporus，ポリアココス（Poria cocos），FuShen，Indian Bread，Poria，Sclerotium poriae cocos，Tuckahoe，Wolfiporia cocos

概　　要

ポリアは真菌です。糸状体が「くすり」として使用されることもあります。

安 全 性

ほとんどの人に安全です。副作用は見られませんが，科学的データは十分ではありません。

●妊娠中および母乳授乳期

妊娠中および母乳授乳期の使用の安全性についてはデータが不十分です。安全性を考慮し，使用は控えてください。

有 効 性

◆科学的データが不十分です

・記憶消失，不安，不穏状態，疲労感，緊張，神経質，めまい，困難または痛みをともなう排尿，体液貯留（浮腫），不眠症，炎症を起こした脾臓，胃障害，下痢，腫瘍，および咳。

●体内での働き

腎機能を改善し，血清コレステロール値を低下，炎症を抑制，免疫機能を鎮めるような化合物を含んでいます。また，抗腫瘍，嘔吐防止作用もあるようです。

医薬品との相互作用

ほかの医薬品との相互作用については明らかではありません。

ハーブおよび健康食品・サプリメントとの相互作用

ほかのハーブ，健康食品・サプリメントとの相互作用についてはまだ明らかではありません。

使用量の目安

標準使用量に関するデータがありません。

ポリコサノール

POLICOSANOL

別名ほか

ヘキサコサノール（Hexacosanol），ノナコサノール（Nonacosanol），オクタコサノール（Octacosanol），テトラコサオール（Tetracosanol），トリアコンタノール（Triacontanol），Polycosanol，Dotriacontanol，Heptacosanol，Tetratriacontanol

概　　要

ポリコサノールは，さとうきび等から得られる化学物質です。「くすり」として使用されることもあります。

安 全 性

摂取する場合，1日10～80mgを，最長2年間までなら，ほとんどの人に安全です。

ただ，皮膚の赤みや湿疹，片頭痛，不眠症，または眠気，かんしゃく，めまい，胃のもたれ，食欲増進，排尿困難，減量，鼻や歯茎からの出血などの副作用が生じるかもしれません。

2週間以内に手術を受ける予定の人は使用してはいけません。出血のリスクが高まります。

●妊娠中および母乳授乳期

妊娠中および母乳授乳期の使用の安全性についてはデータが不十分です。安全性を考慮し，使用は控えてください。

有 効 性

◆科学的データが不十分です

・高コレステロール血症，間欠性跛行（歩行時の脚の痛みなどの症状），冠動脈性心疾患患者の心臓への血流増加など。

●体内での働き

肝臓のコレステロール分泌を軽減し，LDL-コレステロールの分解を増大するようです。また，血小板という血中の粒子の粘りを少なくすることで，血栓を減らす役割もするようです。

医薬品との相互作用

中血液凝固を抑制する医薬品（抗凝固薬/抗血小板薬）

ポリコサノールは血液凝固を抑制する可能性があります。ポリコサノールと血液凝固を抑制する医薬品を併用すると，紫斑および出血のリスクが高まるおそれがあります。このような医薬品には，アスピリン，クロピドグ

ホ

レル硫酸塩，ジクロフェナクナトリウム，イブプロフェン，ナプロキセン，ダルテパリンナトリウム，エノキサパリンナトリウム，ヘパリン，ワルファリンカリウムなどがあります。

中降圧薬（アドレナリンβ受容体遮断薬）

アドレナリンβ受容体遮断薬は血圧を低下させるために使用されます。アドレナリンβ受容体遮断薬を服用している場合，ポリコサノールが血圧降下作用を増強する可能性があります。そのため，血圧が過度に低下するリスクが高まるおそれがあります。アドレナリンβ受容体遮断薬を服用中にポリコサノールを過剰摂取しないでください。このような医薬品には，アテノロール，メトプロロール酒石酸塩，ナドロール，プロプラノロール塩酸塩などがあります。

中ニトロプルシドナトリウム水和物

ポリコサノールはニトロプルシドナトリウム水和物の血圧降下作用を増強する可能性があります。

中プロプラノロール塩酸塩

ポリコサノールはプロプラノロール塩酸塩の血圧降下作用を増強する可能性があります。

中ワルファリンカリウム

ポリコサノールは血液凝固を抑制する可能性があります。ワルファリンカリウムも血液凝固を抑制します。ポリコサノールとワルファリンカリウムを併用すると，紫斑および出血のリスクが高まるおそれがあります。しかし，このことは大きな問題ではないことがいくつかの研究で示されています。ワルファリンカリウムを服用中の場合には，さらに明らかになるまでポリコサノールを過剰摂取しないでください。

中糖尿病治療薬

ポリコサノールは血糖値を低下させる可能性があります。糖尿病治療薬も血糖値を低下させるために用いられます。ポリコサノールと糖尿病治療薬を併用すると，血糖値が過度に低下するおそれがあります。血糖値を注意深く監視してください。糖尿病治療薬の用量を変更する必要があるかもしれません。このような糖尿病治療薬には，グリメピリド，グリベンクラミド，インスリン，ピオグリタゾン塩酸塩，マレイン酸ロシグリタゾン（販売中止）などがあります。

ハーブおよび健康食品・サプリメントとの相互作用

ほかのハーブ，健康食品・サプリメントとの相互作用についてはまだ明らかではありません。

使用量の目安

●経口摂取

高コレステロール血症

通常１回５～10mgを１日２回摂取します。ただし，１日80mgが使われることもあります。

間欠性跛行

１回10mgを１日２回摂取します。米国でサトウキビあるいは他の植物から製造されたポリコサノールが，大部分の臨床試験で使用されたポリコサノール製品と同等であるかどうかについてはわかっていません。

ポリデキストロース

POLYDEXTROSE

別名ほか

(2S,3R,4S,5S,6R)-6-[[(3R,4S,5S,6R)-3,4,5-trihydroxy-6-(hydroxymethyl)oxan-2-yl]oxymethyl]oxane-2,3,4,5-tetrol

概　要

ポリデキストロースは糖鎖です。人工的に作ることができます。糖鎖は食品に，および「くすり」として使用されます。

ポリデキストロースは，皮膚のそう痒（湿疹），糖尿病，耐糖能異常（糖尿病前症），乳児発達，およびプレバイオティクスとして経口摂取します。

食品としては，ポリデキストロースは甘味料および食感を良くするのに使用されます。

安全性

ポリデキストロースを食品添加物として摂取することは，１食分に含まれている量が15g未満であれば，ほとんどの人に安全のようです。

ポリデキストロースを１日50g未満経口摂取することは，おそらく安全です。ポリデキストロースは腸内ガス（鼓腸），腹部膨満，胃痙攣および下痢を引き起こすおそれがあります。

ポリデキストロースを１回50g以上，もしくは１日90g以上経口摂取することは，おそらく安全ではありません。高用量のポリデキストロースは，重度の下痢を引き起こすおそれがあります。

小児：調合乳に約２～４g/Lの濃度でポリデキストロースを加えたものを乳児が摂取することは，おそらく安全です。

●妊娠中および母乳授乳期

妊娠中および母乳授乳期の使用の安全性についてはデータが不十分です。安全性を考慮し，通常の食品に含まれる量の範囲内で摂取してください。

有効性

◆有効性レベル④

・乳児発達。研究により，乳児用調合乳にポリデキストロースとほかのプレバイオティクスを併せて加えても，健康な乳児の身長体重の増加速度に影響を及ぼさないことが示されています。

◆科学的データが不十分です

・湿疹（うろこ状でかゆみを伴う皮膚），糖尿病，耐糖能異常（前糖尿病）など。

●体内での働き

ポリデキストロースは未消化のまま結腸まで運ばれ，腸を膨らませ，有益であると考えられる一部の細菌の増殖を促す可能性があります。

医薬品との相互作用

ほかの医薬品との相互作用については明らかではありません。

ハーブおよび健康食品・サプリメントとの相互作用

ほかのハーブ，健康食品・サプリメントとの相互作用についてはまだ明らかではありません。

使用量の目安

通常の食品に含まれている量を超えて経口摂取した場合の安全性および副作用については，明らかになっていません。

ポリポディウム・ロイコトモス

POLYPODIUM LEUCOTOMOS

●代表的な別名

アナプソス

別名ほか

アナプソス，カラグアラ，シダ，P．ロイコトモス，ポリポディウム，Difur，PL

概　要

ポリポディウム・ロイコトモス（Polypodium leucotomos）は中央アメリカ原産のシダです。根茎を用いて「くすり」を作ることがあります。

安全性

2日間だけ適切に使用するなら安全なようです。

長期使用の場合の安全性は不明です。

副作用の可能性については，ほとんどデータがありません。胃のむかつきを感じる人もいます。

●妊娠中および母乳授乳期

妊娠中および母乳授乳期におけるポリポディウム・ロイコトモスの使用の安全性についてのデータは不十分です。安全性を考慮し，使用を避けてください。

有効性

◆科学的データが不十分です

・日焼けを予防。特定のポリポディウム・ロイコトモスエキスを日光に当たる前に摂取すると，発赤や皮膚の障害を低減します。

・ソラレンを使用したPUVA療法による障害。ソラレン（一般名：メトキサレン）は乾癬の治療薬です。紫外線に当たることにより一部の患者にはソラレンがより効果的になるようです。

・乾癬。ポリポディウム・ロイコトモスの抽出液は，重度の乾癬の症状を緩和する可能性があるとのデータがあります。

・白斑。特定のポリポディウム・ロイコトモス・エキスは，白斑患者（vitiligo）の皮膚の色を一部回復するのに役立つとの報告があります。

・アトピー性皮膚炎（湿疹），アルツハイマー病，皮膚がんおよびそのほかのがん。

●体内での働き

抗酸化作用をもつ可能性があります。抗酸化物質は，日射しに過度に曝されることによって被るダメージを予防することがあります。

医薬品との相互作用

ほかの医薬品との相互作用については明らかではありません。

ハーブおよび健康食品・サプリメントとの相互作用

ほかのハーブ，健康食品・サプリメントとの相互作用についてはまだ明らかではありません。

使用量の目安

●経口摂取

日焼けの予防

特定のエキス薬１日7.5mg/kgを２回に分けて，太陽にさらされる前に摂取します。別の特定のエキス剤では１回240mgを１日３回摂取します。ポリポディウム・ロイコトモス・エキス10，25，50％を含有するローションも使用されます。

ソラレン-UVA（PUVA）光障害の予防

特定のエキス剤１日7.5mg/kgを２回に分けて，PUVA療法の前に摂取します。別の特定のエキス剤では１回240mgを１日３回摂取します。ポリポディウム・ロイコトモスエキス10，25，50％を含有するローションも使用されます。

白斑

特定のエキス薬１日360mgを５カ月間摂取します。

ホルデナイン

HORDENINE

●代表的な別名

N,N-ジメチルチラミン

別名ほか

Anhaline，N,N-dimethyltyramine，Peyocactin

概　要

ホルデナインは，大麦（Hordeum vulgare）に含まれる化学物質です。ダイダイに含まれる興奮成分と化学構造が似ています。ホルデナインは，運動能力の向上や体重減少などの健康食品・サプリメントに多く含まれています。藻類，サボテン，いくつかの草種にも見られます。

ホルデナインは，運動能力の向上や体重減少のために経口摂取されます。

安 全 性

ホルデナインの経口摂取は，おそらく安全ではありません。ホルデナインは，ダイダイに含まれている興奮成分と化学構造が似ています。理論上，ホルデナインにも，同様の興奮作用があり，頻脈や高血圧などの副作用を引き起こすおそれがあります。

高血圧：ホルデナインは，ダイダイに含まれている興奮成分と似ています。理論上，ホルデナインの摂取により，高血圧が悪化するおそれがあります。

腎結石：ホルデナインの摂取により，腎結石のリスクが高まるおそれがあります。

手術：ホルデナインが，血圧や心拍数を増加させ，手術を妨げるおそれがあります。少なくとも手術前２週間は，使用しないでください。

●妊娠中および母乳授乳期

妊娠中および母乳授乳期の使用の安全性についてはデータが不十分です。安全性を考慮し，摂取は避けてください。

有 効 性

◆科学的データが不十分です

・運動能力，体重減少など。

●体内での働き

ホルデナインは，ダイダイに含まれている興奮成分と化学構造が似ています。複数の研究により，この成分が中枢神経系を刺激し，心拍数，血圧および呼吸数を上昇させるおそれがあることが示唆されています。これらは，一時的に現れる作用であり，高用量を摂取する場合に現れます。

医薬品との相互作用

中モノアミン酸化酵素阻害薬（MAO阻害薬）

ホルデナインは身体を刺激する可能性があります。モノアミン酸化酵素阻害薬（MAO阻害薬）は刺激作用のある化学物質を増加させる可能性があります。ホルデナインとMAO阻害薬を併用すると，動悸，高血圧，発作，神経過敏などの重大な副作用が現れるおそれがあります。このようなMAO阻害薬には，Isocarboxazid，Phenelzine，セレギリン塩酸塩，Tranylcypromineなどがあります。

中興奮薬

興奮薬は神経系を亢進させます。神経系を亢進させることにより，興奮薬は神経を過敏にして心拍数を上昇させる可能性があります。ホルデナインもまた神経系を亢進させる可能性があります。理論的には，ホルデナインと興奮薬を併用すると，頻脈や高血圧などの重大な問題を引き起こすおそれがあります。ホルデナインと興奮薬を併用しないでください。このような興奮薬には，アンフェタミン（販売中止），カフェイン，メチルフェニデート塩酸塩，塩酸プソイドエフェドリンなど数多くあります。

ハーブおよび健康食品・サプリメントとの相互作用

興奮作用のあるハーブおよび健康食品・サプリメント

ホルデナインと，興奮作用のあるほかのハーブおよび健康食品・サプリメントを併用すると，高血圧および心臓に影響を与える深刻な副作用のリスクが高まるおそれがあります。このようなハーブおよび健康食品・サプリメントには，マオウ（麻黄），カフェイン，およびコーヒー，コーラノキの種，ガラナ豆，マテなどカフェインを含むサプリメントなどがあります。

使用量の目安

通常の食品に含まれている量を超えて経口摂取した場合の安全性および副作用については，明らかになっていません。

ホ

ボルド

BOLDO

別名ほか

ボルドー葉（Peumus boldus），ボルディン（Boldine），ボルドモニミア，ボルドー，Boldea fragrans，Boldoak boldea，Boldo folium，Boldus，Boldus Boldus，Peumus fragrans

概　要

ボルドは植物です。葉を用いて「くすり」を作ることもあります。

安 全 性

ボルドを「くすり」として摂取する場合には，安全ではないおそれがあります。ボルドを摂取することにより，ボルドに天然に含まれている成分であるアスカリドールによる中毒を引き起こします。ボルドの経口摂取により，肝障害を引き起こすおそれがあります。ボルドを摂取する場合には，アスカリドールを含まない製剤のみを用いてください。ボルドを皮膚に塗布する場合には，過敏を引き起こすおそれがあります。

胆管閉塞：ボルドが，肝臓で生成され，胆のうに蓄積される液体である胆汁の流れを増加させるおそれがあるようです。胆汁が，脂肪を消化する重要な働きを行う腸内の細い管に浸透し，これらの管が閉塞するおそれがあります。胆管閉塞の場合には，ボルドによる過剰な胆汁流量が悪影響を与えるおそれがあります。

肝疾患：特に，肝疾患の場合には，ボルドが肝臓に損傷を与えるおそれがあります。肝疾患の場合には，ボルドを摂取してはいけません。

手術：ボルドが，血液凝固を抑制することがあるため，手術中および術後の出血が過剰となるリスクが高まるおそれがあります。少なくとも手術前２週間は，使用しないでください。

●妊娠中および母乳授乳期

「くすり」としての量のボルドを経口摂取する場合には，安全ではないおそれがあります。ボルドに含まれるアスカリドールという成分が，肝臓に損傷を引き起こすおそれがあります。

有　効　性

◆科学的データが不十分です

・胆石，関節リウマチ，膀胱炎，肝疾患，不安，淋病，体液貯留，便秘，腸の洗浄，軽度の胃腸痙攣など。

●体内での働き

ボルドには，尿排出量を増加させ，尿中の細菌増殖を抑制し，胃を刺激する可能性のある成分が含まれています。

ホ

医薬品との相互作用

中タクロリムス水和物

タクロリムス水和物は，臓器移植後の臓器拒絶反応を防ぐために用いられます。ボルドとタクロリムス水和物を併用すると，体内のタクロリムス水和物の量を減少させる可能性があります。そのため，タクロリムス水和物の効果を弱め，移植片拒絶反応のリスクが高まるおそれがあります。臓器移植後，タクロリムス水和物を服用中にボルドを摂取しないでください。

中ワルファリンカリウム

ワルファリンカリウムは血液凝固を抑制するために用いられます。ボルドもまた血液凝固を抑制する可能性があります。ボルドとワルファリンカリウムを併用すると，紫斑および出血のリスクが高まるおそれがあります。定期的に血液検査をしてください。ワルファリンカリウムの用量を変更する必要があるかもしれません。

中肝臓を害する可能性のある医薬品

ボルドは肝臓を害する可能性があります。ボルドと肝臓を害する可能性のある医薬品を併用すると，肝障害のリスクが高まる可能性があります。肝臓を害する可能性のある医薬品を服用中にボルドを摂取しないでください。このような医薬品にはアセトアミノフェン，アミオダロン塩酸塩，カルバマゼピン，イソニアジド，メトトレキサート，メチルドパ水和物，フルコナゾール，イトラコナゾール，エリスロマイシン，フェニトイン，Lovastatin，プラバスタチンナトリウム，シンバスタチンなどがあります。

中血液凝固を抑制する医薬品（抗凝固薬/抗血小板薬）

ボルドは血液凝固を抑制する可能性があります。ボルドと血液凝固を抑制する医薬品を併用すると，紫斑および出血のリスクが高まるおそれがあります。このような医薬品にはアスピリン，クロピドグレル硫酸塩，ジクロフェナクナトリウム，イブプロフェン，ナプロキセン，ダルテパリンナトリウム，エノキサパリンナトリウム，ヘパリン，ワルファリンカリウムなどがあります。

中炭酸リチウム

ボルドは，利尿薬のように作用する可能性があります。ボルドを摂取すると，炭酸リチウムの体内からの排泄が抑制される可能性があります。そのため，体内の炭酸リチウム量が増加し，重大な副作用が現れるおそれがあります。

ハーブおよび健康食品・サプリメントとの相互作用

肝臓を損傷するおそれのあるハーブおよび健康食品・サプリメント

ボルドが，肝臓を損傷するおそれがあります。ボルドと，肝臓を損傷するおそれのあるハーブおよび健康食品・サプリメントを併用すると，肝障害のリスクが高まるおそれがあります。このようなハーブおよび健康食品・サプリメントには，アンドロステンジオン，チャパラル，コンフリー，デヒドロエピアンドロステロン，ジャーマンダー，ニコチン酸，ペニーロイヤル，紅麹などがあります。

血液凝固を抑制するおそれのあるハーブおよび健康食品・サプリメント

ボルドが，血液凝固を抑制するおそれがあります。ボルドと血液凝固を抑制するおそれのあるほかのハーブおよび健康食品・サプリメントを併用すると，紫斑および出血のリスクが高まるおそれがあります。このようなハーブおよび健康食品・サプリメントには，アンゼリカ，クローブ，タンジン，ニンニク，ショウガ，イチョウ，朝鮮人参などがあります。

通常の食品との相互作用

アルコール

ボルドが，肝臓を損傷するおそれがあります。アルコールも，肝臓を損傷するおそれがあります。ボルドとアルコールを併用すると，肝障害を発症するリスクが高まるおそれがあります。

使用量の目安

通常の食品に含まれている量を超えて経口摂取した場合の安全性および副作用については，明らかになっていません。

ホワイト・ソープワート

WHITE SOAPWORT

●代表的な別名

シュッコンカスミソウ

別名ほか

シュッコンカスミソウ，宿根霞草，コゴメナデシコ，小米撫子（Gypsophila paniculata），Gypsophilae radix，ソープワート（Soapwort）

概　要

ホワイト・ソープワートはハーブです。根を用いて「くすり」を作ることもあります。

安　全　性

ほとんどの成人に安全のようです。

ただ，胃の痛みや悪心，嘔吐をもたらすかもしれません。

胃腸障害のある患者は使用してはいけません。

●妊娠中および母乳授乳期

妊娠中，母乳授乳期は使用してはいけません。

有　効　性

◆科学的データが不十分です

・咳，気管支炎，上気道および肺の炎症（腫脹），および湿疹などの皮膚障害。

●体内での働き

粘液をサラサラにし，咳をしやすくする（去痰作用）ことで，胸のうっ血を解消する化合物を含んでいます。

医薬品との相互作用

ほかの医薬品との相互作用については明らかではありません。

ハーブおよび健康食品・サプリメントとの相互作用

ほかのハーブ，健康食品・サプリメントとの相互作用についてはまだ明らかではありません。

使用量の目安

●経口摂取

１日30～150mgの乾燥根，または３～15mgのジプソフィラサポニン（gypsophila saponin），もしくは相当量を摂取します。

ホワイトコホシュ

WHITE COHOSH

別名ほか

アクタエ・ルブラ（Actaea rubra），ベインベリー（Baneberry），Actaea alba，Actaea pachypoda，Coralberry，Doll's Eye，Snakeberry，White Baneberry

概　要

ホワイトコホシュはハーブです。全体を用いて「くすり」を作ることもあります。

安　全　性

使用を避けるようにしてください。植物全体に毒があります。

胃の異常，嘔吐，下血，頭痛，心臓や血液の循環障害，精神錯乱を引き起こす場合があります。

腫脹や水疱ができるおそれがあるため，皮膚と接触しないようにしましょう。

胃腸障害を起こしている人は使用してはいけません。

●妊娠中および母乳授乳期

妊娠中，母乳授乳期は使用してはいけません。

有　効　性

◆科学的データが不十分です

・月経への刺激，婦人病治療，感冒，咳，胃疾患など。

●体内での働き

どのように作用するかについては十分なデータが得られていません。

医薬品との相互作用

ほかの医薬品との相互作用については明らかではありません。

ハーブおよび健康食品・サプリメントとの相互作用

ほかのハーブ，健康食品・サプリメントとの相互作用についてはまだ明らかではありません。

使用量の目安

標準使用量に関するデータがありません。

ホワイトヘリボー

WHITE HELLEBORE

●代表的な別名

バイケイソウ

別名ほか

バイケイソウ，梅恵草（Veratrum album），European Hellebore，European White Hellebore，Langwort

概　要

ホワイトヘリボーはハーブです。球根および根を用いて「くすり」を作ることもあります。

安 全 性

使用を避けるようにしてください。植物全体に毒があります。胃腸の痛みや灼熱感，嘔吐，心拍の弱まり，血圧低下，呼吸器系障害，失明，運動麻痺，痙攣といった症状を起こしたり，命にかかわる場合もあります。

皮膚に痛みが生じるかもしれないので，皮膚に触れさせないようにしてください。

●妊娠中および母乳授乳期

妊娠中，母乳授乳期は使用してはいけません。

有 効 性

◆科学的データが不十分です

・コレラ，痛風，高血圧症，および単純ヘルペスの治療。

●体内での働き

どのように作用するかについては十分なデータが得られていません。

医薬品との相互作用

ほかの医薬品との相互作用については明らかではありません。

ハーブおよび健康食品・サプリメントとの相互作用

ほかのハーブ，健康食品・サプリメントとの相互作用についてはまだ明らかではありません。

使用量の目安

標準使用量に関するデータがありません。

ホワイトマグワート

ARTEMISIA HERBA-ALBA

別名ほか

AHE, AHAE, Artemisia, Artemisia herba alba, Artemesia herba-alba, Artemisia herba-alba Extract, Common Wormwood, Common Wood Worm, Desert Wormwood, Herba-Alba, Herba Alba, Shih

概　要

ホワイトマグワートは，一般に北アフリカと中東にみられる低木です。地上部を医薬品に用いることがあります。

安 全 性

ホワイトマグワートが安全かどうかを判断するための十分なデータがありません。

ホワイトマグワートを使用した人の中に，血圧が下がり，心拍数が減った人がいます。このことから生じる問題があるかどうか判断するための十分なデータがありません。

ホワイトマグワートは血糖値を下げることがあります。糖尿病の人が使う場合は注意してください。

２週間以内に手術を受ける予定の人は使用してはいけません。

●妊娠中および母乳授乳期

妊娠中，母乳授乳期は使用してはいけません。

有 効 性

◆科学的データが不十分です

・咳，胃のむかつき，インフルエンザ，はしか，糖尿病，黄疸，不安感，不整脈，筋力低下，および回虫，蟯虫，条虫，鉤虫，吸虫などの寄生虫感染症。

●体内での働き

ホワイトマグワートに含まれる化合物には寄生虫や細菌を殺すとみられるものがあります。血糖値を下げるものもあります。

医薬品との相互作用

中糖尿病治療薬

ホワイトマグワートは血糖値を下げる可能性があります。また，糖尿病治療薬は血糖値を下げるために用いられます。ホワイトマグワートと糖尿病治療薬を併用すると，血糖値が過度に低下するおそれがあります。血糖値を注意深く監視してください。糖尿病治療薬の用量を変更する必要があるかもしれません。このような糖尿病治療薬にはグリメピリド，グリベンクラミド，インスリン，ピオグリタゾン塩酸塩，マレイン酸ロシグリタゾン（販売中止），クロルプロパミド，Glipizide，トルブタミド（販売中止）などがあります。

ハーブおよび健康食品・サプリメントとの相互作用

ほかのハーブ，健康食品・サプリメントとの相互作用についてはまだ明らかではありません。

使用量の目安

●経口摂取

糖尿病

成人では水抽出物１回50mLを１日２回摂取します。本エキスは着生植物部分500gを５Lの水で15～30分間煮沸させて作ります。

蟯虫感染

成人では水抽出物１回50mLを１日２回３日間摂取します。小児では１回25mLを１日２回３日間摂取します。本エキスは着生植物部分500gを５Lの水で15～30分間沸騰させて作ります。

ホワイトマルベリー

WHITE MULBERRY

●代表的な別名

白桑の実

別名ほか

Chinese White Mulberry, Chi Sang, Chin Sang, Common Mulberry, Egyptian Mulberry, Mon Tea, Mora, Moral Blanco, Morera Blanca, Morin, Morus alba, Morus indica, Morus multicaulis, Mûrier Blanc, Russian Mulberry, Silkworm Mulberry

概　　要

ホワイトマルベリーはハーブです。葉の粉末を用いて広く「くすり」を作ることがあります。果実はそのままか，あるいは調理されて食されます。

ホワイトマルベリーは中国が原産で，蚕のえさです。絹産業を興そうとしていた植民地時代，米国に紹介されました。樹木は柔らかで耐久性があり，テニスラケット，ホッケーのスティック，家具やボートの製作に使用されてきています。

安　全　性

ホワイトマルベリーの葉の粉末を経口で，最長でも5週間摂取した場合は，おそらく安全です。副作用は研究報告されていません。しかしながら，その研究の数は多くありません。

糖尿病：ホワイトマルベリーは糖尿病患者の血糖値を下げます。使用時は，低血糖に気をつけて血圧を慎重に監視してください。

●妊娠中および母乳授乳期

妊娠中および母乳授乳期においての使用の安全性については，データが不十分です。安全性を考慮して，摂取は控えてください。

有　効　性

◆有効性レベル③

・糖尿病。ホワイトマルベリーの葉の粉末で，2型糖尿病患者の血糖値が下がるようです。糖尿病治療薬のグリブリド5mgを毎日服薬している場合，空腹時血糖値が8％下がりましたが，ホワイトマルベリーの葉の粉末を1日1gを3回，4週間摂取した場合は，空腹時血糖値が27％下がりました。

◆科学的データが不十分です

・高コレステロール血症。小規模での調査では，ホワイトマルベリーの葉の粉末を1g3回4週間摂取した2型糖尿病患者の総コレステロールが12%，LDL-コレステロールが23%下がり，HDL-コレステロールが18%上がりました。

・普通感冒（風邪），咳，咽頭痛，筋肉・関節痛，高血圧症，気管支喘息，便秘，めまい・耳鳴り，脱毛症・若年性の白髪など。

●体内での働き

ホワイトマルベリーには2型糖尿病の治療薬と似た働きのある化学物質が含まれています。その成分が腸管内での糖の分解を遅らせ，血中への糖の吸収を遅らせます。このことが体内の血糖値を適切な範囲内に保つのに役立ちます。

医薬品との相互作用

中 糖尿病治療薬

ホワイトマルベリーは2型糖尿病患者の血糖値を下げる可能性があります。糖尿病治療薬は血糖値を下げるために用いられます。ホワイトマルベリーと糖尿病治療薬を併用すると，血糖値が過度に低下するおそれがあります。血糖値を注意深く監視してください。糖尿病治療薬の用量を変更する必要があるかもしれません。糖尿病治療薬には，グリメピリド，Glipizide，グリベンクラミド，インスリン，メトホルミン塩酸塩，ピオグリタゾン塩酸塩，マレイン酸ロシグリタゾン（販売中止），トルブタミド（販売中止）などがあります。

中 細胞内のポンプによって輸送される医薬品（有機カチオン輸送の基質となる医薬品（OCT2））

特定の医薬品はポンプによって腎臓の細胞内に輸送され，その結果，医薬品が体内から排泄されることになります。ホワイトマルベリーの葉はポンプの働きを変化させ，特定の医薬品の排泄量を減少させる可能性があります。そのため，医薬品の排泄が抑制され，副作用のリスクが高まるおそれがあります。このような医薬品には，メマンチン塩酸塩，オキサリプラチン，ピンドロール，スルファメトキサゾール・トリメトプリム配合などがあります。

ハーブおよび健康食品・サプリメントとの相互作用

血糖値を下げるハーブおよび健康食品・サプリメント

ホワイトマルベリーは2型糖尿病患者の血糖値を下げます。ほかの同様な作用をもつハーブも血糖値を下げます。この併用は，血糖値を降下させ過ぎてしまうおそれがありますので，血糖値を慎重に監視してください。

この作用のあるハーブには，α-リポ酸，ニガウリ，カルケージャ，クロム，デビルズクロー，フェヌグリーク，ニンニク，ガーガム，セイヨウトチノキ，ジャンボラン，朝鮮人参，ガラパゴスウチハサボテン，サイリウム，エゾウコギなどがあります。

使用量の目安

●経口摂取

糖尿病

1日1g3回の粉末状の葉を服用。

高コレステロール血症

有効性レベル：①効きます　②おそらく効きます　③効くと断言できませんが、効能の可能性が科学的に示唆されています
④効かないかもしれません　⑤おそらく効きません　⑥効きません

1日1g3回の粉末状の葉を服用。

ホ

マーキュリーハーブ

MERCURY HERB

別名ほか

Mercurialis Annua

概　要

マーキュリーハーブは植物です。花つきの地上部，根および根に似た茎（地下茎）を用いて「くすり」を作ることもあります。

安 全 性

生は安全ではありません。下痢，膀胱疾患，運動麻痺，肝不全および腎不全を引き起こす可能性があり，死に至ることもあります。

花粉もアレルギー反応，鼻への刺激および気管支喘息を引き起こすことがあります。

●妊娠中および母乳授乳期

妊娠中，母乳授乳期は使用してはいけません。

有 効 性

◆科学的データが不十分です

・膿，便秘，体液貯留（浮腫）のほか，胃，腸，腎，膀胱，およびそのほかの消化器系，泌尿器系の疾患。

●体内での働き

根と茎は下剤として作用し，便通を補助することがあります。

医薬品との相互作用

ほかの医薬品との相互作用については明らかではありません。

ハーブおよび健康食品・サプリメントとの相互作用

ほかのハーブ，健康食品・サプリメントとの相互作用についてはまだ明らかではありません。

使用量の目安

●経口摂取

通常，エキスあるいはジュースとして摂取します。

マーシュティー

MARSH TEA

●代表的な別名

ヒメシャクナゲ

別名ほか

ヒメシャクナゲ，姫石楠花，イソツツジ（Ledum palustre），ニッコウシャクナゲ（Wild Rosemary），James' Tea，Ledi Palustris Herba，Marsh Citrus，Moth Herb，Rhododendron tomentosum Var. Tomentosum，Rhododendron palustre，Romarin sauvage，Sumpfporst，Swamp Tea

概　要

マーシュティーは植物です。「くすり」の原料になることもあります。

安 全 性

流産を起こそうとして多量に飲むのは安全ではありません。胃腸のひどい痛み，腎障害，運動麻痺などの深刻な副作用が起こるおそれがあります。

腎疾患，胃炎や炎症性大腸炎のような胃腸障害，腎臓または膀胱感染症のように泌尿器に問題のある人は使用してはいけません。

術中や術後に使われる医薬品と併用すると過度の鎮静状態になることがあります。

２週間以内に手術を受ける予定の人は使用してはいけません。

●妊娠中および母乳授乳期

妊娠中，母乳授乳期は使用してはいけません。

有 効 性

◆科学的データが不十分です

・筋肉および関節の痛みと腫脹，百日咳，気管支炎，感冒，咳，乳汁分泌への刺激，発汗亢進，体液貯留（浮腫），流産など。

●体内での働き

咳や腫脹の軽減を補助するようです。また，子宮に影響を与えることもあるようです。

医薬品との相互作用

中鎮静薬（中枢神経抑制薬）

マーシュティーは眠気を引き起こす可能性がありますが，鎮静薬も眠気を引き起こす医薬品です。鎮静薬の服用中にマーシュティーを摂取すると，過度の眠気を引き起こすおそれがあります。このような鎮静薬には，クロナゼパム，ロラゼパム，フェノバルビタール，ゾルピデム酒石酸塩などがあります。

ハーブおよび健康食品・サプリメントとの相互作用

ほかのハーブ，健康食品・サプリメントとの相互作用についてはまだ明らかではありません。

使用量の目安

標準使用量に関するデータがありません。

マイタケ

MAITAKE MUSHROOM

別名ほか

Grifola, Grifola frondosa, Hen of the Woods, King of Mushrooms, Maitake, Monkey's Bench, Shelf Fungi

概　　要

マイタケはアジアで数千年もの間，食べられてきたキノコです。「くすり」の原料に使用されます。

安 全 性

薬用としても，ほとんどの人に安全なようですが，副作用について十分なデータが得られていません。

２週間以内に手術を受ける予定の人は使用してはいけません。出血のリスクが高まります。

●妊娠中および母乳授乳期

妊娠中，母乳授乳期は使用してはいけません。

有 効 性

◆科学的データが不十分です

・がん，HIV/エイズ，慢性疲労症候群，肝炎，花粉症，糖尿病，高血圧症，高コレステロール血症，減量または体重管理，化学療法のサポート，多のう胞性卵巣症候群など。

●体内での働き

腫瘍を撃退し免疫組織を刺激するような化合物を含んでいます。ラットに対しては，血圧を低下，血清コレステロール値を改善，血糖値を軽減，体重の減量を補助するというデータがありますが，ヒトに対してはまだ実証されていません。

医薬品との相互作用

中ワルファリンカリウム

マイタケはワルファリンカリウムの血液凝固抑制作用を増強し，出血のリスクを高めるおそれがあります。医師や薬剤師に相談することなくマイタケとワルファリンカリウムを併用しないようにしてください。ワルファリンカリウムの用量を変更する必要があるかもしれません。

中糖尿病治療薬

マイタケは血糖値を低下させる可能性があります。糖尿病治療薬も血糖値を低下させるために用いられます。マイタケと糖尿病治療薬を併用すると，血糖値が過度に低下するおそれがあります。血糖値を注意深く監視してください。糖尿病治療薬の用量を変更する必要があるかもしれません。このような糖尿病治療薬には，グリメピリド，グリベンクラミド，インスリン，ピオグリタゾン塩酸塩，マレイン酸ロシグリタゾン（販売中止），クロルプロパミド，Glipizide，トルブタミド（販売中止）などがあります。

中降圧薬

マイタケは，人によっては血圧を低下させる可能性があります。マイタケと降圧薬を併用すると，血圧が過度に低下するおそれがあります。このような降圧薬には，カプトプリル，エナラプリルマレイン酸塩，リシノプリル水和物，Ramipril，ニフェジピン，ベラパミル塩酸塩，ジルチアゼム塩酸塩，Isradipine，フェロジピン，アムロジピンベシル酸塩などがあります。

ハーブおよび健康食品・サプリメントとの相互作用

血糖値を下げるハーブおよび健康食品・サプリメント

マイタケは血糖値を下げる可能性があります。同様の作用のある他のハーブおよび健康食品・サプリメントと併用すると，血糖値が下がりすぎるおそれがあります。血糖値を下げる可能性がある製品は，α-リポ酸，ニガウリ，シナモン（カシア），クロム，デビルズクロー，フェヌグリーク，ニンニク，グアーガム，セイヨウトチノキ，朝鮮人参，サイリウム（オオバコ），エゾウコギなどです。

使用量の目安

標準使用量に関するデータがありません。

マウンテンフラックス

MOUNTAIN FLAX

別名ほか

Dwarf Flax, Fairy Flax, Linum Catharticum, Mill Mountain, Purging Flax

概　　要

マウンテンフラックスは植物です。花の部分を用いて「くすり」を作ることもあります。

安 全 性

人によっては安全とはいえないようです。これは，とくに長期に使用する場合です。嘔吐，下痢，胃腸の炎症のような副作用を引き起こすかもしれません。

●妊娠中および母乳授乳期

妊娠中，母乳授乳期は使用してはいけません。

有 効 性

◆科学的データが不十分です

・嘔吐，腸の便の瀉下など。

●体内での働き

下剤として作用し，腸内の便の通りを良くするようです。

医薬品との相互作用

ほかの医薬品との相互作用については明らかではありません。

ハーブおよび健康食品・サプリメントとの相互作用

ほかのハーブ，健康食品・サプリメントとの相互作用についてはまだ明らかではありません。

使用量の目安

標準使用量に関するデータがありません。

マオウ（麻黄）

EPHEDRA

別名ほか

木賊麻黄，モグゾクマオウ，麻黄根（Mahuanggen，Ma Huang Root），ワイマオウ，矮麻黄（Ephedra gerardiana），フタマタマオウ，マンシュウマオウ（Ephedra distachya），トクサマオウ，コダチマオウ，キダチマオウ（Ephedra equisetina），アイマオウ（Ephedra intermedia），クサマオウ，シナマオウ（Ephedra sinica），Cao Mahuang，Desert Herb，Ephedra shennungiana，Ephedra sinensis，Ephedrae herba，Herbal Ecstasy，Joint Fir，Ma Huang，Ma-huang，Mahuang，Muzei Mahuang，Popotillo，Sea Grape，Teamster's Tea，Yellow Astringent，Yellow Horse，Zhong Mahuang

概　　要

マオウ（麻黄）はハーブです。通常，枝や先端部を用いて「くすり」を作ることがありますが，根または全体が使われることもあります。日本ではマオウ地上茎が，もっぱら「くすり」として使用されます。

●要説（ナチュラル・スタンダード）

2003年に，ある米国大リーグ投手の死亡がマオウに関連があると考えられました。米国食品医薬品局（FDA）は，重大な中毒の800例以上（22以上の死亡例を含む）の報告を集めました。2004年２月６日に，米国食品医薬品局は，エフェドリン・アルカロイド（マオウ）を含有している健康食品・サプリメントの販売を禁止する規則を発令しました。この規則が発令されたのは，マオウを使用したサプリメントが病気や損傷に深刻な危険性を示したからです。

2005年に，この規則はユタ州で停止されましたが，４カ月後に再び施行されました。マオウは，現在，米国中で禁止されています。心疾患や死亡といった深刻な安全性リスクがあるにもかかわらず，市場に再び出回るかどうかは現在も不明なままです。

マオウ種は，エフェドリンと偽エフェドリンが含まれます。マオウは，神経系を刺激して肺の気流を増やし，血管を収縮させることがわかってきました。カフェインと併用すると，マオウは体重減少を引き起こすようです。しかしながら，マオウやエフェドリン単独治療の効果は矛盾しています。エフェドリンは，気管支喘息や低血圧のために広範囲に研究されましたが，マオウを使用した商業的なサプリメントの品質研究は十分ではありません。

主要な安全性に対する懸念は，マオウまたはエフェドリン使用と関係しており，高血圧，心拍数増加，神経系刺激，不整脈，心臓発作と脳卒中が含まれます。

安　全　性

マオウまたはその有効成分を含む製品を摂取してはいけません。マオウは成人および小児に安全ではないようです。人によっては，生命を脅かしたり，身体に障害をもたらしたりする重度の疾患を引き起こすおそれがあります。マオウの使用は，高血圧，心臓発作，筋障害，痙攣，脳卒中，脈拍不整，意識喪失および死亡との関連が認められています。こうした副作用は，高用量または長期間の使用により起こりやすくなるおそれがあります。１日32mg以上摂取すると，脳内出血（出血性脳卒中）のリスクが３倍以上になるおそれがあります。マオウが深刻な副作用をもたらすリスクは，あらゆる有益性を上回るようです。米国ではマオウは禁止されています。

このほか，めまい感，情動不安，不安，易刺激性，動悸，頭痛，食欲不振，吐き気，嘔吐など，それほど深刻ではない副作用を引き起こすおそれがあります。

カフェインなど，ほかの興奮成分と併用してはいけません。併用すると，生命を脅かすものを含め副作用のリスクが上昇するおそれがあります。カフェインを含むものには，コーヒー，茶，コーラノキの種，ガラナ豆，マテなどがあります。

胸痛（狭心症）：マオウは心臓を刺激して，胸痛を悪化させるおそれがあります。使用してはいけません。

脈拍不整またはQT延長症候群：マオウは心臓を刺激して，脈拍不整を悪化させるおそれがあります。使用してはいけません。

不安：マオウを大量に摂取すると不安が悪化するおそれがあります。使用してはいけません。

糖尿病：マオウは糖尿病の人の血糖コントロールを妨げ，高血圧を悪化させ，血行障害を増大させるおそれがあります。使用してはいけません。

本態性振戦（運動異常症）：マオウは本態性振戦を悪化させるおそれがあります。使用してはいけません。

高血圧：マオウは高血圧を悪化させるおそれがあります。使用してはいけません。

甲状腺機能亢進および関連疾患：マオウは甲状腺を刺激して，甲状腺機能亢進の症状を悪化させるおそれがあります。使用してはいけません。

腎結石：マオウおよびその有効成分エフェドリンは，

腎結石を引き起こすおそれがあります。マオウおよびエフェドリンを使用してはいけません。

狭隅角緑内障：マオウは狭隅角緑内障を悪化させるおそれがあります。使用してはいけません。

褐色細胞腫（副腎腫瘍）：マオウは褐色細胞腫の症状を悪化させるおそれがあります。使用してはいけません。

痙攣性疾患：マオウは痙攣を引き起こしたり，痙攣を起こしやすい人の発作を悪化させたりするおそれがあります。健康食品・サプリメントに関連した痙攣症例が7年間で33件，米国食品医薬品局（FDA）に報告されており，そのうち27件にマオウが関与しています。

●妊娠中および母乳授乳期

妊娠中および母乳授乳期のマオウの使用は安全ではないようです。重度の副作用の症例数件との関連が認められています。妊娠中および母乳授乳期は使用してはいけません。

有 効 性

◆有効性レベル③

・肥満。マオウを運動や低脂肪食と併用すると，わずかに体重が減少する可能性がありますが，製品の用法・用量を守って摂取する健康な人にも，深刻な副作用をもたらすおそれがあります。マオウを最長6カ月間摂取すると，月に約0.9kg体重が減少するようです。6カ月目以降も体重減少が継続するかどうか，マオウの摂取を中止すると体重が元に戻るかどうかについては，データが不十分です。カフェインの摂取により，さらに体重が減少する可能性があります。また，マオウ，コーラノキの種，ウィローバークの組み合わせにより，過体重および肥満の人にわずかに体重減少がみられる可能性があります。初期の研究では，マオウ，ガラナ豆および17種類のビタミン，ミネラル，サプリメントを含む特定の併用製品を8週間，低脂肪食および運動と併用すると，約2.7kg体重が減少する可能性があることが示唆されています。BMI25～40の過体重の人が，マオウ1日90mgとコーラノキの種1日192mgから得られるカフェインを6カ月間併用すると，わずかな体重減少（5.3kg）がみられるようです。この併用摂取と同時に，脂肪摂取量をカロリーの30％に制限し，中等度の運動を行うと，体脂肪および低比重リポタンパク（LDL，悪玉）コレステロール値が低下し，高比重リポタンパク（HDL，善玉）コレステロール値が上昇するようです。ただし，ほかの疾患がなく，スクリーニングとモニタリングを慎重に実施した成人でも，マオウとカフェインの併用により，血圧および心拍数にわずかな変化が引き起こされるおそれがあります。このような製品は，大量のマオウとカフェインという興奮成分を組み合わせており，有害な副作用を監視することなく摂取されることが多いため，安全性について大きな懸念があります。

◆有効性レベル④

・運動能力。いくつかの研究により，マオウとカフェインを併用しても，運動能力改善に，カフェインの単独使用よりも大きな効果はないことが示唆されています。

◆科学的データが不十分です

・アレルギー，気管支喘息などの呼吸器系疾患，鼻閉，感冒，インフルエンザ，発熱など。

●体内での働き

マオウには，エフェドリンという化学物質が含まれています。エフェドリンは，心臓，肺および神経系を刺激します。

医薬品との相互作用

中デキサメタゾン

デキサメタゾンは体内で代謝されてから排泄されます。マオウはデキサメタゾンの代謝を促進する可能性があります。マオウとデキサメタゾンを併用すると，デキサメタゾンの効果が弱まるおそれがあります。

高メチルキサンチン類

マオウは身体を刺激する可能性があります。メチルキサンチン類もまた身体を刺激します。マオウとメチルキサンチン類を併用すると，神経過敏，神経質，動悸，高血圧，不安などの副作用を引き起こすおそれがあります。メチルキサンチン類にはアミノフィリン水和物，カフェイン，テオフィリンがあります。

中モノアミン酸化酵素阻害薬（MAO阻害薬）

マオウ（麻黄）には身体を刺激する化学物質が含まれます。モノアミン酸化酵素阻害薬（MAO阻害薬）はそれらの化学物質を増加させる可能性があります。マオウ（麻黄）とMAO阻害薬を併用すると，動悸，高血圧，発作，神経過敏などの重大な副作用が現れるおそれがあります。このようなMAO阻害薬には，Phenelzine，Tranylcypromineなどがあります。

中気管支喘息治療薬（アドレナリンβ受容体作動薬）

マオウ（麻黄）は心臓を刺激する可能性があります。気管支喘息治療薬のなかには心臓を刺激するものもあります。マオウと気管支喘息治療薬を併用すると，過度に刺激を与え，心臓の異常を引き起こすおそれがあります。このような気管支喘息治療薬にはサルブタモール硫酸塩，オルシプレナリン硫酸塩（販売中止），テルブタリン硫酸塩，イソプレナリン塩酸塩があります。

高興奮薬

興奮薬は神経系を亢進させます。神経系を亢進させることにより，興奮薬は神経を過敏にして心拍数を上昇させる可能性があります。マオウもまた神経系を亢進させる可能性があります。マオウと興奮薬を併用すると，頻脈や高血圧などの深刻な問題を引き起こすおそれがあります。マオウと興奮薬を併用しないでください。このような興奮薬にはDiethylpropion，エピネフリン，Phentermine，塩酸プソイドエフェドリンなど多くあります。

中抗てんかん薬

抗てんかん薬は脳内の化学物質に影響を及ぼします。マオウもまた脳内の化学物質に影響を及ぼす可能性があります。マオウが脳内の化学物質に影響を及ぼすことにより，抗てんかん薬の効果を弱めるおそれがあります。抗てんかん薬には，フェノバルビタール，プリミドン，バルプロ酸ナトリウム，ガバペンチン，カルバマゼピン，フェニトインなどがあります。

中糖尿病治療薬

マオウは血糖値を上昇させる可能性があります。糖尿病治療薬は血糖値を低下させるために用いられます。血糖値を上昇させることにより，マオウは糖尿病薬の効果を弱めるおそれがあります。血糖値を注意深く監視してください。糖尿病治療薬の用量を変更する必要があるかもしれません。このような糖尿病治療薬にはグリメピリド，グリベンクラミド，インスリン，ピオグリタゾン塩酸塩，マレイン酸ロシグリタゾン（販売中止），クロルプロパミド，Glipizide，トルブタミド（販売中止）などがあります。

中麦角誘導体

マオウ（麻黄）は血圧を上昇させる可能性があります。麦角誘導体もまた血圧を上昇させる可能性があります。マオウと麦角誘導体を併用すると，血圧が過度に上昇するおそれがあります。このような麦角誘導体にはブロモクリプチンメシル酸塩，ジヒドロエルゴタミンメシル酸塩（販売中止），エルゴタミン酒石酸塩（販売中止），ペルゴリドメシル酸塩があります。

高不整脈を誘発する可能性がある医薬品（QT間隔を延長させる医薬品）

マオウは心拍数を増加させる可能性があります。マオウと不整脈を誘発する可能性がある医薬品を併用すると，不整脈などの重大な副作用を引き起こすおそれがあります。このような医薬品にはアミオダロン塩酸塩，ジソピラミド，ドフェチリド（販売中止），Ibutilide，プロカインアミド塩酸塩，キニジン硫酸塩水和物，ソタロール塩酸塩，チオリダジン塩酸塩（販売中止）など多くあります。

ハーブおよび健康食品・サプリメントとの相互作用

麦角

マオウと麦角はいずれも血管を収縮させるため，これらを併用すると血圧が上昇するおそれがあります。

カフェインを含むハーブおよび健康食品・サプリメント

マオウと，カフェインを含むほかのハーブおよび健康食品・サプリメントを併用すると，睡眠障害，神経過敏，ふるえ，めまい感など，よくみられる副作用のリスクが高まるおそれがあります。また，マオウとほかの興奮成分を併用すると，高血圧，心臓発作，脳卒中など，より深刻で望ましくない副作用のリスクが高まり，死に至るおそれもあります。カフェインをはじめとする興奮成分とマオウを併用した人に，生命を脅かしたり，衰弱をもたらしたりする深刻な事象が数件報告されています。カフェイン含有量の高いハーブおよび健康食品・サプリメントには，紅茶，コーヒー，コーラノキの種，緑茶，ガラナ豆，マテなどがあります。

朝鮮人参

朝鮮人参は心拍に影響を与えるおそれがあります。マオウと朝鮮人参を併用すると，脈拍不整の発症リスクが高まるおそれがあります。

通常の食品との相互作用

コーヒーおよび茶

マオウと，大量のカフェイン入りコーヒーまたは茶を併用すると，身体に過度の刺激が与えられ，深刻で有害な副作用の発症リスクが高まるおそれがあります。

使用量の目安

通常の食品に含まれている量を超えて経口摂取した場合の安全性および副作用については，明らかになっていません。

マカデミアナッツ

MACADAMIA NUT

別名ほか

マカダミアナッツの木(Macadamia integrifolia)，クイーンズランドナッツノキ（Queensland Nut），Australian nut，Bopple nut，Bush Nut，Macadamia tetraphylla

マ

概　　要

マカデミアナッツは種子です。「くすり」として使用されることもあります。

安　全　性

ほとんどの人に安全のようです。

●アレルギー

まれにですが，アレルギー反応が出ることもあります。

有　効　性

◆有効性レベル③

・血清コレステロール値の低下。

●体内での働き

血清コレステロール値を下げるという一価不飽和脂肪酸（MUFA）および植物性物質を含んでいます。

医薬品との相互作用

ほかの医薬品との相互作用については明らかではありません。

ハーブおよび健康食品・サプリメントとの相互作用

ほかのハーブ，健康食品・サプリメントとの相互作用

についてはまだ明らかではありません。

使用量の目安

標準使用量に関するデータがありません。

マカ根

MACA

別名ほか

レピディウム・ペルビアヌム（Lepidium peruvianum），ペルーニンジン（Peruvian Ginseng），Ayak Chichira, Ayuk Willku, Lepidium meyenii, Maca Maca, Maino, Maka

概　　要

マカ根はペルー中部，アンデス山脈の高地に生息する植物です。ペルーでは，3,000年前より野菜作物として栽培されています。マカは大根の類であり，香りはバタースコッチ（butterscotch）と似ています。マカ根は「くすり」として使われることがあります。

安　全　性

食べ物に通常含まれる量を摂取するなら，ほとんどの人に安全です。

また，長くても３カ月までなら，「くすり」として多量に摂取しても安全のようです。ほとんどの人は十分に耐性をもつと考えられています。

●妊娠中および母乳授乳期

妊娠中，母乳授乳期は使用してはいけません。

有　効　性

◆有効性レベル③

・男性の性欲亢進。

◆科学的データが不十分です

・貧血，白血病，慢性疲労症候群，気力および運動能力の向上，記憶の改善のほか，うつ病，女性ホルモンの不均衡，月経不順，不妊症，閉経症状，胃がん，結核，性的問題，免疫システムへの刺激，HIV/エイズなど。

●体内での働き

根には脂肪酸やアミノ酸など，多くの化合物が含まれます。ただ，どのように作用するかについては十分なデータが得られていません。

医薬品との相互作用

ほかの医薬品との相互作用については明らかではありません。

ハーブおよび健康食品・サプリメントとの相互作用

ほかのハーブ，健康食品・サプリメントとの相互作用についてはまだ明らかではありません。

使用量の目安

●経口摂取

男性の性欲増進を目的として，１日1,500～3,000mgを３回に分けて摂取します。１日3,000mg摂取した場合も1,500mgの場合と効果は同等だと考えられています。

マガリバナ

CLOWN'S MUSTARD PLANT

別名ほか

ビター・キャンディタフト（Bitter Candytuft），キャンディタフト（Candytuft），イベリス・アマラ，Iberis amara, Bitter Candy Tuft

概　　要

マガリバナは，ハーブです。葉，茎，根および種子を用いて「くすり」を作ることもあります。

安　全　性

８週間までの使用はほとんどの人に安全なようです。

悪心，下痢および皮疹など副作用を生じる人がいます。

●妊娠中および母乳授乳期

妊娠中，母乳授乳期は使用してはいけません。

有　効　性

◆有効性レベル③

・胸焼け（マガリバナや他の数種類のハーブと併用した場合）。マガリバナとペパーミント，ジャーマン・カモミール，キャラウェイ，甘草，ミルクシスル，グレーターセランダイン，アンゼリカ，レモンバームを含有する特定の製品を摂取すると，呑酸，胃痛，胃痙攣，悪心，嘔吐などの症状を軽減するようです。

◆科学的データが不十分です

・過敏性腸症候群，胃炎，膨満感，痛風，筋肉痛（リウマチ），心悸亢進，気管支喘息，気管支炎など。

●体内での働き

予備的研究では，小腸の蠕動を高めて，消化管にある食物の移動を補助する可能性があることが示されました。

医薬品との相互作用

ほかの医薬品との相互作用については明らかではありません。

ハーブおよび健康食品・サプリメントとの相互作用

ほかのハーブ，健康食品・サプリメントとの相互作用についてはまだ明らかではありません。

相互作用レベル：高この医薬品と併用してはいけません　中この医薬品とは慎重に併用するか併用しないでください　低この医薬品との併用には注意が必要です

使用量の目安

●経口摂取

消化不良

イベリス・アマラなどハーブ数種を配合した製品を使用し，１回１mLを１日３回摂取します。

マクイ

MAQUI

●代表的な別名

マクイシードエキストラクツ

別名ほか

Aristotelia chilensis, Chilean Maquei Berry, Chilean Wineberry, Chilean Wine Berry, Clon, Macqui, Macqui Berry, Maquei Berry, Maquei Super Fruit, Maquei, Maqui Berry, Maqui Berry Juice, Maqui Juice, Queldron

概　　要

マクイはチリとアルゼンチンの常緑の潅木です。ベリーとジュースが「くすり」に用いられることもあります。

安 全 性

使用の安全性に関してのデータは十分ではありません。

●妊娠中および母乳授乳期

妊娠中および母乳授乳期の場合，安全性を考慮して摂取は避けてください。

有 効 性

◆科学的データが不十分です

・減量，糖尿病，がん，心血管疾患，疲労，エネルギーと持久力増進など。

●体内での働き

マクイのベリーやジュースは，日常的に使用されます。ベリーとジュースには抗酸化物質として作用する化学物質が含まれています。

医薬品との相互作用

中 糖尿病治療薬

マクイは血糖値を下げる可能性があります。糖尿病治療薬は血糖値を下げるために用いられます。マクイと糖尿病治療薬を併用すると，血糖値が過度に低下するおそれがあります。血糖値を注意深く監視してください。糖尿病治療薬の用量を変更する必要があるかもしれません。このような糖尿病治療薬にはグリメピリド，グリベンクラミド，インスリン，ピオグリタゾン塩酸塩，マレイン酸ロシグリタゾン（販売中止），クロルプロパミド，Glipizide，トルブタミド（販売中止）などがあります。

ハーブおよび健康食品・サプリメントとの相互作用

血糖値を下げるハーブおよび健康食品・サプリメント

マクイは，血糖値を下げます。同様な作用があるほかのハーブおよび健康食品・サプリメントとの併用は，血糖値を過度に下げるおそれがあります。

血糖値を低下させる可能性があるハーブ・サプリメントには，α-リポ酸，西洋ニンジン，バナバ，ニガウリ，クロム，ホウライアオカズラ，朝鮮人参，ガラパゴスウチワサボテンなどがあります。

使用量の目安

標準使用量に関するデータがありません。

マグネシウム

MAGNESIUM

別名ほか

原子番号12，瀉痢塩（Epsom Salts），エプソム塩，アスパラギン酸マグネシウム（Magnesium Aspartate），炭酸マグネシウム（Magnesium Carbonate），塩化マグネシウム（Magnesium Chloride），クエン酸マグネシウム（Magnesium Citrate），グルコン酸マグネシウム（Magnesium Gluconate），グリセロリン酸マグネシウム（Magnesium Glycerophosphate），水酸化マグネシウム（Magnesium Hydroxide），乳酸マグネシウム（Magnesium Lactate），マグネシウムオロテート（Magnesium Orotate），酸化マグネシウム，硫酸マグネシウム（Magnesium Sulfate），硫酸マグネシウム水和物，三ケイ酸マグネシウム（Magnesium Trisilicate），マグネシウム乳剤（Milk of Magnesia），キレートマグネシウム（Chelated Magnesium），マグネシアム・オキサイド（Magnesium Oxide），Magnesia，Mg

概　　要

マグネシウムは体内の正常な骨構造に重要なミネラルです。マグネシウムは食事から摂取しますが，マグネシウム値が過度に低い場合には，マグネシウムサプリメントが必要になることもあります。とくに女性の場合，食事からのマグネシウムの摂取量が不足することがあります。マグネシウム欠乏は，アフリカ系アメリカ人や高齢者にはまれなことではありません。低マグネシウム血症は，骨粗鬆症，高血圧，動脈血栓，遺伝性の心疾患，糖尿病，脳卒中などの疾患と関連があります。

マグネシウムの豊富な供給源としては，食物繊維を連想すると覚えやすいです。一般的に食物繊維を多く含む食品は，マグネシウムの含有量も多いです。マグネシウムの供給源となる食品には，マメ類，全粒穀物，野菜（とくにブロッコリー，カボチャ，葉物野菜），種子，ナッツ類（とくにアーモンド）などがあります。ほかには，乳製品，肉類，チョコレート，コーヒーなどがあります。ミネラル分の多い水または硬水もマグネシウムの供給源になります。

マグネシウムは，便秘，低マグネシウム血症，妊娠合併症（妊娠高血圧腎症および子癇），torsades de pointes（トルサード・ド・ポアン）と呼ばれる重篤な多型性心室頻拍に対して，また，むねやけの制酸薬として最も一般的に使用されます。

安全性

マグネシウムを経口摂取する場合，適切であれば，ほとんどの人に安全のようです。１日350mg未満の用量は，ほとんどの成人に安全です。人によっては，マグネシウムにより，胃のむかつき，吐き気，嘔吐，下痢などの副作用を引き起こすおそれがあります。極めて高用量（１日350mgを超える量）のマグネシウムを摂取する場合には，おそらく安全ではありません。高用量を摂取すると，マグネシウムが過度に体内に蓄積し，重大な副作用（脈拍不整，低血圧，錯乱，呼吸抑制，昏睡，致死など）を引き起こすおそれがあります。

マグネシウムを注射または静脈内投与する場合，医師などによって処方専用の注射薬が適正に使用されれば，ほとんどの人に安全のようです。

小児：マグネシウムは，適切に経口摂取する場合や，処方専用の注射薬を適正に使用する場合には，ほとんどの小児に安全のようです。小児がマグネシウムを摂取する場合，以下の用量であれば安全です。

１～３歳：65mg未満

４～８歳：110mg未満

９歳以上：350mg未満

これより高用量のマグネシウムを摂取する場合には，安全ではないようです。

アルコール依存症：アルコールの乱用により，マグネシウム欠乏症のリスクが高まります。

出血性疾患：マグネシウムは，血液凝固を抑制するようです。理論上は，出血性疾患の場合にマグネシウムを摂取すると，出血および紫斑のリスクが高まるおそれがあります。

糖尿病：糖尿病はマグネシウム欠乏のリスクを高めます。コントロール不良の糖尿病の場合には，マグネシウムの体内への吸収量が低下します。

高齢者：高齢者は，体内へマグネシウムを吸収する機能が低下したり，マグネシウムの吸収に影響を与える疾患であることが多いため，マグネシウム欠乏症になるリスクがあります。

心ブロック：心ブロックのある患者には，高用量のマグネシウム（通常は静脈内投与）を投与しないでください。

マグネシウムの吸収に影響を与える疾患：多くの疾患（胃の感染症，免疫系疾患，炎症性腸疾患など）により，マグネシウムの体内への吸収量が減少するおそれがあります。

重症筋無力症：重症筋無力症の場合，マグネシウムを静脈内投与すると，神経筋の衰弱が悪化したり，呼吸困難を引き起こすおそれがあります。

腎臓病（腎不全など）：腎臓が正常に機能していないと，体内からマグネシウムを適切に排出できません。マグネシウムを必要以上に摂取すると，マグネシウムが危険なレベルまで体内に蓄積するおそれがあります。腎疾患の場合には，マグネシウムを摂取してはいけません。

脚を無性に動かしたくなる疾患（むずむず脚症候群（RLS））：むずむず脚症候群の患者は，高マグネシウム血症のおそれがあります。ただし，むずむず脚症候群の患者がマグネシウム欠乏になることもあるため，マグネシウムがこの疾患の原因であるかどうかは，明らかではありません。

●妊娠中および母乳授乳期

妊娠中および母乳授乳期に，マグネシウム１日350mg未満を経口摂取する場合には，ほとんどの人に安全のようです。分娩前に，処方専用の注射薬を最長５日間，静脈内投与または注射する場合には，おそらく安全です。しかし，処方専用のマグネシウムは，特定の疾患により健康状態が深刻である妊婦以外には投与してはいけません。マグネシウムが乳児に対して重大な問題を引き起こす可能性があるというエビデンスがあります。高用量のマグネシウムを経口摂取する場合，または，処方専用の注射薬を５日間を超えて静脈内投与または注射する場合には，おそらく安全ではありません。高用量のマグネシウムを経口摂取すると，下痢を引き起こすおそれや高マグネシウム血症のおそれがあります。５日間を超えて処方専用のマグネシウムを静脈内投与または注射する場合には，乳児の骨および脳に障害を引き起こすおそれがあります。

有効性

◆有効性レベル①

・便秘。マグネシウムの経口摂取は，便秘や，医療処置前の腸管前処置のための緩下剤として役立ちます。

・消化不良。制酸薬としてマグネシウムを経口摂取する場合には，むねやけおよび消化不良の症状が緩和します。さまざまなマグネシウム化合物が使用されますが，水酸化マグネシウムはもっとも即効性があるようです。

・妊娠高血圧腎症にともなう痙攣（子癇）。マグネシウムを静脈内投与または注射することは，子癇を治療するための選択肢として認められています。マグネシウムの投与により，妊娠高血圧腎症の女性の痙攣のリスクが低下します。

・低マグネシウム血症。マグネシウムを摂取すると，マグネシウム欠乏の治療および予防に役立ちます。マグネシウム欠乏は通常，肝疾患，心不全，嘔吐，下痢，腎機能障害などの場合に起こります。

・高血圧とタンパク尿を認める妊娠合併症（妊娠高血圧腎症）。マグネシウムを静脈内投与または注射することは，妊娠高血圧腎症にともなう痙攣を予防するための選択肢として認められています。

◆有効性レベル②

・不整脈の一種（torsades de pointes（トルサード・ド・ポアン）と呼ばれる重篤な多型性心室頻拍）。マグネシウムの静脈内投与は，特定の不整脈（torsades de pointes（トルサード・ド・ポアン））の治療に役立ちます。

◆有効性レベル③

・脈拍不整（不整脈）。マグネシウムを静脈内投与または経口摂取する場合には，脈拍不整（不整脈）の治療に役立つようです。心臓の手術後の脈拍不整を減らすのに役立つかどうかについては，不明です。

・気管支喘息。マグネシウムの静脈内投与は，突発性の喘息発作の治療に役立つようです。ただし，この有用性は，成人よりも小児に対して有益である可能性があります。気管支喘息であって，とくに医薬品「サルブタモール硫酸塩」を服用している場合に，吸入具を使用してマグネシウムを摂取すると，呼吸が改善する可能性があります。しかし，相反する研究結果もあります。気管支喘息を長く患っている場合にマグネシウムを経口摂取しても，発作が改善することはないようです。

・がんによる神経痛。マグネシウムの静脈内投与は，がんによる神経障害に起因する疼痛が，数時間緩和するようです。

・脳性麻痺。現時点で最良のエビデンスでは，早産の可能性のある妊婦にマグネシウムを投与すると，乳児の脳性麻痺のリスクが低下する可能性があることが示されています。

・慢性疲労症候群（CFS）。マグネシウムを注射すると，疲労の症状が改善するようです。ただし，この有益性については論争があります。

・呼吸困難を引き起こす肺疾患（慢性閉塞性肺疾患（COPD））。マグネシウムの静脈内投与は，突発性の慢性閉塞性肺疾患の症状に役立つようです。また，医薬品「サルブタモール硫酸塩」を服用中に，吸入具を使用してマグネシウムを摂取する場合も，「サルブタモール硫酸塩」単体を服用する場合とくらべ，突発性の慢性閉塞性肺疾患の症状が緩和するようです。

・群発頭痛。マグネシウムの静脈内投与により，群発頭痛が緩和するようです。

・結腸直腸がん。マグネシウムを含む食品を多く摂取することが結腸直腸がんのリスク低下に関連すると研究で示されています。しかし，マグネシウムにより，結腸がんのリスク低下の可能性があるものの，直腸がんのリスクは低下しない可能性を示唆する研究もあります。

・心疾患。心疾患の場合にマグネシウムを経口摂取すると，胸痛発作および血液凝固が抑制されるようです。

・のう胞性線維症。のう胞性線維症の小児がマグネシウムを８週間毎日経口摂取すると，肺機能が改善することが研究で示されています。

・糖尿病。成人および過体重の小児がマグネシウムを多く含む食事を摂取することは，糖尿病の発症リスク低下に関連します。２型糖尿病患者に対するマグネシウムの作用についての研究では，相反する結果が示されています。１型糖尿病患者の場合には，マグネシウムが糖尿病による神経障害の発症を遅らせる可能性があります。糖尿病の妊婦がマグネシウムを摂取すると，インスリン感受性が改善し，血糖値が低下するようです。

・線維筋痛症。マグネシウムとリンゴ酸を経口摂取すると，線維筋痛症に関連する疼痛が緩和するようです。クエン酸マグネシウムを８週間毎日摂取すると，線維筋痛症の症状の一部が改善するようです。

・聴力損失。大騒音にさらされる環境にある人がマグネシウムを経口摂取すると，聴力損失が予防されるようです。大騒音に関連しない突発性の聴力損失の場合も，マグネシウムの摂取により聴力損失が改善するようです。また，マグネシウムを静脈内投与する場合にも，突発性の聴力損失の改善に役立つ可能性があります。

・高コレステロール血症。高コレステロール血症の場合，塩化マグネシウムと酸化マグネシウムを摂取すると，低比重リポタンパク（LDL，悪玉）コレステロール値および総コレステロール値がわずかに低下し，高比重リポタンパク（HDL，善玉）コレステロール値がわずかに上昇するようです。また，高トリグリセリド血症（トリグリセリドは血清脂質）の場合にマグネシウムによってトリグリセリド値が低下する可能性があるというエビデンスが複数あります。

・糖尿病・心疾患・脳卒中のリスクを高める一群の症候（メタボリックシンドローム）。マグネシウム値が低い人のメタボリックシンドロームのリスクは，マグネシウム値が正常な人のリスクの６～７倍になります。健康な女性および健康な青少年では，食事やサプリメントから摂取するマグネシウム量の多さがメタボリックシンドロームの発症リスクの低さに関連します。

・心臓弁の疾患（僧帽弁逸脱症）。血清マグネシウム値が低い場合にマグネシウムを経口摂取すると，僧帽弁逸脱症の症状が緩和するようです。

・弱くて折れやすい骨（骨粗鬆症）。骨粗鬆症の高齢女性がマグネシウムを経口摂取すると，骨量減少が予防されるようです。また，高齢女性がエストロゲンとマグネシウム，カルシウム，マルチビタミンサプリメントを併用すると，エストロゲンを単独で摂取する場合

マ

にくらべ，骨強度が増大するようです。

・手術後の疼痛。マグネシウムを麻酔薬と併用したり，手術後に投与したりすると，疼痛を感じ始めるまでの時間が長くなり，手術後に鎮痛薬を使用する必要性が低下するようです。マグネシウムを静脈内投与すると，子宮摘出手術後の疼痛が緩和するようです。ただし，扁桃摘出後の小児の疼痛緩和にマグネシウムが役立つことはないようです。

・月経前症候群（PMS）。マグネシウムの経口摂取により，月経前症候群の症状（気分の変調や腹部膨満感など）が緩和するようです。また，月経前の片頭痛も予防されるようです。

・動脈の攣縮に起因する胸痛（冠攣縮性狭心症）。心臓に血液を供給する動脈（冠動脈）の痙攣に起因する胸痛がある場合に，マグネシウムを静脈内投与すると，血管の痙攣が予防されるようです。

◆有効性レベル④

・高山病。研究により，登山の3日前から下山するまでクエン酸マグネシウムを1日3回に分けて経口摂取しても，急性高山病のリスクは低下しないことが示唆されています。

・運動能力。複数の初期の研究では，マグネシウムを経口摂取すると，睡眠不足が運動能力に及ぼす作用を弱めることが示唆されています。別の研究では，高齢女性がマグネシウムサプリメントを12週間毎日経口摂取すると，歩行速度がわずかに改善することが示唆されています。マグネシウムを経口摂取しても，運動中のエネルギーや持久力が高まることはないようです。

・乳がん治療に伴う顔面紅潮（ほてり）。酸化マグネシウムによって，乳がんの既往歴がある閉経後の女性の顔面紅潮（ほてり）が軽減することはないようです。

・肺の末梢気道の腫脹（炎症）（細気管支炎）。初期の研究では，マグネシウムを静脈に投与しても，乳児の細気管支炎に役立つことはなく，むしろ悪化するおそれが示されています。ネブライザーでマグネシウムを吸入しても，効果はないようです。

・抗悪性腫瘍薬による手足の神経障害。ほとんどの研究では，マグネシウムを摂取しても，抗悪性腫瘍薬「オキサリプラチン」による神経障害は予防されないことが示されています。

・一般的に外傷後に生じる四肢の疼痛（複合性局所疼痛症候群）。研究により，外傷後に慢性的な疼痛がある場合にマグネシウムを1日4時間，5日間静脈内投与しても，疼痛は改善しないことが示唆されています。

・クラゲ刺傷。研究により，医薬品「フェンタニルクエン酸塩」の服用中にマグネシウムを静脈内投与しても，フェンタニルクエン酸塩を単体で摂取する場合とくらべ，クラゲ刺傷の疼痛は緩和しないことが示唆されています。

・筋痙攣。マグネシウムサプリメントを摂取しても，筋痙攣の頻度や強度は低下しないようです。

・筋肉増強。複数の研究により，特定のマグネシウムクリームを1週間筋肉へ塗布しても，筋の柔軟性や筋持久力は改善しないことが示唆されています。

・心臓発作。一般的に，マグネシウムを静脈内投与または経口摂取しても，心臓発作後の全体的な死亡リスクが低下することはないようです。

・脳・脊椎・神経の損傷（神経外傷）。研究によれば，マグネシウムにより，外傷性頭部損傷患者の転帰が改善したり，死亡リスクが低下したりしないことが示唆されています。

・夜間のこむらがえり。研究により，マグネシウムを4週間摂取しても，夜間のこむらがえりは予防されないことが示されています。

・鎌状赤血球症。研究により，鎌状赤血球症の小児に硫酸マグネシウム水和物を1時間おきに8回静脈内投与しても，有益ではないことが示唆されています。

・死産。妊娠中にマグネシウムサプリメントを摂取しても，死産のリスクは低下しないようです。

・クロストリジウム属細菌による深刻な感染（破傷風）。破傷風の場合にマグネシウムを摂取しても，標準治療とくらべ，死亡リスクが低下することはないようです。ただし，相反する結果があるものの，マグネシウムを摂取すると，入院期間が短縮する可能性があります。

◆科学的データが不十分です

・アルコールに関連する障害，リン化アルミニウム中毒，不安，注意欠陥多動障害（ADHD），背痛，双極性障害，突然の心停止，心疾患，抗悪性腫瘍薬による腎障害，うつ病，高血圧，腎結石，2,500g（5ポンド，8オンス）未満の体重で生まれた乳児，片頭痛，多発性硬化症（MS），乳児の低酸素脳症，帯状疱疹による神経痛（帯状疱疹後神経痛），妊婦のこむらがえり，早産，脚に不快感があって無性に動かしたくなる疾患（むずむず脚症候群（RLS）），脳卒中，脳周囲と頭蓋骨の間に起こる出血（くも膜下出血），花粉症，ライム病，皮膚感染，尿失禁など。

●体内での働き

マグネシウムは，骨の正常な成長と維持に必要です。また，神経や筋肉など，身体の多くの部位の正常な機能にも欠かせません。マグネシウムは，胃の中で，胃酸の中和を補助し，腸内の便の通過をよくします。

医薬品との相互作用

中アミノグリコシド系抗菌薬

特定の抗菌薬は筋肉に影響を及ぼす可能性があります。このような抗菌薬はアミノグリコシド系抗菌薬と呼ばれます。マグネシウムも筋肉に影響を及ぼす可能性があります。アミノグリコシド系抗菌薬を服用中にマグネシウムを注射すると，筋肉の障害が引き起こされるおそれがあります。このようなアミノグリコシド系抗菌薬には，アミカシン硫酸塩，ゲンタマイシン硫酸塩，カナマイシン硫酸塩，ストレプトマイシン硫酸塩，トブラマイシンなどがあります。

中ガバペンチン

マグネシウムはガバペンチンの体内への吸収量を減少させる可能性があります。マグネシウムがガバペンチンの体内吸収量を減少させることで，ガバペンチンの作用が減弱するおそれがあります。ガバペンチンの服用前4～6時間または服用後少なくとも2時間はマグネシウムサプリメントを摂取しないでください。

中カリウム保持性利尿薬

特定の利尿薬は体内のマグネシウム量を増加させる可能性があります。マグネシウムと特定の利尿薬を併用すると，体内のマグネシウムが過剰になるおそれがあります。このような利尿薬には，Amiloride，スピロノラクトン，トリアムテレンなどがあります。

中キノロン系抗菌薬

マグネシウムは抗菌薬の体内への吸収量を減少させる可能性があります。マグネシウムと特定の抗菌薬を併用すると，抗菌薬の効果が弱まるおそれがあります。この相互作用を避けるために，抗菌薬の服用前4～6時間または服用後少なくとも2時間はマグネシウムを摂取しないでください。このような抗菌薬には，シプロフロキサシン，Gemifloxacin，レボフロキサシン水和物，モキシフロキサシン塩酸塩などがあります。

中ジゴキシン

ジゴキシンには強心作用があります。マグネシウムはジゴキシンの体内への吸収量を減少させる可能性があります。ジゴキシンの体内への吸収量が減少することにより，マグネシウムはジゴキシンの作用を減弱させるおそれがあります。

低セベラマー塩酸塩

セベラマー塩酸塩は体内のマグネシウム量を増加させる可能性があります。マグネシウムサプリメントとセベラマー塩酸塩を併用すると，カルシウム量が過剰になるおそれがあります。セベラマー塩酸塩を服用中に，医師や薬剤師に相談することなくマグネシウムサプリメントを摂取しないでください。

中テトラサイクリン系抗菌薬

マグネシウムは抗菌薬の体内への吸収量を減少させる可能性があります。マグネシウムと特定の抗菌薬を併用すると，抗菌薬の効果が弱まるおそれがあります。この相互作用を避けるために，抗菌薬の服用前4～6時間，または服用後少なくとも2時間はマグネシウムを摂取しないでください。このようなテトラサイクリン系抗菌薬には，デメチルクロルテトラサイクリン塩酸塩，ミノサイクリン塩酸塩，テトラサイクリン塩酸塩などがあります。

中ビスホスホネート製剤

マグネシウムは，ビスホスホネート製剤の体内への吸収量を減少させる可能性があります。マグネシウムとビスホスホネート製剤を併用すると，ビスホスホネート製剤の効果が弱まるおそれがあります。この相互作用を避けるために，ビスホスホネート製剤の服用前後，少なくとも2時間はあけて，当日にマグネシウムを摂取してください。このようなビスホスホネート製剤には，アレンドロン酸ナトリウム水和物，エチドロン酸二ナトリウム，リセドロン酸ナトリウム水和物，Tiludronateなどがあります。

高レボドパ・カルビドパ配合

レボドパ・カルビドパ配合製剤はパーキンソン病治療薬です。酸化マグネシウムとレボドパ・カルビドパ配合製剤を併用すると，配合製剤の効果が弱まるおそれがあります。レボドパ・カルビドパ配合製剤の服用中に酸化マグネシウムを摂取しないでください。

中筋弛緩薬

マグネシウムは筋弛緩を促進するようです。マグネシウムと筋弛緩薬を併用すると，筋弛緩薬の副作用のリスクが高まるおそれがあります。このような医薬品には，カリソプロドール（販売中止），Pipecuronium，Orphenadrine，Cyclobenzaprine，Gallamine，Atracurium，パンクロニウム臭化物（販売中止），スキサメトニウム塩化物水和物などがあります。

中血液凝固を抑制する医薬品（抗凝固薬/抗血小板薬）

マグネシウムは血液凝固を抑制する可能性があります。マグネシウムと血液凝固を抑制する医薬品を併用すると，紫斑および出血のリスクが高まるおそれがあります。このような医薬品には，アスピリン，クロピドグレル硫酸塩，ダルテパリンナトリウム，エノキサパリンナトリウム，ヘパリン，インドメタシン，チクロピジン塩酸塩，ワルファリンカリウムなどがあります。

中降圧薬（カルシウム拮抗薬）

特定の降圧薬はカルシウムの細胞への流入を阻害することにより作用します。このような医薬品はカルシウム拮抗薬と呼ばれます。マグネシウムもカルシウムの細胞内への流入を阻害する可能性があります。マグネシウムとカルシウム拮抗薬を併用すると，血圧が過度に低下するおそれがあります。このような医薬品には，ニフェジピン，ベラパミル塩酸塩，ジルチアゼム塩酸塩，Isradipine，フェロジピン，アムロジピンベシル酸塩などがあります。

中制酸薬

制酸薬はマグネシウムの緩下作用を減弱させる可能性があります。マグネシウムを緩下薬として摂取する場合は，用量を増やす必要があるかもしれません。このような制酸薬には，沈降炭酸カルシウム，Dihydroxyaluminum sodium carbonate，Magaldrate，硫酸マグネシウム水和物，乾燥水酸化アルミニウムゲルなどがあります。

中糖尿病治療薬（スルホニル尿素類）

マグネシウムは，サプリメントでは数種のマグネシウム塩（えん）として摂取可能です。特定のマグネシウム塩はスルホニル尿素の体内への吸収量を増加させる可能性があります。マグネシウム塩が体内のスルホニル尿素量が増加することにより，糖尿病の一部の人では，低血糖のリスクが高まるおそれがあります。このようなスルホニル尿素類には，Carbutamide，アセトヘキサミド，クロルプロパミド，トルブタミド（販売中止），グリクラジド，Glibornuride，グリクロピラミド，グリメピリドなどがあります。

中ケタミン塩酸塩

ケタミン塩酸塩は激しい疼痛やうつ病の治療に用いられます。多量のマグネシウムとケタミン塩酸塩を併用すると，ケタミン塩酸塩の作用および副作用が増強するおそれがあります。

ハーブおよび健康食品・サプリメントとの相互作用

ホウ素

血清マグネシウムは腎臓で調節され，尿中に排泄されます。そして体内から出ていきます。女性の場合，ホウ素サプリメントを摂取すると，この調節が抑制され，血清マグネシウム値が上昇するおそれがあります。18～25歳の若い女性の場合には，運動量が多い女性とくらべ，運動量の少ない女性にこの作用が強くなるようです。閉経後の女性の場合には，食事からのマグネシウム摂取量が少ない女性にこの作用が顕著です。この作用の重要性や男性への作用については不明です。

カルシウム

カルシウムサプリメントは，食物に含まれるマグネシウムの吸収を抑制する可能性がありますが，きわめて高用量（１日2,600mg）の場合に限ります。ただし，マグネシウムの体内貯留が十分にある場合には，長期的なマグネシウムバランスに対してカルシウムが臨床的に有意に作用することはありません。マグネシウム欠乏のリスクが高い場合には，食物からのマグネシウム吸収を阻害することがないように，カルシウムサプリメントは，食事と一緒ではなく就寝前に摂取してください。マグネシウムはカルシウムの吸収に影響を及ぼすことはないようです。

血液凝固を抑制するおそれのあるハーブおよび健康食品・サプリメント

マグネシウムと，血液凝固を抑制するおそれのあるほかのハーブおよび健康食品･サプリメントを併用すると，人によっては，出血のリスクが高まるおそれがあります。このようなハーブおよび健康食品・サプリメントには，アンゼリカ，クローブ，タンジン，ニンニク，ショウガ，グルコサミン，朝鮮人参などがあります。

ビタミンD

さまざまな構造のビタミンDは，とくに高用量を摂取する場合にマグネシウムの吸収を促進します。この作用は，マグネシウム吸収が困難な疾患の場合に低マグネシウム血症を治療するために利用されています。

亜鉛

健康な成人男性が高用量の亜鉛（１日142mg）を摂取すると，マグネシウムの吸収および体内マグネシウムを減らすようです。また，閉経後の女性がある程度高用量の亜鉛（１日53mg）を摂取すると，マグネシウムの喪失量が増加するようです。そのため，骨の健康を害するおそれがあります。この相互作用の重要性については，データが不十分です。

使用量の目安

【成人】

●経口摂取

全般

元素としてのマグネシウムの１日の推奨量（RDA）は以下の通りです。

19～30歳の男性：400mg
19～30歳の女性：310mg
31歳以上の男性：420mg
31歳以上の女性：320mg
14～18歳の妊娠中の女性：400mg
19～30歳の妊娠中の女性：350mg
31～50歳の妊娠中の女性：360mg
14～18歳の母乳授乳期の女性：360mg
19～30歳の母乳授乳期の女性：310mg
31～50歳の母乳授乳期の女性：320mg

マグネシウムの１日の耐容上限量（UL）は，以下の通りです。

８歳以上（妊娠中および母乳授乳期の女性を含む）：350mg

便秘

クエン酸マグネシウム8.75～25gを使用します。通常，290mg/５mLの水溶液として150～300mLを摂取します。または，水酸化マグネシウム2.4～4.8gを摂取します。硫酸マグネシウム10～30gを摂取することもあります。マグネシウム塩は，便秘の治療にまれに使用されますが，グラス１杯の水（約230mL（８オンス））と一緒に摂取してください。

消化不良

水酸化マグネシウム400～1,200mgを１日最大４回摂取します。または，酸化マグネシウム１日800mgを摂取します。

低マグネシウム血症

硫酸マグネシウム３gを６時間おきに４回摂取します。５％の塩化マグネシウム溶液を16週間毎日経口摂取します。マグネシウム110mg/L含むミネラルウォーターを摂取することもあります。乳酸マグネシウム10.4mmolを３カ月間毎日経口摂取します。酸化マグネシウムおよび炭酸マグネシウムは避けてください。

脈拍不整（不整脈）

DL-アスパラギン酸マグネシウム水和物2.163mgとDL-アスパラギン酸カリウム水和物2.162mgを21日間毎日摂取します。

心疾患

酸化マグネシウム800～1,200mgを３カ月間毎日摂取します。

相互作用レベル：高この医薬品と併用してはいけません　中この医薬品とは慎重に併用するか併用しないでください　低この医薬品との併用には注意が必要です

糖尿病

２型糖尿病の場合には，塩化マグネシウム2.5gを含んだ溶液50mLを16週間毎日摂取します。または，天然のマグネシウムを豊富に含む塩湖水300mLは，100mL当たりマグネシウム100mgを含む濃度まで蒸留水で希釈し，30日間毎日摂取します。または，マグネシウム１日360mgを４～16週間摂取します。１型糖尿病の場合には，特定のグルコン酸マグネシウムサプリメント１日300mgを５年間摂取します。

線維筋痛症

水酸化マグネシウムとリンゴ酸を摂取します。クエン酸マグネシウム１日300mgを８週間摂取します。

聴力損失

アスパラギン酸マグネシウム167mgをレモネード200mLに混ぜて，８週間毎日摂取，または単回摂取します。

高コレステロール血症

酸化マグネシウム１日１gを６週間摂取します。

糖尿病・心疾患・脳卒中のリスクを高める一群の症候（メタボリックシンドローム）

アスパラギン酸マグネシウム365mgを，６カ月間毎日摂取します。

心臓弁の疾患（僧帽弁逸脱症）

炭酸マグネシウム1,200～1,800mgを５週間毎日摂取します。

弱くて折れやすい骨（骨粗鬆症）

水酸化マグネシウム300～1,800mgを６カ月間毎日摂取した後，水酸化マグネシウム600mgを18カ月間毎日摂取します。または，クエン酸マグネシウム1,830mgを30日間毎日摂取します。または，エストロゲンと併用して，マグネシウム600mg，カルシウム500mg，マルチビタミンサプリメントを１年間毎日摂取します。

月経前症候群（PMS）

酸化マグネシウム333mgを月経周期２周期にわたり毎日摂取します。または，元素として360mgの高用量のマグネシウムを１日３回，月経周期の15日目から次の月経開始までの期間摂取します。または，元素として360mgのマグネシウムを１日３回，２カ月間摂取します。１日200mgのマグネシウムと１日50mgビタミンB_6を併用することもあります。

●静脈内投与

妊娠高血圧腎症にともなう痙攣（子癇）

硫酸マグネシウム４～５gを静脈内投与します。その後，硫酸マグネシウム４～５gを４時間おきに，または１時間当たり１～３gの硫酸マグネシウムを持続的に静脈内投与します。硫酸マグネシウムの投与量は１日30～40gを超えないようにしてください。または，硫酸マグネシウム９～14gを投与した後，2.5～５gを４時間ごとに24時間投与します。

低マグネシウム血症

マグネシウム欠乏が軽度の場合には，通常，硫酸マグネシウム１gを６時間おきに４回筋肉内投与することから始めます。マグネシウム欠乏がそれよりも重度の場合には，硫酸マグネシウム５gを３時間かけて静脈内投与します。マグネシウム欠乏を予防するためには，通常，成人の場合，元素としてマグネシウム１日60～96mgが投与されます。

高血圧とタンパク尿を認める妊娠合併症（妊娠高血圧腎症）

硫酸マグネシウム４～５gを静脈内投与した後，硫酸マグネシウム４～５gを４時間おきに，または１時間当たり１～３gの硫酸マグネシウムを持続的に静脈内投与します。硫酸マグネシウムの投与量は１日30～40gを超えないようにしてください。または，硫酸マグネシウム９gを投与した後，５gを４時間ごとに24時間投与します。

不整脈の一種（torsades de pointes（トルサード・ド・ポアン）と呼ばれる重篤な多型性心室頻拍）

硫酸マグネシウム１～６gを数分間かけて静脈内投与した後，さらに１回静脈内投与します。

脈拍不整（不整脈）

心臓発作後の脈拍不整を減らすために，硫酸マグネシウム８gを含む溶液250mLを12時間かけて投与します。脈拍不整または頻脈に対しては，硫酸マグネシウム水和物５gを含む溶液100mLを静脈内投与します。半量を20分間かけて投与した後，残りの半量を２時間かけて投与します。頻脈には，塩化マグネシウム１～４gを５分間かけて単回静脈内投与します。ペースメーカーに起因する脈拍異常には，硫酸マグネシウム２gを含む溶液10mLを１～10分間かけて静脈内投与した後，硫酸マグネシウム５～10gを含む溶液250～500mLを５時間かけて静脈内投与します。

気管支喘息

硫酸マグネシウム１～２gを20～30分間かけて投与します。肺機能試験の30分前から試験中にわたり，硫酸マグネシウム水和物を１時間当たり78mg/kg静脈内投与します。

がんによる神経痛

硫酸マグネシウム水和物0.5～１gを，50%溶液１～２mLとして，５～10分間かけて注射します。

脳性麻痺

乳児の脳性麻痺を予防するために，出産予定日が近い女性に硫酸マグネシウム４gを10～30分かけて静脈内投与します。その後，硫酸マグネシウム１時間当たり１gを出産までであるいは24時間静脈内投与することもあります。

呼吸困難を引き起こす肺疾患（慢性閉塞性肺疾患（COPD））

吸入具の使用後に硫酸マグネシウム1.2gを静脈内投与します。硫酸マグネシウム1.2～２gを含む溶液100～150mLを20分間かけて投与します。

群発頭痛

硫酸マグネシウム１gを５分間かけて投与します。または，硫酸マグネシウム１gを単回投与します。

手術後の疼痛

手術中に最長48時間，マグネシウム５～50mg/kgを静脈内投与した後に，６mg/kgまたは500mgを１時間ごとに持続静脈内投与します。または，手術後24時間以内にマグネシウム3.7～5.5gを鎮痛薬と併用して投与します。さらに，硫酸マグネシウム３gを静脈内投与した後，硫酸マグネシウム１時間当たり0.5gを20時間静脈内投与します。

動脈の攣縮に起因する胸痛（冠攣縮性狭心症）

マグネシウム65mg/kgを20分間かけて静脈内投与します。

●注射（点滴）

妊娠高血圧腎症にともなう痙攣（子癇）

硫酸マグネシウム４～５gを生理食塩水に希釈し，10～15分間かけて静脈内投与した後，硫酸マグネシウム５gを左右の臀部それぞれに注射（点滴）し，硫酸マグネシウム2.5～５gを４時間ごとに24時間にわたり注射（点滴）します。

慢性疲労症候群（CFS）

硫酸マグネシウム１gを含む溶液を週１回，６週間にわたり注射（点滴）します。

高血圧とタンパク尿を認める妊娠合併症（妊娠高血圧腎症）

硫酸マグネシウム４～５gを含む食塩水の希釈液を，10～15分間かけて静脈内投与した後，硫酸マグネシウム水和物５gを左右の臀部それぞれに注射（点滴）し，硫酸マグネシウム５gを４時間ごとに24時間にわたり注射（点滴）します。

●吸入

呼吸困難になる肺疾患（慢性閉塞性肺疾患（COPD））

医薬品「サルブタモール」2.5mgを硫酸マグネシウム2.5mLと併用し（１回151mg），30分おきに３回吸入します。

【小児】

●経口摂取

全般

元素としてマグネシウムの１日の推奨量（RDA）は，以下の通りです。

１～３歳：80mg
４～８歳：130mg
９～13歳：240mg
14～18歳の男性：410mg
14～18歳の女性：360mg

１歳未満の乳児に対する目安量（AI）は，以下の通りです。

０～６カ月：30mg
７～12カ月：75mg

１日の耐容上限量（UL）は，以下の通りです。

１～３歳：65mg
４～８歳：110mg

のう胞性線維症

マグネシウムグリシン300mgを８週間毎日摂取します。

●静脈内投与

気管支喘息

硫酸マグネシウム40mg/kgを最大２gまで含む溶液

マ

マグネシウムの食事摂取基準（mg/ 日）

日本人の食事摂取基準 2020 年版

性　別	男　性				女　性			
年齢等	推定平均必要量	推奨量	目安量	耐容上限量[1]	推定平均必要量	推奨量	目安量	耐容上限量[1]
0～5（月）	—	—	20	—	—	—	20	—
6～11（月）	—	—	60	—	—	—	60	—
1～2（歳）	60	70	—	—	60	70	—	—
3～5（歳）	80	100	—	—	80	100	—	—
6～7（歳）	110	130	—	—	110	130	—	—
8～9（歳）	140	170	—	—	140	160	—	—
10～11（歳）	180	210	—	—	180	220	—	—
12～14（歳）	250	290	—	—	240	290	—	—
15～17（歳）	300	360	—	—	260	310	—	—
18～29（歳）	280	340	—	—	230	270	—	—
30～49（歳）	310	370	—	—	240	290	—	—
50～64（歳）	310	370	—	—	240	290	—	—
65～74（歳）	290	350	—	—	230	280	—	—
75 以上（歳）	270	320	—	—	220	260	—	—
妊　婦（付加量）					+30	+40	—	—
授乳婦（付加量）					+0	+0	—	—

[1] 通常の食品以外からの摂取量の耐容上限量は，成人の場合 350 mg/ 日，小児では 5mg/kg 体重 / 日とした。それ以外の通常の食品からの摂取の場合，耐容上限量は設定しない。

相互作用レベル：高この医薬品と併用してはいけません　中この医薬品とは慎重に併用するか併用しないでください　低この医薬品との併用には注意が必要です

100mLを20分間かけて静脈内投与します。

マグワート

MUGWORT

●代表的な別名

ヨモギ

別名ほか

ガイヨウ，艾葉，オウシュウヨモギ（Artemisia vulgaris），ヨモギ（Armoise commune），アルテミシアブルガリス，Artemisia，Artemisiae vulgaris Herba，Artemisiae vulgaris Radix，Carline Thistle，Felon Herb，Gemeiner Beifuss，Hierba de San Juan，Nagadamni，Sailor's Tobacco，St. John's Plant，Wild Wormwood

概　　要

マグワートは植物です。地上部および根を用いて「くすり」を作ることもあります。

安 全 性

十分なデータが得られていないため，安全性については不明です。

●アレルギー

とくにタバコ，ハチミツ，ロイヤルゼリー，ヨモギ，セロリ，ノラニンジン，またブタクサ，キク，マリーゴールド，デイジーやそれに類似したキク科植物に過敏な人にアレルギー反応が出る可能性があることが知られています。

ハチミツやタバコ，ヨモギ，セロリ，ノラニンジン，ブタクサ，キク，マリーゴールド，デイジー，それらに関連する植物や植物性製品にアレルギーのある人は使用してはいけません。

●妊娠中および母乳授乳期

妊娠中，母乳授乳期は使用してはいけません。

有 効 性

◆科学的データが不十分です

- 胃障害（疝痛，下痢，痙攣，便秘，遅い消化，嘔吐），てんかん，月経不順，気力の低下，不安感，傷のかゆみなど。

●体内での働き

含有成分が子宮を刺激するようです。

医薬品との相互作用

ほかの医薬品との相互作用については明らかではありません。

ハーブおよび健康食品・サプリメントとの相互作用

ほかのハーブ，健康食品・サプリメントとの相互作用についてはまだ明らかではありません。

使用量の目安

●経口摂取

チンキ剤を，就寝30分前に５mL摂取，あるいは１回１～４mLで１日最大３回摂取します。チンキ薬（１：５，50％アルコール）を10～25滴摂取します。１日にティーカップ２～３杯のお茶（15gの乾燥品を500mL の熱湯に浸して，その後ろ過する）を摂取します。

マザーワート

MOTHERWORT

●代表的な別名

ヤクモソウ

別名ほか

ヤクモソウ，益母草（Leonurus cardiaca），レオヌルスカーディアカ，ヨウシュメハジキ，モミジバキセワタ，レオノチス（Lion's Ear），Leonuri cardiacae Herba，Leonurus，Lion's Tail，Roman Motherwort，Throw-wort

概　　要

マザーワートは植物です。地上部を用いて「くすり」を作ることもあります。

安 全 性

ほとんどの人におそらく安全です。

副作用には，下痢，胃痛，子宮からの出血，眠気，アレルギー反応などがあります。

皮膚に触れると，湿疹を起こしたり，皮膚の日光に対する感度を増す可能性があります。

心疾患：マザーワートは心疾患の治療法を阻害することがあります。

外科手術：マザーワートは中枢神経系を鎮静することがあります。麻酔薬および他の外科手術中および術後に使用する他の薬剤と併用すると，過度の鎮静の原因となることが懸念されています。外科手術の最低２週間前よりマザーワートの使用を停止してください。

子宮出血：マザーワートは子宮の血液循環を刺激することがあるため，一部の女性は月経を促進するために使用することがあります。子宮からの出血がある場合症状が悪化する可能性があるため，マザーワートの使用に注意してください。

●妊娠中および母乳授乳期

妊娠中にマザーワートを摂取するのは安全ではないた

マ

め使用は控える必要があります。

マザーワートは子宮を刺激し，流産を引き起こす可能性があります。母乳授乳期のマザーワートの使用については安全性についてデータが不十分なため，使用を控えるべきです。

有効性

◆科学的データが不十分です

・心疾患（頻脈，不整脈），活動的な甲状腺（甲状腺機能亢進症），そう痒，帯状疱疹，腸内ガス（膨満），月経期間の不足など。

●体内での働き

心臓を落ち着かせ，血液の粘度を低下させるようです。また，子宮の機能や血流に刺激を与えることもあるようです。

医薬品との相互作用

中鎮静薬（中枢神経抑制薬）

マザーワートは眠気を引き起こす可能性がありますが，鎮静薬も眠気を引き起こす医薬品です。マザーワートと鎮静薬を併用すると，過度の眠気を引き起こすおそれがあります。このような鎮静薬には，クロナゼパム，ロラゼパム，フェノバルビタール，ゾルピデム酒石酸塩などがあります。

ハーブおよび健康食品・サプリメントとの相互作用

ほかのハーブ，健康食品・サプリメントとの相互作用についてはまだ明らかではありません。

使用量の目安

●経口摂取

乾燥した地上部を１回２gで１日３回，あるいはお茶（乾燥した地上部２gを150mL の熱湯に５～10分間浸して，その後ろ過する）を１回ティーカップ１杯で１日３回摂取します。平均的な１日摂取量は4.5gです。

マジョラム

MARJORAM

●代表的な別名

マヨナラ，花ハッカ

別名ほか

花ハッカ（Knotted Marjoram），マヨナラ，マヨラン（Majoran），マヨラナ（Mejorana），スイートマジョラム（Sweet Marjoram），Garden Marjoram, Gartenmajoran, Majorana aetheroleum Oil, Majorana Herb, Majorana hortensis, Majorana majorana, Marjolaine, Origanum majorana

概　要

マジョラムは植物です。花，葉，オイルを用いて「くすり」を作ることもあります。

安全性

短期間の使用なら，薬用量でもほとんどの人におそらく安全でしょう。

生のマジョラムに皮膚が触れないようにしてください。眼や皮膚に腫脹が生じるかもしれません。

長期に使用するのは，安全ではないようです。がんを発症させるというデータもあります。

小児には安全ではないようなので，使用してはいけません。

●アレルギー

ベイジルやヒソップ，ラベンダー，ミント，オレガノ，セージのようなシソ科植物にアレルギーのある人は使用してはいけません。

●妊娠中および母乳授乳期

妊娠中，母乳授乳期は使用してはいけません。

有効性

◆科学的データが不十分です

・咳，感冒，鼻水，胃痙攣，食欲と消化の改善，疝痛，肝障害，胆石，頭痛，睡眠改善，糖尿病，月経（期間中）の問題，閉経症状，睡眠改善，精神障害，神経障害，筋肉痛，捻挫，母乳分泌の促進など。

●体内での働き

どのように作用するかについては十分なデータが得られていません。

医薬品との相互作用

中血液凝固を抑制する医薬品（抗凝固薬/抗血小板薬）

「くすり」の用量のマジョラムを摂取した場合，血液凝固を抑制する可能性があります。マジョラムと血液凝固を抑制する医薬品を併用すると，紫斑および出血のリスクが高まるおそれがあります。このような医薬品には，アスピリン，クロピドグレル硫酸塩，ジクロフェナクナトリウム，イブプロフェン，ナプロキセン，ダルテパリンナトリウム，エノキサパリンナトリウム，ヘパリン，ワルファリンカリウムなどがあります。

中口渇作用などの乾燥作用のある医薬品（抗コリン薬）

マジョラムは脳や心臓に影響を及ぼす可能性があります。口渇作用などの乾燥作用のある医薬品(抗コリン薬)も脳や心臓に影響を及ぼす可能性があります。マジョラムは医薬品の作用を弱める可能性があります。このような医薬品には，アトロピン硫酸塩水和物，メシル酸ベンツトロピン（販売中止），ビペリデン塩酸塩，Procyclidine，スコポラミン臭化水素酸塩水和物，トリヘキシフェニジル塩酸塩，特定のアレルギー治療薬（抗ヒスタミン薬），特定の抗うつ薬などがあります。

中緑内障，アルツハイマー病などに使用される医薬品（コリン作動薬）

「くすり」の用量のマジョラムを摂取した場合，脳や心臓などの体内にある特定の化学物質が増加する可能性があります。緑内障，アルツハイマー病などに使用される医薬品（コリン作動薬）もこれらの化学物質に影響を及ぼします。マジョラムとコリン作動薬を併用すると，副作用のリスクが高まるおそれがあります。このような医薬品には，ベタネコール塩化物，ドネペジル塩酸塩，エコチオパートヨウ化物（販売中止），エドロホニウム塩化物，ネオスチグミン臭化物，サリチル酸フィゾスチグミン（販売中止），ピリドスチグミン臭化物，スキサメトニウム塩化物水和物，Tacrineなどがあります。

ハーブおよび健康食品・サプリメントとの相互作用

ほかのハーブ，健康食品・サプリメントとの相互作用についてはまだ明らかではありません。

使用量の目安

●経口摂取

お茶（ティースプーン1～2杯の花部または葉部を250mLの熱湯に5分間浸し，その後ろ過する）として1日に1～2杯を摂取します。

●局所投与

湿布薬あるいは洗口薬として使用します。

マスチック

MASTIC

別名ほか

ヨウニュウコウ（Mastich），ピスタキア・レンティスクス，マスティックトゥリー，ニュウコウジュ（Pistacia lentiscus），Lentisk，Mastix

概　要

マスチックは植物です。樹脂を用いて「くすり」を作ることもあります。

安全性

ほとんどの人に安全のようです。

小児がマスチックを使用すると，下痢になる可能性があります。

●アレルギー

マスチックや，それに関連するハーブに過敏な人は，アレルギー反応が出るかもしれません。

●妊娠中および母乳授乳期

妊娠中，母乳授乳期は使用してはいけません。

有効性

◆科学的データが不十分です

・胃潰瘍，腸潰瘍，呼吸器系疾患，筋痛，血液循環，細菌性感染症，真菌感染症，切創，虫よけ，歯科充填，口臭予防など。

●体内での働き

胃酸の軽減を補助し，また胃腸壁を保護する働きがあるようです。息を爽やかにするアロマオイルも含んでいます。試験管内で，細菌や真菌を撃退する働きもあるようです。

医薬品との相互作用

ほかの医薬品との相互作用については明らかではありません。

ハーブおよび健康食品・サプリメントとの相互作用

ほかのハーブ，健康食品・サプリメントとの相互作用についてはまだ明らかではありません。

使用量の目安

標準使用量に関するデータがありません。

マチン

NUX VOMICA

別名ほか

馬銭，ポイズンナッツ（Poison Nut），ホミカ（Strychni semen），ストリキニーネノキ（Strychnos nux-vomica），Brechnusssamen，Quaker Buttons，Shudha kupilu，Strychnos Seed，Vishamushti

概　要

マチンは植物です。種子を用いて「くすり」を作ることもあります。

安全性

安全ではありません。1週間以上の長期，または30mg以上の多量摂取では，深刻な副作用を起こしかねません。こうした副作用の一部には，落ち着きのなさ，不安感，めまい，首や背中のこわばり，顎や首の筋肉のひきつり，痙攣，ひきつけ，呼吸の異常，肝不全などの深刻な症状があり，さらに命にかかわる場合もあります。

肝疾患の患者は使用してはいけません。

●妊娠中および母乳授乳期

妊娠中，母乳授乳期は使用してはいけません。

有効性

◆科学的データが不十分です

・勃起不能，胃腸の疾患，心血管系および血液系の疾患，眼疾患，神経疾患，うつ病，片頭痛，食欲の刺激，肺疾患，貧血など。

●体内での働き

脳や筋肉の収縮に影響を与えるストリキニーネなどの化合物を含んでいます。

医薬品との相互作用

ほかの医薬品との相互作用については明らかではありません。

ハーブおよび健康食品・サプリメントとの相互作用

ほかのハーブ，健康食品・サプリメントとの相互作用についてはまだ明らかではありません。

使用量の目安

有毒なので使用しないこと。

マツ

PINE

別名ほか

ドゥオーフパイン，マウンテンパイン（Dwarf-pine），Monteray Pine，松葉油（Pine Needle Oil），松油，パインオイル（Pine Oils），Pini atheroleum，Pini Turiones，ラジアータパイン，ラジアータマツ（Pinus radiata），セイヨウアカマツ，ヨーロッパアカマツ，欧州アカマツ，サスナ，ノルウェ―パイン，レッドウッド，ロシアアカマツ（Pinus sylvestris），Pix Liquida，Pumilio Pine，Scotch Fir，スコッチパイン（Scotch Pine），Swiss Mountain Pine

概　　要

マツは樹木です。芽，針葉，樹皮を用いて「くすり」を作ることもあります。

安　全　性

十分なデータを得られていないので，安全性または副作用については不明です。

●アレルギー

過敏な人にアレルギー反応が起こるおそれがあります。

●妊娠中および母乳授乳期

妊娠中，母乳授乳期は使用してはいけません。

有　効　性

◆科学的データが不十分です

・上気道および下気道の炎症（腫脹），軽度の筋肉痛，神経痛，血圧異常，感冒，咳または気管支炎，および発熱。

●体内での働き

抗炎症作用をもつと考えられる化合物を含んでいます。また，穏やかな抗細菌，抗菌作用もあるようです。

医薬品との相互作用

ほかの医薬品との相互作用については明らかではありません。

ハーブおよび健康食品・サプリメントとの相互作用

ほかのハーブ，健康食品・サプリメントとの相互作用についてはまだ明らかではありません。

使用量の目安

標準使用量に関するデータがありません。

マドンナリリー

WHITE LILY

別名ほか

ニワシロユリ（Lilium candidum），Baurenlilien，Farmer's Lily，Madonna Lily，Meadow Lily，White Pond Lily

概　　要

マドンナリリーはハーブです。根および球根を用いて「くすり」を作ることもあります。

安　全　性

十分なデータは得られていないので，安全であるかどうかは不明です。

●妊娠中および母乳授乳期

妊娠中，母乳授乳期は使用してはいけません。

有　効　性

◆科学的データが不十分です

・婦人科障害，出血，咳，皮膚潰瘍，熱傷，およびせつ。

●体内での働き

どのように作用するかについては十分なデータが得られていません。

医薬品との相互作用

ほかの医薬品との相互作用については明らかではありません。

ハーブおよび健康食品・サプリメントとの相互作用

ほかのハーブ，健康食品・サプリメントとの相互作用についてはまだ明らかではありません。

使用量の目安

標準使用量に関するデータがありません。

マナカ

MANACA

別名ほか

ブルンフェルシア・ホペアナ，アスセナ（Brunfelsia hopeana），Pohl，Vegetable Mercury

概　　要

マナカは植物です。根を用いて「くすり」を作ることもあります。

安 全 性

ヒトに対する安全性について，信頼できるデータが十分ではありません。

動物に対しては，不安感，落ち着きのなさ，心拍数や呼吸数の増加，よだれ，嘔吐，筋肉痙攣のような副作用を引き起こしたり，命にかかわる場合があります。

●妊娠中および母乳授乳期

妊娠中，母乳授乳期は使用してはいけません。

有 効 性

◆科学的データが不十分です

・関節炎，体液貯留（浮腫）など。

●体内での働き

どのように作用するかについては十分なデータが得られていません。

医薬品との相互作用

ほかの医薬品との相互作用については明らかではありません。

ハーブおよび健康食品・サプリメントとの相互作用

ほかのハーブ，健康食品・サプリメントとの相互作用についてはまだ明らかではありません。

使用量の目安

標準使用量に関するデータがありません。

マホガニー

ANDIROBA

●代表的な別名

アンディロバ

別名ほか

アンジローバ（Andiroba-saruba），ブラジリアンマホガニー（Brazilian Mahogany），カロパ（Carapa），クラブウッド（Crabwood），レキア（Requia），Mahogany，Carapa guianensis，Cedro，Bastard Mahogany，Iandirova

概　　要

マホガニーは植物です。樹皮と葉を用いて「くすり」を作ることもあります。

安 全 性

マホガニーの使用の安全性については，データが不十分です。

●妊娠中および母乳授乳期

妊娠中および母乳授乳期の使用の安全性についてはデータが不十分です。安全性を考慮し，摂取は避けてください。

有 効 性

◆科学的データが不十分です

・発熱，ヘルペス，腸内寄生虫，咳，昆虫忌避剤，皮膚症状，びらん，潰瘍，マダニ除去，皮膚寄生虫，関節炎，筋肉と関節の疼痛および損傷，創傷など。

●体内での働き

どのように作用するかについては，データが不十分です。

医薬品との相互作用

ほかの医薬品との相互作用については明らかではありません。

ハーブおよび健康食品・サプリメントとの相互作用

ほかのハーブ，健康食品・サプリメントとの相互作用についてはまだ明らかではありません。

使用量の目安

通常の食品に含まれている量を超えて経口摂取した場合の安全性および副作用については，明らかになっていません。

マラルルート

MARAL ROOT

別名ほか

Cnicus carthamoides，Leuzea carthamoides，Lou Cao，Maralrot，Rhaponticum carthamoides，Saflor Bergscharte，Stemmacantha carthamoides

概　要

マラルルートは，植物です。根を用いて「くすり」を作ります。

マラルルートは，運動能力の向上，うつ病，持久力，男性不妊の改善，寄生虫，男性の性機能改善に対し，経口摂取されます。

安　全　性

マラルルートの安全性については，データが不十分です。人によっては，マラルルートが，出血のリスクを高める場合があります。

出血性疾患：マラルルートが，血液凝固を抑制するおそれがあります。このため，出血性疾患の場合には，紫斑および出血のリスクが高まるおそれがあります。

手術：マラルルートが，血液凝固を抑制するおそれがあります。手術中および術後の出血のリスクが高まるおそれがあります。少なくとも手術前２週間は，使用しないでください。

●妊娠中および母乳授乳期

妊娠中および母乳授乳期の使用の安全性についてはデータが不十分です。安全性を考慮し，摂取は避けてください。

有　効　性

◆科学的データが不十分です

・運動能力，うつ病，持久性，男性不妊の改善，寄生虫，男性の性機能改善など。

●体内での働き

マラルルートは，天然のステロイドを含んでいます。天然のステロイドにより，筋肉量が増加したり，運動能力が向上したり，持久性が増加するようです。また，男性の性機能を改善する可能性があります。

医薬品との相互作用

中血液凝固を抑制する医薬品（抗凝固薬/抗血小板薬）

マラルルートは血液凝固を抑制する可能性があります。マラルルートと血液凝固を抑制する医薬品を併用すると，紫斑および出血のリスクが高まるおそれがあります。このような医薬品にはアスピリン，クロピドグレル硫酸塩，ダルテパリンナトリウム，エノキサパリンナトリウム，ヘパリン，インドメタシン，チクロピジン塩酸塩，ワルファリンカリウムなどがあります。

ハーブおよび健康食品・サプリメントとの相互作用

血液凝固を抑制するおそれのあるハーブおよび健康食品・サプリメント

マラルルートが，血液凝固を抑制するおそれがあります。マラルルートと，血液凝固を抑制するおそれのあるほかのハーブおよび健康食品・サプリメントを併用すると，人によっては，出血のリスクが高まるおそれがあります。このようなハーブおよび健康食品・サプリメントには，アンゼリカ，クローブ，タンジン，ニンニク，ショウガ，朝鮮人参などがあります。

使用量の目安

通常の食品に含まれている量を超えて経口摂取した場合の安全性および副作用については，明らかになっていません。

マリファナ

MARIJUANA

別名ほか

Anashca, Banji, Bhang, Blunt, Bud, Cannabis, Cannabis sativa, Charas, Dope, Esrar, Gaga, Ganga, Grass, Haschisch, Hash, Hashish, Herbe, Huo Ma Ren, Joint, Kif, Mariguana, Marihuana, Mary Jane, Medical Marijuana, Pot, Sawi, Sinsemilla, Weed

概　要

マリファナはハーブです。中枢神経系に作用するカンナビノイドという成分が含まれています。カンナビノイドは「くすり」を作るのに用いられる葉と花に高濃度で含まれています。

多発性硬化症の疼痛および症状に対して，マリファナエキスを経口摂取またはスプレーとして舌下摂取することもあります。

マリファナは「くすり」として吸引することもあります。吐き気，緑内障，食欲増進，粘膜の腫脹緩和，ハンセン病，発熱，ふけ，痔核，肥満，気管支喘息，尿路感染，咳，エイズ患者の食欲不振による体重減少，神経痛，多発性硬化症，腎移植後の拒絶反応を防ぐ目的での免疫システムの低下，筋萎縮性側索硬化症（ALS，ルー・ゲーリッグ病）の症状緩和などに対し，喫煙吸入されます。

マリファナは，幸福感を得たり気分転換したりするレクリエーション目的で，経口摂取または喫煙（吸入）されることもあります。

マリファナを，繊維および種子を取る目的で育てられる全くの別種である大麻（Cannabis sativa, Hemp）と混同してはいけません。大麻に含まれるテトラヒドロカンナビノール（THC）は１％未満です。

米国では，マリファナはスケジュールI規制物質に分類されており，マリファナの所持は違法となっています。カリフォルニア州，ワシントン州，オレゴン州，アリゾナ州など一部の州では，連邦政府の反対にもかかわらず，マリファナの医療目的での使用が合法化または非犯罪化されています。カナダなど一部の国でも，マリファナの医療目的での使用が許可されています。

相互作用レベル：高この医薬品と併用してはいけません　中この医薬品とは慎重に併用するか併用しないでください
低この医薬品との併用には注意が必要です

安　全　性

マリファナエキスは，標準化されたスプレー製品を舌下摂取する場合，おそらく安全です。

マリファナを喫煙する場合，おそらく安全ではありません。肺がんの発症リスクの上昇と関連があります。また，マリファナ喫煙により肺組織内の空洞化を引き起こすおそれがあることを示唆する報告があります。この空洞により，胸部圧迫感，胸痛，呼吸困難などが起こるおそれがあります。

マリファナ喫煙またはマリファナエキスを含む口腔内スプレーの使用により，頭痛，めまい感，傾眠，口内乾燥，吐き気，偏執病的思考を引き起こすおそれがあります。マリファナ喫煙はまた，食欲増加，咳，頻拍，血圧の上昇または低下，精神機能の低下を引き起こすおそれがあります。また，急性冠動脈症候群，心臓発作または動脈炎（動脈壁の腫脹）のリスクを高めるおそれがあることを示唆する報告もあります。しかし，多くの場合，マリファナ喫煙後にこれらを経験するのは，タバコの喫煙や過体重など心臓関連のほかのリスクもある人です。

双極性障害：マリファナの使用により，双極性障害患者の躁病症状が悪化するおそれがあります。

心疾患：マリファナが頻拍や急速な血圧上昇を引き起こすおそれがあります。また，心臓発作のリスクを高めるおそれがあります。

免疫システムの低下：マリファナに含まれるカンナビノイドにより，免疫システムが低下し，身体の抗感染力が低下するおそれがあります。

うつ病：マリファナの使用，とくに頻繁な使用は，うつ病の症状を悪化させるおそれがあります。

多発性硬化症：マリファナの経口摂取により，多発性硬化症の症状の一部が悪化するおそれがあります。

肺疾患：マリファナの長期使用により，肺の症状が悪化するおそれがあります。定期的な長期にわたる使用は，肺がんや，肺疾患の1つである肺気腫の珍しい症例のいくつかと関連があります。

統合失調症：マリファナの使用により統合失調症の症状が悪化するおそれがあります。

脳卒中：脳卒中後のマリファナ使用により，2度目の脳卒中が起こるリスクが高まるおそれがあります。

手術：マリファナが中枢神経系に影響を及ぼします。手術中・手術後に麻酔などの医薬品と併用すると，中枢神経系を過度に鈍化させるおそれがあります。少なくとも手術前2週間は，使用しないでください。

●妊娠中および母乳授乳期

妊娠中：妊娠中にマリファナを経口摂取または喫煙するのは，安全ではありません。マリファナが胎盤を通過し，胎児の成長を抑制するおそれがあります。また，小児白血病および胎児の異常と関連があります。

母乳授乳期：母乳授乳期にマリファナを経口摂取または吸入するのは，安全ではないようです。マリファナに含まれるテトラヒドロカンナビノール（THC）は母乳に移行するため，母乳授乳期にマリファナを長期使用すると，乳児の発達が遅滞するおそれがあります。

有　効　性

◆有効性レベル③

- HIV/エイズ関連の体重減少。マリファナの喫煙により，エイズ患者の食欲が刺激されるようです。また，インジナビルまたはネルフィナビルを併用すると，HIV患者の体重が増加する可能性があります。
- 多発性硬化症。マリファナエキスを含む特定のスプレー製品を舌下摂取することで，筋痙攣，尿意切迫，神経痛などの多発性硬化症の自己申告症状の一部が改善するようです。英国ではこの製品は，多発性硬化症患者の筋痙攣治療の処方薬として認可を受けています。カナダでは，多発性硬化症患者の神経痛治療薬として認可を受けています。しかし，米国では処方薬としての認可は受けていません。また，この製品は多発性硬化症患者の筋痙攣，尿意切迫，振戦を大きく改善することはないという，相反するエビデンスがあります。マリファナエキスを経口摂取する場合の効果についても相反する研究結果があります。ある小規模研究では，特定のマリファナエキスの経口摂取により，多発性硬化症患者の筋肉のこわばりおよび筋痙攣の自己申告症状が緩和することが示されています。しかし，マリファナエキスを経口摂取しても多発性硬化症患者の筋痙攣，歩行能力および振戦が大きく改善することはないことを示す研究もあります。マリファナ喫煙によって多発性硬化症患者の筋痙攣，四肢疼痛，振戦が緩和する可能性を示す初期の研究があります。
- 神経痛。1日3回マリファナを喫煙することでHIVなどによる神経痛を緩和する可能性があることを示す初期の研究があります。

◆科学的データが不十分です

- 筋萎縮性側索硬化症（ALS，ルー・ゲーリッグ病），悪液質（進行がん患者の体重減少），緑内障，関節リウマチ（RA），気管支喘息，ふけ，痔核，ハンセン病，肥満，腎移植後の拒絶反応の予防，統合失調症，尿路感染など。

●体内での働き

脳や神経の特定部位に結合して作用する化学物質が含まれています。

医薬品との相互作用

中テオフィリン

マリファナの摂取はテオフィリンの効果を弱めると考えられていますが，これが大きな問題であるかどうかについては，十分なデータが得られていません。

中バルビツール酸系鎮静薬

マリファナは眠気を引き起こすと考えられています。鎮静薬も眠気を引き起こす医薬品ですから，マリファナ

マ

と鎮静薬を併用すると，過度の眠気を引き起こすおそれがあります。

中鎮静薬（中枢神経抑制薬）

マリファナは眠気を引き起こすと考えられています。鎮静薬は眠気を引き起こす医薬品ですから，マリファナと鎮静薬を併用すると，過度の眠気を引き起こすおそれがあります。このような鎮静薬には，クロナゼパム，ロラゼパム，フェノバルビタール，ゾルピデム酒石酸塩などがあります。

中塩酸フルオキセチン【販売中止】

マリファナと塩酸フルオキセチンを併用すると，苛立ち，神経質，神経過敏，興奮状態になる可能性があります。この状態は軽躁病と呼ばれます。

中ジスルフィラム

ジスルフィラムはマリファナと相互作用を起こすと考えられています。ジスルフィラムの服用中にマリファナを用いると，イライラ感，睡眠障害，興奮などを引き起こすことがあります。

ハーブおよび健康食品・サプリメントとの相互作用

眠気を引き起こすハーブおよび健康食品・サプリメント

マリファナが眠気を引き起こすおそれがあります。同様の作用をもつほかのハーブおよび健康食品・サプリメントと併用すると，過度の眠気を引き起こすおそれがあります。このようなハーブおよび健康食品・サプリメントには，5-ヒドロキシトリプトファン，ショウブ，ハナビシソウ，キャットニップ，ホップ，ジャマイカ・ドックウッド，カバ，セント・ジョンズ・ワート，スカルキャップ，カノコソウ，アネモプシス・カリフォルニカなどがあります。

血液凝固を抑制するおそれのあるハーブおよび健康食品・サプリメント

マリファナを，血液凝固を抑制するほかのハーブおよび健康食品・サプリメントと併用すると，人によっては出血のリスクが高まるおそれがあります。このようなハーブおよび健康食品・サプリメントには，アンゼリカ，クローブ，タンジン，ショウガ，イチョウ，レッドクローバー，ウコン，ビタミンE，ヤナギなどがあります。

通常の食品との相互作用

アルコール

マリファナをアルコールと併用すると，アルコールの中枢神経作用が増強するおそれがあります。

使用量の目安

●経口摂取

多発性硬化症

テトラヒドロカンナビノール2.5mgおよびカンナビノール0.8～1.8mgを含むよう標準化したマリファナエキスカプセル1～5カプセルを，1日2回，12週にわたり摂取します。

●口腔内スプレー

多発性硬化症

テトラヒドロカンナビノール27mg/mLおよびカンナビノール25mg/mLを含むよう標準化した特定のマリファナエキス製品を毎日，最長2年間使用します。

マルタゴンリリー

MARTAGON

別名ほか

マルタゴンユリ（Lilium martagon），Purple Turk's Cap Lily，Turk's Cap

概　要

マルタゴンリリーは植物です。葉，茎，花を用いて「くすり」を作ることもあります。

安 全 性

十分なデータは得られていないので，安全かどうかは不明です。

●妊娠中および母乳授乳期

妊娠中，母乳授乳期は使用してはいけません。

有 効 性

◆科学的データが不十分です

・皮膚潰瘍，月経不順など。

●体内での働き

医薬品として使われる場合，どのように作用するかについては十分なデータが得られていません。

医薬品との相互作用

ほかの医薬品との相互作用については明らかではありません。

ハーブおよび健康食品・サプリメントとの相互作用

ほかのハーブ，健康食品・サプリメントとの相互作用についてはまだ明らかではありません。

使用量の目安

標準使用量に関するデータがありません。

マルバキンゴジカ

SIDA CORDIFOLIA

別名ほか

Abutilon en Épi，Bala，Bariar，Country Mallow，

Guimauve, Heartleaf, Herbe de Douze Heures, Indian Chikana, Khareti, Malva Blanca, Malva-Branca, Malva-Branca-Sedosa, Mauve Blanc, Mauve du Pays, Silky White Mallow, Vatya, White Mallow

概　　要

マルバキンゴジカは植物です。種子と根を用いて「くすり」を作ることもあります。

マルバキンゴジカはエフェドリンを含んでいます。エフェドリンは，深刻な副作用を引き起こすおそれのあるアンフェタミン（販売中止）様の興奮成分です。2004年4月以降，米国食品医薬品局（FDA）は，マオウ（麻黄），マルバキンゴジカおよびほかのエフェドリンを含む製品を禁止しています。

安全性について深刻な懸念がありますが，マルバキンゴジカは気管支喘息，結核，感冒，インフルエンザ，ブタインフルエンザ，悪寒，発汗不足，頭痛，鼻のうっ血，咳および喘鳴，尿路感染，口内炎，体液貯留の治療に使用されます。ほかにも，心疾患，脳卒中，顔面神経麻痺，体性疼痛および腫脹（炎症），坐骨神経痛，精神異常，神経痛，神経炎，継続的な関節痛（慢性関節リウマチ），および好ましくない体重減少の治療にも使用されます。

人によっては，マルバキンゴジカを覚せい剤，痛み止め，強壮薬，および尿の生成を促進し，性的興奮を高めるために使用します。治療後の回復を早めるためにがん化学療法の前後にも使用します。

ハーブおよび健康食品・サプリメントとしては，マルバキンゴジカは体重減少，勃起障害（ED），副鼻腔疾患，アレルギー，のどの疾患，気管支喘息，気管支炎の場合に使用します。

ショウガと併用して，マルバキンゴジカの根は一過性の発熱の場合に使用されます。

牛乳および砂糖と併用して，マルバキンゴジカの根は尿意切迫および帯下の場合に使用されます。

知覚減退，神経痛，筋痙攣，皮膚疾患，腫瘍，関節疾患，創傷，潰瘍，サソリ刺症，ヘビ咬傷の場合，およびマッサージオイルとして，マルバキンゴジカを皮膚に直接塗布します。

安　全　性

マルバキンゴジカは，いかなる使用も安全ではないようです。マルバキンゴジカにはエフェドリンが含まれています。マルバキンゴジカは安全面の懸念から，米国では使用が禁止されています。マオウ（麻黄）と呼ばれるエフェドリンを含む別のハーブに，高血圧，心臓発作，筋障害，痙攣，脳卒中，脈拍不整，意識消失，死亡との関連が認められています。マルバキンゴジカも，これらの副作用を引き起こすおそれがあります。

マルバキンゴジカはほかにも，めまい感，情動不安，過敏性，不眠，頭痛，食欲不振，吐き気，嘔吐，皮膚の紅潮，チクチクする疼痛，排尿困難，動悸を引き起こすおそれがあります。

マルバキンゴジカとカフェインなど興奮作用をもつ物質を併用してはいけません。併用すると，副作用のリスクが高まり，死に至るおそれもあります。カフェインを含むものには，コーヒー，茶，コーラの木の実，ガラナ豆，マテなどがあります。

胸痛（狭心症）：マルバキンゴジカが心臓を刺激し，狭心症を悪化させるおそれがあります。マルバキンゴジカの使用は誰にとっても安全ではありませんが，狭心症の場合にはとくに安全ではありません。使用してはいけません。

不安：マルバキンゴジカは神経系を刺激するおそれがあります。マルバキンゴジカを多量に摂取すると，不安を亢進させるおそれがあります。使用してはいけません。

不整脈（脈拍不整），頻拍（速い心拍），心疾患，QT延長症候群など：マルバキンゴジカは心臓を刺激するため，このような疾患を悪化させるおそれがあります。マルバキンゴジカの使用は誰にとっても安全ではありませんが，不整脈，頻拍，心疾患の場合にはとくに安全ではありません。使用してはいけません。

糖尿病：マルバキンゴジカが血糖値コントロールを妨げ，糖尿病の場合には高血圧および循環障害を悪化させるおそれがあります。使用してはいけません。

本態性振戦：マルバキンゴジカの興奮作用により，本態性振戦が悪化するおそれがあります。使用してはいけません。

高血圧：マルバキンゴジカが高血圧を悪化させるおそれがあります。マルバキンゴジカの使用は誰にとっても安全ではありませんが，とくに高血圧の場合には安全ではありません。使用してはいけません。

甲状腺疾患：マルバキンゴジカが甲状腺を刺激し，甲状腺疾患を悪化させるおそれがあります。使用してはいけません。

腎結石：マルバキンゴジカに含まれるエフェドリンが腎結石を引き起こすおそれがあります。腎結石に罹患している場合には，とくに有害です。使用してはいけません。

緑内障：マルバキンゴジカが瞳孔の拡張を引き起こし，緑内障を悪化させるおそれがあります。使用してはいけません。

副腎の腫瘍（褐色細胞腫）：マルバキンゴジカが褐色細胞腫の症状を悪化させるおそれがあります。使用してはいけません。

●妊娠中および母乳授乳期

妊娠中および母乳授乳期の使用は，安全ではないようです。摂取してはいけません。

有　効　性

◆科学的データが不十分です

マ

有効性レベル：①効きます　②おそらく効きます　③効くと断言できませんが、効能の可能性が科学的に示唆されています
④効かないかもしれません　⑤おそらく効きません　⑥効きません

・体重減少，疲労，勃起障害（ED），気管支喘息および気管支炎，感冒，インフルエンザ，悪寒，発汗不足，頭痛，鼻のうっ血など。

●体内での働き

マルバキンゴジカの植物にはアンフェタミン（販売中止）様の興奮成分であるエフェドリンが含まれています。「くすり」としてのほかの働きについては，データが不十分です。

医薬品との相互作用

中デキサメタゾン

デキサメタゾンは体内で代謝されてから排泄されます。マルバキンゴジカはデキサメタゾンの代謝を促進する可能性があります。マルバキンゴジカがデキサメタゾンの代謝を促進することにより，デキサメタゾンの効果が弱まる可能性があります。

高メチルキサンチン類

マルバキンゴジカは身体を刺激する可能性があります。メチルキサンチン類もまた身体を刺激します。マルバキンゴジカとメチルキサンチン類を併用すると，神経過敏，神経質，動悸，高血圧，不安などの副作用を引き起こすおそれがあります。メチルキサンチン類にはアミノフィリン水和物，カフェイン，テオフィリンがあります。

中モノアミン酸化酵素阻害薬（MAO阻害薬）

マルバキンゴジカには身体を刺激する化学物質が含まれます。モノアミン酸化酵素阻害薬（MAO阻害薬）はそれらの化学物質を増加させる可能性があります。マルバキンゴジカとMAO阻害薬を併用すると，身体が過度に刺激される可能性があります。そのため，動悸，高血圧，発作，神経過敏などの重大な副作用が現れるおそれがあります。このようなMAO阻害薬には，Phenelzine，Tranylcypromineなどがあります。

高興奮薬

興奮薬は神経系を亢進させて，神経過敏や心拍数を上昇させる可能性があります。マルバキンゴジカもまた神経系を亢進させる可能性があります。マルバキンゴジカと興奮薬を併用すると，頻脈や高血圧などの深刻な問題を引き起こすおそれがあります。マルバキンゴジカと興奮薬を併用しないでください。このような興奮薬にはDiethylpropion，エピネフリン，Phentermine，塩酸プソイドエフェドリンなど多くあります。

中糖尿病治療薬

マルバキンゴジカは血糖値を上昇させる可能性があります。糖尿病治療薬は血糖値を低下させるために用いられます。マルバキンゴジカが血糖値を上昇させることにより，糖尿病治療薬の効果を弱めるおそれがあります。血糖値を注意深く監視してください。糖尿病治療薬の用量を変更する必要があるかもしれません。このような糖尿病治療薬にはグリメピリド，グリベンクラミド，インスリン，ピオグリタゾン塩酸塩，マレイン酸ロシグリタゾン（販売中止），クロルプロパミド，Glipizide，トルブタミド（販売中止）などがあります。

中麦角誘導体

マルバキンゴジカは血圧を上昇させる可能性があります。麦角誘導体もまた血圧を上昇させる可能性があります。マルバキンゴジカと麦角誘導体を併用すると，血圧が過度に上昇するおそれがあります。このような麦角誘導体にはブロモクリプチンメシル酸塩，ジヒドロエルゴタミンメシル酸塩（販売中止），エルゴタミン酒石酸塩（販売中止），ペルゴリドメシル酸塩があります。

高不整脈を誘発する可能性がある医薬品（QT間隔を延長させる医薬品）

マルバキンゴジカは心拍数を上昇させる可能性があります。マルバキンゴジカと不整脈を誘発する可能性がある医薬品を併用すると，心臓発作などの重大な副作用を引き起こすおそれがあります。このような医薬品にはアミオダロン塩酸塩，ジソピラミド，ドフェチリド（販売中止），Ibutilide，プロカインアミド塩酸塩，キニジン硫酸塩水和物，ソタロール塩酸塩，チオリダジン塩酸塩（販売中止）など多くあります。

ハーブおよび健康食品・サプリメントとの相互作用

麦角

マルバキンゴジカと麦角を併用すると，血管の収縮を引き起こし，高血圧を引き起こすおそれがあります。

興奮作用をもつハーブおよび健康食品・サプリメント

マルバキンゴジカと，カフェインなどを含み興奮作用をもつほかのハーブおよび健康食品・サプリメントを併用すると，不眠，神経過敏，振戦，めまい感などの副作用のリスクが高まるおそれがあります。また，マルバキンゴジカと興奮作用をもつほかの物質の併用により，高血圧，心臓発作，脳卒中，死亡など，より深刻な副作用のリスクが高まるおそれがあります。エフェドリンを含むハーブおよび健康食品・サプリメントと，カフェインなど興奮作用をもつ物質を併用した場合に，致命的な副作用，日常生活に支障をきたすような副作用を引き起こした例が複数件報告されています。大量のカフェインを含むハーブおよび健康食品・サプリメントには，紅茶，コーヒー，コーラノキの種，緑茶，ガラナ豆，マテなどがあります。

朝鮮人参

朝鮮人参は心臓に影響を及ぼすおそれがあります。マルバキンゴジカと朝鮮人参を併用すると，心臓への悪影響が高まるおそれがあります。

通常の食品との相互作用

コーヒー，茶

マルバキンゴジカと，コーヒーや茶などカフェインを含む食品を併用すると，不眠，神経過敏，振戦，めまい感などの副作用のリスクが高まるおそれがあります。また，マルバキンゴジカとコーヒーや茶などの併用により，高血圧，心臓発作，脳卒中，死亡など，より深刻な副作用のリスクが高まるおそれがあります。エフェドリンを含むハーブおよび健康食品・サプリメントと，カフェインなど興奮作用をもつ物質を併用した場合に，致命的な副作用，日常生活に支障をきたすような副作用を引き起こした例が複数件報告されています。

使用量の目安

通常の食品に含まれている量を超えて経口摂取した場合の安全性および副作用については，明らかになっていません。

マルメロ

QUINCE

●代表的な別名

クインス

別名ほか

コワン（Coing），クインス（Cydonia vulgaris），Cognassier，Cydonia oblongata，Marmelo，Membrillo，Pyrus cydonia，Quitte，Quittenbaum

概　　要

マルメロは植物です。種子が「くすり」として使用されることもあります。

安 全 性

十分なデータが得られていないため，薬用での安全性については不明です。

種子にはシアン化物が含まれているので，マルメロの種子は安全ではないといわれています。

●妊娠中および母乳授乳期

妊娠中，母乳授乳期は使用してはいけません。

有 効 性

◆科学的データが不十分です

・消化器系疾患，下痢，咳，胃炎，腸炎，皮膚外傷，関節炎，眼の不快感など。

●体内での働き

どのように作用するかについては十分なデータが得られていません。

医薬品との相互作用

ほかの医薬品との相互作用については明らかではありません。

ハーブおよび健康食品・サプリメントとの相互作用

ほかのハーブ，健康食品・サプリメントとの相互作用についてはまだ明らかではありません。

使用量の目安

●経口摂取

マルメロの種子は粉末，エキス，お茶として摂取されます。お茶の入れ方としては，茶さじ１杯の種子全体を熱湯150mLで10〜15分浸してからこします。

●局所投与

挽いた種子で軟湿布を作ります。

マロウ

MALLOW

別名ほか

Blue Mallow Flower，Blue Malva，Cheeseflower，Common Mallow，Dwarf Mallow，Fromagère，Grande Mauve，Gul-Khair，High Mallow，Kunzi，Malva mauritiana，Malva neglecta，Malva rotundifolia，Malva Silvestre，Malva sylvestris，Malvae Flos，Malvae Folium，Mauls，Mauve，Mauve des Bois，Mauve à Feuilles Rondes，Mauve Négligée，Mauve Sauvage，Mauve Sylvestre，Vilayatiikangai

概　　要

マロウは植物です。花と葉を用いて「くすり」を作ることもあります。

口腔および咽喉の不快感，空咳，気管支炎，胃の不調，排尿に関する症状に対して用いられます。

創傷の治療には，温湿布として当てたり，直接皮膚に塗布したり，風呂の湯に加える人もいます。

食品では，着色料として使用されています。

安 全 性

マロウの安全性については，データが不十分です。

●妊娠中および母乳授乳期

妊娠中および母乳授乳期の使用の安全性についてはデータが不十分です。安全性を考慮し，使用を避けてください。

有 効 性

◆科学的データが不十分です

・気管支炎，胃のむかつき，膀胱疾患，下痢，口腔および咽喉の不快感，空咳，創傷など。

●体内での働き

咽喉や口腔を保護し，鎮めるような粘液性物質を含みます。

医薬品との相互作用

ほかの医薬品との相互作用については明らかではありません。

ハーブおよび健康食品・サプリメントとの相互作用

ほかのハーブ，健康食品・サプリメントとの相互作用についてはまだ明らかではありません。

使用量の目安

通常の食品に含まれている量を超えて経口摂取した場合の安全性および副作用については，明らかになっていません。

マンガン

MANGANESE

別名ほか

マンガンアミノ酸キレート（Manganese Amino Acid Chelate），塩化マンガン（Manganese Chloride），二酸化マンガン（Manganese Dioxide），グルコン酸マンガン（Manganese Gluconate），硫酸マンガン（Manganese Sulfate），硫酸マンガン一水和物（Manganese Sulfate Monohydrate），硫酸マンガン四水和物（Manganese Sulfate Tetrahydrate），マンガナム，酢酸マンガン，Manganese Aminoate，Manganese Ascorbate，Manganese Aspartate Complex，Manganese Chloridetetrahydrate，Mn

概　要

マンガンはミネラルで，ナッツ類，マメ類，種子，茶，全粒穀物，青菜などの食物に含まれます。身体が正常に機能するために必要とされるため，必須栄養素とされています。「くすり」として使用されることもあります。

マンガンは，マンガン欠乏症に対して経口摂取されます。また，弱くて折れやすい骨（骨粗鬆症），変形性関節症などに対しても用いられます。

マンガン欠乏症に対しては静脈内投与され，完全静脈栄養（TPN）の微量元素として用いられます。

創傷治癒に対しては皮膚に塗布されます。

安　全　性

マンガンを経口摂取する場合には，１日最大11mgの摂取であれば，ほとんどの成人に安全のようです。ただし，肝疾患など，体内からのマンガンの排泄が困難である場合には，１日11mg未満の摂取でも，副作用を引き起こすおそれがあります。

１日11mgを超える量のマンガンを経口摂取する場合は，ほとんどの成人に，おそらく安全ではありません。

医師などの指導のもとで静脈栄養の一部として静脈内投与する場合，ほとんどの人に安全のようです。特に長期間使用する場合には，静脈栄養ではマンガンを１日55μg以下にすることが一般に推奨されます。静脈栄養の一部として１日55μgを超えるマンガンを静脈内投与することは，ほとんどの成人におそらく安全ではありません。

マンガンを長期間吸入する場合には，おそらく安全ではありません。体内のマンガンが過剰になると，パーキンソン病と似た症状など（振戦など），重大な副作用を引き起こすおそれがあります。

小児：小児がマンガンを経口摂取する場合には，以下の量を超えない限り，ほとんどの人に安全のようです。

１～３歳：１日２mg

４～８歳：１日３mg

９～13歳：１日６mg

14～18歳：１日９mg上記の量を超える高用量のマンガンは，おそらく安全ではありません。小児にマンガンを投与する前に，医師などに相談してください。高用量のマンガンは重大な副作用を引き起こすおそれがあります。小児がマンガンを吸入する場合には，安全ではないようです。

慢性肝疾患：慢性肝疾患の場合には，マンガンを体内から排出することが困難です。マンガンが体内に蓄積し，振戦，精神障害（精神疾患）の副作用を引き起こすおそれがあります。肝疾患の場合には，マンガンを過剰に摂取しないよう注意してください。

鉄欠乏性貧血：鉄欠乏症貧血の場合には，ほかの人とくらべ，マンガンを吸収しやすいようです。鉄欠乏症貧血の場合には，マンガンを過剰に摂取しないよう注意してください。

静脈栄養：経静脈栄養の場合には，マンガンに起因する副作用のリスクが高まります。

●妊娠中および母乳授乳期

19歳以上の妊娠中および母乳授乳期の女性がマンガンを経口摂取する場合には，１日11mg以下であれば，ほとんどの人に安全のようです。ただし，19歳未満の妊娠中および母乳授乳期の女性の場合には，摂取量を１日９mg未満に制限すべきです。高用量のマンガンを経口摂取する場合には，おそらく安全ではありません。１日11mgを超える量を摂取する場合には，重大な副作用を引き起こす可能性が高まります。妊娠中および母乳授乳期の女性が吸入する場合には，安全ではないようです。

有　効　性

◆有効性レベル①

・マンガン欠乏症。マンガンの経口摂取または静脈内投与は，マンガン欠乏症の治療または予防に役立ちます。発展途上国ではマンガン欠乏症の小児がマンガンとほかのビタミン類・ミネラル類と併用して経口摂取すると，発育が促進する可能性があります。

◆科学的データが不十分です

・花粉症，呼吸困難を引き起こす肺疾患（慢性閉塞性肺疾患（COPD）），肥満，変形性関節症，弱くて折れやすい骨（骨粗鬆症），月経前症候群（PMS），創傷治癒，貧血など。

●体内での働き

マンガンは，コレステロール，炭水化物，タンパク質の代謝など，体内の多くの化学反応に関わる必須栄養素です。骨の形成にも関与している可能性があります。

医薬品との相互作用

中キノロン系抗菌薬

マンガンは胃の中でキノロン系抗菌薬と結合します。そのため，キノロン系抗菌薬の体内への吸収量が減少する可能性があります。マンガンとキノロン系抗菌薬を併用すると，抗菌薬の効果が弱まるおそれがあります。この相互作用を避けるために，抗菌薬の服用後，少なくとも１時間はマンガンを摂取しないでください。このような抗菌薬には，シプロフロキサシン，エノキサシン水和物（販売中止），ノルフロキサシン，スパルフロキサシン（販売中止），Trovafloxacin，塩酸グレパフロキサシン（販売中止）があります。

中テトラサイクリン系抗菌薬

マンガンは，胃の中でテトラサイクリン系抗菌薬と結合し，テトラサイクリン系抗菌薬の体内への吸収量を減少させる可能性があります。マンガンとテトラサイクリン系抗菌薬を併用すると，抗菌薬の効果が弱まるおそれがあります。この相互作用を避けるために，抗菌薬の服用前２時間または服用後４時間はマンガンを摂取しないでください。このようなテトラサイクリン系抗菌薬には，デメチルクロルテトラサイクリン塩酸塩，ミノサイクリン塩酸塩，テトラサイクリン塩酸塩があります。

中抗精神病薬

抗精神病薬は精神疾患の治療に用いられます。研究者のなかには，マンガンと特定の抗精神病薬を併用すると，患者によってはマンガンの副作用が悪化するおそれがあると考える人もいます。

ハーブおよび健康食品・サプリメントとの相互作用

カルシウム

カルシウムとマンガンを併用すると，体内に吸収されるマンガンの量が減少するおそれがあります。

フィチン酸（IP-6）

フィチン酸は，穀物類・ナッツ類・マメ類などの食物やサプリメントに含まれており，体内に吸収されるマンガンの量を減少させるおそれがあります。フィチン酸を含む食品を摂取する場合，前後２時間以上あけてマンガンを摂取してください。

鉄

鉄とマンガンを併用すると，体内に吸収されるマンガンの量が減少するおそれがあります。

亜鉛

亜鉛とマンガンを併用すると，体内に吸収されるマンガンの量が増加するおそれがあります。そのため，マンガンの副作用が増強するおそれがあります。

通常の食品との相互作用

脂肪

脂肪の摂取量が少ないと，体内に吸収されるマンガンの量が減少する可能性があります。

乳タンパク質

食事に乳タンパク質を取り入れると，体内に吸収されるマンガンの量が増加する可能性があります。

使用量の目安

【成人】

マンガンの食事摂取基準（mg/ 日）

日本人の食事摂取基準 2020 年版

性　別	男　性		女　性	
年齢等	目安量	耐容上限量	目安量	耐容上限量
0～5（月）	0.01	—	0.01	—
6～11（月）	0.5	—	0.5	—
1～2（歳）	1.5	—	1.5	—
3～5（歳）	1.5	—	1.5	—
6～7（歳）	2.0	—	2.0	—
8～9（歳）	2.5	—	2.5	—
10～11（歳）	3.0	—	3.0	—
12～14（歳）	4.0	—	4.0	—
15～17（歳）	4.5	—	3.5	—
18～29（歳）	4.0	11	3.5	11
30～49（歳）	4.0	11	3.5	11
50～64（歳）	4.0	11	3.5	11
65～74（歳）	4.0	11	3.5	11
75 以上（歳）	4.0	11	3.5	11
妊　婦			3.5	—
授乳婦			3.5	—

●経口摂取

全般

マンガンの推奨量（RDA）は定められていません。推奨量（RDA）が定められていない場合には，摂取量の指標として目安量（AI）が用いられます。目安量（AI）とは，健康な人の集団を基準に算出され，適切と考えられる栄養素の推定量です。マンガンの１日の目安量（AI）は以下の通りです。

19歳以上の男性：１日2.3mg

19歳以上の女性：１日1.8mg

14～50歳の妊娠中の女性：１日２mg

母乳授乳期の女性：１日2.6mg

耐容上限量（UL）とは，マンガンの望ましくない副作用を引き起こさないとされる摂取量の最大値です。マンガンの１日の耐容上限量（UL）は以下の通りです。

14～18歳（妊娠中および母乳授乳期の女性を含む）：１日９mg

19歳以上（妊娠中および母乳授乳期の女性を含む）：１日11mg

●静脈内投与

マンガン欠乏症

成人のマンガン欠乏症の予防のため，元素としてのマンガンを１日最大200μg含む完全静脈栄養（TPN）が使用されています。完全静脈栄養を長期間使用する場合，マンガンの推奨量は１日55μgです。

【小児】

●経口摂取

全般

マンガンの推奨量（RDA）は，定められていません。推奨量（RDA）が定められていない場合には，摂取量の指標として目安量（AI）が用いられます。目安量（AI）とは，健康な人の集団を基準に算出され，適切と考えられる栄養素の推定量です。マンガンの１日の目安量（AI）は以下の通りです。

０～６カ月：１日３μg

７～12カ月：１日600μg

１～３歳：１日1.2mg

４～８歳：１日1.5mg

９～13歳の男子：１日1.9mg

14～18歳の男子：１日2.2mg

９～18歳の女子：１日1.6mg

耐容上限量（UL）とは，マンガンの望ましくない副作用を引き起こさないとされる摂取量の最大値です。マンガンの１日の耐容上限量（UL）は以下の通りです。

１～３歳：１日２mg

４～８歳：１日３mg

９～13歳：１日６mg

14～18歳（妊娠中および母乳授乳期の女性を含む）：１日９mg

●静脈内投与

マンガン欠乏症

小児のマンガン欠乏症の予防のため，元素としてのマンガンを１日２～10μg，最大50μg含む完全静脈栄養が使用されています。

マンゴスチン

MANGOSTEEN

別名ほか

Amibiasine, Mang Cut, Manggis, Manggistan, Mangosta, Mangostan, Mangostana, Mangostanier, Mangostao, Mangoustanier, Mangouste, Mangostier, Manguita, Meseter, Queen of Fruits, Sementah, Semetah, Xango, Xango Juice

概　　要

マンゴスチンは熱帯果物です。果実，果汁，外皮，樹皮が「くすり」として使用されることもあります。

安　全　性

十分なデータが得られていないため，薬用での安全性については不明です。

●妊娠中および母乳授乳期

妊娠中，母乳授乳期は使用してはいけません。

有　効　性

◆科学的データが不十分です

・赤痢，下痢，尿路感染症，淋病，鵞口瘡，結核，湿疹，月経障害など。

●体内での働き

果実の皮にはタンニンが含まれています。これが，下痢の回復を補助するようです。ただ，ほかの疾患に対して作用するかどうかについては，科学的データがありません。

医薬品との相互作用

ほかの医薬品との相互作用については明らかではありません。

ハーブおよび健康食品・サプリメントとの相互作用

ほかのハーブ，健康食品・サプリメントとの相互作用についてはまだ明らかではありません。

使用量の目安

標準使用量に関するデータがありません。

マンジュギク

TAGETES

別名ほか

アフリカンマリーゴールド（African Marigold），アズテックマリーゴールド（Aztec Marigold），ビッグマリーゴールド（Big Marigold），フレンチマリーゴールド（French Marigold），ワカタイ（Huacatay），メキシカンマリーゴールド，ホソバクジャクソウ（Mexican Marigold），センジュギク（Tagetes erecta），タジェット，タジェティーズ（Tagetes glandulifera），シオザキソウ（Tagetes minuta），クジャクソウ（Tagetes patula），Chinchilla Enana，Dwarf Marigold，Muster John Henry，Saffron Marigold，Stinking-roger

概　　要

マンジュギクは植物です。地上部を用いて「くすり」を作ることもあります。

安 全 性

十分なデータが得られていないため，安全性については不明です。

触れると，皮膚に湿疹が出るかもしれません。

●アレルギー

ブタクサやマリーゴールド，デイジー，それらに関連のあるハーブにアレルギーのある人は使用してはいけません。

●妊娠中および母乳授乳期

妊娠中，母乳授乳期は使用してはいけません。

有 効 性

◆科学的データが不十分です

・感冒，胃痛，咳，月経障害，流行性耳下腺炎，潰瘍など。

●体内での働き

炎症（腫脹）や痙攣を抑制，神経を鎮め，血圧の低下を補助するような成分を含んでいます。

医薬品との相互作用

ほかの医薬品との相互作用については明らかではありません。

ハーブおよび健康食品・サプリメントとの相互作用

ほかのハーブ，健康食品・サプリメントとの相互作用についてはまだ明らかではありません。

使用量の目安

標準使用量に関するデータがありません。

マンドラゴラ

EUROPEAN MANDRAKE

別名ほか

マンドレーク，マンダラケ（Alraunwurzel, Mandrake），Mandragora，Mandragora officinarum，Mandragora vernalis，Mandragore，Satan's Apple

概　　要

マンドラゴラはハーブです。根および葉を用いて「くすり」を作ることもあります。

注：マンドラゴラは，ヒヨスチアミン，スコポラミンなどのトロパンアルカロイドを含有しています。

安 全 性

おそらく安全ではないので，使わないようにしてください。錯乱，眠気，口渇，心臓の異常，視覚の問題，発熱，排尿困難，幻覚といった多くの副作用を生じるかもしれません。

多量に摂取すると，命にかかわるおそれがあります。

小児やダウン症候群の患者，高齢者には与えないでください。そうした人たちは影響に敏感で，副作用を起こしやすくなっています。

心臓の異常がある人，高血圧症，食道や胃，または腸の障害，緑内障，排尿に問題のある人，重症筋無力症，腎臓や肝臓，前立腺，甲状腺に障害のある人は使用してはいけません。

●妊娠中および母乳授乳期

妊娠中，母乳授乳期は使用してはいけません。

有 効 性

◆科学的データが不十分です

・痛み，鎮静，胃潰瘍，便秘，疝痛，気管支喘息，花粉症，痙攣，関節炎様の痛み，百日咳，皮膚潰瘍など。

●体内での働き

眼や膀胱，肺，腸，口など多くの生体組織に影響を及ぼすある種の化合物の作用を抑える可能性があります。

医薬品との相互作用

中経口薬

マンドラゴラは腸の働きを抑制するようです。経口薬とマンドラゴラをともに摂取すると，その医薬品の体内への吸収量が増加して，医薬品の作用が増強され，副作用も強く現れるおそれがあります。

中口渇作用などの乾燥作用のある医薬品（抗コリン薬）

マンドラゴラは抗コリン作用のある成分を含み，脳や心臓に影響を及ぼす可能性があります。口渇作用などの乾燥作用のある医薬品（抗コリン薬）と併用すると皮膚の乾燥，めまい，低血圧，頻脈などの重大な副作用が現

有効性レベル：①効きます　②おそらく効きます　③効くと断言できませんが、効能の可能性が科学的に示唆されています　④効かないかもしれません　⑤おそらく効きません　⑥効きません

れる可能性があります。このような医薬品にはアトロピン硫酸塩水和物，スコポラミン臭化水素酸塩水和物，特定のアレルギー治療薬（抗ヒスタミン薬），特定の抗うつ薬などがあります。

ハーブおよび健康食品・サプリメントとの相互作用

ほかのハーブ，健康食品・サプリメントとの相互作用についてはまだ明らかではありません。

使用量の目安

標準使用量に関するデータがありません。

マンナ

MANNA

別名ほか

マンナシオジ（Fraxinus ornus），マンナノキ，マンナトネリコ（Manna Ash），Flake Manna，Flowering Ash

概　要

マンナは植物です。乾燥させた，樹液を用いて「くすり」を作ることもあります。

安 全 性

短期間の使用なら，ほとんどの人に安全です。

ただ人によっては，悪心や腸内ガスが起こるかもしれません。

腸閉塞のある人は使用してはいけません。

●妊娠中および母乳授乳期

妊娠中，母乳授乳期は使用してはいけません。

有 効 性

◆科学的データが不十分です

・便秘，痔核，およびそのほか直腸の症状。

●体内での働き

下剤として作用，腸から便を出す補助をするマンニトールという物質を含みます。

医薬品との相互作用

中ジゴキシン

マンナは下剤ですが，下剤は体内のカリウム量を減少させることがあります。カリウム量が減少するとジゴキシンの副作用が現れるリスクが高まると考えられます。

中利尿薬

マンナは下剤ですが，ある種の下剤は体内のカリウム量を減少させることがあります。利尿薬の中にも体内のカリウム量を減少させるものがありますから，マンナを利尿薬とともに摂取すると，カリウム量が下がりすぎるおそれがあります。このような利尿薬にはクロロチアジド（販売中止），クロルタリドン（販売中止），フロセミド，ヒドロクロロチアジドなどがあります。

ハーブおよび健康食品・サプリメントとの相互作用

ほかのハーブ，健康食品・サプリメントとの相互作用についてはまだ明らかではありません。

使用量の目安

●経口摂取

成人の場合，1日20～30g（またはこれと同等の効果を示す製品）を摂取します。小児の場合，1日2～16gを摂取します。長期間にわたる摂取は避けるべきです。

水芭蕉

SKUNK CABBAGE

別名ほか

空心菜（Swamp Cabbage），ヨウサイ，ダルマソウ，スカンクキャベツ（Symplocarpus foetidus），Dracontium，Meadow Cabbage，Polecatweed，Skunkweed，Spathyema foetida

概　要

水芭蕉は植物です。根および根に似た部分を用いて「くすり」を作ることもあります。

安 全 性

ほとんどの人に安全のようです。

ただ，多量に摂取すると，悪心，嘔吐，下痢，頭痛，めまい，視力低下，胃痙攣などを起こしかねません。

腎結石の病歴がある人，胃食道逆流症の患者，潰瘍のある人，潰瘍性大腸炎やクローン病の患者は使用してはいけません。

●妊娠中および母乳授乳期

妊娠中，母乳授乳期は使用してはいけません。

有 効 性

◆科学的データが不十分です

・気管支炎，気管支喘息，百日咳など。

●体内での働き

鎮痛と鎮静の働きを行う化合物を含んでいます。

医薬品との相互作用

ほかの医薬品との相互作用については明らかではありません。

ハーブおよび健康食品・サプリメントとの相互作用

ほかのハーブ，健康食品・サプリメントとの相互作用についてはまだ明らかではありません。

相互作用レベル：高この医薬品と併用してはいけません　中この医薬品とは慎重に併用するか併用しないでください　低この医薬品との併用には注意が必要です

使用量の目安

●経口摂取

通常，１回0.5～１mgの粉末地下茎/根を蜂蜜に混ぜ，注入または煎薬として１日３回摂取します。流エキス（1：1，25%アルコール）は，１回0.5～１mLを１日３回摂取します。チンキ剤（1：10，45%アルコール）の場合，１回２～４mLを１日３回摂取します。

ミツガシワ

BOGBEAN

別名ほか

睡菜（Marsh trefoil），バックビーン（Buckbean），Menyanthes，Menyanthes trifoliata，Water Shamrock

概　　要

ミツガシワは植物です。葉を用いて「くすり」を作ることもあります。

安 全 性

薬用量を使用しても，ほとんどの人に安全のようです。

ただ，多量の摂取は安全とはいえません。胃腸を荒らし，下痢，痛み，悪心，嘔吐を起こすおそれがあります。

出血のリスクがある人，下痢や大腸炎，クローン病のような胃または腸に障害を起こしている患者は使用してはいけません。

２週間以内に手術を受ける予定の人は使用してはいけません。出血のリスクが高まります。

●妊娠中および母乳授乳期

妊娠中，母乳授乳期は使用してはいけません。

有 効 性

◆科学的データが不十分です

・痛みをともなう関節リウマチ，消化器系障害，食欲不振など。

●体内での働き

唾液や胃液の分泌を刺激する苦味物質を含んでいます。このため，食欲を刺激する，あるいは消化不良を緩和するようです。

医薬品との相互作用

中 血液凝固を抑制する医薬品（抗凝固薬/抗血小板薬）

ミツガシワは血液の凝固を抑える作用があると考えられています。血液凝固を抑制する医薬品を服用しているときにミツガシワを摂取すると，紫斑および出血のリスクが高まるおそれがあります。このような医薬品には，アスピリン，クロピドグレル硫酸塩，ジクロフェナクナトリウム，イブプロフェン，ナプロキセン，ダルテパリンナトリウム，エノキサパリンナトリウム，ヘパリン，ワルファリンカリウムなどがあります。

ハーブおよび健康食品・サプリメントとの相互作用

ほかのハーブ，健康食品・サプリメントとの相互作用についてはまだ明らかではありません。

使用量の目安

●経口摂取

１～３gの乾燥した葉を１日３回摂取，あるいはお茶（１～３gの乾燥した葉を150mLの熱湯に５～10分間浸し，その後ろ過する）として１日３回摂取します。流エキス（1：1，25%アルコール）を１回１～２mLで１日３回摂取します。チンキ剤（1：5，45%アルコール）を１回１～３mLで１日３回摂取します。

ミツバシモツケ

INDIAN PHYSIC

別名ほか

ギレーニア（Gillenia），ミツバシモツケ（Gillenia trifoliate），American Ipecacuanha，Bowman's Root，Indian Hippo

概　　要

ミツバシモツケは植物です。乾燥させた根と皮を用いて「くすり」を作ることもあります。青色バシクロモン（apocynum cannabinum）もミツバシモツケ（Gillenia trifoliate）と呼ばれているので，混同しないよう注意してください。Gillenia trifoliateとカルヴァーズルート（Leptandra virginica）はともにミツバシモツケソウとも呼ばれているので，カルヴァーズルートと混同しないよう注意してください。

安 全 性

安全性および副作用については不明です。

●妊娠中および母乳授乳期

妊娠中および母乳授乳期の使用の安全性についてはデータが不十分です。安全性を考慮し，摂取は避けてください。

有 効 性

◆科学的データが不十分です

・消化器系疾患，嘔吐の誘発（吐薬），およびそのほかの用途など。

●体内での働き

どのように作用するかについては十分なデータが得られていません。

医薬品との相互作用

ほかの医薬品との相互作用については明らかではありません。

ハーブおよび健康食品・サプリメントとの相互作用

ほかのハーブ，健康食品・サプリメントとの相互作用についてはまだ明らかではありません。

使用量の目安

標準使用量に関するデータがありません。

ミツロウ

BEESWAX

●代表的な別名

ビーワックス

別名ほか

セイヨウミツバチ（Apis mellifera），ヨーロッパミツバチ，ビーワックス（Bees Wax），イエロービーワックス（Yellow Beeswax），Apic cerana，Bleached Beeswax，White Beeswax，White Wax，Yellow Wax

概　　要

ミツロウはミツバチなどの蜂の巣をもとにした製品です。「くすり」の原料に使用されます。

安　全　性

ミツロウは，食品または「くすり」としての経口摂取，また皮膚に直接塗布する場合は，ほとんどの人に安全のようです。

●妊娠中および母乳授乳期

妊娠中および母乳授乳期の使用の安全性についてはデータが不十分です。安全性を考慮し，摂取は避けてください。

有　効　性

◆科学的データが不十分です

・裂肛，おむつかぶれ，痔核，体幹白癬，股部白癬，癜風（皮膚の真菌感染症），高コレステロール血症，疼痛，潰瘍，下痢，しゃっくりなど。

●体内での働き

穏やかに腫脹を緩和する働き（抗炎症作用）をもちます。胃の保護を補助する可能性があるというエビデンスもあります。

医薬品との相互作用

ほかの医薬品との相互作用については明らかではありません。

ハーブおよび健康食品・サプリメントとの相互作用

ほかのハーブ，健康食品・サプリメントとの相互作用についてはまだ明らかではありません。

使用量の目安

通常の食品に含まれている量を超えて経口摂取した場合の安全性および副作用については，明らかになっていません。

ミトラガイナ

KRATOM

●代表的な別名

クラトム

別名ほか

Biak-Biak, Cratom, Gratom, Ithang, Kakuam, Katawn, Kedemba, Ketum, Krathom, Kraton, Kratum, Madat, Maeng Da Leaf，Mambog，Mitragyna speciosa, Mitragynine Extract，Nauclea，Nauclea speciosa, Thang，Thom

概　　要

ミトラガイナは樹木です。葉は快楽を得るための麻薬，または「くすり」として使用されます。

快楽を得るための麻薬として，気分を良くするために（多幸化薬として），または耐久力をつけるために葉を噛むか，茶として経口摂取します。不安，咳，うつ病，糖尿病，下痢，高血圧，疼痛，性的効果を高めるため，アヘン製剤の離脱症状を弱めるために「くすり」として使用されます。

安　全　性

ミトラガイナの経口摂取は，ほとんどの人におそらく安全ではありません。常用すると依存や離脱症状が現れるおそれがあります。

経口摂取すると，吐き気，嘔吐，口内乾燥，頻繁な尿意，便秘，攻撃性，幻覚，妄想，甲状腺疾患など多くの副作用を引き起こすおそれがあります。

常用している人が使用を止めると，食欲減退，下痢，筋肉痛，筋痙攣，単収縮，涙目，不安，睡眠障害や情動不安，抑うつ気分，緊張，怒り，神経質，顔面紅潮（ほてり），発熱がおこるおそれがあります。

ミトラガイナの鎮静作用が，呼吸速度を過剰に遅くし，十分な酸素吸引を妨げるおそれがあります。

アルコール依存症：アルコール依存症の人がミトラガイナを使用すると，アルコール依存症でない場合に比べて自殺のリスクが上昇するようです。

精神障害：精神障害を悪化させるおそれがあります。

ミ

相互作用レベル：高この医薬品と併用してはいけません　中この医薬品とは慎重に併用するか併用しないでください
低この医薬品との併用には注意が必要です

また，精神障害に罹患している人がミトラガイナを使用すると，精神障害のない場合に比べて自殺のリスクが上昇するようです。

●妊娠中および母乳授乳期

妊娠中および母乳授乳期の使用の安全性についてはデータが不十分です。安全性を考慮し，摂取は避けてください。

有 効 性

◆科学的データが不十分です

・不安，咳，うつ病，糖尿病，下痢，高血圧，アヘン製剤の離脱症状，疼痛など。

●体内での働き

ミトラギニンと呼ばれる化学物質を含みます。ミトラギニンはコデインリン酸塩水和物やモルヒネ硫酸塩水和物などのオピオイド薬のように作用し，疼痛を緩和します。

医薬品との相互作用

中クエチアピンフマル酸塩

ミトラガイナはクエチアピンフマル酸塩の肝臓での代謝を抑制する可能性があります。そのため，クエチアピンフマル酸塩の作用および副作用が増強するおそれがあります。さらに明らかになるまでは，クエチアピンフマル酸塩を服用中にミトラガイナを摂取しないでください。

中モダフィニル

ミトラガイナとモダフィニルを併用した人が，発作を起こしたという報告があります。この併用が発作を引き起こしたかどうかについては，まだ明らかではありません。さらに明らかになるまでは，モダフィニルの服用中にミトラガイナを摂取しないでください。

中肝臓で代謝される医薬品（シトクロムP450 1A2（CYP1A2）の基質となる医薬品）

特定の医薬品は肝臓で代謝されます。ミトラガイナは特定の医薬品の代謝を抑制する可能性があります。ミトラガイナと肝臓で代謝される医薬品を併用すると，医薬品の作用および副作用が増強するおそれがあります。肝臓で代謝される医薬品を服用する場合には，医師や薬剤師に相談することなくミトラガイナを摂取しないでください。このような医薬品には，クロザピン，Cyclobenzaprine，フルボキサミンマレイン酸塩，ハロペリドール，イミプラミン塩酸塩，メキシレチン塩酸塩，オランザピン，塩酸ペンタゾシン，プロプラノロール塩酸塩，Tacrine，テオフィリン，Zileuton，ゾルミトリプタンなどがあります。

低肝臓で代謝される医薬品（シトクロムP450 2C19（CYP2C19）の基質となる医薬品）

特定の医薬品は肝臓で代謝されます。ミトラガイナはこのような医薬品の代謝を抑制する可能性があります。ミトラガイナと肝臓で代謝される医薬品を併用すると，医薬品の作用および副作用が増強するおそれがあります。肝臓で代謝される医薬品を服用する場合には，医師や薬剤師に相談することなくミトラガイナを摂取しないでください。このような医薬品には，アミトリプチリン塩酸塩，カリソプロドール（販売中止），Citalopram，ジアゼパム，ランソプラゾール，オメプラゾール，フェニトイン，ワルファリンカリウムなど数多くあります。

中肝臓で代謝される医薬品（シトクロムP450 2D6（CYP2D6）の基質となる医薬品）

特定の医薬品は肝臓で代謝されます。ミトラガイナはこのような医薬品の代謝を抑制する可能性があります。ミトラガイナと肝臓で代謝される医薬品を併用すると，医薬品の作用および副作用が増強するおそれがあります。肝臓で代謝される医薬品を服用中は，医師や薬剤師に相談することなくミトラガイナを摂取しないでください。このような医薬品には，アミトリプチリン塩酸塩，コデインリン酸塩水和物，塩酸デシプラミン（販売中止），フレカイニド酢酸塩，ハロペリドール，イミプラミン塩酸塩，メトプロロール酒石酸塩，オンダンセトロン塩酸塩水和物，パロキセチン塩酸塩水和物，リスペリドン，トラマドール塩酸塩，ベンラファキシン塩酸塩などがあります。

中肝臓で代謝される医薬品（シトクロムP450 3A4（CYP3A4）の基質となる医薬品）

特定の医薬品は肝臓で代謝されます。ミトラガイナはこのような医薬品の代謝を抑制する可能性があります。ミトラガイナと肝臓で代謝される医薬品を併用すると，医薬品の作用および副作用が増強するおそれがあります。肝臓で代謝される医薬品を服用中に，医師や薬剤師に相談することなくミトラガイナを摂取しないでください。このような医薬品には，シクロスポリン，Lovastatin，クラリスロマイシン，インジナビル硫酸塩エタノール付加物（販売中止），シルデナフィルクエン酸塩，トリアゾラムなど数多くあります。

中鎮静薬（中枢神経抑制薬）

ミトラガイナは眠気を引き起こし，呼吸を遅くする可能性があります。鎮静薬は眠気を引き起こす医薬品です。ミトラガイナと鎮静薬を併用すると，過度の眠気を引き起こし，呼吸が過度に遅くなるおそれがあります。このような鎮静薬には，ペントバルビタールカルシウム，フェノバルビタール，セコバルビタールナトリウム，フェンタニルクエン酸塩，モルヒネ塩酸塩水和物，ゾルピデム酒石酸塩などがあります。

ハーブおよび健康食品・サプリメントとの相互作用

チョウセンアサガオ

ミトラガイナを常用摂取していた人がミトラガイナとチョウセンアサガオを含む茶を飲んだところ，痙攣と昏睡の症状が現れたという報告があります。この痙攣はチョウセンアサガオによるものか，またはミトラガイナとチョウセンアサガオの併用によるものかは現時点ではわかっていません。

ミ

使用量の目安

通常の食品に含まれている量を超えて経口摂取した場合の安全性および副作用については，明らかになっていません。

ミドリイガイ

NEW ZEALAND GREEN-LIPPED MUSSEL

別名ほか

モエギイガイ，パーナガイ（Perna canaliculus），NZGLM

概　　要

ミドリイガイは甲殻類です。「くすり」を作ることもあります。「くすり」として，凍結乾燥品（フリーズドライ），粉末，カプセルなどの形状で市販されています。

●要説（ナチュラル・スタンダード）

ミドリイガイはニュージーランド沿岸原産です。先住民マオリ族の文化圏では，主食とされています。ヨーロッパ人や内陸地のマオリ族と比べ，沿岸地域のマオリ族の間では関節症の発生率が低いことから，抗炎症効果に関する研究がなされています。

ミドリイガイを含む製品は，気管支喘息，変形性関節症，および関節リウマチなどの炎症性疾患の治療に用いられます。気管支喘息および変形性関節症に対する有効性に関するエビデンスは明確ではありません。ただし，関節リウマチの治療に対する有効性がないことを示唆しているエビデンスもあります。

ミ

安　全　性

一般的に安全のようです。下痢，悪心，腸内ガスなどの副作用を引き起こす場合があります。まれに肝臓に異常を起こすこともあります。

●妊娠中および母乳授乳期

妊娠中の使用はおそらく安全ではありません。胎児の成長を抑制するおそれや，出産が遅れるおそれを示唆するエビデンスもあります。

母乳授乳期の使用の安全性についてはデータが不十分です。安全性を考慮し，使用は避けてください。

有　効　性

◆科学的データが不十分です

・変形性関節症および関節リウマチ（関節症）。関節症に対する有効性がある可能性は，研究者が偶然に発見したものです。がん治療に対する有効性に関する研究の中で，研究に参加した患者から関節痛およびこわばり（硬直）が軽減したことが報告されました。この報告が，関節症に対する有効性に関する研究のきっかけとなりました。ただし現時点では，研究結果は一致していません。特定のミドリイガイのエキスが，痛み，こわばり（硬直）などの関節症の症状を軽減する可能性を示唆する研究もありますが，ほかの研究では効果がないことが示唆されています。ほとんどの研究では，特定のミドリイガイのエキスが用いられています。

・気管支喘息。進行中の研究により，特定のミドリイガイのエキスにより，日中の喘鳴が軽減し，呼吸が改善する気管支喘息患者もいることが示唆されています。

●体内での働き

炎症を抑える化合物を含むと考えられています。

医薬品との相互作用

ほかの医薬品との相互作用については明らかではありません。

ハーブおよび健康食品・サプリメントとの相互作用

ほかのハーブ，健康食品・サプリメントとの相互作用についてはまだ明らかではありません。

使用量の目安

●経口摂取

関節リウマチ

１回300～350mgのエキスを１日３回摂取します。

変形性関節症

900～1,200mgのエキスを毎日摂取します。

気管支喘息

オメガ３系（n-３系）脂肪酸50mgを含有する特定の脂質エキス薬を１日２回摂取します。

ミネラルコロイド

COLLOIDAL MINERALS

●代表的な別名

コロイダルミネラル

別名ほか

植物由来のリキッドミネラル（Plant-Derived Liquid Minerals），ヒューミックシェール，ヒューミックシェル（Humic Shale），Anhydrous Aluminum Silicates, Bioelectrical Minerals, Clay Suspension Products

概　　要

ミネラルコロイドは粘土または頁岩の沈殿物から得られます。これを用いて「くすり」を作ることもあります。

安　全　性

使用は，おそらく安全ではありません。これらの製品には，量はさまざまですが，安全でない可能性がある放射性物質や金属が含まれています。このような金属に

相互作用レベル：高この医薬品と併用してはいけません　中この医薬品とは慎重に併用するか併用しないでください
低この医薬品との併用には注意が必要です

は，アルミニウム，ヒ素，鉛，バリウム，ニッケル，チタニウムがあります。

血色素症（鉄過剰）のある人，ウィルソン病のある人も使用してはいけません。

●妊娠中および母乳授乳期

妊娠中，母乳授乳期は使用してはいけません。

有 効 性

◆科学的データが不十分です

・ミネラル欠乏症，気力の低下，糖尿病，関節炎，血液凝集の減少，初期の白内障の改善，白髪の黒色化，有害な重金属の体外への排出，一般的な健康問題の改善，疼痛の軽減など。

●体内での働き

どのように作用するかについては十分なデータが得られていません。体の中でほかのミネラルよりも有効であるともいわれていますが，これを示す証拠はありません。

医薬品との相互作用

ほかの医薬品との相互作用については明らかではありません。

ハーブおよび健康食品・サプリメントとの相互作用

ほかのハーブ，健康食品・サプリメントとの相互作用についてはまだ明らかではありません。

使用量の目安

標準使用量に関するデータがありません。

ミラクルフルーツ

MIRACLE FRUIT

別名ほか

ミラクルベリー（Miracle Berry），Bakeriella dulcifica，Bumelia dulcifica，Miraculous Berry，Richadellla dulcifica，Sideroxylon dulcificum，Synsepalum dulcificum

概 要

ミラクルフルーツ（植物）の実を使って「くすり」を作ることや，食品に風味をつけることがあります。

安 全 性

安全に関する十分なデータが得られていません。

●妊娠中および母乳授乳期

妊娠中，母乳授乳期は使用してはいけません。

有 効 性

◆科学的データが不十分です

・糖尿病（食品を甘くする）。

●体内での働き

酸味を甘く感じさせる化合物が含まれています。

医薬品との相互作用

ほかの医薬品との相互作用については明らかではありません。

ハーブおよび健康食品・サプリメントとの相互作用

ほかのハーブ，健康食品・サプリメントとの相互作用についてはまだ明らかではありません。

使用量の目安

標準使用量に関するデータがありません。

ミルキア

MYRCIA

別名ほか

Cambui，Myrcia multiflora，Myrcia salicifolia，Myrcia uniflora，Pedra Hume，Pedra Hume Caa

概 要

ミルキアは，ブラジルの中央から東南地域にかけて分布する，中くらいの低木です。中にはボリビア，ペルーおよびパラグアイなど，南米のほかの地域に分布する種も複数あります。

ミルキアは，糖尿病，下痢，血性下痢，腸の炎症，出血，高血圧，口腔潰瘍に対し，用いられます。

安 全 性

ミルキアの使用の安全性については，データが不十分です。

甲状腺機能低下症：ミルキアが，甲状腺ホルモンの産生を減少させるおそれがあります。このため，甲状腺機能低下症患者の症状が悪化するおそれがあります。

●妊娠中および母乳授乳期

妊娠中および母乳授乳期の使用の安全性についてはデータが不十分です。安全性を考慮し，摂取は避けてください。

有 効 性

◆科学的データが不十分です

・糖尿病，下痢，血性下痢，腸の炎症，出血，高血圧，口腔潰瘍など。

●体内での働き

ミルキアが，胃で吸収される糖の量を減少させるおそれがあります。このため，糖尿病患者の食後の低血糖を低下させるのに役立つ可能性があります。また，ミルキアは甲状腺ホルモンの産生を抑制します。

医薬品との相互作用

中 レボチロキシンナトリウム水和物

ミルキアは甲状腺ホルモンの体内での産生量を減少させる可能性があります。レボチロキシンナトリウム水和物は，甲状腺ホルモン量が過剰に減少した人の甲状腺ホルモン量を増加させるために用いられます。理論的には，ミルキアとレボチロキシンナトリウム水和物を併用すると，レボチロキシンナトリウム水和物の働きが弱まるおそれがあります。

ハーブおよび健康食品・サプリメントとの相互作用

ほかのハーブ，健康食品・サプリメントとの相互作用についてはまだ明らかではありません。

使用量の目安

通常の食品に含まれている量を超えて経口摂取した場合の安全性および副作用については，明らかになっていません。

ミルクシスル

MILK THISTLE

別名ほか

オオアザミ, Artichaut Sauvage, Blessed Milk Thistle, Cardo Lechoso, Cardui Mariae Fructus, Cardui Mariae Herba, Carduus Marianum, Carduus marianus, Chardon Argenté, Chardon de Marie, Chardon de Notre-Dame, Chardon Marbré, Chardon-Marie, Épine Blanche, Holy Thistle, Lady's Thistle, Lait de Notre-Dame, Legalon, Marian Thistle, マリアアザミ, Mariendistel, Mary Thistle, Our Lady's Thistle, Shui Fei Ji, Silibinin, Silybe de Marie, Silybin, Silybum, Silybum marianum, Silymarin, Silymarine, St. Mary Thistle, St. Marys Thistle

概　要

ミルクシスルは，欧州原産で，初期の入植者によって北米に持ち込まれた植物です。現在では，米国東部，カリフォルニア，南米，アフリカ，オーストラリア，アジアの全域に分布します。地上部および種子を用いて「くすり」を作ることがあります。

ミルクシスルは，化学物質・アルコール・化学療法による肝障害，テングタケ中毒・非アルコール性脂肪性肝疾患・慢性炎症性肝疾患・肝硬変・慢性肝炎に起因する肝障害などの肝疾患に対して，最もよく経口摂取されます。

放射線に起因する皮膚損傷に対して，ミルクシスルを皮膚に直接塗布することがあります。

食品では，ミルクシスルの葉と花は，サラダ用の野菜やホウレン草の代用として食べられます。種子は乾煎りして，コーヒーの代わりに使用されます。

ミルクシスルとキバナアザミ（Cnicus benedictus）とを混同しないようにしてください。

安　全　性

ミルクシスルエキスを経口摂取する場合，ほとんどの人に安全のようです。人によっては，ミルクシスルエキスを摂取すると，下痢，吐き気，腸内ガス，腹部膨満感，食欲不振のほか，場合により頭痛を引き起こすおそれがあります。

ミルクシスルエキスを皮膚へ直接塗布する場合，短期間であればおそらく安全です。

小児：１歳以上であれば，ミルクシスルを適切に，最長９カ月間，経口摂取する場合，おそらく安全です。

糖尿病：ミルクシスルに含まれる特定の化学物質が，糖尿病患者の血糖値を低下させる可能性があります。糖尿病治療薬の服用量の調節が必要になることもあります。

乳がん，子宮がん，卵巣がん，子宮内膜症，子宮線維腫などのホルモン感受性疾患：ミルクシスルエキスにはエストロゲン様作用がある可能性があります。エストロゲン曝露によって悪化するおそれのある疾患の場合には，ミルクシスルエキスを使用してはいけません。

●アレルギー

ブタクサや関連植物に対するアレルギー：ミルクシスルは，キク科植物に敏感な人にアレルギー反応を引き起こすおそれがあります。キク科には，ブタクサ，キク，マリーゴールド，デイジーなど多くの植物があります。

●妊娠中および母乳授乳期

妊娠中および母乳授乳期の使用の安全性についてはデータが不十分です。安全性を考慮し，摂取は避けてください。

有　効　性

◆有効性レベル③

- 糖尿病。ミルクシスルエキスまたはベルベリス・アリスタタエキス配合のミルクシスルエキスと糖尿病治療薬を併用すると，糖尿病患者の空腹時血糖値を低下させるようです。また，糖尿病患者の平均血糖値も低下させるようです。ミルクシスル製品の恩恵を得るには，３カ月間以上摂取する必要がある可能性があります。
- 消化不良。ミルクシスルに８つのほかの原材料を配合した特定の製品を４週間毎日摂取すると，胃食道逆流症，胃痛，筋痙攣，吐き気，嘔吐の重症度が低下するようです。

◆科学的データが不十分です

- アルコール摂取による肝疾患，アルツハイマー病，キノコ中毒，前立腺肥大（良性前立腺肥大症（BPH）），β-サラセミア（ヘモグロビンと呼ばれる血中タンパク質のレベルを低下させる血液疾患），抗悪性腫瘍薬治療による皮膚への副作用（手足症候群），抗悪性腫瘍薬による肝障害，抗悪性腫瘍薬による腎障害，肝臓の瘢痕化（肝硬変），糖尿病による腎疾患（糖尿病性腎症），花粉症，肝臓の腫脹（炎症）（肝炎），B型肝炎ウイルスによる肝臓の腫脹（炎症）（B型肝炎），C型肝炎ウイルスによる肝臓の腫脹（炎症）（C型肝炎），高コレステロール血症，高リポタンパク血症，妊娠を望んでから1年以内に妊娠しないこと（不妊），母乳哺育，更年期症状，多発性硬化症（MS），少量飲酒者や非飲酒者の脂肪肝（非アルコール性脂肪性肝疾患（NAFLD），とらわれや繰り返し行動が特徴の不安障害（強迫性障害（OCD）），パーキンソン病，前立腺がん，放射線による皮膚毒性，放射線による炎症および潰瘍（粘膜炎），化学物質による肝障害，抜毛症，炎症性腸疾患の1つ（潰瘍性大腸炎），うつ病，胆のう疾患，二日酔い，造影剤誘発性腎障害，マラリア，生理痛（月経困難），脾疾患，肺の腫脹（胸膜炎）など。

●体内での働き

ミルクシスルの種子は，有害化学物質や医薬品から肝細胞を保護する可能性があります。また，血糖値低下作用や，抗酸化作用，抗炎症作用がある可能性があります。

医薬品との相互作用

低インジナビル硫酸塩エタノール付加物【販売中止】

インジナビル硫酸塩エタノール付加物は肝臓で代謝されます。ミルクシスルは特定の医薬品の肝臓での代謝を促進する可能性があります。しかし，ミルクシスルはインジナビル硫酸塩エタノール付加物の代謝には影響を及ぼさないようです。

低エストロゲン（卵胞ホルモン）製剤

ミルクシスルは体内でのエストロゲンの働きを弱め，エストロゲン製剤の作用を減弱させるおそれがあります。このようなエストロゲン製剤には，結合型エストロゲン，エチニルエストラジオール，エストラジオールなどがあります。

中シロリムス

ミルクシスルを摂取すると，シロリムスの肝臓での代謝が抑制される可能性があります。そのため，シロリムスの作用および副作用が増強するおそれがあります。シロリムスを服用している場合には，医師や薬剤師に相談することなくミルクシスルを摂取しないでください。

中タモキシフェンクエン酸塩

ミルクシスルはタモキシフェンクエン酸塩の体内への吸収量を増加させる可能性があります。そのため，タモキシフェンクエン酸塩の作用および副作用が増強するおそれがあります。タモキシフェンクエン酸塩を服用している場合には，医師や薬剤師に相談することなくミルクシスルを摂取しないでください。

中ラロキシフェン塩酸塩

ミルクシスルは腸内でのラロキシフェン塩酸塩の代謝を抑制する可能性があります。そのため，ラロキシフェン塩酸塩の作用および副作用が増強するおそれがあります。ラロキシフェン塩酸塩を服用している場合には，医師や薬剤師に相談することなくミルクシスルを摂取しないでください。

中肝臓で代謝される医薬品（グルクロン酸抱合を受けて代謝される医薬品）

特定の医薬品は体内で代謝されてから排泄されます。肝臓には医薬品を代謝する役割があります。ミルクシスルはこのような医薬品の肝臓での代謝に影響を及ぼす可能性があります。そのため，医薬品の作用が増強または減弱するおそれがあります。このような医薬品には，アセトアミノフェン，オキサゼパム（販売中止），ハロペリドール，ラモトリギン，モルヒネ塩酸塩水和物，ジドブジンなどがあります。

低肝臓で代謝される医薬品（シトクロムP450 2C9（CYP2C9）の基質となる医薬品）

特定の医薬品は肝臓で代謝されます。ミルクシスルはこのような医薬品の代謝を抑制する可能性があります。ミルクシスルと肝臓で代謝される医薬品を併用すると，医薬品の作用および副作用が増強するおそれがあります。肝臓で代謝される医薬品を服用する場合には，医師や薬剤師に相談することなくミルクシスルを摂取しないでください。このような医薬品には，アミトリプチリン塩酸塩，ジアゼパム，Zileuton，セレコキシブ，ジクロフェナクナトリウム，フルバスタチンナトリウム，Glipizide，イブプロフェン，イルベサルタン，ロサルタンカリウム，フェニトイン，ピロキシカム，タモキシフェンクエン酸塩，トルブタミド（販売中止），トラセミド，ワルファリンカリウムなどがあります。

低肝臓で代謝される医薬品（シトクロムP450 3A4（CYP3A4）の基質となる医薬品）

特定の医薬品は肝臓で代謝されます。ミルクシスルはこのような医薬品の代謝に影響を及ぼす可能性があります。ミルクシスルと肝臓で代謝される医薬品を併用すると，医薬品の作用が増強または減弱するおそれがあります。肝臓で代謝される医薬品を服用する場合には，医師や薬剤師に相談することなくミルクシスルを摂取しないでください。このような医薬品には，Lovastatin，ケトコナゾール，イトラコナゾール，フェキソフェナジン塩酸塩，トリアゾラム，アルプラゾラム，アムロジピンベシル酸塩，クラリスロマイシン，シクロスポリン，エリスロマイシン，ベラパミル塩酸塩など数多くあります。

低血清コレステロール値を下げる医薬品（スタチン系薬）

理論的には，ミルクシスルは血清コレステロール値を下げる特定の医薬品（スタチン系薬）の体内量を変化させる可能性があります。そのため，医薬品の働きが弱まるおそれがあります。このような医薬品には，アトルバ

ミ

スタチンカルシウム水和物，フルバスタチンナトリウム，Lovastatin，プラバスタチンナトリウム，ロスバスタチンカルシウムがあります。

中細胞内のポンプによって輸送される医薬品（P糖タンパク質の基質となる医薬品）

特定の医薬品は細胞内のポンプによって輸送されます。ミルクシスルは，ポンプの働きを弱め，このような医薬品の体内への吸収量を増加させる可能性があります。そのため，医薬品の副作用が増強するおそれがあります。このような医薬品には，エトポシド，パクリタキセル，ビンブラスチン硫酸塩，ビンクリスチン硫酸塩，ビンデシン硫酸塩，ケトコナゾール，イトラコナゾール，アンプレナビル（販売中止），インジナビル硫酸塩エタノール付加物（販売中止），ネルフィナビルメシル酸塩，サキナビルメシル酸塩，シメチジン，ラニチジン塩酸塩，ジルチアゼム塩酸塩，ベラパミル塩酸塩，ジゴキシン，副腎皮質ステロイド，エリスロマイシン，シサプリド，フェキソフェナジン塩酸塩，シクロスポリン，ロペラミド塩酸塩，キニジン硫酸塩水和物などがあります。

中糖尿病治療薬

ミルクシスルは血糖値を低下させる可能性があります。ミルクシスルと糖尿病治療薬を併用すると，血糖値が過度に低下するおそれがあります。血糖値を注意深く監視してください。糖尿病治療薬の用量を変更する必要があるかもしれません。このような糖尿病治療薬には，グリメピリド，グリベンクラミド，インスリン，メトホルミン塩酸塩，ピオグリタゾン塩酸塩，マレイン酸ロシグリタゾン（販売中止）などがあります。

中モルヒネ塩酸塩水和物

ミルクシスルはモルヒネ塩酸塩水和物の血中濃度に影響を及ぼす可能性があります。そのため，モルヒネ塩酸塩水和物の作用が強弱するおそれがあります。モルヒネ塩酸塩水和物を服用している場合には，医師や薬剤師に相談することなくミルクシスルを摂取しないでください。

中ワルファリンカリウム

ワルファリンは血液凝固を抑制するために用いられます。ミルクシスルはワルファリンの効果を強め，出血のリスクを高めるおそれがあります。ワルファリンを服用している場合には，医師や薬剤師に相談することなくミルクシスルを摂取しないでください。

ハーブおよび健康食品・サプリメントとの相互作用

血糖値を低下させるおそれのあるハーブおよび健康食品・サプリメント

ミルクシスルは血糖値を低下させる可能性があります。同様の作用があるほかのハーブおよび健康食品・サプリメントと併用すると，血糖値が過度に低下するおそれがあります。このようなハーブおよび健康食品・サプリメントには，α-リポ酸，ニガウリ，クロム，デビルズクロー，フェヌグリーク，ニンニク，グアーガム，セイヨウトチノキ，朝鮮人参，サイリウム，エゾウコギなどがあります。

使用量の目安

【成人】

●経口摂取

糖尿病

ミルクシスルエキス140mgを含む特定の製品の場合，1日3回，45日間摂取します。ミルクシスルエキス200mgの場合，1日1回または1日3回，4カ月～1年間摂取します。ミルクシスルエキス210mgとツリーターメリックエキス1,176mgを含む特定の製品の場合，3～12カ月間毎日摂取します。

消化不良

ミルクシスルなど数種類のハーブを含む特定の配合製品1mLを1日3回，4週間摂取します。

ミルラ

MYRRH

別名ほか

没薬（Balsamodendron myrrha），コンミフォラ（Commiphora），オポポナクス（Commiphora erythraea），ミルラノキ（Commiphora molmol），オポパナックス，オポパナクス（Opopanax），Abyssinian Myrrh, African Myrrh, Arabian Myrrh, Bal, Bdellium, Bol, Bola, Didin, Didthin, Gum Myrrh, Heerabol, Somalien Myrrh, Yemen Myrrh

概　　要

ミルラは樹液のような物質（樹脂，resin）で，ミルラノキ属の樹皮の切れ目より滲出します。関連する樹木であるグッグル（commiphora mukul）からミルラは分泌されません。ミルラは「くすり」に使われます。

・新型コロナウイルス感染症（COVID-19）。

COVID-19に対してミルラの使用を裏付ける十分なデータはありません。

安　全　性

ミルラは少量摂取では，ほとんどの人に安全です。

直接皮膚に塗布して湿疹など，経口摂取で下痢などの副作用が起こることがあります。

2～4g以上摂取すると，腎障害や心拍数の変化を引き起こすおそれがあります。

糖尿病，心疾患，発熱，血尿のある人，2週間以内に手術を受ける予定の人は使用してはいけません。

全身性の炎症：全身性の炎症がある場合，ミルラの使用に注意してください。症状が悪化する可能性があります。

●妊娠中および母乳授乳期

妊娠中，母乳授乳期は使用してはいけません。

有　効　性

◆科学的データが不十分です

・消化器系障害，潰瘍，感冒，咳，気管支喘息，うっ血，関節痛，痔核，口臭，口内および咽頭のただれの治療など。

●体内での働き

ミルラは炎症（とくに腫脹）を抑え，細菌を死滅させるのに役立ちます。

医薬品との相互作用

中ワルファリンカリウム

ワルファリンカリウムは血液凝固を抑制する医薬品です。ワルファリンカリウムを服用しているときにミルラを摂取すると，ワルファリンカリウムの血液凝固抑制作用が阻害され，血栓ができやすくなる可能性があります。

中糖尿病治療薬

ミルラのエキスは血糖値を下げる可能性があります。糖尿病治療薬は血糖値を下げるために用います。ミルラと糖尿病治療薬を併用すると，血糖値が過度に低下するおそれがあります。このような糖尿病治療薬にはグリメピリド，グリベンクラミド，インスリン，ピオグリタゾン塩酸塩，マレイン酸ロシグリタゾン（販売中止），クロルプロパミド，Glipizide，トルブタミド（販売中止）などがあります。

ハーブおよび健康食品・サプリメントとの相互作用

ほかのハーブ，健康食品・サプリメントとの相互作用についてはまだ明らかではありません。

使用量の目安

●局所投与

口内および咽頭の炎症（軽度）

チンキ薬を薄めずに1日2～3回患部に軽く塗布します。チンキ薬5～10滴をコップ1杯の水で薄めて，口内洗浄あるいはうがいをします。コップ1杯当たり30～60滴のチンキ薬を含む洗口薬もあります。粉末状の樹脂を10％含む歯磨き粉もあります。

ムイラ・プアマ

MUIRA PUAMA

別名ほか

ポテンシーウッド（Potency Wood），Muirapuama，Ptychopetali lignum，Ptychopetalum olacoides，Ptychopetalum uncinatum

概　　要

ムイラ・プアマは植物です。木質部および根を用いて「くすり」を作ることもあります。

安　全　性

安全または副作用については不明です。

●妊娠中および母乳授乳期

妊娠中，母乳授乳期のムイラ・プアマの使用の安全性についてはデータが不十分です。安全性を考慮し，使用を控えてください。

有　効　性

◆科学的データが不十分です

・性的疾患，胃の不快感，月経不順，関節痛，または食欲不振。

●体内での働き

含有成分の人体に対する影響は不明です。

医薬品との相互作用

ほかの医薬品との相互作用については明らかではありません。

ハーブおよび健康食品・サプリメントとの相互作用

ほかのハーブ，健康食品・サプリメントとの相互作用についてはまだ明らかではありません。

使用量の目安

●経口摂取

水溶性エキスを1～2mLで2～3回摂取します。推奨されている摂取滴数は製品によってさまざまです。ある製品のラベルには，スポイトで取った1滴のエキス量は1mLに相当し，500mgのムイラ・プアナを含有すると記載されていますが，そのほかの製品には有効成分の濃度について記載されていません。使用前に十分に振ること。アルコールが含まれています。

●局所投与

標準使用量に関するデータがありません。

ムカゴニンジン

SKIRRET

別名ほか

Chervis，Sium Sisarum

概　　要

ムカゴニンジンは植物です。「くすり」として使用されることもあります。

安　全　性

安全，または副作用については，まだわかっていません。

●妊娠中および母乳授乳期

妊娠中，母乳授乳期は使用してはいけません。

有　効　性

◆科学的データが不十分です

・消化器系疾患，食欲不振，胸部に関する不快感。

●体内での働き

どのように作用するかについては十分なデータが得られていません。

医薬品との相互作用

ほかの医薬品との相互作用については明らかではありません。

ハーブおよび健康食品・サプリメントとの相互作用

ほかのハーブ，健康食品・サプリメントとの相互作用についてはまだ明らかではありません。

使用量の目安

標準使用量に関するデータがありません。

ムギセンノウ

CORN COCKLE

別名ほか

アグロステンマ・ギタゴ，ムギナデシコ（Agrostemma githago），Cockle，Corn Campion，Corn Rose，Crown of the Field，Purple Cockle

概　　要

ムギセンノウはハーブです。根および種子を用いて「くすり」を作ることもあります。

安　全　性

使用は安全ではありません。含有成分には，中毒を起こすと考えられるものがあります。中毒症状には，下痢，よだれ，めまい，嘔吐，麻痺，呼吸困難，昏睡などがあります。

●妊娠中および母乳授乳期

妊娠中，母乳授乳期は使用してはいけません。

有　効　性

◆科学的データが不十分です

・がん，腫瘍，疣贅（いぼ），子宮の腫脹，眼の腫脹（結膜および角膜），皮膚疾患，痔核，咳，月経障害，蠕虫，黄疸など。

●体内での働き

どのように作用するかについては十分なデータが得られていません。

医薬品との相互作用

ほかの医薬品との相互作用については明らかではありません。

ハーブおよび健康食品・サプリメントとの相互作用

ほかのハーブ，健康食品・サプリメントとの相互作用についてはまだ明らかではありません。

使用量の目安

標準使用量に関するデータがありません。

無水結晶マルトース

ANHYDROUS CRYSTALLINE MALTOSE

別名ほか

2-(Hydroxymethyl)-6-[4,5,6-Trihydroxy-2-(Hydroxymethyl)Oxan-3-yl]Oxyoxane-3,4,5-Triol, 4-O-Alpha-D-Glucopyranosyl-D-Glucose，Malt Sugar

概　　要

無水結晶マルトースは，２つの糖分子が結合して生成される二糖類と呼ばれる分子です。

無水結晶マルトースは，シェーグレン症候群の症状を緩和するために経口摂取されます。

無水結晶マルトースは，食品安定剤として用いられます。水分吸収を目的とする特定の化粧品や薬剤にも用いられます。

安　全　性

「くすり」としての無水結晶マルトースの経口摂取は，最大６カ月間までは，おそらく安全です。副作用については，明らかになっていません。現時点では副作用についての報告はありません。

●妊娠中および母乳授乳期

妊娠中および母乳授乳期の使用の安全性についてはデータが不十分です。安全性を考慮し，摂取は避けてください。

有　効　性

◆科学的データが不十分です

・シェーグレン症候群という自己免疫疾患など。

●体内での働き

体内での働きについてはまだ明らかではありません。

医薬品との相互作用

ほかの医薬品との相互作用については明らかではありません。

ハーブおよび健康食品・サプリメントとの相互作用

ほかのハーブ，健康食品・サプリメントとの相互作用についてはまだ明らかではありません。

使用量の目安

通常の食品に含まれている量を超えて経口摂取した場合の安全性および副作用については，明らかになっていません。

ムラサキセイシソウ

PITCHER PLANT

別名ほか

紫瓶子草（Sarracenia purpurea），フライトラップ，ハエトリソウ（Fly-trap），ピッチャープラント，プルプレア，サラセニアプルプレア，Eve's Cups，Fly-catcher，Huntsman's Cup，Purple Pitcher Plant，Purple Side-saddle Flower，Sarapin，Side-Saddle Plant，Smallpox Plant，Water-cup

概　　要

ムラサキセイシソウは植物です。葉および根が「くすり」として使用されることもあります。

安　全　性

サラピンと呼ばれる特定のエキスは，医師が行うなら，注射でも安全のようです。

ただ，炎症を起こしている箇所や，資格をもたない人が行う注射は，安全でありません。

ヒリヒリした痛みまたは倦怠感などの副作用を起こすおそれがあります。また，症状を悪化させることもあるようです。

十分なデータが得られていないので，経口摂取での安全または副作用については不明です。

●妊娠中および母乳授乳期

妊娠中，母乳授乳期は使用してはいけません。

有　効　性

◆科学的データが不十分です

・消化器系疾患，便秘，尿路疾患，体液貯留（浮腫），瘢痕形成の予防，痛みなど。

●体内での働き

タンニンなどの化合物を含み，消化器官の異常を一部緩和すると考えられています。エキスは，痛覚にかかわる神経に影響を及ぼすというデータもあります。

医薬品との相互作用

ほかの医薬品との相互作用については明らかではありません。

ハーブおよび健康食品・サプリメントとの相互作用

ほかのハーブ，健康食品・サプリメントとの相互作用についてはまだ明らかではありません。

使用量の目安

標準使用量に関するデータがありません。

ムラサキセンダイハギ

WILD INDIGO

別名ほか

Baptisia tinctoria，American Indigo，Baptista，False Indigo，Horsefly Weed，Indigo Broom，Rattlebush，Yellow Broom，Yellow Indigo

概　　要

ムラサキセンダイハギはハーブです。根を用いて「くすり」を作ることもあります。

安　全　性

経口または皮膚に塗布して摂取する場合，安全ではありません。多量に摂取すると，嘔吐，下痢などの腸の異常，痙攣を起こす可能性があります。

胃腸障害を起こしている患者は使用してはいけません。

●妊娠中および母乳授乳期

妊娠中，母乳授乳期は使用してはいけません。

有　効　性

◆科学的データが不十分です

・ジフテリア，インフルエンザ，マラリア，腸チフス，発熱，猩紅熱，咽喉痛，感冒，扁桃炎，口内および咽喉の腫脹，または経口摂取によるクローン病への使用。潰瘍，開放創，または皮膚への塗布による炎症性の乳首への使用，または腟洗浄としての使用。

●体内での働き

どのように作用するかについては十分なデータが得られていません。

医薬品との相互作用

ほかの医薬品との相互作用については明らかではありません。

ム

ハーブおよび健康食品・サプリメントとの相互作用

ほかのハーブ，健康食品・サプリメントとの相互作用についてはまだ明らかではありません。

使用量の目安

●**経口摂取**

お茶としてティーカップ１杯を１日３回摂取します。お茶は，0.5～１gの乾燥根を150mLの熱湯で10～15分煮出してからこします。

●**局所投与**

流エキスと軟膏ベース１：８で作った軟膏を患部に塗布します。

ムラサキマサキ

WAHOO

別名ほか

ミズキ科（Skewerwood），アローウッド（Arrowwood），スピンドルツリー（Spindle Tree），Euonymus atropurpureus，Bitter Ash，Bleeding Heart，Burning Bush，Bursting Heart，Eastern Burning Bush，Fish Wood，Fusanum，Fusoria，Gadrose，Gatten，Gatter，Indian Arrowroot，Indian Arrowwood，Pegwood，Pigwood，Prickwood，Strawberry Bush，Strawberry Tree

概　　要

ムラサキマサキは樹木です。幹，根の皮および果実を用いて「くすり」を作ることもあります。

安　全　性

安全ではありません。有毒で，命にかかわることもあります。中毒症状には，ひどい胃のもたれ，下血，発熱，息切れ，意識不明，痙攣，昏睡などがあります。

使用は誰にでも安全ではありませんが，人によってはとくに中毒を起こしやすいことがあります。

胃腸障害を起こしている患者，心疾患の患者は，とくに使用しないよう注意してください。

●**妊娠中および母乳授乳期**

妊娠中，母乳授乳期は使用してはいけません。

有　効　性

◆**科学的データが不十分です**

・便秘，消化器系障害，水分貯留（浮腫）など。

●**体内での働き**

消化器官を刺激し，また心臓に影響を与えるようですが，十分なデータが得られていないため，医薬品としてどのように作用するかは不明です。

医薬品との相互作用

中キニーネ塩酸塩水和物

ムラサキマサキは心臓に影響を及ぼす可能性がありますが，キニーネ塩酸塩水和物もまた心臓に作用します。キニーネ塩酸塩水和物とムラサキマサキをともに用いると，重大な心臓の異常を引き起こすおそれがあります。

高ジゴキシン

ジゴキシンは強い強心作用を示す医薬品ですが，ムラサキマサキも心臓に影響を及ぼすと考えられます。ジゴキシンを服用しているときにムラサキマサキを用いると，ジゴキシンの作用が増強され，副作用が現れるリスクが高くなると考えられます。

中テトラサイクリン系抗菌薬

テトラサイクリン系抗菌薬とともにムラサキマサキを摂取すると，ムラサキマサキの副作用が現れるリスクを高めると考えられています。このようなテトラサイクリン系抗菌薬にはデメチルクロルテトラサイクリン塩酸塩，ミノサイクリン塩酸塩，テトラサイクリン塩酸塩などがあります。

中マクロライド系抗菌薬

ムラサキマサキは心臓に影響を及ぼすと考えられます。抗菌薬の中にはムラサキマサキの体内吸収を促進する可能性のあるものがあり，それによってムラサキマサキの作用が増強し，副作用も強く現れるおそれがあります。このような抗菌薬には，エリスロマイシン，アジスロマイシン水和物，クラリスロマイシンなどがあります。

中刺激性下剤

ムラサキマサキは刺激性下剤の一種ですが，刺激性下剤は腸の動きを活発化させます。ムラサキマサキとほかの刺激性下剤を併用すると，腸の運動が過度に活発化して，脱水や体内のミネラル量の低下を引き起こすおそれがあります。このような刺激性下剤にはビサコジル，カスカラサグラダ，ヒマシ油，センナなどがあります。

中利尿薬

ムラサキマサキは心臓に影響を及ぼすと考えられています。利尿薬の中には体内のカリウム量を減少させるものがありますが，これによりカリウム量が減少すると，心臓に影響が及んで，ムラサキマサキの副作用が現れるリスクを高めると考えられます。このような利尿薬にはクロロチアジド（販売中止），クロルタリドン（販売中止），フロセミド，ヒドロクロロチアジドなどがあります。

ハーブおよび健康食品・サプリメントとの相互作用

ほかのハーブ，健康食品・サプリメントとの相互作用についてはまだ明らかではありません。

使用量の目安

標準使用量に関するデータがありません。

相互作用レベル：高この医薬品と併用してはいけません　中この医薬品とは慎重に併用するか併用しないでください
低この医薬品との併用には注意が必要です

メース

MACE

別名ほか

Fleur de Muscade, Jaatipatree, Jaiphal, Jatikosha, Jatipatra, Jatipatri, Jatiphal, Jatiphala, Jatiphalam, Javitri, Jayapatri, Mace, Macis, Muscade, Muscade et Macis, Muscadier, Muskatbuam, Myristica, Myristicae Aril, Myristica fragrans, Myristica officinalis, Noix de Muscade, Noix de Muscade et Macis, Nuez Moscada, Nuez Moscada y Macis

概　　要

ナツメグとメースは，植物から作られる製品です。ナツメグは殻で覆われ，乾燥された植物の種子で，メースは種子の周りの乾いた網目状の皮です。

メースは，下痢，吐き気，嘔吐，胃痙攣，胃痛，腸内ガスに対して，経口摂取されます。がん，腎疾患の治療のため経口摂取されます。また，月経出血量の増大および流産の誘発のため，幻覚薬としても経口摂取されます。

メースは，関節痛（リウマチ）を止めるために，皮膚に塗布されます。

食品では，メースはスパイスや調味料として使用されます。

安　全　性

適正量の経口摂取は，おそらく安全です。通常は料理の香辛料として使われます。

食品に含まれる量を超えての高用量を摂取するのは，おそらく安全ではありません。ナツメグは，ミリスチシン（myristicin）という幻覚やほかの精神的な副作用に結びつく成分を含みます。ナツメグを高用量摂取する人の中には，吐き気，口内乾燥，めまい感，脈拍不整，激越，幻覚を起こす人もいます。メースもミリスチシンを含むため，同じ副作用を起こすおそれがあります。

皮膚に直接塗ることの安全性についてはデータが不十分です。

●妊娠中および母乳授乳期

食品に含まれる量を超えての高用量を摂取するのは，おそらく安全ではありません。妊娠中の場合，流産あるいは新生児の先天性異常を起こすおそれがあります。妊娠中および母乳授乳期の使用の安全性についてはデータが不十分です。安全性を考慮し，使用を避けてください。

有　効　性

◆科学的データが不十分です

・歯周病，がん，下痢，月経出血量の増大，腸内ガス，腎疾患，疼痛，幻覚作用，胃疾患，嘔吐など。

●体内での働き

中枢神経系に影響を与えるおそれのある化学物質を含んでいます。また，細菌類や真菌類を殺菌する作用をもつと考えられています。

医薬品との相互作用

中 フェノバルビタール

フェノバルビタールは体内で代謝されてから排泄されます。メースはこの代謝を促進する可能性があります。メースとフェノバルビタールを併用すると，フェノバルビタールの効果が弱まるおそれがあります。

中 肝臓で代謝される医薬品（シトクロムP450 1A1（CYP1A1）の基質となる医薬品）

特定の医薬品は肝臓で代謝されます。メースはこのような医薬品の代謝を促進する可能性があります。メースと肝臓で代謝される医薬品を併用すると，医薬品のさまざまな作用および副作用を誘発するおそれがあります。このような医薬品には，クロルゾキサゾン，テオフィリン，Bufuralolがあります。

中 肝臓で代謝される医薬品（シトクロムP450 1A2（CYP1A2）の基質となる医薬品）

特定の医薬品は肝臓で代謝されます。メースはこのような医薬品の代謝を促進する可能性があります。メースと肝臓で代謝される医薬品を併用すると，医薬品のさまざまな作用および副作用を誘発するおそれがあります。このような医薬品にはクロザピン，Cyclobenzaprine，フルボキサミンマレイン酸塩，ハロペリドール，イミプラミン塩酸塩，メキシレチン塩酸塩，オランザピン，塩酸ペンタゾシン，プロプラノロール塩酸塩，Tacrine，テオフィリン，Zileuton，ゾルミトリプタンなどがあります。

中 肝臓で代謝される医薬品（シトクロムP450 2B1（CYP2B1）の基質となる医薬品）

特定の医薬品は肝臓で代謝されます。メースはこのような医薬品の代謝を促進する可能性があります。メースと肝臓で代謝される医薬品を併用すると，さまざまな作用および副作用を誘発するおそれがあります。

中 肝臓で代謝される医薬品（シトクロムP450 2B2（CYP2B2）の基質となる医薬品）

特定の医薬品は肝臓で代謝されます。メースと肝臓で代謝される医薬品を併用すると，さまざまな作用および副作用を誘発するおそれがあります。

高 鎮静薬（中枢神経抑制薬）

メースは眠気および注意力低下を引き起こす可能性があります。鎮静薬は眠気を引き起こす医薬品です。理論的には，メースと鎮静薬を併用すると，過度の眠気を引き起こすおそれがあります。このような鎮静薬には，クロナゼパム，ロラゼパム，フェノバルビタール，ゾルピデム酒石酸塩などがあります。

中 免疫抑制薬

メースは免疫機能を抑制する可能性があります。メースと免疫機能抑制薬を併用すると，免疫抑制薬の作用が増強するおそれがあります。このような免疫抑制薬に

メ

は，アザチオプリン，バシリキシマブ，シクロスポリン，Daclizumab，ムロモナブ-CD 3（販売中止），ミコフェノール酸モフェチル，タクロリムス水和物，シロリムス，Prednisone，副腎皮質ステロイド（グルココルチコイド）などがあります。

ハーブおよび健康食品・サプリメントとの相互作用

サフロールを含むハーブおよび健康食品・サプリメント

メースは，マウスの実験で肝臓がんを起こしたと考えられているサフロール（safrole）を含んでいます。サフロールを含むほかのハーブ，健康食品・サプリメントとの併用は，肝臓がんのリスクが高まるおそれがあります。これらのハーブには，バジル，樟脳やシナモンがあります。

鎮静作用をもつハーブおよび健康食品・サプリメント

メースは，眠気または傾眠を引き起こすおそれがあります。同じ効果のあるほかのハーブ，健康食品・サプリメントとの併用は，過度に眠気を誘います。これらのハーブ，健康食品・サプリメントには，5-ヒドロキシトリプトファン（5-HTP），ショウブ，ハナビシソウ，キャットニップ，ホップ，ジャマイカ・ドッグウッド，カバ，セント・ジョンズ・ワート，スカルキャップ，カノコソウ，アネモプシス・カリフォルニカなどがあります。

使用量の目安

●経口摂取

歯周病

メースのエキスを含むガムを毎食後3週間噛みます。

メ

メキシカン・スキャモニイ・ルート

MEXICAN SCAMMONY ROOT

別名ほか

イポメア属（Ipomoea），Ipomoea orizabensis，Orizaba jalap

概　要

メキシカン・スキャモニイ・ルートは植物です。根を用いて「くすり」を作ることもあります。

安 全 性

十分なデータが得られていないので，安全であるかどうか不明です。

嘔吐および腸疾患を引き起こす可能性があります。

胃腸など消化管に疾患のある人，虫垂炎の人，または腹痛，悪心および嘔吐などの虫垂炎の症状のある人も使用してはいけません。

●妊娠中および母乳授乳期

妊娠中，母乳授乳期は使用してはいけません。

有 効 性

◆科学的データが不十分です

・腸内の便の瀉下。

●体内での働き

強力な下剤作用により便通を促進します。

医薬品との相互作用

中ジゴキシン

メキシカン・スキャモニイ・ルートは刺激性下剤の一種ですが，刺激性下剤は体内のカリウム量を減少させることがあります。カリウム量が減少するとジゴキシンの副作用が現れるリスクが高まると考えられます。

中刺激性下剤

メキシカン・スキャモニイ・ルートは刺激性下剤の一種ですが，刺激性下剤は腸の動きを活発化させます。メキシカン・スキャモニイ・ルートとほかの刺激性下剤を併用すると，腸の運動が過度に活発化されて，脱水や体内のミネラル量の低下を引き起こすおそれがあります。このような刺激性下剤にはビサコジル，カスカラサグラダ，ヒマシ油，センナなどがあります。

ハーブおよび健康食品・サプリメントとの相互作用

ほかのハーブ，健康食品・サプリメントとの相互作用についてはまだ明らかではありません。

使用量の目安

●経口摂取

粉末状の根部を195～780mg摂取します。根部から流出した樹脂を原料とした粉末を195～520mg摂取します。

芽キャベツ

BRUSSELS SPROUT

別名ほか

Bao Zi Gan Lan，Brassica oleracea var．gemmifera，Brüsseler Kohl，Brysselkål，Cavola a Germoglio，Cavola di Bruxelles，Chou à Mille Pommes，Chou de Bruxelles，Col de Bruselas，Couve de Bruxelas，Kapusta Warzywna Brukselka，Kohlsprossen，Me Kanran，Me Kyabetsu，Repollo de Bruselas，Rooskapsas，Rosen-Wirsing，Rosenkål，Rosenkohl，Ruusukaali，Spruit，Ya Gan Lan

概　要

芽キャベツは，食用または「くすり」として，一般的に摂取される緑色葉野菜です。

芽キャベツは，アンチオキシダント（抗酸化物質）として便秘，壊血病および創傷治癒に対して，また，前立腺に関する疾患，膀胱がん，乳がん，心疾患，糖尿病，脳卒中，肺がん，葉酸不足に起因する先天異常，非ホジキンリンパ腫，骨粗鬆症，膵がんおよび前立腺がんの予防として経口摂取されます。

安全性

芽キャベツの摂取は，食品に含まれている量であれば，ほとんどの人に安全のようです。ただし，芽キャベツを摂取すると，腸内ガスを引き起こすおそれがあります。

「くすり」としての量を摂取する場合の安全性および副作用については，明らかではありません。

過敏性腸症候群：芽キャベツを摂取すると，腸内ガスを引き起こすおそれがあります。このため，過敏性腸症候群の症状が悪化するおそれがあります。

●妊娠中および母乳授乳期

妊娠中および母乳授乳期に，「くすり」としての量を摂取する場合の安全性についてはデータが不十分です。安全性を考慮し，食品の量の範囲内で摂取してください。

有効性

◆科学的データが不十分です

・良性前立腺肥大，膀胱がん，乳がん，糖尿病，虚血性脳卒中（凝血塊に起因する脳卒中），肺がん，非ホジキンリンパ腫，膵がん，前立腺がん，便秘，壊血病，創傷治癒，心疾患，神経管奇形（葉酸値が低い状態に起因する先天性異常），骨粗鬆症など。

●体内での働き

芽キャベツには，がんを予防すると考えられている成分が含まれています。とくに，乳がんに対しては，芽キャベツを摂取することにより，体内におけるエストロゲンの作用が変化し，乳がんのリスクが低下する可能性があります。芽キャベツには，抗酸化作用がある可能性もあります。

医薬品との相互作用

中アセトアミノフェン

アセトアミノフェンは体内で代謝されてから排泄されます。芽キャベツはアセトアミノフェンの代謝を促進する可能性があります。芽キャベツとアセトアミノフェンを併用すると，アセトアミノフェンの効果を弱めるおそれがあります。

中オキサゼパム【販売中止】

オキサゼパムは体内で代謝されてから排泄されます。芽キャベツはオキサゼパムの体外への排泄を促進する可能性があります。芽キャベツとオキサゼパムを併用すると，オキサゼパムの効果を弱めるおそれがあります。

中ワルファリンカリウム

芽キャベツには多量のビタミンKが含まれています。ビタミンKは体内で血液凝固に利用されます。ワルファリンカリウムは血液凝固を抑制するために用いられます。血液凝固を促進することにより，芽キャベツはワルファリンカリウムの有効性を弱める可能性があります。定期的に血液検査をしてください。ワルファリンカリウムの用量を変更する必要があるかもしれません。

中肝臓で代謝される医薬品（グルクロン酸抱合を受けて代謝される医薬品）

特定の医薬品は肝臓で代謝されてから排泄されます。芽キャベツはこのような医薬品の代謝を促進する可能性があります。芽キャベツと肝臓で代謝される医薬品を併用すると，その医薬品の効果が弱まるおそれがあります。このような医薬品にはアセトアミノフェン，アトルバスタチンカルシウム水和物，ジアゼパム，ジゴキシン，エンタカポン，エストロゲン，イリノテカン塩酸塩水和物，ラモトリギン，ロラゼパム，Lovastatin，メプロバメート（販売中止），モルヒネ塩酸塩水和物，オキサゼパム（販売中止）などがあります。

中肝臓で代謝される医薬品（シトクロムP450 1A2（CYP1A2）の基質となる医薬品）

特定の医薬品は肝臓で代謝されます。芽キャベツはこのような医薬品の代謝を促進する可能性があります。芽キャベツと肝臓で代謝される医薬品を併用すると，医薬品の効果を弱めるおそれがあります。このような医薬品にはクロザピン，Cyclobenzaprine，フルボキサミンマレイン酸塩，ハロペリドール，イミプラミン塩酸塩，メキシレチン塩酸塩，オランザピン，塩酸ペンタゾシン，プロプラノロール塩酸塩，Tacrine，テオフィリン，Zileuton，ゾルミトリプタンなどがあります。

ハーブおよび健康食品・サプリメントとの相互作用

ほかのハーブ，健康食品・サプリメントとの相互作用についてはまだ明らかではありません。

使用量の目安

通常の食品に含まれている量を超えて経口摂取した場合の安全性および副作用については，明らかになっていません。

メグスリノキ

NIKKO MAPLE

●代表的な別名

ニッコーメープル

別名ほか

Acer nikoense

概　要

メグスリノキは樹木です。樹皮を用いて「くすり」を作ることもあります。

安　全　性

安全性または副作用についてはよくわかっていません。

●妊娠中および母乳授乳期

妊娠中，母乳授乳期は使用してはいけません。

有　効　性

◆科学的データが不十分です

・眼の症状，肝臓障害。

●体内での働き

予備的研究では炎症軽減作用を示しました。試験管中では抗がん活性を示すこともあります。

医薬品との相互作用

ほかの医薬品との相互作用については明らかではありません。

ハーブおよび健康食品・サプリメントとの相互作用

ほかのハーブ，健康食品・サプリメントとの相互作用についてはまだ明らかではありません。

使用量の目安

標準使用量に関するデータがありません。

メソグリカン

MESOGLYCAN

メ

別名ほか

ムコ多糖（Mucopolysaccharide），ヘパリノイド（Heparinoids），グリコサミノグリカン（Glycosaminoglycans），Aortic Glycosaminoglycans, Aortic GAGs，Heparinoid Fraction, Sulfomucopolysaccharide

概　　要

メソグリカンは牛の肺または血管（大動脈），あるいは豚の腸から得る物質です。

安　全　性

ほとんどの成人に安全なようです。

悪心，嘔吐，胸やけ，頭痛，下痢および皮膚反応を引き起こす可能性があります。

動物由来の製品であるため，病気の動物からその病気がうつるリスクがあります。

抗血栓薬のヘパリンにアレルギーのある人や，血液凝固疾患の人も使用してはいけません。

２週間以内に手術を受ける予定の人は使用してはいけません。出血のリスクが高まります。

●妊娠中および母乳授乳期

妊娠中，母乳授乳期は使用してはいけません。

有　効　性

◆有効性レベル③

・血流の改善。
・静脈瘤につながることのある血行不良などの治療。
・下腿潰瘍の治療。
・血清トリグリセリド値の低下。
・末梢動脈疾患患者の歩行時の疼痛緩和。
・脳血管障害患者の思考および生活の質（QOL）の改善。

◆有効性レベル④

・下肢および肺の血液凝固（深部静脈塞栓および肺塞栓）予防。
・脳卒中の治療。

◆科学的データが不十分です

・痔核，アテローム性動脈硬化症，血管の炎症（血管炎）など。

●体内での働き

血流を改善し，血液凝固を抑える作用があるようです。

医薬品との相互作用

中血栓を溶かす医薬品（血栓溶解薬）

メソグリカンは血液の凝固を抑える作用があると考えられています。血栓を溶かす医薬品を服用しているときにメソグリカンを摂取すると，紫斑および出血のリスクが高まるおそれがあります。このような医薬品には，アルテプラーゼ，Anistreplase，Reteplase，Streptokinase，ウロキナーゼがあります。

中血液凝固を抑制する医薬品（抗凝固薬/抗血小板薬）

メソグリカンは血液の凝固を抑える作用があると考えられています。血液凝固を抑制する医薬品を服用しているときにメソグリカンを摂取すると，紫斑および出血のリスクが高まるおそれがあります。このような医薬品には，アスピリン，クロピドグレル硫酸塩，ジクロフェナクナトリウム，イブプロフェン，ナプロキセン，ダルテパリンナトリウム，エノキサパリンナトリウム，ヘパリン，ワルファリンカリウムなどがあります。

ハーブおよび健康食品・サプリメントとの相互作用

ほかのハーブ，健康食品・サプリメントとの相互作用についてはまだ明らかではありません。

使用量の目安

●経口摂取

通常，１日100mgを摂取します。

脳血管疾患

１日100～144mgを摂取します。

深部静脈血栓症

１日72mgを摂取します。

高トリグリセリド血症

相互作用レベル：高この医薬品と併用してはいけません　中この医薬品とは慎重に併用するか併用しないでください　低この医薬品との併用には注意が必要です

1日96mgを摂取します。

静脈不全

1回50mgで1日3回摂取します。

●筋肉内投与

脳血管疾患

1回30mgで1日1～2回投与します。

静脈不全

1日30mgを投与します。

静脈うっ滞性潰瘍

慢性静脈性潰瘍に対する従来の治療方法に加えて，1日30mgを3週間筋肉内投与し，その後，最長21週間にわたり1日100mgを経口摂取します。

●局所投与

標準使用量に関するデータがありません。

メチオニン

METHIONINE

別名ほか

DL-メチオニン（DL-Methionine），L-メチオニン（L-Methionine），L-2-amino-4-(methylthio)butyric Acid

概　要

メチオニンはタンパク質構成物質のアミノ酸です。食品では，肉，魚，乳製品に含まれています。また，多くの細胞機能に重要な役割を果たします。

安全性

メチオニンは，アセトアミノフェン中毒の治療を目的に，医師などの指導のもとで，経口摂取する場合，または静脈内投与する場合には，おそらく安全です。

自己判断でメチオニンによる治療をしてはいけません。通常の食品に含まれる量を超えたメチオニンで自己治療を行うのは，おそらく安全ではありません。メチオニンを過剰に使用すると，脳障害を引き起こすおそれや，死に至るおそれがあります。メチオニンにより，血中ホモシステイン値が上昇するおそれがあります。ホモシステインは，心疾患を引き起こすおそれのある化学物質です。メチオニンが，一部の腫瘍の成長を促進するおそれもあります。

小児：メチオニンは，アセトアミノフェン中毒の治療を目的に，医師などの指導のもとで，経口摂取する場合，または静脈内投与する場合には，小児にとっておそらく安全です。

メチオニンを，非経口栄養を受けている乳児に静脈内投与する場合には，おそらく安全ではありません。

アシドーシス：メチオニンは血液の酸性度を変化させるおそれがあります。アシドーシスの場合には，メチオニンを使用すべきではありません。

動脈硬化：メチオニンは動脈硬化を悪化させるおそれがあります。メチオニンは，ホモシステインという化学物質の血中濃度を上昇させるおそれがあります。とくに，体内の葉酸，ビタミンB_{12}およびビタミンB_6が十分でない場合や，ホモシステインの代謝に問題がある場合には，この作用が現れるおそれがあります。ホモシステイン濃度が過剰になると，心臓および血管の疾患リスクが高まるおそれがあります。

硬変などの肝疾患：メチオニンは肝疾患を悪化させるおそれがあります。

メチレンテトラヒドロ葉酸還元酵素（MTHFR）欠乏症：この疾患は，体内におけるホモシステインの代謝に影響を与える遺伝性疾患です。メチレンテトラヒドロ葉酸還元酵素欠乏症の場合には，メチオニンがホモシステインの生成を促進するおそれがあるため，メチオニンのサプリメントを摂取すべきではありません。ホモシステイン濃度が過剰になると，心臓および血管の疾患リスクが高まるおそれがあります。

統合失調症：統合失調症の場合には，高用量のメチオニンを（たとえば1日当たり20gを5日間）摂取することにより，錯乱，見当識障害，せん妄，激越，けん怠などの症状を引き起こすおそれがあります。

●妊娠中および母乳授乳期

妊娠中および母乳授乳期の使用の安全性についてはデータが不十分です。安全性を考慮し，摂取は避けてください。

有効性

◆有効性レベル③

・アセトアミノフェン中毒。研究により，メチオニンの経口摂取または静脈内投与は，アセトアミノフェン中毒の治療に有効のようであることが示唆されています。治療はできるだけ早く開始しなければなりません。アセトアミノフェンの過剰摂取から10時間以内に開始する必要があります。

◆科学的データが不十分です

・ビタミンB_{12}欠乏症，結腸がん，先天性神経管奇形，パーキンソン病，肝機能，うつ病，アルコール依存症，アレルギー，気管支喘息，放射線治療による副作用，統合失調症，薬物離脱症状など。

●体内での働き

メチオニンを，アセトアミノフェン中毒に対して用いることにより，アセトアミノフェンの分解産物による肝障害が予防されます。

医薬品との相互作用

ほかの医薬品との相互作用については明らかではありません。

ハーブおよび健康食品・サプリメントとの相互作用

ほかのハーブ，健康食品・サプリメントとの相互作用についてはまだ明らかではありません。

通常の食品との相互作用

食塩および亜硝酸塩

複数の研究により，メチオニン，食塩，亜硝酸塩を豊富に含む食事により，胃がんの発症リスクが高まるおそれが示唆されています。

使用量の目安

●経口摂取

アセトアミノフェン中毒

肝障害および死亡を防止するために，メチオニン2.5gを４時間おきに，４回摂取します。メチオニンは，アセトアミノフェンの摂取から10時間以内に摂取しなければなりません。医師などの指導のもとで行ってください。

メチルスルフォニルメタン

METHYLSULFONYLMETHANE（MSM）

●代表的な別名

ジメチルスルホン

別名ほか

ジメチルスルホン（Dimethylsulfone），メチルスルホン（Methyl sulfone），Crystalline DMSO，DMSO2，Sulfonyl Sulfur

概　要

メチルスルフォニルメタンは動植物や人体に見られる化合物です。化学的に合成することもできます。「くすり」として使用されることもあります。

安全性

経口で，１カ月以下の短期に使用するなら，ほとんどの人に安全です。

ただ，人によっては，経口摂取で，悪心，下痢，膨満感，慢性疲労症候群，頭痛，不眠，かゆみ，アレルギー症状の悪化を起こすかもしれません。

十分なデータが得られていないので，クリームやローション，点鼻薬で局所的に使用する場合の安全性については不明です。

●妊娠中および母乳授乳期

妊娠中および母乳授乳時のメチルスルフォニルメタン摂取の安全性については十分知られていません。安全性を考慮し，摂取は控えてください。

有効性

◆有効性レベル③

・変形性関節症。メチルスルフォニルメタンを経口摂取すると，疼痛，関節の働きなどの膝の関節炎の症状を多少軽減するようですが，効果は低いとみられ，こわばりなどほかの症状は軽減しないようです。

◆科学的データが不十分です

・花粉症。メチルスルフォニルメタン（MSM）の経口摂取による花粉症の症状緩和を示唆する予備的研究があります。
・慢性疼痛，関節炎，筋肉および骨の障害，いびき，アレルギー，瘢痕組織，皮膚線条，皺，日焼け・風焼けの予防，眼の腫脹，歯の疾患，創傷，切創，花粉症，気管支喘息，胃の不快感，便秘，月経前症候群，気分の高揚，肥満症，血行不良，高血圧症，高コレステロール血症，２型糖尿病など。

●体内での働き

硫黄を供給して体内でほかの化合物を作るようです。

医薬品との相互作用

ほかの医薬品との相互作用については明らかではありません。

ハーブおよび健康食品・サプリメントとの相互作用

ほかのハーブ，健康食品・サプリメントとの相互作用についてはまだ明らかではありません。

使用量の目安

●経口摂取

アレルギー性鼻炎

１日2,600mgを摂取します。

変形性関節症

500mgを１日３回摂取します。最大で３gを１日２回まで摂取します。

●局所投与

標準使用量に関するデータがありません。

メドウスイート

MEADOWSWEET

●代表的な別名

セイヨウナツユキソウ

別名ほか

ホザキシモツケ（Bridewort），セイヨウナツユキソウ（Filipendula ulmaria），Dolloff，Dropwort，Filipendula，Lady of the Meadow，Meadow Queen，Meadow Sweet，Meadow-wart，Queen of the Meadow，Spiraeae Flos，Spireae Herba，Ulmaria

概　　要

メドウスイートは植物です。地上部を用いて「くすり」を作ることもあります。

・新型コロナウイルス感染症（COVID-19）。
COVID-19に対してメドウスイートの使用を裏付ける十分なエビデンス（科学的根拠）はありません。

安 全 性

用法・用量を守って使用すれば，ほとんどの人におそらく安全でしょう。

ただ，悪心など胃に不快な症状を起こすかもしれません。

また，湿疹や肺の締め付けが生じることもあります。

多量に，または長期にわたって摂取する場合，便に血が混じったり，嘔吐，耳鳴り，腎障害などの副作用も起きるおそれがあります。

気管支喘息の患者は使用してはいけません。

●アレルギー

アスピリンにアレルギーのある人は使用してはいけません。

●妊娠中および母乳授乳期

妊娠中，母乳授乳期は使用してはいけません。

有 効 性

◆科学的データが不十分です

・気管支炎，胸やけ，胃のむかつき，潰瘍，痛風，関節障害，膀胱感染症など。

●体内での働き

タンニンを含み，炎症（腫脹）を軽減し，粘液（痰）を抑えます。また，アスピリンと似たサリチル酸塩を少量含んでいます。

医薬品との相互作用

中Choline magnesium trisalicylate

メドウスイートには，Choline magnesium trisalicylateに似た物質が含まれています。メドウスイートをCholine magnesium trisalicylateとともに用いると，その作用が増強され，副作用も強く現れるおそれがあります。

中アスピリン

メドウスイートには，アスピリンに似た物質が含まれています。メドウスイートとともにアスピリンを用いると，その作用が増強され，副作用も強く現れるおそれがあります。

中サザピリン

サザピリンはサリチル酸塩であり，アスピリンに似た作用があります。メドウスイートとサザピリンをともに摂取すると，体内のサリチル酸塩が過剰になって，サリチル酸塩の効果が増強され，副作用も強く現れるおそれがあります。

中鎮痛薬（麻薬性鎮痛薬）

ある種の鎮痛薬は体内で代謝されてから排泄されますが，メドウスイートはこの代謝を抑制すると考えられています。それによって鎮痛薬の効果が増強され，副作用も強く現れるおそれがあります。このような鎮痛薬にはペチジン塩酸塩，Hydrocodone，モルヒネ塩酸塩水和物，オキシコドン塩酸塩水和物など，数多くの医薬品があります。

ハーブおよび健康食品・サプリメントとの相互作用

ほかのハーブ，健康食品・サプリメントとの相互作用についてはまだ明らかではありません。

使用量の目安

●経口摂取

成人の場合，ティーカップに1杯のお茶（2.5～3.5gの乾燥した花部あるいは4～5gの地上部を150mL の熱湯に10分間浸して，その後ろ過する）を1日数回摂取します。流エキス（1：1，25%アルコール）を1回1.5～6mLで1日3回摂取します。チンキ剤（1：5，45%アルコール）を1回2～4mLで1日3回摂取します。

メトキシル化フラボン

METHOXYLATED FLAVONES

●代表的な別名

柑橘類フラボノイド

別名ほか

Citrus Bioflavones，柑橘類バイオフラボノイド（Citrus Bioflavonoids），Citrus Flavones，柑橘類フラボノイド（Citrus Flavonoids），Citrus Polymethoxylated Flavones，フラボノイド（Flavonoids），Gardenin D，Heptamethoxyflavones，Hexamethoxyflavones，メトキシフラボン（Methoxyflavones），メトキシル化フラボノイド，ノビレチン（Nobiletin），Pentamethoxyflavones，PMF，Polymethoxylated Flavones，シネンセチン（Sinensetin），タンゲレチン（Tangeretin），Tetramethoxyflavones

概　　要

メトキシル化フラボンは植物に含まれる色素で，フラボノイドともいわれます。植物の黄色，赤，オレンジなどの色を呈します。

4,000を超える種類のフラボノイドがさまざまな植物より確認されています。一般的な食品では赤ワイン，茎，花，果物，野菜，ナッツ，種子，ハーブ，スパイス，コーヒーおよび紅茶に見いだされます。

安 全 性

食生活で通常摂取される成分です。食事の一部として使用するなら安全ですが，十分なデータが得られていないので，メトキシル化フラボンを配合するサプリメントが安全かどうかは不明です。

２週間以内に手術を受ける予定の人は使用してはいけません。出血のリスクが高まります。

有 効 性

◆科学的データが不十分です

・静脈不全，静脈瘤，心疾患，高コレステロール血症，およびがん。

●体内での働き

天然の抗酸化薬で，炎症（腫脹）作用を抑えるようです。また，肝臓におけるコレステロールおよびほかの血中脂質の調節に影響を与える可能性があります。がん細胞の増殖を抑制するかもしれませんが，データはまだ十分ではありません。

医薬品との相互作用

中肝臓で代謝される医薬品（シトクロムP450 1A2（CYP1A2）の基質となる医薬品）

特定の医薬品は肝臓で代謝されます。メトキシル化フラボンはこのような医薬品の代謝を促進する可能性があります。メトキシル化フラボンと肝臓で代謝される医薬品を併用すると，医薬品の作用が減弱するおそれがあります。肝臓で代謝される医薬品を服用する場合には，医師や薬剤師に相談することなくメトキシル化フラボンを摂取しないでください。このような医薬品には，クロザピン，Cyclobenzaprine，フルボキサミンマレイン酸塩，ハロペリドール，イミプラミン塩酸塩，メキシレチン塩酸塩，オランザピン，塩酸ペンタゾシン，プロプラノロール塩酸塩，Tacrine，テオフィリン，Zileuton，ゾルミトリプタンなどがあります。

中血液凝固を抑制する医薬品（抗凝固薬/抗血小板薬）

メトキシル化フラボンは血液凝固を抑制する可能性があります。メトキシル化フラボンと血液凝固を抑制する医薬品を併用すると，紫斑および出血のリスクが高まるおそれがあります。このような医薬品には，アスピリン，クロピドグレル硫酸塩，ジクロフェナクナトリウム，イブプロフェン，ナプロキセン，ダルテパリンナトリウム，エノキサパリンナトリウム，ヘパリン，ワルファリンカリウムなどがあります。

中細胞内のポンプによって輸送される医薬品（P糖タンパク質の基質となる医薬品）

特定の医薬品は細胞内のポンプによって輸送されます。メトキシル化フラボンは，ポンプの働きを変化させ，このような医薬品の体内への吸収量を増加させる可能性があります。このような医薬品には，エトポシド，パクリタキセル，ビンブラスチン硫酸塩，ビンクリスチン硫酸塩，ビンデシン硫酸塩，ケトコナゾール，イトラコナゾール，アンプレナビル（販売中止），インジナビル硫酸塩エタノール付加物（販売中止），ネルフィナビルメシル酸塩，サキナビルメシル酸塩，シメチジン，ラニチジン塩酸塩，ジルチアゼム塩酸塩，ベラパミル塩酸塩，副腎皮質ステロイド，エリスロマイシン，シサプリド，フェキソフェナジン塩酸塩，シクロスポリン，ロペラミド塩酸塩，キニジン硫酸塩水和物などがあります。

中肝臓で代謝される医薬品（シトクロムP450 3A4（CYP3A4）の基質となる医薬品）

特定の医薬品は肝臓で代謝されます。メトキシル化フラボンはこのような医薬品の代謝を抑制する可能性があります。メトキシル化フラボンと肝臓で代謝される医薬品を併用すると，医薬品の作用および副作用が増強するおそれがあります。肝臓で代謝される医薬品を服用する場合には，医師や薬剤師に相談することなくメトキシル化フラボンを摂取しないでください。このような医薬品には，Lovastatin，ケトコナゾール，イトラコナゾール，フェキソフェナジン塩酸塩，トリアゾラムなど数多くあります。

ハーブおよび健康食品・サプリメントとの相互作用

ほかのハーブ，健康食品・サプリメントとの相互作用についてはまだ明らかではありません。

使用量の目安

標準使用量に関するデータがありません。

メラトニン

MELATONIN

別名ほか

5-Methoxy-N-Acetyltryptamine，5-メトキシ-N-アセチルトリプタミン，MEL，Melatonina，Mélatonine，MLT，N-Acetyl-5-Methoxytryptamine，N-Acétyl-5-Méthoxytryptamine，N-アセチル-5-メトキシトリプタミン，Pineal Hormone，松果体で分泌されるホルモン

概 要

メラトニンは体内で分泌されるホルモンです。医薬品として使用されるメラトニンは，通常，化学合成されます。

注：日本では，メラトニンは「46通知」によると「医薬品」成分です。

メラトニンは一般的に錠剤で市販されていますが，飲み込まずに頬の内側や舌の裏側に置いて溶かして使用する舌下錠も市販されています。舌下錠は体内に直接吸収されます。

メラトニンは，体内時計の調節のために経口摂取されることがあります。メラトニンは，通常，不眠や不慣れな環境による睡眠状況の改善に使用されます。例えば，時差症候群（時差ぼけ）や，日によって勤務時間が変わる人の睡眠・覚醒リズム（交代勤務障害）を調整したり，また，日中と夜の生活リズムを整えるのに役立ったりします。

・新型コロナウイルス感染症（COVID-19）。

COVID-19に対してメラトニンの使用を裏付ける十分なエビデンス（科学的根拠）はありません。

安 全 性

メラトニンを短期間経口摂取する場合は，ほとんどの成人に安全のようです。メラトニンを適切に長期間経口摂取する場合は，おそらく安全です。人によっては最長２年間安全に使用されています。ただし，頭痛，短期的な憂うつ感，日中の眠気，めまい感，胃痙攣，易刺激性などの副作用を引き起こすおそれがあります。メラトニンを摂取後４～５時間は，車の運転や機械の操作を行ってはいけません。

メラトニンを短期間皮膚に直接塗布する場合は，ほとんどの成人に安全のようです。

メラトニンを医師などの指導のもとで静脈内投与する場合は，おそらく安全です。

小児：メラトニンを短期間経口摂取する場合はおそらく安全です。メラトニンの耐容上限量は，通常，小児は１日３mg，青少年は１日５mgです。一部では，メラトニンが思春期の発育を妨げるおそれがあると懸念されています。この懸念に対してまだ十分な裏づけはありませんが，医療ケアの必要な小児へのメラトニンの使用は控えてください。小児がメラトニンを長期間経口摂取した場合の安全性についてはデータが不十分です。

出血性疾患：メラトニンは，出血性疾患患者の出血がひどくなるおそれがあります。

うつ病：メラトニンは症状を悪化させるおそれがあります。

糖尿病：メラトニンは，糖尿病患者の血糖値を上昇させるおそれがあります。糖尿病患者がメラトニンを摂取する場合には，血糖値を注意深く監視してください。

高血圧：降圧薬を服用している場合，メラトニンは血圧を上昇させるおそれがあります。使用は避けてください。

痙攣性疾患：メラトニンは痙攣のリスクを高めるおそれがあります。

移植患者：メラトニンは免疫機能を高め，移植患者の免疫抑制療法に干渉するおそれがあります。

●妊娠中および母乳授乳期

妊娠しようとしている女性が高頻度または高用量で経口または注射によりメラトニンを摂取する場合は，おそらく安全ではありません。メラトニンには避妊薬に似た作用があるおそれがあります。そのため，妊娠がさらに難しくなるおそれがあります。妊娠しようとする女性が，低用量のメラトニンを使用した場合の安全性については，データが不十分です。低用量（１日２～３mg）なら安全な可能性があることを示唆するエビデンスもありますが，十分証明されていません。妊娠中のメラトニンの使用の安全性についてはデータが不十分です。十分なデータが得られるまでは，妊娠中，またはこれから妊娠しようとしている場合は，メラトニンの使用は避けてください。

母乳授乳期の使用の安全性についてはデータが不十分です。安全性を考慮し，使用は避けてください。

有 効 性

◆有効性レベル②

・通常の就寝時刻に入眠できない障害（睡眠相後退症候群）。メラトニンの経口摂取により，睡眠障害のある青少年および小児が入眠するまでの時間を短縮するようです。ただし，メラトニンの摂取を中止すると，１年以内に睡眠障害が再発するようです。

・非24時間睡眠・覚醒リズム障害。就寝時のメラトニンの経口摂取により，盲目の小児および成人の睡眠障害が改善するようです。

◆有効性レベル③

・特定の降圧薬による睡眠障害（アドレナリンβ受容体遮断薬による不眠）。アテノロールやプロプラノロールなどのアドレナリンβ受容体遮断薬は，体内のメラトニン量を減少させるようです。そのため，睡眠障害を引き起こすおそれがあります。研究により，アドレナリンβ受容体遮断薬を服用する患者がメラトニンサプリメントを摂取すると，睡眠障害が改善する可能性が示されています。

・子宮の疼痛を引き起こす疾患（子宮内膜症）。子宮内膜症の場合，メラトニンを８週間，毎日摂取すると，疼痛が緩和し，鎮痛薬の使用頻度が低下するようです。また，月経痛，性交痛，排尿痛を緩和するようです。

・高血圧。高血圧患者が就寝前にメラトニンの放出制御製剤を摂取すると，血圧が低下するようです。即放性製剤では効果がないようです。

・不眠。原発性不眠（医学的原因や環境的原因によらない不眠）の場合，メラトニンにより，入眠までの時間が，わずか12分程度ですが短縮されるようです。メラトニンが睡眠効率（寝床にいた時間に対する実際の睡眠時間の割合）を改善することはないようです。メラトニンが睡眠を改善するという人もいますが，臨床試験結果はこれと一致していません。メラトニンは，若年者や小児よりも高齢者に有効であるというエビデンスが複数あります。これは，高齢者はそもそも体内のメラトニン量が少ないことが理由である可能性があります。現在，メラトニンの二次性不眠に対する有効性が注目されています。二次性不眠とは，ほかの疾患に関連する睡眠障害のことです。研究により，メラトニンは，うつ病，統合失調症，てんかん，自閉症，発達障害，知的障害などに関連する睡眠障害を改善する可能性が示唆されています。メラトニンが，アルツハイマー病，認知症，パーキンソン病，外傷性脳損傷，物質使用障害，透析などの患者の睡眠障害を改善するかどうかについては明らかではありません。

・時差症候群（時差ぼけ）。ほとんどの研究により，メラトニンが覚醒や運動協調性低下などの特定の時差ぼけ症状を改善する可能性が示されています。また，日中の眠気や疲労などの時差ぼけ症状もわずかに改善するようです。しかし，メラトニンには時差ぼけの人が入眠するまでの時間を短縮する効果はない可能性があります。

・手術前の不安。メラトニンを舌下錠で摂取すると，手術前の不安の緩和に対して，通常服用するミダゾラムと同程度効果があるようです。また，一部の人では副作用も少なくなるようです。また，メラトニンの経口摂取も手術前の不安の緩和に効果があるようですが，相反するエビデンスも複数あります。さらに，セボフルランの麻酔前にメラトニンを摂取すると，手術後の激越を緩和する可能性を示唆するエビデンスも複数あります。

・のう胞や液体のない腫瘍（固形腫瘍）。腫瘍のある患者が化学療法やほかのがん治療と併用して高用量のメラトニンを摂取すると，腫瘍を小さくし生存率を高める可能性があります。

・日光皮膚炎。日光に曝露する前にメラトニンゲルを皮膚に塗布すると，日光皮膚炎が予防できるようです。日光に曝露する前にメラトニンクリームを皮膚に塗布すると，日光に対して過敏な人の日光皮膚炎を予防できるようです。ただし，メラトニンクリームは，日光に敏感でない人の日光皮膚炎は予防しない可能性があります。

・顎の関節と筋肉に疼痛がある症状全般（顎関節症（TMD））。研究により，顎関節症の女性が就寝時にメラトニンを４週間摂取すると，疼痛が44％緩和し，疼痛耐性が39％高まる可能性が示唆されています。

・血小板数の減少（血小板減少症）。メラトニンの経口摂取は，がんやがん治療，そのほかの疾患にともなう血小板数の減少が改善する可能性があります。

◆有効性レベル④

・運動能力。レジスタンス運動やサイクリングの少し前にメラトニンを摂取しても，運動能力は改善しないようです。

・重症疾患を有する患者における意図的でない体重減少（悪液質または消耗症候群）。研究では，がん悪液質の場合にメラトニンを28日間毎晩摂取しても，食欲，体重，身体組成が改善しないことが示されています。

・アルツハイマー病などの認知障害を引き起こす疾患（認知症）。ほとんどの研究で，アルツハイマー病など，記憶喪失がある場合にメラトニンを摂取しても，行動が改善したり症状に影響を及ぼしたりすることはないことが示されています。しかし，同じ疾患の場合でも，夕方になると，錯乱や情動不安が緩和される可能性があります。

・口内乾燥。抗悪性腫瘍薬や放射線で治療中の頭頸部がんの場合に，メラトニンを経口摂取したり，メラトニンを口内洗浄液として使用したりしても，口内乾燥は予防しないようです。

・妊娠を望んでから１年以内に妊娠しないこと（不妊）。不妊治療中の女性がメラトニンを摂取しても，妊孕性および妊娠率は改善しないようです。

・交替制勤務や夜間勤務による睡眠障害（交代勤務障害）。メラトニンを経口摂取しても，交替制勤務による睡眠障害は改善しないようです。

◆有効性レベル⑤

・ベンゾジアゼピン系薬からの離脱。人によっては，睡眠障害に対してベンゾジアゼピン系薬を摂取します。長期間の使用は依存症につながる可能性があります。就寝時にメラトニンを摂取しても，ベンゾジアゼピン系薬からの離脱に役立つことはありません。

・うつ病。うつ病の場合，メラトニンが睡眠障害を改善する可能性はあるものの，うつ病自体を改善することはないようです。また，人によっては，メラトニンがうつ病の症状を悪化させることが懸念されます。メラトニンの摂取によってうつ病を防ぐことができるかどうかは明らかではありません。

◆科学的データが不十分です

・高齢者の視力低下を引き起こす眼疾患（加齢黄斑変性），湿疹（アトピー性皮膚炎），注意欠陥多動障害（ADHD），前立腺肥大（良性前立腺肥大症（BPH）），双極性障害，がん関連疲労，白内障，慢性疲労症候群（CFS），呼吸困難を引き起こす肺疾患（慢性閉塞性肺疾患（COPD）），群発頭痛，記憶と思考能力（認知機能），精神機能障害，せん妄，消化不良，痙攣（てんかん），線維筋痛症，むねやけが続く状態（胃食道逆流症），潰瘍に至るおそれがある消化管感染（ヘリコバクター・ピロリ），腹痛を引き起こす大腸の慢性疾患（過敏性腸症候群（IBS）），更年期症状，糖尿病・心疾患・脳卒中のリスクを高める一群の症候（メタボリックシンドローム），片頭痛，多発性硬化症（MS），心臓発作，乳児の低酸素脳症，アルコール摂取を原因としない肝臓の腫脹（炎症）と脂肪の蓄積（非アルコール性脂肪性肝炎（NASH）），口内の腫脹（炎症）および痛み（口腔粘膜炎），骨量減少（オステオペニア），のう胞を伴う卵巣腫大が生じるホルモンの病気（多のう胞性卵巣症候群（PCOS）），手術後の回復，臥位から座位への体位変化にともなう心拍数の変化（体位性頻脈症候群），高血圧とタンパク尿を認める妊娠合併症（妊娠高血圧腎症），前立腺がん，放射線治療による皮膚障害（放射線皮膚炎），睡眠中に夢体験と同じ行動をとる睡眠障害（レム睡眠行動障害），脚に不快感があって無性に

メ

相互作用レベル：高この医薬品と併用してはいけません　中この医薬品とは慎重に併用するか併用しないでください
低この医薬品との併用には注意が必要です

動かしたくなる疾患（むずむず脚症候群（RLS）），肺やリンパ節などの臓器に腫脹（炎症）を生じさせる疾患（サルコイドーシス），統合失調症，季節性うつ病（季節性感情障害（SAD）），禁煙，血液感染（敗血症），急激な鋭い痛みが特徴的な頭痛（穿刺様頭痛），ストレス，抗精神病薬によって引き起こされる運動異常症（遅発性ジスキネジア），耳鳴，炎症性腸疾患の１つ（潰瘍性大腸炎），膀胱機能の障害（尿失禁），加齢，避妊，骨粗鬆症など。

●**体内での働き**

メラトニンの体内での主な働きは，睡眠と覚醒のサイクル（昼夜のサイクル）を調節することです。暗闇はメラトニンの分泌を促進し，眠りに入る準備をするよう身体に知らせます。光はメラトニンの分泌を抑制し，目覚める準備をするよう身体に知らせます。睡眠障害のある人は，メラトニン濃度が低い場合があります。メラトニンをサプリメントで補給すると，睡眠の助けになる可能性があります。

医薬品との相互作用

中 Nifedipine GITS

Nifedipine GITSは血圧を下げるために用いられます。メラトニンとNifedipine GITSを併用すると，Nifedipine GITSの降圧作用が減弱するおそれがあります。

中 カフェイン

カフェインはメラトニンの体内量を増加または減少させる可能性があります。カフェインとメラトニンサプリメントを併用すると，メラトニンの量が増加するようです。

中 フルボキサミンマレイン酸塩

フルボキサミンマレイン酸塩は体内に吸収されるメラトニン量を増加させる可能性があります。メラトニンとフルボキサミンマレイン酸塩を併用すると，メラトニンの作用および副作用が増強するおそれがあります。

低 フルマゼニル

フルマゼニルはメラトニンの作用を減弱させる可能性があります。この相互作用が起こる理由は明らかではありません。メラトニンとフルマゼニルを併用すると，メラトニンサプリメントの効果が弱まるおそれがあります。

中 メタンフェタミン塩酸塩

メラトニンとメタンフェタミン塩酸塩を併用すると，メタンフェタミン塩酸塩の作用および副作用が増強するおそれがあります。

中 ワルファリンカリウム

ワルファリンカリウムは血液凝固を抑制するために用いられます。メラトニンはワルファリンカリウムの効果を強める可能性があります。メラトニンとワルファリンカリウムを併用すると，紫斑および出血のリスクが高まるおそれがあります。定期的に血液検査を実施してください。ワルファリンカリウムの用量を変更する必要があるかもしれません。

中 肝臓で代謝される医薬品（シトクロムP450 1A2（CYP1A2）の基質となる医薬品）

特定の医薬品は肝臓で代謝されます。メラトニンはこのような医薬品の代謝を抑制する可能性があります。メラトニンと肝臓で代謝される医薬品を併用すると，医薬品の作用および副作用が増強するおそれがあります。肝臓で代謝される医薬品を服用中の場合には，医師や薬剤師に相談することなくメラトニンを摂取しないでください。このような医薬品には，アセトアミノフェン，アミトリプチリン塩酸塩，ノルトリプチリン塩酸塩，クロピドグレル硫酸塩，クロザピン，ジアゼパム，エストラジオール，オランザピン，オンダンセトロン塩酸塩水和物，プロプラノロール塩酸塩，ロピニロール塩酸塩，Tacrine，テオフィリン，ベラパミル塩酸塩，ワルファリンカリウムなどがあります。

中 肝臓で代謝される医薬品（シトクロムP450 2C19（CYP2C19）の基質となる医薬品）

特定の医薬品は肝臓で代謝されます。メラトニンはこのような医薬品の代謝を抑制する可能性があります。メラトニンと肝臓で代謝される医薬品を併用すると，医薬品の作用および副作用が増強するおそれがあります。肝臓で代謝される医薬品を服用している場合には，医師や薬剤師に相談することなくメラトニンを摂取しないでください。このような医薬品には，アミトリプチリン塩酸塩，カリソプロドール（販売中止），Citalopram，ジアゼパム，ランソプラゾール，オメプラゾール，フェニトイン，ワルファリンカリウムなど数多くあります。

低 肝臓で代謝される医薬品（シトクロムP450 2D6（CYP2D6）の基質となる医薬品）

特定の医薬品は肝臓で代謝されます。メラトニンはこのような医薬品の代謝を抑制する可能性があります。メラトニンと肝臓で代謝される医薬品を併用すると，医薬品の作用および副作用が増強するおそれがあります。肝臓で代謝される医薬品を服用している場合には，医師や薬剤師に相談することなくメラトニンを摂取しないでください。このような医薬品には，Citalopram，アミトリプチリン塩酸塩，コデインリン酸塩水和物，オキシコドン塩酸塩水和物，塩酸デシプラミン（販売中止），フレカイニド酢酸塩，ハロペリドール，イミプラミン塩酸塩，メトプロロール酒石酸塩，オンダンセトロン塩酸塩水和物，パロキセチン塩酸塩水和物，リスペリドン，トラマドール塩酸塩，ベンラファキシン塩酸塩などがあります。

低 肝臓で代謝される医薬品（シトクロムP450 3A4（CYP3A4）の基質となる医薬品）

特定の医薬品は肝臓で代謝されます。メラトニンはこのような医薬品の代謝を抑制する可能性があります。メラトニンと肝臓で代謝される医薬品を併用すると，医薬品の作用および副作用が増強するおそれがあります。肝臓で代謝される医薬品を服用している場合には，医師や薬剤師に相談することなくメラトニンを摂取しないでください。このような医薬品には，オキシコドン塩酸塩水和物，シクロスポリン，Lovastatin，クラリスロマイシン，インジナビル硫酸塩エタノール付加物（販売中止），シルデナフィルクエン酸塩，トリアゾラムなどがあります。

中血液凝固を抑制する医薬品（抗凝固薬/抗血小板薬）

メラトニンは血液凝固を抑制する可能性があります。メラトニンと血液凝固を抑制する医薬品を併用すると，紫斑および出血のリスクが高まるおそれがあります。このような医薬品には，アスピリン，クロピドグレル硫酸塩，ジクロフェナクナトリウム，イブプロフェン，ナプロキセン，ダルテパリンナトリウム，エノキサパリンナトリウム，ヘパリン，ワルファリンカリウムなどがあります。

中抗てんかん薬

メラトニンは，一部の人（とくに多発性神経障害の小児）の痙攣発作の頻度を高める可能性があります。理論的には，メラトニンを摂取すると，抗てんかん薬の作用が減弱するおそれがあります。このような抗てんかん薬には，フェノバルビタール，プリミドン，バルプロ酸ナトリウム，ガバペンチン，カルバマゼピン，フェニトインなどがあります。

中降圧薬

メラトニンは健康な人の血圧を低下させる可能性があります。ただし，降圧薬を服用中の場合には，メラトニンによって血圧が上昇するおそれがあります。降圧薬を服用中にメラトニンを過剰に摂取しないでください。このような降圧薬には，カプトプリル，エナラプリルマレイン酸塩，ロサルタンカリウム，バルサルタン，ジルチアゼム塩酸塩，アムロジピンベシル酸塩，ヒドロクロロチアジド，フロセミドなど数多くあります。

中鎮静薬（中枢神経抑制薬）

メラトニンは眠気および注意力低下を引き起こす可能性があります。鎮静薬は眠気をもたらす医薬品です。メラトニンと鎮静薬を併用すると，過度の眠気を引き起こすおそれがあります。このような鎮静薬には，クロナゼパム，ロラゼパム，フェノバルビタール，ゾルピデム酒石酸塩などがあります。

中糖尿病治療薬

メラトニンは血糖値を上昇または低下させる可能性があると懸念されています。糖尿病治療薬は血糖値を低下させるために用いられます。メラトニンが血糖値に影響を及ぼすことにより，糖尿病治療薬の効果が弱まるまたは強まるおそれがあります。血糖値を注意深く監視してください。糖尿病治療薬の用量を変更する必要があるかもしれません。このような糖尿病治療薬には，グリメピリド，グリベンクラミド，インスリン，ピオグリタゾン塩酸塩，マレイン酸ロシグリタゾン（販売中止），クロルプロパミド，Glipizide，トルブタミド（販売中止）などがあります。

中発作を誘発する可能性のある医薬品（発作閾値を低下させる医薬品）

メラトニンは，一部の人（とくに小児）の痙攣発作の頻度を高める可能性があります。メラトニンと発作を誘発する可能性のある医薬品を併用すると，発作のリスクが高まるおそれがあります。このような医薬品には，麻酔薬（プロポフォールなど），抗不整脈薬（メキシレチン塩酸塩），抗菌薬（Amphotericin，ペニシリン系薬，セファロスポリン系薬，イミペネム水和物（販売中止）），抗うつ薬（ブプロピオン塩酸塩（販売中止）など），抗ヒスタミン薬（シプロヘプタジン塩酸塩水和物など），免疫抑制薬（シクロスポリン），麻薬（フェンタニルクエン酸塩など），興奮薬（メチルフェニデート塩酸塩），テオフィリンなどがあります。

中避妊薬

メラトニンは体内で産生されます。避妊薬はメラトニンの産生量を増加させるようです。メラトニンと避妊薬を併用すると，体内のメラトニンが過剰になるおそれがあります。このような避妊薬には，エチニルエストラジオール・レボノルゲストレル配合，エチニルエストラジオール・ノルエチステロン配合などがあります。

中免疫抑制薬

メラトニンは免疫機能を高める可能性があります。メラトニンと免疫抑制薬を併用すると，免疫抑制薬の効果が弱まるおそれがあります。このような免疫抑制薬には，アザチオプリン，バシリキシマブ，シクロスポリン，Daclizumab，ムロモナブ-CD３（販売中止），ミコフェノール酸モフェチル，タクロリムス水和物，シロリムス，Prednisone，副腎皮質ステロイドなどがあります。

ハーブおよび健康食品・サプリメントとの相互作用

カフェイン

カフェインは体内のメラトニン濃度を上昇または低下させる可能性があります。メラトニンサプリメントとカフェインを併用すると，メラトニン濃度が上昇するようです。

エキナセア

メラトニンとエキナセアを併用すると，免疫機能に悪影響を及ぼすおそれがあります。

血圧を低下させるおそれのあるハーブおよび健康食品・サプリメント

メラトニンは血圧を低下させる可能性があります。同様の作用のあるほかのハーブおよび健康食品・サプリメントと併用すると，人によっては血圧が過度に低下するリスクが高まるおそれがあります。このようなハーブおよび健康食品・サプリメントには，アンドログラフィス，カゼイン・ペプチド，キャッツクロー，コエンザイムQ-10，魚油，L-アルギニン，クコ属，イラクサ，テアニンなどがあります。

痙攣の発作閾値を低下させるおそれのあるハーブおよび健康食品・サプリメント

メラトニンは，一部の人，とくに小児の痙攣のリスクを高めるおそれがあります。痙攣の発作閾値を低下させる作用のあるほかのハーブおよび健康食品・サプリメントと併用すると，このリスクがさらに高まるおそれがあります。このようなハーブおよび健康食品・サプリメントには，ブタンジオール（BD），ヒバ，トウゲシバ，エチレンジアミン四酢酸，葉酸，γ-ブチロラクトン（GBL），γ-ヒドロキシ酪酸塩（GHB），グルタミン，ヒューペルジンA，硫酸ヒドラジン，ヒソップ油，ジュニパー，L-カルニチン，ローズマリー，セージ，ヨモギなどがあります。

血液凝固を抑制するおそれのあるハーブおよび健康食品・サプリメント

メラトニンは，血液凝固を抑制するハーブおよび健康食品・サプリメントの作用を強め，人によっては出血のリスクが高まるおそれがあります。このようなハーブおよび健康食品・サプリメントには，アンゼリカ，クローブ，タンジン，ニンニク，ショウガ，イチョウ，朝鮮人参，レッドクローバー，ヤナギなどがあります。

鎮静作用のあるハーブおよび健康食品・サプリメント

鎮静作用のあるほかのハーブおよび健康食品・サプリメントとメラトニンを併用すると，メラトニンの作用および副作用が強まるおそれがあります。このようなハーブおよび健康食品・サプリメントには，5-ヒドロキシトリプトファン，ショウブ，ハナビシソウ，キャットニップ，ホップ，ジャマイカ・ドッグウッド，カバ，セント・ジョンズ・ワート，スカルキャップ，カノコソウ，アネモプシス・カリフォルニカなどがあります。

セント・ジョンズ・ワート

セント・ジョンズ・ワートを摂取すると，体内のメラトニン濃度が上昇します。理論上，メラトニンとセント・ジョンズ・ワートを併用すると，メラトニンの作用および副作用の両方が強まるおそれがあります。

ビタミンB_{12}

ビタミンB_{12}を摂取すると，血中のメラトニン濃度が低下するおそれがあります。

セイヨウニンジンボク

セイヨウニンジンボクを摂取すると，体内のメラトニン濃度が上昇します。理論上，メラトニンとセイヨウニンジンボクを併用すると，メラトニンの作用および副作用の両方が強まるおそれがあります。

使用量の目安

【成人】

●経口摂取

非24時間睡眠・覚醒リズム障害

盲目である場合，就寝前にメラトニン１日0.5～５mgを最長６年間摂取します。または，就寝１時間前に高用量（10mg）を最長９週間摂取します。就寝時にメラトニン２～12mgを最長４週間摂取する場合もあります。

通常の就寝時刻に入眠できない障害（睡眠相後退症候群）；

メラトニン１日0.3～５mgを最長９カ月間摂取します。

特定の降圧薬による睡眠障害（アドレナリンβ受容体遮断薬による不眠）

メラトニン１日2.5mgを最長４週間摂取します。また，メラトニン５mgを単回摂取もすることもあります。

子宮内膜症

メラトニン１日10mgを８週間摂取します。

高血圧

メラトニンの放出制御製剤２～３mgを，４週間摂取します。

不眠

原発性不眠には，ほとんどの研究で，就寝前にメラトニン２～３mgを最長29週間摂取します。高用量では，１日最大12mgをより短期間（最長４週間）摂取します。二次性不眠には，２～12mgを最長４週間摂取します。低用量の場合は，最長24週間摂取します。

時差ぼけ

通常，目的地に到着した日の就寝時に，メラトニン0.5～８mgを摂取し，２～５日間続けます。高用量による副作用を避けるために，たいてい0.5～３mgの低用量を摂取します。

手術前の不安の軽減

手術の60～90分前に，メラトニン３～10mgを摂取します。

のう胞や液体のない腫瘍（固形腫瘍）（従来の治療法と併用する場合）

放射線療法，化学療法，インターロイキン-２（IL-２）と併用して，メラトニン１日10～40mgを摂取します。通常，化学療法の開始７日前から全治療の終了時までメラトニンを摂取します。また，メラトニン１日20mgを２ヶ月間静脈内投与したのちに続けて，メラトニン１日10mgを経口摂取する場合もあります。

顎の関節と筋肉に疼痛がある症状全般（顎関節症（TMD））

就寝時にメラトニン５mgを４週間摂取します。

血小板数の減少（血小板減少症）

メラトニン１日20～40mgを，化学療法の開始の最長７日前から化学療法の終了時まで摂取します。

●筋肉内投与

のう胞や液体のない腫瘍（固形腫瘍）（従来の治療法と併用する場合）

メラトニン１日20mgを２カ月間筋肉内投与したのちに続けて，メラトニン１日10mgを経口摂取します。

●皮膚への塗布

日光皮膚炎

メラトニンを0.05～2.5％含むゲルを，日光曝露の15分前，または日光曝露後４時間以内に塗布します。また，メラトニンを12.5％含むクリームを日光曝露の前に塗布

メ

することもあります。

●舌下投与

手術前の不安の緩和

メラトニン５mg，または体重１kg当たり0.05～0.2mgを，麻酔前に90～100分間摂取します。

【小児】

●経口摂取

非24時間睡眠・覚醒リズム障害

盲目である場合，メラトニン１日0.5～４mgを最長６年間摂取します。生後３カ月～18歳の場合，メラトニン１日0.5～12mgを最長12週間摂取します。

通常の就寝時刻に入眠できない障害（睡眠相後退症候群）

メラトニン１～６mgを，就寝前に最長１カ月間摂取します。

不眠

原発性不眠の６～12歳の小児の場合，就寝時に５mgまたは体重１kg当たり0.05～0.15mgを４週間摂取します。痙攣症状のある，二次性不眠の３～12歳の小児の場合，就寝前に６～９mgを４週間摂取します。

手術前の不安の緩和

１～14歳の小児の場合，麻酔前に体重１kg当たり0.05～0.5mgを摂取します。

メラノタンⅡ

MELANOTAN-II

別名ほか

MT-Ⅱ

概　要

メラノタンⅡは合成化合物です。ヒトのホルモンに類似しています。当初，特定の皮膚疾患の治療薬として開発されました。現在ではサプリメントとしてもインターネットで販売されています。

メラノタンⅡは，通常，皮膚を日焼けするために使用されます。また，勃起障害（ED）の人を勃起させるためや，酒さ，線維筋痛症などの疾患にも用いられますが，これらのほとんどの用途を十分に裏づけるエビデンスはありません。また，皮下注射によるメラノタンⅡの使用は安全ではないおそれがあるという懸念があります。

メラノタンⅡを，メラトニンと混同しないよう注意してください。

安　全　性

メラノタンⅡを注射（点滴）する場合，おそらく安全ではありません。吐き気，胃痙攣，食欲減退，皮膚の紅潮，疲労，あくび，皮膚の黒化，自発陰茎勃起などの副作用が現れる可能性があります。メラノタンⅡを使用すると，人によっては，特に色白の人の場合，ほくろの形状変化，ほくろの発生，皮膚がんの症状がすべて見られます。

鼻腔に噴霧する場合，メラノタンⅡの安全性および副作用については，データが不十分です。

●妊娠中および母乳授乳期

妊娠中および母乳授乳期のメラノタンⅡの使用の安全性についてはデータが不十分です。安全性を考慮し，摂取は避けてください。

有　効　性

◆有効性レベル③

・勃起障害（ED）。初期のほとんどの研究では，メラノタンⅡを勃起障害の人に皮下注射すると，勃起し，勃起を持続させるのに役立つことが示唆されています。しかし，吐き気のような副作用があることから，その使用に最適な製品とはいえません。また，メラノタンⅡは現在，インターネット上の規制されていない製品のみが入手可能です。

◆科学的データが不十分です

・皮膚の日焼け，日光曝露による皮膚がんの予防（皮下注射の場合），酒さ，線維筋痛症など。

●体内での働き

メラノタンⅡは，体内に存在する，「メラノサイト刺激ホルモン」に似た物質です。このホルモンは皮膚を黒化する色素の生成を促進します。また，メラノタンⅡは，脳に作用して勃起を起こすこともあります。

医薬品との相互作用

ほかの医薬品との相互作用については明らかではありません。

ハーブおよび健康食品・サプリメントとの相互作用

ほかのハーブ，健康食品・サプリメントとの相互作用についてはまだ明らかではありません。

使用量の目安

●皮下注射

勃起障害（ED）

通常，0.025mg/kgを投与します。

免疫卵

HYPERIMMUNE EGG

別名ほか

免疫グロブリン，ヨーク免疫グロブリン，Egcel，Egg Extract，Egg Powder with Immune Components，HEY，Hyperimmune Egg Powder，Hyperimmune Hen Egg，Hyperimmunized Egg Yolk，IgY，Immune Egg，Immunoglobulin Egg Extract

概　　要

免疫卵は特定の感染症に抗するようにワクチン接種させた雌の鶏の卵です。この卵から取り出した抗体を人間の病気の治療に使います。

安　全　性

適切に使えば免疫卵は安全なようです。

副作用には下痢，腸内ガスおよび膨満感などがあります。

●アレルギー

卵にアレルギーのある人は使用してはいけません。

●妊娠中および母乳授乳期

妊娠中，母乳授乳期は使用してはいけません。

有　効　性

◆科学的データが不十分です

・ロタウイルスによる下痢，感染性の下痢，変形性関節症や関節リウマチなどの関節症，および高コレステロール血症。

●体内での働き

免疫卵に含まれる抗体は，免疫系を活性化して病気への抵抗力を増強すると考えられています。

医薬品との相互作用

ほかの医薬品との相互作用については明らかではありません。

ハーブおよび健康食品・サプリメントとの相互作用

ほかのハーブ，健康食品・サプリメントとの相互作用についてはまだ明らかではありません。

使用量の目安

標準使用量に関するデータがありません。

メントゼリア

MENTZELIA

別名ほか

Angurate Mentzelia Cordifolia

概　　要

メントゼリアは植物です。枝の先，茎および根を用いて「くすり」を作ることもあります。

安　全　性

十分なデータが得られていないので，安全であるかどうか不明です。

●妊娠中および母乳授乳期

妊娠中，母乳授乳期は使用してはいけません。

有　効　性

◆科学的データが不十分です

・消化器系の障害，とくに胃への使用。

●体内での働き

どのように作用するかについては信頼できる十分なデータが得られていません。

医薬品との相互作用

ほかの医薬品との相互作用については明らかではありません。

ハーブおよび健康食品・サプリメントとの相互作用

ほかのハーブ，健康食品・サプリメントとの相互作用についてはまだ明らかではありません。

使用量の目安

標準使用量に関するデータがありません。

モウセンゴケ

SUNDEW

別名ほか

ドロセラアングリカ，ナガバノモウセンゴケ（Drosera anglica），ドロセラ・インターメディア，ナガエノモウセンゴケ（Drosera intermedia），ドロセララメンタセア（Drosera ramentacea），ドロセラロツンディフォリア（Drosera rotundifolia），Dew Plant，Drosera，Drosera longifolia，Lustwort，Red Rot，Round-leafed Sundew，Youthwort

概　　要

モウセンゴケはハーブです。乾燥した草花を用いて「くすり」を作ることもあります。

安　全　性

ほとんどの人に安全のようです。

●妊娠中および母乳授乳期

妊娠中，母乳授乳期は使用してはいけません。

有　効　性

◆科学的データが不十分です

・咳，気管支喘息，気管支炎，がん，および潰瘍。

●体内での働き

粘液をサラサラにし，咳をしやすくする（去痰薬）ことで，胸のうっ血を解消する補助をするようです。また，痙攣を軽減します。

医薬品との相互作用

ほかの医薬品との相互作用については明らかではありません。

ハーブおよび健康食品・サプリメントとの相互作用

ほかのハーブ，健康食品・サプリメントとの相互作用についてはまだ明らかではありません。

使用量の目安

●経口摂取

乾燥植物1～2gを1日3回，またはお茶（乾燥植物1～2gを熱湯150mLに5～10分浸してからこしたもの）1回ティーカップ1杯を1日3回摂取します。1日の平均摂取量は乾燥植物3gです。流エキス（1：1，25％アルコール）では，1回0.5～2mLを1日3回摂取します。また，チンキ剤（1：5，60％アルコール）の場合，0.5～1mLを1日3回摂取します。

モクレン

MAGNOLIA

別名ほか

Beaver Tree, Bourgeon Floral de Magnolia, Buergeria salicifolia, Chuan houpu, Cortex Magnoliae Officinalis, Flos Magnoliae, Ho-No-Ki, Holly Bay, Hou Po, Hou Po Hua, Houpohua, Houpo, Houpu, Indian Bark, Japanese whitebark, Koboku, Magnolia, Magnolia Bark, Magnolia biondii, Magnolia conspicua, Magnolia denudata, Magnolia emargenata, Magnolia fargesii, Magnolia Flower Bud, Magnolia glauca, Magnolia heptaperta, Magnolia hypoleuca, Magnolia nicholsoniana, Magnolia obovate, Magnolia officinalis, Magnolia proctoriana, Magnolia Rouge, Magnolia salicifolia, Magnolia sargentiana, Magnolia sprengeri, Magnolia taliensis, Magnolia virginiana, Magnolia wilsonii, Magnolia yulan, Red Bay, Red Magnolia, Swamp Laurel, Swamp Sassafras, Sweet Bay, Tuhoupu, White Bay, White Laurel, Xin Ye Hua, Xin Yi Hua, Xinyi, Xinyihua

概　要

モクレンは植物です。樹皮と花の芽を用いて「くすり」を作ることもあります。

安　全　性

モクレンは，経口摂取する場合や練り歯磨剤として塗布する場合は，短期間であればほとんどの人におそらく安全です。経口摂取では最長6週間まで，練り歯磨剤としては最長6カ月まで，使用されています。1件の試験では，モクレンを経口摂取した人1名が，むねやけ，手の振るえ，性機能障害，甲状腺障害を発現しました。別の1名は極度の疲労と頭痛を発現しました。ただし，これらの副作用がモクレンによるものか，ほかの因子によるものかは明らかになっていません。モクレンを皮膚へ塗布すると，皮疹を発症する人もいます。

手術：モクレンは中枢神経系を抑制する可能性があります。手術中・手術後に使用する麻酔などの医薬品と併用すると，中枢神経系を過度に抑制するおそれがあります。モクレンはまた血液凝固を抑制し，手術中・手術後に出血を引き起こすおそれがあります。少なくとも手術前2週間は，使用しないでください。

●妊娠中および母乳授乳期

妊娠中にモクレンの花芽を経口摂取するのは安全ではありません。モクレンが子宮を収縮させ，流産を引き起こすおそれがあるという報告が複数あります。

母乳授乳期の使用の安全性についてはデータが不十分です。安全性を考慮し，使用は避けてください。

有　効　性

◆有効性レベル③

・歯垢。モクレンエキスが含まれる練り歯磨剤を用いると，歯垢の重症度が低下するようです。
・歯肉炎。モクレンエキスが含まれるガムをかんだり，練り歯磨剤を用いたりすると，歯肉の腫脹および出血が緩和するようです。

◆科学的データが不十分です

・ストレス，体重減少，感冒，うつ病，糖尿病，消化不良，顔のしみ，頭痛，高コレステロール血症，鼻閉，鼻みず，歯痛など。

●体内での働き

モクレンには不安緩和作用があるようです。また，体内のステロイド産生を増加させ，気管支喘息の治療に役立つ可能性があります。モクレンに含まれる化学物質は，口腔内の細菌を死滅させ，う歯を予防したり，歯肉の腫脹を緩和したりするのに役立つ可能性があります。モクレンに関する研究のほとんどは，実験室で行われたものです。

医薬品との相互作用

中血液凝固を抑制する医薬品（抗凝固薬/抗血小板薬）

モクレンは血液凝固を抑制する可能性があります。モクレンと血液凝固を抑制する医薬品を併用すると，紫斑および出血のリスクが高まるおそれがあります。このような医薬品には，アスピリン，クロピドグレル硫酸塩，ジクロフェナクナトリウム，イブプロフェン，ナプロキセン，ダルテパリンナトリウム，エノキサパリンナトリウム，ヘパリン，チクロピジン塩酸塩，ワルファリンカリウムなどがあります。

中鎮静薬（中枢神経抑制薬）

モクレンは眠気および呼吸抑制を引き起こす可能性があります。鎮静薬は眠気および呼吸抑制を引き起こす医薬品です。モクレンと鎮静薬を併用すると，呼吸障害や過度の眠気の一方あるいは両方を引き起こすおそれがあります。このような鎮静薬には，クロナゼパム，ロラゼパム，フェノバルビタール，ゾルピデム酒石酸塩などがあります。

ハーブおよび健康食品・サプリメントとの相互作用

眠気を引き起こすハーブおよび健康食品・サプリメント

モクレン樹皮は眠気および注意力低下を引き起こすおそれがあります。同様の作用をもつほかのハーブおよび健康食品・サプリメントと併用すると，過度の眠気を引き起こすおそれがあります。このようなハーブおよび健康食品・サプリメントには，5-ヒドロキシトリプトファン，ショウブ，ハナビシソウ，キャットニップ，ホップ，ジャマイカ・ドッグウッド，カバ，セント・ジョンズ・ワート，スカルキャップ，カノコソウ，アネモプシス・カリフォルニカなどがあります。

血液凝固を抑制するおそれのあるハーブおよび健康食品・サプリメント

モクレンは血液凝固を抑制するおそれがあります。モクレンと，血液凝固を抑制するおそれのあるほかのハーブおよび健康食品・サプリメントを併用すると，人によっては紫斑や出血のリスクが高まるおそれがあります。このようなハーブおよび健康食品・サプリメントには，アンゼリカ，クローブ，タンジン，フィーバーフュー，ニンニク，ショウガ，イチョウ，朝鮮人参，セイヨウトチノキ，レッドクローバー，ウコンなどがあります。

使用量の目安

【成人】

●皮膚への塗布

歯肉炎

モクレンを0.3％含む練り歯磨剤を１日２回使用します。３カ月後までに改善がみられます。モクレン樹皮エキスを含むチューインガムを30日間，１日３回５分間かみます。

歯垢

モクレンを0.3％含む練り歯磨剤を１日２回使用します。３カ月後までに改善がみられます。

モチノキ

HOLLY

別名ほか

浜夏芽，浜棗（Christ's Thorn），ハマナツメ，Holm，Holme Chase，Holy Tree，Hulm，Hulver Bush，Hulver Tree

概　要

モチノキは植物です。葉および小さな果実を用いて「くすり」を作ることもあります。

安 全 性

果実には毒性があり，使用は安全ではありません。間違って食べた場合，小児でも成人でも，命にかかわるおそれがあります。

十分なデータが得られていないので，葉の使用が安全かどうか不明です。葉は，下痢，悪心，嘔吐，胃や腸の障害など副作用を起こすかもしれません。

葉のとげを食べてしまうと，皮膚，または粘膜に裂傷ができるおそれがあります。

脱水症状を起こしている人，体内液（電解質）のアンバランスを起こしている人は使用してはいけません。

●妊娠中および母乳授乳期

妊娠中，母乳授乳期は使用してはいけません。

有 効 性

◆科学的データが不十分です

・咳，消化器系疾患，肝疾患，関節炎様の痛み，心疾患，めまい，血圧など。

●体内での働き

どのように作用するかについては十分なデータが得られていません。

医薬品との相互作用

ほかの医薬品との相互作用については明らかではありません。

ハーブおよび健康食品・サプリメントとの相互作用

ほかのハーブ，健康食品・サプリメントとの相互作用についてはまだ明らかではありません。

使用量の目安

●経口摂取

間欠熱を減じるために，通常3.9gの粉末葉をお茶として摂取します。

モノラウリン

MONOLAURIN

●代表的な別名

ラウリル酸モノグリセリド

別名ほか

ラウリル酸モノグリセリド，グリセリン・モノラウレート，グリセロール・モノラウレート，ラウリシジン

概　　要

モノラウリンは母乳にみられる化合物です。

安 全 性

食品に含まれる通常の量ならほとんどの人に安全です。

医薬品としての量を使用した場合の安全性は不明です。

●妊娠中および母乳授乳期

妊娠中，母乳授乳期は，「くすり」として使用してはいけません。

有 効 性

◆科学的データが不十分です

・感冒，インフルエンザ，単純ヘルペス，帯状疱疹など。

●体内での働き

予備的研究では，試験管内で抗細菌作用および抗ウイルス作用の可能性を示しました。ヒトに使う場合もこれらの作用が生じるかについては不明です。

医薬品との相互作用

ほかの医薬品との相互作用については明らかではありません。

ハーブおよび健康食品・サプリメントとの相互作用

ほかのハーブ，健康食品・サプリメントとの相互作用についてはまだ明らかではありません。

使用量の目安

標準使用量に関するデータがありません。

モミ

FIR

別名ほか

欧州モミ（Abies alba），モミノ木（Fir Tree），欧州トウヒ，ヨーロッパモミ，シルバーモミ（Abies pectinata），ヨーロッパトウヒ，ノルウェートウヒ，ドイツトウヒ（Norway Spruce，Picea Abies），トウヒ（Spruce），ドイツトウヒ（Spruce Fir），Picea excelsa，Piceae turiones recentes

概　　要

モミは植物です。新芽が「くすり」として使用されることもあります。

安 全 性

ほとんどの人におそらく安全ですが，副作用については不明です。

気管支喘息，百日咳の患者は使用してはいけません。

また，皮膚にケガをしている人，あるいは皮膚病の患者，発熱，感染を起こしている患者，心疾患，筋肉または動脈系疾患の一種，筋緊張亢進の患者は，皮膚に塗布（または，入浴剤として使用）してはいけません。

●妊娠中および母乳授乳期

妊娠中，母乳授乳期は使用してはいけません。

有 効 性

◆科学的データが不十分です

・感冒，咳，気管支炎，発熱，口内炎，咽頭炎，神経痛，筋肉痛，結核など。

●体内での働き

新芽は，気道の粘液分泌を抑制し，また穏やかな殺菌薬として働きます。エッセンシャルオイル（精油）を皮膚に塗布すると，部位への血流を増大，発赤を起こし，暖かい感覚を生み出しますが，これにより組織下の痛みが緩和されます。

医薬品との相互作用

ほかの医薬品との相互作用については明らかではありません。

ハーブおよび健康食品・サプリメントとの相互作用

ほかのハーブ，健康食品・サプリメントとの相互作用についてはまだ明らかではありません。

使用量の目安

●経口摂取

生のモミの芽を１日５～６g摂取します。エッセンシャルオイルの場合，水または角砂糖に４滴垂らしたものを１日３回摂取します。

●局所投与

200～300gの芽を１Lの水で５分沸かしてこし，風呂の湯に加えて全身浴します。

●吸入摂取

お湯に２gのエッセンシャルオイルを入れ，その蒸気を１日数回吸い込みます。

モリブデン

MOLYBDENUM

●代表的な別名

Mo

別名ほか

Ammonium Molybdate，Chelated Molybdenum，Etrathiomolybdate，Ionic Molybdenum，Mo，Molibdeno，Molybdene，Molybdenum Citrate，

Molybdenum Picolinate，Sodium Molybdate

概　要

モリブデンは，ミルク，チーズ，穀物，マメ科，ナッツ，葉野菜，内臓肉などに含まれる微量ミネラルです。植物由来の食品に含まれる量は，植物の生育場所の土壌内のモリブデン量で決まります。また水に含まれている量もさまざまです。体内，とくに肝臓，腎臓，腺や骨に貯蔵されます。肺，脾臓，皮膚や筋肉にもあります。食品で摂取されたモリブデンの90％は尿から体外に排泄されます。

安 全 性

成人が，適量のモリブデンを経口摂取する場合には，ほとんどの人に安全のようです。モリブデンは，耐容上限量（UL）（１日２mg）以下であれば，安全です。

ただし，高用量のモリブデンを経口摂取する場合には，おそらく安全ではありません。成人の場合，１日２mgを超える量の摂取は避けてください。

小児：小児のモリブデンの摂取は，耐容上限量（UL）以下であれば，ほとんどの人に安全のようです。耐容上限量（UL）は，以下の通りです。

１～３歳：１日0.3mg

４～８歳：１日0.6mg

９～13歳：１日1.1mg

14歳以上：１日1.7mg

ただし，高用量のモリブデンを経口摂取する場合には，おそらく安全ではありません。小児は，耐容上限量（UL）を超える量の摂取は避けてください。

痛風：１日当たり，10～15mgの極めて高用量のモリブデンを食事から摂取する場合や，職業曝露した場合には，痛風を引き起こすおそれがあります。モリブデンのサプリメントにより，痛風が悪化するおそれがあります。成人の場合には，１日２mgを超える量のモリブデンの摂取は避けてください。

妊娠中および母乳授乳期：妊娠中および母乳授乳期のモリブデンの使用は，耐容上限量（UL）以下であれば，ほとんどの人に安全のようです。耐容上限量（UL）は，以下の通りです。

14～18歳の女性：１日1.7mg

19歳以上の女性：１日２mg

高用量の使用は，おそらく安全ではありません。耐容上限量（UL）を超える量の摂取は避けてください。

有 効 性

◆有効性レベル②

・モリブデン欠乏症。モリブデンの摂取が，欠乏症の予防となる可能性があります。ただし，モリブデン欠乏症は，めったにみられません。

◆科学的データが不十分です

・食道がん，肝疾患，HIV/エイズ，酵母菌による感染，ライム病，亜硫酸塩感受性，化学物質に対する感受性，アレルギー，気管支喘息，ざ瘡（にきび），貧血，痛風，がん，不眠，湿疹，ベル麻痺，多発性硬化症，ループス，ウィルソン病，骨粗鬆症，う歯，性欲の改善など。

●体内での働き

モリブデンは，体内で，タンパク質およびほかの成分を分解します。モリブデン欠乏症は，めったにみられません。

モリブデンは，正常な身体機能の維持のために，重要な役割を果たしています。ただし，疾患に対する影響については，明らかではありません。

モ

モリブデンの食事摂取基準（μg／日）

日本人の食事摂取基準 2020 年版

性　別	男　性				女　性			
年齢等	推定平均必要量	推奨量	目安量	耐容上限量	推定平均必要量	推奨量	目安量	耐容上限量
0～5（月）	—	—	2	—	—	—	2	—
6～11（月）	—	—	5	—	—	—	5	—
1～2（歳）	10	10	—	—	10	10	—	—
3～5（歳）	10	10	—	—	10	10	—	—
6～7（歳）	10	15	—	—	10	15	—	—
8～9（歳）	15	20	—	—	15	15	—	—
10～11（歳）	15	20	—	—	15	20	—	—
12～14（歳）	20	25	—	—	20	25	—	—
15～17（歳）	25	30	—	—	20	25	—	—
18～29（歳）	20	30	—	600	20	25	—	500
30～49（歳）	25	30	—	600	20	25	—	500
50～64（歳）	25	30	—	600	20	25	—	500
65～74（歳）	20	30	—	600	20	25	—	500
75 以上（歳）	20	25	—	600	20	25	—	500
妊　婦（付加量）					+0	+0	—	—
授乳婦（付加量）					+3	+3	—	—

有効性レベル：①効きます　②おそらく効きます　③効くと断言できませんが、効能の可能性が科学的に示唆されています
④効かないかもしれません　⑤おそらく効きません　⑥効きません

医薬品との相互作用

ほかの医薬品との相互作用については明らかではありません。

ハーブおよび健康食品・サプリメントとの相互作用

銅

モリブデンは，消化管において銅と結合し，銅およびモリブデンの体内への吸収が抑制されるおそれがあります。ただし，銅欠乏症を引き起こすほどに，モリブデンが，銅の吸収を抑制することはないようです。ただし，銅不足による貧血の場合には，高用量のモリブデンの摂取は避けるべきです。

使用量の目安

●経口摂取

米国医学研究所では，モリブデンの目安量（AI）を以下の通り定めています。

0～6カ月：1日2μg

7～12カ月：1日3μg

モリブデンの推奨量（RDA）は，以下の通りです。

1～3歳：1日17μg

4～8歳：1日22μg

9～13歳：1日34μg

14～18歳：1日43μg

19歳以上：1日45μg

妊娠中および母乳授乳期：1日50μg

一般的な米国成人が，食事から摂取するモリブデンの量は，1日およそ120～210μgです。

モリンガ

MORINGA

●代表的な別名

ベンナッツツリー

別名ほか

Arango, Árbol de las Perlas, Behen, Ben Ailé, Ben Nut Tree, Ben Oléifère, Benzolive, Canéficier de l'Inde, Chinto Borrego, Clarifier Tree, Drumstick Tree, Horseradish Tree, Indian Horseradish, Jacinto, Kelor Tree, Malunggay, Marango, Mlonge, Moringa oleifera, Moringa pterygosperma, Moringe de Ceylan, Mulangay, Murungakai, Narango, Nebeday, Paraíso Blanco, Perla de la India, Pois Quénique, Sahjna, Saijan, Saijhan, Sajna, San Jacinto, Shagara al Rauwaq, Shigru, Terebintoi

概　　要

モリンガは，インド，パキスタン，バングラデシュ，アフガニスタンに原生する植物です。また熱帯地域にも自生しています。葉，樹皮，花，果実，種子，根を用いて「くすり」を作ることもあります。

モリンガは，貧血，関節炎や関節リウマチ，気管支喘息，がん，便秘，糖尿病，下痢，痙攣，胃痛，胃・十二指腸潰瘍，腸痙攣，頭痛，心臓の異常，高血圧，腎結石，更年期症状，甲状腺疾患，感染に対して経口摂取されます。

また，腫脹の緩和，アンチオキシダント（抗酸化物質）としての作用，痙攣の予防，性的欲求増進（催淫薬として），避妊，免疫システムの活性化，母乳産生量の増加の目的で経口摂取されます。栄養補給剤や強壮薬として用いる人もいます。利尿薬として用いられることもあります。

殺菌薬や乾燥剤（収斂薬）として皮膚に直接塗布されることもあります。また，膿瘍，足部白癬，ふけ，歯周病，ヘビ咬傷，疣贅（いぼ），および創傷の治療の目的で皮膚に塗布されます。

モリンガの種子から抽出したオイルは食品，香料，および頭髪用化粧品に使用されたり，機械の潤滑剤として使用されたりします。

世界の一部の地域で，モリンガは重要な食糧源となっています。安価で容易に栽培することができ，葉は乾燥させてもビタミンやミネラルが豊富に含まれているため，モリンガはインドやアフリカで栄養不良を解決するための食糧支援プログラムに使用されています。熟していない青いさやはサヤマメと同じように調理しますが，熟したさやからは種子を取り出して豆のように加熱したり，ナッツのように煎ったりします。葉はホウレンソウのように調理して用いたり，乾燥させ粉末にして調味料として用いたりします。

オイルを抽出した後に残る種子の塊は，肥料として用いたり，井戸水の精製や海水の塩分除去のために用いたりします。

安　全　性

モリンガは，葉，果実および種子を食品として摂取する場合は，ほとんどの人に安全のようです。モリンガの葉および種子を「くすり」として短期間経口摂取する場合は，おそらく安全です。葉が含まれた製品が，最大90日間まで安全に使用されています。種子が含まれた製品が，最大3週間まで安全に使用されています。根や根のエキスの経口摂取は，おそらく安全ではありません。根には毒性物質のspirochinが含まれています。

小児：モリンガの葉を短期間経口摂取する場合はおそらく安全です。葉は，最大2カ月間まで小児に安全に用いられています。

●妊娠中および母乳授乳期

妊娠中：妊娠中にモリンガの根や樹皮，花を使用するのは，おそらく安全ではありません。根，樹皮，花に含まれる化学物質が子宮を収縮させるおそれがあります。

伝統医学では，根や樹皮が流産を引き起こすのに用いられていました。そのほかの部分を妊娠中に使用する場合の安全性についてはデータが不十分です。安全性を考慮し，摂取は避けてください。

母乳授乳期：モリンガは，母乳産生量を増やすために使用されることがあります。母親が数日間摂取するのは安全のようですが，授乳中の乳児への安全性についてはデータが不十分です。したがって，母乳授乳期には摂取を避けるのが最善です。

有効性

◆科学的データが不十分です

・経口摂取する場合には，気管支喘息，糖尿病，母乳産生量の増加，栄養不良，更年期症状，貧血，関節炎，栄養補給，産児制限，がん，便秘，下痢，てんかん，頭痛，心臓の異常，高血圧，性的欲求増進，感染，腎結石，胃・十二指腸潰瘍，胃痛（胃炎），腫脹（炎症），免疫刺激，甲状腺疾患など。

・皮膚へ塗布する場合には，足部白癬，ふけ，歯周病，疣贅（いぼ），皮膚感染，ヘビ咬傷など。

●体内での働き

モリンガにはタンパク質，ビタミン，ミネラルが含まれています。アンチオキシダント（抗酸化物質）として，細胞を損傷から守るのに役立つようです。また，炎症や疼痛を緩和するのに役立つ可能性があります。

医薬品との相互作用

中レボチロキシンナトリウム水和物

モリンガはレボチロキシンナトリウム水和物の体内への吸収量を減少させる可能性があります。モリンガを摂取し，レボチロキシンナトリウム水和物を併用すると，レボチロキシンナトリウム水和物の作用が減弱するおそれがあります。

中肝臓で代謝される医薬品（シトクロムP450 3A4（CYP3A4）の基質となる医薬品）

特定の医薬品は肝臓で代謝されます。モリンガはこのような医薬品の代謝を変化させる可能性があります。そのため，医薬品の作用および副作用が変化するおそれがあります。このような医薬品には，Lovastatin，ケトコナゾール，イトラコナゾール，フェキソフェナジン塩酸塩，トリアゾラムなど数多くあります。

低糖尿病治療薬

モリンガは血糖値を低下させる可能性があります。モリンガを摂取し，糖尿病治療薬を併用すると，血糖値が過度に低下するおそれがあります。血糖値を注意深く監視してください。このような糖尿病治療薬には，グリメピリド，グリベンクラミド，インスリン，ピオグリタゾン塩酸塩などがあります。

低ネビラピン

モリンガはネビラピンの肝臓での代謝を抑制する可能性が懸念されています。そのため，ネビラピンの作用および副作用が増強するおそれがあります。しかし，このことが実際に問題であるかについては明らかではありません。

ハーブおよび健康食品・サプリメントとの相互作用

血圧を低下させるおそれのあるハーブおよび健康食品・サプリメント

モリンガは血圧を低下させるおそれがあります。モリンガと，血圧を低下させるおそれのあるほかのハーブおよび健康食品・サプリメントを併用すると，血圧が過度に低下するおそれがあります。このようなハーブおよび健康食品・サプリメントには，アンドログラフィス，カゼイン・ペプチド，キャッツクロー，コエンザイムQ-10，魚油，L-アルギニン，クコ，イラクサ，テアニンなどがあります。

血糖値を低下させるおそれのあるハーブおよび健康食品・サプリメント

モリンガは血糖値を低下させるおそれがあります。モリンガと，血糖値を低下させるおそれのあるほかのハーブおよび健康食品・サプリメントを併用すると，血糖値が過度に低下するおそれがあります。このようなハーブおよび健康食品・サプリメントには，α-リポ酸，ニガウリ，クロム，デビルズクロー，フェヌグリーク，ニンニク，グアーガム，セイヨウトチノキ，朝鮮人参，サイリウム，エゾウコギなどがあります。

使用量の目安

通常の食品に含まれている量を超えて経口摂取した場合の安全性および副作用については，明らかになっていません。

モルモンティー

MORMON TEA

●代表的な別名

ブリガムティー

別名ほか

ブリガムティー（Brigham Tea），エフェドラ，マファング（Ephedra nevadensis），Desert Tea，Gray Ephdra，Nevada Ephedra，Popotillo，Teamster's Tea，Squaw Tea

概要

モルモンティーは植物のマオウが原料になります。乾燥した枝を煎じてお茶にします。「くすり」として使用されることもあります。モルモンティー（Ephedra Nevadensis）を，エフェドラ，草マオウ（Ephedra Sinica）などほかのマオウ科と混同しないよう注意してください。

安　全　性

十分なデータが得られていないため，薬用での安全性については不明です。

ただ，考えられる副作用には，胃の不快感，腎臓や肝障害，鼻またはのどのがん，排尿の増大，便秘などがあります。

●妊娠中および母乳授乳期

妊娠中，母乳授乳期は使用してはいけません。

有　効　性

◆科学的データが不十分です

・感冒，腎障害，梅毒や淋病などの性感染症など。

●体内での働き

成分のタンニンには収れん作用があり，粘液などの分泌を軽減する働きを行います。腎臓障害や性感染症のような疾患に対して使われる場合，どのように作用するかについては十分なデータが得られていません。

医薬品との相互作用

ほかの医薬品との相互作用については明らかではありません。

ハーブおよび健康食品・サプリメントとの相互作用

ほかのハーブ，健康食品・サプリメントとの相互作用についてはまだ明らかではありません。

使用量の目安

●経口摂取

お茶（乾燥した枝部を150mL の熱湯に5～10分間浸して，その後ろ過する）として摂取します。

モンタナマツバ

DWARF PINE NEEDLE

別名ほか

ムゴマツ，ムーゴマツ，スイスミヤママツ，モンタナハイマツ (Pinus mugo)，モンタナマツ (Pinus montana)，Pinus pumilio，Pinus mugo Pumilio

概　　要

モンタナマツバは樹木です。針葉および葉のような小枝から取り出したオイルを用いて「くすり」を作ることもあります。

安　全　性

食べ物に通常含まれる量なら，ほとんどの人に安全です。

皮膚に直接塗るのは，安全でしょう。

●アレルギー

人によっては，皮膚に塗ると，かゆみが出たり，アレルギー反応を起こすこともあります。

●妊娠中および母乳授乳期

妊娠中，母乳授乳期は使用してはいけません。

有　効　性

◆科学的データが不十分です

・皮膚感染症の予防および肺の粘液の除去。

●体内での働き

どのように作用するかについては十分なデータが得られていません。

医薬品との相互作用

ほかの医薬品との相互作用については明らかではありません。

ハーブおよび健康食品・サプリメントとの相互作用

ほかのハーブ，健康食品・サプリメントとの相互作用についてはまだ明らかではありません。

使用量の目安

標準使用量に関するデータがありません。

モ

ヤエムグラ

CLIVERS

別名ほか

八重葎（Catchweed），ベッドストロー（Bedstraw），クリーバーズ（Cleavers），シラホシムグラ（Galium aparine），グースグラス（Goose Grass），Barweed, Cleaverwort, Coachweed, Eriffe, Everlasting Friendship, Goosebill, Gosling Weed, Grip Grass, Hayriffe, Hayruff, Hedge-burs, Hedgeheriff, Love-man, Mutton Chops, Robin-run in the grass, Scratchweed, Stick-a-back, Sweethearts

概　　要

ヤエムグラはハーブです。地上部を用いて「くすり」を作ることもあります。尿量を増やして体液貯留を改善するためや，排尿痛，腫大リンパ節または感染リンパ節，および乾癬と呼ばれる皮膚疾患に対して，ヤエムグラを用いることがありますが，これらの用途を十分に裏づけるエビデンスはありません。

ヤエムグラが，潰瘍，腺の肥大，乳房のしこり，皮疹に対して，皮膚に直接塗布されることもありますが，これらの用途を十分に裏づけるエビデンスはありません。

安　全　性

ヤエムグラの経口摂取は，適量であれば，ほとんどの人におそらく安全です。

ヤエムグラを皮膚に塗布する場合の安全性または副作用については，データが不十分です。

●妊娠中および母乳授乳期

妊娠中および母乳授乳期の使用の安全性についてはデータが不十分です。安全性を考慮し，摂取は避けてください。

有　効　性

◆科学的データが不十分です

・体液貯留，排尿痛，乾癬，腫大リンパ節，皮膚潰瘍，乳房のしこり，皮疹など。

●体内での働き

ヤエムグラには，タンニンと呼ばれる化学物質が含まれ，タンニンは皮膚の炎症を緩和し，組織に対する収れん（乾燥）作用をもつ可能性があります。

医薬品との相互作用

ほかの医薬品との相互作用については明らかではありません。

ハーブおよび健康食品・サプリメントとの相互作用

ほかのハーブ，健康食品・サプリメントとの相互作用についてはまだ明らかではありません。

使用量の目安

通常の食品に含まれている量を超えて経口摂取した場合の安全性および副作用については，明らかになっていません。

薬用ガレーガ

GOAT'S RUE

別名ほか

フレンチハニーサックル（French Honeysuckle），フレンチライラック（French Lilac），ガレガソウ（Galega officinalis），ゴーツルー，ナンバンクサフジ（Goat's Rue Herb），Galega bicolor, Galega patula, Galegae officinalis Herba, Geissrautenkraut, Italian Fitch

概　　要

薬用ガレーガは植物です。地上部を用いて「くすり」を作ることもあります。薬用ガレーガ（ゴーツルー，Goat's Rue）とルー（Ruta graveolens）を混同しないよう注意してください。

安　全　性

薬用ガレーガの安全性についてはデータが不十分です。ヒトに対する有害作用は報告されていませんが，遊牧家畜が多量に摂取して，命にかかわる中毒を起こしています。

出血性疾患：薬用ガレーガが血液凝固を抑制し，出血リスクを高めるおそれがあります。理論上は，出血性疾患を悪化させるおそれがあります。

糖尿病：人によっては，薬用ガレーガが血糖値を低下させる可能性があります。糖尿病患者が薬用ガレーガを使用する場合は，低血糖の徴候に注意し，血糖値を注意深く監視してください。

手術：薬用ガレーガが血糖値に影響を及ぼし，手術中・手術後の血糖コントロールを妨げるおそれがあります。少なくとも手術前2週間は，使用しないでください。

●妊娠中および母乳授乳期

妊娠中および母乳授乳期の使用の安全性についてはデータが不十分です。安全性を考慮し，摂取は避けてください。

有　効　性

◆科学的データが不十分です

・糖尿病，血液浄化，消化器系障害など。

●体内での働き

薬用ガレーガに含まれる化学物質は，試験管内実験では血糖値を低下させる可能性があります。ただし，ヒト

ヤ

が使用する場合にもこの作用が現れるかどうかは明らかにされていません。

医薬品との相互作用

中血液凝固を抑制する医薬品（抗凝固薬/抗血小板薬）

薬用ガレーガは血液凝固を抑制する可能性があります。薬用ガレーガと血液凝固を抑制する医薬品を併用すると，紫斑および出血のリスクが高まるおそれがあります。このような医薬品にはアスピリン，クロピドグレル硫酸塩，ダルテパリンナトリウム，エノキサパリンナトリウム，ヘパリン，チクロピジン塩酸塩，ワルファリンカリウムなどがあります。

中糖尿病治療薬

薬用ガレーガは血糖値を低下させる可能性があります。糖尿病治療薬もまた血糖値を低下させるために用いられます。薬用ガレーガと糖尿病治療薬を併用すると，血糖値が過度に低下するおそれがあります。血糖値を注意深く監視してください。糖尿病治療薬の用量を変更する必要があるかもしれません。このような糖尿病治療薬にはグリメピリド，グリベンクラミド，インスリン，ピオグリタゾン塩酸塩，マレイン酸ロシグリタゾン（販売中止），クロルプロパミド，Glipizide，トルブタミド（販売中止）などがあります。

ハーブおよび健康食品・サプリメントとの相互作用

血糖値を低下させるおそれのあるハーブおよび健康食品・サプリメント

薬用ガレーガが血糖値を低下させるおそれがあります。薬用ガレーガと，血糖値を低下させるおそれのあるほかのハーブおよび健康食品・サプリメントを併用すると，血糖値が過度に低下するおそれがあります。このようなハーブおよび健康食品・サプリメントには，デビルズクロー，フェヌグリーク，グアーガム，朝鮮人参，エゾウコギなどがあります。

血液凝固を抑制するおそれのあるハーブおよび健康食品・サプリメント

薬用ガレーガが血液凝固を抑制するおそれがあります。薬用ガレーガと，血液凝固を抑制するおそれのあるほかのハーブおよび健康食品・サプリメントを併用すると，人によっては出血リスクが高まるおそれがあります。このようなハーブおよび健康食品・サプリメントには，アンゼリカ，タンジン，ニンニク，ショウガ，イチョウ，レッドクローバー，ウコン，ヤナギ，朝鮮人参などがあります。

使用量の目安

通常の食品に含まれている量を超えて経口摂取した場合の安全性および副作用については，明らかになっていません。

ヤグルマソウ

CORNFLOWER

別名ほか

矢車草，ヤグルマギク，矢車菊，コーンフラワー（Centaurea cyanus），Batchelor's Buttons，Bluebonnet，Bluebottle，Bluebow，Blue Cap，Blue Centaury，Centaurea segetum，Cyani Blossoms，Cyani Flos，Cyani Flower，Cyani Petals，Hurtsickle

概　　要

ヤグルマソウはハーブです。花を用いて「くすり」を作ることもあります。

安　全　性

ヤグルマソウを，ハーブティーに色づけする目的で使用する場合，ほとんどの人に安全のようです。「くすり」として使用する場合の安全性についてはデータが不十分です。

●アレルギー

ブタクサ，キク，マリーゴールド，デイジーなど，キク科の植物に過敏な人は，アレルギー反応が出るおそれがあります。これらにアレルギーのある人は，ヤグルマソウを使用する前に，医師などに相談してください。

●妊娠中および母乳授乳期

妊娠中および母乳授乳期の使用の安全性についてはデータが不十分です。安全性を考慮し，摂取は避けてください。

有　効　性

◆科学的データが不十分です

・発熱，月経障害，酵母菌感染，便秘，胸部うっ血，肝疾患，胆のう疾患，眼の過敏（直接塗布の場合）など。

●体内での働き

どのように作用するかについては十分なデータが得られていません。

医薬品との相互作用

ほかの医薬品との相互作用については明らかではありません。

ハーブおよび健康食品・サプリメントとの相互作用

ほかのハーブ，健康食品・サプリメントとの相互作用についてはまだ明らかではありません。

使用量の目安

通常の食品に含まれている量を超えて経口摂取した場合の安全性および副作用については，明らかになっていません。

ヤグルマハッカ

HORSEMINT

別名ほか

モナルダプンクタータ，ケショウヤグルマハッカ（Monarda punctata），ワイルドベルガモット，Wild Bergamot，Monarda lutea，Spotted Monarda

概　　要

ヤグルマハッカは植物です。葉を用いて「くすり」を作ることもあります。

安 全 性

安全性または副作用については不明です。

●妊娠中および母乳授乳期

妊娠中，母乳授乳期は使用してはいけません。

有 効 性

◆科学的データが不十分です

・消化器系疾患，腸内ガス（膨満），有痛性のまたは月経異常（月経困難症）など。

●体内での働き

どのように作用するかについては十分なデータが得られていません。

医薬品との相互作用

ほかの医薬品との相互作用については明らかではありません。

ハーブおよび健康食品・サプリメントとの相互作用

ほかのハーブ，健康食品・サプリメントとの相互作用についてはまだ明らかではありません。

使用量の目安

●経口摂取

１日の平均摂取量は，ハーブから作られたシロップ２～4 mL。

ヤコブボロギク

TANSY RAGWORT

別名ほか

サワギク（Common Ragwort），ラグウィード，ブタクサ（Ragweed），ラグワート（Ragwort），ヤブボロギク，ヤコブコウリンギク（Senecio jacobaea），Cankerwort，Dog Standard，European Ragwort，Staggerwort，Stammerwort，St. James' Wort，Stinking Nanny

概　　要

ヤコブボロギクはハーブです。花頂部を用いて「くすり」を作ることもあります。

安 全 性

使用は安全ではありません。静脈血をブロックすることがあり，肝疾患やがんを引き起こすことがあります。肝疾患の人は使用してはいけません。

●アレルギー

ブタクサ，マリーゴールド，デイジーにアレルギーのある人は使用してはいけません。

●妊娠中および母乳授乳期

妊娠中，母乳授乳期は使用してはいけません。

有 効 性

◆科学的データが不十分です

・がん，疝痛，月経不順，痙攣など。

●体内での働き

どのように作用するかについては十分なデータが得られていません。

医薬品との相互作用

高肝臓でほかの医薬品の代謝を促進する医薬品（シトクロムP450 3A4（CYP3A4）を誘導する医薬品）

ヤコブボロギクは肝臓で代謝されます。ヤコブボロギクが肝臓で代謝されるときに生成される特定の化学物質は有害である可能性があります。肝臓でヤコブボロギクの代謝を促進する医薬品は，ヤコブボロギクに含まれる化学物質の毒性を強めるおそれがあります。このような医薬品にはカルバマゼピン，フェノバルビタール，フェニトイン，リファンピシン，リファブチンなどがあります。

ハーブおよび健康食品・サプリメントとの相互作用

ほかのハーブ，健康食品・サプリメントとの相互作用についてはまだ明らかではありません。

使用量の目安

標準使用量に関するデータがありません。

ヤチヤナギ

SWEET GALE

別名ほか

揚梅（Bayberry），谷地柳（Myrica gale），ベイベリー，ヤマモモ，ヨウバイ（Bog Myrtle），Dutch Myrtle

ヤ

概　　要

ヤチヤナギはハーブです。葉，枝，および蜜蝋を用いて「くすり」を作ることもあります。

安 全 性

十分なデータが得られていないため，安全性については不明です。オイルは有毒です。

●妊娠中および母乳授乳期

妊娠中，母乳授乳期は使用してはいけません。

有 効 性

◆科学的データが不十分です

・消化器系疾患，腸内寄生虫，およびかゆみ。

●体内での働き

皮膚の炎症を緩和，組織に対し収れん作用をもつという成分を含んでいます。

医薬品との相互作用

ほかの医薬品との相互作用については明らかではありません。

ハーブおよび健康食品・サプリメントとの相互作用

ほかのハーブ，健康食品・サプリメントとの相互作用についてはまだ明らかではありません。

使用量の目安

標準使用量に関するデータがありません。

ヤナギタデ

SMARTWEED

別名ほか

タデ，ホンタデ，マタデ（Water Pepper），アサブタデ，ホソバタデ（Polygonum hydropiper），Arsesmart

概　　要

ヤナギタデはハーブです。全体部分を用いて「くすり」を作ることもあります。

安 全 性

安全性についてはまだわかっていません。

ただ，経口で摂取すると，胃を荒らすような副作用が起きるかもしれません。

生の植物を取り扱う際，皮膚が荒れたり，炎症が起きるおそれがあります。

潰瘍など胃の障害を起こしている患者は使用してはいけません。

●妊娠中および母乳授乳期

妊娠中，母乳授乳期は使用してはいけません。

有 効 性

◆科学的データが不十分です

・出血および下痢。

●体内での働き

出血を止め，排尿に影響を及ぼすと考えられている成分を含みます。

医薬品との相互作用

中ワルファリンカリウム

ヤナギタデには大量のビタミンKが含まれていますが，ビタミンKには血液を凝固させる働きがあります。ワルファリンカリウムは血液凝固を抑制するために使用されています。併用するとワルファリンカリウムの効果が減弱する可能性があります。

ハーブおよび健康食品・サプリメントとの相互作用

ほかのハーブ，健康食品・サプリメントとの相互作用についてはまだ明らかではありません。

使用量の目安

●経口摂取

１回少量の粉末薬を１日３回か，またはお茶にしたもの（茶さじ１杯を熱湯に混ぜる）をティーカップ１杯，１日３回摂取します。

●局所投与

標準使用量に関するデータがありません。

ヤナギトウワタ

PLEURISY ROOT

別名ほか

宿根パンヤ，アスクレピアス，パンヤ，パンヤソウ（Asclepias tuberosa），バタフライウィード（Butterfly Weed），オレンジミルクウィード（Orange Milkweed），プルーリシー（Pleurisy），Canada Root，Flux Root，Orange Swallow Wort，Swallow Wort，Tuber Root，White Root，Wind Root

概　　要

ヤナギトウワタは植物です。根が「くすり」として使用されることもあります。

安 全 性

処方箋薬のジゴキシンに類似した化合物を含んでいるため，安全ではありません。心臓に深刻な問題を生じるおそれがあります。また，悪心や嘔吐，湿疹などの副作用を起こすかもしれません。心疾患の患者は使用してはいけません。

●妊娠中および母乳授乳期

妊娠中，母乳授乳期は使用してはいけません。

有効性

◆科学的データが不十分です

・咳，胸膜炎，子宮の疾患，痛み，痙攣，気管支炎，インフルエンザ，呼吸困難の緩和，発汗促進など。

●体内での働き

どのように作用するかについては十分なデータが得られていません。

医薬品との相互作用

中エストロゲン（卵胞ホルモン）製剤

多量のヤナギトウワタにはエストロゲン様作用のある可能性があります。しかし，ヤナギトウワタにはエストロゲン製剤と同等の強さはありません。ヤナギトウワタとエストロゲン製剤を併用すると，エストロゲン製剤の作用が減弱するおそれがあります。このようなエストロゲン製剤には，結合型エストロゲン，エチニルエストラジオール，エストラジオールなどがあります。

高ジゴキシン

ジゴキシンには強心作用があります。ヤナギトウワタもまた心臓に影響を及ぼすようです。ヤナギトウワタとジゴキシンを併用すると，ジゴキシンの作用が増強し，副作用のリスクが高まるおそれがあります。

中利尿薬

ヤナギトウワタは心臓に影響を及ぼすと考えられています。利尿薬の中には体内のカリウム量を減少させるものがあります。カリウム量が減少すると，心臓に影響が及んで，ヤナギトウワタの副作用が現れるリスクを高めるおそれがあります。このような利尿薬にはクロロチアジド（販売中止），クロルタリドン（販売中止），フロセミド，ヒドロクロロチアジドなどがあります。

ハーブおよび健康食品・サプリメントとの相互作用

ほかのハーブ，健康食品・サプリメントとの相互作用についてはまだ明らかではありません。

使用量の目安

標準使用量に関するデータがありません。

ヤナギラン

FIREWEED

別名ほか

キソヤナギサウ，アカバナヤナギサウ（Epilobium spicatum），ローズベイウィロー（Rosebay Willow），ウィローハーブ（Willow Herb），Epilobium angustifolium, Blood Vine, Blooming Sally, Chamaenerion angustifolium, Chamerion angustifolium, Flowering Willow, French Willow, Great Willowherb, Persian Willow, Purple Rocket, Tame Withy, Wickup, Wicopy

概要

ヤナギランはハーブです。地上部を用いて「くすり」を作ることもあります。

安全性

ほとんどの成人に安全のようです。

●妊娠中および母乳授乳期

妊娠中，母乳授乳期は使用してはいけません。

有効性

◆科学的データが不十分です

・発熱，腫瘍，および創傷。

●体内での働き

炎症（腫脹）を抑える物質を含んでいるようです。

医薬品との相互作用

ほかの医薬品との相互作用については明らかではありません。

ハーブおよび健康食品・サプリメントとの相互作用

ほかのハーブ，健康食品・サプリメントとの相互作用についてはまだ明らかではありません。

使用量の目安

標準使用量に関するデータがありません。

ヤブイチゲ

WOOD ANEMONE

別名ほか

アネモネネモローサ，ヤエザキイチリンソウ（Anemone nemorosa），ウィンドフラワー（Wind Flower），Crowfoot, Smell Fox

概要

ヤブイチゲはハーブです。地上部を用いて「くすり」を作ることもあります。

安全性

生の植物は安全ではありません。また，十分なデータが得られていないので，乾燥したものが安全かどうかは不明です。

胃腸への刺激症状，下痢，排尿障害が起こるかもしれません。

皮膚に触れると，治りの悪い水疱や熱傷のような傷ができるため，触らないようにしてください。

●妊娠中および母乳授乳期

妊娠中，母乳授乳期は使用してはいけません。

有　効　性

◆科学的データが不十分です

・胃痛，月経の遅れ，痛風，百日咳，または気管支喘息。

●体内での働き

どのように作用するかについては十分なデータが得られていません。

医薬品との相互作用

ほかの医薬品との相互作用については明らかではありません。

ハーブおよび健康食品・サプリメントとの相互作用

ほかのハーブ，健康食品・サプリメントとの相互作用についてはまだ明らかではありません。

使用量の目安

標準使用量に関するデータがありません。

ヤボランジ

JABORANDI

別名ほか

ジャボランジ（Pilocarpus microphyllus），Arruda Bravam，Arruda Do Mato，Jamguarandi，Juarandi，Maranhao jaborandi

概　　要

ヤボランジはハーブです。葉を用いて「くすり」を作ることもあります。

注：わが国では，ヤボランジ（葉）は「46通知」によると「医薬品」です。

安　全　性

薬用ハーブとして使用するのは安全ではありません。

ただ，米国食品医薬品局（FDA）が認可している処方箋薬のピロカルピンの生産に使用されています。

●妊娠中および母乳授乳期

妊娠中，母乳授乳期は使用してはいけません。

有　効　性

◆科学的データが不十分です

・下痢，緑内障，発汗の誘発など。

●体内での働き

作用についてはまだわかっていませんが，唾液の分泌や発汗の促進，胃腸の平滑筋を収縮するようです。

医薬品との相互作用

ほかの医薬品との相互作用については明らかではありません。

ハーブおよび健康食品・サプリメントとの相互作用

ほかのハーブ，健康食品・サプリメントとの相互作用についてはまだ明らかではありません。

使用量の目安

●局所投与

ピロカルピン点眼液は処方箋薬です。

ヤマブシタケ

HERICIUM ERINACEUS

別名ほか

Bearded Tooth，Hedgehog Fungus，Lion's Mane，Monkey Head，Monkey's Head，Pom Pom，Pompom，Satyr's Beard，Tree Hedgehog，Yamabushitake

概　　要

ヤマブシタケは広葉樹の幹に生育するキノコです。

加齢にともなう記憶と思考能力の低下が年齢以上に進行すること，アルツハイマー病および認知症，うつ病，不安，パーキンソン病，多発性硬化症や，全般的な精神機能および記憶の改善を目的として経口摂取されます。また，胃粘膜の炎症（胃炎），胃潰瘍，ヘリコバクター・ピロリ感染症，糖尿病，がん，高コレステロール血症，体重減少のために経口摂取されます。

創傷治癒の目的で皮膚に塗布されます。

子実体は食品として中華料理や日本料理に用いられます。

安　全　性

ヤマブシタケは，「くすり」として最長16週間経口摂取する場合は，おそらく安全です。副作用は軽度ですが，胃の不快感などが起こるおそれがあります。16週間以上摂取した場合の安全性については，十分なデータが得られていません。

皮膚に塗布した場合の安全性，副作用については，十分なデータが得られていません。

出血性疾患：ヤマブシタケは血液凝固を抑制する可能性があります。そのため，出血性疾患の場合には紫斑や出血のリスクが高まるおそれがあります。ただし，ヒトにこの事象が起きたという報告はありません。

糖尿病：ヤマブシタケは血糖値を低下させる可能性が

あります。糖尿病患者が使用する場合には，低血糖の徴候がないかどうか観察し，血糖値を注意深く監視してください。

手術：ヤマブシタケは血液凝固を抑制する可能性があるため，手術中・手術後に過度の出血を引き起こすおそれがあります。少なくとも手術前2週間は，使用しないでください。

●妊娠中および母乳授乳期

妊娠中および母乳授乳期に使用する場合の安全性についてはデータが不十分です。安全性を考慮し，摂取は避けてください。

有 効 性

◆科学的データが不十分です

・加齢にともなう記憶と思考能力の低下，胃粘膜の炎症（胃炎），不安，がん，認知症，うつ病，糖尿病，胃潰瘍，ヘリコバクター・ピロリ感染症，高コレステロール血症，多発性硬化症，パーキンソン病，体重減少，創傷治癒など。

●体内での働き

ヤマブシタケは神経の発達および機能を改善する可能性があります。また，神経を損傷から保護し，不安，記憶喪失，アルツハイマー病やパーキンソン病などの疾患の予防に役立つ可能性があります。また，胃粘膜の保護を促し，長期の胃粘膜腫脹（胃炎）や胃潰瘍による症状を改善するのに役立つ可能性があります。

医薬品との相互作用

中 血液凝固を抑制する医薬品（抗凝固薬/抗血小板薬）

ヤマブシタケは血液凝固を抑制する可能性があります。ヤマブシタケと血液凝固を抑制する医薬品を併用すると，紫斑および出血のリスクが高まるおそれがあります。このような医薬品には，アスピリン，クロピドグレル硫酸塩，プラスグレル塩酸塩，ジピリダモール，チクロピジン塩酸塩などがあります。

中 糖尿病治療薬

ヤマブシタケは血糖値を低下させる可能性があります。糖尿病治療薬も血糖値を低下させるために用いられます。ヤマブシタケと糖尿病治療薬を併用すると，血糖値が過度に低下するおそれがあります。血糖値を注意深く監視してください。糖尿病治療薬の用量を変更する必要があるかもしれません。このような糖尿病治療薬には，グリメピリド，グリベンクラミド，インスリン，メトホルミン塩酸塩，ピオグリタゾン塩酸塩，マレイン酸ロシグリタゾン（販売中止），クロルプロパミド，Glipizide，トルブタミド（販売中止）などがあります。

ハーブおよび健康食品・サプリメントとの相互作用

血糖値を低下させるおそれのあるハーブおよび健康食品・サプリメント

ヤマブシタケは血糖値を低下させるおそれがあります。同様の作用をもつほかのハーブおよび健康食品・サプリメントと併用すると，人によっては血糖値が過度に低下するおそれがあります。このようなハーブおよび健康食品・サプリメントには，α-リポ酸，ニガウリ，クロム，デビルズクロー，フェヌグリーク，ニンニク，グアーガム，セイヨウトチノキ，朝鮮人参，サイリウム，エゾウコギなどがあります。

血液凝固を抑制するハーブおよび健康食品・サプリメント

ヤマブシタケは血液凝固を抑制するおそれがあります。ヤマブシタケと，血液凝固を抑制するほかのハーブおよび健康食品・サプリメントを併用すると，人によっては紫斑や出血のリスクが高まるおそれがあります。このようなハーブおよび健康食品・サプリメントには，アンゼリカ，クローブ，タンジン，フェヌグリーク，フィーバーフュー，ニンニク，ショウガ，イチョウ，朝鮮人参，ポプラ，レッドクローバー，ウコンなどがあります。

使用量の目安

通常の食品に含まれている量を超えて経口摂取した場合の安全性および副作用については，明らかになっていません。

ヤラッパ

JALAP

別名ほか

Convolvulus purga，Exogonium purga，Ipomoea purga，Jalapa，Jalape，Mechoacan

概　　要

ヤラッパは植物です。根を用いて「くすり」を作ることもあります。

安 全 性

安全ではありません。腸に強く作用して，下痢や嘔吐，カリウムのような電解質の排出など，消化器官を障害するおそれがあるようです。使用は誰にも安全ではありません。

月経に刺激を与えるおそれがあります。

潰瘍やクローン病など消化器官に異常のある人，虫垂炎の症状（腹痛，悪心，嘔吐）がある人も使用してはいけません。

●妊娠中および母乳授乳期

妊娠中，母乳授乳期は使用してはいけません。

有 効 性

◆科学的データが不十分です

・腸の内容物排泄と洗浄（下剤，瀉下薬），体内水分の損失量の増加（利尿薬）など。

●体内での働き

水分の排出を増大し，また腸の平滑筋収縮を起こして便を押し出すという物質を含んでいます。

医薬品との相互作用

中ジゴキシン

ヤラッパは刺激性下剤の一種ですが，刺激性下剤は体内のカリウム量を減少させることがあります。カリウム量が減少するとジゴキシンの副作用が現れるリスクが高まると考えられます。

高刺激性下剤

ヤラッパは刺激性下剤ですが，刺激性下剤は腸の動きを活発化させます。ヤラッパとほかの刺激性下剤を併用すると，腸の運動が過度に活発化されて，脱水や体内のミネラル量の低下を引き起こすおそれがあります。このような刺激性下剤にはビサコジル，カスカラサグラダ，ヒマシ油，センナなどがあります。

中利尿薬

ヤラッパは下剤ですが，ある種の下剤は体内のカリウム量を減少させることがあります。利尿薬の中にも体内のカリウム量を減少させるものがありますから，ヤラッパを利尿薬とともに摂取すると，カリウム量が下がりすぎてしまうおそれがあります。このような利尿薬にはクロロチアジド（販売中止），クロルタリドン（販売中止），フロセミド，ヒドロクロロチアジドなどがあります。

ハーブおよび健康食品・サプリメントとの相互作用

ほかのハーブ，健康食品・サプリメントとの相互作用についてはまだ明らかではありません。

使用量の目安

●経口摂取

通常，小さじ１杯の根を水１カップに入れて液剤とします。摂取量は１日１カップで，１回１口分です。粉末根の通常の摂取量は195～1,300mgです。根の樹脂は60～300mg，チンキ剤は２～４mLを摂取します。

ユ

ユーカリ

EUCALYPTUS

別名ほか

ブルーマリーオイル（Blue Mallee Oil），ユーカリグロブルス，グロブルスユーカリ（Eucalyptus globulus），ユーカリポリブラクテア（Eucalyptus polybractea），ユーカリスミシ（Eucalyptus smithi），Eucalyptus bicostata，Eucalyptus fructicetorum，Eucalyptus odorata，Gully Gum Oil

概　　要

ユーカリは植物です。乾燥した葉とオイルは「くすり」として使用されます。

●要説（ナチュラル・スタンダード）

ユーカリオイルは，上気道炎および，さまざまな筋骨格疾患対する充血除去薬や去痰薬として一般的に用いられます。咳や風邪のトローチ，吸入蒸気，局所軟膏など，多くの製品（OTC薬）が店頭販売されています。抗菌作用が報告されており，獣医は局所的に用います。ほかにも石けん，香水の香料として，食品や飲料の香味料，歯科や工業用溶剤としても用いられます。現時点では質の高い科学的エビデンスは十分ではありません。

70～85%の1,8-cineole（ユーカリプトール）が含まれています。ユーカリプトールは，ほかの植物オイルにも存在します。ユーカリはうがい薬や歯科用製剤の原料として，歯内溶剤として用いられます。ユーカリには抗菌効果がある可能性があります。マウスリンスのListerineでは，歯垢および歯肉炎の軽減効果が示されているエッセンシャルオイル（ユーカリプトール，メントール，チモール，サリチル酸メチル）が併用されています。

低濃度の局所使用や吸入はおそらく安全です。ただし，経口使用した場合の深刻，致命的な毒性が相次いで報告されており，吸入した場合にも同様の毒性が引き起こされるおそれがあります。小児の使用は，いずれの使用法であっても避けてください。

安　全　性

ユーカリの葉は，通常の食品に含まれる少量を摂取する場合は，ほとんどの人に安全のようです。大量のユーカリ葉を含むサプリメントを経口摂取する場合の安全性については，データが不十分です。

ユーカリオイルに含まれる化学物質であるユーカリプトールの経口摂取は，最長12週間まででであればおそらく安全です。

ユーカリオイルを希釈せずに皮膚に直接塗布するのは，おそらく安全ではありません。

ユーカリオイルを希釈せずに経口摂取するのは，安全ではないようです。希釈していないオイル3.5mLを摂取すると，生命にかかわるおそれがあります。ユーカリ中毒の徴候には，胃痛や胃の灼熱感，めまい感，筋力低下，瞳孔縮小，窒息感などがあります。ユーカリオイルはまた，吐き気，嘔吐および下痢を引き起こすおそれがあります。

小児：ユーカリオイルは小児に安全ではないようです。経口摂取したり，皮膚へ塗布したりしないでください。小児がユーカリの葉を使用する場合の安全性についてはデータが不十分です。通常の食品としての量を超えて摂取するのは避けるのが最善です。

糖尿病：初期の研究では，ユーカリの葉が血糖値を低下させる可能性が示唆されています。糖尿病薬の服薬中にユーカリを使用すると，血糖値が過度に低下するおそれがあります。血糖値を注意深く監視してください。

手術：ユーカリは血糖値に影響を与え，手術中・手術後の血糖コントロールを妨げるおそれがあります。少なくとも手術前２週間は，使用しないでください。

●アレルギー

交叉抗原性：ユーカリオイルとティーツリーオイルには同じ化合物が多数含まれています。ユーカリオイルにアレルギーがある人は，ティーツリーオイルをはじめとする精油にもアレルギーを起こすおそれがあります。

●妊娠中および母乳授乳期

通常の食品としての量の摂取は，ほとんどの妊娠中および母乳授乳期の女性に安全のようです。ただし，ユーカリオイルを使用してはいけません。妊娠中および母乳授乳期のユーカリオイル使用の安全性についてはデータが不十分です。

有 効 性

◆科学的データが不十分です

・気管支喘息，気管支炎，歯垢，歯肉炎，口臭，アタマジラミ，頭痛，鼻閉，創傷，熱傷，潰瘍，ざ瘡（にきび），膀胱疾患，糖尿病，発熱，インフルエンザ，肝臓および胆のうの障害，食欲不振など。

●体内での働き

ユーカリの葉には血糖コントロールに役立つ可能性のある化学物質が含まれています。また，細菌や真菌に対する活性をもつ化学物質が含まれています。ユーカリオイルには，疼痛や炎症に役立つ可能性のある化学物質が含まれています。また，気管支喘息の原因物質を阻害する可能性があります。

医薬品との相互作用

中アンフェタミン類【販売中止】

ユーカリオイルに含まれる化学物質のユーカリプトールを吸入すると，血中のアンフェタミン類の濃度が低下する可能性があります。理論的には，ユーカリプトールを吸入する人はアンフェタミン類の効果が弱まるおそれがあります。

中ペントバルビタールカルシウム

ユーカリオイルに含まれる化学物質のユーカリプトールを吸入すると，脳に達するペントバルビタールカルシウム量が減少する可能性があります。理論的には，ユーカリプトールを吸入する人は，ペントバルビタールカルシウムの効果が弱まるおそれがあります。

中肝臓で代謝される医薬品（シトクロムP450 1A2（CYP1A2）の基質となる医薬品）

特定の医薬品は肝臓で代謝されます。ユーカリオイルはこのような医薬品の代謝を抑制する可能性があります。ユーカリオイルと肝臓で代謝される医薬品を併用すると，医薬品の作用および副作用が増強されるおそれがあります。このような医薬品にはアミトリプチリン塩酸塩，ハロペリドール，オンダンセトロン塩酸塩水和物，プロプラノロール塩酸塩，テオフィリン，ベラパミル塩酸塩などがあります。

中肝臓で代謝される医薬品（シトクロムP450 2C19（CYP2C19）の基質となる医薬品）

特定の医薬品は肝臓で代謝されます。ユーカリオイルはこのような医薬品の代謝を抑制する可能性があります。ユーカリオイルと肝臓で代謝される医薬品を併用すると，医薬品の作用および副作用が増強するおそれがあります。このような医薬品にはオメプラゾール，ランソプラゾール，パントプラゾールナトリウム水和物（販売中止），ジアゼパム，カリソプロドール（販売中止），ネルフィナビルメシル酸塩などがあります。

中肝臓で代謝される医薬品（シトクロムP450 2C9（CYP2C9）の基質となる医薬品）

特定の医薬品は肝臓で代謝されます。ユーカリオイルは特定の医薬品の代謝を抑制する可能性があります。ユーカリオイルと肝臓で代謝される医薬品を併用すると，医薬品の作用および副作用が増強するおそれがあります。このような医薬品にはジクロフェナクナトリウム，イブプロフェン，メロキシカム，ピロキシカム，セレコキシブ，アミトリプチリン塩酸塩，ワルファリンカリウム，Glipizide，ロサルタンカリウムなどがあります。

中肝臓で代謝される医薬品（シトクロムP450 3A4（CYP3A4）の基質となる医薬品）

特定の医薬品は肝臓で代謝されます。ユーカリはこのような医薬品の代謝を抑制する可能性があります。ユーカリと肝臓で代謝される医薬品を併用すると，医薬品の作用および副作用が増強されるおそれがあります。このような医薬品にはLovastatin，ケトコナゾール，イトラコナゾール，フェキソフェナジン塩酸塩，トリアゾラムなど数多くあります。

中糖尿病治療薬

ユーカリ葉エキスは血糖値を低下させる可能性があります。糖尿病治療薬もまた血糖値を低下させるために用いられます。ユーカリ葉エキスと糖尿病治療薬を併用すると，血糖値が過度に低下するおそれがあります。血糖値を注意深く監視してください。糖尿病治療薬の用量を変更する必要があるかもしれません。このような糖尿病治療薬にはグリメピリド，グリベンクラミド，インスリン，ピオグリタゾン塩酸塩，マレイン酸ロシグリタゾン（販売中止），クロルプロパミド，Glipizide，トルブタミド（販売中止）などがあります。

中アミノピリン【販売中止】

ユーカリオイルに含まれる化学物質のユーカリプトールを吸入すると，血中のアミノピリン濃度が低下する可能性があります。理論的には，ユーカリプトールを吸入する人はアミノピリンの効果が弱まるおそれがあります。

ユ

ハーブおよび健康食品・サプリメントとの相互作用

血糖値を低下させるおそれのあるハーブおよび健康食品・サプリメント

ユーカリの葉は血糖値を低下させるおそれがあります。同様の作用をもつほかのハーブおよび健康食品・サプリメントと併用すると，人によっては，低血糖のリスクが高まるおそれがあります。このようなハーブおよび健康食品・サプリメントには，α-リポ酸，ニガウリ，カルケージャ，クロム，デビルズクロー，フェヌグリーク，ニンニク，グアーガム，セイヨウトチノキ，ジャンボラン，朝鮮人参，ガラパゴスウチワサボテン，サイリウム，エゾウコギなどがあります。

肝毒性をもつピロリジジンアルカロイド（PA）を含むハーブおよび健康食品・サプリメント

ユーカリは肝毒性をもつピロリジジンアルカロイド（PA）を含むハーブおよび健康食品・サプリメントの毒性を増強するおそれがあります。ピロリジジンアルカロイドは肝臓を害するおそれがあります。このようなハーブおよび健康食品・サプリメントには，アルカナ，ヒヨドリバナ，ボラージ，セイヨウフキ，フキタンポポ，コンフリー，ワスレナグサ，シモツケソウ，ヘンプ・アグリモニー，オオルリソウ，またセネキオ属の植物であるダスティーミラー，ノボロギク，サワギク，ヤコブボロギクなどがあります。

使用量の目安

通常の食品に含まれている量を超えて経口摂取した場合の安全性および副作用については，明らかになっていません。

ユーフォルビア・キパリッシアス（フェンスルビー）

CYPRESS SPURGE

●代表的な別名

マツバトウダイ

別名ほか

マツバトウダイ，イトスギトウダイ（Euphorbia cyparissias）

概　要

ユーフォルビア・キパリッシアス（フェンスルビー）は植物です。花の咲く部分および根を用いて「くすり」を作ることもあります。

安 全 性

安全ではありません。がんを発症する可能性がある毒性の乳状液や化合物を含んでいます。生でも乾燥したものでも安全ではありません。悪心，嘔吐，下痢，口のヒリヒリ感，瞳孔拡大，めまい，痛みのある排便，知覚麻痺，不整脈，卒倒などを起こすおそれがあります。

また，皮膚に塗布すると，湿疹，赤面，かゆみ，ヒリヒリ感，水疱が出るかもしれません。眼に入れてしまうと，まぶたや眼が腫脹を起こしたり傷つくおそれがあります。

●妊娠中および母乳授乳期

妊娠中，母乳授乳期は使用してはいけません。

有 効 性

◆科学的データが不十分です

・呼吸器系疾患，下痢，または皮膚病。

●体内での働き

医薬品として，どのように作用するかについては不明です。

医薬品との相互作用

ほかの医薬品との相互作用については明らかではありません。

ハーブおよび健康食品・サプリメントとの相互作用

ほかのハーブ，健康食品・サプリメントとの相互作用についてはまだ明らかではありません。

使用量の目安

標準使用量に関するデータがありません。

ユーリコマ・ロンギフォリア

EURYCOMA LONGIFOLIA

別名ほか

トンカットアリ，Ali's Walking Stick，Eurycoma，E. longifolia，Eurycoma longifolia，Malaysian Ginseng

概　要

ユーリコマ・ロンギフォリアは東南アジアに自生する細長い灌木です。マレーシアではユーリコマ・ロンギフォリアの茶が，性機能および生殖能力を向上させるといわれています。そのため需要が高まり，現在では保護植物となっています。

安 全 性

ユーリコマ・ロンギフォリアは，「くすり」としての量を経口摂取する場合，最長9カ月まではおそらく安全です。

●妊娠中および母乳授乳期

妊娠中および母乳授乳期の使用の安全性についてはデータが不十分です。安全性を考慮し，摂取は避けてく

ださい。

有　効　性

◆有効性レベル③

・男性不妊。特定のユーリコマ・ロンギフォリアのサプリメントを経口摂取すると，不妊男性の精子の質および濃度が改善する可能性を示唆するエビデンスがあります。

◆科学的データが不十分です

・運動能力，低テストステロン症，筋力，勃起障害（ED），性欲増強，発熱，マラリア，潰瘍，高血圧，結核，骨痛，咳，下痢，頭痛，梅毒，がんなど。

●体内での働き

ユーリコマ・ロンギフォリアの根には，身体にさまざまな作用をもたらす数種類の化学物質が含まれています。その一部は，テストステロンホルモンの産生過程に影響を及ぼすようです。動物試験やヒトを対象とした研究から，体内のテストステロンを増加させる可能性が示唆されています。

医薬品との相互作用

中プロプラノロール塩酸塩

ユーリコマ・ロンギフォリアとプロプラノロール塩酸塩を併用すると，プロプラノロール塩酸塩の体内への吸収量を減少させるようです。そのため，プロプラノロール塩酸塩の作用が減弱するおそれがあります。

低肝臓で代謝される医薬品（シトクロムP450 1A2（CYP1A2）の基質となる医薬品）

特定の医薬品は肝臓で代謝されます。ユーリコマ・ロンギフォリアはこのような医薬品の代謝を抑制する可能性があります。理論的には，ユーリコマ・ロンギフォリアと肝臓で代謝される医薬品を併用すると，医薬品の作用および副作用が増強するおそれがあります。このような医薬品には，アミトリプチリン塩酸塩，ハロペリドール，オンダンセトロン塩酸塩水和物，プロプラノロール塩酸塩，テオフィリン，ベラパミル塩酸塩などがあります。

低肝臓で代謝される医薬品（シトクロムP450 2A6（CYP2A6）の基質となる医薬品）

特定の医薬品は肝臓で代謝されます。ユーリコマ・ロンギフォリアはこのような医薬品の代謝を抑制する可能性があります。理論的には，ユーリコマ・ロンギフォリアと肝臓で代謝される医薬品を併用すると，医薬品の作用および副作用が増強するおそれがあります。このような医薬品には，ニコチン，Chlormethiazole，Coumarin，Methoxyflurane，ハロタン（販売中止），バルプロ酸ナトリウム，ジスルフィラムなどがあります。

低肝臓で代謝される医薬品（シトクロムP450 2C19（CYP2C19）の基質となる医薬品）

特定の医薬品は肝臓で代謝されます。ユーリコマ・ロンギフォリアはこのような医薬品の代謝を抑制する可能性があります。理論的には，ユーリコマ・ロンギフォリアと肝臓で代謝される医薬品を併用すると，医薬品の作用および副作用が増強するおそれがあります。このような医薬品には，オメプラゾールやランソプラゾールやパントプラゾールナトリウム水和物（販売中止）などのプロトンポンプ阻害薬，ジアゼパム，カリソプロドール（販売中止），ネルフィナビルメシル酸塩などがあります。

ハーブおよび健康食品・サプリメントとの相互作用

ほかのハーブ，健康食品・サプリメントとの相互作用についてはまだ明らかではありません。

使用量の目安

通常の食品に含まれている量を超えて経口摂取した場合の安全性および副作用については，明らかになっていません。

ユッカ

YUCCA

●代表的な別名

センジュラン

別名ほか

センジュラン，千寿蘭（Spanish Bayonet），イトラン，糸蘭，キミガヨラン，君代蘭（Yucca whipplei），ユッカ・アラボレセンス（Yucca arborescens），フイリイトラン（Yucca filamentosa），ユッカ・シジゲラ（Yucca schidigera），Adam's Needle, Aloe Yucca, Bear Grass, Dagger Plant，Joshua Tree，Mohave Yucca，Our Lord's Candle，Soapweed，Yucca aloifolia，Yucca brevifolia，Yucca glauca，Yucca mohavensis

概　　要

ユッカは樹木で，「くすり」の原料に使用されます。調理した根は，食品としても使われます。

注：わが国では，ユッカ（根）は「46通知」によると「非医薬品」です。

安　全　性

短期間使用するだけなら，安全のようです。

ただ，胃のもたれ，苦味，悪心，嘔吐などの副作用を起こす可能性があります。

●妊娠中および母乳授乳期

妊娠中および母乳授乳期の使用についてはデータが不十分です。安全性を考慮し，使用は控えてください。

有　効　性

◆科学的データが不十分です

・関節炎，片頭痛，消化器系疾患，糖尿病，高血圧症，

高コレステロール血症，高トリグリセリド血症，血液循環不良，皮膚障害など。

●**体内での働き**

高血圧症，高コレステロール血症の軽減を補助する化合物を含んでいます。また，痛み，腫脹，こわばりのような関節炎症状の緩和もするようです。

医薬品との相互作用

ほかの医薬品との相互作用については明らかではありません。

ハーブおよび健康食品・サプリメントとの相互作用

ほかのハーブ，健康食品・サプリメントとの相互作用についてはまだ明らかではありません。

使用量の目安

●**経口摂取**

標準使用量に関するデータがありません。ただし，従来から380～490mgの粉末茎や根を１日２～３回摂取しています。約7.5gの根を約480mLの水で15分煎じたものを使います。１日３～５杯摂取します。

●**局所投与**

標準使用量に関するデータがありません。

葉酸

FOLIC ACID

●**代表的な別名**

ビタミンB_9

別名ほか

ビタミンB群（B Complex Vitamin），プテロイルグルタミン酸（Pteroylglutamic Acid），プテロイルモノグルタミン酸（Pteroylmonoglutamic Acid），フォラシン（Folacin），Folate，ビタミンB_9（Vitamin B_9），Pteroylpolyglutamate

概　　要

葉酸塩および葉酸は，水溶性のビタミンBです。葉酸塩は食品中に天然に存在します。葉酸は天然の葉酸塩から合成したものです。米国連邦法の要請により1998年以降，葉酸はコールドシリアル，小麦粉，パン，パスタ，菓子パン類，クッキー，クラッカーに添加されています。もともと葉酸塩が豊富に含まれている食品には，葉野菜（ホウレンソウ，ブロッコリー，レタスなど），オクラ，アスパラガス，果物（バナナ，メロン，レモンなど），豆類，イースト，キノコ，肉（牛の肝臓，腎臓など），オレンジジュース，トマトジュースなどがあります。

葉酸は，葉酸欠乏症およびその合併症（貧血や腸の栄養吸収不全など）の予防および治療に用いられます。また，そのほか葉酸欠乏症に起因することが多い潰瘍性大腸炎，肝疾患，アルコール依存症，腎透析などの疾患に対して用いられます。

妊娠中の女性や妊娠の可能性がある女性は，流産や神経管奇形を予防する目的で葉酸を摂取します。神経管奇形は，胎児の発達中に脊椎と背が閉鎖しないときに起きる二分脊椎などの先天異常です。女性はこのほかに，妊娠中の高血圧などの合併症を予防したり，胎児の成長・発達を向上させたりする目的で，妊娠前や妊娠中に葉酸を摂取します。

結腸がん，子宮頸がんなどさまざまながんの予防や，糖尿病患者の神経痛緩和の目的で葉酸が用いられることもあります。また，心疾患や脳卒中の予防，血中ホモシステイン濃度の低下の目的で用いられます。血中ホモシステイン濃度が高いと心疾患リスクが生じるおそれがあります。

ほかにも，皮膚の吹き出物，歯周炎，記憶喪失，アルツハイマー病，加齢性難聴，加齢黄斑変性（AMD）の予防，加齢徴候の軽減，骨粗鬆症，むずむず脚症候群（RLS），睡眠障害，うつ病や落ち込み，痙攣，神経痛，筋肉痛・骨痛，エイズ，白斑，痛風，脆弱X症候群に対して用いられます。また，医薬品「ニトログリセリン」，「ロメトレキソール」，「メトトレキサート」による治療の有害な副作用を緩和する目的や，精子を産生する目的で用いられます。

歯肉炎の治療のために，歯肉に直接塗布することもあります。

葉酸欠乏症の予防および治療のために葉酸を経口摂取するのが難しい場合には，注射（点滴）により投与することもあります。慢性疲労症候群，慢性発熱をみる疾患，ざ瘡（にきび），疲労に対して，注射（点滴）により投与することもあります。

葉酸はよく，ほかのビタミンBと併用で用いられます。

安　全　性

葉酸の経口摂取および体内への注射（点滴）は，ほとんどの人に安全のようです。１日１mg未満の用量であれば，ほとんどの成人に副作用は起きません。

高用量で長期にわたり経口摂取する場合には，おそらく安全ではありません。高用量の葉酸により，腹部の痙攣，下痢，皮疹，睡眠障害，過敏性，錯乱，吐き気，胃のむかつき，挙動変化，皮膚反応，痙攣，腸内ガス，興奮性などの副作用が起きるおそれがあります。

葉酸を長期にわたり過剰に摂取すると，深刻な副作用を引き起こすおそれがあります。複数の研究により，心臓に異常がある患者が800μg～1.2mgの葉酸を摂取すると，心臓発作のリスクが高まるおそれがあることが示唆されています。ほかの研究では，この用量を摂取すると肺がんや前立腺がんなどのがんリスクが高まることも示唆されています。

血管形成術（動脈狭窄の拡張手術）：葉酸，ビタミンB_6,

相互作用レベル：高この医薬品と併用してはいけません　中この医薬品とは慎重に併用するか併用しないでください　低この医薬品との併用には注意が必要です

ビタミンB_{12}を静脈内投与または経口摂取すると，動脈狭窄が悪化するおそれがあります。血管形成術後の回復期にある患者は，葉酸を使用しないでください。

がん：初期の研究により，１日800μg〜１mgの葉酸を摂取すると，がんリスクが高まるおそれが示唆されています。がんの既往症がある場合には，十分なデータが得られるまで，高用量の葉酸の使用は避けてください。

心疾患：初期の研究により，心疾患の既往症のある患者が葉酸とビタミンB_6を併用摂取すると，心臓発作のリスクが高まるおそれが示唆されています。

マラリア：初期の研究により，マラリアが流行している地域の人が，葉酸と鉄を併用摂取すると，死亡リスクや病院での治療の必要性が高まるおそれが示唆されています。

ビタミンB_{12}欠乏症に起因する貧血：葉酸を摂取すると，ビタミンB_{12}欠乏症に起因する貧血の診断が困難になり，適切な治療が遅れるおそれがあります。

痙攣性疾患：痙攣性疾患の患者が葉酸サプリメントを摂取する場合，とくに高用量を摂取する場合には，痙攣が悪化するおそれがあります。

●妊娠中および母乳授乳期

妊娠中および母乳授乳期の経口摂取は，適量であれば，ほとんどの人に安全のようです。先天異常を予防する目的で，通常１日300〜400μgの葉酸が妊娠中に用いられています。

有効性

◆有効性レベル①

・葉酸欠乏症。葉酸の摂取により，葉酸欠乏症が改善します。

◆有効性レベル②

・腎疾患。深刻な腎疾患患者の約85%は，ホモシステイン値が高くなっています。ホモシステイン値の高い状態と，心疾患および脳卒中との関連が認められています。深刻な腎疾患の患者が葉酸を摂取すると，ホモシステイン値が低下します。ただし，葉酸を補給しても，心疾患関連事象のリスクは低下しないようです。

・高ホモシステイン血症（血中ホモシステイン値が高い状態）。ホモシステイン値の高い状態と，心疾患および脳卒中との関連が認められています。ホモシステイン値が正常からわずかに高い人が葉酸を摂取すると，ホモシステイン値が20〜30%低下します。ホモシステイン値が11μmol/L以上の人は，葉酸とビタミンB_{12}を補給することが推奨されています。

・医薬品「メトトレキサート」の有害作用の軽減。葉酸を摂取すると，メトトレキサート治療の副作用と考えられる吐き気および嘔吐が軽減するようです。

・神経管奇形（先天異常）。妊娠中に，食事から高用量の葉酸を摂取したり，葉酸サプリメントを摂取したりすると，神経管奇形の先天異常のリスクが低下します。

◆有効性レベル③

・加齢黄斑変性（加齢にともなう視力低下）。複数の研究により，葉酸と，ビタミンB_6，ビタミンB_{12}などのビタミン類を併用して摂取すると，加齢にともなう視力低下のリスクが低下することが示唆されています。

・うつ病。一部の研究により，うつ病患者が葉酸と抗うつ薬を併用摂取すると，症状が改善するようであることが示唆されています。

・高血圧。研究により，高血圧患者が葉酸を毎日，少なくとも６週間摂取すると，血圧が低下することが示唆されています。ただし，葉酸を血圧の医薬品と併用摂取しても，医薬品単独の場合よりも血圧が低下することはないようです。

・医薬品「フェニトイン」に起因する歯肉の異常。葉酸を歯肉に塗布すると，フェニトインに起因する歯肉の異常を予防できるようです。ただし，葉酸を経口摂取しても，この疾患の症状が改善することはないようです。

・妊娠中の歯周病。歯肉に葉酸を塗布すると，妊娠中の歯周病が改善するようです。

・白斑（皮膚の退色）。葉酸を経口摂取すると，白斑の症状が改善するようです。

◆有効性レベル④

・血管形成術後の血管再閉塞の予防。血管拡張手術後の葉酸摂取による便益については，エビデンスが一致していません。ただし，血管を拡張するためにステントが挿入されている場合には，葉酸とビタミンB_6およびビタミンB_{12}の併用摂取が実際に治癒を妨げるおそれがあります。

・急性リンパ性白血病（白血球のがん）。妊娠中に葉酸塩を摂取しても，出産後の乳児が小児期に白血球のがんを起こすリスクは低下しません。

・鉄欠乏症。鉄欠乏症および鉄欠乏による貧血の予防および治療として，葉酸と鉄のサプリメントを併用摂取しても，鉄のサプリメントを単独で摂取する場合とくらべて，効果が高まることはありません。

・乳がん。食事から高用量のメチオニン，ビタミンB_{12}（シアノコバラミン）またはビタミンB_6（ピリドキシン）を摂取している女性が，食事から葉酸塩を摂取すると，乳がん発症リスクが低下する可能性がありますが，相反する研究結果もあります。ほかの研究では，葉酸サプリメントを単独で摂取しても，乳がんリスクは低下しないことが示唆されています。

・心疾患。研究により，心疾患患者が葉酸を単独で，またはビタミンB_6（ピリドキシン）およびビタミンB_{12}と併用で摂取しても，死亡や心疾患関連事象のリスクは低下しないことが示唆されています。

・慢性疲労症候群。葉酸を毎日注射（点滴）しても，慢性疲労症候群の症状に対する効果はないようです。

・高齢者の記憶力および思考力。ほとんどのエビデンスにより，葉酸が，加齢にともなう記憶力および思考力の低下に有益ではないことが示唆されています。

・下痢。葉酸と場合によりビタミンB_{12}が添加された特定の栄養補助食品を摂取しても，栄養不良のリスクがある小児の下痢は予防できないようです。この製品を摂取すると，数日以上下痢が継続するリスクが高まるおそれがあります。
・胎児の死亡および乳児の早期死亡。妊娠中に葉酸を摂取しても，出産の直前や直後に胎児や乳児が死亡するリスクは低下しないようです。
・医薬品「ロメトレキソール」の毒性。葉酸を毎日注射（点滴）しても，慢性疲労症候群の症状に対する効果はないようです。
・下気道感染症。葉酸と場合によりビタミンB_{12}が添加された特定の栄養補助食品を摂取しても，栄養不良のリスクがある小児の肺感染は予防できないようです。
・骨粗鬆症。骨粗鬆症の高齢者が，葉酸と，ビタミンB_{12}およびビタミンB_6（ピリドキシン）を併用摂取しても，骨折は予防できないようです。
・未熟児。妊娠中に葉酸を摂取しても，未熟児出生リスクは低下しないようです。

◆有効性レベル⑤

・大腸腺腫（大腸および直腸の増殖）。葉酸サプリメントを摂取しても，大腸および直腸の増殖は予防できないようです。
・脆弱X症候群（遺伝性疾患）。葉酸を経口摂取しても，脆弱X症候群の症状は改善しません。

◆科学的データが不十分です

・ざ瘡（にきび），アルツハイマー病，自閉症，βサラセミア，双極性障害，子宮頸がん，結腸がん，直腸がん，糖尿病，てんかん，食道がん，医薬品「フェノフィブラート」に起因する高ホモシステイン血症，胃がん，痛風，聴覚障害，出産時低体重，男性不妊，肺がん，黒色腫（皮膚がん），胸痛に用いる医薬品の作用持続，口唇裂，膵がん，末梢神経障害（神経痛），咽頭がん，妊娠高血圧腎症，妊娠高血圧，むずむず脚症候群（RLS），統合失調症，鎌状赤血球症，脳卒中，潰瘍性大腸炎に起因するがん，アルコール依存症，肝疾患など。

●体内での働き

葉酸塩は人体の正常な成長に必要なものです。遺伝物質であるDNAの生成をはじめとする多くの生体機能にかかわっています。

医薬品との相互作用

中カペシタビン

多量の葉酸を摂取すると，カペシタビンの副作用（特に下痢・嘔吐などの胃の不調）が現れるリスクが高まる可能性があると懸念されています。医師や薬剤師に相談することなく葉酸を摂取しないでください。

中ピリメタミン【販売中止】

ピリメタミンは寄生虫感染症の治療に用いられます。葉酸は寄生虫感染症に対するピリメタミンの治療効果を弱めるおそれがあります。

中フェニトイン

フェニトインは体内で代謝されてから排泄されます。葉酸はフェニトインの代謝を促進する可能性があります。葉酸とフェニトインを併用すると，フェニトインの効果が弱まり，痙攣発作の可能性が高まるおそれがあります。

中フェノバルビタール

フェノバルビタールは痙攣発作に対して用いられます。葉酸とフェノバルビタールを併用すると，痙攣発作の予防に対するフェノバルビタールの効果が弱まるおそれがあります。

中プリミドン

プリミドンは痙攣発作の治療に用いられます。人によっては葉酸で痙攣発作を引き起こす可能性があります。葉酸とプリミドンを併用すると，痙攣発作の予防に対するプリミドンの効果が弱まるおそれがあります。

中フルオロウラシル

多量の葉酸とフルオロウラシルを併用すると，フルオロウラシルの副作用（特に胃の不調）が増強するおそれがあると懸念されています。医師や薬剤師に相談することなく葉酸を摂取しないでください。

中ホスフェニトインナトリウム水和物

ホスフェニトインナトリウム水和物は痙攣発作に対して用いられます。ホスフェニトインナトリウム水和物は体内で代謝されてから排泄されます。葉酸はホスフェニトインナトリウム水和物の代謝を促進する可能性があります。葉酸とホスフェニトインナトリウム水和物を併用すると，痙攣発作の予防に対するホスフェニトインナトリウム水和物の効果が弱まるおそれがあります。

ハーブおよび健康食品・サプリメントとの相互作用

緑茶

緑茶が，葉酸の体内での正常な作用を阻害するおそれがあります。このため，葉酸欠乏症によく似た症状を引き起こすおそれがあります。

通常の食品との相互作用

食品

葉酸を食品とともに摂取すると，葉酸の吸収がわずかに減少します。ただし，重大な問題となるほどではないようです。

亜鉛

葉酸が亜鉛の吸収を妨げるかどうかについて，研究者の見解は一致していません。ただし，食品により十分な量の亜鉛を摂取している場合には，この葉酸の作用が重大な問題となることはないようです。

使用量の目安

【成人】

●経口摂取

葉酸欠乏症

相互作用レベル：高この医薬品と併用してはいけません　中この医薬品とは慎重に併用するか併用しないでください
低この医薬品との併用には注意が必要です

通常，1日当たり，250μg～1mgを摂取します。

神経管奇形の予防

妊娠の可能性がある女性は，少なくとも1日400μgの葉酸をサプリメントまたは栄養強化食品から摂取し，妊娠1カ月の間，継続して摂取します。過去に神経管奇形などをともなう妊娠の経験がある女性の場合には，通常，妊娠1カ月前から妊娠3カ月まで，1日4mgを摂取します。

大腸がんのリスク低下

1日400μgを摂取します。

高ホモシステイン血症の治療

1日200μg～15mgを摂取します。1日800μg～1mgの摂取が，より効果が高いようです。

末期腎不全患者では，高ホモシステイン血症の治療は困難なことがあります。この場合には1日800μg～40mgを摂取します。または，2.5～5mgを週3回摂取します。1日15mg以上を摂取しても，効果が高まることはないようです。

抗うつ薬の効果の改善

1日200～500μgを摂取します。

白斑

通常，1日2回，5mgを摂取します。

関節リウマチ（RA）または乾癬に対するメトトレキサート治療による毒性の低減

1日1mgで充分のようですが，1日最大5mgまで摂取することができます。

黄斑変性の予防

1日当たり，2.5mgの葉酸，1,000mgのビタミンB_{12}（シアノコバラミン），50mgのビタミンB_6（ピリドキシン）を摂取します。

●皮膚への塗布

妊娠中の歯周病

1日2回，葉酸を含んだマウスウォッシュを使用して，1分間うがいします。

●注射（点滴）

末期腎不全（ESRD）患者のホモシステイン値の低下

週3回，血液透析の後に10mgを静脈内投与します。

【小児】

●経口摂取

医薬品「フェニトイン」に起因する歯肉の異常（6～15歳）

1日500μgの葉酸を摂取します。

乳児の目安量（AI）は以下の通りです。

0～6カ月：65μg

7～12カ月：80μg

食品由来の葉酸塩，栄養強化食品やサプリメントによる葉酸など，葉酸塩の食事性葉酸当量（DFE）での推奨量（RDA）は以下の通りです。

1～3歳：150μg

4～8歳：200μg

9～13歳：300μg

13歳以上：400μg

妊娠中の女性：600μg

母乳授乳期の女性：500μg

葉酸の食事摂取基準（μg／日）[1]

日本人の食事摂取基準 2020 年版

性　別	男　性				女　性			
年齢等	推定平均必要量	推奨量	目安量	耐容上限量[2]	推定平均必要量	推奨量	目安量	耐容上限量[2]
0～5（月）	—	—	40	—	—	—	40	—
6～11（月）	—	—	60	—	—	—	60	—
1～2（歳）	80	90	—	200	90	90	—	200
3～5（歳）	90	110	—	300	90	110	—	300
6～7（歳）	110	140	—	400	110	140	—	400
8～9（歳）	130	160	—	500	130	160	—	500
10～11（歳）	160	190	—	700	160	190	—	700
12～14（歳）	200	240	—	900	200	240	—	900
15～17（歳）	220	240	—	900	200	240	—	900
18～29（歳）	200	240	—	900	200	240	—	900
30～49（歳）	200	240	—	1,000	200	240	—	1,000
50～64（歳）	200	240	—	1,000	200	240	—	1,000
65～74（歳）	200	240	—	900	200	240	—	900
75 以上（歳）	200	240	—	900	200	240	—	900
妊婦（付加量）[3,4]					+200	+240	—	—
授乳婦（付加量）					+80	+100	—	—

[1] プテロイルモノグルタミン酸（分子量 =441.40）の重量として示した。
[2] 通常の食品以外の食品に含まれる葉酸（狭義の葉酸）に適用する。
[3] 妊娠を計画している女性，妊娠の可能性がある女性及び妊娠初期の妊婦は，胎児の神経管閉鎖障害のリスク低減のために，通常の食品以外の食品に含まれる葉酸（狭義の葉酸）を 400μg/ 日摂取することが望まれる。
[4] 付加量は，中期及び後期にのみ設定した。

耐容上限量（UL）は，以下の通りです。
1～3歳：300μg
4～8歳：400μg
9～13歳：600μg
14～18歳：800μg
18歳以上：1mg

ヨウシュコナスビ

MONEYWORT

別名ほか

Serpentaria，リシマキア・ヌンムラリア（Creeping Jenny），リシマキア・ヌンムラリア（Lysimachia nummularia），Creeping Joan，Herb Two-pence，Meadow Runagates，Running Jenny，String of Sovereigns，Twopenny Grass，Wandering Jenny，Wandering Tailor

概　　要

ヨウシュコナスビは植物です。「くすり」の原料に使用されます。

安　全　性

十分なデータは得られていないので，安全かどうかは不明です。

●妊娠中および母乳授乳期

妊娠中，母乳授乳期は使用してはいけません。

有　効　性

◆科学的データが不十分です

・湿疹などの皮膚障害，殺菌，下痢，唾液の増加，咳など。

●体内での働き

どのように作用するかについては十分なデータが得られていません。

医薬品との相互作用

ほかの医薬品との相互作用については明らかではありません。

ハーブおよび健康食品・サプリメントとの相互作用

ほかのハーブ，健康食品・サプリメントとの相互作用についてはまだ明らかではありません。

使用量の目安

標準使用量に関するデータがありません。

ヨウシュチドリソウ

STAVESACRE

別名ほか

シオガマギク（Lousewort），Delphinium staphisagria

概　　要

ヨウシュチドリソウは植物です。種子は経口摂取すると毒性がありますが，皮膚に塗布して「くすり」として用いられることもあります。

安　全　性

経口使用は危険です。種子には毒性があり，悪心，胃痛，かゆみ，排尿障害および呼吸器系障害などの副作用を引き起こす可能性があります。

皮膚に使用した場合の安全性については不明です。炎症（腫脹），発赤などの皮膚疾患を生じる可能性があります。

経口摂取は誰に対しても安全ではありませんが，その毒性作用に特別に敏感な人もいます。

胃腸疾患：胃や腸の粘膜を刺激し，胃腸疾患を悪化させるおそれがあります。

●妊娠中および母乳授乳期

妊娠中および母乳授乳期の使用の安全性についてはデータが不十分です。安全性を考慮し，摂取は避けてください。

有　効　性

◆科学的データが不十分です

・アタマジラミ（皮膚に塗布），神経痛（皮膚に塗布）など。

●体内での働き

どのように作用するかについては十分なデータが得られていません。

医薬品との相互作用

ほかの医薬品との相互作用については明らかではありません。

ハーブおよび健康食品・サプリメントとの相互作用

ほかのハーブ，健康食品・サプリメントとの相互作用についてはまだ明らかではありません。

使用量の目安

●経口摂取

標準使用量に関するデータがありません。

●局所投与

シラミ治療

洗浄し，軟膏を塗布します。

ヨウシュツルキンバイ

POTENTILLA

別名ほか

ヤエムグラ（Goose Grass），ポテンティラ・アンセリナ，エゾツルキンバイ（Potentilla anserina），シルバーウィード（Silverweed），Crampweed，Goose Tansy，Goosewort，Moor Grass，Prince's Feather，Trailing Tansy，Wild Agrimony

概　要

ヨウシュツルキンバイはハーブです。花および葉を用いて「くすり」を作ることもあります。

安 全 性

ヨウシュツルキンバイは，ほとんどの人に安全のようです。ヨウシュツルキンバイが，胃の過敏を引き起こすおそれがあります。

●妊娠中および母乳授乳期

妊娠中および母乳授乳期の使用の安全性についてはデータが不十分です。安全性を考慮し，摂取は避けてください。

有 効 性

◆科学的データが不十分です

・月経前症候群（PMS），軽度の月経困難，下痢，口腔および咽頭の腫脹（炎症）（直接塗布の場合）など。

●体内での働き

ヨウシュツルキンバイは，タンニンと呼ばれる化学物質を含んでいます。タンニンには，皮膚炎を緩和する可能性や，組織への収れん・乾燥作用を有する可能性があります。

医薬品との相互作用

ほかの医薬品との相互作用については明らかではありません。

ハーブおよび健康食品・サプリメントとの相互作用

ほかのハーブ，健康食品・サプリメントとの相互作用についてはまだ明らかではありません。

使用量の目安

通常の食品に含まれている量を超えて経口摂取した場合の安全性および副作用については，明らかになっていません。

ヨウシュハシリドコロ

SCOPOLIA

別名ほか

ロート根（Scopoliae rhizoma），ベラドンナ（Belladonna），ハシリドコロ（Japanese Belladonna），セイヨウハシリドコロ（Scopolia carniolica），ロートコン，Belladonna scopola，Glockenbilsenkraut，Russian Krainer Tollkraut，Scopola

概　要

ヨウシュハシリドコロは植物です。根や根に似た茎（根茎）が「くすり」に使用されることもあります。

安 全 性

安全ではありません。効き目が現れる量と有毒な量の間には，少しの差しかありません。

また，成分の配合量も製品によってばらばらです。

すぐに現れる中毒症状には，皮膚の赤み，口渇があります。ほかには，高体温，視力の異常，排尿困難，便秘などがあります。

多量に摂取すると，落ち着きのなさ，強迫的な物言い，幻覚が起こり，続けて呼吸に異常が出たり，命にかかわる場合があります。

心不全や，切迫して異常な不整脈のような心臓に異常のある患者，ダウン症候群，発熱，排尿困難，狭隅角緑内障，食道裂孔ヘルニア，または胸やけ（胃食道逆流症）のある患者，さらに便秘，胃潰瘍，胃や腸の感染症，潰瘍性大腸炎，肥大結腸（中毒性巨大結腸），または消化器官の閉塞など消化器系疾患の患者は使用してはいけません。

●妊娠中および母乳授乳期

妊娠中，母乳授乳期は使用してはいけません。

有 効 性

◆科学的データが不十分です

・体液貯留（浮腫），不安感，睡眠障害，疼痛，肝障害，胆のう疾患，消化管の痙攣など。

●体内での働き

ヒヨスチアミンやアトロピン，スコポラミンなど処方箋薬に似た化合物をいくつか含んでいます。こうした化合物は，消化器官や泌尿器の壁の平滑筋を弛緩させます。

医薬品との相互作用

高キニジン硫酸塩水和物

ヨウシュハシリドコロは心臓に影響を及ぼすことがありますが，キニジン硫酸塩水和物も心臓に作用する可能性があります。このため，キニジン硫酸塩水和物とヨウシュハシリドコロをともに摂取すると，重大な心臓の異常を引き起こすおそれがあります。

高口渇作用などの乾燥作用のある医薬品（抗コリン薬）

ヨウシュハシリドコロは抗コリン作用のある成分を含み，脳や心臓に影響を及ぼす可能性があります。口渇作用などの乾燥作用のある医薬品（抗コリン薬）と併用すると皮膚の乾燥，めまい，低血圧，頻脈などの重大な副作用が現れる可能性があります。このような医薬品にはアトロピン硫酸塩水和物，スコポラミン臭化水素酸塩水和物，特定のアレルギー治療薬（抗ヒスタミン薬），特定の抗うつ薬などがあります。

高三環系抗うつ薬

ヨウシュハシリドコロには生理活性物質が含まれていますが，この中には抗うつ薬と似た作用を持つものがあります。このため，ヨウシュハシリドコロを摂取すると，抗うつ薬の副作用が強く現れるおそれがあります。このような抗うつ薬には，アミトリプチリン塩酸塩，イミプラミン塩酸塩などがあります。

ハーブおよび健康食品・サプリメントとの相互作用

ほかのハーブ，健康食品・サプリメントとの相互作用についてはまだ明らかではありません。

使用量の目安

●経口摂取

ヒヨスチアミンに換算される総アルカロイドを１日平均0.25mg摂取します。総アルカロイド（ヒヨスチアミンとして）摂取は１回に１mgまで，１日の摂取する上限量は３mgです。ヨウシュハシリドコロは，粉状の根，粉末などで使用します。

ヨ

ヨウ素（ヨード）

IODINE

別名ほか

原子番号53，ヨウ化カリウム（Potassium Iodide），ポビドンヨード（Povidone Iodine）

概　　要

ヨウ素（ヨード）は化学元素です。ヨウ素は人体に必須ですが，体内で作ることができないため，必要なヨウ素は食事から摂取しなければなりません。一般にヨウ素は加工中に添加されない限り，食品にはほとんど含まれていません。加工食品には通常，ヨウ素添加塩が添加されているため，より多くのヨウ素が含まれています。世界のヨウ素のほとんどは海中にあり，海洋生物，とくに海藻には高濃度に含有されています。

甲状腺がホルモンを産生するにはヨウ素が必要です。ヨウ素が十分に得られない場合には，体内のフィードバックシステムにより甲状腺の機能が亢進します。これにより甲状腺肥大（甲状腺腫）が起こり，頸部の腫脹として現れることがあります。

ヨウ素が欠乏するとほかにも深刻な結果を招きます。ヨウ素欠乏症とそれによる甲状腺ホルモン低下により，女性の排卵が停止し，不妊に至るおそれがあります。ヨウ素欠乏症はそのほか，甲状腺の自己免疫疾患を引き起こしたり，甲状腺がん発症リスクを高めたりするおそれがあります。一部の研究者は，ヨウ素欠乏症は前立腺がん，乳がん，子宮内膜がん，卵巣がんなどのリスクも高めると考えています。

妊娠中のヨウ素欠乏症は，母子いずれにとっても深刻です。母親には妊娠高血圧症候群，乳児には精神遅滞を引き起こすおそれがあります。ヨウ素は中枢神経系の発達に重要な役割を果たします。極端な例では，ヨウ素欠乏症がクレチン病（身体的・精神的発育が重度の阻害を受ける疾患）を引き起こすおそれがあります。

ヨウ素欠乏症は世界共通の健康問題です。ヨウ素欠乏症のうちもっとも広く認められるのは甲状腺腫です。また世界中でヨウ素欠乏症は，予防可能な精神遅滞の原因のうち最大のものと考えられています。20世紀初頭には，米国およびカナダでもヨウ素欠乏症がよくみられましたが，食塩にヨウ素を添加することで公衆衛生が改善しました。食塩へのヨウ素添加はカナダでは必須とされています。米国では必須ではありませんが，広く利用されています。研究では，ヨウ素添加塩は米国人口の約半数に日常的に用いられていると推計されています。

ヨウ素は，経口摂取により，ヨウ素欠乏症とそれに起因する甲状腺腫などの甲状腺疾患の予防および治療に用いられます。また，乳房のしこり（線維のう胞性乳腺症）および乳房痛の治療に対して用いられます。

また，緊急被曝時や，放射性ヨウ素から甲状腺を保護する目的で用いられます。緊急被曝時に用いるヨウ化カリウムの錠剤はFDAに承認された製品として市販されています。インターネットでは栄養補助食品として販売されています。ヨウ化カリウムは緊急被曝時のみ使用し，疾患予防のために緊急被曝前に使用しないでください。

ヨウ素は，皮膚炎に対してや，殺菌や創傷治癒のため，口内の痛みや消化管の粘膜炎の予防，糖尿病性潰瘍などの体表の潰瘍治療のために，皮膚に塗布されます。そのほか，歯周炎の治療や抜歯後の出血緩和のために口内に塗布されます。

また，ヨウ素は，乳児の腫脹を緩和したり，角膜潰瘍患者の視力喪失を予防したりする目的で，眼に使用されます。

ヨウ素は，帝王切開後の子宮内膜の腫脹を予防するために，膣に使用されます。

ヨウ素は水の浄化にも用いられます。

安　全　性

ヨウ素は，推奨量を経口摂取する場合や，認可を受け

相互作用レベル：高この医薬品と併用してはいけません　中この医薬品とは慎重に併用するか併用しないでください　低この医薬品との併用には注意が必要です

た製品を適切に皮膚へ塗布する場合は，ほとんどの人に安全のようです。

人によっては，ヨウ素により，副作用を引き起こすおそれがあります。よくみられる副作用には，吐き気，胃痛，鼻水，頭痛，金属味，下痢などがあります。

過敏な人では，血管性浮腫（口唇および顔面の腫脹），重度の出血および紫斑，発熱，関節痛，リンパ節腫脹，じんましんなどの副作用を引きおこすおそれや，死に至るおそれもあります。ただし，このような過敏症はまれです。

高用量の使用や長期間の使用は，おそらく安全ではありません。医師などの指導がない限り，成人は１日1,100μgを超える量（耐容上限量（UL））を長期間使用するのは避けてください。小児では，以下の量を超えないようにしてください。

１～３歳：１日200μg
４～８歳：１日300μg
９～13歳：１日600μg
14～18歳：１日900μg

これらは，耐容上限量（UL）です。

小児でも成人でも，高用量のヨウ素を摂取すると，甲状腺疾患などの副作用のリスクが高まるおそれがあります。また，金属味，歯および歯肉の疼痛，口や咽喉の灼熱感，唾液分泌の増大，咽喉炎，胃のむかつき，下痢，消耗，うつ病，皮膚疾患など，多くの副作用を引き起こすおそれがあります。

ヨウ素を皮膚に直接塗布すると，皮膚過敏，シミ，アレルギー反応などの副作用を引き起こすおそれがあります。ヨウ素による熱傷を防ぐため，治療箇所に包帯を巻いたり，布などでしっかり覆ったりしないように注意してください。

自己免疫性甲状腺疾患：自己免疫性甲状腺炎患者には，ヨウ素の有害な副作用がとくに強く現れるおそれがあります。

疱疹状皮膚炎（皮疹の一種）：ヨウ素の摂取により，疱疹状皮膚炎が悪化するおそれがあります。

甲状腺機能低下症，甲状腺腫（甲状腺肥大），甲状腺腫瘍などの甲状腺疾患：ヨウ素を長期間使用したり，高用量を使用したりすると，これらの症状が悪化するおそれがあります。

●妊娠中および母乳授乳期

妊娠中はヨウ素の必要量が増加します。推奨量を経口摂取する場合や，認可を受けた製品（２％溶液）を適切に皮膚へ塗布する場合は，ほとんどの人に安全のようです。高用量のヨウ素を経口摂取する場合は，おそらく安全ではありません。以下の量を超えて摂取してはいけません。

14～18歳：１日900μg
18歳以上：１日1,100μg

これより高用量を摂取すると新生児に甲状腺の問題を引き起こすことが，一部の症例で示されています。

有　効　性

◆有効性レベル②

・ヨウ素欠乏症。ヨウ素添加塩を含め，ヨウ素サプリメントの摂取は，ヨウ素欠乏症の予防および治療に効果があります。
・放射線曝露。緊急被曝医療時のヨウ素の経口摂取は，放射性ヨウ素への曝露に対する保護効果があります。ただし，通常の放射線に対する保護を目的として用いるべきではありません。
・甲状腺疾患。ヨウ素の経口摂取は，甲状腺クリーゼおよび甲状腺結節という甲状腺のしこりを改善する可能性があります。
・下腿潰瘍。圧迫治療と併用して，カデキソマーヨウ素またはポビドンヨードの形態のヨウ素を静脈性下腿潰瘍へ塗布すると，下腿潰瘍の治癒を促進し，後の感染リスクも低下するようです。

◆有効性レベル③

・結膜炎。研究により，ポビドンヨードの形態のヨウ素を含む点眼液を新生児に用いると，硝酸銀よりも，結膜炎のリスク低下に効果があることが示唆されています。ただし，医薬品「エリスロマイシン」や「クロラムフェニコール」ほどの効果はありません。
・糖尿病の足部潰瘍。ヨウ素を足部潰瘍に塗布すると，糖尿病に起因する足部潰瘍患者に有益となる可能性があります。
・子宮内膜炎（子宮の炎症）。帝王切開による出産前に，ポビドンヨードの形態のヨウ素を含む溶液で膣を洗浄すると，子宮炎症のリスクが低下します。
・線維のう胞性乳腺症（痛みを伴う線維化した乳腺組織）。研究により，ヨウ素，とくにヨウ素分子を摂取すると，線維のう胞性乳腺症が緩和することが示されています。
・乳房痛。月経周期に応じて乳房に疼痛をみる女性が3,000～6,000mgのヨウ素分子を５カ月間摂取すると，疼痛および圧痛が緩和するようです。ただし，１日1,500mg未満の摂取では効果がないようです。
・口内の痛みや腫脹。ヨウ素を皮膚に塗布すると，化学療法による口内の痛みや腫脹を予防できるようです。
・歯周炎。研究により，手術せずに歯周炎を治療している期間に，ポビドンヨードの形態のヨウ素を含む溶液でうがいをすると，歯周ポケットの感染の軽減につながる可能性が示唆されています。
・手術。複数の研究により，手術前および手術中に，ポビドンヨードの形態のヨウ素を塗布すると，感染リスクが低下することが示唆されています。ただし，相反する研究結果もあります。また，手術前にポビドンヨードを用いても，クロルヘキシジンほどは，手術部位の感染を予防する効果はないようです。

◆有効性レベル④

・カテーテルに関連する感染。一部のエビデンスによ

ヨ

り，ポビドンヨードを塗布すると，血液透析カテーテルを用いている患者の血流感染のリスクが低下することが示唆されています。ただし，ほとんどの研究では，血液透析以外のカテーテルの挿入部にポビドンヨードを塗布しても，カテーテルに関連する感染リスクは低下しないことが示唆されています。

◆科学的データが不十分です

・出血，乳び尿，角膜潰瘍（眼の感染），皮膚スポロトリコーシス（真菌による皮膚疾患），肺炎，創傷治癒など。

●体内での働き

ヨウ素は甲状腺ホルモンを抑制します。また，真菌，細菌，アメーバなどの微生物を死滅させる可能性があります。ヨウ化カリウムという特定のヨウ素は，放射能事故による甲状腺障害の予防にも用いられます。

医薬品との相互作用

中アミオダロン塩酸塩

アミオダロン塩酸塩にはヨウ素が含まれます。ヨウ素サプリメントを摂取し，アミオダロン塩酸塩を併用すると，血中のヨウ素の値が過度に上昇する可能性があります。血中のヨウ素が過剰になると，甲状腺に影響を及ぼす副作用が現れるおそれがあります。

中甲状腺機能亢進症治療薬（抗甲状腺薬）

ヨウ素は甲状腺の機能を増強または減弱させる可能性があります。ヨウ素を摂取し，甲状腺機能亢進症治療薬を併用すると，甲状腺機能亢進症治療薬の作用が変化するおそれがあります。甲状腺機能亢進症治療薬を服用中の場合には，医師や薬剤師に勧められない限り，ヨウ素サプリメントを摂取しないでください。このような医薬品には，マンデル酸ヘキサミン（販売中止），チアマゾール，ヨウ化カリウムなどがあります。

中炭酸リチウム

多量のヨウ素は甲状腺の機能を低下させる可能性があります。炭酸リチウムも甲状腺の機能を低下させる可能性があります。ヨウ素を摂取し，炭酸リチウムを併用すると，甲状腺の機能が過度に低下するおそれがあります。炭酸リチウムの服用中に多量のヨウ素を摂取しないでください。

ハーブおよび健康食品・サプリメントとの相互作用

ほかのハーブ，健康食品・サプリメントとの相互作用についてはまだ明らかではありません。

通常の食品との相互作用

アブラナ科の野菜

生のアブラナ科の野菜に含まれる甲状腺腫誘発物質が，甲状腺のヨウ素吸収作用に干渉するおそれがあります。

使用量の目安

【成人】

●経口摂取

ヨウ素欠乏症

ほとんどの場合，ヨウ素添加塩の摂取が推奨されています。

ほとんどの人には，塩1kg中20～40mgのヨウ素を含む，ヨウ素添加塩が推奨されています。塩の摂取量が1日10g未満の場合には，より多くのヨウ素を含む塩が必要となる可能性があります。

妊娠中および母乳授乳期の女性には，1日250μgのヨ

ヨ

ヨウ素の食事摂取基準（μg / 日）

日本人の食事摂取基準 2020 年版

性　別	男　性				女　性			
年齢等	推定平均必要量	推奨量	目安量	耐容上限量	推定平均必要量	推奨量	目安量	耐容上限量
0～5（月）	—	—	100	250	—	—	100	250
6～11（月）	—	—	130	250	—	—	130	250
1～2（歳）	35	50	—	300	35	50	—	300
3～5（歳）	45	60	—	400	45	60	—	400
6～7（歳）	55	75	—	550	55	75	—	550
8～9（歳）	65	90	—	700	65	90	—	700
10～11（歳）	80	110	—	900	80	110	—	900
12～14（歳）	95	140	—	2,000	95	140	—	2,000
15～17（歳）	100	140	—	3,000	100	140	—	3,000
18～29（歳）	95	130	—	3,000	95	130	—	3,000
30～49（歳）	95	130	—	3,000	95	130	—	3,000
50～64（歳）	95	130	—	3,000	95	130	—	3,000
65～74（歳）	95	130	—	3,000	95	130	—	3,000
75 以上（歳）	95	130	—	3,000	95	130	—	3,000
妊　婦（付加量）					+75	+110	—	—[1]
授乳婦（付加量）					+100	+140	—	—[1]

[1] 妊婦及び授乳婦の耐容上限量は，2,000 μg/ 日とした。

相互作用レベル：高この医薬品と併用してはいけません　中この医薬品とは慎重に併用するか併用しないでください　低この医薬品との併用には注意が必要です

ウ素を含むサプリメント，または年に１回，400mgのヨード化油を摂取することが推奨されています。

緊急被曝

被曝直前または被曝直後できるだけ早い時期にヨウ化カリウムを摂取してください。放射線は妊娠中および母乳授乳期の女性や小児にもっとも有害であり，ヨウ化カリウムの用量は，放射線曝露の量と年齢に応じて設定されます。放射線曝露量は，センチグレイ（cGy）という単位で測定します。乳児，幼児，小児，青少年，および妊娠中または母乳授乳期の女性では，放射線曝露が５cGy以上であれば，以下の通りヨウ化カリウムを摂取します。

生後～１カ月：16mg
１カ月～３歳：32mg
３～12歳：65mg
12～18歳：65mg
12～18歳のうち，発育状態が成人に近い場合：120mg
妊娠中または母乳授乳期の女性：120mg
18～40歳（放射線曝露が10cGy以上の場合）：130mg
40歳以上（放射線曝露が500cGy以上の場合）：130mg

甲状腺クリーゼ

ヨウ化カリウムの飽和溶液５滴を，６時間おきに摂取することが推奨されています。

甲状腺結節の縮小

チロキシンを良性結節性甲状腺疾患の手術後に１日1.5μg/kg，または必要に応じて１日50～100μg摂取するとともに，ヨウ素添加塩１日150～200μgを最大12カ月間摂取します。

線維のう胞性乳腺症（痛みを伴う線維化した乳腺組織）

ヨウ素分子70～90μg/kgを４～18カ月間摂取します。

乳房痛

ヨウ素１日3,000～6,000μgを５カ月間摂取します。

●皮膚への塗布

静脈性下腿潰瘍

静脈性下腿潰瘍の患部にカデキソマーヨウ素を４～６週間塗布します。圧迫治療と併用して，10%のポビドンヨードを含む溶液または軟膏や，2.5%のポビドンヨードを含む乾燥粉末スプレーを用いることもあります。

糖尿病性足潰瘍

ヨウ素0.9%の軟膏を患部に12週間塗布します。

口内炎

放射線治療開始時から，治療終了から１週間後まで，１日４回，ポビドンヨード溶液を含む口内洗浄液100mLを用いて３分間うがいします。

歯周炎

歯石除去およびルートプレーニング実施時に，0.1～10%のポビドンヨードを含む口内洗浄液を用いて，うがいします。

手術

ポビドンヨードの形態のヨウ素を含むスプレーを，創傷閉鎖の前後に塗布します。または，0.35～10%のポビドンヨードを含む溶液を，創傷閉鎖前後１～３分の間に，塗布します。

子宮内膜炎（子宮内層の腫脹）

１～10%のポビドンヨードの形態のヨウ素を含む膣洗浄液を，帝王切開の直前に用います。

【小児】

●経口摂取

ヨウ素欠乏症

ほとんどの場合，ヨウ素添加塩の摂取が推奨されています。

ほとんどの人には，塩１kg中20～40mgのヨウ素を含む，ヨウ素添加塩が推奨されています。塩の摂取量が１日10g未満の場合には，より多くのヨウ素を含む塩が必要となる可能性があります。

７カ月～２歳の乳幼児で，ヨウ素添加塩を摂取できない場合には，ヨウ素の補給が必要となることがあります。このような場合には，１日90μgのヨウ素を含むサプリメント，または年に１回，200mgのヨード化油を摂取することが推奨されています。

●点眼液

結膜炎

2.5%のポビドンヨードを含む点眼液を，産後間もない時期に用います。

乳児のヨウ素の目安量（AI）は，米国医学研究所により，以下の通り定められています。

０～６カ月：１日110μg
７～12カ月：１日130μg

小児および成人の推奨量（RDA）は，以下の通り定められています。

１～８歳：１日90μg
９～13歳：１日120μg
14歳以上：１日150μg
妊娠中の女性：１日220μg
母乳授乳期の女性：１日290μg

望ましくない副作用を引き起こさないとされる耐容上限量（UL）は，以下の通り定められています。

１～３歳：１日200μg
４～８歳：１日300μg
９～13歳：１日600μg
14～18歳（妊娠中および母乳授乳期の女性を含む）：１日900μg
19歳以上（妊娠中および母乳授乳期の女性を含む）：１日1,100μg

ヨーグルト

YOGURT

別名ほか

乳酸菌（Acidophilus Milk），生きた培養菌のヨーグルト（Live Culture Yogurt），ブルガリアヨーグルト

(Bulgarian Yogurt), プロバイオティクス (Probiotics), Yoghurt, Yogourt

概　　要

ヨーグルトは乳製品で，ラクトバチルス・アシドフィルス，ラクトバチルス・ラムノサス，ラクトバチルス・ブルガリクス，エンテロコッカス・フェシウム，ストレプトコッカス・サーモフィルスなどのさまざまな細菌のうち1種類以上を用いて発酵させた牛乳で作ります。

安 全 性

ヨーグルトは経口摂取する場合，ほとんどの成人に安全のようです。膣内に使用する場合は，おそらく安全です。報告されている副作用は多くありませんが，人によっては，下痢，胃障害，皮疹などを起こすおそれがあります。病原性の細菌に汚染されたヨーグルトから健康を害した症例があります。適切に製造され保存されたヨーグルトを選ぶようにしてください。

免疫システム低下：HIV/エイズ患者や臓器移植患者など免疫システムが低下している人では，ヨーグルト中の生菌が際限なく繁殖し，疾患を引き起こすおそれがあります。まれにですが，ヨーグルトの乳酸菌が免疫システムの低下した人に疾患を引き起こしています。免疫システムが低下している場合は念のため，医師などの指導を受けずに生菌を含むヨーグルトを長期間大量に摂取するのは避けてください。

●妊娠中および母乳授乳期

妊娠中に食品としての量を摂取する場合や，膣内に塗布する場合は，安全のようです。小規模試験の対象となった妊娠中の女性には，副作用は報告されていません。

母乳授乳期に通常の食品としての量を摂取する場合は安全のようですが，膣内投与の安全性については十分な研究が行われていません。母乳授乳期には膣内投与は避けるのが最善です。

有 効 性

◆有効性レベル③

・高コレステロール血症。境界域から中等度の高コレステロール血症の人が，ラクトバチルス・アシドフィルスを含むヨーグルトや，エンテロコッカス・フェシウムとストレプトコッカス・サーモフィルスの組み合わせを含むヨーグルトを摂取すると，コレステロールが低下するようです。このようなヨーグルトは総コレステロールおよび低比重リポタンパク（LDL，悪玉）コレステロールを低下させるようですが，高比重リポタンパク（HDL，善玉）コレステロールを上昇させることはありません。

・乳糖不耐症（牛乳の代用として）。乳糖を吸収できない小児および成人が生細菌の培養を含むヨーグルトを摂取すると，乳糖不耐症が改善するようです。

・膣酵母感染の予防および治療。ヨーグルトを経口摂取すると，膣酵母感染を予防できるようです。ヨーグルトとハチミツの混合物を膣内に塗布すると，膣酵母感染の症状を緩和し，治療を促すようです。

◆有効性レベル④

・気管支喘息。標準治療と併用してヨーグルトを摂取しても，気管支喘息の症状が改善することはありません。

・栄養不良の乳児および小児の下痢。牛乳由来の調合乳をヨーグルト由来の調合乳に換えても，栄養不良の乳児および小児の下痢治療に役立つことはありません。

◆科学的データが不十分です

・抗生剤による下痢，細菌性膣症，小児の下痢，胃潰瘍の原因になる細菌感染（ヘリコバクター・ピロリ）の治療（ほかの医薬品との併用），HIV/エイズ，筋力，尿路感染（UTI）の予防，大腸がんの予防，消化性潰瘍の治療，日光皮膚炎の予防など。

●体内での働き

ヨーグルトに含まれる細菌は，消化管や膣の正常な細菌の回復を促し，下痢や膣感染の治療に役立つ可能性があります。

医薬品との相互作用

中シプロフロキサシン

シプロフロキサシンは抗菌薬です。ヨーグルトはシプロフロキサシンの体内への吸収量を減少させる可能性があります。ヨーグルトとシプロフロキサシンを併用すると，シプロフロキサシンの効果を弱めるおそれがあります。この相互作用を避けるため，シプロフロキサシンの服用後，少なくとも1時間経ってからヨーグルトを摂取してください。

中テトラサイクリン系抗菌薬

ヨーグルトにはカルシウムが含まれます。ヨーグルトのカルシウムは胃の中でテトラサイクリン系抗菌薬に結合して，体内に吸収されるテトラサイクリン系抗菌薬の量を減少させます。カルシウムとテトラサイクリン系抗菌薬を併用すると，医薬品の効果が弱まるおそれがあります。この相互作用を避けるために，ヨーグルトはテトラサイクリン系抗菌薬を服用する2時間以上前，または4時間以上後に摂取してください。このようなテトラサイクリン系抗菌薬には，デメチルクロルテトラサイクリン塩酸塩，ミノサイクリン塩酸塩，テトラサイクリン塩酸塩などがあります。

低ニロチニブ塩酸塩水和物

ヨーグルトはニロチニブ塩酸塩水和物の体内への吸収量を少し増加させます。しかし，ニロチニブ塩酸塩水和物の副作用は増強しないようです。

中免疫抑制薬

ヨーグルトには生きた細菌と酵母が含まれます。通常，免疫機能が体内の細菌と酵母を制御して感染を防ぎます。免疫抑制薬は，細菌と酵母に起因する病気の発症率を高める可能性があります。ヨーグルトと免疫抑制薬を併用すると，病気の発症率を高めるおそれがあります。

このような免疫抑制薬には，アザチオプリン，バシリキシマブ，シクロスポリン，Daclizumab，ムロモナブ-CD 3（販売中止），ミコフェノール酸モフェチル，タクロリムス水和物，シロリムス，Prednisone，副腎皮質ステロイドなどがあります。

ハーブおよび健康食品・サプリメントとの相互作用

ほかのハーブ，健康食品・サプリメントとの相互作用についてはまだ明らかではありません。

使用量の目安

【成人】

●経口摂取

コレステロールの低下

製品によって，さまざまな用量が用いられています。通常，ラクトバチルス・アシドフィルスを含むヨーグルト１日200mLを摂取します。または，ラクトバチルス・アシドフィルスのヨーグルト125mLとフラクトオリゴ糖2.5%の併用製品を１日３回摂取します。または，（エンテロコッカス・フェシウムおよび連鎖球菌２株を含む）Causido培養を含むヨーグルト１日450mLを摂取します。

乳糖不耐症

ヨーグルト１日500gを15日間摂取します。

膣酵母感染の予防

通常，ラクトバチルス・アシドフィルスのヨーグルト１日約227gまたは150mLを４～６カ月間摂取します。

●膣内投与

膣酵母感染の治療

ハチミツとヨーグルトの混合物少量を毎日，７日間膣内に投与します。

ヨーロッパナラ

PEDUNCULATE OAK

別名ほか

Chêne Pédonculé，Corteza de Roble，Eichenrinde，English Oak，European Oak，French Oak，Pelarek，Quercus Cortex，Quercus Pedunculata，Quercus Robur，Tanner's Bark，Tanner's Oak

概　要

ヨーロッパナラはオークの木の一種です。欧州でよくみられます。木部，樹皮，葉を用いて「くすり」を作ります。

慢性疲労症候群，アルコール性肝障害，リンパ浮腫（腫脹を引き起こす腕・脚の体液貯留）に対して経口摂取されます。運動能力を向上する目的でも用いられます。

創傷に対して皮膚に塗布されます。

そのほか，ワインや蒸留酒を保存する樽を作るのに用いられます。

安 全 性

ヨーロッパナラは，経口摂取する場合，最長12カ月間までであればほとんどの成人におそらく安全です。

●妊娠中および母乳授乳期

妊娠中および母乳授乳期の使用の安全性についてはデータが不十分です。安全性を考慮し，摂取は避けてください。

有 効 性

◆科学的データが不十分です

・アルコール性肝障害，慢性疲労症候群（CFS），運動能力，リンパ浮腫（腫脹を引き起こす腕・脚の体液貯留），創傷治癒など。

●体内での働き

ヨーロッパナラには，抗酸化作用をもつ化学物質が含まれています。

医薬品との相互作用

ほかの医薬品との相互作用については明らかではありません。

ハーブおよび健康食品・サプリメントとの相互作用

ほかのハーブ，健康食品・サプリメントとの相互作用についてはまだ明らかではありません。

使用量の目安

通常の食品に含まれている量を超えて経口摂取した場合の安全性および副作用については，明らかになっていません。

ヨーロッパマンネングサ

COMMON STONECROP

別名ほか

セダム・アクレ（Sedum acre），オウシュウマンネングサ，ヨーロッパタイトゴメ（ヨーロッパ大唐米），Bird Bread，Creeping Tom，Gold Chain，Golden Moss，Jack of the Buttery，Mousetail，Prick Madam，Wall Ginger，Wall Pepper

概　要

ハーブです。地上部を用いて「くすり」を作ることもあります。

安 全 性

十分なデータが得られていないため，薬用での安全性については不明です。

ただ，多量に摂取すると，嘔吐や下痢が起こるかもしれません。

妊娠中，母乳授乳期，胃腸器官や泌尿器に炎症（腫脹）のある人は使用してはいけません。

有　効　性

◆科学的データが不十分です

・高血圧症，咳，創傷，熱傷，痔核，疣贅（いぼ），湿疹，および口内潰瘍。

●体内での働き

どのように作用するかについては十分なデータが得られていません。

医薬品との相互作用

ほかの医薬品との相互作用については明らかではありません。

ハーブおよび健康食品・サプリメントとの相互作用

ほかのハーブ，健康食品・サプリメントとの相互作用についてはまだ明らかではありません。

使用量の目安

標準使用量に関するデータがありません。

ヨーロッパヤドリギ

EUROPEAN MISTLETOE

別名ほか

宿木（Mistletoe），セイヨウヤドリギ（Viscum album），All-heal，Birdlime Mistletoe，Devil's Fuge，Drudenfuss，Hexenbesen，Leimmistel，Mistlekraut，Mistletein，Mystyldene，Visci，Visci albi folia，Visci albi fructus，Visci albi herba，Visci albi stipites，Vogelmistel

概　　要

ヨーロッパヤドリギは数種の樹木に寄生する植物です。小さな果実，葉，茎を用いて「くすり」を作ることもあります。

安　全　性

ヨーロッパヤドリギは，適量を経口摂取または皮下投与する場合，おそらく安全です。果実３粒以下または葉２枚以下の経口摂取では，深刻な副作用を引き起こすことはないようです。ただし，これを超える用量では深刻な副作用を引き起こすおそれがあり，安全ではないようです。ヨーロッパヤドリギは，嘔吐，下痢，筋痙攣などの副作用を引き起こすおそれがあります。短期間で頻繁に使用すると，肝障害を起こすおそれがあります。

ヨーロッパヤドリギを皮下投与すると，発熱，悪寒，アレルギー反応などの副作用を起こすおそれがあります。

適切な用量を決めるのは難しいことがあるため，医師などの助言を得ずにヨーロッパヤドリギを摂取してはいけません。

多発性硬化症（MS），ループス（全身性エリテマトーデス，SLE），関節リウマチ（RA）などの自己免疫疾患：ヨーロッパヤドリギは免疫システムの活性を高める可能性があります。これにより，自己免疫疾患の症状が悪化するおそれがあります。これらの疾患のいずれかがある場合には，使用を避けるのが最善です。

心疾患：ヨーロッパヤドリギが心疾患を悪化させるおそれがあるというエビデンスがあります。心疾患の場合には，使用していけません。

白血病：いくつかの試験管内試験で，ヨーロッパヤドリギが小児白血病に有効な可能性があることが示唆されました。ただし，ヒトに対する有益性は示されていません。むしろ，白血病を悪化させるおそれがあります。白血病の場合には，摂取してはいけません。

肝疾患：ヨーロッパヤドリギの摂取により，肝臓を害するおそれがあります。理論上，肝炎などの肝疾患が悪化するおそれがあります。肝疾患または肝疾患の既往がある場合には，摂取は避けてください。

臓器移植：ヨーロッパヤドリギは免疫システムの活性を高める可能性があります。これは臓器移植を受けた人にとって問題となります。免疫システムの活性が高まると，臓器拒絶反応のリスクが高まるおそれがあります。臓器移植を受けた場合には，摂取を避けてください。

手術：ヨーロッパヤドリギは血圧に影響を与える可能性があるため，手術中・手術後の血圧コントロールを妨げるおそれがあります。少なくとも手術前２週間は，使用しないでください。

●妊娠中および母乳授乳期

妊娠中の経口摂取および皮下投与は安全ではないようです。子宮を刺激し，流産を引き起こすおそれがあります。母乳授乳期の使用の安全性については，データが不十分です。安全性を考慮し，使用は避けてください。

有　効　性

◆有効性レベル④

・頭頸部がん。頭頸部がんの手術または放射線治療の前または後にヨーロッパヤドリギのエキスを皮内投与しても，生存率が改善することはありません。

・膵がん。ヨーロッパヤドリギのエキスにより，進行（IV期）膵がん患者の寛解率が上昇することはないようです。

◆科学的データが不十分です

・膀胱がん，乳がん，結腸がん，感冒，胃がん，C型肝炎，白血病，肝がん，肺がん，胸膜のがんまたは悪性胸水，黒色腫，生活の質，放射線被曝，子宮がん，化学療法および放射線治療の副作用，高血圧，内出血，痔核，痙攣，高コレステロール血症，痛風，うつ病，睡眠障害，頭痛，月経障害など。

●体内での働き

数種類の活性成分が含まれています。試験管内では，免疫システムを刺激し，ある種のがん細胞を死滅させる可能性がありますが，ヒトに対しては有効ではないようです。

医薬品との相互作用

中肝臓を害する可能性のある医薬品

ヨーロッパヤドリギは肝臓を害する可能性があります。理論的には，ヨーロッパヤドリギと肝臓を害する可能性のある医薬品を併用すると，肝障害のリスクが高まる可能性があります。このような医薬品にはアカルボース，アミオダロン塩酸塩，アトルバスタチンカルシウム水和物，アザチオプリン，カルバマゼピン，セリバスタチンナトリウム（販売中止），ジクロフェナクナトリウム，フェノフィブラート，フルバスタチンナトリウム，ゲムフィブロジル（販売中止），イソニアジド，イトラコナゾール，ケトコナゾール，レフルノミド，Lovastatin，メトトレキサート，ネビラピン，ニコチン酸，ニトロフラントイン（販売中止），ピオグリタゾン塩酸塩，プラバスタチンナトリウム，ピラジナミド，リファンピシン，リトナビル，マレイン酸ロシグリタゾン（販売中止），シンバスタチン，Tacrine，タモキシフェンクエン酸塩，テルビナフィン塩酸塩，バルプロ酸ナトリウム，Zileutonがあります。

中降圧薬

ヨーロッパヤドリギは血圧を低下させるようです。ヨーロッパヤドリギと降圧薬を併用すると，血圧が過度に低下するおそれがあります。このような降圧薬にはカプトプリル，エナラプリルマレイン酸塩，ロサルタンカリウム，バルサルタン，ジルチアゼム塩酸塩，アムロジピンベシル酸塩，ヒドロクロロチアジド，フロセミドなど多くあります。

中免疫抑制薬

ヨーロッパヤドリギは免疫機能の働きを高める可能性があります。ヨーロッパヤドリギが免疫機能を高めることにより，免疫抑制薬の効果を弱めるおそれがあります。このような免疫抑制薬には，アザチオプリン，バシリキシマブ，シクロスポリン，Daclizumab，ムロモナブ-CD3（販売中止），ミコフェノール酸モフェチル，タクロリムス水和物，シロリムス，Prednisone，副腎皮質ステロイドなどがあります。

ハーブおよび健康食品・サプリメントとの相互作用

サンザシ

ヨーロッパヤドリギが，サンザシの心臓に対する効果を打ち消すおそれがあるというエビデンスがあります。

肝臓を害するおそれのあるハーブおよび健康食品・サプリメント

ヨーロッパヤドリギは肝臓を害するおそれがあります。理論上は，ヨーロッパヤドリギと，肝臓を害するおそれのあるほかのハーブおよび健康食品・サプリメントを併用すると，危険な肝障害のリスクを高めるおそれがあります。このようなハーブおよび健康食品・サプリメントには，アンドロステンジオン，チャパラル，コンフリー，デヒドロエピアンドロステロン，ジャーマンダー，ニコチン酸，ペニーロイヤルミント油，紅麹などがあります。

血圧を低下させるおそれのあるハーブおよび健康食品・サプリメント

ヨーロッパヤドリギは血圧を低下させるおそれがあります。同様の作用をもつほかのハーブおよび健康食品・サプリメントと併用すると，血圧が過度に低下するおそれがあります。このようなハーブおよび健康食品・サプリメントには，アンドログラフィス，カゼイン・ペプチド，キャッツクロー，コエンザイムQ-10，魚油，L-アルギニン，クコ，イラクサ，テアニンなどがあります。

使用量の目安

通常の食品に含まれている量を超えて経口摂取した場合の安全性および副作用については，明らかになっていません。

ヨーロピアンチェスナット

EUROPEAN CHESTNUT

●代表的な別名

ヨーロッパグリ

別名ほか

クリの葉（Kastanienblaetter），ヨーロッパグリ，オウシュウグリ（Castanea sativa），スイートチェスナット（Sweet Chestnut），Castaneae folium，Castanea vesca，Castanea vulgaris，Fagus castanea，Fagus procera，Husked Nut，Jupiter's Nut，Sardian Nut，Spanish Chestnut

概　　要

ヨーロピアンチェスナットは樹木です。葉を用いて「くすり」を作ることもあります。

安　全　性

ほとんどの成人におそらく安全でしょう。

●妊娠中および母乳授乳期

妊娠中，母乳授乳期は使用してはいけません。

有効性

◆科学的データが不十分です

・気管支炎，百日咳，悪心，下痢，胃障害，血行障害，発熱，感染症，腎障害，筋肉痛，咽喉痛，創傷など。

●体内での働き

化合物のタンニンを含み，皮膚の炎症を緩和，組織への収れん作用があるようです。

医薬品との相互作用

ほかの医薬品との相互作用については明らかではありません。

ハーブおよび健康食品・サプリメントとの相互作用

ほかのハーブ，健康食品・サプリメントとの相互作用についてはまだ明らかではありません。

使用量の目安

●経口摂取

ヨーロピアンチェストナットは通常，葉および樹皮の茶さじ1杯分を2カップの水を入れた蓋付きの容器に加え，30分沸かします。蓋をしたままゆっくり冷まし，1日1～2杯摂取します。

ヨーロピアンバックソーン

EUROPEAN BUCKTHORN

別名ほか

セイヨウクロウメモドキ（Buckthorn），Buckthorn Berry，Hartshorn，Highwaythorn，Kreuzdornbeeren，Ramsthorn，Rhamni cathartica Fructus，Rhamnus catharticus，Waythorn

概要

ヨーロピアンバックソーンはハーブです。小さな果実を用いて「くすり」を作ることもあります。

安全性

標準化した製品を，短期，つまり8～10日間以内で使用するなら，ほとんどの成人におそらく安全でしょう。

標準化していない製品の使用は，避けるようにしてください。胃痙攣，水様性下痢，尿の変色，筋肉の弱まり，心臓の異常，血尿といった副作用が生じるかもしれません。

12歳以下の小児には与えないでください。

胃痛のある人，クローン病や過敏性腸症候群，潰瘍性大腸炎など腸に障害のある患者は使用してはいけません。

●妊娠中および母乳授乳期

妊娠中，母乳授乳期は使用してはいけません。

有効性

◆有効性レベル①

・便秘の緩和。

●体内での働き

腸を刺激し，便秘を和らげるという化合物を含んでいます。

医薬品との相互作用

高ジゴキシン

ヨーロピアンバックソーンには食物繊維が豊富に含まれます。食物繊維はジゴキシンの吸収を抑制し，その効果を弱める可能性があります。この相互作用を避けるために，原則，経口薬（ジゴキシンなど）の服用前4時間または服用後1時間はヨーロピアンバックソーンを摂取しないでください。

中利尿薬

ヨーロピアンバックソーンには下剤のような作用があります。特定の下剤は体内のカリウム量を減少させる可能性があります。利尿薬も体内のカリウム量を減少させる可能性があります。ヨーロピアンバックソーンと利尿薬を併用すると，体内のカリウム量が過度に減少するおそれがあります。このような利尿薬には，クロロチアジド（販売中止），クロルタリドン（販売中止），フロセミド，ヒドロクロロチアジドなどがあります。

中刺激性下剤

ヨーロピアンバックソーンには下剤のような作用があります。下剤は腸の動きを活発化させます。ヨーロピアンバックソーンと刺激性下剤を併用すると，腸の蠕動運動が過度に活発化し，脱水や体内のミネラル量の低下を引き起こすおそれがあります。このような下剤には，ビサコジル，カスカラサグラダ，ヒマシ油，センナなどがあります。

中ワルファリンカリウム

ヨーロピアンバックソーンは下剤のような働きがある可能性があります。人によっては，ヨーロピアンバックソーンが下痢を引き起こす可能性があります。下痢はワルファリンの作用を促進し，出血のリスクを高めるおそれがあります。ワルファリンを服用する場合にはヨーロピアンバックソーンを過剰摂取しないでください。

ハーブおよび健康食品・サプリメントとの相互作用

ほかのハーブ，健康食品・サプリメントとの相互作用についてはまだ明らかではありません。

使用量の目安

●経口摂取

ヨーロピアンバックソーン果実の摂取量は，グルコフラングリンAで計算されるヒドロキシアントラセン誘導体で1日20～30mgです。お茶として普通，夕方に1杯，必要に応じて朝および午後に摂取します。お茶のいれ方は，２～４ｇの果実を熱湯150mLに10～15分浸してからこします。便を軟らかくする場合，最低量を使用し，下痢や水様便が発生したら摂取を中止してください。摂取期間は最大８～10日までです。食事療法や膨張性下剤を使っても効果が見られない場合に限り，摂取するようにしてください。

ヨシ

REED HERB

別名ほか

葦（Ditch Reed），葦竹（Giant Reed），アシ（Common Reed），ダンチク，ヨシタケ，Phragmites，Phragmites communis，Reed，Roseau commun，Schilf

概　　要

ヨシは植物です。茎および地下茎（根茎）が「くすり」として使用されることもあります。

安　全　性

安全または副作用については不明です。

●妊娠中および母乳授乳期

妊娠中，母乳授乳期は使用してはいけません。

有　効　性

◆科学的データが不十分です

・消化器系疾患，昆虫刺傷，糖尿病，白血病，乳がんなど。

●体内での働き

ビタミンA，C，そして数種類のビタミンBを含みます。医薬品として使われる場合，どのように作用するかについては十分なデータが得られていません。

医薬品との相互作用

ほかの医薬品との相互作用については明らかではありません。

ハーブおよび健康食品・サプリメントとの相互作用

ほかのハーブ，健康食品・サプリメントとの相互作用についてはまだ明らかではありません。

使用量の目安

標準使用量に関するデータがありません。

ヨヒンベ

YOHIMBE

別名ほか

11-hydroxy Yohimbine，Alpha Yohimbine HCl，Coryanthe Yohimbe，Corynanthe Johimbe，Corynanthe johimbi，Corynanthe yohimbi，Johimbi，Pausinystalia yohimbe，Pausinystalia johimbe，Yohimbehe，Yohimbehe Cortex，Yohimbine，Yohimbine HCl，Yohimbinum Muriaticum

概　　要

ヨヒンベはザイールやカメルーン，ガボンに生育する常緑樹の名前です。樹皮を用いて「くすり」を作ることもあります。

注：わが国では，ヨヒンベ（樹皮）は「46通知」によると「医薬品」です。

ヨヒンビン，ヨヒンビン塩酸塩，ヨヒンベ樹皮抽出物という用語は，それぞれ関連していますが，実際はそれぞれ異なるものです。ヨヒンビンはポウシンスタリアのヨヒンベ樹皮に見られる活性化学物質（インドールアルカロイド）です。ヨヒンビン塩酸塩は，米国では処方薬として利用可能で，ヨヒンビンの標準化された形です。ある研究では，男性の勃起不全の治療に有効であることが示されています。また，昇圧薬としての抗うつ薬（SSRI，選択的セロトニン再取込み阻害薬）が原因の性的副作用の治療や，口渇，神経系機能不全の治療に使用されます。

一般的に，通常低濃度のヨヒンビン（10～15％のみがヨヒンビンである６％のインドールアルカロイド）が含まれているヨヒンベ樹皮抽出物に関する研究は不十分です。市販の調合剤が，ヨヒンビン塩酸塩と同様の効果を共有するかどうかはよくわかっていません。

安　全　性

ヨヒンベの経口摂取は，おそらく安全ではありません。脈拍不整や頻拍，腎不全，痙攣，心臓発作など重度の副作用報告との関連が認められています。

ヨヒンベの主な有効成分はヨヒンビンという「くすり」です。ヨヒンビンは米国では処方薬とされています。この処方薬は医師などの監視のもと，短期間であれば安全に使用できます。ただし，深刻な副作用を引き起こすおそれもあるため，医師などの監視なしで使用するのは適切ではありません。

小児はヨヒンベを摂取しないでください。小児はヨヒンベの有害作用に対しとくに過敏な可能性があるため，小児にはおそらく安全ではありません。

通常用量を経口摂取した場合，ヨヒンベおよび成分のヨヒンビンが，胃のむかつき，興奮，振戦，睡眠障害，不安または激越，高血圧，頻拍，めまい感，胃障害，よだれ，副鼻腔痛，易刺激性，頭痛，頻尿，腹部膨満，皮疹，吐き気，嘔吐を引き起こすおそれがあります。

高用量を摂取すると，そのほか呼吸困難，麻痺，過度の低血圧，心障害など重度の問題を引き起こしたり，死に至ったりするおそれもあります。1日用量を摂取した1名に，発熱，悪寒，気力低下，そう痒，鱗状の皮膚，進行性腎不全，ループス様症状などのアレルギー反応が報告されています。

胸痛または心疾患：ヨヒンベを使用してはいけません。心臓に深刻な害を及ぼすおそれがあります。

不安：ヨヒンベを使用してはいけません。パニック障害の患者の不安を悪化させるおそれがあります。

前立腺疾患：ヨヒンベは慎重に使用してください。良性前立腺肥大（BPH）の症状を悪化させるおそれがあります。

出血性疾患：出血性疾患患者がヨヒンベを摂取すると，出血のリスクが高まるおそれがあります。

うつ病：ヨヒンベを使用してはいけません。双極性うつ病患者に躁様症状を引き起こしたり，うつ病患者に自殺傾向をもたらしたりするおそれがあります。

糖尿病：ヨヒンベを使用してはいけません。インスリンをはじめとする糖尿病治療薬に干渉したり，低血糖を引き起こしたりするおそれがあります。

高血圧または低血圧：ヨヒンベを使用してはいけません。ヨヒンベは少量で血圧を上昇させるおそれがあります。大量に使用すると危険なほどの低血圧を引き起こすおそれがあります。

腎疾患：ヨヒンベを使用してはいけません。尿流を抑制したり停止させたりするおそれがあります。

肝疾患：ヨヒンベを使用してはいけません。肝疾患があるとヨヒンベの体内処理が変化するおそれがあります。

心的外傷後ストレス障害（PTSD）：ヨヒンベを使用してはいけません。心的外傷後ストレス障害患者4名が，ヨヒンベ使用後に症状が悪化したという報告があります。

統合失調症：ヨヒンベは慎重に使用してください。ヨヒンベに含まれるヨヒンビンは，統合失調症患者の症状を悪化させるおそれがあります。

手術：ヨヒンベは出血リスクを高めるおそれがあります。少なくとも手術前2週間は，使用しないでください。

ヨヒンビンに対する過敏症：ヨヒンベを使用してはいけません。

●妊娠中および母乳授乳期

ヨヒンベは安全ではないようです。子宮に影響を及ぼし，妊娠を危険にさらすおそれがあります。また胎児に毒となるおそれがあります。妊娠中および母乳授乳期にはヨヒンベを摂取してはいけません。

有効性

◆科学的データが不十分です

・不安，うつ病，口内乾燥，勃起障害（ED），運動能力，起立性低血圧，選択的セロトニン再取り込み阻害薬（SSRI）による性機能障害，体重減少など。

●体内での働き

ヨヒンベにはヨヒンビンという化学物質が含まれています。ヨヒンビンは，陰茎や腟への血流および神経インパルスを増加させる可能性があります。また，特定の抗うつ薬の性的な副作用を相殺するのに役立つ可能性があります。

医薬品との相互作用

中 グアナベンズ酢酸塩

ヨヒンベにはヨヒンビンと呼ばれる化学物質が含まれ，ヨヒンビンは血圧を上昇させる可能性があります。ヨハンビンとグアナベンズ酢酸塩を併用すると，グアナベンズ酢酸塩の効果を弱めるおそれがあります。

中 クロニジン塩酸塩

クロニジン塩酸塩は血圧を下げるために用いられます。ヨヒンベは血圧を上昇させる可能性があります。ヨヒンベとクロニジン塩酸塩を併用すると，クロニジン塩酸塩の効果を弱めるおそれがあります。

中 ナロキソン塩酸塩

ヨヒンベにはヨヒンビンと呼ばれる脳に影響を及ぼす可能性のある化学物質が含まれます。ナロキソン塩酸塩もまた脳に影響を及ぼします。ヨヒンベとナロキソン塩酸塩を併用すると，不安，神経過敏，悪寒戦慄，顔面紅潮（ほてり）などの副作用のリスクが高まるおそれがあります。

中 フェノチアジン系薬

ヨヒンベにはヨヒンビンと呼ばれる化学物質が含まれます。フェノチアジン系薬にはヨヒンビンと類似した作用があります。ヨヒンベとフェノチアジン系薬を併用すると，ヨヒンビンの作用および副作用が増強されるおそれがあります。フェノチアジン系薬には，クロルプロマジン塩酸塩，フルフェナジン，トリフロペラジン（販売中止），チオリダジン塩酸塩（販売中止）などがあります。

高 モノアミン酸化酵素阻害薬（MAO阻害薬）

ヨヒンベには身体に影響を及ぼす化学物質が含まれます。この化学物質はヨヒンビンと呼ばれます。ヨヒンベは，モノアミン酸化酵素阻害薬（MAO阻害薬）と共通した機序で身体に影響を及ぼす可能性があります。ヨヒンベとMAO阻害薬を併用すると，ヨヒンベとMAO阻害薬の作用および副作用が増強されるおそれがあります。このようなMAO阻害薬には，Phenelzine，Tranylcypromineなどがあります。

中 肝臓で代謝される医薬品（シトクロムP450 2D6（CYP2D6）の基質となる医薬品）

特定の医薬品は肝臓で代謝されます。ヨヒンベは医薬品の代謝を抑制するおそれがあります。ヨヒンベと肝臓で代謝される医薬品を併用すると，医薬品の作用および副作用が増強されるおそれがあります。このような医薬品にはアミトリプチリン塩酸塩，クロザピン，コデインリン酸塩水和物，塩酸デシプラミン（販売中止），デキストロメトルファン臭化水素酸塩水和物，ドネペジル塩酸塩，フェンタニルクエン酸塩，フレカイニド酢酸塩，塩酸フルオキセチン（販売中止），ペチジン塩酸塩，メサドン塩酸塩，メトプロロール酒石酸塩，オランザピン，オンダンセトロン塩酸塩水和物，トラマドール塩酸塩，トラゾドン塩酸塩などがあります。

中興奮薬

興奮薬は神経機能を亢進させます。神経系を亢進させることにより，興奮薬は神経を過敏にして心拍数を上昇させる可能性があります。ヨヒンベもまた神経機能を亢進させる可能性があります。ヨヒンベと興奮薬を併用すると，頻脈や高血圧などの深刻な副作用を引き起こすおそれがあります。ヨヒンベと興奮薬を併用しないでください。興奮薬には，Diethylpropion，エピネフリン，Phentermine，塩酸プソイドエフェドリンなど数多くの医薬品があります。

中血液凝固を抑制する医薬品（抗凝固薬/抗血小板薬）

ヨヒンベは血液凝固を抑制する可能性があります。ヨヒンベと血液凝固を抑制する医薬品を併用すると，紫斑および出血のリスクが高まるおそれがあります。このよう医薬品にはアスピリン，クロピドグレル硫酸塩，ダルテパリンナトリウム，エノキサパリンナトリウム，ヘパリン，インドメタシン，チクロピジン塩酸塩，ワルファリンカリウムなどがあります。

中降圧薬

ヨヒンベは血圧を上げるようです。ヨヒンベと降圧薬を併用すると，降圧薬の効果を弱めるおそれがあります。このような降圧薬にはカプトプリル，エナラプリルマレイン酸塩，ロサルタンカリウム，バルサルタン，ジルチアゼム塩酸塩，アムロジピンベシル酸塩，ヒドロクロロチアジド，フロセミドなど数多くあります。

中三環系抗うつ薬

ヨヒンベは心臓に影響を及ぼす可能性があります。三環系抗うつ薬もまた心臓に影響を及ぼす可能性があります。ヨヒンベと三環系抗うつ薬を併用すると，心臓の異常を引き起こすおそれがあります。三環系抗うつ薬を服用中にヨヒンベを摂取しないでください。このような抗うつ薬には，アミトリプチリン塩酸塩，イミプラミン塩酸塩などがあります。

ハーブおよび健康食品・サプリメントとの相互作用

ベルベリン

ベルベリンは血圧を低下させるようです。ヨヒンベは血圧を上昇させるおそれがあります。ヨヒンベとベルベリンを併用すると，いずれかの血圧に及ぼす影響が低下するおそれがあります。

カフェインを含むハーブおよび健康食品・サプリメント

ヨヒンベと，カフェインを含む大量のハーブおよび健康食品・サプリメントを併用すると，危険なほど血圧が上昇するリスクが高まるおそれがあります。カフェインを含むハーブおよび健康食品・サプリメントには，コーヒー，コーラノキ，ガラナ豆，マテ，茶などがあります。

マオウ（麻黄）

ヨヒンベと，大量のマオウ（麻黄）を併用すると，マオウ（麻黄）に含まれるエフェドリンのために，危険なほど血圧が上昇するリスクが高まるおそれがあります。

血液凝固を抑制するおそれのあるハーブおよび健康食品・サプリメント

ヨヒンベと，血液凝固を抑制するおそれのあるハーブおよび健康食品・サプリメントを併用すると，人によっては出血のリスクが高まるおそれがあります。このようなハーブおよび健康食品・サプリメントには，アンゼリカ，クローブ，タンジン，ニンニク，ショウガ，イチョウ，朝鮮人参などがあります。

通常の食品との相互作用

血管を狭めるおそれのある食品

ヨヒンベと，血管を狭めるおそれのある大量の食品を一緒に摂取してはいけません。一緒に摂取すると，危険なほど血圧が上昇するリスクが高まるおそれがあります。血管を狭めるおそれのある食品には，熟し過ぎたソラマメ，コーヒー，茶，コーラノキ，チョコレートなどがあります。

チラミンを含む食品

ヨヒンベと，チラミンを大量に含む食品を一緒に摂取してはいけません。危険なほど血圧が上昇するリスクが高まるおそれがあります。チラミンを含む食品には，熟成チーズ，発酵肉，赤ワインなどがあります。

使用量の目安

通常の食品に含まれている量を超えて経口摂取した場合の安全性および副作用については，明らかになっていません。

ヨモギギク

TANSY

別名ほか

タンジー（Tansy Herb），Chrysan themum vulgare, Bitter Buttons, Buttons, Chrysanthemi vulgaris Flos, Chrysanthemi vulgaris herba, Daisy, Erva Dos Vermes, Hind Heal, Parsley Fern, Scented Fern, Stinking Willie, Tanaceto, Tanacetumvulgare, Tansy Flower

概　　要

ヨモギギクは植物です。地上部を用いて「くすり」を作ることもあります。

安 全 性

経口摂取，あるいは皮膚に塗布するのは，安全ではありません。

落ち着きのなさ，嘔吐，ひどい下痢，胃痛，めまい，振戦，腎臓または肝障害，出血，妊婦の流産，ひきつけのような症状を引き起こすか，命にかかわるおそれもあります。

皮膚に塗布すると，ひどい反応が皮膚に出る場合があります。

●妊娠中および母乳授乳期

妊娠中，母乳授乳期は使用してはいけません。

有 効 性

◆科学的データが不十分です

・月経の開始，妊娠中絶，小児の回虫または線虫の駆除，殺菌，片頭痛，痙攣発作，関節痛，消化および食欲の改善，腸内ガス，胃痙攣，鼓脹，潰瘍，体液貯留（浮腫），神経の鎮静，腎障害のほか，疥癬への局所使用，かゆみ，打撲傷，触痛，捻挫，腫脹，そばかす，日焼け，歯痛，および虫よけとしての使用。

●体内での働き

含有成分（thujone。ツヨン）が，唾液や口，胃，腸，骨盤部位の組織への血流を増進します。また，そうした成分が脳へ影響を及ぼす可能性を指摘する研究者もいます。痛みを軽減し，胆汁分泌を増大，また，肝臓および胆嚢に異常のある人の食欲を増進するようです。

ヨ

医薬品との相互作用

高アルコール

アルコールは眠気を引き起こす可能性があります。ヨモギギクはアルコールによる眠気を増強するおそれがありますから，ヨモギギクとアルコールを同時に摂取しないでください。

ハーブおよび健康食品・サプリメントとの相互作用

ほかのハーブ，健康食品・サプリメントとの相互作用についてはまだ明らかではありません。

使用量の目安

標準使用量に関するデータがありません。

4-アンドロステロン

4-ANDROSTERONE

別名ほか

3b-hydroxy-androst-4-ene-17-one, 3ß-hydroxy-androst-4-en-17-one, 4-androstene-3b-ol-17-one, 4-androstene-3b-ol, 17-one, 4-androstene-3ß-ol-17-one, 4-androstene-3ß-ol, 17-one, 4-DHEA

概　　要

4-アンドロステロンは，体内でホルモンに変換されると考えられている化学物質です。体内でテストステロンホルモンの量を増加させると考えて摂取する人もいます。

運動選手やボディービルダー向けに販売されているさまざまなサプリメントの成分として含まれています。

安 全 性

4-アンドロステロンの安全性や副作用については，データが不十分です。

心疾患：4-アンドロステロンは，人によっては心疾患を悪化させるおそれがあります。

肝疾患：4-アンドロステロンは，人によっては肝疾患を悪化させるおそれがあります。

●妊娠中および母乳授乳期

妊娠中および母乳授乳期の使用の安全性についてはデータが不十分です。安全性を考慮し，摂取は避けてください。

有 効 性

◆科学的データが不十分です

・運動能力など。

●体内での働き

4-アンドロステロンを摂取すると，体内でホルモンという化学物質に変換されると考えられています。これらのホルモンのひとつに，テストステロンがあります。テストステロンは筋肉の増強に役立ちますが，危険な副作用を引き起こすおそれもあります。

医薬品との相互作用

中テストステロンエナント酸エステル

4-アンドロステロンは体内でテストステロンや類似した他の化学物質に変化する可能性があります。4-アンドロステロンとテストステロンエナント酸エステルを併用すると，気分障害や心臓，腎臓，肝臓の異常など，副作用のリスクが高まるおそれがあります。

ハーブおよび健康食品・サプリメントとの相互作用

ほかのハーブ，健康食品・サプリメントとの相互作用についてはまだ明らかではありません。

使用量の目安

通常の食品に含まれている量を超えて経口摂取した場合の安全性および副作用については，明らかになっていません。

ヨ

ライコウトウ

THUNDER GOD VINE

別名ほか

雷公藤（Lei-kung Teng），Huang-Teng Ken，Lei Gong Teng，Taso-hohua，Threewingnut，Tripterygium wilfordii，Yellow Vine

概　要

ライコウトウはハーブです。葉と根を用いて「くすり」を作ることもあります。

また，「くすり」としてではなく，ウジあるいは幼虫の殺虫剤としてや，ネズミや鳥の駆除のために使用されます。

●要説（ナチュラル・スタンダード）

ライコウトウは，長い間使用されてきた歴史があります。伝えられるところによると，2000年以上中国でずっと使用されてきました。伝統的にライコウトウは，抗がん薬，男性用避妊，免疫抑制，抗炎症薬として使用されてきました。

さまざまな臨床試験では，関節リウマチの可能な治療や，全身性エリテマトーデスにライコウトウの使用が示されてきました。臓器移植，気管支喘息，がん，腎臓や皮膚や眼の疾患において，ライコウトウに見込まれる効果を示すエビデンスもあります。

安 全 性

適量を経口摂取あるいは皮膚に直接塗布する場合は，ほとんどの人に安全なようです。

胃のむかつき，皮膚の刺激，無月経，嘔吐，下痢および腎疾患など多くの副作用を引き起こす可能性があります。

免疫力の低下：高用量摂取は，免疫系を低下させるおそれがあります。HIV/エイズ，臓器移植後拒絶反応のリスク軽減のための薬の服薬中，あるいはほかの理由ですでに免疫力が低下している場合，使用を避けてください。体の感染に対しての抵抗力をより低下させます。

骨粗鬆症：骨の強度を低下させます。骨粗鬆症あるいはそのリスクのある場合使用しないでください。

●妊娠中および母乳授乳期

妊娠中の経口摂取は安全ではありません。新生児に先天性異常を起こすおそれがあります。

母乳授乳期の使用の安全性についてのデータは不十分です。安全性を考慮して使用は避けてください。

有 効 性

◆有効性レベル③

・関節リウマチの治療。

・関節リウマチ。経口摂取で関節の痛みや腫れの軽減があり，身体機能を向上させるようです。また，関節リウマチに対しての非ステロイド抗炎症薬（NSAIDs）の効果を高めるようです。リキッドタイプのチンキを患部の関節の皮膚に直接に塗ると，関節の圧痛，硬直，腫れが軽減するようです。米国の国立関節炎・骨格筋・皮膚疾患研究所は，現在，関節リウマチに対してのライコウトウの有効性の研究を行っています。

◆科学的データが不十分です

・男性の避妊。経口摂取で男性用避妊に有効なようです。経口摂取をやめて6週間後に生殖力は回復します。

・全身性エリテマトーデス。全身性エリテマトーデスが原因の腎炎に有効だとする進行中の研究があります。

・ネフローゼ症候群。初期の研究は，小児のネフローゼ症候群に有効であると示唆しています。

・HIV/エイズ，生理痛，多発性硬化症，膿瘍，癤（フルンケル，おでき）など。

●体内での働き

炎症（腫脹）を緩和し，関節炎に対する免疫系の反応の仕方を変えることで関節リウマチに役立つことがあります。精子に影響を与えて男性の生殖力を弱めることのある化合物を含んでいます。

医薬品との相互作用

中免疫抑制薬

多量のライコウトウは免疫機能を抑制する可能性があります。ライコウトウと免疫抑制薬を併用すると，免疫機能が過度に低下するおそれがあります。ライコウトウと免疫抑制薬を併用しないでください。このような免疫抑制薬には，アザチオプリン，バシリキシマブ，シクロスポリン，Daclizumab，ムロモナブ-CD３（販売中止），ミコフェノール酸モフェチル，タクロリムス水和物，シロリムス，Prednisone，副腎皮質ステロイド（グルココルチコイド）などがあります。

中肝臓で代謝される医薬品（シトクロムP450 1A2（CYP1A2）の基質となる医薬品）

特定の医薬品は肝臓で代謝されます。ライコウトウはこのような医薬品の代謝を抑制する可能性があります。理論的には，ライコウトウと肝臓で代謝される医薬品を併用すると，医薬品の作用および副作用が増強するおそれがあります。このような医薬品には，アミトリプチリン塩酸塩，ハロペリドール，オンダンセトロン塩酸塩水和物，プロプラノロール塩酸塩，テオフィリン，ベラパミル塩酸塩などがあります。

中肝臓で代謝される医薬品（シトクロムP450 3A4（CYP3A4）の基質となる医薬品）

特定の医薬品は肝臓で代謝されます。ライコウトウはこのような医薬品の代謝を抑制する可能性があります。ライコウトウと肝臓で代謝される医薬品を併用すると，医薬品の作用および副作用が増強するおそれがあります。このような医薬品には，Lovastatin，クラリスロマ

相互作用レベル：高この医薬品と併用してはいけません　中この医薬品とは慎重に併用するか併用しないでください　低この医薬品との併用には注意が必要です

ラ

イシン，インジナビル硫酸塩エタノール付加物（販売中止），シルデナフィルクエン酸塩，ケトコナゾール，イトラコナゾール，フェキソフェナジン塩酸塩，トリアゾラムなど数多くあります。

中 肝臓でほかの医薬品の代謝を抑制する医薬品（シトクロムP450 3A4（CYP3A4）を阻害する医薬品）

ライコウトウは肝臓で代謝されます。特定の医薬品はライコウトウの代謝を抑制する可能性があります。ライコウトウと肝臓でほかの医薬品の代謝を抑制する医薬品を併用すると，ライコウトウの作用および副作用が増強するおそれがあります。このような医薬品には，アミオダロン塩酸塩，クラリスロマイシン，ジルチアゼム塩酸塩，エリスロマイシン，インジナビル硫酸塩エタノール付加物（販売中止），リトナビル，サキナビルメシル酸塩（販売中止）など数多くあります。

ハーブおよび健康食品・サプリメントとの相互作用

ほかのハーブ，健康食品・サプリメントとの相互作用についてはまだ明らかではありません。

使用量の目安

●経口摂取

関節リウマチ

1日180～570mgのエキスを最大20週間摂取します。

ネフローゼ症候群（小児）

1日1mg/kg体重を最大20週間摂取します。

●局所投与

関節リウマチ

チンキ剤を1日5～6回，痛む関節に塗布します。

ライチ

LYCHEE

●代表的な別名

レイシ

別名ほか

Chinese Cherry, Euphoria didyma, Lechia, Leechee, Lichee, Litchi, Litchi chinensis, Litchi philippinensis, Nephelium litchi

概　　要

ライチは樹木です。果実は食品として摂取されたり「くすり」に使用されたりします。

ライチは咳，発熱，疝痛，身体の活性化，利尿などの目的で摂取されます。

食品としては，ライチの果実は，皮をむいてそのまま，または料理の一部として食べられます。

安 全 性

ライチの使用の安全性については，明らかではありません。人によっては，ライチにより，アレルギー反応を引き起こすおそれがあります。

多発性硬化症（MS），ループス（全身性エリテマトーデス，SLE），関節リウマチ（RA）などの自己免疫疾患：ライチが，免疫システムを活性化させるおそれがあります。このため，自己免疫疾患の症状が悪化するおそれがあります。自己免疫疾患の場合には，十分なデータが得られるまで，ライチの使用に注意することが最善です。

糖尿病：ライチのエキスが，血糖値を低下させるおそれがあります。糖尿病患者が，ライチのエキスを摂取する場合には，血糖値を注意深く監視してください。

手術：ライチのエキスが，血糖値を低下させるおそれがあります。このため，手術中および術後の血糖値コントロールを妨げるおそれがあります。少なくとも手術前2週間は，使用しないでください。

●アレルギー

カバノキ，サンフラワーの種子や類似の植物，マグワートおよびラテックスにアレルギーがある場合には，ライチによりアレルギー反応を引き起こすおそれがあります。

●妊娠中および母乳授乳期

妊娠中および母乳授乳期の使用の安全性についてはデータが不十分です。安全性を考慮し，摂取は避けてください。

有 効 性

◆科学的データが不十分です

・咳，発熱，疼痛など。

●体内での働き

ライチが，腫脹を緩和し，疼痛を軽減する可能性があります。ライチが，免疫システムを刺激し，アンチオキシダント（抗酸化物質）として作用する可能性もあります。

医薬品との相互作用

中 糖尿病治療薬

ライチのエキスは血糖値を低下させる可能性があります。糖尿病治療薬もまた血糖値を低下させるために用いられます。ライチのエキスと糖尿病治療薬を併用すると，血糖値が過度に低下するおそれがあります。血糖値を注意深く監視してください。糖尿病治療薬の用量を変更する必要があるかもしれません。このような糖尿病治療薬にはグリメピリド，グリベンクラミド，インスリン，ピオグリタゾン塩酸塩，マレイン酸ロシグリタゾン（販売中止），クロルプロパミド，Glipizide，トルブタミド（販売中止）などがあります。

中 免疫抑制薬

ライチは免疫機能を高めます。ライチが免疫機能を高めることにより，免疫抑制薬の効果を弱めるおそれがあります。このような免疫抑制薬には，アザチオプリン，バシリキシマブ，シクロスポリン，Daclizumab，ムロモナブ-CD３（販売中止），ミコフェノール酸モフェチル，タクロリムス水和物，シロリムス，Prednisone，副腎皮質ステロイドなどがあります。

ハーブおよび健康食品・サプリメントとの相互作用

血糖値を低下させるおそれのあるハーブおよび健康食品・サプリメント

ライチが，血糖値を低下させるおそれがあります。ライチと，血糖値を低下させるおそれのあるハーブおよび健康食品・サプリメントを併用すると，血糖値が過度に低下するおそれがあります。このようなハーブおよび健康食品・サプリメントには，バナバ，ニガウリ，ハッショウマメ，ショウガ，コンニャクマンナン，薬用ガレーガ，フェヌグリーク，クズ，ウィローバークなどがあります。

使用量の目安

通常の食品に含まれている量を超えて経口摂取した場合の安全性および副作用については，明らかになっていません。

ライム

LIME

別名ほか

Adam's Apple, Bara Nimbu, Bijapura, Citrus aurantifolia, Synonyms Citrus medica Var, Acida, Citrus acida, Citrus lima, Citrus limetta var. aromatica, Italian Limetta, Limette, Limonia aurantiifolia, Turanj

ラ

概　　要

ライムは柑橘類の果実です。果汁，果肉，皮およびオイルを用いて「くすり」を作ります。果実を圧搾して得られるオイルは，「蒸留ライムオイル」と呼ばれます。また，熟していない皮を圧搾して得られるオイルは，「圧搾ライムオイル」と呼ばれます。

ライム果汁は重度の下痢（赤痢）に用いられます。

ライムオイルを，殺菌や吐き気の治療，刺激薬としての使用の目的で，皮膚に直接塗布することもあります。

ライムオイルはまた，化粧品の香料および固定剤として用いられます。

安　全　性

ライムは，通常の食品に含まれる量を摂取する場合，ほとんどの成人に安全のようです。

「くすり」としての量のライムの皮を経口摂取する場合，おそらく安全です。

ライムオイルを皮膚へ直接塗布する場合，おそらく安全ではありません。皮膚へ直接塗布する場合，ライムオイルに過敏な人がいます。ライムオイルを塗布すると，皮膚が日光に非常に敏感になるおそれがあります。とくに色白の人は，外出時には日焼け止めを塗布し，皮膚の露出を避ける服装をしてください。

●妊娠中および母乳授乳期

妊娠中および母乳授乳期の使用の安全性についてはデータが不十分です。安全性を考慮し，食品に通常含まれる量を超える摂取は避けてください。

有　効　性

◆科学的データが不十分です

・鉄欠乏症，赤痢，吐き気，皮膚の殺菌など。

●体内での働き

どのように作用するかについては十分なデータが得られていません。

医薬品との相互作用

中 肝臓で代謝される医薬品（シトクロムP450 3A4（CYP3A4）の基質となる医薬品）

肝臓で代謝される医薬品がありますが，ライムジュースはこの代謝を抑制することがあります。肝臓で代謝される医薬品を服用しているときライムジュースを摂取すると，その医薬品の作用が増強され，副作用が強く現れるおそれがあります。このような医薬品にはLovastatin，ケトコナゾール，イトラコナゾール，フェキソフェナジン塩酸塩，トリアゾラムなど多くの医薬品があります。

中 光への過敏性を高める医薬品（光感作性薬）

特定の医薬品は光への過敏性を高めます。ライム油もまた光への過敏性を高める可能性があります。ライム油と光への過敏性を高める医薬品を併用すると，肌の露出した部分に日光皮膚炎，水疱，発疹を生じるリスクが高まるおそれがあります。日なたでは日焼け止めクリームを使用し，日よけの衣服を着用してください。このような医薬品には，アミトリプチリン塩酸塩，シプロフロキサシン，ノルフロキサシン，ロメフロキサシン塩酸塩，オフロキサシン，レボフロキサシン水和物，スパルフロキサシン（販売中止），ガチフロキサシン水和物，モキシフロキサシン塩酸塩，スルファメトキサゾール・トリメトプリム配合，テトラサイクリン塩酸塩，メトキサレン，トリオキシサレン（販売中止）があります。

ハーブおよび健康食品・サプリメントとの相互作用

ほかのハーブ，健康食品・サプリメントとの相互作用についてはまだ明らかではありません。

使用量の目安

通常の食品に含まれている量を超えて経口摂取した場合の安全性および副作用については，明らかになってい

ません。

ラウオルシン

RAUWOLSCINE

別名ほか

Alpha-Yohimbine, Alpha-Yohimbine HCl, Corynanthidine, Isoyohimbine, Rauwolscine Hydrochloride, ラウオルシン塩酸塩

概　要

ラウオルシンは化学物質です。ヨヒンベやRAUVOLFIA VOMITORIAといった植物に含まれます。人工的に生成することもできます。ラウオルシンは健康食品・サプリメントに含まれますが，安全性に懸念がもたらされるおそれがあります。

ラウオルシンは，肥満，運動能力や性的興奮の向上などに用いられます。ただし，このような用途を裏付ける十分な科学的根拠（エビデンス）はありません。

安 全 性

ラウオルシンを経口摂取した場合，おそらく安全ではありません。ヒトにおけるラウオルシンの安全性に関する情報は不十分ではありますが，ラウオルシンは別の化学物質のヨヒンビン（yohimbine）に類似しています。ヨヒンビンは重大な副作用（麻痺，痙攣，めまい感など）の報告と関係があります。

●妊娠中および母乳授乳期

妊娠中および母乳授乳期にラウオルシンを使用する安全性については情報が不十分です。安全性を考慮し，摂取は避けてください。

不安：慎重にラウオルシンを使用してください。ラウオルシンは不安を悪化させるおそれがあります。

出血性疾患：慎重にラウオルシンを使用してください。ラウオルシンは出血性疾患の場合に出血のリスクを高めるおそれがあります。

心疾患：慎重にラウオルシンを使用してください。ラウオルシンは心臓に有害であるおそれがあります。

心的外傷後ストレス障害（PTSD）：慎重にラウオルシンを使用してください。ラウオルシンはPTSDの症状を悪化させるおそれがあります。

手術：ラウオルシンは出血のリスクを高めるおそれがあります。ラウオルシンを摂取している人は，少なくとも手術前２週間は摂取しないでください。

統合失調症：慎重にラウオルシンを使用してください。ラウオルシンは統合失調症の症状を悪化させるおそれがあります。

有 効 性

◆科学的データが不十分です

・運動能力，肥満，性的興奮など。

●体内での働き

ラウオルシンがどのように働く可能性があるかについては情報が不十分です。ラウオルシンは別の化学物質のヨヒンビン（yohimbine）に類似しています。ヨヒンビンに類似した作用がある可能性がありますが，研究では示されていません。

医薬品との相互作用

中クロニジン塩酸塩

クロニジン塩酸塩は血圧を下げるために用いられます。ラウオルシンを摂取し，クロニジン塩酸塩を併用すると，クロニジン塩酸塩の効果が弱まるおそれがあります。

中肝臓で代謝される医薬品（シトクロムP450 2D6（CYP2D6）の基質となる医薬品）

特定の医薬品は肝臓で代謝されます。ラウオルシンはこのような医薬品の代謝を抑制する可能性があります。ラウオルシンを摂取し，肝臓で代謝される医薬品を併用すると，医薬品の作用および副作用が増強するおそれがあります。肝臓で代謝される医薬品を服用する場合には，医師・薬剤師に相談することなくラウオルシンを摂取しないでください。このような医薬品には，アミトリプチリン塩酸塩，クロザピン，コデインリン酸塩水和物，塩酸デシプラミン（販売中止），デキストロメトルファン臭化水素酸塩水和物，ドネペジル塩酸塩，フェンタニルクエン酸塩，フレカイニド酢酸塩，塩酸フルオキセチン（販売中止），ペチジン塩酸塩，メサドン塩酸塩，メトプロロール酒石酸塩，オランザピン，オンダンセトロン塩酸塩水和物，トラマドール塩酸塩，トラゾドン塩酸塩などがあります。

中降圧薬（カルシウム拮抗薬）

ラウオルシンを摂取し，カルシウム拮抗薬を併用すると，過度の血圧低下または不整脈を引き起こすおそれがあります。このような降圧薬には，ニフェジピン，ベラパミル塩酸塩，ジルチアゼム塩酸塩，Isradipine，フェロジピン，アムロジピンベシル酸塩などがあります。

中発作を誘発する可能性のある医薬品（発作閾値を低下させる医薬品）

特定の医薬品は発作を誘発するリスクを高めます。ラウオルシンを摂取することで，人によっては発作を起こす可能性があります。ラウオルシンを摂取し，発作を誘発する可能性のある医薬品を併用すると，発作を起こすリスクが大幅に高まるおそれがあります。発作を誘発する可能性のある医薬品には，麻酔薬（プロポフォールなど），抗不整脈薬（メキシレチン塩酸塩），抗菌薬（Amphotericin，ペニシリン系薬，セファロスポリン系薬，イミペネム水和物（販売中止）），抗うつ薬（ブプロ

ラ

ピオン塩酸塩（販売中止）ほか），抗ヒスタミン薬（シプロヘプタジン塩酸塩水和物ほか），免疫抑制薬（シクロスポリン），麻薬（フェンタニルクエン酸塩ほか），興奮薬（メチルフェニデート塩酸塩），テオフィリンなどがあります。

中血液凝固を抑制する医薬品（抗凝固薬/抗血小板薬）

ラウオルシンは血液凝固を抑制する可能性があります。ラウオルシンを摂取し，血液凝固を抑制する医薬品を併用すると，紫斑および出血のリスクが高まるおそれがあります。このような医薬品には，アスピリン，クロピドグレル硫酸塩，ダルテパリンナトリウム，エノキサパリンナトリウム，ヘパリン，チクロピジン塩酸塩，ワルファリンカリウムなどがあります。

中興奮薬

興奮薬は神経系を亢進させます。興奮薬が神経系を亢進させることで，神経が過敏になり心拍数が上昇する可能性があります。ラウオルシンも神経系を亢進させる可能性があります。ラウオルシンを摂取し，興奮薬を併用すると，重大な問題（頻脈や高血圧など）を引き起こすおそれがあります。このような興奮薬には，Diethylpropion，エピネフリン，Phentermine，塩酸プソイドエフェドリンなど数多くあります。

ハーブおよび健康食品・サプリメントとの相互作用

血液凝固を抑制するおそれのあるハーブおよび健康食品・サプリメント

ラウオルシンと血液凝固を抑制するおそれのあるハーブおよび健康食品･サプリメントを併用すると，人によっては出血のリスクが高まるおそれがあります。このようなハーブには，アンゼリカ，クローブ，タンジン，ニンニク，ショウガ，イチョウ，朝鮮人参などがあります。

使用量の目安

ラウオルシンの適量は複数の要因（年齢，健康状態などさまざまな状況）により異なります。現時点ではラウオルシンの適量の範囲を決定する十分な科学的根拠（エビデンス）はありません。自然由来の製品は必ずしも常に安全ではなく，使用量が重要になりうることに留意してください。製品の表示にある注意事項に従い，また，医師・薬剤師などに相談することなく製品を使用しないでください。

ラウリル酸

LAURIC ACID

●代表的な別名

ココナッツオイルエキストラクト

別名ほか

ココナッツオイルエキストラクト（Coconut oil extract），N-dodecanoic Acid，N-alkanoic Acid

概　要

ラウリル酸は飽和脂肪酸です。

安 全 性

食品に含まれる量なら安全です。

治療に用いる場合の安全性はまだ明らかになっていません。

有 効 性

◆科学的データが不十分です

・インフルエンザ，鳥インフルエンザ，気管支炎，単純ヘルペスウイルス，サイトメガロウイルス，HIV/エイズ，胎児へのHIV/エイズ感染予防，淋病，ヒトパピローマウイルス，カンジダ感染症，クラミジア，ランブル鞭毛虫，白癬。

●体内での働き

症状に対してどのように作用するかについてはよくわかっていません。ラウリル酸が食品に含まれるトランス脂肪酸より安全な脂肪酸であることを示す研究もあります。

医薬品との相互作用

ほかの医薬品との相互作用については明らかではありません。

ハーブおよび健康食品・サプリメントとの相互作用

ほかのハーブ，健康食品・サプリメントとの相互作用についてはまだ明らかではありません。

使用量の目安

標準使用量に関するデータがありません。

ラキソゲニン

LAXOGENIN

別名ほか

(25R)-3 Beta-Hydroxy-5 Alpha-Spirostan-6-One，(25R)-3 β-Hydroxy-5 α-スピロスタン-6-オン，5-Alpha-Hydroxy Laxogenin，5-Alpha-Hydroxy-Laxogenin，16-hydroxy-5',7,9,13-tetramethylspiro[5-oxapentacycloicosane-6,2'-oxane]-19-one，Laxogenina，Laxogénine，Laxogenine，Laxosterone，ラキソステロン

概　要

ラキソゲニンは植物に含まれる化学物質です。植物の成長を促進します。ラキソゲニンや５-alpha-hydroxy

laxogeninという類似化学物質は「くすり」として販売されています。しかし，この使用を裏づけるエビデンスはありません。

ラキソゲニンおよび5-alpha-hydroxy laxogeninは筋肉量増加および筋肉増強のために経口摂取されます。

安全性

ラキソゲニンは，サプリメントとして経口摂取する場合におそらく安全ではありません。ラキソゲニンや5-alpha-hydroxy laxogeninという関連化合物を含有する表示のある製品は，通常，安全ではない可能性のあるほかの原材料を含みます。このような原材料のなかにはスポーツ競技期間中の使用が禁じられているものがあります。

●妊娠中および母乳授乳期

妊娠中および母乳授乳期の使用の安全性についてはデータが不十分です。安全性を考慮し，摂取は避けてください。

有効性

◆科学的データが不十分です

・筋肉量増加，筋肉増強。

●体内での働き

ラキソゲニンは植物にある天然の化学物質です。植物の成長を促進します。ヒトの筋肉量増加を促進する可能性があると考える人もいますが，これらの用途を裏づけるエビデンスはありません。

医薬品との相互作用

ほかの医薬品との相互作用については明らかではありません。

ハーブおよび健康食品・サプリメントとの相互作用

ほかのハーブ，健康食品・サプリメントとの相互作用についてはまだ明らかではありません。

使用量の目安

通常の食品に含まれている量を超えて経口摂取した場合の安全性および副作用については，明らかになっていません。

ラクターゼ

LACTASE

●代表的な別名

β-ガラクトシダーゼ

別名ほか

ベータガラクトシダーゼ（Beta-galactosidase）

概要

ラクターゼは酵素です。

安全性

ほとんどの人に安全のようです。副作用の報告はありません。

●妊娠中および母乳授乳期

妊娠中，母乳授乳期は使用してはいけません。

有効性

◆有効性レベル②

・ひきつり，下痢，腸内ガスのような，乳糖過敏の症状を予防。これは乳糖に過敏な人が乳製品または乳糖を摂取した場合です。

●体内での働き

乳糖に不耐性な人は，牛の乳糖の消化が困難になります。ラクターゼは乳糖を分解し，ブドウ糖とガラクトースにする酵素です。

医薬品との相互作用

ほかの医薬品との相互作用については明らかではありません。

ハーブおよび健康食品・サプリメントとの相互作用

ほかのハーブ，健康食品・サプリメントとの相互作用についてはまだ明らかではありません。

使用量の目安

●経口摂取

通常の摂取量は，ラクトースを含む食事を始めるときにラクターゼ6,000〜9,000IU含有錠剤を噛むか飲み込むかして摂取，もしくは2,000IUの液剤を500mLの牛乳に飲む直前に加えて摂取します。

ラクトフェリン

LACTOFERRIN

別名ほか

ラクトフェリン類（Lactoferrins），ウシラクトフェリン（Bovine Lactoferrin），human lactoferrin，recombinant human lactoferrin

概要

ラクトフェリンは，牛乳や母乳に含まれるタンパク質です。初乳（出産後，初めて産生されるミルク）はラクトフェリンを多く含み，後に産生する乳汁中の約7倍量が含まれています。ほかには，眼，鼻，気道，腸などの体液にラクトフェリンが含まれています。ラクトフェリンは「くすり」として使用されることもあります。

牛由来の薬用ラクトフェリンについて「狂牛病」が心配されていますが，このリスクは，一般的に非常に小さいと考えられます。さらに，ほとんどの薬用ヒトラクトフェリンは，特殊に設計された米から採取されます。

ラクトフェリンは，胃や腸の潰瘍，下痢，およびC型肝炎を改善するために使用されます。また，抗酸化剤や，細菌およびウイルス感染の保護剤としても用いられます。その他の用途としては，免疫系の刺激，加齢による組織損傷の防止，有益な腸内細菌の増進，がんの予防，生体内での鉄代謝の調節などがあります。

鉄欠乏や重度の下痢など，世界規模の健康問題を解決するラクトフェリンの可能性を示唆する研究もあります。

ラクトフェリンは，畜産工業において，食肉加工中のバクテリア殺菌にも使用されます。

安　全　性

ラクトフェリンの摂取は，食品に含まれる量であれば，安全です。牛乳に含まれている量を超えるラクトフェリンを摂取する場合にも，最長1年までは，安全のようです。特殊な工程で栽培された米から作られた人工のラクトフェリンは，最長14日までは，安全のようです。ラクトフェリンが，下痢を引き起こすおそれがあります。きわめて高用量の摂取により，皮疹，食欲不振，疲労，悪寒および便秘が報告されています。

●妊娠中および母乳授乳期

妊娠中および母乳授乳期の使用は，食品に含まれる量であれば，安全です。ただし，十分なデータが得られるまでは，「くすり」としての量の摂取は避けるべきです。

有　効　性

◆有効性レベル③

・C型肝炎。一部のC型肝炎患者には，牛由来のラクトフェリンが効果を示すようです。1日当たり1.8～3.6gのラクトフェリンを摂取する必要があります。これより低用量では効果がみられないようです。

◆科学的データが不十分です

・ヘリコバクター・ピロリ感染症（潰瘍を引き起こす細菌感染症），免疫系の刺激，加齢にともなうダメージの予防，健康な腸内細菌の活性化，鉄代謝の調整，抗菌剤や抗ウイルス剤としての使用，アンチオキシダント（抗酸化物質）としての使用など。

●体内での働き

ラクトフェリンには，腸における鉄の吸収，および，細胞へ鉄を運搬する作用の調整を助ける働きがあります。

ラクトフェリンは，細菌感染症を防ぐ働きがあるようです。おそらく，細菌の成長に必要な栄養素を遮断する，または，細胞壁を破壊することにより，細菌の増殖を防ぐ働きがあるためだと考えられています。母乳に含まれるラクトフェリンには，乳幼児を細菌感染から守る高い効果があると評価されています。

細菌感染に対する効果だけでなく，ラクトフェリンには，一部のウイルスや真菌による感染に対する効果もあるようです。

ラクトフェリンが，骨髄機能（骨髄造血）の調整に関与している可能性や，生体防御（免疫）システムを活性化している可能性もあるようです。

医薬品との相互作用

ほかの医薬品との相互作用については明らかではありません。

ハーブおよび健康食品・サプリメントとの相互作用

ほかのハーブ，健康食品・サプリメントとの相互作用についてはまだ明らかではありません。

使用量の目安

●経口摂取

C型肝炎

1日当たり1.8～3.6gの牛ラクトフェリン（牛乳）を摂取します。

ラズベリーケトン

RASPBERRY KETONE

別名ほか

4-(4-Hydroxyphenyl) butan-2-one，Cetona de Frambuesa，Cétone de Framboise，Raspberry Ketones，Red Raspberry Ketone，RK

概　　要

ラズベリーケトンはレッドラズベリーに含まれる化学物質です。そのほかのベリー類やキウイ，モモ，ブドウ，リンゴのほか，ルバーブなどの野菜，イチイやカエデ，マツの樹皮にも含まれています。

ラズベリーケトンは体重減少の用途で経口摂取されます。2012年2月，テレビの「ドクター・オズ・ショー」で「ラズベリーケトン：奇跡の脂肪燃焼サプリメント」というコーナーで紹介され，体重減少の目的で人気が出ました。

また，抜け毛に対処するため，皮膚に塗布されます。

そのほか，香料や芳香添加剤として食品や化粧品などの製造に用いられます。

安　全　性

ラズベリーケトンの単独摂取の安全性についてはデータが不十分です。シネフリンという興奮成分に化学的な関連があるため，ラズベリーケトンの安全性については多少の懸念があり，神経過敏，血圧上昇，頻拍を引き起こすおそれがあります。ある報告によると，ラズベリーケトンを摂取した人が，ふらつき感および動悸を訴えています。

糖尿病：ラズベリーケトンは血糖値を低下させる可能性があります。理論上は，糖尿病薬を服薬している人がラズベリーケトンを摂取すると，血糖値が過剰に低下するおそれがあります。

●妊娠中および母乳授乳期

妊娠中および母乳授乳期の使用の安全性についてはデータが不十分です。安全性を考慮し，摂取は避けてください。

有効性

◆科学的データが不十分です

・円形脱毛症，男性型脱毛症，肥満など。

●体内での働き

ラズベリーケトンはレッドラズベリーに含まれる化学物質で，体重減少に役立つと考えられています。一部の動物実験や試験管内実験では，代謝に関する測定値を増加させる可能性が示されています。また，アディポネクチンというホルモンに影響を及ぼす可能性もあります。アディポネクチンは体内の脂肪燃焼速度を増加させ，食欲を低下させる可能性があります。ただし，ヒトがラズベリーケトンを摂取すると体重減少が促進するという科学的に信頼性の高いエビデンスはありません。

医薬品との相互作用

中ワルファリンカリウム

ワルファリンカリウムは，血液の凝固を抑制し，血栓を予防するために使用されます。ワルファリンカリウムを服用中にラズベリーケトンを摂取した人が一例報告されています。このケースでは，ラズベリーケトンの摂取後にワルファリンカリウムが十分には作用しませんでした。ワルファリンカリウムの作用を維持して血栓を予防するためには，ワルファリンカリウムの用量を増やさなくてはなりませんでした。

中興奮薬

興奮薬は神経系を亢進させます。神経系を亢進させることにより，興奮薬は神経を過敏にして心拍数を上昇させる可能性があります。ラズベリーケトンも神経系を亢進させる可能性があります。ラズベリーケトンと興奮薬を併用すると，深刻な問題（頻脈や高血圧など）が引き起こされるおそれがあります。ラズベリーケトンと興奮薬を併用しないでください。このような興奮薬には，アンフェタミン（販売中止），カフェイン，Diethylpropion，メチルフェニデート塩酸塩，Phentermine，塩酸プソイドエフェドリンなど数多くあります。

ハーブおよび健康食品・サプリメントとの相互作用

血糖値を低下させるおそれのあるハーブおよび健康食品・サプリメント

ラズベリーケトンは血糖値を低下させるおそれがあります。ラズベリーケトンと，血糖値を低下させるおそれのあるほかのハーブおよび健康食品・サプリメントを併用すると，人によっては血糖値が過度に低下するおそれがあります。このようなハーブおよび健康食品・サプリメントには，α-リポ酸，ニガウリ，クロム，デビルズクロー，フェヌグリーク，ニンニク，グアーガム，セイヨウトチノキ，朝鮮人参，サイリウム，エゾウコギなどがあります。

興奮作用をもつハーブおよび健康食品・サプリメント

ラズベリーケトンは興奮作用をもつおそれがあります。ラズベリーケトンと，興奮作用をもつほかのハーブおよび健康食品・サプリメントを併用すると，頻拍や高血圧など，興奮作用による副作用のリスクが高まるおそれがあります。このようなハーブおよび健康食品・サプリメントには，マオウ（麻黄），ダイダイ，カフェインのほか，コーヒー，コーラノキの種，ガラナ豆，マテなどカフェインを含むものなどがあります。

使用量の目安

通常の食品に含まれている量を超えて経口摂取した場合の安全性および副作用については，明らかになっていません。

ラタニア

RHATANY

別名ほか

ラタニア根（Ratanhiawurzel），クラメリア（Krameria），クラメリア・トリアンドラ（Krameria triandra），Brazilian Rhatany，Krameria argentea，Mapato，Peruvian Rhatany，Pumacuchu，Raiz Para Los Dientes，Red Rhatany，Rhatanhia，Rhatania，Ratanhiae radix

概要

ラタニアは植物です。「くすり」に使用することもあります。

安全性

短期間経口で摂取する場合はほとんどの人に安全のようです。

長期使用については，十分なデータが得られていないので安全であるかどうか不明です。

消化器系の不調などの副作用を生じる可能性があります。

●アレルギー

まれに，口とのどの粘膜にアレルギー反応を生じることがあります。

●妊娠中および母乳授乳期

妊娠中，母乳授乳期は使用してはいけません。

有効性

◆科学的データが不十分です

・腸の炎症（腸炎），胸部痛（狭心症），下腿潰瘍，軽度の口内および咽喉の刺激感など。

●体内での働き

タンニンを高濃度で含んでいます。タンニンのような収れん作用のある化合物は，組織を収縮させることによって炎症を軽減し，膿汁を抑えます。

医薬品との相互作用

ほかの医薬品との相互作用については明らかではありません。

ハーブおよび健康食品・サプリメントとの相互作用

ほかのハーブ，健康食品・サプリメントとの相互作用についてはまだ明らかではありません。

使用量の目安

●経口摂取

1gのハーブを1カップの水で煎じたものか，またはチンキ剤5～10滴をコップ1杯の水に溶いたものを摂取します。

●局所投与

洗口薬またはうがい薬（1～1.5gの粉末根を150mLの熱湯で10～15分煮出しこす）として1日2～3回使用します。チンキ剤5～10滴をコップ1杯の水に溶いて，洗口，うがい薬として1日2～3回使用します。薄めていないチンキ剤（オーラルペイント）を直接患部へ1日2～3回塗布します。医師の指示がない場合，使用は最大2週間までです。

ラッパスイセン

DAFFODIL

別名ほか

レントリリー（Lent Lily），Narcissus pseudonarcissus

概要

ラッパスイセンはハーブです。球根，葉および花を用いて「くすり」を作ることもあります。

安全性

使用は安全ではありません。口，舌およびのどに刺激や腫脹を生じる可能性があります。また嘔吐，唾液分泌，下痢，脳および神経の不調，肺の虚脱を引き起こし，死に至ることもあります。

頭花や球根を扱う人は皮膚に腫脹や刺激を生じる可能性があります。

●妊娠中および母乳授乳期

妊娠中，母乳授乳期は使用してはいけません。

有効性

◆科学的データが不十分です

・百日咳，感冒，気管支喘息，創傷，熱傷，挫傷，関節痛など。

●体内での働き

痛みを緩和する化合物（ガランタミンなどのアルカロイドやchelidonic acid）を含んでいます。アルツハイマー病の治療用としても研究されています。

医薬品との相互作用

ほかの医薬品との相互作用については明らかではありません。

ハーブおよび健康食品・サプリメントとの相互作用

ほかのハーブ，健康食品・サプリメントとの相互作用についてはまだ明らかではありません。

使用量の目安

●経口摂取

通常，粉末およびエキス（摂取量は特定されていません）を摂取します。

ラディッシュ

RADISH

●代表的な別名

ダイコン

別名ほか

ダイコン，ハツカダイコン，Black Radish，Black Spanish Radish，Chinese Radish，Daikon Radish，Garden Radish，Japanese Radis，Lai Fu Zhi，Long Black Spanish Radish，Moolak，Mooli Beej，Oriental Radish，Petit Radis，Rábano，Radis，Radis Espagnol，Radis Noir，Radis Noir Espagnol，Radis Rouge，Raphani Sativi Radix，Raphanus sativus，Red Radish，Round Black Spanish Radish，Small Radish，Spanish Radish，Spanish Black Radish，Turnip Radish，カブ

概要

ラディッシュは植物です。根が「くすり」として使用されることもあります。

ラディッシュは，胃腸障害，肝疾患，胆道系の疾患，

胆石，食欲不振，気管支炎，発熱，感冒，咳に対して使用されます。高コレステロール血症にも使用されます。

安全性

通常の量のラディッシュを経口摂取する場合，ほとんどの人に安全です。多量に摂取すると消化管を刺激する可能性があります。まれなことですが，人によってはラディッシュにアレルギー反応を起こすおそれがあります。

糖尿病：多量のラディッシュは血糖値を低下させる可能性があります。闘病中の人がダイコンを使用する場合は，低血糖の兆候に気をつけて，血糖値を注意深く監視してください。

胆石：胆石がある場合は，ラディッシュを慎重に使用してください。ラディッシュは胆汁の流れを促進します。この作用により，胆石があると，胆石が胆管に詰まって突発的な疼痛のリスクが高まるおそれがあります。

手術：多量のラディッシュは血糖値を低下させる可能性があります。そのため，手術中および手術後の血糖コントロールを妨げる可能性が懸念されます。少なくとも手術前２週間は，ラディッシュを使用しないでください。

●妊娠中および母乳授乳期

妊娠中および母乳授乳期のラディッシュの使用の安全性についてはデータが不十分です。安全性を考慮し，食品に含まれる量を超える使用は避けてください。

有効性

◆科学的データが不十分です

・感冒，咳，肝臓内の胆汁の流れに影響を及ぼす疾患，発熱，胆石，高コレステロール血症，肺の気管支粘膜の腫脹（炎症）（気管支炎），食欲不振など。

●体内での働き

ラディッシュの根は消化液の分泌および胆汁の流れを促進する可能性があります。また，ラディッシュの根には，がん細胞を死滅させたり血中のコレステロール値や血糖値を低下させたりする可能性のある化学物質が含まれます。

医薬品との相互作用

中 糖尿病治療薬

多量のラディッシュは糖尿病患者の血糖値を低下させる可能性があります。糖尿病治療薬も血糖値を低下させるために用いられます。多量のラディッシュと糖尿病治療薬を併用すると，血糖値が過度に低下するおそれがあります。血糖値を注意深く監視してください。糖尿病治療薬の用量を変更する必要があるかもしれません。このような糖尿病治療薬には，グリメピリド，グリベンクラミド，インスリン，ピオグリタゾン塩酸塩，マレイン酸ロシグリタゾン（販売中止），クロルプロパミド，Glipizide，トルブタミド（販売中止）などがあります。

ハーブおよび健康食品・サプリメントとの相互作用

ほかのハーブ，健康食品・サプリメントとの相互作用についてはまだ明らかではありません。

使用量の目安

通常の食品に含まれている量を超えて経口摂取した場合の安全性および副作用については，明らかになっていません。

ラティルス属

LATHYRUS

別名ほか

スイートピー，麝香連理草（Lathyrus odoratus），ブルースイートピー，グラスピー，ラチルスピー（Lathyrus sativus），Caley Pea，Chickling Vetch，Chick-pea，Everlasting Pea，Flat-podded Vetch，Lathyrus cicera，Lathyrus clymenu，Lathyrus hirsutus，Lathyrus incanus，Lathyrus pusillus，Lathyrus sylvestris，Singletary Pea，Spanish Vetchling，Sweet Pea，Wild Pea

概要

ラティルス属は植物です。種子を用いて「くすり」を作ることもあります。

安全性

経口摂取は安全ではありません。

神経に有害です。筋肉硬直，筋痙攣，筋力低下，下肢筋肉の麻痺，心拍減弱，呼吸低下，発作を引き起こす可能性があり，死に至ることもあります。

●妊娠中および母乳授乳期

妊娠中，母乳授乳期は使用してはいけません。

有効性

◆科学的データが不十分です

・医薬品としてあらゆる症状への使用。

●体内での働き

医薬品としてどのように作用するかについては，十分なデータが得られていません。

医薬品との相互作用

ほかの医薬品との相互作用については明らかではありません。

ハーブおよび健康食品・サプリメントとの相互作用

ほかのハーブ，健康食品・サプリメントとの相互作用についてはまだ明らかではありません。

使用量の目安

標準使用量に関するデータがありません。

ラビジ

LOVAGE

●**代表的な別名**

ロベジ

別名ほか

ラビッジ，ロベジ，ロベージ（Levisticum officinale），ラブ・パセリ（Love Parsley），Angelica levisticum，Hipposelinum levisticum，Lavose，Levistici radix，Ligusticum levisticum，Maggi Plant，Sea Parsley，Smallage，Smellage

概　　要

ラビジは植物です。根と地下茎を用いて「くすり」を作ることもあります。

安 全 性

ほとんどの人に安全のようです。

とくに長期使用した場合は，日光に対する感受性が高まることがあります。それにより，日光性の皮疹および熱傷，また皮膚がんのリスクが高くなります。とくに肌が白い人は，戸外では日焼け止めを使用し，日光から肌を守る衣類を着用してください。

高血圧症，腎疾患，心疾患の人は使用してはいけません。

●**妊娠中および母乳授乳期**

妊娠中，母乳授乳期は使用してはいけません。

有 効 性

◆**科学的データが不十分です**

・消化器系障害，胸やけ，腸内ガス，月経不順，咽喉痛，せつ，黄疸，痛風，片頭痛のほか，尿路炎症および腎結石のための洗浄療法としての使用など。

●**体内での働き**

含まれている化合物が，利尿促進，痙攣の低減，感染症とのたたかいに役立つことがあります。

医薬品との相互作用

中 利尿薬

ラビジには体内の水分量を低下させるという利尿薬に類似した作用があると考えられています。ラビジと利尿薬を併用すると，体内水分量が過度に減少して，めまいが起こったり，血圧が下がりすぎることがあります。このような利尿薬にはクロロチアジド（販売中止），クロルタリドン（販売中止），フロセミド，ヒドロクロロチアジドなどがあります。

ハーブおよび健康食品・サプリメントとの相互作用

ほかのハーブ，健康食品・サプリメントとの相互作用についてはまだ明らかではありません。

使用量の目安

●**経口摂取**

通常の摂取量はお茶１カップを１日２～３回です。お茶は1.5～３gの乾燥根を150mLの沸騰した湯に10～15分間浸し，その後ろ過して作ります。乾燥根は１日当たり４～８gまでしか用いてはなりません。「洗浄療法」で使用する場合は，十分な水分摂取が必要です。

胃腸障害

通常お茶１カップを食事の30分前に摂取します。

光毒性の副作用のために，ラビジを長期間使用して日光や紫外線に過剰にさらされることは避けてください。

ラブダナム

LABDANUM

別名ほか

システ，シスタス（Ciste），キストゥス・ラダニファー，シストローズ，ロックローズ（Cistus ladanifer），Ambreine，Cistus incanus，Cistus ladaniferus，Cistus polymorphus，Cistus villosus，Cyste，Rockrose

概　　要

ラブダナムは植物です。葉，茎および花を用いて「くすり」を作ることもあります。

安 全 性

皮膚に使用する場合は安全なようです。

経口摂取した場合の安全性または副作用のリスクについては不明です。

●**妊娠中および母乳授乳期**

妊娠中，母乳授乳期は使用してはいけません。

有 効 性

◆**科学的データが不十分です**

・気管支炎，下痢，浮腫，ヘルニア，ハンセン病，脾臓の強化，胸部の粘液排出のための使用，刺激薬としての使用，腸の内容物排泄と洗浄，止血または出血予防など。

●**体内での働き**

細菌や真菌を殺すことのある物質を含んでいます。

医薬品との相互作用

ほかの医薬品との相互作用については明らかではあり

ません。

ハーブおよび健康食品・サプリメントとの相互作用

ほかのハーブ，健康食品・サプリメントとの相互作用についてはまだ明らかではありません。

使用量の目安

標準使用量に関するデータがありません。

ラブラドルティー

LABRADOR TEA

別名ほか

Continental Tea, Ledum groenlandicum, Ledum latifolium, St. James's Tea

概　　要

ラブラドルティーは植物です。葉と花株を用いて「くすり」を作ることもあります。

安 全 性

薄いお茶として，または少量を摂取した場合はほとんどの人に安全なようです。

高濃度または多量を摂取した場合はリスクがあり，迅速な治療が必要になります。嘔吐，胃腸内膜の炎症（胃腸炎），下痢，せん妄，痙攣，運動麻痺などの副作用を引き起こす可能性があり，死に至ることもあります。

●妊娠中および母乳授乳期

妊娠中，母乳授乳期は使用してはいけません。

有 効 性

◆科学的データが不十分です

・咳，流産の原因となるもの，婦人病，咽喉痛，肺感染，胸部の軽い病気，下痢，腎障害，リウマチ，頭痛，がん，皮膚障害など。

●体内での働き

咳を楽にするよう粘液をサラサラにする働きがあります。ほかの医療用途について，どのように作用するかは十分なデータが得られていません。

医薬品との相互作用

ほかの医薬品との相互作用については明らかではありません。

ハーブおよび健康食品・サプリメントとの相互作用

ほかのハーブ，健康食品・サプリメントとの相互作用についてはまだ明らかではありません。

使用量の目安

標準使用量に関するデータがありません。

ラベンダー

LAVENDER

別名ほか

真正ラベンダー（True Lavender），野生ラベンダー（Lavandula vera），イングリッシュラベンダー（English Lavender），フレンチラベンダー（French Lavender），スパニッシュラベンダー（Spanish Lavender），スパイクラベンダー（Spike Lavender），ストエカスラベンダー（Lavandula stoechas），Alhucema, Garden Lavender, Ostokhoddous, Lavandula angustifolia, Lavandula officinalis, Lavandula spica, Lavandula latifolia, Lavandula dentate, Lavandula pubescens

概　　要

ラベンダーはハーブです。花とオイルを用いて「くすり」を作ることもあります。

●要説（ナチュラル・スタンダード）

ラベンダーは，地中海沿岸，アラビア半島，ロシア，およびアフリカ原産です。歴史を通じて，化粧品や「くすり」に用いられています。近年では，世界中で栽培され，ラベンダーの花の香油はアロマセラピー，焼き菓子，キャンドル，化粧品，合成洗剤，ゼリー，マッサージオイル，香水，パウダー，シャンプー，石けん，および茶に用いられます。イングリッシュラベンダーは，もっとも一般的に用いられる種類です。

多くの人がラベンダー・アロマセラピーによりリラックスします。おおむね，エビデンスが，ラベンダーのイライラ感を軽減する効果を示唆していますが，明確な結論付けにはさらなる研究が必要です。

ラベンダー・アロマセラピーは，睡眠促進，痛みの軽減などにも用いられます。ほかにも精神面への作用があります。ただし，ラベンダーの有効性を支持するエビデンスは十分ではありません。

ある研究では，ラベンダーの一成分であるペリリルアルコールのがんに対する使用は，安全で良好な耐容性のあることが示唆されています。

安 全 性

食品に含まれている量のラベンダーは，ほとんどの成人に安全のようです。「くすり」としての量を経口摂取する場合，皮膚に塗布する場合，または吸入する場合は，おそらく安全です。

ラベンダーを経口摂取すると，便秘，頭痛，食欲増進を引き起こすおそれがあります。皮膚へ塗布するとまれにですが，過敏症を引き起こすおそれがあります。

小児：思春期に達していない少年が，ラベンダーオイルを含む製品を皮膚へ塗布する場合には，おそらく安全ではありません。ラベンダーオイルには，少年の正常なホルモンを阻害するおそれのあるホルモン作用があるようです。場合によっては，女性化乳房と呼ばれる異常な乳房の成長が起きる少年もいます。少女がこれらの製品を使用する場合の安全性については，明らかではありません。

手術：ラベンダーは中枢神経系を抑制する可能性があります。手術中・手術後に使用される麻酔などの医薬品と併用すると，中枢神経系が過度に抑制されるおそれがあります。少なくとも手術前２週間は，使用しないでください。

●妊娠中および母乳授乳期

妊娠中および母乳授乳期の使用の安全性についてはデータが不十分です。安全性を考慮し，摂取は避けてください。

有　効　性

◆有効性レベル③

・円形脱毛症（抜け毛）。ラベンダーオイルを，タイム，ローズマリーおよびシダーウッドのオイルと併用で７カ月間塗布すると，発毛が44％改善する可能性を示すエビデンスが複数あります。

・不安。いくつかの研究により，軽度から重度の不安がある人が特定のラベンダーオイル製品80～160mgを６～10週間経口摂取すると，不安および睡眠が改善し，不安の再発が予防できることが示されています。ラベンダーオイルをアロマセラピーとして使用すると不安に役立つかどうかについては明らかになっていません。

・口唇潰瘍。いくつかの研究により，ラベンダーオイル２滴を１日３回患部に塗布すると，口唇潰瘍の腫脹および疼痛が軽減し，治癒までの期間が短縮する可能性が示されています。

・転倒予防。老人ホーム入居者の衣服の襟足に，ラベンダーオイルを塗布したパッドを付けると，転倒リスクが43％低下するというエビデンスが複数あります。

・手術後の疼痛。いくつかの研究により，帝王切開後の女性が，鎮痛薬の静脈内投与と併用で，ラベンダーエッセンスを吸入すると，疼痛が軽減することが示されています。また，扁桃摘出術を受けた６～12歳の小児が手に塗布したラベンダーオイルを６時間おきに３分間吸入すると，手術後の疼痛が軽減し，アセトアミノフェン使用の必要性が低下するようです。

◆有効性レベル④

・がんに起因する疼痛。研究では，がんに起因する疼痛のある人がアロマセラピーマッサージにラベンダーオイルを使用しても，疼痛が緩和しないことが示されています。

・出産後の合併症。１件の研究により，出産後間もない時期に，ラベンダーオイルを入れた座浴を行うと，膣から肛門の疼痛が軽減する可能性が示唆されています。ただし，ほとんどの研究では，出産後約12時間以降の使用では発赤や腫脹は軽減するものの，疼痛緩和には効果がないことが示されています。

◆科学的データが不十分です

・湿疹，仙痛，認知症，うつ病，月経痛，高血圧，不眠，シラミ，片頭痛，耳感染，疼痛，手術前の不安の軽減，全般的な心理的幸福感，ストレス，ざ瘡（にきび），がん，頭痛，食欲不振，吐き気，歯痛，防蚊剤および昆虫忌避剤としての使用，嘔吐など。

●体内での働き

ラベンダーには，鎮静作用をもち，特定の筋肉を弛緩させる可能性のあるオイルが含まれています。また，抗菌作用や抗真菌作用があるようです。

医薬品との相互作用

中 鎮静薬（中枢神経抑制薬）

ラベンダーは眠気および注意力低下を引き起こす可能性があります。鎮静薬は眠気を引き起こす医薬品です。ラベンダーと鎮静薬を併用すると，過度の眠気を引き起こすおそれがあります。このような鎮静薬には，クロナゼパム，ロラゼパム，フェノバルビタール，ゾルピデム酒石酸塩などがあります。

ハーブおよび健康食品・サプリメントとの相互作用

眠気を引き起こすハーブおよび健康食品・サプリメント

ラベンダーが眠気および注意力低下を引き起こすおそれがあります。同様の作用をもつほかのハーブおよび健康食品・サプリメントと併用すると，過度の眠気を引き起こすおそれがあります。このようなハーブおよび健康食品・サプリメントには，5-ヒドロキシトリプトファン，ショウブ，ハナビシソウ，キャットニップ，ホップ，ジャマイカ・ドッグウッド，カバ，セント・ジョンズ・ワート，スカルキャップ，カノコソウ，アネモプシス・カリフォルニカなどがあります。

血圧を低下させるおそれのあるハーブおよび健康食品・サプリメント

ラベンダーが，血圧を低下させるおそれがあります。同様の作用をもつほかのハーブおよび健康食品・サプリメントと併用すると，人によっては，血圧が過度に低下するリスクが高まるおそれがあります。このようなハーブおよび健康食品・サプリメントには，アンドログラフィス，カゼイン・ペプチド，キャッツクロー，コエンザイムQ-10，魚油，L-アルギニン，クコ，イラクサ，テアニンなどがあります。

使用量の目安

【成人】

●経口摂取

相互作用レベル：高 この医薬品と併用してはいけません　中 この医薬品とは慎重に併用するか併用しないでください　低 この医薬品との併用には注意が必要です

不安

特定のラベンダーオイル80～160mgを毎日，６～10週間摂取します。

●アロマセラピーによる吸入

不安

ラベンダーとローズのエッセンシャルオイル２％を含むオイルブレンド８滴をカット綿に含ませ，週２回15分間で，４週間吸入します。ラベンダーとローズのオイルブレンドは，ラベンダーオイル75％とローズオイル25％を含むエッセンシャルオイルブレンド２滴をホホバオイル５mLに希釈して作ります。

転倒予防

ラベンダーオイルを含ませた１cm x ２cmの布を１日１回衣服の襟足につけ，１年間使用します。

手術後の疼痛

帝王切開後の疼痛に対して鎮痛薬を静脈内投与してから３，８，16時間後に，ラベンダーエッセンス２％を２滴，酸素マスクの内側に塗布して３分間吸入します。

●皮膚への塗布

円形脱毛症

ラベンダー３滴（108mg），ローズマリー３滴（114mg），タイム２滴（88mg），シダーウッド２滴（94mg）のエッセンシャルオイルをすべて，ホホバオイル３mLおよびグレープシードオイル20mLに混合します。これで毎晩，頭皮を２分間マッサージし，吸収を高めるために頭部を温かいタオルで覆います。

口唇潰瘍

１滴にラベンダーオイル36mgを含む溶液２滴を１日３回塗布します。

ラングモス

LUNGMOSS

別名ほか

コナカブトゴケ（Lobaria pulmonaria），Lungwort，Oak Lungs

概　　要

ラングモスは地衣類，つまり菌類の一種です。「くすり」を作るのに使用することもあります。プルモナリアオフィキナリスと混同しないよう注意してください。両方ともラングワートと呼ばれる場合があります。

安 全 性

安全かどうか，またはどのような副作用が生じるかについては不明です。

●妊娠中および母乳授乳期

妊娠中，母乳授乳期は使用してはいけません。

有 効 性

◆科学的データが不十分です

・気管支炎，気管支喘息，咳，炎症，発汗促進など。

●体内での働き

どのように作用するかについては十分なデータが得られていません。

医薬品との相互作用

ほかの医薬品との相互作用については明らかではありません。

ハーブおよび健康食品・サプリメントとの相互作用

ほかのハーブ，健康食品・サプリメントとの相互作用についてはまだ明らかではありません。

使用量の目安

標準使用量に関するデータがありません。

ラングワート

LUNGWORT

別名ほか

ハイムラサキ，這い紫，ヒメムラサキ属，プルモナリアオフィキナリス，ハイシツソウ，ヤクヨウヒメムラサキ，プルモナリア，ハイゾウソウ（Pulmonaria officinalis），Dage of Jerusalem，Lungenkraut，Pulmonaire，Pulmonaire officinale，Pulmonaria，Pulmonariae herba

概　　要

ラングワートは植物です。地上部を用いて「くすり」を作ることもあります。ラングモスと混同しないよう注意してください。詳しくは別項のラングモスを参照してください。

安 全 性

安全かどうか，または副作用のリスクについては不明です。

●妊娠中および母乳授乳期

妊娠中，母乳授乳期は使用してはいけません。

有 効 性

◆科学的データが不十分です

・呼吸器系疾患，胃疾患，腸疾患，腎臓および尿路の疾患，創傷，結核など。

●体内での働き

どのように作用するかについては十分なデータが得られていません。

ラ

医薬品との相互作用

ほかの医薬品との相互作用については明らかではありません。

ハーブおよび健康食品・サプリメントとの相互作用

ほかのハーブ，健康食品・サプリメントとの相互作用についてはまだ明らかではありません。

使用量の目安

標準使用量に関するデータがありません。

藍藻

BLUE-GREEN ALGAE

●代表的な別名

ブルーグリーンアルジー

別名ほか

AFA，Algae，藻類，Algas Verdiazul，Algues Bleu-Vert，Algues Bleu-Vert du Lac Klamath，Anabaena，Aphanizomenon flos-aquae，Arthrospira fusiformis，Arthrospira maxima，Arthrospira platensis，BGA，Blue Green Algae，ブルーグリーンアルジー，Blue-Green Micro-Algae，Cyanobacteria，シアノバクテリア，Cyanobactérie，Cyanophycée，Dihe，Espirulina，Hawaiian Spirulina，Klamath，Klamath Lake Algae，クラマス湖産藻類，Lyngbya wollei，Microcystis aeruginosa and other Microcystis species，Nostoc ellipsosporum，Spirulina Blue-Green Algae，Spirulina fusiformis，Spirulina maxima，スピルリナ属（Spirulina platensis），Spiruline，Spiruline d'Hawaii，Tecuitlatl

ラ

概　要

藍藻は，藍色の色素を生成する細菌の数種に属します。藍藻は，塩湖や一部の大きな淡水湖に生息しています。

藍藻は，数世紀の間，メキシコと一部のアフリカ諸国で食用にされてきました。藍藻は1970年代後半から米国でサプリメントとして販売されています。

藍藻製品は，高血圧の治療のために経口摂取されることがあります。

藍藻製品は多くのほかの疾患に対しても経口摂取されますが，これらの用途を十分に裏づけるエビデンスはありません。

また，藍藻は食品に使用されたり，食用色素として用いられたりします。

藍藻は通常，熱帯や亜熱帯の，塩分濃度の高い水域に生息していますが，一部の種は大きな淡水湖に生息しています。藍藻の自然の色により，水の色が暗緑色に見えます。

販売用の藍藻の中には，生育条件が管理されているものがあります。また，自然条件下で生育されるものもありますが，このような藍藻は，細菌，ミクロシスチン（特定の細菌に産生される肝臓毒），重金属に汚染されている可能性がさらに高くなります。これらの汚染物質が未検出であることが試験で確認された藍藻製品を選ぶようにしてください。藍藻は優れたタンパク源であると言われたことがあるかもしれません。しかし，実際には，藍藻は肉や牛乳と同程度のタンパク源であり，1g当たりの価格は約30倍になります。

安　全　性

汚染物質（ミクロシスチン（肝臓を害する物質），有害金属，有害細菌など）が未検出であれば，藍藻製品を短期間使用する場合，ほとんどの人におそらく安全です。1日最大摂取量19gで最長2カ月間，安全に使用されています。1日10gでは最長6カ月間，安全に使用されています。副作用は一般的に軽度ですが，吐き気，嘔吐，下痢，腹部不快感，疲労，頭痛，めまい感などが現れるおそれがあります。

しかし，汚染物質が含まれる藍藻製品は，とくに小児には，おそらく安全ではありません。成人より小児の方が，汚染物質が含まれる藍藻製品に過敏に反応します。

汚染物質が含まれる藍藻は，肝障害，胃痛，吐き気，嘔吐，脱力，口渇，頻拍，ショックを引き起こしたり，死を招いたりするおそれがあります。ミクロシスチンなどの汚染物質が未検出であることが試験で確認されていない藍藻製品は使用してはいけません。

多発性硬化症（MS），ループス（全身性エリテマトーデス（SLE）），関節リウマチ（RA），尋常性天疱瘡（皮膚疾患）などの自己免疫疾患：藍藻により免疫システムがさらに活性化する可能性があるため，自己免疫疾患の症状が悪化するおそれがあります。自己免疫疾患に罹患している場合には，藍藻の使用を避けるのが最善です。

出血性疾患：藍藻は血液凝固を抑制する可能性があるため，出血性疾患の場合には，紫斑や出血のリスクが高まるおそれがあります。

フェニルケトン尿症：藍藻のスピルリナ種には，化学物質のフェニルアラニンが含まれます。フェニルアラニンは，フェニルケトン尿症を悪化させるおそれがあります。フェニルケトン尿症の場合には，スピルリナ種の藍藻製品の使用は避けてください。

●妊娠中および母乳授乳期

妊娠中および母乳授乳期の使用の安全性についてはデータが不十分です。汚染された藍藻製品は有害な毒素を含有し，それらの毒素が胎盤を通じて胎児に，または母乳を介して乳児に感染するおそれがあります。安全性を考慮し，摂取は避けてください。

有　効　性

◆有効性レベル③

・高血圧。藍藻を経口摂取すると，高血圧患者の血圧が低下する場合もあるようです。

◆科学的データが不十分です

・季節性アレルギー（花粉症），抗HIV薬によるインスリン抵抗性，ヒ素中毒，チックまたは眼瞼の痙攣（眼瞼痙攣またはメージュ（Meige）症候群），糖尿病，運動能力，C型肝炎，HIV/エイズ，高コレステロール血症，慢性疲労，栄養不良，更年期症状，精神的覚醒，肥満，前がん状態の口内炎（口腔白板症），歯周病（歯周炎），不安，タンパク質・ビタミンB群・鉄の供給源，注意欠陥多動障害（ADHD），免疫システムの活性化，月経前症候群（PMS），うつ病，消化不良，心疾患，記憶，創傷治癒など。

●体内での働き

藍藻にはタンパク質や，鉄などのミネラルが豊富に含まれており，経口摂取すると吸収されます。免疫システム，腫脹（炎症），ウイルス感染に及ぼす藍藻の影響の可能性について，研究が行われています。

医薬品との相互作用

中 血液凝固を抑制する医薬品（抗凝固薬/抗血小板薬）

藍藻は血液凝固を抑制する可能性があります。藍藻と血液凝固を抑制する医薬品を併用すると，紫斑および出血のリスクが高まるおそれがあります。このような医薬品には，アスピリン，クロピドグレル硫酸塩，非ステロイド性抗炎症薬（NSAIDs）（ジクロフェナクナトリウム，イブプロフェン，ナプロキセンなど），ダルテパリンナトリウム，エノキサパリンナトリウム，ヘパリン，ワルファリンカリウムなどがあります。

中 免疫抑制薬

藍藻は免疫機能を高める可能性があります。藍藻が免疫機能を高めることで，免疫抑制薬の効果が弱まるおそれがあります。このような免疫抑制薬には，アザチオプリン，バシリキシマブ，シクロスポリン，Daclizumab，ムロモナブ-CD３（販売中止），ミコフェノール酸モフェチル，タクロリムス水和物，シロリムス，Prednisone，副腎皮質ステロイドなどがあります。

中 糖尿病治療薬

藍藻は血糖値を低下させる可能性があります。糖尿病治療薬も血糖値を低下させるために用いられます。藍藻と糖尿病治療薬を併用すると，血糖値が過度に低下するおそれがあります。血糖値を注意深く監視してください。糖尿病治療薬の用量を変更する必要があるかもしれません。このような糖尿病治療薬には，グリメピリド，グリベンクラミド，インスリン，ピオグリタゾン塩酸塩，マレイン酸ロシグリタゾン（販売中止），クロルプロパミド，Glipizide，トルブタミド（販売中止）などがあります。

ハーブおよび健康食品・サプリメントとの相互作用

血液凝固を抑制するおそれのあるハーブおよび健康食品・サプリメント

藍藻は血液凝固を抑制する可能性があります。血液凝固を抑制するほかのハーブと併用すると，紫斑および出血のリスクが高まるおそれがあります。このようなハーブには，アンゼリカ，クローブ，タンジン，ニンニク，ショウガ，イチョウ，朝鮮人参，レッドクローバー，ウコンなどがあります。

鉄

藍藻は，体内での鉄の吸収量を減少させる可能性があります。藍藻と鉄サプリメントを併用すると，鉄の有効性が弱まるおそれがあります。

使用量の目安

●経口摂取

高血圧

１日２～4.5gの藍藻を摂取します。

リアトリス

MARSH BLAZING STAR

別名ほか

ユリアザミ，百合薊，ヤリノホギク，槍の穂菊（Gayfeather），キリンギク（Button Snakeroot），ゲイフェザー，Gay-Feather，Backache Root，Blazing-Star，Colic Root，Devil's Bite Prairie-pine，Liatris spicata，Laciniaria spicata，Liatris callilepis，Serratula spicata

概　　要

リアトリスは植物です。根を用いて「くすり」を作ることもあります。

安　全　性

安全性に関しては十分信頼できるデータが得られていません。悪心，嘔吐，下痢，めまい，不眠および肝障害を引き起こす可能性があります。

●アレルギー

皮膚に触れると，刺激やアレルギー反応を生じることがあります。

ブタクサ，キク，マリーゴールド，デイジーなどのキク科の植物にアレルギーのある人も使用してはいけません。

●妊娠中および母乳授乳期

妊娠中，母乳授乳期は使用してはいけません。

有　効　性

◆科学的データが不十分です

・腎障害，月経または月経周期の問題，淋病，および体液貯留（浮腫）。

●体内での働き

クマリンという化合物を含んでおり，血液の流れを改善することがあります。

医薬品との相互作用

ほかの医薬品との相互作用については明らかではありません。

ハーブおよび健康食品・サプリメントとの相互作用

ほかのハーブ，健康食品・サプリメントとの相互作用についてはまだ明らかではありません。

使用量の目安

標準使用量に関するデータがありません。

リヴァーウォート

LIVERWORT

別名ほか

スハマソウの一種（Liverleaf），American Liverleaf, Anemone acutiloba, Anemone a Lobes Aigus, Anemone americana, Anemone d'Amerique, Hepatica nobilis var. Acuta, Hepatica nobilis var. Obtuse, Hepatici noblis herba, Hepatique a Lobes Aigus, Hepatique d'Amerique, Herb Trinity, Kidney Wort, Leberbluemchenkraut, Liverweed, Liverwort-Leaf, Round-Leaved Hepatica, Round-Lobe Hepatica, Sharp-Lobe Hepatica, Trefoil

概　　要

リヴァーウォートは植物です。地上部を生のまま，あるいは乾燥させて「くすり」を作ることもあります。

安全性に重大な懸念があるにもかかわらず，リヴァーウォートは，胆石，肝疾患，胃および消化管疾患，痔核など多くの疾患を治療するために使用されていますが，これらの用途を十分に裏づけるエビデンスはありません。

安 全 性

生のリヴァーウォートを経口摂取した場合，安全ではないようです。生のリヴァーウォートにより，下痢，胃の不快感，腎臓と尿路の症状といった副作用が起きるおそれがあります。乾燥させたリヴァーウォートの安全性と副作用については十分なデータが得られていません。

皮膚へ塗布した場合，生のリヴァーウォートは安全ではないようです。過敏，そう痒，膿疱が生じるおそれがあります。乾燥させた場合の安全性と副作用については情報が不十分です。

●妊娠中および母乳授乳期

生のリヴァーウォートを経口摂取したり，皮膚へ塗布することは，安全ではないようです。妊娠中または母乳授乳期には，生のリヴァーウォートの摂取を避けることが特に重要です。乾燥させたリヴァーウォートを妊娠中または母乳授乳期に使用することの安全性については情報が不十分です。安全性を考慮し，摂取は避けてください。

有 効 性

◆科学的データが不十分です

・肝臓の腫脹（炎症）（肝炎），胃および消化性の不快感，食欲不振，胆石，高コレステロール血症，静脈瘤，血流不良，更年期症状，痔核，膵臓に対する刺激，神経の強化，代謝への刺激など。

●体内での働き

リヴァーウォートの作用および作用機序については情報が不十分です。

医薬品との相互作用

ほかの医薬品との相互作用については明らかではありません。

ハーブおよび健康食品・サプリメントとの相互作用

ほかのハーブ，健康食品・サプリメントとの相互作用についてはまだ明らかではありません。

使用量の目安

通常の食品に含まれている量を超えて経口摂取した場合の安全性および副作用については，明らかになっていません。

リコピン

LYCOPENE

●代表的な別名

リコペン

別名ほか

オールトランス型リコピン（All trans lycopene），Psi psi carotene

概　　要

リコピンは果実や野菜の赤い色素で，自然の化合物です。カロチノイドと呼ばれる数ある色素の１つです。リコピンはスイカ，ピンク・グレープフルーツ，杏子，およびピンク・グアバに含まれ，とくにトマトおよびトマト製品に，多量に含まれています。北米では食物由来のリコピンの85%は，トマトジュースやトマトペーストのようなトマト製品から摂取されています。トマトジュース1カップ（240mL）には，23mgのリコピンが含まれます。トマトをトマトジュース，トマトペーストやケチャップなど加熱加工することにより，生トマトに含まれるリコピンよりも，体内で吸収されやすい構造のリコピンに変化し，リコピンのサプリメントと，同程度に吸収されます。

●要説（ナチュラル・スタンダード）

リコピンは，明るい赤色の色素成分で，人の肝臓，血液，副腎，肺，前立腺，結腸，および皮膚には，ほかの色素成分と比べて多く含まれています。動物実験では，抗酸化効果によりがん細胞の成長を抑制することが示唆されています。ただし，ヒトに対する効果については論争中です。

リコピンを豊富に含む食品を摂取したり，血中のリコピン濃度を上げることで，がん，心疾患，および加齢による眼疾患のリスク軽減につながる可能性が，多くの研究により示唆されています。ただし，リコピンの摂取量は，サプリメントではなくトマトの摂取に基づく測定量です。トマトには，ビタミンCおよびカリウムなどほかの栄養も豊富に含まれており，リコピンそのものに効果があるかどうかは判明していません。

リコピン欠乏は疾患とはみなされていません。低リコピン濃度を増加させることが健康に良いかどうかに関するエビデンスは十分ではありません。

安 全 性

リコピンの経口摂取は，適量であれば，ほとんどの人に安全のようです。1日当たり最大120mgのリコピンを含むサプリメントが，最長1年間にわたり安全に使用されています。

前立腺がん：進行中の研究により，リコピンはがん細胞の増殖には影響を与えないものの，がんの転移を促進することにより，既に発症している前立腺がんを悪化させるおそれがあることが示唆されています。前立腺がんの診断を受けている場合には，十分なデータが得られるまで，摂取は避けてください。

●妊娠中および母乳授乳期

妊娠中および母乳授乳期の使用は，通常の食品に含まれる量の範囲内であれば，ほとんどの人に安全のようです。ただし，妊娠中にサプリメントとして摂取する場合には，おそらく安全ではありません。特定のリコピンのサプリメントを使用した研究では，1日当たり2mgを，妊娠12～20週から出産まで継続して摂取することにより，早産および出産時低体重児の割合が高まることが示されています。母乳授乳期のリコピンのサプリメント使用の安全性についてはデータが不十分です。妊娠中および母乳授乳時期の場合には，通常の食品に含まれる量を超えるリコピンの摂取は避けてください。

有 効 性

◆有効性レベル④

・膀胱がん。研究により，食事によるリコピンの摂取量や血中リコピン濃度と，膀胱がんのリスクには，関連がないことが示唆されています。

・糖尿病。研究により，食事によるリコピンの摂取量を増やしても，糖尿病の発症リスクが低下することはないことが示唆されています。

◆科学的データが不十分です

・加齢黄斑変性（加齢による眼疾患），気管支喘息，動脈硬化，良性前立腺肥大，乳がん，心疾患，白内障，子宮頸がん，大腸がん，歯肉炎，神経膠腫（脳腫瘍），ヘリコバクター・ピロリ感染症に起因する潰瘍，ヒトパピローマウイルス（HPV）感染症，高コレステロール血症，高血圧，肺がん，男性不妊，更年期症状，口腔白板症（口腔の前がん状態の白斑），口内炎（口腔の潰瘍および腫脹），卵巣がん，膵がん，妊娠中の高血圧，前立腺がん，前立腺の腫脹，骨盤痛，腎細胞がん（腎がん），日焼けなど。

●体内での働き

リコピンは，細胞を損傷から保護する可能性のある強力なアンチオキシダント（抗酸化物質）です。このため，がん予防におけるリコピンの役割が少しでもないか，多くの研究が注目しています。

医薬品との相互作用

中 血液凝固を抑制する医薬品（抗凝固薬/抗血小板薬）

リコピンは血液凝固を抑制する可能性があります。リコピンと血液凝固を抑制する医薬品を併用すると，紫斑および出血のリスクが高まるおそれがあります。このような医薬品にはアスピリン，クロピドグレル硫酸塩，ダルテパリンナトリウム，エノキサパリンナトリウム，ヘパリン，インドメタシン，チクロピジン塩酸塩，ワルファリンカリウムなどがあります。

ハーブおよび健康食品・サプリメントとの相互作用

β-カロテン

β-カロテンとリコピンを併用すると，体内へ吸収されるリコピンの量が増加するおそれがあります。

通常の食品との相互作用

オレストラ（人工代替油脂）

オレストラの摂取により，体内に吸収されるリコピンの量が減少するおそれがあります。

使用量の目安

通常の食品に含まれている量を超えて経口摂取した場合の安全性および副作用については，明らかになっていません。

リ

リジン

LYSINE

●代表的な別名

リシン

別名ほか

塩酸リジン（Lysine Hydrochloride），リジン一塩酸塩（Lysine Monohydrochloride），L型2,6-ジアミノヘキサン酸（L-2,6-diaminohexanoic Acid），L-リジン（L-Lysine），Lys

概　要

リジンはアミノ酸です。「くすり」に使用することもあります。

安　全　性

リジンは，経口摂取する場合には推奨量を最長1年まで，皮膚に塗布する場合には短期間であれば，ほとんどの人にとって，おそらく安全です。リジンにより，胃痛および下痢などの副作用を引き起こすおそれがあります。

腎炎：リジンのサプリメントの摂取により腎炎を引き起こした例が，1件，報告されています。腎疾患の場合には，リジンを摂取する前に医師などに相談してください。

骨粗鬆症：リジンと，カルシウムのサプリメントを併用することにより，カルシウム吸収が促進するおそれがあります。

リジン尿性タンパク不耐症：リジン尿性タンパク不耐症の小児にリジンを投与すると，下痢および胃痙攣を引き起こすおそれがあります。

●妊娠中および母乳授乳期

妊娠中および母乳授乳期の使用の安全性についてはデータが不十分です。安全性を考慮し，摂取は避けてください。

リ

有　効　性

◆有効性レベル③

・口唇ヘルペス（口唇単純ヘルペス）。リジンを経口摂取したり，リジンのクリーム剤を皮膚へ塗布したりすると，口唇ヘルペスが緩和するようです。リジン，酸化亜鉛のほか，14種類の原料を含む特定の製品を塗布すると，口唇ヘルペスの緩和が促進するようです。ただし，リジンにより，口唇ヘルペスの重症度や再発率は減少しないことが，複数の研究で示唆されています。

◆科学的データが不十分です

・口唇潰瘍，糖尿病，高トリグリセリド血症，筋力強化，床ずれ，統合失調症，ストレス，運動能力の向上，代謝性アルカローシス（体組織のpHに影響を与える代謝疾患）など。

●体内での働き

リジンは，ヘルペスウイルスの増殖を抑制するようです。

医薬品との相互作用

低胃腸機能調整薬（セロトニン5-HT4受容体作動薬）

リジンはプルカロプリドおよびテガセロドなどの胃腸機能調整薬の作用を阻害するおそれがあります。

ハーブおよび健康食品・サプリメントとの相互作用

カルシウム

リジンは身体のカルシウム吸収を促進し，体内のカルシウム量を増加させる可能性があります。理論上は，リジンとカルシウムを併用すると，カルシウム値が過度に上昇するおそれがあります。

使用量の目安

●経口摂取

口唇ヘルペス（口唇単純ヘルペス）

1日当たり1,000mgのリジンを，最大2回にわけ，最長12週間にわたり摂取します。または，1,000mgのリジンを，1日3回，6カ月間にわたり摂取します。口唇ヘルペスの再発予防には，500～1,248mgのリジンを1日1回，または，1,000mgを1日3回，摂取します。

●皮膚への塗布

口唇ヘルペス（口唇単純ヘルペス）の治療

リジン，酸化亜鉛のほか，14種類の原料を含む特定の併用製品を，2時間おきに，11日間にわたり使用します。

リチウム

LITHIUM

別名ほか

炭酸リチウム（Lithium Carbonate），クエン酸リチウム（Lithium Citrate），オロチン酸リチウム（Lithium Orotate）

概　要

リチウムは元素です。ほとんどすべての石に微量で存在するため，ギリシャ語で石を意味する「リソス」(lithos)から命名されました。リチウムはほかの元素，薬剤，酵素，ホルモン，ビタミン，および体の成長因子とともにさまざまな作用をします。「くすり」として使われることがあります。

安　全　性

医師の指導のもと経口で適切に摂取すれば，ほとんどの人に安全なようです。

炭酸リチウムおよびクエン酸リチウムは米国食品医薬品局（FDA）に承認されています。しかしオロチン酸リチウムについての安全性はデータが十分ではありません。解明が進むまでは安全のため，使用は避けてください。

悪心，下痢，めまい，筋力低下，疲労感および朦朧とした感覚を引き起こす可能性があります。これらの有害な作用は，そのまま使用を続けると改善されることが多いようです。

微細振戦（振動の速い振戦），頻尿およびのどの渇きを生じる可能性があり，使用を継続すると長引くことがあります。

体液過剰により体重増加や腫脹を生じることもあります。

にきび，乾癬および皮疹などの皮膚疾患を生じたり悪化させたりする可能性があります。体内のリチウム量を注意深く管理するため血液検査での確認が必要です。

甲状腺疾患，心疾患，腎疾患の人，２週間以内に手術を受ける予定の人は使用してはいけません。

●妊娠中および母乳授乳期

妊娠中，母乳授乳期は使用してはいけません。

有　効　性

◆有効性レベル①

・双極性障害（躁うつ病）。

◆有効性レベル②

・うつ病。

◆有効性レベル③

・統合失調症およびほかの精神障害。リチウムは通常，抗精神病薬との併用で統合失調症およびほかの精神障害の治療法に使用されます。ときには単独で投与される場合もあります。
・衝動的・攻撃的行動，注意欠陥多動性障害による攻撃性。

◆科学的データが不十分です

・アルコール依存症，血球障害など。

●体内での働き

どのように作用するか確実なことは不明ですが，脳内の伝達物質の働きを向上させることによって精神的な不調の改善に役立つようです。

医薬品との相互作用

高サイアザイド系利尿薬

リチウムと特定の利尿薬を併用すると，体内のリチウム量が増加する可能性があります。そのため，重大な副作用が現れるおそれがあります。利尿薬を服用している場合には，医師や薬剤師に相談することなくリチウムを摂取しないでください。このような利尿薬には，クロロチアジド（販売中止），ヒドロクロロチアジド，インダパミド，メトラゾン（販売中止），クロルタリドン（販売中止）などがあります。

中フェノチアジン系薬

リチウムとフェノチアジン系薬を併用すると，リチウムの効果が弱まるおそれがあります。リチウムもフェノチアジン系薬の効果を弱めるおそれがあります。このようなフェノチアジン系薬には，クロルプロマジン塩酸塩，フルフェナジン，トリフロペラジン（販売中止），チオリダジン塩酸塩（販売中止）などがあります。

中メチルキサンチン類

メチルキサンチン類を服用すると，リチウムの体外への排泄を促進し，リチウムの働きが弱まるおそれがあります。このようなメチルキサンチン類には，アミノフィリン水和物，カフェイン，テオフィリンなどがあります。

中メチルドパ水和物

メチルドパ水和物を服用すると，リチウムの作用および副作用が増強するおそれがあります。メチルドパ水和物を服用している場合には，医師などに処方されないかぎり，リチウムを摂取しないでください。

高ループ利尿薬

特定の利尿薬は，尿に排泄されるナトリウム量を増加させます。体内のナトリウム量が減少すると，体内のリチウム量が増加し，リチウムの作用および副作用が増強するおそれがあります。

中筋弛緩薬

リチウムは筋弛緩薬の働く時間を長くする可能性があります。リチウムと筋弛緩薬を併用すると，筋弛緩薬の作用および副作用が増強するおそれがあります。このような筋弛緩薬には，カリソプロドール（販売中止），Pipecuronium，Orphenadrine，Cyclobenzaprine，Gallamine，Atracurium，パンクロニウム臭化物（販売中止），スキサメトニウム塩化物水和物などがあります。

中抗てんかん薬

抗てんかん薬は脳内物質に影響を及ぼします。リチウムは一般的に脳内物質のバランスを整えるために用いられます。リチウムと抗てんかん薬を併用すると，リチウムの副作用が増強するおそれがあります。このような抗てんかん薬には，フェノバルビタール，プリミドン，バルプロ酸ナトリウム，ガバペンチン，カルバマゼピン，フェニトインなどがあります。

中抗精神病薬

リチウムと抗精神病薬を併用すると，重症を引き起こすおそれがあります。人によっては，回復しない可能性のある脳損傷を引き起こす可能性があります。抗精神病薬を服用中は医師に無断でリチウムを摂取しないでください。

中降圧薬（アンジオテンシン変換酵素（ACE）阻害薬）

特定の降圧薬は体内のリチウム量を増加させる可能性がます。リチウムと特定の降圧薬を併用すると，体内のリチウムが過剰になるおそれがあります。このような降圧薬には，カプトプリル，エナラプリルマレイン酸塩，リシノプリル水和物，Ramiprilなどがあります。

中降圧薬（カルシウム拮抗薬）

リ

リチウムは一般的に脳内物質のバランスを整えるために用いられます。特定の降圧薬はリチウムの副作用を増強し，また，体内のリチウム量を減少させる可能性があります。このような降圧薬には，ニフェジピン，ベラパミル塩酸塩，ジルチアゼム塩酸塩，Isradipine，フェロジピン，アムロジピンベシル酸塩などがあります。

中非ステロイド性抗炎症薬（NSAIDs）

非ステロイド性抗炎症薬（NSAIDs）は痛みと腫脹を軽減するために用いられます。NSAIDsは体内のリチウム量を増加させる可能性があります。リチウムとNSAIDsを併用すると，リチウムの副作用のリスクが高まるおそれがあります。リチウムサプリメントとNSAIDsを同時に併用しないでください。このようなNSAIDsには，イブプロフェン，インドメタシン，ナプロキセン，ピロキシカム，アスピリンなどがあります。

高セロトニン作用薬

リチウムは脳内物質のセロトニンを増加させる可能性があります。特定の医薬品もセロトニンを増加させます。リチウムとこのような医薬品を併用すると，セロトニンが過剰に増加するおそれがあります。そのため，重大な副作用（激しい頭痛，心臓の異常，悪寒戦慄，錯乱，不安など）が現れるおそれがあります。このような医薬品には，塩酸フルオキセチン（販売中止），パロキセチン塩酸塩水和物，塩酸セルトラリン，アミトリプチリン塩酸塩，クロミプラミン塩酸塩，イミプラミン塩酸塩，スマトリプタン，ゾルミトリプタン，リザトリプタン安息香酸塩，メサドン塩酸塩，トラマドール塩酸塩など数多くあります。

ハーブおよび健康食品・サプリメントとの相互作用

カフェインを含むハーブおよび健康食品・サプリメント

カフェインを含むハーブおよび健康食品・サプリメントはリチウムの体内滞在時間を短くします。カフェインを含む食品は，紅茶，コーヒー，緑茶，ガラナ豆，マテ，およびコーラノキの種です。

セロトニン値に影響を与えるハーブおよび健康食品・サプリメント

リチウムは，5-ヒドロキシトリプトファンやハワイアンベビーウッドローズ，L-トリプトファン，S-アデノシルメチオニン（SAMe），およびセント・ジョンズ・ワートなどのセロトニン値を上昇させるハーブおよび健康食品・サプリメントの効果および副作用を増加する可能性があります。

尿量を増加するハーブ（利尿作用のある）

利尿作用のあるハーブはリチウムの体内滞在時間を短縮します。利尿作用のあると考えられるハーブはゼニゴケ，アーティチョーク，ブークー，ゴボウ，セロリ，コーンシルク，グアヤク，海葱，ウバウルシ，ノコギリソウ，などほかに多数あります。

使用量の目安

●経口摂取

急性の躁病症状

炭酸リチウム1.8gまたは20～30mg/kgを1日2～3回に分けて投与。1日600～900mgで治療を始め，次第に増量を試みる医師もいます。

双極性障害およびそのほかの精神科疾患

成人における通常の維持用量は1日当たり900mg～1.2gを2～4回に分けて投与します。クエン酸リチウム溶液24～32mEqを1日2～4回に分けて投与することもあります。維持用量は通常1日当たり炭酸リチウム2.4gまたはクエン酸リチウム65mEqを超えてはなりません。小児の場合は1日15～60mg/kg（0.4～1.6mEq/kg）を数回に分けて投与します。

リチウムは1日1回投与されることがありますが，副作用を減らすために通常は数回に分けます。リチウム療法を突然中止すると双極性障害の再発のリスクが高くなります。リチウムは少なくとも14日間かけて漸減しなければなりません。

リチウムに関する推奨量（RDA）はありません。体重70kgの成人の場合1日1mgという暫定的推奨量が示唆されています。

リパーゼ

LIPASE

別名ほか

トリアシルグリセロール・リパーゼ（Triacylglycerol lipase）

概　要

リパーゼは多くの植物，動物，細菌，真菌にみられる消化酵素です。酵素は体内で特定の化学反応を促進するタンパク質です。「くすり」に使用することもあります。

安 全 性

ほとんどの人に安全なようです。悪心，痙攣および下痢などの副作用を引き起こす可能性があります。

のう胞性線維症の人は使用してはいけません。

●妊娠中および母乳授乳期

妊娠中および母乳授乳期の使用についてはデータが不十分です。安全性を考慮し，使用は控えてください。

有 効 性

◆有効性レベル③

・膵臓による消化酵素の産生不足。

◆科学的データが不十分です

・セリアック病（小麦中にあるグルテンに対するアレル

ギー），クローン病，消化器系障害，胸やけ。

●体内での働き

脂肪を分解し消化しやすくすることで働くようです。

医薬品との相互作用

ほかの医薬品との相互作用については明らかではありません。

ハーブおよび健康食品・サプリメントとの相互作用

ほかのハーブ，健康食品・サプリメントとの相互作用についてはまだ明らかではありません。

使用量の目安

●経口摂取

のう胞性線維症に関連する膵機能不全

リパーゼ（パンクレリパーゼに含まれる）の成人の通常の摂取量は4,500単位/kg/日です。小児の通常の摂取量は5,100単位/kg/日です。摂取量は効果が出るまで漸増するので大きく変化します。

リボース

RIBOSE

別名ほか

β-D-リボフラノース（Beta-D-ribofuranose），D-リボース（D-ribose）

概　要

リボースは身体で作られる糖の一種です。「くすり」に使用することもあります。

安 全 性

リボースは，短期間経口摂取する場合や，医師などにより静脈内投与する場合は，ほとんどの人に安全のようです。下痢，胃の不快感，吐き気，頭痛，低血糖などの副作用を引き起こすおそれがあります。

長期使用の安全性についてはデータが不十分です。

糖尿病：リボースは血糖値を低下させる可能性があります。血糖値を低下させる糖尿病治療薬と併用すると，血糖値が過度に低下するおそれがあります。糖尿病の場合には，リボースを使用しないのが最善です。

低血糖：リボースは血糖値を低下させる可能性があります。既に低血糖がある場合には，リボースを摂取してはいけません。

手術：リボースは血糖値を低下させる可能性があるため，手術中・手術後の血糖コントロールを妨げるおそれがあります。少なくとも手術前２週間は，使用しないでください。

●妊娠中および母乳授乳期

妊娠中および母乳授乳期の使用の安全性についてはデータが不十分です。安全性を考慮し，摂取は避けてください。

有　効　性

◆有効性レベル③

・心動脈血栓（冠動脈疾患）。冠動脈疾患患者がリボースを経口摂取すると，心臓が低下した血流を管理する機能を向上させるのに効果があるようです。

・筋アデニル酸デアミナーゼ欠損症（MAD）。リボースの経口摂取または静脈内投与は，AMPデアミナーゼ欠損症（AMPD欠損症）とも呼ばれる筋アデニル酸デアミナーゼ欠損症（MAD）の患者の運動後の筋痙攣，疼痛，こわばりなどの症状を予防するのに効果があるようです。

◆有効性レベル④

・運動能力。研究では，トレーニングの有無にかかわらず，リボースサプリメントを単独またはほかのサプリメントと併用で経口摂取しても，体力や筋力は向上しないことが示唆されています。

◆有効性レベル⑤

・マッカードル病（遺伝性代謝異常）。研究では，マッカードル病患者がリボースを経口摂取しても，運動能力は向上しないことが示されています。

◆科学的データが不十分です

・慢性疲労症候群（CFS），精神機能，うっ血性心不全（CHF），冠動脈バイパス（CABG）手術，線維筋痛症，むずむず脚症候群（RLS），痙攣など。

●体内での働き

リボースは食品から体内で作られるエネルギー源です。体内で十分なエネルギーを産生できない遺伝性疾患の患者がリボースを補給すると，筋疲労を予防できる可能性があるというエビデンスがあります。また，心疾患患者の運動中に心臓にエネルギーを提供する可能性があります。

医薬品との相互作用

高インスリン

リボースは血糖値を低下させる可能性があります。インスリンも血糖値を低下させるために用いられます。リボースとインスリンを併用すると，血糖値が過度に低下するおそれがあります。

高糖尿病治療薬

リボースは血糖値を低下させる可能性があります。糖尿病治療薬も血糖値を低下させるために用いられます。リボースと糖尿病治療薬を併用すると，血糖値が過度に低下するおそれがあります。血糖値を注意深く監視してください。糖尿病治療薬の用量を変更する必要があるかもしれません。このような糖尿病治療薬には，グリメピリド，グリベンクラミド，インスリン，ピオグリタゾン塩酸塩，マレイン酸ロシグリタゾン（販売中止），クロルプロパミド，Glipizide，トルブタミド（販売中止）などがあります。

ハーブおよび健康食品・サプリメントとの相互作用

血糖値を低下させるおそれのあるハーブおよび健康食品・サプリメント

リボースは血糖値を低下させるおそれがあります。リボースと，血糖値を低下させるおそれのあるほかのハーブおよび健康食品・サプリメントを併用すると，血糖値が過度に低下するおそれがあります。このようなハーブおよび健康食品・サプリメントには，α-リポ酸，ニガウリ，クロム，デビルズクロー，フェヌグリーク，ニンニク，グアーガム，セイヨウトチノキ，朝鮮人参，サイリウム，エゾウコギなどがあります。

使用量の目安

●経口摂取

冠動脈疾患患者の運動能力の向上

リボース15gを１日４回摂取します。運動による筋肉のこわばりおよび筋痙攣を緩和するには，運動の１時間前から運動終了時まで，10分ごとに３gを摂取します。

リボフラビン

RIBOFLAVIN

●代表的な別名

ビタミンG

別名ほか

ビタミンB群（B Complex Vitamin），フラビン（Flavin），ラクトフラビン（Lactoflavin），Riboflavine，ビタミンB_2（VitaminB_2），ビタミンG（Vitamin G），Flavine

概　要

リボフラビンはビタミンB群の１種です。体内の多くの処理に関与しており，細胞の正常な増殖や機能に必要です。牛乳，肉，卵，ナッツ，強化小麦粉，緑色野菜などの食品に含まれています。ほかのビタミンBとともに，ビタミンB複合体製品に用いられることがよくあります。

体内のリボフラビン値低下（リボフラビン欠乏症）を予防する目的や，さまざまながん，片頭痛に対して経口摂取されることがあります。また，ざ瘡（にきび），筋痙攣，灼熱足症候群，手根管症候群，先天性メトヘモグロビン血症や赤血球形成不全などの血液疾患に対して経口摂取されます。眼疲労，白内障，緑内障などの眼疾患に用いられることもあります。

健康な頭髪や皮膚，爪を維持したり，加齢を抑制したりする目的のほか，口唇潰瘍，多発性硬化症，アルツハイマー病などの記憶喪失，高血圧，熱傷，肝疾患，鎌状赤血球貧血に対して経口摂取されることもあります。

安　全　性

リボフラビンの経口摂取は，ほとんどの人に安全のようです。人によっては，リボフラビンにより，尿がオレンジがかった黄色に変化するおそれがあります。また，下痢を引き起こすおそれがあります。

小児：米国医学研究所（National Institute of Medicine）の食品栄養委員会が推奨する適量を小児が経口摂取する場合は，ほとんどの小児に安全のようです（「使用量の目安」参照）。

肝炎，硬変および胆道閉塞症：これらの疾患の場合には，リボフラビンの吸収が抑制されます。

●妊娠中および母乳授乳期

妊娠中および母乳授乳期に適量を経口摂取する場合は，ほとんどの人に安全のようです。妊娠中の推奨量は１日1.4mg，母乳授乳期の推奨量は１日1.6mgです。これより高用量を経口摂取する場合は，短期間であればおそらく安全です。１回15mgの用量で２週間に１回，10週間摂取する場合は安全であることが，いくつかの研究で示されています。

有　効　性

◆有効性レベル①

・リボフラビン欠乏症の予防および治療。体内のリボフラビン値が過度に低下している成人および小児がリボフラビンを経口摂取すると，リボフラビン値を上昇させることができます。

◆有効性レベル③

・白内障。食事から摂取するリボフラビンの量が多いと，白内障の発症リスクが低下するようです。また，リボフラビンのサプリメントとニコチン酸を併用摂取すると，白内障予防に役立つようです。
・高ホモシステイン血症（血中ホモシステイン値が高い状態）。人によっては，リボフラビンを12週間経口摂取すると，ホモシステイン値が最大40％減少します。また，痙攣予防の医薬品による高ホモシステイン血症の患者がリボフラビン，葉酸およびピリドキシンを併用摂取すると，ホモシステイン値が26％減少するようです。
・片頭痛。高用量のリボフラビンを経口摂取すると，片頭痛発作の回数が月に約２回減少するようです。また，リボフラビンをそのほかのビタミンやミネラルと併用で摂取すると，片頭痛時の疼痛の程度が緩和するようです。

◆有効性レベル④

・胃がん。リボフラビンをニコチン酸と併用して摂取しても，胃がんの予防効果はないようです。
・クワシオルコル（食事によるタンパク質摂取が極度に少ないことによる栄養不良）。クワシオルコルのリスクがある小児が，リボフラビン，ビタミンE，セレンおよびN-アセチルシステインを経口摂取しても，体液が減少したり，身長や体重が増加したり，感染回数が減少したりしないことが，複数の研究により示唆されています。

・肺がん。リボフラビンをニコチン酸と併用で経口摂取しても，肺がんの予防には役立ちません。

・マラリア。マラリアにさらされるリスクのある小児が，リボフラビン，鉄，チアミンおよびビタミンCを併用で経口摂取しても，マラリア感染の回数や重篤度は低下しません。

・子癇前症（妊娠中の高血圧）。妊娠４カ月の女性がリボフラビンの経口摂取を開始しても，妊娠中の子癇前症のリスクは低下しません。

◆科学的データが不十分です

・抗HIV薬を服薬する患者の乳酸アシドーシス（深刻な血液酸の不均衡），子宮頸がん，食道がん，高血圧，肝がん，多発性硬化症，口腔白板症（口腔の白斑），妊娠中の鉄欠乏症，鎌状赤血球症，脳卒中，ざ瘡（にきび），加齢，免疫システムの活性化，口唇潰瘍，健康的な皮膚および毛髪の維持，アルツハイマー病などの記憶障害，筋痙攣など。

●体内での働き

リボフラビンは，皮膚，消化管内膜，血液細胞，脳機能など，体内のさまざまな組織の正常な発達に必要です。

医薬品との相互作用

中テトラサイクリン系抗菌薬

リボフラビンはテトラサイクリン系抗菌薬の体内への吸収量を減少させる可能性があります。リボフラビンを摂取し，テトラサイクリン系抗菌薬を併用すると，テトラサイクリン系抗菌薬の作用が減弱おそれがあります。この相互作用を避けるために，テトラサイクリン系抗菌薬の服用前２時間または服用後４時間はリボフラビンを摂取しないでください。このようなテトラサイクリン系抗菌薬には，デメチルクロルテトラサイクリン塩酸塩，ミノサイクリン塩酸塩，テトラサイクリン塩酸塩があります。

ハーブおよび健康食品・サプリメントとの相互作用

インドオオバコ（サイリウム）

サイリウムが，健康な女性がサプリメントからリボフラビンを吸収する機能を抑制します。この作用が，食事によるリボフラビンに対しても現れるのか，健康に対して重要な作用であるのかについては，明らかになっていません。

ホウ素

ホウ酸（ホウ素）が，リボフラビンの水溶性を抑制し，リボフラビンの吸収が抑制されるおそれがあります。

葉酸

メチレンテトラヒドロ葉酸還元酵素欠乏症患者が，葉酸を摂取することにより，血中リボフラビン濃度が低下し，リボフラビン欠乏症が悪化するおそれがあります。

鉄

鉄の値が十分でない患者に対する鉄サプリメントの効果を，リボフラビンのサプリメントが向上させる可能性があります。この作用は，リボフラビン欠乏症の場合にのみ重要であるようです。

ビタミンB$_2$の食事摂取基準（mg/日）[1]

日本人の食事摂取基準2020年版

性　別	男　性			女　性		
年齢等	推定平均必要量	推奨量	目安量	推定平均必要量	推奨量	目安量
0～5（月）	―	―	0.3	―	―	0.3
6～11（月）	―	―	0.4	―	―	0.4
1～2（歳）	0.5	0.6	―	0.5	0.5	―
3～5（歳）	0.7	0.8	―	0.6	0.8	―
6～7（歳）	0.8	0.9	―	0.7	0.9	―
8～9（歳）	0.9	1.1	―	0.9	1.0	―
10～11（歳）	1.1	1.4	―	1.0	1.3	―
12～14（歳）	1.3	1.6	―	1.2	1.4	―
15～17（歳）	1.4	1.7	―	1.2	1.4	―
18～29（歳）	1.3	1.6	―	1.0	1.2	―
30～49（歳）	1.3	1.6	―	1.0	1.2	―
50～64（歳）	1.2	1.5	―	1.0	1.2	―
65～74（歳）	1.2	1.5	―	1.0	1.2	―
75以上（歳）	1.1	1.3	―	0.9	1.0	―
妊　婦（付加量）				+0.2	+0.3	―
授乳婦（付加量）				+0.5	+0.6	―

[1] 身体活動レベルⅡの推定エネルギー必要量を用いて算定した。

特記事項：推定平均必要量は，ビタミンB$_2$の欠乏症である口唇炎，口角炎，舌炎などの皮膚炎を予防するに足る最小量からではなく，尿中にビタミンB$_2$の排泄量が増大し始める摂取量（体内飽和量）から算定。

有効性レベル：①効きます　②おそらく効きます　③効くと断言できませんが、効能の可能性が科学的に示唆されています
④効かないかもしれません　⑤おそらく効きません　⑥効きません

通常の食品との相互作用

食品

リボフラビンのサプリメントを食品と一緒に摂取すると，吸収が促進される可能性があります。

使用量の目安

【成人】

●経口摂取

全般

成人に対するリボフラビンの推奨量（RDA）は，以下の通りです。

男性：１日1.3mg

女性：１日1.1mg

妊娠中の女性：１日1.4mg

母乳授乳期の女性：１日1.6mg

１日の耐容上限量（UL）（有害作用のリスクがないと考えられる最大摂取量）は設定されていません。

リボフラビン欠乏症の予防および治療

リボフラビン１日５～30mgを摂取します。

白内障

リボフラビン１日３mgとニコチン酸１日40mgを併用で５～６年間摂取します。

高ホモシステイン血症

リボフラビン１日1.6mgを12週間摂取します。またはリボフラビン１日75mg，葉酸１日0.4mg，ピリドキシン１日120mgを併用で30日間摂取します。

片頭痛

通常，リボフラビン１日400mgを少なくとも３カ月間摂取します。または特定の製品を朝夕２カプセルずつ，３カ月間摂取します。この製品には１日の合計でリボフラビン400mg，マグネシウム600mg，コエンザイムQ-10 150mgが含まれています。

【小児】

●経口摂取

全般

リボフラビンの推奨量（RDA）は，以下の通りです。

０～６カ月：１日0.3mg

６～12カ月：１日0.4mg

１～３歳：１日0.5mg

４～８歳：１日0.6mg

９～13歳：１日0.9mg

14～18歳の男性：１日1.3mg

14～18歳の女性：１日1.0mg

１日の耐容上限量（UL）（有害作用のリスクがないと考えられる最大摂取量）は設定されていません。

リボフラビン欠乏症の予防および治療

リボフラビン２mgを１回，その後１日0.5～1.5mgを14日間摂取します。またはリボフラビン１日２～５mgを最長２カ月間摂取します。またはリボフラビン５mgを週５日，最長１年間摂取します。

リモネン

LIMONENE

別名ほか

α-リモネン（Alpha-Limonene），ジペンテン（Dipentene），D-リモネン（D-Limonene），L-リモネン（L-Limonene），R-リモネン（R-Limonene），S-リモネン（S-Limonene）

概　　要

リモネンは柑橘系果物などの植物の皮に含まれる化合物です。「くすり」に使用することもあります。

安 全 性

１年間までなら，医薬品量として経口で摂取した場合はほとんどの人に安全なようです。

●妊娠中および母乳授乳期

妊娠中，母乳授乳期は医薬品としての量を使用してはいけません。

有 効 性

◆科学的データが不十分です

・がんの予防と治療，体重減少，および気管支炎。

●体内での働き

がんが化合物を形成するのを阻害して，がん細胞を殺すことがあります。しかし，人体でこれが生じるかについては，さらなる研究が必要な段階です。

医薬品との相互作用

中肝臓でほかの医薬品の代謝を促進する医薬品（シトクロムP450 2C19（CYP2C19）を誘導する医薬品）

リモネンは肝臓で代謝されると考えられていますが，肝臓でのリモネンの代謝を促進する医薬品は，リモネンの効果を弱めるおそれがあります。このような医薬品には，カルバマゼピン，フェノバルビタール，フェニトイン，リファンピシン，リファブチンなどがあります。

中肝臓でほかの医薬品の代謝を促進する医薬品（シトクロムP450 2C9（CYP2C9）を誘導する医薬品）

リモネンは肝臓で代謝されると考えられますが，肝臓でのリモネンの代謝を促進する医薬品は，リモネンの効果を弱めるおそれがあります。このような医薬品にはリファンピシン，セコバルビタールナトリウムなどがあります。

中肝臓でほかの医薬品の代謝を抑制する医薬品（シトクロムP450 2C19（CYP2C19）を阻害する医薬品）

リモネンは肝臓で代謝されると考えられますが，リモネンが肝臓で代謝されるのを抑制する医薬品は，リモネンの作用を増強し，副作用を強めるおそれがあります。このような医薬品には，シメチジン，フルボキサミンマレイン酸塩，オメプラゾール，チクロピジン塩酸塩，トピラマートなどがあります。

中 肝臓でほかの医薬品の代謝を抑制する医薬品（シトクロムP450 2C9（CYP2C9）を阻害する医薬品）

リモネンは肝臓で代謝されると考えられますが，リモネンが肝臓で代謝されるのを抑制する医薬品は，リモネンの作用を増強し，副作用を強めるおそれがあります。このような医薬品にはアミオダロン塩酸塩，Lovastatin，パロキセチン塩酸塩水和物，ザフィルルカスト（販売中止）など多くの医薬品があります。

中 肝臓で代謝される医薬品（シトクロムP450 2C9（CYP2C9）の基質となる医薬品）

肝臓で代謝される医薬品がありますが，リモネンはこの代謝を促進すると考えられています。肝臓で代謝される医薬品を服用しているときにリモネンを摂取すると，作用や副作用が変わる可能性があります。このような医薬品には，ジクロフェナクナトリウム，イブプロフェン，メロキシカム，ピロキシカム，アミトリプチリン塩酸塩，ワルファリンカリウム，Glipizide，ロサルタンカリウムなどがあります。

ハーブおよび健康食品・サプリメントとの相互作用

ほかのハーブ，健康食品・サプリメントとの相互作用についてはまだ明らかではありません。

使用量の目安

標準使用量に関するデータがありません。

リュウキンカ

MARSH MARIGOLD

別名ほか

立金花（Caltha palustris），Bull's Eyes，Cowslip，Horse Blobs，Kingcups，Leopard's Foot，Meadow Routs，Palsy Root，Solsequia，Sponsa solis，Verrucaria，Water Blobs，Water Dragon

概　　要

リュウキンカは植物です。花のつく地上部を用いて「くすり」を作ることもあります。

安　全　性

危険です。下痢，胃，腸，膀胱および腎臓に重度の刺激を生じる人がいます。

皮膚に触れると水疱や熱傷を生じることがあります。

●妊娠中および母乳授乳期

妊娠中，母乳授乳期は使用してはいけません。

有　効　性

◆科学的データが不十分です

・痛み，痙攣，月経または月経周期に関連する障害，気管支炎，肝障害，便秘，体液貯留（浮腫），高コレステロール血症，低血糖，ただれた皮膚の清浄など。

●体内での働き

信頼できる十分なデータが得られていないので，どのように作用するかは不明です。

医薬品との相互作用

ほかの医薬品との相互作用については明らかではありません。

ハーブおよび健康食品・サプリメントとの相互作用

ほかのハーブ，健康食品・サプリメントとの相互作用についてはまだ明らかではありません。

使用量の目安

標準使用量に関するデータがありません。

硫酸ヒドラジン

HYDRAZINE SULFATE

別名ほか

ヒドラジン（Hydrazine），Sehydrin

概　　要

硫酸ヒドラジンは工業やジェット燃料に使用される化学物質です。「くすり」に使用されることもあります。

硫酸ヒドラジンは多くの種類のがんに対して使用されます。がん患者の疾病による体重減少（悪液質または消耗症候群）に対しても使用されますが，これらの用途を十分に裏づけるエビデンスはありません。硫酸ヒドラジンの使用は安全でないおそれもあります。

安　全　性

硫酸ヒドラジンの経口摂取はおそらく安全ではありません。肝障害，痙攣，昏睡，死亡の症例と関連があります。その他の副作用には，吐き気，嘔吐，めまい感，傾眠，神経障害，凶暴行為，情動不安，錯乱，感情刺激，興奮，脱力，不規則性呼吸，血糖値の異常，皮疹，腎障害などがあります。

糖尿病：硫酸ヒドラジンは糖尿病患者の血糖値を低下させるおそれがあります。糖尿病患者が硫酸ヒドラジンを使用する場合，低血糖の徴候に注意し，血糖値を注意深く監視してください。

肝疾患：硫酸ヒドラジンは肝臓を損傷するおそれがあります。肝疾患の患者には，安全でないおそれがあります。

手術：硫酸ヒドラジンが，血糖値に影響を与えるおそれがあります。このため，手術中・手術後の血糖コントロールを妨げるおそれがあります。少なくとも手術前2週間は，使用しないでください。

●妊娠中および母乳授乳期

硫酸ヒドラジンは，妊娠中および母乳授乳期の女性を含め，誰にでもおそらく安全ではありません。肝障害，痙攣，昏睡，死亡の症例と関連があります。

有効性

◆有効性レベル④

・結腸直腸がん。硫酸ヒドラジンの経口摂取は，全身に転移した結腸直腸がんの患者の健康を改善しません。

・がん。硫酸ヒドラジンは，卵巣がん，結腸直腸がん，乳がん，肺がん，膵臓がん，子宮頸がん，前立腺がん，子宮がん，黒色腫などのがん治療に有効でないことが研究によって示されています。

◆有効性レベル⑤

・肺がん。化学療法と硫酸ヒドラジンの併用は，非小細胞肺がんと呼ばれる種類の肺がん患者のほとんどで，生活の質，腫瘍応答，体重増加，生存率を改善しません。

◆科学的データが不十分です

・脳腫瘍，重症疾患を有する患者における意図的でない体重減少（悪液質または消耗症候群），白血球のがん（ホジキンリンパ腫），神経がん（神経芽細胞腫）など。

●体内での働き

硫酸ヒドラジンは栄養不良や筋萎縮を生じさせることがある体内の特定の化学反応を阻害する可能性があります。

医薬品との相互作用

中イソニアジド

イソニアジドは結核の治療に用いられます。イソニアジドは体内でヒドラジンに分解されます。イソニアジドの副産物であるヒドラジンは，イソニアジドを服用中の一部の患者に起こる肝障害の原因と考えられます。イソニアジドと硫酸ヒドラジンを併用すると，肝障害のリスクが高まるおそれがあります。

中モノアミン酸化酵素阻害薬（MAO阻害薬）

硫酸ヒドラジンには身体を刺激する化学物質が含まれます。この化学物質はモノアミン酸化酵素阻害薬（MAO阻害薬）の副作用を増強するおそれがあります。このようなMAO阻害薬には，Phenelzine，Tranylcypromineなどがあります。

中鎮静薬（中枢神経抑制薬）

硫酸ヒドラジンは眠気および注意力低下を引き起こす可能性があります。鎮静薬も眠気を引き起こす医薬品です。硫酸ヒドラジンと鎮静薬を併用すると，過度の眠気を引き起こすおそれがあります。このような鎮静薬には，クロナゼパム，ロラゼパム，フェノバルビタール，ゾルピデム酒石酸塩などがあります。

中糖尿病治療薬

硫酸ヒドラジンは血糖値を低下させる可能性があります。糖尿病治療薬も血糖値を低下させるために用いられます。硫酸ヒドラジンと糖尿病治療薬を併用すると，血糖値が過度に低下するおそれがあります。血糖値を注意深く監視してください。糖尿病治療薬の用量を変更する必要があるかもしれません。このような糖尿病治療薬には，グリメピリド，グリベンクラミド，インスリン，ピオグリタゾン塩酸塩，マレイン酸ロシグリタゾン（販売中止），クロルプロパミド，Glipizide，トルブタミド（販売中止）などがあります。

ハーブおよび健康食品・サプリメントとの相互作用

血糖値を低下させるおそれのあるハーブおよび健康食品・サプリメント

硫酸ヒドラジンが血糖値を低下させるおそれがあるという複数のエビデンスがあります。同様の作用をもつほかのハーブおよび健康食品･サプリメントと併用すると，血糖値が過度に低下するおそれがあります。このようなハーブおよび健康食品・サプリメントには，ニガウリ，ハッショウマメ，ショウガ，薬用ガレーガ，フェヌグリーク，クズ，ウィローバークなどがあります。

通常の食品との相互作用

チラミンを含む食品

硫酸ヒドラジンと，チラミン（化学物質）を含む食品の併用は避けてください。このような食品には，アボカド，バナナ，ビール酵母，ソラマメ，キャビア，熟成チーズ，熟成した赤ワイン，ニシン，レバーおよび酢漬けの肉などがあります。

使用量の目安

通常の食品に含まれている量を超えて経口摂取した場合の安全性および副作用については，明らかになっていません。

リュウゼツラン

AGAVE

●代表的な別名

アガバ

別名ほか

Agave americana, American Agave, American Aloe, Amerikanische Agave, Century Plant, Garingboom, Hundertjährige Agave, Maguey, Pita Común, Pite, Spreading Century Plant, Wild Century Plant

概　要

リュウゼツランは，米国の一部地域および，メキシコ，中央アメリカ，南アメリカ，地中海沿岸地域およびインドに分布する植物です。根，樹液および絞り汁を用いて「くすり」を作ることもあります。

リュウゼツランは，便秘，消化不良，鼓腸，黄疸，がん，および下痢に対して，または陣痛および尿生産の促進を目的に経口摂取されています。リュウゼツランを用いた飲料であるプルケは，授乳期の女性が母乳を増加させるためにも経口摂取されています。リュウゼツランは，紫斑の治療および育毛促進を目的として皮膚に塗布されることもあります。

安　全　性

リュウゼツランの植物を皮膚へ塗布する場合は，ほとんどの成人におそらく安全ではありません。乾燥していないリュウゼツランの植物に触れると，数分から数時間以内に，腫脹や発赤，皮膚のひりひり感，小血管（静脈）の腫脹を引き起こすおそれがあります。樹液がもっとも刺激が強いようです。

リュウゼツランの経口摂取の安全性についてはデータが不十分です。

●妊娠中および母乳授乳期

妊娠中の経口摂取は，安全ではないようです。リュウゼツランが，子宮を刺激し収縮を引き起こすエビデンスが複数あります。リュウゼツランを用いた飲料であるプルケは，アルコールを含んでいるため，妊娠中の摂取は安全ではありません。妊娠中のプルケの摂取は，生後6カ月間の乳児の低体重や精神発達遅延との関連を指摘されています。

母乳授乳期の摂取はおそらく安全ではありません。母乳授乳期のプルケの摂取は，5歳までの体重増加や成長の遅滞との関連を指摘されています。

有　効　性

◆科学的データが不十分です

・消化不良，鼓腸（腸内ガス），便秘，赤痢（血性下痢），黄疸（血中ビリルビン濃度が過度になるため，皮膚が黄色くなる症状），がん，陣痛の促進，母乳の増加，あざ（打撲），脱毛など。

●体内での働き

リュウゼツランに含まれる複数の化学物質が，腫脹（炎症）を抑える可能性，子宮の収縮を引き起こすおそれ，または，一部のがん細胞の成長を抑制する可能性があります。

医薬品との相互作用

ほかの医薬品との相互作用については明らかではありません。

ハーブおよび健康食品・サプリメントとの相互作用

ほかのハーブ，健康食品・サプリメントとの相互作用についてはまだ明らかではありません。

使用量の目安

通常の食品に含まれている量を超えて経口摂取した場合の安全性および副作用については，明らかになっていません。

緑茶

GREEN TEA

●代表的な別名

グリーン・ティー

別名ほか

没食子酸エピガロカテキン（Epigallocatechin Gallate），チャノキ（Camellia sinensis），エピガロカテキンガレート，Camellia thea，Camellia theifera，EGCG，Epigallo Catechin Gallate，Green Tea Extract，Green Tea Polyphenolic Fraction，GTP，GTPF，Japanese Tea，Kunecatechins，Poly E，Polyphenon E，Tea，Tea extract，Tea Green，Thea Bohea，Thea Sinensis，Thea Viridis，Tea Green

概　要

緑茶はチャノキから作られる製品です。チャノキの葉および葉芽を乾燥させたものが，さまざまな種類の茶を作るために用いられています。これらの葉を蒸して，乾燥させることにより緑茶は製造されます。紅茶やウーロン茶などほかの茶を生成する場合には，葉の熟成（紅茶）や，半熟成（ウーロン茶）の工程が必要です。

緑茶は，精神的敏捷性および思考力の向上を目的に，経口摂取されています。

うつ病，非アルコール性脂肪肝，腸の炎症（潰瘍性大腸炎，クローン病），体重減少，胃疾患，吐き気，下痢，頭痛および骨粗鬆症の治療を目的に経口摂取されます。ほかには日光曝露に関連する乳がん，前立腺がん，大腸がん，胃がん，肺がん，肝臓がん，固形腫瘍がん，白血病，皮膚がんを含む種々のがん予防として緑茶を経口摂取することがあります。女性では，陰部疣贅（いぼ），子宮頸部（子宮頸部異形成）における異常細胞の増殖，および子宮頸がんを引き起こす可能性があるヒトパピローマウイルス（HPV）を抑制するために緑茶を用いることがあります。

緑茶はまた，パーキンソン病，心臓や血管の疾患，糖尿病，低血圧，慢性疲労症候群（CFS），う歯，腎臓結石，および皮膚損傷のために経口摂取されています。

日焼け後のケア，日光曝露による皮膚がんを防ぐ目的

リ

で，緑茶を飲む代わりに，肌に緑茶ティーバッグを直接当てることもあります。緑茶ティーバッグはまた，目の疲れや頭痛のための湿布，目の下の腫脹の低減，抜歯後の歯肉で止血するために使用されています。緑茶の足湯は，水虫に使用されます。

感冒やインフルエンザを防ぐために緑茶でうがいすることもあります。緑茶エキスは，抜歯後の疼痛を軽減するためにマウスウォッシュとして用いられます。歯周病に緑茶キャンディを用いることもあります。

緑茶は，陰部疣贅（いぼ）のための軟膏剤に使用されています。

そのほか，飲料としても飲まれます。

安全性

緑茶は，飲料として適量を摂取する場合や，緑茶エキスの軟膏を短期間皮膚に塗布する場合には，ほとんどの成人に安全のようです。緑茶エキスは，最長２年間まで経口摂取する場合や，軟膏として短期間皮膚に塗布する場合，洗口液として短期間用いる場合には，ほとんどの人におそらく安全です。人によっては，緑茶が胃のむかつきや便秘を引き起こすおそれがあります。緑茶エキスが，肝障害や腎障害を引き起こした例が，まれに報告されています。

長期間または高用量を経口摂取する場合は，おそらく安全ではありません。カフェインによる副作用を引き起こすおそれがあります。カフェインによる副作用には軽度なものから深刻なものまであり，頭痛，神経過敏，睡眠障害，嘔吐，下痢，易刺激性，脈拍不整，振戦，むねやけ，めまい感，耳鳴，痙攣，錯乱などがあります。緑茶は食品からの鉄吸収を抑制するようです。きわめて高用量の緑茶を摂取するのは，安全ではないようです。実際に死に至るおそれもあります。緑茶に含まれるカフェインの致死量は，10〜14g（150〜200mg/kg）とみなされています。致死量に至らなくても，深刻な毒性をもたらすおそれがあります。

小児：小児が通常の食品や飲料に含まれる量を摂取する場合や，１日３回最長90日間うがいに用いる場合には，おそらく安全です。小児が緑茶エキスを経口摂取する場合の安全性についてはデータが不十分です。ただし，緑茶エキスを摂取した成人に肝障害の症例が報告されています。このため，18歳未満の小児は緑茶エキスを摂取しないよう推奨する専門家もいます。

貧血：緑茶の摂取により，貧血が悪化するおそれがあります。

不安障害：緑茶に含まれるカフェインが，不安を悪化させるおそれがあります。

出血性疾患：緑茶に含まれるカフェインが，出血のリスクを高めるおそれがあります。出血性疾患の場合には，緑茶を摂取してはいけません。

心疾患：緑茶に含まれるカフェインが，脈拍不整を引き起こすおそれがあります。

糖尿病：緑茶に含まれるカフェインが，血糖コントロールに影響を与えるおそれがあります。糖尿病患者が緑茶を摂取する場合には，血糖値を注意深く監視してください。

下痢：緑茶にはカフェインが含まれています。緑茶に含まれるカフェインは，とくに高用量を摂取する場合には，下痢を悪化させるおそれがあります。

緑内障：緑茶の摂取により，眼圧が上昇します。眼圧の上昇は，摂取後30分以内に始まり，少なくとも90分間継続します。

高血圧：緑茶に含まれるカフェインが，高血圧患者の血圧を上昇させるおそれがあります。ただし，緑茶をはじめ，カフェインを含む製品を日常的に摂取している人には，この現象は起こらないようです。

過敏性腸症候群（IBS）：緑茶にはカフェインが含まれています。緑茶に含まれるカフェインは，とくに大量に摂取すると，下痢を悪化させ，過敏性腸症候群の症状を悪化させるおそれがあります。

肝疾患：緑茶エキスのサプリメントにより，肝障害が起きる例がまれにあります。緑茶エキスは肝疾患を悪化させるおそれがあります。緑茶エキスを摂取する前に担当の医師に相談してください。皮膚の黄変，暗色尿，腹痛など肝障害の徴候がみられたら担当の医師に報告してください。

骨粗鬆症：緑茶の摂取により，カルシウムが尿中に排出される量が増加するおそれがあります。カフェインは，１日300mg未満（緑茶約２〜３杯）に制限してください。カルシウムサプリメントを摂取すると，失われたカルシウムを補うことができます。

●妊娠中および母乳授乳期

妊娠中および母乳授乳期の緑茶の摂取は，少量（１日約２杯）であれば，おそらく安全です。この量の緑茶には，約200mgのカフェインが含まれます。ただし，１日２杯を超えて摂取するのは，おそらく安全ではありません。１日２杯を超える摂取と，流産のほかカフェインによる好ましくない作用のリスク上昇との関連が認められています。また，緑茶により，葉酸欠乏症にともなう先天異常のリスクが高まるおそれがあります。母乳授乳期の場合には，カフェインが母乳に移行し，乳児に影響を与えるおそれがあります。妊娠中および母乳授乳期には，緑茶を過剰に摂取してはいけません。

有効性

◆有効性レベル②

・陰部疣贅（いぼ）。特定の緑茶エキス軟膏が，陰部疣贅（いぼ）の治療薬として米国食品医薬品局（FDA）に認可されています。この軟膏を10〜16週間塗布すると，患者の24〜60%で陰部疣贅（いぼ）が治癒するようです。

・高コレステロール血症。高用量の緑茶を摂取する人は，コレステロール値，低比重リポタンパク（LDL,

悪玉）コレステロール値，およびトリグリセリド値が低く，高比重リポタンパク（HDL，善玉）コレステロール値が高いようです。血中脂肪やコレステロール値が高い患者が，１日150～2,500㎎の緑茶カテキン（緑茶の抗酸化物質）を含む緑茶または緑茶エキスを最長24週間摂取すると，総コレステロール値および低比重リポタンパク（LDL，悪玉）コレステロール値が低下します。

◆有効性レベル③

・子宮頸部異形成（子宮頸部の細胞の異常発達）。緑茶の経口摂取または皮膚への塗布により，ヒトパピローマウイルス（HPV）感染に起因する子宮頸部異形成が軽減するようです。

・動脈血栓（冠動脈疾患）。緑茶の摂取が動脈血栓リスクの低下につながることが集団研究で示唆されています。この傾向は，女性よりも男性に強いようです。

・子宮内膜がん。緑茶の摂取が子宮内膜がん発症リスクの低下につながることが集団研究で示唆されています。

・高血圧。茶の高血圧に対する効果については，エビデンスが一致していません。中国人を対象とした集団研究では，緑茶やウーロン茶を１日120～599mL摂取すると，高血圧発症リスクが低下することが示唆されています。１日600mL以上摂取すると，リスクはさらに低下します。また，高血圧患者が緑茶エキスを毎日３カ月間，または緑茶を１日３回４週間摂取すると，血圧が低下することが初期の臨床試験で示唆されています。臨床試験分析では，高血圧の有無にかかわらず，緑茶が収縮期血圧（最高値）を最大3.2mmHg，拡張期血圧（最低値）を最大3.4mmHg低下させる可能性が示されています。ただし，より小規模の試験では，緑茶や紅茶が血圧に影響を与えないことが示されています。

・低血圧。食後に血圧が低下する高齢者が緑茶を摂取すると，血圧が上昇する可能性があります。

・口腔白板症（歯肉の厚く白い斑点）。口腔白板症の患者が緑茶を摂取すると，白い斑点が縮小するようです。

・骨粗鬆症。緑茶を10年間摂取すると骨密度が高まることが，集団研究により示唆されています。また，骨密度が低い閉経後女性が500㎎のカテキン（緑茶に含まれる抗酸化物質）を含む緑茶化合物を１日２回，24週間摂取すると骨強度が改善することが，初期の研究により示唆されています。

・卵巣がん。日常的に緑茶や紅茶などの茶を摂取している女性では，卵巣がん発症リスクが低いようです。ただし緑茶が，卵巣がんの既往症のある患者の卵巣がん再発を予防することはないようです。

・パーキンソン病。緑茶を１日１～４杯摂取するのは，パーキンソン病の最善の予防法となるようです。

◆科学的データが不十分です

・ざ瘡（にきび），アミロイドーシス（臓器における異常なタンパク質生成），運動能力，膀胱がん，乳がん，心疾患，子宮頸がん，感冒，インフルエンザ，結腸がん，直腸がん，うつ病，糖尿病，食道がん，胃がん，不妊，杉アレルギー（花粉症），白血病，肝臓がん，肺がん，精神的覚醒，メタボリックシンドローム，非アルコール性脂肪性肝疾患（NAFLD），肥満，口腔がん，膵がん，歯周病，肺炎，手術後の疼痛，前立腺がん，ストレス，脳卒中，足白癬，潰瘍性大腸炎（炎症性腸疾患），上気道感染症，皮膚の皺など。

●体内での働き

緑茶の有用な部位は，木の芽，葉および茎です。緑茶は，醗酵させずに，新葉を高温で蒸すことにより作られます。この処理により，ポリフェノールという重要な分子が維持され，緑茶のさまざまな効果につながっているようです。

ポリフェノールは，炎症および腫脹を予防し，骨の間の軟骨を保護し，関節の変性を抑制する可能性があります。また，ヒトパピローマウイルス（HPV）感染に抵抗し，子宮頸部異形成（頸部の異常細胞の増殖）を抑制する可能性があります。この作用の仕組みは明らかにされていません。

緑茶には２～４％のカフェインが含まれており，思考や覚醒に影響を及ぼしたり，尿量を増やしたり，パーキンソン病に重要な脳内伝達物質の機能を改善したりする可能性があります。カフェインは，神経伝達物質という脳内化学物質の放出を増加させることで，神経系，心臓および筋肉を刺激すると考えられています。

緑茶に含まれる抗酸化物質をはじめとする物質は，心臓や血管の保護に役立つ可能性があります。

医薬品との相互作用

中 アデノシン

緑茶にはカフェインが含まれます。緑茶に含まれるカフェインはアデノシンの作用を妨げる可能性があります。アデノシンは心臓の検査に頻用されます。この検査は薬剤負荷心筋シンチグラフィと呼ばれます。この検査を受ける少なくとも24時間前から，緑茶などのカフェインを含む製品を摂取しないでください。

低 アルコール

緑茶に含まれるカフェインは体内で代謝されてから排泄されます。アルコールはカフェインの代謝を抑制する可能性があります。緑茶とアルコールを併用すると，血中のカフェインが過剰になり，カフェインの副作用（神経過敏，頭痛，動悸など）が現れるおそれがあります。

中 エストロゲン（卵胞ホルモン）製剤

緑茶に含まれるカフェインは体内で代謝されてから排泄されます。エストロゲンはカフェインの代謝を抑制する可能性があります。緑茶とエストロゲン製剤を併用すると，神経過敏，頭痛，動悸などの副作用が現れるおそれがあります。エストロゲン製剤を服用中はカフェインの摂取を制限してください。このようなエストロゲン製剤には，結合型エストロゲン，エチニルエストラジオール，エストラジオールなどがあります。

高エフェドリン塩酸塩

興奮薬は神経系を亢進させます。緑茶に含まれるカフェインとエフェドリン塩酸塩はいずれも興奮薬です。緑茶とエフェドリン塩酸塩を併用すると，過度に興奮し，場合によっては重大な副作用および心臓の異常が引き起こされるおそれがあります。カフェインを含む製品とエフェドリン塩酸塩を同時に摂取しないでください。

中キノロン系抗菌薬

カフェインは体内で代謝されてから排泄されます。特定の抗菌薬はカフェインの代謝を抑制する可能性があります。緑茶と特定の抗菌薬を併用すると，副作用（神経過敏，頭痛，動悸など）のリスクが高まるおそれがあります。このような抗菌薬には，シプロフロキサシン，Gemifloxacin，レボフロキサシン水和物，モキシフロキサシン塩酸塩などがあります。

中クロザピン

クロザピンは体内で代謝されてから排泄されます。緑茶に含まれるカフェインはクロザピンの代謝を抑制するようです。緑茶とクロザピンを併用すると，クロザピンの作用および副作用が増強するおそれがあります。

中ジスルフィラム

カフェインは体内で代謝されてから排泄されます。ジスルフィラムはカフェインの排泄を抑制する可能性があります。カフェインを含む緑茶とジスルフィラムを併用すると，作用および副作用（神経過敏，活動亢進，易刺激性など）が増強するおそれがあります。

中ジピリダモール

緑茶にはカフェインが含まれます。緑茶に含まれるカフェインはジピリダモールの作用を妨げる可能性があります。ジピリダモールは心臓の検査に頻用されます。この検査は薬剤負荷心筋シンチグラフィと呼ばれます。この検査を受ける少なくとも24時間前から，緑茶などのカフェインを含む製品を摂取しないでください。

中シメチジン

緑茶にはカフェインが含まれます。カフェインは体内で代謝されてから排泄されます。シメチジンはカフェインの代謝を抑制する可能性があります。緑茶とシメチジンを併用すると，カフェインの副作用（神経過敏，頭痛，動悸など）のリスクが高まるおそれがあります。

中テオフィリン

緑茶にはカフェインが含まれます。カフェインにはテオフィリンに類似した作用があります。また，カフェインはテオフィリンの体内からの排泄を抑制する可能性があります。緑茶とテオフィリンを併用すると，テオフィリンの作用および副作用が増強するおそれがあります。

低テルビナフィン塩酸塩

緑茶に含まれるカフェインは体内で代謝されてから排泄されます。テルビナフィン塩酸塩はカフェインの排泄を抑制する可能性があります。緑茶とテルビナフィン塩酸塩を併用すると，カフェインの副作用（神経過敏，頭痛，頻脈など）のリスクが高まるおそれがあります。

高ナドロール

緑茶はナドロールの体内への吸収量を減少させる可能性があります。緑茶とナドロールを併用すると，ナドロールの効果が弱まるおそれがあります。

低ニカルジピン塩酸塩

緑茶に含まれるEGCGと呼ばれる化学物質は，ニカルジピン塩酸塩の体内への吸収量を増加させるおそれがあります。理論的には，緑茶はニカルジピン塩酸塩の作用と副作用を増強させる可能性があります。しかし，このことが重要な問題であるかについては明らかではありません。

中ニコチン

ニコチンなどの興奮薬は神経系を亢進させます。興奮薬が神経系を亢進させることで，神経が過敏になり，心拍数が上昇する可能性があります。緑茶に含まれるカフェインも神経系を亢進させる可能性があります。緑茶と興奮薬を併用すると，重大な問題（頻脈や高血圧など）が引き起こされるおそれがあります。カフェインと興奮薬を併用しないでください。

低フルコナゾール

緑茶にはカフェインが含まれます。カフェインは体内で代謝されてから排泄されます。フルコナゾールはカフェインの排泄を抑制し，体内のカフェイン量が過剰になるおそれがあります。緑茶とフルコナゾールを併用すると，副作用（神経過敏，不安，不眠など）のリスクが高まるおそれがあります。

中フルボキサミンマレイン酸塩

緑茶に含まれるカフェインは体内で代謝されてから排泄されます。フルボキサミンマレイン酸塩はカフェインの代謝を抑制する可能性があります。緑茶とフルボキサミンマレイン酸塩を併用すると，体内のカフェイン量が過剰になり，カフェインの作用および副作用が増強するおそれがあります。

中ベラパミル塩酸塩

緑茶に含まれるカフェインは体内で代謝されてから排泄されます。ベラパミル塩酸塩はカフェインの排泄を抑制する可能性があります。緑茶とベラパミル塩酸塩を併用すると，カフェインの副作用（神経過敏，頭痛，頻脈など）のリスクが高まるおそれがあります。

中ペントバルビタールカルシウム

緑茶に含まれるカフェインの興奮作用は，ペントバルビタールカルシウムの催眠作用を妨げるおそれがあります。

中ボルテゾミブ

ボルテゾミブは特定の種類のがん治療に使用されます。緑茶にはボルテゾミブとの相互作用があり，ボルテゾミブの特定のがんに対する治療効果を弱めるおそれがあります。ボルテゾミブを服用中に緑茶製品を摂取しないでください。

相互作用レベル：高この医薬品と併用してはいけません　中この医薬品とは慎重に併用するか併用しないでください　低この医薬品との併用には注意が必要です

低ミダゾラム

ミダゾラムは体内で代謝されてから排泄されます。緑茶はミダゾラムの代謝を抑制するおそれがあります。緑茶とミダゾラムを併用すると，ミダゾラムの作用および副作用が増強されるおそれがあります。しかし，このことが重大な問題であるかについては明らかではありません。ミダゾラムを服用中の場合には医師や薬剤師に相談してください。

低メキシレチン塩酸塩

緑茶にはカフェインが含まれます。カフェインは体内で代謝されてから排泄されます。メキシレチン塩酸塩はカフェインの代謝を抑制する可能性があります。緑茶とメキシレチン塩酸塩を併用すると，緑茶に含まれるカフェインの作用および副作用が増強するおそれがあります。

中モノアミン酸化酵素阻害薬（MAO阻害薬）

緑茶に含まれるカフェインは身体を刺激する可能性があります。モノアミン酸化酵素阻害薬（MAO阻害薬）も身体を刺激する可能性があります。カフェインを含む緑茶とMAO阻害薬を併用すると，重大な副作用（動悸，高血圧，神経過敏など）が現れるおそれがあります。このようなMAO阻害薬には，Phenelzine，Tranylcypromineなどがあります。

中リルゾール

リルゾールは体内で代謝されてから排泄されます。緑茶を摂取すると，リルゾールの代謝が抑制され，リルゾールの作用および副作用が増強するおそれがあります。

中ワルファリンカリウム

緑茶にはビタミンKが含まれます。ビタミンKはワルファリンカリウムの作用を減弱させる可能性があります。しかし，緑茶のビタミンKの量は微量です。そのため，適度に緑茶を摂取すれば相互作用は起こらないと考えられます。しかし，多量（1日に8カップ以上）の緑茶は摂取しないでください。

中塩酸フェニルプロパノールアミン【販売中止】

緑茶にはカフェインが含まれます。カフェインは身体を刺激する可能性があります。塩酸フェニルプロパノールアミンも身体を刺激する可能性があります。緑茶と塩酸フェニルプロパノールアミンを併用すると，過度に刺激され，頻脈，高血圧，神経過敏が引き起こされるおそれがあります。

低肝臓で代謝される医薬品（シトクロムP450 3A4（CYP3A4）の基質となる医薬品）

特定の医薬品は肝臓で代謝されます。緑茶はこのような医薬品の代謝を抑制する可能性があります。緑茶と肝臓で代謝される医薬品を併用すると，医薬品の作用および副作用が増強するおそれがあります。しかし，このことが大きな問題であるかどうかについては明らかではありません。肝臓で代謝される医薬品を服用中に，医師や薬剤師に相談することなく緑茶を摂取しないでください。このような医薬品には，Lovastatin，ケトコナゾール，イトラコナゾール，フェキソフェナジン塩酸塩，トリアゾラムなど数多くあります。

中肝臓を害する可能性のある医薬品

緑茶抽出物は肝臓を害する可能性があります。緑茶抽出物と肝臓を害する可能性のある医薬品を併用すると，肝障害のリスクが高まるおそれがあります。肝臓を害する可能性のある医薬品を服用中に緑茶抽出物を摂取しないでください。このような医薬品には，アセトアミノフェン，アミオダロン塩酸塩，カルバマゼピン，イソニアジド，メトトレキサート，メチルドパ水和物，フルコナゾール，イトラコナゾール，エリスロマイシン，フェニトイン，Lovastatin，プラバスタチンナトリウム，シンバスタチンなど数多くあります。

中気管支喘息治療薬（アドレナリンβ受容体作動薬）

緑茶にはカフェインが含まれます。カフェインは心臓を刺激する可能性があります。特定の気管支喘息治療薬も心臓を刺激する可能性があります。カフェインと気管支喘息治療薬を併用すると，過度に刺激され，心臓の異常が引き起こされるおそれがあります。このような気管支喘息治療薬には，サルブタモール硫酸塩，オルシプレナリン硫酸塩（販売中止），テルブタリン硫酸塩，イソプレナリン塩酸塩などがあります。

中興奮薬

興奮薬は神経系を亢進させ，神経過敏や心拍数の上昇を生じさせる可能性があります。緑茶にはカフェインが含まれますが，カフェインも神経系を亢進させる可能性があります。緑茶と興奮薬を併用すると，重大な問題（頻脈や高血圧など）を引き起こすおそれがあります。このような興奮薬には，Diethylpropion，エピネフリン，Phentermine，塩酸プソイドエフェドリンなど数多くあります。

中血液凝固を抑制する医薬品（抗凝固薬/抗血小板薬）

緑茶に含まれる一部の化学物質は血液凝固を抑制する可能性があります。緑茶の他の化学物質は血液凝固を促進する可能性があります。緑茶にはこのような化学物質が含まれていますが，適度に緑茶を摂取すれば血液凝固を抑制する医薬品と相互作用は起こらないと考えられます。しかし，多量（1日に8カップ以上）の緑茶は摂取しないでください。このような医薬品には，Ardeparin，アスピリン，クロピドグレル硫酸塩，ジクロフェナクナトリウム，ジピリダモール，イブプロフェン，ナプロキセン，ダルテパリンナトリウム，エノキサパリンナトリウム，ヘパリン，チクロピジン塩酸塩，ワルファリンカリウムなどがあります。

中細胞内のポンプによって輸送される医薬品（有機アニオン輸送ポリペプチドの基質となる医薬品）

特定の医薬品は細胞内のポンプによって輸送されます。緑茶はポンプの働きを変化させ，このような医薬品の体内への吸収量を減少させる可能性があります。そのため，医薬品の効果が弱まるおそれがあります。このような医薬品には，ボセンタン水和物，セリプロロール塩酸塩，エトポシド，フェキソフェナジン塩酸塩，ニューキノロン系抗菌薬，グリベンクラミド，イリノテカン塩酸塩水和物，メトトレキサート，ナドロール，パクリタキセル，サキナビルメシル酸塩，リファンピシン，スタチン系薬，Talinolol，トラセミド，トログリタゾン（販売中止），バルサルタンがあります。

中炭酸リチウム

炭酸リチウムは体内から自然に排泄されます。緑茶に含まれるカフェインは，炭酸リチウムの体内からの排泄を促進させる可能性があります。カフェインを含む製品と炭酸リチウムを併用している場合には，その製品の摂取を徐々にやめてください。すぐにやめると，炭酸リチウムの副作用が増強するおそれがあります。

低糖尿病治療薬

緑茶にはカフェインが含まれます。カフェインは血糖値を上昇あるいは低下させる可能性があるという矛盾するエビデンスがあります。糖尿病治療薬は血糖値を低下させるために用いられます。糖尿病治療薬とカフェインを併用すると，糖尿病治療薬の効果が弱まるおそれがあります。血糖値を注意深く監視してください。糖尿病治療薬の用量を変更する必要があるかもしれません。このような糖尿病治療薬には，グリメピリド，グリベンクラミド，インスリン，ピオグリタゾン塩酸塩，マレイン酸ロシグリタゾン（販売中止），クロルプロパミド，Glipizide，トルブタミド（販売中止）などがあります。

中避妊薬

緑茶に含まれるカフェインは体内で代謝されてから排泄されます。避妊薬はカフェインの代謝を抑制する可能性があります。緑茶と避妊薬を併用すると，副作用（神経過敏，頭痛，動悸など）が現れるおそれがあります。このような避妊薬には，エチニルエストラジオール・レボノルゲストレル配合，エチニルエストラジオール・ノルエチステロン配合などがあります。

高アトルバスタチンカルシウム水和物

緑茶抽出物はアトルバスタチンカルシウム水和物の体内への吸収量を減少させる可能性があります。緑茶抽出物とアトルバスタチンカルシウム水和物を併用すると，アトルバスタチンカルシウム水和物の作用および副作用が減弱するおそれがあります。

中ロスバスタチンカルシウム

緑茶抽出物を摂取すると，血中のロバスタチンの量が変化する可能性があります。そのため，ロバスタチンの作用および副作用が変化するおそれがあります。

中カルバマゼピン

カルバマゼピンは痙攣発作の治療に用いられます。カフェインはカルバマゼピンの作用を減弱させる可能性があります。緑茶はカフェインを含むため，理論的には，紅茶とカルバマゼピンを併用すると，カルバマゼピンの作用が減弱し，人によっては痙攣発作のリスクが高まるおそれがあります。

中セリプロロール塩酸塩

緑茶はセリプロロール塩酸塩の体内への吸収量を減少させるようです。そのため，セリプロロール塩酸塩の作用が減弱するおそれがあります。

中エトスクシミド

エトスクシミドは痙攣発作の治療に用いられます。緑茶に含まれるカフェインはエトスクシミドの作用を減弱させる可能性があります。緑茶とエトスクシミドを併用すると，エトスクシミドの作用が減弱し，人によっては痙攣発作のリスクが高まるおそれがあります。

中Felbamate

Felbamateは痙攣発作の治療に用いられます。緑茶に含まれるカフェインは，Felbamateの作用を減弱させるおそれがあります。緑茶とFelbamateを併用すると，Felbamateの作用が減弱し，人によっては痙攣発作のリスクが高まるおそれがあります。

中フルタミド

フルタミドは体内で代謝されてから排泄されます。緑茶に含まれるカフェインはフルタミドの排泄を抑制する可能性があります。そのため，体内のフルタミドの量が過剰になり，フルタミドの副作用のリスクが高まるおそれがあります。

中イマチニブメシル酸塩

イマチニブメシル酸塩は特定のがんの治療に用いられます。緑茶はイマチニブメシル酸塩の体内への吸収量を減少させるようです。そのため，イマチニブメシル酸塩の効果が弱まるおそれがあります。

中リシノプリル水和物

緑茶はリシノプリル水和物の体内への吸収量を減少させるようです。そのため，リシノプリル水和物の効果が弱まるおそれがあります。

中肝臓でほかの医薬品の代謝を抑制する医薬品（シトクロムP450 1A2（CYP1A2）を阻害する医薬品）

緑茶にはカフェインが含まれます。カフェインは肝臓で代謝されます。特定の医薬品は肝臓でほかの医薬品の代謝を抑制します。特定の医薬品は，緑茶に含まれるカフェインの体内での代謝を抑制する可能性があります。そのため，緑茶に含まれるカフェインの作用および副作用が増強するおそれがあります。このような医薬品には，シメチジン，シプロフロキサシン，フルボキサミンマレイン酸塩などがあります。

低メトホルミン塩酸塩

緑茶にはカフェインが含まれます。カフェインは体内で代謝されてから排泄されます。メトホルミン塩酸塩はカフェインの代謝を抑制する可能性があります。緑茶とメトホルミン塩酸塩を併用すると，カフェインの作用および副作用が増強するおそれがあります。

低メトキサレン

緑茶にはカフェインが含まれます。カフェインは体内で代謝されてから排泄されます。メトキサレンはカフェインの代謝を抑制する可能性があります。カフェインとメトキサレンを併用すると，体内のカフェイン量が過剰になり，カフェインの作用および副作用が増強するおそれがあります。

中フェノバルビタール

フェノバルビタールは痙攣発作の治療に用いられます。緑茶に含まれるカフェインはフェノバルビタールの作用を減弱させ，人によっては痙攣発作のリスクが高まるおそれがあります。

低フェノチアジン系薬

緑茶にはカフェインが含まれます。カフェインは体内で代謝されてから排泄されます。フェノチアジン系薬はカフェインの代謝を抑制する可能性があります。カフェインとフェノチアジン系薬を併用すると，カフェインの作用および副作用が増強するおそれがあります。

中フェニトイン

フェニトインは痙攣発作の治療に用いられます。緑茶に含まれるカフェインはフェニトインの作用を減弱させる可能性があります。緑茶とフェニトインを併用すると，フェニトインの作用が減弱し，人によっては痙攣発作のリスクが高まるおそれがあります。

低Tiagabine

緑茶にはカフェインが含まれます。カフェインとTiagabineを長期間併用すると，体内のTiagabineの量が増加する可能性があります。そのため，Tiagabineの作用および副作用が増強するおそれがあります。

低チクロピジン塩酸塩

緑茶に含まれるカフェインは体内で代謝されてから排泄されます。チクロピジン塩酸塩はカフェインの排泄を抑制する可能性があります。緑茶とチクロピジン塩酸塩を併用すると，カフェインの作用および副作用（神経過敏，活動亢進，易刺激性など）が増強するおそれがあります。

中バルプロ酸ナトリウム

バルプロ酸ナトリウムは痙攣発作の治療に用いられます。緑茶に含まれるカフェインはバルプロ酸ナトリウムの作用を減弱させ，人によっては痙攣発作のリスクが高まるおそれがあります。

中利尿薬

緑茶にはカフェインが含まれます。カフェイン（特に過量の場合）は体内のカリウムを減少させる可能性があります。利尿薬も体内のカリウムを減少させる可能性があります。カフェインと利尿薬を併用すると，体内のカリウムが過度に減少するおそれがあります。このような利尿薬には，クロロチアジド（販売中止），クロルタリドン（販売中止），フロセミド，ヒドロクロロチアジドなどがあります。

中フルオロウラシル

多量の緑茶とフルオロウラシルを併用すると，フルオロウラシルの値が上昇する可能性があります。そのため，フルオロウラシルの作用および副作用が増強するおそれがあります。

高アンフェタミン類【販売中止】

アンフェタミン類などの興奮薬は神経系を亢進させます。興奮薬が神経系を亢進させることにより，神経が過敏になり，心拍数が上昇する可能性があります。緑茶に含まれるカフェインもまた神経系を亢進させる可能性があります。緑茶と興奮薬を併用すると，頻脈や高血圧などの重大な問題を引き起こすおそれがあります。カフェインと興奮薬を併用しないでください。

高コカイン塩酸塩

コカイン塩酸塩などの興奮薬は神経系を亢進させます。神経系を亢進させることにより，興奮薬は神経を過敏にし，心拍数を上昇させる可能性があります。緑茶に含まれるカフェインもまた神経系を亢進させる可能性があります。緑茶と興奮薬を併用すると，頻脈や高血圧などの深刻な問題を引き起こすおそれがあります。カフェインと興奮薬を併用しないでください。

ハーブおよび健康食品・サプリメントとの相互作用

ダイダイ

健康な人が，ダイダイと，カフェインや緑茶などカフェインを含むハーブを併用すると，血圧や心拍数が上昇し，心臓および血管を損傷するおそれがあります。

カフェインを含むハーブおよび健康食品・サプリメント

緑茶にはカフェインが含まれています。緑茶と，カフェインを含むほかのハーブおよび健康食品・サプリメントを併用すると，カフェインの作用および副作用が増強するおそれがあります。このようなハーブおよび健康食品・サプリメントには，コーヒー，紅茶，ウーロン茶，ガラナ豆，マテ，コーラなどがあります。

カルシウム

緑茶にはカフェインが含まれています。高用量のカフェインにより，カルシウムが過剰に尿中に排出されるおそれがあります。

クレアチン

カフェイン，マオウ（麻黄）およびクレアチンを併用すると，深刻な副作用のリスクが高まるおそれがあります。この併用製品のほか，運動能力を向上させるための数種のサプリメントを併用した運動選手が，脳卒中を起こしています。研究者らは，脳卒中の原因がサプリメントにあったと考えています。

マオウ（麻黄）

緑茶とマオウを併用してはいけません。緑茶に含まれるカフェインが，マオウの作用を増強するおそれがあります。カフェインとマオウを併用すると，高血圧，心臓発作，脳卒中，痙攣など，生命をおびやかしたり障害を引き起こしたりする副作用のリスクが高まるおそれや，死に至るおそれがあります。

葉酸

緑茶が，葉酸の作用を抑制し，体内に残る葉酸が必要量に満たなくなるおそれがあります。

ゲニスチンを含むハーブおよび健康食品・サプリメント

緑茶にはEGCGという化学物質が含まれています。

リ

EGCGとゲニスチンを併用すると，腸腫瘍の発症リスクが高まるおそれがあります。理論上，緑茶と，ゲニスチンを含むハーブおよび健康食品・サプリメントを併用すると，腫瘍のリスクが高まるおそれがあります。このようなハーブおよび健康食品・サプリメントには，大豆，クズ，レッドクローバー，アルファルファ，ブロッコリー，カリフラワーなどがあります。

血液凝固を抑制するおそれのあるハーブおよび健康食品・サプリメント

緑茶にはカフェインが含まれています。カフェインは血液凝固を抑制するおそれがあります。緑茶と血液凝固を抑制するおそれのあるほかのハーブおよび健康食品・サプリメントを併用すると，人によっては，出血のリスクが高まるおそれがあります。このようなハーブおよび健康食品・サプリメントには，アンゼリカ，クローブ，タンジン，ニンニク，ショウガ，イチョウ，朝鮮人参などがあります。

肝臓を害するおそれのあるハーブおよび健康食品・サプリメント

緑茶を摂取した人が肝障害を起こした例が複数あります。研究者らは，肝障害の原因が緑茶にあったと推測しています。緑茶エキスと，肝臓を害するおそれのあるほかのハーブおよび健康食品･サプリメントを併用すると，肝臓を害するリスクが高まるおそれがあります。このようなハーブおよび健康食品・サプリメントには，アジョワン，ボラージ，チャパラル，ウバウルシなどがあります。

鉄

緑茶は鉄サプリメントの吸収を抑制するようです。ほとんどの人にとっては，この作用が健康に影響を与えることはありません。ただし，体内の鉄分濃度が低い場合には，この相互作用を抑えるために，緑茶は食事中ではなく食間に摂取する方がよいでしょう。

マグネシウム

緑茶にはカフェインが含まれています。カフェインにより，マグネシウムが尿中に排出される速度が速まるおそれがあります。

通常の食品との相互作用

鉄

緑茶は食品からの鉄吸収を抑制するようです。

牛乳

茶に牛乳を加えると，心血管に対する茶の効果が一部弱まるようです。牛乳は，茶に含まれる抗酸化物質と結合し，この物質の吸収を妨げるおそれがあります。ただし，この相互作用については，見解が一致していません。この相互作用の重大性については，データが不十分です。

使用量の目安

●経口摂取

高コレステロール血症

カテキン150～2,500㎎を含む緑茶または緑茶エキスを，１日１回または２回に分け，最長24週間摂取します。

子宮頸部異形成（子宮頸部の細胞の異常形成）

緑茶エキス１日200㎎を経口摂取し，緑茶の軟膏を週２回，８～12週間用います。

高血圧

ティーバッグ３ｇと水150mLを沸騰させて作る緑茶を１日３回，食事の約２時間後に４週間摂取します。または緑茶エキスを含む特定の製品379㎎を毎日，朝食とともに３カ月間摂取します。

低血圧

緑茶400mLを昼食前に摂取します。

口腔白板症（歯肉にできる厚みのある白い斑点）

混合緑茶３ｇの経口摂取と皮膚への塗布を６カ月間行います。

骨粗鬆症

緑茶ポリフェノール500㎎を含むカプセルを，１日２回単独で摂取するか，太極拳を60分間，週３回行いながら，24週間摂取します。

●皮膚への塗布

陰部疣贅（いぼ）

特定の緑茶エキス軟膏を，疣贅（いぼ）に１日３回，最長16週間塗布します。この製品は，陰部疣贅（いぼ）の治療薬として，米国食品医薬品局（FDA）により認可されています。

子宮頸部異形成（子宮頸部の細胞の異常形成）

緑茶の軟膏を週２回，８～12週間用います。単独で用いるか，緑茶エキス１日200㎎の経口摂取と併用します。

口腔白板症（歯肉にできる厚みのある白い斑点）

混合緑茶３ｇの経口摂取と皮膚への塗布を６カ月間行います。

リンゴ

APPLE

●代表的な別名

アップル

別名ほか

野生リンゴ，ヨーロッパ自然種（Malus sylvestris），Apples

概　　要

リンゴはリンゴの木から採れる果実です。リンゴは，通常の食事として食され，またはリンゴジュースとして飲まれます。リンゴは，「くすり」としても用いられます。

リンゴは，がん，糖尿病，肥満など多くの疾患に対して使用されますが，これらの用途を十分に裏づけるエビデンスはありません。

リンゴは，脱毛症に対して頭に塗布されます。

安全性

リンゴを経口摂取する場合，種子を除けば，ほとんどの人に安全のようです。リンゴの果実およびジュースによる副作用は，一般的に知られていません。リンゴポリフェノールと呼ばれるリンゴに含まれる特定の化学物質を，短期間，経口摂取した場合，おそらく安全です。ただし，リンゴの種子には，シアン化物が含まれており，有害です。種子を多量（たとえば，リンゴの種子1カップ分）に摂取する場合には，死に至るおそれがあります。種子が消化される際にシアン化物が胃に放出されるため，中毒症状が発現するまでに数時間かかります。

リンゴに含まれる特定の化学物質（リンゴポリフェノール）を皮膚へ直接塗布する場合には，短期間であれば，おそらく安全です。

小児：種子を食べなければ，ほとんどの人に安全のようです。小児がリンゴペクチンを，短期間，経口摂取した場合，おそらく安全です。

糖尿病：リンゴ，とくにリンゴのジュースにより，血糖値が上昇するおそれがあります。糖尿病患者が，リンゴの製品を使用する場合には，血糖値を注意深く監視してください。

●アレルギー

アプリコット（アンズ）および関連植物に対するアレルギー：バラ科の植物に敏感な場合には，リンゴによりアレルギー反応を引き起こすおそれがあります。このような植物には，アプリコット（アンズ），アーモンド，プラム，モモ，セイヨウナシ，イチゴなどがあります。カバノキの花粉に対してアレルギーがある人にも，リンゴが，アレルギー反応を引き起こすおそれがあります。アレルギーの場合には，リンゴを摂取する前に医師などに相談してください。

●妊娠中および母乳授乳期

妊娠中および母乳授乳期の使用は，食品に含まれる量であれば，安全です。ただし，「くすり」に含まれる量を使用する場合の安全性については，データが不十分です。安全性を考慮し，食品に含まれる量を超える摂取は避けてください。

有効性

◆科学的データが不十分です

・花粉症，アルツハイマー病，男性型脱毛症，がん，歯垢，糖尿病，下痢，胆石を軟化し十二指腸へ排出，肺がん，筋肉増強，肥満改善，歯垢の除去，便秘，下痢，発熱，心臓の異常，メタボリックシンドローム，壊血病，疣贅（いぼ）など。

●体内での働き

リンゴには，便を膨張させることで下痢や便秘の治療に役立つペクチンが含まれています。また，リンゴには，細菌を死滅させ，身体の腫脹を軽減し，がん細胞を死滅させる可能性のある複数の化学物質も含まれています。リンゴの皮には，ウルソール酸と呼ばれる，筋肉増強や代謝に重要な役割があると思われる化学物質が含まれています。

医薬品との相互作用

高アテノロール

リンゴジュースはアテノロールの体内への吸収量を減少させる可能性があります。リンゴジュースとアテノロールを併用すると，アテノロールの効果が弱まるおそれがあります。この相互作用を避けるために，アテノロールの服用前後，少なくとも4時間はリンゴジュースを摂取しないでください。

中アリスキレンフマル酸塩

アリスキレンフマル酸塩は細胞内のポンプによって輸送されます。リンゴジュースはポンプの輸送方法を変化させ，アリスキレンフマル酸塩の体内への吸収量を減少させる可能性があります。そのため，アリスキレンフマル酸塩の作用が減弱するおそれがあります。この相互作用を避けるために，アリスキレンフマル酸塩の服用前後，少なくとも4時間はリンゴジュースを摂取しないでください。

中フェキソフェナジン塩酸塩

リンゴジュースはフェキソフェナジン塩酸塩の体内への吸収量を減少させる可能性があります。リンゴジュースとフェキソフェナジン塩酸塩を併用すると，フェキソフェナジン塩酸塩の効果が弱まるおそれがあります。この相互作用を避けるために，フェキソフェナジン塩酸塩の服用前後，少なくとも4時間はリンゴジュースを摂取しないでください。

低降圧薬

リンゴとチェリーのジュースは，人によって血圧を上昇させる可能性があります。リンゴジュースと降圧薬を併用すると，血圧コントロールが妨げられるおそれがあります。血圧を注意深く監視してください。降圧薬の用量を変更する必要があるかもしれません。このような降圧薬には，カプトプリル，エナラプリルマレイン酸塩，ロサルタンカリウム，バルサルタン，ジルチアゼム塩酸塩，アムロジピンベシル酸塩，ヒドロクロロチアジド，フロセミドなど数多くあります。

中細胞内のポンプによって輸送される医薬品（有機アニオン輸送ポリペプチドの基質となる医薬品）

特定の医薬品は細胞内のポンプによって輸送されます。リンゴジュースはポンプの輸送方法を変化させ，このような医薬品の体内への吸収量を減少させる可能性があります。そのため，医薬品の作用が減弱するおそれがあります。この相互作用を避けるために，医薬品の服用前後，少なくとも4時間はリンゴジュースを摂取しないでください。このような医薬品には，ボセンタン水和物，セリプロロール塩酸塩，エトポシド，フェキソフェナジン塩酸塩，ニューキノロン系抗菌薬，グリベンクラミド，イリノテカン塩酸塩水和物，メトトレキサート，パクリタキセル，サキナビルメシル酸塩，リファンピシン，スタチン系薬，Talinolol，トラセミド，トログリタゾン（販売中止），バルサルタンなどがあります。

中糖尿病治療薬

リンゴまたはリンゴジュースは血糖値を上昇させる可能性があります。糖尿病治療薬は血糖値を低下させるために用いられます。リンゴまたはリンゴジュースと糖尿病治療薬を併用すると，血糖コントロールが妨げられるおそれがあります。血糖値を注意深く監視してください。糖尿病治療薬の用量を変更する必要があるかもしれません。このような糖尿病治療薬には，グリメピリド，グリベンクラミド，インスリン，ピオグリタゾン塩酸塩，マレイン酸ロシグリタゾン（販売中止），クロルプロパミド，Glipizide，トルブタミド（販売中止）などがあります。

ハーブおよび健康食品・サプリメントとの相互作用

カルシウム

リンゴまたはリンゴソースを摂取することにより，体内からのカルシウム排出が抑制されるため，体内のカルシウム値が高まるおそれがあります。理論上，リンゴ製品とカルシウムを含む食品やサプリメントを併用して摂取すると，カルシウムの作用および副作用が高まるおそれがあります。

鉄

リンゴジュースを摂取することにより，血中鉄濃度が上昇するおそれがあります。理論上，リンゴジュースと鉄のサプリメントを併用して摂取すると，鉄の作用および副作用が高まるおそれがあります。

使用量の目安

通常の食品に含まれている量を超えて経口摂取した場合の安全性および副作用については，明らかになっていません。

リ

リンゴ酸

MALIC ACID

別名ほか

(−)-Malic Acid，(+)-Malic Acid，(R)-Hydroxybutanedioic Acid，(S)-Hydroxybutanedioic Acid，2-Hydroxybutanedioic Acid，D-Malic Acid，L-Malic Acid，Malate

概　要

リンゴ酸とは，特定の果物やワインに含まれている成分です。リンゴ酸を用いて「くすり」を作ります。

リンゴ酸は，疲労および線維筋痛症に対し，経口摂取されます。

リンゴ酸は，食用として，酸味を出すための香味料として用いられます。

リンゴ酸は，工業製品として，化粧品の酸性度を調整するために用いられます。

安 全 性

リンゴ酸の経口摂取は，食品に含まれている量の範囲であれば，ほとんどの人に安全のようです。「くすり」としての量を摂取する場合の安全性については，データが不十分です。リンゴ酸が，皮膚および眼の過敏を引き起こすおそれがあります。

低血圧：リンゴ酸が，血圧を低下させるおそれがあります。このため，低血圧の傾向がある場合には，リンゴ酸を摂取すると，血圧が過度に低下するリスクが高まるおそれがあります。

●妊娠中および母乳授乳期

リンゴ酸の経口摂取は，食品に含まれている量の範囲であれば，ほとんどの人に安全のようです。妊娠中および母乳授乳期に「くすり」としての量を摂取する場合の安全性については，データが不十分です。安全性を考慮し，通常の食品に含まれる量を超える摂取は避けてください。

有 効 性

◆科学的データが不十分です

・疲労，線維筋痛症など。

●体内での働き

リンゴ酸は，体内におけるエネルギー生成の過程であるクレブス回路に関与しています。

医薬品との相互作用

中降圧薬

リンゴ酸は血圧を低下させる可能性があります。リンゴ酸と降圧薬を併用すると，血圧が過度に低下するおそれがあります。このような降圧薬にはカプトプリル，エナラプリルマレイン酸塩，ロサルタンカリウム，バルサルタン，ジルチアゼム塩酸塩，アムロジピンベシル酸塩，ヒドロクロロチアジド，フロセミドなど多くあります。

ハーブおよび健康食品・サプリメントとの相互作用

血圧を低下させるおそれのあるハーブおよび健康食品・サプリメント

リンゴ酸が血圧を低下させるおそれがあります。リンゴ酸と，血圧を低下させるおそれのあるほかのハーブおよび健康食品・サプリメントを併用すると，血圧が過度に低下するおそれがあります。このようなハーブおよび健康食品・サプリメントには，アンドログラフィス，カゼイン・ペプチド，キャッツクロー，コエンザイムQ-10，魚油，L-アルギニン，クコ，イラクサ，テアニンなどがあります。

使用量の目安

通常の食品に含まれている量を超えて経口摂取した場合の安全性および副作用については，明らかになっていません。

リンゴ酢

APPLE CIDER VINEGAR

別名ほか

ACV，Cider Vinegar，Vinagre de Manzana，Vinagre de Sidra de Manzana，Vinaigre de Cidre

概　　要

リンゴ酢はリンゴをつぶして果汁を発酵させたものです。リンゴ果汁と同様に，ペクチン，ビタミンB_1，ビタミンB_2，ビタミンB_6，ビオチン，葉酸，ニコチン酸，パントテン酸，ビタミンCが含まれているようです。ナトリウム，亜リン酸，カリウム，カルシウム，鉄，マグネシウムといったミネラルもわずかに含まれています。また，酢酸およびクエン酸が大量に含まれる可能性があります。リンゴ酢を用いて「くすり」を作ることもあります。

リンゴ酢は，糖尿病，消化不良，胃不全麻痺，骨粗鬆症，体重減少，脚の痙攣および疼痛，咽喉痛，副鼻腔障害，高血圧，変形性関節症，体内毒素の排出，思考の活性化，加齢速度の抑制，コレステロール低下，感染防御などに対して，単独またはハチミツとともに経口摂取されます。

ざ瘡（にきび），帯状疱疹，昆虫刺傷に対して，また化粧水としての用途や日光皮膚炎の鎮静の目的で，皮膚に塗布することもあります。膣感染に対する坐浴に用いることもあります。

食品には香料として用いられます。

リンゴ酢製品の含有成分を把握するのは容易でないこともあります。市販のリンゴ酢錠剤を解析すると，含有成分には大きなばらつきがみられます。酢酸の含有量は1～10.57%，クエン酸の含有量は0～18.5%にわたっています。また製品表示に記載された成分量が解析結果と一致しないものもあります。米国ではリンゴ酢に含まれる成分が法律ではっきりと定義されていません。そのため解析からは，解析対象の市販製品に本当にリンゴ酢が含まれているのかどうかを把握することはできません。

・新型コロナウイルス感染症（COVID-19）。
COVID-19に対してリンゴ酢の使用を裏付ける十分なエビデンス（科学的根拠）はありません。

安　全　性

通常の食品としての量のリンゴ酢を摂取するのはほとんどの人に安全のようです。「くすり」として短期間用いる場合は，ほとんどの成人におそらく安全です。長期間大量のリンゴ酢を皮膚に塗布したり経口摂取したりするのは，おそらく安全ではありません。

大量のリンゴ酢を長期間摂取すると，低カリウム血症などの問題を引き起こすおそれがあります。リンゴ酢1日250mLを6年間摂取したのち，低カリウム血症と骨粗鬆症を発症した症例が1件報告されています。ほかにも，女性1名がリンゴ酢錠剤を30分間のどに詰まらせ，その後6カ月間，喉頭の圧痛および疼痛をみて嚥下困難を来たしたことが報告されており，錠剤に含まれる酸によるものと考えられます。

皮膚への塗布については，リンゴ酢を1回塗布しただけで化学熱傷を起こした例が報告されています。

糖尿病：リンゴ酢は糖尿病患者の血糖値を低下させる可能性があります。このため，血糖値を注意深く監視する必要があります。服薬中の糖尿病薬の用量調節が必要になる場合があります。

●妊娠中および母乳授乳期

妊娠中および母乳授乳期に「くすり」としての量を使用した場合の安全性についてはデータが不十分です。安全性を考慮し，使用してはいけません。

有　効　性

◆科学的データが不十分です

・糖尿病，胃不全麻痺，ざ瘡（にきび），関節炎，刺傷，ふけ，高血圧，血行改善，感染，脚の痙攣および疼痛，コレステロール低下，帯状疱疹，副鼻腔障害，咽喉痛，日光皮膚炎，胃のむかつき，骨粗鬆症，体重減少，膣炎など。

●体内での働き

リンゴ酢はリンゴをつぶして果汁を発酵させたものです。酢酸のほか，ビタミンB群やビタミンCなどの栄養素が含まれています。食品の腸での吸収方法を変化させ，糖尿病患者の血糖値低下を促す可能性があります。一部の食品の分解を妨げる可能性があります。

医薬品との相互作用

中インスリン

インスリンは体内のカリウム濃度を低下させる可能性があります。リンゴ酢も多量に摂取すると，体内のカリウム濃度が低下する可能性があります。リンゴ酢とインスリンを併用すると，体内のカリウム濃度が過度に低下するおそれがあります。インスリンの投与中にリンゴ酢を多量に摂取しないでください。

中ジゴキシン

多量のリンゴ酢は体内のカリウム量を減少させる可能性があります。カリウム量が減少すると，ジゴキシンの副作用が増強されるおそれがあります。

中糖尿病治療薬

リンゴ酢は，糖尿病患者の血糖値を低下させる可能性があります。糖尿病治療薬は血糖値を低下させるために用いられます。リンゴ酢と糖尿病治療薬を併用すると，血糖値が過度に低下するおそれがあります。血糖値を注意深く監視してください。糖尿病治療薬の用量を変更する必要があるかもしれません。このような糖尿病治療薬にはグリメピリド，グリベンクラミド，インスリン，ピオグリタゾン塩酸塩，マレイン酸ロシグリタゾン（販売中止），クロルプロパミド，Glipizide，トルブタミド（販売中止）などがあります。

中利尿薬

多量のリンゴ酢は体内のカリウム量を減少させる可能性があります。利尿薬もまた体内のカリウムを減少させる可能性があります。リンゴ酢と利尿薬を併用すると，体内のカリウム量が過度に減少するおそれがあります。このような利尿薬にはクロロチアジド（販売中止），クロルタリドン（販売中止），フロセミド，ヒドロクロロチアジドなどがあります。

ハーブおよび健康食品・サプリメントとの相互作用

血糖値を低下させるおそれのあるハーブおよび健康食品・サプリメント

リンゴ酢が血糖値を低下させるというエビデンスがあります。リンゴ酢と，血糖値を低下させるおそれのあるほかのハーブおよび健康食品・サプリメントを併用すると，血糖値が過度に低下するおそれがあります。このようなハーブおよび健康食品・サプリメントには，ニガウリ，ハッショウマメ，ショウガ，薬用ガレーガ，フェヌグリーク，クズ，ウィローバークなどがあります。

強心配糖体を含むハーブおよび健康食品・サプリメント

リンゴ酢を大量に摂取すると体内のカリウム濃度が低下するおそれがあります。強心配糖体という化学物質を含むハーブおよび健康食品・サプリメントも，カリウム濃度を低下させるおそれがあります。リンゴ酢とこのようなハーブおよび健康食品･サプリメントを併用すると，カリウム濃度が過度に低下するリスクが高まり，心臓にきわめて危険となるおそれがあります。このようなハーブおよび健康食品・サプリメントには，クリスマスローズ，トウワタの根，ジギタリスの葉，カキネガラシ，セイヨウゴマノハグサ，ドイツスズランの根，マザーワート，オレアンダーの葉，ゲウムの植物，ヤナギトウワタ，海葱（カイソウ）の球根の鱗片，ストロファンツスの種子などがあります。

ツクシ

リンゴ酢とツクシを併用すると，カリウム濃度が過度に低下するリスクが高まるおそれがあります。

甘草

リンゴ酢と甘草を併用すると，カリウム濃度が過度に低下するリスクが高まるおそれがあります。

刺激性緩下作用をもつハーブおよび健康食品・サプリメント

大量のリンゴ酢と，刺激性緩下作用をもつハーブおよび健康食品・サプリメントを併用すると，カリウム濃度が過度に低下するリスクが高まるおそれがあります。このようなハーブおよび健康食品・サプリメントには，アロエ，セイヨウイソノキ，ブラックルート，ブルーフラッグ，バターナット樹皮，コロシント，ヨーロピアンバックソーン，フォーチ，ガンボジ，ゴシポール，ヒロハヒルガオ，ヤラッパ，マンナ，メキシカン・スキャモニイ・ルート，ルバーブ，センナ，イエロードックなどがあります。

使用量の目安

通常の食品に含まれている量を超えて経口摂取した場合の安全性および副作用については，明らかになっていません。

リン酸塩

PHOSPHATE SALTS

●代表的な別名

フォスフェート

別名ほか

骨灰（Bone Ash），燐酸アルミニウム（Aluminum phosphate），燐酸カルシウム（Calcium phosphate），Bone phosphate，オルトリン酸塩カルシウム（Calcium orthophosphate），無水リン酸水素カルシウム（Calcium phosphate dibasic anhydrous），リン酸水素カルシウム二水和物（Calcium phosphate dibasic dihydrate），リン酸三カルシウム（Calcium phosphate tribasic），第二リン酸カルシウム（Dicalcium phosphate），沈降リン酸カルシウム，沈殿リン酸カルシウム（Precipitated calcium phosphate），第三リン酸カルシウム（Tertiary calcium phosphate），リン酸三カルシウム（Tricalcium phosphate），ウィットロッカイト（Whitlockite），リン酸カリウム（Potassium phosphate），リン酸水素二カリウム（Dibasic potassium phosphate），リン酸一水素カリウム（Monobasic potassium phosphate），リン酸ナトリウム（Sodium phosphate），第二リン酸ナトリウム（Dibasic sodium phosphate），リン酸水素二ナトリウム（Disodium hydrogen orthophosphate），リン酸水素二ナトリウム（Disodium hydrogen phosphate），リン酸二ナトリウム，オルトリン酸ナトリウム（Sodium orthophosphate），Anhydrous sodium phosphate，Di-calcium phosphate，Dicalcium phosphates，Neutral Calcium Phosphate，Dipotassium hydrogen orthophosphate，Dipotassium monophosphate，Dipotassium phosphate，Potassium acid phosphate，

Potassium biphosphate, Potassium dihydrogen orthophosphate, Disodium hydrogen Orthophosphate dodecahydrate, Phosphate of soda

概　要

リン酸塩は，リン酸と，塩類やミネラルを組み合わせたさまざまな化合物を指します。リン酸を多く含む食品には，乳製品，全粒穀類，ナッツ，一部の肉類などがあります。乳製品および肉類に含まれるリン酸は，穀類などに含まれるリン酸より吸収されやすいようです。コーラ飲料にはリン酸が大量に含まれており，血中のリン酸が過剰になる原因になることがあります。

リン酸塩は「くすり」として使用することもあります。リン酸塩を，有機リン酸エステルなど毒性の高い物質と混同しないよう注意してください。

リン酸塩は一般に，腸洗浄，低リン酸血症，便秘，高カルシウム血症，むねやけに対して用いられます。

安 全 性

ナトリウム，カリウム，アルミニウム，カルシウムを含むリン酸塩は，経口摂取，直腸内投与または静脈内投与の場合，適量で短期間であれば，ほとんどの人に安全のようです。リン酸塩の静脈内投与は，医師などの管理下でのみ実施してください。

(「リン～」と表される）リン酸塩は，70歳未満の成人で１日４g，70歳以上で１日３gを超える用量を摂取する場合には，おそらく安全ではありません。

長期間常用すると，リン酸とほかの化学物質の体内バランスが崩れるおそれがあるため，深刻な副作用を避けるために，医師などが監視してください。リン酸塩は，消化管を刺激し，胃のむかつき，下痢，便秘，頭痛，疲労などを引き起こすおそれがあります。

きわめて毒性の高い，有機リン酸エステル，三塩基リン酸ナトリウム，三塩基リン酸カリウムなどの成分とリン酸塩を混同してはいけません。

小児：小児のリン酸塩の摂取は，推奨量であれば，ほとんどの人に安全のようです。１日の推奨量は，以下の通りです。

１～３歳：460mg

４～８歳：500mg

９～18歳：1,250mg

(「リン～」と表される）リン酸の消費量が耐容上限量（UL）を超える場合は，おそらく安全ではありません。耐容上限量（UL）は，以下の通りです。

１～８歳：１日３g

９歳以上の小児：１日４g

心疾患：心疾患の場合には，ナトリウムを含むリン酸塩の使用は避けてください。

浮腫(体液貯留)：浮腫を引き起こすおそれのある硬変，心不全などの疾患の場合には，ナトリウムを含むリン酸塩の使用は避けてください。

高カルシウム血症（血中カルシウム値が高い状態）：高カルシウム血症の場合には，リン酸塩は慎重に使用してください。リン酸が過剰になると，カルシウムが体内の異常な部位に蓄積されるおそれがあります。

血中リン酸値が高い状態：アジソン病，重度の心疾患および肺疾患，腎疾患，甲状腺疾患または肝疾患がある人は，リン酸塩を摂取すると，血中リン酸値が過度に高まる傾向があります。これらの疾患の患者がリン酸塩を使用する場合には，医師などに相談の上，監視のもとで使用してください。

腎疾患：腎疾患の患者がリン酸塩を使用する場合には，医師などに相談の上，監視のもとで使用してください。

●妊娠中および母乳授乳期

妊娠中および母乳授乳期の食事からのリン酸塩の摂取は，推奨量であれば，ほとんどの人に安全のようです。推奨量は，以下の通りです。

14～18歳：１日1,250mg

18歳以上：１日700mg

推奨量を超える量の摂取は，おそらく安全ではありません。必ず医師などに相談の上，監視のもとで使用してください。

有 効 性

◆有効性レベル①

・医学的手技のための腸管前処置。大腸内視鏡検査の前にリン酸ナトリウム製品を経口摂取すると，腸洗浄に有効です。この用途で一部の製品が米国食品医薬品局（FDA）の認可を受けています。ただし人によっては，リン酸ナトリウムの摂取が腎障害のリスクを高めるおそれがあります。このため，米国では現在，腸管前処置にリン酸ナトリウム製品はあまり用いられていません。

・血中リン酸値が低い状態。リン酸ナトリウムまたはリン酸カリウムの経口摂取は，血中リン酸値が低い状態の予防および治療に有効です。また，医師などの管理下でリン酸塩を静脈内投与すると，血中リン酸値が低い状態を治療できます。

◆有効性レベル②

・便秘。リン酸ナトリウムは，米国食品医薬品局（FDA）が承認した一般用便秘治療薬の成分です。こうした便秘治療薬は，経口摂取する場合や，かん腸剤として用いる場合があります。

・消化不良。リン酸アルミニウムおよびリン酸カルシウムは，制酸薬の成分として，米国食品医薬品局（FDA）に認可されています。

・血中カルシウム値が高い状態。リン酸カルシウム以外のリン酸塩を経口摂取すると，血中カルシウム値が高い状態の治療に有効であるようです。ただし，リン酸塩の静脈内投与はするべきではありません。

◆有効性レベル③

・腎石症（腎結石）。尿内カルシウム値が高い患者がリン酸カリウムを経口摂取すると，カルシウム腎結石形成の予防に役立つ可能性があります。

◆科学的データが不十分です

・運動能力，糖尿病ケトアシドーシス（糖尿病合併症），骨粗鬆症，リフィーディング症候群（飢餓状態にあった人が栄養を摂取する際に発生する合併症），歯の知覚過敏など。

●体内での働き

リン酸は，通常，食品から吸収される，体内で重要な成分です。細胞構造，エネルギーの輸送と保存，ビタミンの機能，そのほか健康に不可欠なさまざまな処理に関与しています。リン酸塩は，腸に引き込まれる体液を増やし，腸を刺激して腸内容物を迅速に押し出すことにより，緩下剤として作用します。

医薬品との相互作用

中ビスホスホネート製剤

ビスホスホネート製剤およびリン酸塩は，いずれも体内のカルシウム量を減少させる可能性があります。多量のリン酸塩とビスホスホネート製剤を併用すると，カルシウム量が過度に減少するおそれがあります。このようなビスホスホネート製剤には，アレンドロン酸ナトリウム水和物，エチドロン酸二ナトリウム，リセドロン酸ナトリウム水和物，Tiludronateなどがあります。

高Erdafitinib

Erdafitinibは血中のリン酸塩の値を上昇させる可能性があります。リン酸塩とErdafitinibを併用すると，リン酸塩の値が過度に上昇し，重大な副作用が現れるおそれがあります。Erdafitinibを服用する場合にはリン酸塩を摂取しないでください。

ハーブおよび健康食品・サプリメントとの相互作用

カルシウム

リン酸はカルシウムと結合します。このため，体内へのリン酸およびカルシウムの吸収が抑制されます。この相互作用を避けるために，リン酸とカルシウムを摂取する間隔を，少なくとも２時間は空けてください。

鉄

リン酸は鉄と結合します。このため，体内へのリン酸および鉄の吸収が抑制されます。この相互作用を避けるために，リン酸と鉄を摂取する間隔を，少なくとも２時間は空けてください。

マグネシウム

リン酸はマグネシウムと結合します。このため，体内へのリン酸およびマグネシウムの吸収が抑制されます。この相互作用を避けるために，リン酸とマグネシウムを摂取する間隔を，少なくとも２時間は空けてください。

通常の食品との相互作用

リン酸を含む食品および飲料

理論上，リン酸を含む食品および飲料とリン酸を併用摂取すると，リン酸値が上昇し，とくに腎疾患の場合には副作用のリスクが高まるおそれがあります。このような食品および飲料には，コーラ，ワイン，ビール，全粒シリアル，ナッツ類，乳製品，一部の肉類などがあります。

使用量の目安

●経口摂取

リン酸値が過度に低い場合のリン酸値の上昇

医師などが，血中リン酸値および血中カルシウム値を測定して，問題を改善する適量のリン酸を投与します。

カルシウム値が過度に高い場合のカルシウム値の低下

医師などが，血中リン酸値および血中カルシウム値を測定して，問題を改善する適量のリン酸を投与します。

医学的手技のための腸管前処置

大腸内視鏡検査の前夜に，１錠にリン酸ナトリウム1.5gを含む処方錠剤３～４錠を約240mlの水で15分ごとに飲み，計20錠摂取します。次の朝，３～４錠を約240mlの水で15分ごとに飲み，計12～20錠摂取します。

腎石症（腎結石）

元素換算でリン酸１日1,200～1,500mgとなるリン酸カリウムおよびリン酸ナトリウムを摂取します。

●静脈内投与

リン酸値が過度に低い場合のリン酸値の上昇

リン酸ナトリウムまたはリン酸カリウムを含む静脈内投与用製品を用います。２～12時間かけて，15～30mmolの用量を投与します。必要に応じてさらに高用量を用います。

（「リン」と表される）リン酸の１日の推奨量（RDA）は，以下の通りです。

１～３歳：460mg
４～８歳：500mg
９～18歳：1,250mg
18歳以上：700mg

乳児に対する目安量（AI）は，以下の通りです。

０～６カ月：100mg
７～12カ月：275mg

（「リン」と表される）リン酸の耐容上限量（UL）（好ましくない副作用を引き起こさない最大摂取量）は，以下の通りです。

１～８歳：１日３g
９～70歳：１日４g
70歳以上：１日３g
14～50歳の妊娠中の女性：１日3.5g
14～50歳の母乳授乳期の女性：１日４g

リンドウ

GENTIAN

●代表的な別名

ゲンチアナ

別名ほか

ゲンチアナ（Gentianae radix），Pale Gentian，Bitter Root，Bitterwort，Gall Weed，Stemless Gentian，Yellow Gentian，Wild Gentian，Gentiana lutea，ゲンチアナ・アコーリス，チャボリンドウ（Gentiana acaulis）

概　要

リンドウはハーブです。根，またそれほど多くありませんが皮を用いて「くすり」を作ることもあります。

安 全 性

リンドウの根，エルダーフラワー，バーベナ，およびサクラソウの花を混合した製品の一部として少量を利用する場合は，ほとんどの人に安全なようです。

製品の一部としての利用以外で薬効量を使用した場合の安全性については，十分なデータが得られていません。

混合製品で消化器のむかつきや，場合によってはアレルギー性の皮疹を生じる可能性もあります。

猛毒のホワイトヘリボーがリンドウと間違えられることがあり，家庭薬に用いて思わぬ中毒の原因となっています。

低血圧症：リンドウは低血圧を悪化させ，昇圧薬を阻害するおそれがあります。

２週間以内に手術を受ける予定の人は使用してはいけません。

●妊娠中および母乳授乳期

妊娠中および母乳授乳期の使用の安全性についてはデータが不十分です。安全性を考慮し，使用は控えてください。

有 効 性

◆有効性レベル③

・ヨーロッパエルダーフラワー，バーベナ，サクラソウ，およびソレルなどのハーブとの併用で副鼻腔の感染症（副鼻腔炎）の症状。研究では，Sinupretという製品が使用されました。

◆科学的データが不十分です

・胃障害，下痢，発熱，胸やけ，嘔吐，月経障害，がんなど。

●体内での働き

リンドウは血管を拡張する物質を含んでいます。

医薬品との相互作用

中降圧薬

リンドウは血圧を低下させる作用があると考えられます。リンドウと降圧薬を併用すると，血圧が下がりすぎてしまうおそれがあります。このような降圧薬にはカプトプリル，エナラプリルマレイン酸塩，ロサルタンカリウム，バルサルタン，ジルチアゼム塩酸塩，アムロジピンベシル酸塩，ヒドロクロロチアジド，フロセミドなど多くあります。

ハーブおよび健康食品・サプリメントとの相互作用

血圧を下げるハーブおよび健康食品・サプリメント

リンドウは血圧を降下させます。リンドウを同様の効果のあるハーブおよび健康食品・サプリメントと併用すると過度に血圧を降下させることがあります。血圧を降下させるハーブおよび健康食品・サプリメントには，アンドログラフィス，カゼイン・ペプチド，キャッツクロー，コエンザイムQ-10，魚油，L-アルギニン，クコ属，イラクサ，テアニンなどがあります。

使用量の目安

●経口摂取

通常の摂取量は乾燥根１回0.6～２gを１日３回，最高４gまで摂取します。お茶１カップも１日３回摂取します。お茶は，乾燥させた根0.6～２gを150mLの沸騰した湯に５～10分間浸し，ろ過して作ります。お茶はハチミツで甘くすることができます。チンキ剤（１：５，45%アルコール）の通常の摂取量は１日１～３g，または１回１～４mLを１日３回摂取します。流エキス薬の通常の摂取量は１日２～４g。根の刺激性はお茶の場合もっとも少なくなり，チンキ剤ではもっとも強くなります。

急性や慢性の副鼻腔炎

臨床試験では，合剤のSinupretを２錠，１日３回２週間まで摂取します。これはリンドウの根12mg，ヨーロッパエルダーフラワー36mg，バーベラ36mg，サクラソウ36mg，ソレル36mgの１日３回摂取に相当します。

●局所投与

標準使用量に関するデータがありません。

リンボク

BLACKTHORN

別名ほか

サンザシの花（Blackthorn Flower），サンザシの実（Blackthorn Fruit），ブラックソーン，スピノサスモモ（Prunus spinosa），Blacthorn Berry，Pruni spinosae fructus，Pruni spinosae flos，Sloe，Sloe Berry，Sloe Flower，Wild Plum Flower

概　要

リンボクは植物です。球果と乾燥花が「くすり」として使用されることもあります。

安 全 性

飲み込むと安全でないかもしれません。毒性の化合物が含まれています。

●妊娠中および母乳授乳期

妊娠中，母乳授乳期は使用してはいけません。

有 効 性

◆科学的データが不十分です

・消化器系障害，腸の浄化，体液貯留（浮腫），口内痛および咽喉痛，感冒，咳，呼吸器系障害，全身疲労，便秘，腎臓および膀胱の軽い疾患，胃痙攣，発汗促進，血液浄化（透析），発疹など。

●体内での働き

球果には，炎症を軽くするタンニンと呼ばれる化合物が含まれています。

医薬品との相互作用

ほかの医薬品との相互作用については明らかではありません。

ハーブおよび健康食品・サプリメントとの相互作用

ほかのハーブ，健康食品・サプリメントとの相互作用についてはまだ明らかではありません。

使用量の目安

●経口摂取

標準的摂取量に関するデータはありません。しかし，従来から果実のお茶（1～2gを150mLの熱湯に浸して作る）は洗口薬として用いられており，使用回数は1日2回までです。また，花部のお茶（ティースプーン山盛り1～2杯（1～2g）の乾燥花部を150mLの熱湯に5～10分間浸し，その後ろ過する）を，日中に1～2杯，あるいは夜間に2杯摂取します。ただし，短期間の摂取に限ります。

ルイボス

ROOIBOS

別名ほか

Aspalathus linearis, Aspalathus contaminatus, Borbonia pinifolia, Green Red Bush, Infusion Rooibos, Kaffree Tea, Psoralea linearis, Red Bush, Red Bush Tea, Rooibos Rouge, Rooibos Tea, ルイボスティー，ルイボス茶，Té Rojo, Té Rojo Rooibos, Thé Rooibos, Thé Rouge

概 要

ルイボスは香り豊かなカフェインレスのお茶です。お茶はAspalathus linearisという樹木の葉や茎から作られます。樹木は南アフリカに生育し，ルイボスティーは国民的なお茶です。

ルイボスは，花粉症，がんの予防，心疾患の予防，消化不良などに使用されますが，このような用途を裏付ける十分なエビデンスはありません。

安 全 性

ルイボスを経口摂取した場合，飲料としての通常の量であればほとんどの人に安全なようです。しかし，多量のルイボスティー，例えば1日に10杯を1年にわたって飲むと，人によっては肝障害が起きるおそれがあります。

「くすり」として使用する場合の安全性については情報が不十分です。

●妊娠中および母乳授乳期

妊娠中および母乳授乳期にルイボスを使用する安全性については情報が不十分です。安全性を考慮し，使用しないでください。

有 効 性

◆科学的データが不十分です

・花粉症，不安，心疾患，消化不良，HIV/エイズ，がんの予防，加齢にともなう記憶と思考能力の低下の予防など。

●体内での働き

ルイボスに含まれる化学物質は心臓を保護し，また，加齢に関連する脳の変化を予防する可能性があります。

医薬品との相互作用

中降圧薬（アンジオテンシン変換酵素（ACE）阻害薬）

ルイボスにはアンジオテンシン変換酵素（ACE）阻害薬と類似した作用があります。ルイボスとACE阻害薬を併用すると，作用および副作用が増強するおそれがあります。このようなアンジオテンシン変換酵素（ACE）阻害薬には，ベナゼプリル塩酸塩，カプトプリル，エナラプリルマレイン酸塩，リシノプリル水和物，キナプリル塩酸塩，Ramiprilなどがあります。

中肝臓で代謝される医薬品（シトクロムP450 1A2（CYP1A2）の基質となる医薬品）

特定の医薬品は肝臓で代謝されます。ルイボスはこのような医薬品の代謝を促進する可能性があります。ルイボスと肝臓で代謝される医薬品を併用すると，医薬品の効果が弱まるおそれがあります。肝臓で代謝される医薬品を服用する場合には，医師や薬剤師に相談することなくルイボスを摂取しないでください。このような医薬品には，クロザピン，Cyclobenzaprine，フルボキサミンマレイン酸塩，ハロペリドール，イミプラミン塩酸塩，メキシレチン塩酸塩，オランザピン，塩酸ペンタゾシン，プロプラノロール塩酸塩，Tacrine，Zileuton，ゾルミトリプタンなどがあります。

中肝臓で代謝される医薬品（シトクロムP450 2C19（CYP2C19）の基質となる医薬品）

特定の医薬品は肝臓で代謝されます。ルイボスはこのような医薬品の代謝を促進する可能性があります。ルイボスと肝臓で代謝される医薬品を併用すると，医薬品の効果が弱まるおそれがあります。肝臓で代謝される医薬品を服用する場合には，医師や薬剤師に相談することなくルイボスを摂取しないでください。このような医薬品には，アミトリプチリン塩酸塩，カリソプロドール（販売中止），Citalopram，ジアゼパム，ランソプラゾール，オメプラゾール，フェニトイン，ワルファリンカリウムなど数多くあります。

中 肝臓で代謝される医薬品（シトクロムP450 2C9（CYP2C9）の基質となる医薬品）

特定の医薬品は肝臓で代謝されます。ルイボスはこのような医薬品の代謝を促進する可能性があります。ルイボスと肝臓で代謝される医薬品を併用すると，医薬品の効果が弱まるおそれがあります。肝臓で代謝される医薬品を服用する場合には，医師や薬剤師に相談することなくルイボスを摂取しないでください。このような医薬品には，セレコキシブ，ジクロフェナクナトリウム，フルバスタチンナトリウム，Glipizide，イブプロフェン，イルベサルタン，ロサルタンカリウム，フェニトイン，ピロキシカム，タモキシフェンクエン酸塩，トルブタミド（販売中止），トラセミド，ワルファリンカリウムなどがあります。

中 肝臓で代謝される医薬品（シトクロムP450 2D6（CYP2D6）の基質となる医薬品）

特定の医薬品は肝臓で代謝されます。ルイボスはこのような医薬品の代謝を抑制する可能性があります。ルイボスと肝臓で代謝される医薬品を併用すると，医薬品の作用および副作用が増強するおそれがあります。肝臓で代謝される医薬品を服用する場合には，医師や薬剤師に相談することなくルイボスを摂取しないでください。このような医薬品には，アミトリプチリン塩酸塩，クロザピン，コデインリン酸塩水和物，塩酸デシプラミン（販売中止），ドネペジル塩酸塩，フェンタニルクエン酸塩，フレカイニド酢酸塩，塩酸フルオキセチン（販売中止），ペチジン塩酸塩，メサドン塩酸塩，メトプロロール酒石酸塩，オランザピン，オンダンセトロン塩酸塩水和物，トラマドール塩酸塩，トラゾドン塩酸塩などがあります。

中 肝臓で代謝される医薬品（シトクロムP450 3A4（CYP3A4）の基質となる医薬品）

特定の医薬品は肝臓で代謝されます。ルイボスはこのような医薬品の代謝を促進する可能性があります。ルイボスと肝臓で代謝される医薬品を併用すると，医薬品の効果が弱まるおそれがあります。肝臓で代謝される医薬品を服用中は，医師や薬剤師に相談することなくルイボスを摂取しないでください。このような医薬品には，アトルバスタチンカルシウム水和物，Lovastatin，クラリスロマイシン，インジナビル硫酸塩エタノール付加物（販売中止），シルデナフィルクエン酸塩，トリアゾラム，ケトコナゾール，イトラコナゾール，フェキソフェナジン塩酸塩，ミダゾラムなど数多くあります。

中 アトルバスタチンカルシウム水和物

いくつかの研究では，ルイボスはアトルバスタチンカルシウム水和物の血中濃度を上昇させる可能性があることが示されています。そのため，アトルバスタチンカルシウム水和物の作用および副作用が増強するおそれがあります。アトルバスタチンカルシウム水和物を服用する場合には，医師や薬剤師に相談することなくルイボスを摂取しないでください。

ハーブおよび健康食品・サプリメントとの相互作用

ほかのハーブ，健康食品・サプリメントとの相互作用についてはまだ明らかではありません。

使用量の目安

ルイボスの適量は複数の要因（年齢，健康状態などさまざまな状況）により異なります。現時点ではルイボスの適量の範囲を決定する十分なエビデンスはありません。自然由来の製品は必ずしも常に安全ではなく，使用量が重要になりうることに留意してください。製品の表示にある注意事項に従い，また，医師・薬剤師などに相談することなく製品を使用しないでください。

ルチン

RUTIN

●代表的な別名

ケルセチン-3-ルチノシド

別名ほか

シトラスバイオフラボノイド（Citrus Bioflavonoid），ケルセチン-3-ルチノシド（Quercetin-3-rutinoside），ルトシッド（Rutosid），Eldrin，Oxerutin，Quercetin-3-rhamnoglucoside，Rutine，Rutinum，Rutoside，Rutosidum，Sclerutin，Sophorin

概　要

ルチンは果物や野菜にみられる植物色素（フラボノイド）です。「くすり」に使用することもあります。薬用としてのルチンは主にソバ，エンジュ，およびユーカリなどに含まれています。ルチンはシナノキの花，ニワトコの花，サンザシ，ヘンルーダ，セント・ジョンズ・ワート，イチョウ，リンゴおよびほかの果実および野菜にも含まれています。

ルチンは，リンパ系の損傷に起因する腕または下肢の腫脹（リンパ浮腫）および変形性関節症に対してもっとも一般的に使用されます。また，自閉症に対しても使用され，または日焼け防止のため皮膚に塗布されますが，これらの用途を十分に裏づけるエビデンスはありません。

安　全　性

果実や野菜に含まれる量のルチンを経口摂取した場

合，ほとんどの人に安全のようです。「くすり」に含まれる量を，最長12週間経口摂取した場合，おそらく安全です。頭痛，皮膚の紅潮，皮疹または胃のむかつきなどの副作用を引き起こすおそれがあります。

クリームとして皮膚に塗布した場合，おそらく安全です。

●妊娠中および母乳授乳期

妊娠中および母乳授乳期の使用の安全性についてはデータが不十分です。安全性を考慮し，摂取は避けてください。

有　効　性

◆有効性レベル③

・リンパ系の損傷による腕または下肢の腫脹（リンパ浮腫）。ルチン，パンクレアチン，パパイン，トリプシン，およびキモトリプシンを含む特定の製品を7週間毎日摂取すると，乳房切除手術に起因する腕の腫脹が縮小することを示唆する初期の研究が複数あります。
・変形性関節症。トリプシンおよびブロメラインと併用して，ルチンを経口摂取すると，変形性関節症患者の疼痛緩和および膝機能の改善において，医薬品「ジクロフェナク」とほぼ同等の有効性があるようです。

◆科学的データが不十分です

・皮膚の加齢変化，自閉症，運動による気道感染，出血，血管疾患，痔核，がん治療による口内炎の予防，静脈瘤など。

●体内での働き

ルチンは，抗酸化作用および抗炎症作用を有する可能性がある化学物質を含みます。これらの化学物質は，がんおよびその他の疾患を予防する可能性があります。

医薬品との相互作用

中糖尿病治療薬

ルチンは血糖値を低下させる可能性があります。ルチンを摂取し，糖尿病治療薬を併用すると，血糖値が過度に低下するおそれがあります。血糖値を注意深く監視してください。このような糖尿病治療薬には，グリメピリド，グリベンクラミド，インスリン，ピオグリタゾン塩酸塩などがあります。

ハーブおよび健康食品・サプリメントとの相互作用

鉄

ルチンは鉄と結合し，体内での鉄の利用を低下させるおそれがあることを示唆する情報があります。

使用量の目安

【成人】

●経口摂取

変形性関節症

ルチン600mg，トリプシン288mg，ブロメライン540mgを含有する併用製品を複数回に分けて摂取します。

リンパ系の損傷に起因する腕または下肢の腫脹（リンパ浮腫）

ルチン，パンクレアチン，パパイン，ブロメライン，トリプシン，およびキモトリプシンを含有する特定の製品を7週間，毎日摂取します。

ルテイン

LUTEIN

別名ほか

キサントフィル（Xanthophyll），ゼアキサンチン（Zeaxanthin），Beta, epsilon-carotene-3,3'-diol

概　　要

ルテインはカロテノイド・ビタミンと呼ばれています。β-カロテンとビタミンAに関係します。豊富に含まれる食物は，ブロッコリー，ホウレンソウ，ケール，トウモロコシ，オレンジペッパー，キウイフルーツ，ブドウ類，オレンジジュース，ズッキーニ，およびスカッシュです。

ルテインは，高脂質の食事と一緒に摂取すると，もっとも吸収がよくなります。

●要説（ナチュラル・スタンダード）

ルテインはカロテノイドの一種で，卵黄，オレンジジュース，トウモロコシ，および他の食品を黄色にします。ルテイン，ゼアキサンチン（別の黄色色素）は，眼の網膜に含まれています。これらの2つの栄養素は，抗酸化効果があり，短い波長を持つ光を閉じ込めることができます。男性より女性のほうが高い値のカロテノイドが存在することを示す研究結果もあります。

体内のルテインとゼアキサンチンの値は，食事摂取量に依存します。血中ルテインと他のカロテノイドのレベルは，果実や野菜摂取量を計るために使用できる可能性があります。ルテインの使用により，加齢黄斑変性のリスクを低下させる研究もあります。ルテインと他のカロテノイドが，閉塞性動脈硬化症にも効果があるといったエビデンスもあります。

ルテインに関するデータの大部分は，がん，妊娠中の高血圧，眼疾患，肺機能，筋肉痛，体重減少といった疾患・症状と関係のあるルテインの食事摂取量や血中濃度に基づきます。

矛盾する結果があるものの，ルテインのサプリメントを摂取すると抗酸化作用を改善する可能性があるというエビデンスもあります。ルテインの研究では，白内障や網膜剥離といった眼疾患を持つ人々にも潜在的な効果があるとされてきました。

安 全 性

ルテインの経口摂取は，適量であれば，ほとんどの人に安全のようです。食事の一部として，１日当たり6.9～11.7mgのルテインを摂取する場合は，安全のようです。研究によれば，ルテインのサプリメントは，１日当たり最大15mgで，最長２年間まで，安全に使用されています。

のう胞性線維症：のう胞性線維症患者は，食品から，一部のカルチノイドをうまく吸収できず，血中ルテイン濃度が低くなるおそれがあります。のう胞性線維症患者は，ルテインのサプリメントからの吸収量も低いおそれがあります。

●妊娠中および母乳授乳期

ルテインは，通常の食品に含まれる量の範囲内であれば，ほとんどの人に安全のようです。

有 効 性

◆有効性レベル②

・ルテイン欠乏症。ルテインの経口摂取は，ルテイン欠乏症の予防に有効です。

◆有効性レベル③

・加齢黄斑変性（AMD）と呼ばれる眼疾患。人口調査によれば，食事から高用量のルテインを摂取している場合には，加齢黄斑変性を発症するリスクが低下することが示唆されています。ただし，日常的に，高用量のルテインを摂取している人には，ルテインの食事摂取量を増やしても，加齢黄斑変性のリスクが低下する可能性はありません。ルテインのサプリメントを最長12カ月間にわたり摂取することにより，加齢黄斑変性の症状の一部が改善する可能性があります。ただし，加齢黄斑変性の悪化が予防できるわけではないようです。ルテインとほかの成分を併用した研究では，これと相反する結果が得られています。

・白内障。複数の研究により，高用量のルテインを摂取することにより，白内障の発症リスクが低下する可能性が示唆されています。初期の研究により，高齢の白内障患者が，週３回，最長２年間にわたりルテインを摂取することにより，視力が改善する可能性も示唆されています。

◆有効性レベル④

・冠動脈疾患（動脈血栓症）。研究により，高用量のルテインを摂取しても，動脈血栓症の発症リスクが低下することはないことが示唆されています。

◆科学的データが不十分です

・乳がん，子宮頸がん，コロイデレミア（視力低下を引き起こす遺伝性疾患），精神機能，大腸がん，糖尿病，運動後の筋肉痛，眼精疲労，肺がん，妊娠中の高血圧，前立腺がん，呼吸器感染，網膜色素変性症（眼疾患），未熟児網膜症（未熟児の眼疾患）など。

●体内での働き

ヒトの眼（黄斑および網膜）には，主に２種類のカロテノイドが色素として存在します。ルテインは，その１つです。ルテインは，光のフィルターとして機能し，日光によるダメージから眼の組織を保護すると考えられています。

医薬品との相互作用

ほかの医薬品との相互作用については明らかではありません。

ハーブおよび健康食品・サプリメントとの相互作用

β-カロテン

β-カロテンとルテインを併用すると，体内へ吸収されるルテインの量が減少するおそれがあります。ルテインが，体内へ吸収されるβ-カロテンの量に影響を与えるおそれもあります。

ビタミンE

ルテインのサプリメントを摂取すると，体内へ吸収されるビタミンEの量が減少するおそれがあります。このため，ルテインとビタミンEを併用すると，ビタミンEの効果が弱まるおそれがあります。

通常の食品との相互作用

オレストラ

健康な人では，人工代替油脂であるオレストラを摂取することにより，血中ルテイン濃度が低下します。

使用量の目安

●経口摂取

白内障および加齢黄斑変性（AMD）のリスクの減少

ルテイン１日当たり６mgを，食事またはサプリメントにより摂取します。食事により１日当たり6.9～11.7mgのルテインを摂取している人は，加齢黄斑変性および白内障を発症するリスクがもっとも低くなっています。

加齢黄斑変性の症状の緩和

ルテインのサプリメントを，１日当たり10mg摂取します。

加熱調理したケール１カップ当たり44mg，加熱調理したホウレンソウ１カップ当たり26mg，ブロッコリー１カップ当たり３mgのルテインが含まれています。

ルバーブ

RHUBARB

別名ほか

ショクヨウダイオウ，食用大黄，マルバダイオウ，丸葉大黄（Garden Rhubarb），カラダイオウ，波叶大黄（Rheum rhabarbarum），ヤクヨウダイオウ（Chinese

Rhubarb)，ターキールバーブ（Turkey Rhubarb），Da Huang，Himalayan Rhubarb，Indian Rhubarb，Medicinal Rhubarb，Rhei，Rhei Radix，Rheum australe，Rheum emodi，Rheum officinale，Rheum palmatum，Rheum tanguticum，Rheum x Cultorum

概　要

ルバーブはハーブです。根および地下茎を用いて「くすり」を作ることもあります。

安 全 性

根や地下茎を通常食品として摂取する量で用いる場合は安全です。

「くすり」として用いる場合，８日間以下の経口摂取ならばほとんどの人に安全です。

胃や腸の痛み，水様性下痢，および子宮収縮を引き起こすことがあります。

長期間の使用により，筋肉の衰え，骨量の減少，体内カリウム量の減少，および不整脈を起こす可能性があります。12歳未満の小児には安全ではないと考えられます。

腎結石，腹痛，腸閉塞，虫垂炎，クローン病，大腸炎，過敏性腸症候群の人は使用してはいけません。

●妊娠中および母乳授乳期

妊娠中，母乳授乳期は，通常食品に含まれる量を超えて使用してはいけません。

有 効 性

◆有効性レベル③

・胃および腸における出血。ルバーブの粉末が胃腸の出血の治療に役立つことが報告されています。

・ヘルペス。セージとともに使用した場合にヘルペスの治療効果があります。

◆科学的データが不十分です

・消化器系障害，胃炎，痔核，便秘，下痢，または胃や結腸からの出血など。

●体内での働き

ヘルペス治療に効果があると考えられる成分がいくつか含まれています。

医薬品との相互作用

中ジゴキシン

ルバーブは「刺激性下剤（下剤の一種）」です。刺激性下剤は体内のカリウム量を減少させる可能性があります。カリウム量が減少するとジゴキシンの副作用のリスクが高まるおそれがあります。

中抗炎症薬（副腎皮質ステロイド）

特定の抗炎症薬（副腎皮質ステロイド）は体内のカリウム量を減少させます。ルバーブには下剤のような作用があり，下剤は体内のカリウム量を減少させる可能性があります。ルバーブと抗炎症薬を併用すると，体内のカリウム量が過度に減少するおそれがあります。このような抗炎症薬には，デキサメタゾン，ヒドロコルチゾン，メチルプレドニゾロン，Prednisoneなどがあります。

中刺激性下剤

ルバーブは「刺激性下剤（下剤の一種）」です。刺激性下剤は腸の動きを活発化させます。ルバーブと刺激性下剤を併用すると，腸の蠕動運動が過度に活発化し，脱水や体内のミネラル量の低下を引き起こすおそれがあります。このような刺激性下剤には，ビサコジル，カスカラサグラダ，ヒマシ油，センナなどがあります。

中利尿薬

ルバーブは「下剤」です。特定の下剤は体内のカリウム量を減少させる可能性があります。利尿薬も体内のカリウム量を減少させる可能性があります。ルバーブと利尿薬を併用すると，体内のカリウム量が過度に減少するおそれがあります。このような利尿薬には，クロロチアジド（販売中止），クロルタリドン（販売中止），フロセミド，ヒドロクロロチアジドなどがあります。

中シクロスポリン

ルバーブとシクロスポリンを併用すると，血中のシクロスポリン濃度が低下する可能性があります。そのため，シクロスポリンの効果が弱まるおそれがあります。

中肝臓で代謝される医薬品（シトクロムP450 3A4（CYP3A4）の基質となる医薬品）

特定の医薬品は肝臓で代謝されます。ルバーブはこのような医薬品の代謝を促進する可能性があります。ルバーブと肝臓で代謝される医薬品を併用すると，医薬品の効果が弱まるおそれがあります。肝臓で代謝される医薬品を服用している場合には，医師や薬剤師に相談することなくルバーブを摂取しないでください。このような医薬品には，Lovastatin，ケトコナゾール，イトラコナゾール，フェキソフェナジン塩酸塩，トリアゾラムなど数多くあります。

中細胞内のポンプによって輸送される医薬品（P糖タンパク質の基質となる医薬品）

特定の医薬品はポンプによって体内の細胞内あるいは細胞外に輸送されます。ルバーブはポンプの働きを高め，医薬品の体内への吸収量を減少させる可能性があります。そのため，医薬品の効果が弱まるおそれがあります。このような医薬品には，エトポシド，パクリタキセル，ビンブラスチン硫酸塩，ビンクリスチン硫酸塩，ビンデシン硫酸塩，ケトコナゾール，イトラコナゾール，ホスアンプレナビルカルシウム水和物，インジナビル硫酸塩エタノール付加物（販売中止），ネルフィナビルメシル酸塩，サキナビルメシル酸塩（販売中止），シメチジン，ラニチジン塩酸塩，ジルチアゼム塩酸塩，ベラパミル塩酸塩，副腎皮質ステロイド，エリスロマイシン，シサプリド（販売中止），フェキソフェナジン塩酸塩，シクロスポリン，ロペラミド塩酸塩，キニジン硫酸塩水和物などがあります。

中腎臓を害する可能性のある医薬品

ルバーブを摂取すると，人によっては腎臓を害する可能性があります。特定の医薬品も腎臓を害する可能性があります。ルバーブと腎臓を害する可能性のある医薬品を併用すると，腎障害のリスクが高まるおそれがあります。このような医薬品には，シクロスポリン，アミノグリコシド系抗菌薬（アミカシン硫酸塩，ゲンタマイシン硫酸塩，トブラマイシンなど），非ステロイド性抗炎症薬（NSAIDs）（イブプロフェン，インドメタシン，ナプロキセン，ピロキシカムなど）のほか，数多くあります。

中ワルファリンカリウム

ルバーブには下剤のような働きのある可能性があります。人によっては，ルバーブが下痢を引き起こす可能性があります。下痢はワルファリンカリウムの作用を増強し，出血のリスクを高めるおそれがあります。ワルファリンカリウムの服用中にルバーブを過剰摂取しないでください。

中肝臓を害する可能性のある医薬品

ルバーブは肝臓を害する可能性があります。ルバーブと肝臓を害する可能性のある医薬品を併用すると，肝障害のリスクが高まるおそれがあります。肝臓を害する可能性のある医薬品を服用中にルバーブを摂取しないでください。このような医薬品には，アカルボース，アミオダロン塩酸塩，アトルバスタチンカルシウム水和物，アザチオプリン，カルバマゼピン，ジクロフェナクナトリウム，Felbamate，フェノフィブラート，フルバスタチンナトリウム，ゲムフィブロジル（販売中止），イソニアジド，イトラコナゾール，ケトコナゾール，レフルノミド，Lovastatin，メトトレキサート，ネビラピン，ニコチン酸，ニトロフラントイン（販売中止），ピオグリタゾン塩酸塩，プラバスタチンナトリウム，ピラジナミド，リファンピシン，リトナビル，マレイン酸ロシグリタゾン（販売中止），シンバスタチン，Tacrine，タモキシフェンクエン酸塩，テルビナフィン塩酸塩，バルプロ酸ナトリウム，Zileutonなどがあります。

ハーブおよび健康食品・サプリメントとの相互作用

ほかのハーブ，健康食品・サプリメントとの相互作用についてはまだ明らかではありません。

使用量の目安

●経口摂取

ルバーブは短期間使用を旨とし，８日間を超えないことが賢明です。

便秘

乾燥根を１日１～４g摂取します。

下痢

１日100～300mgの乾燥根を摂取します。

●局所投与

口唇ヘルペス治療

ルバーブ・エキスおよびセージ・エキス各23mg/gを含むクリームを，就寝時以外の活動中２～４時間ごとに塗布します。発症日から開始して10～14日間続けます。

ルピナス

LUPIN

別名ほか

Blue Lupin，青ルピナス，青花ルピナス，ブルールピナス，Lupinus Albus，Lupinus Angustifolius，Lupinus Mutabilis，Sweet Tarwi，White Lupin，白ルピナス，白花ルピナス，ホワイトルピナス

概　　要

ルピナスは大豆，エンドウ豆，ピーナッツと同じマメ科植物です。タンパク質や食物繊維を豊富に含むため，食用利用に関心が持たれています。

ルピナスは，高コレステロール血症，糖尿病，肥満などの疾患に対して経口摂取されますが，これらの用途を十分に裏づけるエビデンスはありません。

安　全　性

ルピナスを最長４週間経口摂取する場合は，ほとんどの人におそらく安全です。一般的な副作用はアレルギー反応および胃の不調です。適切に調理されていない苦ルピナスはおそらく安全ではありません。苦ルピナスには苦い有毒物質（キノリチジンアルカロイド類）が含まれ，口内乾燥，霧視，低血圧，吐き気，脱力感，痙攣などの副作用が現れるおそれがあります。苦ルピナスを摂取する前にこの苦い物質を取り除かなければなりません。オーストラリア，イギリス，ニュージーランド，フランスは，ルピナスの製品に含まれる可能性があるこの有毒物質の含有量を規制しています。

小児：苦ルピナスを経口摂取する場合は，ほとんどの乳児や小児に安全のようです。苦ルピナスには苦い有毒物質（キノリチジンアルカロイド類）が含まれ，口内乾燥，霧視，低血圧，吐き気，脱力感，痙攣などの副作用が現れるおそれがあります。小児は成人より副作用が現れやすくなります。苦ルピナスを摂取する前にこの苦い物質を取り除かなければなりません。オーストラリア，イギリス，ニュージーランド，フランスは，ルピナスの製品に含まれる可能性があるこの有毒物質の含有量を規制しています。

●妊娠中および母乳授乳期

妊娠中および母乳授乳期の使用の安全性についてはデータが不十分です。安全性を考慮し，摂取は避けてください。

有　効　性

◆科学的データが不十分です

・高コレステロール血症，横紋筋融解，肥満，糖尿病，

前糖尿病，高血圧など。

●体内での働き

ルピナスは食物繊維とタンパク質が豊富なマメ科植物です。ルピナスに含まれる特定の物質がコレステロール値や血糖値を低下させると考えられています。

医薬品との相互作用

ほかの医薬品との相互作用については明らかではありません。

ハーブおよび健康食品・サプリメントとの相互作用

ほかのハーブ，健康食品・サプリメントとの相互作用についてはまだ明らかではありません。

使用量の目安

通常の食品に含まれている量を超えて経口摂取した場合の安全性および副作用については，明らかになっていません。

霊芝

REISHI MUSHROOM

別名ほか

Basidiomycetes Mushroom, Champignon Basidiomycète, Champignon d'Immortalité, Champignon Reishi, Champignons Reishi, Ganoderma, Ganoderma lucidum, Hongo Reishi, Ling Chih, Ling Zhi, Mannentake, Mushroom, Mushroom of Immortality, Mushroom of Spiritual Potency, Red Reishi, Reishi, Reishi Antler Mushroom, Reishi Rouge, Rei-Shi, Spirit Plant

概　　要

霊芝は人によっては，苦味と硬い木質を感じるキノコです。子実体と菌糸体が「くすり」として使われることがあります。

安　全　性

霊芝エキスは，適量を経口摂取する場合，最長1年まではおそらく安全です。

霊芝の粉末を1カ月以上にわたり経口摂取する場合，おそらく安全ではありません。霊芝粉末の使用は，肝毒性作用との関連が認められています。

霊芝は，口腔，のど，鼻腔の乾燥や，そう痒，皮疹，胃のむかつき，下痢，めまい感，頭痛，鼻出血，血便などの副作用を引き起こすおそれがあります。霊芝酒を飲むと皮疹を生じることがあります。胞子を吸い込むと，アレルギーを起こすおそれがあります。

出血性疾患：ある種の出血性疾患の患者が高用量を摂取すると，人によっては出血リスクが高まるおそれがあります。

低血圧：霊芝は血圧を低下させる可能性があります。低血圧を悪化させるおそれがあります。血圧が低い人は霊芝の摂取は避けた方がいいでしょう。

血小板減少症：血小板減少症患者が高用量を摂取すると，出血のリスクが高まるおそれがあります。血小板減少症の場合は，霊芝を使用してはいけません。

手術：高用量を手術前・手術中に摂取すると，人によっては出血リスクが高まるおそれがあります。少なくとも手術前2週間は，使用しないでください。

●妊娠中および母乳授乳期

妊娠中および母乳授乳期の使用の安全性についてはデータが不十分です。安全性を考慮し，摂取は避けてください。

有　効　性

◆有効性レベル④

・高コレステロール血症。糖尿病，高血圧または高コレステロール血症の患者が霊芝を摂取しても，コレステロールは低下しないようです。

◆科学的データが不十分です

・良性前立腺肥大（BPH），がんに関連する疲労，大腸腺腫（結腸および直腸の非がん性腫瘍），動脈血栓，糖尿病，性器ヘルペス，B型肝炎，口唇ヘルペス，ヒトパピローマウイルス（HPV），高血圧，肺がん，帯状疱疹の疼痛，高山病，気管支喘息，気管支炎，免疫システムの活性化，慢性疲労症候群（CFS），疲労，HIV疾患，腎障害，肝疾患，中毒，前立腺がん，胃潰瘍，ストレス，睡眠障害（不眠），ウイルス感染など。

●体内での働き

霊芝に含まれる化学物質には，腫瘍（がん）に対する活性や免疫システムへの有益な影響など，便益をもたらす作用がいろいろあるようです。

医薬品との相互作用

中 血液凝固を抑制する医薬品（抗凝固薬/抗血小板薬）

高用量の霊芝は血液の凝固を抑制する可能性があります。霊芝と血液凝固を抑制する医薬品を併用すると，紫斑および出血のリスクが高まるおそれがあります。このような医薬品にはアスピリン，クロピドグレル硫酸塩，ジクロフェナクナトリウム，イブプロフェン，ナプロキセン，ダルテパリンナトリウム，エノキサパリンナトリウム，ヘパリン，ワルファリンカリウムなどがあります。

中 降圧薬

霊芝は，人によっては血圧を低下させる可能性があります。霊芝と降圧薬を併用すると，血圧が過度に低下するおそれがあります。このような降圧薬にはカプトプリル，エナラプリルマレイン酸塩，ロサルタンカリウム，バルサルタン，ジルチアゼム塩酸塩，アムロジピンベシル酸塩，ヒドロクロロチアジド，フロセミドなど数多く

レ

あります。

中糖尿病治療薬

霊芝は血糖値を低下させる可能性があります。糖尿病治療薬もまた血糖値を低下させるために用いられます。霊芝と糖尿病治療薬を併用すると，血糖値が過度に低下するおそれがあります。血糖値を注意深く監視してください。糖尿病治療薬の用量を変更する必要があるかもしれません。このような糖尿病治療薬にはグリメピリド，グリベンクラミド，インスリン，ピオグリタゾン塩酸塩，マレイン酸ロシグリタゾン（販売中止）などがあります。

ハーブおよび健康食品・サプリメントとの相互作用

血圧を低下させるおそれのあるハーブおよび健康食品・サプリメント

霊芝が血圧を低下させるおそれがあります。同様の作用をもつほかのハーブおよび健康食品・サプリメントと併用すると，血圧が過度に低下するおそれがあります。このようなハーブおよび健康食品・サプリメントには，アンドログラフィス，カゼイン・ペプチド，キャッツクロー，コエンザイムQ-10，魚油，L-アルギニン，クコ，イラクサ，テアニンなどがあります。

血糖値を低下させるおそれのあるハーブおよび健康食品・サプリメント

霊芝が血糖値を低下させるおそれがあります。同様の作用をもつほかのハーブおよび健康食品・サプリメントと併用すると，人によっては血糖値が過度に低下するおそれがあります。このようなハーブおよび健康食品・サプリメントには，α-リポ酸，ニガウリ，クロム，デビルズクロー，フェヌグリーク，ニンニク，グアーガム，セイヨウトチノキの種子，朝鮮人参，サイリウム，エゾウコギなどがあります。

血液凝固を抑制するおそれのあるハーブおよび健康食品・サプリメント

霊芝の血液凝固に対する作用は明らかにされていません。低用量（1.5g/日）ではなく高用量（約3g/日）を摂取すると，血液凝固が抑制されるおそれがあります。霊芝と，血液凝固を抑制するほかのハーブおよび健康食品・サプリメントを併用すると，紫斑および出血のリスクが高まるおそれがあります。このようなハーブおよび健康食品・サプリメントには，アンゼリカ，アニス，アルニカ，クローブ，タンジン，ニンニク，ショウガ，イチョウ，朝鮮人参，セイヨウトチノキ，レッドクローバー，ウコンなどがあります。

使用量の目安

通常の食品に含まれている量を超えて経口摂取した場合の安全性および副作用については，明らかになっていません。

レシチン

LECITHIN

別名ほか

卵レシチン（Egg Lecithin），大豆レシチン（Soybean Lecithin），ソーヤレシチン（Soya Lecithin），Ovolecithin，Vegilecithin，Vitellin

概　　要

レシチンは体内の細胞に不可欠な脂肪です。大豆や卵黄など，多くの食品に含まれています。「くすり」として摂取されるとともに，医薬品，食品，および化粧品の製造にも用いられます。

肝臓への脂肪蓄積を抑制したり，認知症やアルツハイマー病などの記憶障害を治療したりするために用いられます。高齢者の記憶または頭部損傷を負った患者の記憶を改善するために用いられます。手術後の疼痛を軽減したり，胆のう疾患，炎症性腸疾患（潰瘍性大腸炎），フリードライヒ運動失調症という神経疾患，乳首の水泡，躁病，高コレステロール血症，不安，湿疹，パーキンソン病を治療したり，運動能力を改善したりするためにも用いられます。腹膜透析患者にも用いられます。リチウムと併用して，遅発性ジスキネジアという運動異常症に用いられます。

乾燥肌または皮膚炎を治療するためのモイスチャークリームとして，レシチンを皮膚に塗布することがあります。

食品添加物として多用されています。これは，特定の成分が分離しないようにするためです。

静脈内投与または経皮投与の製剤にも用いられます。製剤の薬物を一定に保ち，分離しないようにするためです。

点眼薬の成分として用いられている場合もあります。眼の角膜に接触した薬剤を保持するためです。

安　全　性

経口摂取，皮膚への塗布，静脈内投与，または皮下投与の場合には，ほとんどの人に安全のようです。下痢，吐き気，腹痛，腹部膨満感などの副作用を引き起こすおそれがあります。卵または大豆のアレルギーがある場合，アレルギー性皮膚反応を起こすこともあります。

●アレルギー

卵または大豆に対するアレルギー：卵または大豆のアレルギーがある場合，レシチンによりアレルギー性皮膚反応を起こすこともあります。

●妊娠中および母乳授乳期

妊娠中および母乳授乳期の使用の安全性についてはデータが不十分です。安全性を考慮し，使用は避けてください。

有 効 性

◆有効性レベル③

・肝疾患。経静脈栄養法（非経口栄養）を長期間受けている患者がレシチンを摂取すると，肝臓への脂肪蓄積が抑制されるようです。

◆有効性レベル④

・加齢にともなう記憶障害。レシチンの単独摂取であってもフィゾスチグミンとの併用摂取であっても，健康な高齢者の記憶は改善されないようです。

・胆のう疾患。レシチンを摂取しても，胆のう疾患は改善されないようです。

◆有効性レベル⑤

・アルツハイマー病などにともなう認知症。レシチン単独摂取の場合も，タクリンまたはエルゴロイドとの併用摂取の場合も，認知症患者の知能は改善されないようです。アルツハイマー病の進行を遅らせることもできないようです。

◆科学的データが不十分です

・運動能力，フリードライヒ運動失調症（神経疾患），肝臓への脂肪蓄積，高コレステロール血症，躁病，パーキンソン病，手術，運動異常症（遅発性ジスキネジア），炎症性腸疾患（潰瘍性大腸炎），不安，皮膚炎，乾燥肌など。

●体内での働き

神経インパルスを伝達するアセチルコリンという物質に変換されます。

医薬品との相互作用

中ジクロフェナクナトリウム

ジクロフェナクナトリウムの局所製剤とレシチンを併用すると，ジクロフェナクナトリウムの吸収量が増加する可能性があります。

ハーブおよび健康食品・サプリメントとの相互作用

ほかのハーブ，健康食品・サプリメントとの相互作用についてはまだ明らかではありません。

使用量の目安

通常の食品に含まれている量を超えて経口摂取した場合の安全性および副作用については，明らかになっていません。

レスベラトロール

RESVERATROL

別名ほか

植物エストロゲン，植物由来エストロゲン様物質，エストロゲン様作用物質，ホルモン様物質（Phytoestrogen），フィトエストロゲン，プロティキン（Protykin），レスベラトロル（Resveratrols），トランス-レスベラトロール（Trans-Resveratrol），赤ワイン抽出物（Red Wine Extract），スチルベン・フィトアレキシン（Stilbene phytoalexin），ワイン抽出物（Wine Extract），ワイン錠剤（Wine Pill），Cis-Resveratrol, Kojo-Kon, RSV, RSVL

概 要

レスベラトロールは，赤ワイン，レッド・グレープの皮，パープル・グレープジュース，桑の実に，またピーナッツなら微量含まれる化合物です。「くすり」に使用することもあります。

●要説（ナチュラル・スタンダード）

レスベラトロールは，天然化合物です。ナッツをはじめ，ブドウ，松の木，つる植物など70種類以上の植物だけでなく，赤ワインにも含まれています。心疾患を予防する効果があるとされています。赤ワインの消費が一般的なフランスで心疾患による死亡率が低いという“フレンチ・パラドックス”を理由に，多くの研究ではレスベラトロールの健康効果に注目しています。

初期の研究では，レスベラトロールの抗酸化，抗がん，抗真菌，抗ウイルス，および抗菌効果が示されています。レスベラトロールがブドウおよびワインに含まれていることから，初期の研究では，レスベラトロールとワインの中等度の摂取による健康効果との関係が注目されていましたが，近年では，がんをはじめ，細菌感染症，ウイルス感染症，アルツハイマー病，およびパーキンソン病などさまざまな疾患に対して，広範囲におよぶ研究がなされています。

ワインの摂取により，がんおよび心疾患のリスクが軽減することを示唆する研究もありますが，現時点では，この効果を支持するような質の高い，ヒトを対象とした研究は十分ではありません。

レスベラトロールと心臓の健康に関する分野で主導的な研究者であるD. K. Das博士が，データのねつ造，改ざんで有罪となった旨の報告があります。この報告の中には，Das博士により執筆された研究論文，あるいは部分的にDas博士が共同執筆した研究論文が含まれています。現在Das博士は，レスベラトロールのブランドであるLongevinexをめぐって科学的論争中です。

安 全 性

十分なデータが得られていないので，食品に通常含まれている以上の量が安全かどうかは不明です。

乳がん，子宮がん。卵巣がん，子宮内膜症，および子宮筋腫などのホルモン感受性疾患：レスベラトロールはエストロゲン様作用を発現する可能性があります。エストロゲンにより悪化する症状を有する患者は，レスベラトロールを摂取してはいけません。

外科手術：レスベラトロールは手術中および手術後の，

出血のリスクを高める可能性があります。手術の最低2週間前から，レスベラトロールの摂取を停止してください。

●妊娠中および母乳授乳期

レスベラトロールは一部の食べ物に含まれる量を摂取するのはおそらく安全ですが，妊娠中および母乳授乳期にはレスベラトロールの由来が重要になります。レスベラトロールはブドウの皮，ブドウジュース，ワイン，および他の食べ物に含まれますが，妊娠中および母乳授乳期にはワインでレスベラトロールを摂取してはいけません。

有 効 性

◆科学的データが不十分です

・アテローム性動脈硬化症，高コレステロール血症，およびがんの予防。

●体内での働き

血管を拡張し，血液凝固における血小板の働きを抑えます。女性ホルモンの1つであるエストロゲンの作用を弱めるとする研究もあります。炎症（腫脹）を軽減することもあります。

医薬品との相互作用

中 肝臓で代謝される医薬品（シトクロムP450 3A4（CYP3A4）の基質となる医薬品）

特定の医薬品は肝臓で代謝されます。レスベラトロールはこのような医薬品の代謝を抑制する可能性があります。理論的には，レスベラトロールと肝臓で代謝される医薬品を併用すると，医薬品の作用および副作用が増強するおそれがあります。ただし，いくつかの初期の研究では矛盾した研究結果が示されています。このような医薬品には，特定のカルシウム拮抗薬（ジルチアゼム塩酸塩，ニカルジピン塩酸塩，ベラパミル塩酸塩），化学療法薬（エトポシド，パクリタキセル，ビンブラスチン硫酸塩，ビンクリスチン硫酸塩，ビンデシン硫酸塩），抗真菌薬（ケトコナゾール，イトラコナゾール），グルココルチコイド，Alfentanil，シサプリド（販売中止），フェンタニルクエン酸塩，リドカイン塩酸塩，ロサルタンカリウム，フェキソフェナジン塩酸塩，ミダゾラムなどがあります。

中 血液凝固を抑制する医薬品（抗凝固薬/抗血小板薬）

レスベラトロールは血液凝固を抑制する可能性があります。レスベラトロールと血液凝固を抑制する医薬品を併用すると，紫斑および出血のリスクが高まるおそれがあります。このような医薬品には，アスピリン，クロピドグレル硫酸塩，ジクロフェナクナトリウム，イブプロフェン，ナプロキセン，ダルテパリンナトリウム，エノキサパリンナトリウム，ヘパリン，ワルファリンカリウムなどがあります。

中 肝臓で代謝される医薬品（シトクロムP450 1A1（CYP1A1）の基質となる医薬品）

特定の医薬品は肝臓で代謝されます。レスベラトロールはこのような医薬品の代謝を抑制する可能性があります。理論的には，レスベラトロールと肝臓で代謝される医薬品を併用すると，医薬品の作用および副作用が増強するおそれがあります。このような医薬品には，クロルゾキサゾン，テオフィリン，Bufuralolがあります。

中 肝臓で代謝される医薬品（シトクロムP450 1A2（CYP1A2）の基質となる医薬品）

特定の医薬品は肝臓で代謝されます。レスベラトロールはこのような医薬品の代謝を抑制する可能性があります。理論的には，レスベラトロールと肝臓で代謝される医薬品を併用すると，医薬品の作用および副作用が増強するおそれがあります。このような医薬品には，クロザピン，Cyclobenzaprine，フルボキサミンマレイン酸塩，ハロペリドール，イミプラミン塩酸塩，メキシレチン塩酸塩，オランザピン，塩酸ペンタゾシン，プロプラノロール塩酸塩，Tacrine，Zileuton，ゾルミトリプタンなどがあります。

中 肝臓で代謝される医薬品（シトクロムP450 1B1（CYP1B1）の基質となる医薬品）

特定の医薬品は肝臓で代謝されます。レスベラトロールは特定の医薬品の代謝を抑制する可能性があります。理論的には，レスベラトロールと肝臓で代謝される医薬品を併用すると，医薬品の作用および副作用が増強するおそれがあります。このような医薬品には，テオフィリン，オメプラゾール，クロザピン，プロゲステロン，ランソプラゾール，フルタミド，オキサリプラチン，エルロチニブ塩酸塩，カフェインなどがあります。

中 肝臓で代謝される医薬品（シトクロムP450 2C19（CYP2C19）の基質となる医薬品）

特定の医薬品は肝臓で代謝されます。レスベラトロールはこのような医薬品の代謝を抑制する可能性があります。理論的には，レスベラトロールと肝臓で代謝される医薬品を併用すると，医薬品の作用および副作用が増強するおそれがあります。このような医薬品には，アミトリプチリン塩酸塩，カリソプロドール（販売中止），Citalopram，ジアゼパム，ランソプラゾール，オメプラゾール，フェニトイン，ワルファリンカリウムなど数多くあります。

中 肝臓で代謝される医薬品（シトクロムP450 2E1（CYP2E1）の基質となる医薬品）

特定の医薬品は肝臓で代謝されます。レスベラトロールはこのような医薬品の代謝を抑制する可能性があります。理論的には，レスベラトロールと肝臓で代謝される医薬品を併用すると，医薬品の作用および副作用が増強するおそれがあります。このような医薬品には，アセトアミノフェン，クロルゾキサゾン，アルコール，テオフィリン，麻酔薬（エンフルラン（販売中止），ハロタン（販売中止），イソフルラン，Methoxyfluraneなど）などがあります。

ハーブおよび健康食品・サプリメントとの相互作用

血液凝固を抑制するハーブおよび健康食品・サプリメント

レスベラトロールは血液凝固を抑制する可能性があります。他の抗血液凝固作用を有するハーブおよび健康食品・サプリメントと併用すると一部の人の出血のリスクを高めることがあります。これらのハーブにはアンゼリカ，ボラージシードオイル，クローブ，ニンニク，ショウガ，イチョウ，レッドクローバー，ウコン，ウィローバークなどがあります。

使用量の目安

標準使用量に関するデータがありません。

レッドクローバー

RED CLOVER

別名ほか

Beebread, Clovone, Cow Clover, Daidzein, Genistein, Isoflavone, Meadow Clover, Miel des Prés, Phytoestrogen, Purple Clover, Trebol Rojo, Trèfle Commun, Trèfle des Prés, Trèfle Pourpre, Trèfle Rouge, Trèfle Rougeâtre, Trèfle Violet, Trefoil, Trifolium, Trifolium pratense, Wild Clover

概　　要

レッドクローバーは植物です。花部を用いて「くすり」を作ることもあります。

レッドクローバーは多くの疾患に用いられますが，現時点ではいずれについても，効果があるかどうかを明らかにする科学的エビデンスは十分にありません。ただ，コレステロール低下および女性の顔面紅潮（ほてり）のコントロールについては，効果がないようです。

レッドクローバーは，がん予防，骨粗鬆症，消化不良，高コレステロール血症，百日咳，咳，気管支喘息，気管支炎，性感染症（STD）に対して用いられます。

女性では，顔面紅潮（ほてり）などの更年期症状，乳房痛または乳房圧痛，月経前症候群（PMS）に対して用いることもあります。

また，皮膚がん，皮膚のひりひり感，熱傷，湿疹や乾癬などの慢性皮膚疾患に対して皮膚に塗布されます。

食品や飲料には，レッドクローバーの固体エキスが香料として用いられます。

レッドクローバーにはイソフラボンというホルモン様の化学物質が含まれており，この物質がある種の動物に生殖機能障害を引き起こすようです。動物園のチーターに生殖機能不全と肝疾患が複数報告され，専門家はイソフラボンが豊富な食餌が原因ではないかと考えています。畜産用動物がレッドクローバーを大量に摂取すると，不妊に至るおそれがあります。

安　全　性

通常の食品に含まれる量を用いる場合は，ほとんどの人に安全のようです。「くすり」としての量を経口摂取する場合や皮膚に塗布する場合は，おそらく安全です。

レッドクローバーは皮疹様の反応，筋肉痛，頭痛，吐き気，女性の膣出血を引き起こすおそれがあります。

出血性疾患：レッドクローバーは出血リスクを高めるおそれがあります。大量摂取は避け，注意して使用してください。

乳がん，子宮がん，卵巣がん，子宮内膜症，子宮線維腫などのホルモン感受性疾患：レッドクローバーはエストロゲンのように作用するおそれがあります。エストロゲンにさらされると悪化するおそれのある疾患の場合には，レッドクローバーを使用してはいけません。

プロテインS欠損症：プロテインS欠損症があると血液凝固のリスクが高くなります。レッドクローバーにはエストロゲンの作用が一部あるため，プロテインS欠損症患者の血栓形成リスクを高めるおそれがあります。プロテインS欠損症の場合には，使用してはいけません。

手術：レッドクローバーは血液凝固を抑制するおそれがあるため，手術中・手術後の出血リスクを高めるおそれがあります。少なくとも手術前２週間は，使用しないでください。

レッドクローバーを皮膚に塗布する場合の安全性についてはデータが不十分です。

●妊娠中および母乳授乳期

通常の食品に含まれる量を経口摂取する場合は，ほとんどの人に安全のようです。ただし，「くすり」としての量を経口摂取する場合は，安全ではないようです。レッドクローバーはエストロゲンのように作用し，妊娠中および母乳授乳期の重要なホルモンバランスを乱すおそれがあります。「くすり」としての量を経口摂取してはいけません。

妊娠中および母乳授乳期に皮膚へ塗布する場合の安全性についてはデータが不十分です。安全性を考慮し，皮膚へ塗布してはいけません。

有　効　性

◆有効性レベル④

・骨粗鬆症。一部の初期の研究では，健康な閉経後女性がレッドクローバーを毎日６カ月間摂取すると，骨密度が上昇することが示唆されています。ただし，ほとんどのエビデンスからは，レッドクローバーを摂取しても骨粗鬆症は改善しないことが示唆されています。

◆科学的データが不十分です

・脱毛症，良性前立腺肥大，乳がん，子宮内膜がん，高コレステロール血症，乳房痛，更年期症状，消化不良，肺疾患（咳，気管支炎，気管支喘息），月経前症候群

(PMS)，性感染症（STD)，皮膚疾患（がん性の増殖，熱傷，湿疹，乾癬）など。

●体内での働き

レッドクローバーに含まれるイソフラボンは，体内でエストロゲンホルモンによく似たフィトエストロゲンに変換されます。

医薬品との相互作用

中エストロゲン（卵胞ホルモン）製剤

多量のレッドクローバーにはエストロゲン様作用のある可能性があります。しかし，レッドクローバーにはエストロゲン製剤と同等の強さはありません。レッドクローバーとエストロゲン製剤を併用すると，エストロゲン製剤の作用が減弱するおそれがあります。このようなエストロゲン製剤には，結合型エストロゲン，エチニルエストラジオール，エストラジオールなどがあります。

中タモキシフェンクエン酸塩

がんの種類によっては体内のホルモンの影響を受けます。エストロゲン感受性がんは体内のエストロゲン量の影響を受けます。タモキシフェンクエン酸塩はこのようながんの治療および再発予防のために用いられます。レッドクローバーもエストロゲン量に影響を与えるようです。レッドクローバーがエスロトゲン量に影響を及ぼすことで，タモキシフェンクエン酸塩の効果がを弱まるおそれがあります。タモキシフェンクエン酸塩を服用中にレッドクローバーを摂取しないでください。

中肝臓で代謝される医薬品（シトクロムP450 1A2（CYP1A2）の基質となる医薬品）

特定の医薬品は肝臓で代謝されます。レッドクローバーはこのような医薬品の代謝を抑制する可能性があります。レッドクローバーと肝臓で代謝される医薬品を併用すると，医薬品の作用および副作用が増強するおそれがあります。このような医薬品には，アミトリプチリン塩酸塩，ハロペリドール，オンダンセトロン塩酸塩水和物，プロプラノロール塩酸塩，テオフィリン，ベラパミル塩酸塩などがあります。

中肝臓で代謝される医薬品（シトクロムP450 2C19（CYP2C19）の基質となる医薬品）

特定の医薬品は肝臓で代謝されます。レッドクローバーはこのような医薬品の代謝を抑制する可能性があります。レッドクローバーと肝臓で代謝される医薬品を併用すると，医薬品の作用および副作用が増強するおそれがあります。肝臓で代謝される医薬品を服用する場合には，医師や薬剤師に相談することなくレッドクローバーを摂取しないでください。このような医薬品には，オメプラゾール，ランソプラゾール，パントプラゾールナトリウム水和物（販売中止），ジアゼパム，カリソプロドール（販売中止），ネルフィナビルメシル酸塩などがあります。

中肝臓で代謝される医薬品（シトクロムP450 2C9（CYP2C9）の基質となる医薬品）

特定の医薬品は肝臓で代謝されます。レッドクローバーはこのような医薬品の代謝を抑制する可能性があります。レッドクローバーと肝臓で代謝される医薬品を併用すると，医薬品の作用および副作用が増強するおそれがあります。肝臓で代謝される医薬品を服用する場合には，医師や薬剤師に相談することなくレッドクローバーを摂取しないでください。このような医薬品には，ジクロフェナクナトリウム，イブプロフェン，メロキシカム，ピロキシカム，セレコキシブ，アミトリプチリン塩酸塩，ワルファリンカリウム，Glipizide，ロサルタンカリウムなどがあります。

中肝臓で代謝される医薬品（シトクロムP450 3A4（CYP3A4）の基質となる医薬品）

特定の医薬品は肝臓で代謝されます。レッドクローバーはこのような医薬品の代謝を抑制する可能性があります。レッドクローバーと肝臓で代謝される医薬品を併用すると，医薬品の作用および副作用を増強するおそれがあります。肝臓で代謝される医薬品を服用中に，医師や薬剤師に相談することなくレッドクローバーを摂取しないでください。このような医薬品には，Lovastatin，ケトコナゾール，イトラコナゾール，フェキソフェナジン塩酸塩，トリアゾラムなど数多くあります。

中血液凝固を抑制する医薬品（抗凝固薬/抗血小板薬）

多量のレッドクローバーは血液凝固を抑制する可能性があります。レッドクローバーと血液凝固を抑制する医薬品を併用すると，紫斑および出血のリスクが高まります。このような医薬品には，アスピリン，クロピドグレル硫酸塩，ジクロフェナクナトリウム，イブプロフェン，ナプロキセン，ダルテパリンナトリウム，エノキサパリンナトリウム，ヘパリン，ワルファリンカリウムなどがあります。

中避妊薬

特定の避妊薬にはエストロゲンが含まれます。レッドクローバーにはエストロゲン様作用のある可能性があります。しかし，避妊薬のエストロゲンほど強くありません。レッドクローバーと避妊薬を併用すると，避妊薬の効果が弱まる可能性があります。併用中の場合には，コンドームなど，ほかの避妊方法も使用してください。このような避妊薬には，エチニルエストラジオール・レボノルゲストレル配合，エチニルエストラジオール・ノルエチステロン配合などがあります。

中メトトレキサート

レッドクローバーは，体内のメトトレキサートの量を増加させる可能性があり，その結果，メトトレキサートの副作用（嘔吐，胃痛など）が増強するおそれがあります。レッドクローバーとメトトレキサートを併用すると，メトトレキサートの副作用が増強するおそれがあります。

ハーブおよび健康食品・サプリメントとの相互作用

血液凝固を抑制するおそれのあるハーブおよび健康食品・サプリメント

レッドクローバーは血液凝固を抑制するおそれがあります。レッドクローバーと，血液凝固を抑制するおそれのあるほかのハーブおよび健康食品・サプリメントを併用すると，人によっては出血や紫斑のリスクが高まるおそれがあります。このようなハーブおよび健康食品・サプリメントには，アンゼリカ，クローブ，タンジン，ニンニク，ショウガ，イチョウ，朝鮮人参，セイヨウトチノキ，ウコンなどがあります。

エストロゲン活性をもつハーブおよび健康食品・サプリメント

大量のレッドクローバーはエストロゲンと同じ作用の一部をもつ可能性があります。レッドクローバーと，エストロゲン作用の一部をもつほかのハーブおよび健康食品・サプリメントを併用すると，これらのエストロゲン様活性が高まったり低下したりするおそれがあります。このようなハーブおよび健康食品・サプリメントには，アルファルファ，ブラックコホシュ，チェストベリー，亜麻の種子，ホップ，イプリフラボン，クズ，甘草，大豆などがあります。

使用量の目安

通常の食品に含まれている量を超えて経口摂取した場合の安全性および副作用については，明らかになっていません。

レッドバレリアン

RED-SPUR VALERIAN

●代表的な別名

ベニカノコソウ

別名ほか

ケントランツス・ルベル（Centranthus ruber），ベニカノコソウ，ヒカノコソウ，ヴァレリアン・レッド，フォックスブラッシュ，ケントランサス，セントランサス，Bouncing Bess，Bovis and Soldier，Delicate Bess，Drunken Sailor，Fox's-Brush，Jupiter's Beard，Pretty Betsy，Red Spur Valerian，Red Valerian，Valeriana Rubra

概　要

レッドバレリアンは植物です。根を用いて「くすり」を作ることもあります。

安 全 性

十分なデータが得られていないので，安全性または副作用のリスクについては不明です。

●妊娠中および母乳授乳期

妊娠中，母乳授乳期は使用してはいけません。

有 効 性

◆科学的データが不十分です

・鎮静薬としての使用。

●体内での働き

鎮静作用のある化合物を含んでいます。

医薬品との相互作用

ほかの医薬品との相互作用については明らかではありません。

ハーブおよび健康食品・サプリメントとの相互作用

ほかのハーブ，健康食品・サプリメントとの相互作用についてはまだ明らかではありません。

使用量の目安

標準使用量に関するデータがありません。

レッドラズベリー

RED RASPBERRY

●代表的な別名

フランボワーズ

別名ほか

Framboise，フランボワーズ，Framboise Rouge，Framboisier Rouge，Framboisier Sauvage，Frambuesa Roja，Raspberry，ラズベリー，Rubi Idaei Folium，Rubus，Rubus buschii，Rubus idaeus，Rubus strigosus

概　要

レッドラズベリーは植物で，広く食用されているおいしくて甘いベリー類の原種です。レッドラズベリーの果実と葉は何世紀にもわたって「くすり」としても使用されています。

レッドラズベリーの葉は，分娩促進，胃腸疾患（下痢など），気道感染（インフルエンザなど），心臓の異常に対して経口摂取されることがあります。

レッドラズベリーの葉は，咽喉痛用のうがい薬に使用されたり，皮疹に対して皮膚に塗布されたりします。

食品では，レッドラズベリーの果実をそのまま食べたり，ジャムなどの食品に加工したりします。少量のレッドラズベリーの葉はヨーロッパでは天然香料の基源材料となります。

安 全 性

レッドラズベリーの果実は，食品としての量を経口摂取する場合，ほとんどの人に安全のようです。さらに多くの量を「くすり」として摂取する場合，おそらく安全です。レッドラズベリーの果実の摂取による副作用は報告されていません。しかし，レッドラズベリーの安全性について，十分な評価は行われていません。

糖尿病：レッドラズベリーの葉は，糖尿病の場合に血糖値を低下させるおそれがあります。糖尿病患者がレッドラズベリーの葉を使用する場合には，低血糖の徴候に注意し，血糖値を注意深く監視してください。

乳がん，子宮がん，卵巣がん，子宮内膜症，子宮線維腫などのホルモン感受性疾患：レッドラズベリーにはエストロゲン様作用のある可能性があります。エストロゲン曝露によって悪化するおそれがある疾患の場合には，レッドラズベリーを摂取しないでください。

●妊娠中および母乳授乳期

妊娠中：レッドラズベリーの果実は，食品としての量を摂取する場合，ほとんどの人に安全のようです。妊娠後期に「くすり」としての量のレッドラズベリーの葉を経口摂取する場合，医師などの直接指導があれば，おそらく安全です。レッドラズベリーの葉は，分娩促進のために助産師が使用します。しかし，妊婦がレッドラズベリーの葉を自己判断で摂取してはいけません。医師などの直接指導なしに，妊娠期間を通じて，レッドラズベリーの葉を「くすり」として摂取することは安全ではないようです。レッドラズベリーには女性ホルモン様作用（エストロゲン様作用）があるおそれがあります。そのため，妊娠に悪影響を及ぼすおそれがあります。

母乳授乳期：レッドラズベリーの葉の使用の安全性については，データが不十分です。安全性を考慮し，摂取は避けてください。

有　効　性

◆有効性レベル④

・陣痛。レッドラズベリーの葉を摂取しても，陣痛の長さが短縮したり，分娩時に必要な鎮痛薬の必要性が低下したりすることはありません。

◆科学的データが不十分です

・月経期の異常な大量出血（過多月経），糖尿病，下痢，インフルエンザ，胃腸疾患，心疾患，心不全および体液貯留（うっ血性心不全（CHF）），高血圧，気道感染，生理痛（月経困難），妊娠中のつわり（胃のむかつきや嘔吐），流産予防，皮疹，咽喉痛（咽頭炎），ビタミン欠乏症など。

●体内での働き

レッドラズベリーの化学物質には抗酸化作用や，血管弛緩を促進しする可能性があります。また，摂取量および筋肉の部位によっては，筋肉の収縮や弛緩を引き起こす可能性があります。そのため，レッドラズベリーは分娩の促進に使用されます。

医薬品との相互作用

中インスリン

インスリンは体内の血糖値を低下させます。レッドラズベリーリーフも体内の血糖値を低下させる可能性があります。レッドラズベリーリーフとインスリンを併用すると，体内の血糖値が過度に低下するおそれがあります。血糖値を注意深く監視してください。インスリンの用量を変更する必要があるかもしれません。

中血液凝固を抑制する医薬品（抗凝固薬/抗血小板薬）

レッドラズベリーリーフは血液凝固を抑制する可能性があります。レッドラズベリーリーフと血液凝固を抑制する医薬品を併用すると，紫斑および出血のリスクが高まるおそれがあります。このような医薬品には，アスピリン，クロピドグレル硫酸塩，プラスグレル塩酸塩，チカグレロル，ダルテパリンナトリウム，エノキサパリンナトリウム，ヘパリン，ワルファリンカリウムなどがあります。

ハーブおよび健康食品・サプリメントとの相互作用

ほかのハーブ，健康食品・サプリメントとの相互作用についてはまだ明らかではありません。

使用量の目安

通常の食品に含まれている量を超えて経口摂取した場合の安全性および副作用については，明らかになっていません。

レディースマントルアルパイン

ALPINE LADY'S MANTLE

別名ほか

アルケッミラ・アルピナ，アルピナ（Alchemilla alpina），アルパイン・レディスマントル（Alpine ladys Mantle），Alchemillae alpinae Herba

概　　要

レディースマントルアルパインはハーブです。「くすり」に使用することもあります。

安　全　性

安全かどうかは不明です。

●妊娠中および母乳授乳期

妊娠中，母乳授乳期は使用してはいけません。

有　効　性

◆科学的データが不十分です

・女性の愁訴，心疾患，痙攣の軽減，および尿生成量の増加（利尿薬）。

●体内での働き

「くすり」としてどのように作用するかは不明です。

医薬品との相互作用

ほかの医薬品との相互作用については明らかではありません。

ハーブおよび健康食品・サプリメントとの相互作用

ほかのハーブ，健康食品・サプリメントとの相互作用についてはまだ明らかではありません。

使用量の目安

標準使用量に関するデータがありません。

レバンベリー

LEVANT BERRY

別名ほか

コックルス（Cocculus），インディアンベリー（Indian Berry），Anamirta cocculus，Anamirta paniculata，Cocculus indicus，Cocculus lacunosus，Cocculus suberosus，Coculus fructus，Fish Berries，Fish Killer，Hockle Elderberry，Levant Nut，Louseberry，Menispermum cocculus，Menispermum lacunosum，Poisonberry

概　要

レバンベリーは植物です。乾燥させた果実と種子を用いて「くすり」を作ることもあります。

安 全 性

皮膚への使用は安全ではないようです。経口摂取も安全ではなく，有害です。

間違って摂取した場合は，直ちに医師の診察が必要です。頭痛，めまい，悪心，協調障害，うつ病，痙攣，筋肉の単収縮（ピクピクすること），唾液の増加，嘔吐，腸内容物の排出促進，速い呼吸，嗜眠，不整脈，心拍数の減少，意識不明などの副作用を引き起こす可能性があり，死に至ることもあります。

●妊娠中および母乳授乳期

妊娠中，母乳授乳期は使用してはいけません。

有 効 性

◆科学的データが不十分です

・眼球の異常な動き，めまい，疥癬，シラミ，てんかん，寝汗，刺激薬としての使用，およびマラリア。

●体内での働き

中枢神経を刺激し，胃腸に刺激を与えます。呼吸変化を引き起こす刺激を脳に与える化合物を含んでいます。また，心拍数を減らし，血圧を高めます。

医薬品との相互作用

ほかの医薬品との相互作用については明らかではありません。

ハーブおよび健康食品・サプリメントとの相互作用

ほかのハーブ，健康食品・サプリメントとの相互作用についてはまだ明らかではありません。

使用量の目安

標準使用量に関するデータがありません。

レモン

LEMON

別名ほか

Citrus limon，Citrus limonum，Limon，Nimbaka，Nimbuka

概　要

レモンは植物です。果実と皮を用いて「くすり」を作ることもあります。

安 全 性

食品に含まれているのに近い量を医療目的で使うことはおそらく安全です。

高用量による副作用は知られていません。

レモンを皮膚に塗るととくに色白の人で，日焼けを起こす可能性が高くなります。

●妊娠中および母乳授乳期

妊娠中，母乳授乳期は，食品に通常含まれている以上の量を使用してはいけません。

有 効 性

◆科学的データが不十分です

・メニエール病。レモンに含まれるエリオジクチオール配糖体（eriodictyol glycoside）はメニエール病患者の聴力を改善し，めまい，悪心，および嘔吐を減少させる可能性があります。

・腎結石。尿中のクエン酸が十分ではない場合，腎結石を引き起こすリスクが高くなります。1日を通して2Lのレモネードを飲むと尿中クエン酸値が統計学的に有意に上昇するとの報告があります。このことは腎結石の予防に役立つ可能性があります。

・壊血病の治療のためのビタミンC摂取，疾患に対する抵抗力の向上，感冒，インフルエンザ，腫脹の軽減，および尿量の増加。

●体内での働き

レモンには抗酸化作用のあるビオフラボノイドが含ま

れています。レモンの健康効果は，ビオフラボノイドによると考えられています。

医薬品との相互作用

ほかの医薬品との相互作用については明らかではありません。

ハーブおよび健康食品・サプリメントとの相互作用

ほかのハーブ，健康食品・サプリメントとの相互作用についてはまだ明らかではありません。

使用量の目安

●経口摂取

オイル，チンキ剤，または生の果実として摂取されています。

レモングラス

LEMONGRASS

別名ほか

コーチン産レモングラス（Cochin Lemongrass），西インドレモングラス（Cymbopogon citratus），東インドレモングラス（Cymbopogon flexuosus），グアテマラ産レモングラス（Guatemala lemongrass），マダガスカル産レモングラス（Madagascar Lemongrass），シトロネラ（Citronella），Andropogon citrates，British Indian Lemongrass，Capim-cidrao，Ceylon Citronella Grass，Cymbopogon nardis，East Indian Lemongrass，Fever Grass，Lemon Grass，West Indian lemongrass

概　　要

レモングラスは植物です。葉とオイルを用いて「くすり」を作ることもあります。

安 全 性

レモングラスは，食品としての量を摂取する場合，ほとんどの人に安全のようです。医療目的で経口摂取する場合や皮膚へ塗布する場合には，短期間であればおそらく安全です。ただし，レモングラスの吸入後に肺疾患を起こしたり，小児がレモングラスオイルベースの昆虫忌避剤を飲み込んで致命的な中毒を起こしたりするなど，有毒な副作用がいくつか報告されています。

●妊娠中および母乳授乳期

妊娠中の経口摂取は，安全ではないようです。レモングラスが，月経出血を誘発し，流産を引き起こすおそれがあります。

妊娠中および母乳授乳期の使用の安全性についてはデータが不十分です。安全性を考慮し，摂取は避けてください。

有 効 性

◆科学的データが不十分です

・高コレステロール血症，鵞口瘡（口内の酵母菌感染），胃腸の痙攣，胃痛，高血圧，痙攣，疼痛，嘔吐，咳，関節リウマチ，発熱，感冒，疲労，頭痛，消毒液および収斂薬としての使用など。

●体内での働き

一部の細菌および酵母菌の増殖を予防する可能性があります。またレモングラスに含まれる物質には，疼痛緩和，解熱，子宮および月経出血の刺激，抗酸化作用があると考えられています。

医薬品との相互作用

中 ペントバルビタールカルシウム

レモングラス精油は眠気をもたらす可能性があります。ペントバルビタールカルシウムのような鎮静薬と併用すると，副作用および眠気が増強するおそれがあります。

中 肝臓で代謝される医薬品（グルクロン酸抱合を受けて代謝される医薬品）

特定の医薬品は体内で代謝されてから排泄されます。肝臓には医薬品を代謝する働きがあります。レモングラスはこのような医薬品の代謝に影響を及ぼす可能性があります。そのため，医薬品の作用が増強または減弱するおそれがあります。このような医薬品には，アセトアミノフェン，オキサゼパム（販売中止），ハロペリドール，ラモトリギン，モルヒネ塩酸塩水和物，ジドブジンなどがあります。

中 肝臓で代謝される医薬品（シトクロムP450 1A1（CYP1A1）の基質となる医薬品）

特定の医薬品は肝臓で代謝されます。レモングラスはこのような医薬品の代謝を抑制する可能性があります。レモングラスと肝臓で代謝される医薬品を併用すると，医薬品の作用および副作用が増強するおそれがあります。このような医薬品には，クロルゾキサゾン，テオフィリン，Bufuralolがあります。

中 肝臓で代謝される医薬品（シトクロムP450 3A4（CYP3A4）の基質となる医薬品）

特定の医薬品は肝臓で代謝されます。レモングラスはこのような医薬品の代謝を抑制する可能性があります。レモングラスと肝臓で代謝される医薬品を併用すると，医薬品の作用および副作用が増強するおそれがあります。このような医薬品には，アミトリプチリン塩酸塩，ミオダロン塩酸塩，Citalopram，フェロジピン，ランソプラゾール，オンダンセトロン塩酸塩水和物，Prednisone，塩酸セルトラリン，シブトラミン塩酸塩水和物（販売中止）など数多くあります。

ハーブおよび健康食品・サプリメントとの相互作用

ほかのハーブ，健康食品・サプリメントとの相互作用

レ

についてはまだ明らかではありません。

使用量の目安

通常の食品に含まれている量を超えて経口摂取した場合の安全性および副作用については，明らかになっていません。

レモンバーベナ

LEMON VERBENA

別名ほか

コウスイボク，香水木（Aloysia triphylla），ボウシュウボク，防臭木（Herb louisa），Aloysia citrodora, Lemon-Scented Verbena, Lippia citrodora, Lippia triphylla, Louisa, Verbena citrodora, Verbena triphylla, Verveine citronelle, Zappania ccitrodora

概　　要

レモンバーベナは植物です。葉と花頂部を用いて「くすり」を作ることもあります。

安　全　性

アルコール飲料に含まれる量の摂取はほとんどの人に安全です。

医薬品としての使用も適量なら安全なようです。皮膚に刺激（皮膚炎）を生じる人もいます。

腎臓疾患の人は使用してはいけません。

大量に摂ると腎臓を刺激することがあります。

●妊娠中および母乳授乳期

妊娠中，母乳授乳期は使用してはいけません。

有　効　性

◆科学的データが不十分です

・消化器系疾患，不安感，不眠（不眠症），気管支喘息，感冒，発熱，腸内ガス（膨満），疝痛，下痢，消化器系障害，痔核，静脈瘤，皮膚疾患，および便秘。

●体内での働き

ダニや細菌を殺すことのある物質を含んでいます。

医薬品との相互作用

中ベンゾジアゼピン系鎮静薬

レモンバーベナは眠気および注意力低下を引き起こす可能性があります。鎮静薬も眠気および注意力低下を引き起こす医薬品です。レモンバーベナと鎮静薬を併用すると，過度の眠気および呼吸困難を引き起こすおそれがあります。このような鎮静薬には，ロラゼパム，アルプラゾラム，ジアゼパム，ミダゾラム，Temazepam，トリアゾラムなどがあります。

ハーブおよび健康食品・サプリメントとの相互作用

ほかのハーブ，健康食品・サプリメントとの相互作用についてはまだ明らかではありません。

使用量の目安

●経口摂取

お茶１回１カップを１日２～５回摂取します。お茶は５～29gの葉を１Lの沸騰した湯に10～15分間浸し，その後ろ過して作ります。

●局所投与

標準使用量に関するデータがありません。

レモンバーム

LEMON BALM

別名ほか

Balm, Bálsamo de Limón, Cure-All, Dropsy Plant, Honey Plant, Melisa, Melissa, Melissa officinalis, Melissae Folium, Mélisse, Mélisse Citronnelle, Mélisse Officinale, Melissenblatt, Monarde, Sweet Balm, Sweet Mary, Toronjil

概　　要

レモンバームは多年草のハーブでミントの仲間です。葉は軽いレモンの香りがあり，「くすり」に使われることがあります。レモンバームは単独で，あるいは複数のハーブを含んだ製品の一部として使用されます。

安　全　性

レモンバームは通常の食品としての量を用いる場合は，ほとんどの人に安全のようです。成人が「くすり」としての量を経口摂取する場合や皮膚に塗布する場合は，短期間であればおそらく安全です。研究では最長４ヶ月まで安全に使用されています。長期使用の安全性についてはデータが不十分です。

経口摂取の場合，食欲亢進，吐き気，嘔吐，腹痛，めまい感，喘鳴などの副作用を引き起こすおそれがあります。

皮膚に塗布する場合，皮膚過敏や口唇ヘルペス症状の悪化を引き起こすおそれがあります。

乳児および小児：適量を約１カ月間経口摂取する場合は，おそらく安全です。

糖尿病：糖尿病の場合には，レモンバームが血糖値を低下させるおそれがあります。糖尿病患者が使用する場合には，低血糖の徴候がないかどうか観察し，血糖値を注意深く監視してください。

手術：レモンバームを手術中・手術後に使用する医薬品と併用すると，過度の傾眠を引き起こすおそれがあります。少なくとも手術前２週間は，使用しないでください。

甲状腺疾患：レモンバームを使用してはいけません。レモンバームは甲状腺機能を変化させたり，甲状腺ホルモン濃度を低下させたり，甲状腺ホルモン補充療法に干渉したりするおそれがあります。

●妊娠中および母乳授乳期

妊娠中および母乳授乳期の使用の安全性についてはデータが不十分です。

安全性を考慮し，摂取は避けてください。

有 効 性

◆有効性レベル③

・不安。一部の研究では，不安障害のある人が特定のレモンバーム製品を摂取すると，症状が軽減することが示されています。また，初期の研究では，レモンバームとそのほか12種類の成分を含む特定製品を摂取すると，神経過敏やいらいら感などの不安症状が軽減することが示されています。

・母乳哺育児の仙痛。一部の研究では，仙痛のある母乳哺育児にフェンネル，レモンバーム，ジャーマン・カモミールを含む特定の併用製品を１日２回，１週間与えると，泣く時間が減少することが示されています。別の研究では，乳児にジャーマン・カモミール，クマツヅラ，甘草，フェンネル，レモンバームを含む特定の茶製剤を１日最大３回与えると，仙痛が解消する乳児の数が増加することが示されています。

・認知症。一部の研究では，軽度から中等度のアルツハイマー患者がレモンバームを４カ月間毎日経口摂取すると，激越が軽減し，症状が改善することが示されています。また初期の研究では，認知症患者の顔および手にレモンバームオイルを含むローションを塗布すると，激越が軽減することが示されています。ただし，そのほかの初期の研究では，有益性はなんら示されていません。

・胃のむかつき（消化不良）。レモンバーム，ペパーミント葉，ジャーマン・カモミール，キャラウェイ，甘草，マガリバナ，セランダイン，アンゼリカ，ミルクシスルを含む特定製品を用いると，酸逆流（GERD），胃痛，胃痙攣，吐き気および嘔吐が改善するようです。また，ペパーミント葉，マガリバナ，ジャーマン・カモミール花，キャラウェイ，甘草根，レモンバームを含む類似の特定製品は，胃のむかつきがある人の胃腸症状を改善するようです。

・単純ヘルペスウイルス感染。感染初期にレモンバームエキスを含むリップクリームを感染部位に塗布すると，再発性ヘルペス感染の治癒にかかる期間が短縮し，症状が軽減するようです。

・不眠。睡眠障害の患者がレモンバームを１日２回，15日間摂取すると，睡眠が改善します。また，睡眠障害の患者がレモンバームをほかの成分と併用摂取すると，睡眠の質が改善するようです。

・ストレス。初期の研究で，成人がストレス検査時にレモンバームを単回摂取すると，落ち着きおよび覚醒が増大することが示されています。別の初期の研究では，食品や飲料にレモンバームを加えると，知能検査時の不安が軽減し，記憶および覚醒が改善することが示されています。また，レモンバームは歯科検査時の小児の不安行動を軽減するようです。レモンバームとカノコソウを低用量で併用摂取すると，ストレス検査時の不安が軽減するようですが，高用量ではストレスによる不安は悪化するようです。

◆科学的データが不十分です

・精神機能，大腸炎，うつ病，情動不安（睡眠不全），過敏性腸症候群（IBS），身体に疼痛をもたらす精神疾患（身体化障害）など。

●体内での働き

レモンバームに含まれる化学物質には，鎮静作用があるようです。レモンバームはまた，一部のウイルスおよび細菌の増殖を抑制する可能性があります。

医薬品との相互作用

中甲状腺ホルモン製剤

レモンバームは体内の甲状腺ホルモンの働きを弱めるようです。レモンバームと甲状腺ホルモン製剤を併用すると，甲状腺ホルモン製剤の効果が弱まるおそれがあります。このような甲状腺ホルモン製剤には，レボチロキシンナトリウム水和物，リオチロニンナトリウムなどがあります。

中鎮静薬（中枢神経抑制薬）

レモンバームは眠気および注意力低下を引き起こす可能性があります。鎮静薬は眠気を引き起こす医薬品です。レモンバームと鎮静薬を併用すると，過度の眠気が引き起こされるおそれがあります。このような鎮静薬には，クロナゼパム，ロラゼパム，フェノバルビタール，ゾルピデム酒石酸塩などがあります。

レ

ハーブおよび健康食品・サプリメントとの相互作用

鎮静薬のように作用するハーブおよび健康食品・サプリメント

眠気を引き起こす医薬品を鎮静薬といいます。ある種のハーブおよび健康食品・サプリメントは体内で鎮静薬に似た作用をします。レモンバームもそのひとつです。レモンバームと，鎮静薬のように作用するほかのハーブおよび健康食品・サプリメントを併用すると，過度の眠気を引き起こすおそれがあります。このようなハーブおよび健康食品・サプリメントには，5-ヒドロキシトリプトファン，ショウブ，ハナビシソウ，キャットニップ，ホップ，ジャマイカ・ドッグウッド，カバ，セント・ジョンズ・ワート，スカルキャップ，カノコソウ，アネモプシス・カリフォルニカなどがあります。

血糖値を低下させるおそれのあるハーブおよび健康食品・サプリメント

レモンバームは血糖値を低下させるおそれがあります。レモンバームと，血糖値を低下させるおそれのあるほかのハーブおよび健康食品・サプリメントを併用すると，血糖値が過度に低下するおそれがあります。このようなハーブおよび健康食品・サプリメントには，α-リポ酸，ニガウリ，クロム，デビルズクロー，フェヌグリーク，ニンニク，グアーガム，セイヨウトチノキ，朝鮮人参，サイリウム，エゾウコギなどがあります。

甲状腺ホルモン産生を抑制するハーブおよび健康食品・サプリメント

レモンバームは体内での甲状腺ホルモン産生を抑制するおそれがあります。同様の作用をもつほかのハーブおよび健康食品・サプリメントと併用すると，甲状腺ホルモン濃度が過度に低下するおそれがあります。このようなハーブおよび健康食品・サプリメントには，ジプシーワート，イブキジャコウソウなどがあります。

通常の食品との相互作用

アルコール

レモンバームはアルコールの眠気を引き起こす作用を増強するおそれがあります。ただし一部の研究では，レモンバームとアルコールを併用しても眠気が増大しないことが示されています。

使用量の目安

【成人】

●経口摂取

不安

標準化されたレモンバームエキス300mgを１日２回，15日間摂取します。または，レモンバームなど13種類の成分を含む併用製品0.23mL/kgを１日３回，８週間摂取します。

認知症

標準化されたレモンバームエキス１日60滴を４カ月間摂取します。

胃のむかつき（消化不良）

レモンバーム，ペパーミント葉，ジャーマン・カモミール，キャラウェイ，甘草，マガリバナ，セランダイン，アンゼリカ，ミルクシスルを含む特定の併用製品１mLを１日３回，４週間摂取します。または，レモンバーム，マガリバナ，ジャーマン・カモミール花，ペパーミント葉，キャラウェイ，甘草根を含む同様のハーブ製剤１mLを１日３回，最長８週間摂取します。

不眠（睡眠障害）

標準化されたレモンバームエキス300mgを１日２回，15日間摂取します。または，レモンバーム葉エキス80mgおよびカノコソウ根エキス160mgを含む特定の併用製品を１日２～３回，最長30日間摂取します。または，カノコソウ根170mg，ホップ50mg，レモンバーム50mg，マザーワート50mgを含む錠剤を摂取します。

ストレス

研究ではさまざまな用量が使用されています。ストレス検査中にレモンバームエキス600mgを単回摂取します。または，レモンバームエキス300mgの単回用量を食品または飲料に加え，知能検査中に摂取します。または，１錠にレモンバームエキス80mgおよびカノコソウ根エキス120mgを含む特定製品３錠を，ストレス検査の前に摂取します。

●皮膚への塗布

口唇ヘルペス（単純ヘルペスウイルス）

レモンバームエキスを１%含むクリームを１日２～４回塗布します。通常，最初の徴候発現時から，治癒から数日後まで塗布します。

●アロマセラピーによる吸入

認知症

レモンバームを10%含むローションを１日２回４週間，手および上腕に１～２分間マッサージして擦り込みます。

【小児】

●経口摂取

仙痛

母乳哺育児にフェンネル164mg，レモンバーム97mg，ジャーマン・カモミール178mgを含む特定の併用製品を１日２回，１週間与えます。または，ジャーマン・カモミール，クマツヅラ，甘草，フェンネル，レモンバームを含むハーブティー150mLを１日３回，７日間与えます。

睡眠不全（睡眠の質が不良）

12歳未満の小児で，レモンバーム葉エキス80mgおよびカノコソウ根エキス160mgを含む特定の併用製品１～２錠を１日１～２回摂取します。

レモンユーカリ

LEMON EUCALYPTUS

別名ほか

ユーカリシトリオドラ（Eucalyptus citriodora），レモンユーカリオイル（Lemon Eucalyptus Oil），レモンセンテッドガム（Lemonscented Gum），p-メンタン-3,8-ジオール（P-menthane-3,8-Diol），スポッテッドガム（Spotted Gum），Citron-Scent Gum，Corymbia citriodora，Lemon Scented Gum，Oil of Lemon Eucalyptus，P-Menthane Diol，PMD，Wild Eucalyptus citriodora

概　要

レモンユーカリは樹木です。葉から採れるオイルを「くすり」や虫除けに使用することもあります。

安　全　性

虫除けとして皮膚に使う場合，ほとんどの成人に安全なようです。

皮膚がオイルに反応する人もいます。

胸のうっ血に使うマッサージ薬の中にはレモンユーカリオイルを含んでいるものがあります。それらの製品には，食べると痙攣を引き起こしたり，死を招いたりする可能性がある樟脳も含まれています。

●妊娠中および母乳授乳期

妊娠中，母乳授乳期は使用してはいけません。

有　効　性

◆有効性レベル③

・皮膚を虫さされから予防。オイルは市販の虫除け剤の成分で，ディート（ジエチルトルアミドの虫除け剤）などの商品に匹敵する効果があるようです。

◆科学的データが不十分です

・ダニ咬傷の予防，関節痛，関節炎など。

●体内での働き

レモンユーカリのオイルには，蚊を追い払い，真菌を殺す化合物が含まれています。

医薬品との相互作用

ほかの医薬品との相互作用については明らかではありません。

ハーブおよび健康食品・サプリメントとの相互作用

ほかのハーブ，健康食品・サプリメントとの相互作用についてはまだ明らかではありません。

使用量の目安

●局所投与

蚊に刺されることを予防

30%，40%，75%のレモンユーカリオイルを使用します。ただし，濃度が高ければ効果も高まるとはいえないようです。

ダニにかまれることやダニの付着を予防

ダニの多い地域にいる場合，ある特定の30%レモンユーカリオイルエキスを１日３回まで塗布します。この特定のエキス薬は市販品を使用します。

１日２回以上塗布してはならないことになっています。オイル塗布後は十分に手洗いするよう患者に指示してください。

レンギョウ

FORSYTHIA

別名ほか

連翹（Forsythia fructus），チョウセンレンギョウ，朝鮮連翹（Forsythia koreana），シナレンギョウ，支那連翹（Forsythia viridissima），Forsythia suspensa，Syringa suspensa, Golden Bell, Lian Qiao, Lien Chiao, Rengyo, Weeping Golden Bell

概　　要

レンギョウは植物です。果実を用いて「くすり」を作ることもあります。

安　全　性

経口摂取が安全かどうか不明です。

小児への注射薬の使用は安全だろうとするデータがあります。

２週間以内に手術を受ける予定の人は使用してはいけません。出血のリスクが高まります。

●妊娠中および母乳授乳期

妊娠中，母乳授乳期は使用してはいけません。

有　効　性

◆科学的データが不十分です

・細気管支炎，扁桃炎，咽頭炎，発熱，淋病，および炎症。

●体内での働き

炎症を抑えることがあります。しかし，どのように作用するかの判断にはさらに詳細なデータが必要です。

医薬品との相互作用

中 血液凝固を抑制する医薬品（抗凝固薬/抗血小板薬）

レンギョウは血液凝固を抑える作用があると考えられますから，血液凝固を抑制する医薬品を服用しているときに摂取すると，紫斑および出血のリスクが高まるおそれがあります。このような医薬品には，アスピリン，クロピドグレル硫酸塩，ジクロフェナクナトリウム，イブプロフェン，ナプロキセン，ダルテパリンナトリウム，エノキサパリンナトリウム，ヘパリン，ワルファリンカリウムなどがあります。

ハーブおよび健康食品・サプリメントとの相互作用

ほかのハーブ，健康食品・サプリメントとの相互作用についてはまだ明らかではありません。

使用量の目安

標準使用量に関するデータがありません。

レンゲ

ASTRAGALUS

別名ほか

ペイチー茶（Bei Qi），オウギ，黄耆（Huang Qi），ゲンゲ，レンゲソウ（Milk Vetch），タイツリオウギ（Astragalus membranaceus），Astragali，Beg Kei，Buck Qi，Mongolian Milk，Ogi，Astragalus mongholicus

概　　要

レンゲはハーブです。根を用いて「くすり」を作ることもあります。

レンゲは多くの疾患に対して用いられますが，現時点では，それらに対する有効性についてはデータが不十分です。

感冒，上気道感染症，季節性アレルギー，ブタインフルエンザ，線維筋痛症，貧血，HIV/エイズに対してや，免疫システムの強化や調節の目的で経口摂取されます。また，慢性疲労症候群（CFS），腎疾患，糖尿病，および高血圧に対して用いられます。そのほか，狭心症，気管支喘息，月経不順（無月経），更年期症状，およびβサラセミアに対し経口摂取されたり，運動能力の向上や体重減少の目的で経口摂取されたりします。

全般的な強壮薬として，肝保護や抗菌および抗ウイルスの目的で用いる人もいます。B型肝炎に対してや，がん治療による副作用の予防や緩和の目的でも用いられます。

レンゲはよくほかのハーブと併用して用いられます。たとえば，乳がん，子宮頸がん，および肺がんの治療に，トウネズミモチと併用で経口摂取されます。

患部の血流を増加させ，創傷治癒を促進するために，皮膚に塗布されることもあります。

胸痛，がん治療の副作用，心不全，聴力障害，糖尿病，心臓発作，心感染，腎不全，ループス（全身性エリテマトーデス），および特定の心欠損（ファロー四徴症）に対し，静脈内投与されます。

マメ科レンゲ属には，さまざまな種類があります。種類によってはスウェインソニンと呼ばれる毒素を含んでおり，家畜有毒植物とされています。これらのレンゲには，Astragalus lentiginosus，Astragalus mollissimusなどがあります。ただしこうした種類は，通常，人間用のサプリメントには含まれていません。ほとんどのレンゲのサプリメントにはAstragalus membranaceusが使用されています。

・新型コロナウイルス感染症（COVID-19）。
COVID-19に対してレンゲの使用を裏付ける十分なエビデンス（科学的根拠）はありません。

安　全　性

レンゲは，医師などの指導のもと，経口または静脈内投与により摂取する場合，ほとんどの成人におそらく安全です。経口摂取では，1日最大30gを3カ月間まで，または1日最大40gを2カ月間まで，安全に使用されています。静脈内投与では，1日80gで1カ月間，安全に使用されています。経口投与の場合，皮疹，皮膚のそう痒，鼻の症状，または胃の不快感を引き起こすおそれがありますが，頻度は高くありません。静脈内投与の場合，めまい感や脈拍不整を引き起こすおそれがあります。

多発性硬化症（MS），全身性エリテマトーデス（SLE），関節リウマチ（RA），およびその他の免疫システム疾患などの自己免疫疾患：レンゲは免疫システムを活性化し，自己免疫疾患の症状を悪化させるおそれがあります。これらの疾患の場合は，使用は避けてください。

●妊娠中および母乳授乳期

妊娠中および母乳授乳期の使用の安全性についてはデータが不十分です。しかしながら，動物における一部の研究では，レンゲは母・胎仔ともに対し中毒性をもつおそれがあることが示唆されています。安全性を考慮し，摂取は避けてください。

有　効　性

◆科学的データが不十分です

・季節性アレルギー，月経不順（無月経），胸痛（狭心症），再生不良性貧血（骨髄で作られる赤血球の不足），気管支喘息，化学療法の副作用の低減，化学療法に関連する疲労，慢性疲労症候群，肝臓の瘢痕（硬変），心不全，糖尿病，網膜症（糖尿病患者の眼障害），聴力障害，HIV/エイズ，腎疾患，肺がん，更年期症状，心筋炎（心感染），腎不全，全身性エリテマトーデスと呼ばれる慢性炎症性疾患，ファロー四徴症と呼ばれる心疾患，体重減少，子宮頚がん，線維筋痛症など。

●体内での働き

免疫システムを刺激して増強し，炎症を緩和するようです。

医薬品との相互作用

中シクロホスファミド水和物

シクロホスファミド水和物は免疫機能を抑制するために用いられます。レンゲは免疫機能を高めます。レンゲとシクロホスファミド水和物を併用すると，シクロホスファミド水和物の効果が弱まるおそれがあります。

中炭酸リチウム

レンゲは利尿薬のように排尿量を増加させ，水分の排出を促進する可能性があります。その結果，レンゲを摂取すると，炭酸リチウムの体内からの排泄量を減少させる可能性があります。そのため，体内の炭酸リチウム量が増加し，重大な副作用が現れるおそれがあります。

中免疫抑制薬

レンゲは免疫機能の働きを高めます。レンゲと免疫抑制薬を併用すると，免疫抑制薬の効果を弱めるおそれがあります。このような免疫抑制薬には，アザチオプリン，バシリキシマブ，シクロスポリン，Daclizumab，ムロモナブ-CD3（販売中止），ミコフェノール酸モフェチル，タクロリムス水和物，シロリムス，Prednisone，副腎皮質ステロイドなどがあります。

ハーブおよび健康食品・サプリメントとの相互作用

ほかのハーブ，健康食品・サプリメントとの相互作用についてはまだ明らかではありません。

使用量の目安

通常の食品に含まれている量を超えて経口摂取した場合の安全性および副作用については，明らかになっていません。

レンチナン

LENTINAN

別名ほか

シイタケ（Lentinula edodes），Lenticus edodes，Lentinan edodes，Tricholo mopsis edodes

概　要

レンチナンはシイタケ由来の物質です。

安 全 性

十分なデータが得られていないので安全かどうか不明です。

血中の血小板減少症を引き起こす可能性があります。

●妊娠中および母乳授乳期

妊娠中，母乳授乳期は使用してはいけません。

有 効 性

◆有効性レベル③

・HIV/エイズの治療。治療期間中にディダノシンと併用投与した場合。

◆科学的データが不十分です

・乳がん，胃がんおよび前立腺がんの治療期間中に，ほかの医薬品と併用する場合。

●体内での働き

特定の抗ウイルスや化学療法薬の作用を強めます。レンチナンにより，免疫細胞の活性を高めることもあります。

医薬品との相互作用

中 肝臓で代謝される医薬品（シトクロムP450 1A2（CYP1A2）の基質となる医薬品）

特定の医薬品は肝臓で代謝されます。レンチナンはこのような医薬品の代謝を抑制する可能性があります。レンチナンと肝臓で代謝される医薬品を併用すると，医薬品の作用および副作用が増強するおそれがあります。このような医薬品には，アミトリプチリン塩酸塩，ハロペリドール，オンダンセトロン塩酸塩水和物，プロプラノロール塩酸塩，テオフィリン，ベラパミル塩酸塩などがあります。

中 肝臓で代謝される医薬品（シトクロムP450 2C19（CYP2C19）の基質となる医薬品）

特定の医薬品は肝臓で代謝されます。レンチナンはこのような医薬品の代謝を促進する可能性があります。レンチナンと肝臓で代謝される医薬品を併用すると，医薬品の作用および副作用が増強するおそれがあります。肝臓で代謝される医薬品を服用する場合には，医師や薬剤師に相談することなくレンチナンを摂取しないでください。このような医薬品には，オメプラゾール，ランソプラゾール，パントプラゾールナトリウム水和物（販売中止），ジアゼパム，カリソプロドール（販売中止），ネルフィナビルメシル酸塩などがあります。

中 肝臓で代謝される医薬品（シトクロムP450 2D6（CYP2D6）の基質となる医薬品）

特定の医薬品は肝臓で代謝されます。レンチナンはこのような医薬品の代謝を促進する可能性があります。レンチナンと肝臓で代謝される医薬品を併用すると，医薬品の作用および副作用が減弱するおそれがあります。肝臓で代謝される医薬品を服用する場合には，医師や薬剤師に相談することなくフランキンセンスを摂取しないでください。このような医薬品には，三環系抗うつ薬（イミプラミン塩酸塩，アミトリプチリン塩酸塩など），抗精神病薬（ハロペリドール，リスペリドン，クロルプロマジン塩酸塩など），アドレナリンβ受容体遮断薬（プロプラノロール塩酸塩，メトプロロール酒石酸塩，カルベジロールなど），タモキシフェンなどがあります。

中 肝臓で代謝される医薬品（シトクロムP450 3A4（CYP3A4）の基質となる医薬品）

特定の医薬品は肝臓で代謝されます。レンチナンはこのような医薬品の代謝を促進する可能性があります。レンチナンと肝臓で代謝される医薬品を併用すると，医薬品の作用および副作用が減弱するおそれがあります。肝臓で代謝される医薬品を服用する場合には，医師や薬剤師に相談することなくレンチナンを摂取しないでください。このような医薬品には，Lovastatin，ケトコナゾール，イトラコナゾール，フェキソフェナジン塩酸塩，トリアゾラムなど数多くあります。

中 メトプロロール酒石酸塩

メトプロロール酒石酸塩は体内で代謝されてから排泄されます。レンチナンはメトプロロール酒石酸塩の代謝を抑制する可能性があります。レンチナンとメトプロロール酒石酸塩を併用すると，メトプロロール酒石酸塩の副作用が増強するおそれがあります。

中 ミダゾラム

ミダゾラムは体内で代謝されてから排泄されます。レンチナンはミダゾラムの代謝を抑制する可能性があります。レンチナンとミダゾラムを併用すると，ミダゾラムの副作用が増強するおそれがあります。

レ

中オメプラゾール

オメプラゾールは体内で代謝されてから排泄されます。レンチナンはオメプラゾールの代謝を抑制する可能性があります。レンチナンとオメプラゾールを併用すると，オメプラゾールの副作用が増強するおそれがあります。

中フェナセチン【販売中止】

フェナセチンは体内で代謝されてから排泄されます。レンチナンはフェナセチンの代謝を抑制する可能性があります。レンチナンとフェナセチンを併用すると，フェナセチンの副作用が増強するおそれがあります。

ハーブおよび健康食品・サプリメントとの相互作用

ほかのハーブ，健康食品・サプリメントとの相互作用についてはまだ明らかではありません。

使用量の目安

●経口摂取

標準使用量に関するデータがありません。

●注射

臨床試験では1週間に1～4mgを使用します。

ローカストビーン

CAROB

●代表的な別名

イナゴマメ

別名ほか

カロブ，キャロブ（Ceratonia siliqua），セントジョンズブレッド（St. John's Bread），Locust Bean，Locust Pods，Sugar Pods

概　　要

ローカストビーンはハーブです。果実を用いて「くすり」を作ったり，食品に入れたりすることもあります。

安　全　性

通常の食品の量または「くすり」としての量を経口摂取する場合は，ほとんどの人に安全のようです。望ましくない副作用はないようです。

●妊娠中および母乳授乳期

妊娠中および母乳授乳期の使用の安全性についてはデータが不十分です。安全性を考慮し，通常の食品の量を超える摂取は避けてください。

有　効　性

◆有効性レベル③

・下痢。いくつかの研究により，標準的な経口輸液剤（ORS）を摂取する直前に，生のローカストビーンの豆から抽出したジュースまたは鞘の粉末を摂取すると，急性下痢の小児および乳児において，症状の持続期間が短縮することが示唆されています。

・高コレステロール血症。初期の研究により，ローカストビーンの果肉または特定のローカストビーン製品を最長6週間経口摂取すると，コレステロールがやや高い人の総コレステロール値および低比重リポタンパク（LDL，悪玉）コレステロール値が低下することが示唆されています。

◆科学的データが不十分です

・家族性高コレステロール血症（遺伝性の高コレステロール傾向），肥満，セリアック病，スプルー，むねやけ，妊娠中の嘔吐など。

●体内での働き

消化を補助する特定の物質（酵素）の作用を弱めるタンニンという化学物質が含まれています。体重減少を引き起こしたり，血糖値，インスリン値およびコレステロール値を低下させたりする可能性があります。

医薬品との相互作用

ほかの医薬品との相互作用については明らかではありません。

ハーブおよび健康食品・サプリメントとの相互作用

ほかのハーブ，健康食品・サプリメントとの相互作用についてはまだ明らかではありません。

使用量の目安

通常の食品に含まれている量を超えて経口摂取した場合の安全性および副作用については，明らかになっていません。

ローズゼラニウムオイル

ROSE GERANIUM OIL

別名ほか

ゼラニウムバーボンオイル（Bourbon Geranium Oil），ゼラニウムオイル（Oleum geranii），ローズゼラニウム，ニオイテンジクアオイ（Pelargonium graveolens），Aetheroleum Pelargonii，Algerian Geranium Oil，Moroccan Geranium Oil，Pelargonium Oil

概　　要

ローズゼラニウムオイルはローズゼラニウムの葉および茎由来のオイルです。「くすり」に使用することもあります。違う植物に由来するパルマローザオイルと混同しないよう注意してください。

安 全 性

十分なデータが得られていないので，医薬品としての量が安全かどうかは不明です。

●アレルギー

まれに，皮膚のアレルギー反応を引き起こします。

●妊娠中および母乳授乳期

妊娠中，母乳授乳期は医薬品としての量を使用してはいけません。

有 効 性

◆科学的データが不十分です

・下痢，神経障害性の痛みへの使用，および収れん薬としての使用。

●体内での働き

どのように作用するかについては，十分なデータが得られていません。

医薬品との相互作用

ほかの医薬品との相互作用については明らかではありません。

ハーブおよび健康食品・サプリメントとの相互作用

ほかのハーブ，健康食品・サプリメントとの相互作用についてはまだ明らかではありません。

使用量の目安

標準使用量に関するデータがありません。

ローズヒップ

ROSE HIP

別名ほか

ドッグローズ（Dog Rose），ロサカニナ（Rosa canina），ロサ・ケンティフォリア，ローズアブソリュート（Rosa centifolia），ダマスクローズ，ブルガリアローズ，ローズオットー，トルコローズ（Rosa damascena），ロサガリカ（Rosa gallica），ハマナス（Rosa rugosa），アップルローズ（Rosa villosa），ロサポミフェラ（Rosa pomifera），Cynosbatos，Hip，Hipberry，Hip Fruit，Hip Sweet，Hop Fruit，Rosa de Castillo，Rosae Pseudofructus Cum Semen，Wild Boar Fruit，Rosa alba，Satapatri，Satapatrika

概 要

ローズヒップはバラの花弁の下にある丸い部分のことです。バラの種子を含んでいます。乾燥したローズヒップと種子は，「くすり」として使われることがあります。

安 全 性

推奨量の使用はほとんどの人に安全なようです。悪心，胃痙攣，疲労および不眠を引き起こす可能性があります。

高用量（1日67g以上）を使用すると，下痢および腎臓障害や排尿障害などのビタミンC中毒の症状を引き起こす可能性があります。

G6PD欠乏症（グルコース6リン酸脱水素酸素欠乏症）：ローズヒップに多く含まれるビタミンCが合併症のリスクを高めます。

ヘモクロマトーシス，サラセミア（地中海貧血），貧血など，鉄分に関する障害：これらの疾患がある場合は，ローズヒップの摂取に気をつけてください。

ローズヒップに含まれるビタミンCが，鉄の吸収を増加させることがあり，疾患を悪化させることがあります。

鎌状赤血球症：まれではありますが，ローズヒップに含まれるビタミンCは，血液を酸性にし鎌状赤血球症のクリーゼ（急激な発症病状の変化：骨の疼痛発作，感染症，骨髄無形成，肺病変）を引き起こすことがあるため，使用は避けるべきです。

●妊娠中および母乳授乳期

妊娠中および母乳授乳期の使用の安全性についてはデータが不十分です。安全性を考慮し，使用は控えてください。

有 効 性

◆科学的データが不十分です

・関節リウマチ，感冒の予防と治療，感染症，発熱，免疫機能の強化，胃炎，下痢，糖尿病など。

●体内での働き

ローズヒップを，ビタミンCとして摂取する人がいます。生のローズヒップは，確かにビタミンCを含有しますが，ビタミンCの大部分は乾燥などの過程により破壊されます。

医薬品との相互作用

低アスピリン

アスピリンは尿を介して体内から排泄されます。一部の科学者は，ビタミンCがアスピリンの尿中への排泄量を減少させる可能性があることに懸念を強めています。ローズヒップにはビタミンCが含まれます。ローズヒップの摂取はアスピリンに関連した副作用のリスクを高めるおそれがあると懸念されています。しかし，研究では，このことは重大な問題ではなく，ローズヒップにあるビタミンCは有意にアスピリンと相互作用を起こさないことが示唆されています。

中アルミニウム

アルミニウムは制酸薬の多くに含まれます。ローズヒップにはビタミンCが含まれます。ビタミンCはアルミニウムの体内への吸収量を増加させる可能性があります。しかし，この相互作用が大きな問題であるかについては明らかではありません。制酸薬の服用の2時間前から服用後4時間はローズヒップを摂取しないでください。

中エストロゲン（卵胞ホルモン）製剤

ローズヒップにはビタミンCが含まれています。ビタミンCはエストロゲンの体内への吸収量を増加させる可能性があります。ローズヒップとエストロゲン製剤を併用すると，エストロゲン製剤の作用および副作用が増強するおそれがあります。このようなエストロゲン製剤には，結合型エストロゲン，エチニルエストラジオール，エストラジオールなどがあります。

中ワルファリンカリウム

ワルファリンカリウムは血液凝固を抑制するために用いられます。ローズヒップにはビタミンCが含まれます。多量のビタミンCはワルファリンカリウムの効果を弱める可能性があります。ワルファリンカリウムの効果が弱まると，血液凝固のリスクが高まるおそれがあります。定期的に血液検査をしてください。ワルファリンカリウムの用量を変更する必要があるかもしれません。

中血液凝固を抑制する医薬品（抗凝固薬/抗血小板薬）

ローズヒップには血液を凝固させる可能性のある化学物質が含まれます。ローズヒップと血液凝固を抑制する医薬品を併用すると，医薬品の働きが弱まるおそれがあります。このような医薬品には，アスピリン，クロピドグレル硫酸塩，ダルテパリンナトリウム，エノキサパリンナトリウム，ヘパリン，チクロピジン塩酸塩，ワルファリンカリウムなどがあります。

中炭酸リチウム

ローズヒップは利尿薬のように作用する可能性があります。ローズヒップを摂取すると，炭酸リチウムの体内からの排泄が抑制される可能性があります。そのため，体内の炭酸リチウム量が増加し，重大な副作用が現れるおそれがあります。炭酸リチウムを服用中は医師や薬剤師に相談することなく，ローズヒップを摂取しないでください。炭酸リチウムの用量を変更する必要があるかもしれません。

中抗悪性腫瘍薬（アルキル化薬）

ローズヒップにはビタミンC（抗酸化物質）が含まれます。抗酸化物質は特定の抗悪性腫瘍薬の効果を弱める可能性があると懸念されています。しかし，この相互作用が起こるかどうかは現時点で明らかではありません。このような抗悪性腫瘍薬には，シクロホスファミド水和物，Chlorambucil，カルムスチン，ブスルファン，チオテパなどがあります。

中抗悪性腫瘍薬（抗生物質）

ローズヒップにはビタミンC（抗酸化物質）が含まれます。抗酸化物質は特定の抗悪性腫瘍薬の効果を弱める可能性があると懸念されています。しかし，この相互作用が起こるかどうかは現時点で明らかではありません。このような抗悪性腫瘍薬には，ドキソルビシン塩酸塩，ダウノルビシン塩酸塩，エピルビシン塩酸塩，マイトマイシンC，ブレオマイシン塩酸塩などがあります。

ハーブおよび健康食品・サプリメントとの相互作用

ほかのハーブ，健康食品・サプリメントとの相互作用についてはまだ明らかではありません。

使用量の目安

●経口摂取

細かくしたローズヒップ2～2.5gを150mLの熱湯に10～15分浸してからこしたものを，お茶として摂取します。

ローズマリー

ROSEMARY

別名ほか

Compass Plant，Compass Weed，Encensier，Herbe Aux Couronnes，Old Man，Polar Plant，Romarin，Romarin Des Troubadours，Romero，Rose de Marie，Rose Des Marins，Rosée De Mer，Rosemarine，Rosmarinus officinalis，Rusmari，Rusmary

概　　要

ローズマリーはハーブです。オイルは葉から抽出され，「くすり」として使われることがあります。

安　全　性

ローズマリーは，食品に含まれる量を摂取する場合は，ほとんどの人に安全のようです。「くすり」として経口摂取，皮膚への塗布，またはアロマセラピーによる吸入を行う場合は，ほとんどの人におそらく安全です。

ただし，希釈していないオイルの経口摂取は安全ではないようです。ローズマリーを大量に摂取すると，嘔吐，子宮出血，腎臓の過敏，日光過敏症の亢進，皮膚の発赤，アレルギー反応を引き起こすおそれがあります。

出血性疾患：出血性疾患の場合は，ローズマリーにより出血および紫斑のリスクが高まるおそれがあります。注意して使用してください。

痙攣性疾患：痙攣性疾患を悪化させるおそれがあります。使用してはいけません。

●アレルギー

アスピリンアレルギー：ローズマリーには，アスピリンによく似た化学物質が含まれています。サリチル酸塩というこの化学物質は，アスピリンにアレルギーのある人に何らかの反応を引き起こすおそれがあります。

●妊娠中および母乳授乳期

「くすり」としての量を経口摂取する場合は，おそらく安全ではありません。

月経を誘発したり，子宮に影響を及ぼしたりして，流産を誘発するおそれがあります。妊娠中に皮膚へ塗布する場合の安全性については，データが不十分です。妊娠中には，食品としての量を超える摂取は避けてください。

母乳授乳期には，「くすり」としての量の摂取は避けてください。母乳哺育児に対する影響については，データが不十分です。

有効性

◆有効性レベル④

・流産の誘発。ローズマリーを経口摂取しても，流産を引き起こすことはないようです。

◆科学的データが不十分です

・加齢にともなう精神機能の低下，斑状の脱毛，男性型脱毛症，関節炎，精神機能，糖尿病性腎障害，精神的疲労，線維筋痛症，低血圧，アヘン製剤離脱，ストレス，日光皮膚炎，咳，湿疹，腸内ガス（鼓腸），痛風，頭痛，高血圧，月経促進，消化不良，肝疾患および胆のう疾患，歯痛など。

●体内での働き

ローズマリーが脱毛にどのように作用するかは明らかではありませんが，頭皮に塗布すると，皮膚が刺激され，血液循環が高まるため，毛包の成長が促進されます。

ローズマリーエキスは，UVB照射による有害作用を退け，日光によるダメージを受けないように皮膚を保護する可能性があります。

医薬品との相互作用

中Choline magnesium trisalicylate

ローズマリーはCholine magnesium trisalicylateに似た化学物質を含んでいます。ローズマリーとCholine magnesium trisalicylateを併用すると，Choline magnesium trisalicylateの作用および副作用が増強されるおそれがあります。

中アスピリン

ローズマリーはアスピリンに似た化学物質を含んでいます。ローズマリーとアスピリンを併用すると，アスピリンの作用および副作用が増強されるおそれがあります。

中サザピリン

サザピリンはサリチル酸塩の一種で，アスピリンに似た作用があります。ローズマリーもまたアスピリンに似たサリチル酸塩を含みます。サザピリンとローズマリーを併用すると，体内のサリチル酸塩が過剰になって，サリチル酸塩の作用および副作用が増強されるおそれがあります。

低肝臓で代謝される医薬品（シトクロムP450 1A1（CYP1A1）の基質となる医薬品）

特定の医薬品は肝臓で代謝されます。ローズマリーはこのような医薬品の代謝を促進する可能性があります。ローズマリーと肝臓で代謝される医薬品を併用すると，医薬品の作用および副作用が増強するおそれがあります。このような医薬品にはクロルゾキサゾン，テオフィリンがあります。

低肝臓で代謝される医薬品（シトクロムP450 1A2（CYP1A2）の基質となる医薬品）

特定の医薬品は肝臓で代謝されます。ローズマリーはこのような医薬品の代謝を促進する可能性があります。ローズマリーと肝臓で代謝される医薬品を併用すると，代謝が促進し，医薬品の作用を弱めるおそれがあります。このような医薬品にはアセトアミノフェン，アミトリプチリン塩酸塩，クロピドグレル硫酸塩，クロザピン，Cyclobenzaprine，ジアゼパム，エストラジオール，フルボキサミンマレイン酸塩，ハロペリドール，イミプラミン塩酸塩，ナプロキセン，メキシレチン塩酸塩，オランザピン，オンダンセトロン塩酸塩水和物，プロプラノロール塩酸塩，ロピニロール塩酸塩，Tacrine，テオフィリン，チザニジン塩酸塩，ベラパミル塩酸塩，Zileuton，ゾルミトリプタンなどがあります。

中血液凝固を抑制する医薬品（抗凝固薬/抗血小板薬）

ローズマリーは血液凝固を抑制する可能性があります。ローズマリーと血液凝固を抑制する医薬品を併用すると，紫斑および出血のリスクが高まるおそれがあります。このような医薬品にはアスピリン，クロピドグレル硫酸塩，およびジクロフェナクナトリウムやイブプロフェンやナプロキセンなどの非ステロイド性抗炎症薬（NSAIDs），また，ダルテパリンナトリウム，エノキサパリンナトリウム，ヘパリン，ワルファリンカリウムなどがあります。

ハーブおよび健康食品・サプリメントとの相互作用

アスピリン（サリチル酸塩）に類似した化学物質を含むハーブ

ローズマリーには，サリチル酸塩というアスピリン様化学物質が含まれています。ローズマリーと，サリチル酸塩を含むハーブを併用すると，サリチル酸塩の作用および副作用が増強するおそれがあります。サリチル酸塩を含むハーブには，アスペン樹皮，ブラックホウ，ポプラ，メドウスイート，ウィローバークなどがあります。

鉄を含むハーブおよび健康食品・サプリメント

ローズマリーは食品からの鉄吸収を低下させます。併用すると，鉄サプリメントの吸収が低下するおそれがあります。

血液凝固を抑制するおそれのあるハーブおよび健康食品・サプリメント

ローズマリーは血液凝固を抑制するおそれがあります。ローズマリーと，血液凝固を抑制するほかのハーブおよび健康食品・サプリメントを併用すると，人によっては出血のリスクが高まるおそれがあります。このようなハーブおよび健康食品・サプリメントには，アンゼリカ，クローブ，タンジン，ニンニク，ショウガ，イチョウ，朝鮮人参などがあります。

ロ

通常の食品との相互作用

鉄

ローズマリーは食品からの鉄吸収を低下させます。併用すると，食品からの鉄吸収が低下するおそれがあります。

使用量の目安

通常の食品に含まれている量を超えて経口摂取した場合の安全性および副作用については，明らかになっていません。

ロードデンドロン・フォーチュネイ

RUSTY-LEAVED RHODODENDRON

●代表的な別名

ヤナギラン

別名ほか

ロードデンドロン・フェルギネウム，アルペンローゼ（Rhododendron ferrugineum），ロドデンドロン，ヤナギラン，ローズベイ（Rosebay），Rhododendri ferruginei folium，Rust-Red Rhododendron，Rusty Leaved Rhododendron，Snow Rose

概　要

ロードデンドロン・フォーチュネイはハーブです。葉を「くすり」に使用することもあります。

安 全 性

体力低下，めまい，悪心，嘔吐，血圧低下，心拍数減少，不整脈および視覚のぼやけ（霧視）などを引き起こす可能性があります。

中毒症状には，発汗，意識障害，寒気，ショック，痙攣，心停止および呼吸停止，重度の昏迷などがあり，死に至ることもあります。

●妊娠中および母乳授乳期

妊娠中，母乳授乳期は使用してはいけません。

有 効 性

◆科学的データが不十分です

・筋肉または動脈の極度の緊張（筋緊張亢進），筋肉および関節リウマチ，関節疾患，筋肉の硬化，筋肉痛，弱い結合組織，神経痛，天候変化に対する感受性，座骨神経痛，三叉神経痛，片頭痛，頭痛，高血圧症，肋間神経痛，痛風，胆石，腎結石，および加齢による疾患。

●体内での働き

血圧を下げる化合物（グラヤノトキシン）を含んでいます。これは神経の電気的活動を妨げる化合物でもあります。低用量では特定の症状による痛みを緩和しますが，高用量では中毒を起こす可能性があります。

医薬品との相互作用

ほかの医薬品との相互作用については明らかではありません。

ハーブおよび健康食品・サプリメントとの相互作用

ほかのハーブ，健康食品・サプリメントとの相互作用についてはまだ明らかではありません。

使用量の目安

標準使用量に関するデータがありません。

ローマンカモミール

ROMAN CHAMOMILE

●代表的な別名

ローマカミツレ

別名ほか

ローマカミツレ（Anthemis nobilis），Chamomilla，カモマイル（Chamomile），カモミールルーマン（Chamaemelum nobile），イングリッシュカモミール（English Chamomile），マンサニーリャ（Manzanilla），スイートカモミール（Sweet Chamomile），Chamomillae ramane flos，Fleur de Camomille Romaine，Flores Anthemidis，Garden Chamomile，Grosse Kamille，Ground Apple，Low Chamomile，Romische Kamille，Whig Plant

概　要

ローマンカモミールは植物です。頭花を用いて「くすり」を作ることもあります。

安 全 性

医療目的の経口摂取および食物に含まれる量を使用する場合は，ほとんどの人に安全なようです。

大量では嘔吐を引き起こす可能性があります。

●アレルギー

ブタクサ，マリーゴールド，デイジーや類似のハーブに感受性の人はアレルギー反応を引き起こす可能性があります。これらのハーブにアレルギーのある人は使用してはいけません。

●妊娠中および母乳授乳期

・妊娠中，母乳授乳期は使用してはいけません。

有 効 性

◆科学的データが不十分です

・消化器系障害，悪心，嘔吐，月経痛，咽喉痛，副鼻腔炎，湿疹，創傷，乳首および歯肉の触痛，肝障害，胆

ロ

のう障害，凍傷，おむつかぶれ，痔核など。

●体内での働き

腸内ガスの抑制，筋肉弛緩，鎮静作用に役立つ化合物を含んでいます。用量によって，症状を緩和する方向に働くか悪心を引き起こすか異なります。

医薬品との相互作用

ほかの医薬品との相互作用については明らかではありません。

ハーブおよび健康食品・サプリメントとの相互作用

ほかのハーブ，健康食品・サプリメントとの相互作用についてはまだ明らかではありません。

使用量の目安

●経口摂取

乾燥した花頭部１～４g，またはお茶ティーカップ１杯を１日３回摂取します。お茶は，１～４gの乾燥した花頭部を150mLの熱湯に５～10分浸してからこします。流エキス（１：１，70％アルコール）１～４mLを１日３回摂取します。

●局所投与

３％のお茶を使用します。

ローヤルゼリー

ROYAL JELLY

別名ほか

Bee Saliva, Bee Spit, Gelée Royale, Honey Bee Milk, Honey Bee's Milk, Jalea Real, Lait des Abeilles, Royal Bee Jelly

概　　要

ローヤルゼリーは働き蜂であるミツバチが分泌する乳白状の物質です。60～70％が水分，12～15％がタンパク質，10～16％が糖質，３～６％が脂質，２～３％がビタミン，塩分およびアミノ酸で構成されています。生産される地域，気候により構成比は異なります。働き蜂は，ローヤルゼリーを与えて女王蜂を育てることからこの名前がつけられました。ローヤルゼリーは「くすり」として使われることがあります。蜂花粉（bee pollen）やビーベノム（bee venom）とは区別してください。

安 全 性

ローヤルゼリーは，適量を経口摂取する場合は，ほとんどの人におそらく安全です。ローヤルゼリー，蜂花粉エキスおよび蜂花粉・雌しべエキスを含む特定の併用製品が，最長２カ月間まで安全に使用されています。ほかにもローヤルゼリーと花粉を含む別の併用製品が，最長３カ月間まで安全に使用されています。ローヤルゼリーは，気管支喘息や咽喉の腫脹などの深刻なアレルギー反応を引き起こすことがあり，死に至るおそれもあります。まれに，胃痛や血性下痢をともなう結腸出血を引き起こすおそれがあります。

適量を皮膚へ塗布する場合は，おそらく安全です。ただし，頭皮への塗布により，炎症やアレルギー性の皮疹が起こっています。

小児：経口摂取する場合，最長６カ月間まではおそらく安全です。

皮膚炎：ローヤルゼリーは皮膚炎を悪化させるおそれがあります。

低血圧：ローヤルゼリーは血圧を低下させる可能性があります。低血圧がある場合には，ローヤルゼリーを摂取すると血圧が過度に低下するおそれがあります。

●アレルギー

気管支喘息またはアレルギー：気管支喘息や蜂製品に対するアレルギーがある場合には，ローヤルゼリーを使用してはいけません。深刻な反応を引き起こし，死に至るおそれもあります。

●妊娠中および母乳授乳期

妊娠中および母乳授乳期の使用の安全性についてはデータが不十分です。安全性を考慮し，摂取は避けてください。

有　効　性

◆有効性レベル③

・更年期症状。閉経後の女性がローヤルゼリーを３カ月間経口摂取すると，高比重リポタンパク（HDL，善玉）コレステロールが上昇し，低比重リポタンパク（LDL，悪玉）コレステロールが低下する可能性が，初期の研究で示されています。別の研究では，更年期の女性がローヤルゼリーと花粉を含む製品を12週間経口摂取すると，更年期症状が緩和し幸福感が向上する可能性が示されています。ローヤルゼリー，月見草油，ダミアナおよび人参を含む別の製品も，更年期症状を緩和するようです。更年期の女性がローヤルゼリーを膣内に塗布すると，膣内エストロゲンと同程度に生活の質および性機能障害が改善される可能性があります。ただしエストロゲンの膣内投与は，ローヤルゼリーよりも膣の炎症緩和効果は高いようです。

◆有効性レベル④

・季節性アレルギー（花粉症）。季節性アレルギーの小児が花粉シーズン前とシーズン中の３～６カ月間，特定のローヤルゼリー製品を経口摂取しても，鼻閉，くしゃみ，眼の不快感は改善しないようです。

◆科学的データが不十分です

・がん患者の疲労，糖尿病，糖尿病性足部潰瘍，不妊，高コレステロール血症，月経前症候群（PMS），体重減少，気管支喘息，脱毛症，骨折，免疫の活性化，腎疾患，肝疾患，膵炎，皮膚疾患，胃潰瘍，睡眠障害（不眠）など。

●体内での働き

ローヤルゼリーのヒトに対する作用については科学的データが不十分です。動物実験では，腫瘍や動脈硬化の進展に対して何らかの活性を示すようです。

医薬品との相互作用

中ワルファリンカリウム

ローヤルゼリーはワルファリンカリウムの作用を増強する可能性があります。ワルファリンカリウムとローヤルゼリーを併用すると，紫斑および出血のリスクが高まるおそれがあります。

中降圧薬

ローヤルゼリーは血圧を低下させるようです。ローヤルゼリーと降圧薬を併用すると，血圧が過度に低下するおそれがあります。このような降圧薬にはカプトプリル，エナラプリルマレイン酸塩，ロサルタンカリウム，バルサルタン，ジルチアゼム塩酸塩，アムロジピンベシル酸塩，ヒドロクロロチアジド，フロセミドなど数多くあります。

ハーブおよび健康食品・サプリメントとの相互作用

血圧を低下させるおそれのあるハーブおよび健康食品・サプリメント

ローヤルゼリーは血圧を低下させるおそれがあります。ローヤルゼリーと，血圧を低下させるおそれのあるほかのハーブおよび健康食品・サプリメントを併用すると，血圧が過度に低下するおそれがあります。このようなハーブおよび健康食品・サプリメントには，アンドログラフィス，カゼイン・ペプチド，キャッツクロー，コエンザイムQ-10，魚油，L-アルギニン，クコ，イラクサ，テアニンなどがあります。

使用量の目安

通常の食品に含まれている量を超えて経口摂取した場合の安全性および副作用については，明らかになっていません。

ロ

ローレルウッド

LAURELWOOD

別名ほか

照葉木，ヤラブ（Alexandrian-laurel），カラノライド（Calanolide），テリハボク，ヒイタマナ（Calophyllum inophyllum），インディアンローレル（Caulophyllum Tree，Indian-laurel），Mahogany，Alexandrinischer lorbeer，Borneo-mahogany，Kamani punna，Palo de Santa Maria，Oleum caulophyllum，Palo Maria，Punnanga，Undi

概　要

ローレルウッドは植物です。ナッツそのほかの部分を用いて「くすり」を作ることもあります。

ローレルウッドとブルーコホシュを混同しないでください。

ローレルウッドは，ハンセン病，痔核，疥癬，淋病，膣感染症，水痘に使用されます。また，HIVなどのウイルス感染にも使用されます。

ローレルウッドのナッツから抽出されるタマヌオイルは，日光皮膚炎，皮疹，熱傷，乾癬，皮膚炎，すり傷，肌のしみ，ざ瘡（にきび），皮膚アレルギー，褥瘡，酒さ，痔核などの皮膚症状に使用されます。

安 全 性

経口摂取した場合，安全性あるいは副作用についてはデータが不十分です。

皮膚へ塗布した場合，安全性についてはデータが不十分です。

一部の人はローレルウッドのナッツから抽出されるタマヌオイルにアレルギーを生じるおそれがあります。

●妊娠中および母乳授乳期

妊娠中および母乳授乳期の使用の安全性についてはデータが不十分です。安全性を考慮し，摂取は避けてください。

有 効 性

◆科学的データが不十分です

・顔に赤みを生じる皮膚疾患（酒さ），ざ瘡（にきび），褥瘡，熱傷，水痘，淋病，痔核，HIV/エイズ，疥癬，ハンセン病，皮疹，うろこ状で痒い皮膚（乾癬），すり傷，皮膚アレルギー，肌のしみ，日光皮膚炎など。

●体内での働き

ローレルウッドは，研究室の段階では確認された化合物を含んでおり，HIVに多少効果があるようです。しかし，ヒトに対する医療目的の使用を十分に裏づけるエビデンスはありません。

医薬品との相互作用

ほかの医薬品との相互作用については明らかではありません。

ハーブおよび健康食品・サプリメントとの相互作用

ほかのハーブ，健康食品・サプリメントとの相互作用についてはまだ明らかではありません。

使用量の目安

通常の食品に含まれている量を超えて経口摂取した場合の安全性および副作用については，明らかになっていません。

ロッグウッド

LOGWOOD

別名ほか

ブラッドウッド（Bloodwood），アカミノキ（Haematoxylum campechianum），Haematoxylum lignum，Peachwood

概　　要

ロッグウッドは植物です。「くすり」に使用することもあります。

安 全 性

安全かどうか，または副作用のリスクについては不明です。

●妊娠中および母乳授乳期

妊娠中，母乳授乳期は使用してはいけません。

有 効 性

◆科学的データが不十分です

・下痢，過度の出血（大量出血）など。

●体内での働き

どのように作用するかについては十分なデータが得られていません。

医薬品との相互作用

ほかの医薬品との相互作用については明らかではありません。

ハーブおよび健康食品・サプリメントとの相互作用

ほかのハーブ，健康食品・サプリメントとの相互作用についてはまだ明らかではありません。

使用量の目安

標準使用量に関するデータがありません。

ロックローズ

ROCK ROSE

●代表的な別名

ハンニチバナ

別名ほか

ハンニチバナ，Cistus，Cistus creticus，Cistus lusitanicus, Cistus nummularius, Common Rock Rose, European Rock Rose，Geel Zonneroosje，Helianthemum nummularium，Helianthemum arcticum，Helianthemum berterianum，Helianthemum chamaecistus，Helianthemum grandiflorum，Helianthemum hirsutum，Helianthemum nitidum，Helianthemum obscurum，Helianthemum ovatum，Helianthemum pyrenaicum，Helianthemum semiglabrum，Helianthemum serpyllifolium，Helianthemum tomentosum，Helianthemum vulgare，Ladanum

概　　要

ロックローズは常緑の低木です。花を治療に使うことがあります。

安 全 性

安全性および副作用については十分なデータがありません。

●妊娠中および母乳授乳期

妊娠中，母乳授乳期は使用してはいけません。

有 効 性

◆科学的データが不十分です

・パニック，ストレス，極端な驚愕や恐怖，不安感，緊張の緩和や鎮静作用。

●体内での働き

どのように作用するかについては十分なデータが得られていません。

医薬品との相互作用

ほかの医薬品との相互作用については明らかではありません。

ハーブおよび健康食品・サプリメントとの相互作用

ほかのハーブ，健康食品・サプリメントとの相互作用についてはまだ明らかではありません。

使用量の目安

標準使用量に関するデータがありません。

ロ

ロベリア

LOBELIA

別名ほか

ロベリアソウ（Bladderpod），インディアンタバコ（Indian Tobacco），ロベリア・インフラータ（Lobelia inflata），Asthma Weed，Emetic Herb，Gagroot，Pukeweed，Vomit Wort，Wild Tobacco

概　　要

ロベリアは植物です。地上部を用いて「くすり」を作ることもあります。

安　全　性

ロベリアの経口摂取は，ほとんどの人に安全ではないようです。副作用には，吐き気，嘔吐，下痢，咳，めまい感，振戦のほか，さらに重篤な副作用もあります。過量投与すると，発汗，痙攣，心拍数増加，血圧の著しい低下，失神，昏睡など多くの重篤な毒性作用を引き起こすおそれがあり，死に至ることもあります。ロベリアの葉0.6〜1gの摂取で毒性作用を示し，4gで死に至るといわれています。

ロベリアを皮膚へ塗布する場合の安全性についてはデータが不十分です。

潰瘍，クローン病，炎症性腸疾患，感染などの胃腸障害：ロベリアが消化管を刺激するおそれがあります。

心疾患：ロベリアが心臓に影響を及ぼすようです。高用量になるほど作用も大きくなります。

●妊娠中および母乳授乳期

ロベリアの経口摂取は，だれにとっても安全ではないようです。妊娠中にはとくに深刻な嘔吐を引き起こすおそれがあります。妊娠中および母乳授乳期は使用してはいけません。

有　効　性

◆有効性レベル④

・禁煙。ほとんどの研究で，ロベリアに含まれる化学物質ロベリンを摂取しても，喫煙や噛みタバコをやめる補助にならないことが示唆されています。

◆科学的データが不十分です

・気管支喘息，気管支炎，咳など。
・皮膚に塗布する場合には，筋肉痛，あざ（打撲），捻挫，昆虫刺傷，ツタウルシ，白癬など。

●体内での働き

ロベリアに含まれる化学物質には，痰を薄め，とくに気管支喘息の人の去痰を楽にし，呼吸を補助する可能性があります。ニコチン様の作用をもつ化学物質も含まれています。

ロ

医薬品との相互作用

中炭酸リチウム

ロベリアは利尿薬のように作用する可能性があります。ロベリアを摂取すると，炭酸リチウムの体内からの排泄が抑制される可能性があります。そのため，体内の炭酸リチウム量が増加し，重大な副作用が現れるおそれがあります。

ハーブおよび健康食品・サプリメントとの相互作用

タバコ

ロベリアとタバコを併用すると，ニコチンの有害作用を増強するおそれがあります。

使用量の目安

通常の食品に含まれている量を超えて経口摂取した場合の安全性および副作用については，明らかになっていません。

ロレンツォのオイル

LORENZO'S OIL

別名ほか

13-ドコセン酸（13-Docosenoic Acid），cis-9-オクタデセン酸（cis-9-Octadecenoic Acid），エルカ酸（Erucic Acid），三エルカ酸グリセリン塩オイル（Glycerol trierucate Oil），三オレイン酸グリセリン塩（Glycerol trioleate Oil），オレイン酸（Oleic acid）

概　　要

ロレンツォのオイルはエルカ酸およびオレイン酸と呼ばれる2つの化学物質の混合物です。「くすり」として使用されることもあります。

ロレンツォのオイルは，神経系および副腎を侵す遺伝性疾患（副腎白質ジストロフィーまたはALD），および脊髄を侵す遺伝性疾患（副腎脊髄神経障害またはAMN）を治療するために使用されています。ALDは小児に発症し，AMNは成人に発症します。

ロレンツォのオイルは，ALDを発症したロレンツォ・オドーネという子どもにちなんで命名されました。ロレンツォの両親は，この病気の進行を遅らせるらしい脂肪酸の混合物を発見しました。この混合物が，“ロレンツォのオイル”として知られています。

米国では，ロレンツォのオイルは，臨床試験に参加している患者のみが使用できます。

安　全　性

医師などの指導のもとで経口摂取する場合はおそらく安全です。ロレンツォのオイルの副作用には紫斑と出血があります。

小児：医師などの指導のもとで経口摂取する場合はおそらく安全です。

感染と戦うために必要とされる白血球の減少を引き起こす血液疾患（好中球減少症）：ロレンツォのオイルは，この疾患を悪化させるおそれがあります。

凝固に必要とされる血小板の減少を引き起こす血液疾患（血小板減少症）：ロレンツォのオイルは，この疾患を悪化させるおそれがあります。

●妊娠中および母乳授乳期

妊娠中および母乳授乳期の使用の安全性については，データが不十分です。安全性を考慮し，摂取は避けてください。

有　効　性

◆有効性レベル③

・神経系および副腎を侵す遺伝性疾患（副腎白質ジストロフィーまたはALD）。副腎白質ジストロフィーではあるが，まだ症状が現れていない小児の神経系疾患の予防に役立つようです。副腎白質ジストロフィーの症状がすでに現れている小児には，おそらく役に立ちません。

◆有効性レベル④

・脊髄を侵す遺伝性疾患（副腎脊髄神経障害またはAMN）。ロレンツォのオイルを摂取することは，AMN患者の症状を改善したり，疾患の進行を遅らせたりすることはないようです。

●体内での働き

２つのまれな遺伝性疾患は，超長鎖脂肪酸と呼ばれる化学物質の多量の蓄積を引き起こすおそれがあります。これらの脂肪酸の蓄積は，脳と身体全体に数多く重大な問題を引き起こすおそれがあると考えられています。ロレンツォのオイルはこの蓄積の一部を予防するのに役立つ可能性があります。

医薬品との相互作用

ほかの医薬品との相互作用については明らかではありません。

ハーブおよび健康食品・サプリメントとの相互作用

ほかのハーブ，健康食品・サプリメントとの相互作用についてはまだ明らかではありません。

使用量の目安

●経口摂取

神経系および副腎を侵す遺伝性疾患（副腎白質ジストロフィーまたはALD）

ロレンツォのオイルは，１kg当たり２～３mLの服用量で使用されています。

ロ

ワイルドガーリック

BEAR'S GARLIC

別名ほか

アリウム・ウルシナム，ラムソン（Allium ursinum），ベアガーリック（Bears Garlic），Broad-leaved Garlic，Ramsons，Wild garlic

概　要

ワイルドガーリックは植物です。葉と球根を用いて「くすり」を作ることもあります。

安 全 性

十分なデータは得られていないので，安全であるかどうかは不明です。

●妊娠中および母乳授乳期

妊娠中，母乳授乳期は使用してはいけません。

有 効 性

◆科学的データが不十分です

・消化器系障害，腸内ガス，高血圧症，心疾患，および皮膚発疹。

●体内での働き

血小板の働きを抑制し，血圧を低下させることで心疾患の予防に役立つことのある化合物を含んでいます。

医薬品との相互作用

中血液凝固を抑制する医薬品（抗凝固薬/抗血小板薬）

ワイルドガーリックは血液凝固を抑制する可能性があります。ワイルドガーリックと血液凝固を抑制する医薬品を併用すると，紫斑および出血のリスクが高まるおそれがあります。このような医薬品には，アスピリン，クロピドグレル硫酸塩，ダルテパリンナトリウム，エノキサパリンナトリウム，ヘパリン，チクロピジン塩酸塩，ワルファリンカリウムなどがあります。

ハーブおよび健康食品・サプリメントとの相互作用

ほかのハーブ，健康食品・サプリメントとの相互作用についてはまだ明らかではありません。

使用量の目安

標準使用量に関するデータがありません。

ワイルドキャロット

WILD CARROT

●代表的な別名

ノラニンジン

別名ほか

ノラニンジン，キャロットシード（Daucus carota），クイーンアンズレース（Queen Anne's Lace），Beesnest Plant，Bird's Nest Root，Daucus，Garijara，Shikha-Mula

概　要

ワイルドキャロットは植物です。地上部と，種子から得たオイルを用いて「くすり」を作ることもあります。普通のニンジンと混同しないよう注意してください。ワイルドキャロットには食べられない白い主根があります。

安 全 性

医薬品に使われる量を経口摂取する場合，ワイルドキャロットのオイルはほとんどの成人に安全なようです。

地上部が安全かどうかは十分なデータがありません。

高用量のワイルドキャロットオイルは腎疾患および神経疾患を引き起こす可能性があります。

皮疹を生じることがあり，日焼けのリスクを増大させる可能性があります。

UV光線を使った治療を受けている人，腎臓疾患の人，２週間以内に手術を受ける予定の人は使用してはいけません。

●アレルギー

アレルギー反応を起こす人もいます。カバノキ，セロリまたはヨモギに敏感な人は，よりワイルドキャロットに敏感なようです。皮膚に触れないこと。アレルギーのある人は，使用してはいけません。

●妊娠中および母乳授乳期

妊娠中，母乳授乳期は，使用してはいけません。

有 効 性

◆科学的データが不十分です

・腎結石，膀胱炎，痛風，下痢，消化器系障害，腸内ガス，子宮の痛み，心疾患，がん，腎障害への使用のほか，神経強直（nerve tonic），利尿薬および催淫薬としての使用，月経の誘発，または蟯虫の処置。

●体内での働き

血管，筋肉および心臓に作用することのある化合物を含んでいますが，医薬品としてどのように作用するかは不明です。

医薬品との相互作用

中エストロゲン（卵胞ホルモン）製剤

大量のワイルドキャロットにはエストロゲンと同じ効果があると考えられていますが，エストロゲンほどの強い作用ではありません。エストロゲン製剤とワイルドキャロットを併用すると，エストロゲン製剤の効果が弱まるおそれがあります。エストロゲン製剤には，結合型エストロゲン，エチニルエストラジオール，エストラジオールなどがあります。

中光への過敏性を高める医薬品（光感作性薬）

光への過敏性を高める医薬品がありますが，ワイルドキャロットも光への過敏性を高めることがあります。光への過敏性を高める医薬品と併用すると，ワイルドキャロットを摂取すると，肌の露出した部分に日光皮膚炎，水疱，発疹を生じるリスクが高まるおそれがあります。太陽の下で過ごすときには，必ず日焼け止めクリームを使用し，肌を隠す衣服を着用してください。このような医薬品には，アミトリプチリン塩酸塩，シプロフロキサシン，ノルフロキサシン，ロメフロキサシン塩酸塩，オフロキサシン，レボフロキサシン水和物，スパルフロキサシン（販売中止），ガチフロキサシン水和物，モキシフロキサシン塩酸塩，スルファメトキサゾール・トリメトプリム配合，テトラサイクリン塩酸塩，メトキサレン，トリオキシサレン（販売中止）があります。

中降圧薬

ワイルドキャロットを過度に摂取すると血圧を上げて，降圧薬の効果を弱めるおそれがあります。このような降圧薬にはカプトプリル，エナラプリルマレイン酸塩，ロサルタンカリウム，バルサルタン，ジルチアゼム塩酸塩，アムロジピンベシル酸塩，ヒドロクロロチアジド，フロセミドなど多くあります。

ハーブおよび健康食品・サプリメントとの相互作用

ほかのハーブ，健康食品・サプリメントとの相互作用についてはまだ明らかではありません。

使用量の目安

●経口摂取

標準使用量に関するデータがありません。ただし，乾燥した地上部２～４g，またはお茶として１日３回摂取します。お茶は，２～４gの乾燥した地上部を熱湯に５～10分浸してからこします。流エキス（１：１，25%アルコール）２～４mLを１日３回摂取します。

ワイルドチェリー

WILD CHERRY

別名ほか

ブラックチェリー（Black Cherry），チョークチェリー（Choke Cherry），アメリカクロミザクラ，アメリカンブラックチェリー（Prunus serotina），ワイルドブラックチェリー（Wild Black Cherry），Black Choke，Prunus virginiana，Rum Cherry Bark，Virginian Prune

概　　要

ワイルドチェリーは植物です。皮を用いて「くすり」を作ることもあります。

安 全 性

少量を短期間使う場合は安全なようです。

大量に使うと致死的な中毒に陥る可能性があります。

●妊娠中および母乳授乳期

妊娠中，母乳授乳期は使用してはいけません。

有 効 性

◆科学的データが不十分です

・咳，感冒，気管支炎，下痢など。

●体内での働き

炎症（腫脹）の軽減および細胞の収れん作用に役立つことのある化合物を含んでいます。

医薬品との相互作用

中肝臓で代謝される医薬品（シトクロムP450 3A4（CYP3A4）の基質となる医薬品）

特定の医薬品は肝臓で代謝されます。ワイルドチェリーはこのような医薬品の肝臓での代謝を抑制する可能性があります。ワイルドチェリーと肝臓で代謝される医薬品を併用すると，医薬品の作用および副作用が増強されるおそれがあります。このような医薬品にはLovastatin，ケトコナゾール，イトラコナゾール，フェキソフェナジン塩酸塩，トリアゾラムなどがあります。

ハーブおよび健康食品・サプリメントとの相互作用

ほかのハーブ，健康食品・サプリメントとの相互作用についてはまだ明らかではありません。

使用量の目安

●経口摂取

ワイルドチェリー樹皮（体積で12～14%）を含有する流エキス５～12滴を水に混ぜたものを，１日２～３回摂取します。

ワイルドデイジー

WILD DAISY

●代表的な別名

エンメイギク

別名ほか

エンメイギク，延命菊，チョウメイギク，長命菊（Bellis perennis），ベリス・ペレンニス，Bruisewort

概　　要

ワイルドデイジーは植物です。地上部を用いて「くすり」を作ることもあります。

安 全 性

十分なデータが得られていないので安全であるかどうか不明です。

●アレルギー

キク科のほかの植物にアレルギーのある人はアレルギー反応を起こします。この科の植物には，ブタクサ，キク，マリーゴールド，そのほか多数のハーブがあります。これらにアレルギーのある人は使用してはいけません。

●妊娠中および母乳授乳期

妊娠中，母乳授乳期は使用してはいけません。

有 効 性

◆科学的データが不十分です

・咳，気管支炎，肝障害，腎障害，および腫脹については経口投与で摂取します。皮膚に塗布する場合の用途は，創傷および皮膚病。

●体内での働き

どのように作用するかについては十分なデータが得られていません。

医薬品との相互作用

ほかの医薬品との相互作用については明らかではありません。

ハーブおよび健康食品・サプリメントとの相互作用

ほかのハーブ，健康食品・サプリメントとの相互作用についてはまだ明らかではありません。

使用量の目安

標準使用量に関するデータがありません。

ワ

ワイルドヤム（ヤマノイモ属）

WILD YAM

別名ほか

山薬（Rhizoma dioscoreae），メキシコ産野生ヤムイモ（Dioscorea mexicana），メキシコ亀甲竜，植物エストロゲン，植物由来エストロゲン様物質，エストロゲン様作用物質，ホルモン様物質（Phytoestrogen），バルバスコ（Barbasco），サルトリイバラ（China Root），ディオスコレア（Dioscorea），メキシコヤマイモ（Dioscorea villosa），ディオスコレア・コンポジータ（Dioscorea composita），メキシコキッコウリュウ（Dioscorea macrostachya），メキシカンヤム（Mexican Yam），フィトエストロゲン，サンヤク，Atlantic Yam，Colic Root，Devil's Bones，Dioscoreae，Dioscorea alata，Dioscorea batatas，Dioscorea japonica，Dioscorea floribunda，Natural DHEA，Rheumatism Root，Wild Mexican Yam，Yuma

概　　要

ワイルドヤム（ヤマノイモ属）は植物です。ジオスゲニン（diosgenin）という成分を含有し，エストロゲン，デヒドロエピアンドロステロン（DHEA）などのさまざまなステロイドの摂取源で，人工的に合成することができます。根と球根部分はジオスゲニンのもととなり，高濃度のジオスゲンを含む液状のエキスとして調合されます。

●要説（ナチュラル・スタンダード）

ワイルドヤム（Dioscorea villosaと他のDioscorea種）にはデヒドロエピアンドロステロンのような特性があり，人間の性ホルモン（例えばエストロゲンと黄体ホルモン）の前駆体としての機能があるとの仮説が立てられています。この提案されたメカニズムに基づいて，その植物からの抽出物は，月経痛，更年期にともなう顔面紅潮（ほてり），頭痛を治療するのに用いられました。しかしながら，これらの使用は，ワイルドヤムにはホルモン類またはホルモンの前駆体が含まれるという誤認に基づきます。特に，その黄体ホルモン，アンドロゲン，コーチゾンが1960年代にメキシコのワイルドヤムから化学的に製造されたという史的事実がその誤認の大きな原因です。黄体ホルモンへのこうした化学変化が人体に起こることは，ありえません。この領域では限られたエビデンスしかありませんが，製造会社が，ある種の局所的なワイルドヤム製剤のホルモン活性に合成黄体ホルモンを混入したこともありました。

ワイルドヤム・サポニンの構成成分であるジオスゲニン（diosgenin）の脂質代謝への影響は，動物モデルで記録されていて，十分に裏付けられています。おそらく小腸のコレステロール吸収が障害されたことによると思われます。しかしながら，ヒトにおける血中コレステロール値の変化と長期の使用の実現可能性は，更なる研究が必要です。

成人に対してのワイルドヤム使用が禁忌であることを報告したものは，ほとんどありません。しかしながら，妊娠中や母乳授乳期または幼児期の安全性や毒性に関する研究で信頼できるものはありません。

安 全 性

ほとんどの成人に安全なようです。

大量では，嘔吐を引き起こす可能性があります。

卵巣がんまたは子宮がん，子宮内膜症，子宮筋腫，プロテインS欠損症と呼ばれる疾患の患者は使用してはいけません。

●妊娠中および母乳授乳期

妊娠中および母乳授乳期の使用の安全性についてはデータが不十分です。安全性を考慮し，使用は控えてください。

有効性

◆有効性レベル④

・更年期による顔面紅潮（ほてり）および夜間の発汗。クリームを皮膚に塗布する場合。

◆科学的データが不十分です

・エストロゲンの自然な代替医療としての使用，閉経後の腟の乾燥，月経前症候群，骨粗鬆症，気力の増進，男性および女性の性欲，胆のう障害，月経痛，慢性関節リウマチ，不妊症，月経不順など。

●体内での働き

エストロゲンなどさまざまなステロイドに人工的に合成される化合物を含んでいます。しかし人間の身体はワイルドヤムをエストロゲンに変換させることはできません。

医薬品との相互作用

中エストロゲン（卵胞ホルモン）製剤

ワイルドヤムにはエストロゲン様作用のある可能性があります。ワイルドヤムとエストロゲン製剤を併用すると，エストロゲン製剤の作用が減弱するおそれがあります。このようなエストロゲン製剤には，結合型エストロゲン，エチニルエストラジオール，エストラジオールなどがあります。

ハーブおよび健康食品・サプリメントとの相互作用

ほかのハーブ，健康食品・サプリメントとの相互作用についてはまだ明らかではありません。

使用量の目安

標準使用量に関するデータがありません。

ワイルドレタス

WILD LETTUCE

●代表的な別名

ビターレタス

別名ほか

ビターレタス（Bitter Lettuce），ラクツカリウムソウ，トゲハニガナ（Lactuca virosa），ラクツカリウム（Lactucarium），Acrid Lettuce，German Lactucarium，Green Endive，Lettuce opium，Poison Lettuce，Strong-scented Lettuce

概要

ワイルドレタスは植物です。葉と種子および乳液を用いて，「くすり」を作ることもあります。

安全性

少量の使用はほとんどの人に安全なようです。

皮膚に直接塗布すると刺激を生じる可能性があります。

大量に摂取すると，発汗，心拍数増加，瞳孔散大，めまい，耳鳴り，視野の変化，鎮静作用，呼吸困難を引き起こす可能性があり，死に至ることもあります。

前立腺肥大症，閉塞隅角緑内障と呼ばれる眼疾患の人は使用してはいけません。

術中や術後に使われる医薬品と併用すると過度の鎮静状態になることがあります。2週間以内に手術を受ける予定の人は使用してはいけません。

●アレルギー

ブタクサ，マリーゴールド，デイジーそのほか関連するハーブにアレルギーのある人は使用してはいけません。

●妊娠中および母乳授乳期

妊娠中および母乳授乳におけるワイルドレタスの使用の安全性についてはデータが不十分です。安全性を考慮し，使用を控えてください。

有効性

◆科学的データが不十分です

・百日咳，気管支喘息，尿路障害，咳，動脈硬化，不眠症，不穏状態，月経痛，性的障害，筋肉痛，関節痛，および局所的な消毒薬としての使用。

●体内での働き

鎮静，緊張緩和，疼痛緩和作用があります。

医薬品との相互作用

中鎮静薬（中枢神経抑制薬）

ワイルドレタスは眠気を引き起こす可能性があります。鎮静薬も眠気を引き起こす医薬品ですから，ワイルドレタスと鎮静薬を併用すると，過度の眠気を引き起こすおそれがあります。このような鎮静薬には，クロナゼパム，ロラゼパム，フェノバルビタール，ゾルピデム酒石酸塩などがあります。

ハーブおよび健康食品・サプリメントとの相互作用

眠気を起こすハーブおよび健康食品・サプリメント

ワイルドレタスは眠気を起こす可能性があります。他の同様の働きをするハーブおよび健康食品・サプリメントと併用すると，眠くなりすぎることがあります。これらのサプリメントには，ショウブ，ハナビシソウ，キャットニップ，ホップ，ジャマイカ・ドッグウッド，カバ，セント・ジョンズ・ワート，スカルキャップ，カノコソウなどがあります。

使用量の目安

●経口摂取

通常お茶は，0.5～3gの乾燥葉を150mLの熱湯に浸してからこします。流エキス（1：1，25%アルコール）0.5～3mLを1日3回摂取します。乾燥ラテックス・エキスとして，ラクツカリウム0.3～1gを1日3回摂取します。また軟性エキスもあり，1回0.3～1gを1日3回摂取します。

ワイン

WINE

別名ほか

アルコール（Alcohol），エタノール（Ethanol），ブドウ（Vitis vinifera），ワインエクストラクト（Wine Extract）

概　　要

ワインは発酵したブドウから作られたアルコール飲料です。

安　全　性

1日に30mLで2杯までの飲酒ならほとんどの成人に安全なようです。これ以上の飲酒は避けてください。

大量に飲むと，紅潮，意識混濁，失神，歩行困難，痙攣，嘔吐，下痢などの重篤な障害を引き起こす可能性があります。

長期間大量に飲酒すると，アルコール依存症，精神疾患，心疾患，肝疾患，すい臓疾患，特定のがんなど，多くの重大な健康問題を引き起こします。

気管支喘息：ワインの飲酒は気管支喘息発作の誘因と関連があります。これは，ワインに含まれるサリチル酸と，添加されている亜硝酸塩の双方または，一方が原因である可能性があります。

また，痛風，狭心症・心不全などの心疾患，高血圧症，脂質異常症，不眠症，肝・すい臓疾患，潰瘍や逆流性食道炎と呼ばれる胸やけの症状のある人も摂取してはいけません。さらに，ポルフィリン症，精神疾患のある人も摂取してはいけません。

●妊娠中および母乳授乳期

妊娠中にアルコールを摂取するのは安全ではありません。先天異常や胎児における他の重篤な障害の原因となることがあります。妊娠中のアルコール摂取は，とりわけ妊娠初期の2カ月の摂取で，流産，胎児アルコール症候群のリスク，また，出生後の発育および行動障害と関連性があります。妊娠中はアルコールを摂取してはいけません。

母乳授乳時はアルコールを摂取してはいけません。アルコールは母乳に移行し，知的能力，および寝返りなどの筋肉の協調運動の発達異常の原因となることがあります。アルコールは乳児の睡眠リズムを乱したり，母乳の生産を減少させる原因にもなります。

有　効　性

◆有効性レベル②

・心臓や循環器系の疾患（心臓発作，脳卒中，動脈硬化，狭心症など）を予防。アルコール摂取は心臓に効果的であるという報告があります。1日1ドリンクのアルコール飲料を週に最低3～4日摂取するのは，飲酒する人の適切な経験則になっています。ただし1日2ドリンク以上飲んではいけません。日に2ドリンク以上の摂取は，心疾患による死亡およびあらゆる死亡のリスクを増加させる可能性があります。研究により以下のことがわかっています。健常者によるワインを含む飲酒は，心疾患の発症リスクを低減するようです。適量の飲酒（1日に1～2ドリンク）は，飲酒しない場合と比較して，冠動脈心疾患，アテローム動脈硬化，および心臓発作（突然死）の発症リスクを30から50%低減させます。適量の飲酒（1日に1～2ドリンク）により，脳梗塞の発症リスクは低減しますが，脳出血の発症リスクは増加します。最初の心臓発作以前の1年間に適量の（1日に1～2ドリンク）飲酒をしていた場合，飲酒をしていなかった場合に比べ，心血管系疾患による死亡率および全死因での死亡リスクの減少とのかかわりがあります。心血管系疾患に罹患している男性において，週に1～14ドリンクのワインを含む飲酒は，週に1ドリンク以下の飲酒と比較しても，心疾患による死亡リスクおよび総死亡リスクにまったく影響はないようです。1日3ドリンク以上の飲酒は，心臓発作の既往歴のある男性における死亡リスクの増加と関連しています。
・心疾患および脳卒中，および他の原因による死亡のリスクの低減。適量の飲酒は，中高年における総死亡率を低下させるとのデータがあります。適量の飲酒は，中高年におけるすべての原因による死亡率を低下させるとのデータがあります。

◆有効性レベル③

・高齢者の思考力の維持。1日1ドリンクの飲酒歴のある男性は，飲酒しない人に比べて，70歳から80歳代でより明晰な一般的思考能力を維持しているようです。ただし，中年期における1日4ドリンク以上の飲酒は統計学的に高齢期での思考能力の低下に有意に関与しているようです。
・うっ血性心不全の予防。1日に1～4ドリンクの飲酒は，65歳以上で心不全の発症リスクを低減させるとのデータがあります。
・2型糖尿病の予防と糖尿病患者における心疾患の予防。適量のワインなどの飲酒は，2型糖尿病の発症リスクが低いようです。適量の飲酒をする糖尿病患者は，飲酒をしない２型糖尿病患者に比べ，冠動脈性心疾患の罹患リスクが少ないようです。リスク減少の程度は適量の飲酒をする健常者と同程度です。

・ヘリコバクター・ピロリ菌が原因の潰瘍の予防。１週間に中程度から多量のビールやワインなどの飲酒（75g以上）はヘリコバクター・ピロリ菌への感染リスクを低減する可能性があるとのデータがあります。

◆科学的データが不十分です

・アルツハイマー病の予防。１日１～２ドリンクの飲酒は，飲酒をしない人に比べて，男女ともにアルツハイマー病にかかるリスクを低減するとのデータがあります。

・骨粗鬆症。閉経後女性における適量の飲酒は，骨の強化とかかわりがあるとのデータがあります。１日半ドリンクから１ドリンクの飲酒は，非飲酒および過剰飲酒に比べて，骨の強化にもっとも効果的のようです。

・がんのリスク低減。１週間に21ドリンクを上限とするワインを含む飲酒は，がんによる死亡リスクをわずかに低下させるようです。

・不安障害。不安障害に対するアルコールの影響は複雑で，飲酒する人の精神状態にも影響される可能性があります。アルコールは不安障害を軽減したり，増強したり，まったく影響を及ぼさないこともあります。

・創傷の治療，潰瘍の治療など。

●体内での働き

脳内の神経伝達路をブロックするエタノール（アルコール）を含んでいます。抗酸化作用などの心臓や血液の循環に有益な作用があるとされる化合物も含んでおり，血小板による血液凝固を抑えます。

医薬品との相互作用

中アスピリン

アスピリンは胃に障害を起こし，潰瘍や出血を引き起こすことがあります。ワインに含まれるアルコールも胃に障害を起こす可能性があります。ワインとアスピリンを併用すると，胃に潰瘍や出血のリスクを高めるおそれがあります。ワインとアスピリンを併用しないでください。

中エリスロマイシン

ワインに含まれるアルコールは体内で代謝されてから排泄されます。エリスロマイシンはアルコールの排泄を抑制します。ワインとエリスロマイシンを併用すると，アルコールの作用および副作用が増強するおそれがあります。

中グリセオフルビン【販売中止】

ワインに含まれるアルコールは体内で代謝されてから排泄されます。グリセオフルビンはアルコールの代謝を抑制します。ワインとグリセオフルビンを併用すると，不快な反応（頭痛，嘔吐，顔面紅潮（ほてり）など）を引き起こすおそれがあります。グリセオフルビンの服用中にアルコールを飲まないでください。

高クロルプロパミド

ワインに含まれるアルコールは体内で代謝されてから排泄されます。クロルプロパミドはアルコールの代謝を抑制する可能性があります。ワインとクロルプロパミドを併用すると，不快な反応（頭痛，嘔吐，顔面紅潮（ほてり）など）を引き起こすおそれがあります。クロルプロパミドの服用中にワインを飲まないでください。

高シサプリド【販売中止】

シサプリドはワインに含まれるアルコールの排泄を抑制する可能性があります。シサプリドとワインを併用すると，アルコールの作用および副作用が増強するおそれがあります。

高ジスルフィラム

ワインに含まれるアルコールは体内で代謝されてから排泄されます。ジスルフィラムはアルコールの代謝を抑制します。ワインとジスルフィラムを併用すると，不快な反応（頭痛，嘔吐，顔面紅潮（ほてり）など）を引き起こすおそれがあります。ジスルフィラムの服用中にアルコールを飲まないでください。

中スルホンアミド系抗菌薬

ワインに含まれるアルコールはスルホンアミド系抗菌薬と相互作用を起こす可能性があります。そのため，胃のむかつき，嘔吐，発汗，頭痛，頻脈が引き起こされるおそれがあります。スルホンアミド系抗菌薬の服用中にワインを飲まないでください。このようなスルホンアミド系抗菌薬には，スルファメトキサゾール（販売中止），スルファサラジン，スルフイソキサゾール（販売中止），スルファメトキサゾール・トリメトプリム配合などがあります。

中セファマンドールナトリウム【販売中止】

ワインに含まれるアルコールはセファマンドールナトリウムと相互作用を起こす可能性があります。そのため，胃のむかつき，嘔吐，発汗，頭痛，頻脈が引き起こされるおそれがあります。セファマンドールナトリウムの服用中にワインを飲まないでください。

中セフォペラゾンナトリウム

ワインに含まれるアルコールはセフォペラゾンナトリウムと相互作用を起こす可能性があります。そのため，胃のむかつき，嘔吐，発汗，頭痛，頻脈が引き起こされるおそれがあります。セフォペラゾンナトリウムの服用中にワインを飲まないでください。

中トルブタミド【販売中止】

ワインに含まれるアルコールは体内で代謝されてから排泄されます。トルブタミドはアルコールの代謝を抑制する可能性があります。ワインとトルブタミドを併用すると，不快な反応（頭痛，嘔吐，顔面紅潮（ほてり）など）を引き起こすおそれがあります。トルブタミドを服用中にワインを飲まないでください。

高フェニトイン

フェニトインは体内で代謝されてから排泄されます。ワインに含まれるアルコールはフェニトインの代謝を促進する可能性があります。ワインとフェニトインを併用すると，医薬品の効果が弱まり，痙攣発作のリスクが高まるおそれがあります。

高フェロジピン

赤ワインはフェロジピンの体内への吸収および代謝を変化させる可能性があります。赤ワインとフェロジピン（降圧薬）を併用すると，血圧が過度に低下するおそれがあります。

高ベンゾジアゼピン系鎮静薬

ワインに含まれるアルコールは眠気および注意力低下を引き起こす可能性があります。鎮静薬も眠気および注意力低下を引き起こす医薬品です。ワインと鎮静薬を併用すると，過度の眠気が引き起こされるおそれがあります。鎮静薬の服用中にワインを飲まないでください。このような鎮静薬には，クロナゼパム，ジアゼパム，ロラゼパムなどがあります。

高メトホルミン塩酸塩

メトホルミン塩酸塩は肝臓で代謝されます。ワインに含まれるアルコールも肝臓で代謝されます。メトホルミン塩酸塩とワインを併用すると，重大な副作用が現れるおそれがあります。

高メトロニダゾール

ワインに含まれるアルコールとメトロニダゾールは相互作用を起こす可能性があります。そのため，胃のむかつき，嘔吐，発汗，頭痛，頻脈を引き起こすおそれがあります。メトロニダゾールを服用中にワインを飲まないでください。

高モノアミン酸化酵素阻害薬（MAO阻害薬）

ワインにはチラミンと呼ばれる物質が含まれます。多量のチラミンは高血圧を引き起こす可能性があります。しかし，チラミンは体内で自然に代謝されてから排泄されます。そのため，通常はチラミンが原因で高血圧になることはありません。モノアミン酸化酵素阻害薬（MAO阻害薬）は体内でのチラミンの分解を阻害します。そのため，体内のチラミンが過剰になり，危険なレベルの高血圧に至るおそれがあります。このようなMAO阻害薬には，Phenelzine，Tranylcypromineなどがあります。

中ワルファリンカリウム

ワルファリンカリウムは血液凝固を抑制するために用いられます。ワインに含まれるアルコールはワルファリンカリウムと相互作用がある可能性があります。大量のワインを飲むと，ワルファリンカリウムの効果を変化させるおそれがあります。定期的に血液検査をしてください。ワルファリンカリウムの用量を変更する必要があるかもしれません。

中胃酸分泌抑制薬（H2受容体拮抗薬）

特定の胃酸分泌抑制薬はワインに含まれるアルコールと相互作用を起こす可能性があります。ワインと胃酸分泌抑制薬を併用すると，体内へのアルコール吸収量が増加し，アルコールの副作用のリスクが高まるおそれがあります。このような胃酸分泌抑制薬には，シメチジン，ラニチジン塩酸塩，ニザチジン，ファモチジンなどがあります。

高肝臓を害する可能性のある医薬品

ワインに含まれるアルコールは肝臓を害する可能性があります。ワインと肝臓を害する可能性のある医薬品を併用すると，肝障害のリスクが高まるおそれがあります。肝臓を害する可能性のある医薬品の服用中にワインを飲まないでください。このような医薬品には，アセトアミノフェン，アミオダロン塩酸塩，カルバマゼピン，イソニアジド，メトトレキサート，メチルドパ水和物，フルコナゾール，イトラコナゾール，エリスロマイシン，フェニトイン，Lovastatin，プラバスタチンナトリウム，シンバスタチンなどがあります。

高鎮静薬（中枢神経抑制薬）

ワインに含まれるアルコールは眠気を引き起こす可能性があります。鎮静薬も眠気および注意力低下を引き起こします。ワインと鎮静薬を併用すると，重大な副作用（過度の眠気など）が現れるおそれがあります。このような鎮静薬には，クロナゼパム，ロラゼパム，フェノバルビタール，ゾルピデム酒石酸塩などがあります。

高鎮痛薬（麻薬性鎮痛薬）

特定の鎮痛薬は体内で代謝されてから排泄されます。ワインに含まれるアルコールは医薬品の排泄を抑制する可能性があります。ワインと鎮痛薬を併用すると，鎮痛薬の作用および副作用が増強するおそれがあります。このような鎮痛薬には，ペチジン塩酸塩，Hydrocodone，モルヒネ塩酸塩水和物，オキシコドン塩酸塩水和物など，数多くあります。

中非ステロイド性抗炎症薬（NSAIDs）

非ステロイド性抗炎症薬（NSAIDs）は痛みと腫脹に対して用いられる抗炎症薬です。NSAIDsは胃腸障害を招き，潰瘍や出血を引き起こすことがあります。ワインに含まれるアルコールも胃腸障害を招く可能性があります。ワインとNSAIDsを併用すると，胃腸に潰瘍や出血のリスクを高めるおそれがあります。NSAIDsとワインを併用しないでください。このようなNSAIDsには，イブプロフェン，インドメタシン，ナプロキセン，ピロキシカム，アスピリンなどがあります。

高シクロスポリン

ワインはシクロスポリンの体内への吸収量を増加させる可能性があります。ワインとシクロスポリンを併用すると，シクロスポリンの副作用が増強するおそれがあります。

高バルビツール酸系鎮静薬

ワインに含まれるアルコールは眠気および注意力低下を引き起こす可能性があります。鎮静薬も眠気および注意力低下を引き起こす医薬品です。ワインと鎮静薬を併用すると，過度の眠気が引き起こされるおそれがあります。鎮静薬の服用中にワインを飲まないでください。

相互作用レベル：高この医薬品と併用してはいけません　中この医薬品とは慎重に併用するか併用しないでください
低この医薬品との併用には注意が必要です

ハーブおよび健康食品・サプリメントとの相互作用

鎮静作用のあるハーブおよび健康食品・サプリメント

ワイン中のアルコールは鎮静薬の様な働きをします。つまり眠気，嗜眠状態を催す原因となります。ワインを他の鎮静作用のあるハーブおよび健康食品・サプリメントと併せて飲むと過度の眠気と嗜眠をもよおす原因となります。このようなハーブおよび健康食品・サプリメントには5-ヒドロキシトリプトファン，ショウブ，ハナビシソウ，キャットニップ，ホップ，ジャマイカ・ドックウッド，セント・ジョンズ・ワート，スカルキャップ，カノコソウ，アネモプシス・カリフォルニカなどがあります。

使用量の目安

アルコールを摂取する際，しばしば「何ドリンク」という数え方をします。1ドリンクは，4オンス（約120mL）あるいは120mLのワイン，12オンス（約355mL）のビール，1オンス（約30mL）の蒸留酒に相当します。

●経口摂取

心疾患，脳梗塞予防および原因を問わない死亡率低下

1日1～2ドリンク（120～240mL）を摂取します。

心不全のリスク低減

1日最大4ドリンクを摂取します。

高齢者の認識力衰退を抑制

1日最大1ドリンクを摂取します。

2型糖尿病の予防（健康体成人）

1日3～4ドリンクから週に2ドリンクの間で摂取します。

2型糖尿病患者の冠動脈性心疾患リスク低減

1週間に最大7ドリンク摂取します。

ヘリコバクター・ピロリ菌感染

ワインなどの飲料から75g以上のアルコールを摂取すると，ヘリコバクター・ピロリ菌感染のリスクが低下します。

●局所投与

標準使用量に関するデータがありません。

ワサビ

WASABI

別名ほか

Cochlearia wasabi，Eutrema japonica，Eutremia wasabi，Japanese Horseradish，Japanischer Meerrettich，Gochunaengi，Wasabia japonica

概　要

ワサビは日本原産の作物です。現在では台湾やニュージーランドなど，ほかの国でも作られています。ワサビは主に根を使います。風味の強い，辛いソースや調味料に使われます。

ワサビは心臓疾患やがん，骨粗鬆症の予防に経口摂取されます。

ワサビは食品に強い辛みをつけるために使用されます。

安　全　性

ワサビの安全性および副作用についてのデータは不十分です。

血液疾患：ワサビが，血液凝固を抑制するおそれがあります。理論上，血液疾患の場合には，ワサビが出血および紫斑のリスクを高めるおそれがあります。

手術：ワサビが，血液凝固を抑制するおそれがあります。理論上，ワサビが手術中に過度の出血を引き起こすおそれがあります。少なくとも手術前2週間は，「くすり」としての量のワサビを摂取しないでください。

●妊娠中および母乳授乳期

妊娠中および母乳授乳期の使用の安全性についてはデータが不十分です。安全性を考慮し，摂取は避けてください。

有　効　性

◆科学的データが不十分です

・心疾患の予防，がん，骨粗鬆症など。

●体内での働き

ワサビには，抗菌作用，抗がん作用，および抗炎症作用があるようです。また，血液凝固を抑制し，骨の成長を促進するようです。

医薬品との相互作用

中 血液凝固を抑制する医薬品（抗凝固薬/抗血小板薬）

ワサビは血液凝固を抑制する可能性があります。理論的には，ワサビと血液凝固を抑制する医薬品を併用すると，紫斑および出血のリスクが高まるおそれがあります。このような医薬品にはアスピリン，クロピドグレル硫酸塩，ダルテパリンナトリウム，エノキサパリンナトリウム，ヘパリン，チクロピジン塩酸塩，ワルファリンカリウムなどがあります。

ハーブおよび健康食品・サプリメントとの相互作用

血液凝固を抑制するおそれのあるハーブおよび健康食品・サプリメント

ワサビが，血液凝固を抑制するおそれがあります。理論上，ワサビと血液凝固を抑制するおそれのあるほかのハーブおよび健康食品・サプリメントを併用すると，人によっては，出血のリスクが高まるおそれがあります。このようなハーブおよび健康食品・サプリメントには，アンゼリカ，アニス，アルニカ，ジャイアントフェンネル，ミツガシワ，ボルド，トウガラシ，セロリ，カモミール，クローブ，フェヌグリーク，フィーバーフュー，ニンニク，イチョウ，朝鮮人参，セイヨウトチノキ，ホースラディッシュ，甘草，メドウスイート，タマネギ，アメリカサンショウ，パパイン，パッションフラワー，ポプラ，カッシア，レッドクローバー，ウコン，ワイルドキャロット，ワイルドレタス，ヤナギなどがあります。

使用量の目安

通常の食品に含まれている量を超えて経口摂取した場合の安全性および副作用については，明らかになっていません。

ワスレナグサ

FORGET-ME-NOT

●代表的な別名

ノハラムラサキ

別名ほか

ノハラムラサキ（Myosotis arvensis），Field Scorpion-Grass

概　　要

ワスレナグサはハーブです。全体を用いて「くすり」を作ることもあります。

安　全　性

おそらく危険です。使用は避けてください。重度の肝障害およびがんを引き起こす可能性がある化合物を含む植物の科に属しています。

●妊娠中および母乳授乳期

妊娠中，母乳授乳期は使用してはいけません。

有　効　性

◆科学的データが不十分です

・肺疾患および鼻血。

●体内での働き

どのように作用するかについては，十分なデータが得られていません。

医薬品との相互作用

ほかの医薬品との相互作用については明らかではありません。

ハーブおよび健康食品・サプリメントとの相互作用

ほかのハーブ，健康食品・サプリメントとの相互作用についてはまだ明らかではありません。

使用量の目安

標準使用量に関するデータがありません。

ワタ

COTTON

●代表的な別名

コットン

別名ほか

陸地綿，アジア綿（Gossypium herbaceum），コットンルート（Cotton Root），シロバナワタ，リクチメン，アップランドコットン（Gossypium hirsutum），Karpasa

概　　要

ワタは植物です。根の皮を用いて「くすり」を作ることもあります。

安　全　性

「くすり」としての量のワタを経口摂取する場合，また通常の食品に含まれる量のワタの根の皮の製剤を摂取する場合，ほとんどの人におそらく安全です。

ただし，男性が避妊のためにワタを摂取する場合は，生殖能力が元に戻らなくなるおそれがあることを理解するべきです。

腎疾患：腎疾患のある人は使用してはいけません。

生殖器系の疾患：生殖器系の疾患のある人は使用してはいけません。

●妊娠中および母乳授乳期

妊娠中のワタの使用は安全ではないようです。子宮を収縮させ，流産を引き起こすおそれがあります。

母乳授乳期の使用の安全性についてはデータが不十分です。安全性を考慮し，摂取は避けてください。

有　効　性

◆科学的データが不十分です

・マラリア，月経障害，更年期症状，吐き気，発熱，頭痛，下痢，分娩の誘発および出産，男性の避妊など。

●体内での働き

月経促進や分娩誘発に役立つ可能性や，男性の避妊薬として作用する可能性があります。

医薬品との相互作用

ほかの医薬品との相互作用については明らかではありません。

ハーブおよび健康食品・サプリメントとの相互作用

ほかのハーブ，健康食品・サプリメントとの相互作用についてはまだ明らかではありません。

使用量の目安

通常の食品に含まれている量を超えて経口摂取した場合の安全性および副作用については，明らかになってい

相互作用レベル：高この医薬品と併用してはいけません　中この医薬品とは慎重に併用するか併用しないでください　低この医薬品との併用には注意が必要です

ません。

ワレモコウ

GREATER BURNET

別名ほか

吾木香，地楡，地楡（Sanguisorba officinalis），ガーデンバーネット（Garden Burnet），Sanguisorba

概　要

ワレモコウは植物です。花の咲いている部分を用いて「くすり」を作ることもあります。

●要説（ナチュラル・スタンダード）

ワレモコウは，ヨーロッパ，中東，アジア，およびアメリカ原産のバラ科の植物です。湿気の多い草原，砂地，ローム層，高密度な土壌でもっともよく育ちます。

地楡の根は伝統的な中国医学で用いられます。di yuと呼ばれ，熱傷，皮膚の発疹に対して局所的に用いたり，下痢，十二指腸潰瘍，血便，血の混じった咳，および重度の月経に対して内服されます。

ワレモコウは食糧としたり，お茶に代用したりします。収れん，止血，鎮痛，および治癒効果をもつため，さまざまな医療用途にも用いられます。ただし，いずれの疾患に対しても，ヒトを対象とした有効な科学的根拠はありません。

安 全 性

安全性または副作用については不明です。

●妊娠中および母乳授乳期

妊娠中および母乳授乳期の使用の安全性についてはデータが不十分です。安全性を考慮し，摂取は避けてください。

有 効 性

◆科学的データが不十分です

・閉経時の大量の月経出血に対する経口摂取，のぼせ，不規則な月経量，下痢，潰瘍性大腸炎，痔核，膀胱障害，静脈瘤，創傷およびおでき（皮膚に絆創膏として使用する場合）など。

●体内での働き

止血に役立つ収れん薬として働くことがあるというデータがあります。

医薬品との相互作用

ほかの医薬品との相互作用については明らかではありません。

ハーブおよび健康食品・サプリメントとの相互作用

ほかのハーブ，健康食品・サプリメントとの相互作用についてはまだ明らかではありません。

使用量の目安

標準使用量に関するデータがありません。

ワ

有効性レベル：①効きます　②おそらく効きます　③効くと断言できませんが、効能の可能性が科学的に示唆されています
④効かないかもしれません　⑤おそらく効きません　⑥効きません

CALANUS OIL

CALANUS OIL

別名ほか

Calanus finmarchicus, zooplankton oil

概　要

CALANUS OILは，北海に生息するプランクトンの一種から得られる赤色のオイルです。

体重減少や血圧低下の目的や，心疾患に対して摂取されることがあります。

安 全 性

CALANUS OILの安全性や副作用については，データが不十分です。

●妊娠中および母乳授乳期

妊娠中および母乳授乳期の使用の安全性についてはデータが不十分です。安全性を考慮し，摂取は避けてください。

有 効 性

◆科学的データが不十分です

・心疾患，高血圧，体重減少など。

●体内での働き

CALANUS OILには，DHA（ドコサヘキサエン酸）やEPA（エイコサペンタエン酸）などのn-3系脂肪酸が含まれています。アスタキサンチンという赤い色素も含まれており，このためにCALANUS OILは赤色をしています。動物実験では，動脈硬化を予防したり，脂肪細胞の大きさを縮小させたりする可能性が示されています。ただし，ヒトが摂取したときに有益な作用があるかどうかについてはわかっていません。

医薬品との相互作用

ほかの医薬品との相互作用については明らかではありません。

ハーブおよび健康食品・サプリメントとの相互作用

ほかのハーブ，健康食品・サプリメントとの相互作用についてはまだ明らかではありません。

使用量の目安

通常の食品に含まれている量を超えて経口摂取した場合の安全性および副作用については，明らかになっていません。

CHEKEN

CHEKEN

別名ほか

マートル（Myrtus），Arryan，Chekan，Eugenia chequen，Luma chequen，Myrtus chequen

概　要

CHEKENはハーブです。乾燥させた葉および葉のオイルを用いて「くすり」を作ることもあります。

安 全 性

十分なデータが得られていないので，安全であるかどうか不明です。

●妊娠中および母乳授乳期

妊娠中，母乳授乳期は使用してはいけません。

有 効 性

◆科学的データが不十分です

・咳，高コレステロール血症，下痢，発熱，痛風，高血圧症など。

●体内での働き

身体が脂肪を分解する方向に作用して血清コレステロール値を下げるのに役立つことがあります。

医薬品との相互作用

ほかの医薬品との相互作用については明らかではありません。

ハーブおよび健康食品・サプリメントとの相互作用

ほかのハーブ，健康食品・サプリメントとの相互作用についてはまだ明らかではありません。

使用量の目安

標準使用量に関するデータがありません。

GROUND PINE

GROUND PINE

別名ほか

Ajuga chamaepitys, Bugle, Bugle Jaune, Bugle Petit Pin, Búgula Amarilla, Camaepitium, European Ground Pine, Ive, Ivette, Teucrium chamaepitys, Yellow Bugle, イエロー・ビューグル

英字

概　要

GROUND PINEは細葉の小さな植物で，この細葉を用いて「くすり」を作ることがあります。マツ科ではありませんが，マツの実生に似ていて，つぶすとマツのような香りがします。

世間では，痛風，関節リウマチ（RA），感冒など，ほかにも多くの疾患に対して使用されますが，これらの用途を裏付ける十分な科学的根拠（エビデンス）はありません。

一部の人は創傷治癒のためにGROUND PINEを皮膚に直接塗布します。

安 全 性

GROUND PINEを経口摂取する場合，その安全性および副作用については信頼できる情報が不十分です。

GROUND PINEを皮膚に塗布する場合，その安全性および副作用については信頼できる情報が不十分です。

●妊娠中および母乳授乳期

GROUND PINEを妊娠中および母乳授乳期に使用する安全性については信頼できる情報が不十分です。安全性を考慮し，GROUND PINEを使用しないでください。

有 効 性

◆科学的データが不十分です

・感冒，体液貯留（浮腫），痛風，痔核，肝疾患，マラリア，関節リウマチ（RA），皮膚や結合組織の硬化（強皮症），サソリ刺傷，ヘビ咬傷，創傷治癒など。

●体内での働き

GROUND PINEの働きについては信頼できる情報が不十分です。

医薬品との相互作用

ほかの医薬品との相互作用については明らかではありません。医薬品を服用している場合は，医師や薬剤師に相談することなくGROUND PINEを摂取しないでください。

ハーブおよび健康食品・サプリメントとの相互作用

ほかのハーブ，健康食品・サプリメントとの相互作用についてはまだ明らかではありません。

使用量の目安

GROUND PINEを使用する目安量は複数の要因（年齢，健康状態，その他の状況）により異なります。現時点ではGROUND PINEの適量の幅を判断する情報が不十分です。自然由来の製品は必ずしも安全ではなく，使用量が重要になりうることに留意してください。製品に表示されている使用方法に従い，医師や薬剤師に相談することなく使用しないようにしてください。

OPIUM ANTIDOTE

OPIUM ANTIDOTE

別名ほか

シクンシ，キンケリバ，キンキリバ，ケンケリバ，セハオ（Combretum micranthum），Combretum，Jungle Weed

概　要

OPIUM ANTIDOTEは，Combretum micranthumという植物から生産したものです。葉と茎を用いて「くすり」を作ることもあります。

OPIUM ANTIDOTEは単体では使用されていません。ほかの薬剤との組み合わせでのみ使用されます。

安 全 性

安全性について信頼できる十分なデータが得られていません。

●妊娠中および母乳授乳期

妊娠中および母乳授乳期の使用の安全性についてはデータが不十分です。安全性を考慮し，摂取は避けてください。

有 効 性

◆科学的データが不十分です

・胆のう疾患，胃のむかつき，肝疾患，およびそのほかの用途など。

●体内での働き

消化において重要な役割を担う胆汁の分泌を刺激します。

医薬品との相互作用

ほかの医薬品との相互作用については明らかではありません。

ハーブおよび健康食品・サプリメントとの相互作用

ほかのハーブ，健康食品・サプリメントとの相互作用についてはまだ明らかではありません。

使用量の目安

標準使用量に関するデータがありません。

PREMORSE

PREMORSE

別名ほか

デビルスビット（Devil's Bit），スカビオサ（Scabiosa succisa），Ofbit，Premorse scaboius

概　要

PREMORSEはハーブです。地上部を用いて「くすり」を作ることもあります。

安　全　性

十分なデータが得られていないので，安全であるかどうか不明です。

●妊娠中および母乳授乳期

妊娠中，母乳授乳期は使用してはいけません。

有　効　性

◆科学的データが不十分です

・感冒および咳。

●体内での働き

どのように作用するかについては十分なデータが得られていません。

医薬品との相互作用

ほかの医薬品との相互作用については明らかではありません。

ハーブおよび健康食品・サプリメントとの相互作用

ほかのハーブ，健康食品・サプリメントとの相互作用についてはまだ明らかではありません。

使用量の目安

標準使用量に関するデータがありません。

RAUVOLFIA VOMITORIA

RAUVOLFIA VOMITORIA

別名ほか

African Serpentwood，African Snakeroot，Akanta，Asofeyeje，Eto Mmong Eba Ebot In，Ira，Mmoneba，Poison Devil-pepper，Rauwolfia Vomitoria，Serpent Snake Root，Serpent Wood，Swizzle-Stick Tree，Utoenyin，Wada

概　要

RAUVOLFIA VOMITORIAは主に西アフリカにみられる低木です。根，葉，茎を「くすり」に用います。

痙攣，発熱，脱力，睡眠障害，精神障害，疼痛，関節炎，がん，高血圧，糖尿病，胃・腸・肝臓の健康のために用いられます。睡眠や嘔吐を誘発する目的でも用いられます。

ヘビ咬傷，皮膚感染，腫脹に対して皮膚に塗布されます。

腸内寄生虫や月経痛に対し，直腸内に投与されます。

米国，カナダなどの西洋諸国では，一部のトレーニング用サプリメントに用いられています。カナダなどでは，RAUVOLFIA VOMITORIAエキスを含むサプリメントの流通を禁止しています。一部のRAUVOLFIA VOMITORIAエキスに処方薬の成分が高濃度に含まれているためです。

安　全　性

RAUVOLFIA VOMITORIAは，経口摂取する場合，おそらく安全ではありません。RAUVOLFIA VOMITORIAの乾燥根粉末を摂取すると，人によってはふるえ，痙攣様の運動，動作緩慢を起こすおそれがあります。このような作用は，抗精神病薬の副作用とほぼ同じです。またRAUVOLFIA VOMITORIAには，心血管に影響を及ぼし，血圧低下や徐脈を引き起こすことがわかっている化学物質が含まれています。この化学物質はさらに，胃障害，傾眠，めまい感，そのほか脳神経系の障害などを引き起こすおそれがあります。

不安：RAUVOLFIA VOMITORIAには，不安を悪化させるおそれのある化学物質が含まれています。不安のある人は，注意して使用してください。

うつ病：RAUVOLFIA VOMITORIAには，うつ病を悪化させるおそれのある化学物質が含まれています。初期の研究では，RAUVOLFIA VOMITORIAがうつ病を引き起こしたり悪化させたりしないことが示されていますが，十分なデータが得られるまでは，うつ病患者は注意して使用してください。

糖尿病：RAUVOLFIA VOMITORIAは，糖尿病患者の血糖値を低下させるおそれがあります。糖尿病患者が使用する場合には，低血糖の徴候がないかどうか観察し，血糖値を注意深く監視してください。

ショック治療（電気痙攣療法，ECT）：電気痙攣療法を受けている人はRAUVOLFIA VOMITORIAを使用しないでください。少なくとも電気痙攣療法を受ける前１週間は，使用を中止してください。

胆石：RAUVOLFIA VOMITORIAは胆のう疾患を悪化させるおそれがあります。

胃潰瘍，腸潰瘍，潰瘍性大腸炎：これらの疾患のいずれかの場合には，RAUVOLFIA VOMITORIAを使用してはいけません。

低血圧：低血圧の場合には，RAUVOLFIA VOMITORIAを使用してはいけません。RAUVOLFIA VOMITORIAが血圧をさらに低下させ，極度の低血圧を引き起こすおそれがあります。

褐色細胞腫（危険なレベルの高血圧を引き起こす副腎腫瘍）：この疾患の場合には，RAUVOLFIA VOMITORIAを使用してはいけません。

手術：RAUVOLFIA VOMITORIAは血糖値に影響を及ぼし，手術中・手術後の血糖コントロールを困難にするおそれがあります。少なくとも手術前2週間は，使用しないでください。

●アレルギー

レセルピンなどラウオルフィアアルカロイドと呼ばれる医薬品に対するアレルギー：これらの医薬品に対するアレルギーがある場合には，RAUVOLFIA VOMITORIAを摂取してはいけません。

●妊娠中および母乳授乳期

妊娠中：妊娠中の使用は，おそらく安全ではありません。先天異常を引き起こすおそれのある化学物質が含まれています。

母乳授乳期：母乳授乳期の使用の安全性についてはデータが不十分です。安全性を考慮し，摂取は避けてください。

有 効 性

◆科学的データが不十分です

・糖尿病，精神病，関節炎，がん，痙攣，発熱，高血圧，睡眠障害，眠気の誘発，肝臓の健康，精神的健康，疼痛，皮膚感染，ヘビ咬傷，胃腸障害，脱力など。

●体内での働き

RAUVOLFIA VOMITORIAは西アフリカで伝統医学に用いられてきました。血圧を低下させたり，がん細胞や細菌を死滅させたり，脳機能を補助したりする化学物質が含まれています。このような化学物質のうちどれがもっとも重要か，どのように協働しているかについては，明確になっていません。

医薬品との相互作用

中アルコール

アルコールは眠気および注意力低下を引き起こす可能性があります。RAUVOLFIA VOMITORIAもまた眠気および注意力低下を引き起こす可能性があります。多量のRAUVOLFIA VOMITORIAとアルコールを併用すると，過度の眠気を引き起こすおそれがあります。

中エフェドリン塩酸塩

エフェドリン塩酸塩は中枢神経機能を亢進し，神経過敏にさせることがあります。RAUVOLFIA VOMITORIAは神経を落ち着かせ，眠気を引き起こす可能性があります。RAUVOLFIA VOMITORIAとエフェドリン塩酸塩を併用すると，エフェドリン塩酸塩の作用が弱まるおそれがあります。

中ジゴキシン

ジゴキシンには強心作用があります。RAUVOLFIA VOMITORIAは心拍を遅くする可能性があります。RAUVOLFIA VOMITORIAとジゴキシンを併用すると，ジゴキシンの効果が弱まるおそれがあります。ジゴキシンを服用中にRAUVOLFIA VOMITORIAを摂取しないでください。

中バルビツール酸系鎮静薬

RAUVOLFIA VOMITORIAは眠気および注意力低下を引き起こす可能性があります。 鎮静薬も眠気を引き起こす医薬品です。 RAUVOLFIA VOMITORIAと鎮静薬を併用すると，過度の眠気を引き起こすおそれがあります。

高プロプラノロール塩酸塩

プロプラノロール塩酸塩は血圧を下げるために用いられます。RAUVOLFIA VOMITORIAもまた血圧を下げる可能性があります。RAUVOLFIA VOMITORIAとプロプラノロール塩酸塩を併用すると，血圧が過度に低下するおそれがあります。

高モノアミン酸化酵素阻害薬（MAO阻害薬）

RAUVOLFIA VOMITORIAには身体に影響を及ぼす化学物質が含まれます。この化学物質はモノアミン酸化酵素阻害薬（MAO阻害薬）の副作用を増強するおそれがあります。このようなMAO阻害薬には，Phenelzine，Tranylcypromineなどがあります。

高レボドパ

レボドパはパーキンソン病の治療に用いられます。RAUVOLFIA VOMITORIAとレボドパを併用すると，レボドパの効果が弱まるおそれがあります。この相互作用が現れる理由は明らかではありません。安全のために，レボドパの服用中にRAUVOLFIA VOMITORIAを摂取しないでください。

中肝臓で代謝される医薬品（シトクロムP450 2D6（CYP2D6）の基質となる医薬品）

特定の医薬品は肝臓で代謝されます。RAUVOLFIA VOMITORIAは特定の医薬品の代謝を抑制する可能性があります。RAUVOLFIA VOMITORIAと肝臓で代謝される医薬品を併用すると，医薬品の作用および副作用が増強するおそれがあります。このような医薬品には，アミトリプチリン塩酸塩，クロザピン，コデインリン酸塩水和物，塩酸デシプラミン（販売中止），デキストロメトルファン臭化水素酸塩水和物，ドネペジル塩酸塩，フェンタニルクエン酸塩，フレカイニド酢酸塩，塩酸フルオキセチン（販売中止），ペチジン塩酸塩，メサドン塩酸塩，メトプロロール酒石酸塩，オランザピン，オンダンセトロン塩酸塩水和物，トラマドール塩酸塩，トラゾドン塩酸塩などがあります。

高興奮薬

興奮薬は神経系を亢進させます。神経系を亢進させることにより，興奮薬は神経を過敏にして心拍数を上昇させる可能性があります。RAUVOLFIA VOMITORIAもまた神経系を亢進させる可能性があります。RAUVOLFIA VOMITORIAと興奮薬を併用すると，頻脈や高血圧などの深刻な問題を引き起こすおそれがあります。RAUVOLFIA VOMITORIAと興奮薬を併用しないでください。このような興奮薬には，Diethylpropion，エピネフリン，Phentermine，塩酸プソイドエフェドリンなど数多くあります。

英字

中血液凝固を抑制する医薬品（抗凝固薬/抗血小板薬）

RAUVOLFIA VOMITORIAは血液凝固を抑制する可能性があります。RAUVOLFIA VOMITORIAと血液凝固を抑制する医薬品を併用すると，紫斑および出血のリスクが高まるおそれがあります。このような医薬品には，アスピリン，クロピドグレル硫酸塩，ダルテパリンナトリウム，エノキサパリンナトリウム，ヘパリン，チクロピジン塩酸塩，ワルファリンカリウムなどがあります。

高抗精神病薬

RAUVOLFIA VOMITORIAには鎮静作用があるようです。抗精神病薬もまた鎮静作用があります。RAUVOLFIA VOMITORIAと抗精神病薬を併用すると，抗精神病薬の副作用のリスクが高まるおそれがあります。このような医薬品には，クロルプロマジン塩酸塩，クロザピン，フルフェナジン，ハロペリドール，オランザピン，ペルフェナジン，プロクロルペラジンマレイン酸塩，クエチアピンフマル酸塩，リスペリドン，チオリダジン塩酸塩（販売中止），チオチキセン（販売中止）などがあります。

中降圧薬

RAUVOLFIA VOMITORIAは血圧を低下させる可能性があります。RAUVOLFIA VOMITORIAと降圧薬を併用すると，血圧が過度に低下するおそれがあります。このような降圧薬にはカプトプリル，エナラプリルマレイン酸塩，ロサルタンカリウム，バルサルタン，ジルチアゼム塩酸塩，アムロジピンベシル酸塩，ヒドロクロロチアジド，フロセミドなど数多くあります。

中三環系抗うつ薬

特定の抗うつ薬はRAUVOLFIA VOMITORIAの作用を弱める可能性があります。このような抗うつ薬には，アミトリプチリン塩酸塩，イミプラミン塩酸塩などがあります。

中糖尿病治療薬

RAUVOLFIA VOMITORIAは血糖値を低下させる可能性があります。糖尿病治療薬もまた血糖値を低下させるために用いられます。RAUVOLFIA VOMITORIAと糖尿病治療薬を併用すると，血糖値が過度に低下するおそれがあります。血糖値を注意深く監視してください。糖尿病治療薬の用量を変更する必要があるかもしれません。このような糖尿病治療薬にはグリメピリド，グリベンクラミド，インスリン，ピオグリタゾン塩酸塩，マレイン酸ロシグリタゾン（販売中止），クロルプロパミド，Glipizide，トルブタミド（販売中止）などがあります。

ハーブおよび健康食品・サプリメントとの相互作用

マオウ（麻黄）

RAUVOLFIA VOMITORIAとマオウ（麻黄）を併用すると，マオウ（麻黄）のエフェドリン作用が減弱するおそれがあります。

血糖値を低下させるおそれのあるハーブおよび健康食品・サプリメント

RAUVOLFIA VOMITORIAは血糖値を低下させるおそれがあります。血糖値を低下させるおそれのあるほかのハーブおよび健康食品・サプリメントと併用すると，血糖値が過度に低下するおそれがあります。このようなハーブおよび健康食品・サプリメントには，デビルズクロー，グアーガム，朝鮮人参，エゾウコギなどがあります。

血液凝固を抑制するおそれのあるハーブおよび健康食品・サプリメント

RAUVOLFIA VOMITORIAには血液凝固を抑制するおそれのある化学物質が含まれています。血液凝固を抑制するおそれのあるほかのハーブおよび健康食品・サプリメントと併用すると，人によっては出血のリスクが高まるおそれがあります。このようなハーブおよび健康食品・サプリメントには，アンゼリカ，クローブ，タンジン，ニンニク，ショウガ，イチョウ，朝鮮人参などがあります。

強心配糖体を含むハーブおよび健康食品・サプリメント

強心配糖体は，心臓に影響を及ぼす化学物質です。RAUVOLFIA VOMITORIAと，強心配糖体を含むハーブおよび健康食品・サプリメントを併用すると，心機能が抑制され，胸痛や脈拍不整を引き起こすおそれがあります。このようなハーブおよび健康食品・サプリメントには，クリスマスローズ，ジギタリス，ドイツスズラン，オレアンダーの葉，ゲウム，海葱（カイソウ）などがあります。

通常の食品との相互作用

アルコール

アルコールもRAUVOLFIA VOMITORIAも，眠気および注意力低下を引き起こすおそれがあります。大量のRAUVOLFIA VOMITORIAをアルコールと併用すると，過度の眠気を引き起こすおそれがあります。

使用量の目安

通常の食品に含まれている量を超えて経口摂取した場合の安全性および副作用については，明らかになっていません。

相互作用レベル：高この医薬品と併用してはいけません　中この医薬品とは慎重に併用するか併用しないでください　低この医薬品との併用には注意が必要です

ア

青字の素材・成分名は，本編に掲載されている素材・成分です。
黒字の素材・成分名は，「別名ほか」の項目に掲載されている素材・成分です。

イ

ウ

和名索引

青字の素材・成分名は，本編に掲載されている素材・成分です。
黒字の素材・成分名は，「別名ほか」の項目に掲載されている素材・成分です。

和名索引

エ

オ

カ

青字の素材・成分名は，本編に掲載されている素材・成分です。
黒字の素材・成分名は，「別名ほか」の項目に掲載されている素材・成分です。

キ

和名索引

青字の素材・成分名は，本編に掲載されている素材・成分です。
黒字の素材・成分名は，「別名ほか」の項目に掲載されている素材・成分です。

ク

ケ

コ

青字の素材・成分名は，本編に掲載されている素材・成分です。
黒字の素材・成分名は，「別名ほか」の項目に掲載されている素材・成分です。

サ

シ

青字の素材・成分名は，本編に掲載されている素材・成分です。
黒字の素材・成分名は，「別名ほか」の項目に掲載されている素材・成分です。

ス

セ

青字の素材・成分名は，本編に掲載されている素材・成分です。
黒字の素材・成分名は，「別名ほか」の項目に掲載されている素材・成分です。

ソ

タ

チ

青字の素材・成分名は，本編に掲載されている素材・成分です。
黒字の素材・成分名は，「別名ほか」の項目に掲載されている素材・成分です。

ナ

ニ

青字の素材・成分名は，本編に掲載されている素材・成分です。
黒字の素材・成分名は，「別名ほか」の項目に掲載されている素材・成分です。

ヌ

ネ

ノ

ハ

ヒ

和名索引

青字の素材・成分名は，本編に掲載されている素材・成分です。
黒字の素材・成分名は，「別名ほか」の項目に掲載されている素材・成分です。

フ

和名索引

青字の素材・成分名は，本編に掲載されている素材・成分です。
黒字の素材・成分名は，「別名ほか」の項目に掲載されている素材・成分です。

へ

ホ

マ

青字の素材・成分名は，本編に掲載されている素材・成分です。
黒字の素材・成分名は，「別名ほか」の項目に掲載されている素材・成分です。

青字の素材・成分名は，本編に掲載されている素材・成分です。
黒字の素材・成分名は，「別名ほか」の項目に掲載されている素材・成分です。

青字の素材・成分名は，本編に掲載されている素材・成分です。
黒字の素材・成分名は，「別名ほか」の項目に掲載されている素材・成分です。

A

青字の素材・成分名は，本編に掲載されている素材・成分です。
黒字の素材・成分名は，「別名ほか」の項目に掲載されている素材・成分です。

英名索引

青字の素材・成分名は，本編に掲載されている素材・成分です。
黒字の素材・成分名は，「別名ほか」の項目に掲載されている素材・成分です。

英名索引

青字の素材・成分名は，本編に掲載されている素材・成分です。
黒字の素材・成分名は，「別名ほか」の項目に掲載されている素材・成分です。

B

青字の素材・成分名は，本編に掲載されている素材・成分です。
黒字の素材・成分名は，「別名ほか」の項目に掲載されている素材・成分です。

英名索引

青字の素材・成分名は，本編に掲載されている素材・成分です。
黒字の素材・成分名は，「別名ほか」の項目に掲載されている素材・成分です。

英名索引

青字の素材・成分名は，本編に掲載されている素材・成分です。
黒字の素材・成分名は，「別名ほか」の項目に掲載されている素材・成分です。

英名索引

青字の素材・成分名は，本編に掲載されている素材・成分です。
黒字の素材・成分名は，「別名ほか」の項目に掲載されている素材・成分です。

青字の素材・成分名は，本編に掲載されている素材・成分です。
黒字の素材・成分名は，「別名ほか」の項目に掲載されている素材・成分です。

青字の素材・成分名は，本編に掲載されている素材・成分です。
黒字の素材・成分名は，「別名ほか」の項目に掲載されている素材・成分です。

青字の素材・成分名は，本編に掲載されている素材・成分です。
黒字の素材・成分名は，「別名ほか」の項目に掲載されている素材・成分です。

英名索引

青字の素材・成分名は，本編に掲載されている素材・成分です。
黒字の素材・成分名は，「別名ほか」の項目に掲載されている素材・成分です。

D

青字の素材・成分名は，本編に掲載されている素材・成分です。
黒字の素材・成分名は，「別名ほか」の項目に掲載されている素材・成分です。

英名索引

英名索引

E

青字の素材・成分名は，本編に掲載されている素材・成分です。
黒字の素材・成分名は，「別名ほか」の項目に掲載されている素材・成分です。

F

青字の素材・成分名は，本編に掲載されている素材・成分です。
黒字の素材・成分名は，「別名ほか」の項目に掲載されている素材・成分です。

G

青字の素材・成分名は，本編に掲載されている素材・成分です。
黒字の素材・成分名は，「別名ほか」の項目に掲載されている素材・成分です。

英名索引

青字の素材・成分名は，本編に掲載されている素材・成分です。
黒字の素材・成分名は，「別名ほか」の項目に掲載されている素材・成分です。

H

青字の素材・成分名は，本編に掲載されている素材・成分です。
黒字の素材・成分名は，「別名ほか」の項目に掲載されている素材・成分です。

英名索引

青字の素材・成分名は，本編に掲載されている素材・成分です。
黒字の素材・成分名は，「別名ほか」の項目に掲載されている素材・成分です。

I

英名索引

青字の素材・成分名は，本編に掲載されている素材・成分です。
黒字の素材・成分名は，「別名ほか」の項目に掲載されている素材・成分です。

J

K

青字の素材・成分名は，本編に掲載されている素材・成分です。
黒字の素材・成分名は，「別名ほか」の項目に掲載されている素材・成分です。

青字の素材・成分名は，本編に掲載されている素材・成分です。
黒字の素材・成分名は，「別名ほか」の項目に掲載されている素材・成分です。

英名索引

青字の素材・成分名は，本編に掲載されている素材・成分です。
黒字の素材・成分名は，「別名ほか」の項目に掲載されている素材・成分です。

M

英名索引

青字の素材・成分名は，本編に掲載されている素材・成分です。
黒字の素材・成分名は，「別名ほか」の項目に掲載されている素材・成分です。

英名索引

青字の素材・成分名は，本編に掲載されている素材・成分です。
黒字の素材・成分名は，「別名ほか」の項目に掲載されている素材・成分です。

N

英名索引

青字の素材・成分名は，本編に掲載されている素材・成分です。
黒字の素材・成分名は，「別名ほか」の項目に掲載されている素材・成分です。

O

英名索引

青字の素材・成分名は，本編に掲載されている素材・成分です。
黒字の素材・成分名は，「別名ほか」の項目に掲載されている素材・成分です。

P

英名索引

青字の素材・成分名は，本編に掲載されている素材・成分です。
黒字の素材・成分名は，「別名ほか」の項目に掲載されている素材・成分です。

英名索引

青字の素材・成分名は，本編に掲載されている素材・成分です。
黒字の素材・成分名は，「別名ほか」の項目に掲載されている素材・成分です。

英名索引

青字の素材・成分名は，本編に掲載されている素材・成分です。
黒字の素材・成分名は，「別名ほか」の項目に掲載されている素材・成分です。

Q

R

青字の素材・成分名は，本編に掲載されている素材・成分です。
黒字の素材・成分名は，「別名ほか」の項目に掲載されている素材・成分です。

S

青字の素材・成分名は，本編に掲載されている素材・成分です。
黒字の素材・成分名は，「別名ほか」の項目に掲載されている素材・成分です。

英名索引

英名索引

青字の素材・成分名は，本編に掲載されている素材・成分です。
黒字の素材・成分名は，「別名ほか」の項目に掲載されている素材・成分です。

英名索引

青字の素材・成分名は，本編に掲載されている素材・成分です。
黒字の素材・成分名は，「別名ほか」の項目に掲載されている素材・成分です。

青字の素材・成分名は，本編に掲載されている素材・成分です。
黒字の素材・成分名は，「別名ほか」の項目に掲載されている素材・成分です。

T

英名索引

青字の素材・成分名は，本編に掲載されている素材・成分です。
黒字の素材・成分名は，「別名ほか」の項目に掲載されている素材・成分です。

青字の素材・成分名は，本編に掲載されている素材・成分です。
黒字の素材・成分名は，「別名ほか」の項目に掲載されている素材・成分です。

英名索引

W

青字の素材・成分名は，本編に掲載されている素材・成分です。
黒字の素材・成分名は，「別名ほか」の項目に掲載されている素材・成分です。

英名索引

青字の素材・成分名は，本編に掲載されている素材・成分です。
黒字の素材・成分名は，「別名ほか」の項目に掲載されている素材・成分です。

英名索引

記号・数字

青字の素材・成分名は，本編に掲載されている素材・成分です。
黒字の素材・成分名は，「別名ほか」の項目に掲載されている素材・成分です。

英名索引

青字の素材・成分名は，本編に掲載されている素材・成分です。
黒字の素材・成分名は，「別名ほか」の項目に掲載されている素材・成分です。

健康食品・サプリメントの
症状・病態別有効性索引

ア

亜鉛欠乏症
有効性レベル①
亜鉛……5
顎の関節と筋肉に疼痛がある症状全般（顎関節症(TMD)）
有効性レベル③
メラトニン……1142
脚に不快感があって無性に動かしたくなる疾患（むずむず脚症候群（RLS））
有効性レベル③
鉄……750
足の痙攣および腫脹などの循環器系障害
有効性レベル③
スイートクローバー……602
アセトアミノフェン中毒
有効性レベル①
N-アセチルシステイン……195
有効性レベル③
メチオニン……1139
アタマジラミやケジラミの発生
有効性レベル①
除虫菊……592
アトピー性疾患
有効性レベル④
ビタミンA……909
アトピー性皮膚炎（アレルギー性の皮膚の湿疹）
有効性レベル③
米ぬか……496
アトピー性皮膚炎（湿疹）
有効性レベル④
セレン……652
アトピー性皮膚炎の症状の緩和
有効性レベル④
月見草油……730
あらゆる原因による死亡
有効性レベル④
カルシウム……304
ビタミンC……920
有効性レベル⑤
ビタミンE……932
アルコール依存および離脱症状
有効性レベル③
γ-ヒドロキシ酪酸塩（GHB）……331
アルコール依存症の記憶力改善
有効性レベル③
アセチル-L-カルニチン……35
アルコール性肝疾患
有効性レベル④
α-リポ酸……84
アルコール離脱
有効性レベル③
アセチル-L-カルニチン……35
ある種のにきび（挫創）の治療
有効性レベル③
グッグル……386
アルツハイマー型認知症
有効性レベル③
セージ……642
アルツハイマー病
有効性レベル③
サフラン……519
朝鮮人参……723
ビタミンE……932
ホスファチジルセリン……1075
有効性レベル④
α-リポ酸……84
イノシトール……126
コエンザイムQ-10……462
コリン……502
デアノル……741
銅……764
ビタミンB_6……913
β-カロテン……1028
有効性レベル⑤
N-アセチルシステイン……195
アルツハイマー病，多発脳梗塞性認知症や老人性認知症による記憶力，精神機能，行動障害の改善
有効性レベル③
ヒューペルジンA……953
アルツハイマー病などにともなう認知症
有効性レベル⑤
レシチン……1237
アルツハイマー病などの思考を阻害する疾患
有効性レベル③
ビンポセチン……960
アルツハイマー病などの疾患による認知症
有効性レベル④
ニコチンアミドアデニンジヌクレオチド（NADH）……809

アルツハイマー病などの認知障害を引き起こす疾患（認知症）
有効性レベル④
メラトニン……1142
アルツハイマー病の治療
有効性レベル③
アセチル-L-カルニチン……35
イデベノン……123
アレルギー
有効性レベル③
ピクノジェノール……899
アレルギーや感染に起因しない鼻水（通年性鼻炎）
有効性レベル③
トウガラシ……767
アンジェルマン症候群（知的障害を引き起こす遺伝性疾患）
有効性レベル④
ベタイン……1039
アンジオテンシン変換酵素（ACE）阻害薬に起因する咳
有効性レベル③
鉄……750
アンドログラフィスとの併用による感冒症状の緩和
有効性レベル③
エゾウコギ……185

イ

胃および腸における出血
有効性レベル③
ルバーブ……1233
胃潰瘍
有効性レベル③
ビスマス……903
有効性レベル④
ウコン……163
ペクチン……1036
胃潰瘍の原因となるヘリコバクターピロリ菌の医療治療の補助
有効性レベル③
乳酸菌……819
医学的手技のための腸管前処置
有効性レベル①
リン酸塩……1226
胃がん
有効性レベル③
オオムギ……225
有効性レベル④
紅茶……455
リボフラビン……1210
胃がんの予防
有効性レベル③
フスマ……983
胃がんを予防
有効性レベル③
米ぬか……496
医師薬剤師による使用の場合の，白内障の手術
有効性レベル①
キモトリプシン……349
異常な赤血球が生成され，体内に鉄が過剰に蓄積する障害（鉄芽球性貧血）
有効性レベル①
ビタミンB_6……913
異常なレベルの血清コレステロールまたは血清脂肪（脂質異常症）
有効性レベル③
インディアン・グースベリー……141
痛み
有効性レベル④
フェニルアラニン……972
1型糖尿病患者の低血糖
有効性レベル③
α-アラニン……80
一部の白血病（急性前骨髄球性白血病）の治療
有効性レベル①
ヒ素……905
一部の不整脈の治療（医薬品による静注薬として）
有効性レベル①
アデノシン……43
一部のレントゲン検査に使用される造影剤に起因する腎機能低下
有効性レベル③
炭酸水素ナトリウム……699
一般的に外傷後に生じる四肢の疼痛（複合性局所疼痛症候群）
有効性レベル③
ジメチルスルホキシド（DMSO）……560
ビタミンC……920
有効性レベル④
マグネシウム……1099
遺伝性高コレステロール血症
有効性レベル④
ニンニク……825
遺伝性ラクトース欠乏症（ラクトースの消化障害）
有効性レベル③
大豆……675
遺伝的な高コレステロール血症（家族性高コレステロール血症）患者の血清コレステロール値の低下
有効性レベル②
植物ステロール……590
遺伝的に高コレステロール傾向のある人（家族性高コレステロール血症）のコレステロール値の低下
有効性レベル③
シトスタノール……551

有効性レベル：①効きます　②おそらく効きます　③効くと断言できませんが、効能の可能性が科学的に示唆されています
④効かないかもしれません　⑤おそらく効きません　⑥効きません

ウ

β-シトステロール‥‥‥‥‥‥‥‥‥‥1032

胃粘膜の炎症（胃炎）
有効性レベル③
ビタミンC‥‥‥‥‥‥‥‥‥‥‥‥‥920

胃のむかつき（消化不良）
有効性レベル③
レモンバーム‥‥‥‥‥‥‥‥‥‥‥1246

イマースルンドグレスベック症候群（遺伝性ビタミンB₁₂欠乏症）
有効性レベル①
ビタミンB₁₂‥‥‥‥‥‥‥‥‥‥‥‥916

医薬品「アムホテシリンB」に起因する腎障害
有効性レベル③
ナトリウム‥‥‥‥‥‥‥‥‥‥‥‥796

医薬品「オルリスタット（販売中止）」の副作用の治療
有効性レベル③
インドオオバコ（サイリウム）‥‥‥‥145

医薬品「フェニトイン」に起因する歯肉の異常
有効性レベル③
葉酸‥‥‥‥‥‥‥‥‥‥‥‥‥‥‥1168

医薬品「メトトレキサート」の有害作用の軽減
有効性レベル②
葉酸‥‥‥‥‥‥‥‥‥‥‥‥‥‥‥1168

医薬品「ロメトレキソール」の毒性
有効性レベル④
葉酸‥‥‥‥‥‥‥‥‥‥‥‥‥‥‥1168

陰茎硬化症（ペロニー病）
有効性レベル③
コエンザイムQ-10‥‥‥‥‥‥‥‥‥462
プロピオニル-L-カルニチン‥‥‥‥‥1018

咽喉痛
有効性レベル③
アカニレ‥‥‥‥‥‥‥‥‥‥‥‥‥‥18

咽喉痛および扁桃炎（扁桃咽頭炎）
有効性レベル③
ウンカロアボ‥‥‥‥‥‥‥‥‥‥‥175

インターフェロン（医薬品）を服用する人の眼の障害（インターフェロン網膜症）
有効性レベル④
ビタミンC‥‥‥‥‥‥‥‥‥‥‥‥‥920

咽頭炎
有効性レベル③
パパイン‥‥‥‥‥‥‥‥‥‥‥‥‥876

咽頭がん
有効性レベル④
ビタミンE‥‥‥‥‥‥‥‥‥‥‥‥‥932

陰部疣贅（いぼ）
有効性レベル②
緑茶‥‥‥‥‥‥‥‥‥‥‥‥‥‥‥1215

インフルエンザ
有効性レベル③
牛初乳‥‥‥‥‥‥‥‥‥‥‥‥‥‥167
N-アセチルシステイン‥‥‥‥‥‥‥195
エルダーベリー‥‥‥‥‥‥‥‥‥‥211
朝鮮人参‥‥‥‥‥‥‥‥‥‥‥‥‥723
有効性レベル④
亜鉛‥‥‥‥‥‥‥‥‥‥‥‥‥‥‥‥‥5

ウィルソン病（遺伝性疾患）
有効性レベル②
亜鉛‥‥‥‥‥‥‥‥‥‥‥‥‥‥‥‥‥5

ウェルニッケコルサコフ症候群（チアミン欠乏症に起因する脳疾患）
有効性レベル①
チアミン‥‥‥‥‥‥‥‥‥‥‥‥‥708

う歯
有効性レベル③
ビタミンD‥‥‥‥‥‥‥‥‥‥‥‥927

う歯の予防
有効性レベル①
フッ化物‥‥‥‥‥‥‥‥‥‥‥‥‥986
有効性レベル②
キシリトール‥‥‥‥‥‥‥‥‥‥‥341

うっ血性心不全（CHF）
有効性レベル②
ジギタリス‥‥‥‥‥‥‥‥‥‥‥‥545
有効性レベル③
タウリン‥‥‥‥‥‥‥‥‥‥‥‥‥687
プロピオニル-L-カルニチン‥‥‥‥‥1018

うっ血性心不全（CHF）の予防
有効性レベル③
ビール‥‥‥‥‥‥‥‥‥‥‥‥‥‥892

うっ血性心不全の予防
有効性レベル③
ワイン‥‥‥‥‥‥‥‥‥‥‥‥‥‥1266

うつ病
有効性レベル②
S-アデノシルメチオニン（SAMe）‥‥‥183
セント・ジョンズ・ワート‥‥‥‥‥659
リチウム‥‥‥‥‥‥‥‥‥‥‥‥‥1206
有効性レベル③
亜鉛‥‥‥‥‥‥‥‥‥‥‥‥‥‥‥‥‥5
EPA（エイコサペンタエン酸）‥‥‥‥102
5-ヒドロキシトリプトファン‥‥‥‥490
サフラン‥‥‥‥‥‥‥‥‥‥‥‥‥519
デヒドロエピアンドロステロン‥‥‥‥754
葉酸‥‥‥‥‥‥‥‥‥‥‥‥‥‥‥1168
有効性レベル④
イノシトール‥‥‥‥‥‥‥‥‥‥‥126

DHA（ドコサヘキサエン酸）……743
有効性レベル⑤
メラトニン……1142
ウルシ科植物による皮膚反応
有効性レベル③
牛軟骨……168
うろこ状で痒い皮膚（乾癬）
有効性レベル③
魚油……362
うろこ状の乾燥肌になる遺伝性皮膚疾患（魚鱗癬）
有効性レベル③
グリセリン……404
運動後の筋肉痛を予防
有効性レベル④
ブロメライン……1021
運動する人の上気道感染症
有効性レベル③
牛初乳……167
運動精神思考に影響を及ぼす遺伝性の脳障害（ハンチントン病）
有効性レベル⑤
コエンザイムQ-10……462
運動選手の持続性改善
有効性レベル③
ピクノジェノール……899
運動に起因する筋肉痛
有効性レベル④
大豆……675
運動による気道感染
有効性レベル③
ビタミンC……920
運動による筋肉痛
有効性レベル④
ショウガ……583
運動能力
有効性レベル③
カフェイン……273
グリセリン……404
クレアチン……414
炭酸水素ナトリウム……699
β-アラニン……1027
有効性レベル④
アメリカジンセン（アメリカ人参）……65
アンドロステンジオール……98
クリシン……400
グルタミン……411
クロム……432
コリン……502
朝鮮人参……723
冬虫夏草……772
蜂花粉……856
ピルビン酸塩……955
ホウ素……1064
マオウ（麻黄）……1095
マグネシウム……1099
メラトニン……1142
リボース……1209
有効性レベル⑤
コエンザイムQ-10……462
運動能力の改善
有効性レベル③
ホエイプロテイン……1066
運動能力の改善（朝鮮人参，ビタミン，ミネラルと併用する場合）
有効性レベル③
デアノル……741
運動能力の向上
有効性レベル④
ケトグルタルオルニチン……445
ハマビシ……879
運動能力の増強
有効性レベル⑤
アンドロステンジオン……99
運動能力を高める
有効性レベル⑤
イノシン……128
運動の持久力を改善
有効性レベル④
パンガミン酸……883

エ

エイズ患者のヘルペス病変（生殖器および肛門部）の治療
有効性レベル③
サングレ・デ・グラード……529
エイズに起因する下痢
有効性レベル③
サングレ・デ・グラード……529
エイズの下痢消耗症候群
有効性レベル④
亜鉛……5
HIV/エイズ
有効性レベル③
コエンザイムQ-10……462
有効性レベル④
亜鉛……5
アロエ……90
N-アセチルシステイン……195
魚油……362
セント・ジョンズ・ワート……659

有効性レベル：①効きます　②おそらく効きます　③効くと断言できませんが、効能の可能性が科学的に示唆されています
④効かないかもしれません　⑤おそらく効きません　⑥効きません

HIV/エイズ患者における意図的でない体重減少
有効性レベル③
グルタミン……411
β-ヒドロキシ-β-メチル酪酸……1034
HIV/エイズ患者の血中脂質値異常
有効性レベル③
ニコチン酸……810
HIV/エイズ患者の女性の妊娠合併症
有効性レベル④
亜鉛……5
HIV/エイズ患者の体重減少
有効性レベル③
ホエイプロテイン……1066
HIV/エイズ関連の下痢
有効性レベル③
サッカロミセス・ブラディー……517
HIV/エイズ関連の神経異常の一部症状
有効性レベル③
S-アデノシルメチオニン（SAMe）……183
HIV/エイズ関連の体重減少
有効性レベル③
マリファナ……1112
HIV/エイズ治療薬（抗レトロウイルス薬）による吐き気および嘔吐
有効性レベル③
ショウガ……583
HIV/エイズにともなう体重の減少
有効性レベル④
中鎖脂肪酸……719
HIV/エイズによる血中脂質異常
有効性レベル③
魚油……362
HIV/エイズの治療
有効性レベル③
レンチナン……1251
HIV感染
有効性レベル⑤
ビタミンA……909
HIV感染患者の高コレステロール血症や高トリグリセリド血症
有効性レベル③
紅麹……1044
HIVに関連する脳の異常
有効性レベル④
α-リポ酸……84
栄養不良の乳児および小児の下痢
有効性レベル④
ヨーグルト……1177
栄養不良よる10パーセンタイル未満の出生体重の乳児
有効性レベル④
EPA（エイコサペンタエン酸）……102
A型肝炎
有効性レベル④
ホスファチジルコリン……1074
壊死性腸炎（NEC）（早産児の腸管障害）
有効性レベル④
ビフィズス菌……948
壊死性腸炎（未熟児の重度な腸疾患（NEC））
有効性レベル③
L-アルギニン……203
エストロゲンと併用するホルモン代替療法（HRT）
有効性レベル②
プロゲステロン……1015
X線検査中に用いる造影剤による腎障害
有効性レベル③
N-アセチルシステイン……195
L-カルニチン欠乏症
有効性レベル①
L-カルニチン……207
円形脱毛症
有効性レベル③
アトラスシダー……44
円形脱毛症（抜け毛）
有効性レベル③
ラベンダー……1199
炎症性腸疾患
有効性レベル④
亜鉛……5
炎症性腸疾患（潰瘍性大腸炎）
有効性レベル③
インドオオバコ（サイリウム）……145
炎症性腸疾患の1つ（クローン病）
有効性レベル④
グルタミン……411

オ

オーツやオーツフスマを食生活に取り入れることにより大腸がんの予防
有効性レベル④
オーツ……222
オーツやオーツフスマを食生活に取り入れることによる，胃がんの予防
有効性レベル③
オーツ……222
オーツやオーツフスマを食生活に取り入れることによる糖尿病患者の血糖値低下
有効性レベル③
オーツ……222
オキサリプラチンという抗悪性腫瘍薬による神経障害
有効性レベル④
ビタミンE……932

おむつかぶれ
有効性レベル③
　亜鉛･･････････････････････････････5
有効性レベル④
　タンニン酸･･･････････････････705

カ

壊血病
有効性レベル②
　アセロラ･･･････････････････････37

外傷または刺激による皮膚の発赤（紅斑）
有効性レベル③
　ビタミンC･････････････････････920

疥癬（ダニによるそう痒をともなう皮膚感染）
有効性レベル③
　硫黄･･･････････････････････････111

疥癬の発生（ダニ）
有効性レベル
　除虫菊･････････････････････････592

回腸のう炎（潰瘍性大腸炎手術後の合併症）
有効性レベル③
　ビフィズス菌･･････････････････948

回転性めまいおよびめまい感
有効性レベル③
　イチョウ･･･････････････････････118

潰瘍性大腸炎
有効性レベル③
　乳酸菌･････････････････････････819
　ビフィズス菌･･････････････････948
　ボスウェリア････････････････1073
有効性レベル④
　γ-リノレン酸････････････････335

潰瘍性大腸炎（炎症性腸疾患）
有効性レベル③
　アンドログラフィス･･･････････96
　発酵乳････････････････････････863

潰瘍性大腸炎と呼ばれる腸疾患
有効性レベル④
　プロピオニル-L-カルニチン･･････1018

潰瘍に至るおそれがある消化管感染（ヘリコバクターピロリ）
有効性レベル④
　ビタミンC･････････････････････920

潰瘍に至るおそれがある消化管感染（ヘリコバクターピロリ菌）
有効性レベル④
　魚油･･･････････････････････････362

顔の皮膚パックやローションとして皮膚に塗布されたときのにきび痕
有効性レベル③
　α-ヒドロキシ酸･･････････････82

顔や口の意図しない動き（遅発性ジスキネジア）
有効性レベル④
　デアノル･･････････････････････741

化学療法に起因する神経損傷
有効性レベル③
　ビタミンE････････････････････932

化学療法に起因する精神機能障害
有効性レベル④
　イチョウ･･･････････････････････118

化学療法による胃腸の副作用
有効性レベル④
　ビタミンA････････････････････909

化学療法による神経障害の緩和
有効性レベル④
　アセチル-L-カルニチン･･････････35

化学療法による吐き気および嘔吐
有効性レベル④
　ブドウ････････････････････････988

化学療法による副作用
有効性レベル③
　グルタチオン･･････････････････410

化学療法薬「シスプラチン」に起因する腎障害および聴覚障害
有効性レベル④
　セレン････････････････････････652

化学療法薬の周囲組織への漏出
有効性レベル③
　ビタミンE････････････････････932

下気道感染症
有効性レベル④
　葉酸････････････････････････1168
有効性レベル⑤
　ビタミンA････････････････････909

覚醒
有効性レベル②
　ウーロン茶････････････････････158

角膜（眼）カルシウム沈着の治療
有効性レベル③
　エチレンジアミン四酢酸･･････････190

下肢および肺の血液凝固（深部静脈塞栓および肺塞栓）予防
有効性レベル④
　メソグリカン････････････････1138

下肢静脈瘤など
有効性レベル③
　ピクノジェノール･･････････････899

家族性高コレステロール血症
有効性レベル④
　タラ肝油･･････････････････････697

症状・病態別有効性索引

有効性レベル：①効きます　②おそらく効きます　③効くと断言できませんが、効能の可能性が科学的に示唆されています
④効かないかもしれません　⑤おそらく効きません　⑥効きません

症状・病態別有効性索引

家族性低リン血症（血中リン酸塩濃度が低下する稀な遺伝性骨疾患）
有効性レベル①
ビタミンD……………………………… 927

下腿潰瘍
有効性レベル②
ヨウ素（ヨード）………………………1174
有効性レベル③
亜鉛…………………………………………… 5
グリシン…………………………………… 402

下腿潰瘍の治療
有効性レベル③
メソグリカン……………………………1138

カテーテルに関連する感染
有効性レベル④
ヨウ素（ヨード）………………………1174

過敏性腸症候群
有効性レベル③
グアーガム………………………………… 374
乳酸菌……………………………………… 819
フスマ……………………………………… 983
有効性レベル④
ジャワ・ターメリック………………… 576

過敏性腸症候群（IBS）
有効性レベル③
インドオオバコ（サイリウム）……… 145
発酵乳……………………………………… 863
ビフィズス菌……………………………… 948
有効性レベル④
カラクサケマン…………………………… 286
セント・ジョンズ・ワート…………… 659
バコパ……………………………………… 849

花粉症
有効性レベル②
オオアワガエリ…………………………… 219
有効性レベル③
セイヨウフキ……………………………… 636
有効性レベル④
EPA（エイコサペンタエン酸）……… 102
ブドウ……………………………………… 988

花粉症（アレルギー性鼻炎）
有効性レベル④
ガラクトオリゴ糖………………………… 286

花粉症（枯草病）
有効性レベル③
胸腺抽出物………………………………… 358

鎌状赤血球症
有効性レベル①
グルタミン………………………………… 411
有効性レベル③
亜鉛…………………………………………… 5

有効性レベル④
マグネシウム……………………………1099

蚊除け
有効性レベル④
チアミン…………………………………… 708

ガラクトース血症（ガラクトースの消化障害）
有効性レベル③
大豆………………………………………… 675

カルシウムと魚油との併用で骨粗鬆症
有効性レベル③
月見草油…………………………………… 730

加齢
有効性レベル④
デヒドロエピアンドロステロン……… 754

加齢黄斑変性（AMD）
有効性レベル③
ビタミンB$_{12}$……………………………… 916
β-カロテン………………………………1028

加齢黄斑変性（AMD）と呼ばれる眼疾患
有効性レベル③
ルテイン……………………………………1232

加齢黄斑変性（加齢にともなう視力喪失）
有効性レベル④
ビタミンE………………………………… 932

加齢黄斑変性（加齢にともなう視力低下）
有効性レベル③
亜鉛…………………………………………… 5
ビタミンB$_6$……………………………… 913
葉酸…………………………………………1168

加齢にともなう記憶障害
有効性レベル③
シチコリン………………………………… 549
有効性レベル④
イチョウ…………………………………… 118
レシチン……………………………………1237

加齢にともなう記憶喪失
有効性レベル⑤
コリン……………………………………… 502

加齢にともなう記憶と思考能力の低下
有効性レベル④
ビタミンB$_6$……………………………… 913

加齢にともなう思考能力の維持
有効性レベル③
ビール……………………………………… 892

加齢にともなう精神機能低下
有効性レベル③
ホスファチジルセリン……………………1075
有効性レベル④
DHA（ドコサヘキサエン酸）………… 743

加齢にともなうテストステロン欠乏症（「男性更年期」）
有効性レベル③
　　アセチル–L–カルニチン……………………35
加齢による筋肉の減少（サルコペニア）
有効性レベル③
　　β–ヒドロキシ–β–メチル酪酸………………1034
加齢によるテストステロンの減少などの男性更年期の症状の治療
有効性レベル③
　　プロピオニル–L–カルニチン………………1018
がん
有効性レベル③
　　β–グルカン…………………………………1031
有効性レベル④
　　杏仁………………………………………359
　　DHA（ドコサヘキサエン酸）……………743
　　ビタミンB$_{12}$………………………………916
　　ビタミンD…………………………………927
　　ビタミンE…………………………………932
　　硫酸ヒドラジン……………………………1213
有効性レベル⑤
　　β–カロテン…………………………………1028
がん（化学療法と併用する場合）
有効性レベル③
　　カワラタケ…………………………………316
肝移植
有効性レベル④
　　N–アセチルシステイン……………………195
肝炎
有効性レベル③
　　タウリン……………………………………687
有効性レベル④
　　N–アセチルシステイン……………………195
肝がん
有効性レベル④
　　β–カロテン…………………………………1028
眼感染
有効性レベル④
　　銀コロイド…………………………………370
間欠性跛行（脚の引きつる痛みや脚力低下）の改善
有効性レベル③
　　ニコチン酸イノシトール…………………815
肝疾患
有効性レベル③
　　S–アデノシルメチオニン（SAMe）………183
　　レシチン……………………………………1237
有効性レベル④
　　ビタミンE…………………………………932
　　β–カロテン…………………………………1028

肝疾患（肝炎）
有効性レベル③
　　チョウセンゴミシ…………………………721
肝疾患が原因の精神的変化の治療
有効性レベル⑤
　　ケトグルタルオルニチン…………………445
肝疾患に起因する脳の機能低下
有効性レベル③
　　分岐鎖アミノ酸……………………………1023
間質性膀胱炎
有効性レベル①
　　ジメチルスルホキシド（DMSO）…………560
有効性レベル③
　　スーパーオキシド・ジスムターゼ………606
冠状動脈性心疾患
有効性レベル③
　　イングリッシュウォールナッツ…………138
環状肉芽腫（皮膚の炎症に伴う潰瘍の一種）の治療
有効性レベル③
　　ビタミンE…………………………………932
肝性脳症
有効性レベル③
　　アセチル–L–カルニチン……………………35
肝性脳症（脳の機能が低下する肝疾患）
有効性レベル③
　　L–オルニチン–L–アスパラギン酸塩………206
関節炎
有効性レベル④
　　ビーベノム…………………………………891
関節リウマチ
有効性レベル③
　　ライコウトウ………………………………1188
有効性レベル④
　　亜鉛…………………………………………5
　　α–リポ酸……………………………………84
　　大豆…………………………………………675
　　デヒドロエピアンドロステロン…………754
　　ヒスチジン…………………………………903
関節リウマチ（RA）
有効性レベル③
　　牛軟骨………………………………………168
　　キャッツクロー……………………………351
　　魚油…………………………………………362
　　ビタミンE…………………………………932
有効性レベル④
　　亜麻仁油……………………………………56
　　Ⅱ型コラーゲン（天然）…………………804
　　フィーバーフュー…………………………963
関節リウマチ（RA）の症状改善
有効性レベル③
　　ボラージ……………………………………1082

有効性レベル：①効きます　②おそらく効きます　③効くと断言できませんが、効能の可能性が科学的に示唆されています
④効かないかもしれません　⑤おそらく効きません　⑥効きません

キ

症状・病態別有効性索引

関節リウマチの治療
有効性レベル③
ライコウトウ…………………………1188

乾癬
有効性レベル③
アロエ……………………………………90
牛軟骨……………………………………168
オレゴングレープ………………………244
有効性レベル④
デヒドロエピアンドロステロン………754

乾癬（皮膚の赤みやかぶれ）
有効性レベル④
亜鉛………………………………………5

乾癬（皮膚の発赤および過敏）
有効性レベル④
セレン……………………………………652

乾癬性関節炎（特定の皮膚症状に関連した関節炎）
有効性レベル④
亜鉛………………………………………5

感染性下痢
有効性レベル③
牛初乳……………………………………167

感染による疲労
有効性レベル④
スルブチアミン…………………………622

肝臓から胆のうへ流れる胆汁量の低下
有効性レベル③
S-アデノシルメチオニン（SAMe）………183

肝臓の瘢痕化（肝硬変）
有効性レベル④
魚油………………………………………362

乾燥肌
有効性レベル②
α-ヒドロキシ酸…………………………82
有効性レベル③
グリセリン………………………………404

がん治療（がん化学療法）による下痢の予防
有効性レベル③
乳酸菌……………………………………819

冠動脈疾患（動脈血栓症）
有効性レベル④
ルテイン…………………………………1232

冠動脈性心疾患または末梢動脈の閉塞性疾患
有効性レベル⑤
エチレンジアミン四酢酸………………190

冠動脈バイパス（CABG）手術
有効性レベル③
α-リポ酸…………………………………84

がんに関連した骨痛
有効性レベル①
ストロンチウム…………………………615

がんに起因する疼痛
有効性レベル④
ラベンダー………………………………1199

がんによる神経痛
有効性レベル③
マグネシウム……………………………1099

がんの死亡リスクの低減
有効性レベル④
ビール……………………………………892

がんの治療
有効性レベル⑥
アプリコット（アンズ）…………………53

がんの放射線療法による皮膚損傷
有効性レベル④
アロエ……………………………………90

肝斑と呼ばれる皮膚疾患に関連した色素沈着の減少
有効性レベル③
α-ヒドロキシ酸…………………………82

感冒
有効性レベル③
亜鉛………………………………………5
アンドログラフィス……………………96
エキナセア………………………………178
ビタミンC………………………………920
有効性レベル④
共役リノール酸…………………………360

顔面痛
有効性レベル④
L-トリプトファン………………………212

記憶
有効性レベル④
スペアミント……………………………617

記憶と思考能力（認知機能）
有効性レベル④
魚油………………………………………362

記憶力
有効性レベル③
カフェイン………………………………273

記憶力と思考力の改善
有効性レベル③
鉄…………………………………………750

記憶力の改善
有効性レベル③
バコパ……………………………………849

気管支炎
有効性レベル②
ウンカロアボ……………………………175

気管支炎（気道の腫脹）

有効性レベル③

N-アセチルシステイン……195

気管支喘息

有効性レベル③

カフェイン……273

胸腺抽出物……358

コリン……502

ブラックシード……999

マグネシウム……1099

有効性レベル④

EPA（エイコサペンタエン酸）……102

ガラクトオリゴ糖……286

セレン……652

発酵乳……863

ピクロリザ……901

ビタミンC……920

ヨーグルト……1177

気管支の短期的な腫脹（炎症）（急性気管支炎）

有効性レベル④

ビタミンC……920

気管支肺異形成症（新生児に影響を与える呼吸器疾患）

有効性レベル④

ビタミンA……909

気管支肺異形成症（乳児の肺疾患）

有効性レベル④

ビタミンE……932

気管切開している人のケア

有効性レベル①

N-アセチルシステイン……195

季節性アレルギー（花粉症）

有効性レベル④

ローヤルゼリー……1257

季節性情動障害

有効性レベル④

イチョウ……118

既治療で，進行性の乳房，結腸，肺，前立腺，脳などの各がん，および非ホジキンリンパ腫

有効性レベル④

サメ軟骨……522

気道感染

有効性レベル③

アメリカジンセン（アメリカ人参）……65

ビフィズス菌……948

気道感染症

有効性レベル③

ビタミンD……927

有効性レベル④

ビタミンE……932

危篤状態の患者の肺機能改善

有効性レベル③

ボラージ……1082

急性かつ重大な肺疾患（急性呼吸促迫症候群（ARDS））

有効性レベル④

イノシトール……126

急性リンパ性白血病（白血球のがん）

有効性レベル④

葉酸……1168

牛乳アレルギーの幼児および小児のアトピー性皮膚炎の治療ならびに予防

有効性レベル③

乳酸菌……819

境界性パーソナリティ障害（気分や行動の変化が特徴の精神障害）

有効性レベル③

EPA（エイコサペンタエン酸）……102

狭心症（胸痛）

有効性レベル③

N-アセチルシステイン……195

胸痛（狭心症）

有効性レベル③

L-アルギニン……203

L-カルニチン……207

田七人参……761

プロピオニル-L-カルニチン……1018

有効性レベル④

魚油……362

ビタミンE……932

強皮症

有効性レベル④

γ-リノレン酸……335

虚血再灌流傷害（血流が制限されたのち，再開した時に生じる組織損傷）

有効性レベル③

コエンザイムQ-10……462

虚血性脳卒中（脳梗塞）

有効性レベル③

グリシン……402

筋アデニル酸デアミナーゼ欠損症（MAD）

有効性レベル③

リボース……1209

筋萎縮性側索硬化症

有効性レベル④

トレオニン……784

筋萎縮性側索硬化症（ALS）

有効性レベル④

クレアチン……414

筋萎縮性側索硬化症（ALS，ルーゲーリッグ病）

有効性レベル④

N-アセチルシステイン……195

有効性レベル：①効きます　②おそらく効きます　③効くと断言できませんが、効能の可能性が科学的に示唆されています　④効かないかもしれません　⑤おそらく効きません　⑥効きません

ク

ケ⑤
　分岐鎖アミノ酸･･････････････････････････1023
筋萎縮性側索硬化症の治療
有効性レベル④
　トランスファーファクター･･････････････････780
筋萎縮性側索硬化症またはルーゲーリッグ病（神経変性疾患）
有効性レベル④
　コエンザイムQ-10････････････････････････462
　ビタミンE･･･････････････････････････････932
禁煙
有効性レベル④
　ロベリア･････････････････････････････････1259
禁煙の補助
有効性レベル③
　L-トリプトファン････････････････････････212
筋強直性ジストロフィー（遺伝性の筋疾患）
有効性レベル④
　ビタミンE･･･････････････････････････････932
筋痙攣
有効性レベル③
　亜鉛･････････････････････････････････････5
有効性レベル④
　マグネシウム････････････････････････････1099
緊張
有効性レベル④
　セント・ジョンズ・ワート･･････････････････659
緊張性頭痛
有効性レベル①
　カフェイン･･･････････････････････････････273
有効性レベル③
　ペパーミント････････････････････････････1048
筋肉増強
有効性レベル④
　マグネシウム････････････････････････････1099
筋破壊
有効性レベル③
　分岐鎖アミノ酸･････････････････････････1023
筋力低下および筋肉減少を引き起こす遺伝性疾患の総称（筋ジストロフィー）
有効性レベル③
　コエンザイムQ-10････････････････････････462
有効性レベル④
　グルタミン･･･････････････････････････････411

口が乾燥する場合の唾液の代わりをするものとして使用
有効性レベル③
　キサンタンガム･･････････････････････････340

口の手術後の痛み，炎症の治癒，軽減を促進
有効性レベル③
　プロポリス･･･････････････････････････････1020
クラゲ刺傷
有効性レベル④
　マグネシウム････････････････････････････1099
グルコース-6-リン酸脱水素酵素（G6PD）欠損症（遺伝性疾患）
有効性レベル③
　ビタミンE･･･････････････････････････････932
くる病
有効性レベル①
　ビタミンD･･･････････････････････････････927
クレアチン代謝異常
有効性レベル①
　クレアチン･･･････････････････････････････414
グレーターセランダインとほかのハーブ数種類を組み合わせて併用する場合には，胃のむかつき（消化不良症）
有効性レベル③
　グレーターセランダイン･･･････････････････416
クローン病
有効性レベル④
　乳酸菌･･･････････････････････････････････819
クロストリジウム属細菌による深刻な感染（破傷風）
有効性レベル④
　マグネシウム････････････････････････････1099
クロストリジウムディフィシル感染による下痢
有効性レベル④
　ビフィズス菌････････････････････････････948
クロストリジウムディフィシルと呼ばれる細菌性腸疾患の再発予防
有効性レベル③
　サッカロミセス・ブラディー･･･････････････517
クロム欠乏症
有効性レベル②
　クロム･･･････････････････････････････････432
クワシオルコル（食事によるタンパク質摂取が極度に少ないことによる栄養不良）
有効性レベル④
　リボフラビン････････････････････････････1210
群発頭痛
有効性レベル③
　トウガラシ･･･････････････････････････････767
　マグネシウム････････････････････････････1099

形成手術
有効性レベル③
　キトサン･････････････････････････････････343

軽度から中等度のざ瘡（にきび）
有効性レベル③
ティーツリーオイル……745
軽度の歯周病（歯肉炎）
有効性レベル④
魚油……362
痙攣
有効性レベル①
ビタミンB_6……913
痙攣の治療薬「バルプロ酸ナトリウム」に起因する副作用の予防
有効性レベル③
L-カルニチン……207
痙攣発作（てんかん）
有効性レベル②
カンナビジオール……324
血圧の降下
有効性レベル④
オーツ……222
血圧を低下
有効性レベル③
フスマ……983
血液感染（敗血症）
有効性レベル③
セレン……652
有効性レベル④
ビタミンC……920
血液凝固抑制薬ワルファリンカリウムの過剰摂取による出血障害の抑制
有効性レベル①
ビタミンK……938
結核
有効性レベル④
L-アルギニン……203
ビタミンA……909
β-シトステロール……1032
血管形成術後の血管再閉塞の予防
有効性レベル④
葉酸……1168
血管の狭窄による下肢への血流不足（末梢動脈疾患）
有効性レベル③
L-アルギニン……203
有効性レベル④
魚油……362
月経困難
有効性レベル③
フェヌグリーク……974
月経困難（月経痛）
有効性レベル③
チアミン……708
月経前症候群
有効性レベル③
イチョウ……118
サフラン……519
セイヨウニンジンボク……635
有効性レベル④
プロゲステロン……1015
月経前症候群（PMS）
有効性レベル②
カルシウム……304
有効性レベル③
ビタミンB_6……913
ビタミンE……932
マグネシウム……1099
月経前症候群の症状
有効性レベル④
月見草油……730
月経前不快気分障害（PMDD）
有効性レベル③
L-トリプトファン……212
月経前不機嫌性（不快気分）障害
有効性レベル③
セイヨウニンジンボク……635
月経における不快感
有効性レベル③
サフラン……519
月経不快感（月経痛）
有効性レベル③
アニス……47
セロリ……656
血行不良（末梢血管疾患）による歩行時の下肢痛（間欠跛行）
有効性レベル③
プロピオニル-L-カルニチン……1018
血行不良による，通常は下肢の創傷（静脈うっ血潰瘍）
有効性レベル③
アデノシン……43
血行不良による下腿潰瘍の治療
有効性レベル③
ジオスミン……542
血小板数の減少（血小板減少症）
有効性レベル③
メラトニン……1142
血清コレステロール値が高い人のコレステロール値の低減
有効性レベル③
大豆油……680
血清コレステロール値の低下
有効性レベル③
マカデミアナッツ……1097

血清中のコレステロール値を低下
有効性レベル⑤
ケフィア……447
血清トリグリセリド値の低下
有効性レベル②
タラ肝油……697
有効性レベル③
イヌリン……125
メソグリカン……1138
血中カルシウム値が高い状態
有効性レベル②
リン酸塩……1226
血中脂質値異常
有効性レベル②
ニコチン酸……810
血中リン酸値が低い状態
有効性レベル①
リン酸塩……1226
結腸がん
有効性レベル⑤
β-カロテン……1028
結腸がん直腸がん
有効性レベル③
ニンニク……825
結腸直腸がん
有効性レベル③
カルシウム……304
マグネシウム……1099
有効性レベル④
ビタミンC……920
ビタミンE……932
硫酸ヒドラジン……1213
結腸直腸がんのリスクの低減
有効性レベル③
コーヒー……465
結腸直腸のがん予防
有効性レベル④
フスマ……983
結腸や直腸のがんの予防
有効性レベル④
米ぬか……496
結膜炎
有効性レベル③
ヨウ素（ヨード）……1174
血流の改善
有効性レベル③
メソグリカン……1138
下痢
有効性レベル②
亜鉛……5
有効性レベル③
インドオオバコ（サイリウム）……145
グアーガム……374
ジャーマン・カモミール……564
大豆……675
発酵乳……863
バナナ……870
ローカストビーン……1252
有効性レベル④
銅……764
葉酸……1168
幻覚および妄想をともなう精神疾患
有効性レベル③
魚油……362
健康な成人の記憶力を向上
有効性レベル③
ヒューペルジンA……953
減量
有効性レベル④
グアーガム……374
有効性レベル⑤
チラトリコール……729

コ

抗悪性腫瘍薬「イホスファミド」の副作用
有効性レベル③
N-アセチルシステイン……195
抗悪性腫瘍薬治療による手足の神経障害
有効性レベル⑥
カルシウム……304
抗悪性腫瘍薬治療による皮膚への副作用（手足症候群）
有効性レベル④
ビタミンB_6……913
抗悪性腫瘍薬治療による疲労感
有効性レベル④
コエンザイムQ-10……462
抗悪性腫瘍薬による手足の神経障害
有効性レベル④
マグネシウム……1099
抗うつ薬に起因する性機能障害
有効性レベル④
イチョウ……118
高カリウム血症
有効性レベル①
カルシウム……304
高カルシウム値の人の腎結石を予防
有効性レベル③
米ぬか……496
口腔内灼熱症候群（口腔内の疼痛）
有効性レベル④
セント・ジョンズ・ワート……659

口腔粘膜下線維症（口腔疾患）
有効性レベル③
アロエ……90
口腔白板症（口内の前がん状態の病変）
有効性レベル③
ビタミンA……909
口腔白板症（歯肉の厚く白い斑点）
有効性レベル③
緑茶……1215
高血圧
有効性レベル②
カリウム……300
有効性レベル③
亜麻の種子……58
α-リノレン酸……83
インドオオバコ（サイリウム）……145
L-アルギニン……203
オリーブ……238
カルシウム……304
γ-アミノ酪酸……329
共役リノール酸……360
魚油……362
ココア……478
ザクロ……514
ニンニク……825
ハイビスカス……843
発酵乳……863
ビタミンC……920
メラトニン……1142
葉酸……1168
藍藻……1202
緑茶……1215
有効性レベル④
EPA（エイコサペンタエン酸）……102
イチョウ……118
ビタミンD……927
ビタミンE……932
ヒマワリ油……950
紅麹……1044
高血圧症
有効性レベル③
タラ肝油……697
ピクノジェノール……899
高血圧とタンパク尿を認める妊娠合併症（妊娠高血圧腎症）
有効性レベル①
マグネシウム……1099
有効性レベル③
L-アルギニン……203
カルシウム……304
有効性レベル④
魚油……362
ビタミンC……920
高血圧の予防
有効性レベル③
スイートオレンジ……600
口腔内灼熱症候群
有効性レベル④
アロエ……90
高コレステロール血症
有効性レベル②
オオムギ……225
植物ステロール……590
β-グルカン……1031
β-シトステロール……1032
紅麹……1044
緑茶……1215
有効性レベル③
アーティチョーク……1
アボカド……55
亜麻の種子……58
ウコン……163
エダウチオオバコ（サイリウム）……189
N-アセチルシステイン……195
オリーブ……238
カルシウム……304
γ-オリザノール……330
キャノーラ油……354
グアーガム……374
米ぬか……496
コンニャクマンナン……508
ジアオグラン……536
スイートオレンジ……600
大豆……675
DHA（ドコサヘキサエン酸）……743
ニンニク……825
ビタミンC……920
ヒマワリ油……950
ブロッコリー……1016
ペクチン……1036
紅花……1047
ベルベリン……1057
マグネシウム……1099
ヨーグルト……1177
ローカストビーン……1252
有効性レベル④
アカシア……15
亜麻仁油……56
アマランサス……61
イヌリン……125
共役リノール酸……360

症状・病態別有効性索引

ココア‥‥‥‥‥‥‥‥‥‥‥‥478
パーム油‥‥‥‥‥‥‥‥‥‥840
ヘスペリジン‥‥‥‥‥‥‥1037
霊芝‥‥‥‥‥‥‥‥‥‥‥‥1236

高コレステロール血症患者のコレステロール低下
有効性レベル②
インドオオバコ（サイリウム）‥‥‥‥‥145

高コレステロール血症の治療
有効性レベル④
ニコチン酸イノシトール‥‥‥‥‥‥‥815

高コレステロール血症や高トリグリセリド血症（高脂血症）
有効性レベル③
クロム‥‥‥‥‥‥‥‥‥‥‥432
有効性レベル④
ザクロ‥‥‥‥‥‥‥‥‥‥‥514

高コレステロール症
有効性レベル③
イングリッシュウォールナッツ‥‥‥‥138

高山病
有効性レベル④
α–リポ酸‥‥‥‥‥‥‥‥‥‥84
マグネシウム‥‥‥‥‥‥‥1099

口臭
有効性レベル③
亜鉛‥‥‥‥‥‥‥‥‥‥‥‥‥5

甲状腺機能亢進症（甲状腺ホルモン値が高い状態）
有効性レベル③
L–カルニチン‥‥‥‥‥‥‥207

甲状腺疾患
有効性レベル②
ヨウ素（ヨード）‥‥‥‥‥1174

甲状腺の機能改善
有効性レベル②
チラトリコール‥‥‥‥‥‥729

口唇潰瘍
有効性レベル③
ビタミンB_{12}‥‥‥‥‥‥‥‥916
ラベンダー‥‥‥‥‥‥‥‥1199

口唇ヘルペス（口唇単純ヘルペス）
有効性レベル③
リジン‥‥‥‥‥‥‥‥‥‥1206

抗生剤に起因する下痢
有効性レベル③
発酵乳‥‥‥‥‥‥‥‥‥‥863

抗精神病薬によって引き起こされる運動異常症（遅発性ジスキネジア）
有効性レベル③
ビタミンB_6‥‥‥‥‥‥‥‥913

抗生物質による小児の下痢の予防
有効性レベル③
乳酸菌‥‥‥‥‥‥‥‥‥‥819

抗生物質の使用による下痢の予防
有効性レベル③
サッカロミセス・ブラディー‥‥‥‥‥517

抗生物質服薬後の腟カンジダ症
有効性レベル④
乳酸菌‥‥‥‥‥‥‥‥‥‥819

交替制勤務や夜間勤務による睡眠障害（交代勤務障害）
有効性レベル④
メラトニン‥‥‥‥‥‥‥‥1142

高トリグリセリド血症
有効性レベル①
EPA（エイコサペンタエン酸）‥‥‥‥102
魚油‥‥‥‥‥‥‥‥‥‥‥‥362

口内炎
有効性レベル②
ヒアルロン酸‥‥‥‥‥‥‥889

口内炎（口腔の粘膜病変）
有効性レベル④
ビタミンE‥‥‥‥‥‥‥‥932

口内乾燥
有効性レベル③
ベタイン‥‥‥‥‥‥‥‥‥1039
有効性レベル④
メラトニン‥‥‥‥‥‥‥‥1142

口内の痛みや腫脹
有効性レベル③
ヨウ素（ヨード）‥‥‥‥‥1174

更年期障害
有効性レベル③
エクオール‥‥‥‥‥‥‥‥180

更年期症状
有効性レベル③
EPA（エイコサペンタエン酸）‥‥‥‥102
セント・ジョンズ・ワート‥‥‥‥‥‥659
大豆‥‥‥‥‥‥‥‥‥‥‥‥675
ブラックコホシュ‥‥‥‥‥997
ローヤルゼリー‥‥‥‥‥‥1257
有効性レベル④
魚油‥‥‥‥‥‥‥‥‥‥‥‥362

更年期による顔面紅潮（ほてり）および夜間の発汗
有効性レベル④
ワイルドヤム（ヤマノイモ属）‥‥‥‥1264

更年期の体のほてり
有効性レベル④
月見草油‥‥‥‥‥‥‥‥‥730

更年期の不定愁訴
有効性レベル③
プロゲステロン‥‥‥‥‥‥1015

高ホモシステイン血症
有効性レベル②
ビタミンB_6 ·· 913
有効性レベル③
N-アセチルシステイン ································ 195

高ホモシステイン血症（血中ホモシステイン値が高い状態）
有効性レベル②
葉酸 ··1168
有効性レベル③
リボフラビン ··1210

高ホモシステイン血症（血中ホモシステイン濃度が高い状態）
有効性レベル②
ビタミンB_{12} ·· 916

高ホモシステイン血症（血中ホモシステイン濃度高値）
有効性レベル③
ベタイン ··1039

硬膜外麻酔後の頭痛
有効性レベル③
カフェイン ·· 273

肛門そう痒
有効性レベル③
牛軟骨 ·· 168

高リン血症
有効性レベル③
ニコチンアミド ··· 806

抗リン脂質抗体症候群と呼ばれる自己免疫疾患をともなう妊婦の流産
有効性レベル③
魚油 ·· 362

高齢者の記憶障害の改善
有効性レベル③
アセチル-L-カルニチン ·······························35

高齢者の記憶力および思考力
有効性レベル④
葉酸 ··1168

高齢者の思考力の維持
有効性レベル③
ワイン ··1266

高齢者の視力低下を引き起こす眼疾患（加齢黄斑変性（AMD））
有効性レベル③
ビタミンC ·· 920
有効性レベル④
EPA（エイコサペンタエン酸） ····················· 102

高齢者の身体能力
有効性レベル④
ビタミンB_{12} ·· 916

高齢者の疲労
有効性レベル③
アセチル-L-カルニチン ·······························35

コエンザイムQ-10欠乏症
有効性レベル②
コエンザイムQ-10 ·· 462

コカイン依存症
有効性レベル④
コエンザイムQ-10 ·· 462

コカインまたはヘロインからの離脱症状
有効性レベル④
デヒドロエピアンドロステロン ······················ 754

呼吸困難を引き起こす肺疾患（慢性閉塞性肺疾患（COPD））
有効性レベル③
マグネシウム ··1099
有効性レベル④
ザクロ ·· 514

枯草熱（花粉症）
有効性レベル②
ティノスポラ・コルディフォリア ···················· 747

骨折
有効性レベル④
カルシウム ··· 304
ビタミンB_{12} ·· 916
ビタミンC ·· 920
ビタミンD ·· 927

骨粗鬆症
有効性レベル②
カルシウム ··· 304
ビタミンD ·· 927
有効性レベル③
亜鉛 ··· 5
魚油 ·· 362
紅茶 ·· 455
大豆 ·· 675
ビタミンK ·· 938
緑茶 ··1215
有効性レベル④
亜麻の種子 ··58
ビタミンB_6 ·· 913
葉酸 ··1168
レッドクローバー ·······································1240

骨粗鬆症にともなう痛みの軽減
有効性レベル②
イプリフラボン ··· 130

骨粗鬆症を治療
有効性レベル③
フッ化物 ·· 986

有効性レベル：①効きます　②おそらく効きます　③効くと断言できませんが、効能の可能性が科学的に示唆されています
④効かないかもしれません　⑤おそらく効きません　⑥効きません

症状・病態別有効性索引

骨軟化症（骨の軟化）
有効性レベル①
- ビタミンD ……………………………… 927

子どもに見られるある種の痙攣の治療
有効性レベル③
- 中鎖脂肪酸 ……………………………… 719

股部白癬
有効性レベル③
- ニンニク ………………………………… 825

コレステロール値の異常
有効性レベル③
- セレン …………………………………… 652

コレステロール値の低下
有効性レベル②
- シトスタノール ………………………… 551

コレステロール値を下げる
有効性レベル②
- オーツ …………………………………… 222

コレステロールやトリグリセリドなどの血中脂肪をわずかに低下
有効性レベル③
- パンテチン ……………………………… 884

コレラによる下痢
有効性レベル③
- ニコチン酸 ……………………………… 810

昆虫刺傷
有効性レベル④
- パパイン ………………………………… 876

サ

細菌性クロストリジウムディフィシレが原因の下痢の治療
有効性レベル③
- 乳酸菌 …………………………………… 819

細菌性腟炎の治療
有効性レベル③
- 乳酸菌 …………………………………… 819

ざ瘡（にきび）
有効性レベル③
- 亜鉛 ……………………………………… 5
- アロエ …………………………………… 90
- 牛軟骨 …………………………………… 168
- ニコチンアミド ………………………… 806

産児制限
有効性レベル③
- トウゴマの種子 ………………………… 771

シ

ジアゼパム，アルプラゾラム，テマゼパムなど多くの医薬品による禁断症状
有効性レベル④
- プロゲステロン ………………………… 1015

シアン化物中毒
有効性レベル②
- ビタミンB_{12} ………………………… 916

C型肝炎
有効性レベル③
- ホスファチジルコリン ………………… 1074
- ラクトフェリン ………………………… 1193

有効性レベル④
- セレン …………………………………… 652

C型肝炎感染
有効性レベル④
- セント・ジョンズ・ワート …………… 659

シェーグレン症候群
有効性レベル⑤
- デヒドロエピアンドロステロン ……… 754

痔核
有効性レベル③
- インドオオバコ（サイリウム） ……… 145
- ウィッチヘーゼル ……………………… 153
- 牛軟骨 …………………………………… 168
- ヘスペリジン …………………………… 1037

歯牙欠損（歯牙埋伏）
有効性レベル③
- ビタミンD ……………………………… 927

歯牙欠損（歯牙埋伏）の予防
有効性レベル③
- カルシウム ……………………………… 304

子癇前症（妊娠中の高血圧）
有効性レベル④
- リボフラビン …………………………… 1210

色素性母斑
有効性レベル④
- β-カロテン ………………………… 1028

子宮頸部異形成（子宮頸部の細胞の異常発達）
有効性レベル③
- 緑茶 ……………………………………… 1215

子宮細胞の異常発育（子宮頸部形成異常）
有効性レベル③
- インドール（インドール-3-メタノール） ……… 149

子宮体がん（子宮内膜がん）
有効性レベル④
- 魚油 ……………………………………… 362

糸球体硬化（小児の腎疾患）
有効性レベル③
- ビタミンE ……………………………… 932

子宮内膜炎（子宮の炎症）
有効性レベル③
　ヨウ素（ヨード）…………………………1174

子宮内膜がん
有効性レベル③
　緑茶………………………………………1215
有効性レベル④
　紅茶……………………………………… 455

子宮の疼痛を引き起こす疾患（子宮内膜症）
有効性レベル③
　メラトニン………………………………1142

子宮壁の異常な肥大
有効性レベル③
　プロゲステロン…………………………1015

シクロスポリンによる高血圧
有効性レベル③
　魚油……………………………………… 362

シクロスポリンによる腎障害
有効性レベル③
　魚油……………………………………… 362

歯垢
有効性レベル③
　赤根草…………………………………… 18
　モクレン…………………………………1150

ジゴキシン（ラノキシン）などの医薬品による心拍異常の治療
有効性レベル②
　エチレンジアミン四酢酸……………… 190

自己免疫疾患（全身性エリテマトーデス，SLE）
有効性レベル③
　亜麻の種子……………………………… 58

時差症候群（時差ぼけ）
有効性レベル③
　メラトニン………………………………1142

死産
有効性レベル④
　ビタミンC……………………………… 920
　マグネシウム……………………………1099

歯周炎
有効性レベル③
　ヨウ素（ヨード）…………………………1174

歯周炎（歯周病）
有効性レベル③
　キトサン………………………………… 343

歯周病
有効性レベル③
　亜鉛……………………………………… 5

湿疹
有効性レベル③
　ココナッツオイル……………………… 483

有効性レベル④
　γ-リノレン酸…………………………… 335
　ボラージ…………………………………1082

湿疹（アトピー性皮膚炎）
有効性レベル④
　魚油……………………………………… 362

湿疹（皮膚のそう痒および炎症）
有効性レベル③
　甘草……………………………………… 318
有効性レベル④
　セイヨウフキ…………………………… 636

湿疹（皮膚の発赤やそう痒）
有効性レベル④
　ビタミンE……………………………… 932

湿疹（皮膚の落屑やそう痒）
有効性レベル④
　亜鉛……………………………………… 5

湿疹（鱗状の皮膚，皮膚の痒み）
有効性レベル③
　ガラクトオリゴ糖……………………… 286

歯肉炎
有効性レベル③
　赤根草…………………………………… 18
　モクレン…………………………………1150

しばしばビタミンD欠乏に起因する小児の骨の軟化（くる病）
有効性レベル③
　カルシウム……………………………… 304

自閉症
有効性レベル③
　N-アセチルシステイン………………… 195
有効性レベル④
　イノシトール…………………………… 126
　ビタミンB₆……………………………… 913

自閉症および広汎性発達障害
有効性レベル⑤
　セクレチン……………………………… 645

自閉症の治療
有効性レベル④
　ジメチルグリシン……………………… 559

脂肪性肝疾患
有効性レベル②
　コリン…………………………………… 502

就学前の小児の耳の感染症（中耳炎）の発症抑制
有効性レベル③
　キシリトール…………………………… 341

重症外傷
有効性レベル③
　グルタミン……………………………… 411

有効性レベル：①効きます　②おそらく効きます　③効くと断言できませんが、効能の可能性が科学的に示唆されています
④効かないかもしれません　⑤おそらく効きません　⑥効きません

症状・病態別有効性索引

重症筋無力症による筋力の低下
有効性レベル③
ヒューペルジンＡ ……………………………… 953

重症疾患を有する患者における意図的でない体重減少（悪液質または消耗症候群）
有効性レベル③
魚油 …………………………………………… 362
有効性レベル④
メラトニン …………………………………… 1142

重篤な腎疾患
有効性レベル③
Ｎ-アセチルシステイン …………………… 195

10パーセンタイル未満の出生体重児
有効性レベル④
ビタミンＣ …………………………………… 920

重病の患者に見られる筋肉の衰えの予防
有効性レベル③
中鎖脂肪酸 …………………………………… 719

従来の治療方法に加えて使用した場合，うっ血性心不全の治療効果
有効性レベル③
ターミナリア ………………………………… 672

従来の治療方法に加えて使用した場合，心臓発作が起こった後の胸痛（狭心症）を軽減する作用
有効性レベル③
ターミナリア ………………………………… 672

手根管症候群
有効性レベル③
亜麻仁油 ……………………………………… 56
有効性レベル④
ビタミンB_6 ………………………………… 913

酒さ
有効性レベル④
亜鉛 …………………………………………… 5

手術
有効性レベル③
ヨウ素（ヨード） …………………………… 1174

手術後の回復
有効性レベル③
甘草 …………………………………………… 318
グルタミン …………………………………… 411
有効性レベル④
Ｎ-アセチルシステイン …………………… 195

手術後の感染予防
有効性レベル③
β-グルカン ………………………………… 1031

手術後の頭痛
有効性レベル①
カフェイン …………………………………… 273

手術後の疼痛
有効性レベル③
トウガラシ …………………………………… 767
ビタミンＣ …………………………………… 920
マグネシウム ………………………………… 1099
ラベンダー …………………………………… 1199

手術後の吐き気および嘔吐
有効性レベル③
トウガラシ …………………………………… 767

手術中の疼痛緩和
有効性レベル①
プロカイン …………………………………… 1014

手術前の不安
有効性レベル③
パッションフラワー ………………………… 867
メラトニン …………………………………… 1142

手術または病気からの早期回復
有効性レベル③
RNAとDNA ………………………………… 2

術後の悪心
有効性レベル④
ペパーミント ………………………………… 1048

術後または外傷後の筋崩壊の予防
有効性レベル③
α-ケトグルタール酸 ……………………… 81

出産後の合併症
有効性レベル④
ラベンダー …………………………………… 1199

出産後の合併症の予防
有効性レベル③
β-カロテン ………………………………… 1028

出産後の下痢
有効性レベル③
ビタミンＡ …………………………………… 909

循環障害（慢性静脈不全）
有効性レベル③
ビルベリー …………………………………… 956

上下肢の筋力低下および麻痺に至る遺伝性疾患の一群
有効性レベル④
ビタミンＣ …………………………………… 920

消化性潰瘍
有効性レベル③
亜鉛 …………………………………………… 5

消化不良
有効性レベル①
カルシウム …………………………………… 304
マグネシウム ………………………………… 1099
有効性レベル②
リン酸塩 ……………………………………… 1226
有効性レベル③
アーティチョーク …………………………… 1

症状・病態別有効性索引

ミルクシスル……………………………1128

消化不良（むねやけ）
有効性レベル③
甘草…………………………………… 318
ジャーマン・カモミール…………… 564

上気道感染症
有効性レベル④
亜鉛……………………………………… 5

錠剤として使用した場合の線維筋痛症の治療
有効性レベル③
S-アデノシルメチオニン（SAMe）………… 183

硝酸塩耐性
有効性レベル③
ビタミンE…………………………… 932

硝酸薬の持続使用により生じる医薬品の効果減弱（硝酸薬の耐性）
有効性レベル③
ビタミンC…………………………… 920

衝動的攻撃的行動，注意欠陥多動性障害による攻撃性
有効性レベル③
リチウム……………………………1206

小児の気管支喘息
有効性レベル③
ピクノジェノール…………………… 899

小児の注意欠陥多動障害（ADHD）
有効性レベル③
魚油…………………………………… 362

小児の注意欠陥多動性障害の治療
有効性レベル④
チロシン……………………………… 729

小脳性運動失調（脳疾患）
有効性レベル④
コリン………………………………… 502

静脈うっ血性潰瘍（血行不良に起因する下肢潰瘍）
有効性レベル③
ヘスペリジン………………………1037

静脈血流不全症
有効性レベル③
ピクノジェノール…………………… 899

静脈血流不全症（下肢から心臓への血液の戻りが低下する疾患）
有効性レベル③
ツボクサ……………………………… 735

静脈注射した医薬品が血管外の周辺組織に漏れること（血管外漏出）
有効性レベル③
ジメチルスルホキシド（DMSO）………… 560

静脈注射による栄養補給薬としての使用
有効性レベル①
大豆油………………………………… 680

静脈瘤
有効性レベル③
スイートクローバー………………… 602

静脈瘤につながることのある血行不良などの治療
有効性レベル③
メソグリカン………………………1138

少量の出血の停止
有効性レベル③
ウィッチヘーゼル…………………… 153

食後低血圧
有効性レベル③
紅茶…………………………………… 455

食後の低血圧
有効性レベル③
カフェイン…………………………… 273

食事後の低血圧が原因の高齢者のめまい(食事性低血圧)を予防
有効性レベル③
コーヒー……………………………… 465

食事でフィチン酸を摂取して腎結石を予防
有効性レベル③
フィチン酸…………………………… 966

褥瘡性潰瘍
有効性レベル③
亜鉛……………………………………… 5

食中毒（細菌性赤痢）
有効性レベル③
亜鉛……………………………………… 5

食道，胃，および結腸がんのリスク低減
有効性レベル④
コーヒー……………………………… 465

食道がん
有効性レベル④
紅茶…………………………………… 455

食品から摂取した場合，骨密度の増加
有効性レベル③
シリコン……………………………… 595

食物アレルギー
有効性レベル③
胸腺抽出物…………………………… 358
米タンパク質………………………… 495
有効性レベル④
ガラクトオリゴ糖…………………… 286

食欲不振
有効性レベル③
亜鉛……………………………………… 5
分岐鎖アミノ酸……………………1023

徐々に進行する腎臓病（IgA糸球体腎炎）
有効性レベル③
魚油…………………………………… 362

有効性レベル：①効きます　②おそらく効きます　③効くと断言できませんが、効能の可能性が科学的に示唆されています
④効かないかもしれません　⑤おそらく効きません　⑥効きません

女性での心疾患のリスクを減らす
有効性レベル③
トマト………………………………778

腎移植
有効性レベル④
魚油…………………………………362

心筋炎（心臓の炎症）
有効性レベル③
L-カルニチン………………………207

神経管奇形（先天異常）
有効性レベル②
葉酸…………………………………1168

神経管奇形（脳と脊髄にかかわる先天異常）
有効性レベル③
コリン………………………………502

神経系および副腎を侵す遺伝性疾患（副腎白質ジストロフィーまたはALD）
有効性レベル③
ロレンツォのオイル………………1260

神経痛
有効性レベル③
マリファナ…………………………1112
有効性レベル④
セント・ジョンズ・ワート………659

心血管疾患
有効性レベル⑥
ニコチン酸…………………………810

腎結石
有効性レベル③
バナナ………………………………870
ビタミンB₆…………………………913

進行がんによる体重低下の治療
有効性レベル③
アデノシン……………………………43

人工肛門による臭気の軽減
有効性レベル④
クロロフィル………………………437

深刻な腎疾患
有効性レベル③
L-カルニチン………………………207
有効性レベル④
インドオオバコ（サイリウム）…145

心疾患
有効性レベル③
EPA（エイコサペンタエン酸）……102
オリーブ……………………………238
キャノーラ油………………………354
ヒマワリ油…………………………950
紅麹…………………………………1044
マグネシウム………………………1099

有効性レベル④
セレン………………………………652
ビタミンC…………………………920
ビタミンD…………………………927
葉酸…………………………………1168
有効性レベル⑤
イチョウ……………………………118
ビタミンE…………………………932
β-カロテン…………………………1028
有効性レベル⑥
カルシウム…………………………304

腎疾患
有効性レベル②
葉酸…………………………………1168
有効性レベル③
大豆…………………………………675
有効性レベル④
N-アセチルシステイン……………195

心疾患および心臓発作のリスクの低下
有効性レベル③
α-リノレン酸…………………………83

心疾患および脳卒中，および他の原因による死亡のリスクの低減
有効性レベル②
ワイン………………………………1266

心疾患脳卒中などの原因による死亡リスク低下
有効性レベル②
ビール………………………………892

尋常性乾癬（乾癬の一種）
有効性レベル②
ビタミンD…………………………927

腎性骨異栄養症（腎不全患者に起こる骨障害）
有効性レベル①
ビタミンD…………………………927

新生児の肺障害
有効性レベル③
スーパーオキシド・ジスムターゼ…606

腎石症（腎結石）
有効性レベル③
リン酸塩……………………………1226

腎臓移植患者の骨密度の低下
有効性レベル④
ビタミンD…………………………927

心臓移植後の合併症
有効性レベル③
魚油…………………………………362

心臓手術中の血液供給の問題を予防
有効性レベル③
α-ケトグルタール酸…………………81

心臓自律神経ニューロパチー（心臓に関連する神経の異常）

有効性レベル④
　α-リポ酸 ……………………………………84

心臓への血流を改善する手術（冠動脈バイパス（CABG）手術）

有効性レベル③
　魚油 ………………………………………362

心臓弁の疾患（僧帽弁逸脱症）

有効性レベル③
　マグネシウム ……………………………1099

心臓発作

有効性レベル③
　EPA（エイコサペンタエン酸）…………102
　N-アセチルシステイン ……………………195
　紅茶 ………………………………………455
　コエンザイムQ-10 ………………………462

有効性レベル④
　L-アルギニン ……………………………203
　カルシウム ………………………………304
　田七人参 …………………………………761
　マグネシウム ……………………………1099

心臓発作，脳卒中，動脈硬化，狭心症（胸痛）などの心臓および循環系の疾患の予防

有効性レベル②
　ビール ……………………………………892

心臓や循環器系の疾患（心臓発作，脳卒中，動脈硬化，狭心症など）を予防

有効性レベル②
　ワイン ……………………………………1266

腎臓や膀胱に結石を形成する遺伝性疾患（シスチン尿）

有効性レベル④
　グルタミン ………………………………411

身体化障害（精神的感情により身体症状が引き起こされる疾患）

有効性レベル③
　セント・ジョンズ・ワート ………………659

身体機能の改善

有効性レベル⑤
　コカ ………………………………………476

身体能力

有効性レベル③
　ビタミンE ………………………………932

有効性レベル④
　デヒドロエピアンドロステロン…………754

身体表現性障害（身体的な疼痛を引き起こす精神疾患）

有効性レベル③
　セイヨウフキ ……………………………636

心調律異常（心房細動）

有効性レベル②
　ジギタリス ………………………………545

陣痛

有効性レベル④
　レッドラズベリー ………………………1242

心動脈血栓（冠動脈疾患）

有効性レベル③
　リボース …………………………………1209

心拍数が速く異常な状態（心室性不整脈）

有効性レベル④
　魚油 ………………………………………362

心不全

有効性レベル③
　L-カルニチン ……………………………207
　魚油 ………………………………………362
　サンザシ …………………………………531
　鉄 …………………………………………750
　ビタミンD ………………………………927

有効性レベル④
　ビタミンE ………………………………932

腎不全

有効性レベル①
　カルシウム ………………………………304

有効性レベル③
　キトサン …………………………………343

心不全および体液貯留（うっ血性心不全（CHF））

有効性レベル③
　コエンザイムQ-10 ………………………462

腎不全または腎透析に関連する貧血

有効性レベル③
　ヒスチジン ………………………………903

心房細動（不整脈）

有効性レベル④
　魚油 ………………………………………362

心房細動（脈拍不整）

有効性レベル③
　ビタミンC ………………………………920

ス

膵炎

有効性レベル④
　N-アセチルシステイン ……………………195

膵炎（膵臓の腫脹）

有効性レベル③
　クロロフィル ……………………………437

膵がん

有効性レベル④
　ビタミンC ………………………………920
　ビタミンE ………………………………932
　ヨーロッパヤドリギ ……………………1180

膵臓疾患に起因する消化不良（膵臓不全）

有効性レベル①
　膵消化酵素 ………………………………604

症状・病態別有効性索引

有効性レベル：①効きます　②おそらく効きます　③効くと断言できませんが、効能の可能性が科学的に示唆されています
④効かないかもしれません　⑤おそらく効きません　⑥効きません

セ

膵臓による消化酵素の産生不足
有効性レベル③
リパーゼ······················1208

睡眠障害
有効性レベル④
ビタミンB₁₂··················916

睡眠障害後の覚醒の改善
有効性レベル③
チロシン····················729

頭蓋内出血
有効性レベル③
田七人参····················761
ビタミンE···················932

スギ花粉症
有効性レベル④
発酵乳······················863

ストレス
有効性レベル③
レモンバーム·················1246

性機能の改善
有効性レベル③
フェヌグリーク···············974

性機能不全
有効性レベル④
亜鉛·······················5

性器ヘルペス
有効性レベル③
アロエ······················90
プロポリス···················1020

脆弱X症候群（遺伝性疾患）
有効性レベル⑤
葉酸·······················1168

精神覚醒
有効性レベル②
コーヒー····················465

精神機能
有効性レベル③
イチョウ····················118
チョウセンゴミシ··············721
朝鮮人参····················723
テアニン····················740
有効性レベル④
DHA（ドコサヘキサエン酸）·······743
ビタミンB₁₂··················916
有効性レベル⑤
デヒドロエピアンドロステロン······754

精神的覚醒
有効性レベル②
カフェイン···················273

紅茶
紅茶·······················455
有効性レベル③
プーアール茶·················966
有効性レベル④
ベルガモット·················1055

成人の注意欠陥多動性障害の治療
有効性レベル④
チロシン····················729

性的興奮
有効性レベル③
朝鮮人参····················723

生命を脅かす高カルシウム値に対する緊急治療（高カルシウム血症）
有効性レベル②
エチレンジアミン四酢酸··········190

西洋風の食事をとっている人における血清コレステロールとトリグリセリド値の減少
有効性レベル④
グッグル····················386

性欲の増大
有効性レベル③
フェヌグリーク···············974

生理痛（月経困難）
有効性レベル③
魚油·······················362
ショウガ····················583
ビタミンE···················932

セージおよびルバーブを含有するクリームの使用時の口唇ヘルペス
有効性レベル③
セージ······················642

咳
有効性レベル②
樟脳·······················586
有効性レベル③
ゴマ·······················493
ハチミツ····················856

脊髄の痙縮
有効性レベル③
トレオニン···················784

脊髄を侵す遺伝性疾患（副腎脊髄神経障害またはAMN）
有効性レベル④
ロレンツォのオイル·············1260

赤血球産生性プロトポルフィリン症（EPP，遺伝性血液疾患）
有効性レベル③
カンタキサンチン··············322

赤血球産生性プロトポルフィリン症（光過敏性を起こす疾患）
有効性レベル④
N-アセチルシステイン···········195

「赤血球産生性プロトポルフィリン症」と呼ばれる遺伝性の血液疾患患者における日光過敏症の治療

有効性レベル①

β-カロテン……………………………………1028

赤血球の破壊が産生を上回る疾患（溶血性貧血）

有効性レベル③

ビタミンC………………………………………920

セレン欠乏症

有効性レベル②

セレン……………………………………………652

線維化胞隔炎

有効性レベル③

N-アセチルシステイン………………………195

線維筋痛症

有効性レベル③

コエンザイムQ-10……………………………462

マグネシウム…………………………………1099

有効性レベル④

大豆………………………………………………675

線維筋痛症にともなう疼痛，疲労および睡眠障害

有効性レベル③

γ-ヒドロキシ酪酸塩（GHB）………………331

線維のう胞性乳腺症（痛みを伴う線維化した乳腺組織）

有効性レベル③

ヨウ素（ヨード）……………………………1174

全死亡リスク

有効性レベル④

β-カロテン……………………………………1028

仙痛

有効性レベル③

ガラクトオリゴ糖……………………………286

ジャーマン・カモミール……………………564

前糖尿病

有効性レベル③

α-リポ酸……………………………………………84

有効性レベル④

クロム……………………………………………432

ペクチン………………………………………1036

前立腺がん

有効性レベル③

ニンニク…………………………………………825

有効性レベル④

亜鉛…………………………………………………5

セレン……………………………………………652

ビタミンC………………………………………920

ビタミンE………………………………………932

有効性レベル⑤

β-カロテン……………………………………1028

前立腺がんの予防

有効性レベル④

スイートオレンジ……………………………600

前立腺がんのリスクを減らす

有効性レベル③

トマト……………………………………………778

前立腺痛および前立腺の炎症（腫脹）

有効性レベル③

ケルセチン………………………………………449

前立腺肥大

有効性レベル③

ノコギリヤシ……………………………………833

前立腺肥大症

有効性レベル③

ホソムギ………………………………………1077

前立腺肥大による排尿障害（良性前立腺肥大，BPH）

有効性レベル③

アフリカン・ワイルド・ポテト………………50

ソ

臓器不全の治療

有効性レベル⑤

N-アセチルシステイン………………………195

双極性障害

有効性レベル③

エゾウコギ………………………………………185

魚油………………………………………………362

有効性レベル④

亜麻仁油……………………………………………56

双極性障害（躁うつ病）

有効性レベル①

リチウム………………………………………1206

早産

有効性レベル④

鉄…………………………………………………750

ビタミンC………………………………………920

創傷治癒

有効性レベル③

α-リポ酸……………………………………………84

牛軟骨……………………………………………168

セント・ジョンズ・ワート……………………659

ハチミツ…………………………………………856

有効性レベル④

L-アルギニン……………………………………203

創傷の清浄化と治癒

有効性レベル③

トリプシン………………………………………782

爪真菌症

有効性レベル③

ティーツリーオイル……………………………745

躁病

有効性レベル③

分岐鎖アミノ酸………………………………1023

有効性レベル：①効きます　②おそらく効きます　③効くと断言できませんが、効能の可能性が科学的に示唆されています
④効かないかもしれません　⑤おそらく効きません　⑥効きません

そう痒
有効性レベル③
　ウコン……………………………………163

早漏
有効性レベル③
　アンゼリカ………………………………95
　クローブ…………………………………425
　朝鮮人参…………………………………723

足部白癬
有効性レベル③
　ティーツリーオイル……………………745
　ニンニク…………………………………825

タ

胎児および産後の乳児の死亡
有効性レベル④
　ビタミンA………………………………909

胎児の骨強度上昇
有効性レベル③
　カルシウム………………………………304

胎児の死亡および乳児の早期死亡
有効性レベル④
　葉酸………………………………………1168

胎児または未熟児の死亡
有効性レベル④
　ビタミンC………………………………920

代謝障害
有効性レベル①
　チアミン…………………………………708

体重減少
有効性レベル③
　α－リポ酸…………………………………84
　アロエ……………………………………90
　カフェイン………………………………273
　グレープフルーツ………………………417
有効性レベル④
　イヌリン…………………………………125
　チア………………………………………707
　ビフィズス菌……………………………948
　ヘスペリジン……………………………1037

体重減少および肥満
有効性レベル③
　ピルビン酸塩……………………………955

体重減少と体脂肪の減少
有効性レベル③
　ジアシルグリセロール…………………537

帯状疱疹
有効性レベル③
　パパイン…………………………………876

帯状疱疹に起因する神経障害
有効性レベル③
　ビタミンB$_{12}$…………………………916

帯状疱疹による神経障害（帯状疱疹後神経痛）
有効性レベル②
　トウガラシ………………………………767

大豆油不けん化物をアボカドオイルとともに用いた場合に変形性関節症の治療
有効性レベル③
　大豆油……………………………………680

大腸がん
有効性レベル④
　オオムギ…………………………………225
　紅茶………………………………………455
　大豆………………………………………675

大腸線腫
有効性レベル④
　インドオオバコ（サイリウム）………145

大腸腺腫（大腸および直腸の増殖）
有効性レベル⑤
　葉酸………………………………………1168

大腸腺腫（大腸ポリープ）
有効性レベル④
　ビタミンB$_6$……………………………913

大腸内視鏡検査前の腸管洗浄
有効性レベル③
　ビタミンC………………………………920

大腸内視鏡検査前の腸管前処置
有効性レベル③
　トウゴマの種子…………………………771
有効性レベル④
　カスカラサグラダ………………………259

大腸内視鏡検査前の腸の前処置
有効性レベル②
　センナ……………………………………665

代用骨（人工骨）
有効性レベル③
　サンゴ……………………………………530

ダウン症候群
有効性レベル④
　5-ヒドロキシトリプトファン…………490

脱毛症
有効性レベル④
　亜鉛…………………………………………5

多発性硬化症
有効性レベル③
　マリファナ………………………………1112
有効性レベル④
　イチョウ…………………………………118
　ビーベノム………………………………891

多発性硬化症（MS）
有効性レベル③
コエンザイムQ-10‥‥‥‥‥‥‥‥‥‥‥‥ 462
有効性レベル④
n-6系脂肪酸‥‥‥‥‥‥‥‥‥‥‥‥‥‥ 199
多発性硬化症に起因する疲労
有効性レベル③
朝鮮人参‥‥‥‥‥‥‥‥‥‥‥‥‥‥‥ 723
単純ヘルペス
有効性レベル④
タンニン酸‥‥‥‥‥‥‥‥‥‥‥‥‥‥ 705
単純ヘルペスウイルス
有効性レベル③
亜鉛‥‥‥‥‥‥‥‥‥‥‥‥‥‥‥‥‥‥ 5
単純ヘルペスウイルス感染
有効性レベル③
レモンバーム‥‥‥‥‥‥‥‥‥‥‥‥ 1246
単純ヘルペスウイルス2型（HSV-2）感染
有効性レベル③
エゾウコギ‥‥‥‥‥‥‥‥‥‥‥‥‥‥ 185
男性の性機能障害（勃起障害（ED））
有効性レベル③
プロピオニル-L-カルニチン‥‥‥‥‥‥ 1018
男性の性欲亢進
有効性レベル③
マカ根‥‥‥‥‥‥‥‥‥‥‥‥‥‥‥ 1098
男性の脱毛症
有効性レベル③
カボチャ‥‥‥‥‥‥‥‥‥‥‥‥‥‥‥ 281
男性の避妊（経口摂取の場合）
有効性レベル③
ゴシポール‥‥‥‥‥‥‥‥‥‥‥‥‥‥ 484
男性不妊
有効性レベル③
L-カルニチン‥‥‥‥‥‥‥‥‥‥‥‥‥ 207
ビタミンE‥‥‥‥‥‥‥‥‥‥‥‥‥‥ 932
ユーリコマ・ロンギフォリア‥‥‥‥‥ 1166
男性不妊の治療
有効性レベル③
アセチル-L-カルニチン‥‥‥‥‥‥‥‥‥ 35
胆石
有効性レベル⑤
β-シトステロール‥‥‥‥‥‥‥‥‥‥ 1032
胆石の予防
有効性レベル③
コーヒー‥‥‥‥‥‥‥‥‥‥‥‥‥‥‥ 465
短腸症候群
有効性レベル④
牛初乳‥‥‥‥‥‥‥‥‥‥‥‥‥‥‥‥ 167

胆のう疾患
有効性レベル③
カフェイン‥‥‥‥‥‥‥‥‥‥‥‥‥‥ 273
有効性レベル④
レシチン‥‥‥‥‥‥‥‥‥‥‥‥‥‥‥ 1237

チ

チアミン欠乏症
有効性レベル①
チアミン‥‥‥‥‥‥‥‥‥‥‥‥‥‥‥ 708
智歯抜歯後の疼痛，腫脹および合併症の減少
有効性レベル④
アルニカ‥‥‥‥‥‥‥‥‥‥‥‥‥‥‥‥ 78
腟感染
有効性レベル③
ホウ素‥‥‥‥‥‥‥‥‥‥‥‥‥‥‥ 1064
腟酵母感染の予防および治療
有効性レベル③
ヨーグルト‥‥‥‥‥‥‥‥‥‥‥‥‥ 1177
腟組織の菲薄化（腟萎縮）
有効性レベル②
腟内の痛み（陰門硬化性苔癬）
有効性レベル④
プロゲステロン‥‥‥‥‥‥‥‥‥‥‥ 1015
遅発性ジスキネジア（運動異常症）
有効性レベル③
ビタミンE‥‥‥‥‥‥‥‥‥‥‥‥‥‥ 932
遅発性ジスキネジア（運動疾患）
有効性レベル③
イチョウ‥‥‥‥‥‥‥‥‥‥‥‥‥‥‥ 118
分岐鎖アミノ酸‥‥‥‥‥‥‥‥‥‥‥ 1023
遅発性ジスキネジア（運動障害の一種）
有効性レベル④
ホスファチジルコリン‥‥‥‥‥‥‥‥ 1074
注意欠陥多動障害（ADHD）
有効性レベル③
亜鉛‥‥‥‥‥‥‥‥‥‥‥‥‥‥‥‥‥‥ 5
有効性レベル④
カフェイン‥‥‥‥‥‥‥‥‥‥‥‥‥‥ 273
DHA（ドコサヘキサエン酸）‥‥‥‥‥ 743
注意欠陥多動性障害
有効性レベル④
月見草油‥‥‥‥‥‥‥‥‥‥‥‥‥‥‥ 730
ピクノジェノール‥‥‥‥‥‥‥‥‥‥‥ 899
フェニルアラニン‥‥‥‥‥‥‥‥‥‥‥ 972
注射する場合には，心臓発作後の心臓障害の軽減
有効性レベル⑤
スーパーオキシド・ジスムターゼ‥‥‥ 606

症状・病態別有効性索引

有効性レベル：①効きます　②おそらく効きます　③効くと断言できませんが、効能の可能性が科学的に示唆されています
④効かないかもしれません　⑤おそらく効きません　⑥効きません

ツ

テ

ト

注射する場合には，変形性関節症および関節リウマチ
有効性レベル③
　スーパーオキシド・ジスムターゼ················606

中等度のうつ病の治療
有効性レベル④
　チロシン·············729

中毒
有効性レベル②
　活性炭·············264

腸管寄生虫
有効性レベル④
　ビタミンA·············909

長期にわたる脳血管障害（脳の血液循環疾患）
有効性レベル③
　シチコリン·············549

長期の腎疾患（慢性腎臓病（CKD））
有効性レベル④
　L-アルギニン·············203

長期の脳血流異常（脳血管障害）
有効性レベル④
　魚油·············362

腸性肢端皮膚炎（亜鉛の吸収に影響を与える遺伝性疾患）
有効性レベル③
　亜鉛·············5

腸内菌の過剰による症状を緩和
有効性レベル④
　乳酸菌·············819

聴力損失
有効性レベル③
　マグネシウム·············1099

直腸および結腸の腫瘍
有効性レベル③
　亜鉛·············5

直腸裂傷
有効性レベル③
　牛軟骨·············168

チロシン（アミノ酸）を体内で適切に分解できないことが特徴の遺伝性疾患（チロシン血症）
有効性レベル②
　ビタミンC·············920

通常の就寝時刻に入眠できない障害（睡眠相後退症候群）
有効性レベル②
　メラトニン·············1142

痛風
有効性レベル③
　ビタミンC·············920

低カリウム血症（血清カリウム濃度の低下）
有効性レベル①
　カリウム·············300

低カルシウム血症
有効性レベル①
　カルシウム·············304

低血圧
有効性レベル③
　緑茶·············1215
有効性レベル④
　N-アセチルシステイン·············195

低体重出産児
有効性レベル④
　セレン·············652

低ナトリウム血症（血中ナトリウム値が低い状態）
有効性レベル①
　ナトリウム·············796

低マグネシウム血症
有効性レベル①
　マグネシウム·············1099

鉄欠乏症
有効性レベル④
　葉酸·············1168

鉄欠乏症による正常赤血球数の低下（貧血）
有効性レベル①
　鉄·············750

手の骨折
有効性レベル③
　キモトリプシン·············349

デュシェンヌ型筋ジストロフィー（筋疾患）
有効性レベル④
　ビタミンE·············932

てんかんの痙攣発作
有効性レベル③
　N-アセチルシステイン·············195

てんかんの治療
有効性レベル④
　ジメチルグリシン·············559

転倒予防
有効性レベル③
　ラベンダー·············1199
有効性レベル④
　ビタミンB$_{12}$·············916

頭頚部がん
有効性レベル③
　ニコチンアミド·············806

有効性レベル④
ビタミンE……932
ヨーロッパヤドリギ……1180
有効性レベル⑤
ビタミンA……909

頭頸部がん
有効性レベル⑤
N-アセチルシステイン……195

銅欠乏症
有効性レベル②
銅……764

統合運動障害（協調運動障害）
有効性レベル③
ビタミンE……932

統合失調症
有効性レベル③
イチョウ……118
有効性レベル④
イノシトール……126
クロム……432
ビタミンE……932
有効性レベル⑤
コリン……502

統合失調症およびほかの精神障害
有効性レベル③
リチウム……1206

疼痛
有効性レベル②
樟脳……586
トウガラシ……767
有効性レベル③
カフェイン……273

糖尿病
有効性レベル③
亜麻の種子……58
アメリカジンセン（アメリカ人参）……65
α-リポ酸……84
インドオオバコ（サイリウム）……145
エゾウコギ……185
オリーブ……238
カフェイン……273
ガラパゴスウチワサボテン……293
グアーガム……374
クロム……432
コンニャクマンナン……508
サラシア……524
シナモン（カシア）……553
大豆……675
ニコチンアミド……806
フェヌグリーク……974
ベルベリン……1057
ホワイトマルベリー……1091
マグネシウム……1099
ミルクシスル……1128
有効性レベル④
亜麻仁油……56
EPA（エイコサペンタエン酸）……102
共役リノール酸……360
クランベリー……391
紅茶……455
コエンザイムQ-10……462
セイロンニッケイ……641
セレン……652
DHA（ドコサヘキサエン酸）……743
トマト……778
ニンニク……825
β-カロテン……1028
リコピン……1204
有効性レベル⑤
魚油……362

糖尿病（ジャンボランの葉）
有効性レベル④
ジャンボラン……579

糖尿病患者における血清コレステロール値の低下
有効性レベル③
キサンタンガム……340

糖尿病患者における血糖値の低下
有効性レベル③
キサンタンガム……340

糖尿病患者の視力障害
有効性レベル③
イチョウ……118

糖尿病患者の腎疾患
有効性レベル③
大豆……675
チアミン……708

糖尿病患者の心疾患の予防
有効性レベル③
ビール……892

糖尿病患者または高血圧患者の網膜疾患（網膜症）
有効性レベル③
ビルベリー……956

糖尿病心疾患脳卒中のリスクを高める一群の症候（メタボリックシンドローム）
有効性レベル③
マグネシウム……1099

糖尿病性神経障害（糖尿病性ニューロパチー）
有効性レベル②
トウガラシ……767
有効性レベル③
γ-リノレン酸……335
コエンザイムQ-10……462

有効性レベル：①効きます　②おそらく効きます　③効くと断言できませんが、効能の可能性が科学的に示唆されています
④効かないかもしれません　⑤おそらく効きません　⑥効きません

ナ

ニ

症状・病態別有効性索引
イノシトール……………………126

糖尿病性の神経痛
有効性レベル③
　α-リポ酸……………………84

糖尿病による神経障害の緩和
有効性レベル③
　アセチル-L-カルニチン……………35

糖尿病による足部潰瘍
有効性レベル③
　亜鉛……………………5

糖尿病による網膜の損傷
有効性レベル④
　α-リポ酸……………………84

糖尿病の足部潰瘍
有効性レベル③
　ヨウ素（ヨード）……………………1174

動脈血栓（冠動脈疾患）
有効性レベル③
　DHA（ドコサヘキサエン酸）……743
　緑茶……………………1215

動脈硬化
有効性レベル③
　ニンニク……………………825
　ビタミンB_6……………………913
有効性レベル④
　魚油……………………362
　ビタミンC……………………920
　ビタミンE……………………932

動脈硬化リスクの低下
有効性レベル③
　α-リノレン酸……………………83

動脈の攣縮に起因する胸痛（冠攣縮性狭心症）
有効性レベル③
　マグネシウム……………………1099

ドキソルビシン塩酸塩の副作用
有効性レベル④
　N-アセチルシステイン……………195

特定の降圧薬による睡眠障害（アドレナリンβ受容体遮断薬による不眠）
有効性レベル③
　メラトニン……………………1142

突然の心停止
有効性レベル⑥
　カルシウム……………………304

ドライアイ
有効性レベル③
　トウゴマの種子……………………771

鉛中毒
有効性レベル③
　ビタミンC……………………920

鉛中毒の治療
有効性レベル①
　エチレンジアミン四酢酸……………190

ナルコレプシーにともなう筋制御喪失および脱力の治療
有効性レベル③
　γ-ヒドロキシ酪酸塩（GHB）……331

2型糖尿病
有効性レベル③
　アガリクス茸……………………19
有効性レベル④
　フスマ……………………983

2型糖尿病の腎臓障害
有効性レベル③
　タラ肝油……………………697

2型糖尿病の予防と糖尿病患者における心疾患の予防
有効性レベル③
　ワイン……………………1266

2型糖尿病のリスク低減
有効性レベル③
　コーヒー……………………465

にきび
有効性レベル③
　α-ヒドロキシ酸……………………82

ニコチン酸欠乏症（ビタミンB_3欠乏症）によって引き起こされる疾患（ペラグラ）
有効性レベル②
　ニコチンアミド……………………806

ニコチン酸欠乏症およびペラグラなどニコチン酸欠乏症に関連する特定の疾患の治療および予防
有効性レベル②
　ニコチン酸……………………810

2,500g（5ポンド，8オンス）未満の体重で生まれた乳児
有効性レベル④
　グルタミン……………………411
　ビタミンC……………………920
　紅花……………………1047

ニッケル欠乏症の予防
有効性レベル②
　ニッケル……………………817

日光皮膚炎
有効性レベル③
　ビタミンE……………………932
　メラトニン……………………1142

入院患者の下痢の予防
有効性レベル③
　乳酸菌……………………………819

乳がん
有効性レベル③
　オリーブ…………………………238
　大豆………………………………675
　ビタミンA………………………909
　β-カロテン……………………1028
有効性レベル④
　カルシウム………………………304
　紅茶………………………………455
　ニンニク…………………………825
　葉酸……………………………1168
有効性レベル⑤
　ビタミンE………………………932

乳がん治療に伴う顔面紅潮（ほてり）
有効性レベル④
　マグネシウム…………………1099

乳がんに関連する顔面紅潮（ほてり）
有効性レベル④
　大豆………………………………675

乳がんに起因する顔面紅潮（ほてり）
有効性レベル④
　ビタミンE………………………932

乳がんの手術後にみられる腕の腫脹の治療
有効性レベル④
　ジオスミン………………………542

乳がんの予防
有効性レベル④
　トマト……………………………778

乳がんのリスク低減
有効性レベル④
　コーヒー…………………………465

乳児の下痢（ロタウイルスによる下痢）
有効性レベル③
　ビフィズス菌……………………948

乳児の呼吸器疾患
有効性レベル④
　カフェイン………………………273

乳児の早期死亡
有効性レベル⑤
　ビタミンE………………………932

乳児の発育
有効性レベル④
　亜鉛…………………………………5
　タウリン…………………………687

乳児の発達
有効性レベル④
　ビフィズス菌……………………948

乳児の皮疹（脂漏性湿疹）
有効性レベル④
　ビオチン…………………………897

乳児発達
有効性レベル④
　ポリデキストロース……………1085

乳糖不耐症
有効性レベル③
　発酵乳……………………………863
有効性レベル④
　乳酸菌……………………………819

乳糖不耐症（牛乳の代用として）
有効性レベル③
　ヨーグルト……………………1177

乳糖不耐症（ラクトースの消化障害）
有効性レベル③
　大豆………………………………675

乳房痛
有効性レベル③
　月見草油…………………………730
　ヨウ素（ヨード）………………1174
有効性レベル④
　魚油………………………………362

乳房に貼付した場合の，母乳授乳期の女性における乳房うっ積（乳房が硬く，疼痛がある）の緩和
有効性レベル③
　キャベツ…………………………354

乳房の痛み
有効性レベル③
　プロゲステロン…………………1015

尿検査での違法薬物反応の隠蔽
有効性レベル④
　ヒドラスチス……………………943

尿路感染症（UTI）
有効性レベル③
　コンドロイチン硫酸……………506

尿路感染症（UTI）の予防
有効性レベル③
　クランベリー……………………391

妊娠高血圧（子癇前症）
有効性レベル④
　ニンニク…………………………825

妊娠高血圧症候群
有効性レベル④
　EPA（エイコサペンタエン酸）…102
　魚油………………………………362

妊娠高血圧腎症にともなう痙攣（子癇）
有効性レベル①
　マグネシウム…………………1099

症状・病態別有効性索引

有効性レベル：①効きます　②おそらく効きます　③効くと断言できませんが、効能の可能性が科学的に示唆されています
④効かないかもしれません　⑤おそらく効きません　⑥効きません

ネ

ノ

妊娠中の合併症
有効性レベル③
亜鉛・・・・・・・・・・・・・・・・・・・・・・・・・・・・・・・・・・・・・・・5

妊娠中の高血圧および臓器障害（妊娠高血圧腎症）
有効性レベル④
ビタミンE・・・・・・・・・・・・・・・・・・・・・・・・・・・・・932

妊娠中の歯周病
有効性レベル③
葉酸・・・・・・・・・・・・・・・・・・・・・・・・・・・・・・・・1168

妊娠中のつわり（胃のむかつきや嘔吐）
有効性レベル③
ショウガ・・・・・・・・・・・・・・・・・・・・・・・・・・・・583
ビタミンB_6・・・・・・・・・・・・・・・・・・・・・・・・・913

妊娠中の鉄欠乏症
有効性レベル④
亜鉛・・・・・・・・・・・・・・・・・・・・・・・・・・・・・・・・・・・・・・・5

妊娠にかかわる合併症
有効性レベル③
β−カロテン・・・・・・・・・・・・・・・・・・・・・・1028

妊娠に関する死亡
有効性レベル③
ビタミンA・・・・・・・・・・・・・・・・・・・・・・・・・909

妊娠に関する夜盲
有効性レベル③
ビタミンA・・・・・・・・・・・・・・・・・・・・・・・・・909

妊娠を望んでから1年以内に妊娠しないこと（不妊）
有効性レベル④
メラトニン・・・・・・・・・・・・・・・・・・・・・・・・1142

認知症
有効性レベル③
イチョウ・・・・・・・・・・・・・・・・・・・・・・・・・・・118
レモンバーム・・・・・・・・・・・・・・・・・・・・1246

妊婦の鉄欠乏
有効性レベル①
鉄・・・・・・・・・・・・・・・・・・・・・・・・・・・・・・・・・・・750

妊婦の満期分娩の誘発
有効性レベル③
トウゴマの種子・・・・・・・・・・・・・・・・・・771

ね

熱傷
有効性レベル③
亜鉛・・・・・・・・・・・・・・・・・・・・・・・・・・・・・・・・・・・・・・・5
アロエ・・・・・・・・・・・・・・・・・・・・・・・・・・・・・・90
キモトリプシン・・・・・・・・・・・・・・・・・・349
グルタミン・・・・・・・・・・・・・・・・・・・・・・・411
ハチミツ・・・・・・・・・・・・・・・・・・・・・・・・・856

熱傷，頭部外傷，心的外傷などの重傷疾患
有効性レベル④
セレン・・・・・・・・・・・・・・・・・・・・・・・・・・・・652

熱傷の回復
有効性レベル④
RNAとDNA・・・・・・・・・・・・・・・・・・・・・・・・2

熱傷の患者の傷の回復
有効性レベル③
ケトグルタルオルニチン・・・・・・445

捻挫
有効性レベル③
コンフリー・・・・・・・・・・・・・・・・・・・・・・510

脳血管障害患者の思考および生活の質（QOL）の改善
有効性レベル③
メソグリカン・・・・・・・・・・・・・・・・・・1138

脳室内出血
有効性レベル③
ビタミンE・・・・・・・・・・・・・・・・・・・・・・932

脳室内出血（液体で満たされている脳室（脳内の腔）への出血）
有効性レベル④
ビタミンK・・・・・・・・・・・・・・・・・・・・・・938

脳腫瘍
有効性レベル④
ニコチンアミド・・・・・・・・・・・・・・・・806

脳性麻痺
有効性レベル③
マグネシウム・・・・・・・・・・・・・・・・・・1099

脳脊椎神経の損傷（神経外傷）
有効性レベル④
マグネシウム・・・・・・・・・・・・・・・・・・1099

脳卒中
有効性レベル③
カリウム・・・・・・・・・・・・・・・・・・・・・・・300
田七人参・・・・・・・・・・・・・・・・・・・・・・・761
有効性レベル④
ビタミンB_{12}・・・・・・・・・・・・・・・・・916
β−カロテン・・・・・・・・・・・・・・・・・・1028
有効性レベル⑤
グリセリン・・・・・・・・・・・・・・・・・・・・404

脳卒中からの回復
有効性レベル③
シチコリン・・・・・・・・・・・・・・・・・・・・549

脳卒中により半身不随になった人（脳卒中後片麻痺）の骨量減少の予防
有効性レベル②
イプリフラボン・・・・・・・・・・・・・・・130

脳卒中の治療
有効性レベル④
メソグリカン・・・・・・・・・・・・・・・・・・1138

卒中の予防
有効性レベル③
　スイートオレンジ……………………………600

脳と脊髄を保護する膜の腫脹（炎症）（髄膜炎）
有効性レベル④
　グリセリン……………………………………404

脳への血流不良
有効性レベル③
　アセチル-L-カルニチン………………………35

のう胞性線維症
有効性レベル②
　ナトリウム……………………………………796
有効性レベル③
　マグネシウム…………………………………1099
有効性レベル④
　亜鉛………………………………………………5
　EPA（エイコサペンタエン酸）……………102
　N-アセチルシステイン……………………195
　ニンニク………………………………………825
　β-カロテン…………………………………1028

のう胞や液体のない腫瘍（固形腫瘍）
有効性レベル③
　メラトニン……………………………………1142

のう胞を伴う卵巣腫大が生じるホルモンの病気（多のう胞性卵巣症候群（PCOS））
有効性レベル③
　イノシトール…………………………………126

乗物酔い
有効性レベル④
　ショウガ………………………………………583

ハ

パーキンソン病
有効性レベル③
　カフェイン……………………………………273
　紅茶……………………………………………455
　ビタミンE……………………………………932
　緑茶……………………………………………1215

パーキンソン病の予防または抑制
有効性レベル③
　コーヒー………………………………………465

肺炎
有効性レベル③
　亜鉛………………………………………………5
　α-リノレン酸…………………………………83
　乳酸菌…………………………………………819
有効性レベル④
　魚油……………………………………………362
有効性レベル⑤
　ビタミンA……………………………………909

肺がん
有効性レベル④
　紅茶……………………………………………455
　セレン…………………………………………652
　トランスファーファクター…………………780
　ニンニク………………………………………825
　ビタミンC……………………………………920
　リボフラビン…………………………………1210
有効性レベル⑤
　N-アセチルシステイン……………………195
　ビタミンE……………………………………932
　β-カロテン…………………………………1028
　硫酸ヒドラジン………………………………1213

肺感染症
有効性レベル③
　胸腺抽出物……………………………………358

肺機能検査
有効性レベル①
　N-アセチルシステイン……………………195

敗血症
有効性レベル④
　牛初乳…………………………………………167

敗血症（血液感染）
有効性レベル④
　ビフィズス菌…………………………………948

排尿を我慢できない高齢患者や，カテーテルを留置した高齢患者の尿臭の抑制
有効性レベル④
　クロロフィリン………………………………437

肺の末梢気道の腫脹（炎症）（細気管支炎）
有効性レベル④
　マグネシウム…………………………………1099

背部痛
有効性レベル③
　コンフリー……………………………………510
　デビルズクロー………………………………758
　トウガラシ……………………………………767

歯ぎしり
有効性レベル④
　L-トリプトファン……………………………212

白癬
有効性レベル③
　ニンニク………………………………………825

白癬，足部白癬，股部白癬など皮膚真菌感染の治療
有効性レベル③
　ダイダイ………………………………………681

白内障
有効性レベル②
　ヒアルロン酸…………………………………889
有効性レベル③
　コンドロイチン硫酸…………………………506

症状・病態別有効性索引

有効性レベル：①効きます　②おそらく効きます　③効くと断言できませんが，効能の可能性が科学的に示唆されています
④効かないかもしれません　⑤おそらく効きません　⑥効きません

ヒ

チアミン·················708
ビタミンA·················909
リボフラビン·················1210
ルテイン·················1232

有効性レベル④
亜鉛·················5
ビタミンB₆·················913
ビタミンB₁₂·················916
ビタミンE·················932
β−カロテン·················1028

白内障のリスクを減らす
有効性レベル③
トマト·················778

白斑
有効性レベル③
α−リポ酸·················84
ピクロリザ·················901

白斑（皮膚の退色）
有効性レベル③
葉酸·················1168

白斑と呼ばれる皮膚疾患
有効性レベル③
フェニルアラニン·················972

激しい恐怖の経験によりもたらされる不安（パニック障害）
有効性レベル③
イノシトール·················126

パジェット病の患者の骨痛
有効性レベル③
イプリフラボン·················130

麻疹
有効性レベル③
ビタミンA·················909

橋本病（自己免疫性甲状腺炎）
有効性レベル③
セレン·················652

蜂の刺し傷に対するアレルギー反応を和らげる
有効性レベル②
ビーベノム·················891

白血球のがん（白血病）
有効性レベル④
ビタミンC·················920

白血病の小児における帯状疱疹の予防
有効性レベル③
トランスファーファクター·················780

抜歯後の乾燥抜歯窩
有効性レベル③
牛軟骨·················168

バナジウム欠乏症の予防
有効性レベル②
バナジウム·················869

歯の知覚過敏
有効性レベル①
ストロンチウム·················615

バリウム注腸検査やX線検査などで，結腸の弛緩
有効性レベル③
ペパーミント·················1048

瘢痕
有効性レベル③
タマネギ·················692

瘢痕化
有効性レベル④
ビタミンE·················932

ハンセン病
有効性レベル③
亜鉛·················5

ハンチントン病
有効性レベル③
ビタミンE·················932

パントテン酸欠乏症
有効性レベル①
パントテン酸·················885

非アルコール性脂肪性肝炎（NASH）
有効性レベル③
ビタミンE·················932

非アルコール性脂肪性肝疾患（NAFLD）
有効性レベル③
膵消化酵素·················604

B型肝炎
有効性レベル⑤
チャンカピエドラ·················717

ビオチン欠乏症
有効性レベル②
ビオチン·················897

ひきつり，下痢，腸内ガスのような，乳糖過敏の症状を予防
有効性レベル②
ラクターゼ·················1193

鼻腔の炎症（副鼻腔炎）
有効性レベル③
サクラソウ·················513

非常に悪性の皮膚がん（黒色腫（メラノーマ））
有効性レベル④
ビタミンC·················920

肥大した前立腺（良性前立腺肥大）による尿量減少や夜間頻尿などの症状
有効性レベル②
ピジウム·················902

ビタミンK依存性血液凝固因子欠乏症（VKCFD）（遺伝性出血性疾患）
有効性レベル①
ビタミンK……938
ビタミンE欠乏症
有効性レベル①
ビタミンE……932
ビタミンE単独欠乏性運動異常症
有効性レベル①
ビタミンE……932
ビタミンA欠乏症
有効性レベル①
ビタミンA……909
有効性レベル③
亜鉛……5
人参……824
ビタミンA欠乏症の予防
有効性レベル③
パーム油……840
ビタミンK値の低い新生児の出血障害の予防（出血性疾患）
有効性レベル①
ビタミンK……938
ビタミンC欠乏症
有効性レベル①
ビタミンC……920
ビタミンD欠乏症
有効性レベル①
ビタミンD……927
ビタミンB_{12}欠乏症
有効性レベル①
ビタミンB_{12}……916
ビタミンB_6欠乏症
有効性レベル①
ビタミンB_6……913
非24時間睡眠覚醒リズム障害
有効性レベル②
メラトニン……1142
皮膚が硬く，厚くなる（強皮症症状の治療）
有効性レベル④
パラアミノ安息香酸（PABA）……881
皮膚過敏（皮膚炎）
有効性レベル④
ジャーマン・カモミール……564
皮膚がん
有効性レベル③
ニコチンアミド……806
有効性レベル④
セレン……652
皮膚がん（黒色腫）
有効性レベル④
ビタミンA……909
皮膚に塗布して蚊の刺されを予防
有効性レベル②
大豆油……680
皮膚の加齢変化
有効性レベル③
コラーゲンペプチド……497
デヒドロエピアンドロステロン……754
ヒアルロン酸……889
ピルビン酸塩……955
皮膚の硬化（強皮症）
有効性レベル④
エチレンジアミン四酢酸……190
皮膚の刺激の抑制
有効性レベル③
ウィッチヘーゼル……153
皮膚の皺
有効性レベル③
ビタミンC……920
皮膚のそう痒や過敏
有効性レベル②
樟脳……586
皮膚の損傷
有効性レベル②
α-ヒドロキシ酸……82
皮膚や結合組織の硬化（強皮症）
有効性レベル④
ジメチルスルホキシド（DMSO）……560
皮膚を虫さされから予防
有効性レベル③
レモンユーカリ……1248
肥満
有効性レベル③
インゲンマメ……139
インドオオバコ（サイリウム）……145
寒天……323
共役リノール酸……360
マオウ（麻黄）……1095
有効性レベル④
カルシウム……304
クロム……432
セイロンニッケイ……641
日焼け
有効性レベル③
ビタミンC……920
β-カロテン……1028
日焼け止め
有効性レベル①
パラアミノ安息香酸（PABA）……881

症状・病態別有効性索引

有効性レベル：①効きます　②おそらく効きます　③効くと断言できませんが、効能の可能性が科学的に示唆されています
④効かないかもしれません　⑤おそらく効きません　⑥効きません

貧血
有効性レベル③
ビタミンE……932

フ

不安
有効性レベル③
イチョウ……118
カバ……269
ジャーマン・カモミール……564
パッションフラワー……867
ラベンダー……1199
レモンバーム……1246
有効性レベル④
イノシトール……126
ベルガモット……1055
ファンコニー症候群（骨と腎臓に障害を起こす稀な疾患）
有効性レベル①
ビタミンD……927
フェニルアラニンからチロシンを作ることができない人の症状であるフェニルケトン尿症の治療
有効性レベル①
チロシン……729
不器用さを特徴とする運動能力障害（発達性協調運動障害（DCD））
有効性レベル③
魚油……362
副甲状腺機能亢進症に起因する骨密度の減少
有効性レベル③
ビタミンD……927
副甲状腺機能低下症
有効性レベル①
ビタミンD……927
副甲状腺の異常（副甲状腺機能亢進症）
有効性レベル②
カルシウム……304
副腎皮質ステロイドの医薬品を摂取している患者の骨密度の減少
有効性レベル②
ビタミンD……927
副腎皮質ステロイド服用による骨密度の低下
有効性レベル②
カルシウム……304
副鼻腔炎（鼻の腫脹）
有効性レベル③
ニワトコの花……823
副鼻腔炎の治療
有効性レベル③
バーベナ……839
副鼻腔手術後の顔の腫脹
有効性レベル③
セラペプターゼ……650
副鼻腔の腫脹
有効性レベル③
ナトリウム……796
腹部大動脈瘤の予防
有効性レベル④
β-カロテン……1028
腹膜透析と呼ばれる処置を改善
有効性レベル④
ホスファチジルコリン……1074
ふけ
有効性レベル③
硫黄……111
グリセリン……404
不整脈の一種（torsades de pointes（トルサードドポアン）と呼ばれる重篤な多型性心室頻拍）
有効性レベル②
マグネシウム……1099
ブタクサに起因する花粉症
有効性レベル③
発酵乳……863
ブタクサによる花粉症
有効性レベル③
β-グルカン……1031
フッ化物の過剰摂取による疾患（フッ素症）
有効性レベル③
カルシウム……304
二日酔い
有効性レベル③
ガラパゴスウチワサボテン……293
有効性レベル④
アーティチョーク……1
ぶどう膜炎（眼の中間層の腫脹）
有効性レベル③
ビタミンE……932
不妊
有効性レベル③
デヒドロエピアンドロステロン……754
プロゲステロン……1015
有効性レベル④
セレン……652
不妊（膣クリームとして使用した場合）
有効性レベル②
プロゲステロン……1015
不眠
有効性レベル③
メラトニン……1142
レモンバーム……1246

不眠症
有効性レベル③
カノコソウ……267
プロトロンビン（血液凝固タンパク質）の値が低い患者の出血障害の治療および予防
有効性レベル①
ビタミンK……938
分娩
有効性レベル③
コンブ……509

へ

閉経後骨粗鬆症
有効性レベル④
N-アセチルシステイン……195
閉経後の骨量減少を予防
有効性レベル④
プロゲステロン……1015
閉経後の女性にみられる骨粗鬆症（骨密度の低下）の治療や予防
有効性レベル②
イプリフラボン……130
閉経女性の骨粗鬆症の治療
有効性レベル③
ストロンチウム……615
閉塞または収縮した血管を拡張する手術（血管形成術）
有効性レベル③
魚油……362
βサラセミア（血液疾患）
有効性レベル③
ビタミンE……932
ヘスペリジン（hesperidin）との併用で，痔の治療および，再発の防止
有効性レベル③
ジオスミン……542
ヘリコバクターピロリ感染
有効性レベル③
ビフィズス菌……948
有効性レベル④
ニンニク……825
ヘリコバクターピロリ感染症（ヘリコバクターピロリと呼ばれる細菌に起因する潰瘍）の予防
有効性レベル③
ビスマス……903
ヘリコバクターピロリ菌が原因の潰瘍の予防
有効性レベル③
ワイン……1266
ヘリコバクターピロリ菌による潰瘍の治療で生じる副作用の抑制
有効性レベル③
サッカロミセス・ブラディー……517
ヘリコバクターピロリに起因する潰瘍
有効性レベル③
発酵乳……863
ヘリコバクターピロリによる潰瘍リスクの低減
有効性レベル③
ビール……892
ヘルペス
有効性レベル③
ルバーブ……1233
ヘロイン，アヘン，モルヒネなどアヘン製剤の離脱症状の抑制
有効性レベル③
γ-ヒドロキシ酪酸塩（GHB）……331
ペロニー病の治療
有効性レベル③
アセチル-L-カルニチン……35
変形性関節症
有効性レベル②
S-アデノシルメチオニン（SAMe）……183
グルコサミン硫酸塩……408
有効性レベル③
アルニカ……78
イラクサ……132
ウコン……163
牛軟骨……168
キャッツクロー……351
コラーゲンペプチド……497
コンドロイチン硫酸……506
コンフリー……510
ショウガ……583
樟脳……586
デビルズクロー……758
トリプシン……782
Ⅱ型コラーゲン（天然）……804
ニコチンアミド……806
ヒアルロン酸……889
ビタミンC……920
ブロメライン……1021
ボスウェリア……1073
メチルスルフォニルメタン……1140
ルチン……1231
有効性レベル④
魚油……362
タラ肝油……697
ビタミンA……909
ビタミンE……932
変形性関節症に対し，経口使用または患部関節の上から塗布する場合
有効性レベル③
セチル化脂肪酸……647

有効性レベル：①効きます　②おそらく効きます　③効くと断言できませんが、効能の可能性が科学的に示唆されています
④効かないかもしれません　⑤おそらく効きません　⑥効きません

片頭痛
有効性レベル①
カフェイン……273
有効性レベル③
コエンザイムQ-10……462
セイヨウフキ……636
リボフラビン……1210
有効性レベル④
魚油……362
片頭痛の予防
有効性レベル③
フィーバーフュー……963
ベンゾジアゼピン系薬からの離脱
有効性レベル⑤
メラトニン……1142
扁桃炎による発熱と咽喉痛の緩和
有効性レベル③
アンドログラフィス……96
便秘
有効性レベル①
インドオオバコ（サイリウム）……145
エダウチオオバコ（サイリウム）……189
マグネシウム……1099
有効性レベル②
グリセリン……404
センナ……665
ポドフィルム……1079
リン酸塩……1226
有効性レベル③
アロエ……90
イヌリン……125
オリーブ……238
カスカラサグラダ……259
カラヤゴム……298
グアーガム……374
コンニャクマンナン……508
セイヨウイソノキ……628
トウゴマの種子……771
ニワトコの花……823
ビフィズス菌……948
フスマ……983
便秘の緩和
有効性レベル①
ヨーロピアンバックソーン……1182
扁平苔癬（皮膚や口腔にできる，そう痒をともなう皮疹）
有効性レベル③
アロエ……90

ホ

膀胱がん
有効性レベル④
紅茶……455
ニコチンアミド……806
ビタミンC……920
リコピン……1204
膀胱がんの予防
有効性レベル④
トマト……778
膀胱腸瘻の診断
有効性レベル②
ケシの実……443
放射線治療により生じた口内の痛みや腫脹
有効性レベル③
カオリン……252
放射線治療による下痢
有効性レベル④
グルタミン……411
放射線治療による皮膚障害（放射線皮膚炎）
有効性レベル④
ビタミンC……920
放射線治療による皮膚損傷
有効性レベル③
ボスウェリア……1073
放射線治療による皮膚反応
有効性レベル④
パントテン酸……885
放射線治療または化学療法による口内炎
有効性レベル③
ハチミツ……856
放射線に起因する胃腸に対する副作用
有効性レベル③
発酵乳……863
放射線による組織の硬化および疼痛
有効性レベル④
ブドウ……988
放射線曝露
有効性レベル②
ヨウ素（ヨード）……1174
放射線療法に起因する線維症
有効性レベル③
ビタミンE……932
ホウ素欠乏
有効性レベル②
ホウ素……1064
膨張性下剤として便秘の治療に使用
有効性レベル③
キサンタンガム……340

防蚊剤
有効性レベル③
セロリ……………………………656
有効性レベル④
ニンニク…………………………825

ほかの医薬品との併用による統合失調症の治療
有効性レベル③
グリシン…………………………402

ほかの治療薬との併用で，にきび
有効性レベル③
サッカロミセス・ブラディー………517

ほかの療法に反応しない前立腺がんの治療
有効性レベル③
ストロンチウム……………………615

勃起障害（ED）
有効性レベル③
L-アルギニン……………………203
朝鮮人参…………………………723
メラノタンⅡ……………………1148

母乳哺育児の仙痛
有効性レベル③
フェンネル………………………976
レモンバーム……………………1246

ホモシスチン尿症（尿中ホモシステイン濃度高値）
有効性レベル①
ベタイン…………………………1039

ポリオ後症候群（ポリオから回復した患者の筋力低下や疲労症状）
有効性レベル④
コエンザイムQ-10………………462

マ

マダニ咬症
有効性レベル③
ニンニク…………………………825

マッカードル病（遺伝性代謝異常）
有効性レベル⑤
リボース…………………………1209

まつげのダニ寄生（眼毛包虫症）
有効性レベル③
ティーツリーオイル………………745

末梢血管疾患（血行不良に起因する，歩行時の脚の疼痛）
有効性レベル③
イチョウ…………………………118

末梢動脈疾患（PAD）
有効性レベル④
ニンニク…………………………825

末梢動脈疾患患者の歩行時の疼痛緩和
有効性レベル③
メソグリカン……………………1138

マラリア
有効性レベル④
パーム油…………………………840
リボフラビン……………………1210
有効性レベル⑤
亜鉛………………………………5

マンガン欠乏症
有効性レベル①
マンガン…………………………1118

慢性虚血性心疾患と呼ばれる一種の心疾患
有効性レベル③
プロピオニル-L-カルニチン………1018

慢性疾患による血球数の低下（慢性疾患に伴う貧血）
有効性レベル①
鉄…………………………………750

慢性静脈血流不全症
有効性レベル③
ブドウ……………………………988

慢性静脈血流不全症（静脈瘤などの循環器系障害）
有効性レベル②
セイヨウトチノキ…………………633

慢性静脈不全（CVI，下肢の血行不良）
有効性レベル③
ヘスペリジン……………………1037

慢性静脈不全症（循環の異常）
有効性レベル③
ナギイカダ………………………789

慢性腎疾患による骨疾患（腎性骨ジストロフィー）
有効性レベル③
イプリフラボン……………………130

慢性疲労症候群
有効性レベル④
トランスファーファクター…………780
葉酸………………………………1168

慢性疲労症候群（CFS）
有効性レベル③
マグネシウム……………………1099

慢性閉塞性肺疾患（COPD）
有効性レベル③
N-アセチルシステイン……………195
朝鮮人参…………………………723

ミ

味覚減退（味覚障害）
有効性レベル③
亜鉛………………………………5

未熟児
有効性レベル④
葉酸………………………………1168

症状・病態別有効性索引

有効性レベル：①効きます　②おそらく効きます　③効くと断言できませんが、効能の可能性が科学的に示唆されています
④効かないかもしれません　⑤おそらく効きません　⑥効きません

未熟児の壊死性腸炎（NEC）
有効性レベル④
　牛初乳……………………………167

未熟児の呼吸器疾患
有効性レベル④
　N-アセチルシステイン…………195

未熟児の死亡
有効性レベル④
　ビフィズス菌……………………948

未熟児の成長と発育
有効性レベル④
　グリセリン………………………404
　グルタミン………………………411

未熟児の発育および発達
有効性レベル③
　ボラージ…………………………1082

未熟児網膜症（新生児の眼疾患）
有効性レベル③
　ビタミンE………………………932

水虫（足部白癬）
有効性レベル③
　ヒマワリ油………………………950

ミトコンドリア病（筋力低下を主症状とする複合的な病態の総称）
有効性レベル②
　コエンザイムQ-10………………462

耳垢
有効性レベル④
　オリーブ…………………………238

耳感染症
有効性レベル④
　亜鉛………………………………5

耳鳴
有効性レベル④
　亜鉛………………………………5

耳鳴り
有効性レベル④
　イチョウ…………………………118

耳の感染（中耳炎）
有効性レベル④
　オリーブ…………………………238

脈拍不整（不整脈）
有効性レベル③
　マグネシウム……………………1099

ム

無気肺
有効性レベル①
　N-アセチルシステイン…………195

無月経
有効性レベル②
　プロゲステロン…………………1015

虫除け
有効性レベル③
　シトロネラオイル………………552

むちゃ食い障害
有効性レベル④
　クロム……………………………432

胸焼け
有効性レベル③
　ペパーミント……………………1048

胸焼け（消化不良）
有効性レベル③
　アンゼリカ………………………95

むねやけ（ほかのハーブと組み合わせて使用）
有効性レベル③
　キャラウェイ……………………356

胸焼け（マガリバナや他の数種類のハーブと併用した場合）
有効性レベル③
　マガリバナ………………………1098

むねやけが続く状態（胃食道逆流症）
有効性レベル③
　インディアン・グースベリー…………141

メ

メタボリックシンドローム
有効性レベル③
　イノシトール……………………126
　ニコチン酸………………………810

眼のストレス
有効性レベル③
　ブドウ……………………………988

めまい感（回転性めまい）
有効性レベル③
　ショウガ…………………………583

メラノーマ（皮膚がんの一種）
有効性レベル④
　トランスファーファクター……………780

モ

網膜色素変性症（眼疾患）
有効性レベル④
　ビタミンE………………………932

網膜色素変性症（網膜に影響を与える眼疾患）
有効性レベル③
　ビタミンA………………………909

網膜症
有効性レベル③
　ピクノジェノール………………899

モリブデン欠乏症

有効性レベル②

モリブデン……………………………………1152

ヤ

夜間視力の向上

有効性レベル④

ビルベリー……………………………………956

夜間のこむらがえり

有効性レベル④

マグネシウム…………………………………1099

ユ

疣贅（いぼ）

有効性レベル③

亜鉛………………………………………………5

疣贅（いぼ）など，非がん性の皮膚肥大の摘出

有効性レベル②

ポドフィルム…………………………………1079

ヨ

溶血性貧血（赤血球の異常破壊）

有効性レベル④

ビタミンE……………………………………932

葉酸欠乏症

有効性レベル①

葉酸………………………………………………1168

幼児における甲状腺の異常

有効性レベル③

チラトリコール………………………………729

幼児の下痢の予防

有効性レベル③

サッカロミセス・ブラディー………………517

幼児の発育

有効性レベル④

ガラクトオリゴ糖……………………………286

ヨウ素欠乏症

有効性レベル②

ヨウ素（ヨード）……………………………1174

腰痛の治療

有効性レベル③

ウィローバーク………………………………155

ヨーロッパエルダーフラワー，バーベナ，サクラソウ，およびソレルなどのハーブとの併用で副鼻腔の感染症（副鼻腔炎）の症状

有効性レベル③

リンドウ………………………………………1228

弱くて折れやすい骨（骨粗鬆症）

有効性レベル③

マグネシウム…………………………………1099

ラ

卵巣がん

有効性レベル③

ウーロン茶……………………………………158

紅茶………………………………………………455

緑茶………………………………………………1215

リ

リーシュマニア病巣（皮膚病変）

有効性レベル③

亜鉛………………………………………………5

リチウムに起因する副作用

有効性レベル③

イノシトール…………………………………126

リボフラビン欠乏症の予防および治療

有効性レベル①

リボフラビン…………………………………1210

流産

有効性レベル④

ビタミンA……………………………………909

ビタミンC……………………………………920

流産の誘発

有効性レベル④

ローズマリー…………………………………1254

良性前立腺肥大（BPH）

有効性レベル③

カボチャ………………………………………281

有効性レベル④

大豆………………………………………………675

良性前立腺肥大（BPH）による排尿困難

有効性レベル②

β-シトステロール…………………………1032

良性乳腺疾患

有効性レベル⑤

ビタミンE……………………………………932

緑内障（視力低下）

有効性レベル③

イチョウ………………………………………118

旅行者下痢

有効性レベル②

ビスマス………………………………………903

有効性レベル③

ビフィズス菌…………………………………948

旅行者下痢症の予防

有効性レベル③

サッカロミセス・ブラディー………………517

旅行者下痢症を予防

有効性レベル④

フラクトオリゴ糖……………………………995

有効性レベル：①効きます　②おそらく効きます　③効くと断言できませんが、効能の可能性が科学的に示唆されています
④効かないかもしれません　⑤おそらく効きません　⑥効きません

旅行者の下痢
有効性レベル③
サングレ・デ・グラード……529
旅行中の下痢の予防
有効性レベル③
乳酸菌……819
リンゴ酸と呼ばれる特定のα-ヒドロキシ酸をマグネシウムと併用したときに，線維筋痛症によって引き起こされる疼痛や圧痛の軽減
有効性レベル③
α-ヒドロキシ酸……82
リンドウの根，エルダーフラワー，バーベナ，サクラソウ（Cowslip Flower）と一緒に摂取した場合，鼻腔の炎症（副鼻腔炎）
有効性レベル③
スイバ……605
リンパ系の損傷による腕または下肢の腫脹（リンパ浮腫）
有効性レベル③
ルチン……1231

ル

ループス
有効性レベル④
銅……764
ルテイン欠乏症
有効性レベル②
ルテイン……1232

レ

レイノー症候群
有効性レベル③
魚油……362
レイノー症候群（毛細血管の病的痙攣性チアノーゼ）の改善
有効性レベル③
ニコチン酸イノシトール……815
レーザー角膜切除術
有効性レベル③
ビタミンE……932
レボチロキシン（医薬品）と併用した場合の甲状腺がんの治療
有効性レベル③
チラトリコール……729

ロ

ロタウイルスに起因する下痢
有効性レベル③
発酵乳……863
ロタウイルスによる小児の下痢
有効性レベル②
乳酸菌……819

健康食品・サプリメントと
医薬品との相互作用索引

※相互作用レベル「高（この医薬品と併用してはいけません）」のみを抽出

ア

イ

エ

オ

カ

ス

セ

タ

チ

テ

ト

リ

ル

レ

ワ

欧字

医薬品との相互作用索引

医薬品の範囲に関する基準（食薬区分）

出典：厚生労働省
「無承認無許可医薬品の指導取締りについて」
昭和46年6月1日　薬発第476号
各都道府県知事あて厚生省薬務局長通知
（最終改正）
令和2年3月31日　薬生発0331第33号
別紙及び別添1
「食薬区分における成分本質（原材料）の取扱いの例示」
（最終改正）
令和3年11月1日　薬生監麻発1101第2号
別添1，2

（別紙）

医薬品の範囲に関する基準

人が経口的に服用する物が，医薬品，医療機器等の品質，有効性及び安全性の確保等に関する法律（昭和35年法律第145号）第2条第1項第2号又は第3号に規定する医薬品に該当するか否かは，医薬品としての目的を有しているか，又は通常人が医薬品としての目的を有するものであると認識するかどうかにより判断することとなる。通常人が同項第2号又は第3号に掲げる目的を有するものであると認識するかどうかは，その物の成分本質（原材料），形状（剤型，容器，包装，意匠等をいう。）及びその物に表示された使用目的・効能効果・用法用量並びに販売方法，販売の際の演述等を総合的に判断すべきものである。

したがって，医薬品に該当するか否かは，個々の製品について，上記の要素を総合的に検討のうえ判定すべきものであり，その判定の方法は，Ⅰの「医薬品の判定における各要素の解釈」に基づいて，その物の成分本質（原材料）を分類し，効能効果，形状及び用法用量が医薬品的であるかどうかを検討のうえ，Ⅱの「判定方法」により行うものとする。

ただし，次の物は，原則として，通常人が医薬品としての目的を有するものであると認識しないものと判断して差し支えない。

1　野菜，果物，調理品等その外観，形状等から明らかに食品と認識される物
2　健康増進法（平成14年法律第103号）第26条の規定に基づき許可を受けた表示内容を表示する特別用途食品
3　食品表示法（平成25年法律第70号）第4条第1項の規定に基づき制定された食品表示基準（平成27年内閣府令第10号）第2条第1項第10号の規定に基づき届け出た表示内容を表示する機能性表示食品

Ⅰ　医薬品の判定における各要素の解釈

1　物の成分本質（原材料）からみた分類

物の成分本質（原材料）が，専ら医薬品として使用される成分本質（原材料）であるか否かについて，別添「食薬区分における成分本質（原材料）の取扱いについて」（以下「判断基準」という。）により判断することとする。

なお，その物がどのような成分本質（原材料）の物であるかは，その物の成分，本質，起源，製法等についての表示，販売時の説明，広告等の内容に基づいて判断して差し支えない。

判断基準の1．に該当すると判断された成分本質（原材料）については，「食薬区分における成分本質（原材料）の取扱いの例示」（令和2年3月31日付け薬生監麻発0331第9号厚生労働省医薬・生活衛生局監視指導・麻薬対策課長通知。以下「例示通知」という。）の別添1「専ら医薬品として使用される成分本質（原材料）リスト」に

その例示として掲げることとする。

なお，例示通知掲げられた成分本質（原材料）であっても，医薬部外品として承認を受けた場合には，当該成分本質（原材料）が医薬部外品の成分として使用される場合がある。

また，判断基準の1．に該当しないと判断された成分本質（原材料）については，関係者の利便を考え，参考として例示通知の別添2「医薬品的効能効果を標ぼうしない限り医薬品と判断しない成分本質（原材料）リスト」に例示として掲げることとする。

なお，当該リストは医薬品の該当性を判断する際に参考とするために作成するものであり，食品としての安全性等の評価がなされたもののリストではないことに留意されたい。

2　医薬品的な効能効果の解釈

その物の容器，包装，添付文書並びにチラシ，パンフレット，刊行物，インターネット等の広告宣伝物あるいは演述によって，次のような効能効果が表示説明されている場合は，医薬品的な効能効果を標ぼうしているものとみなす。また，名称，含有成分，製法，起源等の記載説明においてこれと同様な効能効果を標ぼうし又は暗示するものも同様とする。

なお，食品表示基準（平成27年内閣府令第10号）第2条第1項第11号の規定に基づき，内閣総理大臣が定める基準に従い，栄養成分の機能の表示をする栄養機能食品（以下「栄養機能食品」という。）にあっては，その表示等を医薬品的な効能効果と判断しないこととして差し支えない。

㈠　疾病の治療又は予防を目的とする効能効果

（例）糖尿病，高血圧，動脈硬化の人に，胃・十二指腸潰瘍の予防，肝障害・腎障害をなおす，ガンがよくなる，眼病の人のために，便秘がなおる等

㈡　身体の組織機能の一般的増強，増進を主たる目的とする効能効果

ただし，栄養補給，健康維持等に関する表現はこの限りでない。

（例）疲労回復，強精（強性）強壮，体力増強，食欲増進，老化防止，勉学能力を高める，回春，若返り，精力をつける，新陳代謝を盛んにする，内分泌機能を盛んにする，解毒機能を高める，心臓の働きを高める，血液を浄化する，病気に対する自然治癒能力が増す，胃腸の消化吸収を増す，健胃整腸，病中・病後に，成長促進等

㈢　医薬品的な効能効果の暗示

(a)　名称又はキャッチフレーズよりみて暗示するもの

（例）延命○○，○○の精（不死源），○○の精（不老源），薬○○，不老長寿，百寿の精，漢方秘法，皇漢処方，和漢伝方等

(b)　含有成分の表示及び説明よりみて暗示するもの

（例）体質改善，健胃整腸で知られる○○○○を原料とし，これに有用成分を添加，相乗効果をもつ等

(c)　製法の説明よりみて暗示するもの

（例）本邦の深山高原に自生する植物○○○○を主剤に，△△△，××× 等の薬草を独特の製造法（製法特許出願）によって調製したものである。等

(d)　起源，由来等の説明よりみて暗示するもの

（例）○○○という古い自然科学書をみると胃を開き，欝（うつ）を散じ，消化を助け，虫を殺し，痰なども無くなるとある。こうした経験が昔から伝えられたが故に食膳に必ず備えられたものである。等

(e)　新聞，雑誌等の記事，医師，学者等の談話，学説，経験談などを引用又は掲載することにより暗示するもの

（例）医学博士○○○○の談

「昔から赤飯に○○○をかけて食べると癌にかからぬといわれている。……癌細胞の脂質代謝異常ひいては糖質，蛋白代謝異常と○○○が結びつきはしないかと考えられる。」等

3　医薬品的な形状の解釈

錠剤，丸剤，カプセル剤及びアンプル剤のような剤型は，一般に医薬品に用いられる剤型として認識されてきており，これらの剤型とする必要のあるものは，医薬品的性格を有するものが多く，また，その物の剤型のほかに，その容器又は被包の意匠及び形態が市販されている医薬品と同じ印象を与える場合も，通常人が当該製品を医薬品と認識する大きな要因となっていることから，原則として，医薬品的形状であった場合は，医薬品に該当するとの判断が行われてきた。

しかし，現在，成分によって，品質管理等の必要性が認められる場合には，医薬品的形状の錠剤，丸剤又はカプセル剤であっても，直ちに，医薬品に該当するとの判断が行われておらず，実態として，従来，医薬品的形状とさ

れてきた形状の食品が消費されるようになってきていることから，「食品」である旨が明示されている場合，原則として，形状のみによって医薬品に該当するか否かの判断は行わないこととする。ただし，アンプル形状など通常の食品としては流通しない形状を用いることなどにより，消費者に医薬品と誤認させることを目的としていると考えられる場合は，医薬品と判断する必要がある。

4　医薬品的な用法用量の解釈

医薬品は，適応疾病に対し治療又は予防効果を発揮し，かつ，安全性を確保するために，服用時期，服用間隔，服用量等の詳細な用法用量を定めることが必要不可欠である。したがって，ある物の使用方法として服用時期，服用間隔，服用量等の記載がある場合には，原則として医薬品的な用法用量とみなすものとし，次のような事例は，これに該当するものとする。ただし，調理の目的のために，使用方法，使用量等を定めているものについてはこの限りでない。

一方，食品であっても，過剰摂取や連用による健康被害が起きる危険性，その他合理的な理由があるものについては，むしろ積極的に摂取の時期，間隔，量等の摂取の際の目安を表示すべき場合がある。

これらの実態等を考慮し，栄養機能食品にあっては，時期，間隔，量等摂取の方法を記載することについて，医薬品的用法用量には該当しないこととして差し支えない。

ただし，この場合においても，「食前」「食後」「食間」など，通常の食品の摂取時期等とは考えられない表現を用いるなど医薬品と誤認させることを目的としていると考えられる場合においては，引き続き医薬品的用法用量の表示とみなすものとする。

(例)　1日2～3回，1回2～3粒
1日2個
毎食後，添付のサジで2杯づつ
成人1日3～6錠
食前，食後に1～2個づつ
お休み前に1～2粒

Ⅱ　判定方法

人が経口的に服用する物について，Ⅰの「医薬品の判定における各要素の解釈」に基づいて，その成分本質（原材料）を分類し，その効能効果，形状及び用法用量について医薬品的であるかどうかを検討のうえ，以下に示す医薬品とみなす範囲に該当するものは，原則として医薬品とみなすものとする。なお，2種以上の成分が配合されている物については，各成分のうちいずれかが医薬品と判定される場合は，当該製品は医薬品とみなすものとする。

ただし，当該成分が薬理作用の期待できない程度の量で着色，着香等の目的のために使用されているものと認められ，かつ，当該成分を含有する旨標ぼうしない場合又は当該成分を含有する旨標ぼうするが，その使用目的を併記する場合等総合的に判断して医薬品と認識されるおそれのないことが明らかな場合には，この限りでない。

医薬品とみなす範囲は次のとおりとする。

㈠　効能効果，形状及び用法用量の如何にかかわらず，判断基準の1．に該当する成分本質（原材料）が配合又は含有されている場合は，原則として医薬品の範囲とする。

㈡　判断基準の1．に該当しない成分本質（原材料）が配合又は含有されている場合であって，以下の①から③に示すいずれかに該当するものにあっては，原則として医薬品とみなすものとする。

①　医薬品的な効能効果を標ぼうするもの
②　アンプル形状など専ら医薬品的形状であるもの
③　用法用量が医薬品的であるもの

資料：厚生労働省

（別添１）

食薬区分における成分本質（原材料）の取扱いについて

１．「専ら医薬品として使用される成分本質（原材料）」の考え方

⑴　専ら医薬品としての使用実態のある物

解熱鎮痛消炎剤，ホルモン，抗生物質，消化酵素等専ら医薬品として使用される物

⑵　⑴以外の動植物由来物（抽出物を含む。），化学的合成品等であって，次のいずれかに該当する物。ただし，一般に食品として飲食に供されている物を除く。

①毒性の強いアルカロイド，毒性タンパク等，その他毒劇薬指定成分（別紙参照）に相当する成分を含む物（ただし，食品衛生法で規制される食品等に起因して中毒を起こす植物性自然毒，動物性自然毒等を除く）

②麻薬，向精神薬及び覚せい剤様作用がある物（当該成分及びその構造類似物（当該成分と同様の作用が合理的に予測される物に限る）並びにこれらの原料植物）

③処方せん医薬品に相当する成分を含む物であって，保健衛生上の観点から医薬品として規制する必要性がある物

注１）ビタミン，ミネラル類及びアミノ酸（別紙参照）を除く。ただし，ビタミン誘導体については，食品衛生法の規定に基づき使用される食品添加物である物を除き，例示通知の別添１「専ら医薬品として使用される成分本質（原材料）リスト」に収載される物とみなす。

注２）当該成分本質（原材料）が薬理作用の期待できない程度の量で着色，着香等の目的のために使用されているものと認められ，かつ，当該成分本質（原材料）を含有する旨標ぼうしない場合又は当該成分本質（原材料）を含有する旨標ぼうするが，その使用目的を併記する場合等総合的に判断して医薬品と認識されるおそれがないことが明らかな場合には，例示通知の別添１「専ら医薬品として使用される成分本質（原材料）リスト」に収載されていても，医薬品とみなさない。

注３）例示通知の別添２「医薬品的効能効果を標ぼうしない限り医薬品と判断しない成分本質（原材料）リスト」に収載されている原材料であっても，水，エタノール以外の溶媒による抽出を行った場合には，当該抽出成分について，上記の考え方に基づいて再度検討を行い，例示通知の別添１「専ら医薬品として使用される成分本質（原材料）リスト」に収載すべきかどうか評価する。

２．新規成分本質（原材料）の判断及び判断する際の手続き

⑴　例示通知の別添１「専ら医薬品として使用される成分本質（原材料）リスト」にも，例示通知の別添２「医薬品的効能効果を標ぼうしない限り医薬品と判断しない成分本質（原材料）リスト」にも収載されていない成分本質（原材料）を含む製品を輸入販売又は製造する事業者は，あらかじめ，当該成分本質（原材料）の学名，使用部位，薬理作用又は生理作用，毒性，麻薬・覚せい剤様作用，国内外での医薬品としての承認前例の有無，食習慣等の資料を都道府県薬務担当課（室）を通じて，厚生労働省医薬・生活衛生局監視指導・麻薬対策課あて提出し，その判断を求めることができる。

⑵　監視指導・麻薬対策課は，提出された資料により，上記１の考え方に基づき学識経験者と協議を行い，専ら医薬品として使用される成分本質（原材料）への該当性を判断する。この場合，事業者に対し追加資料の要求をする場合がある。

⑶　監視指導・麻薬対策課は，例示通知の別添１「専ら医薬品として使用される成分本質（原材料）リスト」に該当せず，効能効果の標ぼう等からみて食品としての製造（輸入），販売等が行われる場合には，食品安全部関係各課（室）に情報提供を行う。

また，当該リストは定期的に公表するものとする。

３．その他

例示通知の別添１「専ら医薬品として使用される成分本質（原材料）リスト」及び例示通知の別添２「医薬品的効能効果を標ぼうしない限り医薬品と判断しない成分本質（原材料）リスト」は，今後，新たな安全性に関する知見等により，必要に応じて変更することがある。

（参考）

ハーブについては，次の文献等を参考にする。

・Jeffrey B. Harborne FRS, Herbert Baxter：Dictionary of Plant Toxins, Willey

・The Complete German Commission E Monographs Therapeutic Guide to Herbal Medicines（The American

Botanical Council)
・Botanical Safety Handbook(American Herbal Products Association)
・Richard Evans Schultes, Albert Hofmann：The Botany and Chemistry of Hallucinogens, Charles C. Thomas Publisher
・Poisonous Plants：Lucia Woodward
・WHO monographs on selected medicinal plants
・John H. Wiersema, Blanca Leon：World Economic Plants
・中薬大辞典：小学館
・和漢薬：医歯薬出版株式会社

(別紙)

○毒薬・劇薬指定基準（注略）

⑴　急性毒性（概略の致死量：mg/kg）が次のいずれかに該当するもの。

1）経口投与の場合，毒薬が30mg/kg，劇薬が300mg/kg以下の値を示すもの。
2）皮下投与の場合，毒薬が20mg/kg，劇薬が200mg/kg以下の値を示すもの。
3）静脈内（腹腔内）投与の場合，毒薬が10mg/kg，劇薬が100mg/kg以下の値を示すもの。

⑵　次のいずれかに該当するもの。なお，毒薬又は劇薬のいずれに指定するかは，その程度により判断する。

1）原則として，動物に薬用量の10倍以下の長期連続投与で，機能又は組織に障害を認めるもの
2）通例，同一投与法による致死量と有効量の比又は毒性勾配から，安全域が狭いと認められるもの
3）臨床上中毒量と薬用量が極めて接近しているもの
4）臨床上薬用量において副作用の発現率が高いもの又はその程度が重篤なもの
5）臨床上蓄積作用が強いもの
6）臨床上薬用量において薬理作用が激しいもの

○注1に規定するアミノ酸は，以下のとおりとする。

・アスパラギン，アスパラギン酸，アラニン，アルギニン，イソロイシン，グリシン，グルタミン，グルタミン酸，シスチン，システイン，セリン，チロシン，トリプトファン，トレオニン，バリン，ヒスチジン，4-ヒドロキシプロリン，ヒドロキシリジン，フェニルアラニン，プロリン，メチオニン，リジン，ロイシン

食薬区分における成分本質（原材料）の取扱いの例示

（別添1）

○専ら医薬品として使用される成分本質（原材料）リスト

1．植物由来物等

（例）　2021.11.1 更新

名　称	他　名　等	部　位　等	備　考
アラビアチャノキ		葉	
アルニカ		全草	
アロエ	キュラソー・アロエ/ケープ・アロエ	葉の液汁	根・葉肉は「非医」，キダチアロエの葉は「非医」
イチイ	アララギ	枝・心材・葉	果実は「非医」
イヌサフラン		種子	
イリス		根茎	
イレイセン	シナボタンヅル	根・根茎	葉は「非医」
インチンコウ	カワラヨモギ	花穂・帯花全草	
インドサルサ		根	
インドジャボク属	インドジャボク/ラウオルフィア	根・根茎	
インヨウカク	イカリソウ	全草	
ウィザニア	アシュワガンダ	全草	
ウマノスズクサ属		全草	
ウヤク	テンダイウヤク	根	葉・実は「非医」
ウワウルシ	クマコケモモ	葉	
ウンカロアポ		根	
エイジツ	ノイバラ	果実・偽果	
エニシダ		枝・葉	花は「非医」
エンゴサク	エゾエンゴサク	塊茎	
エンジュ	カイカ/カイカク	花・花蕾・果実	葉・サヤは「非医」
エンベリア		果実	
オウカコウ	クソニンジン	帯果・帯花枝葉	
オウカシ		根・葉	
オウカボ	キンゴジカ	全草	
オウギ	キバナオウギ/ナイモウオウギ	根	茎・葉は「非医」
オウゴン	コガネバナ/コガネヤナギ	根	茎・葉は「非医」
オウバク	キハダ	樹皮	葉・実は「非医」
オウヒ	ヤマザクラ	樹皮	
オウレン	キクバオウレン	根茎・ひげ根	葉は「非医」
オシダ		根茎・葉基	
オノニス		根・根茎	
オモト		根茎	
オンジ	イトヒメハギ	根	
カイコウズ		全草	
カイソウ＜海葱＞属		鱗茎	カイソウ＜海藻＞の全藻は「非医」
カイトウヒ		樹皮	
カクコウ	Incarvillea sinensis	全草	

名　称	他　名　等	部　位　等	備　考
カゴソウ	ウツボグサ	全草	
カシ	ミロバラン	果実	
カシュウ	ツルドクダミ	塊根	茎・葉は「非医」
カスカラサグラダ		樹皮	
カッコウ	パチョリ	地上部	
カッコン	クズ	根	種子・葉・花・クズ澱粉は「非医」
カッシア・アウリキュラータ	ミミセンナ /Cassia auriculata	樹皮	
カバ	カバカバ / シャカオ	全草	kawakawa は「医」
カラバル豆		豆	
カロコン	オオカラスウリ / キカラスウリ / シナカラスウリ	根	果実・種子は「非医」
カロライナジャスミン		全草	
kawakawa	Macropiper excelsum	全草	カバは「医」
カワミドリ		地上部	
カワラタケ		菌糸体	子実体は「非医」
カンショウコウ		根	
カントウカ	フキタンポポ	花蕾	葉・幼若花茎は「非医」
カンレンボク	キジュ	全草	
キササゲ	シジツ / トウキササゲ	果実	
キナ	アカキナノキ	根皮・樹皮	
キョウカツ		根・根茎	
キョウニン	アンズ / クキョウニン / ホンアンズ	種子	カンキョウニンは「非医」
キンリュウカ属	ストロファンツス / Strophanthus 属	種子・木部	
グアシャトンガ		葉	
クジン	クララ	根	
クスノハガシワ		樹皮	
クジチョウ		全草	
グラビオラ	サーサップ / トゲバンレイシ / オランダドリアン	種子	果実は「非医」
グリフォニア・シンプリシフォリア		種子	
クロウメモドキ属	ソリシ /Rhamnus 属	果実	
ケイガイ		全草	
ケイコツソウ		全草	
ケシ		全草（発芽防止処理された種子・種子油は除く）	発芽防止処理された種子・種子油は「非医」
ケファエリス属	トコン /Cephaelis 属	根	
ケンゴシ	アサガオ	種子	葉・花は「非医」
ゲンジン	ゴマノハグサ	根	
ゲンチアナ		根・根茎	花は「非医」
ゲンノショウコ		地上部	
コウブシ	サソウ / ハマスゲ	根茎	
コウフン	コマントウ	全草	
コウボク	ホウノキ	樹皮	
コウホン		根・根茎	

資料：厚生労働省

名　　称	他　名　等	部　位　等	備　考
コオウレン	Picrorhiza kurrooa/ Picrorhiza scrophulariaeflora	茎・根茎	
ゴールデンシール	カナダヒドラスチス	根茎	
コケモモヨウ	コケモモ	葉	果実は「非医」
ゴシツ	イノコヅチ / ヒナタイノコヅチ	根	
ゴシュユ	ホンゴシュユ	果実	
コジョウコン	イタドリ	根茎	若芽は「非医」
ゴボウシ	ゴボウ	果実	根・葉は「非医」
ゴミシ	チョウセンゴミシ	果実	
コロシントウリ		果実	
コロンボ		根	
コンズランゴ		樹皮	
コンドデンドロン属	コンドデロデンドロン属 / バリエラ / パレイラ根	樹皮・根	
コンミフォラ属	アラビアモツヤク / モツヤク / モツヤクジュ / ミルラ / Commiphora 属	全木(ガムググルの樹脂を除く)	ガムググル（Commiphora mukul）の樹脂は「非医」
サイコ	ミシマサイコ	根	葉は「非医」
サイシン	ウスバサイシン / ケイリンサイシン	全草	
サビナ		枝葉・球果	
サルカケミカン		茎	
サワギキョウ		全草	
サンキライ	ケナシサルトリイバラ / Smilax glabra	塊茎・根茎	葉は「非医」，サンキライ以外のシオデ属の葉・根は「非医」
サンズコン		根・根茎	
ジオウ	アカヤジオウ / カイケイジオウ	茎・根	
シオン		根・根茎	
ジギタリス属	Digitalis 属	葉	
シキミ	ハナノキ	実	
ジコッピ	クコ	根皮	果実・葉は「非医」
シコン	ムラサキ	根	
シッサス・クアドラングラリス	ヒスイカク	全草	
シツリシ	ハマビシ	果実	
シマハスノハカズラ	フンボウイ / Stephania tetranda	茎・茎根	
シャクヤク		根	花は「非医」
ジャショウ	オカゼリ	果実・茎・葉	果実はジャショウシともいう
シュクシャ	シャジン<砂仁> / シュクシャミツ	種子の塊・成熟果実	シャジン<沙参>の根は「非医」
ショウブコン	カラムスコン / ショウブ	根茎	
ショウボクヒ	クヌギ / ボクソク	樹皮	
ショウマ	サラシナショウマ	根茎	アカショウマの根は「非医」
ショウリク	ヤマゴボウ / Phytolacca esculenta	根	ヤマゴボウ（Cirsium dipsacolepis）の根は「非医」
シンイ	コブシ / タムシバ	花蕾	
ジンコウ		材・樹脂	

名　　称	他　名　等	部　位　等	備　考
スイサイ	ミツガシワ	葉	
スカルキャップ		根	根以外は「非医」
スズラン		全草	
セイコウ	カワラニンジン	帯果・帯花枝葉	
セイヨウトチノキ		種子	樹皮・葉・花・芽は「非医」，トチノキの種子は「非医」
セイヨウヤドリギ	ソウキセイ / ヤドリギ	枝葉梢・茎・葉	
セキサン	ヒガンバナ / マンジュシャゲ	鱗茎	
セキショウコン	セキショウ	根茎	茎は「非医」
セキナンヨウ	オオカナメモチ / シャクナゲ	葉	
セネガ	ヒロハセネガ	根	
センキュウ		根茎	葉は「非医」
ゼンコ		根	
センコツ	コウホネ	根茎	茎は「非医」
センソウ<茜草>	アカネ / アカミノアカネ / セイソウ	根	センソウ<仙草>の全草は「非医」
センダン	クレンシ / クレンピ / トキワセンダン /Melia azedarach	果実・樹皮	葉は「非医」，トウセンダン（Melia toosendan）の果実・樹皮は「医」
センナ	アレキサンドリア・センナ / チンネベリ・センナ	果実・小葉・葉柄・葉軸	茎は「非医」
センプクカ	オグルマ	花	
センブリ	トウヤク	全草	
ソウカ		果実	
ソウシシ	トウアズキ	種子	
ソウジシ	オナモミ	果実	
ソウジュツ	ホソバオケラ	根茎	
ソウハクヒ	クワ / マグワ	根皮	葉・花・実（集合果）は「非医」
ソテツ		種子	
ソボク	スオウ	心材	
ダイオウ	ヤクヨウダイオウ	根茎	葉は「非医」
ダイフクヒ	ビンロウ / ビンロウジ	果皮・種子	
タクシャ	サジオモダカ	塊茎	
ダミアナ		葉	
タユヤ		根	
タンジン		根	葉は「非医」
チクジョ		稈の内層	
チクセツニンジン	トチバニンジン	根茎	
チノスポラ・コルディフォリア	Tinospora cordifolia	全草	
チモ	ハナスゲ	根茎	
チョウセンアサガオ属	チョウセンアサガオ	種子・葉・花	
チョウトウコウ	カギカズラ / トウカギカズラ	とげ	葉は「非医」
チョレイ	チョレイマイタケ	菌核	
デンドロビウム属	セッコク / ホンセッコク / Dendrobium 属	茎	
テンナンショウ		塊茎	
テンマ	オニノヤガラ	塊茎	

資料：厚生労働省

名　　称	他　名　等	部　位　等	備　考
テンモンドウ	クサスギカズラ	根	種子・葉・花は「非医」
トウガシ	トウガ	種子	果実は「非医」
トウキ	オニノダケ / カラトウキ	根	葉は「非医」
トウジン	ヒカゲノツルニンジン根		
トウシンソウ	イ / イグサ /Juncus effusus	全草	地上部の熱水抽出（100℃ 8分以上又は同等以上の方法）後の残渣は「非医」
トウセンダン	クレンシ / クレンピ / センレンシ /Melia toosendan	果実・樹皮	センダン（Melia azedarach）の果実・樹皮は「医」，センダン（Melia azedarach）の葉は「非医」
トウニン		種子	葉・花は「非医」
トウリョウソウ		全草	
ドクカツ	ウド / ドッカツ / Aralia cordata	根茎	軟化茎は「非医」，シシウド（Angelica pubescens/ Angelica bisserata）の根茎・軟化茎は「非医」
トシシ	ネナシカズラ / マメダオシ	種子	
トチュウ		樹皮	果実・葉・葉柄・木部は「非医」
ドモッコウ	オオグルマ	根	
トリカブト属	トリカブト / ブシ / ヤマトリカブト	塊根	
ナンテンジツ	シロミナンテン / ナンテン	果実	
ニガキ		木部（樹皮除く）	
ニチニチソウ		全草	
バイケイソウ属	コバイケイソウ / シュロソウ / バイケイソウ	全草	
バイモ	アミガサユリ	鱗茎	
ハクシジン		種子	
ハクセンピ		根皮	
ハクトウオウ		茎・葉	
ハクトウスギ	ウンナンコウトウスギ	樹皮・葉	心材は「非医」
バクモンドウ	コヤブラン / ジャノヒゲ / ヤブラン / リュウノヒゲ	根の膨大部	
ハゲキテン		根	
ハシリドコロ属	ハシリドコロ / ロート根	根	
ハズ		種子	
ハナビシソウ		全草	
ハルマラ		全草・種子	
ハンゲ	カラスビシャク	塊茎	
ヒマシ油	トウゴマ / ヒマ	種子油	
ビャクシ	ヨロイグサ	根	
ビャクジュツ	オオバナオケラ / オケラ	根茎	
ビャクダン		心材・油	
ビャクブ		肥大根	
ヒュウガトウキ	Angelica furcijuga	根	
ヒヨス属	ヒヨス	種子・葉	
ヒヨドリジョウゴ	ハクエイ / ハクモウトウ	全草	
ヒルガオ		根	地上部は「非医」

名　　称	他　名　等	部　位　等	備　考
フクジュソウ属	ガンジツソウ /Adonis 属	全草	
ブクシンボク		菌核に含まれる根	
フクボンシ	ゴショイチゴ	未成熟集果	
ブクリョウ	マツホド	菌核	
フジコブ	フジ	フジコブ菌が寄生し生じた瘤	茎（フジコブ菌が寄生し生じた瘤以外）は「非医」
フタバアオイ		全草	
フラングラ皮	セイヨウイソノキ	樹皮	
ヘパティカ・ノビリス	ミスミソウ / ユキワリソウ / Hepatica nobilis	全草	
ヘラオモダカ		塊茎	
ベラドンナ属	ベラドンナ	根	
ボウイ	オオツヅラフジ	根茎・つる性の茎	
ボウコン	チガヤ / ビャクボウコン	根茎	
ホウセンカ		種子	種子以外は「非医」
ホウビソウ	イノモトソウ	全草	
ボウフウ		根・根茎	
ホオウ	ガマ / ヒメガマ	花粉	花粉以外は「非医」，ガマ・ヒメガマ以外の花粉は「非医」
ホオズキ属	サンショウコン /Physalis 属	根	食用ホオズキの果実は「非医」
ボスウェリア属	ニュウコウ /Boswellia 属	全木（ボスウェリア・セラータの樹脂を除く）	ボスウェリア・セラータ（Boswellia serrata）の樹脂は「非医」
ボタンピ	ボタン	根皮	葉・花は「非医」
ポテンティラ・アンセリナ	トウツルキンバイ / ケツマ / Potentilla anserina	全草	
ポドフィルム属	ヒマラヤハッカクレン / Podophyllum 属	根・根茎	
マオウ		地上茎	陽イオン交換等の方法により植物塩基を除いたエキスは「非医」
マクリ		全藻	
マシニン	アサ	発芽防止処理されていない種子	発芽防止処理されている種子は「非医」
マチン属	ホミカ / マチンシ	種子	
マルバタバコ	アステカタバコ	葉	
マンケイシ	ハマゴウ	果実	
マンドラゴラ属	マンドラゴラ	根	
ミゾカクシ		全草	
ミツモウカ		花	
ムイラプアマ		根	根以外は「非医」
モウオウレン		ひげ根	
モクゾク	トクサ	全草	
モクツウ	アケビ / ツウソウ	つる性の茎	実は「非医」
モクベッシ	ナンバンキカラスウリ / モクベツシ	種子	
モッコウ		根	
ヤクチ		果実	
ヤクモソウ	メハジキ	全草	
ヤボランジ		葉	

資料：厚生労働省

医薬品の範囲に関する基準（食薬区分）

名　称	他　名　等	部　位　等	備　考
ヤラッパ		脂・根	
ユキノハナ属	オオユキノハナ/ユキノハナ	鱗茎	
ヨヒンベ		樹皮	
ラタニア		根	
ランソウ	フジバカマ	全草	
リュウタン	トウリンドウ/リンドウ	根・根茎	
リョウキョウ		根茎	
ルリヒエンソウ	ラークスパー	全草	
レンギョウ	連翹	果実	葉は「非医」
ロウハクカ		樹皮・花	
ロコン	ヨシ	根茎	根茎以外は「非医」
ロベリアソウ		全草	

注1）「名称」及び「他名等」の欄については，生薬名，一般名及び起源植物名等を記載している。
注2）リストに掲載されている成分本質（原材料）のうち，該当する部位について，「部位等」の欄に記載している。
注3）他の部位が別のリストに掲載されている場合等，その取扱いが紛らわしいものについては，備考欄にその旨記載している。
注4）備考欄の「非医」は「医薬品的効能効果を標ぼうしない限り医薬品と判断しない成分本質（原材料）リスト」に掲載されていることを示す。

2．動物由来物等

（例）　　　　　　　　　　　　　　　　　　　　　　　　　　　　2021.11.1 更新

名称	他名等	部位等	備考
カイクジン	オットセイ / ゴマフアザラシ	陰茎・睾丸	骨格筋抽出物は「非医」
ケツエキ		ヒト血液	ウシ・シカ・ブタの血液・血漿は「非医」
コウクベン	イヌ / クインラン / ボクインキョウ / ボクインケイ	陰茎・睾丸	
ゴオウ	ウシ	胆嚢中の結石	
ココツ	トラ	骨格	ワシントン条約で輸入が禁止されている
コツズイ		ヒト骨髄	ウシ骨髄は「非医」
ゴレイシ		モモンガ亜科動物の糞	
シベット	ジャコウネコ / レイビョウコウ	香嚢腺から得た分泌液	
ジャコウ	ジャコウジカ	雄の麝香腺から得た分泌物	ワシントン条約で輸入が禁止されている
ジャドク	ヘビ	蛇毒	ヘビ全体は「非医」
ジリュウ	カッショクツリミミズ	全形	
センソ	シナヒキガエル	毒腺分泌物	
センタイ	アブラゼミ / クマゼミ	蛻殻	
胎盤	シカシャ	ヒト胎盤	ウシ・ヒツジ・ブタの胎盤は「非医」
胆汁・胆嚢	ウシ / クマ / ブタ	タウシ・クマ・ブタの胆汁・胆嚢	コイ・ヘビの胆嚢は「非医」
バホウ	ウマ	胃腸結石	
ボウチュウ	アブ	全虫	
リュウコツ		古代哺乳動物の骨の化石	
レイヨウカク	サイカレイヨウ	角	
ロクジョウ	Cervus nippon, Cervus elaphus, Cervus canadensis 又はその他同属動物（Cervidae）	雄の幼角	
ロクベン	ロクジン	シカの陰茎・睾丸	

注1）「名称」及び「他名等」の欄については，生薬名，一般名及び起源動物名，該当する部位等を記載している。
注2）リストに掲載されている成分本質（原材料）のうち，該当する部位について，「部位等」の欄に記載している。
注3）他の部位が別のリストに掲載されている場合等，その取扱いが紛らわしいものについては，備考欄にその旨記載している。
注4）備考欄の「非医」は「医薬品的効能効果を標ぼうしない限り医薬品と判断しない成分本質（原材料）リスト」に掲載されていることを示す。

資料：厚生労働省

医薬品の範囲に関する基準（食薬区分）

3．その他（化学物質等）

（例）　2021.11.1 更新

名　　称	他　名　等	部　位　等	備　考
アスピリン	アセチルサリチル酸		
アセチルアシッド	Acetil acid/ 4-ethoxy-3-(1-methyl-7-oxo-3-propyl-6,7-dihydro-1*H*-pyrazolo[4,3-*d*]pyrimidin-5-yl)benzoic acid		
アミノタダラフィル	Aminotadalafil		
アミラーゼ	ジアスターゼ		
アラントイン			
アロイン	バルバロイン		アロエの成分
アンジオテンシン			
アンドロステンジオン			
イミダゾサガトリアジノン	Imidazosagatriadinone		
インベルターゼ	インベルチン / サッカラーゼ / β-フルクトフラノシダーゼ		
ウデナフィル	Udenafil		
S-アデノシル-L-メチオニン	SAMe		
N-アセチルシステイン	N-アセチル-L-システイン / アセチルシステイン		
N-オクチルノルタダラフィル	N-octylnortadalafil		
N-ニトロソフェンフルラミン			
エフェドリン			
ATP	アデノシン-5'-三リン酸		
カオリン			
カタラーゼ			
カルボデナフィル	Carbodenafil		
キサントアントラフィル	Xanthoanthrafil		
γ-オリザノール			
グアイフェネジン			
グルタチオン	還元型グルタチオン		
クロロプレタダラフィル	Chloropretadalafil		
ゲンデナフィル	Gendenafil		
GBL	ガンマブチロラクトン		
シクロフェニール			
シクロペンチナフィル	Cyclopentynafil		
臭化水素酸デキストロメトルファン	Dextromethorphan Hydrobromide		
ジメチルジチオデナフィル	Dimethyldithiodenafil		
ジメチルジチオノルカルボデナフィル	Dimetyldithionorcarbodenafil		
シルデナフィル	Sildenafil		
スルフォンアミド			
セキテッコウ	赤鉄鉱 / タイシャセキ		鉱石
タウリン			
タダラフィル	Tadalafil		

名　称	他　名　等	部　位　等	備　考
脱 *N*, *N*–ジメチルシブトラミン	Des–*N*, *N*–dimethyl–sibutramine		
脱 *N*–メチルシブトラミン	Des–*N*–methyl–sibutramine		
チオアイルデナフィル	Thioaildenafil		
チオキナピペリフィル	Thioquinapiperifil		
チオデナフィル	Thiodenafil		
DHEA	デヒドロエピアンドロステロン		
1–デオキシノジリマイシン	DNJ		
デキストロメトルファン	Dextromethorphan		
デスカルボンシルデナフィル	Descarbonsildenafil		
ニコチン			
ニトロデナフィル	Nitrodenafil		
ノルカルボデナフィル	Norcarbodenafil		
ノルタダラフィル	Nortadalafil		
ノルネオシルデナフィル	Norneosildenafil		
ノルホンデナフィル	Norhongdenafil		
パパイン			パパイア，パイナップル加工品は「非医」
バルデナフィル	Vardenafil		
ハルマリン	Harmaline		
ハルミン	Harmine		
パンクレアチン			
BD	1,4–ブタンジオール		
BDD	ジメチル–4, 4’–ジメトキシ–5,6,5’, 6’–ジメチレンジオキシビフェニル–2, 2’–ジカルボキシレート		
hEGF	ヒト上皮細胞増殖因子		
ヒドロキシチオホモシルデナフィル	Hydroxythiohomosildenafil		
5–HTP(ヒドロキシトリプトファン)	L–5–Hydroxy–tryptophan		
ヒドロキシホモシルデナフィル	Hydroxyhomosildenafil		
ヒドロキシホンデナフィル	Hydroxyhongdenafil		
ピリミデナフィル	Pyrimidenafil		
ビンカミン			
プソイドエフェドリン			
プソイドバルデナフィル	ピペリデナフィル / Pseudovardenafil/ Piperidenafil		
ブフォテニン	Bufotenine		
プロスタグランジン			
プロテアーゼ			
プロポキシフェニルノルアセチルデナフィル	Propoxyphenylnoracetildenafil		
ブロメライン			
ペプシン			
ホモシルデナフィル	Homosildenafil		
ホモタダラフィル	Homotadalafil		

資料：厚生労働省

名　称	他　名　等	部　位　等	備　考
ホモチオデナフィル	Homothiodenafil		
ホンデナフィル	アセチルデナフィル/Hongdenafil/Acetildenafil		
マグノフロリン	Magnoflorine		
マルターゼ	α-グルコシダーゼ		
ムタプロデナフィル	Mutaprodenafil		
メチソシルデナフィル	Methisosildenafil		
メラトニン	松果体ホルモン		
ヨウキセキ			鉱石
ラクターゼ	β-ガラクトシダーゼ		
リパーゼ			
ルンブルキナーゼ			

注1）他の部位が別のリストに掲載されている場合等，その取扱いが紛らわしいものについては，備考欄にその旨記載している。
注2）備考欄の「非医」は「医薬品的効能効果を標ぼうしない限り医薬品と判断しない成分本質（原材料）リスト」に掲載されていることを示す。
注3）消化酵素の名称については，同様の機能を持つものとしての総称として使用されているものを含む。

（別添２）

○医薬品的効能効果を標ぼうしない限り医薬品と判断しない成分本質（原材料）リスト

1．植物由来物等

（例）

2021.11.1 更新

名　称	他　名　等	部　位　等	備　考
アイギョクシ		寒天様物質	
アイスランド苔		植物体	
アイブライト		全草	
アオギリ		種子	
アオダモ	コバノトネリコ / トネリコ / Fraxinus lanuginosa/ Fraxinus japonica	樹皮	
アガーベ	テキラリュウゼツ	球茎	
アカザ		葉	
アカショウマ		根	ショウマの根茎は「医」
アカツメクサ	コウシャジクソウ / ムラサキツメクサ / レッド・クローバー	葉・花穂（序）	
アカテツ		果肉・葉	
アカニレ	スリッパリーエルム	全草	
アカバナムシヨケギク		葉	
アカメガシワ		樹皮	
アガリクス	アガリクス・ブラゼイ / ヒメマツタケ	子実体	
アギタケ	阿魏茸	子実体	
アキノキリンソウ		全草	
アケビ	モクツウ	実	つる性の茎は「医」
アサ		発芽防止処理されている種子	発芽防止処理されていない種子は「医」
アサガオ		葉・花	種子は「医」
アサツキ		茎葉・鱗茎	
アシ	ヨシ	全草（根茎を除く）	根茎は「医」
アジサイ	シヨウカ / ハチセンカ	全草	
アシタバ		葉	
アシドフィルス菌		菌体	
アズキ	セキショウズ	種子	
アスナロ		葉	
アセロラ	バルバドスサクラ	果実	
アセンヤク	ガンビール	葉及び若枝の乾燥水製エキス	
アッケシソウ		全草	
アップルミント	ラウンドリーミント	葉	
アニス	ピンピネラ	果実・種子・種子油・根	
アファニゾメノン		全藻	
アフリカマンゴノキ	オボノ / アポン（種子）/ ティカナッツ / ブッシュマンゴー/ ワイルドマンゴー	種子	
アボガド		果実・葉	
アマ	アマシ / アマニン / アマニ油	種子・種子油	
アマチャ		枝先・葉	

資料：厚生労働省

名　　称	他　　名　　等	部　　位　　等	備　　　考
アマチャヅル	コウコラン	全草	
アマナ	サンジコ	鱗茎	
アメリカサンショウ		全草	
アメリカニンジン	カントンニンジン / セイヨウジン / セイヨウニンジン / Panax quinquefolium	根茎・根・茎・葉	
アメリカホドイモ		塊根	
アラガオ		葉	
アラビアゴム	アラビアゴムノキ	乾燥ゴム質（枝・葉）	
アラメ		全草	
アリタソウ	ドケイガイ	茎・葉	
アルテア	ビロードアオイ / マーシュマロウ	根・葉	
アルファルファ	ウマゴヤシ / ムラサキウマゴヤシ	全草	
アロエ	キュラソーアロエ / ケープアロエ	根・葉肉	葉の液汁は「医」
アンゼリカ	ガーデンアンゼリカ	全草	
アンソクコウノキ		樹脂	
アンティリス・ブルネラリア		根・葉・花	
アントロディア　カンフォラタ	Antrodia camphorata	菌糸体	
イグサ	イ / トウシンソウ / Juncus effusus	地上部の熱水抽出（100℃ 8分以上又は同等以上の方法）後の残渣	全草は「医」
イクリニン	コニワザクラ / チョウコウイクリ / ニワウメ	種子・根	
イズイ	アマドコロ / ギョクチク	根茎	
イソマツ	ウコンイソマツ	全木	
イタドリ		若芽	根茎は「医」
イチイ	アララギ	果実	枝・心材・葉は「医」
イチジク		花托・根・葉	
イチビ		種子・葉	
イチヤクソウ	ロクテイソウ / Pyrolaceae japonica	全草	
イチョウ	ギンナン / ハクカ	種子・葉	
イナゴマメ	アルガロバ / キャロブ	果肉・葉・豆・莢	
イヌサンショウ		果実・根	
イヌナズナ		種子	
イヌノフグリ		全草	
イヌハッカ	チクマハッカ	葉・花穂	
イヌホオズキ	リュウキ	全草	
イネ		苅株の二番芽	
イブキジャコウソウ		葉	
イボツヅラフジ	Tinospora crispa	全草	
イラクサ属	ウルチカソウ / ネットル	茎・種子・根・葉	
イレイセン	シナボタンヅル	葉	根・根茎は「医」
イワタバコ		全草	
イワニガナ	ジシバリ	全草	
イワベンケイ	コウケイテン	全草	

名　称	他　名　等	部　位　等	備　考
インゲンマメ	フジマメ	種子	
インスリーナ	アニール・トレバドール	葉	
インドアマチャ		葉	
インドカラタチ	ベールフルーツ / ベンガルカラタチ	果実・樹皮	
インドナガコショウ	ヒハツ	果穂	
インドボダイジュ	Ficus religiosa	樹皮	
インドヤコウボク		葉・花	
インペティギノサ		全草	
インペラトリア		根	
ウイキョウ	フェンネル	果実・種子・根・葉	
ウキヤガラ		塊茎	
ウコギ		葉	
ウコン		根茎	
ウショウ	クロモジ / チョウショウ	幹皮・根皮	
ウスベニアオイ	ゼニアオイ	葉・花	
ウチワサボテン属	ウチワサボテン / フィクスインディカ	全草	
ウチワヤシ	パルミラヤシ	全草	
ウド	Aralia cordata	軟化茎	根茎は「医」，シシウド（Angelica pubescens/ Angelica bisserata）の根茎・軟化茎は「非医」
ウベ	ダイショ	根茎	
ウマノアシガタ	キンポウゲ	全草	
ウメ	ウバイ	果肉・未成熟の実	
ウメガサソウ	オオウメガサソウ	全草	
ウヤク	テンダイウヤク	葉・実	根は「医」
ウラジロガシ		葉	
ウワミズザクラ		花穂	
エーデルワイス	Leontopodium alpinum	地上部	
エキナケア	パープルコーンフラワー/ プルプレア / ムラサキバレンギク	全草	
エストラゴン	タラゴン	葉	
エゾウコギ	シゴカ / シベリアニンジン	幹皮・根・根皮・葉・花・果実	
エゾチチコグサ		花	
エゾヘビイチゴ		全草	
エニシダ		花	枝・葉は「医」
エノキタケ		子実体	
エビスグサ	ケツメイシ / ケツメイヨウ	種子・葉	
エルカンプーレ	Hercampure	全草	
エンシショウ		全草	
エンジュ	カイヨウ	葉・サヤ	花・花蕾・果実は「医」
エンバク	オートムギ / マラカスムギ	全草	
エンメイソウ	クロバナヒキオコシ / ヒキオコシ	全草	
オウギ	キバナオウギ / ナイモウオウギ	茎・葉	根は「医」

資料：厚生労働省

名　　称	他　名　等	部　位　等	備　考
オウゴン	コガネバナ / コガネヤナギ	茎・葉	根は「医」
オウシュウハンノキ		樹皮・葉	
オウセイ	ナルコユリ	根茎	
オウバク	キハダ	葉・実	樹皮は「医」
オウヤクシ	ニガカシュウ	全草	
オウレン	キクバオウレン	葉	根茎・ひげ根は「医」
オオイタビ		枝・茎・葉	
オオバコ	シャゼンシ / シャゼンソウ / シャゼンヨウ	全草	
オオハンゴンソウ		全草	
オオヒレアザミ		全草	
オオボウシバナ	アオバナ / ツキクサ / ジゴクバナ /Commelina communis L. var. hortensis Makino	地上部（種子を除く）	
オオムギ	バクガ /Hordeum vulgare	茎・葉・発芽種子	
オカオグルマ		全草	
オカヒジキ	ミルナ	茎葉	
オシャグジタケ	オシャクシタケ / サヨウ / Cynomorium coccineum	全草	
オタネニンジン	コウライニンジン / チョウセンニンジン	果実・根・根茎・葉	
オトギリソウ	ショウレンギョウ	全草	
オトメアゼア	バコパモニエラ	全草	
オドリコソウ		花	
オニサルビア	クラリーセージ /Salvia sclarea	葉	
オニバス	ケツジツ / ミズブキ	種子	
オペルクリナ・タルペタム		葉	
オミナエシ	ハイショウ / Patrinia scabiosaefolia	根	
オリーブ	オリーブ油 / オレイフ	葉・花・果肉油	
オレンジ	オレンジピール	果実・果皮・蕾	
カイソウ<海藻>		海中の食用藻類	カイソウ<海葱>属の鱗茎は「医」
ガイハク	ノビル / ラッキョウ	鱗茎	
ガウクルア	アカガウクルア	全草	
カガミグサ	Ampelopsis japonica	根	
カキ<柿>	Diospyros kaki	渋・葉・果実の宿存がく（ヘタ）	
カキネガラシ	ヘッジマスタード / エリシマム	全草	
カシグルミ	セイヨウグルミ / ペルシャグルミ	果実・葉	
カシス	クロフサスグリ	葉	
ガジュツ		根茎	
カシュトウ	カンカトウ / ドカンゾウ	全草	
カツアバ		全草	
カッコウアザミ	Ageratum conyzoides	全草	
カッパリス・マサイカイ	バビンロウ / マビンロウ / Capparis masaikai	種子	
カニクサ	ツルシノブ / Lygodium japonicum	胞子	

名　称	他　名　等	部　位　等	備　考
カノコソウ	キッソウコン/セイヨウカノコソウ/ワレリア	根・根茎	
カバノアナタケ		菌核	
カフン		ガマ・ヒメガマ以外の花粉	ガマ・ヒメガマの花粉は「医」
カボチャ	ナンガニン	種子・種子油	
ガマ	ヒメガマ	花粉以外	花粉（蒲黄）は「医」
カミツレ	カモミール	小頭花	
カムカム		果実	
ガムググル	Commiphora mukul	樹脂	その他のコンミフォラ属の全木は「医」
カヤツリグサ		全草	
カラスノエンドウ	コモンヴィッチ	全草	
カラスムギ	ヤエンムギ	全草	
カラタチ	キコク/Poncirus trifoliata	果実・果皮・蕾	
ガラナ		種子	
カリウスフォレスコリー		根	
カルケッハ	カルケ/カルケージャ/パッソーラ	全草	
ガルシニアインディカ	インドマンゴスチン/コバノマンゴスチン/Kokum	果皮	
ガルシニアカンボジア	インディアンデイト/ゴラカ/タマリンド	果実・果皮・茎・種子・根・葉・花	
ガレガソウ		葉	
カロニン	オオカラスウリ/キカラスウリ/シナカラスウリ	果実・種子	根は「医」
カワラタケ	サルノコシカケ	子実体	菌糸体は「医」
カンカニクジュヨウ	Cistanche tubulosa	肉質茎	
カンキョウニン	アンズ	種子	クキョウニンは「医」
カンショ	サトウキビ	根	
カンゾウ<甘草>	リコライス	根・ストロン	
カントウタンポポ		全草	
カンブイ	ペドラ・ウマ・カア/ペドラ・ウメカ	葉	
カンラン	Canarium album	果実	
キイチゴ		葉	
キキョウ		根	
キグ	ケンポナシ	果実・果柄	
キクイモ		塊茎	
キクカ	キク	頭花	
キクニガナ	チコリー	根・根の抽出物・葉・花	
キクラゲ		子実体	
キダチアロエ		葉	アロエの葉液汁は「医」
キダチキンバイ	スイチョウコウ	全草	
キダチコミカンソウ		全草	
キダチハッカ	サボリー	全草	
キヌガサタケ		子実体	
キノア		種子・葉	
キバナアザミ	サントリソウ	全草	

医薬品の範囲に関する基準（食薬区分）

資料：厚生労働省

名　　称	他　名　等	部　位　等	備　　考
キバナオランダセンニチ		葉・花・茎葉	
キバナシュスラン		全草	
キブネダイオウ	ネパールサンモ	根	
ギムネマ		葉	
キャッサバ	タピオカ / マニオク	塊根・葉	
キャッツクロー		全草	
キュウセツチャ	センリョウ	全草	
ギュウハクトウ		茎・葉	
ギョウジャニンニク		全草	
キョウチクトウ		花	
ギョリュウ		全草	
ギョリュウモドキ	エリカ / スコッツヘザー	全草	
キランソウ	ジゴクノカマノフタ	全草	
キリンケツ	キリンケツヤシ	果実から分泌する紅色樹脂	
キリンソウ	アイゾーン / ホソバノキリンソウ	全草	
キンカン		果実	
キンギンカ	スイカズラ / ニンドウ	全草	
キンシバイ		全草	
キンシンサイ	ヤブカンゾウ	花・若芽	
キンセンソウ		全草	
キンセンレン		葉	
ギンネム	ギンゴウカン	全草	
キンマ		果実・葉	
キンミズヒキ	センカクソウ / リュウガソウ	全草	
キンモクセイ		花	
キンレンカ		全草	
グアコ		葉	
グアバ	バンカ / バンザクロ / バンジロウ / バンセキリュウ	果実・果皮・葉	
グアヤクノキ	ユソウボク	材部	
クガイ	ニガヨモギ / ワームウッド	茎枝	
クコ	クコシ / クコヨウ	果実・葉	根皮は「医」
クサボケ		果実	
クズ		種子・葉・花・クズ澱粉・蔓	根（カッコン）は「医」
クスノキ		葉	
グッタペルカ		乳液	
クマザサ		葉	
クマツヅラ	バーベナ / バベンソウ	全草	
クマヤナギ		茎・葉・木部	
クミスクチン		全草	
クミン		果実	
クラチャイ	クンチ	全草	
グラビオラ	サーサップ / トゲバンレイシ / オランダドリアン	果実	種子は「医」
クランベリー	ツルコケモモ	果実・葉	
グリーンランドイソツツジ	ラブラドールティー	全草	

名　　称	他　名　等	部　位　等	備　　考
グルテン	コムギ	小麦蛋白質の混合物	
クルマバソウ	ウッドラフ	全草	
グレープフルーツ		果実	
クローブ		花・蕾	
クロガラシ		種子	
クログルミ		成熟果実・葉	
クロスグリ		果実	
黒米		種子	
クロマメノキ		果実	
クロヨナ		種子	
クロレラ		藻体	
クワ	ソウジン / ソウヨウ / マグワ	葉・花・実（集合果）	根皮は「医」
クワガタソウ		根・葉	
ケイケットウ		つる	
ケイシ	Cinnamomum cassia	小枝，若枝	
ケイヒ	ケイ / シナニッケイ / ニッケイ	根皮・樹皮	
ケール	ハゴロモカンラン	全草	
ケシ		発芽防止処理した種子・種子油	発芽防止処理した種子・種子油を除く全草は「医」
ゲッカビジン	ドンカ	全草	
ゲッケイジュ	ゲッケイヨウ / ベイリーフ / ローレル	葉	
ゲットウ	月桃	葉	
ケルプ		全藻	
ケン		種子の核	
ケンケレバ	コンブレツム	葉	
ゲンチアナ		花	根・根茎は「医」
玄米胚芽	イネ	胚芽・胚芽油	
コウカガンショウ	セキレン	全草	
コウキ		茎・樹皮・葉	
コウジュ	ナギナタコウジュ	全草	
コウシンコウ	コウコウ / コウコウダン	全草	
コウソウ		全藻	
コウホネ		茎	根茎は「医」
酵母	Saccharomyces に属する単細胞生物 / トルラ酵母 / ビール酵母 /Candida utilis	菌体	
コウモウゴカ	紅毛五加	樹皮	
コーヒーノキ	アラビアコーヒー	果実	
コーラ	コラ / コラシ / コラノキ	種子	
ゴカ	ソヨウゴカ / マンシュウウコギ / リンサンゴカ	根皮・種子・葉・花	
コガネキクラゲ	Golden Tremella	子実体	
コケモモ		果実	葉は「医」
コゴメグサ		全草	
コショウ		果実	
コジン	タイゲイ	全草	
コズイシ	コエンドロ / コリアンダー	果実	

資料：厚生労働省

名　　称	他　名　等	部　位　等	備　　考
コセンダングサ	コシロノセンダングサ	全草	
コナスビ		果実	
コパイーバ・オフィシナリス	Copaifera officinalis	樹脂	
コパイーバ・ラングスドルフィ	Copaifera langsdorffii	樹液	
コハク		古代マツ科 Pinus 属植物樹脂の化合物	
コフキサルノコシカケ	ジュゼツ / バイキセイ	菌核（菌糸体）	
ゴボウ		根・葉	果実は「医」
ゴマ	ゴマ油	種子・種子油・地上部・根	
コミカンソウ		全草	
コムギ		茎・澱粉・葉・胚芽・胚芽油・ふすま	
ゴムノキ		全草	
コメデンプン	イネ	種子	
コメヌカ	イネ	米糠	
コリビ		茎・根	
ゴレンシ		葉・実	
コロハ		種子	
コンブ	モエン	全藻	
コンフリー	ヒレハリソウ	根・葉	
サージ	サクリュウカ / ラムノイデス	果実・種油	
サイカチ	ソウカクシ / トウサイカチ	樹幹の棘	
サイコ	ミシマサイコ	葉	根は「医」
サイハイラン	トケンラン	鱗茎	
サキョウ		果実	
サクラソウ		根・葉	
ザクロ	サンセキリュウ / セキリュウ /Punica granatum	果実・果皮・根皮・樹皮・花	
サゴヤシ		茎（髄）	
サッサフラスノキ		全草	
サトウダイコン	ビート	全草	
サフラン		柱頭	
サボンソウ		葉	
サラシア・レティキュラータ	コタラヒム / コタラヒムブツ	茎・根	
サラシア・オブロンガ		茎・根	
サラシア・キネンシス		茎・根	
サルナシ	コクワ / シラクチヅル	果実	
サルビア	セージ	葉	
サンカクトウ		外果皮・根皮・種仁	
サンキライ	ケナシサルトリイバラ / Smilax glabra	葉	塊茎・根茎は「医」，サンキライ以外のシオデ属の葉・根は「非医」
サンザシ	オオサンザシ	偽実・茎・葉・花	
サンシキスミレ		全草	
サンシシ	クチナシ	果実・茎・葉	
サンシチニンジン	デンシチニンジン	根	
サンシュユ	ハルコガネバナ	果実	
サンショウ		果実・果皮・根	

名　称	他　名　等	部　位　等	備　考
サンショウバラ		花	
サンソウニン	サネブトナツメ	種子	
サンナ	バンウコン	根茎	
サンペンズ	カワラケツメイ	全草	
サンヤク	ナガイモ / ヤマイモコン	根茎	
シア	シアーバターノキ	種子・油	
シイタケ		菌糸体・子実体	
シオデ属	サルサ /Smilax 属	葉・サンキライ以外の根	サンキライ（Smilax glabra）の塊茎・根茎は「医」
シクンシ		果実	
シケイジョテイ		葉	
シコウカ	ヘンナ	葉	
シコクビエ		種子	
シシウド	Angelica pubescens/ Angelica bisserata	根茎・軟化茎	ドクカツ（ウド /Aralia cordata）の根茎は「医」
ジジン		全草	
シソ	エゴマ / シソ油	枝先・種子・種子油・葉	
シセンサンショウ	土山椒	根	
シダレカンバ	ハクカヒ / ユウシカ	全草	
シタン	インドシタン /Pterocarpus indicus	根・樹皮・材	
ジチョウ		全草	
シデリティス・スカルディカ	Sideritis scardica	茎・葉・花	
シナタラノキ	ソウボク /Aralia chinensis	根・根皮・材	
シナノキ		全草	
シバムギ	グラミニス	根	
ジフ	イソボウキ / トンブリ / ホウキギ	果実・種子・葉	
シマタコノキ	アダン	全草	
シマトウガラシ		果実	
シャウペデコウロ		全草	
シャエンシ		種子	
ジャクゼツソウ	ノミノフスマ	葉	
シャクヤク		花	根は「医」
シャジン<沙参>	ツリガネニンジン	根	シャジン<砂仁>は「医」
ジャスミン		花	
シャタバリ		地下部	
ジャトバ	オオイナゴマメ	樹皮	
ジャビャクシ	ニオイイガクサ	全草	
ジャワナガコショウ	ヒハツ	果実	
ジュウヤク	ドクダミ	地上部	
ジュルベーバ		全草	
シュロ		葉	
ショウキョウ	カンキョウ / ショウガ	根茎	
ショウズク	カルダモン	果実	
ショウノウ	カンフル	クスノキから得られた精油	
ショウラン	タイセイ / ホソバタイセイ	全草	

資料：厚生労働省

名　　称	他　名　等	部　位　等	備　　考
食用ダイオウ	マルバダイオウ	葉柄	
食用ホオズキ	プルイノサ	果実	ホオズキの根は「医」
シラカンバ		果実	
シラン		花	
シリ	イザヨイバラ	果実	
シロキクラゲ	ハクボクジ	子実体	
シロコヤマモモ		樹皮	
シンキンソウ	ヒカゲノカズラ	全草	
シントククスノキ		樹皮	
スイートオレンジ		果皮	
ズイカク		成熟果核	
スイバ	ヒメスイバ	茎・葉	
スカルキャップ		根以外	根は「医」
スギナ	ツクシ / モンケイ	栄養茎・胞子茎	
スグリ		実	
ステビア		葉	
ストローブ	ストローブマツ	全木	
スピルリナ		全藻	
スペアミント	オランダハッカ / ミドリハッカ	全草	
スマ	パフィア / ブラジルニンジン	根	
スマック	ジビジビ	果実	
スミレ		花	
スリムアマランス	アマランサス・ハイブリダス	種子	
ズルカマラ		茎	
セイセンリュウ		葉	
セイタカカナビキソウ	ヤカンゾウ	全草	
セイタカミロバラン		全草	
セイヒ	オオベニミカン	未熟果実	
セイヨウアカネ		根	
セイヨウイラクサ		全草	
セイヨウエビラハギ	メリロート	全草	
セイヨウオオバコ	オニオオバコ	全草	
セイヨウオトギリソウ	セントジョンズワート / ヒペリクムソウ	全草	
セイヨウキイチゴ	セイヨウヤブイチゴ	果実・葉	
セイヨウキンミズヒキ	アグリモニー/ アグリモニア	全草	
セイヨウサクラソウ		根	
セイヨウサンザシ	Crataegus oxyacantha/ Crataegus laevigata/ Crataegus monogyna	果実・葉	
セイヨウシナノキ		果実・樹皮・葉・花	
セイヨウジュウニヒトエ	Ajuga reptans L.	茎葉部	
セイヨウシロヤナギ	ホワイトウイロー	全草	
セイヨウスモモ	プルーン	果実・果実エキス	
セイヨウタンポポ		根・葉	
セイヨウトチノキ		樹皮・葉・花・芽	種子は「医」
セイヨウトネリコ	オウシュウトネリコ	全草	

名　称	他　名　等	部　位　等	備　考
セイヨウナツユキソウ		全草	
セイヨウニワトコ	エルダー	茎・葉・花	
セイヨウニンジンボク	イタリアニンジンボク	全草	
セイヨウネズ	セイヨウビャクシン	全草	
セイヨウノコギリソウ	ヤロー	全草	
セイヨウハッカ	ペパーミント	全草	
セイヨウヒイラギ		花	
セイヨウヒメスノキ		果実・葉	
セイヨウマツタケ	シャンピニオン / ツクリタケ	子実体	
セイヨウミザクラ		果実・葉	
セイヨウメギ		全草	
セキイ	ヒトツバ/Pyrrosia lingua/Pyrrosia grandisimus/Pyrrosia pelislosus/Pyrrosia hastata	全草	
セキコウジュ		全草	
セキショウ		茎	根茎は「医」
セキショウモ	クソウ / セイヨウセキショウモ	全草	
セキヨウ	ソロバンノキ / ハノキ / ハンノキ	全草	
セッコツボク	ニワトコ	茎・葉・花	
セツレンカ		全草	
ゼニアオイ	マロー	葉・花	
ゼラニウム ディエルシアナム	*Geranium dielsianum*	全草	
セルピウムソウ	テイムス・セルピウム	全草	
セロリ	オランダミツバ / セルリー	種子	
センキュウ		葉	根茎は「医」
センザンリュウ	ウチワドコロ	全草	
センシンレン		葉	
センソウ＜仙草＞	リョウフンソウ	全草	センソウ＜茜草＞の根は「医」
センソウトウ		全草	
センタウリウムソウ	Centaurium minus	全草	
センダン	クレン / トキワセンダン / Melia azedarach	葉	センダン（Melia azedarach）及びトウセンダン（Melia toosendan）の果実・樹皮は「医」
センナ		茎	果実・小葉・葉柄・葉軸は「医」
センボウ	キンバイザサ	根茎	
センリコウ	タイキンギク	全草	
センリョウ	腫節風 / 竹節草 / 草珊瑚	全株	
ソウジュヨウ	ハマウツボ / Orobanche coerulescens	茎	
ソクハクヨウ	コノテガシワ	枝・葉	
ソゴウコウ		分泌樹脂	
ソバ	キョウバク / ソバミツ / Fagopyrum esulentum	種子・花から集めた蜂蜜・茎・葉	
ソリザヤノキ	オオナタノミノキ	樹皮	
ターミナリア・ベリリカ	Terminalia bellirica	完熟果実	
ダイウイキョウ	スターアニス	果実	
ダイオウ	ヤクヨウダイオウ / ルバーブ	葉	根茎は「医」

資料：厚生労働省

名称	他名等	部位等	備考
ダイケットウ		茎	
ダイコンソウ	スイヨウバイ	全草	
タイシジン	ワダソウ	塊根	
ダイズ	コクダイズ/ダイズオウケン/ダイズ油	種子・種子油・種皮・葉・花・大豆の特殊発酵品	
タイソウ	ナツメ	果実・種子・葉	
ダイダイ	キジツ/キコク/トウヒ/Citrus aurantium	果実・果皮・蕾・花	
タイワンスク		枝・茎	
タイワンテイカカズラ		果実	
タウコギ		全草	
タカサゴギク		全草	
タカサブロウ	カンレンソウ	全草	
タガヤサン	テツトウボク	全草	
タケ類	タケノコ	若芽	
タコノアシ	カンコウソウ/Penthorum chinense	茎・葉	
タチアオイ		茎葉・種子・根・花	
タチジャコウソウ	タイム	全草	
タチバナ	Citrus tachibana	葉・果皮	
タチバナアデク	スリナムチェリー/ブラジルチェリー	果実・葉	
ダッタンソバ		全草	
タデアイ	*Polygonum tinctorium Lour*	根，葉，茎	
タベブイア	タヒボ	樹皮・葉	
タマラニッケイ	*Cinnamomum tamala*	葉	
タモギタケ		子実体	
タラノキ	Aralia elata	葉・芽・根皮・樹皮	
タラヨウ	クテイチャ	葉	
タンジン		葉	根は「医」
タンチクヨウ	ササクサ	全草	
タンテイヒホウ	トウサンサイシン	全草	
チア		全草	
チクレキ	タンチク	ハチクの茎を火で炙って流れた液汁	
チシマザサ	ネマガリタケ	葉・幼茎	
チシマルリソウ		全草	
チャ	アッサムチャ/プーアルチャ/フジチャ/リョクチャ	茎・葉・葉の精油・花（蕾を含む）	
チャービル		葉	
チャデブグレ		全草	
チャボトケイソウ		果実・根・葉・花	
チョウトウコウ	カギカズラ/コウトウ	葉	とげは「医」
チョウジ	クローブ/チョウコウ/チョウジ油	花蕾・葉の精油	
チョウセンアザミ	アーティチョーク	茎・根・葉・頭花の総苞・花床	
チョウマメ	Clitoria ternatea	花	
チンピ	ウンシュウミカン	果皮	

名　　称	他　名　等	部　位　等	備　　考
ツウダツボク	カミヤツデ	樹皮	
ツキミソウ油	ツキミソウ	種子の油	
ツチアケビ	ドツウソウ	果実	
ツノマタゴケ	オークモス	樹枝状地衣	
ツバキ		種子・葉・花	
ツボクサ	ゴツコーラ/セキセツソウ/レンセンソウ	全草	
ツユクサ		若芽	
ツリガネダケ		子実体	
ツルドクダミ		茎・葉	塊根は「医」
ツルナ	ハマジシャ/バンキョウ	全草	
ツルニンジン	ジイソブ	全草	
ツルマンネングサ	石指甲	全草	
ツルムラサキ		全草	
ティユール		葉	
テガタチドリ	チドリソウ/シュショウジン	根	
デカルピス・ハミルトニー		根茎	
デビルズクロー		全草	
テフ	Tef，Teff	果実	
デュナリエラ	ドナリエラ/ドナリエラ油	全藻・圧搾油	
テングサ	カンテン	全草	
テンジクオウ	マダケ/青皮竹	茎	
テンチャ	タスイカ/タスイセキカヨウ	葉	
テンニンカ	天人花	果実	
テンモンドウ	クサスギカズラ	種子・葉・花	根は「医」
トウガシ	トウガニン/トウガン/ハクガ	果実	種子は「医」
トウガラシ		果実・果皮	
トウキ	オニノダケ/カラトウキ	葉	根は「医」
トウキシ	フユアオイ	種子・葉	
トウキンセンカ	キンセンカ/マリーゴールド	花	
トウチャ	茶葡萄/藤茶/Ampelopsis grossedentata/Ampelopsis cantoniensis var. grossedentata	茎・葉	
トウチュウカソウ	ホクチュウソウ	子実体及びその寄主であるセミ類やコウモリガ科の幼虫を乾燥したもの	
トウホクオウギ		花	
トウモロコシ	トウキビ/トウモロコシ油/ナンバンキビ/Zea mays	種子油・澱粉・花柱・柱頭	
ドオウレン	クサノオウ/ハックツサイ	全草	
トーメンティル	タチキジムシロ/チシエンコン	根茎	
トキンソウ	ガフショクソウ	全草	
トケイソウ	パッションフラワー	果実・茎・葉・花	
トショウ	トショウジツ/ネズ	全草	
トチノキ		種子・樹皮	セイヨウトチノキの種子は「医」
トチュウ		果実・葉・葉柄・木部	樹皮は「医」
トックリイチゴ	Rubus coreanus	完熟偽果	

資料：厚生労働省

名　　称	他　名　等	部　位　等	備　　考
ドッグローズ		果実・葉・花	
トマト		果実	
トラガント	Astragalus gummifer 又はその同属植物（Leguminosae）の幹から得た分泌物	樹脂	
トロロアオイ	Abelmoschus manihot	花	
ナガエカサ	トンカット・アリ	根	
ナガミノアマナズナ	Camelina sativa	種子油	
ナギイカダ		根	
ナズナ	ペンペングサ	全草	
ナタネ油	ナタネ	種子油	
ナツシロギク	フィーバーフュー	全草	
ナットウ	ナットウ菌	納豆菌の発酵ろ液	
ナツミカン	キジツ/キコク/トウヒ/Citrus natsudaidai	果実・果皮・蕾	
ナツメヤシ		果実・葉	
ナナカマド		種子・樹皮	
ナベナ	センゾクダン/ゾクダン/Dipsacus japonica/Dipsacus asperoides/Dipsacus asper	根	
ナンキョウ	コウズク	果実・根	
ナンサンソウ	ゴガンカジュヒ/チャンチンモドキ	果核・果実・樹皮	
ナンショウヤマイモ		根茎	
ナンヨウアブラギリ	タイワンアブラギリ	葉	
ニオイスミレ		全草	
ニガウリ	ツルレイシ/Momordica charantia	果実・根・葉	
ニクジュヨウ	オニク/キムラタケ/ホンオニク/Cistanche salsa/Boschniakia rossica（=Boschniakia glabra）	肉質茎	
ニクズク	ナツメグ	種子	
ニシキギ		全草	
ニトベギク		全草	
乳酸菌	Lactobacillus 属/Streptococcus 属	菌体	
ニョテイ	ジョテイシ/タマツバキ/トウネズミモチ/ネズミモチ/Ligustrum japonicum/Ligustrum lucidum	葉・種子・果実	
ニラ	キュウサイシ/コミラ/リーキ	種子	
ニレ		根皮	
ニンジン	ニンジン油	根・根の圧搾油	
ニンジンボク	タイワンニンジンボク	全草	
ニンニク	オオニンニク/ダイサン	鱗茎	
ヌルデ	ゴバイシ/Rhus javanica	嚢状虫癭	
ネギ	ソウジツ/ソウシ/Allium fistulosum	種子	
ネバリミソハギ	セッテ・サングリアス	全草	

名　　称	他　名　等	部　位　等	備　　考
ネムノキ	ゴウカンヒ / ネムノハナ	樹皮・花	
ノアザミ	タイケイ /Cirsium nipponense/Cirsium spicatum/Cirsium japonicum とその近縁種	根	
ノゲイトウ	セイショウ	種子	
ノゲシ		茎・葉・花	
ノコギリヤシ	ノコギリパルメット	果実	
ノブドウ		茎・根・葉・実	
バアソブ	Codonopsis ussuriensis	根	
ハイゴショウ		果実	
パイナップル	パイナップル加工品	果実	パパインは「医」
ハイビスカス		果実・萼	
パウダルコ	アクアインカー / イペ	樹皮・葉	
バオバブ	アフリカバオバブ	果実	
ハカマウラボシ	骨砕補	根茎	
バクガ		発芽種子	
ハクチャ		葉	
ハクトウスギ	ウンナンコウトウスギ	心材	樹皮・葉は「医」
ハクヒショウ	ハクショウトウ	球果	
ハコベ		全草	
ハゴロモソウ		全草	
バシカン	スベリヒユ	全草	
バショウ		全草	
ハス	レンカ / レンコン / レンジツ / レンニク / レンヨウ	雄しべ・果実・根茎・種子・葉・花柄・花蕾	
パセリ	パセリ油	種子油・根・葉	
バターナット		種子・種子油	
パタデバカ	ウシノツメ	葉	
ハチミツ		トウヨウミツバチ等が巣に集めた甘味物	
ハッカ		葉	
ハッカクレイシ		全草	
ハックルベリー		果実・葉	
ハッショウマメ	ビロウドマメ	全草	
ハトムギ	ジュズダマ / ヨクイニン / ヨクベイ	種子・種子エキス・種子油・葉	葉の場合は，ジュズダマ / ヨクイニン / ヨクベイは除く
ハナシュクシャ	キョウカ	花から得られた精油	
バナナ	Musa acuminate（Cavendish 種）	成熟した果実の果皮	
バナバ	オオバナサルスベリ	全木	
ハナビラタケ		子実体	
ハネセンナ		全草	
パパイヤ	チチウリ / モクカ	種子・葉・花	パパインは「医」
ハハコグサ	オギョウ / ゴギョウ / ソキクソウ	全草	
ハブソウ		全草	
ハマゼリ		全草（果実を除く）	
ハマナス	ハマナシ	果実・花	

資料：厚生労働省

名　　称	他　名　等	部　位　等	備　　考
ハマボウフウ		根・根茎・種子・若芽	
ハマメリス	Hamamelis virginiana	葉	
バラ	バラ科植物	果実・葉・花	エイジツは「医」
パラミツ	ジャック	果実・種子・葉・花	
バラン		葉	
ハルウコン	アロマティカ	根茎	
バレイショ	バレイショデンプン	塊茎	
パロアッスル		全草	
ハンゲショウ	カタシログサ / 三白草	茎・葉	
ハンシレン		全草	
ハンダイカイ	バクダイ	果実・種子	
ヒイラギメギ	オレゴンブドウ	全草	
ヒイラギモチ	クコツ	果実・樹皮・根・葉	
ヒカゲキセワタ	Phlomis umbrosa	根	
ヒカゲミズ		根	
ヒジツ	カヤ	果実	
ヒシノミ	ヒシ	果実	
ビジョザクラ		全草	
ヒソップ	ヤナギハッカ	全草	
ヒナギク	エンメイギク	全草	
ヒナゲシ	グビジンソウ / レイシュンカ	花	
ヒノキ		枝・材・葉	
ヒバマタ		全藻	
ビフィズス菌	*Bifidobacterium* 属	菌体	
ヒマラヤニンジン		根茎	
ヒマワリ	ニチリンソウ / ヒグルマ / ヒマワリ油	種子・種子油・葉・花	
ヒメウイキョウ	イノンド / キャラウェイ / ジラシ	果実・種子	
ヒメジョオン	デイジー	全草	
ヒメツルニチニチソウ		全草	
ビャクズク		果実	
ヒョウタン		果肉・葉	
ヒルガオ		地上部	根は「医」
ビルベリー		果実・葉	
ビルマネム	Albizia lebbeck	樹皮	
ビロウドモウズイカ	マレイン	茎・葉・花	
ビワ		種子・樹皮・葉	
フーディア・ゴードニー		地上部	
フウトウカズラ	カイフウトウ	茎	
プエラリアミリフィカ		貯蔵根	
ブカトウ		根・葉	
フキタンポポ	カントウヨウ / フキノトウ	葉・幼若花茎	花蕾は「医」
フクベ		果実・葉	
フジ		茎（フジコブ菌が寄生し生じた瘤以外）	フジコブ菌が寄生し生じた瘤は「医」
ブシュカン	コウエン / シトロン	果実・花	

名　称	他　名　等	部　位　等	備　考
フタバムグサ	ハッカジャセツソウ	全草	
フダンソウ	トウジシャ	葉	
ブッコ		葉	
ブッシュティー		全草	
フッソウゲ		花	
ブドウ		茎・種子・種皮・葉・花	
ブラッククミン	ニゲラ	全草	
ブラックコホッシュ	ラケモサ	全草	
ブラックジンジャー	Kaempferia parviflora	根茎	
ブラックプラム	ポルトガルプラム / パープルプラム	果実	
ブラックベリー		果実	
ブラックルート	アメリカクガイソウ	全草	
フランスカイガンショウ	オニマツ / カイガンショウ	樹皮・樹皮エキス	
プランタゴ・オバタ	サイリウム・ハスク	種子・種皮	
ブリオニア		全草	
ブルーベリー		果実	
プルット		葉	
ブンタン	ザボン / ボンタン	果実・種子	
ペグアセンヤク		心材の水性エキス	
ヘチマ	シカラク	果実・果実繊維・茎・葉	
ベニコウジ		麹米	
ベニバナ	コウカ / サフラワー / ベニバナ油 /Carthamus tinctorius	管状花・種子油・種子	
ベニバナボロギク	ナンヨウギク	全草	
ペピーノ	メロンペア / Solanum muricatum	果実	
ヘラオオバコ		全草	
ヘリクリサム・イタリカム	カレープラント	全草	
ヘルニアリアソウ		全草	
ベルノキ		成熟果実	
ヘンズ	フジマメ	種子・種皮・根・葉・花・つる	
ヘンルーダ		種子	
ボウシュウボク	コウスイボク / レモンバーベナ	葉	
ホウセンカ		全草（種子を除く）	種子は「医」
ホークウィード	ミヤマコウゾウリナ	全草	
ボケ		果実	
ホコウエイコン	タンポポ	根・根茎	
ホコツシ	オランダビユ	果実	
ボスウェリア・セラータ	インド乳香 /Boswellia serrata	樹脂	その他のボスウェリア属の全木は「医」
ボダイジュ	ナツボダイジュ/ フユボダイジュ/ ボダイジュミツ	果実・花・花の蜜	
ボタン		葉・花	根皮は「医」
ボタンボウフウ	Peucedanum japonicum	茎・葉・根・根茎	
ホップ	ヒシュカ	球果	
ホホバ		種子・種子油	

資料：厚生労働省

名　称	他　名　等	部　位　等	備　考
ポリポディウム・レウコトモス	Polypodium leucotomos	葉・茎	
ボルド		葉	
ボロホ		果実・果皮・種子	
ホワイトセージ		葉	
マアザミ		葉	
マーシュ		全草	
マイタケ	シロマイタケ	子実体	
マイテン		全草	
マカ	マカマカ	根	
マキバクサギ	タイセイヨウ / ロヘンソウ	枝・葉	
マコモ		葉	
マチコ		茎・葉	
マツ	カイショウシ / ショウボクヒ / マツノミ / マツバ / マツヤニ	殻・殻皮・種子・樹脂・葉・樹皮	
マツタケ		子実体	
マテ		葉	
マヨラナ	ハナハッカ / マジョラム	葉	
マリアアザミ	オオアザミ	全草	
マルバハッカ	ニガハッカ	全草	
マルベリー		小梢・葉	
マンゴー		果実・葉	
マンゴージンジャー	Curcuma amada	根茎	
マンゴスチン	Garcinia mangostana	果皮	
マンダリン		果実	
ミソハギ		全草	
ミチヤナギ		全草	
ミモザアカシア		全草	
ミヤコグサ		全草	
ミント		葉	
ムイラプアマ		根以外	根は「医」
ムカンシ	ムクロジ	果肉	
ムラサキセンブリ		全草	
ムラサキフトモモ	ジャンブル /Syzygium cumini	種子	
ムラサキムカシヨモギ	ヤンバルヒゴタイ /Vernonia cinerea	地上部	乾燥物を茶として煎じる場合に限る
メグサハッカ		葉	
メグスリノキ		枝・樹皮・葉	
メシマコブ		子実体・菌糸体	
メナモミ	キケン / キレンソウ / ツクシメナモミ / Siegesbeckia pubescens/ Siegesbeckia orientalis	茎・葉	
メボウキ	アルファバーカ / バジリコ / バジル	全草	
メマツヨイグサ	オオマツヨイグサ / マツヨイグサ	全草	
メラレウカ	ティートリー油	精油	
メリッサ	コウスイハッカ / セイヨヤマハッカ / レモンバーム	葉	

名　　称	他　名　等	部　位　等	備　　考
メロン		果実	
メンジツ油	ワタ	種子油	
モクテンリョウ	マタタビ	果実・虫癭	
モッカ	カリン	偽果	
モッショクシ	ガラエ	虫癭	
モミジヒルガオ	五爪竜	全草	
モモ		葉・花	種子（トウニン）は「医」
モモタマナ		樹皮・実	
モリアザミ	ヤマゴボウ / Cirsium dipsacolepis	根	Phytolacca esculenta の根は「医」
モリシマアカシア	Acacia mearnsii	樹皮	
モロヘイヤ	タイワンツナソ	葉	
ヤーコン	アンデスポテト	塊根・茎・葉	
ヤエヤマアオキ	インディアンマルベリー/ ノニ	果実・種子・葉	
ヤクシマアジサイ	ドジョウザン / ロウレンシュウキュウ	根・葉	
ヤグルマギク		花	
ヤグルマハッカ	ホースミント	葉	
ヤシ	ココヤシ / ヤシ油	種子油・樹皮・葉・花	
ヤシャビシャク		実	
ヤチダモ		葉	
ヤナギ		全木	
ヤナギラン	ファイアウィード	葉	
ヤハズツノマタ	アイリッシュモス	全藻	
ヤブタバコ	Carpesium abrotanoides	茎・根・葉・果実	
ヤマウルシ		若芽	
ヤマノイモ属		根茎	
ヤマハハコ		若芽	
ヤマハマナス	シバイカ	果実	
ヤマブキ		実	
ヤマブシタケ		子実体	
ヤマブドウ		葉・実	
ヤマモモ	ヨウバイヒ /Myrica rubra	樹皮	
ユウガオ	コシ	果肉・葉・若芽	
ユーカリ	ユーカリノキ / ユーカリ油	葉・精油	
ユキチャ	ムシゴケ	全草	
ユズ	トウシ	果実・種子	
ユズリハ	コウジョウボク	全草	
ユッカ	キミガヨラン	根	
ユリ	オニユリ / ビャクゴウ	花・鱗茎	
ヨウシュカンボク		全草	
ヨウテイ	ギシギシ / ナカバギシギシ	根	
ヨーロッパソクズ		全草	
ヨーロッパナラ	Quercus robur	心材（髄を除く）	
ヨカンシ	アンマロク / ユカン	果実・樹皮・根・葉	
ヨモギ	ガイヨウ / モグサ	枝先・葉	
ヨモギギク	タンジー	全草	

資料：厚生労働省

名　称	他　名　等	部　位　等	備　考
ライガン	チクリョウ / モクレンシ / ライシ / ライジツ	乾燥した菌核	
ライフクシ	ダイコン	種子	
ライムギ		茎・葉	
ラカンカ		果実	
ラスグラブラ		根皮	
ラズベリー		果実・葉	
ラッカセイ	ナンキンマメ	種子	
ラフマ	コウマ	全草	
ラベンサラ		葉	
ラベンダー		花	
ランブータン		果実	
リュウガン		果肉・仮種皮・花	
リュウキド		全草	
リュウキュウアイ		枝・葉	
リュウノウ	Dryobalanops aromatica	樹皮	
リョウショウカ	ノウゼンカズラ	花	
リョクトウ	ブンドウ	種子・花	
リンゴ酢	リンゴ	汁液発酵の食用酢	
ルイボス		葉	
ルリジシャ	ボラゴソウ / ボレイジ	葉・花	
ルリハコベ		全草	
レイシ＜霊芝＞	マンネンタケ / ロッカクレイシ	子実体（胞子を含む）	
レイシ＜茘枝＞	レイシカク / 枝核	果実・種子	
レオヌルスソウ		全草	
レモン		葉	乾燥物を茶として煎じる場合又は熱水抽出物の残渣に限る
レモングラス	レモンソウ	茎・葉	
レモンタイム		葉	
レモンマートル		葉	
レンギョウ	連翹	葉	果実は「医」
レンゲソウ		地上部	
レンセンソウ	カキドオシ	全草	
レンリソウ		豆果・若芽	
ローズヒップ		果実・果皮・茎・花	
ローズマリー	マンネンロウ	葉	
ローマカミツレ		頭状花	
ロベージ	レビスチクム	全草	
ワイルドチェリー	ワイルドブラックチェリー	樹皮	
ワイルドレタス	ワイルドカナダレタス	茎・葉	
ワサビダイコン		根	
ワレモコウ	チユ / Sanguisorba officinalis	根・根茎	

注1）「名称」及び「他名等」の欄については，生薬名，一般名及び起源植物名等を記載している。
注2）リストに掲載されている成分本質（原材料）のうち，該当する部位について，「部位等」の欄に記載している。
注3）他の部位が別のリストに掲載されている場合等，その取扱いが紛らわしいものについては，備考欄にその旨記載している。
注4）備考欄の「医」は「専ら医薬品として使用される成分本質（原材料）リスト」に掲載されていることを示す。

2．動物由来物等

(例)　　2021.11.1 更新

名　称	他　名　等	部　位　等	備　考
アキョウ	ウシ / ラバ / ロバ	皮膚を水で煮て製したにかわ	
アザラシ		油	
アズマニシキガイ		貝肉	
アリ	アリノコ	アリ・アリの子	
アワビ	セキケツメイ	殻	
イカ	イカスミ / ウゾクコツ / コウイカ	イカの墨・甲骨	
イワシ	サーディンペプチド	油・タンパク質	
陰茎	ウシ / ウマ / トラ / ヒツジ / ブタ / ヘビ	陰茎・睾丸	イヌ・オットセイ・シカの陰茎・睾丸は「医」
ウコッケイ		血液・卵・内臓・肉	
ウナギ	ヤツメウナギ	全体	
オオトカゲ		全体	
オオヤモリ	ゴウカイ /Gekko gecko	内臓を除いた全身	
オットセイ	カロペプタイド	骨格筋抽出物	陰茎・睾丸は「医」
カイエン	イトマキヒトデ	全体	
カイコ	カサンガ / ゲンサンガ	蛹・死んだ幼虫・成虫・糞便・繭・幼虫の抜殻・卵殻	
カイバ	タツノオトシゴ	全体	
カイリュウ	ギカイリュウ / センカイリュウ / チョウカイリュウ / トゲヨウジ	全体	
カキ<牡蛎>	マガキ / ボレイ	貝殻・貝肉・貝肉エキス	
カギュウマツ	カタツムリ	腹足類の乾燥粉末	
核酸	DNA/RNA		
カツオ	かつお節 / かつお節オリゴペプチド	魚乾燥物，肝臓	
カニ		甲羅	
カメ	ウミガメ	全体	
カメムシ	九香虫	全体	
肝臓	ウシ / トリ / ブタ / カツオ	ウシ・トリ・ブタ・カツオの肝臓・エキス	
肝油		タラ等魚類肝臓の脂肪油	
魚油		イワシ等の精製油	
血液	ウシ / シカ / ブタ	ウシ・シカ・ブタの血液・血漿	ヒト血液は「医」
ゴウシマ	アカガエル	アカガエルの輸卵管	
骨髄	ウシ	ウシ骨髄	ヒト骨髄は「医」
骨粉		ウシ・魚類等の骨の粉末	
コブラ	インドコブラ / フィリピンコブラ	全体	
コンドロイチン加水分解二糖		海洋性微生物の生産するグリコサミノグリカンの分解物	
サソリ	キョクトウサソリ	食塩水に入れ殺して乾燥したもの	
サメ	サメナンコツ / フカヒレ	軟骨・ヒレ・ヒレのエキス	
サンゴ			

資料：厚生労働省

名　称	他　名　等	部　位　等	備　考
角	サンバー/トナカイ/ニューカレドニアジカ/ファロージカ/ベルベット	シカ等の成熟した角・袋角・幼角	レイヨウカク・ロクジョウは「医」
シジミ	マシジミ/ヤマトシジミ	貝肉・貝肉エキス	
シャチュウ	サツマゴキブリ	全虫	
心臓	ウシ/ウマ	ウシ・ウマの心臓	
スクアラミン		サメの肝臓	
スッポン	シナスッポン/ベッコウ	血液・卵・内臓・肉・背甲・腹甲	
精巣	シラコ	食用魚類の精巣	
ソウヒョウショウ	カマキリ	カマキリの卵鞘	
胎盤	ウシ/ヒツジ/ブタ	ウシ・ヒツジ・ブタの胎盤	ヒト胎盤は「医」
胆嚢		コイ・ヘビの胆嚢	ウシ・クマ・ブタの胆汁・胆嚢は「医」
チンジュ	アコヤガイ/シンジュ	外套膜組織中の顆粒物・真珠・貝肉	
ツバメ巣		ツバメの巣	
軟骨		爬虫類・哺乳類の軟骨抽出物	
ニホンヤモリ	ヘキコ/Gekko japonicus	全体	
ニワトリ		可食肉部からエタノール抽出して濃縮したもの・胃の内壁（ケイナイキン）	
乳汁	バニュウ	ウマの乳汁	
ハチ	ハチノコ	ハチの幼虫	
ハブ	ヒメハブ	全体	
ヒル	ウマビル/スイテツ/チスイビル/チャイロビル	全体	
ヒレイケチョウガイ	Hyriopsis cumingii	貝殻	
フグノクロヤキ	フグ/マフグ	フグの黒焼	
ヘビ	アオマダラウミヘビ/アマガサヘビ/エラブウミヘビ/ガラガラヘビ/ヒャッポダ	全体	蛇毒は「医」
ホタテ		貝殻	
マムシ	ハンピ/フクダ	全体	
ミツロウ		ハチが分泌するロウ質	
ミドリイガイ		貝肉	
卵黄油		卵黄の油	
卵殻		卵殻	
リュウシツ	ケンゴロウ	全虫	
ローヤルゼリー		メスバチの咽頭腺分泌物	

注1）「名称」及び「他名等」の欄については，生薬名，一般名及び起源動物名，該当する部位等を記載している。
注2）リストに掲載されている成分本質（原材料）のうち，該当する部位について，「部位等」の欄に記載している。
注3）他の部位が別のリストに掲載されている場合等，その取扱いが紛らわしいものについては，備考欄にその旨記載している。
注4）備考欄の「医」は「専ら医薬品として使用される成分本質（原材料）リスト」に掲載されていることを示す。

3. その他（化学物質等）

（例）　　2021.11.1 更新

名　　称	他　名　等	部　位　等	備　　考
亜鉛			
アスタキサンチン		ヘマトコッカス藻の主成分	ヘマトコッカス藻は「非医」
アスパラギン			
アスパラギン酸			
N-アセチル-α-D-ノイラミニル-(2→3)-β-D-ガラクトピラノシル-(1→4)-D-グルコースナトリウム塩	Sodium salt of N-Acetyl-α-D-neuraminyl-(2→3)-β-D-galactopyranosyl-(1→4)-D-glucose		
N-アセチル-α-D-ノイラミニル-(2→6)-β-D-ガラクトピラノシル-(1→4)-D-グルコースナトリウム塩	Sodium salt of N-Acetyl-α-D-neuraminyl-(2→6)-β-D-galactopyranosyl-(1→4)-D-glucose		
アポエクオリン			
3-アミノプロパン酸	β-アラニン		
5-アミノレブリン酸リン酸塩	5-Aminolevulinic acid・phosphate	光合成細菌（ロドバクター・セファロイデス）の生成したもの	
アラニン			
アリシン			ニンニクの成分
アルブミン			
アントシアニジン			
イオウ	メチルサリフォニルメタン		
イコサペント酸<EPA>	EPA/エイコサペンタエン酸		
イソフラキシジン			
イソロイシン			
イヌリン			
イノシトール	フィチン		
雲母			
sn-グリセロ（3）ホスホコリン	L-α-グリセリルホスホリルコリン/sn-Glycero(3) phosphocholine		
N-セチルグルコサミン			
N-アセチルノイラミン酸			
L-エルゴチオネイン	L-Ergothioneine		
L-カルニチン			
L-シトルリン	L-Citrulline		
オクタコサノール			
オリゴ糖	オリゴ配糖体		
オルニチン			
オロト酸	Orotic acid/1,2,3,6-tetrahydro-2,6-dioxo-4-pyrimidinecarboxylic acid		フリー体，カリウム塩，マグネシウム塩に限る
カテキン	カテキン酸		緑茶の成分
果糖			
カフェイン			
カラギーナン			天草の成分
カリウム			

資料：厚生労働省

名　　称	他　名　等	部　位　等	備　　考
カルシウム	炭酸カルシウム		
カロチン			
還元麦芽糖			
環状重合乳酸			
岩石粉			
γ－アミノ酪酸	ギャバ		
キシリトール			
キチン			
キトサン			
キトサンオリゴ糖			
絹	シルク		
金			
グアガム			
クエン酸	クエン酸マグネシウム		
グリシン			
グリセリン			
クルクミン			ウコン由来色素
グルコサミン塩酸塩			
グルコマンナン			コンニャク等の複合多糖類
グルコン酸亜鉛			
グルコン酸鉄			
グルタミン			
グルタミン酸			
クレアチン			
クレアチン・エチルエステル塩酸塩	Ethyl *N*–(aminoiminomethyl)–*N*–methylglycine Hydrochloride		
クロム（Ⅲ）			
クロロフィル			葉緑体中の緑色色素
ケイ素	酸化ケイ素		
ケルセチン			
ゲルマニウム	無機ゲルマニウム / 有機ゲルマニウム		
コエンザイム A			
コエンザイム Q10	ユビキノン		
コラーゲン			
コリン安定化オルトケイ酸	Choline–stabilised orthosilicic acid		
コンドロイチン硫酸			
コンドロムコタンパク			
サポニン	大豆サポニン		
ジオスゲニン	Diosgenin/(3β,25R)–spirost–5–en–3–ol		非配糖体に限る
シスタチオン			マムシの成分
シスチン			
システイン			
脂肪酸			
酒石酸			

名　称	他　名　等	部　位　等	備　考
植物性酵素・果汁酵素		植物体又は果実の液汁から得られる酵素	パパイン・ブロメライン等消化酵素は「医」
植物性ステロール			
植物繊維			
食物繊維			
スーパーオキシドディスムターゼ<SOD>	SOD		
スクワレン			
炭焼の乾留水			
石膏			鉱石
ゼラチン			
セラミド			
セリン			
セレン			
タルク			
チオクト酸	α-リポ酸		
チロシン			
テアクリン	Theacrine/1,3,7,9-Tetramethyluric acid		
D-chiro-イノシトール			
デキストリン			
鉄			
鉄クロロフィリンナトリウム			
銅			
ドコサヘキサエン酸<DHA>	DHA		
トコトリエノール			ビタミンE関連物質
trans-レスベラトロール	*E*-レスベラトロール		
ドロマイト鉱石			
トリプトファン			
トレオニン			
トレハロース			菌体をリゾチーム処理したものの抽出物
ナイアシン	ニコチン酸		
ニコチンアミドリボシドクロライド	Nicotinamide riboside chloride		
乳清			
乳糖			
麦飯石			
バリン			
パントテン酸	パントテン酸カルシウム		
ヒアルロン酸			
ビオチン	ビタミンH		
ピコリン酸クロム	クロミウムピコリネート		
ヒスチジン			
ビス-3-ヒドロキシ-3-メチルブチレートモノハイドレート	Bis(3-hydroxy-3-methylbutyrate)monohydrate/3-Hydroxy-3-methylbutyric acid<HMB>		

資料：厚生労働省

名　　称	他　名　等	部　位　等	備　　考
ピロロキノリンキノン二ナトリウム塩			
ビタミンA	レチノール		
ビタミンB1	チアミン		
ビタミンB12	シアノコバラミン		
ビタミンB2	リボフラビン		
ビタミンB6	ピリドキシン		
ビタミンC	アスコルビン酸		
ビタミンD	カルシフェロール		
ビタミンE	トコフェロール		
ビタミンK	フィトナジオン / メナジオン		
4–ヒドロキシプロリン			
ヒドロキシリシン			
フィコシアニン			
フェニルアラニン			
フェリチン鉄			
フェルラ酸	3–(4–Hydroxy–3–methoxyphenyl)–2–propenoic acid		
2–フコシルラクトース			
フッ素			
フルボ酸			
プルラン			非消化吸収性の多糖類
プロアントシアニジン			
プロポリス			
プロリン			
ベータカロチン			
β–ニコチンアミドモノヌクレオチド	Nicotinamide mononucleotide、NMN		
ヘスペリジン			
ヘマトコッカス藻色素			
ヘム鉄			
ホスファチジルセリン			リン脂質
マグネシウム			
マンガン			
ムコ多糖類			
メチオニン			
木灰			
モリブデン			
葉酸	ビタミンM		
ヨウ素			
ラクトフェリン			
リグナン	樹脂アルコール / レジノール		
リジン			
リノール酸			
リノレン酸			
流動パラフィン			
リン			

名　　称	他　名　等	部　位　等	備　　考
ルチン			
ルテイン			カロテノイドの一種
レシチン	大豆レシチン／ホスファチジルコリン／卵黄レシチン		
ロイシン			

注1）リストに掲載されている成分本質（原材料）のうち，該当する部位について，「部位等」の欄に記載している。
注2）他の部位が別のリストに掲載されている場合等，その取扱いが紛らわしいものについては，備考欄のその旨記載している。
注3）備考欄の「医」は「専ら医薬品として使用される成分本質（原材料）リスト」に掲載されていることを示す。

資料：厚生労働省

健康食品・サプリ［成分］のすべて〈第７版〉
ナチュラルメディシン・データベース日本対応版

ISBN978-4-8103-3184-4

2006 年 5 月 1 日　第一版発行
2008 年 8 月 5 日　第二版発行
2011 年 10 月 10 日　第三版発行
2015 年 2 月 1 日　第四版発行
2017 年 1 月 27 日　第五版第一刷発行
2019 年 7 月 1 日　第六版第一刷発行
2022 年 5 月 26 日　第七版第一刷発行

総監修　日本医師会／日本歯科医師会／日本薬剤師会
監訳者　田中平三／門脇孝／久代登志男／篠塚和正／山田和彦／神村裕子／尾﨑治夫／岩月進
編　集　一般社団法人日本健康食品・サプリメント情報センター（Jahfic）

発行・発売　株式会社同文書院
代表取締役　宇野　文博
〒 112-0002　東京都文京区小石川 5-24-3
TEL　03-3830-0437　FAX　03-6368-5346
振替 00100-4-1316

装　丁　勝美印刷株式会社
印刷・製本　勝美印刷株式会社